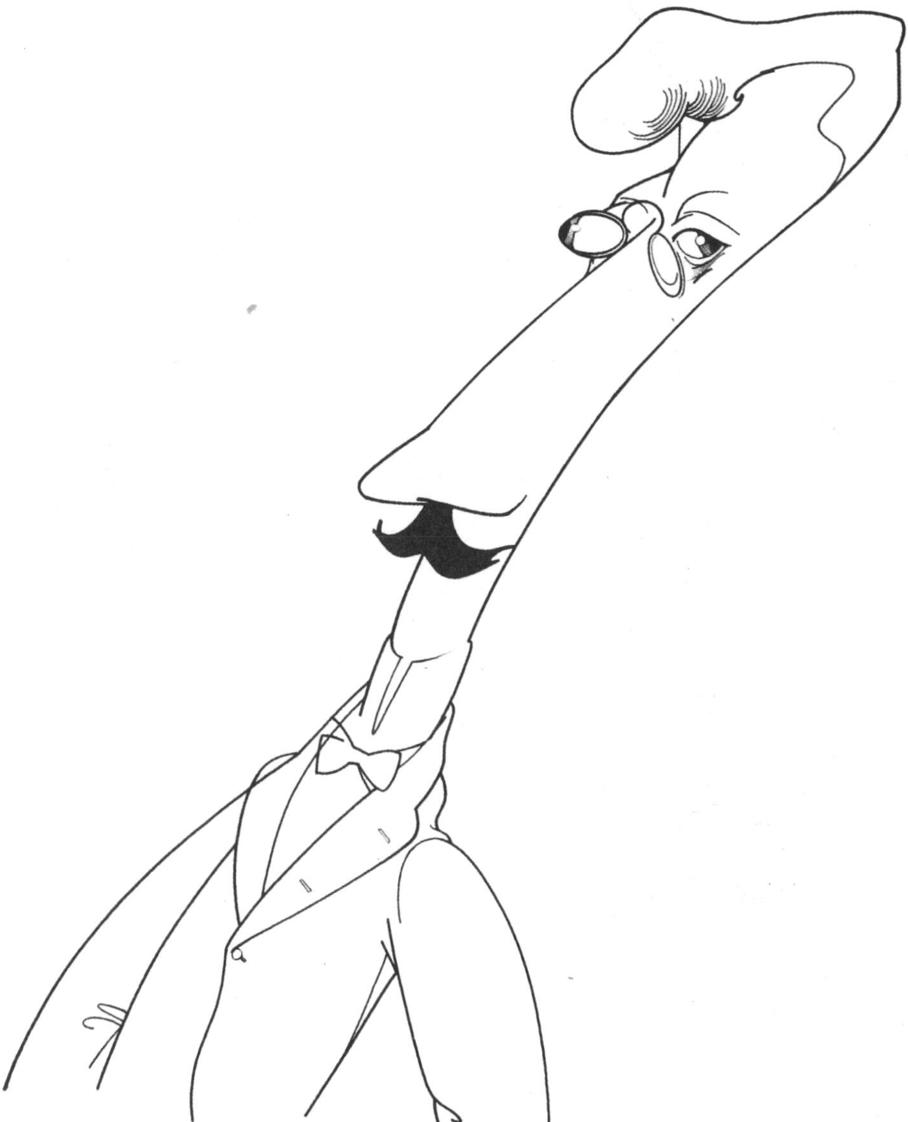

Na página anterior, caricatura de Olavo Bilac feita por Loredano.

Bilac, o Jornalista

Antonio Dimas

BILAC, O JORNALISTA

Crônicas – volume 1

edusp
imprensa oficial
EDITORA UNICAMP

Ficha Catalográfica Elaborada pelo Departamento
Técnico do Sistema Integrado de Bibliotecas da USP

Dimas, Antonio, 1942-
Bilac, o Jornalista: Crônicas: Volume 1 / Antonio Dimas. – São Paulo: Imprensa Oficial do Estado de São Paulo, Editora da Universidade de São Paulo, Editora da Unicamp, 2006.
904 p.; 16 x 23 cm.

ISBN: 85-314-0924-1 – ISBN: 85-314-0923-3 (caixa) (Edusp)
ISBN: 85-268-0736-6 – ISBN: 85-268-0735-8 (caixa) (Editora da Unicamp)
ISBN: 85-7060-440-8 – ISBN: 85-7060-443-2 (caixa) (Imprensa Oficial do Estado de São Paulo)

1. Bilac, Olavo, 1865-1918. 2. Crônica Jornalística. I. Título. II. Título: Crônicas: Volume 1.

CDD 869

Edusp – Editora da Universidade de São Paulo
Av. Prof. Luciano Gualberto, Travessa J, 374
6º andar – Ed. da Antiga Reitoria – Cidade Universitária
05508-900 – São Paulo – SP – Brasil
Divisão Comercial: tel. (0xx11) 3091-4008 / 3091-4150
SAC (0xx11) 3091-2911 – Fax (0xx11) 3091-4151
www.usp.br/edusp – e-mail: edusp@edu.usp.br

Editora da Universidade Estadual de Campinas
Rua Caio Graco Prado, 50 – Cidade Universitária Zeferino Vaz
Barão Geraldo – Caixa Postal 6074
13083-892 – Campinas – SP – Brasil
Tel./Fax (0xx19) 3788-7786 / 3788-7728
www.editora.unicamp.br
e-mail: vendas@editora.unicamp.br

Imprensa Oficial do Estado de São Paulo
Rua da Mooca, 1921 – Mooca
03103-902 – São Paulo – SP – Brasil
Tel. (0xx11) 6099-9800 – Fax (0xx11) 6099-9674
www.imprensaoficial.com.br
e-mail: livros@imprensaoficial.com.br
SAC 0800-123 401

Printed in Brazil 2006
Foi feito o depósito legal

Para Antonio Candido:

orientação que ultrapassa, de longe, o âmbito da literatura.

Qual de vós, irmãos, não escreve todos os dias quatro ou cinco tolices, que desejariam ver apagadas ou extintas? Mas, ai! de todos nós! Não há morte para as nossas tolices! nas bibliotecas e nos escritórios dos jornais, elas ficam – as pérfidas! – catalogadas; e lá vem um dia em que um perverso qualquer, abrindo um daqueles abomináveis cartapácios, exuma as malditas e arroja-as à face apalermada de quem as escreveu...

O. B., *Gazeta de Notícias*, 13 jan. 1901

Sumário

Convenções

Algumas das crônicas desta antologia, na íntegra ou transformadas, já foram publicadas por Olavo Bilac, em seus livros: *Crônicas e Novelas* (1894), *Crítica e Fantasia* (1904) ou *Ironia e Piedade* (1916).

Outras, em número bem menor, fomos nós que as publicamos em trabalhos de caráter acadêmico, visando sempre sua divulgação.

Quando foi possível a identificação segura daquelas que O. B. selecionou para seus livros, apontamos o destino bibliográfico delas. Quando fomos nós que as publicamos, em outros veículos, apontamos também.

Dessa forma, as crônicas bilaqueanas anteriores a esta antologia podem estar em:

[CN] - O. B. *Crônicas e Novelas*. Rio de Janeiro, Cunha & Irmão, 1894.
[CF] - O. B. *Crítica e Fantasia*. Lisboa, Livraria Clássica A. M. Teixeira, 1904.
[IP] - O. B. *Ironia e Piedade*. Rio de Janeiro, Francisco Alves, 1916.

ou em:

[TE] - Antonio Dimas. *Tempos Eufóricos*. São Paulo, Ática, 1983. (Coleção Ensaios, 88).
[CIA] - Antonio Dimas (Org.). *Vossa Insolência*. São Paulo, Companhia das Letras, 1996. (Coleção Retratos do Brasil, 6).
[RLL] - *Revista Língua e Literatura*. FFLCH-USP, n. 25, 1999.

Com a marca [*****] indicam-se passagens deterioradas e ilegíveis no jornal original.

Quanto à ortografia, atualizamo-la. Mas a pontuação, fortemente pessoal, mantivemo-la.

Abertura

Esta antologia resulta de indagação antiga.

Anos atrás, debruçado sobre a revista *Kosmos* e empenhado em extrair dela um trabalho acadêmico, impressionaram-nos dois detalhes daquele exemplo magnífico de periodismo de nossa *Belle Époque*: primeiro, a qualidade da revista, cuja diagramação e cujas ilustrações gráficas e fotográficas têm ainda muito a ensinar aos estudiosos e praticantes do jornalismo brasileiro; segundo, a firmeza opinativa de algumas de suas crônicas de abertura, prenúncio de um editorialismo jornalístico ainda a caminho.

Assinava-as, em sua maioria, Olavo Bilac, mal escondido sob as iniciais O. B.

Em 64 números dessa revista que circulou entre janeiro de 1904 e abril de 1909 e que foi porta-voz das reformas urbanas do Rio de Janeiro, encabeçadas por Pereira Passos a partir de 1904, 46 crônicas foram assinadas pelo poeta que se consagrara em 1888 com suas *Poesias*.

Ao nos perguntarmos se haveria outras crônicas além daquelas e de algumas outras publicadas em vida, não imaginávamos a extensão e o alcance da produção de um intelectual cujo lugar de honra oficial na Literatura Brasileira ficara restrito ao item *poesia*, acompanhado, em certos casos, da sutil restrição *parnasiana*, quando não de murmúrio mofino: *torre de marfim!*

Animados pela curiosidade, procuramos as biografias a respeito do poeta e três delas nos forneceram dados que – triados, desmembrados e recompostos – deram-nos pistas suficientes para o começo das investigações, realizadas em sua grande maioria na Biblioteca Nacional do Rio de Janeiro, durante bons anos. Graças às biografias de Eloy Pontes, de Raymundo Magalhães Jr. e de Fernando Jorge, foi possível o esboço primeiro do levantamento, gradativamente ampliado e reforçado pelas bibliografias apresentadas no final deste volume.

Nem é preciso dizer que os textos juvenis de O. B. são de difícil localização, dada a raridade e/ou a precariedade do suporte que os contém. Quando ainda encontráveis, os jornais mostram-se puídos, quebradiços, esfarelentos e de manuseio composto de ligeiro sentimento de culpa. Como não se trata, neste trabalho, de recuperar a totalidade obcecada, mas sim o possível que permita novo juízo sobre a atividade do poeta e do jornalista, permitimo-nos deixar de lado os primeiros textos, que interessam mais à reconstituição de uma carreira em termos rigorosamente cronológicos do que à composição de um retrato tendente à maturidade. Para este perfil maduro, as crônicas de *O Correio Paulistano*, exemplo nítido de objetividade e de pontualidade opinativa, foram as que mais ofereceram resistência à seleção, ainda que, proporcionalmente, tenham ganho mais espaço que a de outros periódicos: 66% delas, publicadas no jornal paulista entre 1907 e 1908, conquistaram o direito de constar desta seleção. Em segundo lugar, vêm as de *Kosmos* (47%) e, em terceiro, as crônicas da *Gazeta de Notícias* (38%) do Rio de Janeiro.

O grosso da atividade do jornalista Bilac acha-se, sem dúvida nenhuma, na *Gazeta de Notícias* carioca, o jornal com que Ferreira de Araújo provocou funda modificação no jornalismo carioca e, por extensão, brasileiro, a partir de 1875. Foi através deste diário que o público de então teve acesso maior às crônicas machadianas de *A Semana*, hoje recolhidas e trabalhadas por John Gledson[1]; foi neste jornal de Ferreira de Araújo que Raul Pompéia publicou seu romance clássico, em 1888, com apenas 25 anos de idade; foi por meio da *Gazeta de Notícias* que Eça de Queirós pôde alcançar público mais amplo no Brasil e foi para ele que o escritor português idealizou um suplemento literário efêmero, segundo Elza Miné[2]; foi neste jornal, de acordo com opinião uniforme, que se operou a transformação do jornalismo partidário em jornalismo informativo, de neutralidade política mais pronunciada; foi este jornal, enfim, um dos primeiros responsáveis pela popularização da imprensa cotidiana. Porque a *Gazeta de Notícias* era, realmente, "jornal barato, popular, liberal, vendido a 40 réis o exemplar", explica Nélson Werrneck Sodré[3].

Foram ainda a *Gazeta de Notícias* e Ferreira de Araújo que estimularam as mais derramadas e comoventes recordações do cronista Bilac em dois momentos da sua carreira.

Rememorando sua estréia, Bilac evoca o fascínio que o jornal exerceu sobre sua geração e acentua o caráter profissionalizante que Ferreira de Araújo imprimira às relações de trabalho:

> Não era pois o desejo de ganhar dinheiro que me impelia para esta formosa *Gazeta*; ela não era uma rica matrona, arreada de jóias e dona de muitas apólices, aureolada pelo fulgor de um grosso dote capaz de lhe disfarçar a hediondez da decrepitude: era uma linda rapariga, amada e querida de todos, alegre como um canário, fresca como uma madrugada, e servida por um bando de adoradores. Como eu invejava esses felizes! Os da casa, os que dirigiam a vida da linda rapariga, já não me causavam tanta inveja. Mas, os de fora! como eu lhes silabava os nomes com ciúme e admiração! Eram Eça de Queirós, Machado de Assis, Ramalho Ortigão, tantos outros... Quando as minhas mãos abriam a *Gazeta*, e os meus olhos liam o nome de alguns desses mestres, assinando um soneto, uma crônica, uma novela, parecia-me estar vendo um ídolo, numa ara de ouro puro, incensado pela admiração e pelo aplauso de um milhão de homens.
>
> É que a *Gazeta*, naquele tempo, era a consagradora por excelência. Não era eu o único que a namorava; todos os da minha geração tinham a alma inflamada nessa mesma ânsia ambiciosa. Não era o dinheiro que queríamos: queríamos consagração, queríamos fama, queríamos ver o nosso nome ao lado daqueles nomes célebres. Nós todos julgávamos então

1. Machado de Assis, *Bons dias! Crônicas 1888-1889*. Edição, introd. e notas de John Gledson. São Paulo/Campinas, Hucitec/Editora da Unicamp, 1990. Machado de Assis, *A Semana. Crônicas 1892-1893*. Edição, introd. e notas de John Gledson. São Paulo, Hucitec, 1996.
2. Elza Miné, *Páginas Flutuantes. Eça de Queirós e o Jornalismo no século XIX*. São Paulo, Ateliê Editorial/Instituto Camões, 2000.
3. Nélson Werneck Sodré, *A História da Imprensa no Brasil*. Rio de Janeiro, Civilização Brasileira, 1966, p. 259.

que a publicidade era um gozo, e que a notoriedade era uma bem-aventurança. Onde se vão esses sonhos? onde se vai essa crença no valor da glória literária? onde se vai essa fé no trabalho?

Hoje, não há jornal que não esteja aberto à atividade dos moços. O talento já não fica à porta, de chapéu na mão, triste e encolhido, farrapão e vexado, como o mendigo que nem sabe como há de pedir a esmola. A minha geração, se não teve outro mérito, teve este, que não foi pequeno: desbravou o caminho, fez da imprensa literária uma profissão remunerada, impôs o trabalho. Antes de nós, Alencar, Macedo e todos os que traziam a literatura para o jornalismo, eram apenas tolerados: só a política e o comércio tinham consideração e virtude. Hoje, – oh! espanto! – já há jornais que pagam versos! (*GazNot*, 02 ago. 1903).

Mais tarde um pouco, foi pelas páginas da *Kosmos* que o cronista se entregou à recordação mais uma vez e atribuiu a Ferreira de Araújo a democratização da imprensa de seu tempo:

Se já temos, - nós, os que escrevemos, - um público, pequeno, mas inteligente, devemo-lo, em grande parte, a esse mestre exemplar, que, num tempo em que a imprensa diária ainda era um luxo caro, decidiu colocá-la ao alcance de todos, barateando-a, e popularizando-a.

Foi ele quem chamou ao jornal a gente moça, que se ensaiava nas letras. Na *Gazeta de Notícias*, que possuía a colaboração preciosa de Machado de Assis, de Eça de Queirós e de Ramalho Ortigão, - começaram a aparecer os rapazes cheios de talento, mas ainda sem nome, que daquelas colunas se impuseram ao público; as "Canções Românticas" e as "Meridionais" de Alberto de Oliveira foram reveladas pela *Gazeta*; na *Gazeta*, apareceu Valentim Magalhães, da *Gazeta* nasceu a corrente, que canalizada depois na *Semana* e na *Vida Moderna*, se espraiou num movimento de franca renascença literária, - talvez o mais belo e fecundo de quantos já houve no Brasil, depois do período do "indianismo" de Alencar e Gonçalves Dias; e foi dali que se revelou ao público, em folhetins de uma fulguração genial, o espírito radiante de José do Patrocício, alma de chamas e perfumes, de raios e rosas. (*Kosmos*, jan. 1905)

Desta colaboração, portanto, que se estende entre 1890 e 1908, de forma quase ininterrupta, selecionamos mais de trezentas crônicas, corpo suficiente para uma avaliação da trajetória intelectual do seu autor, que não hesitou em aderir ao jornalismo de forma flagrante depois de consagrado como poeta.

Muito pouco dessas crônicas foi publicada pelo próprio O. B. Quase nada, se levarmos em conta que dedicou ele cerca de vinte anos à função, cujo declínio começa em torno de 1908, a partir de episódio muito mal esclarecido: a alegação de políticos cariocas que o deram como interessado em obter fundos do governo federal com vistas à organização de uma agência de notícias. Parece ter sido este o fato determinante de seu afastamento da imprensa diária.

* * *

Com base em tantas crônicas retiradas de revistas e jornais diversos, publicados no Rio de Janeiro e em São Paulo, o leitor poderá formar opinião mais ampla sobre a sociedade brasileira que se acotovelava nessas duas cidades e o pesquisador consciencioso poderá encontrar material suficiente sobre diferentes facetas dessa mesma sociedade. Porque as crônicas aqui publicadas ultrapassam o literário e espalham-se por domínios conexos, nos quais o historiador, o psicólogo, o sociólogo, o economista, o jornalista, o antropólogo e demais estudiosos da sociedade brasileira poderão encontrar elementos suficientes que lhes alarguem o caminho de reflexão sobre nosso *ethos*.

É uma pena que, em determinados momentos, o jornal tenha sofrido desgaste maior e que isso tenha provocado sua ilegibilidade momentânea, o que assinalamos devidamente com asteriscos entre colchetes [*****]. Não obstante essa surpresa desagradável, não se pode esquecer, nem deixar de agradecer a extraordinária boa vontade dos funcionários de algumas instituições públicas brasileiras, cujo esforço a favor de melhores condições de armazenamento da documentação tem resultado em visível e inegável progresso de muitas das instalações materiais e, melhor ainda!, da necessidade de nossa preservação histórica, em franco desgaste em outros locais de sensibilidade menor.

É para esses funcionários anônimos da Biblioteca Nacional, da Casa de Rui Barbosa e do Gabinete Português de Leitura do Rio de Janeiro; da Biblioteca Municipal Mário de Andrade de São Paulo e do Arquivo Público do Estado de São Paulo; da Biblioteca Pública do Paraná, em Curitiba, e da Biblioteca Pública de Porto Alegre que dedico este trabalho de restauração parcial de nossa memória.

À banca que examinou este trabalho, em dezembro de 2000, como parte do concurso de livre-docência junto à FFLCH da Universidade de São Paulo, meus agradecimentos. Por causa da argüição cerrada e elegante de Alfredo Bosi (USP), Beatriz Berrini (PUC-SP), Flávio Loureiro Chaves (UFRGS), João Alexandre Barbosa (USP) e Silviano Santiago (UFF), saiu consolidado, reconhecido e homenageado o cronista.

A. Dimas

Gazeta de Notícias 1890

28 abr. 1890 O Crime

Não espere o Sr. Fabregas que fique impune o seu crime. Não confie nos aplausos do público, e muito menos nos elogios da crítica: o remorso, sombra implacável, pavoroso espectro, há de colar-se-lhe aos passos e persegui-lo toda a vida.

Se, fazer de uma obra de arte, viva e vibrante, uma obra retórica de propaganda, é cousa que possa passar sem castigo, – então a justiça abalou definitivamente da terra e todos se julgarão com o direito de intercalar meia dúzia de tangos no *Hamleto*.

Eça de Queirós não quis fazer propaganda anti-clerical no *Padre Amaro*: o que ele quis fazer e o que fez, foi apanhar de surpresa um cantinho da sociedade portuguesa e passá-lo para três centenas de páginas fortes e eternas, com todos os seus ridículos e todas as suas hipocrisias. Que direito tinha o dramaturgo de acrescentar à obra do romancista um *final* absurdo, que destrói toda a lógica do livro, que adultera e desvia todos os seus intentos?

No romance, o padre Amaro continua a viver, vitorioso e feliz; no drama, um namorado de aldeia desfecha-lhe um tiro de pistola, e, numa pífia tirada retórica, berra à platéia comovida que acaba de livrar a sociedade de um bandido. Quem faz isso, é capaz de transplantar para o palco brasileiro o *Otelo*, acrescentando-lhe um epílogo em que o *mouro*, em vez de morrer, faça um discurso veemente, lastimando que não haja lei de divórcio para que os maridos, supondo-se enganados, tenham além do *tuez-la*, outro meio de castigar as adúlteras.

Ou o dramaturgo não concordou com o final que o romancista deu à sua obra, ou receou que a platéia se escandalizasse demais com as escabrosidades da peça e quis moderar o escândalo; no primeiro caso, o dramaturgo só tinha uma cousa a fazer: conceber uma peça original, desenvolvê-la à vontade, dar-lhe o final que mais o encantasse, sem cometer a imprudência ridícula de emendar quem se chama Eça de Queirós; no segundo caso não devia fazer nada: a audácia não tem meio termo – ou não se dá o primeiro passo ou dão-se todos.

As obras de arte como o *Crime do Padre Amaro* são sagradas: o adaptador do belo romance português incorreu no mesmo crime sem perdão do conhecido poeta brasileiro, que para uso das escolas modificou inteiramente os *Lusíadas*, por achar pouco compreensível o estilo de Camões.

O Crime do Padre Amaro custou a Eça de Queirós longos anos de trabalho literário, que é o mais nobre, o mais difícil, o mais fatigante, o mais sagrado de todos os trabalhos: não espere o Sr. Fabregas que Eça de Queirós o absolva do seu crime.

Não há artista nenhum que perdoe esse atentado: quando se consegue, com o cérebro fatigado, com todos os nervos dolorosamente irritados, ver acabada a obra em que se pôs todo o talento, toda a mocidade, toda a saúde e toda a alma, não se perdoa que ninguém faça dessa obra uma peça de escândalo, fútil, adulterada, torta, para dar enchentes a um teatro.

Permita-me o Sr. Fabregas esta rude franqueza de quem respeita, acima de tudo, o seu *métier*: eu não posso achar agradável que ponham roupas de arlequim nos meus ídolos e que, para fazer uma plantação de couves, ponham abaixo todas as rosas do meu jardim.

O. B.[1]

02 MAIO 1890 SOFRER...

Hoje – disseram-no ontem os telegramas na sua cruel concisão – em todas as capitais da Europa a turba dos operários fará *meetings* revolucionários. Em Londres, em Liverpool, em Paris, em Berlim, a força pública está de guarda às fábricas. E as fábricas paralisam-se, abandonadas pelos trabalhadores – mundos extintos, as grandes máquinas entorpecidas, no seu grande sono pesado de aço e ferro, sinistras as chaminés, sem a alegria ondulante dos penachos de fumo, gelados os fornos, e um silêncio de morte, um silêncio de cemitério pairando sobre tudo...

Os operários reagem. E o problema cuja solução inquieta hoje o mundo inteiro, parece que tem de ser resolvido agora, violentamente, a tiros e navalhadas, brutalmente, sanguinolentamente. Os operários reagem. Que querem os operários? – felicidade...

Toda aquela onda negra de homens famintos, negros de pó de carvão, negros de ódio e de rancor, espraiar-se-á pela Europa, convulsionando tudo. Ceifar-se-ão as vidas aos milhares, a morte regabofeará, farta e feliz, empanturrada pela digestão de um sem número de vítimas.

Depois, os operários continuarão a pedir pão, a exigir aumento de salário e a suplicar felicidade. E a retórica de novo explodirá nas oficinas, e os oradores clamarão de novo, embriagando de novo a multidão com a perspectiva luminosa e consoladora de uma vida feliz, celeiros cheios, longos sonos reparadores e calmos, os filhos alimentados e sadios, o conforto no lar, e, mais do que o conforto – a fartura, e, mais do que a fartura – a riqueza.

Outra vez o sangue correrá, outra vez trabalharão todos e todos batalharão, sangrando e gemendo, perseguindo seu belo ideal que foge e fugirá sempre, essa utopia da felicidade dos pobres, essa enganadora miragem do muito dinheiro com pouco trabalho. E no artigo de fundo e no livro, os períodos graves dos pensadores discutirão o problema, e os especuladores farão dos ombros dos trabalhadores os degraus da sua ascensão miraculosa, e a retórica explorará a miséria e o discurso explorará o trabalho, e a sobrecasaca especulará com a blusa...

E o problema ficará de pé: e para os pobres operários que fazem greves, que perdem a vida, que exigem felicidade, ele – o terrível, o pavoroso problema – continuará a ter a mesma solução: trabalhar, trabalhar – trabalhar e sofrer...

O. B.

1. Esta crônica foi publicada na íntegra no artigo "Bilac e Portugal" em *Via Atlântica*. Revista da Área de Estudos Comparados de Literaturas de Língua Portuguesa. USP-FFLCH-DLCV. n.2, 1999, pp. 174-188.

16 maio 1890 Rato entre Gatos [Cia]

Quando se está só, no silêncio da alcova, preocupado com qualquer cousa, – enquanto a alma anda por longe, aflita e angustiada, os olhos divertem-se com pequeninos nadas que nos cercam, interessam-se com um milhão de futilidade, seguem o vôo espiralado da fumaça do charuto, a oscilação das cortinas ao vento, a marcha progressiva do sol no assoalho.

Assim estava eu, olhando sem ver, charuto entre os dedos, com a alma pairando no lugar a que te foste acolher, separada de mim pela crueldade das léguas e pela crueldade da nossa desgraça, – pobre criança infeliz, que andas tão longe dos meus olhos, tão longe da minha boca, e cuja carne vibrante e cuja alma puríssima eu evoco a todo instante, com a boca cheia de beijos, com os olhos cheios de lágrimas...

E sobre o tapete os meus olhos seguiam a marcha assustada e hesitante de um pobre ratinho, que, em má hora o amor das aventuras fizera sair do calmo retiro seguro do seu buraco. Andava por ali, procurando migalhas, sobre a cor viva do tapete, pequenino e negro...

De repente, os meus dois gatos saltaram, ágeis e nervosos, pêlo arrepiado e orelhas tesas...

Um, o que tem o pêlo dourado como a pele de uma mulher morena, foi o primeiro a deitar a unha sobre o débil animalzinho. Mas, o outro correu também, ferido no seu amor próprio de gato, ansioso também por ferrar a garra feroz na carne palpitante da vítima inofensiva.

Ficaram um diante do outro, olhando-se em face, num desafio mudo e solene. E as chispas dos dois olhares cruzavam-se, chocavam-se, batiam-se, como floretes luminosos num duelo de morte. E entre eles, abandonado e agonizante, ferido pelo primeiro, sacudido de guinchos e de estrebuchamentos dolorosos, o ratinho morria lentamente, resignadamente, esperando a hora em que, posto em fuga o mais fraco dos pretendentes, o vencedor viesse encher o estômago com o banquete delicioso do prêmio da vitória.

* * *

Ora, isso me veio trazer à lembrança o que eu lera nos telegramas da Havas a respeito da África.

Há pouco era o conflito entre Portugal e a Inglaterra a propósito de domínio sobre terras africanas. Todos se interessavam pela Inglaterra, todos se interessavam por Portugal: ninguém se interessava pela África, pela pobre negra infeliz, ferida de morte, deitada no areal ardente, ao sol implacável, agonizando, resignadamente, à espera de que acabasse a luta entre os seus algozes e de que o algoz vencedor houvesse por bem tomá-la sob a proteção da sua tirania e da sua ganância.

Agora, acalmado esse primeiro conflito, o outro que aparece é entre a Alemanha e a Inglaterra. E a atitude do mundo é a mesma.

E ninguém se lembra de que, em tudo isso, a única vítima a lamentar é e será sempre a África, a que a civilização vai levar morte e a angústia, com o caridoso pretexto de civilização.

Como se adiantasse alguma cousa a um povo selvagem esta cousa chamada civilização que lhe vamos impor, e que consiste unicamente e exclusivamente nisto: a imposição de um Deus, em que já não cremos, a imposição de costumes de que já nos rimos, a imposição de vícios e de erros que já nos revoltam e que já nos repugnam...

* * *

A civilização!

Pobres tribos selvagens, mais puras e mais nobres de que nós, na sua selvageria... Vença Portugal ou vença a Inglaterra ou vença a Alemanha, a tua sorte, pobre África infeliz e bárbara! será sempre a mesma sorte do rato, ferido de morte, à espera de que um dos gatos vença para devorá-lo depois!...

OLAVO BILAC

19 MAIO 1890

FIM DO SÉCULO

Lembro-me ainda de ter ouvido uma lição de química, em que o professor, comentando o galope vertiginoso em que vai disparando o progresso da ciência nestes últimos cincoenta anos, teve esta bela e atrevida frase: "Senhores! não vem longe o dia em que, vencedor de Deus e da natureza, isolado no seu laboratório, o químico, sem auxílio de mulher nenhuma, atulhará de reativos uma retorta, e arrancará de dentro dela, palpitante e viva, uma criatura tão perfeita como a que saiu das mãos do Alquimista da Bíblia, no alvorecer da vida humana!".

Lembro-me ainda de que os alunos coroaram com uma salva de palmas esse arrojo: e eu fiquei a tremer, a tremer, a tremer, com a medula arrepiada de pavor. E, de então por diante tem voltado periodicamente esse pavor mais vivo, mais terrível, sempre que um ano acaba e que outro ano começa, sempre que mais se aproxima do homem este fim de século pavoroso e sublime.

É a minha doença o medo do fim do século.

* * *

Porque ninguém pode prever o que sucederá à raça humana, quando o século vinte aparecer, criança, armado de pilhas elétricas, de *Virgolinas*, de torre Eiffel, de passes hipnóticos, de máquinas assombrosas...

Oh! de que valeu ao homem este trabalho titânico de milhares de anos, construindo pedra por pedra a civilização, inventando a ciência, inventando a arte, inventando tudo? Tudo isso vai cair por terra, esboroado em pó impalpável...

Em primeiro lugar, que será dos códigos, que será dessas legislações que milhões de homen togados levaram a organizar?

O crime deixou de ser crime: é uma doença.

Matas uma mulher? mata-te! – roubas um par de calças? pobre cleptomaníaco! incendeias uma cidade? mete-te em duchas! – dás para inverter o teu sexo? coitado deste nevrótico!

Demais, eu posso ser um homem honrado, sem um desejo mau na alma, sem um remorso na consciência senão o de ter nascido.

Pouco importa. Um médico qualquer fita-me os olhos por cinco minutos, aperta-me as mãos, formula uma ordem rápida, mergulha-me no sono hipnótico, sugere-me a idéia de ir assassinar o meu sapateiro. Acordo, não me lembro de nada, saio de casa muito tranqüilo e muito feliz, vou comprar um par de sapatos, e, quando o sapateiro – o pobre, o inofensivo sapateiro, tão meu amigo e tão pouco exigente! – se abaixa para me amarrar os cordões, cravo-lhe um punhal entre as espáduas, sem saber porque o fiz, porque o não queria fazer... E serei o único responsável pelo crime, quando quem o cometeu não fui eu.

Depois, a medicina. Toda essa cousa que a gente leva seis anos a aprender no largo da Misericórdia, toda essa avalanche de receitas, de drogas, de processos cirúrgicos que vem rolando desde a túnica de Hipócrates até a sobrecasaca do Dr. Maximiano Marques, desde a barba severa de Galeno até a pera gamenha do Sr. Mota Maia, tudo isso aparece agora inútil, imprestável, ridículo. Porque, melhor e mais rápido do que uma cápsula de sulfato de quinino e a ponta de um bisturi, é uma evocação espírita e uma sugestão hipnótica. Tenho um tumor: um hipnotizador olha meia hora para ele, e resolve-o, dissipa-o, numa sorte hábil de prestidigitação cirúrgica. Tenho uma febre: uma sonâmbula cai para trás, em arco, sacudida de uma crise histérica, e, daí a pouco, sobre o papel colocado [*****] de Hipócrates escreve uma receita maravilhosa, que basta a gente ler para ficar curada.

Depois, a arte. Para que diabo, hei de eu matar-me aqui, sobre as tiras implacavelmente brancas do papel, a torcer a frase, a fingir que estou alegre quando estou triste, a fingir que estou triste quando estou alegre, a procurar assunto e a procurar adjetivos, se posso invocar o amoroso espírito de Joaquim Serra, o espírito galhofeiro de Guilherme de Azevedo e o espírito tempestuoso de Artur de Oliveira, para numa colaboração de além túmulo, escrever a mais luxuriante, a mais ardente, a mais aperaltada de todas as crônicas feita e por fazer? Pois é possível que eu me resigne a gastar vinte anos com um poema, quando o Sr. Lopes Cardoso, só com a evocação de Vitor Hugo e António Vieira, escreve um poema, genial e numerado como a *Divina Comédia*?

Depois... depois, tudo mais. A eletricidade fará prodígios. Com ela pôr-se-á de novo de pé, andando e falando, um homem morto há 40 anos; com ela, o Varejão voltará à infância, sem bigodes e com ilusões; com ela, o homem poderá estar ao mesmo tempo em dez pontos diferentes; com ela reformar-se-á o mundo; com ela poder-se-á passear pelo céu, entre as estrelas, como se passeia no jardim do Recreio, entre, as *cocottes*: e uma bela noite, quando Deus estiver deitado, ao clarão da lâmpada da lua, gemendo na cama a agonia do seu reumatismo e o tédio da sua imortalidade, uma comissão de mortais irá pedir-lhe que desocupe os cômodos do céu para que uma sociedade anônima estabeleça por lá fábricas de astros e plantações de coriscos!

* * *

O fim do século! o fim do século!

Quando do alto do Corcovado a gente olha para baixo, sente os olhos turvos, latejantes as fontes, sob o domínio de vertigem do abismo.

Há, porém, uma vertigem pior do que a vertigem do abismo para baixo: é a vertigem do abismo para cima. Essa é a que eu sinto, essa é que me apavora, quando penso no que deve trazer ao mundo o século novo que aí vem. Nada me apavoraria se a humanidade retrogradasse vertiginosamente, em vez de vertiginosamente progredir: porque, afinal, nada deve ser mais agradável à humanidade do que voltar ao tempo, em que não havia Fernando de Noronha, e em que se comprava uma primogenitura com um prato de lentilhas. Ah! mas o progresso! mas o progresso! que fará o homem quando tudo estiver feito, quando chegar essa idade que já se anuncia por este delírio de prodígios e por esta loucura de maravilhas? Que fará a humanidade quando não puder mais aperfeiçoar-se, senão isto que será o cúmulo do seu aperfeiçoamento: matar-se toda?

* * *

Que medo, que medo que eu tenho do fim do século!

Não medo por mim: porque quando o século vinte chegar, já eu terei ido, *touriste* desocupado, viajar pelo país misterioso, cuja lembrança fazia com que se eriçassem os cabelos louros do príncipe da Dinamarca. Não medo por mim: medo pelos filhos e pelos netos que tenciono ter.

Sim, por eles! por eles! que hão de eles fazer para se distrair, se saírem a mim, – os pobres rapazes! – no dia em que se realizar a utopia de Comte, no dia em que se cumprir a profecia do professor de química, no dia em que, tornado inútil o amor, o homem não puder mais prolongar a sua raça pelo único processo delicioso e divino por que ela tem sido prolongada até hoje?...

O. B.

28 MAIO 1890 — O NOME

Ontem, na rua do Ouvidor, como um pobre homem passasse por nós, esmolando, tiritante de frio sob a chuva miúda que caía, o Coelho Neto participou-me:

– "Sabes? uma desgraça: o *** entrou para o Asilo de Mendicidade..."

Ora, o novo asilado é um poeta, um desses pobres rapazes inteligentes que se atiram de cabeça para baixo à vida boêmia, e que deixam lá ficar o talento, a saúde, a dignidade e a vida, sem conseguir nunca aparecer à luz, eternos anônimos vencidos antes de travada a luta, porque nunca tiveram forças para vir à tona do anonimato, à custa de trabalho e de perseverança. Para que escrever o seu nome? Em primeiro lugar, ninguém o conhece; em segundo lugar, é uma crueldade lembrar, depois da batalha, os nomes dos que foram vencidos sem glória.

Depois, o caso é vulgar: um moço que a mania das letras inutiliza – quantos não têm havido, vitimados pela mesma doença? Falta-lhes a vontade de ganhar dinheiro com outra profissão, que não seja a das letras. Ora, os editores não existem, e os jornais são poucos.

Para conseguir abrir caminho e aparecer, é preciso ou ter muito talento ou ter muita felicidade: em qualquer dos casos, é preciso trabalhar. Sem muito talento, sem muita felicidade, sem muito trabalho, o moço literato, para ter público, importuna os amigos nas mesas dos botequins e nas esquinas; e, para ter meios de subsistência, habitua-se a depender da generosidade dos conhecidos e dos estranhos, aceitando de um o cigarro, aceitando de outro o jantar. Depois, perdido o impulso, o hábito cria raízes; habitua-se a gente a não almoçar, a não ter vontade de trabalhar e a não ter sapatos decentes: e quando o vencido sai da vida, tão anônimo como quando para ela entrou, o seu nome, não sendo mesmo digno das duas linhas secas de uma local, vai para a vala comum do obituário, e tudo está acabado. Tristíssimo.

* * *

Mas, pensando bem, há uma coisa muito pior do que ter nascido, ter vivido, e ter morrido sem nome: é ter nascido com ele e ter necessidade de vencê-lo e de fazer com que todos o esqueçam.

Um nome herdado, como qualquer fortuna, como qualquer centena de apólices, como qualquer prédio, pode ser uma condecoração para um idiota, mas é uma canga para um homem de talento.

Ah! ser apresentado em toda a parte com estas palavras cruéis: – apresento-lhe o Sr. Fulano, filho de Fulano!... ver o seu mérito próprio desaparecer, abafado pelo mérito do pai! ter necessidade de exceder a glória paterna para firmar a própria glória!...

O artista que é filho de um carpinteiro obscuro, para fazer o seu nome tem de lutar com a indiferença, com a inveja, com o pouco caso, com a miséria, com o temperamento, com o meio, com a natureza toda. O artista que é filho de um grande artista, tem de lutar com tudo isso e mais com a grandeza do pai, para que se possa apresentar não como Fulano, filho de Fulano, mas simplesmente e dignamente como Fulano.

Guerra paradoxal talvez, mas guerra facilmente justificável, a guerra ao nome herdado funda-se em muitas outras razões. Um homem chama-se Madeira: tem um filho, e esse filho herda o nome de Madeira. Para quê! se o pai for um homem honrado e o filho sair um tratante, é justo que a infâmia que cobria o nome do filho vá cobrir também o nome do pai! e, se o filho seguir o bom caminho e o pai der em patife, é justo que o desprezo acumulado sobre a cabeça do pai venha pesar também sobre a cabeça do filho?

Por que há de chamar-se Madeira o filho do Madeira? Deixaria de ser filho dele, se se chamasse qualquer outra coisa?

* * *

Pobre poeta desconhecido! não foste de todo infeliz... Esse nomezinho vulgar que só os teus íntimos conheceram, se não fulgurou contigo e não fulgurará depois de ti, também antes de ti não tinha nunca fulgurado: e morrerás sem o remorso de não ter sabido conservar polido e brilhante, como uma jóia de família, o nome de quem te atirou à vida. E depois para que diabo querias tu um nome?

O século dezenove tem hoje milhares de nomes ilustres: e talvez, daqui a três séculos, a humanidade só consiga lembrar-se vagamente de meia dúzia desses nomes, – meia dúzia de bolhas de espuma, flutuando na solidão do oceano sem raios da vida...

O. B.

31 MAIO 1890

CHEFE POLÍTICO

Cristo precisa de defensores e de partidários, pede votos e manda circulares, apela para as urnas e para a consciência dos eleitores; Cristo, no Congresso, terá *leader*, quando estiver em maioria; fará interpelações, quando estiver em minoria; Cristo vestiu uma sobrecasaca, pôs sobre o clarão da auréola a treva de uma cartola, deitou abaixo a sua formosa barba "à Bernardelli", para usar cavaignac "à Laet"; Cristo é um chefe político...

Mulheres de Jerusalém! o vosso amado é um chefe político!...

Pobre Madalena! moderniza-te também! compra um espartilho de Mme. Vertus, calipigia-te com o auxílio de uma anquinha, grava a nitrato de prata uma "assassina" na bochecha esquerda, decota-te, pede conselhos ao Gregório para a escolha das tuas fanfreluches, moderniza-te! o teu noivo querido é um chefe político! o teu senhor e teu Deus não passa hoje de um conselheiro Paulino legendário e de um Boulanger secular: o teu formoso Jesus tem um partido!

Madalena, Madalena! o tempo do nardo e do cinamomo passou: unta os cabelos de óleo oriza, que é mais barato e mais chic.

Unta-os de óleo oriza, e enrola-os num penteado moderno: já não precisas, Madalena arrependida! de trazê-los derramados pelas costas abaixo, cercando-te o corpo, cobrindo-te toda, como uma clâmide negra para encobrir o impudor da tua nudez, e, como um lenço negro, para enxugar as lágrimas do teu arrependimento.

Madalena, tu já não tens de que te arrepender! o teu amado é um homem moderno, civilizado, *fin de siècle*, que facilmente te perdoará os amores que passaram e que já não moem moinho: e se ele fizer questão disso, Madalena! basta, para lhe sufocar os escrúpulos, que dês um pulo ao consultório do rabino Cunha Sales... Depois desse pulo, ele não hesitará mais em ir de braço contigo, regularizar civilmente, diante do Dr. Salvador ou do Dr. Ventura, essa irresistível, essa comovedora, essa escandalosa paixão de dezenove séculos.

Então, na tua casa fidalga, em Botafogo, aberta para a baía cintilante de sol, ou no Cosme Velho, agarrada ao flanco verde da montanha, – tu, civilizada e galante, marcarás um dia *chic* para as tuas recepções.

E enquanto, na saleta *vieil-or* cheia de bibelôs e de visitas, ouvires com um sorriso vaidoso os galanteios dos teus adoradores, ele, o teu Jesus, com um "Regalia" cheiroso na boca e as insígnias de Vila Viçosa e do Santo Sepulcro na lapela da casaca, discreteará sobre manobras políticas, muito grave e muito sentencioso, com a barba loura do Dr. Fernando Mendes e com a cara suína de D. Pedro de Lacerda.

Madalena! fundou-se o partido católico-apostólico-romano. Compreende a tua posição, Madalena! Antigamente, quando o teu amado era um poeta humilde e carinhoso, de alma aberta para o perdão de todas as culpas e de braços abertos para a proteção de todos os fracos e de todos os desgraçados, podias amá-lo, ó doce alma romântica, nesses trajos primitivos, sandália rústica ao pé, túnica de linho em torno dos rins. Mas, os tempos mudaram: o teu amado é um chefe político – é preciso guardar as conveniências. Põe-te decente, Madalena: podes deixar os seios de fora, mas tens de levantá-los com um espartilho; podes mostrar um pedaço da perna, mas tens de mostrá-lo apertado numa meia de seda preta: fica mais bonito.

Pinta-te, cobre-te de pó de arroz, arreia-te de jóias, habitua-te ao salto Luís XV e à luva de vinte botões.

O teu amado é um chefe político: é preciso que te faças bonita. Porque afinal de contas, é possível que tenhas necessidade de ir cabalar pelo teu amado, e, – é bom que fiques prevenida – em geral, os eleitores de hoje são muito exigentes.

Moderniza-te, filha: Jesus Cristo é um chefe político...

Olavo Bilac

02 jun. 1890

Varela

A esta hora, o chefe do governo deve ter lido e meditado a petição das irmãs de Varela. Cinco irmãs sem amparo, sem parentes, sem proteção, que apelam para a alma nobre de Deodoro da Fonseca.

De 15 de novembro até hoje o dinheiro tem corrido em rios, festejando a República e reparando injustiças. O exército e a armada, sacrificados e oprimidos no regime passado, viram chegar o grande dia da justiça: multiplicam-se as pensões concedidas às famílias desamparadas dos servidores da Pátria. Ora, os servidores da Pátria não são apenas os que arriscam a vida no campo e no mar, nem apenas os que a consomem na burocracia e na governança. Varela também serviu à Pátria, como um sacerdote, ajoelhado diante dela, venerando-a e glorificando-a.

Varela não batalhou em Tuiuti, não derramou sangue pela causa republicana, não administrou o Estado, não governou cousa nenhuma: mas trabalhou pela glória das letras brasileiras, membro que era desta classe desgraçada, única que até hoje ainda não foi protegida no Brasil.

Do seu esforço e do seu trabalho, aí estão como atestados os seus livros – enriquecendo os editores.

Não há semana – perguntem-no por aí em qualquer livraria – em que se não vendam pelo menos dous livros de Varela. E o caso triste, doloroso, irrefutável é este: a família de Varela está na miséria, enquanto os editores se locupletam à custa dele, porque desgraçadamente até agora têm-se regulado os direitos de todos os sapateiros e de todos os padeiros, e ainda não se regulou o direito de escritor nenhum.

Pobreza, pobreza extrema a destas cinco moças, que usam um dos nomes mais populares e mais queridos do Brasil: por que não lhes dar uma pensão?

Seja ou não razoável, em absoluto, a instituição de pensões – não é justo que haja um favor terminantemente negado a uma classe e facilmente concedido a todas as outras.

O velho pai de Varela, um antigo funcionário público, arredado do trabalho pela velhice e pela enfermidade, morreu há um mês; agora, mais do que nunca, é preciso que se atenda à súplica das cinco irmãs do poeta do *Evangelho nas Selvas*.

A época é de distribuição de justiça, e é justiça o que venho pedir ao chefe do governo para a família do grande lírico brasileiro.

O. B.

03 JUN. 1890 — COMENDADOR

Ninguém imagina o que eu sofri, quando me disseram que o governo tinha resolvido abolir todas as ordens honoríficas. Oh! sofrimento nunca sofrido! não poder eu nunca mais, nunca mais, nunca mais – ser comendador! não poder nunca mais satisfazer esta ambição terrível que me rói a alma, desde que pela primeira vez os meus olhos pasmos se ofuscaram com o esplendor de uma comenda! ficar condenado a ser eternamente e simplesmente isto: um escritor descondecorado, qualquer cousa assim como um escritor sem decoro!

Desgrenhei-me, cobri de cinzas os cabelos, transformei os vidros côncavos do pince-nez em potes de lágrimas, e mergulhei de cabeça para baixo no poço do desânimo: meu Deus! meu Deus! eu nunca hei de ser comendador! nunca poderei ombrear com o Sr. Bellegardi! e nunca poderei honrar e servir as artes nacionais, porque nem ao menos poderei ser nunca porteiro da Academia das Belas Artes!

* * *

Comecei então a aterrorizar-me, pensando no que teria de ser a minha vida de escritor sem comenda.

Aos domingos, quando eu arrastasse pela rua do Ouvidor a minha indignação contra o fechamento das portas, as moças pálidas demorariam o passo, ansiosas por observar bem este animal curioso: porque para estas formosas flores sempre cuidadosamente fechadas na estufa da vida privada, o escritor, como tudo quanto é mais ou menos público, é um animal tão curioso como o elefante do Politeama e a girafa do jardim zoológico.

Demorariam o passo; mas o pai gravíssimo que as acompanhasse, rosnaria logo: – "Meninas! não olhem! aquilo é um escritor sem comenda, um farroupilha, um debochado, sem talento e sem moralidade! olhem antes para o Sr. Taunay que ali vem!" E as meninas obedeceriam, contemplando demoradamente o ex-canário da Sibéria.

No *bond*, as senhoras gordas que me conhecessem, afastar-se-iam de mim. Um escritor sem comenda, sem cousa nenhuma! é capaz de trazer bombas de dinamite no bolso! ah! se todos os escritores fossem sérios como o Sr. barão de S. Félix!

No baile, ouvir-se-iam cousas como esta: – "Não dances com aquele sujeito! aquilo é um boêmio, um patife, que bebe absinto com tinta e sifão! espera: vou buscar o Sr. comendador Baldomero para dançar contigo."

No Pascoal, às 5 horas da tarde, eu esperaria um século pelo meu *vermouth*, porque o caixeiro estaria ocupado e preocupado a servir um calmante ao Sr. conselheiro Maia.

E eu andaria eternamente isolado dos felizes da sorte, tendo como únicos amigos os exilados das distinções como eu, aqueles em cuja *boutonnière* nunca floresceu a Rosa cravejada de brilhantes e nunca abriu piedosamente os braços a cruz de Cristo, esmaltada e fulgurante. E tudo porque a república veio acabar com as ordens honoríficas, antes que a monarquia se lembrasse de me condecorar, recompensando desse modo os esforços que faço há longos anos para levantar o nível da moralidade pública.

* * *

Agora, porém, diz-se que o governo vai criar a ordem de Cristóvão Colombo: e eu venho, livre da minha aflição, pedir o prêmio da minha constância e do meu trabalho. Quero uma comenda.

Eu nunca descobri a América, nem tenho culpa nenhuma disso; nunca fiz a monarquia, nem nunca fiz a república; nunca me arrisquei a escorregar no abismo, procurando impedir que a pátria caísse nele. Mas, quero uma comenda. Tão bom como tão bom. Não fiz nada disso que ficou dito, mas tenho feito tanto como os outros: abro e fecho todos os dias a minha porta como o porteiro das Belas Artes, faço prosas como o Sr. Taunay, faço versos como o Sr. de S. Félix, faço notícias como o Sr. Baldomero, faço discursos como o Sr. Maia. Portanto, quero uma comenda.

E se não me dão uma comenda, desmoralizo o Cristóvão Colombo e toda a sua ordem. Aí está.

O. B.

08 JUN. 1890 PARREIRAS

Parreiras, um dos artistas que com mais brilho concorreram ao último Salão, acaba de abrir no "Atelier Moderno" a sua exposição particular. Apenas três quadros já conhecidos. Todos os mais novos: e é nestes últimos, creio, que está o atestado melhor do grau de aperfeiçoamento a que chegou o pujante talento do grande discípulo de Grimm.

Quem passa meia hora no "Atelier Moderno" diante daqueles quadros, sai dali com uma confiança inabalável no futuro desta arte nacional tão pouco protegida, que os novos estão construindo, de esforço em esforço, fazendo de cada dificuldade e de cada injustiça que encontram, novos incentivos para o trabalho.

Que bela, que valente, essa geração que aí está, no *atelier*, no jornal, na tela ardente de cores e nas páginas vivas do romance, trabalhando, extenuando-se, lutando corajosamente com o meio, sacrificando-se generosamente, para preparar a felicidade das gerações que hão de vir! Todos esses novos morrerão sem recompensa; mas os que vierem depois, em tempos melhores, quando o trabalho artístico for considerado o maior e o mais respeitado de todos os trabalhos, hão de agradecer comovidos o sacrifício dos que lhes desbravaram o caminho, educando o povo que os há de aplaudir e venerar.

* * *

Da sua viagem de estudo pela Itália, trouxe Parreiras, além dos quadros que figuraram no Salão, alguns que fazem parte da exposição de agora. Entre eles há, um "La mia demora sulle Alpi", que é uma tela deliciosa: neve por tudo, melancólica, monótona; ao fundo, a casa; uma mulher à janela. Faz frio perto do quadro, tal é o *frisson* que o pincel do artista conseguiu imprimir àquela paisagem. Outro: "Triste mattino". Volta da pesca, na meia luz crepuscular erra uma tristeza infinita: clareia-se o céu vagamente coberto de névoas; alveja a praia, lambida pela água calma; e os pescadores seguem, andrajosos, tiritando na tristeza daquela fria manhã de trabalho. Outro ainda: "Agonia", – queda das folhas, árvores agonizantes, espectrais, sacudindo as galhadas nuas; "Riflexxo" – uma obra-prima: Veneza, à beira d'água, um tufo de vegetação, duas mulheres, céu de um azul sereno, e céu, folhas, mulheres e flores refletindo-se em baixo na água arrufada e trêmula...

Mas os quadros que mais encantam são os brasileiros, onde esplende, exuberante e bela, a vegetação da terra querida da pátria.

Nunca com tanta verdade e tanto amor Parreiras transportou para a tela a assombrosa natureza americana, como agora, em que o seu pincel parece folgar, restituído enfim à glória eterna e ao encanto inexcedível das paisagens do Brasil.

Em primeiro lugar, a "Tristeza". Divino! Sobre a encosta deserta uma árvore só se levanta, imóvel e desolada; um caminho estreito serpenteia entre a vegetação rasteira; céu nublado; crepúsculo; e ao fundo, entre nuvens escuras, ardem laivos de sangue do sol. Confesso que, a não ser a "Saudade", de Henrique Bernardelli, nunca, mas absolutamente nunca, vi quadro nenhum que me comovesse tanto, e cuja impressão se me comunicasse à alma, tão profundamente, com tanta espontaneidade. Quem vê a "Tristeza", sente positivamente, com a mesma intensidade e com a mesma força, a impressão que dominava o artista no momento do trabalho.

Depois o "Dedo de Deus e o Fundo da Grota", dois pedaços da natureza, apanhados ao vivo, palpitando, com perfume, com luz, com movimento. Depois, "Gaivotas". Encurva-se a praia, branca e infinita. Sobe a encosta bruta, de pedra, faiscando ao sol, coroada por uma faixa de verdura. E, à procura do peixe atirado à areia pelas águas, as gaivotas descem e sobem, pousam e voam, cruzam-se, às duas, às três, loucas, reunindo-se, separando-se, equilibrando-se nas asas espalmadas e brancas. Depois, outros, muitos outros, um punhado de primores, suficiente para firmar, incontestável, o renome de um artista.

* * *

Ah! vivam os novos! vivam os novos! Aqui está um novo, saído do seu próprio e exclusivo esforço, glorioso em plena mocidade, fazendo pela arte brasileira, ele só, mais do que fizeram todos os fósseis, cujos quadros amarelecem na academia, nessa mesma academia onde o Sr. Maia julga ter prestado um serviço excepcional aos alunos, ordenando-lhes que copiem estampas nas galerias da exposição permanente.

Vivam os novos! A arte, a sempre nova, precisa de quem a ame e de quem a fecunde, com o ardor viril e poderoso da mocidade...

Olavo Bilac

12 jun. 1890 Liberdade!

Nesta campanha valente em que vivo, de súcia com o Centro Positivista, defendendo a liberdade espiritual e corporal, anima-me não só o patriotismo: vai nela também um pouco do meu interesse.

Eu sou triste. Sou triste e não sou chefe de polícia. O Sr. Dr. chefe de polícia não tem tempo para se entediar; aquela viagem de todos os dias que S. Ex. empreende pelo país do mal, por dever de sua profissão, é uma viagem maravilhosa, mais divertida do que todas as viagens de Júlio Verne e de Swift. O Bem é monótono: viagem em linha reta, por estradas lisas, sem acidentes, sem desvios, sem labirintos, sem precipícios, sem interesse. O que é divertido é o mal, caminho curvo, ladeado de grutas e de furnas, beirando abismos, galgando despenhadeiros: ao lado do caminho ficam os vícios, ficam os crimes, – e os vícios e os crimes nunca se parecem uns com os outros, são diferentes, novos, pitorescos, surpreendentes...

Por isso, ser chefe de polícia, ter de tomar conhecimento de todos os crimes para puni-los, ter de conhecer todos os males para remediá-los ou preveni-los, – é uma cousa que delicia e diverte, uma cousa que não deixa por um só minuto empolgar-nos o *spleen*.

* * *

Eu, porém, não sou chefe de policia, e sou triste. S. Ex. não precisa dos espíritos: eu preciso. E é por essa razão que não posso sancionar com um silêncio criminoso, essa perseguição violenta que se está movendo contra os sectários do meu pai espiritual Allan Kardec e do meu surdo e venerando mestre Dr. Castro Lopes.

Porque os espíritos, afinal, vão ficar furiosos e abandonar a terra. Fugirão para a sua esfera inacessível, para aquele páramo desconhecido onde há as penas do purgatório, mas onde, em compensação, não há chefe de polícia. E eu ficarei aqui, triste e abandonado, sem divertimentos e sem distrações, reduzido a ser isto unicamente, para desespero da população: um cronista sem espírito...

* * *

Não! não é justo que o egoísmo do Dr. Sampaio Ferraz, farto de divertimento, queira privar-me arbitrariamente daquilo que lhe sobra: sou homem, como S. Ex., quero divertir-me, quero ser espiritista, quero ser livre...

Livre! a república está feita: e eu creio que sem liberdade não pode haver república.

Livre! livre! livre! eu quero ser livre! Com que direito se quer privar um cidadão honesto de escolher à vontade a sua crença? pois foi para isso que se fez a República, ó manes de Catão?!...

* * *

Tenho na minha modesta panóplia uma faca paraguaia. Valente lâmina! deu-ma um velho militar que a trouxe do Paraguai em 70. Na folha há a seguinte inscrição: *Libertá!* – e o velho militar dizia-me sempre: "Todas as facas no Paraguai têm essa inscrição; veja você que diabo de divisa foi arranjar um povo sem liberdade!"

Agora, que todas as bocas e todos os jornais, depois de 15 de novembro, andam cheios aqui dessa palavra – liberdade – eu começo a desconfiar de que o Brasil está se parecendo muito com uma faca paraguaia.

O. B.

17 jun. 1890 Creches

Viva o amor; só ele é grande, só ele pode tudo...

Bastou que de duas ou três bocas partisse o primeiro pedido de esmola para as crianças desamparadas, e esse pedido fez com que todas as almas sorrissem piedosamente e todas as bolsas generosamente se abrissem.

Este bom povo fluminense, indiferente, pacato, carneiro, pronto a fazer tudo quanto da sua docilidade exigirem, contanto que o deixem wermuthar no Pascoal e bater palmas aos *clowns* nos circos de cavalinhos, – este povo morigerado que faz as revoluções sem sangue, ou porque é um povo anêmico que não tem sangue para derramar, ou porque é um povo filósofo que não acredita na proficuidade do sangue derramado, – todo este bom povo se agitou num belo movimento de caridade, para acudir ao apelo da imprensa.

A Arte foi a primeira que veio, com o contingente do bronze divino de Bernardelli Rodolfo e das palhetas milagrosas de Bernardelli Henrique, de Amoedo e de Castagnetto, – atirar a sua luminosíssima esmola à negra miséria dos pequeninos sem mãe, que morrem à míngua de pão e à míngua de beijos.

Depois, toda a alta linha do espírito brasileiro, todos os que, sacerdotes sagrados, fazem das letras a sua religião, todos os que fazem palpitar a alma nacional, exuberante e forte, em versos de ouro, em risos triunfais, em períodos de fogo, – todos vieram pôr ao serviço da grande causa piedosa o fulgor das suas penas fidalgas.

Depois, veio o povo, uma espórtula hoje, duas amanhã, pingando modestamente nas sacolas dos que pedem. Agora, vêm as mães. E que consolo suave, que agradável e que doce alegria vem isso trazer à alma de quem, habituado a ver os homens pequeninos e maus nas suas maiores ações, habituou-se também a atravessar a vida rindo de si mesmo e de todos eles!

É para tornar ainda mais pública a circular que as Exmas. Sras. Mariana da Fonseca Meireles e Ana Olímpia Brandão dirigem às almas e às bolsas, em favor das *crèches*, que a pena do cronista volta a pairar sobre este comovedor assunto.

A todas as mães, a todas as mulheres santificadas pela grande dor veneranda da maternidade, é que se dirigem as duas mães que assinam a circular. E é a elas também que o cronista vem estender a mão, pedindo-lhes, pelo amor dos seus filhos felizes, esmola e compaixão para os filhos da miséria.

Que todas as mães, lendo estas linhas, – no santuário do lar iluminado pelo sorriso inocente dos pequeninos que de dentro das suas entranhas e de dentro do seu amor saíram para alegrar o mundo, – mandem, molhado de uma lágrima comovida, um pedaço de pão para as crianças que têm fome...

E que em todos os pontos a que possa chegar este pedaço de papel impresso, seja ouvida e atendida, pela bondade das mulheres que têm filhos, a súplica deste filho, que, tendo mãe, bem sabe de quanto é capaz a bondade das mães:

– Esmola para as crianças! Esmola para o futuro!

Olavo Bilac

18 JUN. 1890

FELIZ!

D. Pedro de Alcântara é esperado em Paris no mês próximo de julho. Quando, ao sol do pleno estio, a agulha da torre Eiffel resplandecer, o imperador deposto irá passear pela cidade da Luz, entre cumprimentos de simpatias, as suas formosas barbas de rei Lear.

Em 14 de julho, quando se estromparem os trombones rugindo a Marselhesa, quando o povo de Paris sair à rua para ainda uma vez comemorar o desmoronamento da Bastilha, – D. Pedro correrá a cidade, em *landau* descoberto, fiel às suas opiniões de rei-republicano, folgando também com as festas da república... E a multidão se abrirá, em alas respeitosas, de chapéu na mão e vivas na boca, para saudar o velho infeliz... E dos olhos das parisienses correrão lágrimas discretas; e os jornais disputarão os sonetos do poeta exilado; e a reportagem, num enxame de plumitivos, se atropelará curiosa sobre os seus passos, todos os dias, para participar à Europa e ao mundo, que D. Pedro nesse dia achou uma rima rica, que D. Pedro naquele dia calçou um par de meias de seda preta com estrelinhas de seda branca, que D. Pedro naquele outro dia, atendendo às reiteradas instâncias do conde Mota Maia, resolveu em boa hora tomar meio copo de Sedlitz-Chanteaud.

E D. Pedro abençoará naturalmente a revolução de 15 de novembro, que, se lhe tirou uma coroa de imperador, deu-lhe uma auréola de mártir, e que, se lhe subtraiu a obediência de um povo, concedeu-lhe a simpatia de Paris.

Pobre velho! pobre velho! morreria aqui, se aqui ficasse, no velho casarão de S. Cristóvão, no meio de uma corte pulha de fidalgos de última hora e damas de honor de setenta anos, sem prestígio, sem aventuras, sem público que lhe aplaudisse os sonetos, – porque, infelizmente para ele, este público tinha o desaforo de entender português e via logo que aquele versos não eram versos, nem aqui nem em casa do diabo...

Como foi feliz para ele a infelicidade do exílio! Acabaram-se as descomposturas políticas e as descomposturas poéticas: livre, livre, livre dos artigos circunspectos em que o acusavam de apodrecer o caráter nacional, e dos poemas vermelhos em que os parnasianos demagogos o chamavam de Nero para baixo! Livre das sessões do conselho de Estado, livre dos papos de tucano, livre da guarda nacional, livre dos espetáculos de gala!...

Feliz! podendo, à vontade, como um homem qualquer, comer terrinas de canja democrática na *Maison Dorée*...

Feliz! todos o cercarão de amabilidades e de rapapés, todos tratarão de lhe adoçar a amargura da vida na terra do exílio, nessa terra do exílio que é o meu sonho dourado, – Paris...

Paris! D. Pedro de Alcântara é esperado em Paris... Pois não dá mesmo à gente vontade de ser imperador, de ser Nero, de apodrecer o caráter nacional, de ser deposto, de ser exilado?

Aqui estou eu, concidadãos, eu que vos falo, eu que nunca fui Nero, que nunca apodreci o caráter nacional, nunca impedi o progresso do povo, nunca fiz daqueles versos, nunca enobreci o Mota Maia, nunca dei minha filha por esposa ao conde d'Eu, nunca sacrifiquei o país, – e que estou aqui na rua do Ouvidor, – na rua do Ouvidor, santo Deus! enquanto D. Pedro de Alcântara, que, segundo se diz, fez tudo isso que eu não fiz, está em vésperas de ir passear pelo *Bois*, em *landau* descoberto, entre cumprimentos de simpatia, as suas formosas barbas de rei Lear.

Ah! decididamente a natureza foi muita ingrata quando me fez um simples poeta, podendo fazer-me um imperador-poeta... Porque – palavra de honra! – para ir comer o pão do exílio em Paris, eu me submeteria à dura contingência de apodrecer o caráter nacional e de merecer os duzentos mil quatrocentos e cinqüenta e sete discursos da propaganda republicana do Dr. Silva Jardim...

O. B.

Gazeta de Notícias 1893

27 ago. 1893 Crônica Livre

Um jornal em boa hora reclama providências, imediatas e enérgicas, contra a exploração da infância, praticada em larga escala ultimamente com a criação de asilos particulares. Consola-me a consciência a lembrança de que tenho gasto muita tinta em pedir piedade para as pobres crianças, que a falsa caridade dos especuladores avilta. Há tempos, logo em seguida à publicação de um artigo sobre o assunto, recebi, uma carta que me encheu de espanto e mágoa. O informante, – ou melhor, a informante, porque era com certeza uma alma de mãe a que palpitava naquelas linhas piedosas, – contava-me horrores de um desses asilos.

Os meninos revoltavam-se às vezes contra as duras tarefas que lhes impunham: montar guarda à porta, de carabina ao ombro, por largas horas, ao sol ou à chuva; decorar discursos enfáticos, destinados a lisonjear a vaidade dos que forneciam dinheiro aos seus exploradores; andar de rua em rua, em procissão eterna, levados como uma troupe de saltimbancos, para expor à admiração pública a generosidade do patrão. E dizia-me a carta que, quando a revolta das crianças indignava os diretores, a bordoada cantava alto entre as quatro paredes da casa, enquanto, à porta, simulando exercício, dous pequenos eram forçados a tocar clarim e tambor, para que se não ouvissem de fora os gritos dos espancados.

Agora, as revelações do *Jornal do Comércio* são ainda mais graves. As crianças, nuas e famintas, rolam numa imundície sem par. E meninas, na idade em que desperta o pudor, têm apenas a cobrir-lhes o corpo uma tanga esfarrapada.

Há meses, capturou a polícia uma quadrilha de pequenos gatunos, de uma agilidade, uma perícia, de uma inteligência prodigiosas. E todos os jornais noticiaram então, que muitos desses menores eram desertores dos asilos particulares. Essa notícia passou sem comentário, entre as preocupações do egoísmo desta sociedade indiferente. E nenhum dos ricos que têm dado dinheiro aos asilos, nenhum desses felizes que podem converter a caridade num sentimento de luxo, num enfeite do próprio nome, como uma condecoração ou um título, – nenhum deles se revoltou ao saber que subsidiava escolas de crime, dando contos de réis para o custeio de fábricas destinadas a fornecer homens à gatunagem e mulheres à desgraça.

No entanto, tudo isto dói dentro da alma tão duramente! Só a meiga e divina pena de Dickens, – o cantor das misérias da infância – poderia chorar sobre este caso uma página verdadeira...

Há então nas revelações recentes um pormenor, que parece arrancado ao volume dos *Tempos Difíceis* do grande mestre. Os meninos, quando conseguem iludir a vigilância do diretor, fogem à noite do asilo, e, antes de ganhar a liberdade, voltam-se para apedrejar a casa em que sofreram.

Que ódio corrosivo e terrível deve ulcerar as almas tristes dessas crianças, que fermentação de rancor e de amargura deve ferver nesses corações apenas desabotoados à vida! E que homens, educados para a maldade, para a vingança e para o egoísmo, devem sair desses asilados, – que os asiladores, na sua fome alucinada de reclame, forçam à humilhação de andar espetaculosamente pelas ruas, a beijar as mãos de quem lhes atira à miséria um pedaço de pão...

Ah! se a voz de quem escreve esta linhas, pudesse merecer a atenção dos ricos e dos influentes, pedir-lhes-ia que acolhessem uma idéia generosa e prática: a fundação de uma Sociedade Protetora das Crianças, para que os seus delegados, a quem a polícia concedesse certo prestígio de autoridade, pudessem vigiar de perto todos os asilos públicos e particulares, fiscalizando a educação dos pequeninos, que vieram ao mundo pobres de dinheiro e de amor. Porque a polícia tem realmente mais que fazer: todo o seu tempo é pouco para espionar conspiradores e preparar eleições.

Que felicidade para as crianças, se alguém quisesse auxiliar-me neste empenho!

O. B.

12 SET. 1893

CRÔNICA LIVRE

Falemos do teu livro, Anselmo Ribas!

Não embaracemos a marcha dos negócios públicos, atravessando-nos diante deles; esta política e esta República são como o Cristo da anedota célebre: – Não lhe toques, Madalena, não lhe bulas, que é pior!

Pois em verdade te digo, amável roceiro fim de século, que fizeste um belo, um sincero, um excelente livro, – digno não só desse teu pacato nome de Anselmo, como do outro nome querido das letras e de mim, que usavas, obscuro, quando há dez anos nos metemos ambos a escrever para o público, e que usas ainda hoje, glorioso, quando assinas obras que não consideras como fancaria.

Como fancaria? Mas este volume d'*A Capital Federal (Impressões de um Roceiro)* está longe de ser uma obra de carregação. Será, concedo, uma obra mais de comércio que de arte; mas, ainda assim, a arte que nele há, fulgura e canta. Pudeste esconder o teu nome sob o nome de um ingênuo discípulo do reverendo vigário de Tamanduá, padre severo, de espírito empanturrado de latinidade dura e de mãos fecundas em cascudos rijos. Mas não pudeste, com a mesma facilidade, esconder o teu espírito.

Nestas páginas rápidas de crítica, repassadas de ironia fina, – relampagueiam os teus paradoxos habituais, retine o teu estilo, palpita o teu ideal.

Obra de comércio, – pode ser. Mas os bronzes de Barbedienne não são os únicos aceitáveis. Há estatuetas anônimas, bronzes de comércio em que se não estampa a assinatura do famoso fabricante, mas em cuja perfeição do mesmo modo se incarna a beleza eterna.

Falemos, pois, do teu livro, Anselmo Ribas! Se esta cidade indiferente fosse capaz de um movimento de gratidão e amor, estaria hoje infinitamente obrigada à tua pena pelos serviços que dela recebeu. Roma coroava os seus servidores, tivessem eles nascido dentro do âmbito das sete colinas, ou estrangeiro, viessem vindo oferecer os seus préstimos à *urbs*. Uma dessas coroas urbanas merecias tu, Anselmo, que, podendo dizer do Rio de Janeiro todo o horror que dele pensar e penso, preferiste cercá-lo de uma auréola glorificadora, dando-lhe foros de capital viciosa e civilizada. Francamente, não espero que a capital federal – cidade péssima a que só faltava antes de 15 de novembro o horror de ter esse hediondo nome de capital federal – te agradeça o bem que lhe fizeste. A cidade só tem olhos, nestas inefáveis horas de bombardeio e sítio, para seguir no ar o vôo sibilante das granadas. Quem tem medo, não tem tempo para ter mais nada.

Glorificaste a capital, Anselmo! O teu estilo não quis em boa hora roçar pelas poças de lama em que se atolam as ruas, nem demorar-se a rir da vulgaridade desta população heterogênea, que tudo aceita e aplaude, e cujas opiniões são governadas pelo medo, como alimárias magras por um carroceiro possante. Da nossa construção acanhada e feia, quiseste apenas dizer mal em meia dúzia de linhas. Preferiste consagrar o grosso das descrições aos palacete de teu tio, e, principalmente, ao seu banheiro; termas vastíssimas, em que se poderia banhar farta, regaladamente, mais do que toda a população da cidade; toda a alma nacional, que, seja dito entre parênteses, está precisando bem disso.

Ah! Anselmo! se nesta cidade houvesse um banheiro assim, eu não a trocaria por Paris nem por Londres... O meu amigo Coelho Neto, – deves conhecê-lo – que te conte a razão por que o banheiro fantástico do teu tio me comoveu até às lágrimas...

É que eu e ele, em tempos de boêmia alegre, quando tínhamos mais ilusões e mais esperanças do que hoje, morávamos dentro da mesma casa e do mesmo sonho, e projetávamos fazer construir, com a fortuna que nos dessem as letras, um vasto palácio, abrigando no bojo umas termas voluptuosas e amplas como as do teu tio. Sem querer, sem saber, reproduziste o sonho nosso na tua *Capital Federal*. E bastaria essa coincidência para que eu amasse o teu livro, se o perfume de ideal e o esplendor de estilo que há por ele, me não obrigassem a relê-lo! E bastaria o serviço que prestas a esta cidade suja, fornecendo-lhes o plano desse banheiro, para que ela, se fosse acessível ao sentimento da gratidão e não estivéssemos ocupados em seguir com olhos apavorados o vôo das bombardas, se julgasse obrigado, civilizadíssimo caipira de Tamanduá, a carnar-te [sic] na praça pública!

Glorificaste a capital, Anselmo... Dos cidadãos insuportáveis da capital, não quiseste ver os imbecis que passeiam a sua imbecilidade velha pelas ruas, como poderiam passear um fato novo: apenas, de leve, criativamente, em quatro traços mordazes, o tipo admirável do Guedes, o roleteiro, e o tipo de poeta importuno, de algibeiras prenhes de versos inéditos e beiços formigantes de perdigotos entusiasmados, a encher-nos a cara de uma salivação lírica e os ouvidos de um lirismo digno da forca. Preferiste alongar carinhosamente a descrição dos amáveis tipos que a tua generosidade criou para glória do Rio de Janeiro, como o do teu delicioso tio, que fez dos *debêntures* o pasto do seu sibaritismo, e de Paula Ney esboçado magistralmente em uma dúzia de linha precisas, a encantadora *silhouette* de Marion, – e, principalmente, o tipo do Dr. Guedes de Almeida, que apareceu enorme, descomunal, prodigioso de *charge* e de caricatura, porque é uma síntese, uma figura em que se vieram reunir dez, cincoenta, mil das figuras que acotovelamos diariamente.

Este Dr. Gomes de Almeida és tu, Anselmo, [*****], somos nós, – sois vós todos, ó poucos homens de coragem real que, entre o terror de uns e a estupidez de outros, ainda vos dais ao trabalho de percorrer estas linhas, enquanto os canhões-revólveres trovejam no litoral... Coelho Neto, a tua alma, em que a fantasia fez ninho, está dentro do Dr. Gomes! está dentro dele o teu sarcasmo gelado, Mallet! está dentro dele o teu lirismo de ouro, Guimarães Passos! estão dentro dele o teu arreganho de herói, Luís Murat, mestre do verso, e a tua ironia de aço, Machado de Assis, mestre da crônica! E é por isso que ele aparece como um monstro, pesando nas páginas do livro, rebentando o molde da frase, enchendo todo o volume com o espalhafato do seu gesto...

Glorificaste a capital, Ansemo Ribas. Em Tamanduá, quando lerem o teu livro, na alma de todos nascerá um desejo grande de visitar o Rio de Janeiro e até mesmo na alma prática do Pindela, o bazarista tamanduatense, rebentará essa perniciosa flor da curiosidade. Mas, ai! deles [*****] teu estilo, vierem trazer ao Rio de Janeiro a sua ingenuidade nativa! encontrarão uma cidade triste e mal cheirosa, e, entre o desânimo de todos, verão também o desânimo daquelas almas de eleição que [*****] enfeixadas na alma do Dr. Gomes de Almeida...

Basta de falar do teu livro, Anselmo Ribas! Enquanto falo dele, sinto um prazer que me consola dos aborrecimentos desta vida chata. Não abusemos do prazer. Vamos ao morro do Castelo, olhar para o mar...

O. B.

17 OUT. 1893 CRÔNICA LIVRE [CIA]

Devo à gentileza da casa Fauchon a oferta de um exemplar da *Mortalha de Alzira*, romance publicado há tempos, nestas mesmas colunas, por Vítor Leal.

Vítor Leal... Lembram-se as leitoras do seu retrato, estampado na *Gazeta de Notícias*, quando este mesmo jornal encetou a publicação do seu romance de estréia, *O Esqueleto*? Neste retrato, gravado por Hastoy, Vítor Leal aparecia como um mocinho esbelto, de bigodinhos encalamistrados, chapéu desabado à Van Dick, cabeleira à 1830, e um grande ar de supremo desaforo e de insciência suprema na face e no modo de vestir. O primeiro capítulo do romance deixou no ânimo dos leitores a mesma impressão deixada pelo retrato. O estilo do escritor era como a sua fisionomia: um estilo ultra-romântico, trajando gibão de veludo azul e botas de couro de Córdova, e mão tão pronta a fazer vibrar o alaúde em louvor da primeira dama, como a sacar da espada em castigo do primeiro insolente.

Outros romances sucederam ao primeiro. Vieram *Paula Matos ou o Monte de Socorro* e a *Mortalha de Alzira*, ambos editados pela *Gazeta*, descobridora daquele escritor misterioso, que não aparecia na rua do Ouvidor, que não tomava vermute no Pascoal, que não freqüentava teatros, nem corridas, nem redações, nem *boudoirs*, nem cervejarias, nem batotas. E todo o mundo queria saber quem era Vítor Leal...

Bastaria, no entanto, olhar com atenção o retrato de Vítor Leal, para descobrir o segredo agora desvendado por Aluísio Azevedo no prefácio da *Mortalha de Alzira*. Havia com efeito nesse retrato os olhos adoráveis de Aluísio Azevedo (os mais belos olhos de homem que conheço, leitora!), a vivacidade felina da fisionomia de Coelho Neto, a *pose* à d'Artagnan de Pardal Mallet, e o nariz titânico, descomunal, de quem está agora escrevendo estas cousas. Éramos nós – o romântico Vítor Leal. Pardal Mallet e este mesmo cronista livre tinham escrito o *Esqueleto*. Os dois, aliados a Coelho Neto e Aluísio, haviam fabricado o *Paula Matos*. E Aluísio, desta vez desacompanhado, tomara a si a tarefa de sustentar os créditos do nome de Vítor Leal, escrevendo a *Mortalha*.

No prefácio desta belíssima novela, editada agora em volume pela casa Fauchon, Aluísio Azevedo, em boa hora, resolve não recusar o seu nome à filha formosa que pedia pai. Em boa hora, digo, porque estou certo de que Aluísio não procriou *A Mortalha de Alzira* sem amor. Os filhos nascidos de uma união de acaso, em dia de tédio profundo ou dispepsia embrutecedora, não costumam nascer com a robustez, a graça, a vivacidade que palpitam nas linhas deste livro. Daqui se conclui que Aluísio, levando a *Mortalha* à casa Fauchon, praticou um ato honesto e caridoso. Foi como se a levasse ao registro civil. E fez bem. A filha ilegítima, agora reconhecida, não envergonha o pai: é digna do convívio fraternal do *Mulato*, da *Casa de Pensão* e do *Coruja*.

Em torno do nome deste vigoroso operário das nossas letras criou-se uma reputação tão falsa, como a que cercou durante algum tempo o nome de Zola: um naturalista! um terra-à-terra! um esmiuçador de cousas sujas! um banido do Ideal! um espontapeteador da Poesia!

Ora, nada mais falso. Aluísio é um poeta. Só não será um poeta para quem julgue que, a fim de ser poeta, é indispensável viver uma vida extra-humana, amando e praticando cousas que se não vêem, como os viciosos solitários amam e gozam mulheres que não existem. Há nos seus livros de mais rigorsa análise da verdade páginas cujo estilo freme e fulgura com as palpitações do ideal que as inflama. Até mesmo no *Cortiço* – nesse estudo cru e repugnante da vida de estalagem – há um trecho da mais alta poesia: a eclosão da puberdade de *Pombinha*, página que não precisa de ser rimada, para que a alma do leitor nela se embale, como numa rede de ouro. Agora mesmo, tem Aluísio um livro no prelo – *Os Demônios* – que é uma prova flagrante do que digo.

Um poeta que ama a vida da terra, apesar de todos os seus horrores e de todas as suas misérias – é isso o autor da *Mortalha de Alzira*. E vamos e venhamos, meus amigos: o que se passa no seio de ouro de Sirius ou no seio vermelho de Marte, não pode ser muito mais poético do que o que se passa no seio deste ordinário planeta que habitamos. É possível mesmo que os poetas de Aldebarã ou da Lua passem as suas noites de insônia a olhar para a Terra, pedindo ao seu sonho febril um par de asas que os conduzam para aqui.

Obra romântica, a *Mortalha de Alzira*? tanto melhor: esqueceremos o que estamos vendo, para ver o que viam Gautier e Hugo. Tem o defeito de ser um romance, cuja ação se desenrola em França? tanto melhor! o que se está agora desenrolando no Brasil só pode perturbar a digestão e desesperar a alma.

O livro é bom. Tanto basta. Vítor Leal fez bem em abandonar as penas de pavão com que revestia as suas asas de gralha, e Aluísio Azevedo fez bem em assinar este livro. O livro é bom. Que podemos exigir além disso?

O. B.

21 OUT. 1893

CRÔNICA LIVRE

No Apolo, ontem. Representava-se qualquer cousa bárbara que dá pelo nome de *Abacaxi*. Abanquei-me a um canto da sala, com um tédio negro na alma. E de repente, vi entrar em cena um monstro, uma figura medonha, como um avantesma de pesadelo, um filho de fantasia macabra. E, com horror, verifiquei que era o Xisto Bahia que entrava em cena, o meu Xisto, o meu grande Xisto, cujo talento é hoje o único apoio que, no palcos do Rio de Janeiro, tem a arte brasileira.

Era o Xisto Bahia. O seu robusto corpo de atleta vinha embrulhado num vestuário de Cupido. Um par de asas de gaze lhe tremia às costas. Calçavam-lhe os grandes pés sapatinhos de cetim cor de rosa. E a sua bela face, tão acentuadamente, tão genuinamente brasileira, desaparecia sob uma ignóbil caracterização de efebo do Rocio.

Era horrível! tinham encarregado o Xisto de corporizar, em cena, o repugnante episódio dos amores do Gregório: nunca se sujeitou o talento de um artista a mais dolorosa, a mais revoltante provação do que aquela. Enevoaram-me de lágrimas os olhos, quando vi o meu Xisto Bahia, com um bamboleio obsceno de quadris, dar muxoxos do notívago sem vergonha, aflautando a voz e revirando os olhos. O meu Xisto! o meu *Bermudes*! o meu *Capadócio*! o criador das comédias nacionais de Artur Azevedo! o único ator que tem sabido, com talento real, quase com gênio, transplantar para o palco a nossa vida, a nossa primitiva simplicidade de costumes, a exuberância e a bondade do nosso temperamento!

Fiquei amarrado à cadeira, bestificado de indignação, embrutecido de desgosto. Não creio que da cena os seus olhos tenham encontrado os meus na platéia, mas tenho a certeza absoluta de que naquela, como em todas as suas outras noites de suplício, a alma do Xisto Bahia estava, como a minha própria alma, transbordando de nojo, amargurada pela revolta impotente dos seus ideais de artista, contra a imbecilidade do povo e da peça, contra as injustiças que lhe alanceiam a cada instante o coração de sonhador incompreendido.

Há tempos, quando um homem de elevada inteligência e espírito finíssimo administrava o Estado do Rio, obteve Xisto um emprego que lhe permitia dar de comer à família, sem carecer de prostituir o talento à luz da ribalta. Santo Deus! quase veio o céu abaixo... E a nomeação de Xisto foi um dos argumentos mais freqüentemente usados contra a administração de quem o nomeara: empregar um ator! Somente os camelos que protestavam contra isso, deveriam (se dentro das corcovas da sua estupidez houvesse lugar para um pouco de justiça e bom senso) acrescentar: – um ator que honra a sua arte, que honra o Brasil, um ator que é um cidadão exemplar, chefe de família como poucos, alma de eleição que se conserva honrada e pura dentro do marnel da vida de bastidores... Mas, como a estupidez neste mundo, e provavelmente em todos os outros, vence e domina sempre, Xisto Bahia, demitido, teve de voltar ao teatro. É preciso ganhar dinheiro para viver: e para um artista que é pai, a alimentação dos filhos vale ainda mais que a sua arte...

Voltar ao teatro... Mas não ao teatro digno dele, que esse não existe nesta gloriosa capital artística da Parvônia americana: aos teatros reles que, para satisfazerem a exigência do público, têm de montar revistas de uma sandice mais chata que uma tábua rasa.

Tudo isto dói dentro da alma com uma aflição sem nome: o riso da gente que te aplaudia naquela noite, meu pobre Bahia, soava aos meus ouvidos como o clamor cruel das populações fanatizadas vendo, entre aplausos, queimar a fogo lento um supliciado da Inquisição... E a minha tristeza foi tão grande, foi tão grande a minha revolta, que as quis deixar nestas linhas, de envolta com o abraço público, que um irmão envia a outro irmão que sofre.

Naquela noite, a minh'alma estava pairando sobre a tua. No vozear daquela feira de graçolas hediondas, elas duas se consolavam e apertavam, entendendo-se e sentindo-se superiores a tudo aquilo. Assisti a toda aquela cena do *Abacaxi* como quem assiste à tortura de um mártir. O martírio santifica; e não sei que martírio é mais glorioso e mais nobre: – se o do heresiarca João Huss, na praça pública, amarrado à fogueira, perdoando a *sancta simplicitas* dos que o queimavam, – se o teu, no *Apolo*, amarrado àquele papel repugnante de *Gregório*, perdoando a estultície dos que te aplaudiam.

O. B.

07 NOV. 1893 — CRÔNICA LIVRE [CN]

Ouro Preto, 3 de novembro.

Oh! viajar! sair de perto daquilo que nos aperta o coração, ou nos espreme a vesícula biliar, enchendo-nos a alma ainda mais de nojo que de indignação! E, longe do passado que nos angustia, viver do passado mais belo, errando entre ruínas, que dormem há séculos, ou, de papo para o ar na relva cheirosa dos matos, seguir a dança das nuvens no ar, quando o vento as destrança e espalha como uma cabeleira de neve!

Para o alto das serras, para o sossego dos campos, para a castidade das colinas embalsamadas, trouxe eu a minha livre crônica, que carecia de alegria, e os meus pulmões doentes, que careciam de ar. Que importa a mudança a quem se habituou a ouvir diariamente nesta coluna as variações de minha sanfonina inofensiva? No Rio, a crônica nem pode já registrar o sibilo das balas que valsam macabramente no ar incendiado.

Em Ouro Preto, ela poderá ao menos fotografar alguns aspectos da nobre terra mineira. E o leitor que abrir este jornal, de manhã, com os ouvidos cheios ainda do canhonaço da véspera, poderá, depois de se informar do que houve quanto à revolta, repousar o espírito na leitura de cousa menos triste. E o seu nariz se alongará avidamente para o jornal, buscando sentir o cheiro das matas que a minha prosa [*****] celebrar... Assim possa a minha prosa se reabastecer e ganhar cores, como se estão tonificando os meus pulmões, neste ar que alegra e reanima como um vinho puro!

* * *

Vir a Minas é vir ao coração do Brasil. Ouro Preto, amantelada nas suas montanhas verdes, é como o reduto último da nossa nacionalidade. Nas suas casas velhas, que cambaleiam colinas abaixo, apoiando-se umas às outras em prodígios de equilíbrio; nas suas velhas igrejas, em cujas esculturas vive perpétuo o gênio do Aleijadinho, e cuja ornamentação relembra o fausto religioso da opulenta Vila Rica; e, mais do que tudo, nas suas ruínas venerandas, alicerces colossais de pedra benta, pilastras quebradas que as heras mordem, pórticos esboroados, cujos destroços se aconchegam de líquens, – perdura religiosamente conservada a tradição dos primeiros brasileiros.

Por S. Paulo, pelos Estados do sul, pelos Estados do norte, a corrente estrangeira alaga a terra, desnacionalizando o povo. As ruas das cidades, alargadas, cheias de construções modernas, ao gosto italiano, ao gosto alemão, ao gosto francês, rolam [sic] uma população heterogênea, em cujo sussurro de mar agitado se reconhecem todas as línguas, como no vozear afanoso dos operários de Babel. O progresso, que rasga montanhas e galga abismo, não cuida dos vestígios de gerações mortas que a sua passagem apaga. No Rio, já é raríssimo o canto da cidade em que uma construção colonial se anteponha aos olhos, reavivando a recordação das primeiras épocas da nossa história.

Posto assim num meio que nada lembra, entre homens cujos costumes e cuja voz apenas falam de países estranhos e apartados, entre cousas que falam apenas do presente, – o espírito vai perdendo a consciência da nacionalidade, o coração se vai desapegando das reminiscências do passado. Eu, pelo menos, só me sinto verdadeiramente brasileiro, quando deixo perdida ao longe a vozeria da rua do Ouvidor, e, abrindo o peito ao ar livre do sertão, caio na vida simples dos campos, com a alma a espreguiçar-se voluptuosamente no seio verde e fecundo da natureza.

* * *

Quando, passado Entre Rios, as montanhas mineiras, cavalgando-se, atropelando-se, começam a aparecer, a alma se alarga na contemplação da serra, e como que um sangue novo, profundamente brasileiro, nos enche as veias.

Deus, em Minas, trabalhou a Criação como Miguel Ângelo trabalhava as suas estátuas: a golpes loucos, a camarteladas violentas, talhando monstros cuja visão pesa na retina e esmaga o espírito.

Aqui a Natureza abafa o homem, subjuga-o, prostra-o vencido, ajoelhado, lívido de pasmo e de admiração, aos seus pés.

Diante de certas paisagens, extático e mudo, sinto um punho de ferro constringir-me a garganta: aquilo entra-me pelos olhos, embebedando-me, chamando-me o sangue às têmporas num rebate de febre, escurecendo o cérebro num nevoeiro.

Depois, passado o assombro, uma comoção inefável me invade o coração. Descubro em mim ternuras que não suspeitava: uma piedade nova que me faz chorar a *sorte* de uma folha morta ou de um inseto ferido; um amor de tudo, que confunde a minha vida com a vida de todas as cousas, que me eleva e me abate, que faz igual ao pássaro que voa e à lagarta que rasteja, à pedra que dorme à beira da água, e à água que canta entre as pedras, e à nuvem que o sol estria de ouro e ao sapo desprezível que se esconde na lagoa; um desejo enfim de, aterrado pela minha pequenez, desaparecer dissolvido, absorvido, assimilado pela terra que me chama...

Entre as serras que se despenham, como um bando de ciclones em fuga, voa o trem vertiginosamente. A quando e quando, cava-se um vale: águas que espumam torvelinhando, correm pelo veludo verde das encostas, arrufadas ao sol, e alargam-se em baixo, lambendo as rochas, franjando-as, abrindo-se em lagos, precipitando-se adiante por novos declives. Ao fundo parecem rebanhos: e de longe, microscópicos, os bois aparecem, movendo-se quase imperceptivelmente...

E tudo verde: às vezes, uma montanha surge, abre uma boca negra, engole a locomotiva que estardalhaça na treva; e de repente, varado o túnel, sem transição, o mesmo verde violento, o mesmo verde entontecedor irradia, doendo nos olhos, apunhalando-os, alucinando-os. Ao galope do trem, acaba-se enfim por cerrar as pálpebras. Mas parece que, através das pálpebras, o verde da serra continua a ferir a retina cansada. Um adormecimento leve, um cansaço nos afrouxa os músculos; e numa sorte de sonho vago, como na embriaguez do haxixe, a verdura deslumbrante continua a passar, quase negra aqui, verde-mar adiante, verde quase branca mais longe.

* * *

Galgada a ladeira que sobe da estação ao centro da cidade, Ouro Preto aparece iluminada pelos lampiões trêmulos que sobem e descem os quatro morros em que assenta a capital de Minas. Em torno, a essa hora adiantada da noite, montes negros a guardam como uma ronda de gigantes. Aqui, as luzes cabriolam correndo por um declive rápido, indo morrer, abafadas, quase mortas, às fraldas da serra, mergulhadas em treva. Ali, juntam-se, aglomeram-se, confundem-se a um grande clarão, desaparecendo de súbito numa quebrada, para reaparecerem mais adiante. Longe, no alto dos morros, rarefazem-se; e, assim, isoladas no meio da sombra que as cerca, palpitam como estrelas, tão altas estão...

E já em plena cidade, subindo e descendo as suas ladeiras íngremes, sente-se uma saudade inexprimível. A iluminação escassa favorece o sonho; a cada passo, diante das casas senhoriais que se fecham num silêncio solene, vai-se restaurando a vida da antiga Vila Rica.

Uma companhia vai iluminar Ouro Preto a luz elétrica. Já pelas ruas alongam-se os postes, em fila, sustentando as lâmpadas; falta pouco para que se cometa esse atentado contra a poesia da cidade. Então, nunca mais ninguém a verá como a vi pela primeira vez, à noite, à luz vaga e tristonha do querosene, tão adequada à melancolia doce que envolve estes casarões seculares.

Oh! deliciosa, oh! encantadora cidade para passeios à noite com a alma embebida nas recordações do tempo colonial, sem destino, ao acaso das ladeiras!... Concentrado o espírito nessas recordações, por uma espécie de auto-sugestão, vêem-se as ruas povoadas de fantasmas.

Aqui, sente-se o ombro roçar no ombro de alguém: é um fidalgo que se recolhe vagarosamente, de colete de cetim macau bordado a lantejoulas, bastão grosso de castão de ouro, chapéu a Frederico, de três pancadas, sob o qual alveja o rabicho empoado, – precedido pela criadagem que lhe alumia a ladeira com lanternas vacilantes.

Adiante, julga-se ver um dragão de El-Rei cruzar a esquina próxima com longa adaga de gancho tilintando nas pedras.

E no alto, a uma gelosia que se abre de manso, cuida-se ver assomar uma cabeça medrosa de mulher, que inclina para a rua a coifa de seda branca, de onde pendem fios de ouro, e apóia ao peitoril a mão, cujos dedos desaparecem debaixo do fulgor de grandes diamantes do Tijuco...

OLAVO BILAC

09 NOV. 1893 CRÔNICA LIVRE [CN] [CF]

Ouro Preto, 6 de novembro.

A propósito de Gonzaga, o Dirceu das *Liras*.

Nas suas *Recordações da Itália*, Lopes de Mendonça, falando incidentemente de Gonzaga, revolta-se contra a apatia em que D. Maria Joaquina Dorotéia de Seixas se deixou envelhecer burguesmente, na sua casa de Vila Rica, até os cinqüenta e quatro anos de idade. A alma de Lopes de Mendonça, tomada de horror diante desse envelhecimento pacato, se rebela contra o espetáculo da decrepitude da Musa, de face engelhada, boceta de rapé em punho, revendo-se na sua descendência, batendo chinelas pela casa triste, e arrastando através dessa vida sem poesia os seus achaques, as suas saudades e o seu tédio.

Na tragédia de Shakespeare, Hamlet, fora de si, pergunta a Laertes, que, desgrenhado, se desfaz em contorções trágicas e lamentações retóricas à beira da sepultura da formosa Ofélia: – "Que mais queres tu fazer, hipócrita, para ostentar o teu desespero? Queres arrojar-te do alto do Ossa? Queres engolir um crocodilo"?

Naturalmente, o autor das *Recordações da Itália* não desgostava de ver a Marília, desesperada pelo infortúnio do seu cantor, cometer um desses atos de sobre-humana angústia. Queria o escritor português que D. Dorotéia de Seixas se precipitasse como uma Safo na cascata do Tombadouro? que engolisse alucinadamente uma *queixada* viva? que, com o volume das *Liras* na mão se despenhasse corajosamente do píncaro do Itacolomi?

A mim, confesso que me deixam sem entusiasmo todas essas soluções possíveis para aquele amor. Mais que o espetáculo de um fim trágico qualquer – o suicídio da Musa, ou a sua morte fulminante causada pela paixão – prefiro o modo por que Marília se deixou morrer, na sua casa engastada no fundo do vale, vendo, pelas colinas que a cercavam, a descida dos rebanhos brancos, que a inspiração pastoril do seu Gonzaga celebrara...

Um certo mistério cerca ainda hoje a história desses amores idílicos. O que, apesar disso, parece provado, é que não tenham eles sido uma dessas paixões que alucinam, quando se não satisfazem, e em que a alma entra de parceria com a carne, ambas ansiosas, ambas exigentes, ambas humanamente excitadas.

Mesmo nos mais apaixonados versos de Gonzaga não palpita essa febre, essa ânsia de gozo e de posse, nem aparece uma nota qualquer capaz de provar que uma aproximação de sexos tenha consagrado naturalmente o idílio encantador a que a nossa poesia deve tanta página deliciosa. Para o poeta, que, depois de ouvidas as partes cujos interesses pendiam do seu juízo, se debruçava à janela para devanear diante da natureza – Marília era apenas, talvez, a figura encarregada de dar a nota humana à paisagem arrebatadora. Quando se relêem os versos de Gonzaga, nota-se logo que o que principalmente os inspira é a beleza do campo, a serenidade da vida rústica, a bem-aventurança suprema da natureza.

Aqui, é uma ave que o filho aquece entre as asas. Ali, uma vaca que o novilho tenro lambe e afaga. Mais longe, as árvores que bracejam, sacudindo o orvalho que as molha. Adiante, escravos que cercam o rio, cavam a serra, colhem ao fundo da bateia o cascalho rico em que o ouro fulgura; capoeiras inda novas que se queimam, ardendo nas quebradas; terras que se adubam, misturadas com cinza, à espera dos grãos; caçadas alegres, em que a vara envisgada espera o passarinho incauto; pescarias, à hora da sesta; e campos cheios de papoulas, e cercas emaranhadas de rosas silvestres, e pedras de onde salta a rama forte das gameleiras robustas... Tudo isso não seria humano, não cantaria com tanta vida, não se abrasaria em tanta luz, se não houvesse uma figura de mulher pairando sobre tudo, se um pouco de amor não viesse dar um quebro comovido às estrofes e um perfume novo de poesia às descrições.

O próprio Gonzaga confessa, em verso, que não era junto de Marília que se aplacavam os ardores dos seus quarenta anos bem conservados:

Eu sei, Marília,
Que outra pastora
Cega namora
Ao teu pastor:
Há sempre fumo
Aonde há fogo.

D. Maria Dorotéia amava e animava o seu poeta, perdoando-lhe as infidelidades. E nunca a paixão, a verdadeira paixão incendiária e violenta deve ter vindo romper a serenidade daquele amor sossegado, honesto, comedido, nem perturbar a calma das horas passadas entre contemplações mútuas, olhares longos e sorrisos claros, trocados de janela a janela, por cima das flores que se abriam no vale, por baixo do céu que se cobria de estrelas.

Degredado o poeta, o tempo que apaga tudo, – até mesmo as mágoas de amor, ai de nós! – fez no coração de Marília o que faz no coração de todo o mundo. E, enquanto os anos passavam, monótonos, regulares, as saudades se foram mitigando pouco a pouco. Dizem que da prisão Gonzaga propusera à sua musa o casamento. Mas, santo Deus! a África era tão longe! Moçambique devia ser tão feia! a viagem tão longa, por tão inclementes águas, entre temporais tão rudes! a Musa ficou e o poeta partiu...

Em Moçambique, Gonzaga consolou-se facilmente da recusa de Marília. Antes de enlouquecer, levou à Sé do lugar uma senhora Masquerenhas, de origem fidalga, a quem, à face de Deus e dos homens, deu a mão e o nome de esposo: é o que consta de documentos incontestáveis, publicados há tempos pela *Revista do Instituto*. E em Vila Rica, Marília viveu, teve descendência, envelheceu, e, no ano de 1854, fechou os olhos à vida, num leito antigo, que, como curiosidade histórica, aí no Rio de Janeiro, o Sr. conselheiro Viriato Bandeira Duarte conserva religiosamente.

Ora, às imaginações escaldadas não parecerá com certeza digno do drama este desfecho vulgar. A mim parece-me o único digno, porque teve a mesma simplicidade e a mesma naturalidade do drama. O drama foi simples, como a natureza e a vida rústica que lhe formaram o cenário. Um poeta, uma mulher, duas janelas que se defrontam, alguns versos lindos, uma conspiração, muitas lágrimas, muitas tristezas, o tempo que apaga tudo, o esquecimento, e depois... filhos de um lado e de outro. Mais nada. Não nego que Marília daria prova maior do seu amor acompanhando à África aquele que a eternizou na lembrança dos homens. Mas, que querem? as mulheres são assim... Quase sempre, para ser amado por elas até à loucura, é preciso antes de tudo isto: não as amar. Raras mulheres têm sabido amar tão bem como Frederica, a mulher que se dedicou ao grande Goethe, o maior egoísta que jamais fez versos...

Mas isso não altera o que fica escrito. O mundo é o mesmo, em Vila Rica como nos confins da China; é preciso aceitá-lo como ele é, sem discussão. Demais, que temos nós com tudo isso? Temos versos de Gonzaga: amemo-los. Temos a recordação de Marília: veneremo-la. Morta como Safo, tragicamente, ou burguesmente como qualquer burguesa, a mulher cujos olhos inspiraram meia dúzia de versos perfeitos, é digna do carinho e do amor dos poetas que ficaram ou vieram depois com a mesma aspiração de corporizar em sílabas medidas o doce luar que em redor do seu infortúnio espalha a presença da pessoa amada...

O. B.

Gazeta de Notícias 1894

13 JAN. 1894

CRÔNICA LIVRE

Há pouco, percorrendo um jornal, fiquei meditando sobre um artigo lido. É um artigo em que o autor, – talvez um poeta, cuja alma se deixa alancear pela saudade dos tempos de ouro que não voltam mais, – restaura uma página de antiga vida grega, a história de um pastor casto que aprende longamente a amar, à hora da sesta, num recesso de bosque embalsamado, graças às lições de uma ninfa amestrada.

Fiquei meditando sobre o caso. E perguntei a mim mesmo, apelando para toda a franqueza de que fosse capaz a minha consciência, se a minha carne e a minha alma preferiria o amor, – como amavam nesses tempos livres as ninfas e os pastores, sobre a relva, entre gorgeios de aves e farfalhos de ramos – a amar como todos amam hoje em dia, sob um teto de estuque, em sobrecasaca e luvas, – em torno, não de uma pedra em que se sirvam a broa dura e a água cristalina, mas de uma mesa limpa em que se sirvam ostras e champagne gelado.

Como vêem, a cogitação era de uma profundidade de abismo e de uma importância de plataforma eleitoral. Gastei com essa cogitação uma hora longa e mal empregada: ao cabo dela, a minha consciência se havia pronunciado de modo definitivo.

Não! positivamente não! dentro da minha alma, pode haver uma saudade romântica desses tempos bem aventurados; mas não há, com certeza, o desejo de voltar a eles, deixando este verniz de decência e de elegância, estes escrúpulos, este comedimento, este amor da comodidade que a civilização veio apurando de antepassado em antepassado meu, desde o troglodita que comia cascas de árvore até qualquer dos meus contemporâneos que têm o bom gosto de comer *foie-gras*...

* * *

Santo Deus! não foi à toa que Roma subjugou Atenas, que os bárbaros invadiram Roma, que o catolicismo civilizou os bárbaros. O mais lírico de todos nós, posto diante da pessoa amada e ardentemente desejada entre todas, não será capaz (para satisfazer as exigências do lirismo com prejuízo de outras exigências mais imperiosas) de pedir à senhora em questão que tenha paciência, que se transforme em pastora, que coma broa e beba água, e que, em túnica branca e coroada de rosas vermelhas, conceda uma entrevista pitoresca no mais intrincado de um mato qualquer, – onde há chilros de pássaros, murmúrios de arroios e barulhos afrodisíacos de ninhos, mas onde há também cobras que mordem, cardos que arranham, insetos que cheiram mal e formigueiros que nunca mais acabam. Porque, enfim, nem a própria Dulcinéia del Toboso tomaria a sério essa proposta se lhe fizesse o seu castíssimo D. Quijote, – alma desvairada pelo sonho do passado, na qual vieram, através das idades, medrar e florescer os rebentos do lirismo humano...

* * *

Não irei até dizer-vos, – amigos que preferiríeis amar nos bosques de Idalion! – que, no amor, amo apenas o artifício e as sedas de que se veste a mulher amada, e a graça com que ela come trufas, e o mimo com que ela bebe Chablis... Estou e estarei convosco em dizer que o que amo no amor é o próprio amor, e que a mulher bonita quando está bem vestida é menos bonita do que quando não está nem bem nem nada vestida... Mas, daí a desprezar, pela alcatifa verde dos bosques, todo o conforto moderno das alcovas cheirosas, de meia luz amortecida e lânguida, toda a volúpia do rugir da seda dos corpetes quando se desabotoam, toda a delícia das plumas macias sobre as quais soam melhor os beijos e têm mais doçura as carícias que dão o céu, – vai um abismo tão grande como o que separa a frescura desta crônica do calor que está sufocando quem a lê.

Demais, para que procurar a Natureza dos ramos verdes, dos cipós torcidos, dos animais inconscientes, dos riachos insensíveis, quando se tem entre os braços a sua mais bela obra, – que é um corpo feito de lírios e magnólias, com olhos que falam a mesma linguagem das [*****], braços que sabem apertar com mais força do que todos os cipós da floresta, [*****] que têm mais aroma do que todas as roseiras do mundo? O único panorama digno de servir como cenário ao amor é o que os olhos descortinam, quando correm um colo sem mácula, que desafia o cansaço dos beijos...

Ah! meus amigos! eu amo em extremo a Natureza; mas quando estou olhando para os olhos de uma mulher bonita, pouco me importa que haja no céu e na terra crepúsculos de púrpura, constelações de ouro, árvores de manto de esmeralda e rios de prata...

OLAVO BILAC

26 JAN. 1894 BELO HORIZONTE – A NOVA CAPITAL DE MINAS

I

Contém a lei orgânica de Minas uma disposição, que confere ao Congresso poderes para determinar, ao território mineiro, a localidade mais adequada à fundação de uma grande cidade, que sirva de capital ao Estado. Há pouco mais de dois meses, reunido em sessão extraordinária em Barbacena, começou o Congresso a deliberar sobre o assunto, depois de ouvido o relatório do Dr. Aarão Reis, engenheiro chefe da grande comissão de estudo das localidades indicadas.

Essas localidades eram cinco: uma situada na região da mata, duas na região do campo, e duas na região do sertão.

A primeira, *Juiz de Fora*, que já é hoje uma grande e bela cidade, está situada à margem do Paraibuna, 703 metros acima do nível do mar, em um planalto que separa a Serra do Mar da Serra da Mantiqueira. A segunda, *Várzea do Marçal*, situada à margem do Rio das Mortes, perto das cidades de S. João d'El Rei e de Tiradentes (antigo S. José d'El Rei), tem uma altitude de mais de 900 metros e abrange toda a zona compreendida entre aquela primeira cidade e a serra de S. José. A terceira, *Belo Horizonte*, situada no vale do Rio das Velhas, distante 18 quilômetros de Sabará, a 800 metros acima do mar, é um imenso *chapadão* banhado pelo ribeirão dos Arrudas, entre as serras do Curral e a da Contagem. A quarta, *Barbacena*, a conhecida cidade de verão, está situada no planalto da Mantiqueira, a mais de 1.000 metros sobre o mar. A quinta, finalmente, *Paraúna*, pertence ao município de Diamantina, tem 500 metros de altitude e demora no chapadão do S. Francisco, banhada pelo Paraúna e pelo ribeirão do Crime, sem afluente.

A discussão foi renhida e longa. Por várias vezes, os votos penderam para esta ou aquela localidade. Quando se encerrou a segunda discussão do projeto, a *Várzea do Marçal* saiu vitoriosa do confronto, e já ninguém duvidava fosse ela a localidade indicada, pois que mesmo em S. João d'El Rei girândolas e farândolas celebraram o seu triunfo. Mas, encerrada a terceira discussão, fomos em Ouro Preto surpreendidos pela notícia telegráfica de que vencera *Belo Horizonte*. É portanto esta localidade, antigamente conhecida por *Curral d'El Rei*, aquela em que se vai estabelecer a nova capital de Minas Gerais, para a qual, por decreto legislativo, já foi infelizmente designada a denominação de *Minas*, quando era tão fácil achar outro nome que, sendo menos vulgar, fosse ao mesmo tempo mais belo e expressivo.

* * *

Escolhido o local para o novo centro administrativo deste incomparável Estado, levou-me a curiosidade a visitá-lo, para fornecer aos leitores da *Gazeta* notícia rápida da sua beleza, segundo impressão pessoal. E na manhã de 16, às 4 horas, por um frio que deve causar arrepios de inveja a quem me lê no Rio de Janeiro, saltei da cama e abalei pela noite das ladeiras de Ouro Preto, em companhia dos amigos que seguiam comigo a admirar o *Curral d'El Rei*.

Éramos quatro. Um de nós, ilustre deputado ao Congresso Estadual, dera o seu voto a Belo Horizonte. Outro, distintíssimo 6º anista da Escola de Minas, projetava estudar a região, levando consigo aneróide, termômetro, máquina fotográfica, e martelo e picareta para a exploração do calcáreo riquíssimo que é abundante nos arredores do povoado. O terceiro, alma fina de artista, era, como eu, levado pela curiosidade. E por mim confesso que, mais ainda que o dever de correspondente da *Gazeta*, impelira-me à viagem a tentação do passeio por serras e vales, durante oito dias deliciosos, a cavalo e em caminho de ferro. Tanto mais quanto o nosso programa compreendia, além da excursão a Belo Horizonte, uma descida ao fundo das minas do Morro Velho e um repouso na fazenda das Lages, onde descansa das fadigas políticas, arredado da agitação maldita dos tempos que correm, o belo espírito do Dr. Matta Machado.

Quando o trem, às 5 horas, partiu da estação de Ouro Preto, amanhecia. À luz viva do sol nascente, despedimo-nos da estupenda e selvagem natureza que emoldurava a velha Vila Rica. Banhadas no clarão ofuscante da manhã, empinavam-se as montanhas verdes que o trem atravessava, ora galgando-as por pontes arrojadas no espaço, ora furando-as por túneis admiráveis, ora beirando-as sobre abismos e desfiladeiros.

Passamos por Tripuí e Rodrigo Silva com pequena demora, e às 7 1/2 chegávamos a Miguel Burnier, tendo percorrido todo o ramal de Ouro Preto, que é uma das mais difíceis e arriscadas construções de caminho de ferro no Brasil. Daí por diante, seguindo o curso da Central, num carro péssimo, de bancos esburacados e chão recamado de lixo, voamos para a estação do Rio das Velhas, onde nos deviam esperar os cavalos.

Almoço em Itabira do Campo, às 9 horas. Itabira, edificada sobre a encosta da serra, está a essa hora rindo ao sol, derramando pela montanha a sua casaria branca. Lá em cima, correndo a povoação, alveja a capelinha do Senhor de Matosinhos, cuja sacristia tem as paredes cobertas de *milagres*, de um desenho primitivo e ingênuo, relatando sucessos de um absurdo curiosíssimo – homens quase afogados que o olhar da Virgem pescou, salvos do fundo do rio, pernas quebradas que o bafejo divino soldou em menos de um segundo.

Não nos afastamos da estação, porque o trem está a partir. Tenho apenas ocasião de abranger toda a Itabira num longo olhar amigo, com saudade dos cinco dias encantandores que já aqui passei, há pouco tempo, descendo as ruas velhíssimas cheias de casas cambaleantes, ouvindo serenatas de violões e flautas, cuja voz chorava longamente no silêncio da noite, e subindo a cavalo ao *Pico*, de onde se avistam seis arraiais, por caminhos escalvados que se forram de camadas de *itabirito*...

De Itabira até o ponto terminal de nossa excursão em caminho de ferro, que é onde pára agora o tráfego da Central, a beleza da paisagem é inenarrável.

O trem caminha margeando o rio das Velhas, que aparece, ora à direita, ora à esquerda, de águas turvadas pelas chuvas últimas. Um mato espesso e curto atopeta o declive das colinas que descem para o leito do rio. A quando e quando, dominando toda a vegetação baixa, emerge um grupo isolado de coqueiros, sacudindo num meneio de leque as largas palmas verdes. Raras plantações de milho viçam na encosta, espaçadas, quebrando com a sua regularidade a monotonia do mato uniforme. E, em certos pontos, a uma curva rápida do rio, a água se acachoeira sobre pedras, espadanando longe, em borbotões de espuma branca irisada ao sol.

Perto de Honório Bicalho há um trecho de um encanto singular. O leito da estrada faz uma curva brusca e violenta, acompanhando o rio: tão brusca e tão violenta, que não há quem, olhando o abismo que se cava abaixo do *wagon*, não sinta um pequeno calefrio de medo arrepiar a medula. Chegando à janela, não se vê o *wagon* que vai adiante, nem o *wagon* que vem atrás: todo o trem está brutalmente curvado, descrevendo um semi-círculo forçado. E, instintivamente, recua a gente de um salto, com receio de aumentar, à janela, o peso do trem para o lado do despenhadeiro...

Passamos por Honório Bicalho, Santo Antônio, Sabará, Raposos e chegamos à estação do rio das Velhas às 3 horas da tarde.

À diminuta distância da estação, ao alto, está a cidade de Santa Luzia, célebre na história de Minas por ter sido nela travada a última batalha da famosa revolução liberal de 1848, jugulada a custo pelo Duque de Caxias. É uma pequena cidade que não difere do comum das cidades do interior: uma rua comprida, calçada, tendo ao fundo a matriz, com outras ruas irregulares que a cortam. Em certas casas, vêem-se os sinais das balas de 48; e, modesta como é na aparência, Santa Luzia é uma tradição viva da bravura mineira, lembrando essa revolução popular que o exército do governo só conseguiu sufocar dificilmente, graças à traição que entregou a Caxias o último reduto dos revoltosos.

* * *

Depois do jantar, montamos a cavalo. Declina a tarde. Um vento fresco sacode as árvores. Deixamos a estação do Rio das Velhas entregue ainda à sua agitação comercial: sobre a lama da estrada trotam tropas de bestas, com a madrinha à frente, de campainha tilintando ao pescoço; rincham carros de bois, morosamente ao passo tardo das juntas que se atolam; e carroças carregadas de fardos ficam paradas, sem animais, rodeando a *gare*, onde manobra uma locomotiva, silvando.

De propósito, contemos os cavalos, caminhando a passo. Uma doçura indescritível paira no ar. O crepúsculo cai. Sobe uma coluna de ouro e púrpura no ocaso. Uma primeira estrela, Vênus, palpita ao fundo do horizonte. Cantam águas correntes dentro de moitas cerradas.

E já é noite completa, e o luar espia por detrás de uma montanha, quando ao fundo do terreiro da fazenda das Lages, avistamos a grande casa branca, de janelas iluminadas, rasgando-se para a varanda amplíssima, de onde golfam para a noite vozes e risadas de crianças, de envolta com as notas de um piano...

(Continua)

Olavo Bilac

27 jan. 1894 Belo Horizonte – A Nova Capital de Minas

II

Oh! uma ducha fria com a competente fricção, – o requinte da higiene e da civilização, – em pleno sertão mineiro, de manhã, à hora em que o gado da fazenda muge, a caminho do pasto, os cães de caça atrelados de dois em dois latem, no terreiro, e os cavalos de raça relincham nas estrebarias, às mãos dos pajens que lhes dão a lavagem matinal!...

Foi com a pele tonificada por uma longa ducha e o estômago fortalecido por um almoço copioso, que saímos da fazenda das Lages às 10 horas da manhã, dispostos a devorar as quatro léguas que nos separavam de Belo Horizonte.

O sol abrasa, queima, – "está cortando", como diz na sua pitoresca linguagem sertaneja o camarada que nos acompanha, um valente preto alegre, que dá na fazenda pelo nome de Chefe. Mas, de espaço em espaço, uma nuvem encobre o disco esbraseado: e a viagem se faz sem grande calor por uma região selvagem, que os meus olhos criados e educados no Rio, entre as casas apertadas da rua do Ouvidor, não se cansam de admirar...

A princípio, ainda dentro dos limites da fazenda, seguimos pelo meio do mato. É um caminho estreito e fresco, entre renques espessos de vegetação. As árvores juntam-se em cima, abobadando-se, deixando cair sobre nós uma sombra consoladora. Cantam pássaros nas ramas. E a cada pio de inhambu que soa, o Dr. S., caçador apaixonado, estremece sobre o selim do animal, aguçando o ouvido, com os olhos espelhando uma grande mágoa, – a de não ter uma espingarda... Como choveu há poucos dias, há ocasiões em que os cavalos enterram as ferraduras na lama e encostam-se à beira do caminho para evitar o lodaçal: então rompemos a folhagem, açoitando-nos as ramas as faces, e embriaga-nos o olfato um cheiro silvestre, vivo, capitoso. Quase de quilômetro em quilômetro, uma porteira aparece, limitando terras, fechada. E franqueada a passagem, o ranger da porteira que se torna a fechar lentamente, fica ecoando no caminho, como um gemido longo.

* * *

Depois, já perto do arraial da Venda Nova, onde passamos a refrescar a garganta com alguns copos espumantes de Pá, a paisagem muda. É quase o verdadeiro sertão de Minas, planície levemente ondulada, por onde a vista se espraia a um horizonte sem limites, fechado pela serra do Curral, que se alteia ao sul.

Agora o mato é a capoeirinha curta, com o caminho desabrigado do sol.

Às vezes um campo imenso se estende, eleva-se uma colina de repente, e, atravessada ela pelo corte aberto na terra vermelha, outro campo aparece.

Ao tropel dos animais, codornas levantam o vôo de dentro da vegetação rasteira e partem rufando as asas, com um barulho de cordas de harpa arranhadas.

Atravessamos o ribeiro dos Arruda, que nasce na serra do Curral a 30 quilômetros da atual povoação de Belo Horizonte, e que, tendo, segundo o relatório da comissão de estudos, um volume de águas superior a 2600 litros por segundo, pode abastecer fartamente uma população de 200000 habitantes, à razão de mais de 300 litros diários para cada um.

* * *

Mais meia légua. E, chegados a uma elevação de terreno, vemos toda a serra do Curral, estendida numa linha azulada, com o seu alto Pico topetando com as nuvens, a uma altura de 1310 metros.

Corre-se então com a vista toda a localidade escolhida para o estabelecimento da nova capital de Minas.

É como um enorme anfiteatro dodecagonal, aberto para o Oriente, encostado à serra do Curral e ao norte à serra da Contagem.

Na direção do sul, vê-se, no centro quase do grande chapadão, o povoado de Belo Horizonte esticado em forma de T. Dando costas a Belo Horizonte, acham os olhos, ao longe, na direção do norte, a cidade de Santa Luzia, com a sua comprida rua de casas, rematada pela igreja branca que fulgura ao sol.

Dali a meia hora, entramos na povoação. E com que surpresa e com que alegria!

Supunha eu encontrar em Belo Horizonte uma ou duas dúzias de casas rústicas, num arraial quase morto, mergulhado num silêncio melancólico. Em vez disso, acho uma área povoada de mais de dois mil metros quadrados, em que levantam talvez duzentas casas, – comércio animado, lavoura, curtumes, igrejas, dois hotéis, população alegre, sadia, afável, obsequiadora sem aborrecer, discreta sem matutice, e – principalmente... muitas moças que nada têm de feias...

* * *

O engenheiro encarregado de estudar Belo Horizonte diz que a localidade tem uma disposição providencial que lhe assegura excelentes condições climatológicas: a serra do Curral ao sul protege-a dos ventos úmidos que vêm das serras do Ouro Branco e da Moeda, e ao norte protege-a a serra da Contagem, dos ventos quentes do sertão, vindos da serra da Piedade e do Vale do Paraopeba.

O lugar povoado já pode, segundo os cálculos feitos, comportar uma população de 30000 almas. É apenas uma pequena parte do chapadão, que, uma vez aproveitada, pode desde logo dar espaço à construção de uma cidade para mais de 500000 almas, com água abundantíssima, fornecida pelos ribeirões dos Arrudas e da Pantana, dos Macacos, do Acaba Mundo, do Cercado, do Leitão e da Serra.

No hotel em que jantamos e dormimos, situado ao centro do povoado, consultamos o aneróide, que marcava uma altitude de 800 metros acima do mar. A temperatura, deliciosa, durante os dois dias que passamos em Belo Horizonte, não excedeu nunca a 26 graus centígrados, – o que a mim, habituado ao forno da Capital Federal, pareceu a temperatura ideal de que os arcanjos, na paz do Senhor, devem gozar com volúpia no Paraíso.

A terra do Belo Horizonte é a conhecida *terra roxa*, argilosa, carregada de óxido de ferro. É de uma salubridade espantosa esse solo, sendo enxuto o subsolo, e só existindo água a uma profundidade de mais de dois metros. A vegetação é pujante. Grandes roças de milho, de feijão e de mandioca existem já, prósperas e fecundas em resultado pecuniário.

Quanto a frutas... Fala tu, minha Saudade! Saborosas laranjas de polpa dourada, cheia de um suco divino; enormes jaboticadas negras, negras como olhos de brasileiras e doces como lábios de andaluzas; grandes abacaxis de um amarelo vivo, de um gosto que fica perpetuamente embriagando o paladar, marmelos e bananas; como direi eu o consolo que me destes e a abundância com que brotais daquela terra abençoada?...

* * *

À noite, sob um luar claríssimo, depois da novena de S. Sebastião, durante a qual pude admirar os belos olhos das moças e as pinturas antiquíssimas da igreja, percorremos a pé quase todo o arraial. Quatro ruas principais, a de Sabará, prolongamento da estrada que da cidade desse nome vem ter a Belo Horizonte, a do Marechal Deodoro, a do Capão, e a de Congonhas, prolongamento da estrada de Vila Nova de Lima [*****] a povoação deixando já ver como será fácil a construção da cidade projetada. Com efeito, essas ruas, bastante antigas, são perfeitamente planas, como o é, de resto, todo Belo Horizonte: de sorte que serão quase nulos os trabalhos de terraplanagem a executar para a edificação de uma capital-modelo. Por longo tempo, erramos à toa, acolhidos sempre pela amabilidade de todos.

Às 10 da noite recolhemo-nos no hotel: devíamos acordar cedo para subir a serra do Curral. E antes de dormir, recapitulando as impressões recebidas durante o dia, verificamos que só tínhamos encontrado um *papo* em Belo Horizonte.

O papo ou bócio...

Mas, perdão!, esse caso de bócio dá lugar a considerações largas, que devem merecer um artigo especial.

(Continua)
O. B.

28 JAN. 1894 BELO HORIZONTE – A NOVA CAPITAL DE MINAS

III

O bócio é a papeira, deformidade que se encontra em vários pontos do Estado de Minas, indiferentemente, em lugares mais ou menos altos e mais ou menos úmidos.

É uma hipertrofia da glândula tiróide, formando um grande tumor na face anterior do pescoço e trazendo quase sempre como resultado o cretinismo, isto é, o depauperamento geral do organismo, a miséria física e intelectual.

Essa glândula tiróide, numa época em que o corpo humano tem sido estudado e devassado nos seus mais íntimos refolhos, dá-se ao luxo de se conservar por detrás de um véu de impenetrável mistério.

Ninguém, ao certo, lhe conhece ainda as funções. O que se sabe é que ela é indispensável ao organismo: a sua ablação traz perturbações gerais de excepcional gravidade e a sua hipertrofia produz a atrofia do cérebro, reduzindo esse órgão do indivíduo à mais ignóbil penúria de inteligência.

Compreendem bem que não cabe nos limites desta ligeira crônica de viagem querer desvendar esse mistério, procurando arrancar à esfinge glandular, que cada um de nós traz no respectivo pescoço, o seu segredo tão bem guardado até hoje.

* * *

A glândula tiróide deve ter as suas razões, naturalmente poderosas, para se furtar à curiosidade dos fisiologistas, e iludir a perspicácia de quantos anátomo-patologistas têm procurado sondar o arcano do bócio. Contentemo-nos com saber que a papeira existe, e digamos com franqueza, que não há muitas deformidades que, tanto como esta, afeiem o indivíduo.

Imagino facilmente que, numa aldeia cujos habitantes sejam todos papudos, o papo constitui a suprema expressão da beleza, e que, entre esses portadores de hipertrofias tiróideas, os indivíduos defeituosos, desapercebidos de bócio passem por defeituosos e disformes. Imagino isso, porque, no interior de Minas, há uma cantiga sertaneja, naturalmente composta por um papudo e destinada a fazer a apoteose da papeira. Recordo-me de que, entre as suas quadrinhas, há esta, que é todo um código de estética papeiral:

O papo pra ser bonito
Tem de ser de três caroço;
Um de um lado, outro do outro,
E um no meio do pescoço.

Mas, para nós, homens cuja glândula tiróide se tem limitado ao seu tamanho natural, o espetáculo de uma dessas papeiras de "três caroço" é um espetáculo que provocaria o riso, se não excitasse a piedade. Há mesmo alguns papos que parecem nádegas de mulher gorda, transportadas da região ínfero-posterior para a região ântero-superior do tronco. E calcule-se o efeito cômico desses apêndices calipígios colocados logo abaixo da face de uma pessoa, que quando fala, parece sempre que está falando pelo outro lado.

* * *

Os adversários de Belo Horizonte faziam do papo uma como clava formidável de combate, com que desancavam a localidade. Ainda agora mesmo, à vidraça do *High-Life*, em Ouro Preto, está exposta uma fotografia representando uma família de papudos em Belo Horizonte. O efeito, compreende-se, é formidável sobre a imaginação do povo. A idéia de ter como capital uma cidade de papudos não pode encantar a povo nenhum.

Esse recurso de guerra (apesar de patrocinado e secundado pela autoridade científica do ilustre Dr. Pires de Almeida no seu infelizmente parcialíssimo relatório) é injusto e cruel.

O bócio pode ser endêmico no vale do Rio das Velhas, mas também o é em muitos outros pontos de Minas. O próprio médico-higienista da comissão de estudos declara que a moléstia grassa endemicamente "nos vales de quase todos os rios de Minas, S. Paulo e Goiás".

Por mim, confesso que contava encontrar em Belo Horizonte uma população de papudos que me corressem a pedradas assim que me vissem desprovido de papo.

Mas durante toda a nossa excursão pelo vale do Rio da Velhas, por espaço de oito dias, em Santa Luzia, nas proximidades da fazenda das Lages, em Belo Horizonte, em Venda Nova, em Sabará, em Honório Bicalho, em Vila Nova de Lima, apenas vimos quatro papos.

Ora, não é crível que os papudos, prevenidos, se fossem escondendo à nossa passagem, com o intuito de poupar essa desmoralização às regiões que o Rio das Velhas banha, e esse escândalo aos nossos olhos curiosos.

Não se diga também que nos distraímos, deixando de registrar o aparecimento de um ou outro caso da moléstia. Íamos de olhos alertas: e o primeiro de nós que avistava ao longe um pescoço suspeito dava aos outros o sinal de alarma.

Em Belo Horizonte estivemos dois dias: quase posso afirmar que vimos toda a população. Vimo-la de manhã, à hora da saída para o trabalho; à tarde, à hora em que todos, acabada a labuta do dia, ficam à porta ou à janela de casa; à noite, na igreja, durante a novena ou, durante o passeio, ao luar.

Um amigo meu afirma-me que foi, em Belo Horizonte, de porta em porta, averiguando o número dos papudos existentes na população, e que depois de muito trabalho atento, verificou a existência de três. Nós não pudemos ver um, em todo o arraial.

* * *

Meus senhores! eu não possuo propriedades em Belo Horizonte... O dinheiro que me rende este ofício de escrever crônicas não me cai na algibeira em tanta abundância, que possa ser imobilizado na aquisição de alguns hectares de terra vermelha nas fraldas do Curral ou das margens do ribeirão dos Arrudas.

Não tenho, portanto, interesse em escamotear, como um prestidigitador hábil, os papos do Rio das Velhas. Demais, de nada me valeriam direitos adquiridos e propriedade de terras em Belo Horizonte porque, em boa hora, o mesmo decreto que designou essa localidade para ali se fundar a capital do Estado, proibiu a fim de evitar especulações, que, atuais proprietários vendessem qualquer lote de terreno a particulares: o Estado somente pode negociar essas propriedades, apoderando-se delas por utilidade pública.

Só vi um bócio no chapadão em que se vai edificar *Minas*. E creiam-me ou não me creiam os inimigos de Belo Horizonte: o que, em verdade lhes digo é que, com bócios ou sem eles, Belo Horizonte é um lugar em que se pode construir a mais bela cidade da América.

(Continua)

O. B.

30 jan. 1894 **Belo Horizonte – A Nova Capital de Minas**

IV

Às 6 horas da manhã montamos a cavalo e galopamos para a serra do Curral. Seguimos a princípio a rua do Capão, que da igreja matriz corre diretamente para a serra. Do ponto terminal dessa rua, de onde já é admirável o panorama que se avista, irradiam três caminhos.

O da esquerda vai ter a Santa Cruz, ponto elevado que a estrada de Vila Nova de Lima ou Congonhas margeia, e de onde, debaixo do belo cruzeiro que o coroa, abrange o olhar toda a povoação e a maravilhosa paisagem que a emoldura.

O da direita conduz à Lagoa Seca, que está 230 metros acima da povoação. É um dos pontos mais curiosos de Belo Horizonte etc. Não se trata propriamente de uma lagoa, mas de uma forte depressão do terreno, em que se acumulam as águas da chuva; essas águas filtradas, graças a uma disposição especial do solo, vão sair pelo córrego do Leitão, que brota do sopé da serra. É portanto a Lagoa Seca um admirável filtro natural. O Dr. Samuel Pereira, engenheiro encarregado de examinar as condições do local, lembra no seu relatório que a construção de um açude, que impedisse o escoamento das águas, transformaria o leito da lagoa, todo de rocha, em um amplo tanque facilmente aproveitável para a piscicultura. As terras são fertilíssimas nesse ponto; e viçam nelas, grandes e formosas parreiras.

O terceiro caminho, finalmente, que serpeia entre o de Santa Cruz e da Lagoa Seca, leva ao Acaba Mundo. Todo o vale do ribeirão do Acaba Mundo tem o sub-solo formado por uma camada de terreno argiloso, superposta a rochas calcáreas de grande riqueza.

É esse o ponto principal da nossa excursão; e já um sol ardente seca nas folhagens o orvalho da madrugada, quando, tendo chegado ao alto da serra, vemos a primeira rocha surgir negra de dentro da vegetação, com grandes árvores que se lhe grudam, de troncos negros também, como de pedra.

* * *

Estamos a mil metros, mais ou menos, acima do nível do mar. Dois panoramas diversos se desenrolam. De um lado, é a natureza selvagem da serra, grandes massas brutas de arvoredo que lhe galgam a lombada e se acumulam embaixo, numa floresta emaranhada e pujante. De outro lado, é a vista de todo o chapadão longuíssimo; a povoação do Belo Horizonte, primeiro, alvejando no fundo verde do vale; todo o vale depois, que se estende a perder de vista; e as serras que fecham, esbatidas na luz intensa do dia, sucedida por outras e outras serras azuladas; que ondulam no horizonte infinito, dando aos olhos a perfeita e nítida impressão de vagalhões de um oceano sem termo.

Quando se chega ao alto da serra, – por cuja vertente oposta à de Belo Horizonte se vai à Vila Nova de Lima e às minas do Morro Velho, – é que se compreende a razão do nome de *Curral d'El Rey*, dado até hoje a esta localidade.

Todo o anfiteatro em que assenta a atual população, cheio de um pasto suculento e farto, fechado por todos os lados, abrindo por uma garganta estreita para a serra, servia de fato antigamente, na era colonial, para a engorda do gado que vinha do sertão. Os condutores e boiadeiros armavam os abarrancamentos de viagem na garganta da serra, ficando assim o gado encurralado no anfiteatro por semanas e semanas, até que, suficientemente refeito de forças e banhas, seguia para o próximo arraial da Contagem, onde era "contado", conforme indica o nome que esse arraial ainda hoje conserva.

* * *

Estamos agora em pleno mato. Deixamos os cavalos amarrados a troncos de árvores e embrenhamo-nos a pé pelo mais intrincado da vegetação.

O capim melado que forra o solo, range nas solas das botas, agarrando-as, grudando-as. A custo, entre galhos que nos cercam numa teia complicada, com as pernas embaraçadas em cipós que as enlaçam, com os pés tropeçando de minuto em minuto em blocos de rocha, rompemos a mataria, dentro de cuja espessura instintivamente se adivinham cobras, e chegamos a um dos rochedos calcáreos.

Dentro dele cava-se uma gruta escura e úmida. Forma-lhe a abóbada uma grande pedra suspensa num milagre de equilíbrio. Tomados pelo frio inesperado que há lá dentro, arrepiam-se as carnes que o esforço da marcha no mato e o calor violento do sol cobriram de uma transpiração abundante. Entre as frinchas das pedras, aparecem e desaparecem, fugindo, grandes lagartos de escama de esmeralda.

Dali a pouco sobre a picareta apoiada a uma das pedras bate o martelo, a pancadas repetidas, que enchem de um barulho surdo o ádito da gruta. E as primeiras lascas que saltam, são de um admirável calcáreo cor de rosa, grã fina, compacta, apresentando grande resistência ao martelo. Em outros pontos, o calcáreo é azul, cinzento, roxo. Na povoação já se entregam de há muito os blocos extraídos para a formação de lajedos e construção de escadas.

Não está bem averiguada a existência, na serra, do calcáreo cristalino ou mármore verdadeiro, nem a da cal, se bem fale nesses materiais de construção o Dr. Samuel Pereira em vários pontos de seu minucioso relatório. Em compensação, outros materiais abundam: o granito, que forma várias pedreiras existentes a um, dois e três quilômetros do arraial; a esteatite, a maravilhosa pedra-sabão com que se obtém lajes admiráveis, de um polido inexcedível, sumamente dóceis ao desbaste, servindo para trabalhos de arte ornamental, como, por exemplo, a suntuosa fachada da igreja de S. Francisco, em Ouro Preto, esculpida pelo Aleijadinho; excelente argila; areia em grande quantidade; e, principalmente, madeiras de primeira qualidade, canela de várias cores, braúna, cabiúna, cedro, pau-ferro, peroba, vinhático, angico, giribá-[*****] dizer que o número das espécies classificadas perto da povoação é de 73, entre madeira de lei, de construção e de marcenaria de luxo.

Por toda a serra, o terreno é [*****].

Nas terras devolutas, o povo tem [*****] plantações cujo resultado é [*****] remunerador do trabalho empregado para a cultura.

* * *

Às 10 1/2 descemos. A fome, aguçada pelo passeio longo, obriga-nos [*****] os cavalos. E, dado um último olhar de saudade ao esplêndido panorama, voamos para o povoado, onde nos espera à mesa do hotel, um delicioso almoço mineiro, dado que o meu estômago ainda se lembra com saudade eterna.

Sobre a toalha, alva de neve, fumega o feijão de Minas, dentro de cujo caldo espesso se desdobram fartas folhas de couve repolhuda. O verde tenro dos quiabos casa-se ao amarelo fulvo da abóbora, em derredor dos grandes nacos de lombo de porco, cuja face tostada tem reflexos de ouro velho. E entre o assado gordo, de cuja superfície se eleva uma espiral de aromas, e as fatias finas do *beef* brasileiro, nadando num molho cujo cheiro embriaga, – esplende o angu de fubá, cuja massa compacta e clara estremece no prato como um bolo de gelatina. E cabe-me a honra de inaugurar a gastronomia na nova capital de Minas, comendo tanto, que os companheiros abrem os olhos espantados para a minha voracidade...

Depois do almoço, passeio pelo arraial, visitas de despedida às pessoas que nos obsequiaram incessantemente, durante esses dois dias encantadores. Tiramos algumas fotografias de vários pontos de Belo Horizonte. E ao cair da tarde, – porque a noite deve ser de lua cheia e queremos viajar ao luar, – saímos da povoação, ao passo indolente das cavalgaduras, a caminho da fazenda das Lages, de que nos separam quatro léguas.

Agora, uma poesia nova cobre os lugares que atravessamos. Recortados duramente no horizonte, à crua luz última do dia, bronzeiam-se as montanhas, sobre um fundo de céu vermelho-pálido, em que sobem largas faixas de ouro, como varetas de um leque imenso.

Tudo adoçado pela hora melancólica do crepúsculo, assume um novo aspecto, tão novo, que toda a região parece outra, e estranhamo-la, duvidando de que já a tenham visto os nossos olhos. Os ribeirões que vadeamos à hora do sol a pino, palhetados de ouro, rolando águas em que fulguravam fagulhas, – correm agora velados de sombra, azuis, sobre leitos cujas pedras têm uma cor de rosa desmaiada. E, com o vir da noite, todo o barulho, a pata de um cavalo que topa um seixo, o pio de uma ave que se recolhe, uma folha que cai, o roçar de um inseto pelo ervaçal, – todo o barulho se exagera, cresce, enche-nos o ouvido, perturbando longamente a mudez profunda da Natureza.

Quando chegamos à Venda Nova, o plenilúnio banha todo o céu e toda a terra. E quando pela mesma senda apertada que conduz à fazenda, entramos na mata, é dentro de um cenário de magia que viajamos. Pelo crivo da folhagem, entra em ondas o luar, deformando tudo, dando proporções colossais aos menores arbustos. A cabeleira escura de um coqueiro se agita como a cabeça de um decapitado ao toque de uma lança. Há ramos que se retorcem, como braços aflitos. Pendente desta árvore, parece que a sombra de um enforcado oscila como um pêndulo. Como que um animal gigantesco surge daquela moita, escancarando uma goela desmedida. E os próprios cavalos que montamos, passarinham, assustam-se, recuam, diante das manchas negras e movediças que a sombra das galhadas põe no chão.

Atravessada a mata, desembocamos de súbito no terreiro da fazenda. Sobre ela o céu fulgura. Vênus somente, – porque todas as outras estrelas desaparecem ofuscadas, – Vênus somente resiste à claridade magnífica da lua cheia: e grande, grande como nunca a vi, brilha pregada ao cimo de um morro, como um farol de prata viva...

OLAVO BILAC
Ouro Preto, 25 de janeiro de 1894.

15 FEV. 1894 — CRÔNICA LIVRE

Quem vive, longe dos partidos que se digladiam, apartado da agitação em que se debatem hoje as opiniões públicas, observa um fato raro, um fenômeno singular, digno de ocupar o estudo e a reflexão de um Sílvio Romero ou de um Araripe Júnior.

Refiro-me à florescência inesperada e rica que se manifesta nas letras brasileiras, justamente agora, no ciclo de sangue da revolta, quando era mais natural que todas as atenções dos moços estivessem voltadas exclusivamente para a política, – sereia maldita cuja voz sabe, em nossa terra, com tanta sedução tentar e matar as vocações literárias.

Há poucos meses ainda, os jornais em plena liberdade, em pleno uso de garantias, dedicavam todas as suas colunas a artigos de combate e a noticiários sem cor, de que a literatura parece ser propositalmente afastada. Um ou outro conto aparecia de quando em quando, assinado por nome já conhecido.

Dos poetas, se nenhum dos velhos aparecia mais em público mostrando não haver ainda desaprendido o ritmo divino, também nenhum novo de talento se impunha, conseguindo reunir em torno de si essas referências vagas, essas aclamações raras, essas censuras acrimoniosas e freqüentes que desperta logo o aparecimento de um escritor de mérito.

Mas, de repente, um sangue vivo se injetou nas letras. *A Semana*, a bela revista a que Valentim Magalhães e Max Fleiuss consagram todos os seus esforços, ali está, cheia de revelações. É raro o número do excelente hebdomadário em que não apareça um nome novo de escritor, firmando versos e prosa, que se ainda não esplendem na plena luz de obras acabadas, já trazem dentro de si uma palpitação grande de promessas.

Isso dá a cada número da formosa *Semana* um aspecto de campo que, passado o rigor do inverno, amanhece, ao bafo cálido da primavera, com as galhadas das árvores não ainda arreadas de folhas e flores, mas já cobertas de gomos verdes, em que canta e fulgura a esperança da floração vindoura.

Um dos seus redatores, creio que o próprio Valentim, queixava-se há pouco de que a folha não tivesse, na segunda fase, a colaboração daqueles que, na primeira, lhe deram as primícias do seu trabalho. Que importa? Se há desiludidos, se há cansados, se há mortos, – não está aí um novo exército, de armas luzindo ao sol da mocidade e da fé, apanhando no chão, com coragem, os destroços de que o juncavam os fugitivos e os desesperados? Porque, enfim, o que mais me entusiasma, nessa geração que surge, não é o seu talento, mas o seu trabalho, a abnegação com que ela se atira a esta profissão rude em que se a cabeça ganha louros, as calças ganham remendos e os paletós, por falta de reforma, perdem a cor.

* * *

Não é só n'*A Semana* que esse reverdecer das letras se faz. A nossa *Gazeta*, esta mesma em que escrevo, mas de que posso falar com independência, abriu agora as suas colunas aos que nascem para a arte. Mais do que isso: ela, que tem nobilitado com o salário o trabalho dos escritores que nestes últimos vinte anos têm terçado armas sob sua tenda, acaba de dar aos novos uma animação e um talento notáveis, com a inauguração do seu concurso literário, cujos vencedores terão, logo ao encetar a carreira, a alegria de ver a sua arte reconhecida e remunerada, como qualquer profissão nobre. Do trabalho dos que começam, assim animado e estimulado, é lícito esperar tudo.

Até hoje no Brasil, temos tido talento, mas não temos quase trabalho. Exceção feita de dois ou três escritores que, quando morrerem deixarão um espólio razoável de livros, – todos nós, aos vinte anos publicamos um volume de poesia ou de prosa, e deixamo-nos ficar parados, apodrecendo no marasmo de um emprego público ou vegetando na banalidade do jornalismo, – sem a preocupação de levar a efeito uma obra séria, pelo menos, que nos consuma a metade da vida, mas que nos dê o direito de morrer satisfeitos.

Na Europa, um escritor, aos 40 anos, é um novo; no Brasil, aos 30, é um acabado.

Até agora, para desculpar essa falta de coragem, havia ainda o pretexto de ser um absurdo o trabalhar sem remuneração. Mas, a geração de hoje já começa a sua jornada com pão no alforge e um pouco de dinheiro no bolso.

Ser poeta já não é, como era há bem pouco tempo, – ai! de nós que começamos há dez anos! – uma profissão desprezível, como a de jogador de roleta ou a de chefe de bordel. E é justo que dessa geração, cujos esforços principiam a ser aplaudidos e pagos na devida conta, se espere a glória maior da literatura brasileira.

Parece que uma nova época chegou. A um Araripe Júnior, a um Sílvio Romero cabe a tarefa de estudar o fenômeno. O que é certo é que a cada ribombo de metralhadora que se ouve hoje, corresponde um canto de lírico ou de novelista. E os poetas se revelam na *Gazeta* e na *Semana*, à medida que se revelam os artilheiros a bordo dos navios ou no cimo dos morros artilhados. É um bom sinal. Abençoada geração, em torno de cujo berço, coberto de respingos de sangue, troa a música selvagem da guerra, urrada pela boca dos canhões e ritmada pelos gritos dos que morrem!

OLAVO BILAC

17 FEV. 1894 CRÔNICA LIVRE

Um abuso de imprensa que passa despercebido, e que é um crime...

Quase não há dia em que os jornais não insiram uma notícia como esta: "Foi preso ontem o menor Fulano (e vem o nome por extenso), por ter subtraído a quantia de..... da gaveta do Sr. Sicrano, cujo empregado era".

Porque o abuso é quotidiano e já adquiriu as regalias de uso, ninguém repara nele: e o crime se pratica com toda a alma, com toda a regularidade, com toda a simplicidade, diariamente, sem que uma corrente piedosa de opinião se levante contra essa crueldade inaudita, essa maldade que consiste em perpetuar com um erro de criança, publicando-o, e em transformar uma leviandade infantil em nódoa [*****] que se alastra por todo um nome e toda uma vida, inexoravelmente. Ainda ontem, em um jornal do Rio, apareceu a hedionda cousa. Tratava-se de um pobre pequeno português de 11 anos, caixeiro, que subtraíra ao patrão 5$. Preso, confessou o delito, cuja gravidade, naturalmente, ainda não havia compreendido. Castigaram-no, no que fizeram bem. Mas, depois do castigo, não lhe deram conselhos, o que seria humano: deram-lhe a mancha da infâmia, o estigma da vergonha, pondo-lhe o nome por extenso nas folhas.

Ora, é preciso confessar que isso é de uma maldade revoltante.

* * *

Onze anos de idade. Órfão, provavelmente, ou porque a morte lhe tenha roubado pai e mãe, ou porque pai e mãe desnaturados o tenham privado de amor, uma vez que o deixaram partir tão criança a fim de penar e suar em terra estranha... Aos onze anos, quando uma criança não tem pai nem mãe, quando a sua escola de moral é conversação de ébrios e capadócios em torno de um balcão de taverna, furtar cinco mil réis à gaveta do patrão não chega a ser um crime.

Aos onze anos, o homem é como o macaco: faz o que vê fazer. Pobre pequeno! quantas vezes não terás visto o teu patrão depredar o freguês, enganando-o no peso do açúcar ou na medida do azeite?

Todos sabem o que é a taverna no Rio de Janeiro, como em toda a parte: nela se diz mal da vizinhança; nela se forma o núcleo dos mexericos do quarteirão; nela se combinam, entre ratoneiros, os assaltos noturnos a casas desprevenidas; nela se fala uma língua pavorosa, misto de *argot* de rameira e de *argot* de gatuno; nela muita vez, os criados, que praticam o furto nas casas de família, vão negociar, com o próprio dono do estabelecimento, a venda de objeto furtado...

Uma sociedade sem educação e sem escrúpulos freqüenta essas casas, em que se faz mercado público de gêneros e de reputações. Pois bem! foi em um desses antros que te meteram, e foi nessa escola que quiseram aprendesses moral!

Pobre pequeno! chegado da aldeia natal, com um miserável baú às costas e uma tristeza nostálgica na alma (oh! como doem, como se gravam para todo o sempre numa alma de criança essas dores), caíste em plena podridão e em pleno sofrimento. Puseram sobre os teus ombros o fardo de um trabalho pesado demais para eles: começaste a acordar com o dia, dormindo à meia-noite, a mourejar de sol a sol numa faina entontecedora, a varrer, a vender, a fazer recados, a ouvir brutalidades, e a receber, em vez de salário, cachações e pontapés. Depois, aprendeste a olhar para o furto como para um ato digno: vias furtar e ouvias combinar furtos. Furtaste. E estás perdido, porque um jornal se encarregou de publicar o teu erro, para castigá-lo, como se ele fosse o erro de um responsável...

* * *

Ora, este menino de que trato, meus senhores, vai crescer e fazer-se homem. E, pelo trabalho e pelo sofrimento, vai fazer-se um homem digno. Em geral, quando a gente sofre assim em criança, quando a gente desde a primeira infância se vê forçado a ganhar com pingos de suor e torrentes de lágrimas o feijão que come, – a alma, na virilidade, adquire um brio e uma bondade, que nem sempre têm as almas desenvolvidas na ventura e na riqueza. Pois toda essa vida futura está de antemão emporcalhada por esta notícia, que um noticiarista apressado escreveu inconscientemente, sem ver que a sua pena desonrava para sempre um nome.

Quando o homem, que está em formação neste menino, tiver à custa de trabalho, de lutas, de sacrifícios conquistado uma posição digna, – o primeiro inimigo que ele tiver adquirido poderá, só com o agitar em público a folha de papel em que veio a notícia infamante, deitar abaixo todo o resultado do seu trabalho, dos seus sacrifícios, das suas lutas. Porque há coisas que, quando publicadas, ficam agarradas à alma e coladas à pele da vítima; e haverá ocasiões em que a vítima se não livre delas, mesmo conseguindo mudar de pele e de alma.

Em França, o louvável escrúpulo da imprensa neste particular se manifesta pelo fato de se limitarem os jornais a imprimir, em notícias de tal gênero, apenas as iniciais do nome do réu. Desse modo, uma vez que há no código penas para quem furta, não fica o réu livre de castigo, mas também não lhe tiram a possibilidade de reabilitação. Fazer justiça não é matar moralmente um homem. Quem comete um delito, pode ainda, passada a crise moral em que estava quando o cometeu, arrepender-se dele e resgatar nobremente, por anos e anos de vida exemplar, um minuto de alucinação ou desvio de caráter. Mas a publicidade espalhafatosa e cruel, dada ao delito, rouba ao seu autor toda a esperança de reabilitação. Quem tem o nome perpetuado na suprema humilhação de uma notícia dessa, fica inutilizado, como se lhe estampassem na fronte a palavra – ladrão – a ferro em brasa.

* * *

A injustiça desse uso, que é enraizado infelizmente na nossa imprensa, sobe de ponto quando o autor da falta é uma criança. Uma criança tem tanta responsabilidade do que faz, quando furta cinco mil réis, como quando deita fogo a uma casa por estar brincando com fósforos ou quebra a cabeça de um transeunte por estar brincando com pedras.

Seria bom que um movimento honesto da imprensa acabasse com isso. O jornal é um instrumento de educação e de justiça; ninguém se faz jornalista para praticar a crueldade e o mal.

Olavo Bilac

24 fev. 1894 Palhada Imperial

Na colorida e pitoresca linguagem dos sertanejos, a expressão "bater palhada" (que eles, com um piscar malicioso de olhos, pronunciam "batê paiada") quer dizer...

Como o hei de explicar, ouvidos castos demais, que à força de abominar a obscenidade, vos habituastes a ver obscenidades no amor? "Bater palhada" quer dizer... Quem não sentiu já, em pleno campo, por noite de lua cheia, todo o sangue rufar dentro das artérias e toda a carne tremer, numa ânsia repentina de amor, numa necessidade súbita de aproximação? Pois bem. Quando um sujeito qualquer, mordido desse modo pelo áspide da luxúria, sai pelo campo afora, *bras-dessus bras-dessous* com uma companheira amável, a passear os seus amores sob a cúpula impassível do céu como sob essa mesma cúpula os passeiam, sem vergonha, aves, feras e plantas, diz-se desse sujeito, em linguagem sertaneja, que "foi batê paiada". Confesso a mim mesmo, que apesar de todas as minhas precauções, a explicação ainda ficou escabrosa. Mas, que hei de eu fazer, amigos meus? a língua é pobre, os vocábulos são escassos, o estilo tem poucos recursos... Enfim, mais vale ao escritor fazer-se entender, mesmo arranhando o pudor de quem o lê, do que não arranhar cousa nenhuma ao leitor deixando-o *in albis*.

* * *

A vez primeira em que ouvi essa expressão admirável, foi, em pleno mato, da boca de um camarada. Estou ainda a vê-lo daqui, um preto velho, descarnado e torto, com um eterno sorriso bom nas gengivas sem dentes, alegrando a viagem com o seu tagarelar contínuo e a sua gíria de matuto, sobre um cavalicoque preto, de uma magreza capaz de desbancar a de Rocinante. Com as mãos carregadas de embrulhos, mal podendo segurar as rédeas do escaveirado rocim assentava os pés negros e nus, não em estribos, mas nessas toscas caçambas de pau, que dão uma nota tão original ao modo de montar dos camaradas do sertão.

– Que quer dizer "batê paiada"? - indaguei curioso.

Ao que ele respondeu, com ingenuidade e clareza, sem os meus escrúpulos de linguagem.

– Qué dizê catá muié no mato, seu dotô.

Daí a pouco, seduzido pela conversação do camarada, de uma novidade, de um imprevisto, de uma naturalidade cativante, deixava eu que os companheiros se adiantassem e acertava o passo da minha alimária pelo passo do cavalicoque de caçambas de pau. Por duas longas léguas, fomos assim caminhando de par a par, numa palestra amável, em que o velho preto, de voz arrastada a lamuriosa, gaguejando pelas gengivas sem dentes, contou-me cousas e casos de pasmar.

Tinha perto de sessenta anos. Correra todo aquele sertão velho, desde pequenino, como escravo primeiro, pagem de um *sinhô-moço* engenheiro, como homem livre depois, camarada de exploradores de minas, de levantadores de plantas, de candidatos cruzando os arraiais à caça de votos, e, ultimamente, agregado a uma fazenda. Com um simples gesto, indicava esta povoação ao norte, aquela cidade ao sul, aquele rio ao oeste, tendo todo o mapa da região na cabeça, conhecendo os vegetais do mato a um simples lance de olhos, falando com precisão do engenheiro Fulano que esteve aqui há 30 anos, do conselheiro Sicrano que esteve ali há 40, do doutor Beltrano que foi presidente da província há 20.

E, como eu, curioso, o instigasse a falar sempre, ouvindo-o com o interesse com que se folheia um volume de Memórias, contou-me ele que acompanhara, na qualidade de cozinheiro chefe, o último imperador em uma das suas viagens pelo interior do Brasil.

Nunca ouvi, com tanta graça contada, a vertigem dessas viagens fantásticas, em que o velho monarca, devorando léguas, à frente da comitiva estropeada e exausta, arrebentando cavalos, engolindo o almoço e o jantar, sem abandonar o selim, dormindo três horas por noite, voava através de cidades, de vilas, de povoados, como um relâmpago, mal dando aos oradores das municipalidades tempo para a emissão das primeiras palavras dos discursos, e distribuindo condecorações com a profusão e a rapidez com que uma nuvem, que passa, e distribui pingos de água...

Enquanto ele me narrava tudo isso, pontuando a narração de anedotas, de observações cáusticas sobre este ou aquele camarista, sobre este ou aquele médico da comitiva, não sei como me veio à boca esta estapafúrdia pergunta:

– E o velho rei também não bateu "paiada" algum dia?

– Ih! seu dotô! – fez ele, suspendendo a marcha do cavalico – e espalmando a mão no ar, com uma grande concentração na fisionomia, como quem ia contar um caso de excepcional gravidade...

* * *

E contou-o. Se me fosse possível escrever a anedota como ele a disse, com a mesma nudez de verdade e a mesma crueza de detalhes, e, mais, com as suas admiráveis expressões pitorescas, apreciaria o leitor uma bela página de um sabor extravagante. Mas, não é possível. E tenho de me contentar com dar uma pálida idéia do cômico da situação.

É o caso que a comitiva havia arranchado numa cidade do interior. Alta noite, aplacado o fervor das aclamações, serenado o estrépito das girândolas e do hino nacional, cem vezes berrado durante o dia pelos metais da banda de música do lugar, o velho rei saiu, em companhia de um médico da comitiva.

– Eu estava assuntando sozinho na rua, seu dotô – disse-me o camarada –, quando o véio passou. Foi batê numa casinha que tinha no morro e eu fui atrás dele pra vê. O véio entrou e o dotô ficou na porta: botou uma mão na ardraba da porta, botou a outra mão no relógio e ficou marcando os minuto. Daí a pedacinho, o dotô bateu na porto: Sinhô! Sinhô! basta de batê paiada que pode ficá doente! – E o véio saiu, seu dotô, com cara de quem não tinha batido direito, não! Ah! pobre véio, seu dotô, pobre véio!...

* * *

Pobre velho, de fato! Inconscientemente, com esta anedota ingênua, o rude camarada acabava de fazer a história dos últimos anos de domínio e vida do velho soberano, governado pelos seus Esculápios, sem vontade própria, conduzido como uma criança dócil, guiado sempre por um querer alheio, quer tratasse de política e de administração, quer tratasse de se divertir ou gozar. Pobre velho, de fato! A sua memória que me perdoe a irreverência da anedota. Que mal há, para essa memória, em dizer que o velho rei gostava de amar?

Ah! nós todos gostamos de bater palhada, quer tenhamos à mão o cetro de um império, como ele, quer empunhemos uma pena de cronista, como eu!

FANTASIO

10 MAR. 1894 CRÔNICA LIVRE [CN] [CF]

Não sei a que propósito me vem agora esta recordação. A alma tem às vezes destes fenômenos singulares. Começa-se a meditar sobre um fato, e, de repente, é outro, inteiramente outro, o que se impõe à meditação. A que vem agora esta crônica livre, lembrando seis horas tristes que passei há dez anos?

* * *

Foi, creio, em 1883. Estudava eu medicina, praticando, como interno supra-numerário, nas enfermarias da Misericórdia. Faltou um dia ao serviço o interno efetivo de uma das enfermarias de cirurgia. Fui designado para substituí-lo. E, justamente, o professor, que dirigia a clínica nessa enfermaria, teve de praticar em um enfermo uma operação de certa gravidade. Tratava-se, bem me recordo, da ablação de um largo trecho do maxilar inferior, roído pela cárie. O doente era um caboclo reforçado, um belo exemplar de homem, face bronzeada, cabelos corridos e negros, olhos pequenos, cujo brilho singular e fixo perturbava. Tinha uma lesão cardíaca. Essa lesão, e, mais, o fato de carecer a operação de ser feita em uma posição incômoda, devendo o sangue encher a boca do paciente, tapando-lhe a garganta, impediam que se procedesse à cloroformização prévia.

De modo que a horrível operação, cujos pormenores e incidentes me estão ainda hoje dolorosamente gravados na memória, teve de ser suportada pelo desgraçado, em perfeita e consciente vigília, com todos os nervos em sensibilidade completa... Foi medonho! Durante hora e meia, assisti ao espetáculo da mais bela, da mais admirável, da mais incrível coragem que um homem pode mostrar! Estendido a fio comprido sobre uma mesa, com as pernas e o braços contidos pelos ajudantes, o doente tinha apenas, por todo o corpo, um tremor contínuo, ininterrompido, uma agitação de toda a pele. Os seus olhos, pequenos e faiscantes como dous carbúnculos, não se fecharam nunca: durante hora e meia, fixos, terrivelmente fixos, brilharam secos, sem uma lágrima...

Primeiro foi o bisturi que rasgou a pele, os músculos, pondo a descoberto o osso que a cárie comia. Depois, as pinças hemostáticas que apertaram as extremidades toradas de artérias. Depois o serrote que começou a ranger no osso, com um barulho que nos dava a todos arrepios de terror. Depois o curativo. E do começo até ao fim, os olhos do caboclo rutilavam, sinistramente abertos, e todo o seu corpo tremia de leve sob as nossas mãos, sacudido pela dor que aquela carne padecia e pelo esforço sobre-humano que continha aquele espírito...

* * *

Quando transportado para o leito, na enfermaria, fecharam-se-lhe os olhos. Adormeceu.

Passava de meio-dia. Só tornei a vê-lo, à meia-noite, quando, chegada a hora do meu quarto, me vieram acordar para que eu fosse substituir o primeiro interno.

Oh! a sinistra, a indescritível viagem, à meia-noite, por vinte corredores sem fim, de chão lustroso e escorregadio, – só, estremunhado ainda de sono, passando por portas negras de enfermarias, frouxamente alumiadas por lâmpadas oscilantes, – só, dentro daquela imensidade escura, como dentro de um túnel de sonho, povoado de gemidos, de soluços, de estertores de febre, de sons incoerentes e vagos, de barulhos de tosse, e cheio de um cheiro indefinível, misto, de ácido fênico, de podridão, de suor de agonia!...

Depois, a vigília. Na enfermaria quase sem luz, numa penumbra em que os vultos das camas regularmente alinhadas mal se distinguem, uma mesa pequena posta junto da cama do operado. Sobre a mesa, fios, pinças, pulverizadores de Lisner, frascos pequenos com ácido fênico e perclorureto de ferro. Uma vela, uma garrafa de vinho do Porto, garrafas de remédios, poções calmantes; e à mão, entre todos esses apetrechos, o termômetro.

Aproximei-me da cama, inclinei-me para o doente.

Dormia. Uma respiração irregular, entrecortada, lhe levantava e abaixava intermitentemente o peito. Ardia-lhe a pele, queimada de febre. Tomei-lhe a temperatura, registrei-a na papeleta, e acendendo a vela, sentei-me em frente à mesa, e tentei ler um livro que levava comigo.

Começou então a escoar-se o tempo mais longo por que tenho passado na minha vida. A chama da vela, agitando-se levemente, abria em torno da mesa um círculo de claridade: fora dele a escuridão da enfermaria aumentava pelo contraste. Naquela enorme sala, altíssima, comunicando, adiante e atrás de mim, com outras salas, o menor barulho tomava proporções estranhas, exagerando-se, alucinando-me. E os meus olhos, afundando-se na extensão das salas que se sucediam, avistaram um sem número de lâmpadas mortiças, tremendo, tremendo, continuando-se a perder de vista. Daí a pouco, aquele meio apavorante me havia dominado. Passeavam pela escuridão claridades vagas, como de sudários brancos voando. Os rumores confusos de tosse, de gemidos, de respirações difíceis, tomavam corpo, avultavam, entravam-me pelo ouvido, martelando-me o cérebro. A morte estava ali perto de mim. E eu sentia o seu hálito gelado bafejar-me a nuca: e tinha a certeza absoluta, precisa, iniludível, de que me bastava voltar a cabeça para vê-la...

Nesse momento senti que o operado se agitava no leito. Tive um suspiro de alívio, abençoando aquele movimento, que me arrancava das mãos do terror que me empolgavam. Levantei-me e aproximei-me da cama, com a vela acesa em punho. O desgraçado acordara. E a primeira cousa que vi foram os seus olhos, os seus mesmos olhos de durante a operação, abertos, horrivelmente abertos, fixos em mim.

E só então, compreendi o que esses olhos me diziam de manhã, quando os bisturis rangiam sobre a carne ensangüentada, e o que me estava dizendo naquele momento. Havia nesses olhos, que se enchiam de um clarão sinistro, um tal desprezo pela dor, um tal nojo pela vida, uma tão absoluta serenidade diante da morte, que eu admirei esse homem extraordinário, como nunca mais hei de admirar ninguém...

Tomei-lhe a temperatura. A febre baixara. Mas a respiração era difícil. E alguma cousa, não sei o quê, me incutiu no espírito a convicção de que ele ia morrer. E os seus olhos me fitavam. Dei-lhe uma colher da poção, cheguei a minha face até perto da sua, falei-lhe carinhosamente, com a voz quase soluçando, como se fala a um irmão que vai morrer... Ele olhava-me sempre, como quem quer falar e não pode, como quem precisa dizer uma cousa que está enchendo a alma e não pode passar da garganta. Ao cabo de algum tempo, cerrou as pálpebras... Adormeceu, ou pareceu adormecer de novo.

Voltei para minha mesa.

* * *

Então, mais calmo, fortificado pelo nobre espetáculo daquela nobre coragem, começava eu a ler, quando um rumor diferente dos outros que haviam até então povoado a enfermaria, me chamou a atenção. Era um como arrastar de sandálias, acompanhado de um cicio brando... E, olhando para a frente, vi que longe, muito longe, na escuridão da última sala, balançava-se uma luz, quase ao nível do chão. De quando em quando sumia-se a luz e cessava o rumor. Depois aparecia ela mais próxima e ouvia-se mais distintamente o arrastar de sandálias e o cicio da prece. Compreendi. Era uma irmã de caridade que, com a sua lanterna, fazia a ronda noturna.

Quando ela entrou na minha enfermaria, parou junto de mim, informou-se do operado. Chegamo-nos a ele. Acordara outra vez. Agora a respiração era angustiada, estertorosa. E os seus olhos abertos, terrivelmente abertos, iam da minha face à face da irmã...

Boa irmã! sem dizer-me uma palavra, sorriu tristemente, e, tirando do pescoço o seu pequeno crucifixo de ébano, meteu-o nas mãos do moribundo. Ele abriu ainda mais os olhos; teve um arranco supremo de todo o corpo na cama e ficou imóvel.

Estava morto.

* * *

De joelhos, a irmã rezava. E, antes que, terminada a prece, ela se levantasse para lhe cerrar as pálpebras, eu encostei os meus olhos nos olhos do morto, para neles de perto ler a sublime e inolvidável lição que me davam, o segredo do ânimo inalterável, da coragem soberana e terrível, com que esse homem sereno, – durante a operação, sofrendo dores inconcebíveis, e durante a agonia, sentindo dentro de si o despedaçamento de toda a alma, – olhava impassivelmente para a morte, desprezando as misérias e as torturas da vida...

Olavo Bilac

13 mar. 1894

Crônica Livre

Um telegrama de Paris noticia que a Câmara dos Deputados suspendeu a discussão sobre a questão anarquista, para aguardar o resultado de novos inquéritos que se tornaram precisos.

Uma descoberta recente veio complicar o caso: descobriu-se que vários fidalgos e padres eram cúmplices dos *compagnons* do Père Peinard.

Estais vendo aqui os representantes de Inácio de Loyola e os descendentes de Godofredo de Bouillon simpatizando com a bravura de Ravachol e de Vaillant? Vedes bem um neto de Cruzados, manejando a lata fatal em que a melinite dorme à espera da hora em que a encarregarão de matar vinte ou trinta deputados? Imaginais bem a figura de um padre dizendo missa e escondendo debaixo da batina a panelinha de barro, cheia de dinamite, de pregos e de cacos de garrafa? E podeis, porventura, imaginar mais extravagante conúbio do que esse?

Nesta mesma folha, há dias, Eça de Queirós, numa de suas cartas de França, proclamava a inutilidade das medidas violentas tomadas pela justiça contra os anarquistas. Está de fato provado que a guilhotina não amedronta os fanáticos da nova seita.

Decapitado Vaillant, por haver querido abafar o papagueio dos deputados franceses, fazendo voar a Câmara estraçalhada – era de esperar que os deputados de todos os parlamentos do mundo, acreditando na eficácia do exemplo ficassem a salvo de novos atentados.

Sucedeu justamente o contrário. Em Roma, o anarquista Polidori, lendo nos jornais franceses a notícia de que, às mãos de Deibler, morrera na Roquette o anarquista Vaillant – longe de abandonar a seita – abraçou-se ainda mais e invejou a sorte gloriosa do *compagnon* mártir. E armou-se de sua maquinazinha infernal e esperou os deputados italianos à saída da Câmara; e quando esses pais da pátria de Amílcar Cipriani se dispunham a ir saborear o jantar, bem ganho ao cabo de oito horas de retórica e de civismo, ouviram uma explosão formidável e caíram por terra desmaiados e feridos, indo mesmo um deles jantar ao outro mundo, se é que por lá se janta também. E aí está tudo quanto conseguiu com sua severidade a justiça francesa.

Eu, por mim, não me sinto possuidor de bastante segurança de juízo para, sem perder o tempo e a cabeça, procurar entender o que se passa. Mas quer-me parecer que a justiça francesa anda errada, quando trata os anarquistas como vulgares ladrões de estrada ou esfaqueadores de banqueiros.

O caso de Polidori, o de Vaillant, o de Ravachol, como os de tantos outros, são apenas sintomas sensíveis de uma loucura generalizada, latente, que está torcendo esta sociedade histérica.

Poucos dias depois da execução de Vaillant, na Câmara francesa, – nesse mesmo recinto em que ainda ecoava o estampido da bomba, – deputados prorromperam em – vivas à Comuna! Já não era Vaillant, filho da rua, vadio ignorante, *souteneur* sem moral, faminto sem emprego, quem soltava esse tremendo e odioso grito de extermínio: já não era também Ravachol, velho assassino endurecido na prática do crime, quem saudava com esse – viva! – evocador de tantas recordações terríveis, o segundo advento da lúgubre tragédia do saque, do morticínio e do incêndio. Eram deputados: eram os eleitos de milhares de cidadãos, pagos pela nação para dirigi-la, declarando-se, indiretamente, solidários com os dinamitistas.

E não é só isso. Por detrás dos mártires da idéia, dos executores do plano, que, cometido o crime, caminham de cabeça levantada para a guilhotina, dando vivas à anarquia, e com arrogância olhando em torno a multidão para fazer da sua bravura um meio de propaganda, – por detrás desses homens-instrumento adivinham-se os diretores ocultos, os que pregam a idéia, os que sabem mover ao sabor da sua pena ou da sua palavra as grandes massas inconscientes, e que são os piores fanáticos, porque são os fanáticos do talento e saber.

Agora, para mais acentuar o caráter de loucura social que apresenta esta crise, chega a notícia de que fidalgos e padres são cúmplices dos anarquistas...

Vêdes daqui, na comunhão da mesma loucura, de mãos dadas, os salões do boulevard Saint Germain e as bodegas dos boulevards exteriores, as sacristias de mármore da Madeleine e os antros enfumaçados das barreiras? Vêdes daqui os fidalgos monopolizadores da glória, da fortuna e das regalias, e os padres, monopolizadores da fé e da verdade religiosa – clamando, furiosos e arrepelados, de máquinas infernais em punho, contra os privilégios da burguesia e dos monopolizadores do capital?

E para atalhar esse mal hediondo, que cresce de minuto em minuto, as justiças européias só acham um meio: a decapitação de dous ou três anarquistas! Imaginemos que eu fique louco, e que, para me fazer sarar a loucura, os médicos só achem um remédio: amputação de um dedo mínimo do meu pé...

Olavo Bilac

17 mar. 1894

Crônica Livre

No último livro de Daudet, – *Entre les frises et la rampe*, – há um curioso capítulo, *Tournées en province*, em que o fino artista do *Nababo* estuda a singular mania de escrever para o teatro a qual ataca a tanta gente.

No Brasil, essa mania é velha. Em cem brasileiros, cinqüenta se julgam possuidores do talento de Sardou e de Dumas. Qual de vós, que me lêdes, não ensaiou já os passos nesse ofício, conseguindo, ou apenas tentando escrever um drama, uma comédia, uma mágica, uma simples cena cômica?

Segundo Daudet, em França o dramaturgo incubado, ao entregar ao homem de letras ou ao empresário o seu manuscrito, diz, com um encolher desdenhoso de ombros: "Tenez! je ne serais pas faché d'avoir votre avis..." Entre nós, a fórmula é outra, mais modesta: "Você sabe... eu não sou literato. Dê-me a sua opinião, mas franca, absolutamente franca!" E mal de quem acede a esse pedido! perde duas cousas ao mesmo tempo: uma amizade e uma bela ocasião de ficar calado.

* * *

Evoca-me isto uma recordação dos primeiros anos de minha carreira de escritor. Há quantos anos? Há doze, talvez. Morava eu num segundo andar do centro da cidade, com três companheiros. Éramos quatro crianças, quatro estudantes de medicina, mais amigos da aridez da *Metrificação* de Castilho, que da aridez da *Anatomia Patológica* de Cornil e Ranvier.

Uma tarde, estava eu só, melancolicamente posto à janela, encarando com tristeza, por todas as suas faces, um problema de solução quase impossível: descobrir o dinheiro necessário para a aquisição de um maço de cigarros. Alguém, batendo à porta, interrompeu as minhas cogitações. Abri. Entrou um senhor alto, muito alto, e muito preto, vestido de brim pardo, trazendo à mão um rolo de papéis. Apresentou-se-me, dizendo ser porteiro de uma repartição pública. Disse-lhe que tinha grande honra em conhecê-lo e pus-me às suas ordens. Então, com um respeitoso cuidado, abriu o rolo de papéis... Eram umas 10 folhas de almaço, cobertas de uma letra enorme, tortíssima, em tinta roxa.

– Eu vim aqui para encomendar ao senhor um trabalho. Um moço do meu conhecimento me disse que o senhor tem muito jeito para escrever...

Não creiam que, ouvindo isto, tenha eu esboçado um gesto de dúvida e modéstia! A gente, quando tem 16 anos, acha merecidos e justos todos os elogios ao seu talento... O homem continuou:

– Eu escrevi uma mágica...

Lembro-me bem de que o olhei com espanto. Contava com tudo, menos com uma mágica... Um homem tão alto, tão sério, tão preto, – porteiro de uma repartição pública, – autor de uma mágica...

Mas dominei o meu pasmo. E indaguei:

– Como se chama a peça?

– Chama-se *O Império dos Frutos*. Pus-lhe este nome, porque todos os personagens são frutos. Tenho o rei Pepino, o príncipe Abacaxi, o conde Melão, o mordomo Araçá... está tudo pronto. Agora só falta uma coisa, que é o que lhe venho pedir que faça.

– Falta arranjar um empresário?

– Não, senhor! Falta esticar a peça.

– Como esticar?

– Pois não entende? Por mais que eu a esticasse, ela não deu mais de dez folhas... Agora o senhor, que tem jeito para escrever muito, me dirá quanto quer ganhar para esticar o mais possível a mágica, de modo que ela encha uma noite toda...

Do que depende a prostituição do talento de um escritor de dezesseis anos!

De um maço de cigarros!

Aceitei a incumbência. E começamos a discutir o preço da obra. Ele oferecia-me dez mil réis, apelando para a sua pobreza, para os seus minguados vencimentos de porteiro, para a carestia dos gêneros, para a alta dos aluguéis. Eu indagava-me, e exigia vinte mil réis. Ao cabo de meia hora de discussão, ficou estabelecido que cada um de nós cederia cinco! Quinze mil réis ganharia eu... Ah! se não fosse a falta de cigarros!...

O porteiro-dramaturgo despediu-se:

– Então, está dito. Daqui a uma semana venho buscar a peça.

– Como? daqui a uma semana? – clamei eu, revoltado - está louco?! Venha amanhã de manhã buscar a sua mágica que já a achará acabada!

Desta vez foi ele que me olhou com espanto. Na face preta, dilataram-se-lhe os olhos numa expressão indefinível, de pasmo e de respeitosa admiração. E saiu, andando de costas, desfazendo-se em reverências...

Ao cair da noite sentei-me à mesa e comecei a trabalhar. Às 10 horas entraram os companheiros. Acharam-me dentro de um turbilhão de folhas de papel, suado, alucinado, bufando, e escrevendo, escrevendo... Falaram-me. Não respondi. Todo eu ardia em febre, metido na loucura daquele enredo macabro. Dentro do meu cérebro havia como a explosão multicor de um pomar fantástico. Desvairava-me *O Império dos Frutos*! Laranjas do tamanho de melancias, tomates vermelhos torvelinhando, bananas colossais entrechocando-se, melões e abóboras com braços e pernas, em contradança, nuvens de ananazes, avalanchas de maçãs, cachoeiras de chuchus, *maelstroms* de cachos de uva, – tudo isto me corria pela cabeça, vertiginosamente, num delírio de cores, de cheiros, de gritos, de horrores!

A quando e quando, caía-me a pena das mãos. Eu contava as folhas de papel. A mágica ainda estava pequena... Ao trabalho! E desatava outra vez furiosamente a esticar a peça!

E não havia nexo, não havia sentido, não havia nada. O essencial era esticar a peça! O príncipe Abacaxi, que no primeiro ato fora engolido por um dragão, reapareceria, acompanhado de seis mil cenouras pequeninas. O rei Pepino comia de um trago os oitocentos Tomates, seus alabardeiros, e era por seu turno comido pela fada Cereja...

Às 4 horas da manhã a peça estava esticada. E às 8 dormia eu, quando o porteiro-dramaturgo me despertou. Com um gesto mudo, apontei as folhas de papel.

Ele, carinhosamente, sempre com a face arreganhada de pasmo, colecionou os manuscritos, enrolou-os, amarrou-os com um cordel e, deixando-me 15$000 sobre a cama, saiu, andando de costas, desfazendo-se em reverências...

* * *

Nunca mais o vi. Que terá sido feito dele, ao cabo destes doze anos longos? Talvez ainda hoje seja porteiro...

É pena. Com aquela vocação espontânea para o teatro, o meu dramaturgo-porteiro daria um excelente membro do Conservatório Dramático.

Olavo Bilac

21 mar. 1894

Crônica Livre

Uma reivindicação histórica a tentar...

Ainda há poucos dias, ouvindo discursos entusiásticos em que se celebrava a vitória da República, vi praticada a injustiça de serem proclamados como principais precursores do triunfo democrático os Inconfidentes de 89, com esquecimento deplorável de um mártir, que, sessenta e poucos anos antes deles, sofria morte ignominiosa por amor da idéia, regando a terra mineira com o sangue de seu corpo esquartejado. Falo de Felipe dos Santos, cabeça da revolução que em 1720, sob o governo do conde de Assumar, ensangüentou as cercanias da capital de Minas.

Certo, o grupo dos Inconfidentes brilha e brilhará na história do Brasil, com um fulgor incomparável. Mas a revolução de 1720, que ainda ninguém estudou (não se sabe até hoje, ao certo, em que dia foi justiçado Felipe dos Santos!) teve sobre a conjuração de 1789 um influxo direto. De propósito, escrevi *conjuração* de 1789 e *revolução* de 1720. De fato, em 89 houve apenas uma conspiração, descoberta e abortada. Em 1720 houve uma verdadeira revolução: o povo de Vila Rica e da atual cidade de Mariana, em armas, dando combates renhidos às tropas do capitão-general, durante oito dias, ao mando de Felipe dos Santos, fez vacilar o governo da metrópole. E o conde de Assumar só o venceu, graças à traição que lhe entregou manietado o chefe dos rebeldes.

A essa consideração convém juntar outra, que é de maior importância ainda. Os chefes verdadeiros da Inconfidência foram indiscutivelmente os quatro homens de saber e talento que, no dizer de Sílvio Romero, faziam da Vila Rica daquela época uma pequena Weimar: Cláudio Manuel, Gonzaga, Alvarenga Peixoto e Silva Alvarenga. Todos eles haviam estudado em Coimbra. Inclusive Silva Alvarenga, mestiço e pobre, que só a expensas de amigos e à custa de grandes sacrifícios conseguiu formar-se em cânones na universidade portuguesa.

Ora, esses estudos foram feitos entre 1740 e 1780, ao tempo em que já haviam germinado na Europa as sementes revolucionárias lançadas à terra por Montesquieu, Voltaire, Rousseau, Turgot, de Alembert [sic], Diderot. A Coimbra chegavam já bafejos desse vento forte que começava a soprar furiosamente sobre a velha sociedade, ameaçando-a. Quando esses quatro homens superiores chegaram a Vila Rica, estavam aparelhados de uma série de conhecimentos que tornavam os seus espíritos incompatíveis com a idéia de escravidão; inconscientes talvez, uma força oculta os impelia: eram os representantes do século da liberdade na velha cidade colonial.

Mas, em 1720, que instrução, que educação filosófica tinham Felipe dos Santos, e os garimpeiros, os padres, os servos que o seguiam? No entanto, a idéia republicana fervia já nesses cérebros rudes.

O conde de Assumar, D. Pedro de Almeida e Portugal, então governador da Capitania das Minas, é o primeiro a declará-lo no extenso relatório que, sobre esses sucessos, enviou, depois de sufocada a revolta, ao rei de Portugal.

Desse relatório, cuja cópia está arquivada entre os documentos existentes na secretaria do interior de Ouro Preto, consta o seguinte: "o intento dos revoltosos (diz o conde de Assumar) era expulsar-me a mim do governo da capitania e não permitir que outro qualquer governador, pessoa de Vossa Majestade, governasse o povo, de maneira a governar-se ele a si mesmo, à feição das comunas".

Foi animado deste ideal que o povo de Vila Rica se levantou. Povo irrequieto, nobre, rebelde para os fortes, carinhoso para os fracos (como os tempos mudam!), a gente da capital das Minas trazia de há muito atarantado e receoso o conde de Assumar. Ele mesmo o diz em carta confidencial ao governador do Rio, queixando-se de que o governar gente de tamanha rebeldia lhe põe de cabelos brancos e o juízo a tratos. Quando estalou a revolta, cujo pretexto, análogo ao dos Inconfidentes, era uma cobrança de novos impostos, o capitão-general tenou subjugá-la pelas armas. Vendo-se impotente diante da fúria da multidão, buscou amansá-la com promessas que tencionava não cumprir. Tudo em vão. E o sangue correu, e a revolução venceria, se a traição não fizesse o que não puderam fazer as armas e as promessas do conde Assumar. Felipe dos Santos, depois de arrastado vivo pelas ruas, foi esquartejado; todos os revoltosos, presos, tiveram os bens confiscados e as casas arrasadas.

É o que se sabe. A história desse movimento está ainda por escrever, ao passo que já quase nada resta a fazer quanto ao movimento de 89. No entanto, a idéia da Inconfidência era a mesma idéia dos companheiros de Felipe, que aparecia, 69 anos mais tarde, reincarnada nas aspirações de Gonzaga, de Cláudio Manuel, dos dois Alvarengas, e na bravura de Tiradentes.

É uma reivindicação histórica a tentar. A gratidão dos republicanos esquece freqüentemente a figura grandiosa do heróico mineiro, verdadeiro precursor da República. E essa figura é, pelo menos, tão santa como a de Tiradentes.

Olavo Bilac

27 mar. 1894

Crônica Livre

No Ceará, terra que os "verdes mares bravios" abraçam e beijam, há uma associação espanta-burguês, que tem o nome extravagante de *Padaria Espiritual.*

Há três anos, mais ou menos, li pela primeira vez esse nome, em ofício que me veio ter às mãos, assinado por X..., irmão padeiro-secretário. Fiquei duas horas olhando para a singular missiva, buscando apreender o sentido misterioso desse título.

Logo comecei a imaginar que a associação fosse qualquer cousa como uma maçonaria mais complicada, uma sociedade secreta, cujos iniciados se entregassem, por horas mortas da noite, à prática das ciências ocultas, celebrando a missa negra sobre as entranhas palpitantes de um cabrito estripado, ou, sob a invocação do Sâr Elifas Levi, reunindo no recinto lôbrego da Padaria uma horda desvairada de corpos astrais desencarnados.

E, como o sonho é a coisa mais agradável da vida, desatei a sonhar, e a arquitetar na fantasia todas peripécias possíveis de uma sessão da Padaria Espiritual. Vi o padeiro-presidente meter no forno dos espíritos a matéria-prima do pão sagrado: gengivas de crocodilo, coração de rã, fígado de gafanhoto e olhos de coruja... Depois, as feiticeiras de Macbeth atiçando o fogo; um clarão sinistro enchendo a sala;

sudário rasgando-se no ar; sinos invisíveis tangendo em dobres funerários; barulhos sinistros de esqueletos entrechocados; e, dominando tudo, abafada, lenta, longínqua, a harmonia da *Dança Macabra* de Saint-Saens... Depois, vi sair do forno, tostado, cheio de reflexos fantásticos, o Pão Espiritual: e da sua massa toda agitada de um tremor contínuo vi evolarem-se almas penadas, gemendo, voando em torno da imagem mística da Rosa-Cruz...

* * *

Nessa ilusão fiquei, até o dia em que Pardal Mallet voltando do passeio forçado que fez ao alto Amazonas em 1892, me relatou várias das suas impressões de viagem. É que Mallet, parando na cidade de Fortaleza, visitou a sede da Padaria Espiritual e teve ocasião de conhecer todos os padeiros, belos rapazes, cheios de talento e de fé, reunidos sob a divisa "Amor e Trabalho" em clube artístico, que outra cousa não é a Padaria, apesar do seu nome estapafúrdio. Fiquei então sabendo que a sociedade tem os seus pintores, os seus poetas, os seus romancistas, os seus músicos. E do merecimento artístico deles, fiquei fazendo idéia, tempos depois, pela leitura do livro de versos de Antônio Sales, editado pela Padaria, um bom livro, feito com inspiração e arte, obra de verdadeiro poeta.

Agora, chega-me do Ceará uma nova edição da Padaria. É o volume dos *Flocos*, de Sabino Batista (1891-1893). Pelo curto prefácio com que o senhor João Carlos Júnior abre o volume, sei que Sabino Batista é muito moço. *Flocos* é a sua estréia. E por uma das composições do livro *Carta Aberta* sei que o poeta só dá às musas o escasso tempo que lhe deixa livre o monótono e grave emprego público de que vive.

Pois bem, o livro não é de todo bom. Mas, se não está aqui dentro, em embrião, um excelente poeta, é que eu já me não entendo muito nesta cousas de poetas e de poesias...

* * *

Para lograr a perfeição e conquistar o seu lugar ao sol, entre os poetas de primeira plana, carece apenas Sabino Batista de deixar correr livre e espontaneamente a sua inspiração (o que já é forte e sincera), evitando duas cousas: o perigo da imitação, e a mania terrível do *peregrinismo*, tão odiosamente erigido hoje em escola por certos versejadores do meu conhecimento.

O perigo da imitação é fácil de evitar: daqui a um ano ou dous, o cantor dos *Flocos* se libertará naturalmente da influência que sobre o seu estilo exercem este e aquele poetas, convencendo-se de que há e haverá sempre, para cada escritor, uma nova forma a dar a um pensamento velho, – já que não pode haver pensamentos novos. O outro perigo, sim: é muito mais sério. Inventaram agora uma nova poesia, cujo processo essencial é este: traduzir o menor número de idéias no maior número de palavras. A fórmula do preparo poético é mais ou menos esta: para fazer um soneto, tomam-se quarenta adjetivos, dos menos usados e vinte advérbios dos mais raros; mete-se no meio disso um verbo, e adicionam-se-lhe três substantivos; mas é preciso, note-se, ter o cuidado de escolher substantivos que nada tenham que ver com os adjetivos empregados. Para as rimas, escolhem-se quaisquer palavras, o essencial é que sejam peregrinas: assim, por exemplo, se a mulher celebrada no soneto se chamar Estefânia, torna-se fatalmente preciso que o som da sua voz se pareça com a melodia do coro místico da Epifânia...

Feito isso, e tendo o cuidado de escrever no meio da oração certos adjetivos com maiúscula, tem-se feito um soneto novo, destinado a perpetuar pelos séculos em fora a nomeada da D. Estefânia e a glória do seu cantor. Sempre que leio essas produções das musas do futuro, recordo-me de um amigo meu, grande poeta, que, certa vez, em um salão do Rio, foi instantemente convidado pelas senhoras presentes a recitar qualquer cousa ao piano. Levantou-se, e, ao som da Dalila, com uma palidez e uma solenidade de condenado à morte, começou a desfiar o rosário dos mais estonteadores disparates que jamais brotaram do cérebro humano. Como os versos estavam certos, e como ele, além de recitar com uma bela voz comovida, não hesitava diante da mais formidável asneira, as senhoras, com os olhos em êxtase e a boca aberta num sorriso de gozo, embebiam a alma naquela torrente de sílabas medidas, e deliciavam-se...

A nova poesia dos sacerdotes do *peregrinismo*, sobre o público, exerce a mesma fascinação que sobre as senhoras a que me referi, exercia o recitativo macabro do meu amigo. O público, em geral, quanto menos compreende, mais admira.

* * *

Evite Sabino Batista esse perigo. Trabalhe por ser simples. Repila dos seus versos toda a afetação, e aceite como divisa as palavras do poeta romano: *Ars, non artificium.*

Porque, enfim, nos *Flocos* há o germe de um grande poeta. E queira Deus que, dentro em breve, possa eu saudar, em pleno fastígio de glória literária, o grande poeta Sabino Batista, cujo talento já se deixa adivinhar em alguns formosos versos do livrinho que agora me chega da Padaria Espiritual.

Olavo Bilac

02 abr. 1894 Crônica Livre [CN] [Cia]

Como a conversação, depois de haver borboleteado de assunto em assunto, durante esse jantar de refinados, tivesse caído afinal em Baudelaire e nos seus *Paraísos Artificiais*, Jacques, que aos trinta anos de idade já tem experimentado todos os prazeres e provados todos os desgostos, disse acendendo o charuto e enchendo o segundo cálice de chartreuse verde:

– Pois, afirmo-lhes eu, com conhecimento de causa, que a embriaguez do ópio não tem nenhum dos encantos que lhe atribui Baudelaire...

– Oh! desgraçado! pois até já tomaste haxixe? indagou um de nós, com alguma incredulidade.

– Propriamente haxixe não tomei: tomei cousa melhor.

E relatou-nos isto:

"Foi há pouco tempo. Estava eu morrendo de tédio numa cidade do norte. Toda a solidão daquelas ruas muito direitas, muito largas e muito vazias me havia entrado na alma. Como eu me aborrecia, meus amigos! E imaginem que, por esse tempo, sofria eu de uma singular excitação nervosa, que me fazia ficar semanas inteiras sem dormir, com o corpo quebrado, todo o organismo vibrando dolorosamente ao menor choque, à menor contrariedade, à menor emoção. Cheguei a ter horror à minha casa, àquela casa imensa e deserta entre cujas paredes se arrastavam longas, terrivelmente longas, as minhas noites de insônia. Preferi passá-las, a vagar de rua em rua, sem destino: e ainda hoje me lembro com pavor desses passeios noturnos por uma cidade morta, ora à claridade de luar que escorria pelas casas como um banho de prata viva, ora ao clarão trêmulo dos candeeiros de azeite, dependurados a ganchos de ferro, rangendo lugubremente ao mais fraco sopro de vento... Um dia, um médico meu amigo aconselhou-me o uso do ópio.

"Protestei que seria inútil: a morfina, o láudano, tinham sido impotentes, deixavam-me o corpo despedaçado, a língua amarga, a cabeça apuada de dores, e a alma acordada, no mesmo sofrimento e na mesma agonia. Ele, então, receitou-me um novo preparado...

"Não conhecem vocês, com certeza: é o tanato de canabina. A canabina é o alcalóide que se extrai do haxixe, da *cannabis indica*. Recebi esperançado, das mãos do farmacêutico, a pequena caixinha redonda, sentindo, com delícia mexerem-se dentro dela, no pó avermelhado, as doze pílulas consoladoras, pequeninas, escuras, moles, de uma cor de bronze azinhavrado. O farmacêutico, solícito, recomendou-me com ares misteriosos que não tomasse, em caso algum, mais de duas pílulas. Mas já eu não ouvia...

"Esperei a noite com uma ansiedade grande. Às dez horas tomei duas pílulas, deitei-me, e, abrindo um livro qualquer, chamei o sono. Não sei que livro era: sei que a página me interessou, e que, embebido na leitura, me despreocupei do efeito da canabina. Ao cabo de algum tempo, olhei para o relógio. Correra uma hora. Nenhum efeito. O cérebro claro, fresco: nenhum desejo de sono. Sorri, com desdém, do poder do narcótico, e engoli corajosamente mais três pílulas e dali a um quarto de hora uma outra. Não posso dizer se ainda gozava de pleno uso da razão, quando tomei essa quarta pílula. Quero crer que não: não sei mesmo como consegui voltar à cama. Doía-me a cabeça alucinadoramente. Estalava-me no ouvido um barulho de mar quebrando-se de encontro a rochedos. E não sei se acharei palavras para lhes referir o que principiou então a passar-se em mim..."

Jacques esvaziou o seu cálice de chartreuse. Nós todos ouvíamos calados e ansiosos. Ele, com a voz um pouco trêmula, continuou:

"Foi uma cousa horrível, sobre-humana, inenarrável, prolongada por toda a noite. Eu não dormia, mas não estava acordado. Dentro do meu corpo havia uma alma que sentia, que pensava; mas, como hei de eu explicar isto? – não era a minha verdadeira alma, porque essa eu a sentia fora de mim, divorciada do meu corpo, pairando sobre ele, querendo reentrar nele, e não podendo! não podendo! não podendo! – Sabem vocês o que se passa, alguns momentos depois da morte, segundo os espíritas? Dizem os espíritas que a alma, abandonando o corpo, não se afasta dele, e, enquanto não se faz o enterro, fica errando em derredor do despojo carnal desprezado. Era talvez isso o que eu sentia... Mas, não! não era isso, porque além da minh'alma que pairava fora, havia uma outra que permanecia no corpo, sofrendo e chorando...

"Vejamos... Eu tinha consciência de que estava deitado, de costas sobre a cama: apalpava-me, sentia o calor da minha carne, a pulsação de minhas artérias, sabia que não estava sonhando... Doía-me a cabeça cada vez mais: era como se, estando ela apertada entre duas barras de aço, a fossem pouco a pouco esmigalhando, amassando, triturando. Eu sentia tudo isso: logo a minh'alma estava ali. Mas que outra alma era aquela, também minha, que estava fora da carne e dividida entre dous sentimentos opostos: a mágoa de não poder entrar no corpo que era seu, e a delícia de não poder estar sofrendo o que esse corpo sofria?...

"Quanto tempo durou isso, não lhes posso dizer: deve ter durado séculos. Quantos? um, cem, mil, uma eternidade...

"Depois, senti que acabara o desdobramento da minha personalidade. Estava outra vez com uma só alma. O corpo continuava a sofrer, a sofrer indizivelmente. E a alma, outra vez una, outra vez indivisível, adquiriu uma acuidade, uma perfeição, uma clareza de memória sobrenaturais. Recapitulei toda a minha vida, de dia em dia, de hora em hora. Lembrei-me até de quedas que dei, quando tinha um ano de idade. Assisti mesmo à cena do meu nascimento... E como me doía o remorso dos menores crimes cometidos, das mais insignificantes injustiças praticadas! Tudo isso se passava em absoluto, em perfeito estado de vigília. Eu via arder, debaixo do globo azul, a chama da minha lâmpada de petróleo; via agitarem-se à janela as cortinas brancas; ouvia o tic-tac do relógio sobre a mesa... E vi mesmo o dia romper lá fora, como uma meia luz tênue a princípio, depois como uma claridade violenta que me pôs no quarto, atravessada de parede a parede, uma larga faixa cor de ouro, em que dançavam milhões de milhões de átomos de poeira afogueada... Foi então que dormi, sono bruto, sono de pedra, sono de morte, por dez horas a fio..."

"O mais curioso (concluiu Jacques, depois de uma pequena pausa) é que o abalo produzido por essa noite no meu organismo foi tão forte, tão brutal, que me restituiu a saúde: equilibrou-me os nervos e livrou-me da insônia. De modo que a cannabina me curou, não pelo bem, mas pelo mal que me fez..."

Houve um momento de silêncio. Um de nós disse: – Mas isso nada prova... Você sofreu assim, porque o excitante encontrou mal preparado o terreno em que devia operar. E, mesmo, está hoje provado que o haxixe nada mais faz do que exacerbar o estado normal do indivíduo: dá mais alegria a quem é naturalmente alegre, e mais tristeza a quem é naturalmente triste..."

– Pode ser! retorquiu Jacques. Mas aconselho-lhes que não experimentem. Demais, sabem quem têm razão? É Balzac, que, apesar de fazer parte de um clube de bebedores de haxixe, nunca bebeu a droga, porque (dizia ele) o homem que voluntariamente se despoja do mais belo atributo humano – a vontade – deve ser, na escala animal, colocado abaixo do caramujo e da lesma... E vamo-nos embora, que é meia-noite!

OLAVO BILAC

12 ABR. 1894 CRÔNICA LIVRE

Há um mês, mais ou menos, a *Crônica Livre* protestou contra o mau hábito, que tem a imprensa, de publicar os nomes de menores criminosos, tornando assim o homem futuro responsável pela leviandade da criança, e infamando-a para toda a vida. Hoje, o protesto vai ser feito contra outro vezo ainda mais pernicioso e revoltante do que esse. Não é a primeira vez que escrevo sobre isto: mas, a quem estranhar que a *Crônica Livre* esteja sempre a repetir-se, repisando os mesmos assuntos, responderei o que aos seus acusadores respondeu A. Karr, admoestado por falta igual: "Meus amigos, que culpa tenho eu de que os erros, as imbecilidades, os vícios e os crimes, contra os quais me pus em campo, se repitam com uma regularidade desesperadora? Tenho o meu saco de munições cheio de balas: e não me julgo obrigado a fabricar uma bala de nova espécie, para cada tiro destinado a um inimigo, que é sempre o mesmo..."

Aqui, por exemplo, o inimigo é o mesmo de sempre: a mania da publicidade, dê no que der, desmoralize a quem desmoralizar, aniquile a quem aniquilar. Se essa publicidade *à outrance* é criminosa quando desonra um homem, mais criminosa ainda é quando desonra uma mulher, uma criança apaixonada que entrega o corpo virgem a um Lovelace, e que só por isso, por mais nada, vê o nome entregue ao comentário libidinoso e cruel de toda uma população.

Uma rapariga tem quinze anos. À tarde, enfeita-se, paramenta-se, vai para a janela ver quem passa. Quem passa? Passa muita gente... E, no meio desse povo, passa naturalmente um pelintra, de bigodes encalamistrados, cravo ao peito, bengalinha ao punho, e muita patifaria no olhar. Ora, aos quinze anos, não é preciso mais nada do que um olhar de janota para deitar fogo a uma carne alvoroçada. É o que produz as queimadas de verão: o mato está seco, palpitando, estalando: vem um raio de sol, aquece-o mais ainda e aí temos o mato incendiado; e lá se vai tudo quanto os conselhos maternos estiveram fiando durante quinze anos de reclusão e de castidade...

Ateada a labareda, incendiada a carne, consumada a cousa, o janota alisa o bigodinho, sorri ao espelho, satisfeito, e foge. A polícia, então, chama a si o caso. E faz muito bem, porque enfim, não é justo que quem comeu um bom fruto, fique livre do trabalho de o digerir. Preso o janota, desculpa-se, arrepela-se, nega, mas acaba por confessar e resignar-se.

Um pretor e um padre fazem o resto, que não é grande cousa, porque o principal já está feito há muito tempo.

Era natural que o drama acabasse aí. Uma menina pecou. Mas o seu colaborador no pecado não duvidou em assinar a obra, pondo ao lado do nome dela o seu próprio nome de homem, com todas as formalidades da lei. Constituiu-se uma nova família: e os filhos que brotarem desse enxerto de dous galhos humanos, não irão engrossar as fileiras tristes dos desgraçados anônimos, que nascem e morrem sem ter um pai que lhes deite a bênção e lhes trate do futuro.

Mas, não! não está tudo acabado, porque é preciso contar com a publicidade! Assim que a polícia tem notícia de um caso de defloramento, logo aparecem à autoridade os repórteres ávidos de informações. E esses repórteres transmitem aos cem mil leitores dos seus jornais os nomes por extenso, não só do sedutor, mas também da pobre moça, que acaba de atirar a grinalda por cima... da pretoria.

Ainda há dous dias, só em um jornal vinham três dessas infamantes notícias: "Fulano deflorou a menor Sicrana. Vão casar".

Mas, santo Deus! se vão casar, que necessidade há de tornar ridículo esse casamento, comunicando à sociedade em peso que uma pobre moça, na noite nupcial, já não carece dos conselhos maliciosos da madrinha para saber o que a espera? Que necessidade há de, a todo o tempo, com essa publicação cruel, fornecer ao filho primogênito desse casal desventurado a convicção de que a máquina em que foi forjado, não tinha ainda sido legalizada pela certidão de um pretor, nem santificada pela bênção de um padre?

E, além disso, vejamos:

Admitindo mesmo que o casamento não se realize, admitindo que a pobre menina enganada fique sendo uma dessas tristes desclassificadas que só podem dar aos filhos amor em vez de nome, carinho em vez de honra, que lucra a sociedade com ficar sabendo o nome dessa infeliz, para a desprezar, quando não lho perguntará nenhum dos homens que a forem ver para gozar do seu corpo?

Que diabo! a autoridade que manda publicar o nome de uma menor seduzida, quantas vezes não terá sentido ímpetos de fazer o mesmo que o sedutor?...

Ah! nós somos cruéis! mais cruéis do que os selvagens que comem gente viva no recesso das florestas! Esses matam um homem e sepultam-no, sem mais sofrimento, dentro do estômago.

E nós, – os refinados, os animais nobres, o orgulho de Deus, o esplendor da criação, – vivemos a roer reputações, a comer honras, a sujar nomes – por moda, por chique, por luxo, por civilização...

OLAVO BILAC

24 ABR. 1894 CRÔNICA LIVRE [CN] [CF]

S. José d'El Rei. 2 horas da tarde. Céu coberto de nuvens de chumbo. Estamos no coração da velha cidade colonial onde por tantos anos viveu Tiradentes. Praça imensa, de chão atapetado de capim bravo. No centro, o velho chafariz de 1749, despejando em larga bacia de pedra três jorros d'água, pelas bocas de três vermelhas e hediondas carrancas. Acima das três bicas, um nicho modesto em que, até há bem pouco tempo, havia a imagem de S. José. Em torno de nós, fechando a praça, casarias lúgubres, pesadas, silenciosas, de sacadas de grade de pau negro, de largas janelas fechadas. E ninguém... Nem um habitante aparece no longo trecho de cidade que o olhar abrange. Um silêncio de cemitério amortalha S. José d'El Rei: e parece que somente nós vivemos dentro dela, – nós, e uma dúzia de bacorinhos trêfegos, pretos uns, arruivascados outros, refocilando na lama que se empoça de trecho em trecho no meio do capim.

* * *

E ficamos calados, presas de uma melancolia súbita.

Trouxe-nos até aqui, de S. João d'El Rei, um trem especial. Ao galopar da locomotiva, vimos estender-se, enorme e verde, fugindo à vista para um horizonte sem limite, a Várzea do Marçal, – admirável planície verde, ligeiramente ondulada, fartamente banhada pelo rio das Mortes, ridente e saudável, – para onde escapou há pouco tempo de ser transferida a sede da capital de Minas.

Às 9 horas, munidos de archotes, entramos na famosa Gruta de Pedra, uma maravilha natural...

Dentro da gruta, um frio fino e cortante. Grandes salões, de cujo teto escuro pendem colossais candelabros de pedra, sucedem-se, unidos por galerias mudas de chão úmido e escorregadio. De quando em quando, o caminho sobe. E o visitante surpreso, chega a uma nova sala, a um segundo andar da espantosa gruta. À luz do archote, que vacila e desmaia, resvalando pelas paredes rugosas, de anfracto em anfracto, de furna em furna, aparecem e desaparecem, como por encanto, abismos negros, vultos formidandos de penedos acastelados uns sobre outros.

Às vezes, de uma eminência, o olhar mergulha pelos corredores vagamente alumiados, e percebe ao longe, – caída de uma fenda da rocha sobre um chão que brilha dubiamente, – a claridade do dia, incerta, azulada, fantástica.

E prestando atenção, num silêncio absoluto ouve-se o tic-tac das gotas d'água pingando sobre as lajes filtradas pelas estalactites, continuando o trabalho secular de formação daquelas assombrosas colunas de pedra. Nos pontos raros em que a abóbada se rasga, deixando aparecer um palmo de céu azul, a claridade põe no chão úmido uma nódoa de cor indefinível.

[*****] um sítio, de que irrompe, em plena treva, em pleno subterrâneo, um tronco de árvore secular.

A quantas centenas de anos terá ali caído, abandonada e triste, a semente que foi o berço daquele colosso? Sem ar, sem luz, o pequenino rebento cresceu talvez uma polegada de dez em dez anos. Subiu a custo, como uma cobra, pelas paredes da imensa caverna. Engrossou, desenvolveu-se, cresceu. E, já tronco, prosseguiu a sua viagem desesperada e heróica para a luz, para o ar, para aquele céu que adivinhava lá em cima... Hoje é curioso seguir esse percurso: o tronco vai de pedra em pedra, confundindo-se com a rocha, subindo sempre, acompanhando aqui uma anfractuosidade, galgando ali uma cavidade, até que emerge da treva por um buraco aberto no teto da grota, e abre-se, e expande-se e pompeia, e triunfa e irradia, e canta em plena luz, alastrando pelo ar a sua gloriosa capa verde, onde garganteiam pássaros, onde vivem ninhos, e de onde pendem os grandes reposteiros fulvos das *barbas de velho*, como mantos régios...

Às 10 1/2, saídos da gruta, almoçamos alegremente sobre a relva. Não havia sol. O céu enevoado era triste e frio. Mas, não olhávamos para o céu... As *toilletes* frescas das senhoras fulguravam. O almoço, frugal e saboroso, desafiava a fome. E ríamos, e ríamos, em plena liberdade, sobre o relvado fresco, entre as cantigas das aves e o barulho de uma queda de água...

* * *

Agora, 2 horas da tarde, sob um céu coberto de nuvens de chumbo, no coração da velha cidade de S. José d'El Rei, amortalhada num silêncio de cemitério, sentimos a alma invadida por uma melancolia súbita.

Que silêncio, que tristeza, que morte! S. José d'El Rei chama-se hoje Tiradentes. Quiseram com essa mudança de nome perpetuar a memória do grande Inconfidente, fechando-a numa sorte de sacrário imenso, em que ninguém possa entrar sem um grande respeito e uma comoção invencível. Conseguiram-no. Em S. José d'El Rei, duvido que alguém tenha a coragem de rir. Aquilo é mais triste, mais horrivelmente triste do que um campo santo. Não creio mesmo que o viajante que percorre as ruínas de Pompéia desenterrada, sinta a mesma impressão de tristeza, inenarrável que senti percorrendo as ruas desta cidade morta, onde moram vivos, onde não se vê ninguém, mas onde se adivinha que uma população melancólica e cheia de tédio arrasta uma vida muda de espectros...

As ruas, calçadas de pedras miúdas e avermelhadas, sobem e descem, desertas, cheias de casas a cujas janelas nem uma cabeça de ente vivo aparece. Os mesmos porcos que se encontram, de espaço a espaço, fossando a terra, têm um ar tão aborrecido, tão concentrado, tão meditabundo, que a gente chega a acreditar que os porcos possuem como nós uma alma acessível ao tédio e à misantropia... Passamos pela casa da câmara, onde em 1827 se jurou a Constituição do império defunto, uma grande casa que vem quase até o meio da rua, com varanda de madeira em cujos balaústres amarelecem editais, e pela casa em que morou Tiradentes, confortável vivenda que é talvez a melhor habitação da cidade.

A matriz está situada no alto, dominando toda a cidade, ao fundo de um terraço ladrilhado. Atentando no ladrilho, vê-se que é formado por lápides de tumbas. Um relógio de sol, velhíssimo, ergue-se a um canto do terraço. Entramos. O velho templo é de uma magnificência e de uma suntuosidade indescritíveis. O teto, as paredes, as colunas desaparecem sob a pompa de ornatos de ouro e sob as relíquas dos quadros sacros. O altar-mor fulgura, num deslumbramento. Grandes imagens pensativas, santas de espada crava ao seio, Cristos ansiando sob o lenho, virgens de olhar azul erguido ao céu, quedam imóveis nos seus nichos magníficos. E, ao lado do altar principal, estendem-se duas imensas e preciosas telas antiquíssimas, a *Ceia* e as *Bodas de Canaã*, cujas tintas ainda conservam a primitiva e indestrutível frescura.

Dizem que a igreja possui uma quantidade fabulosa de salvas, de candelabros, de lâmpadas, de ornatos de prata. Não pudemos ver esse tesouro. Há pouco tempo, gatunos tentaram roubá-lo arrombando uma das portas laterais do templo. E, por precaução, a irmandade escondeu toda a prata. Entretanto, pudemos ver, na capela do Sacramento, uma lâmpada monumental de prata maciça, que arde dia e noite, admirável peça de grande valor intrínseco e de inestimável custo artístico.

* * *

Subimos [*****] torre. Fazemos vibrar o grande sino que tem esculpida no bronze a data – 1747. E descendo ao coro, examinamos o órgão. É uma formidável almanjarra musical, instrumento primitivo, fabricado em 1798, com pinturas que nunca foram restauradas, e movido por dous poderosos foles, a cujas alavancas, para que o órgão possa tocar, se dependuram dous homens. Apresentam-nos o organista. Pedimos-lhe que toque alguma cousa. Ele, um velhinho trêmulo cuja velhice diz bem com a do órgão, faz-nos a vontade. Aproxima-se do vetusto instrumento com carinho e respeito. Limpa-lhe as teclas, comovido, e começa... Uma melodia arrastada, dolorida, tristíssima sobe, espalha-se pelo templo, e, pelas janelas abertas, sai para o ar livre, e vai chorar sobre as ruas desertas, como o cântico fúnebre dessa cidade morta...

E, ainda, quando já longe de S. José d'El Rei, atravessamos o caminho de S. João, a risonha Várzea do Marçal, ainda essa música de agonia, banhada de lágrimas e cortada de soluços, enche-nos o ouvido e amarguradamente nos repercute dentro da alma...

OLAVO BILAC

28 abr. 1894 — Crônica Livre [CN] [Cia]

Jacques, que continuou a dar-nos, todas as tardes, ao jantar, a sobremesa deliciosa da sua palestra, contou-nos ontem um sonho que teve há algum tempo.

Um de nós, discreteando sobre este particular de sonhos e pesadelos, dissera:

– Mas, não há dúvida... Os sucessos do sonho prendem-se sempre a um sucesso da vida real. As células cerebrais guardam impressões adormecidas por tempo indefinido. A um momento dado, essas impressões despertam, vivem, quando o sono chega, e aí estão elas constituindo o sonho. Eu, por exemplo, sonhei um dia que era Cristo. Espantei-me, ao despertar... No entanto, nada mais natural. É que, pouco antes de dormir, estivera conversando com o Dr. Maximiano Marques de Carvalho, e (por mais absurdo que isto possa parecer a vocês) cheguei, refletindo sobre o meu sonho, a reconstruir a associação de idéias sobre cujas asas fui da ampla sobrecasaca desse médico à túnica inconsútil do Nazareno...

Ouvindo isto, Jacques encolheu os ombros. E disse-nos gravemente:

– Tolices... Sem querer imitar Hamlet, digo-lhes eu que na terra e no céu há cousas mais complicadas do que as que sonha a vossa vã filosofia... Ora, digam-me com franqueza: supõem vocês que haja uma possível associação de idéias entre um leitão assado e este amigo que lhes está falando?... Não riam... Falo-lhes com toda a seriedade! Acha isso absurdo, não é assim? Pois bem: eu já uma noite sonhei que era leitão assado!

E como todos nós continuássemos a rir, Jacques sacudiu a cabeça:

– Vocês riem de tudo... Dou-lhes a minha palavra de honra: não gracejo. Vou contar-lhes o meu sonho... Simplesmente, Bilac, peço-lhe que não escreva sobre isto uma *crônica livre*: porque, afinal, com as suas indiscrições, ainda acabo por parecer ridículo aos leitores da *Gazeta*... Ouçam!

E começou:

* * *

"Sonhei que era um leitão assado...

"A princípio a minha impressão foi de espanto. Sentia-me estendido horizontalmente sobre um prato. Sentia-me cheio de cousas que não eram os meus próprios órgãos.

"E sentia em mim mesmo um cheiro delicioso de carne gorda tostada...

"Pouco a pouco fui compreendendo. O prato em que eu repousava, estava ao centro de uma grande mesa aparelhada para banquete. Via estender-se diante de mim a toalha adamascada, carregada de cristais e de pratarias. Grandes ramos de flores rubras e brancas viçavam em jarrões de porcelana. Em compoteiras de cristal, simetricamente dispostas, havia doces vários: e eu distingüia o vermelho cru das goiabas em calda, o amarelo dourado dos damascos, o tom escuro das uvas e da ginjas. Um castelo de fios de ovos, bem perto do meu nariz, subia rutilante, adornado de balas de estalo, para o teto do salão, até encontrar os pingentes do grande lustre triunfal em que ardiam constelações de velas. Ergui os olhos. E notei uma cousa que desde então me preocupou terrivelmente: no pináculo do monumento de fios de ovos havia dous bonecos de açúcar pintado, de mãos dadas, em grande gala, – um casal de noivos... Santo Deus! eu ia ser a peça de resistência de um banquete nupcial... Quem seria a noiva?

"Uma revolta surda começou a torcer-me os miolos de porco assado... Como diabo estava eu ali transformado em leitão, com o ventre cheio de farofa e sarrabulho, e com as costas cheias de rodelas de limão espetadas em palitos? Comecei a ouvir uma música afastada. Compreendi que dançavam no salão de baile. Era uma valsa. E imaginei logo que a noiva, radiante sob a grinalda de flores de laranjeira, muito branca, toda branca, suspendendo a longa cauda do vestido de gorgorão nevado, estaria girando nos braços do noivo – ofegante e pálida, com uma curiosidade e um receio fuzilando nos olhos... Havia de ser isso... Estavam valsando, com certeza... Os meus ouvidos de leitão percebiam mesmo o rumor dos pés arrastados no soalho, à cadência da valsa... E eu estava ali, sem fala, sem movimento, sem defesa possível, abandonado, misérrimo!

"E daí a pouco o trinchante me despedaçaria a carne, e o meu abdome se desmancharia numa chuva de azeitonas e de farofa, e dentes implacáveis, dentes vorazes, dentes cruéis me triturariam as fibras...

"Não lhes posso dar uma idéia, por pálida que seja, do sofrimento que me alanceava... Mas, imaginem vocês: eu, porco! eu assado! eu comido! e pensando! e vendo! e ouvindo! e tendo a consciência do meu estado e certeza da sorte que me esperava!...

"A música parou. Acabara a valsa. Aproximavam-se pelo corredor.

"Alguns convidados entraram. Chegaram-se ao *buffet*, refrescaram-se. Conheci alguns. Ergui os olhos. E notei uma cousa que desde então me preocupou terrivelmente. Lá estava o Mendes Neto, de olhos felinos e boca sensual chuchurreando um *cognac*. Lá estava o Artur de Azevedo, mastigando voluptuosamente um *croquette*. Mais longe, o Sousa Ramos, saboreando um sorvete conversava com o João Pinheiro. E não me podiam ver! e não sabiam, aqueles antropófagos, que daí a pouco comeriam o seu amigo, sob a forma de leitão assado!... Mas o que mais me indignou foi ver o Simeão – (lembram-se vocês do Simeão, aquele gordo, louro, imbecil?) – foi ver o Simeão, num grupo de senhoras, fazendo-se amável... E as senhoras riam. E eu pensava: – Que disparates estará dizendo aquele idiota!...

"Houve na sala um movimento. Afastaram-se os grupos para dar passagem a alguém. Era a noiva que entrava. Olhei e... quase dei um grito de horror e de espanto. Só não gritei, porque leitão assado não grita... Como lhes hei de contar isto? – A noiva era a Alice! Conhecem vocês a Alice? A minha Alice, que eu naquele tempo amava apaixonadamente, loucamente! Era a minha Alice com aqueles mesmos olhos imensos e negros, com aqueles mesmos lábios vermelhos, úmidos, gulosos de beijos... Que horror!

"Vinha pelo braço do noivo. Não conheci esse animal. Era um sujeito pançudo, lorpa, com umas enormes orelhas desapegadas da cabeça chata, hediondamente calva. Os dous, muito unidos, fizeram a volta da mesa.

"E pararam junto de mim... Ele, inclinando-se muito para ela, disse-lhe ao ouvido qualquer cousa. Ela corou e olhou-o muito longamente, com amor, com gratidão. E eu imóvel, paralisado sobre o prato... Ah! se eu pudesse mover-me, atirar-me sobre eles, e vingar-me, emporcalhando o vestido dela com a gordura da minha pele tostada!...

"Mas não estava ainda esgotada a minha taça de amarguras. Pior foi a minha tortura, quando ela, a minha Alice, inclinando-se sobre a mesa, – com a sua mão pequenina! com a sua mão que eu tantas vezes beijara delirando! – com a sua mãozinha enluvada de branco, tirou do meu corpo uma das rodelas de limão que me enfeitavam, e começou a chupá-la devagarinho, com os seus divinos lábios vermelhos, úmidos, gulosos de beijos!...

"Oh! era o meu sangue! era a minha alma! era a minha vida que ela chupava!

"Mas, nesse momento, sentaram-se todos à mesa. Um criado, de casaca e gravata branca, tirou o prato em que eu estava e levou-o para um aparador.

"Chegara o momento fatal. Iam trinchar-me! Lembro-me bem de que, em caminho, o Artur Azevedo, que tomava um lugar entre o Salamonde e o Mallet, olhou-me com ternura, e disse passando a língua pelos beiços: – Que belo porco, hein?...

"Não vi mais nada, não ouvi mais nada... Ouvi um tinido de metais, vi uma lâmina fulgurar, senti uma punhalada assassina, e, quando ia desmanchar-me em azeitonas e farofa, acordei..."

* * *

Uma gargalhada geral acolheu as últimas palavras de Jacques. E ele, serenamente, com um gesto desdenhoso:

– Vocês riem de tudo... Não acreditam no que se lhes diz... Quem me garante a mim, que já não fui leitão numa outra vida?...

Olavo Bilac

01 maio 1894

Crônica Livre

Relatavam os jornais de há dous dias o caso de um carroceiro que, no Retiro Saudoso, – vendo que os burros atrelados ao carroção não conseguiam arrancá-lo a um buraco – deliberou, depois de uma centena de chibatadas improfícuas, acender feixes de palhas sob a barriga dos muares mártires, a ver se o fogo fazia o que não fizera a chibata.

A leitura dessa notícia traz-me à memória um poemeto cruel do poeta russo Nekrassov. Um pobre cavalo típico arrasta dificilmente pela lama da estrada a sua carroça. De repente, um buraco. O animal impotente arfa e peleja, se debate e se esforça por arrancar do buraco lodoso a sua carga. Impossível! E o *moujik*, dono da carroça, começa a chicotear o cavalo, começa a chicoteá-lo *nos olhos*, "nos seus dous olhos de bruto, cheios de lágrimas humanas".

E o cavalo arqueja. E o *moujik* o chicoteia, chicoteia-o sem dó, "sem compreender o que faz, bêbado de crueldade, deliciado pela tortura que inflige". Uma última chicotada, um último esforço, e sai a carroça do buraco. E, enquanto o animal, trêmulo, não ousando respirar, continua o seu caminho, o *moujik* de chicote ao ombro, sorri, cantarolando ao sol que inunda a estrada. "Porque (diz o poeta) Deus só criou os cavalos para dar ocupação ao chicote dos *moujiks*".

No Brasil, ninguém tem piedade dos animais. Eles, de parceria com as crianças, são as vítimas do mau humor dos homens. Claro está que a minha piedade pelos irracionais não vai ao ponto de encarecer os bons ofícios de uma Sociedade Protetora dos Animais que aqui, houve, – associação piedosa de senhoras, que choravam lágrimas em torrentes sobre os cadáveres dos cães vitimados pelas bolas municipais, enquanto, de olhos enxutos, liam todos os dias nas folhas que o fazendeiro X. fizera morrer o escravo João debaixo do bacalhau, ou que o fazendeiro Z. mandara meter vivo dentro de um forno o escravo Pedro. Também não vai a minha compaixão ao ponto de aplaudir a fúria com que os positivistas amaldiçoam Claude Bernard e todos os partidários da vivisecção. Mas há nisto, como em tudo, um meio termo razoável em que consiste a virtude...

Há tempos, quando as companhias de *bonds* proibiram aos seus cocheiros o uso de chicotes e varas de marmeleiro, não faltou quem lhes entoasse louvores. Simplesmente, os diretores das companhias não contavam com as rédeas. Não podendo usar de relho para fustigar os burros, entraram os cocheiros a usar das rédeas, colhendo-as à mão, ao jeito de um chicote duplo, e obtendo assim uma força dupla de flagelação.

Não se pode dizer em verdade que a ordem das companhias deixe de ser cumprida. A rédea é indispensável ao cocheiro: como privá-lo dela, impedindo que ela substitua a chibata? Por outro lado, que pensarão desta lógica os burros? Pensarão que, como efeito é como couro, tanto vale chibata como rédea, e que tudo quanto é couro, dói e dói muito, seja torcido à feição de chicote ou aplainado a maneira de tirante.

Ora, essa desumanidade, além de revoltante pelas torturas que inflige aos burros – entes, como nós, providos de nervos sensitivos – é perniciosa, por motivos de alta significação. Assim como o uso do cachimbo torna a boca torta, o uso do chicote torna a mão leve demais. Aí têm os senhores para prova o caso desse mesmo carroceiro do Retiro Saudoso, de que trataram os jornais de há dous dias. Um inspetor de polícia que passava, vendo o novo processo de fustigação pelo fogo, quis conter o carroceiro. Este, que ainda tinha consigo o chicote com que flagelara os animais, quis voltá-lo contra o inspetor.

Outro exemplo: nos circos, os empresários começaram por domesticar a bordoadas os cães que saltam arcos e os cavalos que dançam mazurca. Animados pelo bom resultado colhido, passaram a aplicar o mesmo processo às crianças. Eu, sempre que vejo um pobre entezinho franzino subir por cordas esticadas e desengonçar-se no trapézio ao som da música a 20 metros do solo, fico a imaginar quantos pescoções, quantas chicotadas, quantos murros, quantos pontapés não foram necessários para fazer com que essa criança perdesse o medo e anulasse dentro de si mesma as exigências do instinto de conservação.

Fico a imaginar isso... platonicamente. E (aqui é que tenho nojo de mim mesmo) não protesto em voz alta, no circo, e continuo a ir ver espetáculos de acrobacia, do mesmo modo porque continuo a viajar de *bond*, sem espancar com a bengala o cocheiro, quando o vejo espancar com as rédeas os burros...

É que a gente se habitua a tudo, neste mundo abençoado. Os próprios burros já se habituaram tanto às chicotadas, que um carroceiro do Retiro Saudoso se lembrou de lhes atear fogueiras debaixo da barriga para obrigá-los a andar... Também, nos circos, as crianças já não sentem os pontapés. Quando os empresários as querem obrigar a trabalhos mais arriscados, as pobres criaturinhas deixam-se cair por terra, imóveis, sem lágrimas, sem gritos, sem súplicas, sob uma chuva grossa de bordoadas. Tanto é assim, que, ultimamente, em Londres, tiveram os tribunais de julgar um diretor de circo, acusado do seguinte crime: havia na companhia um menino de dez anos, muito admirado pelos saltos mortais prodigiosos que sabia dar. Como as receitas baixassem, lembrou-se o diretor de anunciar que o seu menino-prodígio saltaria na próxima função, a uma distância dupla da acostumada. Ao primeiro ensaio, o pobrezinho recusou-se a saltar. Tapas, bofetões, chicotadas, nada o demoveu do seu propósito desesperado. O diretor, fora de si, puxou de um revólver e desfechou sobre a criança uma bala que lhe varou o pulmão.

Aí tem os senhores o processo moderno: fogo para os burros, bala para as crianças... E como nada se pode fazer contra isso, como até ao final dos séculos dos séculos a terra há de sempre ter um enorme viveiro de feras em liberdade, o melhor é a gente concluir, parodiando, o poeta Nekrassov, que Deus criou os cavalos para dar uma ocupação ao chicote dos carroceiros, e inventou as crianças para dar um alvo aos pontapés dos diretores de circo...

OLAVO BILAC

09 MAIO 1894 — CRÔNICA LIVRE[1]

J'estime plus cela que la pompe fleurie de tous ces faux brillans, ou chacun se récrie – que bela, que justa epígrafe para o livro do mais sóbrio, do mais espontâneo, do menos artificial dos nossos prosadores! De fato, é com esses dous versos do divino Molière que abre o volume dos *Contos Fora de Moda*, de Artur Azevedo, agora editado por Magalhães & C., os infatigáveis [sic].

Este livro fica, de par com os *Contos Possíveis*, marcando definitivamente a fisionomia literária do autor. Artur possui a felicidade de poder dar um cunho

1. Esta crônica de 9 de maio de 1894 da *GazNot* foi transcrita em: Artur Azevedo, *Contos Fora de Moda*, 7. ed., ilustrada, comentada e anotada por Antônio Martins. Rio de Janeiro, Ed. Alhambra, 1982.

próprio a quanto escreve. Cronista, cabriolando desordenadamente de assunto em assunto, mas com uma rara mistura de fulgor de paradoxo e de bom senso, pelas colunas do jornal; comediógrafo, fixando em cena com uma precisão e uma verdadeira máquina fotográfica a vida que o cerca; poeta lírico de primeira plana, pegando de uma idéia velha, de um sentimento comum, de uma comoção já cem vezes por outros sentida, e vestindo-a de novo, dando-lhe roupagens não sonhadas, fazendo dela uma comoção nova, – como de seis metros de fazenda incolor faz sair a parisiense uma *toilette* rutilante, cheia de mocidade, de frescura e de graça; – em tudo Artur Azevedo põe a assinatura invisível da sua *maneira*, de seu jeito de sentir e de escrever. Nos arranjos da revista e de libretos, mesmo, sabe ele entrar, sem perder a sua originalidade e o seu talento. É um grande poeta que entra pela vulgaridade, um grande artista que entra pela fancaria, sem deixar lá dentro o seu lirismo e a sua arte.

É que a sua simplicidade é esta raríssima e fulgurante simplicidade, que consiste em por uma obra de arte ao alcance de todas as compreensões, - fazendo-a humana: e ser simples assim é mais difícil do que descobrir a América ou a pólvora sem fumaça. Nada mais fácil do que arquitetar uma página complicada das que embasbacam o nefelibatismo indígena, e que parecem mostradores de bazar turco, cheios de lantejoulas, de malacachetas, de bugigangas, "de tous ces faux brillans ou chacun se récrie". Nada mais fácil: cinco dúzias de vocábulos desencontrados bastam a construir uma dessas obras-primas. E como nelas o principal intuito do escritor parece ser esconder o mais possível o pensamento, claro está que nem é preciso por um pensamento lá dentro...

O estilo de Artur Azevedo tem a limpidez e a serenidade de brilho desses admiráveis diamantes mineiros do Tijuco, cuja transparência todos os Lère-Chatelain do mundo não conseguirão nunca imitar nas suas gemas artificiais. E cada vez admiro mais a propriedade da epígrafe tão bem cabida, que Molière forneceu aos *Contos Fora de Moda*. Creio que foi Valentim Magalhães que, ultimamente, referindo-se ao conto *Sabina*, de Artur, dado à estampa no *O País*, disse: "Com o assunto deste conto, Bourget escreveria um largo romance de análise psicológica". Escreveria, sim. Mas o nosso Artur, que odeia as ostentações espalhafatosas da erudição, fechando esse assunto numa coluna de jornal, conseguiu talvez mais do que conseguiria Bourget, alastarando-o pelas quatro centenas de páginas de um volume Charpentier.

O conto, com que abre o volume que tenho presente, *O Viúvo*, é o estudo completo de uma alma apanhada em flagrante pelo autor, e impressa em sete páginas de uma maturidade encantadora. E o estudo [*****] disfarçadamente. Ninguém percebe o escalpelo às mãos do anatomista: Artur disseca um espírito, como quem conta uma anedota, simplesmente e despreocupadamente.

Compreendem bem que não posso citar aqui todos os contos do livro. Nem eu sou crítico, nem quero desvirginar este encantador volume, privando o leitor das surpresas que ele lhe dará.

Mas deixem-me ao menos citar *Questão de Honra e Marcelina*.

No primeiro, Braga Lopes, o marido condescendente cuja mulher se vende por um vestido de seda, é primorosamente descrito numa só frase. Às sete da manhã, Braga Lopes nega 500$000 à mulher, e "brune as unhas". Às 8, Braga Lopes ouve um rodar de carro. Levanta-se, vai à janela.

É Angélica que vai à cidade arranjar os 500$000 de que carece. Braga Lopes resmunga: "Aonde irá ela arranjar 500$000 a estas horas?" E continua a brunir as unhas. Oh! a dolorosa jornada de Angélica, de casa em casa de amiga à procura desse dinheiro que todas lhe recusam!... Três horas da tarde. Entra Angélica em casa, cansada, mas alegre. Vendeu-se por dois contos de réis a um bolsista. Braga Lopes está brunindo as unhas. – "Mas para que precisavas tu desse dinheiro?" – "Uma questão de honra, meu amigo... Imagina que me apaixonei por um vestido que vi ontem na vitrine do Palais-Royal..." E Braga Lopes "recomeçou fleugmaticamente a sua ocupação predileta – brunir as unhas..."

Esse assunto cruel é tratado com uma rapidez, com uma precisão, com uma verdade espantosa. Assim, *Marcelina*, a velha atriz, reduzida a costureira, que, em casa de uma atriz moça que começa, ouve a sua própria história contada à nova *estrela* por um antigo amante... E a *Dona Branca*, e o *Contrabando*, e *A Cozinheira*, e...

Porque o livro todo é bom, e, como já escrevi acima, vem marcar definitivamente a fisionomia literária de Artur Azevedo, a quem envio publicamente, pelo seu radiante triunfo, uma braçada destas rosas de maio que começam a desabrochar.

E, impertinentemente, aproveito a ocasião para perguntar a Artur quando se decidirá a dar-nos, colecionados em volumes, seus esplêndidos sonetos líricos...

Olavo Bilac

23 maio 1894 — O Chabé

Concordem: o nome é esquisito. Mas, em compensação a idéia não é má.

Estou em afirmar que ninguém por aí sabe o que é o *Chabé*...Não se envergonhem com tão pouco: eu também até ontem não sabia.

O *Chabé* é a nova língua universal, que vem substituir o *Volapuk*, de malsinada memória. Inventou-a Monsieur Maldant, grande homem até ontem obscuro, e de ontem para hoje célebre, graças a essa miraculosa invenção, que conforme espera o inventor, simplificará os negócios, unirá as raças e estenderá sobre as nações congraçadas um fulgurante arco-íris prosódico, sintáxico e ortográfico.

Bourgaint Lagrange, um outro sábio cuja celebridade estava também até ontem, incubada, pegou da descoberta de Maldant e começou já a propagá-la pelos povos cultos e incultos, desde Regent Street até o Zambeze, desde o Rond-Point de l'Étoile até às margens do Rio Negro.

Resta saber se o *Chabé* terá a mesma duração efêmera da gramática *Volapuk* e das rosas de Malherbe, ou se, mais feliz, resistirá ao mal de sete dias, obrigando a língua do inglês e a língua do Bororó, a língua do alemão e a língua do chin, a se subordinarem à mesma ginástica silábica. Mas, quem pode prever o destino das descobertas humanas? Talvez as pílulas digestivas do Dr. Heinzelmann ainda estejam, na terra, à hora em que o *Chabé* de Monsieur Maldant já estiver enterrado no olvido.

Seja como for, eu, para ficar com a consciência tranqüila, vou desde já lavrando o meu protesto contra a perversa invenção...

Sim! quero que todos os [sic] saibam: não há de ser sem protesto meu que se conseguirá perturbar a ordem universal, fazendo com que todos os homens se entendam!

Suponhamos que hoje, ao fim do século das luzes, em 1894, os homens de todo o mundo se lembrassem de renovar a tentativa da torre de Babel, para escalar o céu. (Digamos, entre parênteses, que isto é uma suposição absurda. Porque os homens de hoje estão convencidos de que escalar o céu, para afrontar Deus, é uma cousa tão inútil como bater a uma casa inabitada para descompor um inquilino que se mudou há mil anos...)

Mas apesar disso, mantenhamos a suposição. Supor – é uma cousa tão fácil e custa tão pouco, que não vejo porque não hão de os cronistas dar-se ao mesmo luxo a que se dão os filósofos!...

Suponhamos, pois, que venha a renovar-se a tentativa da torre de Babel.

Que imaginam os senhores que fará Deus para frustrar os desígnios dos homens? Imaginam que ele repetirá o velho estratagema da confusão das línguas? puro engano! Deus, que deve hoje ter mais experiência dos homens do que tinha ao tempo da torre de Babel, usará de nova astúcia: inventará um *Volapuk* ou um *Chabé* e fará com que se entendam todos os obreiros da torre, americanos, europeus, asiáticos, africanos e oceanianos. E a torre virá abaixo por si mesma, porque não pode haver harmonia onde todos se entendem.

Não é paradoxo, isto. E se o é, pouco importa: o paradoxo é o pai da verdade. Ainda ontem vi um caso que me confirmou esta convicção. Foi no teatro. Entrou um inglês e sentou-se. Entrou um turco e sentou-se por detrás do inglês. Como o turco visse que o corpanzil do inglês lhe tapava o palco, preveniu-o disso, em turco. O inglês, em inglês, respondeu-lhe qualquer cousa, que nem o turco nem eu entendemos. Levantaram-se ambos e desataram a descompor-se em turco e inglês. Ao cabo de meia hora de descomposturas sentaram-se ambos, sem brigar como dantes. Por que foi que não brigaram? Porque não se entenderam. E não se entendendo, não chegaram a sentir o peso dos mútuos desaforos...

Mas tenho outro caso, que ainda é melhor do que esse.

Já estive durante um ano, na Europa, hospedado num hotel francês. À mesa em que eu almoçava e jantava, também almoçava e jantava um russo. Com a convivência tornamo-nos os melhores amigos do mundo: eu falava-lhe em português, e ele falava-me em russo. E nem eu o entendia a ele, nem ele me entendia a mim.

Ao cabo de alguns meses, vendo que o meu amigo russo era absolutamente incapaz de compreender o português, adquiri o hábito de o descompor formidavelmente, no meu idioma natal... Nunca disse tanto desaforo em toda a minha vida! Aquilo era um nunca acabar de injúrias, ao almoço e ao jantar: de manhã, desde o *hors-d'oeuvre* até o chá, e de tarde, desde a sopa até o cálice de *chartreuse*.

Ora, tenho boas razões para supor que o meu amigo russo fazia o mesmo: a quando em quando soava-me ao ouvido uma palavra dura acabada em *sky*, que devia por força de ser injuriosa... Mas, enfim, como não nos entendíamos...

Deste fato de não nos entendermos, resultava uma garantia para a integridade dos nossos respectivos queixos: porque, se nos entendêssemos, quebrar-nos-íamos mutuamente as caras.

E resultava ainda outra cousa: uma garantia para o bom nome do hotel em que comíamos. Porque, enfim, imaginemos que um dia, ao almoço ou ao jantar, Deus nos desse, de repente, a intuição do *Volapuk* ou do *Chabé*... Brigaríamos! E não ficaria um prato inteiro sobre a mesa! e os *beefs* se cruzariam, entre nós, como balas de Nordenfeldt! E entre nós, os pudins estalariam como *schrapnels*! E seria um horror!

No entanto, como não nos entendíamos, corria tudo às mil maravilhas... Durante todo um ano, continuamos a ser os melhores amigos do mundo. Quem nos visse, ao almoço ou ao jantar – amáveis, sorridentes, atenciosos, comunicativos, – diria que éramos Orestes e Pilades, de sobrecasaca, comendo de [*****] a *mayonnaise* fraternal... Até que um dia nos separamos, com lágrimas nos olhos, e com um último desaforo incompreensível na ponta da língua [*****].

Meus amigos! convençam-se de que, para a gente ser feliz, é preciso que a gente não se entenda! E isso não só em relações de mesa, como em política e tudo o mais...

Portanto, mandemos o *Chabé* de Monsieur Maldant para o diabo que o carregue!

Fantasio

31 maio 1894 — Jesus Incendiário

Pois, é o que lhes digo, meus irmãos! Daqui à inquisição há apenas um passo, um breve passo, um passo curtíssimo, menos difícil de transpor do que o Rubicon.

Eu, que pacientemente sentado à margem da cachoeira dos acontecimentos, de pena de pato em punho, registro os casos raros que se dão na vida, propositalmente esperei que alguns dias corressem sobre o pasmo grande que me assaltou, quando li a notícia do assombroso caso que ora escrevo. Contou *O País* que, na Campanha, os jesuítas fundadores de um colégio, reuniram os discípulos um belo dia na praça pública, e, entre preces e esconjuros, fizeram uma grande fogueira de vários livros: versos e prosa de Hugo, de Gonçalves Dias e Raimundo Correia e de outros.

A princípio, atribuí o caso a uma simples influência de mania imitativa. E disse comigo: "Estes jesuítas leram Cervantes e querem imitar *el donoso e grande escrutinio que el Cura y el Barbero hicieron en la librería de nuestro ingenioso hidalgo.*"

De fato, assim como dentro dos livros de cavalaria andante há, para os espíritos pouco equilibrados, perigosos germes de loucura, também nos versos deste ou daquele poeta há ou pode haver sementes fatais de devassidão, para as almas cálidas e para o sangue explosivo dos mocinhos de quatorze anos.

Mas, continuando a ler a notícia, vi que os jesuítas incendiários não se limitaram a queimar os livros: a cada livro que caía no braseiro purificador, um dos padres excomungava o autor, atirando-lhe contra as rimas, contra o estilo e contra o autor, algumas frases latinas contundentes e implacáveis. De maneira que, por assim dizer, de parceria com o livro, era queimado também o autor, não em efígie, mas em pessoa, uma vez que o estilo é o homem.

Nesse ponto, é que os jesuítas da Campanha excederam em fervor o Cura e o Barbeiro de Cervantes. Porque não consta da sublime epopéia manchega que esses amigos de D. Quixote excomungassem Antônio de Torquemada, Melchior Ortega, Ordóñez de Calahorra, Pedro de la Sierra, Marcos Martinez, Toribio Fernández e tantos outros fabricantes de disparatadas histórias de amores e guerras, à proporção que iam, com o auxílio e a assistência da ama e da sobrinha do herói da Mancha, queimando os livros em que ele bebia a sua loucura.

E nesse excesso de ardor inquisitorial por parte dos jesuítas da Campanha é que vejo o grande perigo, a grande ameaça, a formidável calamidade de Dâmocles suspensa sobre as nossas cabeças, ó meus irmãos em Apolo! Porque, se não tratamos de por impecilhos aos projetos desses jesuítas, que será de nós, irmãos?

Animados pelo sucesso, os Loyolas da Campanha não se limitarão a queimar-nos o estilo e o nome: queimar-nos-ão as carnes também, as queridas carnes cuja exuberância e cuja saúde mantemos, sabe Deus à custa de quantos sacrifícios!

E estou daqui a ver o primeiro auto-de-fé... Em camisolas brancas, sarapintadas de diabos e chamas, com as cabeças metidas em tiaras igualmente pintalgadas, arderão primeiro (*à tout seigneur, tout honneur!*) Lulu Sênior e Artur Azevedo, – não só pela abundância da carne que lhes cobre os ossos, como pela abundância dos crimes de que lhes cobriram a alma os *Macaquinhos no Sótão* e os *Contos da D. Henriqueta*. E sinto daqui o cheiro dos *filets* gordos... Por que pecastes, irmãos? por que metestes dentro da Vossa prosa esse diabólico espírito gaulês, que queima como pós de mico, e é gostoso, como um beijo de mulher morena?

Arderá depois Lúcio de Mendonça esse endiabrado,

que odeia os reis e os padres excomunga

e serpentes ferozes silvarão nas labaredas, que lhe comerem o corpo amaldiçoado do inimigo da igreja e do trono.

Tu, Raimundo Correia, arderás, crepitando, como palha seca e cheirosa! Tu, mestre Machado de Assis, pagarás na fogueira, cercado de um grande clarão, o pessimismo cruel e amargo com que temperaste o teu Brás Cubas imortal! E é natural que para Coelho Neto se faça um auto-de-fé especial e solene: porque esse herege, ao pernicioso encanto de arrastar almas e corações fingidos à sua prosa de fogo, reúne o grande, o grande pecado de estudar teogonias ocultas, de celebrar pactos com o Diabo através da alma de Elifas Levi, e de manter correspondência ativa com o Grande Vácuo por intermédio da alma do budista Rosny.

Por fim, eu também, quem o sabe? Talvez seja queimado, apesar da pureza religiosa das minhas crônicas, mais castas do que a virgindade de uma vestal, mais limpas do pecado do que a alma de um frade barbudinho... É que Jesus deu agora em incendiário... Acautelemo-nos, irmãos!

E para evitar que a justiça da Inquisição da Campanha caia sobre nós, façamos desde já penitência, cubramos desde já de cinzas as cabeças, rojemos desde já pelo chão com as vestes dilaceradas e a boca cheia de soluços. Eu, felizmente, já escolhi, para flagelar a alma e o corpo, uma penitência que me há de assegurar a compaixão dos jesuítas da Campanha:

Vou ler de fio a pavio os dous volumes de *Na História e na Legenda*, do conselheiro Pereira da Silva. Intercalando nessa leitura, para maior flagelação, uns trechos das crônicas semanais de *Til*.

Fantasio

23 jun. 1894 — E Arton?

Creio que já se pode escrever sobre o Panamá municipal – nome esse que a imprensa adotou para qualificar uma tentativa de corrupção de intendentes. Creio que sim. Já todos se explicaram, já todos se desculparam, já todos se em dia defenderam [sic]. O escândalo gorou. E o acontecimento, sobre o qual cresce de dia o silêncio, já vai caminho [sic] do olvido, a passos largos para a grande e sossegada vala comum onde vão sempre parar, mais dia menos dia, sucessos e homens, glórias e máculas, escândalos e dedicações, torpezas e virtudes. Chegou, portanto, a minha vez. Historiador íntegro e severo, vivo aqui à espera de que os fatos se consumem e caiam no olvido, para lhes pronunciar à beira da cova a oração fúnebre da história, dando-lhes a absolvição ou a condenação definitiva.

Pois bem. Sobre este caso do Panamá municipal, quero desfazer uma crença errada em que parece andar perdida a imprensa, quando afirma, entre séria e galhofeira, que o sucesso não deixou de ser uma prova de que marchamos a passos agigantados para o fastígio da civilização européia. Não há tal. Estamos ainda muito longe de atingir esse ideal do aperfeiçoamento humano, essa cumiada de corrupção a que um povo que se preza deve por todos os meios procurar chegar, para ter o direito de, em companhia das potências européias, comer o *roast-beef* do verdadeiro progresso. Não nego que já tenhamos dado um passo respeitável, uma vez que um cidadão já se lembrou de rasgar através das consciências dos Srs. intendentes um Panamazinho que, se não gorou por culpa minha, também não foi por culpa do sobredito cidadão que gorou.

Mas, onde o Arton deste Panamá? onde o intermediário intangível desta tentativa de corrupção?

Para mim, a figura curiosa, interessante, digna de estudo, do Panamá francês, foi sempre o grande Arton, o imponderável Arton, figura característica que a justiça do porvir há de fazer avultar, inundada da luz vivíssima, entre todas as figuras deste macabro fim de século.

Arton parece um personagem simbólico de drama alegórico. Como a Primavera, que anda de alma em alma de macebo fomentando paixões; como o Luar, que, no dizer de Byron, anda de coração em coração de mulher, fomentando adultérios; como a Liberdade, que anda de espírito em espírito do povo fomentando revoluções, – assim Arton, incarnação moderna do antigo Anjo Tentador, representação simbólica do velho Instinto Corrupto, – não é um homem, não é uma cousa, – é um sentimento, uma Idéia, um Princípio.

Bem vejo que este período, cheio de palavras escritas com iniciais de caixa alta, há de causar assombro e terror aos meus admiradores, habituados a encontrar na minha prosa a limpidez de uma fonte da Castália e a clareza de um verso de Homero... Mas, nem todas as cousas se podem escrever com um estilo desafogado e simples. E para os casos complicados é que há os complicados estilos.

Mas, dizia eu, Arton não é um homem. E, se não, digam-me os incrédulos: onde está ele? quem o viu jamais? Quando o grosso escândalo de que ele foi o principal motor emocionava a França, os jornais enchiam-se todos os dias de notícias desencontradas sobre o paradeiro deste ente formidável. Hoje, alguém via Arton na Sicília visitando a igreja de Monreale; amanhã, era ele avistado em S. Petersburgo, conferenciando com o czar; depois de amanhã reconheciam-no em Buenos Aires, no Cosmopolita, tomando um *chopp*, e no dia seguinte duas versões corriam: um correspondente afirmava que vira Arton, no Vaticano, beijando a mão do Papa, e outro assegurava que conversara com ele, às margens do Zambeze, na África.

Por que tudo isso? Porque Arton-homem nunca existiu. Quem existia era Arton-Corrupção, Arton-Idéia, Arton-Princípio. O verdadeiro Arton, glória deste fim de século, produto genuíno desta civilização refinada, que nós no Brasil ainda não temos, é tudo que tenta, é tudo que corrompe, tudo que compra, tudo que deprava, tudo que estraga consciências, – mas, com jeito, sem ofender suscetibilidades, sem espalhafatos, sem barulho, sem escândalo.

Arton é a carta de empenho, o endosso de uma letra em ocasião de apuro, o afago, a ameaça disfarçada, a caixa de charutos oferecida no dia do aniversário, a passagem para o *bond*, o refresco pago no café, o rabo de saia habilmente aproveitado, a piedade habilmente explorada. Arton é essa sedução multiforme, insinuante, escorregadia, manhosa que era capaz de fazer com que o próprio Catão vendesse o seu voto numa assembléia geral ou numa seção do júri. Arton é enfim o *Jeito*, sem o qual nada se faz que preste, e com o auxílio do qual a gente ainda tem a certeza de ser honesta, quando já está corrompida até a medula dos ossos e da alma.

Panamá feito com esse ingrediente, patota feita com Arton são panamá e patota respeitáveis, admiráveis, aceitáveis. Isso, sim, é prova de civilização, do progresso, de aperfeiçoamento moral.

Mas, um Panamá como este que se tentou fazer... ora, adeus! isso é apenas digno da infância da corrupção e do berço da patota. Um Panamá com cheques assinados! um Panamá à luz do dia! um Panamá em que eu, abertamente, ofereço tantos contos de réis por uma consciência, como se oferecesse por uma chácara, ou por uma mobília, ou por uma jóia!

Não! não consideremos essa tentativa de corrupção como uma prova do nosso progresso: consideremo-la antes como uma prova do nosso atraso. Ainda estamos muito longe do hotel, confortável e luxuoso, em que as grandes potências européias comem, com *chic* e requinte o banquete fino da civilização.

Fantasio

22 jul. 1894

Crônica Livre

A quem agora o bastão de comando? A quem agora o cetro da poesia francesa?

Das mãos cansadas de Hugo passara ele às mãos de Leconte de Lisle. Poeta embora de outro gênero, só o grande Aedo dos *Poemas Antigos* tivera forças para suster o peso da teorba sagrada, por cujas cordas, rugindo e gemendo, todas as glórias e todos os sofrimentos da humanidade passaram, no maravilhoso canto da *Legenda dos Séculos*.

Agora que o cantor de *Kain* desaparece no túmulo, é em vão que se olha em torno do lugar que ele ocupava e é em vão que se procura o sucessor do extraordinário mestre. De um lado, a poesia efeminada de Copée, a poesia pretensiosa de Suly, o histerismo de Richepin e Rollinat. De outro lado, a deliqüescência de Verlaine e Mallarmé, – decomposição de estilo e de pensamento, em que se sente apenas a palpitação da língua francesa como a palpitação das carnes de um moribundo. Onde o teu sucessor, grande mestre? o teu desaparecimento é o desaparecimento de um Deus, que deixa o céu vazio e viúvo da fulguração divina...

* * *

Diante da obra de Leconte, há quem tenha o dar de ombros desdenhoso de um sensual diante de uma galeria de esculturas de mulheres nuas: tão belas, mas tão frias!

Não sei quem foi o primeiro a escrever essa heresia: sei que ela passou em julgado, e que Leconte ficou sendo um "impassível", um marmóreo, um sem nervos... Eu, incapaz de fazer crítica boa, mas capaz de fazer versos maus, nunca achei um verso dos *Poemas Trágicos* ou dos *Poemas Bárbaros*, que me não comovesse pelo menos tanto como o mais comovedor dos versos do divino Musset. E em verdade vos digo que, para entender um poeta, mais vale ter o dom de exprimir uma idéia sincera em um verso mal feito, do que ter lido oitocentos volumes de crítica e saber dissertar com gravidade e método sobre escolas e tendências literárias de uma época.

Pouco se me dá que o assunto seja moço ou velho: a alma do Poeta é que é sempre moça, e, ao banhar-se nessa fonte perpétua de juventude e crença, - tão humana, tão moderna, tão enternecedora é a morte de Issa, redimindo as culpas da humanidade, numa cruz, como a morte de Rolla, redimindo seus próprios erros, nos braços de uma mulher.

Depois, Leconte, fechado no seu amor da antigüidade como num santuário inviolável, ficou livre dessa lepra de popularidade que prostitui quase sempre as almas de eleição. Que foi ele? poeta... Mais nada! se algum dia desceu das cumeadas do verso às rechãs da prosa, foi para iluminá-las com o fulgor de Ésquilo e Sófocles. Não me fales desse malfadado *Catecismo republicano popular* que o Deus escreveu num dia de tédio ou de loucura: os deuses todos costumam às vezes descuidar-se da sua divindade, e fazer tolices, como o mais homem dos homens!

O cantor da *Rama* nunca teve sucessos de livraria. E, ai! de nós! numa época, como esta, em que quem não quer ter o nome esquecido para sempre precisa de não ficar um só dia calado, é espantosa a tranqüilidade com que o velho Zeus da poesia francesa se deixou morrer modestamente, sem transigências, sem ambições, vivendo das suas pensões de professor e de acadêmico, sóbrio como um verdadeiro deus, para cuja glória basta a adoração de meia dúzia de fiéis...

* * *

Onde o teu sucessor, mestre querido?

Quem depois de ti virá, que possa como tu lançar sobre os *boulevards* da mais formosa e da mais fútil das cidades do mundo o encanto simples e extra-humano da voz de um bardo antigo?

A poesia morre! Para o Nirvana, que tantas vezes cantaste, rola também ela, contigo... Mas, sucumbindo contigo, tem um agonia de sol, porque tua alma e o teu estilo se desenrolaram, para lhe forrar o leito de morte, na pompa do ouro mais puro e da mais bela púrpura que jamais se viram... Último sacerdote de uma crença morta! que seja doce ao teu espírito o sono do aniquilamento, que, para o futuro, quando um dos teus versos soar em plena indiferença e em pleno egoísmo dos homens, as almas todas saibam religiosamente ouvi-lo de joelhos, como de joelhos ouviu tua alma o eco do último verso de Homero...

OLAVO BILAC

26 JUL. 1894

CRÔNICA LIVRE

Heine vai ter a sua estátua em Mogúncia. Na velha fortaleza da confederação germânica, na capital secular do Eleitorado, berço a um tempo da guerra e da imprensa, que abrigou dentro de seus muros a glória belicosa de Frederico Barba Roxa e a glória modesta de Gutenberg, – como vai ficar bem a estátua do grande humorista, olhando o Reno poético que a sua musa tantas vezes cantou, naquele espantoso lirismo recortado de sarcasmos ferinos e de ironias cruéis! Como, entre aquelas construções da média idade, que o tempo enegreceu e roeu, vai satanicamente fulgurar o riso cáustico, que à boca do poeta de *Atta Troll* apavorava tanto à Germânia?

No coração da Mogúncia a estátua de Heine vai ser o *pendant* da estátua de Voltaire, que, no coração de Paris, posta em frente ao Instituto, conserva também nos seus lábios frios o mesmo ricto perverso de ironia e demolição.

Essa reconciliação da Germânia com a memória do seu mais completo poeta, depois de tantos anos de esquecimento e de ódio, é mais uma prova de que quase sempre o melhor governo é o governo de um príncipe histérico. Guilherme II, a quem ainda há poucos dias, nesta mesma folha, se referia o grande Nordau, estranhando a alcunha de Calígula que um professor alemão lhe quis amarrar ao nome, é o promotor dessa obra de justiça e de patriotismo.

Pelos menos, dizem os jornais estrangeiros que Wildenbruch, o poeta palaciano de Guilherme, foi o primeiro a quebrar lanças pela tardia apoteose do extraordinário poeta do Reno.

Os ódios alemães aplacam-se. O tempo cicatrizou as feridas que a pena de Heine abriu, aos arranhões, na pele do amor próprio germânico.

E, a sua pátria esqueceu-se dos epigramas, das sátiras, do desdém simulado com que o humorista se vingava do ódio dos seus, refugiando-se em Paris, banido voluntariamente da terra natal, e de lá, destruidor formidável, crivando de flechas envenenadas a barriga da velha matrona teutã, abarrotada de orgulho e de cerveja.

Meus amigos, que bela, que excelente lição há neste caso simples, cuja importância talvez nem mesmo a municipalidade de Mogúncia, que acaba de autorizar a ereção da estátua, compreenda e avalie bem!

Não houve calúnia, não houve doesto, não houve injúria, que a vingança renana não haja assacado contra o nome de Heine.

Quando ele, em Paris, passava fome, diziam na Alemanha que a corte francesa lhe subsidiava a falta de patriotismo, pagando-lhe a peso de ouro o esforço com que concorria para a desmoralização do seu país.

Depois, quando ele, metido numa roda viva de trabalhos e sofrimentos, pensava e suava para mandar dinheiro à sua família, dizia-se na Alemanha que o poeta abandonara à miséria a sua velha mãe: e quantas vezes, entretanto, arriscando a liberdade e a vida, partia esse mau filho de Paris, incógnito, disfarçado, cercado de um milhão de precauções para iludir a polícia alemã, com o único fim de ver a velha mãe e abraçar a irmã, que o idolatrava, – belo tipo de heroína, cujas cartas, há pouco compendiadas no *Heine Intime*, levantavam, como uma animação do céu, o espírito cansado do poeta!

Depois, ainda em Paris, amarrado ao leito pela paralisia, com o corpo torcido de dores, e, mais do que pela moléstia, torturado pela mulher com quem vivia, – essa formosa mulher cuja beleza, cuja futilidade e cuja graça vivem perpetuamente em versos de ouro, – Heine era na Alemanha apontado, pelas mães circunspectas, às filhas ardentes, como o Vício em pessoa, atufado em devassidões e torpezas...

Como tudo isso passou! Aplacaram-se os ressentimentos, cansou-se a vingança! E no coração do próprio povo, que tanto o odiou, Heine pesará em pedra e bronze, afirmando com a sua glória a glória da própria nação alemã.

Que bela, que excelente lição, meus amigos! Meio século basta a deitar por terra todo o poder passageiro das injustiças e das calúnias. E quando uma alma de eleição se desfaz em amor, em piedade, em justiça sobre a pátria, pouco importa que essa pátria lhe pague cada sentimento bom com uma injúria, cada verso com uma calúnia, cada palavra de crítica inofensiva com uma perversidade... O trabalho é tudo. A morte vem, a obra de quem trabalhou avulta com a ausência do trabalhador, e a hora da reparação chega, rutilante, – como chegou para esse pobre e divino Heine, rejeitado da pátria, abandonado da saúde, traído do amor, – grande por isso mesmo, retalhando a relâmpagos de gênio a taciturna bruma moral que amortalhava a Alemanha.

OLAVO BILAC

28 JUL. 1894 — CRÔNICA LIVRE

Meu Deus! – guerra entre a China e o Japão!...

Esta notícia me caiu esmagadora sobre a cabeça, justamente quando o encontro casual de um chim, na rua, me enchera a alma de sonhos chineses, – donas de cútis amarela e olhos de amêndoa, grandes leques voando como borboletas fantásticas, lanternins de ouro e púrpura remeluzindo vagamente nas altas janelas dos quiosques de porcelana... E, de repente, esta notícia, este telegrama, esta cousa inesperada: a guerra! Foi como se, ao passar pela rua do Ouvidor, os três andares da Biblioteca Fluminense houvessem desabado sobre mim... Quedei achatado, mudo, sem palpitações no coração!

A guerra! a guerra inevitável! os batalhões cor de manteiga chocando-se! o mar Amarelo e o mar Azul tintos de rubro! e Iedo e Pequim, vigiando-se, espiando-se por cima da Coréia, com ódio e gula! Decididamente, a vida tem surpresas assombrosas!

Eu não viria aqui registrar o meu espanto, se através dele não estivesse a boquiabrir-se o espanto de todo mundo, da Islândia às Ilhas de Sandwich, e de Fernando de Noronha à Nova Guiné. Vêde bem! vêde que o mundo todo esperava uma guerra... O mundo todo estava de respiração parada, olhando com um olho para a Tríplice e com o outro olho para a Franco-Russa. Se Guilherme fazia uma prédica religiosa ou um discurso político, o mundo, ansioso, esgaratava a orelha para ouvir melhor. Se o tzarewitch espirrava, o mundo, aterrado, tremia, como se ouvisse já o estrupido dos esquadrões eslavos. Se Crispi tinha uma enxaqueca, o mundo, alucinado, punha às mãos à cabeça. Se o general de Galifet caía de cama com um ataque de gota, o mundo, desatinado, caía para trás, com um vágado...

Não se cuidava de outra cousa, não se pensava em mais nada! E até as próprias crianças de peito, entre dous chupões de mamadeira, costumava dizer, com um grande espanto nos olhinhos úmidos, que decididamente era inevitável uma conflagração européia.

E, de repente, a conflagração de fato rebenta, mas asiática, mas amarela, mas no Pacífico, mas entre a China e o Japão!

* * *

Passado o primeiro espanto, comecei de encarar com sossego o telegrama. E não resisto à tentação de dizer aos povos de ambos os hemisférios que se creio na notícia, não creio em uma de suas partes: não creio que a Havas saiba o que diz, quando diz que o Japão é que está empenhado em promover a guerra. Não pode ser! É certo para mim que só a China pode, por uma alta razão de economia e asseio, ter interesse em ensangüentar o Pacífico.

Um escritor, que conheceu de perto a formidável pátria de Confúcio, diz que há tanta gente nela que, se não fossem as inundações e as pestes, já os chineses não caberiam mais no seu império, – ainda mesmo que, todos de pé, ombro a ombro, se mantivessem apertados e unidos... Ora, parece que este ano a Providência Celeste abandonou a China. Mantiveram-se os rios calmos, sem enchentes, avaros de água. A própria peste teve que fazer em outras regiões, e, não quis, durante estes últimos doze meses galgar a grande muralha. E como as senhoras chinesas não cessaram de amar, e como bilhões de criancinhas amarelas continuavam a brotar, com uma exuberância e uma espontaneidade de cogumelos do chão do país celeste, o conselho dos mandarins do imperador, aterrado com a ameaça de um *trop-plein* fatal, recorreu à guerra como ao único meio capaz de desafogar um pouco a população e arejar o império.

O meio achado é digno da imaginação e da sabedoria dos mandarins. Todos sabem que o povo chinês é de toda a terra o povo que, com melhor vontade e com mais convicção, sabe morrer em guerra.

Não há muitos anos, um almirante francês, forçado a dar batalhas repetidas aos exércitos do Alto Filho de Tien, escrevia ao seu governo, dizendo-lhe que se a guerra continuasse mais um mês os soldados e marinheiros da França cairiam vencidos, exaustos, derreados, à força de matarem tanto chim...

* * *

Assim sendo, pobre Japão! tão civilizado, tão artístico, tão belo, tão inglês, e condenado à triste e dolorosa contingência de se transformar em varredor de lixo humano!

Olavo Bilac

03 AGO. 1894 CRÔNICA LIVRE [CIA]

Já deveis saber que cada povo tem a sua música nacional. Não vos falo de hino: falo-vos, preclaros amigos meus, de um certo quebro popular, de canto e dança, peculiar a cada povo.

Os ingleses, homens graves, que, quando se divertem, parecem estar assistindo ao próprio enterro, possuem o *solo*, melancólico exercício de pernas, medido por notas que têm a morosidade das litanias e o profundo mistério do cantochão.

Os espanhóis, raça de amorosos, de dengosos, de ardentes, possuem a *petenera*, girândolas de notas vivas, que estalam como beijos.

Os portugueses, raça de conquistadores, de descobridores, de marinheiros, têm a *cana-verde*, símbolo da esperança que anda no mar à roda dos vapores, canto em que passa toda a tristeza das largas águas desertas: e, quando eles a dançam, batem fortemente o chão com os pés, resto da reminiscência dos antigos conquistadores, dos Pedro Álvares e dos Castros, que tomavam conta das terras longes, pisando-as forte, com autoridade e domínio.

Todos os povos têm a sua música especial e característica. Pois ainda há pouco tempo, não se descobriu, numa parede de templo grego, a gravura do *Hino de Apolo*, música simples como um verso de Meleagro, serena como a face de Vênus de Milo, majestosa como o estilo do Partenon!...

No Brasil, estou em dizer que a dança característica é a polca. Homens, velhos como Matusalém e amigos da verdade como Epaminondas, já por várias vezes me têm assegurado que a polca chegou aqui com uma Mlle. Chica, do mesmo sobrenome, senhora de costumes fáceis e virtude difícil, que andou virando todas as cabeças fluminenses de há oitenta anos atrás...

Já por aí se vê que a origem dessa dança se perde na noite dos tempos. Seja como for, porém, temos o amor da polca na massa do sangue. Que importa afinal que a primeira polca não tenha sido executada e dançada entre os palmeirais da nossa terra, com acompanhamento de chilros de sabiás e de choques surdos de tacapes indígenas? Não importa cousa nenhuma.

Como nós polcamos! Arrastando airosamente os pés pelo soalho, ou sobre ele saltando, aos pulinhos, qual o brasileiro que nunca tenha polcado? Polca todo o Brasil, meus amigos! Vêde-o! a sua dama e D. Futilidade... Lá vão os dous, enlaçados, amorosos, ternos, peito contra peito, leves como duas sombras...

* * *

Os editores musicais é que rejubilam com esse progresso contínuo da polcomania.

Todos os dias chovem sobre o Rio de Janeiro as folhas de papel pintalgadas de risquinhos pretos. Os títulos, incisivos e curtos, ou longos e velados, celebram assuntos vários e vadias inspirações.

Tudo se comemora por solfa, em cadência de polca. É a *Partida para Mato Grosso*, são os *Tiros da Vovó*, é o *Assassinato de Carnot*. Tudo quanto comove o público, tudo quanto monopoliza as atenções gerais durante um ano, durante uma hora, ou mesmo durante um minuto, é logo posto em música e entregue aos quinhentos mil pianos que fazem a delícia da pátria.

De modo que, entre nós, registra-se a História arrastando os pés. Assinalam-se os marcos militares da civilização por compassos ternários ou quaternários, segundo o gosto do compositor.

Morre um grande homem? é preciso prestar-lhe uma homenagem à beira do túmulo? Nada mais fácil! Manda-se chamar o Júlio Reis, encomenda-se-lhe uma polca, abre-se um piano, um homem e uma senhora abraçam-se e entram a polcar. Uma volta. Dez voltas. Pronto! o pai vai tomar um refresco, e o grande homem falecido entra definitivamente para a História.

* * *

Confesso, porém, que, apesar de saber que a polca é tudo, quedei espantado com o título de uma composição recente. São editores dela os senhores... Não! não direi: ninguém me pagaria esta desinteressada *réclame*!

A polca chama-se *Filosófica* e é assinada por - ? -

Compreendeis o meu espanto? O título já é curiosíssimo como contribuição e subsídio para a história da polca. *Filosófica*! é um achado! Mas o mistério da assinatura, aquele enigma que ali se arqueia em forma de ponto de interrogação, aquele singular e esfingético anonimato, aquilo é tudo.

Modesto como um verdadeiro filósofo, – este filósofo que pensa arrastando os pés, medindo as suas cogitações pelas palpitações de um metrônomo de Maelzel, – não quis entregar o seu nome à posteridade: preferiu ficar anônimo.

Polca *filosófica*! polca amante da sabedoria! polca socrática! polca aristotélica! Quem sabe se não está aqui o berço de uma nova doutrina, dentro da pauta desta melodiosa folha de papel!

Por que não hão de polcar também os filósofos? Quem é capaz de dizer, por exemplo, que a verdadeira lei astronômica não seja um compasso de dança? – Estrelas de ouro, que dançais no céu, há tantos séculos, – como se chama a polca perpétua, que para vosso uso exclusivo, compôs, no Princípio, quando o Verbo era tudo, o Grande Compositor do Universo?

Polca *filosófica*! polca para ser dançada por pares, constituído cada um por um filósofo e uma idéia: Spencer e D. Causa-Primária, Comte e D. Lei-dos-três-estados, Lamed e D. Multiplicação hermética!...

Meu Deus! quem sabe se a orientação filosófica do século XX não vai sair de uma polca do Dr. Cunha Sales?...

Olavo Bilac

14 AGO. 1894 CRÔNICA LIVRE [CIA]

Não sei que jornal, há algum tempo, noticiou que a polícia ia tomar sob a sua proteção as crianças que aí vivem, às dezenas, exploradas por meia dúzia de bandidos. Quando li a notícia, rejubilei. Porque, há longo tempo, – desde que comecei a escrever – venho repisando este assunto, pedindo piedade para essas crianças e cadeia para esses patifes.

Mas os dias correram. As providências anunciadas não vieram. Parece que a piedade policial não se estende às crianças, e que a cadeia não foi feita para dar agasalho aos que prostituem corpos de sete a oito anos. E a cidade, à noite, continua a encher-se de bandos de meninas, que vagam de teatro em teatro e de hotel em hotel, vendendo flores e aprendendo a vender beijos.

* * *

Anteontem, por horas mortas, [*****] um [*****] que me encheu de mágoa e de nojo, de indignação e de angústia. Saía de um teatro. [*****] rua central da cidade, deserta a essa hora avançada da noite, vi sentada uma menina, a uma soleira de porta. Dormia. Ao lado, a sua cesta de flores murchas estava atirada sobre a calçada. Despertei-a.

A pobrezinha levantou-se, com um grito. Teria oito anos, quando muito. Louros e despenteados, emolduravam os seus cabelos um rosto desfeito, amarrotado de sono e de choro. E dentro do miserável vestidinho de chita, todo seu corpo tremia, como numa convulsão, nervosamente. Quando viu que não lhe queria fazer mal, o seu ar de medo mudou-se logo num ar de súplica. Pediu-me dez tostões, chorando.

E a sua meia língua infantil, espanholada, disse-me cousas que ainda agora me doem dentro do coração.

Perdera toda a féria. Só conseguira obter, ao cabo de toda uma tarde de caminhadas e de pena, esses dez tostões, perdidos ou furtados. E pelos seus olhos molhados passava o terror das bordoadas que a esperavam em casa...

– Mas é teu pai quem te esbordoa?

– É um homem que mora lá em casa...

Dei-lhe os dez tostões, sem poder falar.

Ela, já alegre, com um sorriso divino que lhe iluminava a face úmida, pediu-me mais duzentos réis, – para si, esses, para doces.

Guardou a nota na cesta, e meteu a mesada na meia, depressa, para a esconder...

Fiquei parado, longo tempo, a olhá-la. O seu vulto fugia já, pequenino, quase invisível na escuridão. Ainda de longe o vi, fracamente alumiado por um lampião, sumir-se, dobrando uma esquina. Segui o meu caminho, com a morte na alma.

* * *

Ora, – nestes tempos singulares em que a gente já se habituou a ouvir sem espanto cousas capazes de horrorizar a alma de Deiber, – é possível que alguém, encolhendo os ombros diante disto, me pergunte o que é que eu tenho com a vida das crianças que vendem flores e são amassadas a sopapos, quando não levam para casa uma certa e determinada quantia.

Tenho tudo, amigos meus! não penseis que me iluda sobre a eficácia das providências que possa a polícia tomar, a fim de salvar das pancadas o corpo e da devassidão a alma de qualquer dessas meninas. Bem sei que, enquanto o mundo for mundo e enquanto houver meninas, – proteja-as ou não as proteja a polícia – haverá pais que as esbordoem, mães que as vendam, cadelas que as industriem e cães que as deflorem!

Bem o sei: mas sei também que possuo nervos que vibram, coração que se impressiona e olhos que vêem. E se a polícia não pode impedir a continuação dessa infâmia, pode pelo menos impedir que ela se ostente, escandalosa, florescendo e frutificando à sombra da sua indulgência e da sua tolerância.

A polícia não pode proibir também que as meretrizes de profissão se entreguem ao seu comércio. Mas não deixa que elas apareçam nuas à janela, e muito menos consente que venham fazer no meio da rua, à luz meridiana, o que fazem no interior das casinhas de porta e janela. Com um milhão de raios! quem tem a desgraça de possuir dentro do organismo um cancro incurável, – não podendo extirpá-lo, trata ao menos de o esconder, por higiene, por decência, por pudor!

* * *

Demais, que custa abrir um inquérito para conseguir saber que grau de parentesco existe entre as crianças vendedoras de flores e os que as exploram? Eu, por mim, posso afirmar a quem de direito que, em cada grupo de dez crianças dessas, interrogadas por mim, duas apenas me têm dito que conhecem pai ou mãe...

Enfim, todos nós temos mais que fazer. E talvez a sorte melhor que se possa desejar hoje em dia a uma criança pobre, seja uma boa morte, uma dessas generosas mortes providenciais, que valem mais que todas as esmolas, todas as bênçãos, todos os augúrios felizes e... toda a comiseração dos cronistas.

Olavo Bilac

16 ago. 1894

Hamlet

No S. Pedro de Alcântara. O pano caíra sobre os desvairamentos de Hamlet no segundo ato e sobre as lágrimas das cinqüenta pessoas que havia na sala imensa, *rari nantes in gurgite vasto.*

Vim ao saguão. Melancolicamente pelo soalho ladrilhado, arrastavam-se agora os pés desses cinqüenta fiéis de arte dramática. O botequim, sem consumidores, tinha uma obscuridade e um silêncio de capela. No seu cubículo, o bilheteiro ressonava. À porta, o recebedor das entradas cochilava. Santos Deus! que vazante!

Subi a escada que leva aos camarotes de primeira ordem: e, pelo corredor largo, longo, deserto como de um claustro, pus-me a pensar em ti, meu velho Deus soberano, meu grande Shakespeare!...

Mas, ao fim do corredor, um barulho de vozes acaloradas me prendeu a atenção. Aproximei-me. Dous homens, no vão de uma das janelas, conversavam animadamente, debruçados para a rua. O nome de Shakespeare voltava de quando em quando à conversa, associado ao nome do Sr. [*****]: compreendi que falavam da peça. Alojei-me na janela imediata, e prestei ouvidos: Curiosidade de minha mãe Eva! que seria destas crônicas se eu te não abrigasse, perpétua e indomável dentro da alma?

– Ah! meu caro! isso agora é outra questão! – dizia uma das vozes – o que lhe sei dizer é que, louco ou ajuizado, hipócrita ou sincero, Hamlet é um homem e como homem é que deve ser interpretado. A vez primeira que vi Emanuel no *Hamlet* fiquei horrorizado. Começara o 2º ato. Vi-o entrar em cena sujo, roto, despenteado, com uma barba de um louco imundo, maltrapilho, repugnante. Aquele sujeito, cujo manto trazia a lama e o pó das estradas, estava tão longe do Hamlet que eu até então conhecera!... Confesso-lhe que descri do talento desse ator, tão celebrado pelos jornais. Mas, com o correr do ato, compreendi que aquela interpretação era única!

– Já sei... – interrompera a outra voz – aí vem a história da verdade no palco! Consinta que lhe diga que, para mim, o palco é tudo quanto há de mais falso. E, quando digo palco, digo comédia, digo drama, digo Shakespeare, Sófocles, Aristófanes, Molière... Se a obra de arte quer ser verdadeira não presta para cousa alguma. E Platão não soube o que disse, quando afirmou que o belo é o esplendor da verdade. Olhe: quer saber qual tem sido, na minha opinião, a mais bela representação dada a *Hamlet* em palco brasileiro.

– Naturalmente, a de Rossi.

– Não, senhor! nem a de Rossi, nem a de Salvini, nem a de Emanuel, nem a de Maggi, nem a de Novelli! Prepare-se para ficar espantado: foi a de Pezzana!

– A de Pezzana?! uma mulher?

– Uma mulher, sim! Aquele Hamlet feminino, de quadris largos, de peito gordo, de voz doce, encheu-me as medidas. Por quê? porque era falso, falsíssimo, mais falso do que o amor de minha amante! Pois, então pensa o senhor que eu venho ao teatro para pensar? venho aqui para sonhar, meu caro!

– Mas, senhor! com essas idéias, o meu amigo é capaz de dizer que a atriz [*****] daria no palco um excelente Luís XIV!

– Por que não, homem? Devia ser admirável! Eu admiro tudo quanto me faz sair da vida. Daria cinco anos de existência para assistir a uma representação de *Romeu e Julieta*, em que o papel do namorado fosse confiado à atriz [*****], e o papel de Julieta ao ator Machado!

– Ah! gracejo... Contei que estivesse falando a sério! Em todo o caso, acho de mau gosto o gracejo, quando se trata de Shakespeare...

– Mas, estou sério, meu amigo, estou sério como uma porta de igreja. E é justamente porque adoro Shakespeare que falo assim. Ouça-me com atenção. Se Shakespeare viesse ao mundo agora ficaria assombrado com o sem número de interpretações que têm sido dadas ao seu *Hamlet*. Esta peça está ficando uma cabeça de turco para críticos e atores. Chega Rossi e faz uma cousa, chega Emanuel e faz outra. Com os críticos, o caso é ainda mais curioso. Já li um volume de 500 páginas, em que a principal questão aventada pelo autor era esta: saber se Hamlet tinha cabelos negros ou cabelos louros. Uma calamidade!

– Mas isso não prova que só se possa interpretar bem um papel, fugindo o mais possível da verdade!

– Prova! Porque essa preocupação da verdade traz consigo outra mais grave: a preocupação de fazer *novo*. Cada ator descobre um novo processo de fazer *verdadeiro*, – e, oh! Deus! o meu amigo deve bem calcular quanto a absoluta verdade deve ser relativa para a alma de um ator!... Aqui temos, por exemplo, este Sr. [*****]. Acaba o senhor de ouvir o monólogo célebre dito por ele, não? O homem achou meio de fazer novidade a seu modo; como a fez? De um modo simples: onde outro qualquer ator geme, ele grita; onde outro qualquer ator grita, ele geme! Mas, a novidade não parou aí. Prestou atenção ao diálogo com Ofélia? o Sr. [*****] quis achar um novo meio, mais expressivo e mais vigoroso, de dizer o *va furti monaca*! E que fez? embrulhou a cabeça na capa, como se a capa fosse um capuz de monja! Ao sair de cena, o Sr. [*****] quis fazer uma saída original: e saiu como um *dandy*, bamboleando o corpo, e rolando no ar a borla da capa e fazendo com ela *fiorituras* no ar: – dir-se-ia um janota da rua do Ouvidor, fazendo artes com uma badine! Ah! meu caro! Deus livre os autores das interpretações dos atores! mas, perdão! lá está retinindo a campainha... Não vai ouvir o terceiro ato?

– Vamos?

– Não! obrigado! vou ouvir um ato do *Solar dos Barrigas*... Aí tem uma peça boa: nenhum crítico escreverá volumes para discutir a psicologia dos Barrigas, e nenhum ator se preocupará jamais com interpretações novas a dar às criações do Sr. Gervásio Lobato. Quer ouvir uma cousa? Pode ser que Shakespeare possuísse mais talento que o Sr. Gervásio Lobato; mas o que em verdade lhe digo é que o Sr. Gervásio Lobato é muito mais feliz do que Shakespeare...

* * *

Separaram-se. Um foi para a platéia e o outro para o Recreio. Eu vim para casa, altamente preocupado com essa gravíssima questão de arte.

Fantasio

19 ago. 1894 Crônica Livre

Mais um assassinato de sensação, mais uma tragédia de amor, anteontem, - desses que trazem lágrimas nos olhos das mulheres; e cativam por largo tempo a atenção interessada dos homens.

Bem vulgar esse drama, no fundo.

Uma mulher de vida airada, um amante de ânimo esquentado, um rival que surge, quatros tiros de revólver, e a pobre rapariga morta, banhada em sangue, livre para todo o sempre do amor e do ciúme de todos os namorados da terra.

Nem ao menos, para dar interesse ao crime e para o rodear de episódios comovedores, houve qualquer circunstância fora do comum. Foi uma tragédia barata, em que entraram atores de baixa camada social.

A decoração foi reles como o enredo. Um quintal sujo, uma cama de ferro imprestável, já atirada ao lixo, nada mais. Foi sentada nessa cama que Almira Sampaio, a assassinada, recebeu os quatros tiros vingadores do seu Otelo.

Pois bem. Do laconismo desdenhoso com que os jornais noticiaram o caso, em poucas linhas apressadas, ressalta uma nota vívida, digna de registro desta crônica.

Almira, sentada na cama de ferro, estava impassível, calada, à espera da explosão de cólera do seu amante. Este, com um tranqüilidade simulada, ofereceu-lhe vinho. E ela, serenamente:

– Não tenho vontade. Agora só tenho vontade de morrer já!

Foi quando o primeiro tiro a feriu. A pobre, já prostrada, teve ainda força para dizer:

– Não faças isto, João Paulo! não faças isto que te amo!

E mais não disse, porque outras três balas lhe vararam o peito.

* * *

Só as mulheres, só as fracas mulheres são capazes dessa coragem simples e resignada. Os homens, diante do perigo, atiram-se a ele como loucos, ou fogem como covardes. Mas essa calma heróica, de mártir, só as mulheres culpadas a possuem, quando sentem que o castigo está próximo.

Essas pobres mercadoras do amor carnal não costumam amar a vida. Habituadas a passar de mão em mão e de cama em cama, como cousas, como objetos, como utensílios, perdem a noção de independência moral e física, e, com ela, o amor da vida.

Por isso mesmo, também, não têm a idéia de fidelidade. Como ficar fiel a João, se João lhe paga o amor com a mesma moeda com que lho pagam Manuel e José? Porventura o sapato que calçamos tem força de vontade bastante para se não deixar calçar pelo primeiro pé que apareça?

– "Não faças isto, que te amo!" – bradava ao assassino a infeliz, ela que há pouco o traíra, dormindo com outro.

Essa frase – "que te amo!" – parece a princípio deslocada na boca de uma meretriz.

Mas, por quê? Elas amam ao seu modo. Para ela, o amor pode existir sem a fidelidade, sem a compreensão do divino egoísmo da posse exclusiva. Quem as procura, sabe que elas se entregam a todo o mundo, sem distinção. Habituaram-se a isso.

Os homens mudam de mulheres dessa ordem como mudam de roupa. Quando as atiram para fora da cama, é como se para fora da cama atirassem um lençol servido.

Assim reduzidas à condição de móveis de aluguel, as Almiras pertencem a quem delas se quer servir.

E tão fundo se enraíza nelas essa convicção da própria dependência e da própria escravidão, que, quando um João Paulo, desvairado por um ciúme absurdo e tolo, se prepara para as matar, - não fogem, não resistem, não protestam, deixam-se assassinar, como se deixavam beijar. Quando um homem se desgosta de uma cadeira que comprou, e a despedaça para alimentar o fogo da cozinha, a cadeira passivamente se deixa despedaçar...

* * *

– "Não tenho vontade de mais nada! tenho vontade de morrer já!" – que bela frase e que bela resignação!

Depois de mortas as Almiras, ninguém mais lhes pede contas do corpo, que é da terra... Também os escravos, há bem pouco tempo, entre nós, abençoavam a morte libertadora e generosa, que, ao desprendê-los da vida para toda a eternidade, os salvava das vergalhadas.

E talvez para essas desgraçadas, que todos nós desprezamos, as vergalhadas sejam menos dolorosas e cruéis do que esses beijos pagos a dez tostões cada um...

Olavo Bilac

06 set. 1894

Mônaco

Santo Deus! que berreiro, que algazarra, que clamor confuso!

Isto volta periodicamente, como um acesso palustre. De mês em mês, as almas assustadiças sustam as preocupações de toda a espécie, para só pasmarem, epilépticas de ódio, álgidas de horror, sacudidas de indignação, diante do monstro do jogo. E começa então o coro das imprecações, começa o choro e o ranger de dentes dos *bookmakers* que supõem chegado o dia da ira e do extermínio, de que falam os Evangelhos do esporte.

Puro engano! calmado o acesso, tudo volta ao antigo estado, e a paz do Senhor desce carinhosa e boa sobre os tabernáculos da batota. Estou mesmo em dizer que aqueles que mais clamam e rugem são os primeiros que correm às casas de apostas, uma vez subjugada a crise intermitente.

* * *

Anteontem, na rua do Ouvidor, enquanto uma chuvinha, miúda e impertinente como as murmurações dos descontentes, acolchoava de lama as calçadas, dous homens graves encontraram-se à porta de um novo *bookmaker*. A fachada da casa, pintada de novo, envernizada, polida, rutilante, tinha um ar faceiro que convidava, chamava, seduzia, atraía. Já repararam? há certas casas cujo frontispício, ligeiramente côncavo, é como a boca de uma sanguessuga chupando a gente...

E, pois, esses dous homens graves, trocadas saudações cerimoniosas, se embrenharam no labirinto de uma conversação substancial. De que falaram? Primeiro do câmbio, depois da chuva, depois do suicídio do maestro, depois da carestia dos gêneros. E, esgotados esses assuntos de palpitante atualidade, falaram do jogo... Se estavam à porta de um *bookmaker*!...

Tinham fechado os guardas-chuva [sic]. E, em pouco, o diapasão da conversa ascendeu a notas altas e largas, em que uma cólera apocalíptica fervia. Não vos contarei o que disseram, as cousas pavorosas que das suas bocas saíram, os gestos trágicos em que os seus braços se desmancharam, os relâmpagos irradiantes em que as suas pupilas se abriram. Contentar-me-ei com dizer-vos que, ao fim da pendência concordaram em declarar que isto de jogo é uma pouca vergonha – berço da desorganização das famílias, semente de todos os crimes, origem de todos os males, germe de todas as calamidades.

E, decidido isso, trocaram de novo afabilíssimas saudações, e, abrindo cada um o seu guarda-chuva, separaram-se e seguiram para lados opostos.

Quando um chegou à esquina da rua dos Ourives, quando o outro chegou à esquina da rua da Uruguaiana, pararam ambos. E pensaram. E refletiram. E decidiram-se. E retrocederam. E encontraram-se de novo no *bookmaker*, não já à porta, mas dentro, junto ao *guichet* das *poules*, comprando bilhetes de combinações. Entreolharam-se e explicaram-se:

– Vim comprar uma poulezinha para os meninos...

– Ah! eu também! tenho um menino que gosta muito do jogo...

Saíram. Ainda conversaram um pouco, não sei a que respeito: a respeito do câmbio, a respeito da carestia, a respeito da chuva... E foram jantar...

* * *

Ora bem! acabemos com isto, senhores meus! Se Júpiter nos emprestasse um dos seus raios forjados pelo condescendente Hefesto, se Jeová nos ensinasse o segredo das chuvas conflagradoras que arrasaram Gomorra, se Ney nos cedesse o segredo das suas formidáveis cargas de cavalaria, e Turpin o segredo das suas máquinas de guerra, e Arquimedes o segredo dos seus espelhos ustórios, providos de todos esses apetrechos exterminadores, nada poderíamos contra o jogo fluminense, que é a vida desta população, que é a sua alma, que é o seu sangue, que é a sua moral, que é a sua política, que é a sua religião... Reconheçamos o jogo! Admitamos o jogo! Legalizemos o jogo! Regulamentemos o jogo! e... exploremos o jogo, em proveito do Estado, em proveito do Tesouro, em proveito da Nação!

Em França não há um ministério dos Cultos? criemos um ministério do Jogo! Que os particulares cessem de chamar para as suas também particulares algibeiras o rendimento fabuloso, fantástico, incrível que dá a exploração da tolice popular e a ambição dos pobres. E que, ao menos, com esse dinheiro, se dêem ao povo cidades higiênicas, administração sábia, socorros e escolas, jardins e alegria. Porque, desse modo, o vício dos viciosos servirá para galardoar a virtude dos virtuosos, em vez de servir apenas, como até hoje, para locupletar as barras dos espertos.

* * *

E sabei, desde já, ó vós que dirigis os públicos negócios!, se este conselho for escolhido, com a proteção que merece, no seio das vossas cogitações, não me nomeeis administrador geral desse Mônaco fenomenal. Não quero que digam, murmurando pelas esquinas, que ponho os meus interesses privados a par dos interesses sagrados da pátria. Não! a posteridade fará justiça a esse novo Catão, mais digno que o de Ática da veneração piedosa da História!

Fantasio

09 set. 1894 — Crônica Livre

Ainda não há muitos dias, S. Exma. Revma. o Sr. arcebispo do Rio de Janeiro entrou em triunfo a sua catedral.

Uma população ansiosa e comovida alongava olhos ávidos de esperança e de fé para a serena face do prelado, que irradiava sob o ouro do pálio. Principalmente as senhoras, santo Deus!, com que ardor, com que piedade, com que compunção, ajoelhadas no chão do templo, num ruge-ruge de sedas e num tilintar de jóias, inclinavam para as lajes do mármore as formosas cabeças!

É que sobre essas cabeças formosas a morte acabava de passar, havia pouco, numa dança macabra de balas. Depois, quantos desses corações não choram ainda a ausência temporária ou perpétua de um filho, de um irmão ou de um pai! quantas lágrimas escorrem ainda, inconsoláveis e ardentes, sobre os destroços morais dessa guerra de irmãos!

Para os desesperos femininos, para esses desesperos frenéticos que não dão lugar a reflexões nem a consolos, só há remédio na crença e na oração: só dos altares, em que, entre milhares de velas, resplandece a face de Jesus, pode descer para a treva dos fracos corações angustiados um raio de alívio e de resignação. E, quando as mãos brancas e fidalgas de D. João Esberard se desfizeram sobre a multidão numa chuva de bênçãos, houve sorrisos entre as lágrimas, e olhos brilharam, espelhando pedaços de céu, guardando nas pupilas dilatadas um pouco de bem-aventurança infinita vagamente entrevista no êxtase da prece e...

É que havia tolerância e perdão no gesto largo com que esse padre abençoava o povo... E o povo ama tanto as manifestações da tolerância, dessa rara, dessa sublime, dessa dificílima virtude!

Por mim, confesso que também me alegrou o carinho com que a população correu a festejar o seu arcebispo... Mas, ai de mim!, não devia durar muito essa alegria!

* * *

D. João Esberard, terminado o beija-mão, transfigurou-se. Na mesma gaveta do armário arquiepiscopal, em que guarda a sua mitra fulgurante e o seu belo pálio de seda branca pintalgada de cruzes negras, guardou sua Exma. o seu olhar bondoso, o seu gesto de bênção, e seu ar paternal...

E, logo, o seu báculo inofensivo de pastor das almas foi substituído pela cetro duro do príncipe da igreja, cetro que um Bórgia papa mergulhou no sangue de todas as violências e na lama de todas as devassidões.

Anteontem, a leitura dos jornais me transportou aos bons tempos da Igreja, aos tempos em que ela, soberana das almas e dominadora das consciências, fazia todo mundo arquejar sob o seu implacável jugo de ferro. Pouco faltou para que, ante os meus olhos pasmos, numa vocação completa, desfilassem as procissões sinistras dos autos-de-fé, e as fogueiras inquisitoriais flamejassem nas praças, tostando *roast-beefs* humanos, para regalo da confraria negra e glória maior de Deus. Porque o primeiro ato do novo arcebispo foi uma maldição: e seu primeiro decreto foi a fulminação de um morto.

D. João Esberard viu com indignação e espanto que um padre qualquer abençoara o cadáver do suicida Mancinelli. E, logo, da secretaria do seu palácio uma pastoral desceu, carregada de raios, acesa numa ira que mal se disfarça sob a doçura do estilo conciso. "O suicídio é um crime horrendo aos olhos de Deus, autor e senhor da nossa vida: e os Revemos. sacerdotes a quem cumpre auxiliar-nos na execução das disposições canônicas, não quererão onerar gravemente a sua consciência, transgredindo as leis em que a Igreja de N. Sr. Jesus Cristo assentou de punir tão horrível atentado."

Felizmente para o pobre Mancinelli, felizmente para todos os que daqui por diante deliberarem dar cabo da própria vida, os cemitérios públicos não estão sob o governo do palácio da Conceição, porque S. Excia. Revma. seria capaz de negar sepultura aos suicidas em lugar sagrado, querendo, para edificação de todo o rebanho, que os seus corpos apodrecessem ao sol, expostos à gula dos urubus e à execração dos fiéis!

Quando um criminoso sanguinário, depois de haver cometido um desses crimes hediondos que abalam toda a sociedade, caminha para o patíbulo, um sacerdote sobe com ele a escada fatal. Sucede quase sempre que o condenado recusa o auxílio dessa religião, cuspindo uma injúria de louco sobre a imagem do Crucificado.

Mas nem por isso o sacerdote deixa de lhe velar o último passo da vida... Mas, quando um homem prefere dar um pontapé na vida, a arrastá-la pela ignomínia e pela desonra, a igreja apoplética, esquecida de que o seu Cristo perdoou a todos os homens, atira-se à sepultura da vítima, remexendo-a, profanando-a, amaldiçoando-a...

* * *

Toda a política nobre de Leão XIII, política de tolerância e de paz, não consegue penetrar no coração da sua igreja. Ele fica sozinho com as suas idéias elevadas e belas, convencido de que a fé, que lutou dezenove séculos com a razão sem a subjugar, tem necessidade de transigir, para ser por ela poupada. Fica sozinho... Os seus subalternos não o compreendem, cegos teimosos que não querem ver, surdos pirracentos que não querem ouvir, e a cujas almas acanhadas ainda sorri a esperança de restabelecimento da tirania religiosa.

O que nos vale, a nós que cometemos o crime sem nome de acreditar que a piedade infinita de Deus não tem a sua sede exclusiva na alma de um padre, humana e miserável como a nossa, é a certeza de que as maldições da igreja não dão para macular a memória de ninguém. Consolem-se desde já os que pretendem matar-se: a mesma igreja que queimou Joana D'Arc, cobrindo-a de injúrias de ultrajes, e de imprecações, acaba de canonizá-la, cobrindo-a de galas, de bênçãos, e de devoções.

E Deus, se existe, se ouve e percebe o que cá por baixo se passa, há de atender ao pedido supremo que lhe fez o grande Mártir no Gólgota, quando o corpo se lhe despedaçava na terra, e, pelos seus olhos ansiosos e desesperados, a alma heróica, a alma justa, a alma louca batia alucinadamente à porta de um céu vazio...

Deus perdoará aos arcebispos que amaldiçoam, atendendo a que eles não sabem o que fazem.

Olavo Bilac

11 set. 1894

Faceira

Diz Junqueiro, em uma dúzia de alexandrinos célebres, que a mulher, apenas saída das mãos do Criador, passou às mãos do demônio. Dera-lhe Deus, para encanto do homem e glória da vida, a pele cheirosa e branca, a boca úmida e vermelha, o seio redondo e claro, os olhos azuis e profundos. Satã, porém, lhe quis ceder contra o homem uma arma poderosa e terrível. E deu-lhe a faceirice, dando-lhe um leque, feito de meia dúzia de penas das suas asas de Rebelado...

Oh! o leque! – essa frágil, essa tênue, essa invencível arma que, às mãos da mulher faceira, secunda com tanta arte o meneio dos olhos e dos lábios!... Realmente, o anjo Rebelde concedeu à criatura do sexo amável muito mais do que lhe havia Deus concedido. A beleza só nada pode... Eu, por exemplo, obrigado a escolher entre a maravilhosa Vênus de Médicis e aprovocadora *Faceira* de Bernardelli Rodolfo, não hesitaria um minuto...

* * *

Há dias, na rua do Ouvidor, conversava eu com Coelho Neto, o fulgurante poeta das *Baladilhas*, justamente sobre estas intrincadas e deliciosas questões de beleza e graça. Por Apolo! estava tão azul o céu, passavam tantas mulheres belas, e, às mãos dos vendedores de flores, os ramos de violetas se desfaziam numa tão entontecedora nuvem de perfumes!... que outro assunto poderia, nessa clara tarde de agosto, encher a nossa conversa?

E por nós, num arco-íris vivo, *toilettes* frescas passavam, rutilando. E olhávamos com particular atenção, as meninas que víamos, criaturinhas de 8 e 9 anos, já preocupadas demais com as suas pequeninas pessoas pisando com elegância, espartilhadas e sérias, como senhoras. E um de nós disse:

– Como não queres que as crianças sejam faceiras, numa terra em que há o costume idiota de espartilhar meninas de nove anos? Isto é um horror que só aqui se vê... Pois se, quando uma menina faz anos, em vez de lhe darem uma boneca, dão-lhe um adereço de brilhantes!...

O outro discordava. E dizia que a faceirice nasce com a mulher. O exemplo, o hábito, a educação apenas exacerbam esse sentimento inato...

E tínhamos parado à porta de uma casa de modas. Dentro, guardadas pelas altas vidraças, fazendas e quinquilharias brilhavam. E, à entrada, pequenos manequins, sobre a soleira de mármore, sustentavam vestidinhos de seda e linho.

– Olha! ali vem uma criança que não tem a mínima noção de coquetismo! aquela que ali vem, maltrapilha e faminta...

Era uma pobrezinha, de sete anos talvez – face pálida, olhos tristes. Vinha pela mão de uma velha repugnante. Aos pés, trazia sapatinhos cambaios e rotos: e o seu corpo magro e moreno aparecia pelos rasgões do vestido sujo.

E, então, passou-me uma cousa comovedora. Quando chegou à porta do armazém de modas, a pequena esfarrapada teve um clarão rápido no olhar. Parou, detendo ansiosamente a velha que a conduzia. E pôs-se a palpar, com amor, com carinho, a fazenda de um dos vestidinhos expostos...

Uma comoção invencível nos empolgava.

Um sorriso de supremo gozo brilhava à boca da criança. E os seus olhos ávidos contemplavam apaixonadamente o vestido. A velha arrancou-a dali, com um repelão brusco. Mas, de longe, ainda ela voltou várias vezes a cabecinha triste para remirar o encanto daquela *toilette* de criança, tão pobre para uma menina rica, mas tão rico para ela!

* * *

– Vês tu! estou em jurar que esta infeliz passou por várias confeitarias, e viu, sem comoção, gulodice, doces e biscoitos... Mas, que queres! isto está na massa do sangue feminino!...

Fantasio

13 set. 1894

Sejamos Francos!

Uma cousa dolorosa se está passando, mais vergonhosa ainda do que triste. Todos a lastimam, nos noticiários e nas esquinas. Mas, ao mesmo tempo, todos se negam a explicá-la com franqueza, dizendo em voz alta o que está na consciência de todo o Rio de Janeiro.

O suicídio de Mancinelli deixou em extrema penúria um grande número de cantores, de coristas, de músicos. A pobre empresa do malogrado maestro era um belo edifício de vários andares sobre alicerces de barro fofo: aluído o barro, veio tudo abaixo.

Logo, com uma generosidade digna de todos os louvores, o proprietário do teatro, os tenores, as primas-donas, a empresa de gás, os aderecistas, o governo, a polícia, todos correram a cogitar dos meios de salvar da miséria, em terra estrangeira, esses pobres trabalhadores tão rudemente experimentados pela desgraça. E organizaram-se espetáculos cujo produto deveria ser, sem desconto de espécie alguma, destinado a minorar os sofrimentos dessa gente.

Sucede, porém, que o público não vai a esses espetáculos...

Por quê?

Porque fica vazio o teatro, agora que se cantam as mesmas óperas, que tanta concorrência atraíam antes do suicídio de Marino? A mesma é a orquestra, os mesmos são os cantores, o mesmo o teatro, as mesmas as partituras... Por que fica vazio o *Lírico*?

É o que todos os jornais perguntam. E ninguém tem a coragem de responder a essa pergunta...

Mas é preciso, por fim, que seja dada essa terrível e necessária resposta. É preciso que o nosso povo, generoso como nenhum, fique livre da pecha de ingrato, que já lhe atiram.

* * *

Em vida de Mancinelli, o teatro estava sempre cheio, porque metade da sua lotação era ocupada pelos possuidores de bilhetes de favor. Mancinelli não tinha senso prático, não nascera com esse faro especial que só possuem os homens habituados a fazer negócio de tudo e com tudo. Acreditou que o Rio de Janeiro ainda podia pagar camarotes do *Lírico* a 120$000, e abalançou-se a uma empresa que já vinha malfadada do nascedouro. Daí a necessidade de distribuir bilhetes a Deus e a todo mundo, para que a sala do teatro não ficasse vazia e fúnebre, durante a execução do *Lohengrin*, como o salão do Instituto Histórico, durante uma conferência do Sr. Pereira da Silva: daí o apuro em que o pobre artista viveu meses, dentro de uma roda-viva de desgostos, de vexames, de desespero; daí o seu suicídio e daí também, a miséria de todos aqueles que confiaram no seu tino comercial.

Agora, suprimidas as entradas de favor, e conservados os mesmos preços fabulosos, que admira que ao *Lírico* não corra o público?

* * *

Ah! meus amigos! quando nos livraremos deste terrível, deste maldito defeito? Termos a mania de arrotar grandezas, quando estamos com a algibeira vazia e os sapatos cambados...

Há quem esteja acusando de ingratidão e de falta de generosidade este pobre povo que é o mais esmoler, o mais caridoso do mundo... Mas onde querem os senhores que este povo vá buscar dinheiro para pagar cantores, cujo garganteio é contado a cinco contos por noite?

* * *

Por que não dizer a verdade nua e crua? Que vexame pode haver em confessar que não estamos nadando em ouro? Pois acreditam os senhores que, com o câmbio a nove, rudemente ferida por uma comoção política que quase a arruinou, exposta sem remédio à ganância dos senhorios e dos fornecedores, esta população possa fazer esmolas à razão de 120 mil réis por cabeça?

Por que se conservaram os preços exorbitantes da companhia?

Claro é que essa exorbitância de preços se impunha a Mancinelli, como uma dura e inevitável necessidade, uma vez que o maestro tinha de fazer face a despesas avultadíssimas, tendo assinado contratos onerosos.

Mas, agora, já não se trata de cumprir contratos: rompeu-os a morte do empresário. E, por mais respeito que me mereça a memória do grande artista, eu não posso, a respeito do seu suicídio, deixar de dizer que ainda uma vez se verificou a profunda justiça da frase de Proudhon: "O suicídio é quase *sempre uma falência fraudulenta.*"

Já não se trata de cumprir contratos: trata-se de praticar uma obra de caridade. Se, em vez de quatro espetáculos caríssimos, se organizassem oito ou dez *soirées* a preços reduzidos, ao alcance da bolsa do povo, creio que o Lírico se encheria...

Meus Deus! a população não tem culpa de que o belo e infeliz Marino fosse mal sucedido na sua empresa... E é doloroso ver que se anda a dizer por aí que o povo abandona os pobres artistas, para que estes, estrangeiros, saiam daqui a dizer cobras e lagartos da nossa civilização...

Ah! esta a verdade, que tanto custou a sair à luz: não há dinheiro! podemos dar esmolas de 10 ou 20 mil réis, mas não podemos remir culpas alheias tirando o pão a nossos filhos!

E o que é vergonhoso, não é dizer em alto e bom som que não temos dinheiro: o que é vergonhoso, é querer fazer figura de Rotschild ou de Vanderbilt, quando só Deus sabe as linhas com que cada de nós se cose!

Fantasio

15 set. 1894 Divorciemo-nos!

Não cuideis que vá sair daqui um *réclame* teatral à Sra. Zaira Tiozzo. Isto é um artigo sério e profundo, profundo como um abismo e sério como dous.

O grito de guerra já reboou longamente no seio da câmara. Pelos casais, um alvoroço reina. Noivas tímidas que davam a última demão ao enxoval de casamento ficam pasmas, suspenso o dedal, paralisada a agulha, boquinha cor de rosa aberta num espanto súbito. Pelas faces de vários maridos, uma onda viva de esperança passa. Várias senhoras maduras atiram-se, prosternadas e chorosas, aos pés dos oratórios iluminados. A igreja católica empunha o feixe de raios com que, de uma para outra hora, pode ser mimoseado o meu amigo Érico Coelho. A igreja positivista, casa [sic], com grande devoção, invoca o auxílio de Santa Clotilde de Vaux, advogada das uniões legítimas e perpétuas. Em suma, está tudo comovido.

* * *

É que o caso é sério, amigos meus! trata-se de dar aos cidadãos um novo direito. Eles, os afortunados cidadãos desta livre pátria, já gozam de dous direitos, de que abusam em larga escala: o de casar e o de votar. Falta-lhes, para que a sua felicidade seja completa, o direito do divórcio. E isso quer dizer, nem mais nem menos, ó casais que viveis descontentes!, o direito que terá cada um de nós de desmanchar com os pés o casamento que fez [sic] com as mãos.

Eu, a ter de dizer o que penso, não sei que diga. Não sou casado. E devo mesmo confessar que é essa a única provação a que ainda não submeti a minha vida acidentada. Mas, por isso mesmo, estou numa posição independente que me facilita sobremodo o papel de juiz. Fui ontem procurar vários amigos, casados uns, viúvos outros, todos habilitados. Colhi mais de trezentas opiniões. E, como era de esperar, ainda fiquei, depois delas, mais embaraçado.

Assim, um desses meus amigos, adversário formidável do divórcio, depois de desenvolver uma série complicadíssima de argumentos, disse-me isto:

– Enfim, meu caro, que quer você? O homem quando casa, é sempre atraído pelo dote da mulher: esse dote ou é representado pelo número de apólices que a menina possui, ou, à falta de dinheiro, pela sua mocidade, pela sua beleza, pela sua bondade, pela sua educação... ou por qualquer outro predicado. Pouco importa o que importa é o dote! E esse todas as mulheres o têm, material ou moral. Vá seguindo com atenção o meu raciocínio...

– Estou seguindo.

– Bem. Faz-se o casamento. Você bem sabe que com o tempo tudo se gasta. Gastam-se as apólices, gasta-se a moral, gasta-se a beleza. Fica, portanto, a senhora privada do seu dote, ou, quando menos, fica com ele avariado. Com que direito, pois, o homem que dissipou ou avariou o dote da mulher, a abandona, obrigando-a a começar vida nova? É uma ingratidão, é uma injustiça clamorosa! Tenha a santa paciência, meu amigo! quem comeu a carne tem dever de roer os ossos!".

Fiquei um pouco abalado por esse argumento. E, daí a pouco, um outro amigo, defensor do divórcio, carregou comigo para dentro de um corredor e começou a defender o projeto Érico, com um ardor sincero. Contei-lhe a conversa que tivera, havia pouco, com o adversário. Indignou-se:

– Oh! mas isso é um argumento fútil! Em primeiro lugar, sempre se encontra um chinelo velho para um pé doente. Nunca faltam cavalheiros abnegados que, fechando os olhos às avarias do dote, acolham e respeitem as senhoras desfalcadas. Conheço mesmo muita gente, para quem isso é um estimulante e uma vantagem... Meu Deus! são tão comuns as segundas núpcias de viúvas pobres! Depois, deixe-me falar-lhe com cinismo... Que fazer? o homem é essencialmente egoísta e cínico, por índole, porque assim nasceu e assim há de morrer. Diga-me cá uma cousa! Gosta de abio, não gosta? Pois bem! Dão-lhe um abio... o amigo parte-o, chupa-lhe voluptuosamente o conteúdo, e depois? guarda a casca? mete-a dentro da carteira? fica com ela adorando-a para toda a vida?"

* * *

Como essas duas opiniões, colhi outras, interessantíssimas. Depois de muita reflexão, deliberei declarar-me adepto do divórcio. Não foram os argumentos cínicos do meu segundo amigo que me convenceram: deixei-me convencer por cogitações de outra espécie. E para não encher com elas todo esse jornal, apenas citarei uma.

O que faz quase sempre a infelicidade conjugal é o tédio. Oh! não há nada mais tedioso que um *tête-à-tête* perpétuo!

Nos primeiros dias é pouco o tempo para a contemplação mútua. Pelas duas janelas dos olhos de cada um dos cônjuges, a alma se debruça e põe-se a conversar com a outra, – longo colóquio mudo, que parece que vai ser eterno. Mas, por fim, as almas, ou com sono, ou com medo dos resfriamentos, fecham as janelas e recolhem-se. Chega então a vez dos lábios. Beijos, beijos, beijos... Mas os lábios também cansam, embotados. E entram em cena as palavras. Confidências, histórias de família, evocações do passado, projetos para o futuro. Depois conversas mais práticas: a carestia dos gêneros, a baixa do câmbio. E, esgotados os assuntos, o tédio cai, terrível e feroz, sobre o casal.

Oh! que tédio! que tédio! Que fazer? ir ao teatro? pagar visitas? Mas, os teatros representam sempre as mesmas peças! mas, as visitas aborrecem tanto!

Vêm, depois, as rixas, e a bisca em família. Daí a mais dous anos, já os cônjuges não têm força para pegar no baralho, e acham que não vale a pena brigar. E aí estão ambos, marido e mulher, um diante do outro, abatidos, melancólicos, sem saber o que façam...

E é aí que a idéia do divórcio aparece, rasgando a essas duas almas que bocejam um horizonte largo de alegrias, de divertimentos, de venturas...

O marido, dando um salto da cadeira:

– Ah! minha querida! acabo de ter uma idéia luminosa!

A mulher, com indiferença:

– Uma idéia? tu? parece incrível! Dize-a!

Ele, misteriosamente:

– Se nos divorciássemos?...

Ela, pálida de emoção:

– Oh!, filho! seria uma delícia!

Ele, insinuante:

– Como nos divertiríamos, hein?

E, de repente, ambos, entre dous beijos, com um grito de triunfo:

– Divorciemo-nos!

* * *

Com franqueza! quer me parecer que basta isto para que todos se convençam de que o divórcio é indispensável.

Fantasio

04 out. 1894 — Carne!

Que é isto? que algazarra é esta que enche os ares, que sacode a cidade, que me fura os tímpanos? – Carne! – bramam as esposas aos maridos, – Carne! – berram os maridos aos açougueiros. – Carne! – rugem os açougueiros aos magarefes, – Carne! – urra o povo aos intendentes... E nas colunas dos jornais, as cinco letras dessa palavra se estampam, altas e grossas, apunhalando a vista, túrgidas de insistência e de tinta de impressão.

Daqui a pouco, o povo, reunido em *meeting* de indignação, abalará para o paço municipal. Não será propriamente a marcha colérica das mulheres de Paris, em coluna cerrada, ao palácio de Versailles, pedindo pão e a cabeça da Austríaca! Não! ninguém pedirá a cabeça de intendente nenhum! o povo limitar-se-á a pedir uma cabeça de porco ou de vaca; mas, ainda assim, convém evitar que essa manifestação ruidosa da vontade popular se realize. Porque não há nada mais perigoso do que o atrevimento do povo!

* * *

Evitemos essa conflagração, crônica! Eleva todo o corpo, nas pontas dos pés, mostra-te bem à multidão, bate palmas, chama a atenção de todos, e salva as instituições, - provando ao povo que o seu clamor não tem razão de ser, porque a carne é um alimento grandemente prejudicial à saúde!

* * *

O budismo, a mais bela e moral de todas as religiões, compreendeu tão bem a influência maléfica do *beef* sobre o espírito, que o suprimiu de todo. Aqueles sacerdotes, cujas almas castas sobrenadam às torpezas da vida, como os lótus brancos às enxurradas do Ganges, comem somente arroz cozido em água e sal. Assim desprendem-se da matéria pouco a pouco: e, sem que deixem de alimentá-la, não lhe dão por pasto imundo a carne dos imundos animais.

Uma senhora inglesa, de grandes virtudes, (porque não há inglesa que não seja virtuosa), muito viajada, grande observadora de homens e cousas, acaba de publicar um artigo em que, sob a epígrafe *A carne e o caráter*, mostra que todos os carnívoros são maus sujeitos. Miss Ernest Hart, – é este o seu glorioso nome – nem mesmo se detém a fazer referências aos tigres, às hienas, e aos selvagens da América e da Oceania: a profunda senhora não carece de ir buscar argumentos na temerosa corporação das bestas feras, cuja ferocidade de instintos, está claro, só pode ser atribuída ao uso imoderado das carnes palpitantes. Não! Miss Ernest Hart limita-se a servir-se dos argumentos que lhe fornecem os povos civilizados.

Vejamos. Por que são os ingleses implicantes, orgulhosos, irascíveis? por que, quando tomam um bonde, esmagam os calos dos vizinhos sem piedade? por que, insaciáveis, aniquilam o Egito e a Índia? porque comem *roast-beef*, o ignóbil *roast-beef* sangrento, a imunda posta de carne...

A que atribuir a delicadeza proverbial dos franceses, dessa gente bem educada, que, antes de nos pisar um calo, já nos está pedindo desculpa? ao seu bom hábito de comer legumes – alcachofras inofensivas, alfaces calmantes, aspargos castos, virtuosos espinafres. E os japoneses? a que devem eles a sua brandura de caráter, a sua mansidão de ânimo? ao arroz frugal, branco como a própria candura, terno como a própria ternura...

Oh! a carne! a carne vermelha! a carne de que escorre o sangue em ondas vivas! a carne que lembra o açougue, o campo da batalha, o hospital e o cemitério! É impossível que o homem que faz correr sangue para se alimentar não seja capaz de o fazer correr também para enriquecer, para se divertir, para satisfazer qualquer das suas fúteis ambições. Quem começa comendo o boi, acaba comendo o seu semelhante. Na crueldade, como em tudo mais, não há meio termo...

* * *

Por que, pois, exige carne este povo alucinado? Pois acredita este povo inepto que o conselho municipal, essa corporação sábia em que se reúnem os mais inteligentes, os mais sensatos, os mais honrados dos seus filhos, queira colaborar com os magarefes e com os açougueiros nessa obra nefanda de aviltamento do caráter nacional? Por que há de o povo acreditar que outro móvel, além dos cuidados que lhe inspira a conservação do nosso caráter, leve o conselho municipal a protelar este caso do abatimento da carne verde?

Santo Deus! nem só de carne vive o homem! Fartos e verdes, de uma verdura deliciosa que encanta os olhos, de uma fabulosa fartura que desafia à gula, os vegetais aí estão cobrindo a terra brasileira. Atira-te aos verdes, povo inepto!, e verão como, brando e suave, se te transforma o sangue das veias em torrentes de mel e ambrosia! Olha, como os bois e os burros, os animais herbívoros por excelência, penam sem uma queixa, sem uma lamentação, sem uma revolta, sob as cangas e os varais! É o que o conselho quer, povo de minh'alma! atira-te aos verdes! serve-te à vontade desses saborosíssimos legumes que Deus te deu com tanta generosidade e por tão baixo preço!

* * *

Ah! por mais barata que a carne fique, sempre será mais cara que um punhado de arroz cozido em água e sal.

E mesmo, quando o arroz faltar de todo, comerás alpiste como os canários, bananas como os macacos, milho como as galinhas – que importa? mas não comerás carne como os selvagens antropófagos, como as hienas e como os tigres.

Atira-te aos verdes! submete-te! sê sóbrio! e abençoa e honra os teus representantes que te querem generosamente ameigar e aperfeiçoar o caráter!

Fantasio

07 out. 1894 — Decência

Oh! a volta ansiosa desta geração depravada à pureza de costumes, à simplicidade da crença, à candura da infância, à castidade do lamartinismo! Como os vícios fatigam hoje em dia! A humanidade toda, farta de porcaria, anseia por um banho regenerador, por uma ensaboadela purificadora...

A raça dos *blasés* é morta. Antigamente, nos tempos em que os Jacques Rolla inspiravam poetas, um homem, quando se sentia saciado de torpezas, matava-se, reservando para os últimos segundos da vida uma torpeza-mor, que servisse de *bouquet*, de remate digno e fulgurante ao fogo de artifício de suas maldades.

Hoje, os saciados, quando o vinho, o amor e o jogo já lhes inspiram náuseas, não dão ao estômago uma indigestão de verde-Paris, nem alojam no cérebro desiludido uma bala de Smith-Wesson: envergam um burel penitenciário, empunham um bastão de peregrino, e empreendem a romaria da regeneração, com os olhos cravados no céu, e a alma tão pura, tão simples, tão ingênua, tão virgem, como no dia em que pela primeira vez sorriram à vida, às mãos da parteira entre os cueiros e os babadouros...

Ah! todos se estão regenerando, tudo se está purificando atualmente, desde a companhia de Jesus até os arraiais do romance naturalista, desde as capelas do Vaticano até o guarda-roupa das revistas de ano.

* * *

Das revistas de ano, sim! O próprio [*****] Braga resolveu fazer a sério na vida real, o que fazia no palco, quando vestia a estamenha para representar os *Milagres de Santo Antônio*. Dentro em pouco tempo, as formosas momentâneas que fazem do jardim do Recreio um prolongamento da zona de Cítera, terão desertado àquela região sobre cujo pavimento cimentado passará uma barrela em regra. E, em lugar delas, freiras recatadas, donzelas imáculas, matronas austeras, frades compungidos virão ali passar as suas noites de piedade e recolhimento, engurgitando *chopps* de água benta.

Lêde os anúncios com que o Recreio preconiza a excelência do *Mundo da Lua*! e vereis como vem próxima essa era de castidade e virtude!

Dizem os anúncios: "é a revista de mais esplendor e *decência* que se tem representado no Rio."

Compreendeis? Não vades mais a esse teatro, oh vós, que, nestes tempos de volta geral à fé e à pureza, ainda tendes o mau gosto de aplaudir exibições de seios gordos e de pernas magras, em coros e danças de peças brejeiras! As revistas deste ano, e dos que vierem depois deste, se recomendam pela decência, como as dos anos passados se recomendavam pelo desbragamento dos *calembours* obscenos e pela desenvoltura dos quadris meneados à luz da ribalta.

* * *

Oh! a decência!

Em que ciclo abençoado e virginal rola agora a nossa vida, ó alma doce e vitoriosa de Santo Antão! que já a decência de uma peça chama gente ao teatro!

Mas, não é só no teatro que ela está plantando hoje o seu estandarte vitorioso. Até as livrarias da rua de S. José estão sentindo os efeitos dessa moralização epidêmica. Antigamente, os velhos incontentáveis e os mocinhos sôfregos esgotavam as edições dos volumezinhos marotos, que se anunciavam prudentemente como de "leitura para homens". Hoje, o caso mudou de figura. Há dias, estando em uma dessas livrarias, vi entrar, como um ciclone, esbaforido, colérico, suado, bramindo imprecações e trovejando ameaças, um senhor velho que brandia à mão um livro amarrotado. Entrou, foi ao livreiro, e roncou:

– Senhor! que patifaria é esta? Peço-lhe que me venda um romance casto, em cuja leitura os meus sessenta anos virginais não se emporcalhem, - e o senhor vende-me esta hediondez, este livro infernal, esta heresia de duzentas páginas cuja presença profanaria os próprios [*****]!

O livreiro, acabrunhado, ensaiava desculpas:

– Mas, meu caro senhor, este livro é *Paulo e Virgínia*!... não conheço livro mais puro...

– Livro puro, livro puro, este?! – regougou o outro, tartamudeando de raiva – livro puro?! Um livro em que se diz que este celerado Paulo deu um beijo na mão desta marafona Virgínia?! Que idéia você faz você da pureza, seu porco?

E foi preciso chamar a polícia para evitar que o homem reduzisse a cacos toda a loja.

* * *

Oh! a decência! oh! a volta desta geração depravada à pureza dos costumes, à simplicidade da crença, à candura da infância, à castidade do lamartinismo!

Quando revejo o meu passado, tão cheio de vícios e de imoralidades, e medito sobre a transformação que se fez na minha alma, que inundação torrencial de bem aventurança me alaga o espírito rejuvenescido? E lambo os beiços, antegozando já o sabor do pão-de-ló do céu: e fechando os olhos, em sonho, vejo-me já, nu em pêlo, babado de angelitude, sentado a um dos degraus do trono do Excelso, chupando puxa-puxa, ao lado da formosa Eloá, também já perdoada e purificada das suas pecaminosas transigências com o Mundo, o Diabo e com a Carne!

Fantasio

09 out. 1894 Diana Cid

Vou ingenuamente confessar-vos que já me não pertenço. Perdi-me, perdi-me de todo, amigo, no salão da escola de Belas Artes: e se quiserdes agora saber onde pára a alma do vosso cronista, busca-a por aquelas bandas, que a achareis extasiada e tonta diante de um quadrinho de Diana Cid...

Uma japonesinha pequenina me tem cativo dos seus olhos microscópicos, recortados em feitio de amêndoa, e vivos como dous carbúnculos. E, daqui a alguns dias, quando fechada a exposição, a minha vista apaixonada perder aquilo que é o seu encanto quotidiano, eu, vestido à chinesa, com o frágil cachimbo de ópio ao canto da boca, fechar-me-ei inconsolável dentro da minha saudade, e deixar-me-ei finar lentamente de amor e de melancolia...

* * *

Não vos direi que número tem esse quadrinho: não sei agora onde tenho o catálogo. (E, ai de mim! como hei de eu saber onde tenho o catálogo, se de paixão, nem mesmo sei onde tenho a cabeça!). Dir-vos-ei somente que é um palmo de tela, um só palmo que vale por si mais que todas as léguas dos *Guararapes* e do *Avaí*.

Em redor desse pedacinho de pano pintado, grandes quadros se acumulam à parede, esmagando-o, ofuscando-o, fulminando-o com o fulgor das suas tintas vivas, em que canta o ouro do sol americano, o verde das matas virgens, o róseo feiticeiro das carnes femininas.

Entanto, o pequeno quadro, tão simples, tão desmaiado, tão esbatido, tão modesto, avulta para a minha alma, e toma conta dela. Que quereis? é talvez a tela menos olhada e é com certeza a menos admirada: mas, santo Deus! quase sempre o que mais agrada aos outros é o que menos me agrada, a mim, que costumo - adotando o belo verso do poeta Salusse,

viver menos de pão do que de sensações...

Assim, por longo tempo quedei a admirar outros quadros. Deslumbrou-me o *brasileirismo* forte de Almeidar Júnior, contemplei gulosamente as sadias mulheres de Belmiro de Almeida, deliciei-me com a delicadeza dos quadros de Bernardelli Félix, dei meia hora de aplauso à *Faceira* de Henrique, fiz a corte às mulatinhas de Brocos e Weingartner, espraiei os meus sonhos pelos mares largos de Castagnetto, passei sem comoção pela *micromania* de Facchinetti, - e, fiquei diante daquela divina japonesa, de olhos microscópicos, recortados em feitio de amêndoas, vivos como dous carbúnculos.

* * *

Diana Cid... Em geral, toda a exposição desta artista me satisfaz. Acho-lhe um brilho de originalidade ardente ao talento. Não tem uma palheta em que só as cousas deste mundo achem tintas próprias. A sua pintura tem alguma cousa da vida e muita cousa dos sonhos. Ela também vive menos de pão do que de sensações: e à sua alma de eleição não basta o horizonte monotonamente imutável da realidade.

Todos os seus quadros – *Mistério, Adeus, Leitura, Meditação, Donzela* – têm uma palpitação de asas intangíveis, um reflexo de céus desconhecidos, um luar que os olhos dos homens *terra-à-terra* nunca viram...

Por Apolo! a pintura, quando é acessível a todas as inteligências, é uma arte inferior, - como a música, que até mesmo as cobras e lagartixas compreendem. Para que um quadro tenha o mesmo poder artístico e a mesma nobreza de uma bela estrofe ou de uma frase perfeita, (porque a arte da palavra é a mais nobre de todas as artes), não lhe basta ser uma cópia flagrante da realidade: é preciso que um sopro de ideal o anime, de modo que diante dele a alma trabalhe, pense, e, principalmente, sonhe...

O talento de Diana Cid possui em alto grau essa força sugestiva. E é por isso mesmo que diante das suas telas muita gente passa, com um dar desdenhoso de ombros: "oh! é uma decadente..."

Que bela, que próspera, que feliz, que prodigiosa decadência, essa que consiste em rasgar um novo céu aos sonhos da alma humana!

* * *

A mim pouco se me dá, amigos, que me chameis decadente! O que vos digo é que ando perdido de amores pela pequenina japonesa daquele quadro, cujo número não cito, porque já declarei que não sei onde tenho o catálogo e o juízo.

Oh! a linda, a arrebatadora cabecinha! O pescoço, alto e fino, como o de uma ave, emerge triunfalmente de um ninho de sedas sombrias e espessas. O cabelo, negro e lustroso, nimba de dous bandós opulentos o rosto oval, em que uma boca de rosa fulgura. E sobre ele, coroando-o, três crisântemos de um ouro límpido resplandecem, como três estrelas...

Oh! daqui há [sic] poucos dias, não procureis mais a minha alma naquele salão... Despido para mim de todo o encanto, porque só a minha japonesa o povoa, que irá lá fazer a minha alma? Dentro da sua saudade fechada, vê-la-eis, à chinesa, pernas cruzadas, embebida na leitura de um volume de Loti, buscando em vão achar no estilo do cantor do Oriente um reflexo, sequer do olhar, que me alucinou, do olhar velado e amoroso, do olhar divino daquela divina japonesa, de Diana Cid.

Fantasio

13 out. 1894

Interview

Ontem, às três horas da tarde, não obstante o calor, – de que sacrifícios não serei capaz para bem servir de informações os que têm o bom gosto de ler esta coluna! – fui entrevistar uma senhora de raro espírito, que comete às vezes a condenável imprudência de me receber em *tête-à-tête*. Receio que, apesar das precauções de que me vou cercar, alguns leitores adivinhem logo de que se trata. É que, realmente, todo o Rio de Janeiro conhece essa adorável senhora, cujos trinta e tantos anos tem um esplendor e um perfume de manga madura.

Fui achá-la ao fundo de sua bela chácara, no caramanchão verde, que os jasmineiros em flor vestem de um largo véu cheiroso e branco. Ela, vestida de branco como os jasmineiros, lia o *Jornal do Comércio*. Deu-me a beijar a mãozinha gorda e alva, sem rugas, de unhas delicadas e cor de rosa como conchinhas de Palermo. E assim que eu lhe disse que ia disposto a submetê-la a um interrogatório com regras, exclamou:

– Que me diz? e logo hoje, dia de festa nacional? Vem talvez pedir-me que lhe diga como foi feita, neste dia 12 de outubro, a descoberta da América?... Não me faça tão velha! Não me suponha contemporânea de Cristóvão Colombo!...

Oh! minha senhora! trata-se de assunto de menos gravidade! Quero entrevistá-la sobre esta formidável questão do divórcio, que tão acesos traz os ânimos. Já tenho ouvido a opinião de muitos homens: falta-me a opinião do sexo mais interessado na solução do problema...

– Mais interessado, por quê? É um engano! Nós somos como os padres, nesta questão: temos todo o interesse em manter o *statu quo*. Ah! os homens é que tomam a peito a propaganda, porque se querem libertar de nosso domínio. Não se iluda, meu amigo. De fato, não estamos escravizadas aos homens: eles é que estão arquejando sob a canga da indissolubilidade matrimonial. Quem ler os artigos e os discursos que esses senhores estão fazendo, pensará que realmente eles têm pena de nós... Veja o seu amigo Mallet: para que realmente se pense que lastima a nossa sorte, chega a procurar intrigar conosco os veneráveis S. João Crisóstomo, Santo Antão, S. João de Damasco, S. Gregório e S. Jerônimo. Já não quero falar do seu amigo, Érico... (Santo Deus! o homem tem escrito cousas!...). Pois bem: isso tudo é hipocrisia, e mais nada. A propaganda em favor do divórcio é uma explosão do egoísmo masculino. Os homens sabem que quando puderem retomar-nos o anel, o juramento e o nome, que nos deram no dia do casamento, nós, com medo do abandono, transformaremos em requintes de bajulação e de humildade, os requintes de desprezo e tirania com que os tratamos dentro das quatro paredes misteriosas da alcova conjugal. Sabem mais ainda: sabem que o que faz a nossa força é justamente a fraqueza que fingimos ter. Veja bem: não temos nome, porque o nome da mulher é o do marido, e, portanto, quando com um ato qualquer reprovável envergonhamos toda uma família, a família envergonhada não é nossa: e a deles. Publicamente, eles é que têm a gerência dos bens e dos negócios do casal: mas, de fato, as deliberações que eles parecem tomar na rua já foram de antemão tomadas em casa, depois de renhidas discussões em que vencemos sempre, porque dispomos para luta das armas mais eficazes, desde a carícia até o amuo, desde o beijo até a dentada. Ora, os homens estão ansiosos por uma lei que lhes forneça o meio de nos poderem ameaçar periodicamente e nós absolutamente não podemos querer que as câmaras lhes forneçam essa lei...

– Mas, por piedade, minha boa amiga! – exclamei eu – isso é uma implacável verrina com que está caluniando o seu sexo! Não posso crer que esteja falando com sinceridade! A mulher, anjo de bondade e de...

– Tá, tá, tá, tá! Aí vêm as tiradas sentimentais com que vocês costumam fingir que divinizam a mulher! Já se foi o tempo em que nos deixávamos embair por tão pouco! Olhe: nós já estamos fartas de poetas! Conheci um poeta que não se cansava de cantar a angelitude feminina em versos admiráveis de forma e de espontaneidade, e que, entretanto, em casa, quando a mulher lhe fazia a menor observação, dava-lhe pauladas até deixá-la em molho de vinha d'alhos! Tratemos da cousa com seriedade. Ouça-me com atenção.

– Estou ouvindo, minha amiga, estou ouvindo...

– Você, familiarmente, tem o hábito de me chamar assim: minha amiga... Pois bem: pensa que essas familiaridades são muito do gosto de meu marido? Digo-lhe eu que ele é ciumento como o mouro de Veneza! e não imagina você como o amofina esta minha mania de ser amiga de jornalistas... Ora, você o sabe, melhor do que ninguém, não admito que ninguém me faça a corte...

– Infelizmente! – atalhei eu, com um suspiro.

– Não diga tolices! continue a ouvir... Imaginemos que se faça e aprove a lei do divórcio. Imaginemos que essa lei conceda o divórcio, não só quando houver adultério, condenação penal de um dos cônjuges, sevícias, loucura, esterilidade, moléstia repugnante ou desregramento de conduta, mas também quando houver "o pedido trimensal, insistente de um dos cônjuges, sem causa determinada!"... Compreende? isto dará a meu marido uma arma terrível contra mim! isto será uma espada de Dâmocles suspensa sobre a minha cabeça! porque, com essa ameaça eu que tenho todo interesse em permanecer casada, terei de sujeitar-me a todas as imposições do meu senhor! E então, meu caro Fantasio, adeus, entrevistas no caramanchão! adeus, familiaridade, adeus palestras amigáveis!

Aqui a minha boa amiga parou um pouco. E logo, com um belo sorriso, mostrando a dentadura completa, perfeita e... natural:

– Basta! falemos de outra cousa! Só o que lhe digo é que já tenho escrito um sem número de cartas anônimas ao Gicério, ao padre Olímpio, ao Lima e ao Costa Machado pedindo-lhes que não esmoreçam na campanha contra o projeto Érico... Falemos de outra cousa! conte-nos os últimos *cancans* da rua do Ouvidor!

[*****]

Fantasio

19 out. 1894 — Crônica Espantada

Foi para a tortura e para o desespero dos que como eu, não têm vintém, que Deus mandou ao mundo os economistas. Esses homens prodigiosos, que remexem com a língua, em um só discurso, todos os milhões de libras esterlinas que andam a correr pela face da terra, – tão longe do alcance das minhas mãos! – incutem-me um respeito grande, em que há uma mistura de veneração e de medo. Se vou à câmara ou ao senado ouvir uma oração financeira, fico pregado ao banco, sem movimento, com o coração quase parado, os olhos turvos, a garganta tapada, o peito tomado de uma angústia terrível; ao ouvido estronda-me um barulho metálico e formidável, como o de um mar largo de moedas de ouro entrechocando-se; e passa-me por diante dos olhos uma procissão fantástica de notas de bancos, azuis, verdes, amarelas, vermelhas, todo o arco-íris do papel-moeda... Quando, não tendo tempo para ir às câmaras, me contento com a leitura do discurso, no dia seguinte, a impressão é naturalmente mais fraca: aos algarismos impressos falta o realce que lhes dão a palavra quente do orador, o seu gesto largo varrendo tesouros, o seu fulgurante olhar dilatado pela contemplação ideal das fortunas que vai enumerando. Mas, ainda assim, fico com a cabeça perdida: como os zeros se arredondam, como as unidades brilham, como as dezenas irradiam, como os milhares se desfazem em catadupas de somas fabulosas! Meu Deus! ainda um destes economistas atira comigo para os domínios do doutor Teixeira Brandão!...

* * *

Houve tempo, aqui mesmo no Rio, em que a minha alma, impassível, se habituou à dança dos milhões. Foi o tempo do encilhamento, o tempo maravilhoso em que se instalavam cem companhias por dia, cada uma com o capital de cem mil contos. Os jornais arfavam ao peso dos anúncios de légua e meia: e cada quilômetro de anúncio rasgava a prosperidade da pátria cem milhas de novos horizontes esplêndidos. À força de ouvir dizer que esse florescimento de empresas e de bancos era um sintoma claro e uma clara demonstração do progresso do Brasil, convenci-me de que era cidadão do mais opulento país deste mundo e dos outros, e desatei a dar pontapés no dinheiro. O que é o instinto do egoísmo do homem! – todo o Brasil se encarnou em mim; o meu orgulho cresceu desmarcadamente; considerei-me rico, riquíssimo: pensei com desprezo nos Rottschilds e nos Vander-Bilts... Sucedeu-me várias vezes tomar um bonde, dar ao condutor um níquel e dizer-lhe com um ar de desprezo que guardasse o troco... E, mesmo, de uma feita, como me dissessem que o Barão de Hirch tencionava comprar o território das Missões para nele estabelecer uma colônia israelita, exclamei indignado, como o lisboeta da *Relíquia*: "Sebo para Israel! sebo para o barão! se esse cachorro insiste nessa injuriosa proposta [*****] provar que é mais rico do que ele, compre toda a Judéia, com Sepulcro, com Mar Morto, com Carmelo, e com todos os banqueiros de quebra!..."

* * *

A *débacle* financeira veio providencialmente esfriar esse meu perigoso entusiasmo. E, agora que tudo deu em pantanas, voltaram-me os ingênuos espantos, os alucinados boquiabrimentos, os vertiginosos delírios em que me precipitam os discursos dos economistas, na câmara e no senado. Oh! ainda há poucos dias, o Sr. Oiticica me ia esborrachando de assombro... Quando ouvi a voz grave e trovejante de S. Excia. contar o caso dos quarenta mil contos, senti que o besouro da loucura me zumbia no cérebro, e quedei estatelado, suando frio... Quarenta mil contos! quarenta mil contos!...

E dizer, meus amigos, que desceu tão baixo a cotação do nosso espanto! Ainda vos recordais do tempo em que isso não era soma que desse para encher o buraco de um dente?

Vede um caso de ontem: todos os jornais anunciavam a instalação de uma nova Companhia Oriental. Deixei logo que os meus olhos escorregassem páginas abaixo, em busca da declaração do capital. Quatrocentos contos de réis! um milhão de francos ao par! Antigamente eu, só por mim, seria capaz de subscrever todo o capital dessa companhia! E hoje esses quatrocentos contos me fazem ficar de cama, com a testa metida em compressas de água fria! Mas o que mais contribui para o espanto em que estou mergulhado é o destino que se quer dar a esse capital: querem com essa quantia introduzir imigrantes japoneses!

* * *

De onde? do Japão? mas daqui a dous anos já não haverá mais um japonês vivo, senhores! Não vos deixeis levar pelo entusiasmo das notícias que nos dá o telégrafo! Olhe que não tarda a *revanche* da China!

Porque, enfim, por este glorioso sol de outubro que me está alumiando, pela irradiação deste estio que vem perto, juro que ainda tenho sobre a guerra entre os chins e os japões a mesma opinião... Afirmo que a China vencerá! Que importa que cem mil chins tenham banhado com seu sangue celeste as planícies da Coréia e da Mandchúria? que importa que catorze generais do Alto Filho de Tien, acorrentados e cabisbaixos, gemendo o vexame da derrota e a vergonha do cativeiro, tenham sido levados a Iedo, com as vestes rotas e tintas de sangue da última batalha? que importa que as tropas do Micado se aprestem a dar cerco a Pequim, marchando em hostes cerradas e ameaçadoras para as margens do vidente Pe-Ho? Ah! espíritos precipitados que vos deixais levar pelo resultado das primeiras refregas! Apenas sobre o curtíssimo prólogo do drama acaba de cair o pano... e o epílogo ainda vem longe!

A China vencerá! Não vos digo as razões em que se baseia esta minha certeza, porque tenho agora muito que fazer. Mas, vereis! E que será da vossa *Companhia*? Importareis cadáveres amarelos, vestidos à inglesa? ou importareis siberianos, – porque, enfim, dentro em pouco, a Coréia e o Japão estarão sob o domínio da formidável garra da Rússia?...

A que ponto chegamos nós? Já fundamos companhias com o capital de quatrocentos contos, e já nos apegamos à idéia de uma imigração de cadáveres! E, oh! Já essa quantia miserável de quatrocentos contos me espanta, a mim que outrora era capaz de gastar isso tudo em charutos!

Meus amigos! se não me encontrardes mais nesta coluna, procurai-me no Hospício! é onde vou parar qualquer dia com todos esses espantos...

Fantasio

23 out. 1894

Narrenschiff

Oh! a melancolia indizível desta manhãs de chuva! Decididamente, não sei como consegue viver a gente incapaz de sonhar... O sonho somente pode, nestes abomináveis dias de água e névoa, abrir à alma um horizonte suportável. Eu, por exemplo, tenho conseguido esquecer as bátegas de chuva, a umidade do ar, as peças de lama e as lufadas de ventania, graças à leitura de um velho poema medieval, sonho complicadíssimo de um frio cérebro alemão daquelas eras apartadas...

* * *

Quem de vós já leu o famoso *Narrenschiff*?

No século XV, um grave jurisconsulto de Estrasburgo compôs esse poema extravagante, que os críticos dizem ser, justamente com o célebre *Conto do Raposo*, a origem do romance moderno. *Narrenschiff*, cuja tradução é *O Navio dos Loucos*, assombra e perturba pelo maravilhoso da idéia e pelo tom demoníaco do estilo. Chamava-se Sebastião Brandt o autor desses versos satânicos escritos num selvagem alemão primitivo, cheios de rimas duras como marteladas. Eu, por mim, só conheço a obra através de traduções. Mas Philarète Charles, grande reconstrutor da Idade Média, teve em mãos a edição primeira do livro, recheada de sinistras gravuras em madeira. Diz esse crítico que, entre outras, há esta singular estampa: uma carruagem de pés para o ar, o cocheiro por baixo, as rodas por cima, um postilhão cujas botas trazem as esporas nos bicos, e os cavalos atrelados, não aos varais, mas nos assentos traseiros...

Alma brumosa, desabrochada ao sol lívido do Norte, numa época em que a civilização atual apenas vagia, Sebastião Brandt, o poeta dos doidos, tinha a convicção de que as variedades da vida não são mais do que variedades da loucura. Para esse formidável humorista, que devia mais tarde inspirar ao grande Erasmo a concepção do *Elogio da Loucura*, o mundo todo não era mais do que uma ampliação do seu *Narrenschiff*, navio louco, cheio de homens loucos. E toda a sua época está caricaturada naqueles versos, os conselheiros, os mercadores ladrões, os monges glutões, fátuos, os reformadores, os contemporizadores, os avarentos, os agiotas. E dentro do *Navio Fantasma*, todo esse pandemônio se remexe, se estorce, grita, viva, chora, canta, gargalha; e a nau da loucura caminha levando a sua tripulação às regiões da Felicidade...

Oh! como nítida e precisa me aparece, em sonho, a estupenda cena que Brandt imaginou.

Um mar largo, agitado de um forte sopro de doidice, – porque tudo é doido neste macabro poema: doidos os tripulantes, doida a galera, doidos os ventos, doidas as águas... No espelho das ondas, de um azul vivo e fosforescente, passam e repassam visões alucinadas. O navio balança-se estonteadamente sobre esse indescritível oceano.

E é maravilhosa a embarcação, construída e governada por dementes: a popa está onde devia estar a proa: o leme está onde deviam estar os mastros... O comandante vive ao fundo do porão, ao passo que o cozinheiro de bordo vive na verga de vigia. Uma anarquia desenfreada, uma pavorosa desordem, uma descomunal inversão de cousas e de sentimentos reinam dentro desse manicômio ambulante: ali, o beijo é uma injúria e a bofetada uma carícia; ali, os que se amam evitam-se, e os que se odeiam abraçam-se. Mas o mesmo sonho de felicidade, a mesma ânsia de ideal abrasa esses cérebros tresloucados. E cada um dos passageiros do *Narrenschiff* julga avistar nas águas que corta aquilo que mais o tenta. Assim é que, para os avarentos, as montanhas de ouro; para os voluptuosos as curvas doces das vagas se transformam em doces curvas de corpos de sereias; para os luculeanos, as ondas do líqüido salgado se convertem em ondas de licores capitosos...

E lá vai o Navio dos Loucos, mares afora, ressoante de gritos e risos... E o louco-mor, o patrão daquela tropa furiosa, canta, segundo a tradução de Barklay:

Sur l'ocean de la folie humaine,
Voyez errer nostre leste carène...
Au gouvernail assis paiseblement,
Roi de mes fous, a mon fré je les mène
Et le vaisseau flotte gaillardement...

* * *

Ah! meus amigos, como devia ser bom na Idade Média! Hoje em dia, o poeta que se atrevesse a compor um poema como esse, pagaria caro o desaforo de ter querido retratar a sua época.

Felizmente, já está feito o trabalho: ninguém irá exumar do fundo século XV o esqueleto esfarelado do grave jurisconsulto de Estrasburgo para obrigar o velho Sebastião a curtir no xadrez o alto crime de haver composto esse estupendo *Narrenschiff*, tão fácil de ser aplicado a certas épocas e a certos países que conhecemos...

Fantasio

18 nov. 1894 — O Monstro de Ferro

Não vos espante este título, oh coevos! O monstro a que me vou referir é a torre Eiffel, a satânica invenção da engenharia moderna que maculou em Paris o esplendor da exposição universal de 89. Ledes-me, e concordareis comigo.

* * *

Maupassant, ao empreender, no seu formoso *yacht* de recreio, aquela encantadora viagem pelo Mediterrâneo tão magistralmente descrita nas páginas de *La vie errante*, fugia da sua gloriosa, da sua radiante Paris, porque a considerava inabitável, depois da construção da torre Eiffel. Aquele monstro de ferro, desgracioso e grosso, pesando sobre o coração da cidade como um pesadelo, dava náuseas à alma delicada do grande

Guy, que foi talvez o mais fino artista de todos os escritores do seu tempo. Pobre Maupassant! Se o seu divino cérebro não se tivesse despedaçado, se seu talento ainda hoje vivesse, com que júbilo, com que supremo sorriso de triunfo teria ele recebido a notícia ontem publicada por esta mesma *Gazeta*, de que o monstro de ferro vai sair de Paris, deixando livre e destravancada da sua hedionda figura a mais elegante cidade de todo o mundo!

Porque é verdade: a torre Eiffel vai ser transportada de Paris para Baltimore. E é de crer que por lá fique até a consumação dos séculos, atendendo a que nenhum país pode razoavelmente disputar aos Estados Unidos o direito de possuir aquele mole de metal, feia como a arte da Norte-América, e prática, e brutal, e desesperadora como seus edifícios de dezesseis e dezenove andares.

Um sindicato de capitalistas *yankees* adquiriu o monstro por cerca de dous mil contos: Paris, se a sua municipalidade tivesse juízo, devia dar ainda a Baltimore um milhão de francos de quebra para lhe agradecer o favor.

Porque aquilo, realmente, é medonho!

Quatro patas formidáveis, vermelhas, prendem o colosso à terra: e sob essas patas se levanta ele arrojado para o céu como injúria, grossíssimo na base, afinando de repente, sem transição. Oh! é horrível! ir-se-ia uma mulher gigante com o tronco mirrado pela tísica, e as pernas inchadas pela elefantíase. Dentro daquele escandaloso trambolho há casas, cervejarias, teatros, o diabo! E Paris, a sóbria, a simples, a elegante, sente-se ofendida pela brutalidade da concepção de Eiffel.

Imaginai uma parisiense frágil e encantadora, dessas que há pelo mundo afora, – tão longe, ai! de nós! dos nossos beijos! – débeis e finas, tão delicadas que a gente tem medo de que a mais branda aragem as quebre, tão maliciosas, tão vivas, que a gente, quando as ouve ou quando as ama, já não duvida de que a mulher seja filha legítima do diabo... Imaginai uma dessas parisienses: ponde-lhes agora à cabeça o capacete da batalha de Carlos Magno, esse capacete que, segundo a *História dos Doze Pares de França*, pesava mais do que dez carros de trigo. E, imaginando o efeito que sobre essa cabeça pequenina faria esse morrião fabuloso, tereis uma idéia do que é a pavorosa torre Eiffel esmagando Paris.

Estou intimamente e profundamente convencido de que a torre de Babel, tão alta que provocou a cólera de Jeová, era mais suportável do que esta. A dar crédito aos meus amigos Parlagreco e Coelho Neto, que têm a coragem estupenda de cuidar de cousas de arte antiga nesta assombrosa terra, (e ainda não tiveram patente de major!), a torre de Babel não devia ser de todo feia.

Imagino-a airosa e leve, apesar das suas formidandas dimensões, com uma escadaria em espiral, subindo para o céu pouco a pouco, volta a volta, pacientemente... A torre Eiffel, não!, atira-se para o firmamento de um jato, de um pulo, com só impulso das suas horríveis grades de barras vermelhas. Dentro da torre de Babel poderia dignamente morar um semideus, com guerreiro, com sacerdotes, com ídolos; dentro da torre Eiffel só pode morar dignamente um engenheiro com cervejeiros, com *camellots*, com *garçons d'hotel*.

Depois, a construção da torre Eiffel [sic][2] tinha um fim modesto: exilar Deus do seio do céu. E a torre Eiffel tem um intuito altamente criminoso: exilar o bom gosto do seio de Paris.

E Baltimore, comprando a Eiffel o seu monstro de ferro, fez jus à gratidão dos parisienses. Amigo Casimir Périer, um bom movimento! conceda à cidade norte-americana a cruz da Legião de Honra!

* * *

É possível que, chegando ao fim desta coluna, o leitor pergunte boquiaberto:

Mas, que diabo tenho eu com tudo isto?

Não sei. Afirmo apenas que não tenho obrigação de escrever sobre cousas que interessem a quem me lê. Ah! no que diz respeito à minha independência de cronista, sou uma fera!

Fantasio

17 dez. 1894 — Kinetoscópio

Santo Deus! sem ser tão romântico como Théophile Gautier, que abominava as estradas de ferro só porque a fumaça das locomotivas lhes sujava as paisagens queridas, confesso que este Édison, criminoso de lesa-poesia, me inspira um desgosto grande, em que entra uma certa dose de medo. Assisti sem comoção notável à invenção do telefone: não era cousa digna de espanto, para quem já tinha visto o telégrafo. Quando nasceu o fonógrafo, comecei a tremer. Oh! guardar a voz de uma pessoa amada, guardá-la sacrilegamente num rolo de cera vulgar, materializar num canudo a encantadora inflexão com que essa voz um dia nos falou de amor, e, ainda mais: perpetuar nesse canudo o mesmo doce rumor chuchurreado dos beijos que, um dia, nos deliciaram os lábios! Já isso é horrível! Porque, tendo diante dos olhos a fotografia de uma noiva morta, e tendo metidos nos ouvidos os dous tubos de um fonógrafo, já pode um homem, por tempo indefinido, corporizar a sua saudade, – o que é uma profanação sem nome...

Édison, porém, não parou. A mania das invenções é uma ladeira íngreme. O eletricista despencou-se por ela abaixo, e agora não já há meio de lhe sustar a vertiginosa carreira.

Onde irá parar essa carreira, amigos? Deus o sabe! Deus, ou o diabo...

Esse frio ianque, que começou a existência a vender jornais, no meio da rua, deve ter sofrido muita fome, muito rigor de inverno, muita decepção amarga. E dentro da sua alma o sofrimento deve ter bem cedo estancado de todo a nascente dos sonhos, a fonte de todas as suas ilusões. Todas as suas invenções são talvez a vingança do antigo vendedor de jornais, do garoto cujo estômago faminto sentiu

2. Evidentemente deve ser "torre de Babel".

toda a tirania da triste realidade... Abaixo o real! – Foi o grito de garoto, quando se viu livre da miséria... E desatou a destruir todos os sonhos e a estrangular todas as ficções. O último golpe vem perto: a obra satânica caminha a passos largos para a sua última conquista: dentro em pouco, todo o maravilhoso castelo de ilusões divinas terá caído por terra, como um simples, um frágil, um reles castelo de cartas.

O *Kinetoscópio* é o penúltimo passo. O movimento fotografado! Que horror!

Tu que me lês, responde: – Não te lembras, às vezes, com uma saudade e um gosto inenarráveis, do gesto brando e amoroso com que dous braços femininos um dia te chamaram, cheios de promessas?

Os anos passaram sobre a tua alma, ficaste velho, e esses dous famosos braços brancos e perfumados foram talvez apodrecer para sempre ao fundo de uma cova. Mas, ainda hoje, de quando em quando, revês em sonho aquele gesto, revês tudo o que se lhe seguiu, e um raio de amor e de desejo te acende o sangue de velho...

Pois bem! Hoje, com o *Kinetoscópio*, terias perpetuado esse apaixonado movimento de braços, fotografando-o numa placa metálica. E bastar-te-tia mover uma pequena manivela, e fazer agir sobre a placa uma corrente elétrica, para que visses, mas positivamente *visses*, a tua amante estender-te o braço e chamar-te... E imagina que horror: o gesto amoroso repetido ao infinito, durante uma, durante cem horas, cem semanas, cem anos! Acabarias naturalmente por achar cômico o que hoje te parece divino: e, em vez de chorar com a evocação do delicioso momento, desatarias a rir, desgraçado mortal, mísero desiludido!

Ah! ainda não é tudo! Édison, o Jack-the-Ripper da Fantasia, o estripador das ilusões, está dando a última demão a uma nova perversidade.

Como se chamará o novo aparelho? Não sei. Mas que importa o nome, se a maldade é a mesma?

Será mais um termo bárbaro introduzido na língua, e mais uma hora de agonia para o meu velho mestre, o puritano Castro Lopes. Trata-se de uma aplicação da fotografia elétrica às grandes distâncias; não a uma distância de passos, mas a uma distância de milhões de quilômetros...

Imagina que estás aqui, e que a tua amante está na Austrália; (é uma cousa que pode suceder: não faltam nunca desgraças que apartem corações amantes). Agora, se quiseres ver a tua amante, contentar-te-ás com vê-la apenas pelos olhos da alma. Assim que Édison tiver aperfeiçoado o seu último invento, poderás vê-la com os olhos da cara, com esses mesmos olhos que a terra há de comer.

Quando a saudade te apertar, irás a um canto do teu escritório e apertarás um botão elétrico. Uma campainha soará logo: Drin, drinlin... [*****] Que deseja? - Ver a Sra. X... em Melbourne! – Pronto – E, sobre uma chapa luminosa, verás desenhar-se a figura da tua boa amiga, que te sorrirá, que te jogará beijinhos com as pontas dos dedos, e para te mostrar que vai bem de saúde, dançará mesmo um minueto airoso, mostrando-te o começo das pernas bem feitas, calçadas de meias de seda preta...

Adeus, saudade! adeus, gosto amargo de infelizes! Adeus delicioso pungir de acerbo espinho! Já não há mais saudade, porque já não há mais distâncias!...

Ah! isto é o fim de um mundo, meus amigos! ide ver o *Kinetoscópio*! ide ver uma briga de galos, uma dança serpentina, uma briga entre *yankees*, pilhadas em flagrante, fixadas fotograficamente para toda a eternidade, e dizei-me se ainda tendes ilusões que vos povoem um sonho, e rimas que vos enfeitem um soneto.

Fantasio

Gazeta de Notícias 1895

29 jan. 1895

Sonho Africano

Já sabeis que um general italiano acaba de derrotar as tribos selvagens de Massaouah e que, de volta à pátria, condecorado entre brabos e aclamações, esse general passou a ser honrado, pelo consenso unânime dos povos civilizados como um dos grandes benfeitores da humanidade, – um desses homens abnegados, que, através da barbárie do continente maldito, vão propagando o progresso, as conquistas, as vantagens, as virtudes e também – ai! da pobre África! – os vícios e os crimes da nossa pífia civilização. Para cobrir de honras e de bênçãos esse vencedor de tribos rebeldes, reconciliaram-se o Vaticano e o Quirinal porque com a submissão dessas tribos lucram igualmente a glória política da monarquia italiana e a glória da religião de Cristo. Eu, lendo essas notícias, fechei os olhos e sonhei.

* * *

Sonhei que me transformava em um africano de raça pura. Senti que os beiços se me engrossaram medonhamente, que o cabelo se me encarapinhou; vi-me a correr, como uma besta fera, os sertões inexplorados da Nigrícia, livre como o vento, independente como o cão, forte e altivo como Deus. Mas como tudo é permitido ao sonho, sonhei que tinha, par a par com essa rudez e com essa brutalidade da vida selvagem, o mesmo apuro intelectual que a civilização me deu e a mesma compreensão dos homens e das cousas que me foi dada pelo convívio social.

E continuei a sonhar que, não sei como um jornal foi ter ao fundo da minha selva cerrada; e por esse jornal fiquei sabendo que o governo italiano resolveu, animado pela sua recente vitória, de estabelecer definitivamente o seu protetorado sobre todas as tribos vizinhas de Massaouah... Deixei cair por terra o jornal, cruzei as penas pretíssimas, cocei a carapinha e comecei a refletir profundamente sobre o caso:

– "Como? A Itália é um forte país, que tem tudo quanto quer, todos os confortos, um clima agradável, mulheres de pele branca e cheirosa, homens de belos bigodes, de cérebro potente, museus e lupanares, templos e mercados, teatros e quartéis... Eu, negro feio, vivo aqui sem fazer mal à Itália: o canto da terra em que vivo é terrivelmente insalubre, ardente como uma fornalha, infecto como um pântano, coberto de uma perpétua revoada de mosquitos assassinos, cheio de serpentes, de bichos daninhos, de crocodilos e de negros, tão ferozes uns como outros... Para que diabo precisa a Itália de mim? para que diabo precisa a Itália de minha terra? Os seus soldados virão para aqui apodrecer e mirrar, sitiados pelas febres, sugados pelas moscas, torrados pelo sol. Destas zonas estéreis, que riquezas, que abundância de víveres ou de pedras preciosas poderão sair para encher os cofres e os celeiros da poderosa nação? Não! a Itália não precisa de mim, nem da África! Logo..."

Neste ponto, vi passar longe um outro preto, de tribo inimiga. Fui-me a ele, brigamos, venci-o, matei-o, esfolei-o, comi-o; feito esse farto almoço consolador, vim assentar-me de novo à sombra de um baobá e, deliciado pelo feliz começo de uma boa digestão, retomei o fio das minhas cogitações:

"Logo... Logo, a Itália concedendo-nos a mim e aos meus irmãos de Massaouah a honra inestimável de nos tomar sob a sua proteção, faz por nós um verdadeiro sacrifício humanitário. Não é do interesse dela que se trata: é do nosso próprio interesse. O que a Itália quer é chamar-nos ao seio da civilização ocidental e ao seio da sua Santa Madre Igreja. Mas, a Itália, acho eu, devia antes de me civilizar a tiros de canhão e a golpes de sabre, procurar saber se me convém ou não sair do estado de barbária em que me acho. Porque, enfim, não vejo bem que utilidade grande haverá para mim em comer carne de frango cozida com ervilhas em vez de carne humana crua e em usar ceroulas de linho e sapatos de verniz em vez de andar, como saí das maternas entranhas, desnudando ao vento e ao sol toda esta carne escura que a natureza me deu. Isto, no que diz respeito às vantagens materiais que me pode dar a civilização... Quanto às vantagens morais! quais são elas? Em primeiro lugar, dar-me-ão o dinheiro: e eu que só faço mal aos outros homens quando tenho fome, far-lhes-ei mal mesmo sem fome, só para possuir algumas centenas de notas de banco. E para obter essas notas desatarei a fazer falcatruas, especulações, traições, torpezas de toda a espécie. Dar-me-ão depois o amor, a ambição, o luxo, a política, a imprensa... o diabo! – coisas que não me farão viver nem mais um ano do que os que tenho de viver aqui. Resta a questão da Santa Madre Igreja... Mas, que Deus é esse, a cuja adoração me querem forçar? é o Deus de Bovio? o Deus de Schopenhauer? o Deus de Comte? Ah! decididamente, têm muita graça esses senhores que me obrigam a acreditar em cousas em que eles mesmos não acreditam!..."

Aqui, fui interrompido pela passagem de um leão. Naturalmente, já tinha almoçado, como eu. Olhamo-nos com indiferença. Vi-o afastar-se com uma grande majestade no andar. E continuei:

"Pois que com todos os seus refinamentos, com todos os meus séculos de progresso material e moral, essa civilização se vê hoje, em 1895, a braços com o pavor de um milhão de problemas insolúveis e desespera-se e arrepia-se e lastima-se e corre em massa ao suicídio e ao álcool e, oh espanto!, oh irrisão! – é essa mesma civilização que, a pretexto de nos melhorar a sorte, nos quer dar todas as suas dúvidas, todas as suas descrenças, todos os seus desesperos! Ora, bolas para a civilização!"

E, estendendo sobre a areia combusta a minha carne preta, encoscorada, rugosa, insensível ao calor, pus-me a dormir nu em pêlo, escandalosamente na grande paz do meu sertão da Nigrícia, digerindo o negro da tribo inimiga...

FANTASIO

10 fev. 1895

O Ciúme

Dizem lendas árabes que em Zubdah, perto da Sagrada Meca, não longe do Mar Vermelho, existe ainda o túmulo de Eva, todo branco, ao centro de um jardim, cujas muralhas, todas brancas também, esplendem, como de neve, à luz das soalheiras ofuscantes e à luz suave dos luares de prata. Sobre esse túmulo – em que dorme o seu derradeiro sono aquela que Jeová, parteiro do começo do mundo, em boa hora arrancou do tronco do primeiro homem – viça uma grande palmeira, que, a dar crédito ao que dizem os árabes, já deve ter para mais de seis mil anos de vida.

Lendas são como mulheres: não se discutem, principalmente quando são belas. Creio, portanto, cegamente que ali repousam de fato, religiosamente guardados pela populações do Iêmen, os despojos carnais da mulher legítima de Adão.

O que ponho em dúvida é a existência da palmeira. Não! uma palmeira não fica bem, como símbolo, no túmulo da primeira mulher!

As palmas verdes foram sempre símbolo da vitória, da alegria e da paz. Nicéia, que os atenienses adoravam como a personificação da vitória, tinha à mão direita uma palma e era representada como uma bela e fresca rapariga, sempre alegre, com um perpétuo sorriso à flor dos lábios de mármore.

Ora, as descendentes de Eva mostram-se ainda hoje tão más, tão vingativas, tão cruéis no amor e no ciúme, que, antes, no túmulo da mãe Eva, deveriam ter sido colocados, à maneira de símbolos, o facho da discórdia e as garras de leão e os dentes de javali, com que os antigos representavam o mau gênio das fúrias, das eumênides e das erínias.

Vede só como se têm comportado aqui as descendentes de Eva, nestes últimos tempos!

Há uma semana, uma senhora Maria castigou o esposo infiel, fazendo-lhe com os dentes aquilo que ao amante da meiga Heloísa fizeram outros com escalpelos. E agora dois casos novos aparecem, igualmente trágicos.

Um deles, menos escabroso, mais fácil de contar, é o que um telegrama de S. Paulo transmitiu ontem aos jornais do Rio. Trata-se de uma Elisa Maria da Conceição, que por ciúme assassinou o marido, rachando a cabeça, de meio a meio, com um machado. Como vêem, esse caso não é interessante. A Maria das dentadas teve mais originalidade e – digamos a verdade! – fez um serviço limpo, artístico, singular, que ainda um poeta decadente há de cantar em meia dúzia de estrofes perturbadoras.

Mas o segundo caso recente é o melhor de todos. Imaginem que em Pernambuco – todos os jornais transcreveram isto – uma senhora Marta, solteira, tinha uma amiga íntima, também solteira, que dava pelo doce nome de Celeste. Ambas moças, belas ambas, eram inseparáveis. Um dia Celeste foi pedida em casamento por um rapaz bem apessoado. E, na véspera do grande dia, Marta atraiu a amiga a uma entrevista, apunhalou-a, estripou-a e – ó pavor! – mordeu-lhe raivosamente o útero.

O que mais me espanta é a falta de vergonha com que os jornais, explicando o caso, dizem, sem o menor respeito ao pudor dos leitores, que a causa primeira foi o ciúme...

Antigamente essas coisas poderiam ser contadas sem receio. Os poetas latinos tinham liberdades deliciosas! É assim que Marcial tem um verso, com o auxílio do qual se poderia provar que os zelos de Marta por Celeste são tão legítimos como os zelos da Maria das dentadas pelo seu mordido esposo. Porque, diz o poeta:

Hic ubi vir non est, ut sit adulterium...

Outro escritor derramaria também bastante luz sobre o sucesso: Brantôme. O cronista escandaloso das *Femmes galantes* dar-nos-ia informações copiosas sobre o móvel deste crime raro. Eu é que não estou disposto a passar para aqui os seus comentários sobre a vida amorosa da *reine Margot*, porque escrevo para homens castos, ignorantes das coisas más que há no mundo.

O que quero é protestar contra a palmeira que a crença árabe coloca sobre o túmulo de Eva. Ora, vamos! melhor ficaria sobre a sepultura da primeira avó de Maria, de Elisa e de Marta uma figueira brava!

Com o correr dos séculos e com a propaganda que se tem feito em favor dos direitos femininos, as mulheres estão ficando perigosas. É tempo de tratar das garantias masculinas. O Sr. Dumas Filho, com o seu célebre *tue-la*! irritou por forma tal o sexo frágil, que ele desatou a aplicar ao sexo forte as mesmas teorias.

Hoje, um homem, quando caminha para uma aventura amorosa, vai com calafrios de medo na espinha. Não é para menos! porque, por pouco que se arrisque a gente nessas aventuras, arrisca-se a voltar para casa violentamente aliviado do peso de qualquer coisa que não é propriamente a carteira nem o relógio e que vale incomparavelmente mais do que todos os relógios e todas as carteiras do mundo...

FANTASIO

24 FEV. 1895 — A AMARELA

A dar crédito ao grunhir das cornetas e ao estourar dos bumbos, temos aí um carnaval autêntico. A folia vai desabafar, depois de dois longos e aborrecidos anos de abstinência. Ora bem! já que entramos na época em que todos enlouquecem, eu, espírito de contradição, vou fazer clamar alto o meu reconhecido bom senso, cuidando de coisas sérias.

Vou falar-vos da morte. Não dessa morte carnavalesca que por aí anda, reproduzida às dúzias, com a caraça de papelão amarrotada e o reles manto de metim preto lambendo a lama das sarjetas! – mas da verdadeira e trágica morte, da morte que coroa a obra do vômito negro...

Falemos da febre amarela! Falar dos ausentes é uma das alegrias da vida.

Porque tereis notado que a nossa boa amiga não veio este ano fazer-nos a sua obsequiosa visita...

Abrem-se os jornais, consulta-se o obituário e reconhece-se com um pasmo grande que não há febre amarela. Por quê? Todo o mundo, desconfiado de tão grande esmola, anda pedindo aos céus a explicação do misterioso caso.

Narizes de médicos, alongados pelo despeito, torcem-se desgostosamente.

Farmacêuticos tristes apodrecem de tédio nas boticas desertas, cochilando, às moscas, por trás dos grandes frascos amarelos e verdes.

Nos cemitérios, os coveiros dormem ao sol, entre as campas vazias, com as enxadas inativas ao lado, já comidas de ferrugem... Na rua do Visconde do Rio Branco, o Sr. de Herzberg, desapontado, perde o apetite e as cores. E todos nós interrogamos ansiosamente as nuvens do céu e os paralelepípedos das ruas: "Por que não há febre amarela?"

É que este povo, generoso e grato por índole, ama todas as coisas a que se habitua. A febre amarela mata, assola, dizima a população, mas a população já está tão habituada a vê-la chegar todos os anos com a pontualidade de um credor, que neste espantoso verão, inconsolável e despeitada, chora a falta desta amável pirexia, ornamento da nossa civilização, elemento do nosso bem-estar, alicerce das nossas comodidades.

Por que não há febre amarela? Algumas almas líricas, adoradoras dos misteriosos encantos da natureza, atribuem o fato à singular doçura do ar, à meiga suavidade de temperatura, de que estamos gozando há meses. Outras almas, céticas e mordazes, afeitas à *blague* e ao paradoxo, atribuem a escandalosa ausência do vômito à inimizade secular que separa a tribo dos *microccocus-xantogenicos* da tribo dos *khoma-virgulas*. E neste dar e tomar de hipóteses e de explicações, baralham-se as idéias de todos, desnorteadas e bambas.

Entretanto, a explicação mais aceitável parece-me outra. Devemos a falta da nossa amadíssima epidemia à nobre classe médica desta venturosa capital. Por que não veio a febre amarela? Porque os médicos não pensaram nela!

Como vêem, nada mais aceitável do que a minha opinião: preocupados com o cólera, possuídos do louvável afã de por um paradeiro às disenterias, dedicando todo o seu tempo, todos os seus desinfetantes, à destruição dos selins em que se aninhava o perverso micróbio do mal asiático, os médicos não se lembraram de que o verão estava a chegar, devendo trazer consigo a clássica febre, que deliciou os nossos avós e há de deliciar os nossos netos.

Porque é preciso que se saiba disto: eu estou convencido de que os médicos é que fazem as moléstias. A existência da moléstia, ao contrário do que geralmente se pensa, é posterior à existência do médico. O aparecimento deste teve como conseqüência forçada o aparecimento daquela. Nas eras pré-históricas, o homem, apenas saído da pele do gorila, viu e estudou certas ervas e certas cascas. Reconheceu que amargavam, que não podiam servir para a alimentação e procurou dar-lhe um destino qualquer, pois que não era justo ficarem sem aplicação e sem utilidade coisas que faziam parte da vida universal. E, então, procurou ter moléstias, para ter necessidades de remédios. Assim nasceu o curandeiro, antes de haverem nascido as mazelas.

Outros homens vieram que, mais práticos, transformaram a invenção em meio de vida. Assim se fez a classe médica e dela, muito naturalmente, se desdobrou a classe farmacêutica.

Que sucede, pois, entre nós? Os médicos, preparando a eclosão triunfal do cólera, esqueceram-se da febre amarela. Não a chamaram, longamente, com invocações ansiosas, como de costume. E, quando o verão chegou, viu-se com mágoa e espanto que a sua companheira, assim ingratamente desprezada pelos sacerdotes, resolvera também esquecer quem com tanta crueldade a esquecera.

Agora, os narizes da classe médica, alongados pelo despeito, cheiram com melancolia a situação... Chorai néscios! Sem cólera e sem vômito negro, que será de nós, agora que o outono aí vem?

FANTASIO

10 MAR. 1895

Os Xerentes

Quatro índios Xerentes estão a chegar ao Rio de Janeiro.

O caso merece a atenção da crônica, porque esses quatros viajantes não se dirigem para aqui, sem mais nem menos, como quatro *commis-voyageurs* ou quatro *touristes*, a bordo de um paquete ou dentro de um vagão de estrada de ferro.

Por três longos e aventurosos meses, rasgando mastros cerrados, vadeando correntezas de águas crespas, combatendo feras, sitiados de febres e de onças, atolados em pântanos, mordidos de sol e encharcados de chuvaradas grossas, os quatro íncolas do alto Tocantins vieram a pé, desde o extremo norte de Goiás até Uberaba, de onde, segundo telegrama transmitido à *Notícia* já devem ter encaminhado para esta capital, a pedir uma conferência ao Sr. presidente da República.

Que querem os Xerentes? Não vêm pedir ao Sr. Prudente de Moraes, apresentando-lhe um esmagador calhamaço de atas eleitorais e de públicas-formas, que ponha cobro aos desmandos de um potentado político do sertão velho; não vêm pedir a S. Ex. que os mande reintegrar em cargos públicos de que tenham sido, durante a revolta, demitidos como traidores à República, por algum chefe jacobino do serro de Guanua ou da Cachoeira de Itaboca; não vêm pedir ao Dr. Carlos de Carvalho que lhes dê quatro consulados cômodos, com as honras e as ajudas de custo adjacentes; não vêm conspirar para a deposição do coronel comandante do forte de S. João do Araguaia; não vêm, pensando que ainda estamos no aprazível regime das honras militares, pedir que se lhes concedam algumas dúzias de galões pelos altos serviços que prestaram às instituições, defendendo de uma possível invasão federalista os banhados e as charnecas em que vivem os Mundurucus, os Xavantes e os Guapindaias; nada disso, amigos!, os Xerentes não vêm pedir nada disso...

Que vêm então fazer os Xerentes? por que desceram então os Xerentes das florestas natais? – ai! os Xerentes, com uma modéstia que espanta esses pretendentes da época atual, vêm apenas pedir ao Sr. presidente da República que lhes forneça algumas ferramentas, com que eles e os seus companheiros de tribo possam trabalhar no aldeamento de Piabana! Espantai-vos, coevos! a pretensão dos Xerentes não vai além de meia dúzia de martelos, de quatro grozas dc pregos sortidos e, talvez, de dois ou três arados de pequeno tamanho! E, para isso, os índios fizeram centenas de léguas a pé, com o mesmo heroísmo com que um candidato a emprego público se abalança a tomar um bonde de 100 réis, que o conduza ao gabinete de um ministro...

Não é a primeira vez que rústicos habitantes das matas descem dos longes sertões do Brasil, a fim de pedir coisas insignificantes aos governos do centro. Não falemos da anedota do caipira, a quem roubaram um boi e que, aconselhado a vir queixar-se ao bispo, fez 150 léguas a pé para depositar a sua queixa aos pés de Sua Excelência Reverendíssima. No tempo do império eram comuns esses casos de jornadas maravilhosas de índios Crichanás e Bororós, que vinham requerer ao imperador providências contra violências sofridas nos aldeamentos: o falecido monarca, de venerável memória, animava os selvagens, dava-lhes dinheiro e aproveitava a ocasião para se exercitar com eles em línguas atrapalhadíssimas.

É que nessas boas almas primitivas a confiança na autoridade é ilimitada e cega.

Para eles, o chefe do Brasil é um Gê formidável, um *morubixaba* grande, quase tão grande e tão poderoso como o alto Tupã, pai do trovão e do raio, manda-tudo e tudo-pode, Senhor dos homens, das coisas, do destino, da vida e da morte.

Depois, é de bom aviso não pedir aos santos aquilo que se pode pedir diretamente a Deus... Os Xerentes precisavam de enxadas: gastam um ano em vir pedi-las ao *morubixaba* do Itamarati, mas, ainda assim, é de crer que realizem uma notável economia de tempo, de papel de requerimento, de estampilhas e de paciência.

Estou daqui a ver a cena da chegada dos Xerentes ao Itamarati. Olhos espantados para tudo: para o mármore do saguão, para as escadarias que nunca mais se acabam, para os alamares da casa militar, para a figura severa do presidente... Vejo um sorriso à boca do Sr. Prudente de Moraes... E vejo os quatro selvagens que saem, satisfeitos, possuidores das cobiçadas ferramentas, caminhando de costas, desmanchando-se em reverências largas, com um deslumbramento nas retinas ofuscadas. E imagino-os depois a devorarem as mesmas léguas já caminhadas, em busca de Piabana, com a recordação do Tupã do Itamarati dentro da alma, um Tupã de face barbada e fechada, com o corpo apertado numa sobrecasaca presidencial, sentado numa poltrona do Moreira Santos...

Ah! se dentro da alma de cada um de nós se pudesse ainda abrigar um pouco dessa crença, dessa fé, desse respeito, dessa esperança infinita e inabalável na lei e na autoridade, como seríamos felizes, nós, que já quase não acreditamos em coisa nenhuma!

Que se há de fazer? Os Xerentes não viram, como nós, desenrolarem-se, no pequeno ciclo de quatro anos, trinta revoluções, 24 golpes de Estado, 456 deposições e 4627 estados de sítio...

FANTASIO

26 MAR. 1895

O DECOTE

Nicolau Tolentino, tantas vezes citado pelo nosso malogrado Hudson, dava golpes nos costumes e não nas pessoas. A nossa polícia, em boa hora, tomou o exemplo salutar do vate luso. Esta última postura policial, que proíbe às mercadoras de beijos o decote exagerado, se dá um golpe sério nos costumes das Mnezaretes húngaras, não lhes ofende as pessoas nem a profissão. Nem podia deixar de ser assim, uma vez que o estatuto fundamental de 24 de fevereiro, no seu luminoso artigo 75, assegura o livre exercício de qualquer profissão moral, intelectual ou industrial: e a vossa profissão, ó Frinéias da rua do Cano, se não é moral, é com certeza industrial.

Não vos queixeis, portanto, descabeladas Laís, do rigor do estado de sítio e do peso da maldição com que desaba sobre vós a última medida policial. Por que vos esquecestes de que estamos em quaresma? A quaresma, época magra, de abstinências e de privações, impõe aos espíritos bem formados o dever de não cair em tentação diante da carne. Estamos em pleno reinado das lagostas coradas, das castas garoupas, das sardinhas virginais e dos continentíssimos bacalhaus. Como poderia a polícia admitir que, nas meias rótulas equívocas, se expusesse a carne, escandalosamente, tentando os olhos e as salmas do transeuntes incautos? Não! a polícia fez bem em bradar, num belo assomo de indignação e de pudor: Sus, ó mulheres! decotes acima e reposteiros abaixo!

Insisto em dizer que é principalmente por estarmos em quaresma que esta postura se torna credora de todos os aplausos. Amigos! hoje a religião é tudo. O Brasil, longo tempo transviado do bom caminho católico, volta hoje a buscá-lo, com uma fé e uma contrição dignas de bem-aventurança eterna. Vêde: o Sr. Serzedelo Correa, no mosteiro de S. Bento, faz brindes ao Papa e no Estado de Goiás o Sr. governador Brito, saudando o bispo D. Eduardo, acaba de clamar, ardendo em zelo católico: "Sem a religião, um Estado não passará de um navio sem bússola, que jamais chegará ao porto de salvamento!"

Mas, também sob o ponto de vista meramente moral, a medida é credora de encômios. Não se faz idéia da transformação que já se operou na escandalosa rua do Cano. Os reposteiros desceram e os decotes subiram, pudicamente: e a rua, regenerada, tem hoje um aspecto digno e comedido. Já os meninos que às 3 horas saem do colégio, não têm ali, gratuitamente, uma lição de coisas... feias. Os homens sérios, como eu, já se não vêem obrigados a passar por ali com a alma crispada de um santo horror. O próprio Santo Antão, se, abandonando a sua aborrecida Tebaida, viesse dar um giro higiênico pelo seio de Sebastianópolis, nada acharia nessa rua reabilitada, que pudesse melindrar a pureza dos seus olhos. Dizem mesmo que a rua do Cano se apresta para concorrer ao *Prix Monthyon*, caso o nosso Instituto Histórico se resolva a transplantar para aqui mais essa criação do Instituto de Richelieu.

Rejubilemos, pois! Mais meio metro de fazenda ganho, pelo corpete de uma dama airada é mais meia légua de moralidade ganha pela civilização de um povo. Depois, ó desconsoladas damas! lucrareis mais tarde, porventura, deixando que a imaginação da clientela se encarregue de fantasiar o que a fazenda encobre, do que expondo à luz crua do sol e da realidade coisas que, as mais das vezes, fazem fugir o espectador, pelo estado de ruína a que as reduzem os anos longos e os longos serviços.

Louvores à polícia!

Fantasio

30 mar. 1895 Drummondologia

Ontem – porque para sempre trazer o público bem informado, sou capaz de todos os sacrifícios – fui ao Jardim Zoológico, principado de Mônaco dos bichos e ouvi de perto bater, precípite, o coração popular, excitado pela febre do jogo.

Uma fila intérmina de bondes chegava à porta do Jardim, com um grande estrupido de patas e um troar ininterrupto de ferragens entrechocadas. Paravam. E de dentro deles, a onda humana acapelada e grossa jorrava, – roupas de luxo e paletós surrados, caras alegres e caras tristes, senhores gordos e senhores éticos, matronas severas e meninas assanhadas, faces chupadas de empregados públicos e faces espertas de colegiais, todas as espécies várias da *gens* fluminense, a miséria e a riqueza, a velhice e a infância, pais de família e gatunos de reputação feita. À entrada, a vaga dos que chegavam esmagava-se, machucava-se, ululava. Nomes de bichos cortavam o ar, num clamor confuso: gato! peru! macaco! porco! veado!, – descomposturas grossas ferviam; uma rixa, de quando em quando, nascia da pisadura de um calo ou do amarfanhamento de uma cartola e, então, sopapos rápidos vibravam, com um estalo seco; em torno de mim, espremiam-se rostos congestionados, roxos como berinjelas, de olhos esbugalhados e bocas aflantes; toda aquela multidão ofegava e suava, numa nuvem de poeira que cheirava mal. Sobre tudo aquilo, um sol violento despejava o fogo último da tarde de verão; e parecia-me estar assistindo a uma dessas espantosas quermesses de Nievwa Markte, que só vivem hoje nas descrições de velhos livros de viagens. Não sei quanto tempo gastei em atravessar o portão. Dentro, outra multidão igualmente compacta, se aglomerava. Passavam sujeitos com roletinhas portáteis, oferecendo "um joguinho".

Junto aos canteiros, homens descalços vendiam refrescos gelados.

Sobre a relva, mulheres pretas e pardas, de chinelinho de couro vermelho e xales mirabolantes, – a fina flor da bilontragem dos arrabaldes, – comiam empadas, como num convescote pacífico, namorando cabras janotas, de chapéu de palha atirado para a nuca e ponta de cigarro atrás da orelha. E, para qualquer lado que se volvesse o olhar, no largo, limpo de árvores, que é como o vestíbulo do Zoológico, via-se a mesma multidão, gesticulando, ansiando, delirando, na febre dos palpites.

Segui por uma das alamedas laterais, e, dados poucos passos, vi-me só.

Nas gaiolas, nos viveiros, nos tanques, nas jaulas, os bichos raros e tranqüilos meditavam indiferentes ao jogo ou dormiam. Visitei-os, conversei com eles e quedei sobre um banco de pedra, com um charuto à boca, a filosofar sobre esse famoso jogo, tão amado e tão descomposto, tão procurado e tão amaldiçoado. E cheguei à conclusão, ó almas puras!, de que a Drummondologia é, em matéria de jogo, a mais moral e mais humanitária das invenções do nosso tempo.

Vêde bem! quando uma ordem bárbara suspendeu o jogo dos bichos, ameaçou a desenrolar-se naquele jardim uma dolorosa tragédia que ainda não teve o seu Shakespeare. Foi a tragédia da fome e da sede, em todo o seu horror. Sem jogo, não havia dinheiro; não havia alfafa, nem carne, nem milho, nem alpiste, nem farelo. E o jardim se encheu do choro e do ranger de dentes, de que fala a Bíblia. O choro vinha das gaiolas e dos chiqueiros, humilde manifestação do pesar dos macacos, dos porcos e dos perus. O ranger de dentes, colérica e formidável lamentação dos tigres e das onças, vinha das jaulas de ferro. Ainda a esses belos e furibundos quadrúpedes dava-se de quando em quando uma posta de carne barata: porque o homem, ente mau, é sempre surdo às mágoas dos fracos e tem medo da ira dos fortes. Mas, os macacos, os porcos, os perus!... Dizem que o barão, esgotado de recursos, passou a comer as aves domésticas, os veados e os bácoros, para não lhes dar o martírio da morte pela fome. Os macacos é que ficaram desgraçados: nem comiam, nem eram comidos; chumbados à vida, como a uma grilheta cruel, gemiam e choravam, coçando, com um desespero humano, os cóccix pelados.

Ora, Dostoievski, a propósito de castigos infligidos na Rússia a crianças, escreveu um dia esta frase admirável: "toda a ciência do mundo não vale uma lágrima de criança." Eu direi com mais segurança do que ele: "toda a moralidade de um povo não vale um gemido de macaco". Ó corações desnaturados que clamais contra o jogo dos bichos! sabei que é graças a esse jogo que os macacos já não gemem no Jardim Drummondológico. Se os fôsseis ver, ó homens pregadores da moral, como os fui ver ontem; se lhes vísseis os saltos ágeis, vibrantes de alegria e de força, os dentes gulosos e brilhantes mordendo a polpa das bananas cheirosas; se lhes vísseis os pêlos lustrosos, os olhos rebrilhando saúde e fartura, certo vos convenceríeis de que a ruína de seis empregados públicos, o suicídio de sete caixeiros e o abandalhamento de oito colegiais são calamidades de pouco vulto. Oh! ide ao jardim! e vereis como os bichos engordam! Mais ainda: vereis que o jogo tem para eles outra vantagem grande – a de livrá-los da curiosidade e das importunações do povo: ninguém arreda pé do portão do jardim, onde os bilheteiros azafamados atendem à freguesia e os bichos calmamente dormitam, de pandulho cheio e alma serena, contemplando em êxtase o esplendor divino da natureza. Quantos poemas bucólicos não estarão cantando no fossar daquele leitão! quantas epopéias tempestuosas não estarão palpitando nas corcovas daquela camela! quantos sonetos eróticos não estarão ardendo na gesticulação obscena daquele sagüi!

Consolado por esta idéia, convencido de que a Drummondologia, tão guerreada pelos jornais e pelo conselho municipal, é uma instituição de caridade e de amor, saí disposto a praticar também a zoolatria, comprando algumas *poules* no macaco. Depois de cinqüenta encontrões e de outras tantas descomposturas, atravessei o oceano do povo e com a roupa esfrangalhada e os pés contundidos, cheguei ao bilheteiro. Sacrifiquei 53 no altar da religião zoológica, entregando-os ao palpite do macaco.

Depois, já na cidade, disseram-me que fora premiado o burro. Altos desígnios da Sabedoria de Deus!... Deus terá agora dado para fazer alusões pessoais?

FANTASIO

05 ABR. 1895

UM POEMA

Não tenho querido até hoje abrir esta coluna às produções dos jovens poetas que me têm enviado as suas rimas. Faço hoje uma exceção em favor do Sr. Jaime de Ataíde, moço escritor que os leitores da *Gazeta* já conhecem pelo seu romance *Sanatorium*, aqui publicado há três meses. O Sr. Jaime de Ataíde envia-me um pequeno e belo poema, vazado nos moldes da escola decadista. São versos sugestivos, que lembram a nova *maneira* de Guerra Junqueiro no volume dos *Simples*.

Em carta particular, reservadíssima, diz-me o poeta que esses versos "são a antevisão daquilo que, dentro em poucos dias, se vai passar nas alamedas do Jardim Zoológico". Não sei se os leitores apreciarão devidamente o perfume de originalidade e de graça dessas estrofes. Se as não compreenderem, paciência! Lembrem-se de que os nefelibatas escrevem para um grupo limitadíssimo de iniciados.

Aqui vai a preciosa produção:

* * *

(Um jardim místico. Na lívida noite idealizadora, um barão pálido sobraça a caixa dos vinte e cinco desejos. Esbatem-se no céu merencório rosários de Meias-Tintas e de Sub-Sugestões. Luares de gelo escorrem por franças lúridas de casuarinas trágicas. Em jaulas trevosas, em que mora o Espanto, bichos truculentos uivam. A Terra-Mãe floresce em açucenas e gangrenas, em lírios e martírios. E o Barão pálido, pálido como os Bradamantes dos vitrais góticos, cisma, na lívida noite espiritualizada, entre os soluços brancos do luar:

Ao luzir d'Alva, venho ao jardim...
Encho de bichos estes cortiços...
Ó que feitiços de compromissos!
Ai! que rico jardim! ai! que rico jardim!
Ao lusco-fusco, venho ao pomar...
Encho de contos as algibeiras...

Oh cordilheiras de pechincheiras!
Ai! que rico pomar! ai! que rico pomar!
Nossa Senhora da Aparecida,
Com anjos alvos presos ao manto,
Viu as tristezas da minha vida,
Viu os meus olhos cheios de pranto...
Ai! que rica Senhora! ai! que rica Senhora!
Vendo-me em pranto, ao vir a aurora,
Em voz me disse
Trêmula e baixa:
– Toma estas *poules*! toma esta caixa,
Semeador!
Há pelo mundo tanta tolice,
Semeador!
Toma esta caixa, vai semeando
Bichos e *poules*, *poules* e bichos,
Semeador!
Fui semeando... fui engordando...
Vi satisfeitos os meus caprichos...
Ai! que rica Senhora! ai! que rica Senhora!
Mas um prefeito, mais-que-prefeito,
Matou as flores do meu jardim
E sete espadas cravou-me ao peito...
Ai! meu pobre jardim! ai! meu pobre jardim!
E os conselheiros do município
Cortam-me as rendas inda em princípio,
Matando as *poules* do meu pomar...
Nossa Senhora da Aparecida!
Choro e soluço como o luar...
Que vai ser feito da minha vida?
Ai! meu pobre pomar! ai! meu pobre pomar!
Nas algibeiras, que desconsolos!
Pelos canteiros, que carrapichos!
Se ainda há bichos, não há mais tolos...
Não há mais tolos e ainda há bichos!
Ao luzir d'Alva, vindo ao jardim,
Só vejo bichos nestes cortiços...
Ó meus feitiços! ó compromissos!
Ao lusco-fusco, vindo ao pomar,
Ó desventuras! ó quebradeiras!
Não acho contos nas algibeiras...
Pobre jardim!
Seco pomar...

(E o barão pálido, pálido como os soluços do luar, abre desoladamente os braços na [*****] da lívida e trágica noite. Dentro da caixa dos vinte e cinco desejos, vinte e cinco bichos uivam truculentamente. E no [*****] merencório, sobre o lençol claro da Via Láctea, as onze mil virgens têm suspiros histéricos...).

* * *

Agora, mais duas linhas de prosa pífia, para que o meu nome não fique assinando esta obra-prima.

Fantasio

23 abr. 1895 Fruto Proibido

Não se trata propriamente da saborosa maçã bíblica, que a tentadora Eva com as pontinhas dos dedos cor de rosa apresentou sorrindo à gulosa boca do antropopiteco Adão, sob o duro olhar indignado do Criador. O *Fruto Proibido*, de que trato, saiu do pomar da Livraria Moderna: é o último livro de Coelho Neto, esse inquieto Calibã, perigoso anarquista, que de mês em mês atira à sornice da vida fluminense a bomba incendiária de um livro tropical, em que os períodos florescem em sarças de fogo vivo.

Este *Fruto Proibido* precede de poucos dias o *Rei Fantasma*, obra de fôlego, trabalho paciente de reconstrução, evocação gloriosa do passado, de que já li trechos largos, que ficará na literatura brasileira, como *Salambô* na literatura francesa, dando uma glória duradoura ao nome de Coelho Neto.

Foi no alto da Tijuca, sob as ramagens carinhosas de uma gloriosa mangueira, que devorei os contos rápidos do *Fruto*, com o ouvido cheio do barulho das cachoeiras da serra e o olfato embriagado pelo aroma quente que a soalheira fazia subir das encostas verdes. E desde já me comprometo a nunca mais perturbar o sossego castíssimo da mata com outro livro de igual estilo.

Quando me vejo só, vem-me um desejo furioso de encher com a minha voz a solidão. Ao romper da alva, quando uma pérola treme à ponta de uma folha; ao meio-dia, quando as árvores, prostradas e imóveis, dormitam; ao esmaecer da tarde, quando os [*****] rezam e as quedas de água se lamentam; à noite, quando os pirilampos se espalham luzindo como uma via láctea imóvel; a qualquer hora em que eu entre na mata, toda a mata acorda com o clamor alucinado da minha voz, urrando versos de Hugo e de Musset. Os pássaros, atordoados, metem a cabeça debaixo da asa; os répteis fogem tremendo; os bambuais tiritam de espanto; e o mesmo aviso tímido corre de moita em moita, e voa de quebrada em quebrada: – "lá vem o maluco!... lá vem o maluco!..."

Desta vez, arrependi-me. O *Fruto Proibido* fez um escândalo famoso, de que a Tijuca se há de lembrar enquanto o gorgeio dos pássaros, o sussurro das ramarias e o murmurinho dos ribeiros forem, através do séculos e através da floresta imortal, propagando a tradição oral com que se faz a história da Natureza.

Quando comecei a recitar em voz alta o primeiro conto do livro, ainda a mangueira que me dava a sua sombra generosa se conservou impassível. Mas quando o segundo conto cantou no ar cheiroso, a grande árvore teve um espreguiçamento voluptuoso, – cousa de estranhar em tão velha senhora, tão adiantada em raízes e em anos. Eu, embalado pela minha própria voz, arrastado pela correnteza louca desse estilo inflamado, em que a palavra *amor* estala de período em período como uma girândola de beijos e gemidos, continuava a esgoelar-me sozinho, de papo para o ar, atufado na relva macia...

Só quando lida a última página, quedei, esfalfado e resfolegante, foi que senti o alvoroço, o reboliço, a lufa-lufa, a escandalosa agitação que a minha declamação alastrara pelo mundo das árvores e dos animais.

A mangueira, sacudida de convulsões, batia o ar com cem braços ansiosos. Casais de pássaros beijocavam-se e bicavam-se sem escrúpulos. Pares de borboletas, com uma espantosa falta de vergonha, – vibrando asas, em que pedrarias acesas fulguravam, – desmoralizavam-se, praticando ao ar livre atos que a Moral, (com M grande) reprova. Um cameleão [sic], mudando de cor de minuto em minuto, andava sozinho, à roda de si mesmo, vertiginosamente, atacado de uma inenarrável fúria amorosa. Era um pavor! Dir-se-ia que toda a Natureza comera uma provisão basta de *abacates au Kirsch*. O Dr. Viveiros de Castro, se ali estivesse, de lápis em punho, encontraria fartos subsídios para a nova edição dos seus *Atentados ao Pudor*...

Por fim, eu também comecei a sentir em mim cousas singulares: os meus lábios esboçavam beijos, os meus braços se desmanchavam em amplexos. Patife do Coelho Neto! tudo isso por causa do *Fruto Proibido*!...

Senti-me assombrosamente ferido da necessidade de amar. Fiz um soneto à mangueira, ajoelhei-me diante de uma nuvem branca que corria no céu, desfiz-me em protestos e juramentos aos pés de uma rocha bruta, alcatifada de líquens e heras. E, de repente, estremeci. Uma voz de mulher vinha cantando ao longe. Precipitei-me, arrojei-me, corri, voei... E, ó espanto! ó assombro! ó vergonha! quando ia fazer a minha ardente declaração de amor à mulher que chegara...

... vi que era uma preta velha e encarquilhada, que chegava, carregando lenha! E toda a floresta, aves e ramos, frutos e ninhos, águas e nuvens, raios de sol e barbas-de-velho, capins cheirosos e borboletas, minhocas e parietárias, - tudo, vendo o meu desapontamento, desatou numa surriada monstruosa, numa vaia estonteadora, que ainda agora me estrepita dentro do ouvido, em uivos e guinchos, em assovios e berros...

E, então, jurei que nunca mais me arriscaria a ler livros do Sr. Coelho Neto na floresta da Tijuca!

FANTASIO

17 maio 1895 À Guerra

À guerra! à guerra! – pois, então? – vamos à guerra!...

Não se trata de uma opinião, dita à porta de uma confeitaria da rua do Ouvidor, entre o vermute e o bonde, – das 5 para as 6 da tarde, – a essa hora pachorrenta, em que as almas, cansadas do trabalho e dos negócios, e os estômagos, ansiosos pelo jantar, têm uma queda tão pronunciada para o paradoxo e para a blague... Não, senhores, trata-se de uma opinião friamente e sensatamente manifestada por um deputado, em plena sessão da câmara, diante de bancadas graves e galerias atentas, – opinião que acaba de encher a cidade de espanto, o país de ansiedade, e o estrangeiro de medo... E é necessário que essa opinião seja calmamente discutida aqui, nesta coluna séria, que é, por assim dizer, o escoadouro da opinião nacional, em que passam todos os problemas que de longe ou de perto interessam a integridade e o progresso da pátria.

A princípio, parece que esse deputado delirava, quando pedia aos céus, num repto de eloqüência fogosa, estas três calamidades: a febre amarela, o câmbio a 0, e a guerra. Mas, afinal, o nosso espanto, ao ouvir esse tríplice e veemente desejo do árdego representante do Rio de Janeiro, parece-se muito com o espanto de um homem, que, tendo as roupas incendiadas, já com a pele tostada pelo fogo, e dando-se muito bem com o calor dessa deliciosa conflagração, só começasse a ter medo na hora em que um transeunte lhe gritasse solícito: "Ó senhor! quer ser feliz? pegue fogo em si mesmo! incendeie-se!" Porque enfim, a começar pela febre amarela e a acabar pelo câmbio a 0, passando pela guerra, nós já estamos acabrunhados ao peso de todas as calamidades imagináveis, e nem por isso deixamos de viver e de rir.

Encaremos de ânimo frio a perspectiva:

Febre amarela... Nossa conhecida antiga, a amável pirexia senta-se conosco à mesa do almoço e do jantar, vai conosco à rua do Ouvidor e ao teatro, é enfim, a mais íntima e a mais cordial das nossas relações. Estamos já tão afeitos à convivência desse meigo espantalho, que no Brasil não há, nem nunca houve quem, querendo fazer medo a uma criança rabugenta, lhe dissesse: "Menino! aquiete-se! quando não, vem aí a febre amarela!" Pelo contrário! conheço uma senhora, mãe de vários filhos endemoninhados, que, quando quer amedrontá-los, clama com toda a convicção: "Meninos! se não sosseguem, mando chamar a Diretoria Sanitária!"

Câmbio a 0... Grande cousa! A tabela do nosso câmbio parece-se muito com um termômetro desarranjado, que possuí há muitos anos, longe daqui, numa terra fria, em que, no inverno, os rios gelam, e cai neve a dar com um pau.

De manhã cedo, eu, quando acordava, saltava do leito tiritando, ia à parede, e olhava o termômetro. O termômetro marcava impassivelmente o que sempre tinha marcado: 8 graus acima de zero. E eu saía de casa muito convencido de que não fazia muito frio e por mais que me dissessem que havia 12 graus abaixo de zero, a minha alma, confiada ao seu termômetro querido, dava de ombros, e pensava em outra cousa. O mesmo se dá com o nosso amável câmbio. A gente compra a carne seca e os colarinhos, o açúcar e o sapato, o vinho e os livros por um preço, que indica muito claramente que o câmbio está abaixo de zero; mas, como as tabelas continuam a marcar 10, as almas continuam desafogadas e pensam em outra cousa...

A guerra!... Mas, palavra de honra! o senhor deputado tem toda a razão!... nós andamos muitos precisados de uma luta séria, que ceife para aí uns cinco milhões de vidas.

A minha geração (fiquem sabendo que tenho trinta anos!) nasceu quando já tinham cessado os canhoneios de Tuiuti e de Passo da Pátria: por isso, somos todos uns molengas. Venha uma guerra séria! venha um conflito de dar água pela barba! Verão como em cada peito de brasileiro arderá um fogaréu patriótico...

Neste ponto, sinto que alma timorata de um leitor se acobarda, se encolhe e gagueja: "ó cronista! onde iremos buscar exército? onde iremos buscar marinha? onde iremos buscar disciplina? onde iremos buscar dinheiro?..."

Que exército? que marinha? que disciplina? que dinheiro? – arranja-se tudo isso na Europa.

O deputado promotor da guerra irá à Europa, procurará Rotschild e provar-lhe-á que o câmbio é uma mesquinha preocupação de agiotas infelizes. Rotschild, a princípio, recalcitrará um pouco. Mas a eloqüência do deputado ganha-lo-á de mais em mais. E, em breve, o venerando banqueiro, escancarando as portas dos seus cofres, dar-nos-á toda a sua fortuna. Mas o deputado insistirá:

"Não me basta isso, adorado barão! com o teu dinheiro comprarei navios e Mausers: mas disciplina é que não se compra com dinheiro. Vem comigo, amado barão! tu que tão bem soubeste disciplinar os milhões e os capitais, deves ser capaz de disciplinar exércitos. Vem comigo! Vem dirigir as operações da minha guerra! Fazer mais este sacrifício pela minha terra!" Rotschild, hesitante, desculpar-se-á com a mulher e os filhos, dirá que enjoa no mar, que os seus reumatismos o incompatibilizam com as fadigas de campanha, e patati-patatá... Mas, o Sr. Érico Coelho, sem desanimar, rasgará aos olhos pasmados do banqueiro um horizonte rutilante de glórias, de vitórias, de conquistas: acenar-lhe-á com o engodo de uma patente de general honorário; e o argentário, despindo a sobrecasaca do [*****], envergará uma blusa de voluntário, e virá prestar-nos mais um dos seus desinteressados serviços...

Vamos à guerra – por que não? O deputado, que a quer, é porque pode fazê-la. Nomeiem-no comandante em chefe das tropas, que ele dará conta do recado. Ah!, os senhores não sabem de que cousas formidáveis, de que tremendas cousas é capaz um pacífico deputado, quando a mostarda das violações de fronteira lhe sobe ao nariz!

FANTASIO

11 jun. 1895 Sem Nervos [Cia]

Um jornal da Bahia, de que vi um trecho transcrito nesta folha, doutrinando sobre a vida da imprensa, escreveu que "para ser jornalista é preciso não ter nervos".

Oh! ideal sublime! ser como as engenhosas máquinas americanas de escrever, – uma fila de teclas, um rolo de tinta, uma bobina de papel – mais nada... Deixar o jornalista que os acontecimentos, os louvores, os vitupérios, as calúnias, os processos de responsabilidade, as cartas anônimas passem por sobre a sua alma como as rajadas do vento passam por cima das rochas vivas sem que as enruguem nem abalem... Que grande força daria isso ao jornalista! – e notem que esse ideal é justamente cobiçado por um jornalista! Para esse filho de Gutenberg, podem ter nervos o político, o negociante, o industrial, o poeta: não o homem de jornal, que, para bem esclarecer a opinião, deve ficar inabalavelmente e impassivelmente plantado no meio do mar da opinião pública, – como um farol que, para dar luz, não precisa sentir, e, para guiar os navios errantes, não carece de ter papilas nervosas na sua grossa pele de pedra e ferro.

Que pensarão disto os especialistas de moléstias nervosas? É a ruína desses especialistas que o jornal da Bahia deseja...

Porque é bom que se saiba: as moças solteiras e os jornalistas são os freqüentadores constantes desses consultórios complicados e cheios de instrumentos singulares: pilhas elétricas, cujos fios se entrelaçam no ar como teias de aranhas fantásticas, dinamômetros, aparelhos para a medição da força visual e da força tátil, cadeiras maravilhosas que têm de longe a aparência apavorante de guilhotinas.

Quando entrardes num desses consultórios e virdes um homem, no meio da sala, firmando-se no chão com um pé só, olhos fechados e braços abertos no ar, podeis desde logo assegurar que é um jornalista neurastênico em quem se procura verificar a existência do *sinal de Romberg*. Também quando, em vez de um homem, virdes, nessa mesma posição, uma senhora, podeis afirmar que é uma moça solteira.

Por quê?

Não entrarei em explicações sobre o caso das moças solteiras: o assunto é perigoso, e conhecido e estudado que [*****].

A predileção que as moléstias cérebro-espinhais mostram pelo jornalista é digna de estudo. O poeta, o escultor, o [*****] excitam-se, prodigiosamente, e [*****], quando trabalham: mas só aturam a sua própria excitação. O jornalista é um aparelho receptor e condensador das comoções, dos abalos, das paixões de toda uma população. Imaginemos um exemplo. O jornalista X, bem dormido e bem almoçado, sai de casa, a caminho do seu jornal. Toma um bonde elétrico. Abre todas as folhas e começa a ler. Já essa leitura principia a desorganizar-lhe o sistema nervoso. Em meio da viagem, o bonde elétrico (não fosse ele elétrico!) reduz a pó impalpável o corpo de um transeunte. X toma do lápis e registra o fato: e já é o seu próprio corpo de jornalista que sente a dor terrível do despedaçamento...

Depois, X vai à câmara fazer o seu extrato dos debates: e, posto no meio daquela multidão que discute, que se irrita, que se arrepela, X condensa dentro da sua rede nervosa toda aquela explosão de opiniões: e, ao cabo da sessão, parece que X é que descompôs e foi descomposto. X é o homem-congresso: dentro do seu cérebro, toda a política do país se baralha e confunde...

Depois, na sala da redação, X começa a receber as reclamações do público. Este, demitido injustamente por um diretor prepotente, vem pedir a defesa da imprensa: X fica com a alma cheia de indignação. Aquele outro, criador da roça, vem dizer que uma porca deu à luz, na sua fazenda, oitocentos e quarenta e seis porquinhos de uma vez só: X quase morre de espanto.

Depois, chegam as notas policiais: queijos furtados, cabeças quebradas, bêbedos apanhados na via pública, assassinatos, desastres, rolos, – tudo isso entra precipitadamente e atabalhoadamente no sistema nervoso de X: X é o homem-multidão.

Depois, chegam os telegramas da Havas.

E é X quem experimenta os abalos revolucionários de Cuba, quem fica estraçalhado pelas bombas dos anarquistas, quem é condecorado com a grã-cruz da Legião de Honra, quem morre nas guerras da [sic] Formosa, quem governa no gabinete St. James, quem destroça as tribos de Massaouah, quem...

Ao fim da noite, X não é mais um homem; X é o mundo inteiro. E no dia seguinte lá está ele, no consultório de um especialista de moléstias nervosas, sujeitando-se à experiência de Romberg...

O jornal da Bahia, onde colho este assunto, não diz de que processo se há de lançar mão para aniquilar dentro do organismo da imprensa o derramadíssimo e atrapalhadíssimo sistema nervoso. Mas deve haver um processo... As crianças que se destinam à acrobacia sofrem demoradas e pertinazes deslocações, que acabam revolucionando todas as leis da artrologia. É possível que haja, para revolucionar as leis da nevrologia, outros métodos, igualmente eficazes.

Mas ocorre-me um medo: se acabam com os nervos do jornalismo, de que hão de viver os especialistas de moléstias nervosas?

FANTASIO

27 JUN. 1895 — UMA CONVERSA

Oscar Wilde, – o fino esteta inglês – foi, ultimado o seu escandaloso processo, dar movimento, em Pentonville, à roda do *tread-mill*.

Não posso dizer mais nada sobre o caso. Nem posso dizer o que é a roda do *tread-mill*, suplício bárbaro que deixa a perder de vista tudo quanto de mais bárbaro inventou a inquisição, nem posso contar o crime de que se tornou réu o poeta inglês, – crime escabroso, cuja descrição emporcalharia esta coluna. O que sei é que as minúcias do processo e da sentença foram publicadas por um jornal desta cidade, e que, ontem, tive ocasião de pilhar em flagrante uma conversação sobre esse caso.

Era meia-noite. Frio como na Rússia. Por uma rua escura e molhada, cheia de neblinas, em que vagamente piscavam medrosas as luzes dos lampiões de gás, trotava o bonde moroso em que eu ia. Éramos quantas pessoas dentro do bonde? Cinco, sem contar as duas alimárias que puxavam o veículo: o cocheiro, o recebedor, eu e dous cavalheiros, encapotados e friorentos, que falavam do caso Oscar Wilde.

Dizia um deles:

– Meu caro! isso prova que nunca a humanidade esteve tão corrompida como hoje. Nós estamos vivendo sobre estrume. Não há mais Deus, não há mais moral, não há mais amor, não há mais pudor. Só há vícios. E por quê? porque nunca a humanidade teve, como hoje, em tão alto grau, a preocupação de cultivar a Arte...

– Que, homem? – interrompeu o outro. Você está dizendo tolices. Eu acho, pelo contrário, que hoje não temos nem devassidão nem arte. Que são os desvios sexuais de um Wilde, diante das torpezas de Nero? Pelo amor de Deus! os tempos modernos são originais em comparação com os tempos antigos... E quanto à Arte, que absurdo! pois quer você dizer que o tempos de hoje são mais artísticos que os tempos de ouro da Grécia, ou, para não ir tão longe, da Renascença?...

– Vamos devagar! – disse o primeiro conversador – A idade antiga era artista e viciosa por índole, por educação, naturalmente, sem esforço, sem histerismo, sem preocupação. Fídias era estatuário, como Sócrates era filósofo, como tal grego era guerreiro, como aquele outro era sapateiro. Não sei se era o céu, se era a raça o que influía sobre as almas. O amor do Belo nascia nos espíritos como as plantas nascem no solo virgem: sem cultivo, sem preparo. Naquele tempo, um homem acordava pintor, numa bela manhã, como hoje qualquer um de nós pode acordar bacharel...

– Não se desvie do assunto! Deixe lá as Faculdades livres... Não saia dos trilhos...

– Não sairei dos trilhos, descanse! E praza aos céus que o mesmo suceda a este bonde!... Continuemos. Hoje, a compreensão que se tem da Arte é outra. O artista já não nasce feito: faz-se. Faz [sic] à força de *chopps*, de cachimbadas, de excitações de toda a espécie, de ansiosas viagens da imaginação em busca do *novo*... O artista hoje não é um homem como os outros: é um ente à parte, sem lágrimas para os pequenos desgostos dos outros homens, porque a alma deles só tem amor para as cousas do céu. E aí tem você: a Arte de hoje é uma tortura, uma nevrose, um vício, capaz de gerar todos os outros vícios. Que quer você? esses senhores arranjaram para si uma moral nova: acham que é mais feio fazer um verso errado do que fazer o que Wilde fazia! Antigamente, a Arte, simples, espontânea, natural, como era, purificava. Hoje, a Arte, complicadíssima, torturada, epiléptica, em vez de purificar, corrompe.

– Pode ser. Mas, quanto à devassidão? [*****].

– A mesma cousa, meu caro, a mesma cousa. Antigamente, a devassidão não era rebuscada: era natural. O homem mais puro entregava-se a esses vícios, só por isto: porque a cousa era comum, vulgar, permitida, aprovada. Hoje, não! os viciosos de hoje cometem o mal sabendo que não estão fazendo uma cousa limpa: são viciosos de caso pensado, propositalmente, porque acham que isso é *chic*, porque sabem que isso é contra as leis. Tudo está na maldita mania de fazer *novo*, de ser original.

– Então, acha você que o Wilde devia ter sido absolvido?

– Não acho nada, homem! Acho que ele é uma vítima da mania da originalidade... Olhe: dizem as crônicas que esse Wilde apareceu um dia, em Paris, no *Bois*, todo vestido de branco, duro e solene, com um grande lírio branco em uma das mãos. Dir-se-ia que um anjo caído do céu... Pois aí tem você em que deu o anjo: vendo que esse excesso de angelitude não lhe dava originalidade bastante, tratou de obtê-la por meio de um excesso de devassidão. E tudo por causa da Arte, meu amigo, tudo por causa da Arte!

– Com todos os diabos! disse o outro, espreguiçando-se. Vão fazer arte desse modo para o mais profundo dos infernos!...

E, depois de uma pausa:

– Como chove, hein! Tomara eu já apanhar-me em casa...

* * *

Dlin-dlin! dlin! dlin!

Era eu que mandava parar o bonde, cansado de meter o nariz nas conversas alheias.

FANTASIO

08 JUL. 1895 SIMILIA SIMILIBUS...

O melhor remédio para queimadura é o fogo. Já o povo diz, na sua pitoresca linguagem, que dentada de cão cura-se com o pêlo do mesmo cão. Isto, que na ordem material é uma grande e inconcussa verdade, já consagrada pela sabedoria popular, precisa de ser dilatado até os fenômenos de ordem moral. Eu, quando uma grande preocupação me enche a alma, procuro logo uma outra preocupação maior ainda; e assim, de agonia em agonia, fico com o pensamento embotado. Sabei: quando estiverdes tristes, ide fazer uma visita a um cemitério, e vereis que grande alegria nascerá desse excesso de tristezas.

Um amigo meu descobriu um meio seguro de matar o tédio. Quando acordava com a alma cheia de diabinhos amarelos do enfaro, nesses dias em que a gente vê tudo escuro, tudo fúnebre, tudo horrível, o meu amigo equilibrava sobre o nariz uma luneta de vidros pretos, e punha-se, através desses anteparos enfumaçados, a contemplar os homens e as cousas. Via tudo negro: e dali a pouco (Porque essa cor lúgubre não tardava a causar-lhe um sofrimento intolerável) o meu amigo, retirando a luneta, e vendo o sol, e vendo as morenas que passavam, e a verdura dos jardins, e a alegria de todos, ficava também alegre, e não pensava mais nos diabinhos amarelos.

Pois bem! nesta época, em que a gente não dá um passo nas ruas sem topar um conflito, uma arruaça, um bate-barbas, uma conflagração de almas, um escangalhamento de ossos, um esmurramento de ventas, descobri um meio de ligar pouca importância a essas cousas: é ler os telegramas do estrangeiro.

Aqui tendes um exemplo. Nós todos nos espantamos com esses motins freqüentes, que fazem agora da nossa rua do Ouvidor uma arena sanguinária. Por dá cá aquela palha, porque Fulano nasceu ou porque Sicrano morreu, porque a República está em perigo ou porque a República está salva, ronca freqüentemente o sopapo na nossa *urbs* tumultuária. E os homens graves, como eu, os homens conservadores e pacatos, meditam: – Meu Deus! por que é que se faz tanto barulho por tão pouca cousa? então os partidários do céu cinzento quebrar-me-ão a cara, só porque eu gosto mais do céu azul? então, porque prefiro comer aspargos com azeite e vinagre, os amigos dos aspargos com molhos de manteiga me hão de amassar as costelas? Onde estão então essa famosa liberdade de pensamento, e essa inefável liberdade de culto, firmadas e decretadas no mundo, desde 1789, a custa de tanta lágrima e de tanto sangue?!!!

Ai! homens pacatos! eu também estava amarguradamente pensando essas cousas, ontem de manhã, quando deliberei, para aplicar à minha mágoa o remédio de que lhes falei há pouco, ler os telegramas do estrangeiro. E eis que li esta cousa: "Boston. Durante as festas que realizaram-se ontem aqui deram-se graves desordens. Grupos anti-clericais, tendo proferido gritos hostis contra o partido católico, seguiu-se um conflito. Uma pessoa foi morta e outras gravemente feridas. A polícia custou a manter a ordem. Os principais promotores deste conflito foram presos".

Lestes bem? Notai que Boston é a capital de Massachussetts, é uma grande cidade livre, da mais adiantada, da mais tolerante, da mais civilizada república do mundo. Pois bem! Em Boston, ainda se ensangüentam caras e ainda se arrebentam crânios, em lutas religiosas.

Em lutas religiosas! Depois do martírio de Santo Estêvão, de S. Policarpo, de S. Cipriano, depois dos massacres de S. Bartolomeu e dos albigenses, depois de Hipatia, de Jerônimo de Praga, de Bruno, de João Huss, depois de tudo isso, – a que a gente dá o nome de barbária, ou de selvageria, ou de brutalidade, – em 1895 a população de uma libérrima cidade da América ainda se convulsiona, em plena praça pública, dividida em dois partidos, para discutir, a pão e a tiro de revólver, sobre se Lutero era maior que Leão X ou se Inácio de Loyola era maior que Calvino!...

Ora pois! sejamos benevolentes para as nossas arruaças da rua do Ouvidor! Povo gosta de rolo, só porque é povo, – por mais nada. Todo o pretexto serve. Pátria! fica sabendo que te desculpo! com os olhos em Boston, dou a minha absolvição à rua do Ouvidor!

FANTASIO

10 JUL. 1895 — EM VENEZA

Quem vos mandou, poeta do Norte, dar à cidade do Recife o doce nome de Veneza brasileira? A denominação é doce, mas as conseqüências são amargas.

O Sr. Barbosa Lima tomou a sério a metáfora, e acreditou que, se Pernambuco é Veneza, ele, governador, não pode deixar de ser *doge*. E, por isso, implantou ali o seu domínio autocrático, e, considerando-se eleito para toda a vida, como Paulo Anafesta em 697, ficou com o direito de paz e de guerra, de investidura prelatícia e de nomeação de tribunos.

Não sei (hei de perguntar isto ao coronel Cintra!), não sei se o *doge* de Recife, ao coroar-se, seguiu em tudo o velho ritual do Adriático. Por que não? é possível que S. Ex., revestido de púrpura, apassamanado de ouro, rutilante de pedrarias, depois de haver percorrido as ruas de sua Veneza americana, se tenha feito ao largo, a bordo de um Bucentauro flamejante de pavezes, para lançar ao seio das verdes águas do Norte o seu anel esponsalício. Mas, que importa o ritual? Vamos ao caso.

E o caso é que eu aplaudo o *doge* pernambucano. Amo os governos absolutos!

Esta população anda muito iludida comigo. Na minha alma de cronista alegre, dorme a pequena semente sangrenta de um tirano. Dêem-me o poder por um par de dias, e verão como se salva a pátria em dous tempos. Esta pena, que enche de fantasia as tiras de papel, enchê-las-á de listas de proscrição: e arrastarei as abas de minha sobrecasaca pelo sangue dos inimigos da República. Eu sou uma fera!

O último ato do *doge* encheu de orgulho o meu coração. Refiro-me à lei de imprensa a que já estão sujeitos todos os jornais e todos os jornalistas do Recife. Já sei que vão clamar: "renegado! atraiçoas a tua classe!" – Oh! não faz mal! trânsfuga da minha classe, sacrifico os meus próprios interesses no altar dos interesses da lei.

A Constituição Federal proíbe o anonimato. Mas, proíbe-o vagamente. Barbosa Lima, *Doge Primeiro*, gosta das cousas bem claras; proíbe a falta de assinatura, proíbe as iniciais, proíbe os pseudônimos, quer que seja tudo assinado, – tudo, desde o artigo de fundo até o anúncio de teatro – e assinado com o nome por extenso, e com a declaração de idade, do estado e da profissão do escritor. Isto é que é lei!

Daqui por diante, ler-se-ão nas folhas de Pernambuco, cousas como estas: "Ontem em Caxangá, foi preso o Sr. Serapião Mendes, por andar nu pela via pública. (Assinado) Joaquim Fagundes de Cedofeita, solteiro, 30 anos, repórter". "Na rua tal, número tal precisa-se de um copeiro. (Assinado) D. Maria Vilaça Guedes, casada, 60 anos, mãe de família". Isto é que é obrigar a população a viver às claras, – cousa que fica bem a um *doge* positivista.

Telegrama dos inimigos da República dizem que isto é uma ofensa à liberdade de imprensa. Que necedade! Ainda há quem pense em liberdade de imprensa? Onde é que julgam estar os inimigos da República? estão ou não estão em Veneza? O Sr. Barbosa é ou não é *doge*? tem ou não tem o direito de paz e de guerra, e de investidura tribunícia e prelatícia? casou ou não casou com o mar? é ou não é o senhor absoluto das Consciências e das Massas?

Que necessidade tem a imprensa de ser livre, quando há ali para iluminar as almas a grande alma do Soberano Marido das Águas? E, para que essa grande alma ilumine as outras, não é necessário que as conheça bem, por dentro e por fora, sem véus, desnudadas ao vivo sol da publicidade? Abaixo o anonimato! A cadeia precisa saber os nomes dos que a merecem, discutindo os atos do *doge*!

Queixem-se os pernambucanos de quem deu ao Recife o doce nome de Veneza. Eu, por mim, declaro que compreendo e aplaudo Barbosa Lima. E continuarei a compreendê-lo e aplaudi-lo, mesmo quando, farto de ser senhor de tão pequeno território e de tão minguadas águas, o *doge* resolva estender até as águas da Guanabara a soberania das suas galeras de guerra e da sua lei de imprensa. É preciso que todos façam como eu, e assumam a responsabilidade do que escrevem.

Porque em verdade vos digo que o meu verdadeiro nome é o que vai por baixo desta coluna. O outro nome é que é pseudônimo: só me sirvo dele para assinar versos e outras baboseiras. Quando trato de política, desprezo por covarde o pseudônimo, e, corajosamente, assino-me, em público e raso.

Fantasio

29 jul. 1895

Crônica

Ainda hoje, apesar da grosseria que caracteriza o nosso tempo, os rapazes, – querem deslumbrar as namoradas, à hora em que elas, muito penteadas e muito pálidas, melancolicamente digerem à janela o seu jantar, – timbram em descer dos bondes em movimento, dando ao corpo um impulso estudado, caindo elegantemente sobre a calçada, com a coluna vertebral dura, a cabeça empinada, os calcanhares juntos, e um grande ar de triunfo e de intrepidez na face.

Degeneradas através dos séculos, chegaram a isto as nobres usanças da cortesia medieval.

Antigamente, os namorados, para crescer em fama aos olhos da dona dos seus sonhos, embraçavam o escudo, empunhavam a lança, e saíam mundo em fora, a vencer os reis e a conquistar os reinos. Hoje, como já não há reinos que se conquistem, nem reis que se deixem vencer, os cavalheiros corteses brilham aos olhos das suas damas com um tostão de despesa, um pulo ágil e... o risco de perder as duas pernas ou a cabeça, debaixo das rodas de um elétrico. Porque, outrora, quando só as mulas mansas e patriarcais puxavam os bondes, ainda essa proeza não tinha perigos consideráveis; hoje, com os elétricos, que arrastam em pós si rosários de carros, a façanha não é das menos arrojadas.

O que me espanta, é que, mesmo às horas de trabalho, às horas em que as senhoras não costumam estar à janela, e em que, portanto, os saltadores não têm galeria digna da sua bravura, haja quem se dê a esses luxos de acrobacia. Mas os acrobatas contentam-se com qualquer galeria: não havendo mulheres, resignam-se a deslumbrar os homens. Ainda não vi um homem do povo, um homem de trabalho arriscar-se a esses pulos elegantes. Em geral, os puladores são rapazes árdegos ou velhos taques [?] da moda que querem fazer bonito. Alguns desculpam-se com a pressa que dizem ter, alegando que os comboios de três e quatro carros custam muito a parar. Pois sim! em fazer um sinal ao condutor e em esperar a parada do elétrico, esses apressados perderiam, se tanto, três minutos: e os que assim economizam três minutos, vêm quase sempre perder três horas na calaçaria da rua do Ouvidor.

Não me digam que defendo a direção da companhia, nem os motorneiros, nem os condutores. A teimosia da companhia em não acabar com os comboios de vários carros é um abuso que toca as raias da patifaria; e quanto aos motorneiros e condutores, esses têm, pela sua negligência, causado tantos desastres, que o inferno para eles, deve estar calçado de pernas partidas e braços estraçalhados. Mas ninguém lhes poderá lançar toda a culpa pelos desastres, enquanto houver imprudentes que por sua livre vontade se atirem sob os comboios em movimento.

Aqui estou eu que fui testemunha de vista do desastre de anteontem, no Catete, desastre que nenhum jornal noticiou.

O elétrico puxava três bondes. Dous moços, rindo, apostando a carreira correram toda a largura da rua, e vieram pendurar-se nos balaústres do segundo bonde. Seguraram-se ambos ao mesmo tempo, atrapalharam-se mutuamente, empurraram-se, e um deles veio, de roldão, expor os pés às rodas do último carro.

Se, a cada um destes desastres, um dos diretores da *Botanical* fosse sumariamente processado e recolhido à cadeia, eu não escreveria este artigo, porque amaria castigado, embora sem culpa direta, quem serve tão mal o público, quando dele e do governo tantos favores recebe. Mas quem paga sempre o que não comeu nem bebeu, é o motorneiro, um pobre diabo que tem filhos a sustentar, que vai para a correção, que perde dias de trabalho, e que é despedido do emprego, – por causa de desastres em que, como o de anteontem, a vítima poderia ter evitado, com um pouco de prudência, um padecimento horrível.

Santo Deus! custa tão pouco mandar parar o bonde!... O bonde há de parar! E, se não parar, custa tão pouco dar à companhia denúncia contra a desobediência do condutor! – mais juízo, mais prudência, mais vagar – por todos os Santos do céu! Os prodígios de equilíbrio e de ginástica que os japoneses fazem no Lírico, são devidos a muito jeito, a muita vocação, a muito estudo, a muito exercício.

Para que se há de dar à prática da acrobacia quem não nasceu para isso e disso não faz profissão?

FANTASIO

06 AGO. 1895 — DORMIENTIBUS...

Alta ia a noite no largo do Rocio, quando, segundo rezam as folhas, Sebastião, cocheiro de tílburi, adormeceu. Fechados os teatros, os restaurantes, o largo estava também dormindo o seu sono profundo, cortado apenas, de quando em quando, pelo rodar de algum carro que passava cheio de gente alegre, ou pela canção titubeante que algum ébrio romântico mandava às serenas estrelas. Sebastião adormeceu. E provavelmente sonhou. Sonhou que era dono do tílburi, que o mandava restaurar, que o punha garrido e taful, e que os fregueses afluíam, e que um belo dia um personagem de alta esfera – o príncipe de Gales, ou o imperador da Rússia, ou da China, ou do Japão – chegava, viajava no seu tílburi, gostava do serviço, elogiava o cavalo, elogiava os coxins, elogiava os arreios, e condecorava-o a ele, Sebastião, com a Águia Branca, ou com o Tosão de Ouro, ou com a ordem de Santo André, e dava-lhe dinheiro a rodo, muito dinheiro, muitas honras, muitas jóias, muitas mulheres, muitas...

Mas, aqui, Sebastião acordou. Eram seis horas da manhã. Neblinas vagas, trêmulas, esgarçadas, embrulhavam a estátua de Pedro I, pairando, já batidas de sol, sobre os canitares dos caboclos de bronze, enchendo a goela dos jacarés também de bronze, e desfazendo-se em gotas de orvalho ao passar pelas árvores raras do jardim. Raios de luz dourada palpitavam na fachada de S. Pedro e na fachada do Derby. Passavam vacas leiteiras, chocalhando campainhas. Caminhões rodavam, tumultuosamente. E Sebastião, esfregando os olhos empapados de sono, espantou-se: "Diacho! dormi toda a noite! Toca para a cocheira!" E, apanhando o chicote, rodou no ar... Ó espanto! o chicote fez a sua volta airosa, e, ao cair, não encontrou lombo de cavalo em que caísse. Sebastião arrancou um punhado de cabelos. Sebastião estava roubado! enquanto dormia e sonhava, alguém lhe desatrelara o cavalo, e abalara com ele...

Isto passou-se há três dias.

Dir-vos-ei agora que não escrevo este artigo apenas para registrar a desgraça de Sebastião, cocheiro de tílburi. Que importa à nossa vida o furto de um cavalo? Nada.

Mas este Sebastião é um símbolo. Não posso mentir à minha reputação de Simão de Nântua, deixando de aplicar o conto para edificação moral da minha gente. Não durmamos nunca, senão com um só olho! a quem dorme não protege o direito: *dormientibus non...* Se bem que o Brasil não seja um cocheiro de tílburi, e posto a ilha de Trindade não seja um cavalo, ainda assim a Inglaterra não deixou de se aproveitar do sono brasileiro.

Quando houve os desterros de 10 de abril, um ministro, tratando de escolher os pontos fortificados que deviam ser dados como habitações de vilegiatura forçada aos conspiradores, lembrou a ilha da Trindade. Surgiram logo protestos indignados: "Oh! a Trindade! uma ilha inóspita e calva! nunca!"

E escolheu-se de preferência o Cucuí, e escolheu-se a Tabatinga. Formidável erro! erro nunca assaz deplorável! Se aqueles terríveis carbonários tivessem ido purgar os seus crimes nas rochas da Trindade, nós teríamos ocupado a ilha, moral e militarmente. Os conspiradores castigados (porque entre eles havia poetas) não deixariam de gravar nas pedras alguns versos tristes, ou os nomes doces das respectivas mulheres amadas. Esses documentos líricos pesariam agora, que farte, na balança do Direito Internacional; porque onde há versos e amores há raça brasileira: as armas da nossa terra poderiam bem ser formadas por um sabiá, de barrete frígio, assobiando sobre uma folha de palmeira.

Mas o sentimentalismo do governo privou o Brasil dessa afirmação irrefutável do nosso direito à ilha da Trindade. E o Brasil dormia, nos coxins da sua preguiça, como Sebastião nos coxins do seu tílburi. A Inglaterra veio e desatrelou-nos a ilha...

quero dizer: tomou conta da Trindade. E temos agora, para que não fiquemos eternamente sem cavalo, o incômodo das negociações, da troca de notas, do suor das indignações, do clamor dos *meetings*, – cousa que teria sido evitada, se tivéssemos o bom costume de dormir com um olho aberto e o outro fechado.

Dormientibus non sucurrit jus... Tomemos café, para espantar o sono!

FANTASIO

14 AGO. 1895 CARTAS ANÔNIMAS

A Agência Havas, a quem já devo tanta comoção e tanto assunto, disse-me isto por intermédio de todas as folhas: "Viena, 12. O imperador recebeu hoje, por volta do meio-dia, uma carta anônima, contendo violentas ameaças". Eu, de um salto, fiquei inteiriçado no meio da sala, ergui com orgulho a cabeça, e senti uma necessidade urgente de apostrofar o imperador da Áustria. Mas como não sabia de que lado ficava a Áustria, sentei-me, desolado, na impossibilidade de esticar para as bandas do Danúbio azul o meu braço carregado de invectivas. Mas a imprensa vale a tribuna. Apóstrofes impressas valem apóstrofes declamadas.

Põe-te aqui, diante de mim, Francisco José! tira da cabeça a coroa! arroja o cetro ao chão! despoja-te de toda essa empáfia de senhor da Dalmácia, do Tirol, da Eslavônia, da Ilíria, da Morávia e da Transilvânia! põe-te aqui, Francisco José, imperador da Áustria! e olha-me em face, e dá-me a tua mão, e fica sabendo que somos iguais! Que o universo nos contempla assim, e que eu possa dizer:

"Isto aqui é um cronista, e aquilo ali é um rei!" como diria Triboulet, no *Le Roi s'amuse*, – se Triboulet, em vez de bobo de Francisco I, fosse cronista fluminense, o que, no final das contas, vem a dar no mesmo. Francisco José! o Deus que ambos adoramos, quis mais uma vez provar que os homens todos, imperadores e cronistas, reis e bobos, não valem nada diante da sua onipotência. Já tínhamos de comum as supressões de transpiração e as dores de dentes, o amor da vida e o medo da morte, e, mais que tudo, como homens que ambos somos, a necessidade de ganhar a vida com o amor... das nossas penas, – tu assinando decretos e eu assinando artigos. Pois temos agora um novo ponto de contato: ambos recebemos cartas anônimas.

Verdade é que, quando aqui os cronistas recebem das solícitas mãos dos estafetas do amigo Martinho de Freitas uma dessas missivas anônimas, a agência Havas, que é sebastianista e ainda admite distinções de raça e de sangue, não leva o revoltante caso ao conhecimento do mundo culto. Pouco importa! Que a carta anônima fique em segredo entre o remetente e o destinatário, ou que pelos cabos submarinos caia no domínio público, – a fúria de quem a recebe é a mesma, fúria impotente e concentrada.

Também não quero saber, Francisco José, que ameaças violentas te fazem a ti, dono da Áustria e da Hungria! A mim, costumam ameaçar... de quê? de expor ao riso público, na tábua rasa do a pedido, não sei bem que segredos, prenhes de escândalo e de vergonha, que eu sou o primeiro, por justa curiosidade, a desejar desvendados; vão mais longe: vaticinam-me que terei um dia a cara quebrada, ao dobrar uma esquina. A ti, que vaticinarão os anônimos, Francisco José? uma triaga venenosa perfidamente propinada na sopa ou no peixe? um golpe de punhal de luxo, como o que prostrou Carnot sem vida, nos coxins do seu landau? uma panelada de dinamite à Vaillant? uma bomba à Orsini? Não sei! o que sei, é que tremes, e que o teu tremor, propagado e acrescido pelo tremor dos fios telegráficos da Havas, é hoje sabido de todo o mundo. O que sei mais, é que isto nos iguala. Uma carta anônima acaba de ligar-nos mais do que nos ligaria um parentesco ou uma amizade.

Põe-te aqui, Francisco José! tira a coroa, joga fora o cetro, despoja-te da tua empáfia, olha-me bem em face, e dá-me a tua mão! Tu num trono, eu numa cadeira, tu empunhando o cetro, eu empunhando uma caneta, somos iguais diante desta velha e sagrada instituição da carta anônima.

Oh! velha! velha! velha! – Consola-te com o que te vou dizer, Francisco! No princípio, era o verbo. E Deus, depois de ter feito as águas, os céus e as terras, fez o homem. E do homem tirou a mulher. E deu-lhes o Paraíso. Mas o diabo levou o homem e a mulher ao pecado, e escreveu uma carta anônima a Deus, dizendo que se quisesse apanhar em pecado flagrante as suas criaturas, fosse a tal hora, em tal noite, espiar o que faziam debaixo de uma certa árvore do quintal paradisíaco. E foi assim que tu e eu, ó Francisco José!, por culpa de uma carta anônima, em que se falava mal dos nossos primeiros pais, fomos expulsos da graça de Deus!

Fantasio

16 ago. 1895 — Miragem

Miragem é um romance *vivido*. Toda a lufa-lufa, todo o tumulto, toda a febre destes últimos seis anos da nossa existência, estão aqui, nestas quatrocentas páginas, que o nome glorioso de Coelho Neto assina. Bem disse, nestas mesmas colunas, um grande mestre, "que Coelho Neto tem o dom da invenção, da composição, da descrição e *da vida que coroa tudo*". *Miragem* não é um romance apenas: é de algum modo um livro de memórias, em que o escritor, sob um tênue véu de ficção, quis perpetuar a impressão de acontecimentos que viu e sentiu e estudou.

Em primeiro lugar, memórias pessoais, individuais. Quando Fabrício, um dos personagens secundários do livro, se lembra do sertão maranhense, é o próprio maranhense Coelho Neto quem revê a terra natal: "Lá para as suas bandas quase desconhecidas, o sol era mais dourado, o luar mais claro; as gentes de uma lealdade primitiva, de uma hospitalidade bíblica, não conheciam a traição, nem sabiam negar pousada ao caminhante. Os lares eram mais alegres, e de que amores no tempo farto das colheitas, quando às eiras acudia o povaréu vizinho para ajudar a bater o arroz do ano, ou para despolpar o algodão novo. E os desafios junto ao fogo, ao som das violas! e a vaquejada terrível, quando o gado descia das malhadas longínquas para a marcação no curral do sítio!..."

Depois, memórias de política, de história pátria, de vida social. A ação do romance começa propriamente, quando Tadeu, o protagonista, *vencido pela terra*, tísico, desesperando de poder um dia ganhar a vida na lavoura, vem para o Rio e faz-se soldado, e acaba depois da proclamação da República, quando o soldado, minado pela tuberculose, volta a Vassouras, berço dos seus primeiros anos, e vai achar a mãe prostituída, os amigos mortos ou na miséria, – e toda a vida a recomeçar – se é que moribundo ainda pensa em recomeçar a vida! Nesse curto espaço de tempo que dura a miragem de Tadeu, entre o início do seu grande sonho e o seu grande desengano, o desgraçado parece viver cem anos, vive demais, a galope em delírio.

Tadeu não é um homem: – aos meus olhos, à proporção que se sucediam as páginas do livro, tristes estas, alegres aquelas, umas calmas e quietas, outra barulhentas, dizendo de combates e marchas militares, retalhadas de toques estridentes de clarins e de rufos roucos de tambores, – aos meus olhos, a vida que se desdobrava, não era já a do caboclo Tadeu, mas a do próprio Brasil, que, como ele, também teve uma vida precipitada e febril nesses anos de febre e miragem.

A descrição da marcha do regimento de Tadeu para Mato Grosso, da vida de acampamento e de costumes militares, a evocação da guerra do Paraguai feita por um veterano, a jornada de 15 de novembro de 1889, são trechos de uma verdade assombrosa. Há retratos que saltam das páginas, vivos, animados, falando. Veja-se por exemplo, o perfil do grande Deodoro: "Nesse mesmo instante, as portas abriram-se de par em par: instintivamente, voltaram-se todos e viram atravessar o corpo da guarda um cavalheiro e logo em seguida outros. O veterano, que olhava, anunciou, risonho e trêmulo: – É Deodoro! E, logo, na forma, de homem a homem correu a nova: – É Deodoro! Haviam reconhecido o velho camarada de exílio. Era ele que assomava, altivo e bravo, entre os oficiais do seu estado-maior, sobre o ginete, que saltava, dilatando as narinas, excitado pelo aparato guerreiro. Aproximava-se a meio galope: e quando a corneta soou a continência, foi com entusiasmo e orgulho que todos os homens do batalhão do degredo lhe apresentaram as armas. Sorriam, contemplando o perfil de águia do soldado... Saíram para o campo exterior... E logo que o general apareceu, estrugiram brados e houve à luz clara da manhã gloriosa um longo flamejar de espadas que o saudavam..."

O livro todo é assim. As descrições ardem e palpitam: dir-se-á que o escritor deu-se pressa em passar para o papel as suas impressões, cioso delas, com medo de que perdessem com a demora a intensidade primitiva. *Miragem* é um livro de ontem: quem o lê, vai por si mesmo constatando a verdade do que nele se diz. De modo que, sendo um dos mais poderosos livros da nossa literatura, pelo fulgor do seu estilo, é ainda um documento histórico do mais alto valor, porque fotografa com uma fidelidade escrupulosa uma das mais curiosas fases da nossa vida social.

E que sopro de paixão e de ternura anima estas páginas! os amores de Tadeu e da cabocla Maria Bárbara, – "ela virgem, ele quase puro" – em Corumbá, são ditos com uma comoção rara. Que cena, a do apartamento! "No momento do embarque, apertaram-se comovidamente, e, diante do exército, à luz quente do sol, colaram os lábios do derradeiro beijo, e desenlaçaram-se. Ela ficou petrificada a olhar, e ele, com os olhos cheios de lágrimas, acenava-lhe de longe. Por fim, uma sombra apenas na praia, imóvel, até que foi sumindo, sumindo, desaparecendo..."

Enfim, este livro... Oh! Coelho Neto é um triunfador! Amá-lo e admirá-lo, sem frases, é o mais que posso fazer.

O. B.

20 ago. 1895 — Vida Fluminense

Há poucos dias, o meu amigo de crônicas, *Valdevinos* – esse mesmo trêfego e cintilante sujeito que registra aqui as *Notas de um Estróina*, publicou uma carta curiosa. Era de mulher, e mulher bela. Três iniciais, J.M.S., mascaravam a missivista. Não sei quem é Mme. J.M.S., mas, não hesito em dizer que é bela, porque enfim, só as mulheres belas são perseguidas na rua, e é essa, justamente, a maior queixa da carta dessa dama.

Queixa-se Mme. J.M.S. de não poder sair à rua sem encontrar malandros, malcriados que a persigam, que a namorem, que a reqüestem.

Isso é costume fluminense, minha senhora! Quando um janota, posto espetacularmente à porta de qualquer confeitaria da rua do Ouvidor, vê uma senhora desacompanhada de homem, imagina logo ver uma caçadora de aventuras. Nós temos ainda, neste particular, uma educação rudimentaríssima, para não dizer... nulíssima. Somos tão grosseiros (quando digo "nós" não quero entrar para a súcia; não sou janota, ainda que, às vezes, possa ser grosseiro) – somos tão mal educados, que não compreendemos possa uma senhora honesta passear sozinha, sem trazer consigo, numa atitude de *bulldog* zelador, um pai, um irmão ou um marido, apercebido de uma grossa bengala punidora, e de punho fechado, pronto para esmurrar a face pilantra de um desrespeitador. Ah! não há dúvida: muita má criação corre estas ruas, merecedora de muito pau e de muito pontapé.

Já por aqui vê Mme. J.M.S. que não desculpo os janotas da rua do Ouvidor. Não sou pai nem marido; mas, quando um pai ou um marido pune o *dandy* que lhe desrespeita na rua do Ouvidor a filha ou a mulher, bato-lhe palmas. Porque, enfim, se ainda não o sou, não é de todo impossível que o venha a ser...

Mas, é preciso que se diga aqui uma cousa, com a qual, naturalmente, não há de ficar muito satisfeita a formosa correspondente de *Valdevinos*. Tenha paciência, Mme. J.M.S.! Bem sei que não há mulher que ame ouvir dizer mal de mulheres, quando a maledicência sai da boca de homem. As senhoras criticam-se... entre si. A barba que se mete entre essas maledicências sai arrepiada, quando não sai arrancada. Mas, que importa, Exma. senhora? Zangue-se, mas ouça! Sou muito amigo das damas, porém ainda sou mais amigo da verdade, que também é uma dama, e das mais respeitáveis.

A cousa é esta: há senhoras que, sem nada perderem de sua virtude, da sua honestidade, da sua respeitabilidade de mãe de família presentes ou futuras, não se impõem ao respeito dos desocupados ouvidorianos.

Todas as tardes, no Castelões, no Pascoal, no Colombo, em todas as confeitarias da moda, vêem-se senhoras de boa família que conversam amavelmente com os *garçons*, e chegam mesmo a lhes dar a mão a apertar, com uma afabilidade que revolta. Notemos antes de tudo (cousa já muito notada e já muitas vezes escrita) que no Rio de Janeiro o animal mais petulante e confiado é o servente de confeitaria, de botequim e de casa de pasto. Na Europa, o homem que serve sopas, cafés, copos de leite ou sorvetes, é *garçon*, é "rapaz de servir", é criado. Aqui é "caixeiro". No entanto, é ele quem varre a casa, quem corta o presunto gorduroso, quem lava os copos, quem anda de guardanapo ao braço. Pois é a esses empregados que, em geral, as senhoras dão a mão enluvada, confiando a doçura e o perfume da sua luva *peau de suède* a dedos grossos e sujos, calosos ainda da última vassourada ou ainda engordurados pelo último corte de presunto.

Nos armarinhos, a mesma cousa. O caixeiro, encostado no balcão, melancolicamente relembrando o seu último baile de sociedade carnavalesca, - fica radiante quando vê chegar uma freguesa bonita. Conversa com ela com uma intimidade de noivo, aperta-lhe demoradamente a mão, diz-lhe que a acha formosa, elogia-lhe o brilho dos dentes, conta-lhe anedotas. Quem é que nega isto? Há senhoras que ficam quatro horas num armazém de modas, ouvindo a voz suave de caixeirinhos encalamistrados...

Pois bem. O janota ouvidoriano só tem uma ocupação: ver o que se passa na rua, nas confeitarias e nos armarinhos. Vê essas cousas e toma nota delas. Por que razão não há de um *dandy* fazer o mesmo que faz um servente de loja de modas ou um criado de confeitaria? O *leão* da rua do Ouvidor julga com razão que pode impunemente desrespeitar todas as senhoras em geral, porque vê algumas que a si mesmas não se respeitam.

Dura verdade, mas verdade. Na Europa, uma senhora, quando dá a mão a um homem, dá-lhe uma honra e uma distinção altas e raras. Só aqui é que se barateiam assim os apertos de mão.

Esbordoemos o janota malcriado que desrespeita as senhoras, – de acordo! mas, não lhe dêem as senhoras a ocasião de ser malcriado.

Mme. J.M.S., não se mostre tão zangada comigo! Já lhe vejo daqui a formosa face retorcida de cólera... Olhe! eu já aqui estou, de joelhos, ao fim da coluna, pedindo perdão!

FANTASIO

21 OUT. 1895 CRÔNICA

Espantam-se todos: que é isto? que nova loucura, repentinamente alastrada, gera estes casos, que a imprensa agora está registrando, de torturas infligidas a crianças?

Ingênuos! não há um florescimento anormal de perversidade: não se trata de uma sorte de epidemia moral. Se os casos aparecem com desusada freqüência, é porque a revelação do primeiro induziu pessoas caridosas à revelação de outros, que já conheciam de longa data, mas que não se atreviam a denunciar. A campanha piedosa, em que a imprensa se empenhou, em favor da pobre Isabelina, assassinada a pontapés pela hedionda senhora de Botafogo, calou fundo no ânimo da população. Gente que diariamente assistia, calada, ao martírio de menores, lendo os artigos publicados, sentiu-se de súbito tomada de piedade e correu à polícia. Para alguma cousa boa há de servir a imprensa, que serve para tanta cousa má...

Nada é mais freqüente, nada é mais comum, nada é mais *humano*, que a crueldade exercida contra crianças. Por quê? porque o geral dos homens é perverso e covarde. Dirão que isto é um paradoxo, eivado de pessimismo. Felizes os que ainda crêem que o homem é naturalmente bom!

Meus pobres amigos! a bondade é uma exceção... E o mais caridoso, o mais sensível, o mais generoso, o mais bondoso de todos nós é, ainda assim, um patife de tal ordem, que, como Hamlet, deveria profundamente arrepender-se de ter vindo ao mundo...

A maioria dos homens é perversa: gosta de ver sofrer. Mas, como sobre ser perversa é covarde, a maioria dos homens prefere exercer a sua perversidade contra as crianças, que não se podem defender.

Eu, que aqui estou, já tenho gasto muitas resmas de papel e muitos potes de tinta em pedir a proteção da polícia para as crianças que são, em número incalculável, exploradas, prostituídas e supliciadas nesta cidade. A polícia, naturalmente porque tem muito que fazer, não tem lido. Ainda agora mesmo, acabo de ver um menino, que conheço há meses, que é vítima da mais revoltante exploração. É um italianozinho, de nove anos talvez. Vende bilhetes de loteria. Às duas horas, quando a loteria vai ser extraída, todo o mundo o vê correndo as ruas, chorando, agarrando-se aos transeuntes, pedindo-lhes de joelhos que lhe comprem os bilhetes. Disse-me ele, um dia, que, quando não impinge todos os décimos, o pai, em casa, esbordoa-o sem piedade. Um dia encontrei-o com o rostozinho coberto de equimoses roxas: fora pisado longamente pelos tacões das botas paternas, para pagar o alto crime de não ter podido vender na véspera toda a sua mercadoria. Não falo agora das meninas de sete a dez anos que passam a noite em claro a vender flores às prostitutas, e que, quando não esvaziam a sua cesta de rosas e violetas, são moídas de pancadas pelos que as exploram: não falo disso agora, porque, a respeito disso, já escrevi mais de vinte artigos, que a ninguém comoveram.

Só quando aparece um caso mais sério, como o de Isaltina, que morreu esbordoada, ou como o dessa pequena Honorata, que lá está penando no hospital da Santa Casa, é que a polícia se abala.

Ingênuos – os que pensam que se trata de uma florescência anormal de barbaridade e de selvageria! Quereis saber? Não há talvez, em todo o Rio de Janeiro, uma só rua em que não haja uma criança quotidianamente martirizada.

Esta velha *blague* da "tradicional bondade do coração brasileiro" é uma das muitas mentiras convencionais da nossa terra. Nós temos no corpo uma grande dose de sangue de bugre antropófago, uma grande dose de sangue de africano bestial. Não vos lembrais de que, ultimamente, no Sul, apareceram sujeitos, de um e de outro partido, que "degolavam" por gosto, por amor da arte? Não vos lembrais de que, há apenas oito anos, ainda fazendeiros metiam escravos dentro de fornos, para os assarem em vida? Não vos lembrais de que as nossas guerras tiveram sempre um López retalhado depois de morto, um Gumercindo desenterrado e mutilado, um Saldanha queimado? Não vos lembrais de que, ainda há pouco tempo, se descobriu que visitantes do Jardim Zoológico envenenavam os animais raros, atirando-lhes pão com arsênico? Somos bons? somos bons para o fogo!

Não se trata de uma sorte de epidemia moral, repentinamente alastrada. Daqui a poucos dias, quando passar a moda – (porque, desgraçadamente, isto de estar a gente se preocupando com a sorte das crianças é moda que passa, como todas as outras!) – não se falará mais em Isaltina nem em Honorata, e as crianças continuarão a ser supliciadas. Por ora, a desgraçada Honorata está sem se alimentar, há uma semana, no hospital, com toda a boca aberta em chaga pela queimadura. Mas, daqui a dias, a polícia entrega-la-á de novo a sua carinhosa mãe, para que continue a experimentar os deliciosos efeitos da aplicação do ovo quente como meio de educação...

Que dizeis? que estou exagerando? Mas que há de a polícia fazer senão isso? Que asilo temos hoje para crianças? E não vos lembrais de que há um ano se descobriu que os meninos recolhidos em uma casa de caridade passavam fome e sede e apanhavam como burros, enquanto o diretor mandava tocar tambor e trombeta para, com o ruído da música, abafar os gemidos das crianças? Meus pobres amigos! em verdade vos digo que só uma cousa boa pode hoje suceder a Honorata, como a todas as crianças que não têm pais e mães que as amem: é morrer.

FANTASIO

29 OUT. 1895 — EU!

Qualquer dia destes, assim que, dentro da minha algibeira cair do céu por descuido alguma boa soma redonda de libras esterlinas, darei um pulo ao velho mundo, a fim de ver se endireito as muitas cousas que por lá andam desengonçadas e tortas.

Nós, povo moço e forte, temos, na civilização moderna, uma alta missão. A velha Europa está caduca: endurecem-se-lhe tomadas de velhice as artérias; empobrece-se-lhe o sangue; e todas as articulações da sua cansada máquina administrativa estão perras e enferrujadas. Todo aquele fatigado continente é um reumatismo, uma decadência, uma caquexia senil. Se o Brasil não corre a tempo, a Europa cai na sepultura.

Já começamos a liquidar, com dous *meetings*, o caso de Cuba. A Espanha, sem piedade, crava no seio da ilha heróica a sua garra implacável! Alta, lá Sra. Espanha! mande recolher a bastidores o marechal Martinez, senão vamos aí, e arrasamos tudo, trono e menino Afonso, Canovas e *muchachas*, Castellares e Manzanares, catedrais e praças de touros! Ninguém brinca com o jovem Brasil!

Contra esta intervenção nossa nos negócios espanhóis, já murmuram alguns espíritos tacanhos, dizendo que melhor seria ficarmos metidos com a nossa política e com as nossas próprias finanças, já de si tão complicadas.

Essa baixa murmuração dá bem idéia da anarquia mental dos espíritos que lhe dão abrigo. É preciso que o Brasil (única terra que tem sabido concorrer com o Egito no afã de proclamar as excelências da Religião da Humanidade), é preciso que o Brasil dê ao mundo um belo exemplo de altruísmo, cuidando mais do próximo do que de si mesmo. As nossas liberdades, as nossas finanças, as nossas pendências com a Inglaterra e com a França bem podem ficar para depois, Cuba é que não pode esperar. Nós somos pan-americanistas, e, longamente, sofregamente, mamamos na teta da doutrina de Monroe a convicção de que só há um meio de riscar dos orçamentos do Brasil aquela famosa dívida de um milhão, oitocentos e noventa e tantos mil contos: é arranjar soma igual, mesmo com grande sacrifício, e mandá-la aos revoltosos de Cuba, a fim de que, apercebidos do dinheiro, que é o nervo da guerra, possam eles quebrar, na boca da ávida Espanha, a castanha da tirania.

Mas, ainda não é tudo. Acima de Monroe está Comte. Acima da América está a Humanidade. Não basta dar liberdade a Cuba. É preciso dar felicidade à Europa, à Ásia, à África e à Oceania. E, pois, assim que alguns fundos me caírem do céu irei eu mesmo – deixando os meus cômodos, e abrasado na santa convicção de que o Brasil está fadado a ser o árbitro do mundo, – endireitar esse mundo que marcha para uma grande miséria!

Em primeiro lugar, intimarei sumariamente o general Baratieri que está em Massaouah, o infante D. Afonso que marcha para Goa, e os potentados ingleses que governam as muitas possessões coloniais da rainha dos mares, a abrirem mão quanto antes de um poder, que é uma usurpação e uma afronta à civilização. Os povos querem-se livres, arre! Depois, obrigarei a Tríplice Aliança ao desarmamento: e, obedecendo as minhas ordens formais, a Alemanha restituirá a Alsácia-Lorena à França. Irei à Rússia, e arrancarei das mãos do autocrata eslavo o *knout* do despotismo. Liquidarei a questão da Armênia; varrerei do Egito a pouca vergonha do protetorado inglês; farei as pazes entre a China e o Japão; e intimarei o sultão turco a dar imediatamente maridos vários às oitocentas concubinas do seu harém, – porque não admito monopólios, nem em política nem em amor. Na África, farei o congraçamento de todos os Rás e de todos os Négus, mais ou menos pretos. Arrojarei para fora da Batávia todos os holandeses, que por lá encontrar, com todo o seu comércio, com todo o seu asseio e com todas as suas tulipas. Percorrido o mundo, voltarei à Europa. E, em Roma, na capital dos Césares e dos Papas, lançarei uma larga ponte de amizade entre o Quirinal e o Vaticano; e, solenemente, pegando por um lado Humberto e por outro lado Leão, dir-lhes-ei, carinhosamente:

– Vamos, rapazes! vamos, meu Papa e meu Rei! a inimizade de vocês é a única feia cousa que ainda mancha, como uma nódoa de azeite, o largo manto da concórdia universal. Vamos! abracem-se! e fiquem sabendo que o Brasil é o árbitro da Civilização!

Leão XIII, com uma lágrima no canto do olho esquerdo (que é o olho que fica do lado do coração), lançar-me-á a sua bênção papal. E eu, trazendo dentro da alma, como uma hóstia dentro de um hostiário, essa bênção e trazendo ao peito a grande comenda de S. Gregório, deixarei o mundo em paz e voltarei ao Brasil.

* * *

E então, mas só então – depois de ter promovido a ventura do Universo, – virei tratar da dívida de um milhão, oitocentos e noventa e tantos mil contos, da ilha da Trindade, do litígio do Amapá e de outras pequeninas questões, que bem podem esperar, para serem resolvidas, que eu tenha resolvido com vagar as questões estrangeiras, infinitamente mais urgentes que as nossas.

FANTASIO

23 NOV. 1895 — A CÓLICA IMPERIAL

Anapurus, o colaborador da brilhante *Notícia*, para condenar a República, volta-se para o passado e exuma as *Reminiscências Políticas*. Estou que melhor seria olhar *Anapurus* para o futuro. É preciso não tomar muito ao pé da letra o lema comtista – de que os mortos governam os vivos. Se águas passadas não movem moinhos, também estadistas mortos não governam países.

Bem sei que é perigoso olhar demais para o futuro. Dante, no oitavo círculo do inferno, colocou os adivinhos: e mostrou o castigo que os espera. Para que se arrependam da sua presunção e da sua vaidade, são os devassadores do porvir condenados a ter o pescoço torcido; e a sua face fica voltada para as costas, olhando sempre para trás. Mas também a Bíblia diz que a mulher de Ló, porque olhou muito para trás, ficou convertida em estátua de sal...

Houve um momento em que tive medo de *Anapurus*. Foi quando o vi trovejar contra os desacertos do regime novo; foi quando o vi, sentado no rodapé da *Notícia*, como o Anjo do Apocalipse sobre a muralha da cidade maldita, bradar, mostrando ao povo a República: "Veni! ostendam tibi damnationem meretricis magnae [?], quae sedet super aquas multas!" Tremi. E disse comigo: "Estamos perdidos! Aqui vai o evangelista mostrar o atascal em que estamos mergulhados e toda a abominação do nosso pecado! Aqui vai ele mostrar o futuro que nos espera, todo de treva e de horror, todo de falência e de vergonha!" Mas pouco durou o meu susto. *Anapurus*, em lugar de condenar o presente e de prever o futuro, pôs-se a defender e a louvar o passado.

E não tarda muito que o vejamos convertido em estátua de sal, como a mulher que, saída de Gomorra em chamas, ainda olhou, com saudade, aquele foco de vícios.

O culto do passado, em *Anapurus*, chegou a excessos espantosos. O cronista não quis apenas defender o império das acusações de opressão, de fraude, de estagnamento, de corrupção, de moleza. Não defendeu apenas as suas finanças, a sua diplomacia, os seus ministérios. Para mostrar o seu amor, *Anapurus* empreendeu a defesa dos intestinos do Sr. D. Pedro I, acerbamente injuriados e revoltantemente caluniados pelo barão de Pindamonhangaba e pelo Sr. Rodrigo Otávio.

Creio que a intransigência política nunca foi tão longe. A quem o ama, parece o feio bonito. Não me espantaria eu de que *Anapurus*, cego de monarquismo, chegasse a achar bem feitos os sonetos do Sr. D. Pedro II, ou chegasse a gabar a excelência do ouvido do Sr. conde d'Eu, ou chegasse a por a sua mão no fogo pela castidade perpétua da Sra. D. Carlota Rainha. Mas afirmar que o abdome do Sr. D. Pedro I, pelo fato de ser um abdome augusto, tinha por força de ser um abdome refratário às cólicas, - isso é o último fervor a que pode chegar a fé política de um homem.

Compreende-se que um idólatra não possa conceber o seu ídolo com cólicas. Mas ídolos são de pedra, são de pau, são de bronze, são de ouro: não são de carne. Imperador é homem, como eu e como *Anapurus*. E se a divindade é dos deuses, as indigestões são dos homens... Atendei, ó vós que me lêdes! se algum de vós, analisando bem a sua vida, reconhecer que nunca teve uma indigestão, que esse atire a primeira pedra ao Sr. D. Pedro I!

Porque, enfim, não sei bem em que pode essa indigestão afeiar a figura política do primeiro imperador. Subindo a serra do Cubatão, o príncipe bem podia ter a trabalhar no ventre os efeitos de uma peixada mal cozida e a trabalhar no cérebro o plano grandioso da fundação de um império.

Mas, para *Anapurus*, um imperador não come, não digere, nem... deixa de digerir. Essas baixas manifestações da animalidade soez são apanágio dos degradados estômagos republicanos. Somente a plebe pode estar sujeita a essas contingências da matéria.

Sim! é admissível que Deodoro, quando proclamou a República, tivesse asma; o que não é admissível é que Pedro I, quando proclamou a independência, tivesse cólica. O subnitrato de bismuto não se inventou para a casa de Bragança!

É a fim de elucidar estes casos que *Anapurus* se volta para o que fica atrás. Que o passado lho agradeça.

Fantasio

10 dez. 1895 — Um Livro

É impossível que a *urbs* carioca ainda não esteja convencida do grande amor que lhe consagro. Já lhe disse, talvez, muita cousa dura. Mas são ofensas que nascem do amor. É que quem ama uma senhora, não pode vê-la despenteada e mal amanhada, sem amor próprio e sem asseio.

Nada me dói tanto como ouvir o elogio, feito pelos brasileiros que vêm do Sul da América, à beleza e à limpeza das cidades da Argentina e do Uruguai. E exulto, quando um deles, para minorar o meu desgosto, observa que, embora mais feia e menos limpa, a cidade do Rio de Janeiro é infinitamente mais interessante, mais pitoresca, mais animada que Montevidéu, Buenos Aires ou La Plata. Lembro-me mesmo de ter um dia dito que não sou brasileiro, mas carioca – afirmação arrojada que me valeu meia dúzia de descomposturas.

Toda a noite passada, vivia eu a amar a minha cidade querida e admirá-la, admirando e estudando a sua história gloriosa. Tinha comigo o manuscrito de um livro inédito [*****] livro, em que um grande letrado trabalhador e envelhecido pelo trabalho sem trégua [*****] prol do ensino, faz a *História do Distrito Federal*. O trabalhador é Alberto Brandão, que esta folha conta no número dos seus colaboradores; o trabalho, que se destina às escolas públicas, é um dos mais curiosos que jamais li.

Urbs querida, com que entusiasmo, com que orgulho, com que amor, com que estremecimento de coração revivi eu, durante a noite passada, a tua gloriosa vida!

Primeiro, vi nascer, no fim da praia do Flamengo, quando Martim Afonso ali plantou, junto à foz do riacho da Carioca, uma casa forte, em cujo entrincheiramento, mais tarde, devia ser ferido, como um bravo, em combate o grande Estácio de Sá, teu verdadeiro Pai!

Vi o teu litoral dominado pelo vitorioso Cunhambebe, cujas canoas de guerra eram senhoras da costa que vem desde Angra dos Reis até S. Sebastião; vi-te depois atacada e tomada por Villegaignon e Coligny, defendida por Mem e Estácio de Sá, elevada por este último à categoria de cidade; vi-te crescer, tomar conta de todo o Castelo, ter uma população de duas mil e quinhentas almas, resistir à invasão de Du Clerc; vi a tua primeira idade, os teus primeiros estudantes, sob o comando de Gurgel do Amaral, resistirem heroicamente aos franceses na velha rua Direita; vi-te vencida por Duguay-Trouin; assisti à chegada de toda corte beata e malandra de D. João VI ao teu seio generoso; vi-te alargar-te primeiro, até o Rio Comprido e ao Rio das Laranjeiras, aumentada depois, crescendo sempre; senti toda a tua agitação política de 9 de janeiro e de 7 de abril; [*****] contigo de rosas em 13 de maio e de louvor em 15 de novembro! – e amei-te ainda mais do que te amava, recapitulando, através do excelente livro de Alberto Brandão, todas as tuas glórias e todos os teus sofrimentos, – minha grande cidade, corajosa e boa, que não perdeu a alegria quando te bombardearam, nem te exasperas quando tens fome!... Uma cousa apenas me desgostou: foi saber, lendo a desenvolvida parte estatística da excelente obra, que os teus filhos andam ultimamente muito arredados dos doces deveres do matrimônio, e esquecidos de que a conta da multiplicação foi ensinada e ordenada ao homem pela própria boca onisciente e onipotente de Deus, na manhã do Éden. Fiquei sabendo que a tua natalidade é menor que tua mortalidade... Mas fio do teu bom senso que te arrependerás dessa indiferença criminosa, e que, para fazer esquecer o teu crime, começarás agora a dar-me irmãos, muitos irmãos, milhões de irmãos, que, netos dignos de Mem de Sá, perpetuem a tua glória.

Ama, cidade amada! ama e prolifera. E não deixes de agradecer a Alberto Brandão o carinho com que, nas páginas da *História do Distrito Federal*, te reabilita e te defende das muitas acusações que te fazem. A mais comum é a de *cosmopolitismo*: dizem que és estrangeira, que não tens caráter nacional, que nem é teu o teu comércio, nem é tua a tua indústria... "O elemento nacional", diz Alberto Brandão, "vai aos poucos ganhando terreno: entre os comissários de café talvez já sobrepuje o estrangeiro; nacionais são em sua maioria casas bancárias, e muitas empresas industriais. É natural, e isso não depõe contra o caráter dos brasileiros, que a maioria procure o funcionalismo público, em país que só há pouco tempo se libertou do regime colonial, em que a ação do governo os arredava, pela lei, da vida industrial. Franco, hospitaleiro, arrojado e paciente, o fluminense não é *preguiçoso*, de que falava o conde da Cunha; e, no próprio qualificativo de *macaco*, com que o mimoseiam os estrangeiros, vai envolvido o reconhecimento de um característico, que o torna capaz de progresso e de civilização: a imitação."

Tão raro é ouvir a tua defesa feita por quem não é teu filho, cidade minha, que devo ao manuscrito de Alberto Brandão momentos de raro e inolvidável prazer. E mesmo sem contar com o merecimento do livro, que é minucioso, completo e desenvolvido com um raro critério, bastaria, para lhe angariar o meu afeto, essa justiça feita à cidade carioca, tão boa e tão caluniada.

Fantasio

Gazeta de Notícias 1896

22 jan. 1896 — No Museu

No glorioso dia de S. Sebastião, padroeiro de minha amada cidade, tive o indomável desejo de ver cousas velhas e fui à Quinta da Boa Vista, onde está instalado o nosso precioso Museu. Não fui ao morro do Castelo visitar o Santo, porque não queria ver cousas do tempo de Estácio de Sá, queria ver cousas do tempo dos Pedros de Alcântara. Também, na Quinta da Boa Vista, as cousas velhas que me davam saudades não eram esqueletos de fósseis, nem armas de índios, nem seges de D. João VI. Eram as próprias salas do edifício; eram aquelas escadas que uma Corte arrebentada e mal vestida subia e descia, nos dias de grande gala; eram aqueles corredores, por onde, coçando a barba, o bom e velho Pedro II passeava, nos seus dias de febre poética, compondo versos de pés quebrados; eram aquelas janelas, em uma das quais, todas as manhãs, Sua Alteza Imperial aparecia, escovando os dentes, como uma *ménagère* qualquer; era, em suma, todo aquele palácio onde por tanto tempo viveu, numa pasmaceira beata, a mais desajeitada e burguesa família reinante de que tratam crônicas de impérios e reinos.

Ah! não se dirá que eu, tendo vivido vinte e tantos anos sob o governo dessa pacata família, a tenha facilmente esquecido. Sou menos ingrato que os monarquistas. Esses passaram seis anos dormindo, esquecidos do trono que amavam. E eu, que o não amava, mas que tenho a religião das cousas mortas, nunca vivi uma semana sem me lembrar dele e dos versos do bom monarca, e da escova de dentes da boa Regente, e da Corte arrebentada e mal vestida que comparecia ao beija-mão.

E, pois, fui ao Museu.

A Quinta, antes de ser museu, foi parlamento e quartel. Fazendo ocupar o casarão histórico, primeiro pelos seus deputados e depois pelos seus soldados, quis a República afirmar a sua soberania, que a monarquia nunca mais seria senhora daquelas salas e daquelas árvores. Mas a grande idéia consistiu em transportar para ali o museu.

Toda a nossa história fica assim fechada dentro daquele belo parque. Ali temos, perto do pátio em que S. M. Teresa quebrou um braço, as armas com que Cunhambebe entrava em combate; mais adiante, junto da janela em que Sua Alteza escovava os dentes, as ossadas que o sábio Lund achou na Lagoa Santa; além, na sala em que se reunia a Constituinte Republicana, a carruagem que levou ao cais o trêfego Pedro I; mais longe, perto da espada de Martim Afonso, os óculos de Benjamin Constant; temos ali tudo! toda a fauna, toda a flora, toda a arqueologia, toda a história do Brasil ali estão, livro imenso que gente folheia para bem conhecer a terra em que vive.

Temos ali tudo? Ai! não! Alguma cousa falta... Faltam ali os manifestos monarquistas de 1893 e 1896. É preciso que religiosamente guardados em quadros de moldura severa, – severa como a velhice do seu estilo e das suas idéias, – os períodos dessas proclamações políticas fiquem morando naquele palácio em que vivem as recordações derradeiras do Império.

A arrogância desaforada do manifesto Carlos Afonso não ficará mal naquelas salas que ecoaram a desaforada arrogância do primeiro imperador; não ficará mal a manhosa mansidão do manifesto Ouro Preto naquele recinto que tanto tempo abrigou a manhosa política de Pedro II, e o católico apostólico romano manifesto Mendes de Almeida sentir-se-á à vontade naqueles corredores tanto tempo cruzados pelos beatos do monsenhor.

O governo mandou processar o Brasil!... Que tolice! eu, se fosse o governo, limitar-me-ia a ir colecionando com cuidado os números desse jornal e remetendo-os para o museu. Para o museu! para o museu todo o sebastianismo! Toda essa agitação política tem cheiro de mofo... E é por isso que gosto dela: amo as cousas velhas, que falam de tempos que não voltam; amo a ferrugem que cobre as armas de outra idade; amo os livros que tratam de civilizações extintas; amo a poeira que cobre as relíquias do passado; amo o cheiro de mofo que sai dos manifestos monarquistas.

Por que perseguir o partido? Vão recolhendo ao museu seus jornais e as suas proclamações: que ele mesmo, daqui a pouco, quando lhe passar esta última bravata, há de tomar com os seus próprios pés o caminho da Boa Vista, a fim de ir pedir ao museu o seu derradeiro e definitivo asilo...

FANTASIO

24 JAN. 1896 — PALAVRAS

Sei de um cônego, que, tendo de apresentar à família de um defunto rico a conta das exéquias celebradas em honra sua, não se esqueceu de apontar esta singular despesa: "Aluguel de um Cristo grande... cinqüenta mil réis". O que inspirou a um outro cônego, inimigo do primeiro, este epigrama: "O meu colega é muito mais prático que Judas: Judas vendeu o senhor, e este padre aluga-o".

Lembro-me ainda do escândalo ruidoso que o episódio provocou. Por todo um mês de agonia, o mísero cônego se viu frechado de pilhérias, de doestos, de mofinas. Por quê? Porque, sendo homem despido de palanfrórios, não se lembrou de que os atos mais reprováveis somente merecem reprovação quando não vêm disfarçados sob a capa de palavras meditadas e decentes. Se o meu cônego tivesse escrito: "Exposição de um Cristo grande... cinqüenta mil réis", o outro cônego engoliria o epigrama e eu não estaria aqui contando esta velha anedota.

Pois esta velha anedota me veio agora no bico da pena, chamada pela leitura do telegrama de Havas. Segundo a Havas, a população de Montevidéu está aterrada com uma deliberação do seu clero. O clero montevideano, atendendo a que cada vez mais aumenta a dificuldade da luta pela existência, deliberou cobrar mais 50% pelas missas simples.

Daqui estou compreendendo o terror e o espanto da população de Montevidéu.

O clero da capital do Uruguai não soube escolher as suas palavras. Em primeiro lugar, essa frase "luta pela existência", tão abeberada de veneno darwínico, tão inchada de heresia, não fica bem na boca de um padre. Depois, o mercantilismo do verbo "cobrar" e o horror daquela fórmula cinqüenta por cento são incompatíveis com a alta idéia de poesia e de contemplação mística que a palavra "missa" evoca.

Ai de nós! a palavra é tudo... O povo bem sabe que os apóstolos de hoje não podem, como os de outrora, saciar a fome com um punhado de gafanhotos: mesmo porque, dada a falta desse gênero no mercado, um prato de camarões é hoje infinitamente mais barato que um prato de gafanhotos... O povo sabe que, quando se trata de pagar casa, mesa, roupa lavada e criado – um padre não é padre nem nada: é um homem como os outros. Santo Antão, na Tebaida, podia andar nu, que nem por isso o recriminava a rainha de Sabá: ao contrário... Mas um sacerdote de Montevidéu, para poder decentemente ouvir em confissão as suas elegantes fiéis, tem de se sujeitar a requintes de *toilette*, que se não compadecem muito com os horrores da taxa de ouro a 327%. As mesmas hóstias estão pela hora da morte. O mesmo vinho das galhetas custa os olhos da cara. E como o Senhor, dando a fé, às vezes se esquece de dar o pão nosso de cada dia, a exigência do clero montevideano é a mais natural, a mais humana, a mais aceitável, a mais simples.

Mas, as palavras! as palavras!... A importância de um verbo na oração é tamanha que já S. João a proclama no começo de seu evangelho: "No princípio era o Verbo, e o Verbo estava com Deus, e Deus era o Verbo". Pois o que motiva o terror e o espanto da população uruguaia é o Verbo! é aquele verbo "cobrar", tão chato, tão mercantil, tão baixo, tão terra-a-terra... Cobrar mais de cinqüenta por cento pelas missas – que horror!

Vêde a importância do verbo: receber mais cinqüenta por cento parece cousa tão grave, que até orça pelo feíssimo pecado da simonia. Padres, cuidado com as palavras! O povo bem diz que palavra puxa palavra, e que puxamento dá com os corpos na cadeia e com as almas no inferno. Cuidado com as palavras! Em religião, como em política, como em literatura, como em finanças, não há idéias, não há opiniões, não há algarismo: há palavras. As palavras são tudo: *words, words, words...*

Fantasio

07 fev. 1896 — Suas Excelências

Há poucos meses, o Sr. chefe de polícia, em sua secretaria, cercado de seus agentes mais ladinos, em pleno exercício de suas respeitáveis e temíveis funções, revestido de sua formidável autoridade de supremo diretor da ordem, vivamente iluminado pela sua auréola de Justiceiro e de Punidor, tendo ouvido um cavalheiro, que humildemente lhe pedia um emprego, reconheceu, ao cabo da conferência, que o suplicante levara não só as suas promessas, mas o seu relógio também.

Anteontem, um ex-delegado da polícia, – que durante largo tempo exerceu o complicado ofício de prender e castigar gatunos, – foi vítima de um, que, para vingar a classe, aliviou da quantia de um conto e duzentos mil réis o seu antigo perseguidor.

Cito apenas dous casos, porque não posso, com este artigo, encher toda a *Gazeta* de hoje.

E para multiplicar citações? Todo mundo está farto de saber que a nossa polícia, sobre não ser capaz de descobrir quem rouba os haveres dos particulares, é incapaz de descobrir quem rouba os seus próprios haveres.

Estamos atravessando uma época singularmente emocionante. Roubos e assassinatos, de hora em hora e de esquina em esquina... As casas amanhecem arrombadas; as ruas amanhecem cheias de sangue; – quem foi? quem furtou? quem foi que matou? – não foi ninguém!

Ora, francamente, não creio que a cidade apenas precise de polícia como elemento decorativo. Não nego que as barbas alvas do Dr. André e o cavanhaque fulvo do Dr. Carijó façam uma bela figura, ao fundo de um camarote de teatro ou à frente de uma diligência policial.

Ninguém, com mais justiça do que eu, reconhece que esses dous cidadãos são eminentemente simpáticos e absolutamente necessários, como figuras de ornato, à estética da cidade. Também, nada impede que SS. Excias. e mais todos os delegados, e mais todos os suplentes, e mais todos os inspetores, fiquem, na fachada da repartição central da polícia, imóveis e solenes, fingindo de cariátides. Mas, deve haver um meio de conciliar tudo. Conservemos SS. Excia. como decoração e arranjemos outras excelências como vigilâncias! porque unir o útil ao agradável é uma das regras do saber viver...

Somente escrevo este artigo para expor uma idéia que, bem aproveitada, pode fazer a ventura da população.

Parece estar provado que os homens incorruptíveis, honestos e puros, são incapazes de impedir e reprimir o roubo, o assassinato e o jogo. Quanto mais a polícia persegue os gatunos, os assassinos e os *bookmakers* – mais gazuas aparecem, mais sangue se derrama e mais *poules* se vendem.

Não posso, não quero, nem devo crer, que os funcionários da polícia protejam os criminosos... Não! se os homens incorruptíveis, honestos e puros não dão cabo dos criminosos, é porque realmente não podem dar cabo deles. E disso concluo que só há no mundo três ordens de pessoas capazes de reprimir o roubo, o assassinato e o jogo: são os gatunos, os assassinos e os *bookmakers*.

Ora bem! Proponho que se aposentem, com os ordenados por inteiro, todos os atuais funcionários da polícia; fiquem Suas Excelências ganhando o dinheiro que até hoje ganharam, mas não compliquem as nossas desgraças procurando dar-lhes remédio; contentem-se com os ordenados e, apenas para inglês ver, permaneçam algumas horas por dia, graves e firmes, na repartição central, como bonecos de museu. E organizemos então um triunvirato ditatorial secreto (um batedor de carteiras, um assassino e um *bookmaker*) encarregado de distribuir justiça, manter a ordem, e garantir a vida.

Para o cargo de triúnviro da gazua, indico o nosso glorioso Zezinho, que não tem rival, nem mesmo nas civilizações adiantadas do velho mundo.

Para o cargo de triúnviro da faca, lembro, atendendo a que não estamos muito adiantados nesse particular, que se mande fazer contrato, em Londres, com o divino Jack-the-Ripper.

Para assumir as funções de triúnviro do *poule*, julgo-me dispensado de dar indicação. É gênero que não nos falta. Feche o governo os olhos, estenda a mão, ao acaso, e apanhe um sujeito qualquer, ou em uma venda, ou em uma repartição pública, ou em um banco, ou mesmo... dentro da polícia.

São essas as linhas gerais do meu plano. Consulte o Sr. ministro da justiça os funcionários policiais e pergunte-lhes se não são os primeiros a achar maravilhosa a minha idéia. Suas Excelências não podem mais; suas Excelências são emblemas, são símbolos, são figurinos, são tabuletas, são ornatos: não são mais nada e para mais nada têm tempo. E de Suas Excelências, no exercício desses cargos decorativos, apenas se pode razoavelmente exigir isto: que sejam incorruptíveis, que sejam honestos, que sejam puros e que tenham barbas alvas e cavanhaques ruivos!

Fantasio

23 fev. 1896 — A Grande Descoberta

Oh! a grande, a maravilhosa descoberta! não se fala em outra cousa, no mundo científico!

Com o auxílio de uma nova luz, que tem a propriedade de atravessar os corpos opacos, consegue-se obter a fotografia dos órgãos internos do corpo humano. De maneira que se podem ver, por exemplo, através da pele, os ossos da mão de um sujeito e verificar se estão inteiros ou quebrados, sãos ou cariados.. É espantoso!

A mim, o que mais me encanta, na grande descoberta, não é a revolução que ela vai causar na medicina. Outras cogitações, infinitamente mais sérias, me enchem a alma...

Como o público já está farto de saber, pelo sem número de artigos que têm aparecido na imprensa acerca deste maravilhoso achado, a nova luz apresenta esta singularidade: por meio dela, fotografando-se um *porte-monnaie* fechado e cheio de moedas, ou um cofre forte cheio de jóias, a placa não conserva a imagem do cofre ou do *porte-monnaie*, mas somente a imagem das jóias e das moedas; porque o novo processo não retém o vulto das madeiras, dos panos, dos couros, dos tecidos moles do corpo, mas unicamente o dos metais e o dos ossos.

Peço a quem me lê que vá seguindo com calma e atenção o meu raciocínio, que é complicado.

Todo mundo sabe que a sorte dos gatunos é triste.

Um gatuno, para honradamente ganhar a sua vida, corre infinitos riscos e dolorosíssimos transes.

Um exemplo: suspeita o gatuno que dentro de uma burra ou de uma cômoda, há valores em ouro e prata... Que há de fazer o coitado? precisando, para viver daqueles valores, arromba a cômoda ou a burra. Acontece, às vezes, que executada a violação do móvel, reconhece o gatuno, com um indizível desespero que o móvel está vazio. E aí está um homem perdido sem proveito; um criminoso sem lucro; um réu sem vintém...

Outro exemplo: vou eu, por altas horas da noite, caminhando por uma rua deserta. Por medo das bronquites, levo a sobrecasaca abotoada. Um gatuno, que me vê, murmura de si para si: "Este sujeito, bem vestido como está, com certeza tem um relógio de ouro..." E, sem mais reflexões, vem a mim, racha-me a cabeça com seis punhaladas, prostra-me em terra banhado em sangue, abre-me a sobrecasaca e reconhece, cheio de remorso e dor, que não possuo relógio, nem de ouro nem de ferro. E aí está um assassino, réu de uma violência inútil...

* * *

Concordareis comigo: isso dói profundamente!

Também, à nossa polícia que com tanto carinho tem ultimamente tratado os gatunos, não podiam passar despercebidas essas considerações. Sei-o de fonte limpa: a nossa polícia refletiu maduramente nas amarguras que enchem a profissão de gatuno e deliberou pôr-lhes cabo.

Para isso, vai ela servir-se da nova e grande descoberta, que acaba de revolucionar a ciência.

Já estão encomendados na Europa quatrocentos mil aparelhos fotográficos aperfeiçoados, do novíssimo sistema, com todos os seus pertences: placas, tubos de vidro, reativos, máquinas pneumáticas, pilhas elétricas, objetivas, tudo.

Esses aparelhos vão ser postos, na repartição central da polícia, à disposição dos Srs. gatunos.

Cada gatuno, ao tomar conta de sua máquina, assinará recibo e apresentará fiador, responsabilizando-se pela conservação dela; e mesmo, segundo me consta, o Sr. chefe de polícia já teve a luminosa idéia de submeter o gatuno, candidato ao lugar de larápio-fotógrafo, a um exame prévio de habilitação. Compreende-se bem que, sendo caríssimos os aparelhos, não pode a polícia expô-los a falta de cuidado de operadores desastrados...

* * *

É inútil, creio, insistir no alto valor humanístico desta maravilhosa idéia policial.

De hoje em diante, o ladrão, antes de arrombar um cofre, terá nas mãos o meio de saber se o seu conteúdo tem um valor que compense os riscos da empresa: e antes de me assassinar, para me roubar um relógio de existência hipotética, o larápio, impetrada a necessária vênia, disporá diante de mim a sua máquina fotográfica: se a chapa sensibilizada revelar a existência da cobiçada jóia, o operador, com o mesmo aparelho, me assentará meia dúzia de bordoadas no crânio –

e, no caso contrário, pedir-me-á delicadamente que desculpe o incômodo, e irá operar alhures.

Para que dizer mais? A beleza e a generosidade da idéia estão entrando pelos olhos de um cego e pela alma de um frade de pedra...

Fantasio

29 fev. 1896 — Entre a Febre e o Teatro [Cia]

Seriamente, não é sem medo que trato desta cousa de regeneração do teatro nacional. A Arte, a pacífica e serena Arte, dá sempre origem, não sei porquê, a discussões terríveis. Há pelo mundo mais caras quebradas por causa de versos e quadros, do que por causa de pontos de honra. Lulu Júnior, agitando agora esta questão, teve uma idéia imprudente, que ainda vai causar muito distúrbio e muita descompostura. Queira Deus que não! e abordemos o assunto, já que o ofício da gente é este.

Lúcifer, d'*A Bruxa*, escreveu que não sabe para que quer o Brasil possuir teatro, quando ainda não possui outras cousas infinitamente mais necessárias. Eu, por mim, acho que, antes de dar ao Brasil essas cousas necessárias, melhor seria privá-lo das cousas perniciosas que o desmoralizam. Que venha quanto antes o teatro, sério e artístico, vencedor do *Tim-tim* e das bambochatas que por aí se representam: apesar de pensar que cada povo tem o teatro que merece, não vejo inconveniente em que alguns homens de boa vontade e de paciência inesgotável se esfalfem a dar Arte a um povo que só quer bambochatas.

Mas o que me parece um contra-senso é que o conselho municipal se meta a regenerar o teatro, quando não trata de sanear a cidade. O meu ilustre amigo Artur Azevedo (que é o batalhador mais convencido, mais glorioso e mais esforçado desta pendência) não negará isto. Tendo nós febre amarela, e tendo, ao mesmo tempo um teatro normal, teremos um bem compensando um mal, – o que não será felicidade pequena. Mas, ainda assim, cuido que muito melhor seria ficarmos privados de teatro, contanto que também ficássemos privados de febre amarela.

Esse horrível telegrama de Bordéus em que a Havas nos diz que o paquete *Chili*, saído do Rio de Janeiro, chegou à Pauillac, carregado de febre amarela, faz ao Brasil um mal infinitamente e incalculavelmente maior que todo o mal que lhe possam fazer o *Tim-tim*, e o *Pão-pão* e as outras drogas congêneres.

Os poderes municipais que fazem para sanear a cidade, para matar essa hedionda febre amarela que está insaciavelmente agarrada ao nosso peito, a mamar-nos a vida, o crédito, a reputação? O Rio de Janeiro está cada vez mais sujo. Há ruas que têm a vegetação das florestas virgens, e outras que pela sua porcaria fazem lembrar as ruas porquíssimas de Fez. Nos aterros que se estão fazendo nos cais, vão, de cambulhada, com a terra, cadáveres de burros e de cachorros. E toda a cidade cheira mal. E os poderes municipais cuidam em plantar no meio dela um Teatro Normal, flor de arte e civilização no meio de um atoleiro.

Tratar o progresso artístico antes do progresso material é qualquer cousa como usar perfume no lenço, e não banho... é qualquer cousa como ensopar de óleo o cabelo antes de o ter ensaboado!

Santo Deus! venha o teatro, mas faça-se antes o possível para não ter febre amarela. Os poderes municipais terão tempo de sobra para fomentar a arte dramática: limpem a cidade primeiro, porque ela, coitadinha, está convertida em um monturo!

Ontem, tendo lido de manhã o telegrama de Bordéus, passei a ler os anúncios dos teatros. E, palavra de honra!, a decadência da arte dramática me deixou insensível como uma porta fechada. Tomara eu que já não houvesse teatros, mas barracas de feira; que já não houvesse atores, mas porcos sábios; que já não houvesse atrizes, mas macacas ensinadas: contanto que também não houvesse, com todos os diabos!, essa febre amarela que tão satisfeita se refocila e se avigora na sujidade do Rio de Janeiro.

FANTASIO

19 ABR. 1896 O "POETA"

Há dous dias, um telegrama de São Paulo noticiou o falecimento de Martins Guimarães, o Poeta, um famoso e desventurado maníaco, que foi o divertimento de uma meia dúzia de gerações acadêmicas. Vi-o, pela primeira vez, há dez anos, improvisando quadras, preparando um grande drama que provavelmente ficou inacabado.

Ultimamente, há um mês, encontrei-o em S. Paulo. Era o mesmo homem de outrora, fúnebre, de uma imobilidade e de uma seriedade de espectro, magro e feio, de face cava e olho sinistro, nunca falando antes de ser interrogado, possuidor de uma cara que, não sei porquê, impunha respeito e dava tristeza à gente, mesmo quando da boca lhe saíam as mais disparatadas sandices.

Vi-o em casa de um amigo meu. O jantar acabara, íntimo e alegre, no conforto do lar hospitaleiro, alegrado pela presença de senhoras. Abriu-se a porta, e entrou o Poeta, esgrouviado, solene, vagaroso; atravessou a sala como uma sombra, recolheu-se à penumbra de um canto afastado, e lá se deixou ficar, sem uma palavra, sem um sorriso na face imóvel; e na meia-escuridão, os seus olhos se moviam apenas, inquietos, agudos, – olhos de louco manso, – com um brilho perturbador.

Pobre Martins Guimarães! Não sei se a sua mania literária era conseqüência do desarranjo cerebral, ou se foi ela quem desarranjou o cérebro do Poeta. Porque a mania das letras é uma doença terrível e singular, que talvez em nenhuma outra parte do mundo grasse com tanta intensidade como no Brasil...

No Brasil, todo o mundo quer ser escritor. No fundo da mais pacata vida de amanuense, de caixeiro, de médico, de advogado, há uma veleidade literária. Todo brasileiro tem, no seu passado, a perpetração de meia dúzia de versos.

Todos nós temos ou tivemos esta mórbida ambição de ser Vitor Hugo ou mesmo... Casimiro de Abreu. Oh! que bom! que bom ser falado e discutido, aparecer ao sol vivo da celebridade, passar pelas ruas notado e apontado, entre filas de olhos curiosos, entre elogios e descomposturas, entre admiradores e invejosos!... Ainda a gente está no colégio, ainda a gente não fez exame de gramática portuguesa, e já escreve artigos e sonetos. São as sessões literárias, em que se discute se César era maior que Alexandre; são os jornaizinhos impressos em papel lustroso, quinzenais, ingênuos, com muita revelação de boas intenções e pouca revelação de inteligência; são, depois nas Academias, as revistas, os clubes de letras, a tribuna, e os livros; os livros – quase sempre de versos – impressos, às vezes, sabem os pais com que sacrifício! – com o prefácio de um poeta mais velho, a dedicatória na primeira página – à minha mãe! – , cem páginas de linhas curtas, rimadas, úmidas de prantos fingidos e tolos, escaldadas de paixão burlesca...

Alguns conseguem salvar-se das garras da mania: param no declive, desandam, tomam juízo, e, com o correr dos anos, já nem se querem lembrar das tolices literárias que praticaram. Mas há os que persistem, os que teimam, os que não perdem a crença.

Para esses, os anos passam sem que tragam consigo um desânimo providencial: inúteis os diplomas conquistados, inúteis os exames todos, inúteis as despesas paternas; a mania literária estragou tudo... E, como as letras não sustentam, como o jornalismo fica de portas trancadas, e como, em geral, esses pobres doentes não têm talento, sucede uma destas duas desgraças: ou o "literato", vendo chegar a miséria, com o paletó surrado e os sapatos rotos, perde o respeito de si mesmo, e palmilha, com muita aguardente na cabeça e muitas nódoas na roupa, a estrada suja da malandragem, até a hora final, – ou enlouquece de todo, e fica sendo um bobo, um palhaço, um tipo da rua.

Pobre Martins Guimarães! não sei se ele já era louco antes de fazer versos, ou se foi a *Metrificação* de Castilho que lhe varreu da cabeça o juízo... O que sei é que, como ele, anda por aí muita gente, perdida pela mania de escrever...

Fantasio

27 abr. 1896 Gramaticalismo [Cia]

Quase todos os dias, um jornal qualquer, fazendo-se paladino da gramática, insere um acusação contra tal inspetor de polícia, ou tal fiscal da municipalidade, ou tal empregado de obras públicas, acusando-os do alto crime de violação das regras gramaticais em ofícios, ou editais, ou guias. Contra os inspetores e maus funcionários das circunscrições policiais, então, a acusação é constante, diária, inalterável. E força é dizer que é justa: em regra geral, todo o funcionário subalterno de polícia escreve *ispetor*, *uspital*, *surconcrição*, *policial* [sic] etc.

A acusação é justa. Mas é fútil também. A nossa imprensa parece estar atacada de "gramaticalismo agudo", que é uma das moléstias intelectuais do século, admiravelmente estudadas por Pompeyo Genner nas *Literaturas Malsanas*, excelente compêndio de patologia literária, impresso no ano passado.

Mal de mim! o grande vício da instituição policial, para mim, como para todos os cidadãos da atribulada Sebastianópolis, não é a sua falta de ortografia: é a sua falta de zelo.

Pouco me importaria que fosse violada em ofícios a gramática portuguesa, contanto que livre de uma violação menos platônica estivesse a minha casa.

* * *

O que se requer num bom delegado zelador da ordem pública, não é fulguração de estilo, nem ostentação de peregrinas construções sintáticas: é, sim, olho vivo!, é energia! é atividade! é compreensão nítida do seu dever!

Quem me dera a mim uma polícia radicalmente e absolutamente analfabeta! Não sabendo ler nem escrever, os Argos da rua do Lavradio e das estações urbanas e suburbanas não perderiam tempo em redigir ofícios retóricos e cartas de namoro, nem em ler Gaboriau e Paulo de Kock; e poderiam assim mais assiduamente vigiar os passos dos gatunos e mais eficazmente salvaguardar as barrigas cariocas do furor dos assassinos.

Mas, já não é lícito a ninguém maldizer da palhada de liberalismo a que se dá o nome pomposo de "conquistas do século das luzes". Um dos molhos dessa palhada é justamente esta tola afirmação de que a instrução é um grande bem. E, pois, resigno-me: não podendo exigir polícia analfabeta, quero que me não dêem polícia de literatos, de poetas, de romancistas. Para mim e para toda a minha casa, já tenho em literatura bastante. O que não me é bastante, é a tranca que me fecha a porta da rua, atendendo a que a incúria da polícia ainda é mais perniciosa que a ousadia dos gatunos...

Não o entendem assim os jornais. E eis que, qualquer dia, exigirão, para o cargo de polícia secreta, habilitações em línguas mortas e vivas, literatura nacional e estrangeira, e ciências naturais. Seja tudo pelo amor de Deus!

* * *

Quereis ver a que ponto está a imprensa atacada de gramaticalismo? Ouvide e horrorizai-vos! a imprensa já não se limita a exigir que tenham gramática os empregados policiais: a imprensa atreve-se a exigir que tenham, não só gramática, como bom senso, os inspetores escolares!, os inspetores escolares!, lestes bem? Aqui está o que encontro nas *Várias* do *Jornal* de ontem:

"Até aqui julgavam todos que o famoso discurso de [*****] ao Jovem Telêmaco, falando do mundo subjetivo, da alma que nasce e das represálias aquáticas, era o modelo do gênero de eloqüência que os estudantes qualificam com um adjetivo tirado do nome de certo animal. Estavam todos errados, porque há cousa melhor. Senão, admirem os leitores estes trechos extraídos de uma circular dirigida por um inspetor escolar aos professores do seu distrito."

Realmente, nem aquele herói de Edgar Poe, que entendeu o cabalístico papiro do *Escaravelho de Ouro*, seria capaz de entender essa circular do inspetor. Mas, com todos os diabos! que importa à Pátria, que importa às instituições, que importa à civilização ocidental, que importa à Humanidade, que ninguém seja capaz de entender o que escreve um inspetor escolar?

O único dever de um bom inspetor escolar é ganhar caladamente os seus seiscentos ou oitocentos mil réis mensais! Se querem agora obrigar os pobres homens a saber gramática e a ter bom senso, que tempo lhes sobrará para o cumprimento leal e aturado daquele único, básico e essêncialíssimo dever do seu cargo?

Está tudo podre de *gramaticalismo*!

Fantasio

27 maio 1896 Fantasia

No largo do Paço. Duas horas. O sol bate em chapa sobre as pedras, acende faíscas trêmulas na espada de Osório, relampagueia nas vidraças. Ao fundo, sobre o mar que rebrilha, debaixo do céu todo azul, dançam mastros negros no ar límpido, sacudidos pelo balanço das águas.

Atravesso o largo quando um espetáculo me faz parar.

Sentado sobre o largo plaino cimentado, – muito feio, muito uniforme, muito nu, que não sei porque estenderam à roda do bronze de Bernardelli, – está uma família de imigrantes. São talvez umas dez pessoas.

O chefe é um velho alto e magro, acocorado, com os longos braços descarnados pendendo entre os joelhos. Sobre os imensos tamancos empoeirados, esfiapam-se-lhe as fímbrias da calça esburacada. Tem ao lado, no chão, o chapéu desabado, sujo. E a sua grande cabeça, coroada de falripas de um branco amarelado, reluz ao sol, tostada e triste. Cavam-se-lhe em rugas as faces; tapa-lhe a boca uma barba grossa, arrepiada; e nas suas orelhas enormes flamejam largos argolões de metal.

Olha desconsoladamente os bondes que passam, mira a gente que desfila, segue com a vista os carroções que se arrastam com um estrondo rouco. Perto dele, amamentando uma criancinha, está a mulher.

Já é velha também. Vestida de trapos de entre os quais emerge o seu pescoço escuro, inchado de cordoveias duras, – é ela a companheira daquele grande velho que ali está prostrado, em terra estranha, vendo desfilar uma gente nunca dantes vista, – tonto, desembarcado há pouco. Foi ela, com certeza, quem lhe deu toda aquela filharada, – quatro homens e três mulheres, além da criancinha que se agarra à sua mama caída, seca, enrugada... Tem sido ela a companheira daquela vida longa de miséria e de suor mal pago; tem sido ela que, atrelada à mesma canga, o tem ajudado a arrotear as terras, a lançar-lhes no seio as sementes fecundas, a chorar as amarguras do trabalho, a comer o pão negro, amassado com fel, embebido de lágrimas desesperadas...

Era moça ainda quando lhe deu aquele filho que ali está, o primeiro, um rapagão de bícepes de ferro, que espirra saúde pelas faces vermelhas; era moça ainda, e ainda tinha esperanças, e ainda amava a existência, - quando lhe deu a primeira filha, uma *ragazza* de ancas fortes e olhos profundos, que tem o velho xale remendado posto em cruz, com faceirice, sobre o peito, e que já está em idade de fazer andar à roda muita cabeça de homem...

Ah! era moça ainda a velha imigrante, quando deitou à vida esses dous primeiros filhos... Hoje, é velha, e tem o olhar apagado, e a face cavada pelo curso longo e continuado do pranto, e já não tem quase leite nenhum que dê àquele último filhinho raquítico, saído do seu seio cansado e seco, como uma flor de uma rocha requeimada...

Fico olhando a família. E imagino que drama simples e terrível é a vida daquele casal envelhecido na pobreza e na fadiga, saindo agora da terra em que nasceu, arrostando em pós si, com as últimas esperanças, toda aquela tribo, todos aqueles pedaços da sua carne e da sua alma... E compreendendo o olhar desanimado do velho, que acompanha os bondes que passam, a gente que desfila, os carroções que se arrastam pesadamente, com um estrondo rouco. E compreendo o ar indiferente da velhinha, imóvel nos seus farrapos, embrutecida, não tendo consciência de nada, nem mesmo da ânsia daquela criancinha que lhe tortura em vão a mama ressequida. O pobre casal está vendo o fim da existência miserável, – fim tristíssimo, longe da aldeia natal, longe da terra que amou – sem conforto, sem alegria, sem crença...

Mas, enquanto imagino essas cousas, o rapagão corado assovia uma canção do seu país; a rapariga faceira começa a passar nos cabelos negros um pente quebrado; e dous pequeninos, os mais moços, quase nus, abraçam-se, colam uma à outra as carinhas sujas, e rolam, rindo, no chão. Rolam... Depois, separam-se, e deixam-se ficar de papo para o ar, olhando o céu todo azul...

Todo azul, todo azul, como o céu de lá que os viu nascer! Não acham diferença entre os dous, e olham tranqüilamente o céu brasileiro... Quando crescerem, não guardarão lembrança do outro; quando morrerem, somente deste se apartarão com saudade. E no dia em que virem os dous velhos à porta da morte, - não compreenderão a imensa mágoa que, na hora extrema, há de embaciar os olhos dos moribundos, – mágoa terrível de quem agoniza numa terra que não é a sua.

FANTASIO

07 JUN. 1896 O "GATO PRETO"

Não sei que surpresas me estarão ainda reservadas nesta acidentadíssima existência terrena!

Agora uma Sra. Ivona, cantora excêntrica, Frégoli de saias, que por aí anda embasbacando as platéias com a sua tríplice voz, acaba de me deixar estarrecido de espanto. Que sonho, que sonho o desta mulher! Quer fundar aqui o *Chat Noir*! quer agrupar em torno das suas saias de *cabotine*, em espetáculos públicos, os nossos poetas, os nossos folhetinistas, os nossos compositores... O que mais me espanta, porém, não é o topete da madama Frégoli: é a seriedade com que certas folhas discutem o seu projeto. Já um jornalista bateu palmas à idéia, com tanto entusiasmo e tanta alegria, que chegou quase a aclamar a Sra. Ivona como regeneradora da arte nacional, Mecenas-fêmea da nossa literatura, princesa Matilde da nova geração brasileira!

Não sei bem que poetas, que romancistas, que jornalistas daqui têm convivido com a excêntrica mulher... Dos que conheço, dos que vivem comigo, na lufa-lufa diária do trabalho e na intimidade da palestra, afirmo que nenhum se prestaria a ir declamar as suas estrofes, e ou seus folhetins no mesmo palco em que saracoteia a barítona. E isso, por duas razões de alta monta: porque na alma de cada um de nós está profundamente enraizado o horror da *cabotinage*, e porque cada um de nós conhece que farte a inexcedível grosseria do meio em que vive.

Em Paris, um homem de letras pode aparecer em público sem receio, porque tem a certeza de que nenhum imbecil ousará dirigir-lhe uma chalaça. Aqui, há indivíduos que, quando vão a um teatro, levam para lá a sua melhor sobrecasaca, mas deixam em casa toda a sua educação. Nos espetáculos do teatro lírico, onde se presume que comparece a melhor porção da sociedade carioca, alguns dos cavalheiros, que enchem as torrinhas, vociferam, gargalham, rinchavelham, grunhem, injuriam as pessoas que chegam, apupam os homens conhecidos, e desmancham o seu bom humor e a sua boa digestão numa saraivada de gracejos crespos e cabeludos. Parece que aquele bilhete comprado à entrada, dando o direito de ocupar um banco, dá também o direito de ser malcriado. E, desgraçadamente, não é só no teatro que costumamos ser grosseiros: é em toda a parte.

No tocante à prática das boas maneiras, parecemos ainda tão atrasados, que um jornalista de critério como Artur Azevedo se julga obrigado a gastar folhetins com o intuito de nos ensinar como é que se deve falar a uma senhora na rua. Mas ponhamos de parte a idéia de um *Chat Noir* dirigido pela barítona Ivona: essa idéia é tão absurda, tão cômica, tão ridícula, que não vale a despesa de um pingo de tinta.

Suponhamos, porém, que se fundasse aqui um teatro artístico em que os Bernadelli, o Julião Machado, o Amoedo, o Belmiro exibissem, por meio de projeções de luz oxídrica, como se faz no *Chat Noir* de Paris, quadros originais, ao passo que, em face do público, Coelho Neto e Artur Azevedo e Guimarães Passos e Murat e tantos outros acompanhassem com a declaração de versos originais ou de prosa improvisada as cenas que se desenrolassem na tela. O nosso público, tendo pago a sua entrada e habituado a tratar com o Brandão e com a Pepa, saberia ter nesse teatro artístico a compostura devida?

Pode ser que sim. Mas, até a última hora, deixem-me ficar com a minha descrença!

O Gato Preto da Sra. Ivona vai ser um novo Eldorado, e mais nada. Ali se beberá, ali se namorará, ali se quebrarão cabeças. Talvez ali se chegue mesmo a fazer outras cousas... O que com certeza não se fará é aquele delicioso *Chat Noir* de Montmartre, onde tantas vezes ouvi, no meio de inigualáveis demonstrações de respeito e amor, a voz sonora de Jean Rameau recitar centenas de versos de ouro...

Fantasio

14 jul. 1896

Redenção

Ainda vos lembrais, almas apavoradas e mãos esfoladas, daquele carro 136 V, que, posto em sossego, a um canto da Estação Central, tinha dentro das suas quatro paredes todo o infinito e indizível horror dos sete círculos do Inferno?...

Feio e sujo, úmido e escuro, jazia parado ali, fechado e imóvel, como um túmulo, como um cárcere. Há quanto tempo não o aquecia o sol da serra, na corrida louca contra o vento, arrastado pela locomotiva a galope, subindo escarpas, despenhando-se por declives, galgando valos, entre muralhas de vegetação verde, ao sonoroso murmurar dos rios!...

Parado e negro, sobre os trilhos, a um canto da Central o desgraçado 136 V tinha um ar de fera paralítica. Dentro dele, dentro da sua imobilidade, havia choro e ranger de dentes, uivos de cólera, ganidos de dor, imprecações da raiva impotente, brados da crueldade triunfante, estalar de bolos, estertores de agonia. E os outros carros, que chegavam ou partiam, trazidos ou levados pelo trote largo das *Brooks*, olhavam-no com espanto e terror, – imagem viva da ditadura, sombra da tirania, representação animada do Estado de Sítio. E, em torno dele, como em torno de um presídio, de dia e de noite, fechava-se um cordão de carabinas e de baionetas.

De quando em quando, abria-se esse cordão, abria-se a porta do 136 V, e entrava um infeliz, trôpego e lívido, já com as calças molhadas de medo, de olhos turvos e boca soluçante, caminhando para os bolos, como uma rês para o matadouro. Fechava-se o cordão, fechava-se a porta. E a grita do paciente, ritmada pelo estrugir dos bolos, anunciava logo que se estavam lá dentro cumprindo fielmente as ordens soberanas de Vespasiano Imperator, Senhor da Central e da Palmatória...

* * *

Quando Aquele-que-tudo-podia deixou o governo, também Vespasiano Imperator deixou a palmatória com que dirigia os descarrilamentos da Central. E o 136 V, abandonado, quedou em silêncio, sem choro e sem ranger de dentes, mas ainda feio, ainda sujo, ainda conservando o seu aspecto de cárcere.

Quem pode provar que os objetos não têm alma? Parece que todas as cousas sentem e pensam, e são acessíveis ao remorso, à piedade, ao amor e ao ódio... As casas em que mora gente feliz estão sempre rindo, por mais feias ou humildes que sejam; as casas que a desgraça habita, por mais luxuosas, parecem estar sempre chorando. Assim, no seu isolamento e na sua mudez, ficou o 136 V, pavoroso e mudo, remoendo o arrependimento das suas culpas, digerindo o remorso dos seus crimes. E os moradores dos subúrbios, que apressadamente, ao cair da tarde, caminhavam para o jantar; e os viajantes que, ao romper da manhã, compravam bilhetes para S. Paulo ou Minas, evitavam sempre olhar aquele cárcere de rodas, anquilosado sobre os trilhos. Contaram-me que uma vez, ultimamente, um trem de carga abalroou, por descuido, o 136 V; e os empregados da Central ouviram sair, com pavor, das madeiras sujas e amaldiçoadas do carro fatídico, um barulho abafado de gemidos e de soluços: o cárcere ainda guardava no seu bojo o eco das últimas façanhas do Vespasiano...

Mas não há castigos eternos! Ser mau já é sofrer... E bem cedo chegou para o amaldiçoado 136 V a hora doce e luminosa da Redenção...

* * *

Leio no *Jornal do Comércio*:

"Esse carro que tanto servia para a prática do mal, vai agora, transformado em carro-modelo, servir para a prática do bem, indo em socorro a todos os pontos da estrada, em qualquer caso de acidente."

Que eu seja o primeiro a saudar-te, ó 136 V redimido! O diabo, depois de velho, fez-me ermitão; as Laís, depois de velhas, entram para o asilo do Bom Pastor. Mas nem o diabo nem as Laís recuperam, com a virtude, a mocidade. Tu, ao contrário, vais ficar a um tempo moço e virtuoso.

Desinfetar-te-ão, pintar-te-ão, envernizar-te-ão! Ninguém reconhecerá, no teu vulto esbelto e reluzente de carro novo, o hediondo vulto daquele hediondo ninho de palmatoadas que já foste! Garrido, coberto de bênçãos, chamado e esperado com ânsia, acolhido com suspiros de alívio, belo, rejuvenescido, amado e bendito, transformado em carro de socorro, voarás pelo leito da Central, carregando o pessoal para a desobstrução dos túneis, os lençóis para o amortalhamento dos cadáveres, os bálsamos e os fios para o curativo dos feridos. E, assim, como não tiveste repouso nem sono para a prática do mal, não terás sono nem repouso para a prática do bem: como as irmãs de caridade, que não dormem nunca, velarás de dia e de noite, alerta e pronto ao primeiro chamado.

Salve 136 V redimido! Quando, caridoso e apressado, atado à cauda de uma locomotiva, silvando e voando, passares, ao clarão do sol ou à pálida luz das estrelas, pelas colinas verdes, pelos rios murmurantes, pelas volgas [sic] em flor, – volgas, rios, colinas, sol e estrelas dirão: "Eis aí, vai aquele que muito pecou, mas que irá com certeza para o reino do céu (se é que há reino do céu para carros da Central), porque está resgatando com o muito bem que pratica, o muito mal que já praticou!"

Amém!

Fantasio

30 SET. 1896

O DIVÓRCIO

Carta recebida agora mesmo:

"Não creio que Fantasio leve o seu ódio da cromalitografia ao extremo de nunca olhar as figuras das caixas de fósforos de cera. Eu, pobre mulher sem distrações, olho-as sempre... De resto, sempre é mais divertido ver essas figuras que ver os quadros da exposição de Belas Artes, uma exposição que deve ter esse nome justamente pelo fato de não expor cousa nenhuma...

E há, às vezes, tanta lição aproveitável nessas desgraçadas figurinhas de caixa de fósforos, Fantasio! De uma sei eu, que me fez ficar uma hora pensando na tristeza da minha vida... Duas poltronas, unidas costas a costas. Em uma delas, o marido, bocejando; na outra, a mulher, chorando. Em baixo, a inscrição: ´não há maior felicidade que o casamento perpétuo.´

Se tens dinheiro disponível, se queres fazer alguma cousa por mim (que não conheces e não conhecerás nunca) manda, Fantasio, fazer uma reprodução desse triste cromo, e distribui largamente a edição pelos que têm de votar a lei do divórcio.

O que ali está gravado é o sofrimento perpétuo das vítimas do casamento indissolúvel. A casa vazia de amor; toda a vida estragada sem remédio; duas almas roídas de tédio, odiando-se, torturando-se e prolongando até à morte essa tortura recíproca; os filhos recebendo beijos de lábios que a blasfêmia, a injúria e o desespero retorcem; vigiados por olhos que já não podem ter amor, porque estão molhados de lágrimas de raiva; acariciados por mãos mais afeitas à violência que à carícia; e tudo isso irremediável e eterno, só porque dous padres e algumas dúzias de felizes se querem opor (ninguém sabe porquê) à aprovação da lei do divórcio...

Os senhores padres católicos bradam e choram, porque o sultão da Turquia transforma a Armênia numa formidável cabidela de cristãos; querem que o feroz Abdul-Hamid seja tolerante... Por que é que os senhores padres católicos não dão o exemplo de tolerância? Se no Brasil não há religião de Estado, os senhores padres consintam que aqueles que se não querem submeter a todos os preceitos da Igreja, possam livremente sacudir um fardo que os mata!

Demais, como é engraçado ver padres que só se lembram da sua religião para combater o divórcio, esquecendo-se quando se trata de fazer política rasteira, e depor governadores, e aprovar fuzilamentos, e arrebentar urnas, e conflagrar estados, e esbanjar o dinheiro do Tesouro!

Quanto aos felizes... Quem é que sabe quanto tempo há de durar a própria felicidade, Fantasio! E não é verdade que basta haver um infeliz, para que as leis devam logo deixar de proteger unicamente os felizes?

Fantasio! meta essa figurinha de caixa de fósforos pelos olhos dos que têm de votar o divórcio..."

Está conforme.

FANTASIO

05 dez. 1896 Rodapé

Exmo. Sr. Dr. Furquim Werneck, muito digno prefeito do Distrito Federal!

Não se espante V. Excia! Também os sapos, miseráveis e baixos, ousam, à noite, do fundo dos seus charcos podres, falar de estrelas altas e orgulhosas que pompeiam no céu...

– V. Excia. está lá em cima e eu estou cá em baixo. Mas o Senhor Deus, quando me deu voz, foi para que pudesse levantá-la até à região em que V. Excia. fulgura! Ouça-me, pois, V. Excia! pode levantar desdenhosamente os ombros, pode cerrar colericamente os punhos, pode fulminar este boletim com olhares de ira e fúria! mas, ouça-me! ouça-me, que quem está falando pela minha voz é toda a nobre e desventurada cidade de S. Sebastião, governada pelo glorioso fórceps de V. Excia.

* * *

V. Excia., dizem-me, nasceu em Vassouras. Bela e asseada cidade! já por lá me perdi uma vez, e lembro-me bem das suas ruas limpas, das suas igrejas brancas, das suas árvores verdes.

"Isto aqui, (dizia-me aquele meigo Lucindo Filho, que tanta falta faz hoje à pobreza do lugar) isto aqui já foi o centro de um grande comércio. Por estas ruas que vês agora tão quietas, atropelava-se uma população laboriosa e desfilavam as tropas de bestas carregadas, com as madrinhas à frente, sacudindo os guizos alegres, e os tropeiros cantando. Hoje o que vês... é um deserto!"

Enquanto Lucindo falava, eu achava que fora uma felicidade para a gente de lá a catástrofe em que desaparecera a importância comercial da cidade. Tão calma, tão limpa, tão sossegada, tão bela a estava eu agora vendo, sem o antigo barulho de vozes e peladas! E, mentalmente, comparava-a à minha amada Sebastianópolis, tão rumorosa e tão suja...

Quando vi que para administrar o Distrito Federal fora nomeado um filho de Vassouras, exultei! É que V. Excia. não sabe, Sr. Prefeito, a importância que tem para mim isto que os filósofos fingem desprezar! A palavra! Para mim, a palavra é tudo. Cada vocábulo já traz no bojo um mundo de idéias. O destino dos homens está contido nos nomes que lhes dão junto da pia batismal. Há nomes que levam ao Panteão e nomes que levam à forca. Napoleão é um nome que brilha como um sol, Gertrudes é um nome que cheira a óleo de amêndoas e a cozinha; Acácio é um nome que tem óculos e calva e profundidade de conceitos; o nome é que faz o homem e a mulher! a palavra é tudo!

Filho de Vassouras!... Como esta palavra simples – Vassouras – traz logo ao espírito a idéia de limpeza escrupulosa e de asseio exagerado! Vassouras... Pronuncio-a devagar, arrastando as sílabas: não vos parece estar ouvindo o barulho que faz no chão a piaçava grossa, carregando a poeira, esgaravatando as frinchas do assoalho, catando nos cantos da sala os pedacinhos de papel? Vassouras... não é uma palavra; é uma idéia, é toda uma ação! V. Excia., filho de Vassouras, devia amar a limpeza. Foi por ter esta certeza que exultei quando vi que V. Excia. vinha governar a boa cidade de Estácio de Sá, que sempre foi uma sujidade revoltante.

Houve quem me dissesse: "Olha que o Werneck não pode ter jeito para essa cousa! o Werneck é um grande parteiro e não passa disso!" Eu achava que ser um grande, um famoso, um consciencioso parteiro era ainda ser portador de uma esplêndida garantia para o bom cumprimento da árdua missão de prefeito.

Que outro ofício, como este de parteiro, pode desenvolver no espírito de um homem a atenção, a firmeza de mãos, a calma, o amor da vida e da limpeza?

Aquele que passa noites inteiras a auxiliar o trabalho da natureza, a apressar a eclosão de uma nova flor humana, a [*****] uma vida que apenas [*****] sondar com a mão ou com [*****] mais secretas fontes da existência [*****] carregar nos braços os pequeninos que nem têm força para vagir, deve por força ficar amando toda a humanidade. E presumia eu que V. Excia., tão respeitador da vida das matronas que parteja, não menos respeitador seria da vida desta cidade, matrona grande e forte, de cujas entranhas já saíram tantas gerações de homens ilustres!

Ai! Como dói este dever, Exmo. Sr.! com que mágoa, com que desespero me vejo obrigado a dizer-lhe que V. Excia., implacavelmente, me foi ceifando, de uma em uma, todas as esperanças e todas as ilusões!

* * *

Não sei onde V. Excia. estava na tarde de terça-feira passada... Talvez na sua deliciosa vivenda, dormindo a sesta; talvez no esplendor bélico da sua sala de armas, experimentando uma das suas admiráveis carabinas de precisão; talvez no exercício do seu sacerdócio, de mangas arregaçadas, à beira de um leito de dor, tratando de arrancar ao mistério da Criação mais um eleitor para o PRF; talvez em conciliábulo político, ouvindo a palavra ardente de Glicério ou mirando com respeito os óculos de Tomás Delfino, tão rutilantes de talento, tão carregados de bom senso; ou talvez – quem sabe? – estava V. Excia. de par com o meu médico Murtinho tratando de, por meio de uma ação combinada da obstetrícia e da homeopatia, salvar as moribundas finanças da República.

Não sei onde V. Excia. estava. Eu estava na rua do Ouvidor, vendo passar, como um rio agitado, a multidão que seguia dos escritórios para as casas, do trabalho e dos cálculos para os chinelos e o jantar. Tinha também acabado de trabalhar; por algumas horas a fio, tinha deixado cair da fronte e do bico da pena sobre o papel alguns artigos e algum suor... Eram 5 horas.

Fazia um calor de rachar! E eis que, de repente, o céu fica escuro, escuro, carregado de bulcões negros de nuvens. Não era preciso ser Mr. de la Pallisse para dali concluir que se estava formando uma tormenta. E logo todo o povo começou a debandar, com medo da chuva. Que negrume no céu, Exmo. senhor! Parecia que o mundo ia acabar e que já sobre a terra começavam a pesar as trevas da grande noite do nada! Um primeiro trovão estalou, érebo e regougante sobre a cidade. Outro, logo depois; outro ainda, mais outro, outro mais... Que barulho! parecia que, da tribuna do senado, o Sr. barão de Ladário deixava cair da boca um daqueles discursos apocalípticos com que costuma fulminar duramente a infância inocente do amigo Fileto Pires, com grande terror do amigo Rocha dos Santos, ama-seca do aludido menino...

O povo continuava a fugir. Passavam, correndo, janotas espantados, voando para furtar aos estragos da chuva as cartolas reluzentes; passavam moças bonitas, com medo dos raios, movendo levemente os lábios, numa invocação medrosa a Santa Bárbara e a São Jerônimo; passavam pais de família ajoujados ao peso de embrulhos de empadas... Tudo corria. E eu, seguindo o povo, precipitei também os passos, desengonçando apressadamente as pernas, a caminho do largo da Carioca. E aqui, consinta V. Excia. que eu abra um novo capítulo, porque estamos chegando no ponto mais importante do *rodapé*!

* * *

Tinha eu chegado ao meio da rua Gonçalves Dias, quando, a dissipar e fustigar o tempestuoso calor que havia, caiu um pequeno pé de vento. A princípio foi um raro sopro brandíssimo, que apenas carregou consigo alguns chapéus de palha e apenas levantou as fímbrias de algumas saias mais leves. Mas, já tanto havia bastado, Exmo. Sr., para que o pó que enche estas ruas despertasse e se movesse. O pó! – escrevamos, Exmo. Sr., Pó, com P grande, tão alto papel representa esta entidade impalpável na vida do Rio de Janeiro!...

Daí a pouco, já não era um pé de vento: era um vendaval, um tufão violentíssimo, quebrando vidros, torcendo tabuletas, carregando tudo! Não sei bem como dê idéia do que houve: quatro bondes elétricos voaram impelidos pelo sopro furioso de Bóreas; e, no largo da Carioca, vi o sr. senador Abreu, com toda a sua gordura, pairando no ar, leve como uma pluma, equilibrado nas asas da ventania...

Também não vi mais nada! O pó tomou conta de tudo; cobriu as casas e as nuvens, entrou pelas lojas e pelos pulmões, encheu tudo, sufocou tudo, emporcalhou tudo! E que pó, Exmo. Sr.! não era a insignificante poeira, leve e inofensiva, que habitualmente paira no ar! Era um Pó formidável! Um senhor Pó negro e infecto! era Pó de lixo, era Pó da imundície, era Pó de estrago, de assolação e de morte!

Ai! Exmo. Sr.! V. Excia. devia mandar, por meio das facilidades que sempre são propinadas por um Estado de Sítio, encarcerar esse Pó insolente, esse Pó acusador e revolucionário, que tão escandalosamente veio demonstrar que o Rio de Janeiro é a cidade mais suja do mundo, não excluindo Fez, que é a capital clássica da Porcaria!

Tenho visto muitas vezes, porque sou notívago, as vassouras municipais no exercício do seu higiênico mister.

Que vassouras, Exmo. senhor! Como se pode assim profanar e infamar o significativo, o expressivo, o sugestivo nome da bela e asseada cidade em que V. Excia.

nasceu! Que vassouras! Um pau sujo, tendo na ponta três fios moles de palha... o varredor pega naquilo e vai espanando as ruas vagarosamente, distraidamente, de mansinho, cantarolando cópias, fumando cigarros. Quando a turma dos varredores chega a um novo quarteirão, o quarteirão varrido ainda fica mais sujo que dantes; de maneira que é lícito supor que os empregados de V. Excia. são depósitos ambulantes de lixo, que vão deixando cair, à medida que caminham, a sua carga de imundície sobre o calçamento das ruas! E, assim, seria melhor que V. Excia. fizesse de cada um deles um Candô, dando-lhes um bom emprego na secretaria da prefeitura!

* * *

Dir-me-á V. Excia. que o Pó não se mata, que a existência do Pó é uma condição essencial de vida!

Ai! Sr. doutor! eu também sou lido nos Santos Padres, e sei que sou pó e que em pó me hei de tornar: *pulvis es, et...* Mas o pó que eu sou é um pó apertado, consolidado, argamassado, formando ossos, músculos, nervos, não podendo ser espalhado pelo mais fraco pé de vento, não dando incômodo a ninguém. Mesmo quando morrer, irei fechar-me numa sepultura; não irei obstruir as respeitáveis narinas de V. Excia. nem irritar-lhe a prefeitural pituitária, nem ofender-lhe a saúde dos pulmões, tão necessária à glória e à felicidade do Triângulo! Ao passo que o Pó que V. Excia., com a sua administração, mantém nas ruas da cidade é um pó que me arruina a saúde, que me suja a pele, que me estraga a roupa, e apenas faz bem a uma meia dúzia de sujeitos, que, protegidos pelo poder municipal, vivem de fazer calçamentos mal acabados.

Não sei, repito, onde estava V. Excia. na tarde de terça-feira passada: é pena que não estivesse aqui, no centro da cidade, como eu. Há algum tempo, V. Excia. pagou bem caro a sua teima de ter as ruas cavadas de buracos medonhos, porque, no largo da Lapa, caiu em um deles, com a sua vitória e a sua cartola e o seu cocheiro, não saindo dessa provação com o nariz em muito bom estado. Logo no dia seguinte, consertou-se o calçamento do largo da Lapa... Se V. Excia. tivesse estado exposto ao pó da terça-feira passada, naturalmente já teria reformado as vassouras municipais, tornando-as mais dignas do nome que também pertence à gloriosa cidade em que V. Excia., Velpeau municipal, viu pela primeira vez a luz do sol! Também, naturalmente, já teria V. Excia. demitido os varredores atuais, substituindo-os por outros que não tivessem a mania de manejar vassouras como se manejam fórceps e de fazer a limpeza da cidade com a mesma brandura e a mesma suavidade com que se costuma fazer... pílulas.

O que mais me desampara em tudo isto é a amarga decepção que me prostra! Oh! cair de um ideal como Eloá caiu do céu!

Tanto trombeteei por estas ruas as altas qualidade de V. Excia.! tanto proclamei aos quatro ventos a certeza que me animava, de que V. Excia. não deixaria de sanear a cidade, porque como o bom parteiro que é, devia saber que, sem higiene, as administrações, como os partos, são desastradas! E eis-me desmoralizado! V. Excia. faz política! V. Excia. atira no alvo como ninguém; V. Excia. é capaz de obrar cousas altas e gloriosas; mas a cidade está cada vez mais suja!

E só me cumpre agora, no pino da minha decepção e do meu desespero, exalar aqui esta derradeira consideração melancólica:

– Se V. Excia. vale como parteiro o que é como prefeito; se trata da higiene das suas parturientes como trata da higiene da cidade; se faz uso do fórceps com a mesma consciência e o mesmo cuidado que o faz com a vara de Edil, eu, de joelhos, agradeço a Deus o me haver feito homem, o não me ter dado o sexo que tão amiudadas vezes recorre à perícia de V. Excia., porque, assim ao menos, não corro o melindroso risco de um dia me ver sujeito ao manejo do seu fórceps!

E note V. Excia. que, se fosse mulher, já eu estaria a esta hora no escritório do Dr. Abel Parente tratando de corrigir a natureza...

Fantasio

Gazeta de Notícias 1897

09 JAN. 1897 RODAPÉ

À mulher brasileira, é dedicado este folhetim.

Tu, mulher brasileira, ou criança ainda; ou noiva, de alma desabrochada em esperanças; ou esposa feliz, fazendo feliz a casa em que teus filhos brincam; ou velha avó carinhosa, que adoras a terra em que nasceste e em que nasceram teus filhos e teus netos; tu, mulher brasileira, lê estas linhas, e acolhe generosamente as idéias que elas contêm...

Em maio, quando estes calores assassinos já nos não derreterem, verá o Rio de Janeiro celebrar uma festa excepcional. Estarão abertas as câmaras; haverá muito discurso, muita política, muita agitação estéril de ambições; na bolsa, a multidão dos que amam o dinheiro sobre todas as cousas, se moverá, febril e ansiosa, na falua da especulação; nas fábricas, as máquinas roncarão; nos campos, os trabalhadores suarão sobre a terra; toda a vida política, toda a vida industrial, toda a vida comercial do Brasil estarão em plena atividade, monopolizando todas as atenções, cativando todos os esforços. E então, muita gente pasmará, vendo que, da obscuridade em que se conserva, neste meio mercantil, se levantará uma classe, aquela que representa a nossa vida literária e artística, para honrar um de seus mais gloriosos antepassados.

Muita gente pasmará, porque raros são, neste país, os que lêem; e, entre os que lêem, raríssimos são os que não se limitam à leitura dos romances de Richebourg e Montepin, propinados pelos jornais, em folhetins, aos seus assinantes. Mas a nossa vida literária, ignorada como é, se desenvolve e prospera, na sombra. E esta gente, que só merece o desdém das gentes práticas, só dedicadas à preocupação das especulações e dos negócios, tem antepassados que deve glorificar...

* * *

Em maio, inauguraremos aqui a estátua de um brasileiro, cuja alma, a um tempo suave e brava, soube, como ninguém, amar a bravura e a suavidade da sua gente, e fixar esse amor em obras que não morrerão.

Não serviu a sua Pátria, como Osório ou Caxias, nos longes campos de batalha, misturando o seu sangue e o sangue dos seus ao sangue dos inimigos dizimados; não amou sobre todas as cousas o dinheiro; não endureceu a alma nas campanhas do interesse, no frio contato da vida mercantil; e, se praticou a política, só o fez para aprender a odiá-la. Que fez ele? Viveu do seu grande sonho estrelado... Fez da alma um vasto e luminoso estuário em que vieram desaguar todos os rios da nossa nacionalidade; cantou a natureza ardente do Brasil, desde os "verdes mares bravios" do Norte, até as nossas montanhas e os pampas imensos do Sul; não deixou que desaparecesse, morta no olvido, a raça livre, simples e bruta dos primitivos donos da terra: estudou a era colonial, e os bandos dos aventureiros caçadores de ouro, e os vexames da conquista, e a luta feroz da ambição sôfrega contra a avareza do solo, escondendo e defendendo os seus tesouros, e a alvorada da nossa civilização atual; depois, fixou-se na idade contemporânea, e viu as nossas paixões, e compreendeu o nosso caráter.

Os livros em que esse trabalho ficou condensado, não são secos e frios livros de história ou de crítica; coada pela imaginação ardente do trabalhador, a verdade histórica saiu revestida do fulgor da fantasia; e o esplendor da pátria achou quem dignamente o dissesse, em páginas batidas de sol, cheias de imagens ao mesmo tempo grandiosas e ingênuas, guardando todo o perfume selvagem da floresta virgem.

Pode haver quem ache defeitos na obra; mas ninguém deixará de amar o grande cérebro que a concebeu, e o grande coração que a soube animar de um tão largo sopro de piedade e de amor.

Ora, o trabalho desse homem ainda não foi pago. Todo o resultado pecuniário de tamanho esforço serviu apenas para engrossar a fortuna de um editor, que, sempre se queixando dos sacrifícios que fazia, e sempre clamando alto a sua abnegação, morreu milionário, à custa do labor de toda uma geração de homens de letras. A verdadeira recompensa de seus serviços vai ser esta: a estátua que lhe vamos levantar, em maio, no seio desta cidade em que os seus livros foram escritos, e onde, num recanto da floresta da Tijuca, os seus últimos dias de vida escoaram, serenos, todos dedicados ao amor da Família e do Trabalho.

* * *

Já sabem todos os que me lêem: a estátua que vamos inaugurar em maio é a de José de Alencar. Foi o nosso amado Rodolfo Bernardelli quem se encarregou de imortalizar no bronze a figura do criador de *Iracema* e de *Ceci*. E a estátua já aí vem da Europa, em viagem. Mas é preciso que a sua inauguração seja feita com toda a solenidade. Esperar-se-á o mês de maio, e, daqui até lá far-se-á o possível para obrigar o Brasil a compreender que nem só de política e de comércio vivem os povos, e que toda a Pátria se deve associar à homenagem prestada ao patriarca da sua literatura.

E tu, meiga e generosa mulher brasileira, deves dar o exemplo! Ao lado da natureza que o viu nascer, colocava-te José de Alencar como objeto especial do seu culto. Foi o teu sexo principalmente o que ele celebrou, nesta vasta série de romances tão profundamente nacionais. Cantou em *Iracema* a filha selvagem da terra, nua e bela, simples e audaz, de amor desvairado e absorvente, seduzida pela brancura da pele do estrangeiro, morrendo por ele sem uma queixa; cantou em *Ceci* a estrangeira, moça e pura, deslumbrada pela beleza e majestade das florestas em que vem viver, cativa de novos sentimentos, nascidos em novo clima, abrindo o coração ao amor do selvagem moço, que é bravo como um leão, meigo como um cordeiro e bom e generoso como um Deus; e, nas heroínas dos seus romances modernos, foi a tua vida, mulher brasileira, que ele celebrou, e o teu amor, e os teus martírios, e os teus ciúmes, e as tuas vinganças, e a tua abnegação, e todas as tuas alegrias e todos os teus sofrimentos.

* * *

Mas não é tudo.

Anteontem, quando conversávamos sobre isto, Bernardelli e eu, teve ele uma idéia admirável, de que me constituí paladino.

Por que não aproveitarmos a ocasião para associar, nessa grande festa literária e artística, ao nome de José de Alencar o nome de Gonçalves Dias, seu irmão de trabalho e de glória, tendo feito em versos de ouro e cristal o que o outro fez na sua bela prosa fascinadora?

Bernardelli vai desde já fundir em bronze um grande medalhão, com o busto do poeta de *I Juca Pirama*. E no mesmo dia em que, no largo do Catete, se levantar a estátua de José de Alencar, se fixará na rua Gonçalves Dias, rua que tem o nome do poeta e onde ele por largo tempo viveu, o seu medalhão comemorativo.

Este também amou e honrou a mulher, e por ela sofreu e delirou! Mesmo quando, na *Palinódia*, a fere e maltrata, está proclamando a sua Beleza e o seu Poder; e, logo adiante, na *Retratação*, está de joelhos, arrependido, outra vez escravo, outra vez suplicando amor e perdão.

No Maranhão, onde nasceu, já tem Gonçalves Dias a sua estátua. Aqui, no Rio, que tanto amava, ele teria morrido, se o Destino lhe não tivesse reservado um outro túmulo, – o mar profundo e rumoroso, – túmulo digno de heróis, de poetas e de semideuses...

Não é este o lugar, nem é este o momento em que se possa com propriedade apurar o valor literário de Gonçalves Dias, comparando-o ao valor literário dos grandes poetas que já tivemos. Castro Alves teve talvez mais fogo de imaginação; Fagundes Varela foi talvez o nosso maior lírico; Álvares de Azevedo foi talvez o mais verdadeiro representante do nosso temperamento tropical: mas Gonçalves Dias foi com certeza o mais americano dos poetas do Brasil. Não foi apenas n'*Os Timbiras*, em *I Juca Pirama*, em *Marabá*, no *Hino do Piaga*, n'*A Canção do Tamoio*, que se revelou o seu amor do americanismo: foi também em seus estudos de antropologia e de etnografia. Além disso (deixai passar esta opinião que nada vale!), parece-me que o grande poeta lírico da *Palinódia* foi ainda, de todos os nossos, o que mais cuidou da perfeição do verso e do estilo.

Mas isso não vem ao caso: quisera eu que todos os nossos artistas mortos tivessem o seu monumento, e ficassem para sempre glorificados pelo povo! O que importa agora é aproveitar a idéia de Rodolfo Bernardelli: já temos uma rua com o nome do poeta, já temos o seu medalhão, teremos com certeza a necessária licença do poder municipal; não deixemos morrer a idéia, e empenhemo-nos todos no propósito de dar a essa dupla festa literária o maior esplendor.

* * *

É para isso que peço o teu apoio, mulher brasileira! Quero que todas as senhoras do Brasil concorram a esta manifestação. Bernardelli encarrega-se (gratuitamente, já se vê, como sempre que este glorioso brasileiro se encarrega de levar a efeito uma idéia generosa) de modelar duas coroas, que serão colocadas no sopé da estátua de José de Alencar e abaixo do medalhão de Gonçalves Dias, ambas trazendo a dedicatória: *A Alencar, a Dias, à Mulher brasileira.*

Essas coroas serão fundidas na Casa da Moeda, e o custo da fundição será pago por uma subscrição de senhoras de todo o Brasil – subscrição que desde já fica aberta no escritório da *Gazeta de Notícias*, e nos escritórios de todas as folhas desta capital.

Não se trata, minhas senhoras, de assinar contos de réis. Trata-se de uma subscrição ao alcance de todas as bolsas: é mesmo preferível que todos os óbolos sejam modestos. De tostão em tostão resultaremos o dinheiro necessário.

O que se quer, é que de todos os pontos do Brasil venham as adesões; que todas as senhoras brasileiras acudam a este apelo; que, no dia da inauguração, possamos mostrar com orgulho as listas cobertas por milhares de milhares de assinaturas; que, enfim, as duas coroas [*****] representem positivamente a tua homenagem, ó meiga e generosa Mulher brasileira – criança ainda; ou noiva de alma desabrochada em esperanças; ou esposa feliz, fazendo feliz a casa em que teus filhos brincam; ou velha avó carinhosa, que adoras a terra em que nasceste e em que nasceram teus filhos e netos...

Em cada um dos Estados, uma associação literária receberá o encargo de patrocinar a idéia; sendo de esperar que do Ceará, berço de José de Alencar, e do Maranhão, berço de Gonçalves Dias, não tardem a chegar as mais calorosas adesões a este projeto, tão belo e tão fácil, cuja iniciativa é preciso agradecer a Bernardelli.

* * *

Resta-me pedir a toda a Imprensa do Brasil que tome a si, como um propósito de honra, a realização dessa comemoração literária, já divulgando a suma deste artigo, que apenas vale pela idéia que contém, já apelando vivamente para o patriotismo e para o entusiasmo de todas as suas leitoras.

FANTASIO

13 FEV. 1897 RODAPÉ [CIA]

Petrópolis... Falemos de Petrópolis, amigo leitor...

Há nos noticiários, às vezes, cousas que me irritam desmarcadamente. Esta, por exemplo: "Ontem, em Petrópolis, houve uma conferência política...", ou esta: "Em Petrópolis, o presidente do Estado...", ou ainda esta: "No 11º distrito eleitoral de Petrópolis..." Santo Deus! por que há de haver política, por que há de haver presidente de Estado, por que há de haver eleições em Petrópolis?

Todas essas cousas chatas e vulgares deviam ficar em Niterói, à beira-mar, nas ruas baixas e feias: a política dá-se bem, ali, com o cheiro de maresia, com a umidade, com o calor, com o suor, e com os bondes da Cantareira!

Mas em Petrópolis! a oitocentos metros acima do mar, no pináculo verde da serra da Estrela, perto do céu, perto dos astros, perto de Deus! naquela altura abençoada que possui todas as manhãs os primeiros bafejos da luz! naquele paradisíaco retiro tão alto, que à noite a gente quase chega a poder conversar com os habitantes vermelhos de Marte e com as habitantes alvas de Vênus! A política ali, e as conferências, e as secretarias, e as tricas eleitorais, e as urnas, que, como mulheres fáceis, se deixam violar por todo o mundo!... É horrível!

Quisera eu, que todo o mundo, ao subir a serra, ao chegar à estação de Petrópolis, sentisse, completa e cabal, uma verdadeira ressurreição da alma, – lembrando-se de que todas as cousas tristes da vida, os negócios, o trabalho, a política, a ambição, a hepatite, a dispepsia, o mexerico, ficaram cá embaixo, no atoleiro mercantil da cidade, sem asas para poder galgar a montanha verde, em que Natureza irradia com tanta beleza, e onde há o culto do conforto e do luxo.

Calma e linda cidade, feita para as recatadas delícias das luas-de-mel, para os comedidos e fidalgos *flirts*, para o doce e bem-aventurado ócio, filho da Ventura, pai dos Sonhos que embalam a alma! – que idéia foi essa de te converter em Capital de Estado?

Ainda eu compreendo a existência das tuas fábricas de tecidos, ó Petrópolis! principalmente de fábricas em que não haja abuso de vapor, mas abuso de água, de muita água cristalina e rumorosa, espumando nas represas, movendo os teares, – água fresca e alegre, cuja voz canta a beleza dos sítios agrestes e perfumados, de onde desce para vir ajudar o trabalho dos homens. Mas a existência das repartições de Estado, isso é que não, Petrópolis, isso é que não!

Mas Deus é grande! A burocracia, mais cedo ou mais tarde, se há de aborrecer da pureza daquele ar, e há de descer à sua rasa e abominável planície. Nesse dia, Petrópolis não terá nenhum defeito...

Há quem prefira Teresópolis ou Friburgo; há quem, mais amigo ainda da natureza virgem, prefira o mato cerrado, o campo autêntico, a autêntica vida rústica. Para mim, Petrópolis é o ideal.

Amo devidamente o mato cerrado, quando o vejo celebrado em bons versos; e devidamente amo a autêntica vida rústica, quando a vejo descrita em livros de arte, como *O Sertão* de Coelho Neto. Mas na vida prática, meus amigos, confesso que só amo a natureza civilizada, tratada com arte e carinho pela mão do homem. Certo, é agradável o cheiro da mata, como são agradáveis a frescura das grotas e a meia-escuridão dos recessos de bosque, emaranhados de cipós. Mas tudo isso é perigoso. No bosque há espinhos que dilaceram a face e as mãos, e cobras que mordem, e formigas que sem cerimônia sobem pelas pernas da gente, e, sobretudo, que pavor!, certos bichinhos que não cheiram propriamente a ervas orvalhadas, nem a moitas de jasmins desabrochados.... Para um homem civilizado, só há um lugar habitável: é o lugar onde se pode conservar a roupa limpa, os sapatos lustrosos e as mãos sem calos: todos os outros lugares podem ser infinitamente belos, mas só podem servir de habitação a quem, possuindo uma alma simples, gosta de dispensar os cuidados do barbeiro, do alfaiate, da engomadeira e do engraxate, para aproximar o mais possível a sua vida da vida dos animais inferiores. Os homens querem-se na cidade, pisando paralelepípedos. Os coelhos, os veados, os porcos-do-mato, é que se querem na floresta, esmagando cobras com as patas.

No tocante a florestas, só amo as florestas como a da Tijuca – de entradas planas e cuidadas, varridas duas vezes por semana, como se fossem corredores de casa, dando cômodo trânsito a carros; as outras, as virgens, as autênticas, não as disputo àqueles que, como Antônio Conselheiro, são variantes mais ou menos aproximados do Calibã shakespeareano.

Assim, amo a vida civilizada encaixada na moldura rústica da natureza primitiva. Quero ver os troncos rugosos encontrando-se e torcendo-se, confundindo estreitamente no ar as copas altas, abrigando a algazarra dos ninhos e os amores dos pássaros; quero ver as catadupas de águas bravias, franjando-se de espuma nas cristas das rochas; quero ver despenhadeiros e alcantis, rios e capoeirões; mas quero ver tudo isso sem incômodo, debruçado a uma janela, de dentro de uma sala em que haja poltronas, e livros, e tapetes, e copos de cristal...

Por isso, prefiro Petrópolis! Quando cuidaria o antigo Córrego Seco, modesto e selvagem, ao ver chegar a primeira leva de colonos alemães, que um dia sobre as suas terras se levantariam palácios e rodariam carruagens de luxo? Quando os casais alemães, nutridos a queijo fresco e a cerveja loura, entregues ao amor e ao trabalho, deram filhos e melhoramentos ao lugar, logo o resto da gente pensou que devia ser deliciosa a vida, ali, naquela altura, sem miasmas, sem febre amarela.

E, logo, a corte de D. Pedro II começou a ir passar o verão naquele canto da Estrela, patrimônio da coroa: bem pífia corte essa, sem fausto, sem arte, sem dinheiro... Mas, enfim, sempre era uma corte: e a cidade de Pedro foi melhorando e tornando-se a habitação da moda, durante as asperezas do verão fluminense. Hoje, é aquele encanto! A natureza selvagem está ali perto, ao alcance dos olhos e da mão: onde há folhagens mais verdes? onde mais vivos sóis desabrocham no céu? onde mais frescas águas brotam do solo? onde mais serenas manhãs se abrem, sob neblinas alvíssimas, como noivas sob véus de rendas fúlgidas? onde mais perfumes se desprendem das moitas? onde têm mais brilho as estrelas, por noites caladas e frias?

Ali tens tu, leitor amigo, as flores da mata... Se não as queres, aqui tens as camélias formosíssimas, filhas da civilização, primores nascidos e criados à custa de cuidados sem conta. Aqui tens tu a água leve que não custa vintém; se não a queres, aqui tens, nos hotéis, os vinhos finos que custam os olhos da cara...

Em torno de ti, tens o mistério e o sossego da serra: há por ali lugares que a planta do pé do homem ainda não profanou; se és Antônio Conselheiro, embrenha-te por esses matagais. Mas se, como eu, preferes os lugares em que não há carrapichos e cobras, aqui tens as ruas calçadas; e os carros que te evitam a fadiga das caminhadas a pé (outro hábito de selvagem que não se dá bem com o meu temperamento); e as lojas de jóias, de *bibelots*, de modas, de perfumarias; e as cervejarias em que se toma uma cerveja loura como Diana e leve como uma nuvem; e o teatrinho Fluminense onde Dell'acqua exibe os seus cenários fulgurantes e os seus atores de pão; e o teatro da Floresta; e o da moda; e os hotéis onde se dorme bem; e as recepções onde os olhos da gente têm a inenarrável felicidade de admirar as mais belas mulheres do Rio; e os bailes, onde à claridade ofuscante das lâmpadas elétricas, revoluteiam colos nus; e o Casino Hotel...

Salve, Petrópolis! pequeno e esplêndido trecho, asseado e suave, da civilização, encravado no vasto seio bruto da Natureza: aí posso ouvir o barulho das ramarias e das cachoeiras, sem ter os sapatos sujos de lama e a pele picada de mosquitos; aí posso à vontade sentir que sou animal, sem precisar esquecer-me de que sou homem; aí posso respirar o mesmo ar que respiram as aves livres e os livres quadrúpedes, sem me privar da delícia de sorver um *vermouth-coq-tail* numa taça de *baccarat*; aí posso, enfim, reintegrar-me de quando em quando no seio da Mãe Criação, sem ter para isso de tirar a gravata e os punhos... Salve, Petrópolis fidalga! mansão do Bom Gosto, onde o ar é puro e a gente é bem educada!

Por isso mesmo, Petrópolis, por isso mesmo que és fina, e bem educada, e fidalga, é que há muita gente que não gosta de ti: nós, em geral, no Brasil, entendemos que o reino da democracia é o culto da má-criação; e, além disso, estamos tão habituados a viver, ou no interior das confeitarias sujas, ou nas ruas imundas e fétidas, que falamos sempre mal do que é limpo e elegante.

Há quem odeie Petrópolis porque a julgue a capital do *Snobismo* e da *Pose*: santo Deus! pois se há gente que gosta de não se lavar, com medo de que se lhe ache ridículo o abuso do banho!...

Ainda há poucos dias, um jornal, falando do Casino Hotel de Petrópolis, – essa casa que Echeveria e Lassale ali mantêm como uma verdadeira Escola de Bom Tom e Chic, – dizia que aquilo era um antro de jogo e de jogadores... Pudera! pois se aquela casa é excelente!, se nela se dão festas a que concorre o que Petrópolis tem de mais notável!, se ali, os garçons não andam, como nas nossas confeitarias elegantes do Rio, sem *paletot* e com a camisa suja!, se ali se pode passar a noite com decência e conforto, conversando com gente que tomou chá em pequena!, se ali não se fala de política, nem de obscenidades, nem da vida alheia!, se ali crescem, se ali viçam, em plena força, essa delicada flor da civilização, e essa frágil flor das Boas Maneiras, a cuja cultura, em geral, o brasileiro é tão estranho! – como não se há de procurar desmoralizar a casa, que assim comete o alto crime de dar bons jantares, e concertos de música que não é a do *Rio Nu*, e bailes que não são carnavalescos, e festas de uma harmonia incomparável?

Ai! amigos! e que houvesse jogo! e que houvesse jogo! que haveria nisso de altamente condenável, de provocador das cóleras humanas e celestes, de destruidor dos alicerces da instituição? O jogo mau, o jogo pernicioso e perverso, que corrompe tudo, que chama a miséria e a prostituição, que avilta o caráter, faz odiar o trabalho e amar a ociosidade, é o joguinho barato, o joguinho do meio da rua e da turma da batota, jogo em que se metem patrões e criados, patrões e criadas, velhos e crianças, jogo que aí está às escâncaras, na rua Nova do Ouvidor, e no Agave, e no Pantheon, e nos

Belódromos, e nos Frontões, e nos *bookmakers*, e nas charutarias, e nas vendas, e nas repartições públicas, fervendo, desvairado, brutal, com permissão da polícia, que se confessa impotente para matá-lo, e com a animação nossa que o anunciamos, que o apoiamos, que o protegemos! Tem graça, esta acusação de ser antro de jogo, atirada a uma casa que, como o *Casino Hotel*, é o único reduto a que ainda se acolhe no Brasil a sociedade que se quer divertir com luxo, porque tem dinheiro para gastar, e pode gastá-lo como bem quiser! Tem graça! e é um belo sinal do tempo!

E que houvesse jogo, amigos! O jogo, entre pessoas que se conhecem, que se prezam e estimam, faz parte da educação: é uma cousa que se deve saber praticar, assim como se tem a obrigação de saber dançar, conversar e comer... Mas a acusação falsa é o pretexto... A verdadeira causa do motim é querer estragar o que está bem feito! Aqui, há um prazer, estranho e mórbido, em sujar as paredes pintadas de novo, e em torcer as grades dos jardins, e até em quebrar os bancos de pedra do parque da Aclamação... Oh! oráculos divinos! quando chegará o dia em que nos teremos de convencer da necessidade da Cortesia e da Decência?

Salve, apesar de tudo, Petrópolis! que falem de ti, que esbravejem contra ti, à vontade! se até já tenho ouvido dizer que o teu clima não presta!... Salve, apesar de tudo, e prospera! e apura-te! e sê sempre um oásis de asseio e frescura neste vasto deserto de sujidade e calor!

E olha: vê se, quanto antes, a burocracia se aborrece da pureza do teu ar, regressando à sua chata e abominável planície! uma repartição de Estado em teu seio, com amanuenses, e contínuos, e escriturários, e pretendentes, e estampilhas, e paletós de alpaca, e papeladas, e reposteiros verdes e amarelos, – é como um caramujo gosmento no seio pálido de uma camélia...

Calma e linda cidade, – feita para as recatadas delícias das luas-de-mel, e para os comedidos *flirts*, e para o doce e bem-aventurado ócio, filho da Ventura, pai dos sonhos que embalam a alma! – quem foi que teve essa desastrada idéia de te converter em capital de Estado?...

FANTASIO

06 MAR. 1897 RODAPÉ

(À Memória da fragata *Amazonas* despedaçada pela dinamite)

Pertenço à geração dos que ainda não eram nascidos ou apenas engatinhavam, quando começou a guerra do Paraguai. É por ter nascido nesse período de ansiedade, de tristezas, de luto e de sangue que a minha geração é uma geração de tristes e de desanimados? Talvez... O que sei, é que a época era dura e má.

Quase todos os homens válidos tinham partido para os campos de batalha, uns levados pelo patriotismo e pela ambição da glória, outros apenas porque tinham um dever a cumprir, e outros tentados pela perspectiva de ganhos fartos e fáceis. Aqui, nas casas onde não havia miséria, havia pelo menos tristeza e susto. Quantos, como eu, cresceram assim, na casa privada do chefe, numa vida incerta, intercalada de sobressaltos – longos meses em que faltavam as cartas de lá, – dias depois, em que chegavam cartas, não raro trazendo luto à família – cinco anos amargurados, sem festas, sem alegrias...

Quando caía a noite, em cada casa ardia, diante do oratório, a lamparina devota. E os que têm hoje a minha idade, sem saber o que aprendiam, aprendiam a rezar, antes de dormir, pelos que andavam expostos às balas e ao escorbuto, aos charcos do Sul, empenhados numa luta bárbara...

Muitos, como eu, só viram os pais quando, acabada a guerra, a cidade rejubilava, cheia de bandeiras e de luminárias, saudando os heróis que voltavam. E era um espanto, uma admiração sem fim, nas ingênuas almas das crianças que se viam abraçadas e beijadas por esses homens de que não se lembravam, queimados do sol, fardados, com os braços cheios de galões e os peitos cobertos de medalhas de prata e bronze, carinhosos, possuídos de uma alegria exuberante e comunicativa, matando com ansiedade as saudades longas do conforto e da calma do lar!

Depois, com o correr dos anos, habituamo-nos a considerar a campanha do Paraguai como uma cruzada santa. Os bravos que dos combates horríveis haviam voltado com vida e glória, amavam a recordação dos perigos passados. À noite, nas velhas salas de jantar, reunida a família em torno da mesa em que ardia o grande lampeão de azeite, o chefe gostava de falar longamente das refregas, das retiradas, dos cercos, das epidemias, das marchas forçadas, das fomes, de todos os horrores da guerra. Nós, crianças, deixávamos abertos sobre as mesas os compêndios de estudo, e ficávamos com os olhos escancarados de espanto, e a respiração suspensa, ouvindo essas narrações ardentes. O soldado falava: contava as vitórias de Riachuelo, de Avaí, e o horror de Curupaiti, a nossa retirada depois de todo um dia de luta, deixando no chão ensopado de sangue os cadáveres de dous mil brasileiros; e Itororó, e Avaí, e Lomas, e a entrada em Assunção, e a morte do tirano...

López, para nós, era como a personificação do diabo, pérfido e cruel, assinando a sentença de morte da própria mãe, assassinando os irmãos, vivendo jubilosamente no meio das carnificinas. O entusiasmo acendia-nos a face, dava-nos ao sangue rufos de febre, e aprendíamos a amar a Pátria, admirando aqueles que por ela morriam...

Assim nascemos, assim crescemos.

* * *

Eu, que pertenço a essa geração, guardei sempre inalterável o ardor da minha admiração pelos homens e pelos acontecimentos da guerra do Paraguai. E ainda hoje sinto o coração invadido de uma onda de ternura e de piedade, quando vejo um velho soldado desse tempo, ou um dos velhos canhões que andaram por lá aos solavancos, ou um dos velhos navios que cruzaram o Paraná, dentro de nuvens de fumo, vomitando metralha sobre as trincheiras paraguaias.

Foi por isso que tive durante toda a semana a alma torturada pelo desaparecimento da *Amazonas*...

A velha e gloriosa *Amazonas*! Mergulhada no mar, ninguém mais a via; mas tinha a gente ao menos o consolo de saber que ali estava ela, no seio da baía, e que ali estava a sua tolda, trinta vezes cruzada pelo passo febril do grande Barroso, e que ali estavam os canhões que bombardearam as barrancas do Chaco, e que ali estava aquele mastro de proa, que, depois da batalha do Riachuelo, foi condecorado com as insígnias do Cavaleiro do Cruzeiro... Mas o cadáver do navio tapava o canal, e perturbava a passagem dos couraçados e dos cruzadores moços, virgens ainda de batalhas, flamantes e orgulhosos, pompeando, na glória dos seus canhões modernos e das suas couraças impenetráveis, a passagem dos navios mercantes, apressados e indiferentes, bufando, voando às conquistas do comércio. E, pois, cometeu-se à dinamite o encargo de fazer desaparecer o tropeço...

Velha! pobre! gloriosa *Amazonas*! Quando li nas folhas que já nada mais restava de ti, e que a impiedade das bombas brasileiras fizera aquilo que em vão havia tentado fazer o ódio das bombas paraguaias, uma revolta súbita me levantou o coração. E, fechando os olhos, evoquei a recordação das tuas façanhas sem par...

Então moça, poderosa, palpitante de vida e de bravura, avultaste diante de mim, sagrada nau de Barroso, naquela terrível manhã que viu a morte de Greenalgh – o moço atrevido, despedaçado a golpes de machadinha que, retalhando-lhe o corpo, retalhavam ao mesmo tempo a bandeira da pátria que o vestia. Vi, batidas dos raios do sol nascente, arrufarem-se as águas do Paraná; e vi-te sair ao encontro da esquadra paraguaia, destemida, gingando sobre as águas, desfraldando os teus gonfalões auriverdes, e arrastando em pós de ti, na mesma esteira de coragem e de entusiasmo, a *Jequitinhonha*, a *Belmonte*, a *Parnaíba*, todas já coroadas de fumo e fogo, entre as ribas inimigas, cuspindo metralha...

Ardem, estronda, rebrame a refrega... Encalha a *Jequitinhonha*; a *Parnaíba* desesperada e sozinha, debate-se como uma louca entre os três navios que a abordam. Então, como conduzida pela vontade de um deus, chegas tu, imortal *Amazonas*, e cais a fundo sobre os assaltantes. Nas madeiras rijas entra certeiro e assassino o teu aríete formidável; todo o teu cavername, com a violência dos choques, está cheio de rugidos e gemidos; estremeces toda, vibras, sacode-te sobre as ondas como uma fera em cólera; adiantas-te, recuas, voltas a toda força; a cada choque abre uma ferida mortal no flanco de uma nau; e, cada vez, as tuas amuradas despejam dentro dos vasos paraguaios uma nuvem de heróis; e, cada vez, dezenas de corpos batem sobre a água que se abre para recebê-los, e logo se fecha, num círculo de espumas, ciosa dos despojos que guarda...

Pobre! pobre *Amazonas*! não foste ao fundo nessa manhã de loucura e de temeridade mais que humana, quando, guiada pela valentia de Barroso, parecias ter uma alma própria, encarnando toda a ira vingadora do Brasil... Daí voltaste, arrastando o corpo pelas águas como uma grande ave ferida; mas vinhas ainda com o orgulho primitivo, condecorada e honrada, apendoada de flâmulas, faceira, aos beijos do sol, trazer ao povo do Rio de Janeiro a notícia dessa vitória, que era tua, quase exclusivamente tua! Quando entraste esta baía, em cujo seio tinhas de morrer ignominiosamente, da praia coalhada de uma multidão ansiosa, todos os olhos te fitaram com amor, todos os corações voaram para ti, numa aclamação delirante...

Morta, morta ignominiosamente, sem glória, longe das vistas de todos, no fundo misterioso das águas inclementes, covardemente despedaçada pela dinamite traiçoeira! Bem sei que era indispensável a tua morte, relíquia de um passado que não volta... Mas não quisera que morresses assim, escondida do sol e das vistas de todos!

* * *

Também, ninguém deu pela tua morte. O Carnaval aí estava, ignóbil e sujo dando à cidade um ar repugnante de feira maluca. Havia *confetti*, havia serpentinas, e havia muito *dominó* imundo, e muita bebedeira, e muita gritaria ensurdecedora... Quem poderia ouvir o longo gemido de cólera impotente em que te consumiste, quando a última bomba estourou dentro do teu coração, fazendo voar a tua vida dentro de uma nuvem revolta de peixes mortos, de estilhas de madeira podre e de azinhavradas ferragens retorcidas?

Não o ouviram de terra aqueles que, no tropel das correrias carnavalescas, só pensavam em rir e folgar; não o ouviram de certo as montanhas de em torno, que tantas vezes te viram, garbosamente sacudida à flor das águas, passear pela baía a tua garridice de velha bem conservada; não o ouviram de certo as fortalezas da barra, que tantas vezes saudaram a tua passagem com o clamor vitorioso das salvas. Mas ouviu-o a minha alma de poeta: e esse grande e último gemido ainda me está repercutindo dolorosamente dentro do coração e animando estas linhas comovidas, que serão o teu *Requiem* solene, formosa nau de guerra que mãos matricidas feriram de morte!

Ah! bem sei, bem sei que era indispensável o teu desaparecimento! bem sei que tapavas o canal, que interrompias com o teu corpo pesado e imprestável o trânsito triunfal dos couraçados moços, e das apressadas naves de comércio. Mas por que, ainda com grande sacrifício de tempo e de dinheiro, não te levantaram do torpor em que estavas, puxando-te à flor da água, para que, em paz, cercada da veneração de todos, pudesses apodrecer, num recanto plácido da enseada, como essas pobres velhas inválidas a quem a comiseração do Estado concede o sossego derradeiro de um cantinho de asilo? O que eu não queria, velha e gloriosa *Amazonas*, era que morresses assim, torturada, rebentada, despedaçada, como uma criminosa digna de todo o rigor!

Felizmente para ti, esses belos moços e couraçados e cruzadores, que eram todo o teu ciúme e toda a tua inveja, não viram o teu fim tristíssimo... Andam por longe, em evoluções, nas águas de Santa Catarina; e, livre do escárnio da sua mocidade, pôde a tua velhice acabar, sem essa vergonha suprema...

Houve, porém, um navio que viu e sentiu a tua morte: um navio, não! menos do que isso: os restos de um navio. Ali adiante, defronte de S. Bento, inválido como tu, estava o *Brasil* em destroços, esse outro herói, como tu sagrado pela pólvora dos bombardeios, cem vezes ferido pelas balas paraguaias no passo de Humaitá. O *Brasil* viu a tua morte... Esse deve ter estremecido então, no seu podre arcabouço desconjutado, assistindo ao tremendo excídio da companheira de esplendor e de desventura.

E nele somente, na alma gasta dessa desgraçada nau abandonada, é que, como dentro da minha alma de poeta, deve ter achado um eco amigo e compadecido o teu último soluço de desespero, quando o resto do teu casco roído desapareceu, – gloriosa *Amazonas*, berço da imortalidade de Barroso, nau salvadora, cujo esporão foi o terror dos inimigos, na terrível manhã de Riachuelo!

FANTASIO

14 MAR. 1897 CRÔNICA [CIA]

Quis o Destino que o mestre, a quem a *Gazeta de Notícias* devia *A Semana*, aqui não estivesse agora, para dizer, naquele estilo que é a glória maior da nossa literatura, o que foram estes dolorosos dias de luto e cólera, bandeiras em funeral, olhos ainda marejados de lágrimas, almas ainda fervendo na sede da desafronta... Naquele estilo conciso, que tem a nitidez e a precisão de uma gravura de Goupil, é que ficaria bem a narração da grande desgraça.

Casos assim querem-se contados em palavras poucas e fortes, que entram como cunhas de aço na alma de quem as lê. Heródoto consome páginas e páginas na descrição dos inumeráveis exércitos de Xerxes, e na pintura minuciosa dos hoplitas gregos, empenhados na pugna tremenda das Termópilas; mas, quando, consumada a ignominiosa traição de Efiálio [?] e postos em linha os trezentos heróis de Leônidas, começa a batalha decisiva, o estilo do historiador aperta-se, apura-se, resume-se, e é em uma só página de incomparável sobriedade e de entontecedora comoção, que se diz como o herói caiu ferido de morte e como sobre o seu cadáver, "depois de sobre ele haverem quatro vezes vencido", caíram de um em um, lutando como feras, com as espadas, com as unhas, com os dentes, aqueles três centos de gregos em que toda a bravura sobre-humana da Hélade se concentrara...

Mas o mestre descansa, doente. E quem vem substituí-lo sai das baixas e fúteis regiões do *Rodapé*, em que é permitido ser prolixo e inconseqüente, leviano e paradoxal.

Que importa? Quando uma desgraça como esta fere um povo, não a sentem apenas aqueles que sobreavultam na multidão, dominando-a. Sentem-na também os pequenos; assim, os furacões, se retorcem as grandes árvores da floresta, castigam também as ervas rasteiras...

* * *

Falou-se aí em Termópilas...

Não! a alma brasileira não caiu ferida de morte nas gargantas alpestres de Canudos, como no estreito desfiladeiro da Grécia, entre a sagrada eminência do Ela [?] e as águas empesteadas do Malíaco, caiu a alma grega ao furioso embate dos asiáticos. Não! ainda não tivemos as nossas Termópilas! O revés pequeno que sofremos apenas apavora por inesperado.

O primeiro abatimento passou, logo seguido de uma reação formidável: e, em vez da estéril lamentação que desmoraliza, há a explosão invencível de uma vontade nobre e fecunda de vingar os que morreram, dando um golpe de morte nos que escondem a sua política daninha dentro das pregas do burel de um energúmeno.

Quem não sente que uma ressurreição se está operando em nós? e quem não viu ontem, nas fisionomias dos que recebiam Lauro Sodré, vitoriando esse administrador que deixa o governo sem um erro, sem um pecado, sem uma fraqueza, a confiança no futuro da República e o amor entranhado dos que a hão de salvar?

Esta meiga e caridosa religião católica já tem muita vez servido de capa a muita patifaria política e a muita ambição indecente. Já não é preciso falar no *Apóstolo*, bojudo fradalhão de larga venta, que tanta vez pediu pelo arreganho brutal da sua linguagem e pela intemperança escandalosa da sua ambição, um segundo tomo da famosa lição que o Divino Mestre deu aos lojistas do Templo: por que falar de mortos? mais vale tratar dos vivos. Já no tempo do Império, a padraria cuidava mais da cabala que do culto, olhando mais para as urnas eleitorais que para as custódias do Santíssimo.

Quem não se lembra daquele padre liberal, que, dizendo missa com um sacristão conservador, com ele travou uma discussão política? Os fiéis, cá em baixo, cuidavam que o zum-zum de vozes que vinha do altar-mor era o efeito da recitação das páginas sagradas: não era tal! era o abafado barulho de uma altercação violenta! ali, ao pé da ara santa, sob as vistas do Cristo que se estorcia na cruz, ao pálido clarão dos círios, os dous partidos do Império, enfronhados numa capa de asperge e numa opa de sacristão, estavam medindo forças para a próxima batalha eleitoral. Houve um momento em que a contenda chegou ao seu auge: foi justamente quando, ao levantar o copo, o padre oferecia ao Senhor a hóstia. O copo já estava erguido: o oficiante com os olhos cravados no teto, parecia pedir a Deus que lhe aceitasse a alma pura, paternal, desinteressada, como indenização pelos pecados e pelas infâmias dos homens. Então, o sacristão balbuciou o mais forte dos doestos; o padre não pôde mais: esqueceu-se de Deus e dos homens, e martelou com o copo a cabeça do contendor.

Boa capa! boa capa que são, para os manejos políticos, esse ar de humildade de que eles se revestem, e essa facilidade com que seduzem a mulher, arrancando-lhe os segredos e iniciando-as nas conspirações, e essa influência perniciosa sobre as almas simples, que ainda pensam que a Proteção Divina só pode cair sobre os padres que se dão o luxo de pagar um papo de tucano e um manto de arminho.

No vulto ascético do Maciel, esquálido e sujo, arrastando pela poeira dos sertões as suas longas barbas de Iniciado, construindo igrejas que têm nas torres canhões em vez de sinos e cemitérios em que se plantam carabinas em vez de cruzes, e vestindo, como o cura Santa Cruz, um burel sobre o cabo do punhal e a coronha da pistola, encarnou-se a propaganda perversa que, só tratando das cousas do céu, só quer as cousas da terra, e que se diz aconselhada e dirigida por Deus, como se Deus tivesse tempo disponível para se preocupar com sistemas de governo...

Mas, a máscara caiu. Já agora, não há de ser fácil ao monarquismo pregá-la outra vez na cara descomposta.

Ao menos, a desgraça de Canudos serviu para isso. Abençoadas as dores de que saem esta energia e esta fria e heróica tenacidade com que se está preparando a desforra: a terra somente se abre em verduras de primavera e em frutos de outono depois de ter o seio dolorosamente rasgado pelo arado...

Em breve, já nem memória há de restar da afronta: haverá apenas a glória dos que morreram e a glória dos que souberam vingá-los. E esta *Crônica* voltará a ser alegre, porque nem mesmo hoje, nestes dias de luto e sangue, conseguiu ela ser triste.

Oh! a tristeza!... Mas o grande Camilo já escreveu no seu *Cancioneiro Alegre*: "A seriedade é uma doença, e o mais triste dos animais é o burro: ninguém lhe tira nem com afagos nem com a chibata, aquele semblante caído de mágoas recônditas, que o ralam no peito..."

s. a.

21 MAR. 1897 — CRÔNICA

Escrevo, com os ouvidos aturdidos pelo clamor de uma voz rachada. Aqui perto, à porta de uma casa da rua do Ouvidor, chamando a atenção de quanto basbaque atravessa a suja viela, um homem de cara impassível, dono de umas longas suíças que o vento da tarde sacode, abre uma grande boca desdentada, e troveja a sua desvairada *réclame*: "Ahora mismo! ahora mismo! va empezar! veinte dos cobras las más feroces del mundo ahora mismo! ahora mismo!" Lá dentro, uma senhora, que mostra sangue frio e pernas grossas, agarra várias cobras, e enrola-as no pescoço, e beija-as, e confunde-se com elas, e com elas coleia, e com elas dança num bamboleio que, se revela muita coragem, também não deixa de revelar pouca vergonha. Mas, entre os espectadores, não há realmente quem ache impudico ou repugnante o espetáculo: todos admiram apenas a bravura da senhora, que não tem medo dos dentes dos ofídios... naturalmente porque os ofídios foram de antemão entregues aos cuidados de um hábil cirurgião-dentista.

Oh! gentes néscias! quão mais perigoso, quão mais repugnante é este ofício do cronista, – obrigado a remexer a semana, – sete dias de sangue decomposto, sete dias de horror, vermelhos e inchados de ira! Cada um destes sete dias foi uma cobra mais venenosa que todas as cobras da formidável senhora. Suicídios, assassinatos, roubos, violências de toda a sorte: houve quem matasse e quem se fizesse matar, e quem roubasse, – por virtude como por vício, por fome de dinheiro como por sede de amor, – uns ainda para defender a sua honra, e outros ainda porque não tinham mais o que fazer.

Os médicos da polícia nem tempo tiveram para lavar as mãos: degringolaram de autópsia em autópsia, de corpo de delito em corpo de delito. E, justamente, quando, cheia de dissecções e de conflitos intestinos, a polícia mal podia cuidar de si mesma: nenhum delegado finalmente saiu e nada se mudou dentro da casa da rua do Lavradio. E com franqueza, eu, delegado, preferiria ter perdido o ordenado e o apito, a ter de aturar todas as calamidades que desabaram sobre a cidade...

* * *

Felizmente, preocupações de outra natureza monopolizaram a atenção do público. E, entre essas, a que mais vivamente avultou, foi a de lembrar e honrar a memória de alguém que nobremente se deixou morrer, – não por amor, não por sede de glória ou de dinheiro, – mas por fidelidade, nobre sentimento raríssimo, tão raro hoje, que a gente até chega a cuidar que ele tenha desertado para sempre a face da terra.

Esse obscuro cabo Roque, cujo nome agora anda repetido de boca em boca, não pensou nunca que o seu procedimento tivesse de ser louvado de tal modo. Que podia ele esperar, como recompensa e como satisfação, quando, no momento mais grave da retirada da expedição, à hora em que o Brasil não o via, fez com o seu corpo uma barreira para defender o corpo do seu coronel já morto?

Que lhe custava fugir? que lhe custava abandonar aquele que já não podia dar direção ao combate e exterminar o inimigo, uma vez que já tinha apagado o olhar que inflamava o seu exército, inerte o braço que maneja a espada, parado o coração que amava a República?

Mas para o cabo Roque, aquele cadáver era o despojo sagrado da sua maior afeição. A ter de arrastar pela existência a calceta de um remorso aviltante, preferiu ficar também ali, no chão empapado de sangue, morto também, também picado a facão, ainda mesmo na morte acompanhando e servindo àquele que em vida acompanhara e servira.

Por felicidade, houve quem visse e narrasse esse heroísmo e essa fidelidade. A abnegação daquele pobre, daquele humilde, daquele quase anônimo, não ficou, como a de tantos outros, enterrada no olvido. Por felicidade! porque a coragem é comum, como é comum o desprezo da vida; o que não é comum é esse respeito misturado de amor, que um pequeno vota a seu chefe, e que lhe corta a carreira, porque lhe custa a vida. Que valor teria a morte do cabo Roque se ela se tivesse dado em plena apoteose da batalha, quando o fumo dos canhões e o alarido das bandas de música embriagam a alma?

Assim o cabo Roque teria morrido por amor à sua pátria e por querer a glória, visto e admirado pelos seus chefes e pelos seus camaradas, – morte que se não sente...

Mas a situação foi outra. A batalha estava perdida. A glória já não estava naquelas gargantas aspérrimas de serra. Ele, sozinho, já não acompanhava o seu general, a caminho da desforra: acompanhava um cadáver, acompanhava fielmente os restos daquele que amara. Em torno havia apenas inimigos ferozes, povoando a rude natureza do sertão brasileiro. E vendeu caro a vida, o glorioso cabo!

* * *

A glorificação que dele agora se faz, porém, não é apenas a glorificação de um homem; é a glorificação de todos os humildes, de todos os anônimos, que tendo sempre a menor parte das recompensas e a parte maior dos trabalhos, formam essa espessa massa humana, sem nome, sem fama, sem apoteose, com cujo sangue se fertiliza a vida das nações...

Nunca pensei neles, nos obscuros trabalhadores que nascem e morrem, como no mar se fazem e desfazem os flocos de espuma, sem deixar vestígio – que não sentisse os olhos úmidos de lágrimas...

Penso neles, e vejo-os, lavradores cavando a terra, picados de moscardos, tostados de soalheiras, mal pagos, mal alimentados, sem conforto no lar e sem alegria na vida; operários, morrendo lentamente nas oficinas sem ar, envenenados por tóxicos terríveis, comidos pelas engrenagens das máquinas vorazes; mineiros metidos no fundo da terra, enterrados vivos; soldados, *chair-au-canon*, caindo aos milhares, crivados de balas, sem deixar um nome, sem ter conquistado um galão...

A glorificação de todos esses deserdados da Fama é que se está fazendo, quando se glorifica o cabo Roque. E quando aplacada a conflagração da Bahia, já o Brasil puder pagar suas dívidas de gratidão, é justo que ao lado do monumento consagrado aos que dirigiram a campanha, se levante também o monumento do cabo Roque, com esta pequena inscrição comovida, tão eloqüente na sua simplicidade: *Aos humildes e aos fiéis...*

* * *

Diante deste assunto, todos os outros empalidecem e morrem. A. matou B., porque B. lhe roubara a mulher. C. matou D., porque D. lhe roubara o dinheiro. E. matou F. porque F. lhe cobrava uma dívida. G. suicidou-se porque H. a abandonou... Misérias chatas da vida, pequeninas torpezas do mundo, que fazem odiar a existência humana! O que a faz amar é esse caso do pobre soldado que expira nobremente ao lado do cadáver do seu chefe.

Com todos os diabos! ainda há fidelidade e ainda há dedicação no mundo! Logo, ainda se pode viver sem ter vergonha de ser homem.

* * *

Nossos colegas do *País* fizeram sentir há dias a situação anômala e injustificável em que se acha o Sr. Artur Herculano de Almeida, ex-escriturário do Pedagogium, que acaba de ser dispensado pela municipalidade, mas que o ministério do interior não quer aceitar como adido à sua secretaria.

Dá-se naturalmente o mesmo fato em relação ao ilustre Dr. J. J. Menezes Vieira, diretor e organizador do Pedagogium, um benemérito brasileiro carregado de serviços, que também foi dispensado pela prefeitura, e a quem o Sr. Dr. Amaro Cavalcânti declarou, por aviso de 13 do corrente, que não podia considerar adido à secretaria do interior, porque a lei lho não faculta.

Ora, isso não pode deixar de causar reparo e certamente reclama reparação.

No terreno legal é lícito talvez dizer-se que, em se tratando de um chefe de repartição e portanto de um cargo de confiança, tinha o Sr. Dr. prefeito pleno direito de exonerar o Dr. Menezes Vieira, e nós é que não temos direito algum de perguntar-lhe por que não o fez sem a prévia inteligência com o governo da União, de cujas mãos a municipalidade acaba de receber o Pedagogium.

Mas não se trata só de um cumprimento da lei. Há na administração pública obrigações morais e considerações que não é lícito preferir. Está neste caso o que se passa com o ilustrado Sr. Dr. Menezes Vieira.

Não há quem desconheça os méritos desse educador brasileiro. Em relação às últimas funções públicas que exerceu, vimos todos o modo correto e distinto com que deu a organização e dirigiu por espaço de seis anos o importante instituto pedagógico ideado por Benjamin Constant. Como justificar portanto o esquecimento de tamanha benemerência?

É deveras lamentável que um cidadão se dedique com entusiasmo ao serviço da pátria, para ver-se ao entrar da velhice jogado fora como um objeto inútil e quiçá incômodo, vítima da ingratidão dos poderes públicos, e tendo aliás consciência de haver sido um modelo no cumprimento do dever. O talento é pouco edificante e não anima de certo os que põem seu talento e sua atividade ao serviço da nação.

Permita o Sr. perfeito que apelemos para o seu espírito de justiça e para o interesse que liga sem dúvida às cousas da instrução. Um funcionário reputado e reconhecido luminar da pedagogia brasileira é auxiliar que a municipalidade repila como se faria a qualquer contínuo desidioso e inepto?

s. a.

18 abr. 1897

Crônica

Foi Santa a Semana. E o cronista, que não ama ver mulheres vestidas de negro, deixou-se ficar em casa, num doce recolhimento espiritual, relendo S. Mateus. Era a noite de quinta-feira. Onze horas, talvez... Adormecera a rua. No quarto, reinava uma meia obscuridade misteriosa. Apenas, junto da mesa, limitada pela pala ampla do *abat-jour*, a luz da lâmpada se espalhava, num círculo oscilante.

Os olhos, pousados na página, iam correndo os versículos: "... E eis que o véu do templo se rasgou em dois, de riba até baixo, e a terra tremeu, e as pedras se fenderam; e os sepulcros se abriram, e muitos corpos de Santos, que dormiam foram ressuscitados; e saídos dos sepulcros, depois de ressuscitados, vieram à Santa Cidade, e apareceram a muitos... E o centurião, e os que com ele guardavam a Jesus, vendo o terremoto, temeram em grande maneira, e disseram: verdadeiramente filho de Deus era este!"

Neste ponto, julgou o cronista ouvir o leve rumor de uma respiração, ao seu lado. Pensou que fosse o resfolego do gato familiar, e continuou a ler: "... E, tarde, depois do sábado, quando já começava a esclarecer para o primeiro dia da semana, veio Maria Madalena, e a outra Maria, a ver o sepulcro... E eis que se fez um grande terremoto... porque o Anjo do Senhor, descendo do céu..."

– Entendes porventura o que estás lendo? – perguntou, perto, uma voz escarninha.

O cronista voltou-se, trêmulo e assustado. E viu então, cheio de imenso espanto, que, mesmo no centro do quarto, na meia obscuridade que havia, estava sentado um sujeito, de pernas cruzadas, torcendo o bigode.

Como poderia o cronista imaginar que quem ali estava era o Diabo em pessoa? O sujeito estava bem vestido; não tinha pés de cabra, não tinha chifres, não tinha olhos carregados de chamas: demais, não exalava aquele particularíssimo cheiro de enxofre, de que falam os Santos Padres, – porque, nestes tempos de pólvora sem fumaça, o Diabo é inodoro... Mas era o Diabo! ele mesmo o disse, com bonomia, dando-se a conhecer, e acendendo um charuto.

Aproximou a sua cadeira, começou a dizer estas cousas, que o cronista calmamente ouviu e guardou na memória:

"Já sei que esperas uma cousa. Esperas que eu te diga que tudo isso é mentira, que nunca houve Jesus, filho de Deus, e que esse Santíssimo Autor que lês é mais mentiroso que Fernão Mendes Pinto, não é assim? Enganas-te! Eu, se negasse a existência de Deus e do seu Divino Filho, negaria a minha própria existência... Bem sei que muito sábio tem vivido e morrido, no árduo afã de provar que o cristianismo é uma simples lenda, tão falsa como qualquer outra...

Já houve mesmo um (deves conhecê-lo) que acreditava ser a tua religião um simples mito solar transformado. Segundo esse pretensioso filósofo, o deus que nasceu duma virgem no solstício do inverno, e que ressuscitou na Páscoa, isto é: no equinócio da primavera, é pura e simplesmente o Sol. Aquela mãe é a constelação da Virgem, que, nos séculos em que apareceu o cristianismo, era a constelação que presidia a nova revolução solar... Sabes o que são, ainda segundo esse sábio, os doze apóstolos? são os signos do Zodíaco!

Mas quanta tolice, quanta tolice! Nem quero entrar em considerações sobre isso, porque não tenho tempo a perder: ainda preciso ir hoje ter uma conferência com o Antônio Conselheiro, em Canudos... Basta que te diga que tudo isso que estás lendo é a pura expressão da verdade. Houve Jesus! Jesus, que morreu por ti e pelos teus irmãos. Jesus, que ressuscitou ao terceiro dia, e que está no céu, sentado à mão direita de Deus Padre. Tudo isso é verdade: já te declarei lealmente que não o nego, por conveniência, porque negar o princípio do Bem, seria negar também o princípio do Mal, e eu não quero absolutamente que se duvide da minha existência...

Mas, vamos ao que aqui me trouxe. Quero dever-te um favor. É que aproveites o teu primeiro folhetim para escrever ao menos meia dúzia de vezes o meu nome.

Ai! os homens são ingratos! veneram-me, obedecem-me, adoram-me, mas têm medo de pronunciar e escrever o meu nome...

Dirás que não devo ligar importância a isso, porque já me deve bastar a consciência da minha força e da minha soberania... Não é tanto assim...

Sendo eu o próprio Supremo Vício e o próprio Supremo Defeito, pai e senhor de todos os vícios e de todos os defeitos subalternos, como queres que seja livre e limpo de vaidade?

Olha bem! Os homens só reservam, para pensar em Deus, os sete escassos dias da Semana Santa. Os outros 358 dias do ano são dedicados e consagrados a mim, e à prática das minhas lições e dos meus conselhos.

Por que, que é que há no mundo, afora a criação, que não seja obra minha? Quem fez a política, e para que foi ela feita senão para a prática da mentira, e da intriga, e da inveja, e da calúnia, e do ódio, e da patifaria? Quem fez o desejo, e para que foi ele feito, senão para sujar a alma de pecados, e para armar o braço do crime, e para arremessar homens contra homens? Quem fez a Religião, e para que foi ela feita, senão para facilitar o perjúrio? Quem fez a Ciência, e para que foi ela feita, senão para açular a vaidade da ignorância? Quem fez, por exemplo, a História, e para que foi ela feita, senão para permitir que esse esplêndido Cunha Sales que vocês aí têm, e que é um dos meus filhos mais amados, pudesse convertê-la em jogo, vendendo datas em forma de *poules*? Tudo aquilo em que vocês pensam, tudo o que vocês querem, tudo o que vocês executam é inspiração minha, durante esses 358 dias que são meus!

E mesmo nos sete dias da Semana Santa, se pudesses revistar minuciosamente a alma e as algibeiras da cada devoto e de cada devota, verias que o meu nome e a minha presença, mais do que o nome e a presença de Deus, aí estão efetivamente... Acharias dentro de quase todas as almas, não a lembrança da Paixão, mas a lembrança da última carícia e da última loucura de amor; e, dentro das páginas sagradas de muitas *horas marianas*, acharias, não cromos do Sagrado Coração, mas *boletos* do Frontão ou *poules* do Pantheon Ceroplástico...

Sendo assim, por que tamanha ingratidão? por que não têm os homens coragem de dizer e de escrever francamente este nome do Diabo, tão adorado em silêncio, tão venerado, e com tanta razão venerado e adorado, – uma vez que é o Diabo quem dá aos homens o Gozo e o Lucro – essas duas fontes de felicidade na terra?

Basta, pois, de só falar no nome de Deus, ó cronista! Contenta a minha vaidade, escrevendo ao menos meia dúzia de vezes, o meu nome no teu primeiro folhetim... Olha! quando tiveres agora de dizer, na *Gazeta*, o que foi a semana, para não repetir o que todos disseram, conta a nossa entrevista. E reclama para mim a glória e a justiça que me pertencem. E adeus! vou-me a Canudos!"

Já o Diabo se levantara, e estava sungando as calças, para desmanchar as joelheiras. O cronista, timidamente, perguntou que recompensa teria, se cumprisse as ordens de S. Ex.

S. Ex. pensou um pouco, e respondeu, com uma gargalhada:

– Para te recompensar, condeno-te a escrever cousas para as folhas durante toda a tua vida, tenhas ou não tenhas assunto! estejas ou não estejas doente! queiras ou não queiras escrever!

E desfez-se no ar. E mais nada. E quem quiser que entenda estas quatro tiras de papel almaço!

s. a.

02 MAIO 1897

CRÔNICA

Pequena crônica, devia chamar-se esta página rápida, que se escreve ao troar das bandas de músicas e das aclamações populares que saúdam o Chile. Como dizer o que foi a semana, se toda a semana foi o Chile, e se não há pensamento nem coração que se não voltem para o mar, amando o pavilhão que flutua no *Esmeralda*, navio predestinado, em cujo nome palpita e fulgura a cor das verdes ondas do Pacífico e das verdes florestas que beiram o Atlântico?

* * *

Mas, há mais ainda! Quem escreve estas linhas está ainda vibrando, e delirando, de volta da praça pública em que se inaugurou a estátua de José de Alencar. Pela primeira vez, no Brasil, a classe dos homens de letras recebe a consagração solene do seu valor. As mais altas autoridades da República foram ontem afirmar, com a sua presença, na praça Ferreira Viana, o merecimento daquele que, empolgado pela política, aniquilado pela inveja, torturado pela intriga, lentamente assassinado pela má vontade dos mandões da terra, explorado pela ganância dos editores, foi artista por amor da Arte, homem de letras por amor da literatura, pagando com amor e com veneração cada desgosto que a Pátria lhe dava.

O sol fulgurava ontem, como nunca, neste amado céu do Brasil; em torno do pedestal da estátua havia tudo quanto o Rio de Janeiro tem de ilustre. E a Mulher brasileira não quis ficar indiferente, quando toda a Pátria vibrava: as nossas mães e as nossas filhas juntaram-se, cercando a Exma. Sra. viúva Alencar, para lhe dizer com beijos e abraços, o amor que lhe tem, e a gratidão que lhe devem, pela serena solicitude com que ela guarda o nome do verdadeiro fundador da nossa literatura, ensinando-o aos netos d'Aquele que cantou a alma triste e amantíssima de *Iracema*.

Na turbamulta dos que aclamavam Alencar, houve alguém que não falou, mas cuja presença era ali um exemplo e uma lição: Machado de Assis, herdeiro do bastão de maioral das nossas letras, amado de velhos e moços, venerado de todos, cercado do respeito daqueles que, modestamente, sem espalhafato e sem *réclame*, se dão ao ingratíssimo trabalho de lapidar palavras, logo depois atiradas a analfabetos, como pérolas a bácoros. Foi Machado de Assis que, há cinco anos, inaugurou os alicerces da estátua de José de Alencar: e o cronista não quis deixar de aqui escrever o nome desse querido mestre, associando-o, nas festas da ontem, aos nomes de Alencar e Bernardelli.

* * *

Quanto ao mais, viva o Chile! É o que se ouve, nas ruas e nas casas, na boca da criança, como na boca do velho. O Brasil está neste momento abraçando e honrando o seu irmão querido. Que a amizade seja perpétua! e que, moralmente, de hoje em diante, a cordilheira dos Andes seja uma simples figura de retórica.

s. a.

11 jul. 1897 Crônica [Cia]

Canudos, Canudos, Canudos. Descomposturas, descomposturas, descomposturas. Foi o que houve durante toda a semana: mais nada.

As facadas que se trocaram nas brigas urbanas; os carros da Central, descarrilando e matando gente; a *Bohème* no Lírico, e *Mancha que limpa*, no Santana, – são acontecimentos que não merecem comentário. Canudos e o bate-barbas parlamentar encheram os sete dias.

De Canudos, que hei de escrever? Por ora, as notícias que de lá chegam, são de luto e tristeza... Falemos, pois, da câmara, já que é forçoso falar de qualquer cousa...

* * *

Quando a gente está só, no silêncio da alcova, preocupada com qualquer cousa, – enquanto a alma anda por longe aflita e angustiada, os olhos divertem-se com as pequenas cousas que nos cercam, deixam-se interessar na contemplação de um milhão de futilidades, – seguindo o vôo espiralado da fumaça do charuto, ou a oscilação das cortinas ao vento, ou o progresso da toalha do sol no assoalho.

Assim estava eu ontem, olhando sem ver, com o charuto entre os dedos, pensando em... Não pensava em ninguém! e de repente começaram os meus olhos a seguir as evoluções da marcha assustada de um pobre ratinho, que, em má hora, o amor das aventuras fizera sair do retiro do seu buraco. Andava por ali, procurando migalhas. E agitava-se, pequenino e negro, sobre as cores vivas do tapete. Subitamente, os meus dous gatos saltaram sobre ele, ágeis, de pêlo arrepiado e orelhas a fito.

Um, o que tem o peito dourado, foi o primeiro a deitar a unha sobre o débil animalzinho...

Mas o outro correu também, ferido no seu amor próprio de gato, também ansioso por ferrar a garra implacável na carne palpitante da vítima. E ficaram, um diante do outro, olhando-se em face, num desafio mudo e solene. As chispas dos dous olhares cruzavam-se, chocavam-se, como lâminas de floretes, num duelo de morte. Depois, agatanharam-se, ferozes. E, entre eles, já ferido, agonizante, sacudido de estrebuchamentos e de guinchos, o ratinho morria lentamente, esperando a hora em que, posto em fuga o mais fraco ou o mais medroso dos contendores, o vencedor viesse dar-lhe a dentada final...

* * *

Assim, na câmara, entre aqueles gatos que combatem, há alguém que sofre, que se esvai em sangue, que está ao dispor do dous lados combatentes.

Esse alguém és tu que me lês; esse alguém sou eu; esse alguém és tu, ó triste e desgraçado Zé-Povo, que alimentas com a tua carne e com o teu sangue a fúria guerreira daqueles Rolandos de sobrecasaca. Que eles se estrafeguem à vontade! Quando acabar a luta, a única vítima da pugna terá sido o rato entre gatos, o bode expiatório de todas as situações. "Você é um ignorante!" diz o deputado A. ao deputado B. "E você é um grosseiro!" retruca B. "Você é um gatuno!" "E você é salafrário!" "Saia para a rua, se é capaz!" "Vá pentear macacos!" – No meio da refrega, Zé-Povo, aos guinchos, sangra e se estorce. E daqui a pouco, como para pagar essa gente que tão bem se entende, será preciso inventar dinheiro, – hão de tirar esse dinheiro, em sangue, de dentro das veias do rato.

Já se vão aumentar os portes do correio e as tarifas do telégrafo: amanhã aumentar-se-á o imposto predial e aumentar-se-ão todos os outros. E, par a par, há de ser aumentado o subsídio dos deputados, e há de ser aumentada a sua provisão de desaforos parlamentares...

* * *

Que câmara! Já dous deputados, muito amigos, apostaram um almoço, a ver qual dos dous seria o primeiro a dizer ao outro uma graçola pesada. A cousa veio a público, contada por um jornal... Um representante da nação, num acesso de sinceridade irreprimível, exclamou já, com aplauso das galerias: "Isto é uma praça de touros!" E já a mesa da câmara pensa em substituir o tratamento oficial de *Vossa Excelência* pelo tratamento de *Vossa Insolência*, mais de acordo com a verdade.

O que é curioso, é que as galerias sempre são mandadas evacuar, quando ousam intervir nos debates. Ainda isso é uma gentileza do presidente: essa medida, que parece contrária aos espectadores, lhes é, ao contrário, infinitamente favorável; porque ela quer dizer que o presidente não deseja que o povo se suje, rebolcando-se naquela nova Praça do Mercado...

Deus de Misericórdia! e ainda há quem perca tanto dinheiro e tanto esforço para ter o direito de ouvir, como deputado, tanta descompostura e tanto epíteto duro! Decididamente há gostos para tudo...

s. a.

18 jul. 1897

Crônica

Certo é que não faltam assuntos: mas, antes de tudo, tratemos deste, que é admirável.

Não há dias agora em que não apareçam nas folhas telegramas dando conta do que faz o partido católico em Goiás. É a primeira vez que se forma esse partido no Brasil: e desta vez é de crer que já ninguém duvide da existência e da importância dele. Não achais que o caso merece verdadeiramente as honras da *Crônica*? Cristo pede votos, e escreve circulares, e apela para as urnas: terá *leader* no congresso goiano quando estiver em maioria: fará interpelações quando estiver na oposição; Cristo vestiu uma sobrecasaca e é um chefe político...

Mulheres de Jerusalém! o vosso amado é um chefe político. Maria de Magdala naturalmente vai modernizar-se também: vai comprar um espartilho de Mme. Vertus, calipigiar-se com o auxílio de uma anquinha, decotar-se, untar os cabelos, não de nardo e de cinamomo, mas de óleo *oriza*, e enrolá-los num penteado moderno.

Madalena! já há no Brasil um partido católico disciplinado... Compreende a tua nova situação, Madalena! Antigamente, quando o teu amado Jesus era um poeta humilde e carinhoso, de alma aberta para o perdão de todas as culpas, e de braços abertos para a proteção de todos os fracos, podias amá-lo assim, nesses trajes primitivos, - sandália rústica no pé, túnica de linho grosso em torno dos rins. Mas os tempos mudaram: o teu amado é hoje um chefe político – é preciso respeitar as conveniências. Põe-te decente, Madalena! podes deixar os seios à mostra, mas deves levantá-los com um colete; podes mostrar um pedaço da perna, mas tens de mostrá-lo apertado numa meia de seda preta. Pinta-te, cobre-te de pó de arroz, arreia-te de jóias, habitua-te ao salto Luís XV e à luva de vinte botões. O teu amado é um chefe político: é preciso que te faças bonita. Porque, enfim, é bem possível que precises cabalar por ele e – é bom que fiques prevenida disso – os eleitores de hoje (mesmo os de Goiás) são muito exigentes...

* * *

Quem escreve esta *Crônica* é um homem ingênuo, para quem as cousas da vida estão sempre cheias de mistério. É assim que não compreende o que pode ter o catolicismo com a política de Goiás. Existem, porventura, em Goiás, um partido protestante, um partido budista, um partido muçulmano? Então a quem é que o partido católico vem dar batalha?

Mistério... O que se deve compreender é que o nome do partido não quer dizer nada: tudo serve de pretexto para se praticar a política, tanto na rua do Ouvidor como nos matos de Goiás...

* * *

Oh! a política! Ainda anteontem, vendo passar pela rua do Ouvidor a nova remessa de gente que foi servir de pasto à sanha dos jagunços, haveria um só homem de bem que não amaldiçoasse a política?

Lá iam eles, os bravos soldados, os anônimos heróis, as vítimas obscuras... Não iam abatidos, não tremiam, não choravam. Mas, a segui-los e a derramar lágrimas e a torcer os punhos, na sua dor impotente, arrastava-se a multidão das mulheres desgrenhadas, muitas das quais não hão de ter nunca mais a alegria de rever os maridos e os filhos, nem ao menos o consolo de lhes vestir com as mãos piedosas os cadáveres, porque os cadáveres hão de ficar perdidos no sertão agreste, apodrecendo, mutilados, ao sol. Naquele vasto matadouro de Canudos ainda há necessidade de mais gado humano... Ninguém duvida de que a vitória há de por fim coroar o esforço e o heroísmo dos nossos soldados: mas todos têm a certeza de que as *catingas* vão ficar ensopadas de sangue brasileiro, prodigamente derramado numa luta contra bandidos, contra feras, sem fé nem lei, matando à traição os que se batem a peito descoberto...

E, afinal, qual foi a origem, única e terrível daquele horror de Canudos? a política, única e exclusivamente a política...

Tem graça que se esteja a acusar como responsável por aquilo o atual governador da Bahia: a responsabilidade não é dele só – é de todos os políticos da Bahia. Porque o que está provado é que todos os governos que se têm sucedido naquela parte do Brasil, no império como na República, serviram-se do Antônio Conselheiro, e da sua influência local, e do seu ascendente sobre a gente rude do sertão, e do seu espírito de disciplinador, para transformá-lo num aliado político, num fornecedor de votos, num agente de eleições. Quando uma eleição perigava, ali estava o Bom Jesus Conselheiro para engrossar a votação com o sufrágio dos seus milhares de subordinados. Assim adulado, protegido, solicitado, amimado, o Conselheiro firmava cada vez mais o seu domínio e, sem achar quem lhe contrariasse os planos, ia pouco a pouco ficando o senhor absoluto do sertão.

Quando viu que tinha força bastante para já não precisar de ninguém, deliberou começar a agir por conta própria: achou que tudo aquilo era seu, legitimamente seu, e principiou a dispor a seu talante da propriedade e da vida de todo o mundo. Então é que foi um *Deus-nos-acuda*! Depois, da casa roubada, tranca na porta da rua! Depois do cavalo morto, alfafa para o cavalo! Depois de todo o prédio incendiado, seguro com ele!

Os governos tiveram a mesma ingenuidade daquele sujeito da fábula de La Fontaine, que, achando uma serpente estendida sobre a neve, transida de frio, acolheu-a no seio, aqueceu-a, deu-lhe vida:

L'animal engourdi sent à peine le chaud;
Que l'âme lui revient avec que la colère;
Se fait un long repli; puis tâche à faire un saut
Contre son bienfaiteur, son sauveur et son père.

E ainda esse camponês da fábula apenas acolheu a serpente por um sentimento de mal entendida caridade; mas a serpente de Canudos foi acolhida por especulação, como um instrumento político. E o camponês de La Fontaine pôde esmagar a sua cobra antes de ser mordido por ela; e nós, para dar cabo da cobra que tão animada foi pela política baiana, estamos perdendo o melhor do nosso sangue...

* * *

Quando acabará o sacrifício? quando se aplacará aquela sede de sangue dos areais do sertão? quando poderemos, finda a peleja, saudar os vencedores e chorar os nossos mortos?

Porque o que há de mais horrível e de mais desesperador em tudo isto é a incerteza... Não se sabe quem morreu: aquilo é moléstia que mata sem que haja um médico que dê ao morto a sua certidão de óbito. Quem parte para ali fica desde logo meio-morto.

Quando poderemos saber, por exemplo, se aquele belo e amado João Gutierrez, tão novo, tão bom, tão honrado, tão bravo, - caiu com efeito sem vida, vitimado pelas balas dos sicários, ou se, simplesmente ferido, geme e sofre sem conforto num hospital de sangue, ou se, poupado pela sorte das armas, continua a honrar o seu nome e a sua pátria de adoção?

* * *

Ah! havemos de vencer! Antônio Conselheiro há de ser apanhado como uma besta fera dentro do seu imundo covil! teremos com certeza a ventura de não assistir à vitória dos ladrões de estrada e dos assassinos de emboscada! Mas é bom que desde já se levante a voz dos que não vivem da especulação política, para amaldiçoar essa especulação. Aquelas lágrimas das mulheres desgrenhadas que há dias seguiam pela rua do Ouvidor os batalhões em marcha para Canudos não doeriam tanto dentro da alma de quem as via, se os soldados estivessem marchando para vingar a honra da pátria ultrajada pelo estrangeiro... Mas não! os soldados, que nunca tiveram posição, nem glória, nem dinheiro, iam pagar o mal da política. E os políticos, os que fizeram tudo, os que, com a sua ambição, insuflaram a ambição do Conselheiro, esses ficam por aqui, fumando e amando, comendo regaladamente e ainda mais regaladamente dormindo; e, se morrerem, não hão de morrer de bala: hão de morrer de indigestão.

Oh! a política! a política! pois se até o teu doce bem amado, Madalena, o teu meigo poeta, o teu generosíssimo Jesus já é chefe político em Goiás!...

s. a.

25 JUL. 1897 CRÔNICA

Ó manes venerandos do inolvidável conselheiro José Bento! exultai na serena mansão da outra vida, "onde tudo é belo e estável"! O *Cascata* desabou sem fazer mais de três vítimas! haverá ainda quem duvide da proteção eficacíssima do Dedo da Providência?

Para que a memória de um homem perdure na terra, zombando do embate destruidor dos anos que passam, não é preciso que esse homem, como Édison, tenha multiplicado a sua atividade em um sem número de inventos e de obras: basta que tenha achado a solução de um só problema, ou acabado uma só obra de arte ou pronunciado uma só verdade simples e soberana. Assim, Gutenberg só inventou a imprensa; assim, Felix d'Arvers só deixou um soneto; assim, o conselheiro José Bento só uma frase, mas que frase!

Frase nunca desmentida até hoje... Ó manes venerandos do inolvidável conselheiro! exultai na serena mansão da outra vida: o grande Dedo Divino ainda se arqueia, carregado de bênçãos, sobre a sorte da Pátria! Três vítimas só, quando todo um prédio, de vários andares, desaba! É naturalmente por causa disso que se não põem em prática medidas que evitem novos desastres: para quê? O Dedo da Providência [*****] se encarrega de tudo...

Três vítimas somente: um homem que saía do trabalho, tranqüilo e feliz, caído morto antes de poder saber que pedaço do céu velho lhe vinha sobre a cabeça, e dois amigos, amantes do bilhar, que, quando procuravam a solução de uma carambola difícil, foram obrigados a ir acabar no outro mundo a partida começada neste. Juntou-os a morte, na mesma amizade que os unira na vida. Ontem poucos palmos de pano verde os separavam: hoje, um no carneiro 610 e outro no carneiro 614 de S. João Batista apenas têm a separá-los alguns palmos de terra.

Três vítimas somente... e em uma casa, onde, a toda hora do dia, costumavam estar centenares de pessoas!

Senhor Deus! Senhor Deus! – se a vossa Providência apenas há de servir para acoroçoar o relaxamento dos poderes municipais, – palavra de honra! a gente chega a ter desejos de vos injuriar, – como vos injuriou aquele grande Padre Vieira, glória da ordem de Loiola, eloqüente Mestre cujo centenário há poucos dias se celebrou!...

* * *

O *Cascata* era uma tradição. E não foi a única tradição que se sumiu durante a semana. Outra também lá se foi, tragada pelo olvido: o Conservatório Dramático, instituição que nunca ninguém soube ao certo para que servia. A única recordação, viva e perfeita, que temos dele, a princípio, é esta: - um camarote confortável, e à frente do qual, marcando o compasso da música das óperas ou das operetas, com o tacão alto da sua microscópica botina, aquele saudoso Gomensoro, hoje desaparecido, desaparecido como o *Cascata* e como o próprio Conservatório...

Depois, lembra-se a gente do mesmo Conservatório, do mesmo camarote, já sem o Gomensoro, mas com o Fausto, que era presidente, secretário e vogal da instituição, tudo ao mesmo tempo... Mas do que a gente não se lembra é de qualquer benefício prestado por aquela cousa, encarregada de conservar a moralidade de um teatro... que nunca teve moralidade. O Conservatório Dramático, tendo como único fim dar a doçura de um camarote de graça em todos os teatros ao presidente e aos seus amigos, bem podia ter como divisa: *inutile dulci.*

Morto hoje... que a terra lhe seja leve! Assim como assim, era sempre o analfabetismo dos empregados da polícia que fiscalizava a produção literária dos dramaturgos e dos revisteiros... É bem melhor que somente a polícia, de direito e de fato, fique encarregada de velar pelo decoro público... Se tão facilmente pelas mãos dela podem escorregar os Afonsos Coelhos, mais facilmente ainda poderá escapar a Pornografia, senhora esperta e sabida, tão querida do povo... e mesmo de quem o governa.

* * *

De Canudos... nada de positivo. Isto é, alguma cousa positiva: a notícia de que o sangue continua a correr. À hora em que escrevemos, os últimos telegramas dizem que Antônio Conselheiro está ferido na mão. Não basta, não basta – por misericórdia! Não é aí que está o veneno da fera: é na cabeça, que governa o bando dos assassinos! é no coração, onde se aninha aquela singular congestão de fé religiosa, exsolvida em crimes e em perversidades! É na cabeça e no coração! bala aí! bala a fartar! Quando os asseclas virem que o Bom Jesus de Canudos não tem reza que o livre de um pedaço de chumbo – o edifício daquele Poder, aluído e podre, ruirá mais depressa do que o *Cascata*...

À tarde, ontem, um telegrama da *Notícia* dava o arraial assaltado e tomado: que o telégrafo não minta!

* * *

Tratemos um pouco de nós, amigos da imprensa e das letras. Não trataremos da inauguração dos trabalhos da Academia, naquela modesta sessão de segunda-feira passada, – sessão que infelizmente não foi pública, para que todos pudessem ouvir a leitura do magistral discurso de Joaquim Nabuco.

Trataremos, porém, do projeto de lei sobre o anonimato da imprensa. A cousa vai por diante, o parecer está lavrado, e as Câmaras, que lá têm as suas razões para querer moderar as fúrias da imprensa, hão de naturalmente apressar a ultimação dos trabalhos.

Pelo projeto, não fica proibido o anonimato: fica proibido o pseudônimo.

Por quê? Há pseudônimos que são mais conhecidos do que os nomes dos escritores que os usam... Não seria mais prático exigir apenas que em cada redação ficassem registrado, ao lado dos pseudônimos, os nomes verdadeiros dos colaboradores?

Nas razões em que funda o seu parecer, diz a comissão da câmara que se limitou a "obrigar simplesmente as empresas de imprensa diária ou periódica a estamparem na primeira página de suas publicações os nomes dos seus redatores ou pelo menos o do seu redator chefe".

Não há tal. O art. 31 do substitutivo diz terminantemente:

"Os artigos de colaboração trarão a *assinatura dos autores respectivos*".

Poderá a ilustre comissão objetar que quando diz *assinatura*, quer dizer *assinatura de nome, ou de pseudônimo conhecido*. Mas isso não está claro, e é preciso que fique claro, para evitar complicações futuras. Tanto mais quanto o art. 61, referindo-as às publicações de livraria, frisa bem a proibição formal do anonimato ou do pseudonimato...

Ora, vejamos: haverá por aí quem não saiba quem são Lulu Sênior, Fortúnio, Calibã, Gavroche, Alselmo [sic] Ribas, Pierrô, Puck, Puff, Bob, Pojucã, Proudhomme, Alter Ego, Gil Paz, Lulu Júnior e as *cinco penas amigas* do *Cavalo Branco d'O Filhote*?

O uso do pseudônimo não quer dizer que o escritor não queira assumir a responsabilidade do que escreve: todo o mundo sabe, por exemplo, que Patrocínio é Proudhomme e que Proudhomme é Patrocínio. Mas, na produção intelectual de um jornalista, como na de um artista, há sempre a parte séria a que o escritor dá o seu verdadeiro nome, e a parte leve, humorística, que bem pode correr por conta de um pseudônimo transparente.

Para cada estilo, cada assinatura. Ferreira de Araújo, quando escreve o rodapé das *Quintas* nesta folha ou o dos *Sábados* n'*O Filhote*, com a assinatura de Lulu Sênior não tem a mesma [*****] com que na sua qualidade de redator chefe da *Gazeta*, escreve as *Cousas Políticas*.

Mas se todo mundo sabe que Lulu Sênior é ele, que importa o pseudônimo?

Ai de nós, cronistas! tudo quanto escrevemos, cai sob a alçada daquele art. 61 do substitutivo, segundo o qual fica proibido o pseudônimo em tudo quanto for "sátira ou crítica de costumes"...

É preciso que a lei seja clara: a lei proibirá ou não proibirá o uso de pseudônimos nos artigos de colaboração da imprensa?

Veja bem a ilustre comissão da câmara: se as leis, quando são claras, dão lugar a tanta chicana e tanta perfídia, que não será, quando elas derem para ser obscuras?

Quem pergunta, quer saber, e querer saber não é crime: nós queremos saber se aquele art. 31 do substitutivo admite, como assinatura legal, a assinatura do pseudônimo conhecido. E aqui fica a *Crônica* à espera de uma resposta.

* * *

Dirá o leitor: "Que importa isso? felizmente para vocês, jornalistas, o substitutivo estabelece, como única pena para os infratores, a pena pecuniária..."

E acha o leitor que é pouco, hein? Pois, amigo, nos tempos que correm, o dinheiro anda tão vasqueiro, que a pena mais pesada é justamente essa...

Pena pecuniária, com o câmbio a 7, hein? antes a cadeia! Decididamente antes a cadeia!

E até domingo que vem.

* * *

Mas, perdão! ainda é cedo para fechar a *Crônica*. Recomendemos desde já ao público a festa artística de Alfredo Tinoco, daqui a oito dias, na Praça de Vila Isabel. Não faltem flores e aclamações ao bravo cavalheiro, ao elegante e correto rapaz. E, agora – *Valete amici!*

s. a.

08 ago. 1897 Crônica

No céu. Na mais alta das alturas insondáveis, o Senhor Deus, Regulador das Esferas e Pêndulo da Harmonia Universal, está sentado, em plena irradiação da sua glória imortal.

Aos seus pés, quase ofuscados pelo clarão da presença divina, estão imóveis, em êxtase, os Tronos, as Virtudes e as Dominações. E, de um lado e de outro, perfilam-se os Arcanjos, – seis mil à direita e seis mil à esquerda, – fazendo flamejar as lâminas de fogo dos gládios. E toda aquela corte celeste, imóvel na mesma postura desde o princípio dos tempos sem princípio, está caindo de tédio: e as bocas dos mesmo arcanjos se estão abrindo em bocejos, – seis mil bocejos à direita e seis mil bocejos à esquerda...

O Senhor Deus, tremendo de frio e de aborrecimento, move os lábios. Imediatamente, os gládios dos arcanjos sete vezes se agitam, – seis mil à direita, seis mil à esquerda, – e, tomadas de assombro, as esferas quedam na amplidão, e os Tronos vacilam, e as virtudes empalidecem, e as dominações escancaram os ouvidos. E o Senhor, com a sua voz arquisecular, quebrada pela fadiga de viver, pergunta se ainda falta muito tempo para a chegada do correio da Terra, (porque no céu, como nos Poços de Caldas e em Caxambu, a única distração, única e escassa, consiste em esperar a chegada do correio.)

Mas, felizmente para o tédio do Senhor, já aí vem o correio, o Arcanjo São Gabriel, sacudindo com estrépido as suas asas formidáveis nos ares. Arcanjo dado à política, São Gabriel é um bisbilhoteiro acabado: quando volta da sua viagem à terra, traz sempre uma notícia agarrada a cada uma das penas das asas.

O Senhor Deus esfrega os olhos, aconchega em torno dos joelhos anquilosados o seu *plaid*, e diz com bonomia:

– Vamos a isso, Gabriel, vamos a isso...

– Ai! Senhor! já não há nada de novo na terra... aquilo tudo é velho, velho como a vossa Onipotência! A rainha Vitória continua a reinar, o Sr. Felix Faure vai fazer a sua viagem à Rússia, o general Weyler continua a pacificar a ilha de Cuba, e toda a Humanidade, chatamente alapardada na sua ignominiosa bestialidade, continua a fazer filhos e negócios, sem absolutamente pensar em Vós. Só no Brasil, naquela terra de Santa Cruz, é que ainda se faz alguma cousa pelo vosso divino serviço...

O Senhor, lisonjeado, sorri:

– Que é então que se faz de bom no Brasil, pelo meu serviço, Gabriel?

– Em primeiro lugar, sabereis que a câmara dos deputados, por 97 votos contra 46, conservou a legação na Santa Sé, que um herege queria suprimir...

– Muito bem, muito bem... então sempre fica em Roma aquele amável Badaró? Muito bem, muito bem! que mais, Gabriel? que diz a isso o Papa?

– O Papa está contente, Senhor! o Papa gosta muito de Badaró, que é um homem de corte, correto e afável: Badaró já fez à Sua Santidade a oferta de um papagaio bem falante e de quatro macaquinhos mansos. Badaró, penalizado, vendo o terrível fastio que tortura Sua Santidade, teve já a inexcedível gentileza de lhe preparar, nas cozinhas do Vaticano, acolitado pelo cardeal Rampolla, uma feijoada completa, e, não contente com isso, ainda cantou, na antecâmara dos aposentos privados, várias modinhas brasileiras, com grande gáudio dos *busolanti* de libré vermelha. Já vê, Vossa Onipotência, que o Papa necessariamente havia de ficar contente...

– Muito bem, muito bem! E que mais, Gabriel?

– O Vosso Divino Nome continua a ser defendido a ferro e fogo pelo Antônio Conselheiro...

– Ah! e como vai o Antônio?

– Não vai lá muito para que digamos, Senhor, não vai lá muito para que digamos. Apertaram-lhe o cerco, e o pobre Santo está encurralado com os seus fiéis na igreja nova: e, como não podem sair dali, o lugar não está muito digno da Vossa Divina Presença, Senhor!

– ?

– Vossa Onipotência compreende: o Antônio e os seus sequazes, apesar de santos, são homens, e, como homens, têm certas necessidades: encurralados na igreja nova, quando se vêem urgidos, vão se desafogando ali mesmo...

– Diante do altar, Gabriel, diante do altar?! – clama o Senhor, torcendo o nariz.

– Diante do altar, Senhor!

– Que porcaria, Gabriel, que porcaria!

E todos os arcanjos, de um lado e de outro, tapam os narizes, seis mil narizes à direita e seis mil narizes à esquerda.

– Mas, enfim, valha a intenção, que é tudo! valha a intenção dos pobres! – diz o Senhor, com a sua infinita misericórdia.

– Adiante, Arcanjo, há mais alguma cousa?

– Há muito mais ainda, Onisciente Regulador do Universo! No Rio de Janeiro, em Inhaúma, foi a polícia descobrir um novo Antônio Conselheiro, um preto moço, que serviu de cozinheiro a várias famílias, e que, cansado de remexer panelas, se pusera agora a remexer almas e consciências, como um verdadeiro profeta. Esse também se dizia enviado de Vossa Onipotência: e, vestindo uma velha camisola de chita de ramagens e empunhando uma tosca e suja cruz de pau, saía pelas roças do arredor a fazer milagres. E foi a polícia, e meteu-o no xadrez!

– No xadrez, Gabriel?! é então grande crime glorificar o meu nome e obrar milagres?!

– Perdão! entre os milagres que ele obrava houve este: convidou um dia um certo compadre seu a matar um porco, e empunhou uma faca, e degolou...

– Degolou o porco, Gabriel?

– Degolou o próprio compadre, Senhor!

Aqui, o Senhor, desgostoso, sacudiu três vezes a cabeça. E, de um lado e de outro, todos os Arcanjos da Guarda também três vezes sacudiram as cabeças: e foram nove mil sacudidelas à direita e nove mil à esquerda.

– Ai! Gabriel! já me parece fervor demais! não vejo bem em que é que as degolas dos compadres pode ser útil à propagação da fé... Em todo o caso, valha a intenção! também espero que não tenha aparecido mais nenhum profeta no Brasil...

– Engana-se Vossa Glória! – declara o Arcanjo com um ar de triunfo. – Também em Entre-Rios, município de Lages, Estado de Santa Catarina, apareceu um certo Chicuta, desertor do exército, que se diz enviado extraordinário e ministro plenipotenciário de Deus, e que já conseguiu reunir um bando de duzentos e cinqüenta fanáticos válidos...

– ... também degolam os compadres?

– Não! mas fazem cousa pior: assaltam as povoações e roubam tudo. E temos ainda mais, no Juazeiro, o padre...

– Basta! – clama, iracundo o Senhor Deus, com uma voz que atroadoramente reboa, até o limite final do ilimitado. – Basta!

E levanta-se, com os olhos carregados de relâmpagos; e, ao som daquela vociferação da Cólera Divina, desabam os Tronos, as Virtudes desmaiam, as Dominações caem de joelhos, e os Arcanjos (seis mil à direita e seis mil à esquerda) metem os gládios flamívomos dentro das bainhas.

– Basta! – clama a voz de Jeová – basta! costumam dizer os homens que Deus os livre dos seus amigos, porque dos seus inimigos saberão eles livrar-se. E eu, que hei de dizer? Sou tão desgraçado que não tenho quem me livre dos meus amigos, e aqui me vejo na situação do *Jornal do Brasil*: para quem apelar? Basta! que nunca mais me venham dizer o que se passa no Brasil! Por causa dessas e outras, é que Érico Coelho diz mal de mim...

Então, o Arcanjo S. Gabriel, que é só quem tem a ousadia de levantar a voz, quando o Senhor está zangado, atalha:

– Perdão! o Érico Coelho gosta muito de Vossa Glória! dos padres, dos fanáticos, dos sacristães é que ele não gosta...

E o Senhor Deus dos Exércitos, já subitamente acalmado:

Bem... bem... eu também gosto dele...! bom rapaz... Até amanhã, Gabriel, até amanhã!

Senta-se, torna a aconchegar em torno dos joelhos anquilosados o seu *plaid*, e fecha os olhos. E, na mais alta das alturas insondáveis, os Tronos, as Virtudes, e as Dominações entram de novo a cochilar. E, de um lado e de outro do sólio de Deus, os Arcanjos bocejam, seis mil bocejos à direita e seis mil bocejos à esquerda...

s. a.

03 OUT. 1897 CRÔNICA

A vida é uma vasta sucessão de quedas. Todos caem e tudo cai. Os homens hão de também cair, como as folhas secas e como as casas velhas: e até mesmo o Sr. ministro do interior e da justiça, depois de haver caído no desagrado de um lente da clínica obstétrica e ginecológica, ainda caiu do seu carro, anteontem, no Catete, quando passava em frente à rua de Santo Amaro. Dizem as folhas que o carro de S. Excia., tendo uma das rodas metidas num buraco, não conseguiu safar-se do alçapão, e desmantelou-se todo. Também aqui há tempos o carro do Sr. prefeito municipal se precipitou num buraco do largo da Lapa: e, menos feliz que o ministro, o prefeito foi redondamente ao chão, escoriando ligeiramente um centímetro quadrado do seu respeitável e prefeitural nariz.

Se estivéssemos em Roma, naqueles tempos supersticiosos da República, não faltariam augures que dessem a essas duas quedas alguma significação política. Mas, não! esses dous tombos querem dizer apenas que a cidade está cheia de buracos: e, sendo assim, não é de todo mau que as vítimas das ciladas do calçamento traiçoeiro sejam principalmente as autoridades, ou, pelo menos, as carruagens em que S.S. Exas. se dignam a aparecer aos mortais na irradiação da sua glória administrativa.

E, a propósito de quedas, veja-se esta notícia do grave *Jornal do Comércio*: "Mais uma casa a cair de velha, como a do *Café Cascata*; é a casa da rua General Câmara, esquina da do Núncio, onde funcionam a Prefeitura e a Diretoria de Obras Públicas do Distrito Federal. Sendo o gabinete de prefeito o mais ameaçado, o Sr. Dr. Furquim Werneck já está de mudança; e a Diretoria de Obras Públicas também já se dispõe a ir arrumar algures os seus planos de melhoramentos da cidade".

Quando o cronista leu estas linhas sinistras, não resistiu à tentação de ir observar o palacete da Prefeitura.

Foi, e viu, de fato, a parede do lado da rua do Núncio miseravelmente rachada, entreaberta num riso pejado de sarcasmo e ameaça. Oh! quem resistiria à mágoa da contemplação daquele espetáculo?!... Mário, o melancólico, sentado sob o céu de África, nas ruínas da maravilhosa cidade de Salambô, e o triste Volney, chorando lágrimas amargas sobre os destroços da bela Palmira, não sofreram tanto, com certeza, como este impressionável plumitivo, posto à porta de uma venda da rua do Núncio, levantando o nariz para o céu, e examinando com o seu *pince-nez* grau cinco aquela boca de morte e ironia, aberta na parede da Prefeitura, desfazendo-se em caliça velha e em barro esfarelado...

Eram duas horas e a tarde estava bela. Dentro da venda, homens do povo, descuidados e felizes, libavam a sua pinga, com muita secura na garganta e muita tranqüilidade na alma. Pela rua passava gente atarefada, sem olhar para cima, sem ver aquela espantosa desgraça. À porta da Prefeitura estava parado o carro do Sr. Prefeito: o cocheiro cochilava e os muares meditavam com filosofia. E o cronista, olhando a parede rachada, sentia que a alma também se lhe rachava de susto e dor.

Com que então nada mais falta! Rachada a Prefeitura mesmo, rachado o Olimpo de pedra e argamassa, de onde o Júpiter Municipal expede os raios de suas portarias, que podia ainda esperar a cidade de Mem de Sá?

Pobre velha, caindo aos pedaços, sem muletas caridosas que a amparem, aí vai a mendiga, tão sordidamente vestida, tão ignobilmente suja, que os mesmos cachorros vadios, de focinho instintivamente dado ao escavoucar dos monturos, se afastam dela com asco e desprezo... Pobre velha, velha antes do tempo, podre antes da maturidade, decadente antes da perfeição! quando Martim Afonso te plantou na praia, junto ao riacho Carioca, de certo alguma velha cabocla, feiticeira e feroz, te pôs mandinga no berço, fadando-te mal para a vida...

Se a Diretoria de Obras Públicas é a primeira a estar ameaçada de ter a cabeça partida pela queda de uma trave mal segura, ou de qualquer outra dessas calamidades a que o povo dá o nome pitoresco de pedaços de céu velho, que não será de nós outros, que não somos da Diretoria nem nada?

De rua em rua, de bairro em bairro, vê a gente, quando se dá ao incômodo de não trazer os olhos no chão, casas que se desequilibram e dançam: estas, numa atitude de reverência, curvam-se para diante, como saudando quem passa; aquelas, torcidas na cinta, inclinam o busto para a direita ou para a esquerda, numa *pose* canalha de cantora de taverna; aqueloutras, num ar de desafio e insolência, empinam-se para trás, estufando a barriga ameaçadora. Palavra de honra! o espetáculo é divertido, mas não é tranquilizador...

E a vontade que a gente tem, é a de vender os móveis e ir viver para o meio do Campo de Marte, ao ar livre, dormindo, comendo e amando sobre as ervas humildes.

Até agora, não possuir o abrigo de um teto era a expressão da mais acabada miséria: o homem sem teto era o pária desgraçado, o vagabundo sem brio, o rafeiro gafento. Hoje, não possuir um teto é o ideal comum dos cariocas, porque teto atualmente tem esta significação: coisa que cai. E é realmente melhor viver à maneira rústica e tranqüila dos ciganos, tendo como único teto aquela admirável cúpula serena, na qual as estrelas vivem perpetuamente piscando como olhos de moça namoradeira. As esferas de ouro fúlgido que andam rodando lá em cima há milhões de anos, não caem nunca, naturalmente porque não há nenhuma Diretoria de Obras Públicas encarregada de lhes fiscalizar a segurança. E, se tivessem de cair, cairiam mesmo de uma vez, porque não haveria empenhos nem dinheiros capazes de protelar a calamidade.

Oh! potestades celestes! a que está reduzido um homem pacífico e metódico, bom pagador de impostos e bom respeitador da ordem pública, neste fim do ano oitavo da República e da Prefeitura: a ter de dormir na rua, como os pés-no-chão, como os cães, como as pedras! Ainda se ao menos as ruas fossem limpas... Mas está tudo perdido: em casa há os tetos que desabam, na rua há os lixos que empestam.

Valha-nos Deus! ou antes, valha-nos o Diabo, que sempre se interessou muito mais do que Deus pela humanidade fraca. É ele, esse terrível Anjo Rebelado, quem faz cair tudo: as casas no chão e as almas na tentação. E o cronista bem poderia encartar aqui, já que falou em tentação, o comentário de certos escândalos amorosos e beatos da semana, se o Bom Senso não estivesse ao lado dele, severamente, franzindo a testa, como a dizer:

– Cuidado, menino! não queiras ser palmatória do mundo!... Olha que a gente tantas imprudências comete, que um dia... cai-lhe a casa em cima!

E assim, fica fechada com mais uma queda esta crônica de quedas.

s. a.

10 OUT. 1897 CRÔNICA [CIA]

Em primeiro lugar, icemos as bandeiras, e acendamos todas as luminárias da *Crônica*...

Escreveu-se aqui, nesta mesma coluna, no dia 14 de março, logo depois da desgraça que vitimou Moreira César: "A alma brasileira não caiu ferida de morte nas gargantas alpestres de Canudos, como no estreito desfiladeiro das Termópilas, entre a sagrada eminência do Ela e as águas empestadas do Malíaco, caiu ferida a alma grega, ao furioso embate dos asiáticos. Não! ainda não tivemos as nossas Termópilas! Em breve, já nem memória há de restar da afronta: haverá apenas a glória dos que morreram e a glória dos que souberam vingá-los. E esta *Crônica* voltará a ser alegre..."

O dia da desafronta chegou. O arraial maldito foi desmantelado. A lição foi tremenda. Não é de crer que o resultado da aventura ainda possa permitir que haja na alma de novos fanáticos o desejo de renová-la. Glória à Pátria e aos seus soldados! E volvamos à alegria!

* * *

Ontem, o *República* em editorial, pedia que o crânio do Conselheiro fosse enviado para o Museu Nacional. Lendo isso, o cronista aplaudiu vivamente a idéia: certo, não podia deixar de ser curioso estudar a caixa óssea daquele cérebro de fanático, que foi durante tanto tempo o diretor da turma satânica de Canudos. E estava o cronista aplaudindo a idéia, quando se lembrou de que seria fácil obter desde já, sem a menor demora, os dados fornecidos pelo crânio do Bom Jesus...

Como? muito simplesmente: invocando o espírito de Broca, e pedindo a sua opinião sobre o magno problema. E, de pronto, voou o cronista a procurar um amigo *medium*, que, com aquela bondade arcangélica, tão sua, logo se concentrou e deixou a alma voar à região dos espíritos.

Durante meia hora, o *medium*, com a fronte rociada de suor, curvado sobre a mesa das invocações, esperou em vão que o espírito do grande Broca baixasse à terra. Levantou a cabeça, enxugou a testa e disse: "O espírito é capaz, em certas ocasiões, de não poder acumular no seu perispírito bastante força vital para dar uma vida momentânea ao organismo fluídico... Mas, vou ainda tentar..." Tornou à concentração. Na sala, reinava um silêncio misterioso. Uma meia luz propícia favorecia a experiência. Dez minutos correram sem novidade. E eis que, no décimo primeiro minuto, sacudiu-se a mesa, e o médium empalideceu, e a sua mão começou nervosamente a escrever: "Broca... Broca... Broca..."

Estremeci... Ali estava, pois, o grande Homem! Agora, numa letrinha miúda e cerrada, acumulava-se no papel a extensa comunicação de espírito. O médium escrevia, escrevia, escrevia... Quando acabou de escrever, caiu extenuado.

O cronista apoderou-se da larga folha de papel, e leu sem dificuldade o seguinte:

"Aqui estou. Estou num vale não muito amplo, apertado, entre montes ásperos... Estou no arraial de Canudos. Que mau cheiro! que mau cheiro!

Numa revoada contínua, em círculos concêntricos, rodam no ar os corvos. Já não baixam à terra: estão fartos. Alguns já morreram de indigestão... Empilhados, como sardinhas em salmoura, há cadáveres, cadáveres, cadáveres, sobre um chão de lodo, de sangue, de cinzas. Que mau cheiro! que mau cheiro! Vou (voando, está claro, porque os espíritos não andam), vou por entre os cadáveres, à procura dos destroços da Igreja Nova, onde devem estar os restos mortais daquele que se chamou em vida Antônio Maciel...

Cá está a Igreja Nova. Torres e paredes caíram: mas, no chão, entre pedrouços enormes, está o grande sino, todo amolgado, mordido da ferrugem... Aqui devia estar o altar-mor... Ah! cá está o nosso Antônio Conselheiro...

Aqui tenho nas mãos a sua cabeça calva, polida, amarela como marfim velho... Racho-a... Aqui tenho o seu cérebro... oh! que peso! que peso! O de Cuvier pesava 1 k. 89!... O de Cromwell 2 k. 229... O de Dupuytreo 1 k. 236... Este deve pesar pelo menos 1 k.! Tinha talento o maluco!... Vejamos as localizações cerebrais...

Aqui temos a circunvolução da palavra, enorme, inchada, exuberante... Falava bem, o maluco! e com que fogo! e com que poder de convicção! Quando ele falava, os homens abandonavam as boiadas e as lavouras, as mulheres abandonavam as casas, e todos vendiam quanto possuíam, e lá se iam em pós ele, ardendo em fé e em loucura.

Aqui temos a localização da palavra escrita... nula: não sabia escrever o Antônio... também, se tinha tantos secretários, em Canudos, em Minas, na Bahia, na rua do Ouvidor!...

A localização da crença... esquisita, fantástica, irregular: tinha uma crença ao seu modo, o profeta! cria na Virgem Maria e na Rapina, em Jesus Cristo e em Mercúrio, no poder da Fé e no poder da Bala. Espécie de cura Santa Cruz analfabeto, que, quando dizia missa, oficiava com uma carabina, e quando entrava em combate batalhava com um hissope... Cá temos agora a sede da Renúncia, do Desprendimento dos bens terrenos: o nosso Antônio odiava as notas de banco... as da República, bem entendido: as do Império não deixavam de ser agradáveis à alma deste asceta; daí, quem sabe! dizem que a fera queimava as notas da República, quem viu isso?...

Olá! cá apanhei a sede da afetividade amorosa... Sim, senhor! sim, senhor! isto é que é uma bossa de se lhe tirar o chapéu! mas, tão estragada, tão frouxa, tão amortecida pela falta de uso... também, a idade! também, a imundície destas jagunças! também, a má alimentação! enfim, vejo por aqui que Bom Jesus foi na sua mocidade um famoso azevieiro... Bem! esta agora é a localização da Energia. Que formidável que é! este ladrão, se vencesse, se levasse depois os seus salteadores maltrapilhos até o Rio de Janeiro, havia de ser um déspota incomparável: quatro estados de sítio por mês... Em suma, um bom cérebro: nunca vi um maluco com tanto miolo. E disse!

Basta! Vou-me embora. Tenho de ir à Sorbonna, em Paris, inspirar ao professor de antropologia a sua lição de hoje. Vou-me embora! mesmo porque isto aqui fede que é o diabo... Adeus!"

E mais não escreveu o espírito do grande Broca.

s. a.

17 OUT. 1897 — CRÔNICA

A agonia de Paula Ney foi longa.

Certo, na hora final, a morte chegou sem grande aparato, e mansamente se apoderou da carne fraca, e suavemente quebrou os laços que prendiam à terra a alma do sonhador; de modo que, nesse último passo tremendo, Ney pôde ficar sereno, sem grande convulsão que lhe afeiasse o rosto. Mas essa não foi a agonia: essa foi a fase deliciosa da libertação e da entrada na paz. A verdadeira agonia durou anos: anos a fio, largos e terríveis, contados por dias de desgosto, por minutos de desespero. Pálido e magro, com a face cavada pela moléstia, aquele infatigável mourejava de sol a sol. Os médicos, que o viam abatido, rouco, torturado pela dispnéia, lutavam braço a braço com a morte que o ganhava; ele, porém, lutava braço a braço com um inimigo infinitamente mais desumano, – com a vida, com a vida implacável, cheia de exigências ferozes e inadiáveis.

Cabe aqui responder a acusação que está naturalmente no pensamento de quem lê esta página: a crueza da luta nasceu da desordem da vida do lutador.

Oh! a desordem da vida!... Mas nem todos nascem com os nervos equilibrados, ajustados, regulados, como as molas dum cronômetro; nem todos têm a alma fria, imutável, exata como uma tábua de logaritmos; nem todos nasceram para adorar o deus Método, brutal divindade, irmã gêmea daquele de que fala Baudelaire:

> ... la Betise au front de taureau.

Seguramente, não é muito difícil conseguir, ao mesmo tempo, ter muito talento e ajuntar muito dinheiro. Mas há quem, tendo muito talento e muita bondade, não tenha tempo para ter mais nada.

Oh! a desordem da vida do Paula Ney; mas enquanto os metódicos rompiam pouco a pouco, com uma imperturbabilidade de broca mecânica, a muralha da vida, aquele contemplativo sonhava e amava.

Os outros, nascidos frios como o aço, iam seguindo calados, olhando para dentro de si mesmos, egoistamente acariciando as suas ambições, regando-as, podando-as, cultivando-as, desenvolvendo-as. Ele, o Ney, que nascera apaixonado, parava de passo em passo; e aqui ficava a contemplar um aspecto risonho da natureza, ali quedava a dirigir um madrigal a uma rosa, mais adiante perdia uma hora em frechar de ironias um camelo bípede, mais adiante perdia um dia inteiro em enxugar uma lágrima de criança. E o tempo voava, e a velhice prematura chegava, e o cérebro, cansado de sonhar se escurecia, e o coração cansado de amar se enferrujava.

Pobre Ney! glorioso Ney! desequilibrado Ney! – desequilibrado como o próprio Talento, desequilibrado como a mesma Bondade, porque não há nada tão equilibrado nem tão regular como a estupidez e a maldade...

Nos últimos tempos, quando o Ney, à maneira de um deus decrépito, envolvido nos derradeiros farrapos da sua divindade, ainda tinha, na palavra que a dispnéia entrecortava, todo o fulgor de uma alvorada, quando ainda dos seus lábios sem cor as imagens rebentavam numa flora fantástica; quando ainda o seu bom humor era o prato querido das rodas literárias; ninguém sabia que aquele pobre se privava de tudo, de roupa, de conforto, de comida até, "numa descompassada desordem de vida", levava todos os dinheiros que arranjava para pagar pontualmente o seu montepio, base da subsistência futura dos filhos. Há muitos metódicos incapazes de fazer o mesmo; em geral, os muito equilibrados pensam unicamente em si.

A vida experimentou-o bastante. Nem ao menos morreu moço. Os antigos diziam: "Os que morrem moços são os queridos dos deuses", querendo significar com isso que a vida é a infelicidade. Ney foi infeliz durante trinta e nove anos; não os perdeu no cálculo frio, na ambição estreita, no egoísmo perverso; aproveitou-os para o amor e para a dedicação. Não era dos que se vingam das próprias desgraças, odiando os outros; quando perdia um filho, sentia aumentar o amor que lhe inspiravam todas as crianças; quando um amigo sofria, ele, olvidado do próprio sofrimento, só tinha coração para o sofrimento do amigo.

Não se sabe de ninguém que tenha guardado dele um ressentimento ou uma queixa: sabe-se de muita gente que abençoa a sua memória.

Quem assim pode morrer, não viveu inutilmente.

* * *

Postas nas linhas que aí ficam, a saudade e a homenagem de quem sempre se prezou de ser um amigo de Paula Ney, tem a *Crônica* de tratar de outro caso.

Lembram-se os leitores da *Gazeta* de que, há alguns meses, um folhetinista desta folha apelou para as senhoras brasileiras, pedindo-lhes que tomassem a iniciativa de uma homenagem a Gonçalves Dias e a José de Alencar. O apelo não ficou sem resposta. Já está arrecadada a quantia de quatro contos, trezentos e trinta e oito mil réis. Não é muito: é pouco, mas é lícito esperar que as subscrições não parem aqui.

Agora, uma explicação. A homenagem ainda não foi feita, porque Bernardelli e Bilac resolveram alterar o primitivo projeto. Tratava-se a princípio de colocar uma coroa de bronze no sopé da estátua de Alencar, e uma outra coroa na fachada da casa em que morou Gonçalves Dias, na rua que tem hoje o seu nome. Mas, em primeiro lugar, não se sabe com certeza que casa é essa; em segundo lugar, não poderia o proprietário da casa um dia demoli-la, e com ela deitar abaixo o bronze no qual se quisera perpetuar a admiração e a estima em que a Mulher Brasileira tem a memória do poeta de *I Juca Pirama*?

Foi preciso modificar o projeto, que nada perdeu com a modificação. No sopé da estátua de Alencar será colocada a coroa de bronze, e no mesmo dia se inaugurará, num recanto ensombrado do Passeio Público, entre árvores amigas, à beira da água serena, o monumento singelo de Gonçalves Dias, o busto do poeta sobre um bloco de granito. Para isso já foi requerida ao prefeito municipal a necessária licença. E nada impede que, para o futuro, aquele jardim sossegado seja, como o jardim do Luxemburgo em Paris, a morada perpétua dos poetas e dos artistas.

Será talvez necessário obter do conselho municipal a decretação de uma lei que regule o direito de residência, em efígie, nesse modesto e lindo Panteon da Arte Brasileira, de modo que somente dez anos depois de mortos possam os Artistas e os Poetas ter ali o seu monumento.

Mas isso virá com o tempo. O essencial é que o primeiro passo seja dado quanto antes.

Bernardelli, que nunca negou o seu esforço desinteressado em favor da arte, já tem em mãos o busto do poeta, que deve ser fundido em bronze, e a coroa que será colocada em nome da Mulher Brasileira na estátua do romancista.

E para que quanto antes a idéia tenha execução completa, pedimos duas cousas a todos os que lêem esta seção. A primeira é que remetam a Bernardelli quantos retratos possam possuir de Gonçalves Dias, para que assim a modelagem seja, quanto possível, perfeita. Os retratos devem ir acompanhados do nome e da residência do remetente, para que, depois, possam ser restituídos.

O segundo pedido é este: a remessa do produto das subscrições nas listas que ainda não foram entregues. E uma última lembrança: a subscrição ainda não está encerrada, e ainda uma vez apelamos para a cultura intelectual e para a bondade das senhoras brasileiras. O trabalho de fundição em bronze é caro, e a memória [*****] do cantor de *Iracema* e do cantor de *Marabá* merece todos os sacrifícios...

* * *

Crônica de mortos, esta... Que mal há nisso? Os vivos andam atualmente tão melancólicos, tão sem graça...

s. a.

07 nov. 1897

Crônica

Que se há de escrever sobre um crime como o de anteontem?

As grandes desgraças, como as grandes felicidades, não cabem dentro de frases. Nem jamais a retórica fica tão balofa, tão miseravelmente ridícula, como nas ocasiões em que pretende apoderar-se de um acontecimento como aquele.

Na sua nudez, na sua brutal verdade, na sua simplicidade medonha, o fato foi este:

Um homem, que envelheceu no trabalho, no heroísmo, na honra, saiu de casa para ir levar o seu abraço de irmão a um general que voltava da guerra e da vitória. Saiu pensando na grave responsabilidade do seu cargo de chefe de todo um exército, responsabilidade que o impelira, havia pouco, a ir levar o prestígio da sua presença no próprio campo da guerra, expondo-se aos doestos, às injúrias, às injustiças daqueles que chegaram a atribuir a uma inveja sórdida o seu procedimento. Saiu, pensando mais nos seus deveres do que nos onze filhos que deixava em casa: e foi naturalmente frio o beijo que lhes deu, ao sair, porque homens como aquele põem o trabalho e o dever acima do prazer, acima do conforto, acima do amor. Saiu sem pressentimento de desgraça, sem o receio de um acidente, porque era um nobre, um leal, um justo, e os homens assim fazem sempre um bom juízo do resto da humanidade. Quando voltou para casa, voltou cadáver frio, ensangüentado, sobre uma padiola funerária: a Morte, que o respeitara nos azares das batalhas, esperava-o friamente, ignobilmente, traiçoeiramente, na ponta da faca de um soldado. Bastara o desvario do cérebro de um bruto para dar um ponto final a toda aquela comprida existência de honra, de heroísmo e de trabalho.

Mas o que realmente o matou, não foi a faca do anspeçada covarde; o que o matou foi o seu amor da lei, foi a sua bravura, e foi a sua bondade. Quando viu atacado o homem puro que representava a Lei, expô-se à morte, bravamente, para o salvar: quando viu que o sicário estava ameaçado de linchamento, acercou-se dele, pedindo ao povo que o não matasse. Assim, a sua morte foi um exemplo, como um exemplo tinha sido até ali toda a sua vida. Aquele homem não considerava, à maneira de tantos outros, o dever militar como o simples dever de ser bravo nos campos de batalha: achava que a sua farda, a sua espada, a sua bravura, deviam servir também para proteger e defender o homem honrado que o povo escolhera para seu chefe e diretor.

Morreu como vivera, opondo-se à indisciplina, protestando contra a violência rebelde. E, impedindo o linchamento do assassino, morreu como um justo e um bom que sempre foi, reprovando as brutalidades, as justiças sumárias, as vinganças miseráveis, a covardia do ataque de toda uma multidão a um homem, cousas que há oito anos estão fartamente viçando na civilização brasileira.

Dizem que, no momento da morte, o espírito, por um verdadeiro milagre, atinge o grau máximo da inteligência e da memória, de modo que o moribundo pode, num rápido segundo, recapitular toda a sua vida, dar balanço a todas as suas impressões, reaver todas as suas idéias, e, com uma clarividência prodigiosa, com um apuro fenomenal do critério, julgar de relance o seu meio e o seu tempo. Se isso é verdade, o último segundo da existência daquele homem deve ter sido terrivelmente e sobre-humanamente doloroso.

Certo, viu ele, naquele trágico momento, todo o seu passado limpo, toda sua vida sem nódoa, impecável o seu nome de homem público e digno da paz eterna o seu coração de chefe de família. Mas não pôde gozar a satisfação do resultado desse exame de consciência, porque claramente viu, naquele inferior desvairado que o feria, toda a desordem moral da sua pátria, toda a descompassada anarquia do seu tempo. Só uma exclamação lhe saiu da boca, *Ah meu Deus!*, no momento em que caiu sobre as lajes do Arsenal, esfaqueado; não seria o medo da morte que ali estava, não seria a saudade da vida que ia deixar, não seria a dor física da facada, o que lhe arrancou do peito essa palavra suprema de angústia: mais provavelmente o que se lhe desabafou no lamento último, foi a mágoa da contemplação daquele ato de indisciplina, o horror daquela loucura, o triste espetáculo daquela insubordinação, que era apenas um pálido sintoma de outra insubordinação mais vasta, abrangendo toda a nação, exaltando todas as classes, fazendo de todo o Brasil um imenso hospício de alienados, que gritam e não se entendem, porque ninguém sabe o que quer.

Já perdemos o respeito de tudo. Qualquer esperto menino, saído ontem mesmo dos cueiros da primeira infância, diz serenamente, escreve que Rui Barbosa é um imbecil, que tal general vindo com glória de uma dúzia de batalhas é um covarde, que tal cidadão encanecido no serviço público é um ladrão. Estamos apodrecendo de *motu proprio*: timbramos em afirmar o nosso egoísmo, como folgamos com afetar crueldade e cinismo, sufocando a piedade, a tolerância, a generosidade, para fingir um rebaixamento moral que justifique aquilo que só o interesse motiva.

Diz-se por aí que o anspeçada rebelde agiu por inspiração própria... Sem dúvida! e seria a última e a mais irrecusável das provas da nossa degradação a possibilidade de ter sido armado pelas ambições de um *clan* político o punho daquele desgraçado. Mas o crime de anteontem, se não foi o aborto de um plano político, foi um resultado das lições e dos exemplos que a alma rude do soldado recebe dia a dia. Todo o mundo conhece a história do bugio, que, vendo todos os dias o dono barbear-se, também quis fazer a barba, e, empunhando a navalha, degolou-se. As almas simples fazem o mesmo. O assassino do marechal Bittencourt, o agressor do presidente da República, quis fazer o que via fazer.

Tudo isso, no derradeiro instante, viu o morto glorioso de anteontem. Foi essa a grande dor que ele levou para a morte, – dor que o não deixou, com certeza, gozar a satisfação de ter nobremente acabado uma vida, que a mais extremada nobreza dirigia...

s. a.

05 dez. 1897

Crônica

Cuestas e Dreyfus, Dreyfus e Cuestas... Para estes dous nomes é que toda a nossa atenção agora se volta. Chegamos a esquecer as nossas próprias cousas, as nossas complicações políticas, os nossos desgostos, para somente cuidar da facilidade com que Don Cuestas, despindo a pele branda do cordeiro, se enfronhou na pele dura do lobo – e na campanha de reabilitação que se move na França em favor do capitão degradado.

É vezo antigo nosso cuidar mais das alheias cousas que das próprias. Mas, desta vez ao menos, temos razão: se a ditadura de Don Cuestas não é digna de todo o nosso interesse, o caso Dreyfus, uma das mais emocionantes questões que se tem agitado no mundo, não pode deixar de impressionar todos os espíritos. Quem leu a horrorosa narração da cerimônia terrível com que se fez a degradação militar de Dreyfus, quem se lembra do sofrimento sem nome do condenado, no seu presídio, insultado e desprezado pelos seus mesmos companheiros de tortura, estremece de espanto e de terror, quando chega a imaginar a possibilidade da inocência daquele homem. Que reparação se lhe poderia dar, que pudesse apagar a mancha medonha da injustiça? Todas as honras, todas as homenagens, todas as riquezas da terra não bastariam para isso... Seria preciso canonizar e adorar o mártir.

Pobres de nós, dotados de alma tão fraca, tão sujeita a desvarios e enganos, de inteligência tão curta, tão submetida à influência da ilusão, – e querendo julgar sem apelo, e querendo dispor da vida, da liberdade, da honra de qualquer homem!

* * *

Mas tratemos um pouco do que se passa aqui mesmo, nesta gloriosa terra brasileira, fértil em cafeeiros e em tolices. Falemos da campanha contra o jogo, que acaba de assumir uma feição nova.

Os artistas dramáticos dirigiram à presidência da República uma curiosa mensagem, pedindo providências contra as casas de jogatina. Por quê? Porque a jogatina atrai irresistivelmente o povo, que deixa vazias as platéias dos teatros.

Certo, o jogo é um mal, e um mal terrível; não é preciso ter muito boa vontade para compreender isso. Por outro lado, também é certo que é digna de lástima a sorte negra dos atores, não podendo ganhar o pão, porque o público prefere as *poules* aos diálogos das comédias e às apoteoses das mágicas. Mas concluir daí que, acabado o jogo, entrará o teatro em uma era risonha de paz e fortuna, é concluir depressa e mal.

Santo Deus! é tão fácil achar a verdadeira razão da crise dos teatros! Os teatros estão vazios, unicamente porque não há dinheiro...

Por que é que os grandes hotéis, desertos e tristes, não têm fregueses? por que é que, nas lojas mudas e melancólicas, os alfaiates têm vadia a tesoura, e mofadas as fazendas? por que é que os médicos não acham quem lhes peça uma droga ou uma lancetada? por que é que os livros ficam adormecidos nas estantes dos livreiros, sem achar quem os compre? por que é que as modistas têm as agulhas enferrujadas e os advogados têm o código inútil? Naturalmente porque os Belódromos funcionam...

Tem graça! O que há, amigos, é que ninguém tem dinheiro, nem calma, nem alegria, nem felicidade. Para esquecer as amarguras dos dias que vivemos, o povo atola-se, chafurda, mergulha no jogo, entregando-se à sua embriaguez, como se entregaria à embriaguez do ópio ou do álcool. Fechados os frontões, fechados os belódromos, trancados os clubes de roleta e dado, suprimidas as loterias, o povo continuará a não freqüentar os teatros, como continuará a não mandar fazer roupa, e a não comprar livros, e a não chumbar dentes, e a não ocupar os médicos.

Depois, triste da arte que não tem em si mesma, no seu encanto, na sua pureza, no seu valor, o meio de atrair e prender o público...

* * *

A casa Laemmert acaba de por à venda um novo livro de Sílvio Romero.

É cedo ainda para escrever do mérito desse estudo sobre Machado de Assis: o livro chegou apenas ontem às mãos do cronista. Mas desde já se deve salientar aqui o raro valor da publicação, como serviço prestado à nossa literatura. Machado de Assis, que é um mestre na mais nobre acepção dessa palavra, é julgado, nas quatrocentas páginas do livro, por outro mestre igualmente digno de respeito, um trabalhador infatigável que a indiferença do público não abate. Justa ou não justa a crítica, o serviço feito às letras brasileiras é grande e incontestável. O romancista de *Brás Cubas* e *Quincas Borba* é o chefe de toda uma geração literária: já era tempo de estudar minuciosamente a sua obra, e a influência dela sobre essa geração que o mestre dirige.

* * *

Até a hora presente, não consta que o ilustre Prefeito Municipal tenha mandado deitar abaixo o barracão do largo da Lapa.

Decididamente, Fantasio não pode atravessar imune nenhum estado de sítio... Ainda não foi preso: mas é provável que o seja, porque o barracão da Lapa é capaz de o levar à prática de atos de loucura furiosa... Evitemos isso! Que o Sr. Prefeito tenha compaixão de um pobre homem de letras, que já não come, nem bebe, nem dorme, nem ama, por causa daquele monstro de pinho podre...

s. a.

12 DEZ. 1897

CRÔNICA

Muita gente, sentindo as tardes frescas, vendo as árvores sacudidas de uma aragem branda, vendo a rua do Ouvidor cheia de roupas pesadas, de sobrecasacas e de cartolas, dizia aos seus botões: "Decididamente, anda tudo de pernas para o ar! não teremos verão este ano!" Doce engano das almas, doce engano cedo desfeito!...

O verão estava traiçoeiramente preparando o seu golpe assassino, soprando com cuidado as suas brasas, lentamente avivando o fogo com que havia de nos assar em vida. E aqui o temos, agora que ele já se acha capaz de nos torrar de uma vez, agora que ele já se reconhece digno dos seus antecessores, aqui o temos desabando sobre nós com todo o seu horror.

Os dias sucedem-se, de fogo; sucedem-se as noites, sem ar; e pela rua do Ouvidor, arrasta-se a multidão, como por um dos corredores do inferno, entre paredes de chamas, suando e bufando, tonta e acabrunhada. Feia multidão! caras abrasadas, bigodes gotejantes, botas empoeiradas, colarinhos quebrados e sujos... Poucas mulheres: as que têm a coragem de afrontar o sol, aparecem desconsoladas, desfiguradas, moles, arquejando... Ai de nós! cantai, cigarras! exultai, febre amarela! E que, ao menos de quando em quando, piedosamente interessado em nos minorar os sofrimentos, nos mande o céu caridoso algumas boas cargas de água!

* * *

Terminada às pressas a tarefa, às pressas fechadas as carteiras, tendo dado os derradeiros votos com açodamento e tédio, como quem dá a última demão a um aborrecido trabalho, encerram-se as câmaras. Agora, na velha sala da rua do Areal e na sala moça da rua da Misericórdia, um silêncio de morte impera. Já ninguém dará corda aos relógios, que, com tanta febre, precipitando o seu *tic-tac* ansioso, iam acompanhando as discussões escaldadas; e os tímpanos mudos adormecerão sem tremor; e a sombra e o mistério pesarão sobre as cadeiras nas quais tanto corpo trêfego pesou.

Vale a pena dizer agora que o Congresso perdeu o seu tempo? vale a pena, agora que ele se dissolve, amargurar-lhe as férias com acusações e doestos? De certo que não! Ele não foi um bom Congresso, nem um Congresso mau; foi simples e unicamente isto: um Congresso.

Todos nós (a começar por quem isto escreve) temos a triste mania de carregar demais a mão, quando a nós mesmo exprobamos os nossos defeitos e os nossos vícios... É verdade que tivemos, este ano, sessões de uma indecência grande: mas não batemos o *record* da pouca vergonha parlamentar, porque nem de longe tivemos cenas que se pudessem comparar às do parlamento de Viena! É possível que, das lutas oratórias deste ano, a dignidade pessoal de algum deputado haja saído diminuída; mas, enfim, nenhuma face foi tocada, nenhuma cabeça foi partida... E, para mais facilmente fazer esquecidas as violências trocadas de parte a parte, maioria e oposição, no dia derradeiro, ficaram unidas e reconciliadas na manifestação dos louvores dados ao Sr. Artur Rios.

Este, certamente, com um suspiro de alívio, vendo posto o ponto final no cabo do seu martírio, não se lembrou das cousas duras que lhe disseram, das caras franzidas de ódio que viu junto da sua mesa, e da amarga esponja embebida de fel que várias vezes foi obrigado a chupar: e, abrindo as mãos ambas numa larga benção carinhosa, disse aos deputados que se fossem em paz, uma vez despidos das suas responsabilidades, para os seus longínquos Estados.

Digamos o mesmo, e não lhes estraguemos o sabor deste começo de férias e... fim.

* * *

Vêde bem! as assembléias legislativas são as mesmas em todo o mundo, como em todo o mundo são as mesmas as multidões. Aqui, quando um magote de povo começa a correr as ruas, aos berros, vaiando os jornais, logo, melancolicamente, achamos que isto é uma choldra, e que a civilização ainda não quis fazer passar sobre a face da nossa terra o seu bafo suave e polido. Mas, vêde bem!, por toda esta semana, em Paris, na civilizadíssima Paris, na cidade da Luz, no salão nobre da Humanidade, os estudantes não fizeram outra cousa senão vaiar jornais...

E nem só jornais! Os telegramas dizem que a cidade, de dia e de noite, tremia com a repercursão dos brados infamantes: *Conspuez Scheurer Kestner! Conspuez Zola!* E vinha a polícia, e dispersava neste ponto a mocidade, e logo, naqueloutro ponto recomeçava a mocidade a levantar o seu clamor terrível. Vêde bem! aqueles moços não andam como os nossos, de tanga e tacape: são os herdeiros diretos e imediatos de séculos e séculos de civilização; e não hesitam em pedir a infâmia para os nomes daqueles que apenas querem que se ouça de novo um condenado – já rouco de tanto afirmar a sua inocência, já quase morto de tanto pedir justiça e piedade... Vêde bem! nem só nas ribas deste mar em que andavam há dous séculos vogando as canoas do feroz Cunhambebe, a multidão é inconseqüente e brutal... também a inconseqüência e a brutalidade se expandem à vontade, debaixo das sombras dos muros da Sorbonne, debaixo da sombra das torres de Notre-Dame!

* * *

Por que nos interessa tanto este caso de Dreyfus? por que quase toda a população acredita hoje na inocência do pobre capitão, torturado pelo degredo na ilha do Diabo?

De certo, custa a crer que, friamente, cruelmente, inexoravelmente, sem provas positivas e irrecusáveis, um tribunal militar da França tenha envenenado a existência de um homem, infamando-lhe o nome, e arrancando-lhe, com os galões da farda, toda a honra e toda a felicidade...

E, sendo assim, parece que é sentimentalismo exagerado o estarmos nós, desde já, sem conhecimento de causa, pregando a inocência do oficial francês... Pois bem! pouco importa! seja sentimentalismo demais! o exagero do sentimentalismo sempre é preferível ao exagero da crueldade egoísta. Amar os que sofrem é a mais bela maneira de ser bom. A frase de Desdêmona a Otelo viverá, perpetuamente bela e humana: "Amei-te logo, pelo muito que sentiste e pelo muito que sofreste!" E este movimento de simpatia e de piedade, que, instantaneamente, se propagou em favor do infeliz condenado, prova que os homens não são tão maus e tão indiferentes como querem parecer.

* * *

Isto de querer parecer mau é uma *blague*, uma afetação, um *chic*. Deixemo-nos disso! e tenhamos a coragem de afirmar as nossas virtudes, já que não temos a coragem de afirmar os nossos vícios!

s. a.

19 dez. 1897

Crônica

Minas (que diabo de nome feio para uma cidade!) está inaugurada.

A velha Ouro Preto, a velha Vila Rica do padre Faria, de Felipe dos Santos, do conde de Assumar, do dentista Xavier, vai ficar mergulhada no seu sono arquisecular, sem empregados públicos, sem o presidente do Estado, sem o seu rico prestígio de capital. Como por milagre, uma cidade moderna, de largas avenidas e palácios soberbos, rompeu do lugar em que havia a pequena povoação de Belo Horizonte: o Curral d'El Rei nunca poderia esperar tamanha honra...

A *Gazeta* não é folha mineira, e quem escreve esta *Crônica* não gosta de preocupar-se com a vida alheia; mas como deixar em silêncio este acontecimento? O fato de, em dous anos, surgir da terra, acabada e bela, uma cidade, não é fato que todos os dias se dê: e é preciso que isto tenha o comentário da *Crônica*. Se o caso se houvesse passado na América do Norte, nessas fabulosas terras onde as crianças já nascem diplomadas e onde as cidades se fazem em quatro horas incompletas, nada se poderia escrever sobre ele. Mas, não! o milagre (porque foi um verdadeiro milagre) fez-se na parte mais pacata, mais prudente, mais desconfiada, mais econômica deste mundo e dos outros: o Estado de Minas Gerais não é useiro e vezeiro nessas cavalarias altas. Daí, o espanto de todos; daí o estranho do caso.

Que vai ser a nova capital? que ficará sendo a velha Vila Rica?

Esta última (creio eu), passado o primeiro movimento de natural despeito, há de consolar-se e resignar-se. Espécie de vasto museu de história colonial, onde, a cada passo, encontra o visitante um vestígio das idades mortas, um documento das gerações que se foram, Ouro Preto há de ser mais feliz quando estiver livre das atroadas dos clarins da tropa e do zum-zum da política. Depois, a velha cidade é rica: e a riqueza facilmente consola a gente... Ainda agora mesmo, na vetusta rua das Lajes, anda Alcides Medrado cavando as serras e achando o seio delas atochado de ouro. De maneira que a vida não acabará tão cedo ali. Quanto à nova e faceira capital...

Não queiramos desgostar quem está contente! pode ser que ainda os mineiros se arrependam de ter gasto tanto dinheiro em mármores e madeiras, quando o podiam gastar em sementes e arados; mas o mais provável é que a Providência abençoe os esforços daquele povo... Em todo o caso, demos parabéns ao Estado de Minas, que acaba de inaugurar o seu nobre salão de visitas!

* * *

Enquanto Minas inaugurava a sua nova capital, o Amazonas inaugurava a sua nova bandeira. Certo, compreende-se bem que, para fazer uma bela e confortável cidade, se multipliquem os palácios e não se poupem os materiais de construção. Mas uma bandeira é um símbolo: e os símbolos querem-se sóbrios e simples, ao alcance da inteligência de todo o mundo. Vêde-me esta descrição da nova bandeira da Amazônia; é longa, mas interessante:

"Na elipse, que ocupa o primeiro plano no escudo, vê-se o rio Solimões, na confluência com o rio Negro, formando o Amazonas. Na parte, em campo azul que representa o céu do Brasil, uma estrela anunciadora da paz e do progresso; no engalhamento dos dous rios, um barrete frígio, testemunho da nossa lealdade à República. Em campo verde, relebrador de nossas florestas, duas setas entrelaçadas recordam a gênese de nossa nacionalidade, e as duas penas que as cruzam a civilização moderna. Envolvendo a elipse, uma corrente de ferro personifica a estabilidade inquebrantável de nossa autonomia política. Pendente da corrente, embaixo, estão os emblemas da navegação, ligados por um laço verde com duas pontas desdobradas; na ponta direita se lê a inscrição – 22 de junho de 1832 – a data em que a antiga comarca do alto Amazonas se proclamou, pelas armas, província independente e na esquerda – 21 de novembro de 1889 – o dia em que o Estado aderiu à revolução ingente de 15 de novembro. Na extremidade superior da elipse desponta o sol, e no alto escudo a águia amazonense, de asas estendidas, as garras aduncas e o bico entreaberto a simbolizar a grandeza e a força da nossa pujança. No lado direito do escudo sobressaem os emblemas da indústria e no lado esquerdo, e nascendo da âncora, os do comércio e agricultura".

Deus poderoso! para que tanta cousa? Há dias, num domingo, encontrei na rua uma gorda senhora que caminhava para a missa. Ia tão arreada de alfaias, tão carregada de jóias, tão cheia de berloques, tão pesada de requififes, que a gente, abrindo os olhos espantados, ficava a olhá-la, e julgava estar sonhando. Eram sedas, eram veludos, eram corais, eram ouros, eram pratarias, eram brilhantes, eram rosas, eram verduras, eram fulgurantes arcos-íris que cegavam e alucinavam o povo. E ela, assim paramentada, como uma fragata, que, apendoada de gonfalões, saísse a deslumbrar as terras e os mares, parecia estar dizendo, com o seu ar de rainha, com o seu passo de deusa, com a sua majestade espetaculosa de ídolo cartaginês: "Vejam-me e admirem-me! e saibam que isto não é a décima parte das riquezas que tenho em casa!"

Deslumbrar é fácil: o difícil é agradar. E só agrada o que é simples.

Não! Tu não tens naquele complicado pavilhão, que parece uma composição nefelibata, um símbolo digno da tua grandeza e da tua simplicidade, ó simples e grande Amazônia, pátria dos rios selvagens, filha das largas águas poderosas! Para que tanta cousa no teu escudo nobre?

Todas as cousas que a imaginação pudesse ali meter, juntas e diversas, não dariam jamais uma idéia de tua grandeza. E só o teu nome, o teu nome glorioso, posto nas tuas armas, bastaria para evocar a lembrança da tua força, simples como a Natureza, e poderosa como ela!

* * *

E, já agora, toda a *Crônica* há de tratar de cousas alheias à vida carioca. A culpa não é da *Crônica*: a culpa é da vida carioca, que corre seca como os encanamentos da repartição de obras públicas, e, vazia como os cofres da prefeitura municipal.

Fechemos esta coluna com duas palavras sobre o desaparecimento daquele que foi em vida Alphonse Daudet. Esse não foi um estéril agrupador de palavras; não viveu apenas para procurar efeitos de arte.

Há nos seus livros, em *Jack*, em *Petit Chose*, em *Le Nabab*, em *Fromont et Rister*, a manifestação, clara e muitas vezes repetida do mais belo sentimento humano: a piedade, que glorifica os fracos e os pobres.

A alma do escritor não desdizia da sua fisionomia: aquele homem não tinha apenas a bela e triste face do Nazareno; – tinha d'Ele mais alguma cousa – gostava de humilhar os grandes e de elevar os pequenos...

s. a.

Gazeta de Notícias 1898

16 jan. 1898 Crônica

Anteontem, sexta-feira, S. Francisco de Paula, no altar-mor da sua bela igreja, dentro da irradiação do seu nicho de ouro, teve uma surpresa grande. O bom e caridoso santo cuidou a princípio que sonhava. Mas, não! firmando bem a vista, viu que o fato ali estava, real e positivo: havia cinqüenta jornalistas, no recinto do altar-mor, perfilados, aprumados, sérios.

De certo, já S. Francisco de Paula os vira várias vezes ali, vestidos de negro, em manhãs de missa de sétimo dia. Mas, nessas manhãs, o grande Santo, que sabe como ninguém ler nas almas humanas, bem via que apenas a cortesia, o amor das conveniências sociais e o respeito das tradições levavam à sua igreja aqueles atormentados e atarefados filhos de Gutenberg. E bem via o bom Santo que, enquanto duravam as missas de sétimo dia, os jornalistas pensavam em cousas várias, – este no almoço, aquele na reportagem que tinha de fazer dali a pouco, aquele outro em certo adiantamento que tencionava pedir ao caixa de seu jornal... E o meigo Santo não se enfadava com isso.

Anteontem, porém, o caso não era o mesmo. Não havia nessa manhã missa de sétimo dia por alma de nenhum jornalista, de nenhum artista, de nenhum político, de nenhum homem célebre. E aqueles cinqüenta plumitivos tinham na face um ar desusado de compunção: o Santo, mergulhando a sua vista arguta na consciência de cada um deles, divisava lá dentro certo respeito, certa crença, certa convicção, certo fervor religioso... Que era aquilo?!

Daí a pouco, tinha o Grande Bem-aventurado a explicação do caso misterioso. Um padre moço caminhava para o altar. E S. Francisco de Paula reconheceu nele um poeta que, depois de haver procurado em vão a paz no trato das rimas de ouro e dos períodos fulgurantes, fora afinal buscá-la na fé simples, na vida austera, na solidão calmante de um seminário. E ali estava o poeta, mudado de servidor de Apolo em servidor de Deus, desenganado de todas as cousas do mundo, vivendo apenas para o sacrifício, para a meditação, para a prece, para a contemplação da glória divina.

Também aquele vivera a vida agitada do jornalismo! Também aquele, na feira da imprensa, andara, como todos nós, à feição de um *clown*, fazendo jogos malabares com as palavras, para embasbacar a galeria! mas vira a tempo a vaidade e a insânia do ofício, sondara a tempo o vazio da profissão, e, tocado de um raio de graça de Deus, desertara os arraiais profanos, encerrara o corpo no ergástulo negro da batina e dedicara toda a alma ao serviço do Céu.

Mas alguma cousa na alma lhe havia de ficar dos tempos antigos de jornalista. Ficou-lhe na alma o amor daqueles que se arrastam pelo atoleiro do artigo de fundo, do noticiário e do folhetim; e o novo padre quis que uma das suas primeiras missas fosse rezada em intenção dos seus antigos colegas. E foi isso o que S. Francisco de Paula viu e compreendeu, anteontem, quando, na sua igreja, às 9 1/2 da manhã, o padre Severiano de Rezende caminhou para o altar-mor, contemplado pelos olhos e acompanhado pelas almas dos cinqüenta jornalistas presentes...

* * *

Ah! bem precisados andávamos nós de que alguém nos recomendasse ao Senhor! Insensivelmente, vamos caindo tão baixo, tão baixo, que já perdemos a sensação da queda...

Tanto abusamos das palavras, tanto deformamos o sentido delas, tanto barateamos o louvor, tão impensadamente distribuímos a censura, que vamos ficando reduzidos a simples máquinas de escrever, – de teclado dócil, obediente ao toque de todo o mundo... Cada um de nós não passa de uma *Remington* aperfeiçoada.

Vêde bem! Se há um desastre, se há um crime, se há um suicídio, descrevemos essas cousas com a mesma indiferença, com a mesma calma, com a mesma impassível opulência de palavras ocas com que descreveríamos um baile, um batizado, uma pândega. Manejamos a ironia e a piedade com o mesmo soberano desdém. E, em verdade, diante de Deus, muito mais misericórdia deve merecer o diabo, que ao menos faz o mal por convicção, do que qualquer de nós...

Ainda esta semana houve um caso trágico. Um louco, perseguido pela mania do suicídio, arrojou-se dentro de uma caldeira de azeite fervente; pois um noticiarista friamente escreveu uma pilhéria sobre esse horror! Crueldade? antes fosse isso! mas o plumitivo não pensou sequer no que escrevia! Se uma pobre moça, enganada por um Lovelace de baixa esfera, vai à polícia, em lágrimas, queixar-se da sua desgraça, o noticiarista, no dia seguinte, ressuscita cinco ou seis lérias picarescas, e frecha com elas a desventura da mísera! E, quando a ventoinha dá em girar pelo lado da piedade, em vez de girar para o lado da ironia, o espetáculo ainda é mais hediondo: assoalham-se desgraças íntimas, levantam-se cortinados de camas, remexem-se lençóis servidos, sempre com a mesma frieza, sempre com a mesma serenidade. E exaltam-se os vencedores, e pisam-se os vencidos, não por interesse, não por especulação, não por bajulação, mas, porque todo mundo faz isso, e daria muito trabalho e muito incômodo fazer uma cousa diversa das cousas que todo mundo faz.

E o grande, o bom, o meigo São Francisco de Paula, anteontem, vendo os cinqüenta plumitivos, de joelhos, – enquanto o moço padre intercedia por eles junto de Deus, – talvez pensasse: "Ó meu filho amado! ó cordeiro agora reintegrado na paz do aprisco da fé! pois não era melhor que da antiga vida pecadora da imprensa não tivesses guardado sequer a lembrança?" E talvez o Bem-aventurado sentisse no seu piedoso coração uma grande tristeza, ao verificar que ainda havia na alma do convertido a preocupação de ser agradável àqueles diretores da opinião pública...

* * *

Mas isso é simples conjectura do cronista... Aí tendes! um pobre diabo de cronista jura-se tão clarividente, tão sábio, tão arguto, que até se atreve a imaginar o que há dentro da alma de um Santo, dentro do pensamento de um eleito de Deus!

Irmãos de imprensa, irmãos de futilidade, irmãos de perversidade inconsciente! que nos aproveite a missa de anteontem! E que, ao menos, o Senhor, atendendo à prece do seu novo servo, – se não nos der a graça suprema de podermos viver livres do pecado, – nos conceda isto: a possibilidade de fazermos o mal ou o bem com sinceridade, sendo capazes de amar ou odiar, por convicção, em ver de amar ou odiar por desfastio e divertimento...

s. a.

23 jan. 1898

Crônica [RLL]

Em um dos dias desta aborrecida semana, um homem nem alto nem magro, nem velho nem moço, nem bem vestido nem maltrapilho, desceu de um bonde, na rua do Lavradio, e serenamente penetrou no saguão da repartição da polícia. Tinha o aspecto sizudo e calmo; carregava uma trouxa de roupa. Entrou, dirigiu-se para perto da porta do xadrez, sentou-se placidamente em um banco, sacou do bolso um pedaço de pão e começou a comer. Quando acabou a refeição frugal, cruzou os braços, deixou pender a cabeça sobre o peito e adormeceu. Por diante dele, o movimento nunca interrompido de repartição central da polícia continuou. Patrulhas, contínuos, carcereiros, presos... E o homem dormindo. E as horas correndo. Por fim, já noite, um soldado notou a singular presença daquele impassível sujeito. E dirigindo-se a ele, sacudiu-o pelo ombro:

– Olá! que está o amigo fazendo aqui?!

O sujeito, estremunhado, esfregou os olhos, bocejou três vezes, passeou em torno um olhar distraído e preparou-se para continuar a dormir. Mas o soldado, já então desconfiado, deu-lhe um repelão mais forte:

– Então? não ouviu? que está fazendo aqui?

– Eu? eu... estou preso!

– Preso por quem?

– Por mim mesmo!

– Quê? você quer divertir-se à minha custa?

– Não senhor! nunca tive tão pouca vontade de me divertir à custa de ninguém! se estou aqui, é porque me considero preso... E tenho estado à espera de que abram a porta do xadrez, para poder dormir com mais comodidade!

Conduzido à presença do delegado, o extraordinário cidadão explicou ingenuamente e claramente o seu caso.

Trabalhava numa fábrica que fechou por falta de dinheiro. Posto na rua, começou em vão a procurar novo emprego. Diziam-lhe sempre a mesma cousa: "não havia lugar! Todas as fábricas estavam suprimindo metade do pessoal! As cousas andavam mal!" Como não tivesse dinheiro para pagar a casa em que morava, o senhorio expulsou-o. E, enfim, não podendo dormir ao relento, e, reconhecendo que não tinha decididamente nenhuma vocação para o ofício de gatuno, ali viera constituir-se preso, para ter onde dormir.

Já se vê bem que o delegado não pode satisfazer o mísero. Mandou-o em paz, declarando-lhe que o xadrez não foi feito para quem não tem onde dormir.... E dentro da alma rude do operário desempregado deve hoje haver um grande espanto: se não o admitiam preso agora, era naturalmente porque não cometera nenhum crime... devia então cometê-lo, para arranjar um teto?...

Este caso, laconicamente narrado nos noticiários, foi o mais interessante da semana. Direis que é um caso sem importância, que mal chega para encher um quinto de crônica. Engano vosso! o caso que vos afigura nulo é um sintoma. E um sintoma alarmante. Brincando, brincando, estamos com a miséria negra a baternos à porta. Aquela velha história de que no Brasil ninguém morre de fome já foi recolhida ao armário dos chavões sem significação. Dinheiro não é chuva que caia prodigamente do céu, nem cogumelo que brote espontaneamente da terra. As nossas grandes riquezas, tão apregoadas, valem menos do que nuvens. Temos café e temos fumo: mas ninguém pode viver exclusivamente bebendo e fumando. E, como aquele sujeito, há muita, muitíssima gente, que não vê outro recurso diante de si, senão cometer alguma patifaria, para ter o direito de ser recolhido à Correção. O pior é que mesmo esse recurso é falaz. Se os particulares não têm vintém nas algibeiras, a situação do Estado ainda é mais gravemente precária. Daqui a pouco, como há de o Estado arranjar dinheiro para dar de comer àqueles que a justiça encarcera?

Vêde o que se está passando com os empregados municipais. Gastam as solas dos sapatos para ir à repartição; e quando querem comprar sapatos novos, só podem oferecer ao sapateiro, em pagamento, essa moeda sem curso que se chama esperança. Antigamente, um emprego de escriturário, ou de amanuense municipal, era um alto favor que só se dava aos moços bonitos que se apresentavam carregados de empenhos: hoje é um castigo que se deve infligir àqueles que merecem ser obrigados a morrer de fome.

Por ora, a *dèche* apenas aflige, de modo tão bárbaro, o município. A União, que tem mais onde cavar, lá se vai agüentando como pode. Mas, se a Divina Providência não se resolve a tomar conta desta história, ser empregado público será, dentro em pouco, positivamente, um castigo pior do que ser calceta. E mesmo não haverá mais calcetas: porque calceta come, e comer pode vir a ser nesta terra um luxo apenas acessível a raros protegidos de Deus.

De certo, ninguém tem o direito de descobrir cruelmente os males quando não se julga com forças, para, ao mesmo tempo, lhes descobrir os remédios: e muita gente há de esperar que o cronista, com a sabedoria que todos lhe reconhecem, indique o meio de espantar a miséria negra que aí nos está batendo à porta!... pois, sim! Só há um remédio: é rezar! Quando os homens são incompetentes para salvar uma situação, compete a Deus entrar em cena: é o seu ofício.

s. a.

15 abr. 1898 O Direito de Ser Feia

Foi um norte-americano quem, ao grande rol dos direitos que se reclamam para as mulheres, veio acrescentar mais este singular e impertinente direito. Séguier, no *Jornal*, largamente se derramou em considerações sobre as idéias de Mrs. Barine (que assim se chama a formidável senhora *yankee*), uma senhora que, com certeza não faria inveja a Cleópatra ou a Helena.

Que são, em resumo, as idéias de Mrs. Barine? Acha ela que as mulheres feias, mesmo conservando a sua mais pavorosa fealdade, podem ser felizes, – não mendigando o amor e a proteção dos homens, esses abomináveis tiranos que só admiram as mulheres que com a sua beleza lhes ateiam e remexem o fogo dos desejos. Para isso, é preciso que as mulheres se instruam, se eduquem, se emancipem e possam ganhar livremente a sua vida, podendo ser feias à vontade, sem que por isso sejam obrigadas a morrer à míngua de pão. Nisso consiste o *direito de ser feia*, que Mrs. Barine quer outorgar à Mulher.

Pois sim! Que enganadora consolação! que pérfida perspectiva de felicidade rasga essa pretensiosa americana aos olhos das feias! Porque, enfim, desenvolver e aperfeiçoar o cérebro não basta para matar e aniquilar o coração, já que, segundo uma convenção indestrutível, o coração passa por ser a sede de certas aspirações, que quase sempre estão localizadas em outro órgão. No seu gabinete de física ou de química, no seu laboratório de fisiologia, na sua cadeira de filósofa, no seu *bureau* de administradora, na sua tribuna de propagandista, lá virá um momento em que a Mulher, com toda a sua emancipação moral, sinta o sangue sacudido de uma tormenta, e a alma agitada de uma ânsia de amar.

Nesse momento, a idéia do homem, até aí sufocada e vencida, surgirá vitoriosa; e a Mulher, esquecida das lições de Mrs. Barine, quererá casar e amar como todo o mundo: mas, então, duas fealdades estarão a torturá-la, a do corpo e a da alma, a deformidade e o pedantismo. E é mais fácil perdoar a quem tem uma corcunda no corpo, do que quem tem uma corcunda na alma.

Não, senhoras feias! não ouçais as palavras vazias da pérfida *yankee*!

Em primeiro lugar, ninguém pode dizer com segurança o que é uma mulher bonita e o que é uma mulher feia. O Belo é tão relativo, que já Voltaire dizia dele: *le beau pour le crapaud, c'est sa crapaude*. E em segundo lugar, tereis notado que as mulheres que passam por feias, são sempre as que inspiram as maiores paixões, as que são mais ardentemente e mais longamente amadas.

A razão é simples. A mulher que se convence que é bela, contenta-se com isso, fica certa de que isso lhe basta, e... não faz mais nada. Ao passo que as outras, inspirando-se ao diabo, que as marcou com a unhada genial da Malícia e da Faceirice, inventam tais cousas, armam-se de tão entontecedores requebros, socorrem-se de tão perturbadoras esquivanças e de tão embriagadoras negaças, que

as belas é que vêm a ser deixadas...

Se um deus um dia desse alma à Venus de Medicis, duvido que algum homem pudesse, por mais de uma semana, amar aquela mulher tão aborrecidamente bela, de corpo tão desesperadoramente perfeito!

Não, ó feias! não vos deixeis levar pelo que vos diz Mrs. Barine!

Oh! o direito de ser feia! como não? toda mulher tem seguramente esse direito, porque nós, em geral, gostamos muito mais das feias que das bonitas! Que mal faz ser feia? Nunca falta um sapato velho para um pé doente!...

FANTASIO

17 ABR. 1898 CRÔNICA

Certamente, não há no Brasil mais abominável mania do que esta de andarmos todo o momento metendo o nariz nos alheios negócios. Já aqui mesmo, por diversas vezes, se lamentou a leviandade com que em dias de exaltação a meninada fazia *meetings* por Menelik contra a Itália, pelo povo cubano contra a Espanha, por Dreyfus contra a França... Mas, entre esse excesso de zelo pelas cousas alheias e o propósito de conservar o Brasil apartado da comunhão social, deve haver meio termo.

Assim, não se compreende que o Brasil possa brilhar pela ausência nas festas do centenário indiano. E não se trata de festas que só por cortesia internacional sejamos obrigados a comparecer. As festas são nossas também, da nossa raça, do nosso sangue, da nossa língua, da nossa glória. Já um colaborador da *Gazeta* escreveu que a descoberta da Índia foi a nossa Anunciação. Comemorá-la é preparar a comemoração da descoberta do Brasil.

Quando, no promontório de Sagres, "nessa língua de rocha cravada nas ondas e açoitada pelas ventanias do noroeste", o infante D. Henrique, ao lado de Jaime de Mayora, entre os mapas de Valseca e os manuscritos de Marco Polo, alongava os olhos ávidos de saber pelo Mar Tenebroso, tentando devassar o mistério das águas temerosas, a sua ambição era apenas, de certo, conquistar a costa marroquina e as ilhas mais próximas: não imaginava ele que Sagres era o berço de um mundo novo, nem que daquele estudo e daquela contemplação de ondas negras ia sair a imortalidade do nome português.

Também, quando os marinheiros de Vasco da Gama velaram a noite de 7 de julho de 1497 em frente da igreja do Restelo, não imaginavam de certo que papel estava reservado pelo Destino àquelas quatro naus pequenas que, no dia seguinte, iam velejar para as cóleras e para as revoltas de Adamastor: não previam que, três anos depois, querendo seguir a derrota gloriosa de Vasco da Gama, viriam achar a terra em que a língua de Camões, conservada por um povo moço, teria de vencer o olvido.

Porque a conquista da Índia foi a ruína; Oliveira Martins, naquelas duras páginas em que o seu patriotismo sangra e chora, diz: "Rasgáramos as nuvens do Mar Tenebroso; mas, para além dos seus confins, íamos perder-nos nos nevoeiros prognosticados pelos geógrafos árabes, no seio das trevas da nossa perversidade. A natureza ofendida punia-nos com a morte e o destino implacável retribuía-nos todos os males com que tínhamos flagelado o próximo". Mas se riquezas fabulosas não recompensaram Portugal, a sua recompensa ficou sendo infinitamente mais bela: o prolongamento do nome e da civilização da pátria através dos mares, numa pátria-filha.

A festa é nossa também. Nas velas cheias da *S. Gabriel*, da *S. Miguel*, da *S. Rafael*, bojadas ao vento da esperança, arrastando os conquistadores para os perigos do Cabo das Tormentas, palpitava a mesma audácia que mais tarde traria as doze naus de Cabral até diante do monte Pascoal. Que muito é que um navio brasileiro vá agora saudar as mesmas águas de onde há quatro séculos partiram os nossos descobridores?

Mas, se absolutamente é necessário pôr de parte a idéia de mandar um navio brasileiro a Lisboa (e com alguma boa vontade sempre se acharia o dinheiro necessário para isso), é preciso que outra cousa qualquer se faça.

Há cinco ou seis meses, alguns homens de letras combinaram tomar a peito a realização de conferências e festivais que celebrassem a grande data.

Mas a politicagem chegou, imunda e absorvente, e tomou conta de tudo. Ainda há poucos dias, um jornal publicava a notícia de que nos Estados Unidos, em Ohio, uma praga de lesmas aparecera e, cobrindo os trilhos das estradas de ferro com a sua massa viscosa e nojenta, suspendera a marcha da locomotiva. É o que a politicagem costuma sempre fazer: não há idéia bela e nobre em cujo caminho ela não se ponha, – grande lesma repugnante que só ama a sua própria imundície e a sua própria torpeza...

Já agora é impossível dar à comemoração do centenário da Índia no Brasil a solenidade e a grandeza devidas. Mas, faça-se alguma cousa. Por que não tomaremos nós, os da imprensa, a iniciativa da empresa? Mais significativas serão as festas se, em vez de um frio cunho oficial, tiverem um vibrante e ardente caráter popular.

Talvez haja quem ache que a *Crônica* de hoje devia tratar de cousas mais novas e palpitantes... Santo Deus! é tão bom pensar no Passado, e amá-lo, e refugiar-se a gente nele! Não há desgraça pior para um povo do que a de não amar a Tradição. O povo que não ama a sua origem social, é como o filho que despreza a mãe.

Salvo se pode prevalecer a doutrina dos poucos malucos que dizem não saber o que é que o Brasil deve a Portugal... É possível... Mas, nesse caso, a quem devemos o que somos, como inteligência, como caráter, como dignidade? Aos guaranis? aos pretos da Costa da África? Porque, enfim, é preciso descender de alguém: não ter filiação é por ventura cousa que se possa desejar?

Ah! destruamos o *mal-entendu*, ao qual a *verve* rutilante mas perversa do Sr. Camilo Castelo Branco e a má vontade do Sr. Tomás Ribeiro, de um lado, e, do outro lado, a vesânia de alguns sujeitos, deu origem!

É preciso, é indispensável que (no caso de não ser o Brasil oficialmente e extraordinariamente representado, entre todas as nações do mundo, a 20 de maio, no porto de Lisboa) ao menos daqui possa voar para a fronte do velho Portugal o beijo comovido da pátria que dele herdou a bondade, a coragem no infortúnio, o orgulho na humilhação, a cordura no triunfo, e – o que é mais ainda – esta formosíssima língua em que Camões escreveu *Os Lusíadas* e em que Gonçalves Dias escreveu *I Juca Pirama*.

s. a.

24 abr. 1898

Crônica

Com certeza, houve um momento, nesta semana, em que todo o vasto e complicado organismo da Estrada de Ferro Central do Brasil se sentiu invadido de uma vida nova. As locomotivas, escancarando as válvulas, se desafogaram em longos e barulhentos suspiros de alívio; os trilhos, cheios de um brilho mais vivo, esplenderam jubilosamente ao sol; os dormentes tiveram em todas as suas fibras de madeira de lei uma palpitação de orgulho; e a estátua do Progresso, de Almaida Beis [sic], posta no tope da fachada da estação, delirantemente sacudiu nos ares, num gesto de supremo triunfo, o seu feixe de raios. E toda a Central, assim reanimada e consolada, bradou:

"Enfim! chegou o dia da minha reabilitação! Por longos anos a fio, eu fui a Mãe única dos desastres, a Empresa Suburbana da Morte, a antecâmara da eternidade, a sala de espera do Além... Não houve noticiarista que não me cobrisse de injúrias, não houve cronista que me não frechasse de ironias. E o Brasileiro, ente que julga tudo pela rama, tirava da infindável sucessão dos meus desastres uma conclusão única: e era que a Estrada de Ferro Central só poderia funcionar sem descarrilamentos e sem esmagamentos no dia em que passasse a mãos estrangeiras... Ah! não há nada como um dia depois do outro! Agora, vêde: a *S. Paulo Railway* não é brasileira... é inglesa, é dirigida por ingleses, é administrada por ingleses, é serva obediente e submissa daquela forte raça prática e previdente, que ama a disciplina e o método sobre todas as cousas... Pois bem! lá está a linha impedida, lá está a locomotiva estripada, lá estão os carros, uns sobre os outros, reduzidos a entulho, lá estão os cadáveres mutilados, lá estão os feridos sangrando. Já não sou eu a Mãe única dos desastres, já não sou a única Empresa do Extermínio Expresso!"

E, sejamos justos!, a Central não deixa de ter razão.

Também, quando um sindicato inglês comprou a *Leopoldina*, os diários de Petrópolis exultaram antegozando a era nova de velocidade, de pontualidade e de segurança que lhes prometia a fama da administração inglesa...

E, afinal, os trens continuam de vez em quando a patinar, como antigamente, sobre o leito da estrada anglicanizada, com preguiça de galgar ou descer a serra, – e ainda no penúltimo sábado, um deles encalhou na montanha, com a teimosia e má-criação de qualquer trem brasileiro...

* * *

Mais uma vez, a Hidra – que se preparava, segundo os boatos, para se fartar de sangue nas ruas, numa pavorosa orgia, – acaba de se esconder corrida com a cauda entre as pernas, na sua toca escura, como um reles cão gozo.

Alarmaram-se os jornais, pôs-se em campo a tropa, encheram-se de susto as casas, acenderam-se nos oratórios as lamparinas votivas, e, quando o Supremo Tribunal concedeu o *habeas corpus* aos desterrados, cada um deles foi serenamente jantar, e o mesmo fizeram os juízes, e o mesmo fez a tropa, e o mesmo fez o povo, e toda a clamorosa atroada dos boatos só teve um resultado prático: ativar o apetite de todo o mundo, naquela tarde que tão estranha e temerosa se antemostrara.

Esperemos agora que melhores tempos comecem! Já ninguém tem razão de queixa: todos nós, de um e de outro lado, já prendemos e já fomos presos, já fomos desterrados e já desterramos. E se é tão bom, de volta ao lar, comer com apetite a sopa da tranqüilidade, não tenhamos nunca mais o apetite mórbido de ir comer, em longes terras, por culpa nossa, o pão mofado do exílio!

* * *

A esta hora em Key West e no canal de Bahama, junto da grande Antilha moribunda, duas esquadras formidáveis se vigiam, de fogos acesos, atulhadas de pólvora e balas, povoadas de gente que o ódio anima, prontas a se arremessarem uma contra a outra num choque tremendo. Debalde, a mão trêmula de Leão XIII tentou reunir sob a mesma benção carinhosa e consoladora a Espanha e os Estados Unidos: o nobre orgulho da Espanha e a desmarcada ambição da Norte América fecharam os ouvidos às palavras do grande velho. E o mundo vai assistir, horrorizado, a uma chacina horrorosa, ao estrebuchar do século em fogo e sangue, justamente quando a retórica dos filósofos se cansa de afirmar que estamos no apogeu da civilização.

Somos americanos... mas somos latinos. Entre essas duas considerações não há que hesitar muito...

Os norte-americanos vão intervir em Cuba *por amor da humanidade*: naturalmente, foi também *por amor da humanidade* que a democracia norte-americana conquistou ao México uma larga porção do seu território... Nobre Espanha, guarda avançada e almenara da nossa raça! todo o mundo viu a moderação e a calma com que quiseste até a última hora evitar a guerra, sem quebra do teu glorioso amor próprio! Mas não é fácil arrancar da cabeça fria e teimosa de um *yankee* a idéia que se enraizou lá dentro: e, já agora, tens de aceitar a luta. Deus te proteja! ficar-te-á o consolo de, se tiveres de ser vencida, morrer de pé, esperando a morte com orgulho, como aquele Cirano de Bergerac, que a musa amada do Rostand imortalizou... Deus te proteja, terra da bravura e do amor!

* * *

E fechemos a *Crônica* registrando a venda do *Niterói* aos Estados Unidos. E não pode haver fecho melhor do que a publicação deste soneto, que um poeta anônimo acaba de mandar à *Gazeta*, num cartão postal:

Niterói! tudo volta neste mundo!...
Sobre a noite que morre volta o dia;
E a água das nuvens, que do mar fugia,
Volta das nuvens para o mar profundo...

No começo dos meses, iracundo,
Volta-me o cobrador à moradia;
Volta sempre aos aflitos a alegria;
Volta sempre ao xadrez o vagabundo!

O próprio tempo é uma reviravolta:
Pois cada ano que volta traz consigo
O inverno, o estio, a primavera, o outono...

E, assim como o bom filho à casa volta,
Tu também voltas ao dono antigo,
E o cobre volta ao antigo dono!

E até domingo.

s. a.

15 MAIO 1898

CRÔNICA

Senta-se um homem à mesa, disposto a cumprir, com pontualidade e consciência, o seu dever de cronista, põe diante de si as folhas virgens de papel, empunha a caneta, e começa a recordar-se do que encheu a semana: "suicidou-se ontem, bebendo uma larga dose de ácido fênico..." Nisto, com estrépido, o vento escancara a janela, trazendo consigo o cheiro suave das rosas do jardim, e dispersa as folhas de papel, e revoluciona tudo. Pela janela aberta, vê-se um pedaço de céu azul, um tufo de ramagens verdes, um canto de muro coberto de hera... "Telegramas de New York dizem que o bombardeio de Porto Rico..." Outra lufada de vento: agora, uma borboleta, apressada e tonta, sacudindo as asas de safira, entra no quarto, paira num raio de sol, pousa na lombada de um livro, dá três voltas no ar, e parte... "A falta de pão na Bahia..." Agora, um pássaro começa a cantar alto, na glória da manhã radiante... Por que é que há de haver gente que se mate? por que é que há de haver guerra em Porto Rico? por que é que há de haver fome na Bahia? por que é que um homem há de ser obrigado a pensar nessas cousas feias, quando Maio desenrola lá fora todo o seu fulgor?

Dez horas da manhã... É cedo ainda para suar sobre o papel... Vamos! um bom livro e um banco de pedra no jardim... Em cima, balançam-se os ramos; no chão, manchas claras de soalheira tremem e fulguram; e o livro fica abandonado sobre os joelhos, e o pensamento sai por aí além, vagabundo, sem destino, voando sobre todos os assuntos, sem se demorar em nenhum.

Este ladrão de Maio! já a gente pensava que não daria por ele, tão escaldantes e tão tristes iam os dias correndo. Mas houve um pampeiro no sul, as vidraças todas do Rio de Janeiro estremeceram numa bela noite, abaladas pela ventania, e foi-se o calor, e as flores sorriram, e murcharam os narizes dos fabricantes de gelo, e voltaram a serviço ativo os sobretudos, e os velhos começaram a sentir as alfinetadas do reumatismo, e o coração da gente começou a sonhar cousas escandalosas...

Ides ver que a mania dos suicídios vai ter um fim, e que os navios da Espanha e dos Estados Unidos, olvidados da guerra, vão ficar inativos, e que o câmbio continuará a baixar, sem que o Rio de Janeiro se aborreça com isso. Toda a atenção agora vai ser pouca para as cousas boas, que fazem amar a vida.

Em primeiro lugar vamos ter *Companhia Lírica*, e com um atrativo delicioso: a presença, no mesmo palco, de duas celebridades, uma brasileira e outra portuguesa, em torno das quais há de forçosamente dividir-se em duas hostes rivais a tropa dos amigos da música. Deus queira que a rivalidade se resolva apenas em palmas e versos... No Brasil, a música costuma ser sempre o berço da desarmonia: por causa de um dó de peito, já houve entre críticos batalhas campais, e pouco faltou para que a pendência acabasse afogada em sangue. Mas, não! a batalha desta vez será de flores, e a brigada policial, que ainda anteontem com tanto garbo deslumbrou o Catete, não terá de recorrer aos seus cartuchos, – como naquelas famosas noitadas da *Dona Branca*. A intransigência dos melômanos não interromperá a delícia daquelas horas do Lírico, ao fulgor do gás, suavemente passadas, na contemplação das belas senhoras decotadas e no encanto inofensivo do *flirt*.

Esperemos isso, ó Maio, da tua frescura conciliadora, da tua bondade aplacadora dos fervores do sangue!

Além do Lírico, os *pic-nics* e os bailes: já Petrópolis se embuça em névoas, já a gente elegante abandona os *chalets* da serra, as alamedas largas ficam vazias; fechado, o *Cassino* dorme, esquecido das belas festas que abrigou; e, depois do baile de ontem, o Palácio de Cristal cerra as suas portas de... madeira, e cai também no sono reparador do inverno.

Agora sim! já poderá um homem de bom gosto ficar parado uma hora à porta da *Gazeta*, vendo a desfilada destas formosas filhas da cidade carioca, rua abaixo, rua acima, frescas e lépidas, fazendo cantar o calçamento sujo ao toque dos seus pezinhos ligeiros, e devastando os armarinhos, e devorando os *bombons*, e papagueando, e rindo – e, o que é principal, tendo a pele seca! – porque, enfim, ver uma face de mulher suada é pior do que ver a cousa pior do mundo!

Meio-dia... Vamos lá escrever o diabo desta *Crônica*!

Mas o estômago chora: é preciso contentar o coitado... E, ao fim do almoço, acendendo o charuto, olhando enojado a mesa do trabalho, dando um olhar à rua, vendo a alegria do sol e das árvores, – Santo Deus! como há de a gente recapitular o que encheu a semana?

Não! Fique o povo sem *Crônica*! A única cousa decente que um homem pode fazer numa tarde assim, é prender à lapela do veston um botão de Camélia, o primeiro botão de Camélia de Botafogo! e sair, devagar, devagar, gozando a delícia de viver, bebendo em sorvos lentos o ar cheiroso, e rimando o começo de um soneto, todo cheio da frescura de Maio e do esplendor das suas grandes rosas vermelhas...

s. a.

17 MAIO 1898 ÁCIDO FÊNICO

Grandes deuses! como vim achar mudado o meu amigo Torquato!

O meu amigo Torquato é farmacêutico formado, e homem de uma grande alegria. Há muitos anos, sempre que se desarranja uma das molas do meu organismo, é à farmácia do meu amigo Torquato que corro a buscar a tisana refrigerante, ou a cápsula febrífuga, ou o xarope calmante. E quando vejo a sua bela face, tranqüila e risonha, por trás dos imensos bocais verdes e vermelhos do balcão, sinto logo a alma satisfeita, porque a alegria do Torquato é das que se comunicam com uma facilidade prodigiosa.

Assim, foi animado de uma excelente disposição de espírito que ontem me encaminhei para o laboratório do venturoso manipulador de drogas: ia comprar um pouco de ácido fênico para desinfetar certos aposentos da lura em que sonho e vadio... Entrei. Torquato levantou das pílulas que preparava a sua bela barba grisalha, e teve um gesto de amizade:

– Seja bem aparecido! por onde andou até agora?

– Estive arejando a alma na serra, amigo Torquato!

– Fez bem... fez bem... isto por aqui tem estado muito sujo e muito triste!...

– Oh! a quem o diz, amigo Torquato, a quem o diz! esta cidade está uma infecção... Não posso mais! é por isso mesmo que lhe venho pedir...

– Peça, meu amigo, peça! – exclamou logo o Torquato, colando um rótulo vistoso na tampa da caixa de pílulas.

– Venho pedir-lhe... quinhentas gramas de ácido fênico.

Caixa e rótulo caíram das mãos do Torquato. E, muito pálido, com a barba trêmula, o Torquato deu a volta ao balcão e veio enlaçar com os braços a minha cintura.

– Mas... pelo amor de Deus, meu bom amigo, pelo amor de Deus! que vai fazer? compreendo bem que, para um homem de tanta sensibilidade como o senhor, a vida hoje seja um suplício... mas na flor dos anos... Olhe! vejamos! não leve o ácido fênico! esqueça-se disso!... eu, por lei, não posso deixar de vender o que me pede... mas, por quem é...

Espantado, murmurei:

– Que quer então que faça, amigo Torquato?! olhe que é um mau cheiro insuportável... não posso mais!...

– Sim, sim! – insistia o amedrontado boticário – a vida é uma porcaria! Ninguém o nega! mas tenha coragem! dê tempo ao tempo!

– Oh! homem! quanto mais tempo der ao tempo, tanto mais duro será o meu martírio! quer então o amigo Torquato que eu seja fulminado por um tifo?

– Por que não, meu amigo, por que não?! terá uma morte natural! antes isso! Olhe! o senhor é tão moço... é paixão que o atormenta? Não faltam amores por aí...

– Mas justamente a idéia do amor é incompatível com aquilo de que me quero libertar, Torquato! O amor dá-se bem com o aroma dos jardins, mas...

– É falta de dinheiro, então? mas console-se comigo e com todos... O câmbio há de melhorar e...

– Que importa o câmbio, Torquato? com dez tostões de ácido fênico corto o mal pela raiz, e está tudo acabado! É só despejar o remédio pelo cano abaixo...

– Meu Deus! como pode um homem tão moço falar deste modo?! – bradou ele, desesperado, apertando a cabeça com as mãos.

Olhei com medo o farmacêutico; teria aquele homem tão calmo caído nas garras da loucura? E, para apressar o remate:

– Vamos, Torquato! Despache-se e dê-me esse ácido fênico que tenho pressa...

– Não dou! não dou! – rugiu ele com convicção –, já vendi cinco vezes ácido fênico esta semana, e não sei mesmo como ainda não fui parar na cadeia! Quer saber uma cousa? meta uma bala na cabeça ou enforque-se! não lhe dou ácido fênico!

E avançava para mim com uma cara tão transtornada que fugi. E ainda agora estou a perguntar a mim mesmo, com ansiedade, com que razão há de merecer a forca ou uma bala de revólver um homem pacato que deseja desinfetar os aposentos reservados da sua casa...

Grandes deuses! como vim achar mudado o meu amigo Torquato!...

Puck

17 jun. 1898

Carta Aberta

Ilustríssimo e Integérrimo Sr. Dr.
Prefeito Municipal

Desde que me entendo (isto é: desde que o meu espírito se abriu à luz do credo republicano, – porque eu sempre fui, graças a Deus, um republicano histórico feroz!) vejo gabada por gregos e troianos, a fama da integridade e da ilustração de V. Ex. E creio tanto na verdade dessa ilustração e na firmeza dessa integridade como creio na lei da precessão dos equinócios e no mistério da Santíssima Trindade: são cousas que para mim, como pontos de fé, não sofrem a menor dúvida.

Leio nesta mesma *Gazeta* que o Centro Artístico (uma pequena súcia de vagabundos, de idiotas e de pretensiosos) vai prostestar, perante a ilustração e a integridade de V. Ex., contra o novo imposto de 20% por dia que a preclara municipalidade acaba de lançar sobre as exposições de pintura... Não se deixe V. Ex. levar pelas cantigas desses borradores de telas, desses fabricantes de poemas e desses rabiscadores de óperas! Todo esse Centro Artístico, todos esses Miguéis, todos esses Bernardellis, todos esses Delgados de Carvalho, todos esses Araújos, todos esses Coelhos Netos são uns pobres sujeitos sem eira nem beira, sem partido político e, conseguintemente, sem responsabilidade social. Secunde V. Ex. os esforços da municipalidade, e verá como o povo sério e agradecido lhe há de levar o nome ao píncaro do louvor!

Realmente, nem sei mesmo se vale a pena tomar a sério as alegações do Centro Artístico, discutindo-as e refutando-as. O *Centro Artístico* deve saber que as *exposições* são explorações do público: e, como tais, devem concorrer, pagando impostos, para que a gramática e o bom senso continuem a ter o culto fervoroso dos conselheiros municipais, mediante a módica remuneração de 1:000$ mensais.

Diga-me agora o Centro sobre quais exposições quereria que se lançasse imposto?

Sobre a exposição dos buracos e atoleiros que a municipalidade e a prefeitura mantém nas ruas da cidade? Mas essa exposição é humanitária e digna de todos os favores: os munícipes, correndo o risco de ter as pernas quebradas, de passo em passo, nesses precipícios, aprendem a ter a atenção fixada nas cousas deste mundo e ficam livres dos perigos do sonho, da imaginação e do ideal...

Sobre a exposição de solecismos e de barbarismos que o conselho municipal conserva franca ao povo, durante as suas luminosíssimas sessões? Mas essa exposição educa o povo, levando-o a desprezar o culto da boa linguagem, essa mania que deitou a perder os Camões, os Herculanos e os Gonçalves Dias, uns desgraçados que, se não fossem poetas, poderiam, como intendentes ou como prefeitos, ter prestado assinalados serviços à humanidade...

Sobre a exposição de chagas, de elefantíases, de cancros, de úlceras, de macrocefalias, de cretinismo e de lepra, que os mendigos livremente passeiam por todas as ruas da Capital? Mas essa exposição tem várias utilidades. Em primeiro lugar, esse espetáculo faz muito bem à digestão dos cidadãos que, depois do almoço vêm para o trabalho, e ao apetite daqueles que, depois do trabalho, vão para o jantar. Em segundo lugar, a contemplação da miséria humana fortifica ainda mais a alma dos fortes.

Sobre que exposições, pois, queria o Centro que caísse o peso dos impostos municipais?

Feche V. Ex. os seus íntegros e ilustrados ouvidos, Sr. prefeito, aos babaréus tolos dos artistas! Arte é exploração escandalosa do público. Arte deve pagar imposto, porque perverte e dá idéias largas. E o que se quer aqui é um povinho de idéias estreitas como estas ruas, sujas como estas calçadas, baixas como estes pardieiros e práticas como este conselho municipal. Só vinte mil réis por dia! ora o Centro que vá pentear macacos!

Tenha V. Ex. energia, Sr. prefeito, e creia na profunda admiração e no inacabável respeito do seu embasbacado e incorruptível súdito.

PUCK

03 jul. 1898 Crônica [RLL]

Nós, os homens da imprensa, devemos andar com a boca doce. Queixamo-nos, lamentamo-nos, damos à face um ar fúnebre, e invectivamos a todos os dias a sorte, não achando bom, nem abundante o quinhão que nos cabe na repartição das felicidades da terra. O povo diz, na sua linguagem simples, que os felizes sempre "se queixam de fartos"... E, de fato, que queremos ainda? Há pouco tempo, começamos a achar que as senhoras não deviam ir ao *Lírico* senão em cabelo, sem os complicados chapéus da moda; os dias correram, houve discussão e brigas, vaias e *meetings*... e vencemos: já ninguém vê chapéus enormes na platéia do *Lírico*. Verdade é que um cronista teatral descobriu anteontem que, em certo regulamento de teatros, há bastantes anos decretado e esquecido, já se impõe a cada empresa a obrigação de manter um vestiário onde as senhoras depositem os seus chapéus e capas... Mas, verdadeiramente, isso pouco importa, uma vez que o regulamento nunca foi posto em prática. Nem nos venham dizer que a vitória foi obtida à custa da indignação das torrinhas: a vitória foi nossa, exclusivamente nossa.

Antes, já uma outra vitória tinha coroado os nossos esforços. Reclamamos contra a mania dos sui... perdão!... das "mortes inesperadas", e todos os desesperados da vida, não querendo desgostar a imprensa, deixaram de cometer atos de loucura. Verdade é que, ainda de vez em quando, diz um jornal que "faleceu ontem inesperadamente o Sr. Fulano, deixando cartas à família e à polícia". E os malévolos concluem disso que a propaganda da imprensa não foi grande cousa... Mas a conclusão é tola: a imprensa nunca teve a pretensão de impedir que o Sr. Fulano morresse inesperadamente: o que a imprensa quis foi evitar que se desse o nome aos bois, – porque, enfim, tudo neste mundo é uma questão de palavras. Logo, aí temos uma segunda vitória da imprensa.

Terceira vitória. Vendo que os incêndios se reproduziam com extraordinária freqüência, deliberamos pôr água fria na fervura, e pedimos que a polícia (ou quem quer que fosse) impedisse a propagação da mania incendiária. E vêde! imediatamente houve uma providência: as companhias de seguro dirigiram uma representação aos poderes públicos, pedindo fosse proibido o uso de balões e fogos de artifício no centro da cidade, e, logo depois, no entulho de um dos prédios recém-conflagrados, descobriu-se, carbonizado, o fogareiro de um balão... Hão de ainda os malévolos dizer que não vêem bem onde está a vitória da nossa propaganda: deixemos que falem os malévolos – o mundo todo é uma vasta comunhão de despeitos e descontentamentos... Deixemos que falem os malévolos, e celebremos o nosso triunfo. Nós somos, de fato, um "Estado no Estado".

E, já agora, aproveitemos a maré!

Diz um jornal que o ministro da instrução pública da Rússia proibiu às alunas das escolas públicas do grande império o uso do colete... Vamos tomar a peito este caso! Exijamos a proscrição de espartilho, não só nas escolas normais, como em todo o território da República! Já privamos as senhoras dos chapéus: privemo-las também dos seus coletes Léoty ou Vertus!

* * *

O diabo é que, se triunfamos sempre no terreno da utilidade, ainda não obtivemos no terreno da seriedade vitória nenhuma.

Assim, já nos esgoelamos que farte, pedindo a quem de direito alguma atenção para o centenário do Brasil, que aí vem, e ainda ninguém nos ouviu...

E outra cousa: por que não nos lembramos de acabar com estas febres assassinas, tão nossas, mas tão inimigas de quem nos procura e de quem nos ama?

Em menos de um ano, quantas vidas preciosas nos levaram elas! Agora mesmo lá se vai um dos homens mais queridos que têm pisado a nossa terra... Moço e belo, inteligente e fino, apenas entrado numa carreira que lhe reservava todos os triunfos e todas as glórias, apenas senhor de uma felicidade doméstica que tinha sido a maior e a mais doce aspiração de toda a sua vida: Luís Bezzanilla desaparece, furtado por uma dessas infames moléstias, que ainda não parecemos dispostos a pôr daqui para fora, com um pouco de higiene e de decência!

Ai! Amigos da imprensa! já todos nós estamos cansados de pedir que se limpe esta cidade da peste, dando-lhe um pouco menos de política e um pouco mais de vassouras, um pouco menos de boatos e um pouco mais de ácido fênico... De dia em dia, mais asquerosa fica a sujeira das ruas; mais relaxados ficam todos os serviços municipais; mais empestados ficam os bairros. Não se desinfetam casas em que morrem cinco ou seis doentes de febre amarela; os bueiros dos esgotos fedem como sentinas mal lavadas; os encanamentos de água não têm uma gota; e tudo é uma infecção, uma porcaria, um nojo, um horror!

Pois bem! mostremos o poder da nossa vontade! Já que nada conseguimos dos poderes públicos a que até agora nos temos dirigido, dirijamo-nos pessoalmente às Febres, obrigando-as, por uma intimação sumária, à deserção... Que diabo! Já temos conseguido tanta vitória, que talvez as Febres tenham também medo da nossa onipotência! Vamos! de pé, sobre as nossas tamanquinhas de jornalistas soberanos, mostremos a porta da rua às Febres que nos desonram!

* * *

Mas... a pena range sobre o papel, e a tinta se revolta, e a alma do cronista se entristece. Não é possível manter o tom desta ironia cruel, que magoa mais a quem a vibra do que àqueles que a recebem. E, como isto não é artigo circunspecto em que se possa falar seriamente de vergonhas, o melhor é parar. Paremos!

S. A.

10 JUL. 1898

CRÔNICA

Cinco horas da tarde, enevoada e melancólica tarde de sábado. Que tropel é este, abafando as calçadas, perturbando os namoros, escandalizando a elegância da rua do Ouvidor? Patrulhas passam, descendo e subindo o beco amável. Os cavalos relincham, remordendo os freios; os soldados, de cenho carregado, têm na face o duro aspecto impenetrável dos momentos terríveis... Que é isto? De novo, ululando e rabeando com fúria, a Hidra alarma a cidade, com um dos seus passeios fatais? Indago... dizem-me: "A Polícia... etc... a mocidade... etc... a Escola Politécnica..." Pois sim! tratemos de outras cousas. Que terá feito a Polícia? – dizem que invadiu uma escola... mas, com todos os diabos! que querem os senhores que faça a Polícia? Acostumada, desde o dia em que foi criada, a invadir tudo, atribuições e o resto, tem de morrer como nasceu... Deixemos em paz a Polícia, antes que ela se meta conosco...

Esta é a opinião de todo mundo... e, como o cronista (este, tem sempre a sua opinião pessoal) é uma pequenina porção de todo o *mundo*, o melhor é achar que a Polícia não tem razão, porque, sendo a mocidade a esperança da pátria, tudo vai bem quando ela põe bonecos nos fios telefônicos...

Falemos da nossa amada cidade, mas não dos seus motins periódicos.

Uma cidade civilizada não pode viver sem motins, porque não pode ser uma aldeia pacata, com as ruas desertas ao toque de recolher, com as casas fechadas à hora em que as galinhas procuram, com o bico debaixo da asa, o repouso do poleiro.

Uma cidade sem motins é como uma mulher sem amor, sem rebates de sangue, sem alvoroços de coração. A tristeza, a velhice, a doença, são apáticas e frias; a mocidade, a alegria, a saúde têm barulho, têm agitação, têm escândalo. Aceitemos os motins e rejubilemo-nos...

O que não deveríamos aceitar é o resto. Que bom seria termos aqui as ruas constantemente lavadas de sangue! Verdade é que o sangue não lava cousa nenhuma... Mas quem não tem cão, caça com gato: e já que não há água...

Vêde, para exemplo, Montevidéu. Foi há poucos dias. Acordou a gente, abriu os jornais, e ficou sabendo que a cidade uruguaia ardia numa vasta conflagração política. Os parques de artilharia vomitavam metralha e fumo. Generais comprometidos... coronéis desvairados... capitães furiosos... tenentes alucinados... e várias praças públicas coalhadas de cadáveres, e todo o calçamento empapado em lama vermelha. Caramba! A cousa durou menos de vinte e quatro horas... mas não houve correspondente que computasse em menos de trezentos o número de feridos.

Aí tendes. Naturalmente, no dia seguinte, acalmada a febre revolucionária, banidos alguns chefes, prometidas algumas sinecuras, ultimados alguns negócios, o serviço público da limpeza inundou as ruas de grossos jatos de água límpida, enterraram-se os mortos, fez-se o curativo dos feridos, e Montevidéu, a pérola do Prata, continuou a ser o que sempre foi: uma linda cidade, branca e limpa, amiga do banho e da desinfecção, menor e menos animada do que a nossa, porém incomparavelmente mais amável e cheirosa. Que importa, pois, que tenha morrido um punhado de gente? Isso deu animação à *urbs*, e deu-lhe vida, porque Montevidéu, neste caso particular, ficou sendo como aquela *caveira* do poeta espanhol, onde viçava uma florzinha delicada e que era

la muerte terrible y fría,
dando más vida a la vida...

Nós aqui, em primeiro lugar, não temos revoluções em que trezentos homens fiquem feridos em vinte e quatro horas... E, em segundo lugar, não temos, nunca tivemos e provavelmente nunca teremos Higiene Pública que trate de lavar a cidade, nem antes nem depois das efusões de sangue. Em todo o caso, porém, o sangue fresco, correndo em ondas, levaria consigo, das praças e das ruas, toda a imundície secular que a Preguiça e o Relaxamento têm acumulado no seio desta Capital do Lixo.

Mas, ainda uma vez, não tratemos dos motins!

Eles seriam bons, se, levando-nos a sujeira, nos levassem também os mendigos...

E já imagina quem escreve isto como se vai levantar, depois deste parágrafo, a vozeria dos sentimentais: "Que barbaridade! ousar dizer mal da miséria dos que não têm teto nem pão!..." Falem e rujam à vontade os sentimentais!... mas, francamente, se pagamos impostos, se tiramos do nosso lar, anualmente, somas avultadas, é justo que todo esse sacrifício se converta em conforto nosso. E, pelas cinco chagas de Cristo!, se se pusesse a bom recato todo o dinheiro que o Soberano Fisco recebe, haveria asilos confortáveis, haveria albergues limpos, haveria casas de assistência em que toda a mendicidade achasse abrigo...

Oh! Santo Deus! Quem nos dera, a todos nós, um motim diário, que nos levasse toda esta imundície, e toda esta vergonha!

E notemos que, não querendo o cronista falar de motins, não falou de outra cousa. Que quereis? É o meio de ficar bem com Deus e com o Diabo (duas entidades igualmente respeitáveis, que têm as honras de uma inicial maiúscula) e de achar que, sendo a polícia o esteio principal das instituições e sendo a mocidade a esperança da pátria, todo o homem prudente deve ficar oscilando entre o esteio e a esperança, duas complicações que não acabam nunca mais.

s. a.

19 JUL. 1898 — CASOS & COUSAS

Meu caro Fantasio,

Queria escrever narrando os últimos acontecimentos que têm posto esta cidade em sobressalto; mas não posso: estou coato.

A humilde mesa de vinhático a que me sentei para rabiscar estas linhas, está cercada por policiais de infantaria, de cavalaria e à paisana. Agora mesmo, ao deixar pingar o ponto final no período antecedente, um cavalo indisciplinado levantou indecentemente a cauda e... relinchou. E para não ficar atrás do cavalo, um *secreta* deu um espirro tão forte, que borrifou esta carta com um denso granizo de saliva acigarrada.

E aqui tens tu, meu pobre amigo, a que está reduzida a liberdade de imprensa, ou antes, a que reduziu a liberdade de imprensa este governo, que se serve da força pública para cevar os seus ódios, este governo nefasto e negregado, que tem o impudor de se manter na sua posição, depois de haver escapado à imortal garrucha do mártir Marcelino, no dia 5 de novembro.

E tu que és um espírito liberal, que és filho da gloriosa revolução de 89, que foste um dos primeiros a quem ouvi o canto eletrizante da *Marselhesa*, hás de dizer-me se é possível opinar sobre os altos negócios da cousa pública, se é possível exercer o nobre sacerdócio da imprensa, quando se está tão ferozmente ameaçado por uma polícia sem escrúpulos, mantida por um governo tirano, ditador, caluniador e infame!

Mas para que fiques fazendo uma idéia do grau de humilhação a que chegamos e da situação deprimente em que nos colocou este governo-fera, sempre te direi, enquanto cochila a escolta que nos postaram ao lado, que o nosso Totó, o brilhante publicista e o ameno jornalista, também está coato, e há uns poucos de dias o faz constar por meio de todas as grandes circulações de que dispõe.

Vê tu, meu caro Fantasio, a que situação chegamos neste regime de liberdade e fraternidade!

Não imaginas a saudade que eu tenho do tempo em que as folhas eram suspensas e os artigos dos jornais revistos pelos delegados de polícia.

Oh! que tempo! Aquilo é que era liberdade e ao mesmo tempo fraternidade. Um irmão desaparecia para não mais voltar, e ninguém dava por isso.

Hoje a cousa é mil vezes mais deprimente. Um irmão, o Totó, está coato, escapou de apanhar umas cacetadas mais ou menos secretas, e este governo imoral, este governo infame, nem ao menos decreta um estado de sítio!

* * *

Neste momento sou intimado a não escrever mais.

Estou coato.

Tic-Tac

26 jul. 1898 — Casos & Cousas

Meu caro Tic-Tac,

Não fui ao jantar do Centro Artístico, e tenho pena. Nunca ouvi a palavra inspirada do Sr. prefeito municipal, e perdi talvez a ocasião única de a ouvir em plena inspiração, em roda de pintores, de músicos, de poetas, de crítico. Tu, creio eu, foste mais feliz: comeste a sopa do Centro, saboreaste os molhos do *criterium*, e recolheste preciosamente no ouvido as sábias declarações que jorraram da boca presidencial. Apenas pelo resumo dos jornais posso fazer uma idéia do que foi o discurso. E quero que mo esclareças.

O ilustre Sr. prefeito começou declarando que muitas das pessoas presentes podiam atestar que ele é um sincero apreciador das artes, e acrescentou que acompanha com interesse, não só o movimento artístico, como o movimento literário do país. Diz-me agora tu, ó Tic-Tac, se, no número das artes que o nosso estimado prefeito tão sinceramente aprecia, estão incluídas as artes aplicadas à conservação e embelezamento das ruas. Se estão, devo concluir que uma cidade, para ser artisticamente bela, tem de ser esburacada e suja. Se não estão, unamos os nossos esforços para obter de S. Ex. que reserve um bocadinho do seu inestimável apreço para essas pobres coitadas de artes, que também são filhas de Deus.

Outra cousa. Disse S. Ex. que acompanha com vivo interesse o movimento literário do país. Ora, desde que S. Ex. subiu à suprema curul, vivemos nós, os da imprensa, a gastar pena, papel, tinta, tempo, suor e paciência em lhe pedir que mande varrer as ruas. E como as ruas ainda não foram varridas, das duas uma: ou S. Ex. não disse a verdade, quando declarou que acompanha o movimento literário do Brasil, ou S. Ex. não inclui no movimento literário o movimento da imprensa, achando que não são homens de letras, e portanto não merecem o seu interesse e a sua leitura, aqueles que, como tu e eu, vivem enchendo de luminosas idéias as colunas dos jornais. Quero, principalmente, que me elucides este último ponto, porque eu já tinha preparada a minha candidatura a uma das vagas da academia de letras: e se o Sr. prefeito municipal, cuja opinião tanto acato, acha que, como jornalista, não sou homem de letras, não me custa nada meter a viola e a candidatura num saco.

Mas, decididamente, meu caro Tic-Tac, o que mais me deliciou no discurso, foi a peroração. O Sr. prefeito declarou que "o seu maior desejo era despir a pesada toga da que se achava revestido, para conviver de novo com os artistas e os homens de letras". Nós todos já sabíamos que o maior desejo de S. Ex. era despir a toga de que se acha revestido: S. Ex. não tem feito outra cousa na vida senão vestir e despir todas as togas que lhe dão. Mas o diabo, meu caro Tic-Tac, é que S. Ex., passando-se para o lado dos artistas e dos literatos, é capaz de continuar a mesma vida: assim que for eleito sócio do Centro Artístico, pedirá sua demissão com a mesma facilidade com que tiver despido a toga da magistrado de prefeito, despirá a blusa de pintor, a túnica de poeta, e a sobrecasaca de romancista...

Que pensas tu de tudo isso? Perco-me em conjecturas.

PUCK

18 SET. 1898 — CRÔNICA

Oh! não há nada mais grave do que tomar um compromisso!

Dever a Fulano ou a Sicrano alguns pares ou algumas dezenas de contos de réis, é cousa de pouca importância: o devedor, quando chega o dia temeroso do pagamento, dá balanço ao cofre, e, se verifica que não pode pagar, vai ver o credor, na intimidade de um escritório, entre quatro paredes discretas, e engabela-o, acaricia-o, adula-o, convence-o, e acaba por obter um adiamento que arranja tudo. Mas, dever ao público! – isso é que é compromisso pesado...

O devedor, não podendo procurar, de uma em uma, todas as respeitáveis entidades de que se compõe essa formidável Entidade, tem de licenciar a vergonha e vir confessar em público e raso, à grande luz do sol, pelas colunas devassadíssimas das folhas, que é caloteiro. E, no dia seguinte, pelas ruas da cidade, o desgraçado vai de vexame em vexame, vendo a sul, a norte, a leste, a oeste, o horizonte eriçado de dedos coléricos e duros, que o apontam à execração do século: "Ali vai aquele que prometeu fazer a crítica da 50ª exposição de Belas Artes, e não cumpriu a sua promessa..."

Ora, aí tendes a situação do homem desventurado que escreve esta *Crônica*. Como seria bom, agora, ter a livre escolha do assunto e ir por aqui abaixo, cabriolando, sem ter a obrigação de fingir de crítico, distribuindo sorrisos misturados com censuras para a direita e para a esquerda!

Porque assuntos não faltam! Bela página se poderia escrever, por exemplo, sobre Dreyfus, já que esse assunto, graças a Zola, deixou de interessar apenas a França para interessar toda a humanidade; bela página! e como seria fácil pintar aqui o ministério francês, trancado a sete chaves, agoniado, vendo a necessidade da revisão do processo do mártir, sentindo-se esmagado pela propaganda de Zola, e resistindo, como o sapo da lenda sertaneja, que, espremido sob a pata do boi, morre sustentando a sua opinião... Mesmo sem tratar de assuntos nossos, teríamos a iminência da guerra chileno-argentina, – e a *Crônica* poderia longamente sorrir da ingenuidade do presidente Roco, na opinião do qual (segundo telegrama publicado ontem) o Chile não tem o direito de se bater por territórios injustamente ocupados antes de restituir à Bolívia e ao Peru os territórios que lhes tomou, – como se, nessas complicações de política internacional, o pobre Direito pudesse meter o seu mísero nariz!

E haveria os assuntos nossos: as bicas das casas que não dão gota d'água, ao passo que as do céu se desfazem em cataratas; e a polícia amada e paternal, que em caso de furto prende os... furtados; e a atividade grande em que têm andado ultimamente as facas e os revólveres; e o assombroso fato de não ter havido, durante toda a longa semana, um só pequenino incêndio; e Ramalho e Fileto de pêlo hirsuto e dentadura afiada, disputando o rico osso da Amazônia; e o primeiro concerto do Centro Artístico, hoje, no Lírico, – onde o Luís de Castro mais uma vez rejubilará, reconhecendo que este bom povo está tão estupendamente educado, que até já entende o *Siegfried* de Wagner; e a tourada também de hoje, em que pela primeira vez veremos (pela primeira vez em *público*, entenda-se bem) mulheres domando touros; e... e tanta cousa! tanta cousa!

Mas o público, terrível e carrancudo credor, quer para aqui o que lhe prometeram. Não há remédio! E o cronista segue para a escola de Belas Artes a fazer a sua visita última, aquela visita definitiva em que o Crítico apura e depura as suas impressões, dando-lhe um caráter sólido, pedra e cal, cristal e aço.

Ora, logo ao entrar no salão de pintura, o cronista foi direto a dous quadros de Henrique Bernardelli, que têm os números 38 e 56. O primeiro é o retrato do próprio pintor; o segundo é o retrato de Rodolfo, seu irmão pelo sangue e pelo talento. Lá estava o Henrique com aquele repousado sorrir dos olhos, aquela face feliz de quem ama a vida, porque nada mais lhe pede além da saúde e da alegria, fontes serenas do trabalho; lá estava o Rodolfo com a cabeça forte emergindo da massa branca da blusa, a barba em pontas, a testa poderosa, sulcada de uma ruga profunda.

E enquanto os visitantes (bem poucos por sinal) levantavam os olhos para os quadros, ou, com o queixo no colarinho, liam o catálogo, o cronista deixou-se ficar diante dos dous retratos, indo do primeiro ao segundo, voltando do segundo ao primeiro, confiando-lhes as tribulações do seu espírito:

"Ó Rodolfo! Ó Henrique! vocês que aí estão vivos e palpitantes, tão vivos e tão palpitantes dentro dessas molduras, como dentro daquele adorável retiro da rua da Relação que a Arte protege e a Paz abençoa, por que não me hão de salvar deste apuro? Aqui está um homem que prometeu ao Público uma crítica da Exposição! uma crítica! Já por longas horas quedei diante da *Partida da Monção*, do Almeida Júnior, e longamente sonhei olhando aquele magnífico céu claro, inundado de luz ofuscante, cobrindo a gente que se vai, a

dilatar o progresso e propagar a vida,

pelos sertões bravios, pelas correntezas das águas desconhecidas, pelos matagais crespos e povoados de feras. Depois, ó Henrique, aqueci-me ao calor do teu *Pleno Sol*, e melancolicamente cismei sobre as pedras da tua *Solidão*; amei em silêncio aquela encantadora figura da *Esperança*, do Visconti,

entreaberto botão, entrefechada rosa,
um pouco de menina e um pouco de mulher

como diria o mestre Machado de Assis; aspirei o ar fresco e cheiroso das paisagens de Madruga Filho; namorei ridiculamente a *Faceirinha* de Amoedo; conversei com o retrato do Aurélio; tive clamores no sangue com a contemplação da *Carmen*, do Parlagreco; senti as *Saudades*, de Weingartner; banhei o olhar na água da *Copacabana*, de Pacheco; estive no Paraguai com Angelo Agostini e nos campos da Europa com Souza Pinto... Já vi tudo, ó Rodolfo! ó Henrique! – e sei dizer apenas – que gosto! não sei dizer mais nada! Salvem-me vocês deste apuro! Ensinem-me a fazer uma crítica da Exposição!"

E, então, na boca do retrato do Rodolfo e na boca do retrato do Henrique, apareceu um mesmo sorriso, metade de piedade, metade de ironia. E pareceu ao cronista que o sorriso finamente dizia, – de leve, baixinho, para não ser ouvido pelos outros visitantes, – gente vulgar, pouco dada a estes mistérios de retratos que falam:

"Ó néscio! mas toda a crítica aí está feita, nessa palavra escassa e concludente que disseste! Ó desgraçado! pois não te bastas dizer que *gostas*? Gostas?! Pois tu gostas e queres dizer por que gostas?! És capaz de dizer por que gostas da mulher de quem mais gostas? és capaz de dizer por que gostas do ar que respiras, da champagne que bebes, do beijo que saboreias? Vai-te, ó néscio! vai dizer ao teu Público que gostas; e, se o teu Público torcer o nariz, dá-lhe um piparote no nariz!"

* * *

Assim falavam os retratos. O conselho foi aceito. E aí fica, perpetuamente fixada na perpétua primeira página da *Gazeta*, a crítica da 50ª Exposição de Belas Artes.

Queres torcer o nariz, Público? Aqui tens um piparote às tuas ordens...

s. a.

09 out. 1898 Crônica [CF]

Domingo. Acordaste, beijaste os teus filhos, visitaste as rosas do teu jardim, e, esperando que te sirvam o teu farto e repousado almoço dos domingos, ficas olhando o céu, vagamente sorrindo, vagamente pensando em cousas suaves, fruindo a paz deste belo dia de sossego, – sem trabalhos, sem barulhos, sem importunações, – no carinho da tua gente, na frescura do teu paletó de brim, na comodidade da tua poltrona.

Tem paciência, amigo! é preciso que no copo em que estás bebendo todo esse brando licor, caiam algumas gotas de amargo fel! Deixa de parte o teu sossego, e põe os olhos aqui, neste telegrama que a *Gazeta* publicou há três dias:

"Ceará, 5. O povo que estava aglomerado a pedir esmola, em frente ao palacete onde a assembléia oferecia um banquete ao governador, foi dispersado pela polícia. O governador compareceu à festa com grande aparato de força".

Não demos crédito inteiro ao telegrama! Os fios telegráficos foram inventados para a propagação do exagero. Admitamos, portanto, que haja por ali alguma parcialidade do correspondente. É possível que o povo não se limitasse a pedir esmola: é possível, é provável mesmo, que o povo estivesse tumultuosamente protestando contra o banquete.

Fome não é brincadeira. Knut Hamsun, um norueguês, – um representante dessa extravagante literatura nova, que com tão fria maldade se dá ao estudo do horror, – tem um livro tremendo, *A Fome*, cuja leitura arrepia a medula e gela a alma.

Amigo leitor, o herói do romance de Knut Hamsun é um pobre diabo sem trabalho, sem teto, sem família, sem pão, vagando pelas ruas tristes de Cristiânia, com a sua fome e o seu desespero: "Ah! se houvesse, num dia lindo como aquele, um pedaço de pão para comer! Passei por um açougue... Uma mulher, com o cesto no braço, parada diante do balcão, diante de um monte de salchichas, olhava-as e hesitava. De repente, voltou-se para mim, e fitou-me... Deus meu! Deus meu!! quando ela me fitou, o seu olhar estava cheio, cheio, cheio ainda da contemplação de toda aquela carne!...

Dei um salto, e desatei a correr..." Livro horrendo, esse! tenebrosa monografia de um estômago de condenado, urrando e gemendo, vergastado, apuado, torcido, esmigalhado de dores sem nome!

No Ceará, o faminto de Knut é todo um povo, – todo um povo, sob um céu de fogo, numa terra mirrada e moribunda, – pobre frangalho de mulher, cujas entranhas estão estéreis como rochas, cujos seios estão secos como desertos.

No Ceará, a mulher de Knut é toda uma Assembléia, em casaca e gravata branca, em torno da mesa florida, à luz alegre do gás, mariscando galantemente pedacinhos de peru e trufas cheirosas, galantemente bebericando goles de champagne gelado, erguendo *toasts* comedidos a Sua Excelência o Eleito do Povo.

E agora tu, ó leitor! ó amigo! tu que, daqui a pouco, vais saborear o teu farto e repousado almoço dos domingos, imagina um pouco isto... Lá em cima, o banquete, e aquelas luzes, e aquelas casacas, e aquelas faces que a boa digestão enrubesce. Cá em baixo, escaveirada e suja, a gentalha, a vérmina – faces cavadas, olhos encovados, ombros descaídos, bocas retorcidas. E lá vai, pelo claro daquela janela, um criado carregando um novo prato fumegante... e lá estoura, entre vozes altas e risadas, uma nova garrafa de champagne... e lá se levanta uma voz grave, num discurso pausado, falando de povo... de prosperidade... de moralidade... de glória... de felicidade...

Então, agitam-se os vermes... Naturalmente, os vermes não hão de mandar uma comissão interromper o banquete da Assembléia, a pedir pão – porque bem sabem que a Assembléia dirá, como Maria Antonieta: "Ah! le peuple n'a pas de pain? qu'il mange de la brioche!"

Se a gentalha faminta tivesse leitura, lembrar-se-ia do drama de Vitor Hugo, e encarregaria um dos seus de comparecer lá em cima, – como *Ruy Blas* no *Conselho de Madri*, – para dizer aos gastrônomos:

> Bon appetit, messieurs! Oh ministres intègres!
> Conseillers vertueux! voilá votre façon
> De servir, serviteurs que mangez la maison!...

E então, que há de fazer o povo? Amotina-se, agita-se, grita... Oh! bem fracamente se agita, em verdade, e grita bem fracamente, – porque a fome lhe alquebra os músculos, porque a fome lhe aperta a garganta... Em todo caso, todo esse bracejamento de fantasmas e todo esse nosso apetite! – intervém tu, com os teus refles, e dize a essa gente que, se não tem farinha, coma *paté-de-foie-gras*!...

Não há dúvida! deve haver exagero no telegrama. Há, porém, uma recordação interessante, que acode agora à cabeça do cronista.

Foi há pouco tempo, – há três meses, se tanto.

Faziam-se eleições no Ceará. Tinham convencido o Ceará de que, para que o céu se desmanchasse em chuvas benéficas e para que o campo se abrisse em messes fartas – era absolutamente necessário que a Fome elegesse mais um deputado. E então, nos jornais daqui, apareceram telegramas entusiásticos, dando conta do júbilo em que andava, de este a oeste e de norte a sul do Estado, a população, por via da glória do candidato vitorioso.

Ora, um desses jornais daqui inseria este telegrama ardente: "O palácio do governo está cheio... De todos os pontos do Estado sobem ao ar girândolas de foguetes... Preparam-se passeatas *aux flambeaux*..."

Mas, ó leitor! ó amigo! se voltasses a página desse jornal, encontrarias uma transcrição da *República*, de Fortaleza, dizendo esta cousa simples e terrível: "É desoladora a estatística do êxodo dos cearenses para os demais Estados da República, onde procuram abrigar-se da fome que os persegue: em um mês, saíram do Ceará treze mil quinhentos e quarenta e quatro pessoas..."

Naturalmente, erram esses cearenses que acendiam as girândolas, com que a Fome celebrava o triunfo eleitoral de mais um eleito do povo...

....

Oh! a política! a política! Amigo... acaba de ler isto, e vai almoçar! a canja esfria... vai regalar o teu estômago e a tua alma com esse belo almoço dos domingos e com o afeto daqueles que te amam! Vai comer! vai comer, e não chores!

Não chores! A Terra Mártir, a terra sagrada da Desventura, não precisa das tuas lágrimas.

As únicas lágrimas que Ela pede, são as lágrimas do céu, as chuvas providenciais que lhe dariam o pão, sem o risco de receber cutiladas, em vez de comida; mas parece que o céu é tão surdo como o palacete do governo... Não cai a chuva! não há farinha! a gente faminta deixa a terra ingrata!... e a Assembléia oferece um banquete ao governador.

Leitor! vai comer a tua canja! olha que a canja fria faz mal ao estômago!

s. a.

23 out. 1898 — Crônica

Já estávamos todos resignados a entrar no verão, quando subitamente o céu se agasalhou em névoas e um bom frio de julho caiu sobre a cidade. Que complicação! até as más línguas já dizem que, estando tudo maluco, o clima não quis ser uma exceção irritante, e aderiu à maluquice geral.

As cigarras, espantadas e aparvalhadas, já se recolheram aos bastidores verdes do mato, e lá estão todas morrendo de frio e pasmo, vendo bem que fizeram tolice em aparecer tão cedo – e cada uma delas aproveitando a última parcela de vida para chiar, em paródia, o verso de Jacques Rolla:

> Je suis venue trop tôt dans un été trop jeune...

Pena é que o frio, tendo caído sobre a terra, não caísse também sobre as almas. Na política, como nas artes e nas letras, o calor das almas contrasta com o frio dos ares.

* * *

Na política, há a liquidação do período presidencial.

Cada grupo de quatro anos de governo tem as suas complicações, os seus ódios, os seus interesses. E assim como, durante estes últimos trinta dias de administração, o governo faz testamento político e arranja o inventário das alfaias do palácio, que o mordomo que cai tem de entregar ao mordomo que se levanta, também os adversários, às pressas, como quem sabe que não têm tempo a perder, vão afiando os seus últimos dardos, ervando as suas últimas dentadas, precipitando as suas derradeiras pedradas.

É o inventário do ódio, o testamento da bílis, o codicilo da agressão. Os políticos (em quem a violência, a injúria, a intransigência, a maldade, são espontâneas e nativas, como as rosas nas roseiras e minhocas na terra) têm necessidade, sempre que termina um período presidencial, de dar vazão ao *stock* de doestos e de ressentimentos que possuem em casa; o novo sol desponta, a nova primavera aí vem... é bom que só fiquem em casa flores e palmas: do contrário, no afã de glorificar quem vai ter um pão-de-ló gordo e fresco a repartir, seria possível que, por uma [*****] inadvertência [*****] se misturem nas prateleiras com as novidades.

Além disso, há certas precauções a tomar. Tu, mísero burguês ou desgraçado operário, tu podes perfeitamente ficar exposto a todos os perigos e a todas as eventualidades do período que vem... Tu nasceste para pagar e para sofrer; besta de carga, queremos de ti a condescendência e a obediência do teu lombo, a submissão dos teus queixos, o abano resignado das tuas orelhas, a tranqüilidade das tuas palas! Tu não fazes política; tu não armas na câmara, nem no senado, nem no jornalismo partidário, as intrigas, as conspirações, os choques e contra-choques, os conflitos de que nascem as revoltas, os assassinatos, os estados de sítio, as prisões em massa e os fuzilamentos.

Bem sabemos que somos nós os autores de tudo isso, nós, os senadores, nós, os deputados, nós, os políticos! Mas, por isso mesmo, é que precisamos ficar a coberto da possível repressão de perturbações dessa ordem; votamos um projeto de lei regulamentando o estado de sítio, acolhemo-nos cautamente sob o pálio das imunidades parlamentares, e continuamos a intrigar, a conspirar, a esbanjar dinheiro, a fomentar indisciplinas. Quando chegar o *dies irae*, tu irás para o xadrez, tu irás apodrecer na Casa de Correção, tu irás para Cucuí, tu farás uma excursão a Fernando de Noronha, tu terás a tua casa e a tua cama cheiradas e apalpadas pelo nariz e pelas mãos da polícia secreta, tu serás caluniado, esbofeteado, espontapeteado, injuriado, fuzilado: e enquanto isso, ó burguês ou operário!, nós senadores, nós deputados, nós políticos, acocorados debaixo das asas do Regulamento, embrulhados confortavelmente nas nossas imunidades, iremos gozando a vida e comendo o teu dinheiro. Rebenta, sendeiro! sofre, burro! foi para isso que nasceste!

E assim vai a liquidação. Ultimam-se os negócios, evitam-se os desgostos futuros, preparam-se e aprimoram-se os engrossamentos, dá-se saída aos últimos doestos – e tudo isso se faz no meio de uma algazarra perfeitamente digna da Praia do Peixe.

* * *

Nas artes e nas letras, também a conflagração das almas é vasta e viva. As três récitas do Centro Artístico provocaram uma celeuma que ainda se não aplacou. Pensando bem, é força convir que essa agitação e esse bate-barbas são preferíveis ao silêncio e à indiferença. Schiller dizia: "Quando ouvires latidos, não te espantes: é o que sempre ouve quem vai a cavalo..." Mas, será curioso saber o motivo de tão crua guerra, de tão odienta campanha movida contra uma associação que não ofende interesses, não tira o pão da boca de ninguém, não perturba o mercantilismo vulgar, não obriga pessoa alguma a ter ideal e bom gosto.

Parece que o motivo é este: a comédia de Artur não é tão perfeita como o *Tartufo*; o poema de Neto não é tão completo como a *Tempestade*; a comédia de Valentim é inferior ao *Monde où l'on se ennuie*; a partitura de Nepomuceno não é tão bela como a do *Lohengrin*; a dicção, o conhecimento dos segredos do palco, a educação artística dos amadores que representaram *O Badejo* e *Doutores* e cantaram *Artemis*, não são iguais à dicção, ao conhecimento dos segredos do palco e à educação artística dos atores da *Comédie Française* e dos cantores da *Grande Ópera*. E, vendo e reconhecendo isso, a turbamulta dos descontentes cai sobre o Centro às punhadas, e desanca-o, fazendo-o pagar caro o desaforo de não ser um viveiro de águias, um antro de gênios, uma *pepinière* de obras-primas...

Santo Deus! de maneira que quem quiser escrever um poema, superior aos libretos das revistas de ano que nos deliciam, há de ter a obrigação de ser maior do que Shakespeare; quem quiser escrever uma peça que possua mais arte do que os *Estranguladores de Paris*, tem de desbancar Molière e Pailleron; quem quiser escrever uma música que não seja propriamente igual à do *Vem cá, Bitu*, tem de meter Wagner num chinelo; e quem quiser representar com mais graça do que uma vassoura e cantar com mais voz do que uma cana rachada, tem de ofuscar o Coquelin e desmoralizar a Pati!

Aí tendes a *causa belli*. A crítica indígena não quer admitir o *bom*; exige o *ótimo*. Se não lhe derem o *ótimo*, ela, a genial crítica, preferirá ficar com o *péssimo*. Bom proveito lhe faça!

* * *

O que vale, é que não falta quem continue a trabalhar, desprezando as injustiças do tempo. *Ça ira*, rapazes.

E, para fechar dignamente esta *Crônica*, uma indicação aos leitores: procurem uma nova revista, que já publicou cinco números, e está prestando à literatura brasileira os mais belos e os mais desinteressados serviços. É a *Révue Franco-Brésilienne*, publicada aqui no Rio, em francês e português, e cujo diretor é Duncan Wagner, um poeta e prosador de mão cheia.

É notável a série das *Silhouettes Contemporaines*: nesses artigos rápidos e vibrantes, já Duncan Wagner tem analisado a obra literária de Luís Murat, Rui Barbosa,

Artur Azevedo, Coelho Neto, Raimundo Correa e Sílvio Romero. Cada *silhouette* é acompanhada de uma página do escritor estudado, e da sua tradução francesa. É principalmente digno de todo o aplauso o talento com que o diretor da *Révue Franco-Brésilienne* soube transplantar para o verso francês os estilos e as metrificações tão diversas de Murat, Artur e Raimundo.

s. a.

30 OUT. 1898 CRÔNICA

Conta-se que um mecânico, doido pelo filho, – um diabrete de dez anos, – queimava as pestanas, criava calos nas mãos, e esgotava o cérebro, inventando e fabricando para divertimento do pirralho os mais engenhosos e complicados brinquedos. Um dia, deu-lhe uma boneca admirável que abria e fechava os olhos, dizia "papá-mamá", batia palmas, e – ó maravilha! – andava. O pequeno embasbacou para a boneca: – "Que linda, que linda!, mas por que é que não a fazes sorrir, papai?" O velho, condescendente, esgaravatou o cérebro, levou a boneca para o *atelier*, acrescentou-lhe um novo maquinismo, e daí a pouco a mulherzinha de madeira entreabria os lábios, franzia provocadoramente os cantos da boca, e mostrava os dentes. Novo embasbacamento do pequeno, e, logo depois, nova exigência: "Papai! por que é que a minha boneca não dá beijos?" Novos estudos, novo maquinismo; e a maravilha começou a levantar o braço, a levar os dedos em pinha à boca, e a puxar de lá uns beijos longos, estalados, gostosos... Mas, como os caprichos de uma criança, uma vez satisfeitos, nunca mais se moderam, o menino fez cara de choro, e pediu: "Papai! eu quero que a minha boneca me dê beijos na boca, e me abrace, e me aperte muito, muito, muito!" Aqui, o mecânico perdeu a paciência, corou até a raiz dos cabelos, e agarrou a orelha do filho: "Ó patife! parece que estás querendo fazer de teu pai uma espécie de Chico Bumba!..."

A população carioca, mais feliz do que o filho do mecânico, achou quem lhe desse bonecas... de verdade. Todas as noites, no S. Pedro, moços e velhos, de queixo caído, extasiam-se diante das maravilhas da *Puppen-Fee*. Vão dizer-lhe que aquilo é uma pantomima, que a música não presta, que a idéia é velha... Os moços e os velhos sacodem os ombros, deixam cair mais o queixo, e ficam esparramados no seu êxtase.

Não fosse esta crônica uma sorte de santuário da História, onde mais tarde os historiadores hão de vir procurar os documentos da Eterna Verdade, – e o cronista passaria adiante, limitando-se a dar parabéns ao empresário, – um homem que, conhecendo a nossa futilidade, soube dar-lhe um espetáculo agradável. Mas, homem de consciência e de método, o cronista tem de declarar e provar que o amor das bonecas do S. Pedro é apenas um sintoma.

O amor das bonecas e dos bonecos é hoje toda a preocupação do Rio de Janeiro, dentro e fora do teatro. Parece que, sofrendo de uma fraqueza irremediável da faculdade imaginativa, carecemos de ter sempre, diante dos olhos, a representação material do que amamos e do que odiamos.

Bem compreendeu isso o curandeiro João Mina, que a polícia arbitrariamente recolheu ao xadrez, arrancando-o à paz e à contemplação da sua casa da rua Senador Pompeu, e perturbando assim o exercício da sua missão de amor e propaganda.

Mina tinha em casa, dentro de um oratório, entre pontas secas de caudas de burro, asas de morcego, cabeças de veado, cágados torrados e outras cousas espantosas, uma grande boneca, bem vestida, que era o seu fetiche, o seu ídolo, o seu oráculo, a sua fé. Chamava-se a boneca *Caída em si*, nome simples mas misterioso, em cujas sílabas devem estar contidos mundos de revelações, como nas sílabas dos santos e senha do gnosticismo. Quem entrava na caverna de Mina, olhando a boneca, olhava a sua própria fé, e, vendo-a, começava a acreditar nela.

Os espíritas da travessa da Barreira tinham também compreendido a utilidade das bonecas, e começavam já a criar e educar algumas, para glória maior e maior respeitabilidade do seu Centro, quando a polícia, ainda uma vez arbitrária, interrompeu os trabalhos. As bonecas que o Centro Espírita estava educando pareciam-se mais com as do Sr. Sansone do que com as do João Mina: não ficavam imóveis sob redomas de vidro, mas falavam, davam boquinhas, sentavam-se nos joelhos dos sacerdotes e dos fiéis.

Quanto ao catolicismo... Se os excomungados e os queimados pudessem mandar do outro mundo os seus depoimentos, diriam o que lucraram, quando se meteram a protestar contra a adoração das imagens. E o mesmo positivismo adora, na sua formosa capela da rua Benjamim, os bustos dos grandes homens.

A política seguiu o exemplo da Crença: arranjou também o seu boneco, que é a um tempo proteção e espantalho.

É um boneco reforçado e desempenado, trajando bombachas e pala, calçando botas fortes. A sua especialidade é fazer barulho. A boneca do Mina chama-se *Caída em si*. O boneco da política chama-se *Rio Grande do Sul*. Sábio boneco! Se há qualquer dificuldade, se este partido vai cair, se aquele partido vai subir, se esta situação periga, se aquela situação ameaça eternizar-se, a política vai ao seu querido boneco, dá-lhe corda, põe os seus maquinismos em movimento, e, daí a pouco, há um barulho infernal que põe a terra numa polvorosa.

Enfim, os homens e as bonecas imperam. E, para não ficar atrás, o Patriotismo, moldando as suas passadas pelas passadas da Platéia, da Crença e da Política, está fazendo também da Platéia uma grande boneca, arreada de alfaias, rutilante de lantejoulas, ajoujada ao peso das arrecadas, dos colares e das pulseiras.

Não podemos compreender a Pátria, nem amá-la, nem cercá-la de homenagens, se a não vemos palpável, cheirável, viva. Fora as abstrações! E, mesmo no terreno do simbolismo, fora o símbolo insignificante e pouco sugestivo da bandeira! Um retângulo verde, um losango amarelo, uma bola azul, algumas estrelas e algumas letras brancas, – tudo feito de lã barata – não podem merecer o nosso carinho e o nosso sangue.

Queremos uma bela boneca, uma grande boneca espetaculosa, articulada, movimentada, bem vestida, rica, majestosa, graciosa, esplêndida! E, como bonecas não se vestem com boas intenções e bons desejos, estamos tratando de arranjar, seja como for, o dinheiro com que possamos pagar as sedas da boneca, as jóias da boneca, as festas da boneca.

Há quem se revolte contra os meios empregados... Mas, se nos demorássemos a escolher meios, a nossa boneca ficaria maltrapilha e suja como uma boneca de menina pobre. Que importa uma loteria de uns tantos mil contos? Outros bonecos e outras bonecas têm exigido e continuam a exigir muito mais: em Cartago, a população atirava ao ventre de Moloch todos os seus haveres e todos os seus filhos; na Judéia, o povo sacrificava, sobre as grelhas do Santuário, o melhor dos seus rebanhos; e hoje mesmo, os fiéis católicos gastam na cera das promessas o melhor dos seus ordenados.

Vamos, pois, à loteria! Já houve tempo em que a gente podia amar e servir a Pátria, dando-lhe trabalho, honestidade, virtude, bom senso. Mas, também, nesse tempo, a Pátria era apenas um pedaço de pano levado à frente de um exército, era apenas meia dúzia de compassos de um hino, era uma cousa que se amava sem se ver. Hoje, a Pátria tem corpo: é articulada, diz "papá-mamá", sabe dançar, sabe sorrir, sabe dar beijos, – e quer luminárias, coretos, girândolas, ouropéis, guarda-roupa variado e caro. Vamos à loteria!

Já vedes que não é de estranhar o entusiasmo provocado pela *Puppen-Fee*. A bonecada impera. E, por isso mesmo, é que esta crônica saiu digna de ser assinada pelo amável João Minhoca.

Mas, não! Não se dirá que não houve aqui uma só cousa séria. Registremos a ansiedade com que se espera, para a próxima terça-feira, a primeira audição da *Hóstia*, uma encantadora balada de Coelho Neto que Delgado de Carvalho pôs em música, e registremos o aparecimento das *Procelárias*, formosíssima coleção de versos de Magalhães de Azeredo, secretário da legação brasileira na corte austera de Leão XIII e ministro plenipotenciário da nossa glória na corte radiosa de Febo-Apolo.

E agora, volvamos a ver e a adorar bonecas! Hamleto dizia: "Fragilidade! o teu nome é... mulher". Se vivesse hoje, diria: "Futilidade! o teu nome é... Rio de Janeiro."

s. a.

Gazeta de Notícias 1899

15 JAN. 1899 CRÔNICA

Já tantas lamentações se têm escrito nesta coluna sobre o martírio de quem é obrigado a escrever sempre cousas novas sobre semanas que se parecem como irmãs gêmeas! Um cronista vive sempre no apuro dos empresários que, tendo pouco pessoal e pouco dinheiro, têm de servir ao público peças de grande espetáculo, exigindo volumosas massas corais e movimento extraordinário de comparsaria.

Só há um meio de encobrir a miséria dos recursos: é fazer a comparsaria desfilar continuamente, entrando por uma porta e saindo pela outra, e alterando-lhe o vestuário a cada uma das passagens pelos bastidores. Mas o público, por mais ingênuo que seja, acaba sempre por perceber a manobra.

Tudo se pode disfarçar neste mundo: a fealdade, o aleijão, o vício, a maldade; só não se disfarça a pobreza. Mais vale não fazer sacrifícios, e, mostrando a roupa dilacerada e os sapatos cambados, bater no peito e confessar: *indigens sum*...

Por isso, não diremos aqui, mais uma vez, o que houve de vulgar e de chato na semana que morreu ontem. Para encher a crônica basta um assunto: a subida do Sr. presidente da República para Petrópolis.

Foi ontem que S. Ex. subiu. Subiu ao meio-dia. E do meio-dia às 6 horas da tarde, quanto se falou nisso, e que revolução nos espíritos!

Muita gente, de alma cheia das cautelas de S. Tomé, tomou o bonde elétrico e foi ao Catete, querendo ver para crer. No Catete, os narizes se levantavam para o céu, e os olhos viam na platibanda esquerda do palácio a confirmação da alarmante notícia: o mastro, tristemente erguido no ar triste, com a corda bamba oscilando ao sabor da vibração, não tinha bandeira.

Mastro viúvo, mastro órfão, numa solidão que doía na alma da gente...

E nem somente nele se via a melancolia do abandono. Todo o palácio, fechado e mudo, tinha a majestade horrivelmente triste de uma igreja desprezada, de um templo sem Deus, de um santuário privado da presença dignificadora e suavíssima do Nume.

E os curiosos voltavam com os narizes murchos, velada a face de uma névoa de desconforto, a propagar pelos grupos da rua do Ouvidor a nova infausta.

Registremos aqui que, dando balanço às opiniões, – pesando bem as opiniões dos que defendem a mudança e as dos que a atacam, – estas deixam aquelas a perder de vista...

Quase todos os cidadãos de Sebastianópolis amarram a cara e resmungam. Parece-lhes a cousa uma deserção ofensiva e desdenhosa.

A princípio parece que os cidadãos têm razão. Que diabo! todo mundo tem a sua vaidade! e por mais profundo e respeitoso que seja o fervor dos crentes, não se pode exigir deles que reprimam um movimento de mau-humor, quando vêem o seu Deus arrumar as malas, e quando ouvem, dos seus amados lábios, esta declaração categórica: "Meus filhos! cá me vou embora... Vocês deram-me uma capela bonita, alfaiaram-na com certo gosto, deram-me móveis de luxo e serventes de libré, ofereceram-me um belo parque cheio de árvores frondosas e de águas límpidas. Não o nego. Mas tenham paciência: esta cidade em que vocês vivem é um chiqueiro! isto cheira mal como um pântano! isto tem mais febres do que os alagadiços do Amazonas! Isto é uma infecção! Filhos! o meu nariz gosta de incenso, mas não gosta de imundície. E como tenho amor à pele, cá me vou de mudança. Passem vocês muito bem!"

Ah! não há dúvida, não há dúvida!

A pílula é amarga e custa a passar na garganta. Mas todas as pílulas são assim. Depois de engolidas é que mostram as suas grandes virtudes. Daqui a uma semana a população, quando já tiver resfriado o amor próprio, agora em plena ebulição, reconhecerá que a mudança foi um bem.

As divindades invisíveis são as de mais eficácia. Quem se habitua a conversar cara a cara com um Deus, começa por lhe perder o respeito e acaba por não acreditar nele. Aí tendes, para exemplo, o grande Moisés. Quando Jeová, sem medir a importância do que fazia e sem calcular as conseqüências da sua imprudência, principiou a dar-lhe conferências nas sebes de fogo do Sinai, Moisés tomou confiança e abusou tanto, que começou a legislar em nome d'Ele; e chegou, – que escândalo! – a dar conselhos e a repreender o Senhor Deus dos Exércitos! É a Bíblia que o diz, e a Bíblia não mente.

Mas nem é preciso ir tão longe. Há um exemplo que anda por aí ao alcance de todo o mundo.

Tereis notado que, nas igrejas católicas, o respeito é menor do que nas igrejas protestantes. Nas católicas, as velhas conversam, as moças namoram, as crianças choram. Nas protestantes, o silêncio é absoluto. Por quê? Porque nestas não há uma imagem, não há uma [*****] com aspecto humano: Deus está ali, mas não se vê. Ao passo que, nas outras, nas nossas, há Cristos de olhar compadecido, Virgens de aspecto meigo, Santos e Santas que sorriem, anjinhos travessos subindo pelas frisas do altar-mor e despencando-se em cachos pelas colunatas... Daí, a cerimônia e o desrespeito dos fiéis; a gente está ali conversando com a sua divindade, está olhando para ela, sabe que ela não se zanga facilmente, e abusa!

Não, amigos! não vos dareis mal com a ausência do presidente da República! Quem sabe? Até seria melhor que toda a máquina da administração pública escolhesse um sítio melhor do que este, e aqui nos deixasse, com os nossos negócios, com o nosso comércio, com o nosso honrado e pacífico labor de cidade burguesa...

Sorrides? Não vos pareça *blague* de cronista desocupado o que aí fica! Olhai bem que, sem presidente, sem ministério, sem câmaras, teríamos menos política... E, como já se disse aqui mesmo (e já se provou) que a política é a causa única de todos os nossos males, desde a abundância dos buracos até a falta de dinheiro, desde o câmbio a 7 até a febre amarela, é de crer que, com a deserção de todos os representantes dos poderes públicos, o Rio de Janeiro chegasse a ser aquilo que nunca foi: uma cidade.

Dixi!

S. A.

19 MAR. 1899

CRÔNICA

Já era tempo de dar à velha Minas gloriosa alguma consideração e algum prazer. Não que Minas se queixasse... Aquela gente simples e ativa, metida consigo, prefere quebrar ao torcer: continuaria esquecida e não se queixaria.

Mas em boa hora se lembrou o chefe do Estado de ir passear a sua pessoa e a sua autoridade pelas serras mineiras. Aquela terra não guarda somente nas entranhas o ouro excelente que a Inglaterra extrai e amoeda: guarda todo um mundo de tradições e de relíquias históricas, todo um passado ainda vivo e palpitante nas pedras das suas ruínas e nas recordações dos seus arquivos. Um filho do Rio, de S. Paulo, de Pernambuco ou do Rio Grande do Sul sente-se mais brasileiro quando respira o ar da Mantiqueira.

Parece que o litoral é de todo o mundo: de sol a sol, chegam e partem navios, trazendo de longe influências estranhas, levando para longe qualidades nativas.

Mas, no interior, longe do mar, concentra-se a vida, restringem-se as ambições, conserva-se a simplicidade, ama-se o passado.

Pode-se dizer que o elemento genuinamente brasileiro está hoje encurralado e fortificado nos campos de Minas e nos sertões do Norte. Basta ver a literatura: os nossos prosadores mais *brasileiros* são talvez Coelho Neto, um sertanejo do Maranhão, e Afonso Arinos, um sertanejo de Paracatu.

O Império compreendeu bem a necessidade de ir de vez em quando *nacionalizar-se* um pouco, em passeios rápidos e amáveis pelas serras de Minas. Pedro I lá esteve em 1831; e, se voltou desgostoso, a culpa não foi dos mineiros... E, quanto a Pedro II, este, freqüentemente, abalava para lá, correndo sertões e cidades, campos e serras, num fogo-viste-lingüiça, esfalfando a comitiva, pondo camaristas loucos, ouvindo cem discursos por dia, dormindo com um olho aberto e outro fechado, comendo atabalhoadamente, voando, deixando por toda a parte a impressão de [*****].

A República ainda não tinha feito à terra de Tiradentes uma visita oficial. Também, coitada!, tem vivido numa tal atrapalhação, que não lhe tem sobrado tempo para passeios.

Agora, acalmadas as revoltas, aplacada a comichão guerreira que lhe andou picando a pele, justo é que a República se lembre de ir pedir a bênção à terra que lhe foi mãe. Reina a Paz, fazem-se economias; a ocasião era positivamente magnífica para uma visita de cortesia à velha Minas, tão amiga sempre da economia e da paz.

E de tudo isso se depreende que a idéia da viagem presidencial foi uma boa idéia. E vamo-nos a outros casos.

* * *

Que outros casos? Os incêndios, por exemplo.

Aqui os temos de novo, para trabalho dos bombeiros, para amargura das companhias de seguro, para salvação dos negociantes arrebentados. Parece um contrasenso que o fogo sirva para liquidar... mas isto é o século dos contra-sensos.

Esta perversidade de, friamente, cruelmente, deitar fogo a uma casa para remediar complicações comerciais, expondo uma multidão de gente a uma horrorosa morte, desafiaria com vantagem a credulidade, se não estivesse verificada e provada.

Ainda anteontem uma besta-fera pôs fogo a uma casa em que dormiam mais de cem pessoas. E a gente pergunta a si mesmo, espantada e aterrada, se esse miserável, no caso de ver consumado o seu crime, poderia ter, depois, uma noite, uma hora, um minuto de sono, havendo sacrificado mais de cem vidas por causa dos quinze contos do seguro! E é doloroso que Deus não inspire um patife desses esta nobre idéia: queimar os próprios miolos com um tiro de revólver, em vez de queimar o negócio comprometido!

Mas, ai de nós! Para um incendiário que é apanhado e punido, há cem que escapam e rejubilam. Já se tem dito que o melhor meio de evitar os incêndios é dar cabo das companhias de seguro. Talvez... Mas também seria bom que as leis, infelizmente tão más sempre para os bons e sempre tão boas para os maus, permitissem, neste particular, a prática de uma punição excepcional. Seria excelente que a justiça pudesse queimar a fogo lento todo o incendiário. As chamas do inferno são invenções dos Santos Padres: estes ladrões de sossego alheio bem precisavam de chamas menos platônicas...

* * *

Que houve mais durante os sete dias?

A convocação dos dous congressos, um jurídico e outro médico, com que celebraremos em 1900 o 4º centenário do Brasil. Essa idéia é tão credora de aplauso, como a dos concursos literários e científicos.

Desgraçadamente, o Brasil não poderá mostrar aos que o visitarem em 1900 um progresso material que justifique e nobilite os seus quatrocentos anos de vida.

As cidades são cada vez mais sujas e mais feias, as construções novas são ainda mais hediondas do que as antigas, e a falta de higiene chega a ser uma preocupação fixa e uma verdadeira mania.

A birra de amar a imundície é tão empedrada aqui, que o Brasil faz lembrar aquele sujeito a quem aconselhavam para certa moléstia o uso de banhos: o homem, com os olhos saltando da cara, encolerizou-se, protestando que era um homem sério, e que nunca jamais se submeteria a essa infâmia!

Já que não podemos mostrar progresso material, mostremos ao menos dignamente ao mundo a nossa inteligência e as suas conquistas. Como há flores de rara perfeição e aroma delicado, que podem abrir ao sol as pétalas de púrpura e ouro sobre a face ascosa dos marnéis, assim, vivendo em tanto desleixo, em tão ignóbil abandono do conforto e do culto da arte, nós temos literatura e temos ciência que nos honram.

Mostremo-las: sempre será alguma cousa.

* * *

Que mais agora? Ah! os selvagens do Piabanha... São três índios do Tocantins, que já quase nada têm de selvagens.

Como não é esta a primeira vez que vêm ao Rio, em busca de armas, de munições e de instrumentos de lavoura, já não esbugalham os olhos para as maravilhas da civilização, e atravessam a rua do Ouvidor sem exclamações de espanto. São três bugres *blasés*. Tanto assim que conhecem o caminho do Recreio: e, assim que cumpriram a sua missão, quando obtiveram do governo o que queriam, foram distrair-se vendo e ouvindo o *Gavroche*.

Não escandalizaram a platéia com uma exclamação mal cabida, olharam para os *maillots* das dançarinas, como para cousas conhecidas, tomaram cerveja e... sabe Deus onde foram acabar a noite!

Três bugres *blasés*, e nada interessantes. Até sabem o que é o *funding loan*!

s. a.

09 abr. 1899 — Crônica [IP]

Tem a palavra Fantasio:

"Meu caro cronista. Aqui estou eu, mais uma vez, a pedir-lhe que me empreste essa cômoda coluna da *Gazeta*, onde, aos domingos, você, César Cantu de arribação, faz a história da semana. A semana foi chocha: livro-o de um grande apuro, e dou vazão ao que tenho na alma.

Imagine que, ontem, estava eu quieto, entre folhagens amigas, docemente pensando em cousas doces, quando recebi uma visita inesperada e surpreendente.

Era manhã. O patife de um pombo, arrepiando as asas, faceirando-se, alongando e esticando o pescoço, andava perto de mim, à roda da companheira, dizendo-lhe segredos. Os cravos e as rosas pompeavam ao sol, voavam borboletas, desmanchavam-se os jasmineiros em aromas. Uma gloriosa manhã de outono, deste maravilhoso outono carioca, que tem o esplendor da mais bela primavera. Um cenário de idílio. E eu, com um volume do sutil Anatole France ao lado, *L'anneau d'amethiste*, pensando já não sei em que frase desse complicado artista, que tem a faculdade de fazer desabrochar de cada uma das suas reticências todo um mundo de sensações e de idéias.

Disseram-me que uma pessoa desconhecida queria conversar comigo sobre assunto grave, de excepcional gravidade.

Entrou essa pessoa e sentou-se.

Era um homem corpulento, velho, dono de uma face cheia de bondade, com pés de galinha à roda das pálpebras gordas, e com meio sorriso meigo, desabotoado na polpa carnuda dos lábios. Trajava à moderna, com decência e apuro. Mas notei que parecia estar mal dentro da roupa. Não estava à vontade. Depois, havia na sua fisionomia um não sei quê perturbador e estranho, qualquer cousa muito velha, muito passada, que falava de séculos mortos e de gerações sumidas.

Por um desses pressentimentos que se não explicam, compreendi que alguma cousa terrível se ia passar. Bateu-me o coração pressago dentro do peito. Mas o homem, tendo pousado sobre o banco de pedra a sua cartola reluzente, perguntou-me:

– O Sr. Fantasio leu hoje a *Gazeta de Notícias*?

Vexado, declarei que não. E balbuciei que, por causas várias, por preguiça, por egoísmo, por amor da paz, havia muito tempo que não lia jornal nenhum.

Ele sorriu, desabotoou a sobrecasaca, tirou da algibeira um exemplar da *Gazeta*, desdobrou-o, apontou um artigo, e disse:

– Leia!

Li. Era um artigo de Z. Intitulava-se *Apanhados*, e tratava de loucos, de Assistência a Alienados, de cousas todas relacionadas com a loucura. Li, e fiquei sabendo que o governo do Estado do Rio, não tendo onde aboletar os loucos fluminenses, fez com o governo da União um contrato, segundo o qual ficam os alienados, mediante um certo pagamento diário, alojados na Casa Triste da Praia da Saudade. Fiquei sabendo que cada louco fluminense pagava até agora 1$157 por dia, e que o governo da União declara não poder mais alimentar e abrigar malucos por tão baixo preço, e passara a exigir diária de 1$217.

Acabei de ler, dobrei a *Gazeta*, restituí-a ao cavalheiro, e fiquei à espera.

– Meu caro amigo, – disse ele – eu acho que isso é uma tristeza e um horror. Mil duzentos e dezessete réis por dia! Como há de um louco, internado no Hospício, viver com tão pouco dinheiro? Os loucos não têm apenas necessidade de cama, roupa e comida. Os loucos têm fantasias, caprichos, luxos, exigências de toda a espécie. Se lhes não derem conforto, boa vida e toda a sorte de comodidades, como hão de eles prestar à Pátria os serviços que ela forçosamente tem de reclamar um dia da sua loucura?

Aqui, houve uma pausa. Eu, espantado, arregalava os olhos, sem compreender.

Mas o estranho homem prosseguiu:

– Meu caro amigo! em 1506, quando me formei em teologia na universidade de Bolonha...

– Como?! – perguntei eu, aterrado.

– Quando, em 1506, me formei em teologia na universidade de Bolonha... – repetiu ele, com calma.

Escancarei os olhos, trêmulo de medo:

– Mas, então, o senhor em 1506 já era vivo?!

E ele sorrindo:

– Já. Eu nasci em 1467, em Rotterdam. Eu sou Erasmo!

– Hein?

– Eu sou o Erasmo, o autor do *Elogio da Loucura*. Não se espante, não suponha que está sonhando, não se assuste, não grite por socorro! Bem vê que não lhe faço mal...

Ouça-me. Quando me formei em teologia, mesmo antes de escrever o *Elogio da Loucura*, já a sorte dos loucos me interessava singularmente. Depois, viajei muito, corri muito mundo, fui padre, fui professor, servi Jacques IV, Carlos V, Fernando da Hungria, Segismundo da Polônia, Francisco I, Henrique VIII, o papa Clemente, vi muita cousa, estudei muito, vivi muito, e, quanto mais vivia, mais me interessava pela sorte dos loucos...

Enquanto o homem assim falava, meu caro cronista, eu estava, como bem deve compreender, achatado de assombro...

Em torno de nós, o sol flamejava no céu e nas árvores, as flores se abriam em perfume, os pombos arrulhavam, mas eu só tinha sentidos para aquilo que via e ouvia. Como? pois era possível? Erasmo? o grande Erasmo? um homem morto há quatro séculos?!

O grande Erasmo continuou:

– Senhor Fantasio! eu sempre acreditei que os loucos viriam, em certo e determinado tempo, a prestar grandes serviços à Humanidade. E eis aqui que chegou esse tempo. O mundo inteiro está perdido. Guerras, injustiças, motins, fome e desordens. Ora, enquanto, cá por fora, os homens sãos se desmandam e arrepelam, que fazem os loucos? Os loucos, dentro dos manicômios, preparam a salvação do mundo, à espera da hora em que lhes seja confiado o governo das nações. Não ria, senhor Fantasio! não ria! Lombroso já provou que todos os grandes homens são mais ou menos malucos. Dante era louco, e escreveu *A Divina Comédia;* Napoleão era louco, e avassalou o mundo! Diga-me uma cousa: o Sr. é patriota?

– Oh! como não?! – exclamei eu, espalmando a mão sobre o peito, como para ardentemente afirmar o meu patriotismo.

– Pois, então, tenha paciência! vá para as folhas amparar a causa dos hóspedes do Hospício, porque naquela congregação de cérebros avariados é que está a salvação da sua pátria!

Descansou um pouco, e prosseguiu:

– O próprio Pangloss, se vivesse hoje, seria incapaz de achar que tudo vai bem no Brasil. Há uma porção de anos que tudo isto vai à matroca. Ninguém sabe o que quer, como ninguém sabe o que não quer. Ora, toda esta atrapalhação é obra de quem? É obra dos homens de juízo! Em breve, o Brasil, cansado de experimentar o governo dos homens sãos, terá de recorrer ao governo dos loucos. E, nesse dia, que direito terá o Brasil de exigir talento e atividade da parte de homens alimentados à razão de dez tostões por cabeça diariamente? Não pode ser, Sr. Fantasio. Isso não pode continuar assim! é preciso que o Estado arranje dinheiro, e alimente com fartura e luxo aquele viveiro de políticos, aquela *pepinière* de estadistas e salvadores da Pátria!

E aqui, o grande Erasmo levantou-se, entusiasmado, estendeu o braço, e clamou:

– Vá para as folhas, Sr. Fantasio, vá para as folhas!

E saiu, gravemente abotoado na sua sobrecasaca...

Aí está, meu caro cronista, sumariamente contado, o que me sucedeu ontem. Vou iniciar uma propaganda forte, no sentido de obter que cada maluco (seja daqui, seja de qualquer dos Estados da União) possa contar com uma diária de cem mil réis pelo menos, para a sua alimentação e para os seus caprichos.

Este é o primeiro artigo da propaganda.

E é bem possível que seja o último, meu caro cronista... Porque, francamente, estou sentindo que a visita do grande Erasmo não me fez bem. Tenho as idéias tão embaralhadas, que – palavra de honra! – até parece que estou mesmo a calhar para ser nomeado... delegado de polícia. Ou mesmo chefe, com todos os diabos! – Fantasio."

* * *

Conforme a cópia, salvo erro ou omissão.

s. a.

07 MAIO 1899 — CRÔNICA

Maio costuma nascer entre rosas, ao repicar festivo dos sinos. Nós os cronistas, assim que começamos a perceber a agonia de abril, vamos logo arejando o estilo, renovando os pendões floridos das imagens, os arcos triunfais das frases, para dignamente receber o mês de Maria. Mas, às vezes, isso é trabalho perdido: Maio, em lugar de aparecer como um lindo infanção jovial, dado à alegria e ao amor, aparece como um sujeito trombudo, de cenho duro, de boca dura, de alma dura, muito aborrecido e muito mau.

Este maio de agora, para muita gente, não é de rosas, mas de urtigas. Sem tratar de toda essa história de reclamações do comércio, – cousa séria que está fora da alçada da crônica, – lembremos apenas o que foi a entrada de maio para toda aquela gente laboriosa do Mercado...

De certo é horrível, é imundo, é feio aquele Mercado; e, às vezes, é bom que as chamas se encarreguem de fazer aquilo que por desleixo ou por incapacidade os homens não fazem. Mas, horrível ou não essa Praça, tanto trabalho e tanta vida se concentravam ali, naquele vasto formigueiro humano, que a notícia da catástrofe pôs em todas as almas espanto e dó.

Celeiro da cidade, o imenso Mercado estava sempre cheio da agitação e do vozear de todo um mundo. Quando o sol com os seus primeiros venábulos de fogo picava as águas do mar, já à beira do mar rumorejava, no seu contínuo referver de negócios, o bojo do monstro. Os batelões atracavam, trazendo para o estômago colossal do celeiro as montanhas de hortaliças e de peixes. Compradores, vendedores, carregadores, torvelinhavam, numa roda viva; radiante, resplendia o arco-íris das quitandas, desdobrando o verde terno das alfaces, o amarelo vivo das cenouras, o ouro manchado de negro das bananas maduras, o vermelho dos tomates, o verde desmaiado dos jilós e das vagens; num coro ensurdecedor, cacarejavam as galinhas, cantavam os galos, grugrulejavam os perus, palravam os papagaios, guinchavam os macacos, latiam os cães de raça, ronronavam os grandes angorás de luxo...

E pelo dia adiante o tumulto crescia, exacerbava-se a agitação, a algazarra aumentava. E à noite, o monstro dormindo, tinha ainda sacudidelas bruscas, roncos repentinos, sobressaltos brutais, sono ilusório em que já se percebia a explosão do próximo acordar...

E, de repente, as chamas rodearam, sitiaram, invadiram o corpo do monstro...

Dous dias depois do desastre, quem escreve estas linhas, interrogando um catraieiro, ouvia dele a narração do horrendo desastre:

– E acredita você que o fogo foi ateado de propósito?

– Não sei, senhor, não sei... O que sei é que, se houve um diabo capaz de fazer isso, deviam amarrá-lo ali assim no meio do largo, e deixar que os cães lhe comessem a carne aos bocados...

Isso exprime bem a indignação que se apoderou de toda aquela gente, ao pensar que poderia ter havido ali a ação danada de alguém.

Todos nós sabemos que o homem é um animal capaz de todas as ferocidades e de todas as infâmias... E o que mais indigna num caso destes é pensar que o incendiário não é nunca um fanático que, como os anarquistas, cegamente destrói pelo prazer de destruir, como quem tem a consciência de estar praticando um bem. Nada disso! O incendiário é sempre um criminoso conduzido por um sentimento do mais baixo egoísmo: é um falido, é um náufrago do negócio, é um patife, que, para salvar o dinheiro comprometido e perdido por sua própria culpa, não hesita um minuto em destruir a fortuna, a felicidade, a vida de um sem número de inocentes...

Já os jornais calcularam em muitos milhares de contos de réis os prejuízos totais. Dos indivíduos que a desgraça feriu, muitos há que, tendo grandes capitais em jogo, poderão achar, em tempo mais ou menos dilatado, um remédio para o mal. Mas, naquele mundo, há pobres que têm na gaveta toda a sua fortuna, toda a sua honra, todo o seu futuro. E não é verdade que enfurece e revolta o pensar que um miserável possa ter causado friamente a irreparável desgraça dessa pobre gente?

Ah! esperemos que o incêndio do Mercado tenha sido uma das muitas infames cousas que a humanidade deve à implacável estupidez desse deus sinistro, desse Acaso cego que faz o mal com a mesma calma com que faz o bem!

* * *

Houve, em um dos primeiros dias da semana, a primeira festa que a "Associação do 4º Centenário do Brasil" vai promover. Está plantada no solo brasileiro a primeira pedra do monumento destinado a glorificar a memória dos três vultos principais da época do Descobrimento: Pedro Álvares Cabral, cuja figura histórica Zeferino Cândido e Augusto de Carvalho têm ultimamente estudado, em conferências públicas, à luz de um critério novo; Fr. Henrique, o portador da Cruz; e Pero Vaz de Caminha, o encantador e arguto cronista de quem Ferdinand Denis escreveu um dia: "Graças ao raro talento de observação de que era dotado Caminha, graças sobretudo à fácil ingenuidade do seu estilo, teve o Brasil um historiador no próprio dia do seu descobrimento".

O orador oficial da Associação disse bem o mais alto mérito dessas festas, neste curto e verdadeiro trecho do seu discurso:

"Eia, pois, Pátria querida! tu que de Roraima ao Chuí ouviste o apelo de alguns brasileiros para levar a termo este cometimento glorioso, amparado sim pelos nobres poderes públicos, mas devido sobretudo à iniciativa particular dos cidadãos; Pátria estremecida, aceita esta oferenda de teus filhos e dos amigos do Brasil que, em abençoado amplexo, entenderam necessário e justo celebrar o teu grande aniversário".

Parecia impossível (e, nesta mesma coluna se registrou, há quase um ano, essa desanimadora suspeita), parecia impossível festejar dignamente o Quarto Centenário. Mas bastou que o rebate sagrado soasse na imprensa, para que o entusiasmo nascesse e crescesse. Agora, já não é lícito duvidar do triunfo: o Brasil saberá em 1900 honrar-se, honrando o seu passado.

* * *

A *Crônica* ainda não deu as boas vindas a Aluísio Azevedo, que esteve quase dous anos no Japão, na qualidade de vice-cônsul do Brasil. Aluísio traz daquela terra singularmente formosa, – de uma formosura perturbadora, de uma civilização ao mesmo tempo ingênua e refinada, de um progresso que espanta e atrai pelo inesperado dos seus caprichos, – um livro estudado, meditado, sentido.

Era impossível que um espírito como o do nosso ilustre romancista, habituado ao minucioso e aturado estudo dos homens e das cousas, dado aos pacientes trabalhos de análise, não ficasse vivamente impressionado pelos aspectos da vida social, tão nova e tão cativante, de um povo que em poucos anos soube abrir o seio à influência da civilização ocidental, extraindo dela lições e proveitos, mas guardando religiosamente, intacto e inalterável, todo o encanto da sua primitiva e velhíssima civilização.

Ramalho Ortigão, no prefácio da *Holanda*, diz bem que: na ciência, o estudo comparativo das sociedades é o que mais seguramente conduz ao conhecimento das leis do progresso. E o papel que o Japão representa hoje no mundo civilizado é tão vasto e tão claro, que deve ser curiosíssimo vê-lo estudado por um escritor que nas nossas letras, há tantos anos ganhou, pelo seu talento e pelo seu trabalho, já não esporas de cavaleiro, mas o bastão de marechal.

A *Crônica* devia dar aqui a Aluísio Azevedo uma braçada destas tão celebradas rosas de maio. Mas, não!, as rosas deste maio estão nascendo muito chochas... Mais vale abraçá-lo e pedir-lhe que não demore a publicação do seu livro.

s. a.

21 maio 1899

Crônica

Não vale a pena tratar dos dous casos trágicos da semana, dous fratricídios. Houve tempo, no Brasil, em que este horror de um assassinato praticado por um homem na pessoa de um irmão seu causaria um espanto grande e uma grande indignação. Hoje o caso é banal: os irmãos se esfaqueiam, se estaqueiam, se fuzilam, se bombardeiam por aí além, com uma convicção e com uma serenidade admiráveis...

Melhor será que tratemos de outra cousa.

Há dias, o mundo latino celebrou o centenário do nascimento de Balzac. E brevemente, neste cantinho da América Latina, celebraremos nós, com simplicidade e modéstia, o centenário de Evaristo da Veiga.

O grande Balzac, o criador poderoso da *Comédia Humana*, era um inimigo feroz dos jornalistas. Finot, Lousteau, Blendet, Mattifat, todas essas figuras de plumitivos, que passam e repassam no cosmorama da *Comédia Humana*, são outras tantas *cabeças de turco*, de página em página esmurradas e amassadas pela *verve* implacável do romancista.

Há no volume *Un grand homme de province à Paris* esta bela glorificação dos homens de letras que evitam o pântano do jornalismo: "Como é doce e consolador poder adormecer, dizendo: – Não critiquei o que os outros fizeram, e a ninguém mortifiquei; o meu espírito não se revolveu, como um punhal acerado, dentro da alma de um só trabalhador; os meus gracejos não sacrificaram nem uma felicidade; não fatiguei inutilmente um talento infeliz; nem mesmo perturbei a satisfação de uma só mediocridade feliz! e, enfim, não menti à minha consciência!"

Ai! jornalistas! ai! irmãos! o grande Honoré nunca perdeu uma ocasião de nos crivar de flechas de fogo!

E, entretanto, vêde bem. Esse mesmo inexorável inimigo do jornalismo e da política, esse mesmo terrível Balzac fundou e montou um número considerável de jornais, de panfletos e de revistas, e, ó assombro!, três vezes seguidas escreveu circulares e lançou manifestos ao eleitorado francês, pedindo-lhe uma cadeira no Parlamento!

Não nos envergonhemos, irmãos, de dissipar a inteligência nestas orgias baratas da imprensa. Os mais altos espíritos, aqueles que mais violentamente nos acusam de futilidade, de inocente perversidade e de estúpida malícia, não deixam, de vez em quando, de vir cá embaixo fraternizar conosco.

Dá-se com o jornalismo o que se dá com a politicagem, e todo o mundo se mete nela.

Agora mesmo, neste encantador começo de inverno, cada um de nós, de manhã, ainda na cama, na tepidez dos lençóis, lendo os jornais, e sabendo do que se passa no parlamento, sente uma revolta íntima, e murmura de si para si, mais ou menos, o seguinte:

"Ó deliciosas manhãs de inverno! como é que ainda pode haver gente que, desprezando o vosso encanto e a vossa friorenta preguiça, vá esgoelar-se e arrepelar-se na Câmara? Decididamente, a sabedoria popular tem sempre razão. Tem razão o provérbio que pergunta: "se todo o mundo tivesse bom gosto, que seria do amarelo?" Uma neblina espessa cobre a cidade; as árvores tiritam, tudo convida ao repouso, ao sonho, ao amor, ao estudo. E duzentos senhores, no meio desta quietação universal, no meio desta universal suavidade, saltam apressadamente das camas, devoram apressadamente o almoço, e vão dar à língua na rua da Misericórdia.

E não se trata de salvar de uma invasão estrangeira o território da pátria; não se trata de inundar de libras esterlinas toda a superfície do Brasil; não se trata de dar um pouco de tranqüilidade aos ricos e um pouco de pão aos pobres... trata-se de arranjar o triunfo pessoal deste nome sobre aquele, e a vitória de um rótulo mentiroso sobre um outro rótulo não menos mentiroso. Luta de boticários rivais: os remédios são os mesmos; mas, como o que dá dinheiro não é a droga, e sim o rótulo, força é que o boticário A. queira derrotar o boticário B., e que o boticário B. queira encher de fel o alambique do boticário A. Oh! política! Oh! estupidez!..."

Isso diz cada um de nós, de si para si, muito convencido de que a politicagem é uma ignomínia. E sai a gente de casa, e de repente, como uma pérfida serpe, levantando a cabeça do seio de um ervaçal, esta pergunta aparece: "Você viu que fulano foi eleito presidente da câmara?"

Acabou o desdém, acabou o horror da política, acabou tudo! Acende-se a discussão, os ânimos se inflamam, chocam-se as opiniões, franzem-se os lábios, enrugam-se as testas, empurpurecem-se os narizes, entroviscam-se os olhos – e esse mesmo sujeito, tão indignado há pouco com as torpezas da politicagem e tão convencido de que é abominável a guerra pelos rótulos, fica com a alma cheia de almas de onças, e é capaz de estrangular o seu melhor amigo para demonstrar a sobrexcelência do rótulo X ou do rótulo Y.

Isso é humano e natural, irmãos: e não há resistir contra o que é humano e natural... *Chassez le naturel, il reviendra au galop...*

Assim, pouco nos preocupe o saber se o nosso ofício de manipuladores de crônicas e notícias é fútil ou não. Já que os centenários estão em moda, sigamos a moda: e que o centenário de Evaristo tenha a solenidade que merece.

Vêde esse Sarcey que morreu há poucos dias. Não escreveu a *Divina Comédia* nem a *Legenda dos Séculos*: mas na sua faina de trabalhador *au jour le jour*, coberto de epigramas, crivado de remoques, o velho *bonhomme* lá tinha sua idéia, e só daqui a algum tempo é que se poderá pesar e medir a extensão e o valor do seu trabalho. Ainda ontem, na *Palestra*, Artur Azevedo lembrava, com justiça, que Rostand, o poeta aclamado de Cyrano, "já é um produto de reação promovida, no teatro francês, pela crítica de Sarcey..."

O nobre Evaristo, o herói das agitações de 1831, é realmente o patriarca da nossa imprensa.

É preciso que se verifique que prédio ocupa hoje, na velha rua da Quitanda, o lugar outrora ocupado pelas oficinas da *Aurora*, durante os dias febris das *Garrafadas*.

Pela primeira vez, foi ali apedrejado o jornalismo brasileiro: é justo que a sua glorificação seja feita no mesmo lugar em que lhe foi infligido o opróbrio...

s. a.

25 jun. 1899 Crônica

Não é de crer que muita gente, ainda bastante simples para acreditar em mistérios e milagres, tenha, durante a noite de anteontem para ontem, pedido vaticínios a S. João, expondo ao ar frio da noite o ovo tradicional...

Estamos vivendo em dias de uma espantosa incredulidade. Ainda há pouco, uma carta do *Jornal do Comércio* transmitia ao público este singular aviso: "Às pessoas que visitarem hoje o templo de [...], e orarem, conforme a intenção da referida igreja, concede o Rvd. monsenhor governador do arcebispado 40 dias de indulgência".

O que parece indicar que já não há muita gente que vá à igreja espontaneamente... E nem só entre os crentes católicos alastra as suas raízes a incredulidade: todos os outros credos estão ficando atualmente sem fiéis. Nem mesmo as superstições resistem ao embate da onda má: a polícia vareja irreverentemente os antros dos feiticeiros; as cartomantes vivem às moscas, e vêem-se obrigadas, para não morrer de fome, a transformar os seus santuários de Delfos em santuários de Eros; nas livrarias os *livros de sorte* são pasto de traças; e, enfim, o professor Alexander é talvez, em toda esta vastíssima cidade, a única pessoa que ainda acredita na sabedoria sobrenatural dos Magos iniciados no sétimo grau do culto de Mitra.

Vai a fé murchando nos corações, como planta que não é regada. Tanto pior para todos nós, e tanto melhor para os santos, que ficam livres de importunações!

E pensando bem, que mores venturas terrenas poderíamos nós pedir a S. João, nestes dias de meigo inverno?

Não é muito o dinheiro, mas para cada um de nós basta para que cada um vá levando a vida por diante, entre um sorriso e um dar de ombros; não há epidemias que dizimem as famílias e esvaziem as casas; temos óperas, operetas e dramas a fartar; ninguém vai para a cadeia por não pagar o que deve; e, para não alongar fastidiosamente a enumeração de bens com que nos favorece o céu, temos estes dias gloriosos, de um ar macio como veludo, de luz suave como uma carícia. E S. João, se ainda lhe pedíssemos mais felicidades, bem poderia intimar-nos a ir pedir lições de filosofia ao velho Pangloss, esse luminar do bom senso, que nunca tirou de sobre o seu nariz os óculos de vidros azuis.

E seria uma bela resposta à nossa importunação! O sábio Pangloss, cuja glória viverá perpetuamente no livro amável em que Voltaire a fixou, mais do que nunca deve ser agora o nosso guia e o nosso conforto. Com que profundo conhecimento de vida ensinava ele ao ingênuo Candide que tudo marcha do melhor modo possível, no melhor dos mundos possíveis! "Os narizes foram feitos para sustentar os óculos, e, por isso, nós usamos óculos; os pés foram feitos incontestavelmente para o uso dos sapatos, e por isso usamos sapatos; as pedras foram especialmente feitas para a construção dos castelos, e por isso o Sr. barão de Thundertentronk tem o mais lindo castelo do mundo; portanto, aqueles que dizem que tudo vai bem, dizem uma tolice: o que devem dizer, é que tudo vai da melhor forma possível!"

Só mesmo procurando um abrigo sob o pálio dessa doce filosofia é que podemos fugir à nefasta influência dos homens de espírito azedo, que andam a anunciar-nos, todos os dias, cousa tristes e medonhas.

Já não vale a pena falar dos profetas de má morte que vivem a apontar-nos *o perigo da morte*, mostrando-nos, num animatógrafo maldito, o Amazonas e o Pará engolidos de uma vez por Uncle Sam; como não vale a pena falar dos que nos vaticinam para amanhã ou depois de amanhã a bancarrota, infalível, com todo o seu cortejo de fome, sede, sangue e chacina, e dos que já nos vêem esmagados, repartidos, divididos, triturados pelas repúblicas vizinhas numa guerra inevitável.

Há gente ainda pior: há, por exemplo, quem diga que a pior imprudência que um homem pode cometer é parar à porta de uma chapelaria... Como se o bom Pangloss já não nos tivesse claramente ensinado que, tendo sido as chapelarias feitas especialmente para que a gente pare às portas delas, nada é melhor do que entrar numa chapelaria com uma cartola na cabeça, e sair com uma coroa no lugar da cartola!

Há ainda quem diga que nós nunca seremos felizes, enquanto tivermos deputados de partidos, de partidos contrários, que consumam todo um dia de sessão em procurar saber qual dos dous partidos goza em mais alto grau da confiança do governo... Como se o bom Pangloss já não tivesse provado que, tendo sido a Câmara criada propositalmente para não fazer cousa alguma, melhor é que gaste o seu tempo em palanfrórios, do que em fazer leis que nos oprimam!

Doce e consolador filósofo! feliz aquele que, cortando as asas à ambição, bebe no teu conselho o néctar da traqüilidade! Feliz aquele que, não podendo comprar um bilhete para ir ouvir o maestro Saint-Saëns, vai, por quatrocentos réis tomar um *chopp* e ouvir um pianista de *brasserie*, achando que, afinal de contas, tudo vai do melhor modo possível no melhor dos mundos possíveis!

Não! não seria justo que importunássemos S. João, na fria noite de sua festa! O Precursor sofreu tanto em vida, que bem merece repouso e paz na mansão dos Bem-aventurados. Se lhe fôssemos pedir algum favor, talvez o Batista, enchendo-se de cólera ao ver o descomedimento das nossas ambições incontentáveis, nos mandasse, não a glória, não a riqueza, não a saúde, mas um pedaço de céu velho.

E já que não nos cai sobre a cabeça um pedaço de céu velho, agradeçamos a S. João essa mercê, contentemo-nos com a saúde, a glória e a riqueza que temos, e glorifiquemos Pangloss, o Grão-Mestre do Otimismo!

S. A.

09 jul. 1899

Crônica

Uma anedota, velha como... como Tróia, ou como esse admirável Luís de Bivar, decano dos taquígrafos, que há poucos dias completou 91 anos de idade, conta que certa cantora do Lírico, habituada à abominável prática da *maquillage*, foi um dia procurada por um adorador. A criada da diva murmurou, um tanto vexada, que "a senhora ainda não podia receber..." Ao que atalhou a visita: "Já sei, naturalmente está se pintando, não?" E a criada, com um sorriso: "Não, senhor! já se pintou! agora... está secando!"

Quem sabe? Talvez haja uma reedição da anedota, no dia em que chegar ao Rio de Janeiro S. Ex. o Sr. presidente da República Argentina.

O Sr. general Roca, que já foi nosso aliado em dias de sangue e fogo, deve conhecer, por tradição oral e por tradição escrita, a rua do Ouvidor. Aos ouvidos de S. Ex. já deve ter chegado notícia da vasta fama desta adorável e adorada viela, – quase tão estreita como as da Alfama de Lisboa, – não tão original e tão animada como a Calle Florida ou o Boulevard des Halles. E, provavelmente, S. Ex., logo ao desembarcar, depois de haver saudado a estátua de Osório, seu companheiro de armas, e depois de haver cordialmente abraçado o Brasil na pessoa do alto funcionário que o receber, dirá, com um curiosidade natural:

– Y la calle Ouvidor, hombre?

Ora, sucede que, justamente para lhe dar um aspecto decente que não ofenda o olhar curioso de S. Ex., a Prefeitura Municipal mandou consertar o calçamento da rua do Ouvidor...

E aqui é que está a complicação! Em todas as cidades do mundo, o processo empregado para calçar a paralelepípedos uma rua é este: juntam-se os paralelepípedos, e enche-se com terra o espaço que fica entre eles. Mas, no Rio de Janeiro, o processo é outro. Ah! nós possuímos uma capital absolutamente original! Aqui, juntam-se na rua vários montões de terra, e enche-se com paralelepípedos o espaço que fica...

O diabo é que pode vir por aí uma dessas chuvas torrenciais que tão comumente desabam sobre o Rio, no inverno. E não é preciso ser profeta para vaticinar que a rua do Ouvidor, se isso acontecer, ficará transformada num formoso, delicioso, vistoso e primoroso atoleiro...

E, então, dirão a S. Ex. o Sr. general Roca que "a rua do Ouvidor ainda não o pode receber..."

S. Ex. que deve ter lido os jornais daqui, exclamará: "Ya lo creo, señores! la calle Ouvidor se está enpedrando..."

E o *cicerone*, sorrindo: "Já está calçada! já está calçada! mas... está secando!"

* * *

Ai! Jesus! não há nada como a gente ver as cousas de longe!

Quem ouve falar da rua do Ouvidor, dessa menina dos olhos da cidade, dessa grande artéria da nossa circulação social, dessa *vitrine* da nossa elegância e do nosso bom-tom, imagina que a pobre, mesmo não tendo largura, tem certo *chic*.... Pois, sim! mal de quem vem apreciar de perto esse *chic*!

Não há nada como a distância!

Ainda há poucos dias, davam os jornais este telegrama de Washington: "A imprensa diz estar oficialmente informada de haverem sido trucidados pelos índios do Xingu, no Pará, três americanos e três ingleses, que exploravam a borracha por conta de um sindicato; e acrescenta que os dous governos interessados vão apresentar as suas reclamações ao do Brasil".

Já o *Engrossa*, com a sua deplorável mania de mofar de tudo e de todos, julgou conveniente meter o seu inconveniente nariz neste caso sério, e declarou que, segundo os ditames do bom senso, ao cacique dos índios do Xingu é que o governo americano e o governo inglês deviam apresentar as suas reclamações. *Rien n'est sacré pour un* [*****].

Como se esses dous governos tivessem a obrigação de saber que os índios do Xingu ainda vivem no mesmo estado de selvageria em que os encontraram, há dous séculos, os primeiros exploradores! Lá fora, quando se ouve falar do Pará, imagina-se uma vasta região, riquíssima, civilizadíssima, felicíssima. E a idéia única que se pode fazer de um índio do Xingu é esta: um sujeito de tez acobreada e de nariz chato, mas usando cartola como MacKinley, comendo *foie-gras* como lord Roseberry.

Se aqueles três ingleses e aqueles três norte-americanos se tivessem resignado a permanecer nessa doce ilusão, que é o benefício maior da distância, teriam morrido de morte natural, numa cama fofa, com boticário e médico que lhes tratassem do corpo, e padre que lhes tratasse da alma. Não o quiseram, e vieram fazer negócios no Xingu. Encontraram canitares em vez de cartolas, e viram que os *gentlemen* do Xingu tem o mau gosto de preferir, ao *foie-gras* frio, a carne quente de ingleses e de americanos do norte...

De tudo isto se conclui que o Xingu e a rua do Ouvidor têm, entre outros, este ponto de contacto: vistos de longe são uma cousa, e vistos de perto são outra cousa muito diferente...

E conclua-se ainda isto: os três americanos e os três ingleses bem poderiam ter mandado prevenir o governo do Brasil, com certa antecedência, da sua viagem ao Xingu, imitando com isso os amigos e aliados que não vêm ao Rio de Janeiro sem que nos dêem o tempo absolutamente indispensável à *toilette* da rua do Ouvidor...

Mas, pensando bem, esta última conclusão é tola. Prevenidos em tempo, que faríamos nós? Mandaríamos civilizar, a toda a pressa e por empreitada, o Xingu, e aplacar a fome dos índios, e arrancar-lhes os dentes e as unhas, e dar-lhes certa compostura às maneiras e certa brandura aos instintos. Porém, que diabo!, se, apesar de todo o largo prazo que nos concederam, a rua do Ouvidor vai ficar tão mal calçada, quem nos afirma que, mesmo com um prazo ainda maior, o Xingu não ficaria mal civilizado?...

E o desgosto seria o mesmo, e a mesma seria a vergonha, e...

* * *

O melhor, decididamente, é evitar a *maquillage*. A gente deve parecer o que é. Não vale a pena usar de artifícios que a ninguém enganam. Vai a gente morder uma fruta... e cai-lhe a dentadura. Vai a gente passar por baixo de um candelabro... e lá lhe fica a peruca suspensa a um pingente. Vai a gente dançar uma valsa... e lá se lhe desmancha com o suor a pintura do bigode. Um horror!

Vejam só isto: "Para esconder o mau efeito que faz perto do palácio uma casa que está ali em construção, vai ser ela enfeitada com plantas, e tapada com um coreto... É uma notícia de ontem... Mas, para que isso, Deus Santo?! E se vem um pé de vento e deita abaixo o mundéu?

Ai! seria bem mais razoável que a gente recebesse os seus hóspedes ilustres com aquela meiga e sedutora simplicidade dos roceiros, no sertão velho:

– Entre, *seu* moço! A casa é *di* pobre, mas é *di vossuncê*... Tome a sua canequinha *di café* e *qui* Nosso Senhor *lhe* acompanhe!

s. a.

30 jul. 1899 Crônica [Cia]

Há casas vastas e belas que ficam longo tempo fechadas, num silêncio de morte, num sono de aniquilamento.

Conhecem os senhores cousa mais triste do que um palácio desabitado? Enquanto os outros prédios, em torno, abrem o seio, durante o dia, ao sol, e à noite, despejam para fora, pelas janelas rasgadas, o palrar da alegria, da música e das conversas, a casa vazia fica fechada e triste como um túmulo.

O Rio de Janeiro está, quase sempre, assim... Cidade macambúzia, cidade de dispépticos e de mesentéricos, Sebastianópolis parece estar sempre carregando o luto de uma grande catástrofe. Já alguém notou que o carioca anda sempre olhando para o chão, como quem procura o lugar em que há de cavar a própria sepultura. E quem escreve estas linhas já viu, uma noite, a polícia prender três rapazes que, havendo ceado bem, se recolhiam à casa cantando um coro de uma opereta qualquer. E prendê-los por quê? Porque cantavam... Triste cidade!

Santo Deus! que sejam tristes, soturnas e embezerradas as cidades do extremo norte da Europa, que uma névoa perpétua amortalha, cousa é que se compreende. A tristeza do céu entristece as almas... Mas que seja melancólica uma cidade como esta, metida no eterno banho da luz do sol, – luz que se desfaz em beijos e sorrisos pelas copas das árvores, pelas fachadas das casas, pelos buracos das ruas, – isso é cousa que não se entende!

Felizmente, agora, o Rio de Janeiro parece sair do seu letargo.

Voltemos à imagem da casa desabitada. Que alegria, quando, depois de longo luto, abrem-se as janelas do prédio à luz e ao ar, e espanam-se os móveis, e sacodem-se as cortinas, e o piano acorda cantando uma valsa leve, e as crianças se espalham pelos corredores, correndo e chalrando!

Assim, o Rio de Janeiro, atualmente, nestes dias de festa. Antes da chegada do presidente Rocca, a chegada do governador Viana...

Passeatas, banquetes, espetáculos de gala, corridas, – as costureiras trabalhando sem descanso, todo o comércio rejubilando, – uma delícia para todo o mundo!

Ah! quem dera que fosse sempre assim, Sebastianópolis!

* * *

E por que não és tu sempre assim, uma feira franca do riso e do pagode? Talvez porque o nosso temperamento seja realmente mais sujeito à melancolia do que à jovialidade? Não! há quem diga que a nossa tristeza depende exclusivamente da nossa imundície.

Diz-se que, certa vez, um homem, pouco dado ao uso do banho, sentiu-se atolar no pântano de uma melancolia sem tréguas. Foi consultar um médico, que lhe aconselhou o uso de banhos diários. E logo ao segundo banho o sujeito ficou tão curado, que morreu... de um frouxo de riso.

O remédio é fácil de experimentar. Mal não fará, com certeza: e é mais que provável que faça bem, e grande bem...

* * *

Ah! quem poderá viver bastante para te ver saneada, ó cidade do Rio de Janeiro?

A gente, desde que se entende, ouve dizer que o Brasil só não está hoje inteiramente povoado por causa do flagelo periódico da febre amarela. Sabem isto os governos, sabe isto o povo. Todos os médicos que há sessenta anos saem das nossas faculdades, dizem e escrevem que a causa da febre amarela é a falta de saneamento das cidades. Ninguém ignora que o vômito negro por anos e anos devastou as populações de Galveston, de Filadélfia, de Memphis, de New Orleans, e que dessas cidades desapareceu para sempre, assim que, saneadas e acostumadas à limpeza, elas deixaram de oferecer ao desenvolvimento da epidemia um meio favorável. Torres Homem, Ferreira de Abreu, todos os grandes clínicos do Brasil se têm esbofado em pedir o saneamento, declarando terminantemente que ele é o único meio de combater e aniquilar a pirexia assassina.

Mas nada se tem feito. Os dias passam, e a gente continua a esperar que as redes aperfeiçoadas de esgotos, as drenagens do solo e os abastecimentos d'água caiam do céu por descuido, como se o céu tivesse algum interesse nisso.

Agora, parece que o Sr. prefeito municipal resolveu meter uma lança em África, pedindo ao conselho que o autorize a abrir largamente os cofres do Município em favor da idéia.

Claro está que isso só pode merecer aplauso. Mas... forte desgraça é esta! Sempre há de aparecer este *mas* cruel, esta abominável adversativa que atrapalha tudo! Mas... que idéia é esta de pedir a uma corporação médica que estude mais uma vez o saneamento?

Ninguém se cansaria ainda em reeditar a bolorenta série dos injustos epigramas com que tem sido crivada a classe dos médicos, desde a prosa de Molière até as desaforadas redondilhas de Bocage. Já se sabe que há no Brasil médicos que são glórias legítimas e incontestáveis desta terra. Mas sabe-se também que entre os médicos brasileiros, e principalmente entre os médicos do Rio de Janeiro, há uma rivalidade feroz, uma luta sem tréguas, uma guerra de morte.

Passam-se meses sem que venham a público manifestações desse desacordo profundo: de repente, porém um alarido cresce nos ares, e, pelas colunas pagas ou não pagas dos jornais, começa a ferver o escândalo, e começam a chocar-se as injúrias, e é um nunca mais acabar de acusações, de doestos, de denúncias, de revelações escabrosas.

Agora mesmo estamos assistindo a uma dessas batalhas edificantes. A galeria baba-se de gosto, e as empresas dos jornais apanham o melhor do combate, que é o dinheiro dos combatentes. Se à cabeceira de um doente, por causa de uma talha mal feita, ou de um tifo mal combatido, há tão ásperas lutas, que não haverá à cabeceira da cidade, por causa do saneamento?

Enfim, o que devemos todos fazer é pedir a Deus que ilumine o Concílio, mantendo sobre ele a sua infinita Graça, e pedir aos médicos que economizem palavras, porque não há de ser com elas que a municipalidade saneará o Rio de Janeiro.

s. a.

06 ago. 1899 — Crônica [IP]

Foi logo depois do Éden – se é que algum dia houve Éden... Uma nuvem espessa e negra velara o céu, até então formosíssimo. Por quê? Porque Adão e Eva tinham pecado. Como se os infelizes pudessem fazer outra cousa, tão moços, cercados de tanta fecundidade!

E logo tudo mudou: as árvores, que até então só haviam dado frutos bons, começaram a dar frutos venenosos somente de líquens e musgos macios como seda, começaram a eriçar-se de acúleos terríveis; pelo solo das veredas perfumadas, até então atapetado apenas de relvas frescas e amáveis, começaram a multiplicar-se os insetos daninhos; e em cada furna urrou um casal de feras; e de cada moita surgiu a língua bífida de uma serpe; e as montanhas começaram a vomitar lava; e o mar começou a ser levantado em montanhas de água devastadora; e toda a Natureza, enfim, até então amiga e meiga, se transmudou numa inimiga implacável, de estudada e requintada crueza.

Por que tudo isso? por que transformara assim o Senhor a essência e o aspecto da sua Criação?

Porque o homem amara; porque tinha nascido o Amor, irmão gêmeo do Sofrimento, pai do Ciúme e do Sangue...

* * *

Alto lá! que é isso? suspende a carreira, pena insubordinada! por esse andar vais parar justamente no assunto que é preciso evitar – assunto sagrado, porque entende com os mais sagrados sentimentos de um coração ferido... Não queiras imitar, leve pena inofensiva da *Crônica*, os lápis irreverentes dos *reporters*, que remexem todos os segredos, levantam todas as cortinas, ofendem todos os escrúpulos e põem o escândalo dos seus rabiscos sobre todas as cousas melindrosas.

Deixa o Éden, pena pretensiosa! o Éden já passou, como passam todas as cousas boas e más – se é que algum dia houve, sobre a feia e imunda face do planeta, esse doce recanto de ingenuidade e ventura a que os Pais da Igreja deram o nome de Éden... Deixa o Éden e procura outro assunto, em que não haja Amor, nem Sangue, nem Roca, nem coretos...

E aqui tens um assunto admirável: o *Burro*!

O Burro? Que ninguém se espante. O burro está na ordem do dia. O Burro é o principal assunto. O Burro já figura no *Diário Oficial*! Vamos ao Burro!

Quem há, por aí, que leia o *Diário Oficial*? Quase ninguém. Pois é pena. Quem fizesse anteontem o sacrifício de folhear as vinte e quatro páginas desse massudo repositório de decretos, teria diante dos olhos os estatutos de uma companhia de seguros sobre a vida dos burros.

Dos burros, senhores! ninguém leu mal: dos burros!

* * *

Ó burro! ó doce e paciente animal, que já o meigo Anacreonte celebrava em versos de ouro, e que já todos os velhos gregos, na Arcádia, prezavam! só te faltava esta calamidade... Porque a idade moderna, ó Burro suave, tem esquecido os teus méritos ingratamente, e ingratamente ofendido o teu nome...

Antigamente, não! Quando Jacó quis aplacar a cólera de Esaú, ofereceu-lhe um burro – símbolo da paz, da concórdia e da reconciliação. Quando Sansão quis exterminar os idólatras, não se serviu de uma queixada de cavalo, senão de uma queixada de burro. Qual foi o animal que reprochou a Balaão os seus pecados? foi um burro. Qual foi o animal que suportou o doce peso de Jesus no dia de Ramos, quando o Salvador entrou às portas de Jerusalém? foi um burro... Que animal montava o deus Baco, quando se partiu a conquistar as Índias? Um burro!

Isso para somente falar da idade bíblica e da idade mitológica... Mas, ó quase divino animal! o último homem que te tratou com carinho foi aquele faceiro, aquele fidalgo, aquele encantador amigo de todos os animais, que se chamou Buffon.

Esse, sentou-se um dia diante de uma bela folha de papel, ajeitou em torno dos pulsos os seus belos punhos de finas rendas, talhou a sua mais linda pena de pato, e, com um sorriso de bondade na face repousada, começou a traçar o teu retrato: "Humilde e paciente, suporta com coragem os castigos, alimenta-se sobriamente de ervas... Quando tem sede, só bebe água límpida, em fontes e riachos que já conhece; não se espoja, como o cavalo, rebolcando-se na lama; até chega a ter medo de molhar os pés, e cuidadosamente evita as poças d'água... Ama com furor, e defende a prole até a morte... É alegre, brincão e leve na mocidade; só fica teimoso e mau, quando o sofrimento lhe mostra, depois de muitas provações, que os homens são realmente maus..."

Ah! depois dessa bela ode de Buffon, que é que tens tido, dos homens, ó paciente e humilde trabalhador? chicotadas, murros, jejuns, desprezos, abominação e maldições... onde se vai o tempo em que era cantado pela musa de Anacreonte?

Os viajantes medrosos, temendo a avidez do cavalo e a sua independência, é sobre o teu dorso que viajam; e, como todos os covardes são maus, as tuas pobres virilhas sangram, esporeadas de minuto em minuto, e o teu pobre pescoço perde o pêlo, à força de receber chibatadas... Depois, metem-te os varais de uma carroça, e matam-te a pancada... E ninguém tem pena de ti, quando comido de lazeira, e carregado de anos, de orelha murcha e focinho cheirando o chão, ficas abandonado no caminho; e ninguém te dá um pouco de capim fresco... ninguém te mitiga a sede de moribundo... e as crianças atiram-te pedras... E, – ó cúmulo da maldade! – os homens, quando querem dizer que um homem tem o cérebro tapado como um muro de enxovia, chamam-lhe... burro!

* * *

Agora, já te não falta calamidade nenhuma: já há uma companhia que te segure a vida e a saúde, em proveito, de quem te possuir. O carroceiro, agora, já nem terá medo de te multiplicar sobre as vergalhadas: saberá que, se morreres, uma companhia lhe pagará a tua vida em dinheiro.

Ah! desgraçado! Até agora, quando morrias, estourado, o teu dono derramava lágrimas sobre o teu cadáver... Não eram as lágrimas da compaixão: eram as lágrimas do interesse lesado. Mas sempre eram lágrimas. Agora nem isso. Burro morto, burro posto. E assim como há quem ponha fogo às casas, para haver o dinheiro das companhias de seguro, haverá quem mate burros, porque haverá burros que mais valham mortos que vivos...

O Burro no seguro! não é verdadeiramente fim de século?

s. a.

27 AGO. 1899 CRÔNICA

Vem cá, Brasileiro! Põe-te aqui, de pé, em atitude de réu, diante do arguto e inexorável olhar deste juiz! E fica para aí, sangrando e gemendo à vontade, enquanto esta pena (uma simples e modesta Soeneken!) cai a fundo sobre a tua consciência, e começa a pôr à mostra todos os secretos pensamentos, todas as ambições recônditas, todas as misteriosas, complicadas e incontestáveis aspirações da tua alma!

Vem cá, Brasileiro! tu sempre tiveste, desde as eras velhas do Regime Colonial até as eras modernas e austeras do Regime Democrático, o amor do *pechisbeque*, do *plaquet*, do guizo, da miçanga, do falso coral, – enfim aquele amor a que os franceses, na sua linguagem sempre pitoresca, dão o nome de *l'amour du clinquant*.

Afinal, que és tu, e quem és tu? Tu és o produto de uma salada de grelos: tu tens um bocado de íncola americano, um bocado de íncola africano, um bocado de português, – sem falar nos muitos bocados, que tens, de espanhol, de francês, de italiano, de alemão, do diabo! Ora, todos esses antepassados teus, todos esses troncos velhos, de cuja ligação, tu saíste como um galho novo e peralta, tiveram e ainda têm a mania de lantejoula, o delírio do ouropel...

Quando Pedro Álvares Cabral, sem saber o que fazia, aportou às plagas inexploradas de Vera Cruz, a primeira cousa que fez, para captar a simpatia dos selvagens, foi mandar-lhes, como emissário de concórdia e sedução, o degradado Afonso Ribeiro, carregado de espelhos, de pentes, de colares, de pulseiras, de brincos, de arrecadas, de anéis.

Mas esses mesmos portugueses que exploravam assim a ingenuidade dos selvagens, que eram eles, senão apaixonados amadores do requifife e do berloque? Vinham carregados de rendas e de braçais de couro lavrado, e de altas golas de seda, e de perneiras de aço fino, e de talins de brocado...

Mais tarde, quando a fome do dinheiro abriu as portas do Brasil ao comércio dos pretos da África, que foi, ó Brasileiro, que esses pretos trouxeram para aqui? Foi esse mesmo irresistível amor pelo búzio, da conta de vidro, da coifa de pano da Costa, da pulseira de caroços de azeitona, e das figuinhas da Guiné...

Mais tarde ainda, quando as velhas nações da Europa, à compita, quiseram povoar a Terra do Sabiá, derramando dentro dela o *trop plein* da sua população, - que foi, ó Brasileiro, que veio boiando, à flor das enxurradas da imigração? Os italianos trouxeram os seus bentinhos, os seus amuletos, as suas figas, os seus grossos argolões de ouro; trouxeram os espanhóis os seus sequilhos, os seus guizos, os seus laçarotes; vieram os franceses com a sua perpétua mania de sacrificar tudo à posse de uma *palma acadêmica* ou de uma fitinha rubra da Legião de Honra; e vieram os alemães, com o seu mórbido e fatal amor das esporas, dos galões, dos alamares, e das dragonas militares...

Assim, ó Brasileiro, todos aqueles elementos que concorreram para a formação do teu tipo social, deram-te sempre, desde o começo, a mania do Penduricalho, do *crachat*, do afeite ridículo, da jóia de *plaquet*, e – para tudo dizer em uma só palavra – da COMENDA!

Ora, pois, ó Brasileiro! põe-te aqui, de pé, na atitude de um réu, e responde: É verdade ou não é verdade que ficaste louco de alegria, quando soubeste que o senador Pires Ferreira, de indescritível e deliciosíssima fama, estava disposto a exumar dos limbos constitucionais a instituição sublime da Comenda?

Confessa que sim, ó Brasileiro! Quem pôde fazer mentir o vaticínio, que teve, pronunciado junto ao berço, pela boca de aço da Fatalidade?

Ai! este secreto desejo de ser comendador, e de poder ostentar a comenda sem perder o direito de politicar, e de cabular, e de votar e de ser votado, dormiu muito tempo dentro da tua alma, ó Brasileiro, à espera do *Sursum* ardentemente esperado.

Dizem os bacteriologistas (gente infinitamente sabida nas cousas infinitamente pequenas) que o micróbio de qualquer *morbo* terrível pode perfeitamente viver, ou, melhor, permanecer vivo, anos e anos, dentro de um bloco de gelo. Assim, um esperto e perverso micróbio do tipo pode bem ser apanhado na água de um rio do Canadá, e ser enclausurado num pedaço de gelo, e ser metido no porão do navio, e viajar durante meses, adormecido, paralisado, morto, e chegar até o Rio de Janeiro, e cair dentro de um sorvete ou de um *chopp*, e mandar um pobre homem para o inferno ou para o céu, enquanto o diabo esfrega um olho ou Deus dá um espirro...

Não de outro modo, ó Brasileiro, ficou durante anos dentro da tua alma, intanguido e exânime, este insofrido e veemente desejo de poder ser comendador. Bastou que o calor da palavra, caudalosa e grossa (*sans mal-entendu*), do Sr. general Pires Ferreira quebrasse as frígidas cadeias que te estremeciam, para que ele renascesse, e revivesse, e saracoteasse, mais esperto do que um cabrito récem-nado!

Oh! a comenda! a comenda! parece nada e é tudo! uma fita, um diploma, uma medalha, um passador... é preciso ter mais alguma cousa para ter talento, e virtudes, e brio cívico, e importância social?

A princípio, o sujeito quando recebe uma comenda, espanta-se, retrai-se, aferrolha-se dentro da sua modéstia, e fica com vergonha de si mesmo. Mas a família, com uma vaidade que tudo justifica, intervém e declara que nunca se fez no mundo uma cousa mais justa. O pobre homem, metido entre a cruz e a caldeirinha, põe a comenda sobre o peito, vai a um espelho, mira-se, remira-se, e começa a descobrir na sua face uma gravidade nunca sonhada e dentro do seu cérebro um fulgor nunca sentido de idéias. E, daí a pouco, o condecorado, reabilitado e engrandecido aos seus próprios olhos, faz uma negaça à glória de Dante, cumprimenta familiarmente a estátua de José Bonifácio, e dá de ombros quando lhe falam da bravura de Caxias.

Brasileiro! tu vais quanto antes, se é que na tua alma ainda não se apagou de todo o sentimento da gratidão, levar as tuas homenagens ao senador Pires Ferreira! Olha bem, ó Brasileiro!, foi esse homem ilustre quem te deu aquilo que mais ambicionavas...

Lembra-te, ó Brasileiro, de que és capaz de trocar tudo: liberdade, instrução, bom senso, cordura, tino, saúde, beleza, fortuna, amores, tudo, mas tudo, absolutamente tudo, pelo gozo de ter uma comenda: porque, enfim, não há bobo que não goste de um penduricalho...

s. a.

08 OUT. 1899 CRÔNICA [IP] [CIA]

Um dia, não há muito tempo, um pobre lavrador, sob a fulguração causticante do sol, ia impelindo sua charrua pela terra selvagem do sul da África. Era um descendente dessa forte raça holandesa, que, em luta constante com o mar, foi a criadora da sua terra, conquistando-a palmo a palmo à voracidade das águas. Ia impelindo o arado, e levava às costas a espingarda embalada, para se defender dos zulus ferozes que rodavam perto... De repente, alguma cousa rebrilhou no chão, com um mágico esplendor. Seria um raio de sol, brincando nas arestas de um calhau?

Era ouro! Daí a meses toda a Europa tinha os olhos voltados para esse novo El Dorado, e em poucos anos Johannesburgo, a *golden city*, surgia da terra, cheia da agitação e do burburinho de cem mil habitantes.

Ora, neste momento, as vastas minas do Transvaal não ecoam o estrupido das carretas, nem o choque das picaretas ferindo as rochas, nem o estampido das bombas de dinamite. O ouro dorme em paz no seio da terra fecunda. Todos aqueles espadaúdos *boers* de mãos enormes maltratadas pelo trabalho, de largas barbas em leque, louras como o metal que extraem das minas, deixaram por terra as picaretas e as alavancas, empunharam as carabinas, todos apercebidos para a guerra, todos dispostos a defender com a última gota de sangue a pátria que o seu esforço criou.

Gente sábia e rude, educada na estreita severidade da meditação contínua da Bíblia, a gente *boer* pensa que a liberdade vale mais que todo o ouro do universo, e destruirá todas as suas minas antes de as deixar cair nas mãos ávidas da Inglaterra.

Não é realmente belo ver aquele pequeno povo, de pé, sereno e intrépido, afrontando a força da mais poderosa nação da terra? Também, não é de crer haja atualmente no planeta quem se não apaixone pelo conflito do Transvaal. A questão Dreyfus sumiu-se, apagou-se da memória de todo o mundo: agora, quando se abrem os jornais, o que se procura com ansiedade é saber se a Inglaterra leva por diante o capricho da sua ambição, ou se, mais prudente, resolve respeitar o direito sagrado de um povo que já soube um dia castigar com rara severidade a aventura de Jameson e Cecil Rhodes.

* * *

Ah! a fome do ouro! Em que arriscados passos não se mete a gente, por amor do lindo metal, que a Natureza previdente armazenou no seio da terra, disfarçando-o em amálgamas vários, como para esconder da nossa cobiça essa origem perene de horrores e de sangueiras!

Por amor dele, a alma se endurece, o coração fica seco como um areal, afiam-se as unhas à Rapina, aguçam-se os dentes à Traição, e o espírito, excitado pelas tentações, inventa requintes de crueldade, cria prodígios de astúcia.

Ainda há poucos dias, no Prata, a polícia descobriu maquinações de um sindicato de nova espécie. O sindicato segurava, em qualquer companhia, por uma alta soma, a vida de qualquer homem robusto, moço, possuidor de uma saúde de ferro. Quem é moço e forte tem apetites. Quando viam o seguro regularizado, os prodigiosos malfeitores abriam ao rapaz, de par em par, a porta do vício, aquela *lata porta quae ducit ad perditionem*, como diz a Bíblia. Metiam-lhe na algibeira um punhado de moedas de ouro, introduziam-no em todas as rodas sem escrúpulos; bem depressa, o jogo, o álcool e o amor minavam o organismo da vítima. E quando a Magra chegava, e entre os braços descarnados sufocava a presa, o sindicato recebia o seguro e ia procurar novos apetites e novas misérias que se deixassem explorar... É macabro!

Mas, enfim, os crimes que a fome do ouro faz cometer por este ou aquele indivíduo, são cometidos às ocultas, e são reprovados, e verberados, e castigados pela sociedade. Os crimes que a sociedade não reprova nem castiga, são aqueles que ela própria comete, embrulhada nessa capa de salteador que se chama o *interesse da civilização*, e posta por trás desse escudo que a gente vagamente conhece pelo nome de *razão de Estado*.

Agredir um homem para lhe tomar o fruto das suas economias, é uma ação negra que leva a gente ao calabouço e ao patíbulo. Mas agredir um povo para lhe arrebatar a fortuna, a liberdade e a honra, é uma ação gloriosa e bela, que se pratica com uma sem cerimônia sem par.

Que se há de fazer se a vida é isso mesmo? Ah! tu és um povo brioso, mas fraco? eu, que tenho canhões e soldados, fuzilo-te, esquartejo-te, como-te, e celebro a minha façanha com festas públicas, e agradeço ao Senhor Deus dos exércitos a força que me deu!

* * *

E lembrar-se a gente de que os delegados à Conferência da Paz ainda não tiveram tempo para curar as dispepsias que adquiriram durante as sessões desse congresso humanitário!

Em maio a rainha da Holanda pedia a bênção do Papa; o Papa, estendendo na direção da Holanda a sua trêmula mão transparente, pediu a proteção de Deus e de toda a corte celeste para aqueles apóstolos do bem; e abriu-se o Congresso. Por longos meses os delegados comeram, amaram, beberam, admiraram Rembrandt, cabecearam de sono nos salões das conferências, pronunciaram discursos que ninguém ouviu – enquanto os povos, nutrindo uma esperança falaz, acreditavam que o Espírito Santo estivesse pairando sobre a grave assembléia, inspirando as deliberações em que se devia firmar a tranqüilidade do mundo.

Pois, sim! O Congresso da Paz, como todos os congressos, perdeu a saúde, o tempo, a paciência e o latim. E mal haviam os congressistas começado a consertar os estômagos arrebentados pelos banquetes internacionais, a meiga, a doce, a generosa Inglaterra mostrou logo ter aproveitado as lições pacíficas, querendo impor ao povo livre do Transvaal a sua soberana vontade.

Por Deus! todo o mundo sabe que a guerra é inevitável, e que existirá enquanto existir a besta humana com as suas ambições e a sua crueldade. Mas para que mascarar essa crueldade espontânea, natural, irremediável, fingindo uma boa vontade que não existe, e fazer alarde de uma civilização que é a mais descarada mentira? O negro selvagem da África, quando encontra um negro de tribo inimiga, atraca-se com ele, e procura matá-lo para comê-lo. Mas faz isso naturalmente, e não vive a clamar aos quatro ventos do Universo que existe uma cousa chamada Justiça, e não comparece a Congressos de Paz, e não têm poetas que exaltem as virtudes da sua raça, e não se condecora com o título pomposo de civilizado!

* * *

E... o melhor é não ir adiante! A gente o que deve fazer, é pôr as barbas de molho, e ir tomando cautela, que é o caldo de galinha das sociedades doentes...

s. a.

15 OUT. 1899 CRÔNICA

Jesus! que feia e que molhada amanheceu ontem a Tijuca!...

Chovia. Os formosos jardins do formoso bairro estavam encharcados. A lama profanava os gramados, desfolhavam-se as rosas, tiritavam as araucárias; caramujos feios, morosamente arrastando as carapaças pálidas, subiam pelos caules das roseiras; dos canteiros de violetas rebentavam cogumelos moles e inchados, filhos da umidade, vômitos da terra... Muita gente rica, ao despertar, saltava da cama, com arrepios de frio, entreabria a janela, via a cara do dia enfarruscada, abria a boca em três bocejos, e voltava a se enterrar com volúpia no tépido aconchego dos lençóis... Ah! é tão bom ficar em casa, ficar na cama, ficar na deliciosa modorra do ócio, quando chove, quando o vento zarguncha as árvores, e... quando há dinheiro! Os pobres, coitados, enchiam-se de coragem, vestiam-se, e saíam para o horror da canseira diária, murmurando: "Senhor Deus! por que permitiu que eu acordasse? por que não quiseste que eu ficasse mergulhado naquele profundo e abençoado sono de que a gente nunca mais acorda?..."

Chovia. Encolhiam-se os corpos, tomados de reumatismo; tomadas de tédio encolhiam-se as almas. A natureza envelhecida tinha um cheiro irritante de mofo.

Mas os bondes elétricos que subiam a estrada velha iam cheios de gente. Gente pálida, gente enferma, gente sofredora, que ia em busca do taumaturgo da serra, do Santo Esculápio que cura todos os horrores da miséria física só com o toque rápido e salutar das mãos.

Ora, de um desses bondes viram os passageiros espantados um curioso espetáculo. Rompendo as grossas cordas da chuva que caía, cansado e ofegante, enterrando os pés nus na lama espessa que acolchoava a estrada, um homem robusto caminhava.

Que ar! que maneiras! que vestuário! Quase nu!... A água escorria livremente pelo seu dorso bronzeado e lustroso, e encharcava-lhe os cabelos compridos, de um negro de azeviche. Em torno dos rins, uma tanga curta, feita de velhas e sujas penas de arara; na cabeça um canitar arrepiado... Mas, infinitamente mais feio do que esse vestuário rudimentar, era o semblante do sujeito. A boca tinha um ríctus de raiva; o nariz alongava-se, comprido e amarelo; os olhos olhavam sem ver... E o caboclo seguia, patinando no lodo, debaixo da chuva áspera, com a cabeça forte enterrada nos ombros atléticos.

Chegou à Boa Vista, não prestou atenção ao espanto geral que o seu aspecto causava, e foi subindo, com o mesmo passo de autômato, a lombada da serra.

Só parou à porta do milagroso retiro, em que se alaparda, dentro de uma nuvem de santidade e mistério, o sábio doutor Eduardo Silva.

Belo retiro aquele... Não há ali a medonha asperidade da furna lôbrega, cavada entre rochas duras, onde Santo Antão, aos pés de um madeiro tosco, modificava o corpo e soltava as asas aos surtos do arroubo místico...

Retiro de um santo civilizado e moderno, furna afeitada à maneira de *cottage* inglês, com venezianas verdes nas janelas, parasitas sorrindo na platibanda do terraço, trepadeiras enroscando-se pelas grades da varanda, dálias e crisântemos fulgurando sobre a macia relva dos canteiros baixos.

Um criado, com os olhos arregalados, e a face lorpa dilatada num pasmo largo, veio ao encontro do caboclo:

– Que é que quer? quem é você?

– Eu sou o Brasil... eu venho consultar o doutor... eu ando sentindo umas cousas... eu estou muito doente...

– Sente-se aí, e espere!

E esticando no ar um dedo autoritário, indicou ao marmanjo triste uma cadeira.

Mas o triste marmanjo, com um dar de ombros desconsolado, escarrapachou-se no chão, sobre os lajedos em mosaico do terraço, cruzou as pernas, e pôs-se a escarafunchar o seu grande nariz, comprido e amarelo de fome.

E por diante dele começou a desfilar a triste procissão dos enfermos.

Vinham arrastando muletas, os artríticos, os hemiplégicos, os atáxicos. Depois, uma face lívida e imóvel de histérica, de olhos duramente parados, de boca sinistramente entrefechada. Depois, os tísicos, com o pobre peito sacudido em solavancos de tosse, escaveirados, com as pernas magras cambaleando. Depois, caras roídas de cancros, com os beiços sangrando, narizes cavados, olhos comidos de chagas, pescoços túrgidos de sarcomas. Depois... uma face amarela de hipoêmico, o olhar esgazeado de um louco, as grossas pernas de um beribérico, – todo o mapa do sofrimento humano desdobrado, assoalhando todas as províncias da tortura, todas as circunscrições da agonia.

E a chuva caía, em bátegas, batendo, batendo, batendo a lama fofa da terra... E o caboclo de pernas cruzadas à espera da sua vez... E as horas passando, monotonamente, uniformemente, vagarosissimamente...

Por fim: – Eram 5 horas, e já começava a anoitecer, e uma infinita tristeza caía do céu, – saíram os últimos doentes, e o criado veio despachar o paciente bugre.

– Vá saindo! Vá saindo! *seu* doutor vai jantar!

Mas, reparando na face triste do pobre diabo:

– Que é que você tem? que é que você quer?

O caboclo, já de pé, murmurou:

– Eu queria dinheiro... disseram-me que este homem dá tudo com as suas bentas mãos...

O criado teve um riso vago, que lhe acendeu fagulhas nos olhos, que lhe inchou as bochechas, que lhe sacudiu as costas em soluços hilares:

– Homem! ponha-se ao fresco! você sabe onde é o Hospício? é na Praia da Saudade... se quer, dou-lhe um cartão para o diretor... Vá saindo! vá saindo!

O bugre não se queixou. Sorriu mansamente, coçou a orelha, e foi saindo.

Chovia sempre. A noite, – uma noite de horror e de melancolia – caía. O rumor da chuva chorava nas folhagens.

E então, quando desconsoladamente vinha o triste palmilhando de novo a lama da estrada, uma voz misteriosa clamou, dominando o trépido barulho da chuvarada:

– Não queiras ouro, não queiras fortuna, pobre caboclo!... Trabalha, e aprende a contentar-te com pouco! Olha o Transvaal, mísero! Ali, o ouro enche todas as veias da terra, rola em todas as vagas dos rios, fulgura em todas as frinchas das rochas, palpita em todos os pedrouços dos despenhadeiros... E por causa desse ouro, amanhã, o sangue rolará em vagalhões, e a mortualha apodrecerá ao sol... Vai trabalhar, diabo, vai pôr as tuas barbas de molho!...

E, contínua e aborrecida, a chuva caía... E a água escorria pelas costas de bronze do caboclo quase nu...

s. a.

05 NOV. 1899 — CRÔNICA

Il faut qu'une porte soit ouverte ou fermée. Isto era uma verdade em 1830, no tempo do amoroso Musset, e é uma verdade ainda hoje, no tempo da nossa chatíssima prosa. O diabo é que a gente nunca pode saber com segurança o que é melhor: se trazer as portas abertas, se fechadas. Às vezes, quando se abre uma, fecham-se muitas outras. Perdigão, o desgraçado herói daquele hediondo drama da rua Gonçalves Dias, quis abrir a porta de uma vida nova, farta e feliz: abriu, não essa, mas a do crime, e fechou sobre si as portas da enxovia...

Mas, por que tratar ainda daquele medonho acontecimento? A vítima repousa, livre das torpezas da vida; o assassino vai, na reclusão e no desespero do remorso, pagar em tresdobro o seu pecado; a justiça pública já não precisa de esclarecimentos sobre o caso; e, para que nada falte, dizem as folhas que o Sr. chefe de polícia vai "gratificar, como merecem" os agentes que... não prenderam o criminoso.

Caia o pano sobre a tragédia, e vamos a outro caso, que também entende, e muito, com portas abertas e portas fechadas.

Fiquem os senhores sabendo que tivemos, enfim, uma cousa que há muito tempo não tinha-mos: uma arruaça.

Oh! que saudade! que saudade! como esta população andava triste!

Era cousa muito freqüente naqueles apertados tempos do tronco, do bacalhau e do viramundo... Uma bela manhã, o senhor da fazenda via aproximar-se um preto, de olhos no céu, envergonhado e hesitante:

– Abença, sinhô.

– Que é que tu queres, João?

O João coçava a carapinha, movia os olhos para a direita e para a esquerda, tornava a cravá-los no chão, começava três ou quatro frases, balbuciava, cuspinhava, e não lograva dizer o que queria.

– Fala, diabo!

– Sinhô...

– Estás doente?

– É, sinhô... Nego tá sentindo farta de pancada...

Era essa a doença do desgraçado; comichão nas costas. saudade do relho, nostalgia do castigo. Ai de todos nós! ai de todo o mísero rebanho humano! a gente não se habitua somente ao que é bom: habitua-se também ao que é mau, ao que machuca, ao que dói, ao que envergonha...

Vêde, para exemplo, esta boa cidade do Rio de Janeiro. Houve tempo em que foi a mais pacata cidade da terra. Mas outros tempos chegaram: e ela pouco a pouco se habituou a viver num remoinho, ressoante de berreiros, sacudida de convulsões populares, em plena agitação de *meetings*, de arruaças e de correrias.

De maneira que, quando correm mansamente alguns meses de dias iguais, monótonos, acamando-se uniformemente uns sobre os outros, desenxabidamente nascendo e morrendo sem sobressaltos, a cidade fica como o preto João, com as costas pedindo pau.

Jesus! quanto tempo viveu a rua do Ouvidor sem uma conflagração! Não podia durar muito (bem o previam os espíritos educados numa prudente e sã filosofia) essa anormal e deplorável tranqüilidade. Caldeira sem válvula, estoura. Que diriam de nós essas altas e apuradas civilizações da Europa, quando soubessem que não havia por aqui um só magote de povo gritando, uma só rua vociferante, uma só esquina em motim, uma só cara quebrada, um só lampião rachado? Pois então, uma cidade a quem Deus Nosso Senhor concede tantas graças: o calor bárbaro, a febre amarela às portas, a peste bubônica em perspectiva, o câmbio abaixo de 7, um parlamento funcionando, uma polícia saída do Instituto de Cegos, pode cair em tão modorrento marasmo, em tão revoltante apatia?

Pois nem ao menos intervinha o Rio de Janeiro em guerra africana, intimando Chamberlain a beliscar amorosamente o queixo de Kruger, ou forçando Kruger a dar palmadinhas brejeiras no ventre de Chamberlain? Onde estavam então a bravura e o fogo de antanho? que Gênio mau esganara, dentro da alma da cidade heróica, todos os sentimentos nobres, toda a altivez, todo o brio, toda a arrogância? Ah! não podia ser! Se a massa popular se não levantasse, urrando em sanha e sede de sangue, contra alguém, contra alguma cousa, contra uma nuvem, contra um fantasma, o Brasil, pondo na cabeça o velho canitar do pai de *I Juca Pirama*, despejaria sobre o Rio de Janeiro os versos da famosa maldição:

> Possas tu, isolado na terra,
> Sem arrimo e sem pátria vagando,
> Rejeitada da morte na guerra,
> Rejeitada dos filhos na paz,
> Ser da gente o espectro execrado!..."

Felizmente, a ressurreição da alma urbana não tardou; veio, e veio digna dos priscos tempos, dos tempos das *Garrafadas*, do *Vintém*, da *Dona Branca*, do *9 de março*. Bellona, a deusa medonha, saiu da casa "à hora triste do cair da tarde", e, brandindo o feixe fatal tinto de sangue, e expelindo labaredas dos olhos, operou o milagre...

Naturalmente, muita gente, ao ler estas cousas, perguntará a si mesma, com espanto, o que quer dizer todo este cascatear de palavras ocas. É que o motim de anteontem, na rua do Ouvidor, foi rápido. Nasceu, fulgurou e morreu, como um relâmpago... ou como a *Caixa Beneficiente da Imprensa*. Não houve sangue, em espadanas vermelhas, pintando as fachadas das casas; não houve barricadas, em todas as esquinas, impedindo o trânsito; não suaram os muares das carrocinhas da Assistência Pública, na faina de remover cadáveres de amigos da Liberdade; não se esgotou, enfim, nas farmácias, o *stock* do esparadrapo inglês (*stock* bem pequeno hoje, em verdade, porque todo o esparadrapo que a Inglaterra fabrica, vai para a África do Sul...)

Que houve então? Houve alguns vidros partidos; algumas assuadas despertaram os ecos adormecidos; e algumas mancheias de milho e feijão se espalharam dentro das lojas ricas da rua elegante. Mais nada.

Mas esse pouco sempre bastou para nos sacudir do longo torpor.

O que causou o barulho foi a velha questão do fechamento das portas. Velha questão, sempre nova. Até agora, queriam-se as portas fechadas aos domingos. Agora, exige-se que se fechem todos os dias, ao cair da tarde. Amanhã, a exigência crescerá: porta que se abrir, seja em domingo, seja em qualquer dia, seja de manhã, de tarde ou de noite, chamará sobre as suas tábuas, os seus ferrolhos e os seus gonzos a cólera terrível da massa popular.

Também, que mal haveria nisso? Todos os negociantes se queixam da paralisação dos negócios. Mais vale obedecer a intimação dos amigos da Liberdade, e trancar todas as portas, e atirar as chaves ao mar, e ir passear.

Amigos! uma vez que a polícia fecha os ouvidos, fechai as portas! Assim é que se compreende a Liberdade: a liberdade de se fazer tudo, menos aquilo que os arruaceiros não querem que seja feito...

s. a.

12 nov. 1899

Crônica

Vem cá, bom povo carioca! bem mereces que te despejemos sobre a cabeça toda uma catadupa de louvores. Ah! são tão raras as ocasiões em que mereces isso!... Tu acabas de mostrar claramente o teu valor e a tua beleza moral, esperando com uma calma verdadeiramente heróica o fim do mundo.

Em Santiago do Chile, em Buenos Aires, em quase todas as capitais da América do Sul, – dizem-no os telegramas – fazem-se preces públicas nas igrejas, e saem às ruas as procissões solenes, destinadas a chamar contra a fúria do cometa devastador a suprema força da intervenção divina. Na Europa, ainda mais notáveis são a credulidade e o terror. Um telegrama de Roma, publicado anteontem pela *Imprensa*, dizia "que o governo começou a tomar providências no sentido de evitar distúrbios causados nas cidades da Itália pelo medo do cataclismo".

Aqui, não. Aqui, o cometa, antes de aparecer, já morreu ridiculamente, frechado de ironias, coberto de chalaças, apupado como um vagabundo andrajoso. E, se ainda tem coragem para tanto, apareça! o bom humor carioca há de lhe estraçalhar a cauda rutilante, e o desgraçado irá provocar, pelo infinito em fora, com o seu aspecto de pandilha esfarrapado, a larga risada dos seus quarenta e seis milhões de irmãos, e a indignação formidável das constelações.

Não é que o povo carioca seja um povo forte de espírito firmemente estribado na infalibilidade da ciência. Mas é um povo que ama o riso: e o riso desarma todas as cóleras, sem excluir a cólera de Deus.

De certo, Deus poderá, sem dificuldade, quando quiser, suspender o movimento das esferas e travar a máquina do Universo...

Já Vitor Hugo o ensinou, naqueles maravilhosos alexandrinos da poesia *Abème*, fecho da assombrosa *Legenda dos Séculos*. Nesses versos de ouro, o *Homem* fala e impõe à terra o domínio do seu gênio e do seu orgulho. Mas a *Terra*, mãe dos seres, ri da miséria vaidosa desse verme, e canta a sua própria glória, e a sua fecundidade, e o seu poder criador. *Saturno* zomba da pequenez da *Terra*; o *Sol* fulmina Saturno, mofando do seu anel rutilante e das suas sete luas colossais; e agora são as *Nebulosas, les créations, îles de l'infini*, que chasqueiam do sol... Mas a alta voz do *Infinito* domina todas as outras:

L'être multiple vit dans mon unité sombre!

E Deus pensa:

Je n'aurais qu'à souffler, et tout serait de l'ombre...

Mas Deus não há que querer soprar... E assim como, no tempo de Noé, a existência de um só homem justo salvou a raça humana, também agora a existência de um só povo corajoso e alegre salvará todos os povos da terra.

Vem cá, bom povo carioca! Recebe sobre a cabeça toda uma catadupa de louvores, e continua a rir, que o riso é o soro preservativo de todas as pestes mortais...

* * *

Demais, não faltam cousas que atraiam e prendam a atenção do povo.

O belo e fidalgo bairro de Botafogo, o bairro das lindas mulheres, dos lindos palácios e dos lindos mexericos, teve, durante estes últimos sete dias o seu *canard*. Foi um grande pato, gordo e alentado, de plumagem escandalosamente vistosa e de asas prodigiosamente poderosas e velozes.

Como nasceu esta história do assassinato da menina Cora? Provavelmente, numa venda de esquina, na madraçaria daquelas horas mornas, em que o vendeiro, com o pé sujo dançando dentro do tamanco velho, e os cotovelos nodosos apoiados sobre a prancha imunda do balcão, submete ao inquérito de todos os dias a preta das compras, de língua leve e beiço roxo. Jesus! quanta honra de homem, quanto pudor de senhora, quanta virgindade de menina, quanto segredo de alcova vão rolando pelo chão da venda, nessas horas de *flirt* ignóbil entre o merceeiro boçal e a cozinheira perversa!...

Foi, certamente, daí que saiu o *canard*. Enrijou as asas para o vôo, e foi propagando a perversidade. Contou-o o vendeiro a outra preta, contou-o outra preta ao bicheiro, contou-o o bicheiro ao menino que ia à escola, contou-o o menino à mamãe, contou-o a mamãe ao papai, contou-o o papai aos amigos; e, daí a dous dias, o bairro todo jurava que cem generais haviam clandestinamente envenenado, apunhalado, queimado e enterrado cem meninas, todas elas Coras, e todas elas vindas, ao mesmo tempo, de São João del Rei, de Porto Alegre, de Turim, de São Petersburgo, de Puna de Atacama e do Pólo Norte...

Nos *bonds*, ao moroso trotar dos muares ou a rápida vibração dos cabos elétricos, não se tratava de outra cousa, entre homens. À noite as matronas nas salas, cochichavam sobre o caso; e, entre namorados e namoradas, nos portões das chácaras, a peta ia crescendo.

A polícia, a benemérita polícia, entrou em cena, e desenvolveu uma atividade fenomenal. Por quê? porque não havia ali, em todo aquele dar de língua, mais do que uma balela inventada por um vendeiro e uma preta...

Ah! se porventura se tratasse de um crime real, de uma dessas proezas que gatunos e assassinos, em doce camaradagem, executam em plena rua, às barbas de Deus e dos homens, sem disfarce, sem véus, sem cautelas, sem medo, a polícia, a benemérita polícia não arrancaria de sobre os olhos a baeta que os tapava.

Mas havia apenas uma mentira, uma invenção, um fantasma, uma tolice: saiu tudo para a rua, de sabre alçado e Nagant engatilhado, à cata de qualquer dos cem generais que haviam assassinado as cem meninas de Botafogo!

Vem cá, bom povo carioca! Tu sempre tens graça, – ainda quando inventas cousas perversas! Ao menos, as tuas invenções servem para enraivecer a polícia, – resultado altamente apreciável, porque enquanto tem raiva, a polícia não dorme...

* * *

De outro boato, falso, não vale a pena falar. Prontidão da brigada policial, revolta militar em Petrópolis, são cousas estafadas, são velhas canções há muito reunidas pelo realejo da especulação...

Não! voltemos ao fim do mundo...

Voltemos ao fim do mundo, para dizer a este bom povo carioca que não basta rir.

Não basta! as últimas estatísticas do Distrito Federal denunciam uma diminuição notável nas cifras da natalidade. Que é isso, bom povo?! Eia! não queiras que te caibam, também, as maldições que Zola, no seu ardente poema *Fecondité,* acaba de acumular sobre a cabeça da França!

Eia! ao trabalho! Há tempo para tudo: para rir... e para amar.

Praza a Deus que, quando cair a noite de 13 de novembro, o céu se conserve coberto de nuvens! Porque, assim, ninguém perderá o seu tempo em procurar no céu o espetáculo da conflagração que deve acabar o mundo, e aproveitará essas horas em... fazer aquilo que deve dar justamente o resultado contrário!

s. a.

Gazeta de Notícias 1900

07 jan. 1900

Crônica

Tem sete dias o ano, e já parece velho, benza-o Deus! Bem o previramos nós, amigo leitor, no domingo passado; já muita gente amaldiçoou o ano recém-nascido, que lhe veio dar desgostos e furtar ilusões...

Quando, à meia-noite, 1900 nasceu, quem escreve estas linhas encontrou na rua muita gente alegre e muita gente murcha. Cafajestes, de chapéu atirado para a nuca, comentavam as peripécias da rude batalha eleitoral. Não houve morticínios: mas, ainda assim, algumas cacetadas, alguns crânios rachados e alguns tiros tinham dado animação ao pleito. As libações prodigamente pagas pelos cabos políticos tinham refrescado as gargantas e aquecido as almas. Os bondes que passavam, iam e vinham cheios de bandos excitados que davam vivas e morras. Em algumas casas de candidatos felizes, havia danças joviais, vitualhas fartas, vinhaça abundante; nas casas dos derrotados havia choro e ranger de dentes.

Era de esperar. Na política, como na bem-aventurança celeste, muitos são os chamados e poucos os escolhidos.

A nota mais curiosa do pleito foi dada por aquela urna que andou passeando da seção eleitoral para os jornais e dos jornais para a polícia.

Pobre urna! parecia uma malfeitora!

Feia, mal feita, pouco limpa, levadas às guinadas sobre a cabeça de um carregador, que deplorável papel andou ela fazendo por essas ruas, entre as alas de povo que mofava de sua desdita! Ninguém se descobriu vendo passar esse respeitável depósito de votos, esse venerando sacrário da Soberania Popular! Em Cartago, quando Mathô atravessou a cidade com o Zaïmph que furtara ao templo, todo o povo, à sua passagem caiu de joelhos tonto de fervor, embrutecido de espanto, tapando os olhos deslumbrados pelo esplendor do véu sagrado. Aqui, quando o carregador passou com a urna, uma vasta gargalhada estrondou, e até mesmo alguns assovios cortaram o ar. Que sacrilégio!

Também, é força convir que as urnas de que se serve aqui a Soberania Popular não são feitas propriamente para inspirar o respeito ou infundir o terror.

Quem nunca votou, pensa naturalmente que uma urna é um vaso de forma severa, de severas linhas, de severa cor. Nada disso! o que se chama urna eleitoral é uma caixa grosseira, uma sorte de canastra de madeira amarela, já sem verniz, com dobradiças enferrujadas e fechadura suja. O cidadão deposita o seu voto, a expressão da sua vontade e dos seus direitos, numa caixa em que não depositaria as suas mais velhas botas!

É abominável! Certamente, não seria bom que as urnas fossem feitas do mais rico ébano, com pregarias e tauxiarias de prata e ouro: as pobres estariam ainda mais arriscadas às violações profanadoras... Mas, pelo amor de Deus!, que custaria esfregar aquelas desgraçadas, uma vez por ano, com um pedaço de pano embebido de verniz barato?!

* * *

Esqueçamos as eleições. O nosso reino não é desse mundo...

Aqui está um assunto consolador e doce, um luminoso assunto que chama toda a atenção e todo o amor do cronista:

> Chegai, ó anjos dispersos,
> Ó anjos que enchei meus versos,
> Poesia, sombras cheirosas
> De rosas!

Isto foi lido no Rio de Janeiro pela primeira vez em 1884, no limiar do famoso volume de *Meridionais*, editado pela *Gazeta de Notícias*. Do autor, já o mestre Machado de Assis dizia, no prefácio do livro, que era "poeta e artista dos melhores da atual geração". O artista, que é o glorioso Alberto de Oliveira, não ficou satisfeito com o ter dado à literatura brasileira versos admiráveis das *Meridionais*. Dous anos depois, aparecia o volume *Sonetos e Poemas*, e todo o Brasil sagrou com a sua admiração e o seu amor o grande poeta da *Árvore*, e amigo da natureza esplêndida, o meigo e enternecido cantor da *Lagarta*, o apaixonado lírico da *Borboleta Azul*. Depois, em 1894, tivemos o volume dos *Versos e Rimas*. E agora, em edição definitiva – um delicioso presente de festas que nos dá a casa Garnier – temos, além dos três livros citados, dous poemas inéditos: *Por Amor de uma Lágrima e Livro de Ema*.

Assim condensada e fixada em só volume, que o poeta carinhosamente corrigiu e aperfeiçoou, a obra poética de Alberto de Oliveira avulta e deslumbra, como uma das mais sólidas e brilhantes da nossa língua.

Bem hajas tu, artista consciencioso, que nunca te deixaste levar pelos conselhos dos que te censuravam o demasiado amor da forma e o exagerado lavor do estilo! em boa hora, não te apartaste do caminho escolhido, e de dia foste apurando e acendrando esse nobre culto pela beleza da língua que falas e escreves! Bem hajas tu, que nunca quiseste a tua Amante, a tua Régia Musa vestida como o mundo, sem as alfaias e pedrarias que competem à majestade das rainhas! em boa hora, nunca mostrastes aos homens sem aquele ar

> ...de divindade
> como cercada de invisível bruma

essa deusa amada, a quem disseste um dia:

> Pisas alheia terra. Essa tristeza
> Que possuis, é a da estátua que ora extinta
> Sente o culto da forma e da beleza!

Santo Deus! quando acabará este *mal-entendu*? O poeta, verdadeiramente poeta, aquele que não é somente um armador de palavras, aquele que sabe sentir e exprimir o que sente, nada poderá nunca perder por buscar sem desânimo a inatingível perfeição do estilo. Aqui está a prova: os últimos versos de Alberto de Oliveira, os do *Livro de Ema*, talvez os mais apaixonados e sinceros que o poeta haja composto, têm de par com essa vibração e essa sinceridade, o mesmo apuro de forma, a mesma precisão de vocabulário, a mesma artística variedade de ritmos, que sempre os oficiais do mesmo ofício (os únicos que podem perceber todas as sutilezas [*****].

s. a.

21 jan. 1900

Crônica

Operinsurreição, *grève*, parede, aurigagem, demostasia, – que importa o nome? – a cousa passou, e não deixou saudades.

Andar a pé, pode ser exercício muito agradável, mas é sacrifício superior às forças de um homem civilizado. Se a *grève* tivesse durado oito dias, mas a sério, o terror teria matado dois terços da população carioca. Andar a pé! Vir do Andaraí, da Gávea, do Silvestre até o centro da cidade, a pé!... como poderiam estes preguiçosos, estes moles, estes frangalhos filhos do Rio de Janeiro resignar-se a tão tremenda calamidade! A pé, nem para o céu! a pé, nem para receber uma herança!

Ainda assim, a *grève* durou bastante, para que cada um de nós sentisse a tirania que hoje exerce sobre os hábitos da nossa vida a tão caluniosa instituição do bonde.

No Rio de Janeiro, o bonde é tão necessário como a água, o pão, o café. Desapareçam os tílburis, sumam-se os coupés, aniquilem-se todas as caleças e todos os *landaus*! Fique-nos o bonde e não nos queixaremos.

O bonde é o veículo-tipo das sociedades democráticas. Moços e velhos, mulheres e homens, os capitalistas e os proletários, os conselheiros e os pé-rapados, todos confraternizam dentro do amável bonde, barato e carinhoso, suavemente rodando, sem abalos, sobre os trilhos polidos.

É uma casa ambulante e hospitaleira, onde toda a gente se acostumou a passar diariamente alguns minutos de repouso, de palestra ou de sonho. Não marcha tão depressa como o trem de ferro, nem tão devagar como o carro de bois, fica justamente no meio termo em que reside a virtude.

E que doces e agradáveis minutos! é no bonde que o carioca medita sobre os casos graves da sua vida, sobre os estudos da sua profissão, sobre o proveito ou os prejuízos das especulações em que se mete, sobre os meios de arranjar dinheiro; é no bonde que o jogador da bolsa acaricia, desenvolve, aperfeiçoa os planos com que há de esfolar os papalvos; é no bonde que o estudante recorda suas lições; é no bonde que o marido azevieiro arquiteta as mentiras com que há de adormecer em casa as suspeitas da mulher ciumenta; é no bonde que se trocam os primeiros olhares e os primeiros sorrisos dos namoros, destinados a acabar na Igreja... ou no júri; e todos ali dentro se conhecem, se cumprimentam, se estimam... Amável bonde, que seria do carioca no dia que o privassem de ti!

A caleça, o *landau*, o coupé são os veículos dos emproados, dos orgulhosos, dos impostores; para os médicos, os apressados, há o tílburi; o bonde é o veículo de todo o mundo, de toda a gente simples e honesta, que mamou o leite da democracia.

Até para os enterros e para os casamentos, há bondes especiais! Os parentes, os amigos do morto ou dos noivos vão todos ali reunidos democrática e fraternalmente ligados pela encantadora simplicidade do transporte barato. Nada da *pose* espalhafatosa dos enterros ou dos casamentos ricos; para as solenidades, para os grandes atos da vida, o mesmo bonde amigo e bonachão que leva os pobres para o trabalho, para o divertimento, para o jantar, para a bênção nupcial e para a cova...

Por isso mesmo, é preciso reconhecer que a parede dos cocheiros vai ao menos prestar-nos um serviço, obrigando-nos a reconhecer que devemos gratidão ao Bonde. O desgraçado, que teve de marchar do Pedregulho à cidade a pé, amargamente refletiu, de certo, sobre a injustiça do desamor com que habitualmente tratava esse abnegado amigo. Sol e poeira; e os pés torturados, e os calos gemendo, e o suor correndo... E o andarilho pendendo: "Ó bonde! ó fiel e doce transporte! quantas vezes esbravejei contra a morosidade dos teus muares, e contra a dureza dos teus bancos, e contra a grosseria dos teus condutores, e contra a sujidade do teu assoalho! ai de mim, que não sabia prezar o que possuía! ai de mim que desconhecia o meu tesouro!"

Também, quando eles, os bondes amados, recomeçaram a rolar, que alívio nas almas, que alegria nos trilhos, que satisfação nos calos! A princípio, ainda houve algum receio... As rédeas não eram empunhadas pelos cocheiros rebeldes, mas por desempenados e sacudidos bombeiros, – esses bravos rapazes que sabem com a mesma calma abafar as conflagrações das casas e as conflagrações dos nossos populares: e, ao lado de cada bombeiro, havia dous soldados com carabinas embaladas... Não era ainda o antigo aspecto pacífico, a antiga aparência inofensiva; mas, que diabo!, a gente já não tinha de ir para a casa esfolando os pés nos calhaus ponteagudos das ruas!

Depois, os mesmos cocheiros sentiram saudades da manivela, das rédeas, dos passageiros, dos burros, e abaixaram a grimpa. E tudo acabou! Abençoado seja quem pôs água fria na fervura daquelas almas iludidas! Abençoado seja quem tem olhos para ver aquilo que os cegos de nascença ou de... conveniência não podiam ou não queriam ver! Tirem-nos tudo! os teatros, os frontões, o jogo dos bichos, a politicagem, o mexerico, o sossego, o dinheiro!, mas não nos toquem nos bondes, nos velhos bondes leais, baratos e modestos, que são a nossas alegria!

Operinsurreição, *grève*, parada, aurigagem, demostasia, – que importa o nome, Dr. Castro Lopes? – a cousa passou e não deixou saudades...

s. a.

28 JAN. 1900 CRÔNICA [CIA]

Parece que a polícia vai ser inteiramente reformada. Nós todos já andamos tão desconfiados desta história de reformas, que, quando uma delas é anunciada, ficamos logo com a pulga atrás da orelha. Mas, enfim, bem pode ser que desta vez a reforma seja boa...

Em todo o caso, como a semana foi chocha, aproveitamos o domingo para conversar sobre cousas policiais. Aqui vai uma idéia que não é nova, que já tem sido muitas vezes aventada e discutida sem resultado prático. Por que razão não aproveitam os poderes públicos esta reforma policial para, de uma vez por todas, regulamentar as relações da polícia com a imprensa?

Expliquemo-nos.

Um rapaz solteiro, amando uma rapariga também solteira, acha que o casamento é uma tolice, e, sem recorrer a ele, leva o seu amor às últimas complicações. A moça reconhece, então, que andou mal em prestar o ouvido incauto às harmonias da guitarra do Don Juan, e queixa-se à família. A família queixa-se à polícia. A polícia agarra o Don Juan por uma orelha, arrasta-o a uma pretoria, e obriga-o a reparar o mal que fez. Que mais quer, que mais pode querer a Moral Pública? Bom é o que bem acaba...

Mas não entende assim a imprensa. A imprensa, como se a solidez das instituições juradas e a paz do mundo dependessem desse banal incidente amoroso, corre sofregamente à polícia, cobre de garatujas febris o seu *block-notas*, e, no dia seguinte, o Universo fica sabendo que o Sr. Fulano abusou da boa fé da menina Beltrana, e que só quando o delegado Sicrano o ameaçou de fazê-lo ir esfregar com as costas o chão duro do cárcere, se decidiu a receber a sua vítima como esposa legítima à face de Deus e dos homens. Vejamos agora as conseqüências dessa estúpida indiscrição. Correm os anos. O sedutor habitua-se à sua nova posição de marido, tem filhos [*****] numa estação policial. Mas, um dia, um perverso qualquer, um inimigo covarde, para se vingar de qualquer cousa, para satisfazer qualquer mesquinho rancor, vai a uma biblioteca, exuma das páginas poeirentas do jornal a notícia com que a reportagem infamou o casal, e reedita-a. De maneira que, para encher um cantinho do vasto noticiário com uma nova que nenhum interesse pode ter para o público, a imprensa deixou sobre o nome de um homem e sobre o nome de uma mulher, uma dupla nódoa indelével.

Mas, às vezes, a indiscrição é ainda mais absurda e ainda mais perniciosa. Trata-se, às vezes, de escândalos de adultérios; e a polícia solicitamente fornece à imprensa a relação minuciosa do caso, e os nomes de todos os comprometidos no escândalo e toda série de pormenores escabrosos. Com que direito a imprensa e a polícia, coligadas, levantam os cortinados de um leito, para mostrar dentro dele, à multidão embasbacada a gente que lá está ocupada em fazer cousas que pela sua alta e sagrada importância se querem bem escondidas?

Já nada mais é respeitado pela fúria da reportagem. Que necessidade tem o público de saber se Fulano de Tal, cidadão livre da livre América, podendo ter, em amor como em política ou em religião, as suas opiniões ou as suas preferências, prefere às mulheres claras as mulheres morenas ou às mulheres desimpedidas as mulheres cuja conquista é difícil ou arriscada? Parece que o caso deveria ser discutido e liqüidado unicamente entre as partes nele interessadas, ou, quando muito, entres estas e a polícia, que é a zeladora da moral...

Parece que a gente, quando começa a sentir dentro do coração um começo de amor por uma senhora qualquer, deve a gente, antes de mais nada, dirigir-se às redações e contar o que sente aos redatores, e perguntar-lhes se acham ou não conveniente a continuação da aventura. Antes de obter a vênia da puríssima, da castíssima, da virginalíssima imprensa, nada se deve fazer! Antes de pensar na bengala do pai ou do marido da senhora amada, antes de consultar a própria consciência, os próprios sentimentos de honra e de dignidade, antes de pensar na dureza do banco dos réus e na aspereza das tarimbas do xadrez, deve a gente lembrar da pena do cronista X, e da pena do noticiarista Z!

Esses senhores são, de fato, os donos da nossa vida íntima. Dizem ao público o que comemos no almoço e ao jantar, a cor do cabelo da mulher que amamos, quantas bengaladas costumamos dar ao pelintra que nos corteja a consorte, o motivo por que nos casamos, a razão por que nos descasamos e se temos dissenções domésticas e se os nossos filhos nos respeitam, e se as nossas sogras fazem da vida um inferno...

E nem só em negócios amorosos a publicidade é nociva.

Um menor, uma criança, um caixeirinho de venda, seduzido pela tentação do jogo do bicho, abre a gaveta do patrão, surrupia algumas notas de 10$ e gasta-as. O patrão queixa-se à polícia, a polícia prende o pequeno e a imprensa publica o nome desse pobre diabo, dessa pobre criança que não soube o que fez, que pode arrepender-se, que se pode regenerar, que pode vir a ser um homem de bem, mas que fica com o nome eternamente manchado por essa maldade do noticiário!

Direis que o evitar esse horror é cousa que não compete à polícia, mas à própria imprensa. Pois sim! se formos contar com ela... Direis, ainda, que a imprensa – essa alavanca do progresso, esse baluarte das liberdades públicas, esse etc., etc., etc. – deve sempre meter o seu sagrado, perspícuo, farejador e terrível nariz em todas as cousas da polícia para evitar que a Violência (com V grande, Sr. revisor!) medre e floresça dentro da suja casa da rua do Lavradio. Ainda uma vez, pois sim! Assim como assim, a Violência há de medrar e florescer lá dentro...

Não há jornal de Paris, de Londres, de Berlim, de Roma, que faça o que fazem os jornais daqui, nesse particular. Por que diabo de razão há de a gente imitar o que os jornais estrangeiros têm de mau, e não há de aprender o que eles têm de bom? Lá fora, os jornais não dão, senão excepcionalmente, notícias de estupros, e raptos, de *dramas passionais*, de adultérios; e quando não querem privar o público de seu acepipe predileto, indicam o nome dos comprometidos por meio de simples, sóbrias, discretas e serenas iniciais...

Mas, Santo Deus! Por que insistir? O melhor é calar o bico e deixar correr o marfim...

S. A.

18 fev. 1900

Crônica

Glória à mais bonita!

Um jornal elegante está recolhendo votos para um concurso de beleza.

Em princípio, a idéia é tola. Não se vê bem que utilidade possam ter concursos de beleza ou de qualquer outra cousa. O sufrágio universal, em política, em arte, e em tudo, é uma das mais perfeitas *blagues* que a malícia humana tem inventado.

Como evitar a fraude em pleito tão melindroso? como verificar se as concorrentes se apresentam no campo de batalha com as armas que a Natureza lhes deu, ou se, como a Jesabel do clássico *Sonho* de Racine, vêm armadas de

> cet éclat emprunté,
> Dont elle eut soin de peindre et d'orner son visage,
> Pour réparer des ans l'irreparable ultrage?

Num concurso desta natureza, os juízes deveriam, para que o julgamento assentasse em bases sólidas, recorrer, separadamente e escrupulosamente, a todos os seus sentidos... Mas essa verificação é impossível, por vários motivos de ordem material e de ordem moral.

Porque, notai bem!, não são apenas as tinturas mais ou menos milagrosas que concorrem para dificultar o juízo sobre as graças nativas de uma senhora. Há ainda o algodão, esse admirável produto dos Estados do Norte, fonte farta de renda para o tesouro público, quando exportado em fardos, e fonte farta de encantos para as damas, quando reduzido a chumaços restauradores. Não estamos em Atenas... O lugar é outro e a época é outra.

Lá, Hipérides podia, diante do Areópago inflamado de amor e de entusiasmo – concílio de velhos [*****], em que o Desejo viçava como um cravo de púrpura entre gelos – desnudar a sua cliente Frinéia, a fim de com esse argumento vivo fazer o que não fizera com toda a sua dialética poderosa. As Vênus, hoje, não podem andar escandalosamente nuas, desvendando aos olhos da populaça a opulência das suas formas deslumbradoras.

E se não andam assim, não é só porque o pudor moderno seja mais rigoroso do que o antigo: é também porque, uma cidade tão mal calçada e tão suja como esta, com tanta poeira no ar e tanta lama na via pública, uma senhora Vênus ficaria consideravelmente precisada de banho, depois de um passeio de meia hora.

Tudo isso demonstra a inutilidade dos concursos de beleza. Mas, no caso que nos ocupa, a idéia merece ser aplaudida.

O jornal elegante não pergunta qual é a *mulher* mais bela do Rio de Janeiro: pergunta qual é a mais bela *moça*. E, mesmo o adjetivo *bela* está aí mal empregado. Uma moça (uma *senhorita*, como é modo dizer) nunca pode ser bela. Pode ser graciosa, pode ser bonita, pode ser linda: bela não pode ser. O belo é o esplendor da obra acabada e perfeita. A mulher só pode ser bela quando a idade lhe apurou as formas: antes dos vinte e cinco ou trinta anos a mulher é obra por acabar.

Mas, seja como for, o jornal referido teve uma boa idéia. Boa, porque inofensiva. Enquanto a gente se preocupa com essa futilidade, não dá ouvidos ao murmurar de queixas, de reclamações, de intrigas, de boatos, que soam por aí em todas as esquinas. Fulano assegura, com toda a sorte de cautelas na voz e no gesto, que o comércio vai todo fechar, porque não pode com os impostos; Sicrano, que se diz bem informado, afirma que a revolução está aí; Beltrano, patriota puro, assegura que o governo vai vender à Inglaterra o Estado de Minas e alguns outros; cada cidadão é um cofre de boatos. Nunca se viu tanta tolice! De maneira que é um alívio achar a gente qualquer cousa menos aborrecida do que isso...

Se houver falcatruas na eleição da mais bonita, nenhum mal virá daí. Se houver desacordo no seio da comissão apuradora, tanto melhor!, haverá duplicata, e em vez de termos uma mais bonita, teremos duas mais bonitas, o que sempre é melhor do que ter duas câmaras, dous senados e dous governos.

As que perderem a eleição não ficarão tísicas de mágoa, não beberão ácido fênico, não apunhalarão o seio. Para que uma mulher seja amada, não é necessário que seja a mais bonita de todas: os gostos variam tanto! Já Voltaire dizia que

> le beau, pour le crapaud, c'est sa crapaude...

s. a.

11 mar. 1900 — Crônica [ip]

O café-cantante. É a mania de agora.

Nestes últimos dez anos, quantas manias temos visto desabrochar, viçar e morrer, nesta versátil e inconseqüente cidade! Passageiras, precárias manias... ficam tão pouco tempo no coração da cidade, quanto no coração da mulher duram esses amores que parecem eternos e são, afinal, mais fracos do que a vida de uma borboleta.

A princípio tivemos a mania das corridas de cavalo. Lembram-se?

Às quintas-feiras e aos domingos, abriam-se ao povo três, quatro, cinco prados de corridas. Os *bonds* levavam gente nos bancos, nos estribos, nas plataformas, nos tejadilhos. As locomotivas da Central arrastavam comboios de dez e doze vagões atulhados de uma multidão risonha e bulhenta. E era de ver o espetáculo do Prado, as arquibancadas como vastos canteiros de flores humanas, pompeando ao sol o esplendor das claras *toilettes* de verão, num delírio de cores, num emaranhamento deslumbrante de fitas, de plumas, de rendas; o recinto da pesagem, cheio da turba dos *sportmen* suados e ofegantes, discutindo, rixando, berrando; e os bolos de gente ávida, junto dos *guichets*, disputando as *poules* a murro e a pontapé; e os botequins reboantes de clamores, de tinir de copos, de estalar de rolhas; e a raia, em baixo, lisa, batida, inundada de luz, por onde os cavalos voavam, em nuvens de poeira dourada, entre as aclamações delirantes!

Era uma cousa assombrosa! Todo o mundo falava a gíria do *sport*. Todos os homens usavam na gravata o alfinete clássico da ferradura. As fazendas em que as senhoras cortavam os seus vestidos tinham estamparias de chicotes, de loros, de casquetes de *jockey*. E se acontecia de adoecer um cavalo, dos bons, dos gloriosos, dos que mais vivamente mereciam o amor dos entusiastas, que mágoa, que terror, que consternação na cidade!

Depois, o *bookmaker* matou o hipódromo: outra mania... O sujeito que apanhava meia dúzia de contos de réis alugava uma loja na Rua do Ouvidor, e começava a aceitar apostas.

Depois, veio a mania do jogo da péla. Um frontão em cada bairro. Às 2 horas da tarde, o povo desertava a rua do Ouvidor, e ia apinhar-se junto das canchas amplas, em cujo cimento batiam as pelotas leves, e por onde, em saltos felinos, desnudando ao sol os braços peludos, de bíceps inchados, os pelotaris iam e vinham, na azáfama da quiniela, surdamente ferindo o solo com os chinelos de trança.

Depois, surgiu o jogo da bola. E a gente ia pasmar diante da larga tábua em declive, por onde, impelidas por marmanjos em camisa de meia, bolas vinham rolando, no meio de um silêncio comovido, rolando, rolando, até que destroçavam o batalhão dos marcos de pau.

Mas apareceu logo o ciclismo. E isso é que foi um *emballement*! Não houve mancebo que se não adestrasse no dar de pés nos pedais das máquinas voadoras. As ruas ressoavam com o campainhar frenético dos tímpanos: ainda assim, que atrapalhação!

Ia um homem descuidadamente pensando nos seus negócios, nas suas dívidas ou nos seus amores... e trac! desabava sobre ele uma dessas aranhas de aço. Moças do tom não hesitaram em vestir pantalonas fofas, sacrificando a compostura e as saias ao gosto de pedalar. [*****] o exemplo das raparigas, e cavalgarem velocípedes de duas rodas... para provar à evidência que essas máquinas são capazes de suportar sem perigo o peso de três mil libras de carne.

Por fim, chegou o *bicho*, e matou tudo. Tem sido essa a mania de mais pertinácia no viver. E provavelmente não será vencido pela mais recente, pela de agora, pela do café-cantante.

Tereis notado, certamente, que, em menos de seis meses, o Rio de Janeiro ficou abarrotado de teatrinhos equívocos. Não tratemos dos dous ou três bem montados, que aí estão funcionando, com platéia, com orquestra, com palco, com bastidores, e com um pessoal, mas ou menos bem sortido, de estrelas de primeira ou... de nenhuma grandeza. Esses não são novidade: desde o tempo de ouro do *Alcazar* da rua da Vala, que a boa gente carioca tem o amor da cançoneta picante e do *cancan* maroto...

Tratemos dos outros, dos que brotam não se sabe como, à feição de cogumelos, da noite para o dia.

Tu estás habituado, leitor pacato, a comprar fumo, ou velas ou papel em certa loja de certa rua. Uma noite, levam-te a essa loja os teus passos já afeitos ao caminho.

Pasmas, ouvindo dentro da casa, tão tua conhecida, a voz fanhosa de um piano, o canto escorchador de uma guitarra, o garganteio esganiçado de uma mulher... Entras. E, em lugar do teu charuteiro ou do teu merceeiro, encontras uma rapariga que te oferece um *chopp*. A tua loja é uma cervejaria! Ao fundo, com um estrado velho, improvisa-se um palco. À beira dele, um piano inválido desmancha-se em lundus e em tangos. E eis ali surge, de saias curtas, uma cantora a chalrar...

Não há rua, por mais esconsa, por menos freqüentada, que não possua atualmente o seu café-cantante.

Há quem se arrepele por causa disso; há quem, enchendo os olhos de lágrimas de profunda agonia, brade e soluce contra essa pouca vergonha que afasta o povo dos teatros sérios, e que pouco a pouco lhe envenena o corpo com a calamidade da cerveja mal fermentada e o espírito com a desgraça das modinhas indecentes... Vamos lá! por que se há de privar o povo daquilo que ele prefere, da arte barata que lhe dá no gosto, da cerveja ruim que lhe espanta as mágoas?

Além disso, esses cafés-cantantes de baixa qualidade vieram prestar um serviço: arrebanharam os cantores populares, de que ninguém tinha notícia.

Oh! o nosso tipo clássico de trovador da rua, tão perseguido da polícia que já nem tinha a ousadia de sair à meia-noite levantando à fria claridade da luz a gaforinha inspirada, arranhando com as unhas longas as cordas gemebundas da viola; e perturbando o sono casto dos casais burgueses com o choroso quebro do

A brisa corre de manso
Por entre as trevas do além,

ou com o riso brejeiro do

Eu adoro uma iaiá,
Que, quando está de maré,
Me chama muito em segredo
P'ra me dar seu cafuné!

Por onde andava ele, o cantor de Elvira e de Ursulina, o mártir de amores vários, que, antigamente, depois de haver toda a noite quebrado o coração em gritos de afeto e ciúme, acabava sempre quebrando a viola na cabeça de algum companheiro de infortúnio e de serenata?

Agora, aqui o temos, modificado no vestuário e nas maneiras, mas sempre o mesmo na essência, no lirismo, na malícia e nos pés quebrados dos versos. Aqui o temos, na cervejaria-cantante, alegre e pernóstico, dando com as suas modinhas um sabor novo à cerveja que escorre pela goela do freguês.

Já não traz o antigo violão clássico, companheiro querido das noitadas sem destino, passadas em claro pelas ruas dormidas, ao acaso dos cruzamentos de esquinas; agora, o trovador popular canta ao piano, ou com acompanhamento de orquestra, como Paulus (*excusez du peu!*); agora, o vagamundo chega sorrindo à beira do estrado, saúda o público com um faceiro meneio de cabeça, pigarreia e principia:

Bem sei que tu me desprezas...

Que importa? é sempre o mesmo... E confessemos que ouvir um capadócio da gema cantar com a sua simples brejeirice nativa o "Quisera, mas não posso, ó virgem" ou o "Nas horas calmas do cair da tarde" sempre é mais divertido do que ouvir os *couplets* franceses, mais ou menos avariados, de cançonetas já sovadas por dez anos de uso em todos os *boulingrins* de Paris!

Ai! vamos ver quanto há de durar a nova mania! E, depois desta, que outra virá?

s. a.

25 mar. 1900

Crônica

Março terrível, o mês dos sóis abrasadores e das febres cruéis, vai correndo com uma doçura que espanta. Grandes chuvas lavam a cidade, o termômetro baixa, os obituários revelam algarismos consoladores, e a gente, pasmada, pergunta a si mesma que meiga divindade é esta que nos está protegendo. Ah! se as finanças da terra andassem mais folgadas e menos desenfreada andasse a politicagem nada faltaria para que o Brasil se pudesse considerar feliz! Mas o dinheiro diminui e a politicagem aumenta...

A politicagem! Agora está ela, plantada ao mesmo tempo no sul e no norte, derramando a sizânia, dividindo as gentes e perturbando tudo. Já o Sul não nos espanta: aquilo sempre foi um ninho de intrigas, um fervedouro de ambições e de brigas. O Sul deu água pela barba a D. João VI, atazanou a paciência de Pedro I, amargurou o reinado do último imperador e tem agoniado a vida da República. Certo, seria uma grande calamidade a separação daquele pedaço do Brasil; mas, francamente, olhem que é insuportável estar a gente obrigada a aturar um dente cariado que não faz outra cousa senão doer...

O Norte, antigamente, era pacato, e vivia sem abalos, sem escândalos, sem motins.

Quem é que pensava no Norte? Ainda Pernambuco e Bahia faziam de vez em quando falar de si, quando uma eleição mais disputada quebrava a monotonia e a modorra da sua vida provinciana. Mas o verdadeiro Norte, o extremo Norte, aquela vasta região que a larga torrente do Amazonas banha e fecunda, era uma zona de mistério e sombra.

Sabia-se vagamente que havia por lá florestas negras e águas caudalosas, e índios discorrendo os sertões, e jacarés dormindo ao sol, e nuvens de mosquitos ferozes cobrindo os ares, e aventureiros ousados lutando com as cobras e com as febres por amor da borracha e do ouro. Sabia-se também vagamente que havia um governo, que governava ou não governava; e, quando se reformava a câmara, a terra misteriosa mandava para cá uns três ou quatro deputados. A corte recebia-os, e pedia-lhes algumas informações sobre as cousas de lá: eles mastigavam meia dúzia de palavras escassas, e o segredo ficava impenetrável. Tanto assim que muita gente se convencia de que essa história de Amazonas era uma lenda pura e simples; havia mesmo quem afirmasse que os [*****] conhecimento dos bugres, dos mosquitos e dos jacarés da região legendária.

Ultimamente, a cousa mudou. Os jornais começaram a inserir notícias da vida do Amazonas. Rumores crescentes se espalharam de que aquilo era um regalo; cavava-se a terra e achava-se ouro; deitava-se ali um sujeito mais pobre do que Jó e acordava mais rico do que Creso.

Mas as notícias mais surpreendentes que se derramaram foram as notícias políticas. Dramas complicados, tragédias truculentas, comédias assombrosas de graça tinham como cenário a pátria da borracha; e os comentários não se faziam lá; faziam-se aqui, nas colunas pagas dos jornais, em polêmicas violentas, sangrando ódio, estilando lama, ladeadas de injúrias de arrieiro e obscenidades de Praia do Peixe. Santo Deus! era pois verdade que o Amazonas existia? era pois exato que aquilo não era um mito, um sonho, uma mentira?

Quando se passou por lá aquela desopilante e estupefaciente história da deposição ou renúncia, ou que melhor nome tenha, do governador Fileto, já o Rio de Janeiro, no auge do espanto, achou que o Amazonas se estava com demasiada agitação desforrando do largo sono que dormira, por tantos anos, nas sombras de modéstia e da pacatez. Mas a terra da borracha ainda nos reservava maiores e mais escandalosas surpresas. A epopéia da conquista do Acre por um pelotari heróico foi a última.

Não houve quem não torcesse o nariz desconfiado, diante da incrível abnegação com que aquele filho da valerosa Espanha, pondo de lado a sua pelota e o seu conforto, assim ia, por amor da integridade do território brasileiro, meter-se em guerras sanguinolentas com a Bolívia. Era patriotismo demais, mesmo em um estrangeiro... Agora, sabe-se que o herói do Acre não é o único a sacrificar, em defesa daquela já citada integridade, a sua saúde e a sua calma. O Acre vai ser dividido por muita gente: em torno da posta gorda, tão gorda e tão saborosa que é capaz de vencer o fastio de um moribundo, afirmam-se os dentes e amolam-se as facas... *Bon appétit, messieurs!*

Porque, enfim, amigos, tudo na politicagem se resume nisto: comer, e comer depressa, para comer a maior porção. Todo o programa político de uma facção, com todas as suas reformas, com todas as suas leis, com todas as suas idéias, não passa disto: um *menu*. Não é verdade, sir John Falstaff? Que é a honra? uma palavra. Pode a honra consertar-te uma perna quebrada? não. Pode curar-te uma ferida? não. Então, que é a honra? uma palavra. E que é uma palavra: é vento, é nada. Logo, comamos. É esse o teu catecismo, sir John, e é o catecismo de muita gente boa.

Apenas, seria mais decente e menos incômodo para os outros, que os comedores comessem sem barulho. Se a posta é grande, por que não a repartem em paz, com eqüidade, em boa harmonia?

Comam, e calem. E deixem que os outros, os que não comem, ou por falta de apetite ou por falta de talher, durmam tranqüilos, consolando-se com a filosofia daquele rifão gaulês, segundo o qual *qui dort dine*.

Encham-se, fartem-se, estourem! mas deixem que os despreocupados da política e das suas comezainas possam ir gozando este belo março fresco e amável, sem ouvir constantemente, num rumor terrível, o trabalho formidável dessa mastigação...

s. a.

01 abr. 1900

Crônica

Primeiro de abril...

Larousse, o incomparável Larousse, providência dos cronistas e farol do jornalismo; Larousse, *alma mater* de muita obra-prima que anda por aí a correr mundo; Larousse, fonte da erudição de muita gente boa, não chega a explicar bem a origem da singular tradição que se prende a este dia de hoje.

O dia de hoje, amigos, é o dia das caraminholas. Fulano, explorando a ingenuidade de um criado boçal, ordena-lhe que vá comprar na mercearia mais próxima um quilo de sal... ático; Sicrano promete à mulher comprar-lhe um adereço de pérolas de... carvalho; Beltrano afirma ao filho que lhe dará, qualquer dia, um cavalo de... Tróia; e, finalmente, X. Y. Z.... que é um conspirador de mão cheia, vai ao conselheiro Z. Y. X., convence-o de que a revolução está na rua, e arranca-lhe dous pares de contos de réis. Dá-se a tudo isso o nome de *peixe de abril*.

O nosso copioso e prestimoso Larousse opina que *poisson d'avril* é corruptela de *passion d'avril*; e que "as brincadeiras de Primeiro de abril não passam de uma indecente e irreverente alusão ao martírio de Nosso Senhor".

O desgraçado cronista que abre o volume de Larousse, com a certeza de que lá vai encontrar a explicação da cousa, lê isso, e fica na mesma antiga ignorância...

Pouco importa!

Pouco importa, porque da dúvida em que temos de ficar não poderá vir mal ao mundo.

O que se sabe (e é isso o que importa!) é que o dia 1º de abril é o da Apoteose da Mentira!

Leitor, tu não és tolo; e quem te fala, agora, também não é tolo. Ou, pelo menos, nenhum de nós supõe ser tolo, o que é quase a mesma cousa.

Mas, por que não faremos aqui também a apoteose da mentira?

O grande Erasmo escreveu o elogio da loucura; Zimmermann fez o elogio da solidão; quando aparecerá alguém, armado de bastante coragem e animado de bastante fé, para fazer o elogio da mentira?

Ó suave, ó doce, ó consoladora mentira! não há livrinho de máximas morais que te não insulte; não há catecismo que te não arrase pelas ruas da amargura; não há pedagogo que te não aponte, com o dedo hirto de cólera, à execração das crianças; não há padre que te não amaldiçoe do púlpito, com trovoadas de ira e simonte; e, apesar disso, não há quem te não ame, ó radiante filha do sonho, ó magnífica mãe da graça e da ventura!

A verdade é seca, enfadonha, e feia. Veste-se mal, – ou, antes, não se veste, quando sai do poço lôbrego, que é a sua guarita, aparece nua e despenteada, escandalizando todas as convenções.

A mentira, não! Essa atravessa a vida como um deslumbramento e um consolo. As mais belas sedas da Ásia rica a envolvem no seu macio esplendor; todas as gemas preciosas faíscam sobre ela como estrelas; todos os perfumes da natureza se levantam em nuvens embriagadoras do seu corpo divino; e toda a terra, encantada e risonha, sob o seu passo leve, se desfaz em beijos e cânticos. Vai para o teu poço, importuna e secarrona verdade! esplende ao sol e alenta-nos com o teu sorriso, fulgurante e amável mentira!

Que seria do mundo, entregue ao despótico domínio da verdade? um vasto cemitério plantado de chorões tristonhos. A verdade é triste. Tristíssima!, como diria o José Dias do *Dom Casmurro*. Se o homem, ao nascer pudesse vê-la, na sua desesperada nudez, se ele pudesse compreender toda a infinita crueldade do seu olhar satânico, mergulharia de novo no abismo do incriado, e nunca mais quereria vir à tona da Criação.

Mas, não! à beira do berço do infante, quem aparece é a outra, a suave, a meiga... Aparece em todo o deslumbramento da sua inefável presença, e passa pelos olhos do recém-nascido os seus dedos de fada, e pousa sobre a fronte dele os seus lábios quentes, e, docemente embalando a cesta de vime em que repousa o pedacinho de gente, começa a deixar cair na boca, em fios de pérolas, aquelas cantigas que uma vez ouvidas nunca mais se apagam da memória. E a criança pensa: "Meu Deus! como é boa a Vida! leite, plumas, carícias, cantigas... Meu Deus! por que não me fizeste nascer há mais tempo?"

Oh, fonte de toda a alegria e de toda a resignação! foi a tua piedade que abriu na vasta floresta cerrada da existência humana a clareira cheirosa dos sonhos...

Tu encheste o céu de deuses radiantes, pisando nuvens de ouro e púrpura, envolvidos em clâmides consteladas, e brincando com os mundos como os pelotiqueiros brincam com as bolas de marfim.

Tu encheste o mar de tritões fantásticos, de Nereidas de escamas refulgentes, de Sereias pérfidas de olhos de safira e coma de esmeralda, habitando grutas de nácar e prata, dormindo e sorrindo ao mole quebro da cantilena das águas.

Em cada fio de linfa que jorrava das rochas, em cada arroio que serpeava entre as relvas, puseste uma Náiade chorosa, desnastrando sobre a corrente límpida os cabelos cobertos de limo; em cada córtex de árvore bruta meteste [*****] fazem pena ao machado do lenhador; e colmaste de Napéias os bosques, e povoaste de Oréades os montes... Deste um sentido à voz atordoadora dos trovões; deste um coração ao rochedo e ao cardo; deste uma alma ao aroma das rosas, e ao fulgor da madrugada, e à melancolia dos crepúsculos, e ao mistério das trevas, e a tudo quanto te feria o tato, o paladar, o olfato, a vista e o ouvido.

Que são as Religiões e que é a Arte, senão filhas tuas, legítimas e excelsas – ó consoladora, ó doce, ó suave Mentira? Quem foi que inventou o Paraíso, senão tu? Deste ao maometano a esperança de um prado de infinita doçura, cheio de tamareiras carregadas de frutos, cortado de riachos de leite e mel, povoado de huris de colo farto e boca fresca; asseguraste ao católico a bem-aventurança perpétua, ao lado da Trindade Santíssima, entre alas de arcanjos dedilhando bandurras seráficas; prometeste ao budista o consolo inalterável e inalterável paz do Grande Nada... E a todos, a católicos, a budistas, a maometanos deste estranho e delicioso dom da Imaginação, que gera os romances e as poesias, a história, as crônicas e... o resto.

Mentira sagrada! Mentira amada! Mentira venerada! deixa que, no dia clássico das Pulhas, dos Logros, das Petas, das Mistificações, o mais humilde dos teus servidores se prosterne aos teus pés, e beije a fímbria da tua veste deslumbradora!

Não te perturbe o clamor dos pedagogos, dos moralistas, e dos padres... Mentira! só tu és grande... Só tu és boa, mentira! s. a.

22 abr. 1900

Crônica

Não, protomártir! não tratemos de ti! Na glória da imortalidade, já deves estar profundamente enfarado de apoteoses e de explosões retóricas. E, mesmo, algumas vezes, coçando a tua bela barba nazarena, deves pensar, espantado: "Quando imaginaria eu que, por ter conspirado, e ter dado com a língua nos dentes, e ter morrido na forca, seria um santo do Calendário Republicano, e veria o meu nome em prosa e verso, enchendo a pátria, do Amazonas ao Prata e do Atlântico aos Andes?" A vida é mesmo assim... Dorme em paz, Tiradentes! não será este pobre cronista quem gaste papel e tinta em cantar a tua glória.

Também fique sabendo a Câmara das Duplicatas que esta crônica não contribuirá para lhes agravar as complicações. Seria falta de caridade aumentar a aflição em que penam aquelas almas que disputam glórias e aqueles quadris que disputam cadeiras. O Tribunal dos Cinco decidirá. Eles, os Inquisidores Supremos, já devem ter o dobro em frêmitos; qualquer cousa que se escreva sobre a explicação do reconhecimento, será mais uma acha de lenha posta na fogueira em que lhes arde o juízo.

Tratemos do centenário das nossas grandes festas de maio.

Ai de nós! houvesse um pouco mais de dinheiro e poderíamos ter convocado todas as nações do mundo a festejarem conosco a entrada do quinto século da nossa existência! Mas, ao menos, – isso já é muito – a data gloriosa não passará esquecida, graças à coragem com que a benemérita Associação do Centenário, meteu esforços à sua tarefa. E não teremos apenas sarrafos e panos pintados, luminárias e banquetes.

Dessa comemoração histórica, alguma cousa vai ficar, alguma cousa que mostrará o que valemos, como inteligência e como caráter. Ficará o *Livro do Centenário*, atestado vivo do quanto valem hoje as nossas ciências e as nossas artes; ficará, em bronze perpétuo, o monumento da praça da glória, celebrando, a um tempo, a glória de Cabral e o gênio do nosso amado Rodolfo Bernardelli, esse nobre artista que responde a cada agressão que recebe com um novo trabalho e com uma nova conquista; ficará *Saldunez*, a ópera de Leopoldo Miguez e Coelho Neto, filha da aliança intelectual de dous artistas de raça.

Nós, cronistas, festejaremos Pero Vaz de Caminha, o primeiro que, em terras do Brasil, escreveu crônicas...

"Quarta-feira topamos aves a que chamam fura-buchos, e, neste dia, a horas de véspera, houvemos vista de terra, a saber: primeiramente, de hum grande monte mui alto, redondo e de outras serras mais baixas ao sul dele, e de terra chã com grandes arvoredos, ao qual monte alto o capitam pôs o nome o Monte Pascoal, e à terra Vera Cruz. Mandou lançar a prumo: acharam vinte e cinco braças, e ao sol posto, obra de seis léguas de terra, surgimos [sic] âncoras em dezenove braças, ancoragem limpa. Aí ficamos toda aquela noite..."

Assim escrevia a el-rei D. Manuel o cronista Pero Vaz de Caminha.

A bordo da nau-capitânea, ao lado do nobre Pedr'Álvares, não vinha só o piedoso frei Henrique, cujas mãos deviam erguer ao sol o cálice da primeira missa celebrada na terra virgem. Enquanto no deserto infinito do mar alto, sob o impassível olhar das estrelas, o almirante sonhava com as riquezas das Índias e o frade rezava, um outro homem cismava: era Pero Vaz, cronista-mor, que aparava a pena com que tinha de escrever a luminosa carta a D. Manuel.

Bem andou Bernardelli em perpetuar no monumento do 4º centenário a figura do nosso primeiro historiador. Logo no alvorecer da nossa vida, tivemos a rara fortuna de possuir quem narrasse o êxtase dos navegantes diante do esplendor da terra descoberta, e a formosura do céu, e a beleza das matas virgens e a majestade com que a cruz de pau tosco abriu os braços sobre a multidão selvagem, e toda aquele infinita poesia da madrugada de uma nacionalidade, do primeiro vagido de uma nação...

s. a.

13 MAIO 1900 — CRÔNICA

Enfim! não entramos às escuras no quinto século de nossa existência.

Nem às escuras, nem em silêncio. Houve mesmo tanta luz e tanto barulho, que a gente ainda tem, nos olhos, coriscos deslumbrantes, e, no ouvido, o reboar de uma tempestade longínqua.

Todas as bandas de música do Rio de Janeiro andaram à compita atroando os ares; não ficou sem serviço uma só lanterna chinesa; por seis noites a fio a cidade se encheu de uma multidão bulhenta e jovial; e coalhou-se o mar de embarcações rutilantes, e vulcões fantásticos vomitaram catadupas de estrelas, e houve aclamações, vivas, hinos, discursos, girândolas, salvas.

Agora, dos mastros sem cor pendem ecos dos festões de folhagem; rasgam-se ao vento as flâmulas; descoram ao sol as pinturas do coretos; rasgam-se as lanternas; e o povo, estremunhado, volta ao trabalho. Mas que importa desapareça o fulgor das luminárias, e expire o derradeiro eco da algazarra popular, se de todo esse conjunto de festas, alguma cousa vai ficar, perpétua e bela, para a glória nossa?

* * *

Já vai sendo tempo de começar o balanço da comemoração. Assim, depois de um baile, enquanto a criadagem varre as salas e limpa os móveis, o dono da casa indaga, refletindo, se o valor das novas relações e das novas amizades que lhe deu a festa compensa a perda do dinheiro e o incômodo da recepção...

Ora, o primeiro lucro que, neste caso, nos ressalta aos olhos, patente e luminoso, é este: a comemoração veio sacudir-nos, veio excitar-nos o sistema nervoso, veio agitar profundamente a lagoa morta, da indiferença e de ignorância, em que estamos atolados. Foi como se alguém, agarrando com força o braço do Brasil, e dando-lhe meia dúzia de puxões violentos, lhe berrasse dentro das ouças emouquecidas: "Olha que tu vives, ó sorna! olhe que tu não és múmia, ó moleirão! Move esse corpanzil, esfrega esses olhos, desentorpece essas pernas, respira com franqueza, sacode fora essa preguiça! Tu tens sangue, tens alma, tens história, tens futuro! o que te falta é consciência... ergue-te e anda!"

Imaginam os senhores que toda aquela multidão, pasmada diante das luminárias, sabia, antes do dia 3 de maio de 1900, que houvesse outrora um Cabral, um Frei Henrique, um Caminha? Não imaginam isso! Havia ali muita gente para que o Brasil ainda não tinha sido descoberto...

* * *

Mas, adiante. Não falemos do monumento de Bernardelli, que – cousa rara nesta Pátria do descontentamento! – tem agradado a todo o mundo; deixemos de parte o primeiro volume do *Livro do Centenário*, cuja distribuição se vai agora fazer, repositório preciosíssimo de estudo sobre a nossa história, as nossas ciências, as nossas artes, a nossa religião e a nossa indústria; reservemos para outra crônica o louvor dilatado que merece o *Brasil*, de Zeferino Cândido – um beneditino paciente que tem o delírio do trabalho; ponhamos de lado a série dos discursos, dos artigos, das memórias, das exposições, dos congressos. E paremos a louvar a idéia luminosa, que teve a Associação do Centenário de pedir ao governo que faça agora aquilo que há tanto tempo não quer fazer; a purificação naquela hedionda cousa que se chama Mercado da Glória, transformando-a em Escola Nacional de Belas Artes.

Jesus! quando a gente passa por ali e mira aquela massa informe esparramada no coração da cidade, com as faces todas comidas de lazeira, escancarando ao sol, como chagas negras, as suas janelinhas de caserna, tresandando a mofo e à imundície, a vontade que há é a de morrer, para nunca mais olhar o estafermo. A Associação do Centenário quis dar ao monstro uma cara mais decente, e gastou um dinheirão em desinfetar-lhe o ventre abominável: mas não houve desinfetantes que bastassem. A mão de cal que lhe passaram na feia cara não bastou também: no dia seguinte ao da pintura, a lepra do trambolho venceu a tinta e voltou a ostentar ao sol as suas placas verde-negras. Um horror!

Oh! que obra meritória seria a regeneração daquilo!

Será possível que o governo cerre os ouvidos ao que lhe pede a Associação? Não seria uma glória, para um ministro, o assinar o decreto que entregasse aquilo a Rodolfo Bernardelli, para que ele carinhosamente abrigasse ali dentro, depois de transformar o pardieiro infame num palácio decente, aquela amada Escola de Belas Artes, cujos quadros estão se perdendo na casa atarracada da Travessa?

Se alguma consideração pode merecer a voz desta coluna da *Gazeta*, aqui vai uma súplica a toda a imprensa, a todos os artistas, a todos os que amam as cousas da inteligência e da arte: juntemo-nos todos, batamos esse ferro enquanto está quente, chamemos para esta idéia, tão simples, tão fácil, tão bela a atenção carinhosa do governo. Para que há de aquilo ficar ali, maculando e infamando um dos mais belos pontos da cidade, à beira do mar, dando logo a quem nos visita o repugnante atestado da nossa incúria e do nosso mau gosto? A imprensa, aqui como em toda parte, faz tudo quanto quer; vamos agitar este caso todos os dias irmãos! e que, enfim, à festa do Centenário, a que já devemos tanta boa obra de progresso, de cultura, e de civilização, possamos também dever este inestimável e extraordinário serviço: a extinção de um monstro horripilante e a criação de um templo de arte...

* * *

Não é numa coluna magra como esta que se pode, de uma só vez, resumir e analisar as considerações que sugere a festa do Centenário. Tempo ao tempo! ainda teremos muitas ocasiões de conversar sobre isso.

Mesmo porque é indispensável reservar um canto da *Crônica* para a comemoração do *13 de maio*...

Doze anos!... Quando se pensa na soma incalculável de sacrifícios, de heroísmos, de abnegações obscuras e obstinadas, que foi preciso empregar para a conquista desta lei que há doze anos constitui a nossa maior glória, a alma da gente se volta com comoção para o passado, e abençoa a generosidade dos que deram à propaganda sublime o melhor da sua vida.

Vão rareando já as fileiras dos que se empenharam nessa luta de morte contra [*****].

s. a.

20 maio 1900

Crônica

Como acabam as cousas! O relógio da Catedral lá está regulando, como qualquer outro relógio vulgar, no ramerrão quotidiano, no seu uniforme e estúpido ofício de contar os passos do Tempo. Como acabam as cousas!...

Não valia a pena ter permanecido, por dez anos e meio, no nobre emperramento de um sebastianismo ferrenho, para assim, de chofre, sem pudor e sem disfarce, aderir ao regime negregado!

Não venhais dizer-nos, ó almas céticas, que o relógio da Catedral esteve tanto tempo parado pela razão única e simples de que não havia quem lhe desse corda. Não! a voz do povo, que é a mesma voz de Deus, não se engana: quando ela afirma uma cousa, podeis estar certos de que essa cousa é a expressão fiel da mais límpida e inalterável verdade.

O relógio da Catedral era dedicado à Monarquia. Que fez ele, durante toda a sua vida, senão grifar com o seu tic-tac sereno todas as fases da existência imperial? Pois não era ele quem marcava a hora solene do batismo dos imperiais pimpolhos, a hora alegre dos *Te-Deum Laudamus* nos dias de gala, a hora triste das exéquias que se celebravam de quando em quando pela alma de qualquer arquiduque mais ou menos aparentado com as excelsas casas dos Braganças e dos Bourbons? Pois não era ele quem definia e regulava as relações de cordial estima, que como de justiça, existiam entre D. Pedro, imperador do Brasil, e Deus, imperador dos mundos?

Quando Sua Majestade, depois de um espetáculo fatigante, ou de uma sessão do Instituto Histórico, pernoitava no Paço da Cidade, ali a poucos metros da Catedral, era a voz esperta daquele relógio que, de quarto em quarto de hora, lhe ia adoçar as insônias, dedicadas às cogitações enfadonhas da política ou aos serenos labores da metrificação. E, ouvindo a voz sagrada do regulador católico, Sua Majestade pensava: "Bom amigo! quantos quartos de horas marcarás ainda da minha existência? Quantas vezes tenho ouvido a tua voz, bom amigo! Menino e moço, quando andava agarrado aos saiões das aias, ou quando a primeira barba loura me pungia o queixo alvo já eu te via e ouvia, regulador fiel da minha fé! Viram-te e ouviram-te os meus filhos e os meus netos; e Deus que te pôs aí como o cronômetro da minha Casa, há de permitir naturalmente que, como estás marcando os quartos de hora da minha velhice, marques também os da velhice dos meus tataranetos, aferrados ao trono perpétuo, com a mesma segurança com que te aferras a essa parede branca!"

Ai! a parede branca da Catedral ficou, e o trono ruiu...

Do alto dessa parede sagrada o relógio fiel viu, cá em baixo, como um mar agitado, o motim republicano. Que era aquilo? A que iam aquelas tropas? a que iam aqueles magotes de demagogos dando vivas a Deodoro? e por que motivo, num simples carro de praça, sem postilhões agaloados e sem escolta ruidosa, passava o velho imperador, com os olhos marejados de lágrimas?

E quando o regulador compreendeu o que se passava, uma grande dor lhe torturou as entranhas dentadas do maquinismo.

Então, era possível aquilo? então, nunca mais veria ele as cerimônias religiosas da Corte; e as vastas seges douradas atroando os ares com o fragor das suas rodas altas; os vereadores e os camaristas rutilantes de ouro e prata; as soberbas damas de honor dando aos beijos do sol a pele encarquilhada dos colos nus; e a imperatriz, pequenina e velhinha, com um sorriso bom na face descorada; e o alto porte do imperador, já vergado e bambo, como um tronco de árvore carcomido pelos anos; e o bispo, de mitra e báculo, implorando as bênçãos do céu para todos os rebentos daquela estirpe sagrada; e o povo lá fora, de boca aberta, pasmando para todo aquele luxo barato de Corte burguesa?! Então, era possível aquilo?

E o ódio e a indignação ferveram dentro da sua alma de aço...

E uma noite, por horas mortas, o velho relógio ouviu um tropel de batalhões. Cordões negros de soldados se estenderam cercando o Paço; deixando livre o caminho do cais. De minuto em minuto, uma voz de comando soava na treva misteriosa da trágica noite. Uma lancha silvou, no mar. No céu impassível o impassível Cruzeiro do Sul não mostrava ainda indignação contra o que via... Abafado, ouviu-se o rodar de um coche. O portão do Paço rangeu nos ferrugentos quícios, abriu-se, fechou-se logo com um estrondo de porta de túmulo. Uma corneta guinchou. A epopéia imperial acabara. O *Alagoas* bufava, com as caldeiras acesas... E, compreendendo tudo, o relógio da Catedral sentiu que alguma cousa se quebrava em seu seio. Todas as complicadas molas da sua máquina se atropelaram, desandaram, gemeram, num estertor de agonia. E os ponteiros ficaram, por dez anos e meio, paralisados, agarrados àquela hora sombria...

Dez anos e meio!... Porque esqueceste num só minuto de adesismo fraco, todos esses cento e vinte e seis meses de intransigência política, ó desmoralizado relógio da Catedral?!

Quanta cousa nesses dez anos e meio! Parado, no seu feroz embezerramento, viu o regulador tanta mudança, tanta transformação! Viu a multidão cá em baixo borborinhar na loucura do encilhamento; ouviu as conversas dos deputados que passavam chalrando para a Câmara; viu Deodoro cair, viu Floriano subir; viu, no mar, a sarabanda dos couraçados em briga; ouviu o sibilo das balas de fuzis, e o ronco dos *schrapnells* assassinos; viu passar uma bela manhã, Marcelino, escondendo cautelosamente a garrucha; quanta cousa, nestes dez anos e meio! E ele parado, e ele teimoso, e ele amuado, e ele feroz, esmoendo em silêncio o seu despeito...

Mas não há despeitos eternos. Quando o velho relógio soube que o Sr. arcebispo ia reabrir ao culto a Catedral abandonada, estremeceu de espanto: "Como? pois a glorificação do Senhor, naquela santa casa da crença dos Braganças, não era incompatível com a República, com esse governo de jacobinos sanguissedentos?! Como? pois o sr. arcebispo não temia que, durante a celebração do ofício divino, uma onda de Marats maltrapilhos, de Robespierres famélicos, invadisse o templo, profanando os vasos consagrados, conspurcando as custódias, chacinando os fiéis? Como? pois era possível que aquele teto não desabasse, sob uma punhada colérica de Deus?!"

E, cada vez mais espantado, o relógio viu abrir-se a porta da Catedral... Santa Maria! quantas fardas!... então, toda aquela gente de guerra era católica? então aqueles mesmos homens duros que, na trágica noite, haviam empurrado para o mar a Família Representante de Deus na terra, tinham a coragem de vir rezar aos pés desse mesmo Deus injuriado?!... Santo Cristo! e lá vinha todo o cabido, paramentado e grave! e lá vinha o Sr. arcebispo, com a sua meiga face inundada de uma onda inefável de alegria, debaixo da fulguração do pálio ondulante! e lá vinham (oh espanto!) segurando as varas de prata do pálio, os generais, os marechais, os almirantes!

Mas o que mais espantou o embezerrado regulador não foi ainda isso...

O que mais espantou foi ver que ali estavam os representantes do Presidente da República, e, no meio dele, quem o diria?, o general Cunha, o representante de um Bragança, o plenipotenciário do sobrinho do Exilado, o embaixador de uma Majestade Fidelíssima!

E, então, vendo que não lucrava mais nada com o seu embezerramento, o embezerrado desapertou as molas, e começou a trabalhar...

Como acabam as cousas, neste mundo versátil, ó conselheiro Andrade Figueira!

s. a.

27 maio 1900

Crônica

O severo Plutarco, homem cujo espírito foi educado no culto da severa e absoluta Verdade, escreveu um dia esta cousa terrível: "A medicina é a ciência que trata dos meios de fazer a humanidade morrer... mais devagar."

Se isto tivesse sido escrito por qualquer fútil cronista, seria um paradoxo. Mas, foi escrito por um homem julgado, no seu tempo, como um grande filósofo, um grande historiador, um grande físico e... um grande higienista. É preciso, pois, dar certo valor às suas palavras. Nós estamos em um tempo em que o valor das afirmações deve ser computado menos pela sua seriedade do que pela fama do sujeito que as faz...

Por isso, ninguém estranhará que se anote aqui, como a mais perfeita a precisa definição da medicina, a definição do velho Plutarco. E, além disso, é justo que ninguém estranhe a ousadia com que o cronista completa essa definição, dando-lhe esta forma um pouco mais clara: "A medicina é a ciência que trata dos meios de fazer a humanidade morrer... mais depressa, e, com maior aborrecimento."

Quereis ver?

Aqui temos, desta vez seriamente, a peste bubônica. Não se sabe como foi que a epidemia tomou conta da cidade.

Até anteontem toda a gente ria; hoje toda a gente treme de medo. A perversa entrou com pés de lã, aproveitou o entusiasmo, a loucura, a despreocupação com que estamos a festejar o quarto centenário, e começou a atacar axilas e virilhas com uma gana feroz.

A medicina indígena, até então embasbacada e de queixo caído, a olhar os zig-zags fúlgidos dos foguetões, as reticências deslumbrantes dos cordões de luminárias, de jorros flamígenos das fontes luminosas, - teve um sobressalto, sacudiu-se toda e veio, de seringa em punho, saracotear cá fora com a cor da face demudada, urrando profecias aterradoras e propagando pelos quatro cantos sujos desta sujíssima cidade um pavor epidêmico.

Vem cá, medicina indígena! senta-te aqui, neste banco da opinião pública, e ouve as cousas duras que há muito tempo mereces! Ouve e vê se te emendas!

Sempre que foste chamada a dar o teu auxílio ao poder público, para o fim nobre de salvar das pestes esta pobre população de carneiros resignados, tu te desmanchaste, não numa chuva de benefícios e de conselhos oficiais, mas num temporal de descomposturas mútuas. Todo o tempo, que justamente devia ser ocupado em forçar o governo, pela persuasão e pela pertinácia, a sanear a cidade, a melhorar a sorte dos pobres e a dar às famílias um pouco de luz, de ar, de conforto, de civilização e de felicidade, – todo esse tempo tem sido por ti empregado em liqüidar pequeninas questões de vaidade, de amor próprio e... de interesse.

Está na memória de todos o largo debate que aqui houve, no seio das duas corporações do Brasil, para levar a efeito o saneamento da capital. Toda a velha retórica acadêmica foi escovada, brunida, polida, posta ao sol: não houve médico ilustre que não exumasse do fundo das canastras o velho romantismo com que outrora pompeara e brilhara nos clubes literários da escola; e eram discursos sobre discursos; e projetos sobre projetos; e, como há sempre muitos conflitos de interesses nos lugares em que se reúnem muitos oficiais do mesmo ofício, o resultado de toda essa atabalhoada farofice foi um bate-barbas estéril, que não lavou um cotovelo do sistema de esgotos, que não rasgou uma avenida no seio da cidade, que não pôs abaixo um cortiço, que não plantou uma árvore no meio dessas praças desobrigadas, que não salvou das escrófulas, do impaludismo, do hepatismo uma só criança, que não deu casa limpa a um só operário, mas que em compensação expôs mais uma vez toda a classe ao riso irônico e ao mofador dar de ombros com que já os espectadores das comédias de Molière acolhiam a sarabanda dos portadores de seringa!

A cidade do Rio de Janeiro é hoje tão suja, tão mal cheirosa, tão feia como no tempo de D. João VI. E, como o poder público continua a confiar indefinidamente na sabedoria dos médicos, e como a sabedoria dos médicos continua indefinidamente a confiar na iniciativa do poder público, a gente continua a ficar exposta ao ataque de todos os micróbios, de nome mais ou menos complicado, e... *si cette histoire vous embête, nous allons la recommencer!....*

E chega a peste, e aqui temos a Higiene indígena a recomendar ao povo que tenha cuidado! e que lave as suas casas duas vezes por semana! e que compre tais ou tais desinfetantes! E o pobre diabo do povo que tenha cuidado, quando não tem o que comer! e que mande lavar as casas duas vezes por semana, quando cada lavagem de casa custa cinqüenta mil réis! e que compre tais ou tais desinfetantes, quando não sabe como há de comprar um novelo de linha com que se cosa!

E, enquanto isso, as ruas fedem e não há água nos encanamentos e os bueiros exalam baforadas de morte, e às águas da baía rolam todas as imundícies, e... *si cette histoire vous embête, nos allons la recommencer!*

Ora, louvado seja o santo nome de Deus! De modo que o povo para não morrer de peste, tem de morrer de fome!

Um jornal de ontem contava esta cousa sugestiva: "Na ocasião em que eram removidas as treze pessoas, a que acima nos referimos, que residiam na rua do General Câmara no. 305, onde faleceu a preta Alexandrina, o que mais preocupava estas criaturas era saber se ainda chegariam a Jurujuba à hora do jantar. Inquiriam elas do empregado do Desinfectório:

– Ainda encontraremos lá jantar?

– Pois não! respondeu aquele.

– E a gente pode pedir o que quiser?

– Com certeza!"

E aí têm os senhores! Nós já chegamos a esta filosofia: "é bem bom ter a peste, para obrigar o governo a nos dar de jantar! e, além disso, que alívio ver-se a gente livre, desde já das pestes que hão de vir depois desta!..."

Chama-se a isto ter uma confiança ilimitada na sabedoria da higiene indígena!

s. a.

15 JUL. 1900

CRÔNICA

Sempre se descobriu a utilidade da nossa polícia. Já era tempo! Muita gente, medindo com o pensamento apavorado a profundidade do abismo de sacrifícios que nos custa a manutenção da polícia, e verificando que quanto mais dinheiro se gasta com ela, tanto mais se avulta o número de casas arrombadas, dos cofres esvaziados e dos transeuntes esfaqueados; perguntava a si mesma, apertando a cabeça entre as mãos, e erguendo aos céus os olhos súplices: "Deus de Misericórdia! para que é que serve a Polícia!?"

Enfim, aclarou-se o mistério. A polícia não serve somente para, nos espetáculos da moda, pompear nos camarotes, ao olhar pasmado da plebe, namorando as artistas bonitas; não serve apenas para usar na botoeira do fraque, em lugar de uma camélia ou de um molho de cravos, um botãozinho de ouro esmaltado, insígnia tão digna de um presidente de club recreativo como do peito de um salvador da pátria; não serve apenas para gastar dinheiro e esfalfar bestas de carruagens de aluguel: a polícia tem um préstimo mais alto, mais belo, mais nobre! A polícia, sabei-o, ó coevos! sabei-o, ó pósteros! – a polícia serve... para abrir inquéritos.

Não me pergunteis agora para que servem os inquéritos que a polícia vive abrindo: a isso, nem mesmo Édipo seria capaz de dar uma resposta. Também ninguém sabe para que servem as abas longas das casacas, e o fato é que todas as casacas têm abas longas; também ninguém sabe para que servem os títulos honoríficos, e o fato é que o Rio de Janeiro está cheio de barões, de viscondes, de comendadores e de oficiais honorários do exército...

Contentemo-nos com o saber que a polícia abre inquéritos, e que é esse o seu principal ofício, o seu mais importante mister, a sua mais sagrada ocupação. Quando virdes um delegado de polícia, no camarote, assestando o binóculo numa rapariga bonita; ou, num hotel, devorando uma fatia de peru assado; ou, na rua, caminhando gravemente, seguido de uma cauda de *secretas* ou de soldados; ou, em casa metido na cama, ressonando, de olhos fechados: ficai sabendo que esse conspícuo cidadão não está namorando, nem comendo, nem passeando, nem dormindo: esse conspícuo cidadão está abrindo um inquérito!

* * *

O último inquérito foi aberto sobre o caso da operação das xifópagas.

Havia um monstro vivo, havia um cochilo da natureza, havia uma nódoa no esplendor da Vida, havia um absurdo da Criação. E quem olhava aquilo tremia de comiseração e de horror...

Aquele casal de desgraçadas foi visto, apalpado, examinado, estudado por uma legião inumerável de médicos. Dele, um houve, – já possuidor de nome respeitado, já consagrado pelo trabalho e pela probidade profissional, – que se atreveu a intervir naquele erro da Natureza. Graças à atividade inteligente da reportagem, a operação foi feita *corum populo*. Empregaram-se as mais escrupulosas, as mais severas precauções; médicos e cirurgiões dos mais ilustres assistiram à intervenção cirúrgica, acompanharam passo a passo a luta santa do Homem contra o Mal.

Falecida uma das xifópagas, nem assim o entusiasmo popular pelo moço operador esfriou: o povo, com o seu sadio e iniludível bom senso, viu bem que, ainda assim, era um benfeitor aquele cirurgião, que de duas criaturas, condenadas à perpétua desgraça, salvara uma, para a glória de viver, para a divina missão de amar e ser amada, para o orgulho supremo de ser mãe.

E vai a polícia... e abre um inquérito!

Para quê? Repitamos que essa pergunta não tem resposta. A polícia abriu um inquérito porque foi criada para abrir inquéritos, como a borboleta foi criada para voar de rosa em rosa, como a rosa foi criada para ornar o seio das mulheres bonitas, e como a mulher bonita foi criada para nos dar volta aos miolos! Aí está!

Deixai que as más línguas assoalhem por aí um bando de cousas más... São (ou pelo menos devem ser) calúnias atrozes.

Verdade é que, desde a mais remota antigüidade clássica, se diz: *in via medicorum pessima*. E afinal, sempre é preciso confirmar que a inveja é um sentimento profundamente humano...

Marcus Flavius, tribuno romano, quando o povo o aplaudia, chamava logo para junto de si um escravo fiel: "Escravo, faze reforçar a escolta da minha liteira! cada aplauso destes gera um novo inimigo... Cuidado! não seja eu apedrejado nessas ruas!"

Esse conhecia bem o coração humano... Ai! de quem ousa subir um palmo acima do nível comum! o ódio que a árvore mais baixa tem à árvore mais alta deve ser profundo e terrível...

Aqui está um homem que já sente sobre a alma quase quatro dezenas de anos de idade. Pois bem: em todo esse tempo, ainda não viu o Brasil um cirurgião fazer uma operação notável, sem que contra ele se insurgissem colegas, condecorando-o com epítetos vários, dos quais o mais doce costuma ser o de assassino.

Em *Monsieur de Pourceaugnac*, um dos boticários de Molière faz deste modo o elogio de um grande médico:

C'est un homme qui sait la medicine à fond comme je sais ma croix de par Dieu, et qui, quand on ne devait crever, ne demordrait pas d'un ***iota*** *des règles des anciens. Pour tout l'or du monde il ne voudrait pas avoir guéri une personne avec d'autres rémèdes que ceux que la Faculté permet.*

E note-se que, atualmente a intolerância não consiste mais, – como no tempo em que os boticários perseguiam com as suas seringas Mr. de Pourceaugnac, – em só permitirem os grandes médicos os remédios que a faculdade permite. Atualmente cada grande médico só permite... os seus próprios remédios...

* * *

Mas, cerremos o ouvido às insinuações pérfidas. Não há aqui, não pode haver aqui *invidia medicorum*! O que há é uma prova de que a polícia não esquece os seus deveres; criada para abrir inquéritos, é força que os abra à chave ou à alavanca.

Volta Chapot-Prévost, volta para o teu estudo e para o teu trabalho! Fecha-te a sete chaves no santuário do teu laboratório, espiando e devassando os segredos da Vida; instrui os teus discípulos; extirpa do corpo do desgraçado o mal que o tortura; continua a sonhar o teu grande sonho humanitário; volta para o teu estudo e para o teu trabalho! Não te preocupe o inquérito; o inquérito, já está aberto, fechar-se-á por si mesmo. E, se não se fechar, ficará eternamente aberto, como eternamente estarão abertas as portas do céu para muita gente boa...

E não fiques zangado com a polícia: se ela não abrisse inquéritos que é que havia de fazer, coitada?!

s. a.

22 jul. 1900

Crônica [IP]

Pena é que o clássico tipo do chim vendedor de peixe tenha desaparecido do Rio de Janeiro. Não há quem se não lembre desses pobres mercadores ambulantes, de cara amarela e chupada, de raros fios de barba no queixo e de "olhos cortados à feição de amêndoa" – trôpegos e magros, carregando as imundas cestas em forma de balança e grunhindo: *pê... camalô... camalô... pê...*

Parece que morreram todos, de abuso de ópio, de febre amarela, de nostalgia. É pena. Se ainda vivessem, sobre eles convergiriam agora todas as atenções – agora que só se fala em China e chineses.

O formigueiro acordou: e toda a Europa e todo o mundo vêem, com espanto e cólera, a agitação daquela inumerável multidão de rabichos, sacudidos de fúria assassina, propagando, em toda a imensa extensão do Império Celeste, contra os estrangeiros odiados, o saque, o incêndio, a tortura, o extermínio.

Lentamente, com uma pertinácia e uma cautela que só o mais entranhado ódio pode ter, os boxers prepararam a sublevação, armazenando dinheiro e raiva, abastecendo-se de pólvora e sede de sangue, acumulando e concentrando o seu furor.

O vasto tablado, em que a diplomacia européia se banqueteava e bailava, parecia de uma solidez a toda a prova: mas o boxer cupim estava pacientemente roendo o madeirame das traves, e o tablado acaba de desabar em sangue e pó.

Já toda a gente se havia habituado a aceitar a China como uma imensa porção de terra, muito porca e mole, habitada por uma vérmina incontável, ainda mais mole e mais porca do que a terra, e cheia de muitos quiosques, de muitos mandarins, de muito peculato, de muita preguiça, de muita peste e de muita maroteira. E que velha, que velha e que cacoquima [?], essa abominável porção de terra! um historiador diz textualmente que os "tempos modernos" da China começaram "dous mil duzentos e cincoenta anos antes de Cristo"!

Quem podia lá imaginar que essa podridão, essa velhice, esse mofo, essa ancianidade valetudinária tivessem uma alma, e músculos, e nervos, e patriotismo? E eis que de repente a podridão rebenta em dores de sangue, e a velhice rejuvenesce, e o mofo se muda em seiva, e o patriotismo acorda, como uma cratera, debaixo do gelo morto da ancianidade!

Cousa feia, deve ser aquela!... o chim, quando pacato, já é feio como uma necessidade: quando furioso deve ser uma criatura de pesadelo, uma espécie de súcubo infernal, uma aparição de sabá. Santo Deus! o chim já é tão amarelo quando está calmo! imagine-se o que deve ser um chim, quando está amarelo... de raiva!

Há pouco tempo todo o mundo ficou pasmado, quando soube que a China tivera um movimento de revolta contra o Japão mas, logo depois, começaram os telegramas a contar que os soldados chineses, quando iam entrar em combate, matavam-se por medo da morte... E a vitória do Japão foi tão fácil, tão rapidamente os exércitos do Micado dizimaram, massacraram e varreram da face da terra a escória dos filhos do Céu, que o universo se convencera de que a China não passava de um vasto cemitério povoado de lêmures sem carne, de pobres avantesmas condenadas a viver sem viver.

Mas não! cada lêmure surge como um punhal, cada avantesma se levanta do seio da treva secular, pedindo sangue e rilhando os dentes. A China, mais ou menos civilizada segundo o nosso modo ocidental de compreender a civilização, tinha inventado, para se defender das invasões dos Tártaros selvagens, a grande Muralha de pedras; hoje, para se defender dos europeus civilizados, a China inventa uma outra muralha, de chamas, de horrores, de depredações, de inclemências, de espantos. Quem foi que galvanizou o cadáver? quem foi que remexeu o seio do pântano? quem foi que tocou a rebate no cemitério?

Se são verdadeiras as notícias que vêm da Europa, nunca houve na terra tão hedionda tragédia, tão espantosa revolução, tão dilatada carnificina. Um telegrama afirma que o príncipe fulano mandou degolar quatro mil chins, que se opunham à chacina dos estrangeiros. Quatro mil! as ruas sujas de Pequim tiveram um basto banho de sangue... Outros telegramas contam que, por onde passa o tropel dos Átilas amarelos, não fica pedra sobre pedra de casa, nem cabeça sobre tronco humano.

E as notícias do extermínio dos ministros, no dia 6 de julho, são particularmente medonhas; homens e mulheres, diplomatas da mais alta distinção, damas da mais requintada elegância, metidos em vastos caldeirões, cozinhados a fogo lento, entre os uivos da plebe desencabrestada, com os olhos fuzilantes de rancores e as bocas raivando em maldições... A cousa é tão alucinante, tão macabramente cruel, que custa a merecer crédito. Mas haverá impossíveis na China? haverá crueldade de que não sejam capazes as gentes que inventaram a tortura de empalamento e o suplício de *Eng-chi*, que consiste em cortar aos bocadinhos o corpo da vítima, conservando-lhe a vida o mais possível?

Admitindo mesmo que sejam exageradas as notícias, admitindo ainda estejam vivos em Pequim os embaixadores das orgulhosas e insaciáveis potências da Europa, que terríveis quartos de hora devem os relógios estar marcando para os que habitam as legações assediadas!

Ah! não é só de rosas a vida diplomática! Depois de um jantar delicado, servido em baixela de ouro e prata, depois de um namoro suave entre duas voltas de valsa e duas sonatas de Beethoven, quem sabe lá o pode vir? as bastonadas, o laço de corda no pescoço, a caldeira fumegante da praça pública...

Não há aqui mocinho, estudante de direito que, na sua *república*, do Brás ou do Caxangá, em S. Paulo ou no Recife, não sonhe dedicar-se um dia à diplomacia, depois de conquistado o diploma de bacharel, o *abre-te Sésamo* de todas as carreiras. É o sonho querido, o sonho mais doce dos brasileiros filhos de famílias ricas. À imaginação fogosa dos rapazes, Talleyrands em germe, a vida diplomática aparece como um fresco vale povoado de encantos: o dinheiro farto, as honras, os amores variados e fáceis, a existência recheada de pequeninos e saborosos regalos, o trato das cortes fidalgas, as vitórias do amor próprio, as conquistas da malícia elegante e da astúcia bem educada...

Ai! amigos! nem só de rosas é feita a vida diplomática!

Se são verdadeiras as notícias, que horror! pensar a gente que aquele ministro de Giers e aquela serena e elegante madame de Giers, que há três anos, em Petrópolis, no seu palacete de verão, à margem da Piabanha, eram o encanto da boa sociedade, foram cozinhados a fogo lento, em Pequim, ao largo reverberar do incêndio nas cúpulas dos quiosques, e ao ulular da populaça bêbeda de ódio patinhando numa mala [sic] vermelha!

Diabos levem a diplomacia!

s. a.

29 jul. 1900

Crônica

Cada povo nasceu para uma certa e determinada cousa. O alemão nasceu para militar; o inglês, para colonizador; o francês, para cultor do *chic*; o italiano, para músico. O povo brasileiro nasceu para político.

Basta ver isto: este povo, ao passo que é absolutamente incrédulo e ferrenhamente cético para tudo quanto não lhe cheira a política, é, em matéria política, de uma credulidade infantil, de uma ingenuidade que chega a fazer pena...

Vão, à noite, a um espetáculo ou a um baile, e comuniquem ao cidadão X., entregue às delícias da audição de uma boa peça ou ao regalo de uma boa valsa, que a sua casa está sendo devorada por um incêndio, ou que faliu o banco onde ele tem em conta-corrente todo o seu dinheiro. O cidadão X., recebendo de chofre essa notícia medonha, empalidecerá um instante, arregalará os olhos no espanto do primeiro momento, mas, logo depois, abrirá os lábios num sorriso, encolherá os ombros, e... não acreditará; e, dando uma palmadinha brejeira na barriga do informante, voltará a ouvir a peça, ou continuará a dar de pernas na valsa interrompida.

Digam-lhe, porém que rebentou uma revolução nos quartéis, e que há oito mil batalhões rebelados, e que cem mil generais estão à frente do movimento, e que já morreram dous milhões da patriotas: por mais absurdo, por mais incomensuravelmente ridícula que seja a invenção, o cidadão X., apertará com desespero a cabeça entre as mãos, e, rolando, nas órbitas os olhos apavorados, exclamará com convicção, como Hamlet: "Ah! minha alma profética! eu logo vi que isto aconteceria!" E sairá dali, aos saltos, a propagar a descabelada mentira por todos os ângulos da cidade.

A incredulidade fica reservada para as cousas sérias.

Corram toda esta vasta *urbs*, da orla da baía de Sepetiba às areias de Paquetá, e do píncaro do Pão de Açúcar aos cafundós do Bangu, e vão perguntando, por aí afora, a todos os entes vivos que encontrarem se acreditam na existência da peste bubônica. E hão de ver! O burguês remediado, o operário humilde, o soldado rude, o apatacado negociante, o modesto criador de galinhas, o empertigado doutor, as matronas graves, as mocinhas púberes, os meninos de colégio, as crianças de mama – toda a população, ouvindo essa pergunta engraçada, terá na face a expressão da mais profunda, da mais absoluta, da mais irredutível incredulidade.

Excetuados, está bem visto, aqueles que tiveram o infortúnio de se convencerem por experiência própria da autenticidade do mal – os cariocas que se julgam mais espertos do que Maquiavel, acham a peste bubônica uma pilhéria, ou uma especulação. Na opinião de muitos, o bubonismo foi uma criação do governo... para dar empregos a afilhados. Outros atribuem a invenção hedionda a um plano político, destinado a distrair a atenção do povo de altas cousas que se maquinam e executam em segredo. E não falta quem invente as mais desencontradas, as mais estupendas explicações.

Há dias, um homem sério, possuidor de muitos prédios e muitas apólices, ouvia, na rua do Ouvidor, falar dos últimos casos de peste, e, com um grande desdém fuzilando nos vidros dos óculos, opinou: "Sabem o que é a peste? é o ódio dos jacobinos contra a propriedade alheia!"

Houve um espanto na roda: "Como? o ódio dos jacobinos?"

O velhote incrédulo golpeou três vezes o ar com o bengalão de unicórnio e afirmou: "Dos jacobinos, sim senhores! dos anarquistas, dos revolucionários sem eira nem beira, que acham os nossos prédios feios, que acham a nossa cidade porca e que querem arrasar tudo isto! da cáfila dos peraltas que vivem a falar das belezas de Paris e de Buenos Aires, e que não possuem um buraco onde metam a cabeça no fim da vida! da súcia dos arrebentadores que não têm onde cair mortos, e querem que as nossas estalagens sejam substituídas por palácios! Irra!"

– Mas, senhor, – observou um pacato sujeito, – para isso não era preciso inventar a peste...

O grande proprietário urrou: "Como não era preciso? foi o único meio que acharam! se fosse possível arranjar um bom terremoto, como o de Lisboa, com a mesma facilidade com que se arranja um micróbio novo, fique você certo de que eles já o teriam arranjado. Felizmente, os terremotos estão na mão de Deus, e Deus que também é proprietário, não tem a condescendência muito fácil neste particular! E a súcia, na impossibilidade de mandar incendiar o Rio de Janeiro como o maroto do Nero mandou incendiar a Roma velha, foi à tal bacteriologia de má sorte, e pediu-lhe a peste, e as desinfecções, e as interdições, e as demolições, e toda essa vasta série de inconcebíveis patifarias com que nos lançam areia nos olhos e nos vão sonegando os prédios!"

– Mas, senhor comendador! – objetou, timidamente, o outro – olhe que todos os dias há quatro, seis, oito casos de peste...

– Qual peste, nem peste, senhor! o que há é muito caso de falta de vergonha! isso que aí anda é cousa que antigamente a gente escondia, quando tinha a desgraça de a adquirir! Hoje, é moda mostrá-la e... explorá-la! Fique você sabendo que tudo isto é uma ladroeira! Se me puserem um pé numa horta, ou se me lançarem a interdição sobre um prédio faço em postas o primeiro médico que encontrar!

E dissolveu-se o grupo, com medo de que o grande proprietário começasse logo a fazer em postas os ouvintes para acertar a mão...

E, entretanto, vejam: quando, há bem poucos dias, um maluco qualquer se lembrou de contar a outro maluco que havia prontidão nos quartéis, e que havia generais descontentes, e que a procissão ia sair à rua, a notícia percorreu a cidade com a velocidade do relâmpago, e toda esta gente, que não acredita na existência da peste, desandou a afirmar, a assegurar, a jurar que a mentira do maluco era a mais clara, a mais segura, a mais esplendente verdade!

Aí está. Cada povo nasceu para uma certa e determinada cousa: nós nascemos para isto.

s. a.

05 AGO. 1900 CRÔNICA

Os amigos das frases feitas, das palavras sonoras, dos retumbantes chavões, ainda continuarão a dizer que a "Carta de ABC é a salvação da humanidade" e que "onde se abrem escolas fecham-se prisões"?

Não há orador de clube literário que em noite de festa patriótica não se esfalfe a clamar essas cousas. E tanto a gente se habituou a ouvi-las, que não quis mais refletir de ânimo calmo sobre ela: aceitou-as como dogmas inabaláveis. Em vão, eriçando as suas espessas florestas de algarismos duros, vieram as estatísticas opor a essas afirmações categóricas o seu frio protesto. Ninguém deu crédito às estatísticas: e passou em julgado que só os ignorantes cometem crimes atrozes, e que o abecedário é a fonte lustral em que se purifica a raça humana, perdendo garras de fera e ganhando asas de anjo.

Ai de nós! A verdade é que a instrução é um vinho forte demais para certas cabeças...

Na sua rudeza primitiva de alma fechada às tentações do saber; capaz de ler os hieróglifos das constelações no céu, mas incapaz de ler as linhas negras de um jornal ou de um livro; vivendo como vivem as plantas e os outros animais, só com a preocupação de se alimentar e de se reproduzir: o homem bruto é capaz de matar por vingança, por ódio, por ganância, por bestialidade: mas não é capaz de matar por ostentação, por fanatismo religioso ou socialista, para ganhar a veneração de uma seita, subindo ao patíbulo como mártir.

Que é o anarquismo? é a revolta da fome contra a fartura, a rebelião da miséria contra o egoísmo dos ricos, o protesto do sofrimento contra a injustiça? Mas o anarquista militante, aquele que prega por discursos e atos a sua doutrina, e que se serve do punhal e do revólver com a mesma perícia com que se serve da palavra e da pena, não é nunca um pobre diabo escaveirado e misérrimo, com as entranhas roídas de fome, com o cérebro ferido de loucura e desespero pelo prolongado jejum: é um homem que come e estuda, que compra pão e livros, que consome vinho e jornais, que se veste com decência, e viaja e tem amantes. Não é um faminto: é um letrado, um pensador, um apóstolo. O mesmo que o transformou não foi o fósforo, nem o arsênico das fábricas, nem o *grisou* das minas; foi um outro veneno pior, foi o veneno das vinte e cinco letras do alfabeto que lhe entraram pelos olhos, mais perigoso e mais terrível do que vinte e cinco gotas de ácido sulfúrico.

Nem todas as cabeças suportam os vinhos fortes; e já o velho Hugo dizia que "para o sol fitar é preciso ser águia".

Nas mãos de certos homens, o livro e o jornal são como fogo em mãos de criança. Chega a gente a lembrar-se da história daquele macaco que, vendo um homem fazer a barba, quis imitá-lo e, empunhando a navalha... degolou-se.

Um pobre operário, sem família, sem conselho, sem religião, na perigosa idade em que os primeiros rebates do instinto da procriação acendem o sangue e desengonçam as molas do cérebro, apanha um dia o jornal e fica pasmado diante do mundo novo que se lhe abre diante dos olhos. Aquelas cousas nunca lidas fulguram na folha em traços de fogo: as idéias, ardentes e novas, sobem à cabeça do desgraçado, embebedam-no e desviam-no. E nunca mais o mísero se liberta daquele deslumbramento e daquela vertigem que lhe causou o primeiro aspecto do novo mundo entrevisto.

Nos papéis venenosos, que diz o apóstolo da vingança e do ódio ao espírito da criança? Não lhe diz que, desprezando os grandes da terra, é preciso também desprezar a sua grandeza, nem que, desprezando os monopolizadores do ouro, é preciso também odiar o ouro. Não lhe diz que pode haver na humildade e no sofrimento, muitas vezes, mais felicidade e mais consolo do que no poder e na glória. Não lhe diz que a dedicação, a resignação e a renúncia podem muitas vezes fazer mais do que a ponta acerada de um punhal e do que a bala certeira de uma pistola.

O que o apóstolo diz à criança é que os ricos comem demais, bebem demais, dormem demais, amam demais, e que esse excesso de felicidades grosseiras é roubado aos pobres. Portanto, eliminem-se os ricos, para que os pobres lhes tomem o lugar!

Que é isso? não é a justiça contra a injustiça: é o apetite contra o apetite, o egoísmo contra o egoísmo.

E ninguém há que diga ao operário envenenado que o socialismo e o anarquismo não são propriamente isso; ninguém lhe ministra, à maneira de um antídoto enérgico, a leitura dos bons livros da seita, das obras dos pensadores que sonharam com um mundo de paz e de igualdade, com direitos e deveres irmãmente repartidos entre todos os membros da comunhão humana... Também, para quê? o pobre espírito do mísero não compreenderia essas páginas luminosas de fé, que no claro e poderoso espírito de Leão XIII puderam deixar tão profunda impressão.

O que ele compreende é aquilo que lhe dizem o panfleto sedicioso e o jornal sanguinário, ressumando suco de mandrágora e fel. O que o encanta é aquela apoteose do crime, feita em períodos que retumbam e ardem, com o estrupido de uma batalha e o clarão de um vasto incêndio.

Está completa a intoxicação: o iniciado rasga a blusa, atira para um canto a ferramenta, varre Deus do coração, e, daí a pouco, o cerimonioso Carnot expira numa poça de sangue, a sofredora e meiga Elisabeth tem o coração apunhalado, e o filho do *re galantuommo* vê levantar-se a Morte do seio do povo que o aclama.

Pois não é verdade que se deve amaldiçoar a hora em que pela primeira vez uma carta de ABC caiu nas mãos desse desventurado Ângelo Bressi?

E pensar a gente que pelas escolas de todo o mundo, neste mesmo momento, as vinte e cinco letras do alfabeto, as vinte e cinco gotas de tóxico terrível estão continuando satanicamente a sua obra nefasta! Primeiro, os caracteres, dificilmente aprendidos, dificilmente fixados na memória; depois, as sílabas dificilmente articuladas; depois as palavras, as frases, os períodos... E está a criança preparada para ser Pasteur ou Caserio, São Vicente de Paula ou Ângelo Bressi!

Tudo depende do organismo em que cai o veneno: neste, o efeito será a exaltação mística, a ânsia de alcançar e descobrir as verdades eternas, o amor sem termo do bem e do belo; naqueles, será o descontentamento perpétuo, ladeira escorregadia que vai parar na lama vermelha do crime.

S. A.

19 AGO. 1900 CRÔNICA [CIA]

Foi numa fria noite de dezembro de 1890 que o escritor desta *Crônica* teve pela primeira vez a ventura de apertar a mão de Eça de Queirós. Deram-lhe essa ventura Domício da Gama e Eduardo Prado, levando-o à pequena casa do bairro dos Campos Elísios, em Paris, onde Eça, casado e feliz, criara para gozo seu e gozo dos seus amigos um encantado recanto de paz e trabalho no meio da tumultuosa agitação da grande cidade.

Era um consolo – deixar as amplas ruas de Paris, cheias de uma multidão que patinava na lama gelada, falando todas as línguas, ardendo no fogo de todas as paixões, arrastada a todos os prazeres, – e chegar ao tépido ninho do Amor e da Arte, e encontrar ali dentro a língua natal, o carinho meigo daquele grande espírito, e o sossego daquele lar português que a presença das duas senhoras iluminava e perfumava.

Por todo esse duro inverno [*****] 91, o obscuro poeta brasileiro [*****] no torvelim de Paris, foi muito [*****] à casa de Eça de Queirós [*****] de felicidade.

Com o esguio corpo dançando dentro da vasta sobrecasaca inglesa, Eça, nas deliciosas noitadas de conversa íntima, ficava encostado ao parafogo de seda chinesa, junto da lareira em que um lume alegre crepitava. Era ele, quase sempre, que falava. Não que tivesse a preocupação de se tornar saliente, porque nunca falava de si, e tinha, por assim dizer, um recatado e melindroso pudor de virgem, um retraimento envergonhado, sempre que, ao acaso da palestra, um de nós se referia ao seu alto mérito de escritor... Eça falava quase sempre, porque era um conversador inimitável, porque gostava de conversar, porque se deixava levar pelo curso das próprias idéias.

Quem se atreveria a embaraçar, com uma palavra importuna, a correnteza daquele caudal?

E que conversador! os seus gestos tinham a expressão das mais cálidas palavras: a mão escorçava, desenhava, coloria, no ar o objeto, a pessoa, a paisagem que a frase descrevia. Cenas da morrinhenta vida das aldeias portuguesas, da Palestina, das Canárias, das grandes capitais da Europa iam passando, vivas e palpitante, pela teia daquele animatógrafo surpreendente. E, mais clara, mais viva do que o talento do artista, avultava a bondade do homem, naquelas horas de liberdade de espírito e de meias confidências veladas...

Alto e magro, com o olhar ardente nas órbitas encovadas, sobre o forte nariz aquilino; com o queixo saliente entalado no alto colarinho; de uma sóbria e fina elegância de gentilhomem, sem uma nota espalhafatosa no vestuário, sem uma afetação no dizer, o criador d'*Os Maias* já não era, naquele tempo, o leão da moda, célebre pelas suas gravatas e o *blagueur* impenitente, célebre pelos seus paradoxos.

Eça varrera da sua *toilette* os requintes que escandalizavam a gente pacata como varrera do seu estilo os galicismos que escandalizavam Herculano...

A vida de Paris, com o seu esplendor de feira do Gozo, não fascinava o espírito do artista. Quando saía, era para fazer uma ronda lenta pelos alfarrabistas do cais do Sena, uma rápida visita a uma livraria, a um museu, a um salão de pintura. Amava o seu lar, os seus livros, a sua mesa de trabalho e, principalmente, a sua profissão de escritor, o seu paciente e sublime ofício de corporificador de idéias e de desbastador de palavras.

Em 1890, já o amor e a felicidade doméstica haviam transformado o espírito do prodigioso escritor. Ainda, é verdade, nas *Cartas de Fradique Mendes*, aparecia, relampejante e mordaz, aquela luminosa ironia, que golpeava sem compaixão os ridículos da pátria, dando piparotes nas orelhas dos cretinos políticos, pondo rabo-levas nos janotas delambidos e crivando de bandarilhas o cachaço da imbecilidade triunfante. Mas a Pátria já não era então para ele "uma vasta choldra organizada em paz", povoada só de Basílios peraltas, de Acácios asneirões, de enfatuados Gouvarinhos e de ignóbeis Damasos. Já era mais alguma cousa, já era tudo: era o sacrário em que se guardavam as tradições da raça e da religião e, principalmente, onde se guardava esta fina e adorada relíquia, a doce língua de Bernardim Ribeiro.

Em um estudo recente sobre o romancista português, Eduardo Prado dizia que "Deus entrara em casa de Eça com o primeiro filho".

Deus, e a tolerância. A imbecilidade já lhe não merecia apenas sarcasmos e cólera. O longo conhecimento da vida dera-lhe a faculdade de se compadecer da miséria humana; e a decadência moral da moderna sociedade portuguesa, devorada, como todas as outras, pela politicagem asinina e pelo amor imoderado do dinheiro, já lhe não inspirava nojo e indignação: inspirava-lhe piedade. Ele compreendera que os povos são todos na essência os mesmos, com maior ou menor brilho nas exterioridades. E compreendera ainda que, quanto mais baixo cai um povo, tanto mais amor e tanto mais carinhoso apoio deve merecer daqueles filhos seus que são superiores pela inteligência e pelo caráter ao nível geral dos outros.

Então, cansado de chasquear da irremediável tolice das gentes de hoje, Eça deliberara servir ao seu país dando-lhe livros de puro ideal, que contribuíssem para salvar, no futuro, de um possível naufrágio completo, o nome português. Que é feito desse *S. Cristóvão*, que, segundo se diz, estava ele escrevendo? Quanta obra-prima deve haver no espólio opulento do maior romancista de Portugal!

Mas o que mais se modificou ultimamente no inesquecível homem de letras foi sem dúvida a sua maneira de escrever. *Pour épater le bourgeois*, Eça timbrava a princípio em desarticular e apodrecer a língua sagrada que praticava. Os seus galicismos, principalmente, – *cigarreta, ar gôche, degringolada,* – ficaram célebres. Não parecia isso o desespero de um grande artista, condenado a escrever numa língua fadada a desaparecer e vingando-se assim cruelmente dessa fatalidade?

De 1890 para cá, nestes dez anos que o maravilhoso escritor do *Crime do Padre Amaro* ainda viveu sobre a face da terra, o seu estilo, – sem perder a vivacidade que fez imortal a figura do *Ega* n'*Os Maias*, e sem se despojar do colorido quente e vibrante que torna indestrutíveis as páginas do *Sonho de Teodorico*, em *A Relíquia*, – passou por uma transformação profunda, repeliu do seu seio os barbarismos e, fazendo uma reversão à primitiva pureza dos clássicos, transmudou-se em um estilo de ouro puro, trabalhado como uma custódia de Benevenuto Celline, mas guardando uma sobriedade que só os escritores de gênio podem ter. Que linguagem! que maravilha de precisão e de pureza!

A *Gazeta de Notícias* teve a honra de publicar, em primeira mão há poucos anos, a mais notável, talvez, das criações de Eça, na sua última *maneira*. Foi *O Defunto*, essa obra-prima que bastaria, em qualquer literatura antiga ou moderna, para dar a um escritor o bastão de maioral das letras.

Toda essa novela admirável é animada de um vasto sopro de gênio. Os personagens ressaltam vivos da urdidura do estilo impecável; o entrecho, simples e humano, flui sem rebuscamento, sem uma contradição; e que forma! nem todos os esmerilhadores de defeitos, nem todos esses caçadores de senões, que passam a vida, como eunucos literários, a catarem imperfeições nas obras-primas como quem anda a catar caramujos em rosais, - nem todos eles trabalhando juntos poderão achar nas páginas d'*O Defunto* um vocábulo que possa ser substituído por outro...

Ali, naquela Bíblia da moderna língua portuguesa, quando um verbo chama o substantivo, e se amalgama com ele na estrutura da oração, logo um adjetivo, o próprio, o verdadeiro, o *único*, aparece a ocupar o seu lugar. Tudo aquilo é firme, é miúdo, como a trama de uma seda de Macau.

Para escrever assim, é preciso pensar, sofrer, suar e gemer sobre o papel, numa agonia inominável; é preciso matar os olhos e espírito no labor acurado, como um lapidário os mata no desbastamento das sessenta e seis faces de um brilhante. Quando o escritor é medíocre, a obra que sai desse trabalho insano é um monstrengo arrebicado, suando afetação por todos os poros. Mas, quando o lapidário se chama Flaubert ou Eça de Queirós, o filho de todo esse pertinaz e sobre-humano esforço parece ter sido conseguido e gerado de um golpe, tão esplêndida se nos revela a sua aparente simplicidade!...

Se a primeira *maneira* de Eça de Queirós se pode caracterizar pela nobre ousadia, pelo atrevido e brilhante arremesso com que o escritor se insurgiu contra a apatia de sua gente e os preconceitos da sua terra, a segunda se caracteriza pelo culto fanático do estilo, pelo amor sem termo da Forma, pelo meticuloso trato da língua querida. *O Defunto*, *Frei Genebro*, *Civilização*, *O Suave Milagre*, *A Perfeição*, *José Matias* e toda a riquíssima coleção das *Crônicas* publicadas pela *Gazeta de Notícias* e pela *Revista Moderna* são páginas imorredouras. Em sua primeira fase, Eça tinha um quê de cavaleiro andante, saindo à liça, contra abusos que nunca ninguém corrigiu, e nunca ninguém corrigirá. Em sua segunda fase, Eça foi o artista, na única e nobre acepção da palavra, artista-sacerdote, artista-asceta, artista divino...

Suave Mestre! nunca, com tão grande amor e com tão arrebatado entusiasmo, amou alguém, como tu, o idioma português! Quando a morte te veio buscar, não tinhas arredado o pé de junto do tear maravilhoso em que urdias, dia e noite, o teu estilo impecável... Ah! quem pudera ler já, Mestre querido, para as regar de lágrimas de admiração e de saudade, as últimas linhas que trabalhaste!

Dorme, adorado! morreste, sacerdote da mais nobre e da mais bela das Artes, como uma vez disse que queria morrer José Maria Heredia, e como devem querer morrer todos os artistas,

> ainsi que fit Fray Juan de Segovie
> Mourir, en ciselant dans l'or un ostensoir...

s. a.

26 ago. 1900 — Crônica [CF]

Em vão, lá fora, o dia luminoso em que é escrita esta crônica se cobre das galas e dos risos da primavera próxima. O luto pesado que caiu sobre esta casa não nos deixa na alma um só minuto de repouso nem de atenção para as cousas do céu e da terra.

Com que palavras fixar a tua memória sagrada nesta linhas, grande bom amigo em cuja face, repousada e suave como a de um lago manso, nunca mais os nossos olhares poderão parar, vendo nela toda a serenidade da tua alma justa e toda a tolerância do teu vasto espírito?

Já aqui mesmo foi dito que tantas vezes neste agitado ofício, abusamos das palavras que quando queremos pedir-lhes um dia a vibração e o ardor de uma grande amargura, elas ficam pálidas e frias como um mármore inerte. Lágrimas não falam, lágrimas não se alinham sobre o papel com a docilidade das frases banais: ficam requeimando os olhos, cáusticos e terríveis: e, recalcadas para dentro do coração, quedam nele, invioláveis e perpétuas, longe da vista profanadora dos indiferentes.

Todos os mestres da imprensa já desfilaram diante da sepultura de Ferreira de Araújo, em funeral. Todos vieram honrar a sua memória e dizer-lhe o adeus derradeiro. Que escrever ainda do fúlgido espírito, cuja amada luz o sopro destruidor da Morte levou tempo a apagar, como se hesitasse em cometer essa atrocidade sem nome? Mas o assunto doloroso encheu a semana. Foram as mãos generosas do Mestre que entregaram ao cronista esta coluna da *Gazeta*. Que ele ainda uma vez passe por aqui, evocado pela saudade do discípulo humilde, que tanto conselho e tanto carinho lhe deveu...

Esse homem forte, cujo talento, tantas vezes manejado como um raio fulminador, feria de morte os erros mais empedrados e as mais resistentes perversidades, era, antes de tudo, um bom. Pudesse ele, e todas as conquistas da verdade e da justiça se fariam na terra a beijos e bênçãos, sem que uma gota de sangue manchasse a Vida.

Era com um desafogado suspiro de alívio que o lutador despia a couraça com que era forçado a sair à liça. Despia-a, colgava-a do galho verde de uma árvore, e volvia a amar e a perdoar. Dentro da armadura descansada, como numa improvisada colméia, vinham zumbir e moirejar as pacíficas ovelhas. Doirava-a o sol, perfumava-a o hálito das flores, limpava-a dos vestígios do combate o largo vento livre. Ele sentado à beira do caminho da vida, sonhava e ria.

Tinha o riso fácil e sereno dos justos, dos que não sabem o que é o veneno de um remorso na alma. Não tinha a seriedade taciturna, que é quase sempre a [*****] máscara da hipocrisia. A Vida encantava-o não só pelo seu cortejo de prazeres grosseiros mas pela sua santa essência de criação divina, pela vasta série de gozos espirituais que nela se contêm.

Compassivo e humano, de uma humanidade em que cabia o amor de todos os seres, dele se poderia dizer o que Eça de Queirós diz, n'*Os Maias*, do velho D. Afonso: "Era dos que se compadecem da sede de uma planta, e param às vezes na entrada para não esmagar um bando de formigas em marcha". Uma violência inútil exasperava-o. A força exercida contra um fraco feria-o como uma punhalada no próprio coração.

E que apaixonada e religiosa veneração das cousas da Arte! Amava os quadros e as flores, a música e os versos. Um período bem feito abria-lhe a alma em sorrisos. Quando um artista em cena encarnava genialmente a criação de um grande mestre do teatro o seu prazer crescia até o delírio. Nenhum espírito humano foi mais apercebido do que o seu, desta rara e venturosa faculdade de compreender a Beleza, em conjunto e em minúcia, com um só golpe de vista rápido e incisivo.

Era uma superioridade intelectual, ao serviço de uma superioridade moral.

Assim, nunca o azedume da inveja lhe turvou a vida. A sua grandeza de espírito e de coração, a alta posição gloriosa e incontestada que tinha na sociedade brasileira, a pureza imaculada do santuário do seu lar onde a sua alma extremosa se revia com orgulho na alma da prole estremecida, o respeito de que se via cercado, os aplausos que vinham de todos os extremos da pátria significar-lhe [sic] a admiração dos patrícios, tudo contribuía para lhe dar uma felicidade inalterável e perfeita. Mas Ferreira de Araújo não era dos que se trancam a sete chaves com a sua felicidade na torre impenetrável de um egoísmo feroz, com medo de que lha roubem. A sua felicidade, queria-a ele repartir por todos, com uma prodigalidade de nababo que não conta o dinheiro das esmolas que dá.

Era do seu lar que saía a ventura de muitos lares pobres: se todas as bocas cuja fome Ferreira de Araújo matou, fossem beijar agora no cemitério de São Francisco de Paula, a pedra da sua sepultura, o mármore ficaria em breve desbastado pelos beijos...

A glória alheia redobrava a sua. Era um dos primeiros a sair à frente dos triunfadores da Arte, para os saudar. Quando um poeta, um prosador, um jornalista, um pintor, um compositor começavam a romper às cotoveladas a massa espessa do anonimato, era ele um dos primeiros a desbravar-lhes o caminho, a pô-los ao sol, a emperrá-los para a evidência, a celebrar-lhes o valor; nunca receou que as árvores robustecidas pelo seu carinhoso trato pudessem fazer-lhe sombra....

E quem é que lhe poderia fazer sombra? Ele tinha força para carregar a pesada lira das altas idéias, como tinha delicadeza para tanger o brando alaúde das idéias suaves...

Quando passava pela rua do Ouvidor, a caminho ou de volta do trabalho, era uma satisfação ver aquele vulto de atleta que abrigava uma alma de criança. Um sorriso surgia em todos os lábios, todos os chapéus se levantavam, todas as mãos se estendiam para apertar a sua. É que – toda a gente sentia – que não ia ali somente uma cabeça que era uma glória do Brasil; ia um afeto vazio, ia uma soberana bondade, ia uma tolerância rara. O homem que passava era *um homem*, um daqueles em cuja formação o gênio do Criador se demora e esmera, como o gênio de um estatuário consciencioso se esmera e demora a polir as obras que deseja exemplares e eternas.

Grande e querido amigo! mestre cuja memória viverá perpétua no coração daqueles que o seu exemplo educou! A última vez que ele passou pela rua do Ouvidor foi há cinco dias, naquela amargurada tarde de quarta-feira, molhada de tantas lágrimas e marcada nos calendários com a sombria cruz que assinala os dias de desastre e horror...

Passou deitado no caixão que a piedade filial enchera de rosas e violetas, transformando-o num canteiro florido. Veio ainda depois de morto visitar a casa amada, que o seu talento e a sua alegria animara outrora. E a cada um dos que trabalhavam sob a sua direção parecia um sonho, um pesadelo, um impossível, a idéia de que nunca mais Ferreira de Araújo entraria por esta porta, com um sorriso para cada companheiro, cercado daquela inefável atmosfera de meiguice e de bom humor, que se desprendia dele como o aroma se desprende de uma flor e a luz se desprende de uma estrela.

Nunca mais! A longa e terrível agonia, em que Deus quisera ainda mais apurar o seu espírito, findara. Com o olhar cravado no olhar da filha adorada, – um olhar em que beijos, lágrimas, gemidos se atropelavam e ardiam, – caiu no pesado coma que é a antecâmara da morte. Deus, naquele momento, esperava a sua alma. Era demasiado sofrimento para quem vivera a mitigar sofrimentos alheios. A alma pura e casta como quando saiu da essência do Criador, tendo representado na terra o papel que lhe fora dado, tendo cumprido até o fim sua missão de manancial de benefícios, de fonte límpida de exemplos morais, subia, subia, subia para a glória do repouso e da recompensa.

Subiu, caiu no ardente e radiante seio de Deus, dissolveu-se nele e começou a viver a sua verdadeira vida:

> Ceux que passent à ceux qui restent
> Disent: vous n'aves rien... vos pleurs l'atestent!
> Dieu donne aux morts les vrais biens, les vrais royaummes...

Vivants! vous êtes des fantômes...
C'est nous qui sommes les vivants!

s. a.

02 SET. 1900

CRÔNICA

Tivemos, graças a Deus, para a abertura solene da Exposição de Belas Artes, um lindo sábado, risonho e fresco. Da feia e carregada noite, nascera uma rabugenta manhã, uma dessas manhãs carregadas, que soltam dentro da alma da gente toda a legião dos diabinhos amarelos do tédio. Mas, logo depois, um raio de sol tirou a massa das nuvens, e veio palpitar sobre os telhados, sorrir sobre os morros, faiscar nas vidraças das casas. E, à medida que o céu se limpava, foram as almas deitando fora a melancolia.

Felizmente! porque se o dia fosse chuvoso e triste, as senhoras não iriam dar à festa da Arte a graça de sua presença, e nós não teríamos gozado o inefável prazer de comparar a beleza, incomparavelmente mais amável das lindas cariocas que encheram ontem o salão da Escola.

* * *

Já os jornais disseram que a Exposição é podre. Velha mania...

Nós, quando vamos à casa de um bom e modesto cidadão mediocremente dotado de bens, queremos sempre achar as alfaias preciosas, as ricas e trabalhadas baixelas, as maravilhosas tapeçarias antigas que só podem ser encontradas no palácio do nosso grande amigo Rotschild, ou no castelo da muito alta e muito fidalga Sra. duquesa de Uzes. Em vão, o bom homem, abrindo-nos as portas da casa e do coração, abre nos lábios, para nos receber, o seu melhor sorriso, e oferece-nos a sua melhor poltrona, o seu melhor charuto, e uma xícara do seu melhor café. Em vão! nós torcemos o nariz, e murmuramos com asco: "Que casa pobre, esta!" Velha mania...

Que assombros de arte, que maravilhas de talento, que sublimidades quereríamos nós que nos desse uma Escola de Belas Artes, engastada no seio de uma civilização que é a mais desengraçada, a mais burguesa da terra? Para quem sabe dar o devido valor ao trabalho humano, para quem sabe quanto custa praticar as cousas da Arte numa cidade que se alimenta de mexerico e de política, de jogo e de maledicência, aquela pobreza da Exposição é uma opulência.

Quem tem olhos, quem tem alma, por aqui, para admirar e louvar um quadro, uma estátua, um livro? De dia, a população vive a combinar palpites para a terminação da sorte grande, de noite vive a seguir com paixão os lances de bola ou pelota, nas furnas do frontão e do boliche...

E quando devíamos agradecer, com lágrimas nos olhos, a abnegação com que um punhado de artistas se dedica ao mister impossível de nos dar um pouco de bom gosto e de amor da Arte, franzimos a boca desdenhosa, e achamos que "a Exposição é muito pobre!"... E quem lê isso nas folhas, julga que não vale a pena ir à travessa das Belas Artes, e,... vai comprar cinco mil réis no macaco ou no jacaré...

Não! não será assim, leitor amigo! Demos uma volta lenta pelas salas da Exposição, e deliciemos os olhos e o espírito...

Ainda falta aqui o nosso belo Henrique Bernardelli. Mas, pelas quatro paredes cobertas de grandes e pequenas telas, vê quanta palpitação de talento!

Aqui tens Amoedo, em três retratos admiráveis de força e graça: aquele de cima é a própria face do pintor, traçada com um vigor de mestre; detém-te um pouco diante desta *Saída de baile*, e fica cinco minutos parado, amigo leitor, diante deste delicioso n. 14, uma cabeça de meridional capaz de tirar o pouco juízo que ainda deve haver em todas as cabeças meridionais...

Aqui tens agora Broccus, o nosso amável Broccus da *Redenção de Cã*. Este ano, Modesto expõe principalmente paisagens, de um verde magnífico, de um claro sol. Mais adiante, Diana Cid, que é hoje Madame Dampf, vem rasgar ao teu olhar horizontes largos de sonho, povoados de uma flora fantástica, e de mulheres todas névoa e ilusão, marchando na bruma de um mistério suave... Belmiro de Almeida, o avaro, só tem este ano um quadrinho, – o *Retrato de Abigail*, – uma figurinha de criança tratada com um carinho de poeta.

Aqui tens o grande quadro de Batista da Costa, *Um Transe Doloroso*, o filho morto, sobre a pobre cama, o toco da vela benta apagado sobre uma cadeira, a *mater dolorosa* de rojo sobre o despojo querido, o velho, ao fundo, fulminado de dor e de espanto. E aqui tens Parlagreco, um triunfador, fixando numa tela adorável as mansas águas ensombradas da *Quitandinha*, e dando-nos, entre outras paisagens de raro valor aquele quadro encantador *À Procura de Parasitas*, que vale cem mil vezes o seu peso em ouro.

Aqui tens agora... Mas, fica-te aí, olhando e admirando, amigo, que o cronista tem necessidade de dar um salto aqui ao lado, à sala de arquitetura...

* * *

Nota digna de ser registrada. Na exposição deste ano, a seção mais rica é a da arquitetura. Giacome, Berna, Morales de los Rios, Mello, Speltz, todos concorreram.

Correndo os olhos pelas paredes carregadas de plantas de palácios, de arcos de estilo de zimbórios, dizia ontem quem isto escreve, fatigado, de si para si: "Cousa espantosa! cousa singular esta! que, havendo no Rio de Janeiro tantos arquitetos e tão bons, não haja uma casa bem feita!"

A extravagância dessa cousa é facilmente explicável. No Rio de Janeiro, os arquitetos são forçados a ser artistas meramente contemplativos, que nunca podem passar do desenho da planta à construção da casa, da concepção da obra à sua realização, porque acham sempre o caminho tomado, infalivelmente, pelo mestre-de-obra, entidade soberana a que a nossa falta de gosto entregou um cetro incontestável.

Tudo quanto os alunos de arquitetura vão aprender na Europa, à custa do Estado, tem de ficar no papel, sonhos abortados, idéias infecundas, projetos perdidos.

Vamos às exposições anuais, aplaudimos o talento dos arquitetos, batemos palmas à beleza e à sobriedade elegante dos seus planos.

Mas, quando herdamos alguns contos de réis, ou quando uma sorte grande nos cai do céu por descuido, se temos de mandar construir uma casa, bem depressa nos esquecemos do que vimos na escola de Belas Artes, e corremos ao mestre-de-obras, que, em poucos meses e com pouco dinheiro, nos planta para aí, no meio da cidade, mais um estafermo de pedra e cal, muito sóbrio e muito feio, com muitos requififes na fachada, e as inevitáveis compoteiras de gesso na cornija.

Ah! não é por falta de arquitetos que o Rio de Janeiro é um vasto museu de pedra e cal! Mas, vão lá dizer a um carioca apatacado que um arquiteto é capaz de fazer cousa melhor do que as cousas que fazem os mestres-de-obra!...

Santo Deus! e ainda há quem se queixe da pobreza da Exposição!... Amigos! o que deve causar estranheza é que ainda haja por aqui quem perca a saúde e a paz de espírito em pintar, em esculpir, em escrever!

s. a.

09 SET. 1900

CRÔNICA

Não foi alegre a semana. A morte andou solta, o Escândalo fartou-se de palavrões na Câmara, e o Sete de Setembro foi um dos mais chochos que se têm visto desde 1822.

Dos suicídios e dos escândalos não pode tratar a *Crônica*.

Quem se mata, mata-se justamente para ser esquecido, para fugir do mundo, da fadiga de viver, da curiosidade e dos comentários do público; quem voluntariamente fecha sobre si a tampa da sepultura quer esconder-se e descansar; é como o conviva que se aborrece da festa e, não podendo dominar os bocejos, vai às escondidas buscar chapéu, esgueira-se pela porta da rua sem se despedir de ninguém, e vai dormir. Por que não se há de respeitar o repouso de quem tem sono? Ir remexer a sepultura de um suicida para procurar as razões que o levaram a desertar a vida, é fazer um papel de hiena... Deixemos em paz quem tanto ambicionou a paz.

Também por que falas dos escândalos da Câmara? Já se foi o tempo em que as cousas que por ali se passavam tinham repercussão cá fora. Hoje, a Câmara abre-se e fecha-se sem que a gente dê por isso. Como todo o país que se preze deve possuir uma Câmara, – nós temos ali aqueles deputados, pagamo-los, sustentamo-los, damos-lhes certas imunidades, – e não pensamos neles: mal comparando, aquilo é como o Museu Nacional, que custa um dinheirão, e cujas salas só são visitadas, de longe em longe, por algum *touriste spleenetico*. Os deputados também não se importam muito com isso: vão recebendo o nosso rico dinheirinho, comem bem, bebem bem, dormem bem, amam bem, e, para fazer alguma cousa, votam leis que ninguém cumpre, e... descompõem-se. Ah! a descompostura é a sua única distração! Só se faz eleger deputados quem gosta de receber, de quando em quando, nas bochechas, uma boa roda vida de desaforos, uma boa chuva palpitante de injúrias.

O que é de gosto regala a vida! eles que se descomponham à vontade, já que gostam disso.

* * *

Falemos antes do Sete de Setembro. Houve um banquete diplomático e um sarau de gala. O banquete foi de apurada elegância e o sarau foi encantador. Quem saboreou o jantar fidalgo, quem teve a fortuna de ouvir de Marchi e Berlendi, na *Gioconda*, abençoou a data gloriosa cuja comemoração festiva lhe proporcionou esses dous prazeres finos e raros. Mas o povo miúdo – esse nem se lembrou de que o dia era de festa e de grande e sagrada festa. O povo miúdo ouviu as salvas de artilharia, viu a estátua de José Bonifácio, cercada de coroas, reparou que o Patriarca (que idéia!) empunhava uma longa vara com uma bandeira verde – então compreendeu. Por quê? porque não lhe deram uma festa qualquer, um qualquer divertimento que o forçasse a aceitar, como de júbilo e glória, o dia da independência.

Povo é como criança; não apreende abstrações, quer as idéias corporizadas, revestida de uma forma visível e tangível.

Que custaria iluminar a cidade nos grandes dias de nossa história, armar por aí uns tablados baratos em que tocassem bandas de música, contratar com os teatros algumas récitas gratuitas, dar à meninada das escolas uma tarde de folguedo em qualquer jardim público, gastar um bocadinho de dinheiro em girândolas e em fogos de artifício? Todas as colônias estrangeiras que aqui vivem trabalhando conosco celebram ruidosamente as suas grandes datas. As nossas, ninguém as celebra. Passam como datas comuns, e ninguém se lembra de as marcar e fixar na memória do povo.

A desculpa é que não há dinheiro...

* * *

Valha-nos Deus! se até essa mesma desculpa é dada ao abandono criminoso em que deixamos os cearenses famintos...

Porque, para que nada de triste faltasse a esta abominável semana morta, chegaram do Ceará as mais desgraçadas notícias. A terra amável do trabalho, da inteligência, da resignação e da bondade, arfa e geme ao peso de uma desventura cruel.

Vergastada pela soalheira implacável, a gente sertaneja busca as cidades, à procura de um punhado de farinha com que aplaque a fome e de um pouco de água com que mate a sede.

Mas, pelas estradas desertas, a seca devorou tudo. As árvores torradas, sem folhas, bracejam implorando um céu insensível [sic]. A relva é cinza; a areia escalda; nas palhoças que se encontram, moram o silêncio e a morte. Nem uma moita verde alegra a paisagem; nem o murmúrio de um fio d'água alegra a solidão...

E lá vão os magotes do povo mártir, arrastando os passos cambaleantes, ofegando, mirando aquele céu inexorável, de um azul aterrador. Cada dia viagem terrível fica assinalado pela perda de cem vidas. Aos montes, nus e imundos, os corpos dos homens, das mulheres, das crianças ficam empilhados, apodrecendo.

Os que chegam a uma povoação não são mais felizes. A politicagem comeu todo o dinheiro do Estado; os governos não foram feitos para amar os que têm fome: foram feitos para ganhar eleições; o pouco pão que há não chega para os bacharéis da administração.

Para obter aquele minguado pugilo de farinha que há de suavizar a agonia de um irmãozinho moribundo, a mísera sertaneja de onze anos, já envelhecida pela fome, vai entregar o seu pobre corpo impúbere, o seu desgraçado corpo já comido da miséria, à sensualidade do primeiro bruto que aparece: e é assim que quase todas elas conhecem pela primeira vez o amor, nos períodos da seca... A vereda florida e perfumada do gozo, por onde as outras raparigas entram, pela mão carinhosa de um noivo, é para elas uma lôbrega ladeira escorregadia de lama e lágrimas... Que horror! ter a revelação do prazer divino entre as torturas lancinantes da fome, do desespero e da vergonha!

E hesita-se a acudir a tamanho sofrimento!

Não há dinheiro! Já se sabe que não há dinheiro: inventem-no!

Também o operário humilde, que vive dia a dia do produto do seu trabalho penoso, que não tem um vintém de economia no fundo de um pé de meia, que não tem amigos nem protetores, quando vê um filho doente inventa dinheiro para lhe dar médico e botica, e, se o vê morrer, inventa dinheiro para lhe pagar a sepultura...

Um dos últimos telegramas diz que o comandante de um navio deixou abandonados mais de cem emigrantes, numa praia deserta, como cães leprosos! Não é horrível pensar que se possa ficar de braços cruzados diante de tão revoltante crueldade?

Não há dinheiro! Mas, quando, no ardor das abomináveis lutas políticas que nos desgraçam e desonram, um bando de energúmenos assassina um estrangeiro, a União solicitamente desata os cordões da bolsa e encontra no fundo dela algumas centenas de contos de réis com que indeniza o mal causado. E quando somos nós que morremos, quando as vítimas são brasileiras, quando não é a ambição irrequieta, mas a fatalidade, que causa a desgraça, – pesando como uma maldição sobre todo um Estado, sobre uma das mais gloriosas, uma das mais nobres e puras regiões da nossa Pátria, – nada se faz, porque não há dinheiro.

* * *

Basta! naturalmente, a gente carioca não quer que lhe estraguemos o domingo... Que valem lamentações, quando se tem a esperança de que elas comovam corações de pedra?

Mas, fique aqui uma idéia.

Já se abriram várias subscrições em favor do Ceará flagelado. Seria bom que o produto dessas subscrições fosse entregue aos deputados, aos senadores, aos mandões, a todos os que vivem da política da terra da liberdade... Quem sabe? talvez assim eles sentissem dentro da alma a sombra de um remorso e cedessem em prol dos patrícios famintos os subsídios gordos com que enchem de regalo a existência...

Naturalmente, já estão todos sorrindo da idéia estapafúrdia: pois foi para isso mesmo que a *Crônica* a lembrou. Não valia a pena acabar com uma lágrima a história de tão triste semana: melhor será que a fechemos com um sorriso...

Mas – ai de nós! – os sorrisos da ironia são mais tristes do que as lágrimas.

s. a.

16 set. 1900 — Crônica [CF]

Não cabe nesta coluna a grandeza do [*****] que encheu a semana. Um nefelibata diria que foi uma semana lívida... Pelas ruas, as faces que se viam tinham a cor do chumbo: o pavor arreganhava os olhos e alterava todas as vozes. E muita velha matrona, acendendo uma vela benta no oratório, lembrava-se da agitada época da "quebra do Souto" e pedia a Nossa Senhora que afastasse de sobre o Brasil tamanha calamidade.

Mas, como sempre, a gravidade da causa não correspondia à repercussão do efeito. Não havia motivo para tanto calafrio, para tanto bater de queixos, para tão dilatado animamoto. Jugulada a crise aguda da moléstia, o enfermo foi logo enveredando pelo caminho calmo da convalescença, e todo o mundo começou a respirar desafogadamente, como quem sai da treva e da opressão de um pesadelo. Ainda desta versão mergulhamos no abismo do *krack*: e com a ajuda de Deus tudo se vai arranjando. Ainda bem. Deixemos esse assunto, e procuremos outro de mais risonho aspecto.

* * *

Há um assunto que seria francamente alegre, se não estivesse comprometida no caso a liberdade de um pobre diabo... Trata-se daquele desventuradíssimo sujeito que, submetido a julgamento, na quinta-feira passada, foi condenado a quinze anos de prisão, quando todos os jurados, a uma, estavam convencidos da sua inocência e firmemente dispostos a absolvê-lo.

Não é fácil contar como se passou a cousa.

A acusação fora frouxa; a defesa fora calorosa e clara no espírito do júri.

O réu sentia que a palavra do seu advogado ia pouco a pouco abrandando os corações dos jurados, e transformando-lhes as rijas fibras musculares em mole cera.

E o desgraçado exultava. Pelas janelas do velho casarão do antigo Museu, mirava ele lá fora o céu azul, o livre céu luminoso retalhado pelo livre revoar das andorinhas. E diria, de si para si: "Mais algumas horas e eu também serei livre! Como deve ser bom andar em liberdade, poder trocar as pernas por essas ruas, longe da treva da cadeia e do olhar medonho do carcereiro! Mais algumas horas, mais algumas horas somente... Assim que me pilhar lá fora, irei jantar... Depois, talvez vá ao teatro... Meu Deus, como é bom ser livre!..."

A oração do advogado acabara. Alguns jurados, comovidos, enxugavam os olhos. O presidente do tribunal, do alto do estrado, lançava sobre o réu um olhar estremecido e amável. Formularam-se os quesitos. Fechou-se sobre o júri a porta da sala secreta. E toda a gente que enchia a sala das sessões rejubilava e sorria, certa de que o homem seria absolvido.

Puro engano! Quando o presidente leu as respostas aos quesitos formulados, houve um espanto grande e indizível: o sujeito estava condenado a quinze anos de prisão!

Como? por quê? os jurados não tinham medido palavras, tinham confundido as respostas, tinham trocado os quesitos, e força era declarar o réu criminoso... Em vão, tentando demover do seu propósito o juiz, clamava o advogado que a intenção do júri fora outra, pois não havia ali um jurado que não estivesse convencido da inocência do mísero. Em vão! o juiz declarou terminantemente que de boas intenções está o inferno calçado, e o pobre diabo teve de desistir dos seus belos projetos de bom jantar e de noitada alegre: e voltou para a cadeia, sem compreender aquela atrapalhação.

* * *

É mais uma pedra preciosa que se engasta na coroa de glória dessa admirável instituição do júri.

Parecia que, quanto mais rudes e simples fossem os jurados, mais capazes deveriam ser para o difícil mister.

O homem simples, vivendo fora da influência de todas as filosofias ocas, conserva a alma infantil, guarda a religião que lhe deram na pia batismal, não pretende discutir aquilo que não compreende, e aceita a Natureza como ela é, sem querer saber o porquê das cousas. Assim tem da justiça a idéia mais pura; não faz retórica: sabe que roubar é um crime, sabe que assassinar é um outro crime, e isso lhe basta.

Até agora, andávamos todos convencidos de que os bacharéis, os homens instruídos que tudo discutem, que tudo analisam, são perigosos; são capazes de condenar um inocente para não dar o braço a torcer numa controvérsia jurídica, e de absolver um facínora para não contrariar uma teoria criminal. E convencíamo-nos, por outro lado, de que quanto mais cândida e despida das complicações da civilização é a alma de um homem, tanto mais facilmente pode esse homem reconhecer a inocência ou a culpa de um réu.

Mas, não! vê-se agora que o perigo é o mesmo. Os complicados não prestam, porque tudo complicam com a sua retórica e as suas pretensiosas filosofias: e os simples também não prestam porque não conhecem o valor das palavras, e tudo atrapalham com a sua ignorância...

Que fazer então? não seria tempo de se convencer a gente de que essa ultraliberal instituição do júri é uma antigualha prejudicial? pois não é verdade que o julgamento por juiz singular ou por uma reduzida junta correcional está menos sujeito ao azar dos erros do que o julgamento de uma multidão?

* * *

Quem quase nunca se engana é o Acaso. O Acaso é um juiz estupendo.

Num destes últimos dias, dous gatunos arrombaram a porta de uma casa em Sapopemba, e pé ante pé, procurando orientar-se, foram caminhando pela treva. De repente, um deles sentiu-se agarrado por um braço forte: acreditava que era um dos moradores da casa quem o agredia e, sacando de um revólver, fez fogo. A família acordou espavorida, acenderam-se as luzes, trilaram apitos, chegou a polícia. Verificou-se então que um dos gatunos estava estendido no chão, morto. O outro, que o matou, supondo matar um agressor, fugira.

O patife, que ali estava sem vida, fora, sumariamente, em poucos segundos, processado, julgado, condenado e executado pelo Acaso... Não houve discursos, réplicas e tréplicas, quesitos, hesitações: foi tudo rápido e seguro, instantâneo e positivo.

Se o gatuno, apanhado com a boca na botija, fosse entregue à justiça dos homens, seria talvez absolvido, e continuaria a assaltar as casas de Sapopemba e do resto do mundo. Mas, ali, quem tomou conta dele foi o cego juiz, o inflexível e terrível Acaso, que quase nunca se engana...

* * *

Não seria mau confiar todos os processos ao julgamento desse juiz singular. Meter-se-iam numa urna duas bolas, uma branca e outra negra. O réu mergulharia a mão no seio da urna e tiraria ao acaso uma esfera. Se a esfera fosse branca, a sua inocência, alva como ela, seria proclamada: se a esfera fosse negra, a culpa do réu seria decretada.

E querem saber? afirmemos, sem receio de contestação, que, com essa forma de julgamento, os erros judiciários não seriam mais freqüentes do que atualmente...

s. a.

07 out. 1900

Crônica

O cronista não pôde ir ao Senado no dia em que Lopes Trovão apresentou o seu projeto de saneamento do Rio de Janeiro.

É de se crer que os Srs. senadores, ouvindo aquela longa exposição, tenham pasmado uns para os outros, perguntando a si mesmos que lenga-lenga era aquela. E talvez alguns deles, comiserados e inquietos, tenham murmurado, com um vago espanto: "Coitado do Trovão! enlouqueceu!..."

Tratar, realmente, de sanear e de aformosear o Rio de Janeiro é empresa a que só parece possam abalançar-se malucos. A prova disso é o silêncio que pesou sobre o projeto que, recolhido ao mais arcano dos armários do Senado, foi dado em pasto às traças vorazes. Ai! de nós! ainda desta vez, nada se fará em favor da acabrunhada Sebastianópolis.

* * *

Mem de Sá, quando fundou "nesta Babilônia de água e verduras" o Rio de Janeiro, fez o que pôde. Hoje, se o velho governador pudesse ressuscitar e contemplar tudo isto, sentiria o rubor da indignação subir à sua rude face tostada pelos pós de tantas viagens e de tantas batalhas. Mais uma vez, o criador se envergonharia da criatura...

Estácio plantara o berço da cidade junto do capucho do Pão de Açúcar; e cercara-a de tranqueiras, e dera-lhe cacimbas, [*****] de taipas roças. Mas o lugar era mau. Apertada em vestes estreitas demais, a *urbs*-menina não poderia medrar e criar corpo. O presidente Mem de Sá transplantou-a para o Castelo, e ficou convencido de que, em breve tempo, ela desceria dali, risonha e fresca, alastrando pelo pendor do morro casarias brancas e lindas. Mas, pobre Mem!, os sujeitos, a quem ele doara terras e materiais de construção, começaram logo a levantar cochicholos aleijados. Varnhagen, com seu bom gosto de erudito e de viajado, registra amargamente que "aqui, como na Bahia, foi servilmente seguido o sistema de construções do velho reino; e nem na Ásia, nem nos modelos de arquitetura árabe na península, se foi buscar mais adequado sistema, como o de palcos com repuxos, e terraços de açotéias, como o mais conforme ao nosso clima".

As casas desciam do morro, como um bando de velhas mendigas, trôpegas e cambaleantes, agarrando-se umas às outras. Quando chegavam cá em baixo, derramavam-se na planície sem ordem, atropeladamente. No meio de montões de prédios [*****], construíam-se imensos [*****] de paredes de metro e meio de largura, e de vastas fachadas picadas de janelas microscópicas. E cada vez os becos se estreitavam mais, e cada vez mais feia, pela orla da encantadora praia, se esticava a lombriga monstruosa. E foi assim que se fez, amigos, esta cidade de vielas e de cafundós, que é a vergonha da América!

Por quê? Por avareza? Não, de certo, porque o carioca sempre foi muito amigo de gastar dinheiro. No começo do século XVIII, já havia por aqui um luxo notável. Havia vestes de damasco e veludo; havia palanquins, cadeirinhas, cavalos ornados de guiões e mantos de seda; os jantares, as ceiatas "de muita vaca e riso", os *Te-Deum*, as festas de toda a sorte, eram freqüentes; nas casas, as baixelas eram de prata, e as camas eram forradas de velhas e preciosas colchas da Índia. Mas as casas, em que se abrigava todo esse luxo, eram abomináveis...

O que espanta é que, através das idades, esse desmazelo se tenha mantido e progredido. Com as construções, no Rio de Janeiro, dá-se o mesmo que com o calçamento. Calça-se de novo uma rua: e, quando os calceteiros dão por terminado o trabalho, o calçamento novo é mais torto, mais cheio de altos e baixos do que o antigo. Também quando se tem de deitar abaixo um renque de casebres, – veja-se o que está sendo feito no flanco do convento da Ajuda! – outros casebres surgem logo do solo, cogumelos de pedra e cal, como por encanto, ainda mais aleijados e mais mal encarados do que os outros.

Os grandes prédios que se levantam na rua Direita (não vos esqueçais de que nome é uma voz que se dão a conhecer as cousas e as pessoas!) afastam-se propositadamente do alinhamento.

Um telegrama de Buenos Aires, publicado ontem, diz que o intendente Bullrich, logo depois das festas do Brasil, irá em comissão do governo à Europa, a fim de estudar os melhoramentos das grandes capitais européias, que possam, com proveito, ser adotados na capital argentina.

Aqui, se tivéssemos de imitar esse procedimento, que faríamos? provavelmente mandaríamos à China uma comissão de conselheiros municipais encarregada de estudar, naqueles vastos chiqueiros humanos, as feialdades e os aleijões que por ventura ainda não possui a nossa formosa capital. Parece que o Rio de Janeiro sofre de uma fobia ainda não estudada: é talvez a moléstia de que fala Ruskin, o horror da justiça.

No tocante à conservação das praças e dos passeios, isto é um regalo. Uma cidade que pode apresentar aos *touristes*, além do Corcovado, o canal do Mangue, está decididamente muito bem servida. Jesus! não há cidade abandonada, resto e rebotalho do tempo colonial, que se possa gabar de possuir uma beleza como aquela. S. José d'El Rei, por exemplo, a velha e decrépita cidade mineira, onde tanto tempo viveu Tiradentes, não é capaz, com as suas ladeiras cobertas de lama e capim, e povoadas de bácoros, de dar à gente a impressão dolorosa e repugnante daquele comprido atascal, ladeado de grades arrebentadas, cortado aqui e ali por pontes em frangalhos, e desfazendo-se ao sol em miasmas e pestes!

* * *

O fogoso tribuno, que por tanto tempo esteve calado, meditou essas cousas, e quis ver se podia dar-nos um pouco de vergonha. Notou que, em Botafogo, em Vila Isabel, em S. Cristóvão, há casas de construção recente, que parecem do tempo de Bobadela: a solidez é menor, e a feialdade era a mesma. Notou ainda que todos os dejetos da grande cidade são despejados dentro da baía, mesmo às ventas da população, e que é sobre esse podre lençol de águas infectas que se debruçam os palacetes da gente rica, as casinhas da gente pobre, os hospitais e as escolas. Reparou que as ruas, agora abertas, ainda conseguem ser mais estreitas, mais cheias de cotovelos, mais zig-zagueantes do que as velhas. E apresentou ao Senado o seu projeto.

* * *

Pois bem! pode Lopes Trovão fazer o seu testamento político. Ninguém o mandará mais ao Senado...

Pois que! querer sanear o Rio de Janeiro, e sem novos impostos? Mas, se não houver epidemias, o que será dos médicos? e, se não houver impostos, que será da política? Pois que! exigir que as leis municipais sejam cumpridas! impedir que os proprietários se conduzam unicamente pelo seu soberano bom gosto e pelo seu acabado conhecimento de todas as regras da arquitetura e da higiene! ousar dar leis à toda-poderosa classe dos mestres de obras! Já se viu maior desaforo?

Felizmente, o silêncio do Senado caiu logo, como uma ducha gélida, sobre aquelas idéias reacionárias. A esta hora, as traças implacáveis estão encetando a sua grande obra justiceira, reduzindo a pó impalpável aquele projeto jacobino, carbonário, inimigo da prosperidade pública e das fortunas particulares...

Felizmente! e vamos à festa da Penha, esgotar um pichel de vinho generoso à saúde e à glória do Rio de Janeiro, que é a primeira cidade da América do Sul... a começar pelo fim!

s. a.

21 OUT. 1900 CRÔNICA

Um pombo correio encheu ontem esta casa da maior alegria possível. Trazia ao pescoço uma carta fechada e volumosa; abrimo-la, era a crônica do nosso delicioso colaborador. Posto soubéssemos da experiência que ele queria fazer, não acreditávamos que surtisse efeito, mas enganamo-nos. Bilac tinha razão; eis aqui a crônica da semana, para não faltar uma só vez ao seu encargo, doce para ele e para nós:

À *Gazeta de Notícias*

A bordo do Thames, 18 de outubro de 1900.

Pombo da minha alma, vai, vai, corta os ares, torna à nossa terra carioca, pombo forasteiro, dize aos meus amigos e ao meu público que eu ainda não morri, apesar do enjôo, que é grande. Vou melhorando. O primeiro dia é que foi o diabo; Messervy, o comandante do *Thames*, que é um inglês de mão cheia, disse-me que o melhor remédio contra o enjôo era não querer enjoar.

– Não queira enjoar! bradou.

– Mas eu não quero enjoar...

– Quer, tanto quer, que está enjoando. Já; não enjoe!

– Não enjôo! Não quero!

Não sei se foi da vergonha, se do remédio, a verdade é que comecei a melhorar pouco a pouco e espero chegar a Buenos Aires como saí do Rio.

Todos a bordo vão bem. Tem havido algum vento e nuvens e o mar é [*****] crespo, mas o paquete importa-se pouco ou nada e vai andando. Os argentinos que vêm da Europa já travaram amizade conosco. Os ingleses quando souberam que éramos jornalistas, deram-nos a idéia de fazer um jornal a bordo, só para bordo. Não era mau. Não faltava nada, nem papel, nem tinta, nem paciência; faltava-nos prelo. Mas um moço australiano, que vai a Corrientes visitar uma irmã e traz consigo uma máquina de escrever, ofereceu a máquina, e aí está como pôde sair no dia seguinte o primeiro e único número da folha.

Que título pensam que lhe demos? Nas praças judiciárias, antigamente, antes de entregar o ramo ao comprador, o pregoeiro, ou não sei quem, bradava: "Dou-lhe uma, dou-lhe duas, uma maior, outra menor". Eu dou-lhes uma dúzia, dez, vinte, trinta dúzias, todas maiores, e não acertam. O título da nossa gazeta é *No mar ou saudades da rua do Ouvidor*.

Não é que nos gabemos, mas o número saiu excelente. Tinha um artigo de fundo, ocorrências do dia, *dizia-se ontem*, crítica musical, crítica literária, notícias metereológicas, telegramas, uma ode a Fulton, um conto, uma questão gramatical ou de linguagem, como as que Castro Lopes resolve, "a pedidos", finalmente, anúncios.

O artigo de fundo era meu. Tratava da necessidade de explorar os mares históricos para o fim de descobrir e recolher nova documentação da política comercial de Cartago. Não disse tudo o que este vasto assunto pedia, mas dei boa amostra do pano. As ocorrências eram naturalmente de bordo, do mar, e do céu.

Na parte telegráfica tivemos de inventar; e para não sair da verossimilhança, demos dous telegramas apenas, um de Capetown, dizendo que dous mil ingleses destroçaram um comando de *boers*, e outro de Lourenço Marques afirmando que um comando de *boers* destroçou dous mil ingleses. Houve cinco ou seis apostas sobre a verdade de um e de outro; vão verificá-lo em Buenos Aires. Eu creio que ambas as partes venceram.

Uma notícia de última hora fez grande sensação; foi esta: "Corre com visos de verdade que a imperatriz da China está a bordo do *Thames*". Não imaginam o efeito. A folha (esquecia-me dizê-lo) começou a ser lida de popa à proa. Quando chegou à proa, era um alvoroço geral. Alguns corriam ao comandante perguntando-lhe se era verdade e se podiam vê-la. Messervy, que é dado ao riso sério e bretão, respondeu que Sua Majestade lia agora os últimos despachos recebidos no Rio de Janeiro, e não tardaria a sair por alguns instantes para tomar fresco. E continuou:

– Sua Majestade está abatida. Todavia, como não perdeu o uso de governar, pergunta todas as manhãs pelo número de decapitados da véspera. Eu respondo-lhe: Trinta galinhas, *gracious empress*. Fica desconsolada e murmura: Pobres galinhas!

Todos crêem na presença da Imperatriz. Eu mesmo que inventei a notícia começo a desconfiar que é verdade, exatamente como na rua do Ouvidor.

A questão gramatical foi saber se, a exemplo de Camões, que disse: *Porém já cinco sóis* etc., não teria razão a gente de Aveiro, que em vez de *ovos moles* diz *ovos móis*. A solução dada, sem ser clara, foi brilhante e, na minha opinião, escusada; mas todas as portas se devem abrir ao engenho humano. O autor, depois de citar alguns poetas latinos e vários trechos adequados (*rudes indigistaque MOLES*) concluiu que não há identidade entre a gente de Aveiro e os *Lusíadas*. O que se deve dizer é *ovos moles* e não *móis*. Só se poderia dar esta última forma, no caso de ser verbo, *ovos móis*, isto é, *móis ovos*, *móis a paciência* etc.

Poucos anúncios, dous apenas. Uma senhora de Córdoba "deseja encontrar um senhor viúvo e de bons costumes para acompanhá-la a Assunção". Um senhor de Assunção "precisa de uma dama entre 28 e 38 anos que queira ir com ele para Córdoba". Se os há, talvez fiquem no Rio de Janeiro.

A noite desse dia não teve outra matéria de conversação senão a nossa folha. Pediram-nos que fizéssemos o segundo número. Respondi com esta gravidade que Deus me deu que não podia ser, porquanto trazíamos conosco a ajuda do custo de certa soma de idéias para descrever nas festas argentinas, e se as empregássemos a bordo desembarcávamos em Buenos Aires com as algibeiras vazias.

– Mas por que não trouxeram mais?

– As idéias no Rio de Janeiro andam vasqueiras. Têm sofrido muito com o câmbio. Quem tem algum pecúlio prevê sempre uma catástrofe, como a última dos bancos, e gasta só o preciso para não parecer avaro. Eu trago um cheque de trezentas libras, mas temo espalhá-las depressa.

E aqui tem o meu público em que nos ocupamos a bordo. Assim matamos as saudades, que são intensas e contamos com a perspectiva das festas de Buenos Aires, que prometem ser maravilhosas. Daqui a pouco estaremos nas *calles* argentinas, comparando as moças de Palermo com as da rua do Ouvidor. Serão mais belas? Creio que terão a mesma beleza, a mesma graça, a mesma doçura, todas as qualidades que eu não peço licença para meter no coração. Concordem que, apesar do enjôo, estou o mesmo *Leonardo soldado bem disposto*, que de lá saí.

Hoje de manhã escrevi esta crônica, e aqui a pendurei ao pescoço do pombo-correio. Vai pombo do meu coração, torna aos ares da nossa terra carioca e dize ao Henrique que me dispense no outro domingo. Para o terceiro estou de volta.

S. A.

28 OUT. 1900 CRÔNICA

Ontem, por ocasião de ser inaugurado o primeiro trecho da grande linha da Companhia Telefônica do Brasil, Prata e Pacífico (*Brazil, River Plate and Pacific Telephonic Co.*) falamos ao nosso cronista, que ora se acha em Buenos Aires. Trocados os recados oficiais e começando os da imprensa, o nosso cronista alcançou dos colegas que ele rompesse a marcha, por causa da crônica. Era sábado; não queria faltar ao domingo. Pela nossa parte não tínhamos motivo de lhe falar também senão esse, visto que nada absolutamente queremos saber da saúde de homem que está melhor que nós, e se não morrer de indigestão não será por falta de banquetes. Enquanto nós palmilhamos a rua do Ouvidor, suando como quisera suar o velho chafariz da Carioca, ele folga, ri, com [*****] fino e grosso, faz versos, recita-os, namora, freqüenta os teatros. Vá ser feliz para o Diabo, com perdão da palavra.

Ao menos, já que não escreve, telefone uma crônica para cá. Era o que íamos dizer-lhe quando ouvimos chamar-nos:

– Alô!

– Pronto!

– Quem fala?

– Sou eu.

– Quem está no aparelho? É a *Gazeta de Notícias*?

– É.

– Eu sou o cronista. Como vão todos?

– Vamos andando. E tu?

– Magnificamente.

– Imagino; temos lido os telegramas e a água vem à boca de todos nós. Mas vamos ao que serve. Escreveste a crônica?

– Escrever, o que se chama escrever, não escrevi, mas tenho-a aqui na ponta da língua. Vou telefoná-la; abre bem as orelhas.

– Fala.

– "Quando, rompendo o seio de Anfitrite..."

– Anfitrite? Isso já é namoro. Não queremos saber se rompeste algum seio em Buenos Aires, meu caro; queremos crônica.

– Aposto que quem está no aparelho é o secretário da redação.

– Justamente.

– João, quando hás de aprender mitologia? Anfitrite é a deusa do mar. O que eu quero dizer é que logo que vim, mar em fora... A propósito, o pombo-correio chegou? Sim? Bem. Como ia dizendo: "Quando, rompendo o seio de Anfitrite..."

– Parece verso.

– Não me interrompas. Olha que os outros também querem falar e estão à espera que eu acabe. O Filinto soube pelo telégrafo que o Projeto da Academia Brasileira de Letras foi segunda-feira para o senado, e está ansioso por saber se já passou ali, eu tenho-lhe dito que não é possível, em quatro ou cinco dias, correrem as três discussões do regimento, mas que provavelmente não se demorará, à vista da boa vontade daquela casa do Congresso...

– Agora és tu que perdes tempo.

– É que eu também me interesso pelo projeto, e o Lúcio Também; mas vamos à crônica. Vai escrevendo: "Quando, rompendo o seio de Anfitrite, chegamos a Buenos Aires, demos com uma cidade magnífica, entusiástica, rica, amiga e boa. Os telegramas não podem ter mentido, porque o mais que disserem será pouco. A imprensa veio saudar-nos fora, mandando-me uma das principais folhas um vapor especial, *Eolo*..." Escreve bem este nome, é também mitologia. "E parece que foi posto o nome de propósito, sabendo-se que havia entre os jornalistas algum que faz o seu verso, e dizem que bom..."

– Escrevi "ótimo".

– Não me interrompas... "Entramos na cidade, como se fosse na nossa própria casa, tal é o carinho, a alegria, a familiaridade de toda esta gente. Os homens parecem damas, as damas parecem deusas, verdadeiras deusas, as deusas antigas, com a particularidade de falar castelhano, como Santa Teresa de Jesus". Fecha o parágrafo.

– Está fechado.

– Abre outro: "Não conto, não tenho palavras para contar tudo o que nos fez desvairar nas primeiras vinte e quatro horas. Não sabíamos de nós; agora mesmo apenas sei que estou falando pelo telefone, mas dizer se estou na terra ou no céu, não sei. Vivemos à mesa, na rua, no teatro, a passear, a dançar, a ouvir e fazer discursos, e vê-los imprimir. O meu segundo discurso já me saiu impresso da boca. Os diários aqui são palácios. As bandeiras não têm número. As iluminações, desde quinta-feira, quando o Campos Sales desembarcou, não se podem descrever..." Não marco os lugares para os pontos de admiração; podes distribuí-los à vontade.

– Não é preciso; o teu estilo tem vigor bastante...

– Não me engrosses, João. Onde estava eu?

– Nas iluminações.

– Continuo: "Quanto ao total das ornamentações e do movimento, não se pode dizer com palavras que bastem. Se eu voltar daqui com vista é porque Deus quer, mas a claridade é tanta, a profusão das lâmpadas é tal, que um céu aberto não dá imagem da verdade. As aclamações do povo, as flores que choveram sobre os dous presidentes, um verdadeiro delírio. Não fui ao banquete da casa Rosada, mas estive no baile do Jóquei Clube, digo que vocês não podem ter a mais leve idéia do que foi tal festa. Somos lúgubres, João..."

– Fala no singular.

– Bem: "Tu és lúgubre, João; nunca farás idéia do esplendor, da alegria, da pompa que a sociedade argentina pôs nestas manifestações, das quais não há memória aqui. Tenho falado a pessoas velhas e o acordo é geral. A Exposição Rural é um primor". Outro parágrafo.

– Pronto.

– "Hoje de manhã visitei a cidade em companhia de amigos daqui e de lá. Logo à saída disse que era melhor começar pelo pior, e pedi que me levassem ao beco do Cotovelo; responderam-me que não há beco do Cotovelo nesta cidade. Cético até a medula dos ossos, repliquei que podia não matar a gente à passagem, como sucede ao nosso beco daí, mas seria um beco mais ou menos acotovelado. Responderam-me que era engano meu, se não era invenção chilena, e bem podia ser ambas as cousas. Daqui originou-se uma conversação animada. O argentino é alegre, põe a gente no coração. A Argentina também, com a particularidade que a impressão, vindo [sic] do belo sexo, é ainda mais deliciosa..."

– Tu voltas casado.

– Não; teria de casar com muitas portenhas; voltarei como vim, apenas com saudades... Vamos acabar a crônica; ou achas que basta?

– Bastar não basta; tu nunca bastas. Mas, enfim, basta um ar da tua graça. Já agora diverte-te, enquanto é tempo. Venham as palavras finais.

– "E paro aqui. Sejam a portenha e a carioca as duas chaves de todos os corações que amam o belo e o gracioso. Não posso dizer mais; o resto só na rua do Ouvidor. E fica esta sendo a última crônica de cá. Até breve!!" Bota dous pontos de admiração, João.

– Já os botei, rimador eterno.

s. a.

18 nov. 1900

Crônica

Quando leres isto, Sebastianópolis, não cubras com indignação a face, não dês punhadas de ira na cabeça, não te rojes no chão acoimando de ingrato este pobre filho sincero! Ama-te ele assim mesmo, desleixada e feia; nem todas as avenidas e todos os *boulevards* da Europa e da América poderão jamais ter para ele o encanto daquela triste esburacada rua da Vala que ouviu os seus primeiros vagidos. Mas justamente porque tanto te ama, é que teu filho deve ter o direito de te dizer, entre dous beijos, que a vizinhança de Buenos Aires é uma vergonha para ti, adorada Sebastianópolis...

Quem um dia te disse que és a primeira capital da América do Sul zombou da tua ingenuidade e injuriou duramente os teus cabelos brancos; mais te ama e muito mais digno é da tua gratidão quem francamente te diz que és uma cidade de pardieiros, habitada por analfabetos. Ah! quando um dia, do teu seio fecundo, surgir o homem fadado para reformar-te, o Torenato [sic] de Alvear designado pelo Destino para o mister glorioso de te curar a lazeira e de te infundir novo sangue, e então tu serás a primeira capital, já não da América do Sul, mas de todo o mundo; e os teus filhos de então, vendo, nos álbuns de arte retrospectiva, as tuas ruas e as tuas casas de hoje, perguntarão assombrados como pode um povo viver por tanto tempo atolado em tão torpe inércia!

Tu és filha amada da Natureza; para te fazer feliz, a Sorte quis abrigar-te à sombra do veludo verde das mais belas montanhas da terra, e estendeu aos teus pés o tapete ondulante das mais formosas águas e abriu sobre ti a glória fulgurante do mais lindo pedaço do firmamento. Para Buenos Aires, a Natureza [*****] seca e implacável madrasta: [*****] como uma órfã, abandonada e triste na torturante melancolia de uma planície infinita, sem a sombra de um outeiro, sem a frescura de uma sebe verde, com os pés banhados na água lodosa de um rio escasso. E tudo quanto a deserdada hoje possui é obra da sua coragem, do seu desesperado esforço, do seu rude labor sem tréguas. Quanto tu quiseres ser uma cidade decente, que assombro não serás, Sebastianópolis, respondendo com um pouco de trabalho à generosidade com que Deus te tratou?!

Certo; não foi durante os seis dias de festas deslumbradoras que os forasteiros do jornalismo puderam admirar a formosa metrópole. De dia, uma população delirante tumultuava nas ruas, aclamando o Brasil, rolando como um Amazonas humano pelas amplas avenidas orladas de palácios, espraiando-se nos vastos estuários das praças empavezadas; à noite, Buenos Aires ardia e fulgurava como uma cidade de sonho: o céu tropical, com todos os seus recamos de estrelas, com todos os seus corimbos de constelações, parecia ter baixado à terra, a adorná-la e a embelezá-la; dez mil carruagens passavam e repassavam numa ronda fantástica, carregando mulheres, cuja beleza, à irradiação viva das Jablokoff, chegava a doer nos olhos da gente! E, ao clamor das bandas de músicas, [*****] da multidão entusiasta, quem ali estava julgava estar num trecho do país da Fábula, evocado e animado pela vontade de um Mago.

Mas o eco derradeiro das grandes festas expirou; em uma só noite recolheram-se todas as flâmulas, desmantelaram-se todos os coretos, sumiram-se todas as colunatas festivas, e não ficou em nenhuma rua um só buraco, nenhum só desses hediondos buracos que, no Rio de Janeiro, depois das festas, permanecem, por seis meses, escancarados, chorando a ausência dos mastros arrancados... E foi, então, quando a cidade voltou à sua vida normal, quando à vozeria ensurdecedora da colossal quermesse sucedeu o calmo sussurrar da operosa colméia, que nós pudemos, ó desventurada Sebastianópolis!, estudar e admirar a tua rival, e, de uma em uma pesando todas as suas belezas, compreender o maravilhoso poder de pertinácia que produziu aquele milagre...

Há pouco mais de vinte anos, quem chegava a Buenos Aires era forçado a passar do navio para uma canoa, e da canoa para um carro de bois, que lá ia aos solavancos, enterrando as rodas na lama. Vinte anos, nada mais!, bastaram para tirar da casca repugnante daquela lagarta a cintilante borboleta que é hoje o encanto do Prata!

Quando Alvear quis realizar o seu sonho radiante, não houve casmurrice apatacada que ousasse opor-se ao soberano poder da sua vontade. Foi um prodígio, foi uma loucura, uma dessas abençoadas loucuras que são cem mil vezes mais úteis do que todo o bom senso de todos os conselheiros Acácio. Para construir o porto Madero, aquele assombroso porto, graças ao qual o presidente Campos Sales pôde, sem sair do território brasileiro que era o convés do *Riachuelo*, apertar a mão do presidente Roca, que tinha os pés em território argentino, consumiram-se trinta e seis milhões de pesos ouro; e, dado o primeiro passo, a marcha para a Perfeição precipitou-se, vertiginosa e invencível: todas as velhas casas coloniais caíram, e não houve juiz que desse mandado de manutenção aos proprietários de pocilgas; as ruas alargaram-se, os palácios surgiram como por encanto do solo, a vontade do homem venceu a apatia da terra, os parques se encheram de árvores cuja existência se mantém à custa de carinhos e de sacrifícios que não têm preço; e, quando veio a crise, quando a nação se confessou falida, já ninguém podia arrancar do seu solo aquela jóia inestimável, aquela capital modelo...

Não te irrites, Sebastianópolis! não apinhes os lábios num muxoxo tolo! não digas que tudo aquilo é luxo de gente arrebatada! tu, que não tens luxo nenhum, estás tão arrebatada como a tua rival, e deves, como ela, todos os cabelos da cabeça... Não digas também, que, em compensação o teu progresso intelectual é maior! tu queres ter estátuas antes de ter praças, queres ter teatro nacional antes de ter escolas, queres ter arte antes de ter esgotos... A arte, velha e adorada Sebastianópolis, é a cúpula triunfal que coroa o edifício. Certo, é uma grande glória para uma cidade ter um estatuário como Bernardelli, um pintor como Parreiras ou Amoedo, um jornalista como Patrocínio ou Rui: mas, bem pesadas e bem medidas as cousas, força é convir com a gente, antes de dar um baile, deve mandar varrer a sala...

Quem [*****]? talvez mesmo nesse momento, no obscuro laboratório em que os Fados cozinham e condimentam as cousas e as pessoas humanas, se esteja preparando o advento de uma era nova. Quem sabe? de um instante para outro, o teu Alvear nascerá e tu renascerás, desgraçada cidade que ainda não tiveste quem te soubesse amar mais com atos do que com palavras!

Não te zangues com a franqueza deste pobre filho! Quando um carioca volta da Europa, e pisa de novo o teu calçamento remendado, e mira de novo os teus prédios sujos e a tua gente em manga de camisa e pés no chão, a revolta não é grande: o viajante reconhece a inferioridade da sua terra, mas lembra-se de que o conforto e a elegância da Europa são produtos de séculos e séculos de civilização e de trabalho. Essa consideração basta para consolar e para diminuir o espanto e a vergonha. Mas reconhecer a gente que ali assim, a quatro dias de viagem há uma cidade como Buenos Aires, – e que nós, filhos da mesma raça e do mesmo momento histórico com muito mais vida, com muito mais riqueza, com muito mais proteção da Natureza, ainda temos por capital da República, em 1900, a mesma capital de D. João VI em 1808, – isso é o que dói como uma afronta, isso é o que revolta como uma injustiça.

Não cubras com indignação a face, não dês punhadas de ira na cabeça, não te rojes no chão acoimando de ingrato o teu pobre filho, Sebastianópolis! Fosses tu mil vezes mais feia, e mil vezes mais desleixada; e ainda assim, com o mesmo ardor e com a mesma ânsia, ele pediria a Deus que o não tirasse daqui, a fim de que o seu corpo na derradeira viagem para o cemitério de S. João Batista, ainda sentisse dentro do carro fúnebre, o péssimo estado do teu ignóbil calçamento! Não, amada Sebastianópolis! o fausto e a lindeza de Buenos Aires não mataram neste coração o amor da cidade natal: quanto mais enfermas e desventuradas são as mães, tanto mais precisam dos beijos e do carinho da prole. Mas, pelo amor de Deus, arruína-te, desgraça-te, empenha as tuas carnes e os teus ossos, come pão seco e bebe água pura, mas cria coragem, ganha confiança no teu próprio valor, santifica-te pelo trabalho e pela vontade, exsurge desse marasmo, cresce para a luz e para a limpeza, limpa-te, Sebastianópolis!

Quando aparecerás tu, Providência desta terra, Alvear da cidade carioca?!

s. a.

09 DEZ. 1900 CRÔNICA [IP]

Depois do último domingo, parece que a situação moral da Pátria não mudou sensivelmente. Aquela mesma apatia, que a *Crônica* assinalava como a moléstia característica do Brasil no fim do século continua a pesar sobre estas gentes infelizes. A pátria está na mesma situação de um homem a quem fosse tão indiferente receber um mandato de despejo como tirar a sorte grande: "Levanta-te, homem feliz! herdaste cinco mil contos!" E o homem imóvel!... "Levanta-te, desgraçado! olha que a tua casa está ardendo!" E o homem imóvel!

É incrível! nem a grande nova da vitória diplomática do barão do Rio Branco conseguiu sacudir estes nervos amolentados!

* * *

Zola, em um dos mais fortes poemas da série dos *Rougon-Macquart*, pintou, com as tintas mais vivas da sua poderosa palheta, o *amor da terra*, o apaixonado fervor com que o homem, na Europa, se dedica de corpo e alma ao pedaço da miserável crosta do planeta que lhe pertence.

Para o campônio europeu, a terra vale mais do que pai, mãe, filhos, saúde: o seu ideal seria criar raízes no solo, aferrar-se a ele, sugar-lhe a seiva, viver dele e para ele, como as árvores... Arrancar a um europeu um pedaço de terra, é arrancar-lhe um bocado da própria carne: o lugar, que ocupava o membro mutilado, fica eternamente sangrando, numa eterna e irremediável ruína.

E as nações conservam, infinitamente multiplicado, o ardor dessa religião dos homens. A fronteira, para qualquer país da Europa, é uma cousa venerável e inviolável, como o Zaïmph dos cartagineses, a pedra da Caaba dos muçulmanos, o Santo Sepulcro dos cristãos: tocá-la é tocar o coração da pátria, é malferir a honra doméstica, é derrocar do solo os deuses lares rebolcando-os no pó...

Não se diga que esse amor é apenas uma manifestação do sombrio interesse, da negra avidez. O amor da propriedade é também o amor da tradição. Conservar o que pertenceu aos avós é conservar o seu trabalho, a sua dedicação, as suas lições. Eles vivem, perpetuamente, nas terras que conquistavam pelas armas ou pelo talento: menosprezar a herança que deles veio é profanar a sua memória, menoscabar o seu valor.

* * *

No Brasil não há ainda essa religião. Os ricos não amam, em regra geral, o que possuem.

Tal mancebo, tendo herdado uma vasta fortuna, entra a dissipá-la sem receio; por entre os seus dedos, virgens dos calos do trabalho, começa a escoar-se o dinheiro, em rios claros e livres, loucamente desperdiçados sem medida nem conta; não há cavalos de raça, nem alfaias de luxo, nem orgias sardanapalescas, nem amantes de alto coturno que lhe bastem: para que serve o dinheiro, senão para ser gasto? Mas lá vem um dia em que os rios de ouro, até então fluindo em grossas cachoeiras entre os dedos do pródigo, começam a enfraquecer, a afinar, a minguar, transformados de caudais impetuosos em ribeiros de vulto pobre, em arrióis de miserável porte. Então, o alarmado mancebo aperta os dedos, reconhecendo que a nascente de ouro se estanca – e começa a gastar o dinheiro às gotas, a conhecê-lo, a prezá-lo, a adorá-lo...

Como há de o Brasil prezar os seus nove milhões de quilômetros quadrados, se, do sul ao norte da barra do Chuí à serra do Roraima, as suas posses são tão fartas que nem a matemática as pode calcular, nem a imaginação as pode sonhar? Quase tudo isso virgem, quase tudo isso entregue á primeira bruteza, apenas conhecido de Deus e das feras...

Moço rico, que não calcula a extensão da sua fortuna, o Brasil não ama aquilo que não conhece. Por isso quando lhe disseram que o barão do Rio Branco lhe restituía a propriedade de um largo pedaço de terra, o Brasil não chegou a prestar atenção ao caso, murmurou um seco "obrigado", e, dando de ombros, foi pensar em outra cousa...

No entanto, a publicação do mapa do Amapá foi uma revelação! Ninguém imagina que se tratasse de tão longo, de tão farto, de tão esplêndido trecho do território brasileiro. Ouvindo falar do Amapá, todos nós fazíamos idéia de um pedacinho de terra bruta, cortado por algumas braças de água, e recheado de alguns punhados de ouro escasso. Quando os nossos olhos mediram a extensão do domínio restituído ao Brasil pelo talento de Rio Branco, foi que pudemos ao mesmo tempo, medir qual seria a extensão da nossa vergonha, se por inépcia ou incúria, perdêssemos uma propriedade tão indiscutivelmente nossa.

E era de esperar que de todos os pontos do Brasil rompesse no mesmo instante, cantado por milhões de bocas, o hino de gratidão e glória ao Restituidor dos territórios, filho do Libertador dos ventres escravos! Mas não! se não fossem os rapazes estudantes, nenhum eco das nossas aclamações chegaria ao calmo gabinete de Berna, onde Rio Branco, com a alma inundada de uma alegria rejuvenescedora, repousa agora das fadigas da sua rude campanha, ainda com os nervos sacudidos pelo entusiasmo com que se dedicou ao serviço da terra tão amada e... tão indiferente.

O glorioso brasileiro, porém, não guardará ressentimento disso: ele não é dos que se estafam no trabalho com o pensamento fixo no salário; é dos que lutam por amor da luta e sacrificam-se por amor do sacrifício. E com a sua tolerância de homem experimentado pelas cousas da vida, e com o seu profundo patriotismo em tantas ocasiões provado, lá está ele, Brasil, às tuas ordens – pronto a retomar a pena para te amar e servir.

* * *

Porque, enfim, não é difícil explicar a tua indiferença, Brasil...

Tu nunca pesaste, com gratidão e ternura, a quantidade de sangue, de lágrimas e de gotas de suor que os teus avós despenderam na conquista e na conservação deste vasto domínio. Sabes apenas que possuis uma pátria que se estica aí além, estendendo-se sem fim pela face do planeta, como todo um continente; sabes que tens rios e serras, portos que poderiam abrigar todas as frotas do mundo, vales fecundos que poderiam dar de comer a todos os povos da terra...

Na Europa, as pátrias pequeninas, atulhadas de gente, estalam com o *trop-plein*, e conhecem o que é a fome, o que é o inverno que desguarnece os campos, o que são as inundações que devoram os trigais, o que são as guerras que desertam as cidades. Ali, perder um geira de terra é perder cem vidas...

Em outro qualquer país, o homem que tivesse restituído à pátria algumas léguas de território (e Rio Branco acaba de prestar esse serviço ao Brasil pela segunda vez!) ouviria seu nome soar por toda parte, na vozeria de uma aclamação sem par. Aqui, dous discursos, meia dúzia de foguetes, uma pensão de dous contos de réis, parecem paga suficiente...

Se houve até quem se lembrasse de dar a Paranhos uma cadeira na Câmara! Felizmente a idéia morreu, abafada e sem eco: se tivesse vingado, seria o caso de aconselhar ao vencedor que morresse quanto antes para se libertar do opróbrio da recompensa...

Ah! leviano Brasil! quando os homens encherem, com a agitação do trabalho, todos estes nove milhões de quilômetros quadrados; quando, nas vastas campinas e nas altas serras hoje desertas e mudas, cantarem os sinos, mourejarem as charruas, sobrarem as famílias e minguarem as colheitas; quando, conquistado e santificado todo o solo pelo labor humano, tu começares a sentir que já te não chega a terra que hoje te parece tão grande; – então, sim! Paranhos crescerá diante de ti, tapando o horizonte, como um grande ídolo sagrado, – e a tua dívida será paga.

S. A.

23 DEZ. 1900

CRÔNICA

Já vai longe o tempo em que a festa de Natal abria na espessa floresta da maldade humana uma doce clareira de amor e tolerância. Talvez algum poeta, enchendo de novas carícias as suas velhas rimas, ainda se anime a vir dizer este ano que o sacrifício de Jesus não foi inútil, e que a piedade pregada por ele transformou a rude besta humana em uma criatura sensível e meiga... Mas o poeta perderá as suas rimas e as suas carícias, porque nós todos temos a consciência da nossa incorrigível perversidade.

Amanhã, não deixaremos de ir à missa do galo: dobraremos o joelho diante de Deus, embeber-nos-emos na contemplação do presépio, e daremos todas as demonstrações de uma fé robusta; mas, cá por dentro, continuaremos a esmoer os nossos ódios, a amadurecer as nossas vinganças, a acariciar as nossas ambições inconfessáveis. Porque os tempos não são apenas de uma grande maldade: são também de um reprimida hipocrisia.

Ainda no passado, quando sorriu a doce data do Natal, ingleses e *boers* se assassinavam com furor na África. Telegramas minuciosos contaram que, nos acampamentos de ambos os exércitos, as leituras da Bíblia e os cânticos sagrados alternavam com os canhoneios: e várias bombardas inglesas, arremessadas contra os *boers*, tinham inscrições epigramáticas alusivas à festa que se celebrava... Como Jesus deve ter deliciosamente sorrido no céu, ao ter conhecimento dessa encantadora brincadeira! E a brincadeira vai continuar este ano, para a glória maior da religião...

Aqui, como não há guerra em que possamos mostrar a nossa cordura e a compreensão exata que temos dos preceitos do Evangelho, contentamo-nos com algumas pequeninas crueldades bem dignas da nossa civilização: com o pretexto de reprimir a malandragem, metemos vinte revólveres na mão de vinte energúmenos e ordenamos-lhes que fuzilem os desgraçados que andam pelas ruas; e com o pretexto de manter a moralidade desta moralizadíssima cidade, arrastamos as hetairas pelas pedras, amassamos-lhes a punhadas e pontapés as carnes venais, e asfixiamo-las no fundo de infectos ergástulos, mais negros e mais imundos do que os piores cárceres de Fez. Cada um faz a festa que pode. Pudéssemos nós, e, para celebrar o Natal, queimaríamos na praça pública, em grandes fogueiras festivas todos os miseráveis sem amparo!...

Das tropelias praticadas pelos soldados da polícia, já nem vale a pena falar. A nossa polícia é, desde tempos imemoriais, tão conhecida como cousa ruim, que ninguém a defende: quando alguém procura, por este ou por aquele interesse atenuar-lhe a má fama e desculpar-lhe os desvarios, a defesa sai hesitante e gaguejada, como envergonhada de si mesma. Ao viajante, que, por mortas horas da noite, se perde na solidão da mata, carregada de sombra e mistério, a pior cousa que pode acontecer é encontrar o *capora*, – diabinho preto, de olhos acesos como dous carbúnculos, correndo sobre um pé só, e irremediavelmente desgraçando as almas que encontra.

Muita gente está convencida de que o *capora* é uma invenção popular, filha da Imaginação e do Medo. Mas que admira haja *capora* nas matas, quando há tantos e tão terríveis por aqui? que é a polícia, senão uma vasta legião de *caporas*, cujo encontro é necessário evitar, suceda o que suceder? Antigamente, quando um cidadão reconhecia, aterrado, que a sua rua não era policiada, corria logo aos jornais, a publicar uma reclamação ansiosa. Hoje, porém, o cidadão fica paralisado de assombro e terror, quando, ao aproximar-se de casa, lobriga na esquina o culto sinistro e ameaçador da ordem pública – porque bem sabe que dali é que lhe pode vir toda a sorte de males...

Não tratemos, pois, desse caso. O homem fuzilado na rua do Ouvidor não é a primeira nem será a última vítima dessa preciosa instituição.

Agora, tiram aos policiais o revólver; daqui a pouco, dar-lhes-ão o revólver de novo; haverá novo crime, novas providências, novas facilidades, e *si cette histoire vous embête*...

O caso da mísera Ida é que sempre merece algum comentário. Não que se deva dizer que a polícia a assassinou, porque enfim o coração da desgraçada tinha de estourar mais dia menos dia, ali ou em outro qualquer lugar. Mas esta mania de querer, em horas, purgar a cidade de uma imoralidade tolerada, e mesmo protegida, seria altamente cômica, se não fosse altamente revoltante. É como se um médico pretendesse com uma só propriação [?] de hidrargiro e com a imposição de um só dia de dieta purificar o sangue de quem, por anos a fio, se houvesse espojado no atoleiro de todas as devassidões.

Nós consentimos que a prostituição florescesse e frutificasse aqui com uma liberdade espantosa. Demos-lhe direito de cidade; consentimos que ela pompeasse, com todo esplendor verde-negro da sua gangrena, nos bairros pobres e nos bairros fidalgos; obrigamos a nossa família a desertar os teatros, os passeios, os hotéis, as confeitarias da moda, para que a torpeza não fosse incomodada...

Mais ainda. A mesma polícia lhe dava todo seu melhor carinho e toda sua melhor ternura. Antes de aparecer este prurido de moralização *à la minute*, quem passava pelas ruas mais freqüentadas pelo comércio da carne humana via que quase todos os desocupados que, junto das rótulas sujas, namoravam as rameiras, eram os zeladores da ordem pública, e fardados! E não é raro, nesses jardins de café-concerto que por aí temos, ver a autoridade policial sorrir delicadamente às graças das *fáceis*, e cortejá-las, e beber e palestrar com elas, às vistas de Deus e dos homens.

De repente, vimos que isso não era bonito, e quisemos fazer o saneamento da cidade com a mesma prontidão e a mesma eficácia com que Hércules saneou os pântanos da Arcádia e limpou os currais de Áugias. Então, pautamos o rigor da repressão pela longanimidade da tolerância. E só quando uma desgraçada, numa agonia que foi um martírio santificador, expirou numa das geenas policiais, foi que atentamos no horror dessas prisões sinistras onde amontoavam as meretrizes umas sobre as outras, como a carga com que se atulha o porão de um navio.

Se não há quem proteste bem alto contra a perseguição das mercadoras do amor, é porque todos nós temos medo do Escândalo... Mas é preciso bradar que uma sociedade desleixada e mole, que deixa a miséria medrar sem remédio, não tem o direito de a fulminar sem piedade. As meretrizes não se fazem: são feitas por nós, pela nossa maldade, pelo nosso egoísmo sórdido, pela nossa imperdoável brutalidade. Atirei-te a um pântano, desonrei-te, dei-te pão em troca do teu pudor? pois, agora, asfixio-te numa cloaca e amaldiçôo a tua memória! É essa a justiça do tempo...

Mas, ainda mesmo que a sociedade não fosse culpada, não teria o direito de torturar e matar a quem peca.

Quanto mais baixo cai uma alma, mais piedade deve merecer das almas que, ou por virtude ou por falta de ocasião, não caíram como ela. Era o que pensava Aquele cujo nascimento vamos comemorar amanhã com muita reza hipócrita e muito recolhimento fingido. O sereno espírito de Renan bem claramente o mostrou naquelas suaves linhas da *Vida de Jesus*: "As mulheres, que tinham o coração cheio de lágrimas, estavam mais perto do seu reino, do que as naturezas medíocres, as quais, não raro, só não pecaram porque não puderam pecar..."

s. a.

Gazeta de Notícias 1901

13 jan. 1901 Crônica [Cia]

Vem perto o dia em que soará para os escritores a hora do irreparável desastre e da derradeira desgraça. Nós, os rabiscadores de artigos e notícias, já sentimos que nos falta o solo debaixo dos pés... Um exército rival vem solapando os alicerces em que até agora assentava a nossa supremacia: é o exército dos desenhistas, dos caricaturistas e dos ilustradores. O lápis destronará a pena: *ceci tuerá cela.*

O público tem pressa. A vida de hoje, vertiginosa e febril, não admite leituras demoradas nem reflexões profundas. A onda humana galopa, numa espumarada bravia, sem descanso. Quem não se apressar com ela, será arrebatado, esmagado, exterminado. O século não tem tempo a perder. A eletricidade já suprimiu as distâncias: daqui a pouco quando um europeu espirrar, ouvirá incontinente o "Deus te ajude" de um americano. E ainda a ciência humana há de achar o meio de simplificar e apressar a vida por forma tal que os homens já nascerão com dezoito anos, aptos e armados para todas as batalhas da existência.

Já ninguém mais lê artigos. Todos os jornais abrem espaço às ilustrações copiosas, que [*****] pelos olhos da gente com uma insistência assombrosa. As legendas são curtas e incisivas: toda a explicação vem da gravura, que conta conflitos e mortes, casos alegres e casos tristes.

É provável que o jornal-modelo do Século Vinte seja um imenso animatógrafo, por cuja tela vasta passem reproduzidas instantaneamente, todos os incidentes da vida quotidiana. Direis que as ilustrações, sem palavras que as expliquem, não poderão doutrinar as massas nem fazer uma propaganda eficaz desta ou daquela idéia política. Puro engano. Haverá ilustradores para o louvor, ilustradores para a censura, ilustradores para a sátira, ilustradores para a piedade.

Quando o diretor do jornal quiser dizer que o povo morre de fome, confiará as suas idéias a um pintor de alma fúnebre, que mostrará na tela os cadáveres empilhados pelas ruas, sob uma revoada de corvos sinistros; quando quiser dizer que político X é um cretino que não vê dois palmos adiante do nariz, apelará para o talento de um caricaturista, que, pintando a vítima com um respeitável par de imensas orelhas, claramente exprimirá o pensamento da folha. Demais, nada impede que seja anexado ao animatógrafo um gramofone de voz tonitruosa, encarregado de berrar ao céu e à terra o comentário, grave ou picante, das fotografias.

E convenhamos que, no dia em que nós, cronistas e noticiaristas, houvermos desaparecido da cena, nem por isso se subverterá a ordem social. As palavras são traidoras, e a fotografia é fiel. A pena nem sempre é ajudada pela inteligência; ao passo que a máquina fotográfica funciona sempre sob a égide da soberana Verdade, a coberto das inumeráveis ciladas da Mentira, do Equívoco, e da Miopia intelectual. Vereis que não hão de ser tão freqüentes as controvérsias...

Quando é assassinado um homem, este jornal vem dizer que lhe coseram o corpo a facadas, aquele que o asfixiaram, aquele outro que lhe estouraram o crânio a tiros de revólver. Ora, o público tem pressa: como há de perder tempo em procurar a verdade dentro deste acervo de contradições e de divergências?...

Há dias, foi preso um sujeito por espancar uma mulher. E os repórteres puseram em campo toda a sua fantasia, com tal gana que o pobre homem veio ontem a público elucidar o caso, conforme se vê nesta sua declaração, textualmente transcrita dos "a pedido" do *Jornal do Comércio*: "Os jornais deram desencontradas notícias acerca de um crime hediondo que uns vizinhos me imputaram. As versões são diferentes: o *Jornal do Brasil* anteontem afirmou que eu espanquei minha própria mãe; *O País* de ontem contou que eu bati em minha *tia*; *O Dia* relatou que eu ofendi a minha *irmã*..."

Concebe-se maior atrapalhação? A verdade é que a mulher espancada não era mãe, nem tia, nem irmã, nem mesmo avó do desgraçado! E é assim que se escreve a História...

Imagine-se agora a série formidável de complicações que podem trazer esses exageros de fantasia, quando empregados em caso sério, de alta monta para a vida moral da nação.

Uma folha virá dizer amanhã que o Senhor Presidente da República foi a tal ou qual festa, trajando um terno de casimira *marrom*; outra diria que S. Ex. levava calças cor de cinza e sobrecasaca preta; uma terceira afirmará que S. Ex. vestia um dólmã branco... E a gente, diante de tantas opiniões diferentes, ficará com o juízo a arder, não podendo adquirir uma idéia assentada e perfeita sobre esse ponto, que tão grave influência pode exercer sobre a integridade da pátria e a solidez das instituições republicanas.

Outro caso interessante: o do amigo Galvez, que, depois de ter transposto a porta da eternidade, aparece agora espairecendo pela *Puerta del Sol* em Madri. É ele? não é ele? quem sabe? fotografem-no, e veremos...

Não insistamos sobre os benefícios da grande revolução que a fotogravura vem fazer no jornalismo. Frisemos apenas este ponto: o jornal animatógrafo terá a utilidade de evitar que nossas opiniões fiquem, como atualmente ficam, fixadas e conservadas eternamente, para gáudio dos inimigos... Qual de vós, irmãos, não escreve todos os dias quatro ou cinco tolices, que desejariam ver apagadas ou extintas? Mas, ai! de todos nós! Não há morte para as nossas tolices! nas bibliotecas e nos escritórios dos jornais, elas ficam – as pérfidas! – catalogadas; e lá vem um dia em que um perverso qualquer, abrindo um daqueles abomináveis cartapácios, exuma as malditas e arroja-as à face apalermada de quem as escreveu... Daqui em diante, não haverá esse perigo: ninguém se arrependerá do que tiver escrito, pela razão única e simples de que nada mais se escreverá...

No jornalismo do Rio de Janeiro, já se iniciou a revolução, e que vai ser a nossa morte e a opulência dos que sabem desenhar. Preparemo-nos para morrer, irmãos, sem lamentações ridículas, aceitando resignadamente a fatalidade das coisas, e consolando-nos uns aos outros com a cortesia de que, ao menos, não mais seremos obrigados a escrever barbaridades...

Saudemos a nova era da imprensa! A revolução tira-nos o pão da boca, mas deixa-nos aliviada a consciência.

s. a.

10 fev. 1901

Crônica

Foi uma semana de escândalos e suicídios. Escancaram-se portas e alcovas; e o público mergulhou dentro delas o ávido olhar, sempre faminto de pábulos apimentados. Ao mesmo tempo, uma porção de gente, aborrecida de viver, fez as malas para a viagem do Além, - convencida da verdade daquele ditado pessimista: "a vida é uma festa: quem tem bom gosto não espera, para sair, que se apaguem as luzes".

Mas deixemos em paz os suicidas; e quanto aos escândalos, tratemos apenas daquele que resultou das revelações d'*O Dia* sobre a vida íntima do Governo Provisório. Não são, em verdade, muito interessantes essas revelações... A vida íntima daquele governo foi como a vida íntima de todos os outros, atropelada, cheia de brigas, pontuada de conflitos e de reconciliações, porque a Política há de sempre ser, em todos os países em todos os tempos, uma grande trapalhada. O que houve de escandaloso nessas revelações foi este espanto, sugerido por elas: como? pois as atas das sessões do governo provisório, esses papéis de Estado, em que palpita a história da mais acidentada fase da vida nacional, param em mãos particulares?

Assim é! Vereis que qualquer dia, indo ao Arquivo Público estudar a história do Brasil, haveis de encontrar, nos gavetões, respeitáveis de namoro, contas de alfaiate e sapateiro, letras vencidas, missivas íntimas, róis de roupa suja, orações contra febres e feitiços, – tudo [*****] documentos históricos. Esses, andaram pelas mãos dos amadores de autógrafos...

Quem se preocupa, nesta abençoada terra, com guardar e zelar cousas do passado? Dir-se-ia que o Brasil se envergonha do que foi, e imita os *parvenus*, que, saídos da lama por um capricho da Fortuna, guindados à prosperidade, tratam de destruir açodadamente todos os vestígios de sua antiga ignomínia. Houve aqui um fidalgo riquíssimo, grande distribuidor de esmolas e benefícios, homem que à custa de um trabalho heróico subira lentamente todos os degraus da riqueza, até chegar ao patamar superior, amado, festejado e bajulado; esse, diz-se, não tinha vergonha do que fora; tanto assim, que no suntuoso salão do seu palácio, guardava entre os móveis ricos, as alfaias esplêndidas e os quadros de alto valor, os últimos tamancos que usara nos seus tempos de cativeiro... Essa coragem é rara; em geral, os que sobem nunca mais olham para baixo. O Brasil não foge a essa regra, – se bem devamos confessar que a sua vaidade é um pouco descabida, um vez que, a dizer a verdade, o seu progresso é ainda uma hipótese bem fraca...

Nós começamos por incinerar os arquivos da escravidão, para que a Posteridade ficasse ignorando as surras com que martirizamos os escravos; da monarquia fomos destruindo tudo, até mesmo as jóias da coroa, que ninguém sabe onde param; e dos primeiros tempos da República já quase nada nos resta.

É que tomamos a sério aquela velha frase banal: "os povos felizes não têm história". O diabo é que, a continuarem assim as coisas, nós provaremos ao mundo que, além de não ter história, também não temos... vergonha.

* * *

A coisa do passado que ainda amamos é o entrudo. Ainda há muita gente que se rala de saudades pelo antigo esplendor desse divertimento bárbaro. E pelas cidades do interior, ainda os três dias de carnaval são três dias de dilúvio.

Manhoso e disfarçado, escondendo sob a máscara da inofensiva folia a sua perversa cara de monstro, vinha ele agora, de passo em passo ganhando terreno, empunhando uma humilde bisnaguinha que parecia a Inocência em pessoa. A polícia, atilada e astuta, pôs embargos à manha do bruto e desterrou-o para o inferno. Dentro daquele famoso canudinho de chumbo, nem sempre havia água perfumada; às vezes havia ácido fênico, amoníaco, éter, e outros líquidos cuja natureza não é bom revelar. A besta humana sempre há de gostar de praticar o mal; e quando o mal pode ser covardemente praticado sem responsabilidade, dentro do anonimato prudente, sem risco de repressão, então é que é um regalo! Estragar um vestido novo, que delícia! queimar uma pele formosa, que gozo! cegar uns olhos admiráveis, que suprema e inexcedível felicidade!

Graças a Deus, não teremos entrudo. Não [*****] as lamúrias dos que se aperceberam de vastas provisões de bisnagas e seringas, contando com o relaxamento policial. E o que devem agora fazer esses queixosos é enviar os seus *stocks* de esguichadeiras para os remotos sertões do centro e do norte do Brasil; os jamundés, os Pacatinins e os Bororós, uma vez iniciados na prática desse amável divertimento, tão adequado aos seus costumes, nunca mais deixarão de amá-lo. E, assim, os importadores de bisnagas não perderão o seu rico dinheiro, e nós, não perderemos a nossa rica vida, que andava dada em pasto às pneumonias vorazes.

* * *

Registremos nesta coluna o desaparecimento desse adorável mineiro de antiga têmpera que se chamou Matta Machado.

Quem apenas o conheceu aqui, no torvelim da capital, como ministro, como deputado, como banqueiro, não pode fazer idéia do que esse homem simples e afável, em cuja alma, como num relicário, se guardavam a honra, o amor do trabalho, a bondade, todas as tradições do antigo povo mineiro. Para conhecê-lo bem era necessário conhecê-lo em Minas, naquele cenário de uma simplicidade austera, onde ainda se encontram, em pleno século vinte, usanças e gentes que parecem exumadas da era colonial.

Quem escreve esta crônica ainda se recorda vivamente da suave tarde de janeiro em que, sobre o dorso de um pacífico jumento, foi ter à paradisíaca estância de Santa

Luzia do Rio das Velhas, onde Matta Machado passava aqueles agitados meses de revolta.

Era uma velha fazenda de criação, a pouca distância da velha cidade mineira e não longe do lugar em que hoje fulgura a nova Capital de Minas. Chamava-se a *Fazenda das Lajes*.

Em termos de terreiro de entrada, corriam dois renques de habitações modestas de um só andar, com a clássica varanda de madeira. Ao fundo, ficava a casa da família, uma família patriarcal, imensa, acolmeada, em torno do chefe amado. Os quartos inumeráveis tinham sempre as camas feitas, à espera dos hóspedes. E quantos hóspedes apareciam por ali, naquele negro ano de 93!

No Rio, a Delação andava esfuracando todos os lares, em busca de vítimas para vinganças covardes. Muita gente que hoje se mostra indignada e encolerizada contra as menores violências, era naquele tempo a fornecedora de gado humano às imundas alcovas da Casa de Correção, e às matanças misteriosas, pela calada da noite, dentro dos túneis discretos.

Quanta gente ia bater de dia ou à noite nesses tempos, à rústica porteira da fazenda das Lajes! A hospitalidade que se achava ali era a verdadeira, a sublime e legítima hospitalidade da antiga Minas.

Maragato ou Jacobino, o hóspede podia ocultar o seu nome. Ninguém lho perguntava. Era hóspede: era sagrado. Chegava, comia, dormia, saía em liberdade. Se queria revelar o seu nome, revelava-o, e sentava-se à mesa patriarcal, iluminada pelas senhoras da casa, alegrada pela serena e encantadora figura de Matta Machado. Mas se tinha escrúpulos de dizer quem era, podia conservar o seu anonimato, porque ninguém o obrigaria a rompê-lo...

Quanta gente lendo esta *Crônica*, se há de lembrar com saudades e gratidão da velha fazenda das Lajes! E que dias, e que noites se passavam ali, numa paz de Éden, respirando um ar que remoçava os pulmões, e gozando de uma convivência que era um rejuvenescimento moral!

Naquele tempo, Cesário Alvim e Matta Machado, um na encantadora casa de Ouro Preto, o outro na sua quieta estância de Santa Luzia, chamavam sobre si bênçãos sem conta. A bondade, desterrada das margens da Guanabara, tinha assentado naqueles dois lares o seu lar bendito.

Um desses dois mineiros da velha rocha acaba de partir para a vida luminosa do céu: se a sua alma precisasse de orações, elas não lhe faltariam, murmuradas noite e dia por mães, irmãs e filhas, que bem sabem o que valia o coração de Matta Machado.

s. a.

17 fev. 1901 — Crônica [IP]

Já se sabe que, quando for lida esta crônica, ninguém estará cuidando de coisas sérias. As ruas estarão atapetadas de confete, as serpentinas se embalarão de sacada a sacada como lianas de uma selva fantástica, e o bom povo do Rio de Janeiro fingirá divertir-se com uma convicção digna da melhor causa.

Pouco importa. A significação clássica da palavra – *crônica* – é esta: "história geral ou parcial de fatos passados na ordem da sua natural sucessão". Que dizer do Carnaval, se agora somente ensaia ele os primeiros passos? Daqui a sete dias, já no regime da quaresma, agarraremos o maroto pela gola do casaco imundo, e, expondo-o à luz crua da História, veremos o que ele foi e o que valeu.

Agora, não deixemos passar sem uma braçada de flores o fevereiro deste grande poeta, que tão amargamente soube cantar a beleza e as traições da Mulher, e os desenganos sempre queridos do Amor.

* * *

O sutil Anatole France explica bem, em curtas linhas, o encanto singular dos poetas líricos: "En faisant leurs confidences, ils font les notres, et cela nous [*****]; pendant qu'ils nous content [*****] les affairs de leurs coeurs, nous [*****] entendre celle de notre propre coeur, et nous sommes ravis..."

Quem pôde um dia ler as *Doloras* sem imaginar que estava lendo a história dos seus próprios amores, dos seus próprios delírios e sofrimentos? E Campoamor tinha sobre a imensa maioria dos poetas líricos esta superioridade; não fazia apenas sentir, fazia também pensar. Era dos poetas, que no dizer do grande Nunes de Arce, "no cantan como el pájaro en la rama, estraños a cuanto les rodea..." Quem não sentiu a incomparável beleza daquelas estrofes de *Quien supiera escribir*, a ingênua história da aldeã que vai pedir ao padre-cura a redação de uma carta ao noivo ausente? Quem, depois da história das três singelas quadras de *Los dos Espejos*, não se deixou ficar pensando na irreparável miséria das coisas da vida?

Doloras, palavra criada pelo poeta, exprime (ninguém sabe bem porquê) uma composição poética em que o sentimento deve estar casado ao fundo psicológico. É raro encontrar em Campoamor um verso em que a filosofia não tempere o amor: filosofia cética, ligeira, graciosa, sem o amargo travor da ironia de Heine. Quando a amante o engana, o poeta sabe que a traição não pode andar separada do amor:

Para querer un rico que es un necio
Por pobre me entregaste al abandono:
Si ha sido por codicia, te desprecio...
Si ha sido por amor, - te lo perdono!

Quem pode dar firmeza ao coração humano, e que são os vários amores de um coração senão formas várias de um mesmo eterno e incontentado amor?

Porque amastes en tres años a tres hombres
Te juzgas una infiel? No, vida mía!
El amor se transforma, y no varia:
Un mismo amor puede tener mil nombres

E esse eterno Proteu foi, apesar de todas as desilusões e de todos os estragos da velhice e do enfaro, o grande inspirador de toda a longa vida do poeta. Toda a paixão da raça espanhola se encarnou na alma desse espanhol, que viveu, oitenta e três anos cantando o Amor, o amor das duquesas como o das camponesas, o amor que mata como o amor que sofre em silêncio.

Porque o espírito de Campoamor agitava-se nas lutas políticas, perdia-se nos meandros da controvérsia filosófica, e era presa de uma insaciável curiosidade que o levava, depois de velho, a estudar química e bacteriologia ao lado dos jovens alunos da Escola de Madri; mas, tudo isso passava e desvanecia-se: o que ficava era a preocupação perpétua do Amor.

Com que enternecido carinho e com que profunda mágoa acompanhariam as mulheres de Madri ao cemitério o corpo do seu poeta, se não estivessem atualmente tão ocupadas em apedrejar os padres!

Se alguém, neste baixo mundo, pudesse livremente escolher o dia de sua morte; e optar por esta ou por aquela forma de homenagem póstuma, Campoamor teria escolhido outra época para morrer.

Porque o extraordinário poeta de *Doloras* odiava as revoluções e os revolucionários. Era um conservador exaltado, um pilar das instituições, um sustentáculo do trono e da igreja. Ele mesmo o disse: "el hecho revolucionario es insuportable por lo antiesteticamente con que se suele [*****]".

Vê-se bem que a morte não o poderia fulminar em pior ocasião. Toda a Espanha está sacudida de um largo movimento de revolta, – um desses movimentos, fortes mas fugazes, violentos mas rápidos, que tão facilmente abalam aquela inquieta e explosiva gente.

Madri, no dia em que se enterrou o Poeta, estava mudada em um vasto campo de batalha. Estendia-se nas ruas asfaltadas uma espessa camada de areia para facilitar as cargas de cavalaria. Os conventos, trancados e adornados como cidadelas, preparavam-se para resistir ao arremesso dos populares: e lá dentro casava-se o rumor das preces ao estrépito das coronhas das espingardas sobre as lajes. Gritos de raiva e de ódio reboavam. Voavam pedras, zuniam balas, corria sangue. E o enterro daquele amável cético, daquele risonho poeta, serviu de pretexto para os novos motins e novos conflitos...

Se Madri estivesse calma, se o liberalismo, a propósito do drama de Galdoz, não andasse a perseguir os frades com a mesma gana com que eles outrora perseguiam os liberais, esse enterro seria uma afetuosa e tranqüila apoteose. Mas não houve flores sobre o caixão em que iam os despojos mortais dos cantos das *Doloras*. A revolução *antiestética* afeiava as ruas da capital da Espanha, quando, a caminho da derradeira morada, passou o poeta...

Quem pode lá saber se o Destino é resistente, cego e impassível? Talvez tenha havido em tudo isso uma apurada malícia do sombrio Deus...

Campoamor, que tão conservador se dizia, era em verdade um inquieto, um insubmisso, um cético, um revolucionário. Se discursava no Parlamento, se discutia política com Castellar, se terçava armas nos ateneus de filosofia com os livres pensadores, o seu amor dos princípios estabelecidos estrondava e ostentava-se orgulhoso e claro. Mas, quando, sobre o papel a pena do poeta ia trançando os versos que todo o mundo conhece, toda a inquietação, todas as dúvidas, todas as hesitações da sua alma vinham sorrir e chorar ao bico dessa pena privilegiada, a um tempo ferina e suave, consoladora e venenosa.

Um dos seus críticos, Leopoldo Alas, não hesitou em dizer-lhe essa verdade: "Don Ramón de Campoamor es conservador por broma, por la broma más pesada de las suyas".

Não seria *broma*... Era com certeza uma ilusão. Quem percorre *Doloras* e os *Pequenos Poemas*, não pode compreender como neste homem conseguiam viver, de mãos dadas, uma política tão conservadora e uma poesia tão revolucionária.

Era esta a idéia que o poeta fazia da organização social:

> Y el amor? y la dicha? Los nacidos
> No han de tener más fin
> Que el de ser comedores e comidos
> Del universo en el atroz festín?

E do homem:

> solo le han de afectar, apesar mío
> calor, hambre, interés, amor ó frío...

E da consciência:

> Añade à tu experiencia
> Que el hombre es quien regula la Consciencia...

Não teria sido uma ironia do Destino malicioso a passagem do féretro de Campoamor pelas ondas revoltas da multidão amotinada?

Pouco importa! Os motins passarão, as idéias políticas se esfalfarão nas lutas estéreis, e novas gerações continuarão a apoiar ou a combater os reis ou os padres. Mas as flores, que não caíram sobre o caixão em que ia deitado o grande lírico, aparecerão, por anos sem fim, cobrindo a sua sepultura. É que tudo passa na vida, menos o Amor:

> Y cuando el mundo al fin sea extinguido
> Y se oiga en las regiones estrelladas
> Del orbe entero el último crugido,
> En inmenso fragor,
> Dios de nuevo la nada bendiciendo,

De ella hará otros almeces y otros mundos;
Y irá un hervor universal diciendo:
– Amor! amor! amor!

* * *

Mas, basta de poesia...

Aí chega o primeiro *Zé-Pereira*. Fujamos para o mato, ó Musa!

s. a.

03 mar. 1901

Crônica [Cia]

Em S. Paulo, a caminho das termas regeneradoras...

Só quem viaja pode sentir-se envelhecer; viajar é morrer mil vezes, aos bocadinhos, contando de uma em uma essas mil mortes parciais. Fica aqui uma ambição malograda, ali um desejo não satisfeito, mais adiante um amor desiludido... Quando chega a estação final, aquela cuja porta negra dá para o eterno horror da morte, já o caminho é apenas o fantasma do que foi, a sombra pálida de um homem.

Feliz o aldeão que nunca saiu de sua aldeia, plantada num vale sempre verde, que verdes serras limitam: esse não sente a velhice chegar. Porque o que envelhece a gente é a perpétua transformação das coisas de [*****].

A natureza não muda: quem viu hoje o seio de uma rude selva vem achá-la com a mesma fisionomia daqui a dez anos, com os mesmos troncos que os cipós enlaçam, com as mesmas sombras que os ninhos das aves e as tocas das feras povoam de gorjeio e uivos. Nas aldeias humildes, cerradas a ambição, também as transformações são tão lentas, tão morosas que ninguém sente: o homem nasce e morre, vendo as mesmas gentes e as mesmas coisas, paradas e calmas, na beatitude de uma paz inalterável...

Mas, as cidades! As cidades mudam de ano em ano, de dia em dia, de hora em hora.

Quem deixa de vê-las durante um ano, vem encontrá-las outras, [*****] e alfaiadas de outro modo, cheias de uma gente que também é outra. Elas remoçam à proporção que nós envelhecemos; a cada nova avenida que nelas se abre, cava-se-nos no rosto uma nova ruga. Ao passo que para elas a Vida é o rejuvenescimento perpétuo, para nós é a morte. Quem construiu aquele belo palácio, de mármore luzindo ao sol e de altas tacaniças afrontando o céu, pouco tempo o habitou: entrou-lhe à porta, um dia, de cabeça erguida, como proprietário, e saiu, no dia seguinte, esticado num caixão, como hóspede expulso. Quem abriu aquela rua nova, beirada de casas garridas, pouco tempo lhe pisou o calçamento: subiu-a numa carruagem festiva, cantando de orgulho, e desceu-a, mudo e imóvel num coche fúnebre...

Imagine-se agora a diferença que uma cidade faz em treze anos!

Há treze anos, naquele doce ano de 1887 que este cronista passou em São Paulo a fingir que estudava retórica, a Paulicéia era uma calada cidade de estudo e troça.

Na Ponte Grande, no fluxo das águas claras, ainda vibrava o eco abafado da canção boêmia de Castro Alves:

> Nini! tu és o *cache-nez* desta alma!
> Ó Paulicéia! Ó Ponte Grande! Ó Glória!...

E no escuro antro do *Corvo* (que fim levou o *Corvo*, ó Paulicéia?) ainda as paredes esfumaçadas guardavam um ou outro verso de Varela...

Doce ano, aquele, e pacata cidade! Ainda agora, fechando os olhos, quem escreve esta crônica de saudades vê passar, numa ronda esfumada, uma procissão de amigos mortos: o Teófilo Dias, pequenino e inquieto, com uma cabeleira merovingiana sob um chapéu minúsculo, recitando Baudelaire; Ezequiel Freire, arrastando de palestra em palestra o seu meigo lirismo e a sua voraz tuberculose; Dias da Rocha, outro lírico devorado pela tísica; e tantos outros, e tantos outros!

Uma calada cidade, de estudo e troça... Mais de troça que de estudo. Havia quem penasse e gemesse sobre o *Corpus Juris*. Mas a imensa maioria dos estudantes (e estudantes eram quase todos os habitantes de S. Paulo) abominava do fundo da alma as apostilas e os compêndios. Só se viam pelas ruas caras imberbes, gestos largos, olhares que a Esperança enchia de clarões, bocas abertas num perpétuo riso, afrontando a Vida, desafiando o futuro, malhando de rijo nas cousas e nos homens do passado, sem sentir que as horas corriam, passavam, voavam para nunca mais voltar.

Os dias, quando não eram dados ao sono, eram consagrados a passeios longos, a banhos no rio, a intermináveis partidas de jogo de bola, a cervejadas infindáveis. Quando caía a noite, começava a peregrinação de *república* em *república*, de café em café, discutindo tudo, resolvendo todos os altos problemas da moral, da filosofia, da religião, até a hora da ceiota ruidosa. Depois, o vagamundeio pelas ruas mortas, sob a garoa fina, até o romper do dia, sem esquecer (Lembras-te, Paulo? Lembras-te Pujol? Lembras-te Machadinho?) a visita ao *eco da Academia*, um pobre eco mofino que já estava rouco de tanto repetir blasfêmias e barbaridades...

Tudo isso desapareceu, levado na enxurrada dos anos.

É de crer que o próprio eco tenha morrido: o cronista não verificou este caso, por falta de pachorra e por excesso de uratos nas articulações. De certo, os felizes, que, nascidos aqui, nunca daqui saíram, não chegaram a perceber esse lento evoluir da aldeia em cidade, essa lenta passagem do estado de lagarta ao estado de borboleta. Mas quem tiver passado dez ou doze anos fora daqui, pasmará, vendo tanta mudança.

O triângulo, o velho triângulo formado pelas velhas ruas Direita, de S. Bento e da Imperatriz, é o mesmo. Em geral, dá-se com as cidades o mesmo que com o corpo humano: a periferia, a superfície, o lado externo modificam-se mais facilmente do que o coração. E este triângulo é o coração de São Paulo, o ponto em que se dá o fluxo e refluxo da sua circulação. As casas são as mesmas, o aspecto é o mesmo, o caráter é o mesmo. Aqui, um gênio misterioso, como aquele famoso general da Bíblia, suspendeu o curso do sol...

Mas, fora do triângulo, que transformação e que beleza! Ah! por que não há de a nossa Sebastianópolis pedir à Paulicéia o segredo desse culto do belo, deste amor do ar livre, da arquitetura elegante e do arruamento regular?

As avenidas, bordadas de palacetes lindos, multiplicam-se e cruzam-se. Nem uma só rua nova ousa, como as nossas, desviar-se e torcer-se em coleios de cobra. E já nenhum mestre-de-obras se atreve a plantar na platibanda das casas essas abomináveis compoteiras de gesso, que são o privilégio da arquitetura carioca.

E a condução!... Quando se faz a comparação entre o airoso bonde elétrico daqui, cômodo e leve, deslizando sozinho e rápido, e os nossos medonhos e assassinos comboios da *Botanical*, de quatro carros arrastando-se e rastejando aos corcovos como longas tênias morosas, não se chega a compreender a longanimidade e paciência da população do Rio de Janeiro. Enfim, o melhor é evitar comparações, que nada adiantam: nós, cariocas, somos vaidosos, e fazemos bem, porque, enfim, não há quem não ame o seu chinelo velho e a sua velha poltrona...

Apesar de todo o seu descabelado e intransigente romantismo, o cronista não lastima que a Paulicéia se tenha modificado. O homem nasce, vive um momento, desaparece; o meio permanece, subsiste, melhora. Para que há de a gente querer opor-se às leis fatais da vida, "essa criatura antiga e formidável", no dizer de Machado de Assis? O fruto maduro apodrece, descompõe-se, cai da árvore, para a não enfeiar com a sua presença... Morramos sem queixa, desapareçamos sem lamentações inúteis e tenhamos o pudor da nossa velhice. Essas criancinhas paulistas, que andam agora engatinhando, também um dia se sentirão velhas diante da terra sempre moça; e hão de gemer as suas reumas, e a terra sempre moça não lhe há de ouvir as lamúrias...

Era o que faltava: que S. Paulo fosse para todo o sempre a pacata *urbs* de antanho! A *Nini* de Castro Alves já não está disposta a servir de *cache-nez* para as almas dos poetas boêmios; e se, hoje, um bando de estróinas saísse por aqui a invadir cervejarias, a furtar tabuletas, a decompor o *eco da Academia*, e a cantar o hino de Fontoura Xavier:

> e tudo come!
> e tudo bebe!

não faltariam patrulhas que pusessem cabo a esses desregramentos, aferrolhando na cadeia os malandrins perturbadores da paz pública.

Consolemo-nos e vamo-nos às termas regeneradoras de Poços de Caldas!

s. a.

17 MAR. 1901 CRÔNICA

Não são boas, oh Sebastianópolis, não são boas as notícias da tua vida, que chegam, atrasadas e apagadas, ao cronista teu filho, perdido entre árvores, na paz bucólica de uma aldeia modorrenta... Oh grande árvore maternal, plantada à beira da mais linda baía do mundo! como há de a folha saída de ti, rodopiando ao vento, errando por estranhas paragens, esquecer-se e ser insensível aos males que te afligem e aos temporais que rugem sobre a tua velha copa frondosa?

Dizem os jornais que o inseto daninho, a pérfida lagarta do Boato, continua a lesmar a casca do teu tronco, e a roer as tuas verdes folhagens triunfais, e a sujar com a sua baba imunda a seda das tuas flores; e dizem ainda que uma nova enchente, temerosa e implacável como aquela que o poeta Alberto de Oliveira tão belamente descreve nos *Sonetos e Poemas*, acaba de inundar o campo em que assentas, abalando as tuas raízes seculares, subindo ameaçadoramente ao longo do teu corpo majestoso, e indo molhar as tuas [*****] robustas e apodrecer os teus ramos folhudos.

Houve ninhos inundados e aniquilados; houve flores humanas, pobres crianças sem arrimo, levadas de roldão pela turva enxurrada; houve frutos perdidos, antes da maturidade... E é a segunda enchente que te ofende, no começo deste ano aziago: que mal fizeste ao Senhor, para que assim se abram sobre ti as cataratas do céu, e o flagelo do dilúvio tão a miúdo te persiga?

Diz-se que a enchente causou prejuízos de mais de mil contos de réis... Talvez hajam contos demais; em todo caso, não ficarás arruinada com isso: maiores prejuízos do que esses da passageira enchente, te tem causado o longo e moroso [*****] de destruição daquele daninho inseto, daquela pérfida lagarta do Boato.

E chega a espantar que ainda tenhas folhas, e que ainda possuas flores e frutos, oh árvore desventurada, quando esse ascoso inimigo não pára um minuto no perverso afã de te desfolhar e comer...

É aqui, no campo, na roça pacífica e ordeira, entregue ao labor pertinaz, que a gente pode verdadeiramente sentir o asco das miseráveis paixões da politicagem.

Ao sol fecundante, arfa a terra sagrada, no seu perpétuo trabalho. Corta-lhe o seio o arado que a revolve e remoça; regam-na as chuvas benéficas; fecunda-lhe o suor dos que penam sobre ela para lhe excitar o vigor; o formigueiro humano vai e vem, agita-se e tumultua, na labuta contínua, amanhando o solo, lançando as sementes, vigiando o crescer dos rebentos, dando caça às larvas devoradoras, amontoando as colheitas; silvam as locomotivas, rincham os carros de bois, trotam as tropas carregadas, propagando a vida, dilatando o comércio, expandindo o progresso, levando ao litoral e ao âmago dos sertões bravios o pão, a felicidade, a riqueza; e há, do romper do dia ao esmorecer da tarde, por toda a face da terra afanosa e alegre, o ressoar de um hino vasto, em que se casam todos os rumores, e todas as palpitações desses milhões de atividades, cantando a glória de viver e de lutar.

Enquanto isso, um politiqueiro ambicioso, de alma trabalhada de despeitos, postado como um figurino de alfaiataria chique, em uma esquina da rua do Ouvidor, chupa com tédio o seu charuto e sonha os deslumbramentos do mundo, os esplendores do poder, os lucros fartos da governança, a glória de mandar e a vã cobiça, que já amaldiçoava o velho profeta de Camões.

E aquele ocioso, por si só, é capaz de aniquilar os esforços de todos os que trabalham para o bem comum!

O cogumelo brota espontaneamente dos lameiros podres, rebento da decomposição, vômito da umidade malsã, filho da fermentação dos pântanos. A politicagem, vazio lameiro em que se atolam todos os despeitos insofridos, todas as ambições contrariadas, todas as ociosidades trêfegas, tem também o seu cogumelo, o seu filho legítimo que é o boato. O conspirador é o Dom Basílio: "vai inventando sempre, porque alguma coisa sempre há de ficar da invenção". E aí sai o ambicioso a cultivar pelos quatro cantos da cidade a sua plantação de boatos...

Ah! Sebastianópolis! Quem te livrará desse inimigo, cuja fúria é cem vezes mais terrível do que a fúria de cem enchentes!

* * *

Outra notícia que aqui chega é a do propósito em que está um ousado explorador de descobrir o tesouro dos jesuítas.

Ainda a gente da geração atual engatinhava, e já era velha a fama destas riquezas misteriosas, de que os frades da Companhia se viram obrigados a desfazer-se, na fuga precipitada. Em criança, quem escreve estas linhas não ouvia falar apenas de uma grande estátua de Santo Inácio de Loyola e de uma riquíssima biblioteca: ouvia falar também de coroas e cetros, em que ardiam turbilhões de gemas, e de imensas canastras atulhadas de ouro em pó e de prata em barras, e de brocados e lhamas de inconcebível riqueza, e de amplos sacos cheios até a boca de milhões e milhões de esmeraldas e rubis.

As velhas senhoras, que nos fastidiosos serões cariocas queriam distrair as crianças daquele tempo, iam de noite em noite exagerando o cômputo dessas maravilhas; e, quando, depois do chá com torrada, a família ia dormir, a imaginação dos pequenos começava a trabalhar: e havia, na escuridão dos quartinhos acanhados e pobres, a explosão de sonhos estupendos, constelados de diamantes, rebrilhantes de safiras e topázios...

Muito tempo passou depois disso: e todos nós esquecemos esse vago e pernicioso sonho. Ei-lo que renasce e volta agora...

Não há homem que não tenha no telhado do cérebro uma telha quebrada: é por aí que entra a loucura. Malebranche dava à imaginação um nome expressivo: *la folie du logis*, essa importuna senhora toma conta de todas as almas; aboleta-se nelas, e não há rigores nem desfeitas que a obriguem a sair das casas que ocupa. É ela quem perturba a economia doméstica, quem planta a cizânia no lar, quem põe sal demais na panela, quem azeda o vinho, quem complica as contas do fim do mês; perigosa e impertinente senhora! ai de quem um dia a deixou entrar em sua casa!

E quanta loucura, quanta tolice, quanto desperdício de saúde, de felicidade e de dinheiro, a *folie du logis* tem causado no mundo! Foi ela quem criou o Eldorado, o maravilhoso país do Sonho: transformou rochedos cobertos de mica em rochedos de ouro maciço, e fez de um miserável cacique polvilhado de talco, um opulento rei coberto de diamantes. Ponce de León, que caíra na asneira de dar hospedagem no cérebro à *folie du logis*, passou toda a vida a procurar na América a famosa Ilha de Boradão, de onde brotava a fonte de Juventa. E, desde que o mundo é mundo, essa inspiradora satânica impele pelos mares tenebrosos os argonautas ávidos, em busca de imaginários tesouros...

Mas, no caso presente, devemos abençoar a *folie du logis*. Se é verdade que um atrevido cidadão pediu ao poder público licença para escavar o morro do Castelo, o dever do poder público é não dormir sobre o caso, e não deixar que esfrie a boa vontade de que está animado esse caçador dos tesouros dos jesuítas. Um dia perdido, em assunto de tão alta importância, pode ser a causa de irreparáveis desgraças.

Porque é quase certo que o caçador perderá o seu tempo e o seu trabalho: mas é de crer que escavado, atravessado por túneis, furado em todos os sentidos pelos mineiros atrevidos, o morro do Castelo venha abaixo! E, assim, teremos conseguido, graças à maluquice providencial de um sonhador, o que não conseguiram até hoje as súplicas e as recriminações de todos os higienistas.

O morro do Castelo, que foi o teu berço e a tua glória, é hoje a tua vergonha, oh Sebastianópolis! Renques de casas velhas e sujas se despencam pelas suas ladeiras; antros tenebrosos de vagabundos e rapinantes se cavam nos seus flancos; rara é a noite em que aquelas velhas pedras não são regadas por sangue humano, em rixas de capoeiras; abençoada seja a maluquice do caçador de tesouros dos jesuítas, se esse maluco, cavando, como uma infatigável toupeira, o seio do morro nefasto, puder deitá-lo abaixo!

s. a.

14 ABR. 1901

CRÔNICA

Os dias que se seguiram à Semana Santa foram chochos e vazios. Só houve neles de realmente notável o aniversário do famoso *Dez de abril*, e os motins de São Paulo a propósito da representação da *Electra* de Galdós.

É preciso que haja, em verdade, notável escassez de assuntos, para que possa merecer algumas linhas de crônica aquela tragicomédia de 1892, que, se causou algumas lágrimas [*****] alguns movimentos de cólera, teve ao menos a vantagem de obrigar muita gente honesta e iludida a ficar para todo o sempre desprezando a imundície das preocupações da politicagem.

Oito anos já! com que rapidez envelhecem as cousas e os homens! os dias passaram sobre as paixões do tempo, morreram alguns dos autores do episódio, outros tiveram o ensejo de experimentar o peso das mesmas cadeias que forjaram, e já ninguém pensa no caso...

Em uma velha farsa francesa de Tabarin, o mundo político é apresentado como um vasto teatro de bonecos:

> Les marionettes font,
> Font quatre petits tours,
> Font, font, et puis s'en vont...

Todos são os bonecos que, feitas as quatro pequenas piruetas que lhe competem, não se dão pressa em sair de cena, e teimam em ficar aborrecendo a platéia com a sua desengraçada presença: confiam demais no seu encanto, e acabam recebendo, em prêmio de tanta vaidade, uma revoada de assobios ou cousa pior.

Conta-se que o grande Talleyrand recebeu um dia a visita de um rapaz inteligente e ambicioso, que, saído do obscuro recanto de uma remota província, vinha a Paris procurar a fortuna e a glória. O velho político recebeu com simpatia o moço ambicioso, e perguntou-lhe se já escolhera a carreira que lhe devia dar honrarias e riquezas...

– Já escolhi, mestre: quero ser político...

Talleyrand franziu a testa, e olhou fixamente aquele pobre diabo, em cuja fisionomia se estampava uma serena e admirável sinceridade. E, depois de alguma reflexão, perguntou:

– Pode dizer-me o meu jovem amigo de que matéria é feita essa cadeira em que está sentado?

– De pau...

– Bem. Se o quisessem obrigar a dizer e a jurar que essa cadeira é feita, não de pau, mas de ouro ou de pedra, o senhor seria capaz de afirmar e de sustentar essa mentira?

– Nunca!

– Pois, nesse caso, escolha outra carreira! porque o homem que não sabe mentir a si mesmo e aos outros sessenta vezes em um só minuto, pode vir a ser, neste mundo, tudo... menos político.

E, com esta anedota, mais velha do que a nossa geração, digamos adeus ao aniversário do *Dez de abril*, e conversemos dois minutos sobre o caso da *Eletra*.

Já tardava que o Brasil, na sua eterna preocupação de fazer o que outras nações fazem, arranjasse um pequenino movimento anti-clerical. Como se sabe, já o movimento espanhol não tinha sido original.

A vontade de dar cabo dos padres começou, ao raiar do século, em França, na terra-mãe da Liberdade, da Igualdade e da Fraternidade, três senhoras gêmeas que, quase sempre, *hurlent de se trouver ensemble*. Vários conselhos municipais da França, de um radicalismo feroz, chegaram a proibir que os padres transitassem, pela via pública, vestidos de batina. E houve tais conflitos, e tantas complicações sobrevieram a propósito disso, que Forain, o cruel e extraordinário caricaturista do *Figaro*, incluiu na sua admirável série de *Deux-Pays* um desenho amargo, em que, com o título *La chasse aux curés*, essa manifestação tardia e ridícula da intolerância republicana era acerbamente satirizada.

Da França a mania passou à Espanha. O drama de Galdós foi a faísca que provocou a explosão da mina. E, logo depois, o incêndio saltou a fronteira, e foi no Porto, atear o caso Calmon. Ah! não era possível, não era possível que o Brasil ficasse imune! E eis que em terra brasileira estala de repente o raio incendiário...

Santo Deus! por que não haveis de dar a todos os espíritos a mesma tolerância que destes, em uma hora de suprema e infinita generosidade, ao humilde espírito de quem escreve estas linhas? Que motivo há para que se faça no Brasil *la chasse aux curés*? Por que havemos nós de perseguir os padres, se os padres já não podem (graças a Deus!) obrigar-nos a ouvir missa e a comungar, e se já todos podemos, com toda a liberdade, dar-lhes as costas e rir dos seus manejos?!

Toda essa inútil agitação vem tão-somente do nosso desejo de, em tudo e por tudo, imitar a Europa...

Não há decerto, em toda a infinita multidão de entes que habitam a terra, animal tão engraçado como o macaco.

Não se trata, está bem visto, do feio e monstruoso gorila, gigante negro e feroz, medonho espantalho da criação; trata-se dos inocentes e espertos macacos que estamos habituados a ver por aí, pequenos e ágeis, facilmente domesticáveis, com a fisionomia mais móbil do que a de um ator cômico, e os músculos da locomoção mais elásticos do que os de um *clown*.

Parece que o mico, o sagüi, o bugiote foram feitos pela Mãe Natureza, em um momento de bom humor, para divertimento da terra.

Quem vai à praça do Mercado ou ao Jardim Zoológico e pára diante das gaiolas em que eles exibem as suas caretas e os seus saltos, não pode deixar de sorrir vendo aquela maravilhosa e perpétua palpitação de vida, aquela irreprimível inquietação, aquele perene transbordamento de graça; o mico é engraçado até mesmo quando chora; e a gente quando lhe observa os esgares, [*****] as piruetas, as gaifonas e os momos exclama com pasmo: "Jesus! até parece um ente humano!"

Porque, enfim, toda a irresistível graça do macaco consiste no estupendo talento de imitação que a natureza lhe deu. E tudo quanto ele imita fica deformado e ridículo, até mesmo o choro. A sua fisionomia é como um desses espelhos escandalosos, que foram ultimamente inventados para regalo dos freqüentadores de cafés-concertos, e em cuja face traidora as linhas da face humana aparecem repuxadas ou dilatadas, num exagero de caricatura macabra.

Na face humana, não há nada mais expressivo do que o sorriso ou a lágrima: e essas duas sublimes expressões da alegria e da dor, quando imitadas pela face do macaco, transformam-se logo em trejeitos e gatimanhos cômicos, capazes de fazer uma pedra rebentar de riso.

Ora, pois! é por isso que achamos graça no macaco... E queremos nós de bom grado imitá-lo, imitando-lhe o talento de [*****]?

Parece que sim. Não é à toa que os nossos vizinhos argentinos costumam referir-se, com aguda ironia, aos macaquitos que vivem comendo bananas na terra de Santa Cruz. Se o amor da imitação só vai bem aos macacos, por que havemos nós, oh irmãos, de andar fazendo da nossa vida social um vasto espelho cômico, em que se vêem reproduzir, deformado, tudo quanto se passa lá fora, nas velhas civilizações européias?

Deixemos os padres amigos! Já o tempo da sua influência e do seu poderio passou; já eles não podem meter-nos em ergástulos negros, nem submeter-nos aos tratos da polé, nem assar-nos a fogo lento nas praças públicas. Que rezem, que se penitenciem, ou que desfrutem à vontade os gozos da vida! Que temos nós com isso?

Não nos esqueçamos de que a tolerância é a base da felicidade, e de que o melhor e mais seguro caminho para a justiça é o esquecimento da injustiça alheia.

Não gostais de ouvir missa? pois ide ouvir a *Eletra*: o mundo é bastante vasto para poder conter todas as crenças.

s. a.

21 abr. 1901

Crônica

De que vos há de falar o cronista, neste calmo domingo de outono?

A política repousa, como uma parada lagoa: a última pedra do escândalo que atiraram sobre a sua face adormecida pôde apenas arrufá-la de leve em quase invisíveis círculos concêntricos que se foram logo alargando e morrendo; e outra vez uma imobilidade de morte pesou sobre ela. O câmbio sobe, o preço do café baixa, os poderosos cochilam, os descontentes murmuram, mas tudo isso não chega a ser vida: e enquanto não chegam ao Rio os deputados, para as parolagens de maio, não veremos animar-se aquela água turva e quieta. Também não vale a pena tratar das tragédias de adultério que se acumulam: sobre esse assunto, já o sentimentalismo indígena esgotou toda a sua estafada retórica; e não há de ser a nossa desenxabida prosa que há de dar remédio a essa explosão de desvarios ciumentos do Amor, sob [*****] influência os beijos se mudam em dentadas e os abraços se transformam em arrochos.

Falemos antes desse exaltado mineiro, cujo martírio o calendário republicano comemora hoje.

Diz-se que os homens só podem ser bem julgados um século depois do seu desaparecimento. Que esperança! Como se a perpétua inquietação da alma humana, *causa mater* de todas as disputas, pudesse satisfazer-se com esse curto período de cem anos! Shakespeare morreu há quase três séculos, e ainda muita gente alterca e briga para saber se o autor de *Hamlet* foi de fato o humilde ator de Southwark ou foi o grande Bacon; o divino Homero morreu mil anos antes do nascimento de Cristo, e não falta quem afirme que o cantor das desventuras conjugais de Menelau nunca existiu... A dúvida é inseparável da existência humana; nós vivemos a criar incertezas e controvérsias, e no dia em que pudéssemos todos ficar de acordo sobre qualquer ponto de filosofia ou de história o nosso tédio seria tão insuportável, que correríamos em massa ao suicídio.

Assim é que Tiradentes, o esquentado alferes, que o suplício coroou de uma auréola inapagável, ainda hoje dá motivo a controvérsias e bate-bocas. Há os fanáticos que vêem no humilde dentista de Vila Rica a própria alma da Inconfidência, o sol daquele sistema de planetas; há os desconfiados que não podem conceber como os melhores jurisconsultos e poetas daquele tempo se deixavam dominar e guiar por um rude miliciano da roça, e há ainda os irritados, em cuja opinião o mártir não passou de um leviano mancebo, muito tagarela e muito imprudente, que com a sua indiscrição deitou a perder a conjuração. E aí temos o mártir sujeito a três julgamentos: grande e abnegado como Cristo, dando a vida por uma nobre idéia; ingênuo como uma criança, abandonado e renegado pelos que se serviram da sua inocência; ou tolo como os peixes, que, no dizer do povo, morrem pela boca.

Ai de nós! por que havemos de estragar e desmoralizar, com a nossa análise minuciosa e com a nossa crítica fútil, aquilo que tão calma e consoladoramente podemos admirar e adorar sem discussão? Por que havemos todos de ser como aquele pobre diabo de Hindu, de que fala mestre Machado de Assis, aquele dono de uma linda *Mosca Azul*, que um dia quis analisá-la e autopsiá-la, e tristemente a viu desfeita em pó e imundície?

Os heróis são como os deuses: quem os apalpa não os respeita.

No famoso romance *A Morte dos Deuses*, em que Dimitri Merejkwsky estuda a singular e perturbadora figura do imperador Juliano Apóstata, há uma página admirável em que o escritor russo descreve a demolição do templo de Afrodite pela turba dos cristãos amotinados. A deusa, apeada do seu solo augusto, esbofeteada, espezinhada, coberta de injúrias e escarros, é atirada dentro da fogueira. A sua divina cabeça de prata conserva nos lábios o calmo sorriso da graça e da imortalidade. E a turba, ansiosa, espera a consumação do horrendo sacrilégio:

– Vereis! (clama um ermitão) quando o ídolo começar a fundir-se, o Diabo sairá de sua boca ignóbil, sob a forma de uma serpente rubra!

Mas um cético intervém, dando aos ombros um movimento de desdém:

– Tolices!... Eu estava em Gaza, no dia em que foi derribada e partida a estátua de Zeus; não achamos dentro dela o Diabo, mas unicamente uma torpe e repugnante acumulação de cousas imundas... Exteriormente, o ídolo parecia terrível e nobre, todo de ouro e marfim, com os raios vingadores enfeixados na mão potente; mas dentro dele só havia teias de aranha, ratos, poeira, traves enferrujadas, pregos, pez fétida, toda a sorte de coisas podres... E aí tendes o que são os deuses!

Por que se há de expor a igual decepção quem procura discutir o verdadeiro valor moral de um herói ou de um mártir?

Decerto, ninguém dirá que o miliciano de Vila Rica era um profundo filósofo, ledor assíduo da Enciclopédia, capaz de fundar, organizar e governar uma pátria. Mas, o alferes era a palavra que faz prosélitos, a propaganda que espalha as idéias, a faísca que ateia o incêndio enquanto o melífluo Gonzaga compunha éclogas e bordava a ouro os vestidos de Marília, e enquanto os outros desembargadores da revolução despachavam petições e arrazoavam autos, o moço ardente agitava-se e vibrava, consumido pelo fogo inteiro daquele ideal. E, quando chegou o dia do irreparável desastre, foi ele quem pagou as culpas de todos, atraindo sobre a sua linda cabeça de sonhador leviano todo o peso da cólera dos grandes.

Pois não basta isso? Basta, certamente. Parece que, quem deu pela vitória de uma causa a própria vida, nada mais poderia dar por ela...

Não analisemos o que amamos. A curiosidade é a mãe das decepções. Não procuremos torturas novas para a nossa alma, arriscando-se a matar a nossa *Mosca Azul* e a encontrar no bojo de nossos ídolos os ferro-velhos e os imundos animais que o cético da *Morte dos Deuses* viu sair do ventre de Zeus.

s. a.

12 maio 1901

Crônica [CF]

Bem mais feliz do que a nossa é a geração desses pirralhos que andam agora por aí a jogar a cabra-cega, a atirar pedras às árvores e a perlustrar os mistérios da carta do *abc*.

É bem certo que os dias sucedem-se e não se parecem. No maravilhoso tear em que uma alta Vontade desconhecida vai urdindo a teia das eras, há fios claros, de ouro e de sol, e fios negros, da cor da noite e do desespero. Depois das grandes crises a Vida repousa e adormece, refazendo forças; e há então esses largos períodos de paz e modorra, que dão aos espíritos otimistas, à moda de Pangloss, a ilusão de que foram contados e extintos os dias de sofrimento humano.

Esses meninos que aí andam jogando peteca, não viram nunca um escravo... quando eles crescerem saberão que já houve no Brasil uma raça triste votada à escravidão e ao desespero; e não verão nos museus a coleção hedionda dos [*****], dos *vira-mundos* e dos *bacalhaus*; e darão notícias dos trágicos terrores de uma época maldita: filhos arrancados ao seio das mães, virgens violadas em pranto, homens assados lentamente em fornos de cal, mulheres nuas recebendo na sua mísera nudez desvalida o duplo ultraje das chicotadas e dos olhares do *feitor* bestial. Saberão tudo isso, quando já tiverem vivido bastante para compreender a maldade humana, quando a Vida já lhes houver apagado da alma o esplendor da primitiva inocência; e, decerto, um frêmito de espanto e de cólera há de sacudi-los.

Mas a sua indignação nunca poderá ser tão grande como a daqueles que nasceram e cresceram em pleno horror, no meio desse horrível drama de sangue e fogo, sentindo dentro do ouvido e da alma, uma arrastada e contínua melopéia, o longo gemer da raça mártir, orquestração satânica de todos os soluços, de todas as impressões, de todos os lamentos que a tortura e a injustiça podem arrancar a gargantas humanas...

A distância, tanto no espaço como no tempo, atenua a violência das impressões.

Ainda há pouco tempo, em fevereiro, os astrônomos dos observatórios da Europa viram aparecer uma nova estrela, na constelação do Aquarius. O astro novo brilhou alguns dias, com um intenso fulgor, e apagou-se logo. A explicação que a ciência encontra para esse fenômeno causa admiração e espanto. O que parecia um astro novo era realmente um velho astro, até então invisível para nós e subitamente incendiado, em uma [*****] catástrofe, por uma combustão química. Assim, o que aos nossos olhos se afigura o natal radiante de um astro, o desabrochar esplêndido de uma [*****] planetária, é, de fato, o funeral de um mundo, talvez igual, talvez superior ao nosso, e devorado e destruído por milhões de séculos de vida, naufragando agora no inevitável e irreparável desastre. Mas, a nós, que nos importa essa tragédia celeste, passada tão longe da terra, que a inteligência humana nem pode calcular a distância que nos separa do seu cenário? Estremecemos durante um minuto, e passamos adiante, sem mais pensar no astro defunto que se abisma no aniquilamento...

A distância do tempo tem o mesmo benéfico efeito da distância no espaço. Nós não podemos ter hoje uma idéia nítida do que foram, por exemplo, os pavores da Inquisição: o ulular das vítimas do Santo Ofício atenuou-se e morreu, sem um eco. E o horror que hoje nos causa a leitura daquela infinita narração de atrocidades, é um horror puramente literário. Longe dos olhos, longe do coração, diz o velho prolóquio; a distância é o pintor miraculoso que faz aparecer, ao fundo do quadro, vagamente esfumadas numa névoa indecisa, coisas que, vistas de perto, só causariam repugnância e aflição.

Esses meninos, que nasceram depois de 13 de maio, pertencem a uma geração amada dos deuses. Quando saem de casa a caminho do colégio, com os livros na maleta e uma risonha primavera nos olhos e na alma, já não encontram pelas ruas, como nós encontrávamos, o doloroso espetáculo que nos estatelava de surpresa e assombro: as levas de escravos maltrapilhos e chagados, que saíam das *casas de* [*****], manadas de gado humano consignadas à ferocidade dos eitos; pobres mulheres e pobres homens, que traziam no rosto uma máscara de ferro, como prevenção e castigo da intemperança; míseros anciãos cambaios e trêmulos, tendo a alvura da carapinha em contraste com a escuridão da pele, e já meio mortos de velhice e sofrimento, e ainda mourejando de sol a sol, com o cesto sujo à cabeça para o trabalho do *ganho*; molecotes nus e esqueléticos que chupavam seios sem leite; toda a vasta procissão, enfim, dos abandonados de Deus...

Aqueles de nós, que iam passar as férias nas fazendas, ainda estudavam de mais perto e com mais proveito a sinistra engrenagem do aparelho negreiro.

Lá, no esplendor perpétuo da Natureza [*****], sob um céu feito de carícia e paz, na face da terra aberta em flores e [*****], estendiam-se os eitos devoradores de vidas, e a crueldade inventava [*****] satânicos. Ao rumorejo suave das ramadas, e ao festivo clamor dos pássaros, casava-se, do romper do sol ao cair da tarde, uma cantilena melancólica que dava calafrios... Era o queixume dos que retalhavam a terra; era o guaiar da raça miserável que cantava o seu infinito desconsolo. E, no chão que o esforço dos escravos lavrava e fertilizava, corria o sangue dos mártires, pedindo misericórdia, clamando vingança, caindo sem cessar, gota a gota, dos corpos supliciados...

Ah! que felizes sois vós, meninos de agora! Já ao vosso inocente fulgor se não vem unir a revolta instintiva, que nos envenenava a alma, naqueles duros tempos da nossa meninice. Quando nascestes, já esta nossa revolta explodira, terrível, [*****] contra todas as conveniências, [*****] tradições de família e de casta, para extinguir a aviltante vergonha; e agora podeis sorrir, vendo o trabalho irmanar pretos e brancos, na terra amada que já não tem pústulas malignas no seio...

Mas das grandes desgraças sociais, como das grandes moléstias que longo tempo [*****] o organismo humano, sempre resta alguma cousa que convém combater e afastar.

Em boa hora, lembrou-se alguém de pedir ao presidente do Estado do Rio o perdão dos ex-escravos que cumprem sentença na penitenciária de Niterói.

Já se pode declarar vencida a campanha, porque o homem que está dirigindo o Estado do Rio foi, pelo fulgor da sua pena e pela nobreza do seu exemplo, um dos mais ardentes apóstolos da abolição. Mas não basta que se use de misericórdia para com os infelizes da penitenciária de Niterói. Por esse vasto Brasil, quantas vítimas da escravidão não estarão, ainda, no fundo dos calabouços negros, pagando crimes a que foram unicamente levados pelo rebaixamento moral e pelo irrefletido desespero a que os reduzia o egoísmo sórdido dos senhores?

Há uma lenda na Bretanha, cujo suave encanto vem agora à lembrança do cronista.

Diz a doce lenda que um dia, no fulgor incomparável da sua majestade, o Senhor Deus dos cristãos viu chegar à barra do seu tribunal supremo uma alma carregada de crimes torpes. O Senhor Deus franziu o sobrolho e começou a invectivar a alma daninha:

– Tu roubaste, tu intrigaste, tu caluniaste, tu mataste, tu violaste donzelas, tu saqueaste as minhas igrejas, tu profanaste a terra com a tua presença, tu renegaste o meu nome!

A pobre alma, debaixo desse temporal de acusações tremendas, quedava calada e triste. E o Senhor Deus clamou, com uma voz que abalou os céus:

– Que alegas tu em tua defesa, ó alma perversa?

Então, a alma perversa disse, chorando:

– Senhor! eu nunca conheci mãe!

E o Senhor Deus, comovido e aplacado, acolheu em seu seio o pecador...

Assim também, diante da justiça dos homens e da justiça de Deus, podem e devem comparecer sem receio aqueles que, quando escravos, cometeram crimes. Porque quando os homens e Deus lhes perguntarem o que têm a alegar em sua defesa, eles responderão:

– Ó homens, nossos irmãos! e ó Deus, Nosso Senhor! nós nunca conhecemos a Liberdade!...

* * *

E, agora, para que a *Crônica* tenha um fecho de ouro, na véspera do grande dia do Amor e da Misericórdia, faça o cronista aquilo que, nesse dia, costuma fazer, todos os anos, no final desta coluna da *Gazeta* – envie uma fresca braçada de rosas a José do Patrocínio, o Redentor.

s. a.

19 MAIO 1901

CRÔNICA

As derradeiras páginas da *Legenda dos Séculos*, de Victor Hugo, dedicadas ao *Século Vinte*, contêm uma profecia maravilhosa.

O poeta cantará Eva e o primeiro amor; a grandeza e a decadência de Roma; Cristo e Maomé; os cavaleiros andantes e os tronos do Oriente; Átila e Gutenberg; Dante e Torquemada; a Renascença e as Navegações; o Trabalho e a Miséria... Todo o imenso e prodigioso ciclo do progresso humano coubera dentro daquele poema divino. Era preciso dar um remate à obra ciclópica; e o poeta imaginou o homem, no Século Vinte, conquistando o céu.

Os verbos dessa última parte da *Legenda dos Séculos* têm uma vibração olímpica, um fulgor de glória sobre-humana. No abismo estrelado e insondável, paira um ponto vivo, que se move, e vai, e vem, e perlustra as vastidões azuis. Que é esse ponto errante? é um navio do céu, é um aeróstato:

> C'est la grande révolte obéissante à Dieu!
> La Sainte fausse clef fut fatal gouffre bleu!
> C'est Isis, que déchire éperdument son voile!
> C'est du mètal, du bois, du chanvre, de la toile,
> C'est de la Pesanteur dèlivre, et volant!...

Não há grande poeta que não seja um grande Vidente. O Século Vinte aí está. Todos os revezes que o Gênio Humano tem sofrido através das Idades, todas as decepções amargas que a sua curiosidade e a sua ambição têm dado – [*****] diminuir-lhe o fervor ansioso, sem cortar-lhe as asas inquietas e atrevidas. De cada revés e de cada decepção, o Gênio Humano faz um novo casal de plumas fortes, que acrescenta a essas asas indestrutíveis. Ele é como Anteu, o gigante filho da Terra, que, quando, ao cair, tocava o solo, ganhava novas e prodigiosas forças para o vôo. O Século Vinte aí está: vai ser cumprida a profecia do Adão da *Legenda dos Séculos*.

E quem duvida que o problema da navegação aérea seja resolvido por José do Patrocínio? De 1709 a 1901, quem sabe por que mistérios e indecifráveis processos da Natureza não terá dormido essa idéia, para, tendo o seu primeiro servidor em Padre Bartolomeu Lourenço de Gusmão, vir ter agora o seu senhor absoluto em outro brasileiro, o libertador da raça negra?

A *Passarola* de Padre Bartolomeu é o ancestral do *Santa Cruz* de José do Patrocínio: a mesma glória brasileira, que enfumava as velas brancas daquela, vibra nas asas de alumínio deste.

Ícaro reforçou as alas ousadas: quem sabe se desta vez se não vai abrir o novo império infinito da inteligência humana, o reino estrelado da perpétua glória da espécie?

Em 1709, o Brasil era, moralmente, um vasto Saara, mudo e horroroso. Apenas aqui e ali, a grandes distâncias, um fraco verdor de inteligência e progresso punha uma nota de vida naquela infinita solidão de morte. A metrópole tirava daqui o ouro, e deixava-nos, em câmbio dele, os rebotalhos da sua civilização, os elementos perniciosos da sua sociedade. Entretanto, não se sabe como, já sobre a face desse pântano havia súbitos fulgores de gênio. Padre Bartolomeu Lourenço de Gusmão brotou, de dentro deste país ainda bárbaro, como um prodígio e um milagre.

Ainda não tinha vinte e cinco anos o grande brasileiro, quando foi a Lisboa apresentar à Corte o seu projeto de aeróstato. A *Passarola* devia ser feita de tábuas finas, chapeadas de ferro, "e cobertas de finas esteiras de palha de centeio, para comodidade dos passageiros, cujo número seria de onze, compreendendo o *piloto*". Parece que El-Rei ajudou o inventor. O aeróstato foi experimentado, diante de Sua Majestade e de toda a corte, no pátio da Casa da Índia; subiu até a altura da *Sala das Embaixadas*, bateu de encontro a uma cimalha e caiu.

Pobre Bartolomeu! Quando viram o *Voador* caído por terra todos os jumentos do tempo vieram, à compita, magoá-lo. Um versejador chegou a despejar sobre ele um punhado de versos torpes e cambaios:

> Com que engenho te atreves, brasileiro,
> A voares no ar? Sendo pateiro,
> Desejando ave ser, sem ser gaivota?
> Melhor te fora, na região remota,
> Onde nasceste, estar com siso inteiro...

Mas, não bastavam as injúrias. Vieram a fome e as perseguições. O Santo Ofício quis queimar vivo o devassador dos ares. Padre Bartolomeu fugiu para Toledo, e aí agonizou longamente: o seu enterro, feito por esmolas, custou pouco mais de seis *reales*...

Ora, daí por diante, nestes dois longos séculos de febre e pesquisa, o sonho do *Voador* tomou corpo e afirmou-se. Já é extenso o martirológio dos aeronautas. Os navios celestes sobem ao ar, equilibram-se na altura, erram ao sabor dos ventos, enviados atrevidos da Terra, gritos de desespero da ansiedade humana, súplicas do nosso eterno sonho endereçadas a Deus. E, nesses dois séculos de estudo e porfia, que imensa série de desastres, que espantoso catálogo de catástrofes! Mais egoísta e mais terrível que o segredo do Pólo, o segredo dos Ares permaneceu fechado: Aves tontas, naus sem leme, – os balões rodopiam, estouram, esfrangalham-se, caem, feridos dos raios, queimados do sol, despedaçados pelas ventanias.

Mas a hora da vitória vai soar. Um clarão de apoteose vai iluminar a pobre cela miserável em que padre Bartolomeu agonizou sozinho, sem uma carinhosa mão que lhe enxugasse o suor da agonia, sem uma boca amante que lhe recolhesse nos lábios o beijo derradeiro.

E por que não há de a reabilitação da memória desse brasileiro ser devida a outro brasileiro? Providência ou acaso, há uma força oculta que dirige esses encontros, no espaço e no tempo, de fatos e de circunstâncias, – a que nós com a nossa pressa de tudo explicar, chamamos *coincidências*.

Felizmente, já hoje os jumentos não [*****] José do Patrocínio, já o Santo Ofício não o quererá queimar, e já a miséria não será o prêmio do seu labor. A incredulidade humana já não é o que era no século XVIII: temos visto tanta coisa [*****] que os nossos olhos se habituaram à luz, e as nossas almas se afizeram ao [*****]. Voltaire, no seu livro sobre o *Século de Luís XVI*, fez, com um desmedido [*****] a enumeração das descobertas e das invenções desse tempo: lida hoje, essa apologia provoca apenas um sorriso de desdém...

Mais difícil, bem mais terrível do que esta tarefa de agora, foi uma outra que Patrocínio acabou... Aí, não se tratava de dominar os ventos, de escravizar correntes de ar, de vencer tufões: tratava-se de subjugar almas, de cativar paixões, de jugular interesses. A tarefa era bem mais rude,e bem mais temerosa, porque já o velho Shakespeare dizia que é mais fácil "aplacar todas as ondas do mar e todos os furacões do céu que dar remédio à maldade de um só homem".

Lá em cima, quando o aeróstato *Santa Cruz* subir em demanda dos astros, que é que o inventor verá a seus pés? Apenas isto: os raios que Franklin já cativou; os bulcões de nuvens negras, que já a eletricidade pode desmanchar e resolver em chuvas benéficas; as convulsões atmosféricas, as tempestades, os meteoros, que o aeronauta pode evitar, colocando-se abaixo ou acima deles, com uma simples pressão de botão elétrico ou com um simples movimento de alavanca.

Mas, antigamente, quando Patrocínio andava redimindo pátrias, que via ele? Cada passo seu despertava uma revolta e um cataclismo. O Ódio refervia; a Cólera esbravejava; o Egoísmo reinava; eriçava-se o solo de urzes, cobriam-se as árvores de espinhos; desmanchavam-se os ares em maldições; desfaziam-se as almas em apodos; e o Dinheiro, o Soberano Dinheiro punha em cada frincha da terra um tropeço, e em cada moita do caminho um silvar de serpe...

Quem pôde, com o favor do cérebro e do Coração, vencer tudo isso, tem o direito de forçar todas as portas, as do céu como as da terra.

Deus queira que mais uma vez se prove que todo o poeta é vidente. E Deus queira, principalmente, que o primeiro balão dirigível levante da terra brasileira o seu vôo vitorioso: o país que deu ao escárnio e à miséria a *Passarola* deve dar ao aplauso e à glória o *Santa Cruz*.

Que se realize já a tua profecia, oh almenara da alma latina, oh Augur da *Legenda dos Séculos*! Jason vai partir para a infinita Cólquida estrelada: o seu navio tem asas bastante fortes para que sobre elas se equilibrem, na ascenção maravilhosa, os corações de todos os homens, através

> l'immense étonnement des cieux enfin ouverts!...

s. a.

09 jun. 1901

Crônica

Cada terra com seu uso, diz o prolóquio. E isso é uma tão grande verdade, que nós, apesar do nunca visto amor da imitação que nos caracteriza, ainda não conseguimos adotar certos usos de outras terras. Um desses usos é o duelo. Todas as tentativas têm falhado: continuamos a preferir o desforço pelo *a pedidos* ou pelo soco. Pois é pena, amigos!

Todos reconhecem que o duelo é muito mais limpo, muito mais decente, muito mais digno do que o bate-barbas nas seções pagas das folhas e do que o escândalo dos pontapés e dos bofetões em plena rua. Mas o grande argumento de que todos se servem, é este: "a sorte das armas nem sempre pode favorecer a boa causa, de modo que um homem justo e inocente, depois de lesado, injuriado e esbofeteado por outro, ainda se arrisca a pagar com a vida o crime de ser justo e inocente".

Ninguém contesta isso. Mas o mesmo argumento vale contra o desforço nos *a pedidos* a golpes de desaforos, ou na rua a golpes de bengala, ou nos tribunais a golpes de sofismas.

Também nos *a pedidos* vence o adversário que tem mais acerada a pena, mais educada a veia da descompostura, como vence nas vias-de-fato o contendor que tem mais força e nos tribunais a parte que tem mais esperto advogado. E o duelo, se tem essas desvantagens, tem outras vantagens, que as compensam: é mais correto, é mais rápido e é mais perigoso.

É mais perigoso: aí está a maior vantagem. Quanto mais sério é o risco a correr numa aventura, tanto mais raros são aqueles que ousam meter-se nela.

A língua humana é como um ginete insofrido e árdego; não há contê-la, às vezes, no seu desvairado correr. Línguas, como ginetes, precisam de freio. Ninguém pode calcular que vasta e pavorosa quantidade de desgraças vêm do uso e abuso da palavra. Uma só palavra, pronunciada fora do tempo, destrói a harmonia de um casal, deita abaixo um império, conflagra um continente.

O mais expressivo dos ditados populares é aquele: "Palavra puxa palavra". Que longa fieira, que perigosa cadeia! de sílaba em sílaba, o perigo aumenta; os pontos finais, as vírgulas, – que são freios – vão desaparecendo... os vocábulos precipitam-se, atropelam-se; e, em pouco estala um desastre, rebenta uma irremediável desgraça. É bom notar que os atos quase nunca ofendem: das palavras é que vêm as grandes, as irreparáveis ofensas; injúria muda, é como enfermidade sem dor: passa despercebida.

Ora, quando se sabe que uma palavra inoportuna pode fazer sair uma espada da bainha ou armar o gatilho de uma pistola, a Prudência, dama de raras virtudes, intervém e impõe uma brida forte ao corcel atrevido.

Não digamos muito mal do duelo. Essa velha instituição dos Franceses tem uma nobreza e uma beleza que devem ser respeitadas. E reconheçamos que a um duelo ficamos devendo as poucas horas interessantes e agitadas que vivemos na semana passada. Neguem-lhe esse mérito, se são capazes disso!

* * *

Outro uso que não adotaremos sem resistência é o do serviço militar obrigatório. Pouco dados ao ardor bélico, mais afeitos às chinelas domésticas que às grossas botas militares, não nascemos para campanhas nem façanhas.

Letra morta na Constituição, o serviço militar forçado vai ser, parece, praticado.

Ides ver que imensas complicações vão nascer daí. As *isenções* consignadas no projeto que ora se discute na Câmara já fazem prever que ainda desta vez o problema ficará sem solução.

Não se compreende bem porque devam ficar dispensados do serviço militar o "viúvo que tiver filho legítimo ou legitimado que alimente e eduque" e "o que tiver irmão em efetivo exercício ou aquele que o irmão haja falecido em combate".

Mais ainda. Por que hão de ficar livres os "graduados nas escolas do ensino secundário da República"? Um advogado, um médico, um engenheiro devem menos dedicação e menos serviços à pátria do que um calceteiro, um alfaiate, um cobrador? Por quê? Mas justamente os que mais gozam, os que têm a existência mais fácil e regalada, os que têm dentro do estômago os melhores bocados do banquete da vida, são os que mais devem defender a sociedade e a terra que lhes dão todas essas facilidades... Com essas isenções, de uma clamorosa injustiça, vamos ter o estabelecimento de castas distintas: os felizes, comendo e dormindo, e os pés-no-chão, os *rotos*, os pobres, de armas nas mãos, suando e penando para que os mimosos não tenham embaraçada a digestão ou perturbado o sono.

Justamente essas admiráveis distinções têm sido a causa mais séria da absoluta repugnância que nos inspira o serviço militar. No tempo do império, os quartéis eram transformados em presídios e penitenciárias. É sabido que a farda era o terror, o castigo. Quando o pai queria intimidar o filho vadio e peralta, ameaçava-o sumariamente com estas poucas palavras: "Olha que, se facilitas, ponho-te uma farda às costas!" – e essa singular ameaça era a mais tremenda de todas: raras vezes o pequeno deixava de se corrigir... Ser soldado, para o brasileiro, não era um dever cívico: era uma pena, uma medida de repressão. Na República, esse abominável costume permanece inalterado. Vede a guarda nacional: não lhe falta quem queira ser coronel, capitão, ou mesmo alferes da milícia cívica; mas dizer a um cidadão qualquer que o seu dever é ser soldado raso: ele vos responderá com indignação que a farda de soldado raso só foi feita para as costas dos capadócios.

O projeto está cheio dessas deploráveis isenções [*****] em santo ócio médicos, [*****] advogados, professores, farmacêuticos, padres, estudantes, [*****], de casas comerciais, deputados, senadores, magistrados. E por que também não hão de ficar em santo ócio os jornalistas, os tipógrafos, os vendedores de bilhetes de loteria, os engraxates, os chacareiros? Qual é o homem que não pode consagrar algumas horas do seu tempo, durante três anos, ao serviço da Pátria que lhe dá dignidade, honras, instrução e dinheiro?

Na Europa, "fazer os seus vinte e oito dias" é uma honra e um prazer: o homem elegante, de hábitos de luxo, dado a todos os apuros da civilização, despe com júbilo as suas roupas de fino pano, veste a farda grosseira e vai conviver com os plebeus, deitar-se com eles em camas duras e passar com eles todos os dissabores, todos os incômodos, todos os aborrecimentos da caserna, as marchas estafantes ao sol e à chuva, os exercícios de fogo, as noites de vigília ao relento. Aqui só os miseráveis têm um dever a cumprir. E é tal o número de isenções, que a exceção consistirá justamente em não ser isentado.

Seria bom, decerto, que ninguém tivesse necessidade de se preparar para a guerra... Mas o futuro é um saco de mistérios, e o dia de calma é a véspera do perigo. Não há de ser com o recrutamento feito às pressas, no momento do perigo, que a nação se armará para defender a sua vida e a sua honra. E, dada essa necessidade inevitável de esperar um conflito, é odioso estabelecer distinção entre doutos e indoutos. No Brasil, só sabem ler e escrever as gentes de classe superior: a massa do povo é analfabeta e rude. Teremos um exército de iletrados e ignorantes! e os homens que, pelo seu saber, pela sua educação, pelos seus estudos, são capazes de aprender todos os segredos da ciência militar, ficarão de braços cruzados diante de um desastre possível, sem saber manejar uma carabina?

É preciso confessar que isso, sobre ser odioso, é ridículo. E mais: isso ofende àqueles mesmos que são favorecidos pela isenção. É como se a Pátria nos dissesse: "vocês são imprestáveis! só sabem fazer versos e receitas, declamar discursos e arrazoar autos, namorar e rezar: fiquem-se para aí, que não podem com um gato pela cara!"

Vamos, doutores, padres, estudantes, capitalistas! ponde o coração perto da boca e dizei: achais que isto é lisonjeiro?

S. A.

16 JUN. 1901 — CRÔNICA

O mês é de festas populares, de ingênuas festas da serra e campo.

Já lá se vai o dia de Santo Antônio, perdido na fumarada dos últimos rojões; aí vem agora o doce dia de S. João, com as suas fogueiras, as suas serenatas, os seus balões de papel e as suas bichas chinesas; depois o venerando S. Pedro fechará o folguedo, como um bom velho que ama o riso e a galhofa, mas que não gosta de pagodes muito duradouros.

É de estilo e dever dedicar pelo menos uma *crônica* a esses santos barulhentos; mas o cronista ainda não chegou à adorável estação moral em que, enfarado das fadigas da civilização, veio repousar o belo Jacinto, d'*A Cidade e as Serras*, de Eça de Queirós.

O belo Jacinto, herói desse admirável romance que veio aumentar a glória do grande e saudoso Mestre, é um ricaço, senhor de toda uma vasta serra colmada de vinhedos e olivais. Quem tem tanto dinheiro, tem o direito de amar e praticar o bucolismo...

Mas que há de fazer o desgraçado, a cujo berço a Fortuna não quis dar um macio colchão de milhões? A Natureza não alimenta de bom grado os enfezados alfenins que a civilização lhe manda, quebrados de [*****] e saturados de maus costumes. A Natureza é mulher: gosta mais de quem lhe pode oferecer jóias e sedas do que daqueles que só lhe podem dar embasbacada admiração e amor ingênuo, em sonetos que não têm desconto na praça...

Será bom, decerto, meter dentro de uma pequena mala dois ou três livros, meia resma de papel branco, um pote de tinta; deixar aqui a casaca e as luvas e as preocupações; dizer adeus à paspalhice pretensiosa da rua do Ouvidor, e ir mergulhar na doce paz do campo, para saltar fogueiras, beber o fresco leite da serra e compor sonetos à serenidade das veigas floridas e à beleza de uma namorada real ou imaginária. Mas o Senhor Deus organizou bem a vida:

> aux petits oiseaux il donne la patûre,

mas não admite que os homens que nasceram pobres possam viver sem trabalho. Ah! Jacinto! ah! Jacinto! quem tivera como tu toda uma vasta serra colmada de vinhedos e olivais, para poder, nestes alegres dias de junho, sair desta estafada complicação das cousas da cidade!

* * *

Vejam lá se lá na roça se deu jamais um caso como o daquela pobre menina de 15 anos, que se matou anteontem.

Não se sabe com certeza que duro motivo a levou ao suicídio – [*****] é de crer que fosse um amor, – um desses amores de criança, que parecem eternos e duram apenas dias... Na algibeira da desesperada mocinha, a família apenas encontrou uma oração e um espelho. Pobre! nesse minguado espólio, está toda a história dos seus inquietos 15 anos: a oração, com que, no ardor da sua ingênua fé, ela pedia ao santo predileto que lhe favorecesse os amores, e o espelhinho em cuja face ela revia as suas graças, a sua frágil formosura de flor ainda abotoada; – a devoção e a faceirice, toda uma alma de mulher... Ah! por que não nasceste, mísera criança, numa roça distante, entre árvores meigas e animais humildes, longe deste torvelinho da vida urbana?

Que distração podia ela ter na cidade? e que lições de saúde moral, de amor da vida, de simplicidade de alma lhe podia dar esta turbamulta de ambiciosos e de desesperados! Para uma menina da cidade, a vida é apenas isto: a janela, a costura, o romance, as cartas do namorado. Quando o primeiro desejo se lhe acende na alma, a pobre cuida que o mundo vai acabar: entrega-se toda, de corpo e alma, a esse engano; e, quando chega o desengano, a primeira traição do namorado, chega também a idéia do suicídio.

Na roça, a Natureza simples, as árvores meigas, os animais humildes ensinariam pouco a pouco à triste menina que o Amor, o verdadeiro Amor, feito de crença e resignação, sem arrebatamentos nem desesperos, não pode levar à morte, porque é uma fonte perene de vida. Quando um namorado a traísse, ela choraria um pouco, e procuraria outros, e acabaria por casar e por dar muitos filhos ao marido...

Mas que culpa teve a infeliz de nascer na cidade, num acanhado bairro pobre, sem árvores, sem ar fresco, sem águas cantantes, sem grazinadas festivas de pássaros em liberdade? Ah! Jacinto! ah! Jacinto! se todos pudessem ser, como tu, o senhor feudal de uma linda aldeia como a de Tormes...

* * *

Mas, com tudo isso, ainda há quem goze vida longa e rija no bulício das cidades.

Um inglês pachorrento, dado à mania das estatísticas, acaba de publicar em Londres um livro, no qual prova que o "homem mais velho do mundo" é atualmente um preto que vive no Rio de Janeiro, com 150 anos de idade.

Nós não conhecemos esse bem-aventurado preto, nem sabemos se realmente existe. Mas a agradável notícia, logo transmitida aos jornais pela sôfrega solicitude dos correspondentes, encheu a nossa alma de um justo e dilatado orgulho. Irra! já o Rio de Janeiro não é a Capital da Morte, uma vez que no seu seio pode uma árvore humana ficar agarrada ao solo durante século e meio, desafiando as moléstias e os desgostos!

Que vida terá sido a desse ancião extraordinário? naturalmente, uma vida de trabalho, de fome, de canseiras, de atrapalhação. Foi com certeza escravo... Pensou e suou sobre a terra para alimentar a madraçaria e os vícios dos senhores. Passou, como uma horta ou como um boi de canga, de proprietário a proprietário, alugado, vendido, emprestado, explorado sempre. Depois, uma vez livre, reconheceu que a liberdade não traz consigo a independência, porque, apesar de forro, continua a trabalhar e a sofrer. E está hoje com cento e cinqüenta anos de idade! Cento e cinqüenta! Viu três séculos! E tem a honra de ser citado por um grave inglês, nas graves páginas de um livro científico, como o "homem mais velho do planeta"!

Fresca honra em verdade! É pena que não conheçamos esse venerando despojo do século dezoito, essa relíquia da era colonial...

É pena. Porque, se o conhecêssemos, poderíamos ir procurá-lo, para saber que efeito faria sobre o seu espírito a notícia – que de tanto orgulho nos encheu. A apostar que, quando lhe dessem a notícia, ele sacudiria os ombros e, apinhando os lábios num muxoxo, diria:

> O inglês que vá para o diabo! isso não é honra nenhuma! eu sou tão desgraçado que até para a morte Deus se esqueceu de mim, depois de se ter esquecido de mim durante toda a vida!

Vês tu, ó Jacinto! ó belo Jacinto d'*A Cidade e as Serras*! vês tu que melancolia suou a pena do cronista? Que queres tu? o cronista é um homem da cidade... Se ele fosse, como tu, senhor de toda um serra colmada de vinhedos e olivais, outro galo lhe cantaria dentro d'alma!

* * *

Enfim, já que nascemos na cidade e na cidade temos de morrer, porque é ela quem nos dá o pão, aproveitemos as poucas cousas boas que a vida urbana ainda nos pode dar.

Daqui a pouco, se Deus Nosso Senhor nos der a esmola de um belo domingo de sol, poderemos esquecer parte das misérias da existência, vendo, na praia de Botafogo, a luta das galhardas baleeiras dos clubes de regatas.

Sobre a água azul, os barcos ligeiros, guiados pelos meninos que são a esperança única da nossa desconsolada velhice, voarão na glória da luz radiante. Toda a enseada se encherá de vida, de calor, de animação, de entusiasmo. E, na orla da praia, acompanhando com os lindos olhos a luta dos remadores fortes, as nossas débeis e deliciosas cariocas pompearão em todo o viço da sua graça encantadora. Rapazes! força nos remos! retesai os músculos, ponde toda a alma no impelir sobre as águas as baleeiras formosas! mil corações femininos estão palpitando isocronamente com o palpitar desses remos.

Ah! se não fosse a beleza das cariocas!... Sabes tu, oh Jacinto d'*A Cidade e as Serras*? a única coisa que ainda nos reconcilia com a civilização é a ternura destas lindas e endemoniadas cariocas; a gente sofre o diabo por amor delas, e não se cansa de sofrer nem de as amar...

S. A.

23 JUN. 1901 — CRÔNICA

Nem tudo é desgosto e tempo perdido, neste ofício de escrever todos os dias para o público. Desta mesma coluna da *Gazeta*, servida semanalmente, há seis anos, por um cronista fútil, tem partido muita idéia modesta e boa, singelamente aventada, acolhida lá fora com generosidade e carinho, e desabotoada, ao calor do meigo coração do povo, em flores e frutos de raro viço.

Também, se não fossem essas pequeninas compensações, mais valeria quebrar a pena e ir cultivar hortaliças, porque, como bem diz com a sua fina ironia o sutil Anatole France, "il est infinitement plus sage de planter des choux que de faire des livres..."

Ora, justamente hoje, algumas senhoras pedem ao cronista que seja ele o primeiro a dar publicidade à generosa idéia que lhes nasceu dos corações amantíssimos. Quase todas elas são mães: nos ombros de cada uma palpita esse par de asas invisíveis e sagradas, a cuja sombra se abrigam os pequeninos entes, tão bem cantados na famosa canção que Massenet pôs em música:

On ne devrait faire aux enfants
Nulle peine, mème legère...
Car ils auront toujours le temps
De connaitre notre misère!

Trata-se de fundar um *hospital de crianças* e uma *crèche*. Mas não se trata de um projeto ainda em germe: já grande parte do trabalho está feito. Uma senhora brasileira recebeu de [*****] um legado importante, destinado a custear a fundação dessas duas casas de Amor e Piedade.

Mas, naturalmente, os recursos ainda são escassos para tão grande obra. E uma comissão de damas da nossa mais fina sociedade quer auxiliar a legatária, no caridoso cumprimento de sua terna missão. Por estes dias mais próximos, essas mensageiras do bem começarão, à sombra dos nomes ilustres que trazem, a sua propaganda. E não é descabido ir desde já desbravando o caminho, e chamando a atenção das almas boas para essas duas idéias, e, principalmente, para a idéia da *crèche*.

A *crèche* não é propriamente o que chamamos uma *Maternidade*, nem um Asilo para a infância desprotegida, nem um hospital para crianças. É uma casa de caridade onde são alimentadas, lavadas e cuidadas, durante o dia, as crianças cujas mães trabalham no campo, nas fábricas, no serviço doméstico. Para as crianças abandonadas ou órfãs, há os asilos, os institutos de assistência, os orfelinatos. Nas *crèches*, as crianças não são segregadas do carinho materno: ficam ali, apenas durante as horas do dia, quando as mães estão entregues aos rudes trabalhos cujo produto lhes fecha o lar à visita da fome.

Diríeis que, no Rio de Janeiro, ainda a miséria não é tanta que torne necessários esses extremos de caridade... Que felizes sois vós, se ainda estais adormecidos no seio dessa consoladora crença falaz! Nós temos vivido embalados numa ilusão perniciosa. Antigamente o chavão célebre: "o Brasil é terra onde ninguém padece fome" podia ser uma inofensiva bazófia, uma baforada de ingênuo orgulho; mas, hoje, é uma revoltante mentira, uma intolerável falsidade. Só quem nunca saiu da rua do Ouvidor e da zona fidalga de Botafogo e Laranjeiras, é que pode, sem mentir, negar que já também aqui, na terra da fartura, há gente pobre que se mata a trabalhar, sem que, com todo esse excesso de trabalho, possa obter o pão e o sossego.

A desgraça das crianças pobres, sobretudo, é dolorosa e inegável.

Quem escreve estas linhas tem ultimamente, no cumprimento de um dever profissional, percorrido o mais pobre, o mais triste, o mais sujo bairro do Rio de Janeiro, – a zona que abrange a Saúde, a Gamboa, a Praia Formosa, entre a orla do mar e os morros da Conceição, do Pinto, da Providência. Nessa região cheia de trapiches, de estaleiros, de depósitos de madeira e carvão, de estalagens e de tavernas suspeitas, formiga uma população macilenta e triste.

As ruas não são varridas, há becos e ladeiras, em que, mesmo depois de toda uma semana de sol, ainda a lama negra poreja umidade e miasmas. E o mais doloroso é ver as crianças que se arrastam nesses persigais infectos, nessas horríveis alfurjas; são magras, esqueléticas, algumas hidrópicas, outras ictéricas, outras tísicas, todas sujas e fracas... As escolas ficam cheias, mas as crianças que lá vão são apenas as mais felizes, as que ainda podem ter um par de pobres sapatinhos e uma roupa modesta; as outras, as que ficam na sujeira e na madraçaria das ruas, são em maior número. Que fazer? quando míngua o pão, o estímulo desaparece. E há por ali muita casa em que ele, não somente míngua, como falta de todo...

Decerto, no estado atual da nossa *civilização* (?) a pobreza é um mal inevitável. Se todos os fartos dessem um quinto da sua fartura à fome dos pobres, ainda assim haveria pelo mundo muito estômago vazio e muita alma desesperada. A ação da Caridade, não podendo ser divina, tem de ser humana, e portanto, contingente. E se não podemos consertar radicalmente a máquina do mundo (que já saiu da fábrica bem desarranjada, graças a Deus!) procuremos ao menos ir deitando um escasso pingo de azeite em cada uma da suas molas perras, para que o monstro canse e triture o menor número possível de vítimas.

Para perceber a inadiável necessidade de *crèches*, basta pensar no extraordinário número de mulheres que hoje se empregam no operariado das fábricas e no trabalho doméstico. Por um lado, quase todo o pessoal das grandes fábricas de tecidos, de fósforos, de calçado, de chapéus, de roupas, é composto de mulheres; por outro lado, todo o serviço doméstico que era antigamente feito pelas escravas, é hoje feito pelas *alugadas*.

Ora, essas mulheres (que são aptas para o amor e para a maternidade como as esposas dos capitalistas) têm filhos. Como hão de elas tratar dos filhos enquanto trabalham?

Claro está que os industriais não podem consentir que as crianças fiquem nas fábricas, agarradas às saias das mães, ou sugando-lhes o seio, ou casando ao rude barulho das grandes máquinas a granizada fresca das suas risadas. E quanto às mulheres que se empregam no serviço doméstico... Falem, em consciência, as *donas-de-casa* que lêem esta *Crônica*: qual delas recebe com agrado uma criada que tem nos braços o peso doce, mas exigente e perturbador, de um filho ainda tenro?

Essas flores melindrosas, esses franzinos corpos em que ainda a Vida não passa de um ensaio e de uma tentativa, carecem de um apaixonado e constante cuidado. A morte negra, sob a capa das moléstias traiçoeiras que tanta predileção tem pelos berços, anda rondando essas presas de fácil aquisição. Com a criação das *crèches*, o cuidado não falta nunca. A mãe pobre, antes de ir ocupar no fogão da cozinha ou junto da máquina de tear o seu posto de operária diligente, vai à *crèche*, e confia-lhe o filhinho. E sabe bem que o não deixa ao desamparo, sem alimento e sem carinho;

sabe que o entrega a mãos tão capazes e tão meigas como as suas, que o lavarão, que o vestirão, que lhe darão afagos e leite. E, assim, com o coração tranqüilo e as mãos desimpedidas, a mãe pobre não sentirá muito essa separação de horas, e irá, na labuta afanosa, ganhar dinheiro com que possa alimentar os outros filhos e mandá-los à escola.

Não é verdade que uma doce poesia consoladora se evola dessa idéia, como uma onda de perfume se evola do seio de uma flor? É pensa somente que o nobre projeto tenha um tão mau advogado... Mas daqui a pouco, outras penas menos secas e outros corações mais puros do que a pena e o coração deste cronista quase velho e já muito desenxabido, virão levantar do chão o assunto, de dar-lhe asas de ouro e sol, e dar-lhe aromas e faceirices de primavera, e obrigá-lo a tomar conta de todas as casas e de todas as almas.

A idéia vencerá, porque é pura e amável. Em breves dias, vereis que movimento de afeto e de ternura, por todos os lares desta querida cidade, cujo trabalho honrado, cuja pacífica modéstia, cuja heróica resignação diante de todas as desgraças, só merecem, como recompensa, cargas de cavalaria e assassinatos cobardes.

A idéia vencerá. Vamos, senhoras! enquanto os homens, na sua fria maldade, só sabem servir à Morte, tratai vós outras de servir à Vida, porque ela vos abençoará.

Ainda hoje, todos os corações sensíveis abençoam o nome de Madame de Pastoret, a cuja dedicação incansável se deve a inauguração da primeira das *crèches*, – aquela que se abriu em Paris, no ano de 1844. Agora, não há capital que não as possua, em todos os bairros: e são as rainhas, as imperatrizes, as senhoras de presidentes de Estado, as mais ricas e finas damas que patrocinam e sustentam esses estabelecimentos, cuja denominação traz à lembrança o rústico estábulo em que nasceu Jesus, – o doce filho da humilde Maria, sereno pai do Perdão e da Misericórdia.

s. a.

07 jul. 1901 — Crônica

Ficai descansados, oh coevos! O Prata já está em paz. O estado de sítio, essa admirável panacéia que cura todas as doenças das repúblicas sul-americanas, foi propinado àquelas inquietas gentes, e já não há perigo de que o formoso rio, a que Solis deu o nome de *mar dulce* e que Cabot denominou *río de la plata*, se transforme ainda uma vez numa túrbida e quente correnteza de sangue humano.

Bom, é isso! pois, com a nossa velha mania de mais cuidar das coisas alheias que das próprias, se a revolução de Buenos Aires durasse alguns dias mais, chegaríamos a perder a noção da existência, e ficaríamos com o corpo aqui e a alma na República Argentina. Bastou que a nossa atenção se fixasse por três dias naquelas argênteas paragens, para que a Peste Bubônica, achando as portas abertas e as almas distraídas, volvesse a encartar-se, com pés de lã, no doce ninho amável de onde a tinham expulsado as desinfecções. Tudo por causa da revolução no Prata! Não viesse o estado de sítio impor a calma aos ânimos portenhos exacerbados, e deixaríamos entrar igualmente o mormo, o tifo, o carbúnculo, o cólera, e todo o cortejo dos arautos da Morte.

Mas resta saber se realmente a peste *voltou*, ou se apenas *reapareceu*. Os mestres, aqueles que a conhecem bem, dizem que ela voltou. Mas só volta quem uma vez se foi. E é de crer que ela tenha feito o que costumam fazer os maridos ciumentos, quando suspeitam da fidelidade das esposas, e querem apanhá-las em flagrante, com os dentes cravados na macia polpa do fruto proibido: simulam uma partida, descem a escada, escondem-se no porão, e reaparecem justamente no momento em que ninguém espera por eles.

Em todo o caso, se a Ciência Médica é infalível, aqui temos de novo a nossa feia amiga. Sente-se, senhora! sente-se, e não faça cerimônia, que a casa é sua. É sua, e, como vê, ainda está, como antigamente, digna de hospedá-la. Repare bem que ninguém a varreu, que ninguém a lavou, que ninguém a tornou indigna de receber tão honrosa visita...

* * *

O País não se pôde conter, que se não mostrasse indignado, ontem, contra o fato de andar pela rua do Ouvidor uma banda de música do exército, precedida de grandes estandartes brancos sarapintados de reclames, num aparato de festa de arraial, [*****] uma exibição de ursos e leões amestrados. O caso merece algumas linhas...

Na Idade Média, havia procissões em que se casavam o sagrado e o profano. Após a cruz, que um diácono carregava com respeito, vinha o *papa-dos-malucos* agitando a sua carapaça cheia de sonoros guizos; e não raro, entre as virgens que oravam, apareciam michélas [sic] descompostas, à maneira das antigas bacantes, desarticulando os quadris num mencío [sic] voluptuoso, e urrando obscenidades. Isso que era então tolerado e admirado, produziria hoje um vasto movimento de escândalo e revolta. Mas a procissão híbrida que há dias desceu a rua do Ouvidor, misturando soldados e histriões, carapuças de palhaços e *kepis* de infantes de guerra, não chegou a alarmar a cidade, tão acostumados estamos a ver as bandas de música do exército metidas em sarabandas e bambochatas públicas.

Há muito mais de vinte anos, quando se fundaram as primeiras sociedades carnavalescas, ficou estabelecido que não poderia haver baile que prestasse, sem que as bandas militares fossem alegrar com a sua cooperação o espetáculo das polcas lascivas e dos *cancans* desenfreados.

E há mais de vinte anos assistimos a esse espetáculo extravagante: soldados nossos, envergando as mesmas fardas com que em caso de guerra se congregariam em torno da bandeira da pátria, amontoados em coretos de circo, ao fundo de salões cheios de bandeirolas e escudos, executando habaneras e tangos para gáudio das mercadoras de amor, seminuas e descadeiradas. Agora, como se isso não bastasse, já as bandas militares percorrem a rua do Ouvidor anunciando exibições de bichos sábios em barracas de feira. E é de esperar que ainda as vejamos, em vastos carroções afestoados de galhardetes e flâmulas, chamando a atenção da turba para a perícia de algum dentista americano, ou para a lábia de algum vendedor de salsaparrilha.

É justo pedir que os músicos (se é impossível evitar esse escândalo!) vão prestar os seus serviços, em casos desses, à paisana, sem a farda que a convivência dos truões e dos bufarinheiros desonra. Mas não vale a pena clamar no deserto, principalmente quando o deserto é vasto e a voz é fraca.

* * *

Quem não seria capaz de assim misturar o sagrado e o profano, é o vigário de uma igreja nossa, o qual, se não mente a bisbilhotice dos noticiários, acaba de inaugurar o sistema de separação dos sexos na prática das diligências espirituais. No mesmo dia, há horas em que só entram na igreja as mulheres, e horas em que apenas os homens podem ir prostrar-se ao pé do altar. Horas masculinas e horas femininas, horas de calças e horas de saias, – a mão férrea da Religião separando dentro da igreja os dois sexos que o Senhor tão bondosamente uniu na primitiva paz do Éden...

Que outros se rebelem contra a estranha inovação. Aqui, só pode caber aplauso à esperta idéia do vigário.

Estamos a dizer que, firmando esse édito, quis o vigário dar a entender que há argumentos para convencer mulheres e argumentos para convencer homens, argumentos, que, baralhados, perderiam a sua eficácia ou se tornariam perigosos, assim como há drogas de efeito benéfico, de cuja mistura pode sair uma triaga venenosíssima. Como, por exemplo, amalgamar em um mesmo sermão as razões capazes de comover almas de saias e as razões capazes de comover almas de calças? Mulheres querem ser levadas pela brandura, pela exaltação das imagens místicas, pela suavidade das [*****] homens, ao contrário [*****] a exposição clara e metódica, quando não pedem o condimento da boa chalaça.

Assim, o vigário, nas horas destinadas à edificação moral das senhoras, trajará a sua nova batina, terá nos lábios o mel da suprema graça, molhará em lágrimas os olhos, e irá pouco a pouco, com jeito e esperteza, amassando, afeiçoando, entre as suas mãos bem tratadas, esses corações mais brandos do que a cera. Com os homens, ao contrário, o pregador ficará à vontade, trajando a batina velha, citando Voltaire para o combater, contando anedotas, ouvido as objeções dos ouvintes; e nada impede que, entre o exórdio e a narração, entre a confirmação e a peroração, se fumem alguns cigarros e se saboreiem alguns cálices de vermute.

Il y a avec le ciel des accommodements;

e todos os caminhos são bons, quando levam a bom destino. Nem tudo se há de conseguir com uma risonha indiferença. Que importa o processo de caça empregado, – tiro ou armadilha, laço ou redil, – quando o que se quer é trazer ao aprisco o maior número possível de ovelhas?

O vigário faz bem. Pouco importa que, por algumas horas apenas, fiquem divorciadas as duas metades da humanidade! Cá fora, não faltará tempo para a reconciliação...

* * *

Singular confusão do profano e do sagrado é a que se está vendo atualmente em dois dos muitos cafés-concertos, que mostram à luz clara do dia a nossa civilização.

Um sujeito, que pelo nome não perca, tapou os olhos, a boca e o nariz, meteu-se dentro de um caixão fechado, e diz que vai assim ficar muitos dias, sem comer, sem beber, e sem respirar.

É um *fakir*: e enquanto durar essa penitência, as cantoras e as dançarinas, perto dele, gargantearão e saltarão; e os espectadores repartirão os seus olhos entre o espetáculo do aniquilamento do asceta e o bulício das ágeis pernas das *estrelas*. Alma e corpo gozarão do mesmo modo; o mistério e o gozo andarão por ali, cabriolando juntos...

E ninguém poderá dizer qual a malandragem mais acabada: se a do *fakir*, fingindo que está morto, se a das cantoras, fingindo que sabem cantar.

A mais acabada deve ser a dele: olhem que é preciso ser muito malandro, para ganhar o pão de cada dia à custa de provar que se pode viver sem comer...

s. a.

14 JUL. 1901

CRÔNICA

Cada um de nós se deve lembrar ainda da influência que sobre o seu espírito exercia, no tempo da meninice, o aspecto de uma farda, de uns galões, de um chapéu armado, de uma espada.

Todos nós, em criança, tivemos o deslumbramento da vida militar: qual não sonhou comandar tropas, caracolar sobre um fogoso ginete à frente de um exército, dar e receber cutiladas, voar numa nuvem de fumaça ao encontro do inimigo, conquistar baterias, arrebatar bandeiras e ficar com o peito da farda constelado de condecorações? É o sonho habitual das crianças; e ainda há pouco, um fabricante de brinquedos, na Alemanha, declarava a um jornalista que o artigo mais vendido pela sua fábrica era o *artigo militar*, gládios de dois palmos de comprimento, espingardas de chumbo, tambores minúsculos, fardamentos de cores vivas, *kepis* agaloados de ouro – todo esse maravilhoso *stock* de apetrechos bélicos, que são o encanto dos meninos.

Quem escreve esta *Crônica* é um homem pacato: mas foi uma criança abundantemente dotada de instintos guerreiros. Parecia que ia sair dali um Cid Campeador, um brigador excelso, um devorador de vidas... Puro engano! o que saiu dali foi um comandante de rimas ocas, um disciplinador de palavras fúteis – tanto é certo que quase nunca se realizam na virilidade as esperanças da adolescência.

Por esse tempo, o homem que mais deslumbrava o cronista era um certo amigo da casa – varão já grisalho, que nunca se vestia à paisana: sempre fardado, com uma velha farda bem escovada, cheia de galões que rebrilhavam, à noite, à luz do querosene, junto da mesa do chá. Que admiração viva e profunda a da criança, por esse belo militar! Os brinquedos ficavam abandonados, as lições ficavam por estudar, as torradas da ceia ficam intactas: a criança só tinha olhos, ouvidos e alma para o espetáculo daqueles galões.

Um dia, não se pôde conter, e perguntou ao velho amigo: "Diga-me uma cousa! você matou muita gente nas guerras?"

O guerreiro embatucou, tossiu, corou, e não respondeu. E uma pessoa da família interveio rindo: "Esse menino tem cada tolice... Menino! *seu* Coronel nunca matou ninguém! *seu* coronel é da Guarda Nacional..."

Só muitos anos depois, conseguiu a alma ingênua e deslumbrada do menino compreender aquelas palavras. Naquele momento, ainda ela não podia imaginar que um coronel pudesse ser coronel só para trazer galões no punho, sem a obrigação de suspender na ponta da sua espada *brechettes* de corpos humanos, – coronel de mentira, coronel dos dentes para fora, coronel manequim de porta de sirgueiro.

Hoje, já o menino de então compreende bem essas cousas...

Era raro até agora o dia em que o *Diário Oficial* não trouxesse as colunas cheias de nomeações de oficiais para a guarda nacional. A avalanche saía grossa e túrgida, da secretaria da justiça, e desabava sobre a cidade, alastrava-se por todo o país, inundava os sertões, galgava as serras, despenhava-se nos vales, casava as suas ondas às ondas do S. Francisco e do Amazonas; era uma inundação, uma catástrofe, um pavor! E a gente pensava: "Santo Deus! se a décima parte desta oficialidade da Guarda Nacional soubesse servir-se de uma carabina, – que exército! que força irresistível! que assombro!"

Em verdade, os oficiais da nossa milícia cívica, reunidos, formariam um exército mais numeroso que o de Xerxes, o qual, segundo Heródoto, enchia de um vazio e temeroso formigueiro humano toda a planície de Critala, na Capadócia.

Com essas tropas, nós engoliríamos a Argentina, o Chile, o Uruguai, o Paraguai; iríamos à América do Norte quebrar meia dúzia de castanhas na boca de Mac Kinley e de Porfírio Diaz; passaríamos à Europa, e derrotaríamos todas as grandes potências; e em pouco tempo, completando a frase de Monroe, clamaríamos com orgulho: "a América é dos americanos, e todo o mundo é do Brasil!"

Infelizmente, todos esses guerreiros são como aquele bom coronel que deslumbrava outrora a inocência do cronista. Todos eles são fazendeiros, ou médicos, ou jornalistas, ou... nada; e se são capazes de manejar, com rara perícia, um arado, uma lanceta, ou uma pena, são absolutamente incapazes de empunhar e descarregar uma carabina.

Todas essas considerações vêm a propósito da seguinte *carta*, pérola colhida ontem no *mare magnum* do *Jornal do Comércio*:

"O Sr. ministro da justiça mandou incinerar nas fornalhas das máquinas do Arsenal da Marinha, as patentes de oficiais da guarda nacional, que estavam depositadas na sua secretaria".

Vejam os senhores os benéficos exemplos que veio trazer a honesta e pontual execução do *funding loan*! Porque não há como negar que essa alta e proveitosa providência, posta em prática pelo Sr. ministro da justiça, seja uma conseqüência da iniciativa tomada pelo Sr. ministro da fazenda...

Um dos motivos que levaram o Brasil a aceitar o convênio do *funding loan* foi a necessidade, reconhecida pelos banqueiros da Europa e pelos nosso estadistas, de diminuir a sobrecarga de papel-moeda, sob a qual o país arfava e penava como um bom jumento, condenado a sustentar no lombo toda a massa do Pão de Açúcar. Por que diminuíra o valor do dinheiro? porque o dinheiro sobrava. Dinheiro é mercadoria, como qualquer outra. Se o negociante A é o único a importar um certo chapéu, de linda forma, pode pedir por ele o que lhe aprouver; mas no dia em que todos os outros negociantes, de B a Z, começarem a importar os mesmos chapéus, claro está que eles baixarão de preço, e passarão a custar, já não trinta ou quarenta mil réis, mas simplesmente dez réis de mel [*****] Lerou-Baulieu, para compreender estas cousas...

Bem, começamos a incinerar dinheiro nas fornalhas da Alfândega, e o dinheiro começou a ficar valorizado (não há remédio senão empregar o particípio de um verbo bárbaro: estilo é uma cousa, finança é outra muito diferente!); e podemos dizer que do desaparecimento do dinheiro morto é que veio a força do dinheiro vivo, porque em economia, como em moral positiva, os vivos são cada vez mais governados pelos mortos.

Vendo o êxito feliz dessa operação financeira, o ministério da justiça quis aplicar o mesmo processo à valorização das patentes da guarda nacional.

Havia tantos coronéis, que um coronel, – mesmo em bom estado, sem avarias na alma nem no corpo, – não chegava a valer tanto quanto um furriel dos bons tempos. Antigamente, um coronel da guarda nacional era um senhor dos cafezais e rebanhos, de engenhos e casarias, dispondo de mil braços escravos para o amanho das terras e de quinhentos votos livres para a vitória de seu partido. Os povos do arredor veneravam e ouviam esse grande homem: ninguém mofava dos seus galões; e a sua farda, não temia injúrias, nem mesmo as do tempo, porque não faltava ao bravo cidadão dinheiro farto com que comprasse, já não uma, mas cem fardas novas.

Sucedeu porém, que as patentes (sorte de animais ainda mais fecundos que as ratas) se foram reproduzindo e multiplicando assombrosamente, a tal ponto, que já não havia meio de dar a gente um passo, sem topar com oito ou dez coronéis, de cambulhada, num bolo embaraçando o caminho. E o resultado foi a desvalorização das patentes. O mercado ficou abarrotado; houve o *trop plein* do oficialato, a pletora da coronelização. E o ministério da justiça, refletindo sobre esse mal, e lembrando-se da eficácia do remédio empregado pelo ministério da fazenda contra mal idêntico, pensou que, sendo impossível incinerar coronéis, cousa de que só poderia ser incumbida a Inquisição, sempre seria bom queimar algumas patentes, para valorizar as restantes.

Ao fogo, patentes nocivas! Dentro das máquinas do Arsenal da Marinha, torcei-vos e crepitai, pergaminhos da vaidade, cobiçadas glórias, nefastos papéis que atrapalhais o mercado da futilidade humana!

Sem piedade, maquinistas encarregados da execução deste *funding loan* de nova espécie! sem piedade! enchei bem essas pás inexoráveis, e socai bem, dentro do bojo das máquinas purificadoras, essas patentes de rebotalho! Sem piedade! Por mais patentes que incinerardes, ainda havemos de ter patentes de sobra, patentes a rodo, patentes a dar com um pau, patentes – mais patentes do que homens!

s. a.

21 jul. 1901

Crônica

Singular e belo destino o desse moço, bonito e rico, que conquistou de assalto a glória, e cujo nome andou esta semana palpitando em todos o cabos do telégrafo, proclamado a todas as nações da terra como o nome de um benfeitor da humanidade.

Bonito e rico, bem educado e robusto, Santos Dumont entrou na vida com o pé direito; diante de si, via ele estender-se, lisa e suave, livre de tropeços, beirada de flores, a estrada do prazer; a saúde dava-lhe o primeiro elemento de felicidade, a fortuna abria-lhe todas as portas e punha ao alcance da sua mão todos os frutos da terra e ao alcance da sua boca todos os beijos de amor; nada mais fácil, assim, do que deixar que os dias corressem, brandos e serenos, como vagas de um rio manso, sem sobressaltos, sem lutas, sem complicações; mas essa existência fácil e feliz não tentava o afortunado moço: dentro de sua alma havia asas que queriam voar, aspirações que não lhe davam sossego, sonhos que lhe roubavam a calma: e, em vez de gozar a vida, quis ele servi-la...

Em Paris, na capital do Gozo, o moço sonhador não via nem ouvia o barulhento espetáculo dos prazeres em tropel, nem demorava o olhar na contemplação das mulheres tentadoras que passavam. Tudo isso deixava sem um arrepio de desejo a sua carne, como deixava sem comoção o seu espírito: todo ele era olhos para a planície estrelada; e minado pelo seu grande sonho, que é o mesmo sonho de Gusmão e Patrocínio, lá ia ele, de dia e de noite, pensando no seu atrevido projeto de voar, de pairar como uma ave acima das tristezas da terra.

O dinheiro, que lhe poderia servir para a conquista do prazer, serviu-lhe para a conquista da Glória: o seu bom destino, que já lhe dera a riqueza, quis ainda dar-lhe a suprema felicidade de poder empregá-la nobremente, em um trabalho que o levantaria acima dos outros homens, como levantaria a sua pátria acima das outras nações.

Não é possível cuidar de outro assunto nesta *Crônica*. Foi justamente há sete dias que nos chegaram as primeiras notícias da vitória de Dumont: e nossas almas ainda se não cansaram de rejubilar com a boa nova.

Parece que vai chegar o teu dia, Pátria! Já não serás para os estrangeiros apenas "a terra em que há muito ouro e em que os sabiás têm o singular capricho de cantar na copa das palmeiras". O gênio de teus filhos, tão vivamente afirmado por obras de alto valor, era ainda negado pela ignorância ou pela má fé. Faltara-nos até agora um momento providencial, em que esse gênio pudesse esplender em todo o seu brilho, aos olhos do mundo civilizado. E desta vez ninguém poderá sufocar a verdade... Todas as injustiças, que se acumulavam para abafá-la, acabam de ser desfeitas pelos raios deste claro sol.

Certa vez, em Paris, quem escreve esta *Crônica* estava comodamente sentado em uma alta cadeira, em frente de um espelho, entregando a cabeça à perícia diligente de um cabeleireiro, quando ouviu do artista a seguinte pergunta alarmante: "Eh, bien, monsieur! je crois que vous avez en une nouvelle révolution là-bas, n'est ce pas?" Espantado, o brasileiro quis logo saber que revolução era aquela: o artista foi buscar um jornal e apontou um telegrama que dava conta de motins políticos em Buenos Aires. E foi difícil convencer o homem de que Buenos Aires não era a capital do Brasil...

Infelizmente essa ignorância da geografia, não é, em França, o privilégio da classe dos cabeleireiros. Ainda no último número de *l'Ilustration*, um escritor, tratando do livro do explorador Coudreau, estranha ingenuamente que o viajante, "falando do Amazonas, de Manaus e Rio Negro, se houvesse esquecido de dizer em que parte do mundo ficam esses sítios..." Todos sabem que, para o parisiense bem educado, o mundo acaba nas fronteiras da França: e, afinal, não temos o direito de ficar zangados com isso, porque nada fazemos de prático para tornar o nosso país conhecido e respeitado.

Nestas condições, o serviço que nos acaba de prestar Santos Dumont é um fator incomparável. Em um só minuto, Santos Dumont fez mais do que todo o nosso corpo diplomático durante os oitenta anos da nossa vida de povo autônomo. A multidão que o aclamava estava inconscientemente executando uma obra de reabilitação: o Brasil, tão difamado, tão caluniado, tão pouco estudado pelos estrangeiros, teve ali o seu grande momento de glória.

Deus não quis que o pobre Bartolomeu de Gusmão ficasse para todo o sempre espoliado dos seus direitos. O *Voador*, que fizera experiência pública da sua *Passarola*, em 1709, morreu em 1724. A primeira experiência de Mongolfier foi [*****] em 1783. E as máquinas de voar tiveram o nome de *Mongolfières*, e ninguém tratou de fazer justiça ao desventurado padre, cujo corpo, amortalhado por esmolas, já estava no fundo da terra havia mais de cinqüenta anos...

Em 1855, o nosso Varnhagen, condoído da sorte do *Voador*, escrevia:

> Quando os gastos e o solo destinados às estradas se possam economizar e destinar à cultura; quando os balões cruzarem sobre os pólos, sobre as matas, as montanhas e os areais hoje intransitáveis; então sim, que à glória de Bartolomeu Lourenço se fará devida justiça; e o Brasil exultará de ver, bem que tarde, tributada a devida homenagem a este filho da província

que mais homens de gênio lhe tem dado. Talvez que, ainda mal, somente para então ela se lembre de levantar à memória do ilustre *Voador* um monumento com que se ilustre, ornando a sua cidade natal. Por nossa parte, cumpre-nos lamentar que as aspirações do verdadeiro gênio e do amor da pátria tantas vezes só encontrem póstumas e ainda assim tardias recompensas, unicamente conferidas pela consciência da posteridade, alheia às nuvens negras da inveja.

É possível que uma outra experiência venha indicar defeitos na aeronave de Santos Dumont. Mas Paris viu, positivamente viu, o aparelho obedecer ao governo do inventor e todos os jornais proclamaram resolvido o problema da direção dos balões.

O *Fatum* não teve a mesma desventura do *Passarola*, que subiu até a altura da *Sala das Embaixadas*, no pátio da Casa da Índia, em Lisboa, e caiu por ter batido contra uma cimalha. O *Fatum* manobrou aos olhos do povo maravilhado e obedeceu, como servo dócil, a quanto lhe impôs o seu criador. O Santo Ofício, os invejosos, os cretinos do tempo apuparam o *Voador* infeliz; Paris aclamou em delírio o *Voador* feliz. Estas aclamações vingam aquela assuada.

Naturalmente, ainda está longe o dia em que, segundo a esperança do velho Varnhagen, "os balões cruzarão sobre os pólos, as montanhas, os areais hoje intransitáveis"; muitos anos passarão ainda antes que a maravilhosa invenção tenha uma aplicação prática. Mas a outra esperança de Varnhagen, a esperança de que o Brasil perpetue num monumento a memória do padre Bartolomeu Lourenço de Gusmão – essa pode e deve ser desde já realizada. E o monumento não deve ser erguido em Santos, mas aqui, na capital da República, no coração do Brasil.

s. a.

18 ago. 1901 — Crônica [Cia]

O sábado, em que está sendo escrita esta crônica, arrasta-se aborrecido e pesado, numa enxurrada de lama, sob o açoite frio dos aguaceiros, cheio de uma melancolia que nada pode dissipar. Oh! estes dias de chuva! Deus sabe quanto suicídio tem por causa a sua fúnebre tristeza...

Deixando cair o livro que lia, o cronista levantou-se, abriu a janela, lançou um olhar entediado ao céu e à rua.

Que céu e que rua! Em cima uma planície cinzenta, manchada aqui e ali de nuvens mais escuras, que crescem, estendem-se em cargas d'água barulhentas e grossas. Em baixo, lama e deserto... Os bondes que passam trazem as cortinas abaixadas, lustrosas de chuva, bambas, ao áspero vento que as sacode. E não se vê ninguém... Quem há que se atreve a afrontar a dureza desta úmida manhã, toda de choro e enfaro.

Mas não... Lá vem, cosido à parede, um vulto apressado. É uma mulher. Mais perto agora, distinguem-se-lhe as feições, as roupas encharcadas, sob o puído guarda-chuva gotejante. A borrasca envolve-a, vergasta-a, enraiva-se sobre ela, com uma crueldade implacável. A velha saia preta, colada às pernas, vem barrada de lama; os sapatos chapinham nas poças da água; e sempre cosida à parede, carregando um grande embrulho, tossindo e tremendo de frio, lutando contra a ventania furiosa, – lá se vai a pobre – fantasma da pobreza, vítima de uma dura sorte, em busca do pão com que há de alimentar os filhos pequenos, e, quem sabe?, talvez também um marido malandro, que fica, no calor da alcova, contando as tábuas do teto e fumando, enquanto a mísera tirita pelas ruas alagadas...

Em geral, nós, que só conhecemos as senhoras da nossa roda, pensamos que todas as mulheres são melindrosos alfenins que qualquer trabalho fadiga. Mas as que conhecemos são as flores humanas, cuidadosamente criadas na estufa da civilização; são uns encantadores e estranhos animais, metade anjos, metade demônios, tão sedutores e amáveis quando abusam da sua influência celestial como quando abusam da sua influência satânica... Essas são as que nasceram para ser servidas e adoradas, como santas, em nichos de ouro e prata, cobertas de alfaias e de jóias.

Mas, por uma dessas, quantas mil existem que são a providência doméstica, o amparo [*****] da família [*****] que as formigas, mais infatigáveis do que as abelhas, mourejando da primeira luz do dia às horas cerradas da noite, entisicando sobre a máquina de costura, perdendo as forças sobre a tábua de engomar, tisnando a pele junto das chamas do fogão!

Ninguém pensa nisso... Só, de quando em quando, um cronista melancólico, levado pela própria tristeza a cuidar das tristezas alheias, demora a atenção sobre a dureza da vossa negra sorte, – ó mulheres pobres, que sois tão mais fortes do que nós, na moral como no físico!

Ainda não há três dias publicava *A Notícia* esta local:

"Pela primeira vez, foi enviado ao ministério da fazenda um requerimento de uma senhorita pedindo para inscrever-se [*****] concurso, a fim de exercer um emprego [*****] fazenda.

Esse requerimento foi à diretoria do contencioso, a fim de ser informado, e combateu a pretensão, pelo que o Sr. ministro da fazenda resolveu indeferir o mencionado requerimento".

Ora, as leis humanas não podem ter a infalibilidade que a igreja atribui às leis divinas. A sociedade não pode sujeitar-se ao império de uma lei absurda, somente porque ela é uma lei.

Sempre que se agita esta questão das *reivindicações femininas*, escovam-se e [*****] os velhos chavões, e, com um grande ar de importância, os filósofos decidem sem apelação que a mulher não pode ser mais do que o anjo do lar, a vestal encarregada de vigiar o fogo sagrado, a depositária das tradições da família... e das chaves da despensa. Todo esse dispêndio de palavras inúteis serve apenas para encobrir a fealdade da única razão séria que podemos apresentar contra as pretensões das mulheres: – o nosso egoísmo, o receio que temos de que nos despojem das nossas prerrogativas seculares, – o medo de perder as posições, as regalias, as honras que o preconceito bárbaro confiou exclusivamente ao nosso século. Compreende-se: quem se habituou a empunhar o bastão do comando não se resigna facilmente a passá-lo a outras mãos: é mais fácil deixar a vida do que deixar o poder.

Por que não há de a mulher poder exercer "um emprego da fazenda"? Que há de misterioso e sagrado, de recôndito e impenetrável no exercício dessas funções, que não possa ser devassado e apreendido pelo espírito de uma mulher?

Amar o próximo e praticar o bem, praticar a caridade nos hospitais de sangue e nos asilos civis, educar crianças – são tarefas infinitamente mais sérias do que alinhar algarismos em livros, calcular taxas de câmbio, aplicar tarifas e computar perdas e ganhos. É pois preciso ter o cérebro de um Dante, de um Comte, de um Bacon, para poder trazer em dia o livro do protocolo de uma repartição pública ou para saber somar quatro colunas de algarismos?

Entretanto, que bela experiência a tentar! O espírito da mulher tem sobre o nosso uma incontestável superioridade: não é feito, como o nosso, de imaginação, de poder criador, de invenção; é feito de bom senso, de prudência, de tenacidade, de paciência. Já alguém escreveu que "a mulher que dedicasse à execução de um plano financeiro a inteligência minuciosa e clara que costuma dedicar à execução de um complicado plano de toalete, desbancaria talvez os melhores economistas do mundo".

Em bom senso, não as vencemos, como não as vencemos em economia.

Se todos quisessem ser sinceros, ou antes se não quisessem enganar a si mesmos, quantos homens confessariam que os melhores atos de toda a sua existência foram inspirados no recesso do lar, entre dois carinhos, nessas horas de intimidade em que as mulheres sabem influir sobre o nosso espírito sem mostrar o que estão fazendo, e em que nós, inconscientemente, sem humilhações para o nosso desmarcado orgulho, vamos pouco a pouco adotando as suas idéias e abandonando as nossas, de maneira que, daí a pouco, exclusivamente parece nosso aquilo que é exclusivamente delas!

Em economia, então, – que abismo entre elas e nós!

Não se trata, está claro, destas lindas e adoráveis senhoras do grande *clã*, deusas deliciosas, cujas mãos perfumadas foram feitas apenas para dissipar o dinheiro...

Mas, nas casas pobres, que maravilhas de zelo, de poupança, de milagroso comedimento nas despesas! Não tem conta as donas de casa, que reproduzem diariamente o milagre da *multiplicação dos pães*!

Quando rompe a manhã, já a abelha-humana anda há uma hora zumbindo e trabalhando. Não há recanto da casa que escape à vigilância do seu olhar, não há providência que seja esquecida pela sua inteligência sempre alerta. Oh! o doce milagre! com um punhado miserável de dinheiro, é preciso alimentar os filhos, é preciso vesti-los, é preciso educá-los, é preciso consolar o marido e cercá-lo de conforto quando ele é infeliz, é preciso viver com decência... O trabalho não se faz sem lágrimas... A tarefa é rude, os pulmões se enfraquecem, calejam-se as mãos, vai-se a beleza, perdem-se as graças, – mas a casa prospera... E, quando à noite, derreada e quase morta de cansaço, a heroína vai sentar-se junto à máquina Singer para dar conta do serão, uma doce auréola paira sobre a sua pálida cabeça de mártir do dever.

Ah! que orgulho o nosso! e não há homem que reconheça esse sacrifício! e não há homem que deixe de atribuir à sua própria competência enfatuada a prosperidade e conforto que brotaram no seu lar, quando, quase sempre, esses doces frutos são devidos às lágrimas e às gotas de suor com que as mártires regaram o solo...

É singular! nega-se a quem é capaz de fazer tudo isso o direito de aspirar a um lugar de amanuense de secretaria! Mas, por todos os santos do Paraíso! se há uma lei que determina isso, revogue-se quanto antes essa lei absurda!

Abram-se às mulheres todas as portas! Porque, enfim, nós, os homens, já temos contribuído tanto para plantar na terra o domínio da tolice e da injustiça, que não era mau saber se o outro sexo não é capaz de ter mais juízo do que o nosso!...

s. a.

01 set. 1901

Crônica

Como? Prontidão de forças de terra e mar? boatos e zunzuns de revolução?! – Senhora Musa! não metamos as mãos nas chamas dessa fogueira: conversemos sobre coisas calmas, – ainda que estejamos tão calmos como... o seio de um vulcão em atividade.

* * *

Para quem ama as cousas velhas (e nós, Senhora Musa, gostamos muito mais do passado do que do presente) foi uma leitura sugestiva a do folhetim de A. V., na *Notícia* de ontem, sobre os velhos chafarizes da cidade. Como todas as coisas antigas, os velhos chafarizes vão desaparecendo, de um em um, derrocados sem piedade. Essa fúria de destruição não deixa de alarmar alguns raros espíritos, que ainda [*****] o amor da História a um povo que faz questão de não ter História.

Ainda ontem um telegrama de [*****] comunicava já estar nomeada a comissão que há de representar o Chile no Congresso de História de Roma. Aí está um Congresso que não deve contar conosco. Que nos importa a História? Nós somos um povo que, quando tem sede, agacha-se junto do leito do rio, e bebe a fartar, sem querer saber de que remota e verdejante serra brota a água fresca que o dessedenta. Não há muitos dias, um homem, que é um mestre da arte de escrever e um observador de admirável precisão de crítica, dizia tudo isto, em palestra desconsolada: "Dir-se-ia que o Brasil não é uma nação, mas um acampamento de tribos nômades. Quem aqui vem, não trata de se ligar ao solo: arma sua barraca, trabalha, enriquece, e, enrolando a tenda, vai embora, sem olhar para trás..."

Parece, realmente, que nos envergonhamos do passado e que nos esforçamos por cortar todos os fios que prendem o nosso *hoje* ao nosso *ontem*.

É comum ouvir dizer: "Ah! se em 1646, os holandeses tivessem ficado senhores do Brasil!" Já isso é uma prova de nossa irremediável e imbecil ingratidão. Ninguém pode escolher a sua origem: o homem nasce filho de uma rainha ou filho de uma humilde lavadeira de terras, ao acaso. E já vai longe o tempo em que eram os pais que davam glória e renome aos filhos: hoje, nestes claros tempos de democracia, a glória vai dos rebentos para o tronco, das flores para os galhos, e os netos enobrecem os avós. Mas essa mania, a que José Veríssimo deu o nome bem achado de "nostalgia holandesa" é uma ridícula capa de que nos servimos para encobrir a nossa indiferença. Se em 1649 os holandeses, ganhando a segunda batalha dos Guararapes, tivessem tomado a sua conta a colonização e a civilização do Brasil, é possível que hoje disséssemos, com a mesma tola e melada lamúria: "Ah! se os portugueses houvessem vencido!..."

A verdade é que abafamos dentro d'alma a idéia do passado, como sufocaríamos um remorso importuno. Somos todos, mais ou menos, como o mulatinho idiota que unta os cabelos com óleo de babosa para lhes disfarçar o comprometedor encrespamento, e para explicar a cor morena da pele, pretende descender de algum velho caboclo, cacique autêntico, – como se fosse mais vergonhoso provir de um preto das *malocas* de Angola do que provir de um bugre do Tocantins...

Pois, francamente: do nosso *hoje* é que nos deveríamos envergonhar; porque em arte, em bom gosto, em educação, nós temos andado como os pernudos caranguejos – para trás.

A guerra feita aos velhos chafarizes, e em geral a toda a nossa arqueologia urbana, vem do desejo de fazer "cousas bonitas e modernas". Mas se o único *bonito* que se pode conseguir é o que por aí vemos, melhor seria que nos deixassem as cousas velhas e feias. Não é preciso ser artista para reconhecer que o Passeio Público é muito mais lindo do que o parque da Aclamação, e que a arquitetura da Escola de Belas Artes, por exemplo, é muito mais digna e muito mais bela do que a daquelas *casas pombais* da rua Senador Dantas, cheias de arrebiques e de requintes, carregadas de um luxo pretensioso e falso, como saloias disfarçadas de duquesas.

A. V., o colaborador da *Notícia*, diz que o Conselho Superior de Belas Artes dispõe-se a intervir naquilo que se chama *arte pública*, pedindo à Prefeitura que se interesse pela conservação do que há de histórico e artístico pelas ruas e praças da cidade. Não é de crer que se consiga alguma cousa. Multas, prisões, violências não lograrão dar corretivo ao irreprimível vandalismo que há no fundo do nosso caráter.

Vêem-se por aí cousas que espantam e horrorizam. Quem pode compreender que se quebre, pelo meio, um banco de pedra, medindo vinte ou trinta centímetros de espessura? Pois não é difícil encontrar pelos nossos jardins públicos, a prova de que esses maravilhosos *tours-de-force* do vandalismo são para os nossos vândalos uma simples brincadeira. Os varões das grades são cuidadosamente torcidos e quebrados. As caniçadas de ferro, com que a Prefeitura manda proteger as árvores recém-plantadas não chegam a durar uma semana sem estrago: cada carroça, que por elas passa, dá-lhes um encontrão, cada garoto que as vê exercita nelas as suas forças.

E, ainda há bem poucos dias, quem passasse pelo largo da Glória via um desenho obsceno, feito a carvão, no granito do monumento a Cabral...

Como exigir algum respeito às obras de arte, de uma gente que arrebenta às patadas as bacias de mármore dos mictórios, e que retorce hastes de ferro e bronze com a mesma facilidade com que retorceria o mais frágil dos vimes?

O mais que o Conselho de Belas Artes pode conseguir é que se decretem penas severas contra quem puser mão devastadora sobre monumentos públicos... Ah! mas no dia em que se aplicar a primeira dessas penas haverá um bate-barba desabado! a imprensa berrará que a polícia é despótica! que o governo é mais feroz do que o da Rússia! que já não há liberdade nesta terra desventurada! – vejam que infâmia! prender uma inocente criança, só porque pintou uma indecência no pedestal do monumento do 4º centenário... Vejam que tirania! Multar um pacífico cidadão, só porque se aliviou de águas pesadas no sopé do busto de Gonçalves Dias... Vejam que inqualificável violência! meter na cadeia um inofensivo cavalheiro só porque fez voar à dinamite o chafariz do largo da Carioca! E todos os advogados correrão a impetrar *habeas-corpus* em favor das vítimas da intolerância policial; e, se o Conselho Superior de Belas Artes insistir, será corrido nas ruas a batatas e a latas de manteiga...

Não tentemos endireitar o que está irreparavelmente torto. Não queiramos que respeite e conserve as cousas do passado quem não sabe respeitar nem conservar as estradas, os jardins, os bancos, as obras de utilidade pública que custam tanto dinheiro.

O que espanta é que ainda por aí estejam de pé tantas belas cousas do passado.

Querem saber? quem escreve estas linhas, quando encontra na rua o visconde de Barbacena, o visconde de Cabo Frio, ou algum outro desses sábios varões que já dobraram o cabo dos oitenta anos, ficam com medo de que a população lhes faça alguma violência, tão estranhado e profundo é o rancor que a Velhice, o Passado e a História inspiram neste país...

Ah! quando quererão os deuses piedosos baixar os olhos para este pedaço de planeta, em que nos arrastamos, sem um ideal puro, sem uma aspiração elevada, sem um nobre desejo de fugir da animalidade?! Quando palpitará pela primeira vez dentro dos nossos corações esse amor do Passado, esse culto de ansiedade, essa religião da História, que fazem as famílias fortes e as nações felizes?!

S. A.

20 OUT. 1901 CRÔNICA

Bem dizem os positivistas que os mortos governam os vivos. Por causa dos mortos houve uma crise na administração da cidade, e durante todo um mês estiveram os espíritos preocupados com a questão do serviço funerário. Mas, felizmente, nem os vivos morreram mais cedo, nem os mortos quedaram apodrecendo ao sol. Resolveu-se o problema, e já a cidade sabe quais são as cláusulas do novo contrato, pelo qual fica a Santa Casa de Misericórdia investida, a um tempo, da missão de tratar dos vivos e da missão de enterrar os mortos.

Uma dessas cláusulas, a extinção da vala comum, é particularmente merecedora de louvor.

* * *

No mais longe recanto do cemitério, no mais apartado subúrbio da cidade dos mortos, ficava uma triste região, onde a erva crescia à vontade, e onde à vontade piavam, como num retiro selvagem, os pássaros assustadiços. Para esse lado não dirigia a multidão os seus passos no dia de finados; seria mesmo de mau tom ir visitar tão lôbrego e mal afamado bairro da necrópole, onde sobre a terra que cobria os despojos mortais dos pobres, só iam dançar os lêmures da mais baixa espécie e os fogos fátuos da mais reles classe.

Essa era a região da vala comum, o medonho buraco em que apodreciam, no mesmo horror, os cadáveres dos pobres, cuba monstruosa em que fermentavam e decompunham-se, de cambulhada, todos os rebotalhos da miséria humana, todas as escórias da vida. Os próprios coveiros tinham asco daquela zona miserável. Não havia por ali formosas alamedas, nem melancólicos ciprestes, nem canteiros verdes, nem balsas de flores cheirosas; havia silêncio, abandono, solidão, tristeza. Muitas vezes, ao fim da tarde, quando mais lúgubre pesava a melancolia do abominável lugar, chegava ali a carrocinha suja que apressadamente despejava dentro da hedionda fossa a sua carga, e mais apressadamente se afastava logo, com horror e desprezo. Nem um nome, nem um número, em letras negras, ficavam assinalando o lugar de cada cadáver: os anônimos da vida, os que passavam sem barulho e sem brilho sobre a terra, continuavam mergulhados ali no anonimato em que tudo se confunde... E, antes de caírem sobre a vala comum as primeiras sombras da noite, já sobre ela pesava uma outra noite mais triste: a da indiferença humana.

Monstruosa criação aquela! Era tão grande o nojo que ela inspirava, que até o seu nome se tornou clássico no vocabulário da imprensa e da tribuna parlamentar. Quando um orador da oposição ou um jornalista querem fulminar um ministério, fecham sempre o seu discurso ou o seu artigo, ameaçando-o com "a vala comum do desprezo público"!

Vala comum... a expressão, por si só, é dura, aterradora, sinistra. Para o criminoso que é metido numa penitenciária, como para o empestado que é trancado num lazareto, há ainda uma esperança de salvamento, de ar puro, de reabilitação. Mas a vala é a geena maldita e perpétua, o lameiro da inevitável e obscura decomposição em comum, a derradeira ilha da Sapucaia para onde as vassouras da morte arrojam confusamente os detritos asquerosos da vida...

* * *

Ora, pois!, de hoje em diante, não haverá mais vala comum... Era uma vez essa negra instituição do desamor e da crueldade!

Agora, cada defunto vai ter a sua cova, a sua residência de sete palmos, – a sua casinha, pequena e modesta, mas sua, exclusivamente sua. Já os ricos, que durante a vida têm tantos privilégios, não serão os únicos a gozar das regalias de uma verdadeira morada independente. Cada morto terá a sua casa, – e todos poderão verdadeiramente dormir em paz.

Quando se enterra um cadáver, diz-se-lhe: "descansa em paz!" Mas a paz deve ser a solidão... Durante a vida, a maior tortura que pode caber a um homem é a de nunca poder estar só. Por mais que um ente procure isolar-se, há sempre olhos que o espiem, contatos que o magoem, curiosidades que o ofendam; e mesmo o mais feroz e rigoroso asceta, trancado a sete chaves numa rígida clausura voluntária, no mais selvagem dos ermos, ouve em torno de si o incômodo rumorejar da vida, e a perpétua palpitação da colméia humana. Impor esse sacrifício, depois da morte, a quem já, por tanto tempo o suportara durante a vida, era uma crueldade revoltante.

Enfim, bem sabemos que tudo isso é fantasia de cronista fútil... Naquele terrível momento em que, recebida a última lágrima e a última pá de cal, o defunto fica para sempre enterrado na cova, pouco lhe importa saber se vai ter ou não companheiros de casa. Aquele já não sente, nem pensa, nem tem preferências, alegrias ou desgostos; e tanto lhe faz ficar dormindo num palacete independente, como na promiscuidade de uma infecta estalagem.

Mas as desigualdades da sorte já são bem revoltantes, quando se manifestam cá fora, na vida. Para que continuá-las e agravá-las na morte?

Vejam, por exemplo, uma pobre mãe que viu morrer, de fome ou de doença, o seu filhinho. Toma-o no colo, banha-o de lágrimas, aperta-o nos braços, comprime-o contra o seio, como se quisesse metê-lo outra vez dentro de si. E imaginem com que mágoa, inominável e terrível se via ela obrigada a confiar o filhinho ao frio horror da vala comum, sem poder, como as mães afortunadas, dar-lhe um bercinho de mármore branco, coberto de flores, que pudesse todos os dias regar carinhosamente com as suas lágrimas!

Tudo isso é sentimentalismo. Mas que querem? é justamente o sentimentalismo o que distingue o homem dos brutos...

E convém notar que principalmente no Rio de Janeiro, mais do que em nenhuma outra cidade, a vala comum, sendo um desrespeito da morte, era uma monstruosidade, a que urgia pôr termo. Porque não há povo nenhum que, como o povo do Rio de Janeiro, respeite a morte, prestando-lhe as homenagens que tem direito a sua soberana e terrível majestade. Quem escreve esta crônica encontrou muitas vezes um enterro, nas ruas de Buenos Aires, de Lisboa, de Paris, de Londres, – e notou que ninguém se descobria à passagem do féretro; o que passava por ali era uma *cousa*, um destroço, uma imundície, que não merecia um cumprimento nem um olhar: ninguém se voltava, para ainda uma vez acompanhar com a vista o passageiro que partia para a estação final.

Mas aqui, no Rio de Janeiro, o espetáculo é outro: e os estrangeiros que nos visitam observam com curiosidade e surpresa esta nossa originalidade.

Aqui, quando se vê um enterro, sustam-se as conversas, e todas as cabeças se descobrem. Não há uma exceção a esta regra: o mais atrevido ou inconsciente garoto das ruas não deixa de prestar essa homenagem ao morto que passa. E nem só os enterros da gente rica merecem essa prova de comovida atenção: o gesto sério, o olhar piedoso, a mesura respeitosa tanto são para os esquifes de luxo, arreados de grinaldas caras, como para os ataúdes de quinta ou sexta classe, todos negros, sem um galão de ouro, sem uma flor sobre a tampa.

Que é isso, afinal? É uma formalidade: mas é uma bela, uma nobre, uma admirável formalidade. Quantas vezes teremos passado por aquele homem, que ora ali vai deitado e inerte, no tempo em que ele estava lépido e vivo como estamos, sem que lhe tirássemos o chapéu? mas nesse tempo, não o conhecíamos... Agora, sim: vemos bem que aquele que passa no seu triste ataúde, foi um companheiro nosso, um companheiro de ilusões, de esperanças, de desenganos, de sofrimentos.

Aquele penou e sorriu conosco, respirou conosco o ar da terra, e esteve conosco colaborando nesta misteriosa obra da vida, cujo mecanismo e cujos fins não podemos compreender. E descobrimo-nos diante dele, com veneração e solidariedade: adeus irmão!

A existência da vala comum nos cemitérios do Rio de Janeiro não dizia bem com essas manifestações de seriedade e do recolhimento com que encaramos a morte.

Era uma vez negro depósito promíscuo dos deserdados! Já não se desfarão em lodo, confusamente, cadáveres de crianças e de velhos.

Cada mulher desgraçada poderá ter um cantinho de terra em que deposite o cadáver de um filho, assinalando-o com uma cruz, ou com uma roseira fresca, que se desmanche em perfumes sobre a última habitação do seu amor.

* * *

Cada morto na sua cova! Já é alguma cousa...

Ao menos, os infelizes que atravessam esta vida, escorraçados e miseráveis, sem ter um pedaço de pão seguro e um pouso certo no fim do dia, podem ter a certeza de que encontrarão, ao cabo da jornada, a *sua* casa, o *seu* leito, o *seu* descanso!

s. a.

08 dez. 1901

Crônica

Já muitos pintores e escultores têm interpretado e fixado, na tela ou no mármore, a figura do Desespero. Aqui, é o velho Ugolino, com a cabeça entre as mãos, tapando os ouvidos, para não escutar as lamentações dos filhos esfaimados; ali, é a tristíssima Niobe, petrificada pela dor, com as faces cavadas pelo curso dos rios de lágrimas que lhe manam dos olhos; além, um náufrago, sobre uma jangada frágil, abandonado, na infinita solidão das águas ferozes; mais adiante, Prometeu, amarrado ao rochedo fatal, com o fígado dado em pasto à gula do abutre. Mas um pequeno quadro, fácil de executar, daria uma idéia mais nítida do *Desespero*: uma janela aberta sobre uma rua imunda, emoldurando um pedaço do céu escuro, todo retalhado de bátegas de chuva, – e uma figura humana, olhando o dilúvio, procurando em vão nas pardas nuvens uma nesga azul, uma esperança de luz e calor...

Essa figura é a de Dona Sebastianópolis, sobre cujos domínios se abriram agora as cataratas do céu, em torrentes que não cansam. Já da sua janela, a pobre senhora, lembrando-se do episódio bíblico de Noé, soltou primeiro um corvo e depois uma pomba, para ver se as duas aves achariam árvore seca onde pousassem. Mas o corvo, imitando o de Noé, não voltou; e a pomba, mais ingrata do que a do patriarca da Bíblia, também se deixou ficar afogada nas águas turvas, sem trazer à friorenta e encurralada senhora um verde ramo de oliveira.

Quando vos fechareis, fontes do abismo? quando estancarás, choro aborrecido do céu? E como há de o pobre cronista, servo e arquivista de Dona Sebastianópolis, saber o que vai por aí fora, por essas ruas alagadas em que os homens nadam como peixes ou se arrastam como caramujos?

Dizem que estão prontos quase todos os orçamentos; que houve mais uma *grève*, pacificamente acabada sob uma chuva de discursos e *confetti*; que algumas feras humanas nadaram por aí, com o sangue escaldado apesar da umidade da atmosfera, esfaqueando e navalhando gente pacífica; que chegou do estrangeiro uma farta remessa de níqueis novos, claros e brilhantes como pedaços de sol; que o Ciúme, companheiro fiel do Amor, ensangüentou e cobriu de luto mais algumas casas; que a rainha Draga (famosa e complicada senhora!) recebeu do seu real marido mais algumas sevícias; que a famosa Wilhelmine, da Holanda, viu outra vez fulgir sobre o seu palácio, limpa de nuvens feias, a suave lua de mel; que... Mas todas essas cousas passam, sem interesse, apagadas e insignificantes, ante os olhos de Dona Sebastianópolis, que, melancolicamente encostada à janela, com os dedos tamborilando sobre as vidraças molhadas, vê cair a chuva monótona, à espera de que a pomba da aliança venha, trânsida e tiritante, trazer-lhe a doce notícia da volta do bom tempo.

A única cousa que pôde distrair um pouco a desconsolada matrona foi o caso do advogado que não quis requerer de pé...

Compreende-se facilmente, e admite-se, a importância desusada de que se revestiu esse incidente de pretório. Um filósofo pessimista dizia que o mundo sempre foi e sempre será governado por duas grandes forças: a fome e o amor, porque tudo obedece às exigências do estômago e do instinto sexual. Mas esquecia esse filósofo uma grande força, que é maior do que todas, e cuja preponderância resiste vitoriosamente a todo o progresso e a todas as conquistas das idéias democráticas: a *Formalidade*.

Vêde-a, formidável e implacável, dominando o mundo, desde as remotas e nevoentas épocas da corte de Bizâncio... Tirana insaciável, reinando sobre palácios e pocilgas, essa velha Dama regula todos os atos da vida humana. Mesmo no tempo dos reis-pastores, cuja vida simples Renan com tanta sabedoria evocou, a rígida Formalidade impunha às gentes incultas o seu jugo férreo.

Esse predomínio aumentou com o correr dos séculos: Felipe III, de Espanha, cuja corte tinha de minuto em minuto a vida regulada pelos mandamentos de uma etiqueta feroz, escapou um dia de morrer assado pelo excessivo calor de um fogareiro só porque a etiqueta lhe não permitia afastá-lo com as suas próprias mãos, e porque não estava presente o fidalgo encarregado desse serviço... Era de esperar que a Revolução Francesa, com as suas retumbantes promessas de igualdade, viesse dar cabo de todas essas tolices. Mas já a Revolução Francesa tinha dado todos os seus frutos, no dia em que se passou em Paris esta cena de profunda significação: Gambetta, o tribuno do povo, o ídolo da multidão, atravessava uma tarde o *boulevard* quando um operário, estendendo-lhe a mão, exclamou com afeto e confiança: "Bonjour, citoyen Gambetta!" – ao que o demagogo retorquiu, com enfado: "Mon ami! Soyons citoyens, mais appelons-nous messieurs..." Se a idéia de Fourier houvesse medrado, se esse visionário tivesse fundado o seu *falanstério*, com uma organização social igualitária e perfeita, em que todas as paixões humanas, boas ou más, achassem um lugar legítimo e uma satisfação que redundasse em proveito geral, – aí mesmo, nesse seio de Abraão do comunismo, a Formalidade acharia um meio de assentar a sua tenda, separando os falansterianos em castas.

Mas é justamente nos pretórios, nos tribunais, nos cartórios, em todas as dependências do vasto mundo do Foro, que a Formalidade acha o seu melhor campo de ação, e firma o seu mais inabalável e incontestado domínio. No dia em que a Formalidade morresse, o mesmo sino que anunciasse a extinção das chamadas *fórmulas forenses e tabelioas* dobraria a finados sobre a sorte da magistratura, sobre o prestígio da Lei, sobre a inviolabilidade da Justiça. Um juiz despojado dos seus títulos de *ilustríssimo* e *meretíssimo*, um tribunal despido de sua prerrogativa de *colendo*, uma corte de justiça privada do seu apelido de *suprema*, já não são um juiz, um tribunal, uma corte. No Foro, pode-se dizer que é o hábito que faz o monge...

Um magistrado, sem os apanágios que lhe confere o seu cargo, é, mal comparando, como uma noiva sem grinalda de flores de laranjeira... Pode a noiva ser pura como a neve alpina e casta como as castas estrelas: faltando-lhe o símbolo, que a formalidade marcou para a virgindade, falta-lhe aos olhos do mundo a própria virgindade.

Requerer sentado! requerer na mesma atitude em que qualquer de nós almoça, conversa e toma um refresco! que os advogados tivessem, por lei, essa alta prerrogativa, já era uma licença arriscada, mas que ainda se podia tolerar; também na corte de Felipe III, "os grandes de primeira classe" tinham o direito de falar ao rei com a cabeça coberta... Mas, agora, dilatado até à esfera dos solicitadores o direito de "requerer sentado", – que é feito das prerrogativas? que é feito [*****] sagrados da Formalidade, senhora das leis e dos costumes?

Há poucos anos, em França, o juiz Marchand escandalizou o mundo judiciário absolvendo uma mulher acusada de furtar um pão para com ele aplacar a fome de um filhinho, – e absolvendo-a com o fundamento de que "se há mães que vêem os filhos padecer de fome, é porque a sociedade está mal organizada". Essa bela e admirável sentença, que vale por uma profissão de fé socialista, é menos grave, ainda assim, para o prestígio soberano da Formalidade do que esta última sentença, de um ilustre juiz nosso: porque a Formalidade (o seu próprio nome o está indicando) não vive de idéias, mas de fórmulas, de palavras, de praxes...

Santo Deus! este golpe fere fundo e certeiro o alicerce de todo o edifício judiciário!

Amanhã, permitir-se-á que um cidadão requeira deitado, ou de pernas cruzadas, ou com o charuto na boca, e mesmo sem ir ao pretório, enviando ao juiz um simples cartão postal, que custa um tostão, ou um telegrama urbano, em que, pela insignificante quantia de quinhentos réis, os fios telegráficos se incumbem de levar a qualquer juízo uma petição de vinte e cinco palavras. É todo mundo que desaba!

* * *

[*****]

s. a.

15 DEZ. 1901

CRÔNICA

A semana foi quente e vibrante, sacudida de sobressaltos, cheia de inquietações e de sustos. A cada momento, esperava-se uma notícia má que, partindo de Buenos Aires ou de Santiago, viesse anunciar-nos o começo da guerra, o primeiro encontro das duas nações vizinhas. Felizmente, à hora em que se escreve esta crônica, acentuam-se as esperanças de paz, e todos os homens de alma bem formada rejubilam com a probabilidade de um acordo digno. Praza aos deuses clementes que não venha uma agravação do conflito desenganar essas esperanças, atirando um contra o outro os dois povos moços e fortes, que iriam perder numa guerra insensata a flor da sua gente.

Ainda há poucos dias, anunciava-nos o telégrafo a decisão do *comité* encarregado da distribuição dos "Prêmios Nobel". Nobel, o homem que se dizia ter "uma pedra no lugar do coração", quis aplicar em proveito da paz o dinheiro adquirido em serviço da guerra.

O grande sonho do inventor da dinamite era descobrir um explosivo tão temeroso e forte, de tão terrível efeito de destruição, que as nações, possuidoras desse medonho segredo, fossem obrigadas a recuar diante do inominável horror das conseqüências da guerra... A fabricação da dinamite, desse formidável elemento de destruição de que os anarquistas se têm servido para a sua obra satânica, enriqueceu o fabricante: mas a riqueza, haurida no exercício do mal, acaba de premiar aqueles que mais contribuíram para servir o bem. Entre os contemplados na distribuição dos prêmios Nobel, figura Sully-Prudhomme, o nobre poeta, que depois de ter cantado o Amor e a glória de viver, pôs a sua lira de ouro ao serviço do ideal da Justiça.

Tudo, porém, é platônico. A guerra continua a ser a "calamidade necessária", a inevitável conseqüência da ambição dos homens. Agora mesmo, no México, naquela admirável república que tanto prosperou no século XIX, o Congresso Pan-Americano, que procura congraçar os povos do continente, apertando entre eles os laços do respeito e da estima, já teve sessões tumultuosas, de que quase se originou um duelo... E enquanto se sucedem os discursos no Congresso, aqui bem perto de nós aparece a ameaça de uma guerra, entre dous países, cujos representantes calmamente discutem e se banqueteiam na terra de Porfírio Díaz.

Oh! os Congressos da Paz! Ainda Heródoto não tinha nascido, e já a Grécia tinha as suas Anfictionias, conselhos pacíficos, destinadas a moderar os impulsos da ambição e a evitar o derramamento de sangue. *A Trégua de Delfos* conseguiu durante algum tempo dominar a ferocidade humana; durante algum tempo as leis de humanidade puderam sofrear a bruteza da guerra; e os gregos respeitaram as decisões da Anfictionia, sobre cujos infratores caía uma tremenda maldição: "possa a terra negar-lhes todos os seus frutos! que os seus rebanhos pereçam miseravelmente! que os seus filhos nasçam monstruosos! que os deuses rejeitem indignados os seus sacrifícios!" Mas logo depois a bestialidade readquiriu os seus direitos, e a guerra insaciável foi de ano em ano apurando a crueldade dos seus meios e dilatando a esfera da sua ação. Na Idade Média, já não eram nações que se batiam; eram famílias. Duas casas rivais juravam exterminar-se, e esse ódio inclemente passava de geração a geração, até que uma das famílias desaparecesse da face da terra. Foi então que a igreja conseguiu restabelecer a chamada *Trégua de Deus*, que ainda durou menos do que a de Delfos: e não tem sido outra a sorte de todos os congressos platônicos, que desperdiçam palavras ao vento, tentando em vão abrandar os embates das paixões humanas.

Ninguém conseguiu nunca exprimir, com tanto ardor como Girardin, o que é verdadeiramente esse flagelo de guerra, tão celebrado pelos aedos de todos os tempos, de Homero a Hugo; "A guerra é o assassinato e o roubo. É o roubo aclamado, louvado, dignificado, coroado. É o assassinato disputado ao cadafalso pelo arco de triunfo. É o roubo e o assassinato, sem o castigo e a vergonha, mas com a impunidade e a glória; é a glorificação do que deve ser vilipendiado e o vilipêndio do que deve ser glorificado; é o crime ensinado e ordenado aos povos por aqueles que os governam".

Mas a essas nobres palavras não falta quem oponha o argumento de que as mais velhas lendas da humanidade são de sangue e morticínio: o mundo, segundo a Bíblia, acabava apenas de ser criado, quando Caim matou Abel... A guerra apareceu na terra com os primeiros animais, e só desaparecerá no dia em que este pobre planeta, resfriado e deserto, rolar como um fantasma pela amplidão, no mesmo estado em que hoje contemplamos a lua, cadáver de um mundo.

O que mais revolta, porém, é que a Guerra tem perdido em majestade estética o que tem ganho em ferocidade. Antigamente, ainda era digno de ser cantado pelos poetas o espetáculo das grandes batalhas peito a peito, entre exércitos que se afrontavam em face. As batalhas eram nobres e os batalhadores eram belos.

Cada soldado era um atleta admirável, cujo corpo conservava, ainda na morte, a formosura escultural que possuíra em vida. E compreende-se que, expressamente para cantar e eternizar a longa e refulgente epopéia da guerra de Tróia, tenha nascido um poeta como Homero. Nesse tempo, a Força, embora brutal, era uma mistura de Saúde e Graça: hoje é uma mistura de covardia e manha. Se os fins perderam toda a sua nobreza, também os meios se acanalharam consideravelmente. Os leões se transformaram em raposas, – e o grande flagelo perdeu o único atributo que ainda o podia desculpar: a beleza.

As guerras da esperteza substituíram as guerras da bravura. Vieram as manobras manhosas, os cercos demorados, as emboscadas pérfidas. Hoje, a mesma cavalaria, cujas cargas tinham uma tão bela e trágica majestade, já representa um papel insignificante. Os exércitos ferem-se, fulminam-se, destroem-se de longe; já a pólvora sem fumaça permite que ninguém veja de onde partem os tiros assassinos; e para que mais eficaz seja a ação da fuzilaria moderna, há balas explosivas, que a diplomacia proíbe, mas cujos efeitos ainda há pouco tempo os pobres *boers* puderam experimentar...

Agora já não se trata de matar com bravura e arte. Trata-se simples e exclusivamente de matar.

Ainda não há uma semana publicavam os jornais expressivo telegrama de Washington:

"A espada foi abolida do exército norte-americano como arma de combate. Só será usada por ocasião de parada e como distintivo. Os oficiais usarão em combate revólveres de grande alcance".

A abolição da espada, a sua substituição pelo revólver... Isso mostra com precisão a diferença dos tempos. Antigamente, a arma de combate era a *Joyeuse* de Carlos Magno, a *Durandal* de Rolando, a *Heute-Clère* de Olivério; para empunhá-la era preciso ser forte e bravo, ter músculos de ferro e alma de aço; hoje, a arma é o pequeno revólver traidor, que mata à distância. Adeus, heróis! nem Carlos Magno, nem Rolando, nem Olivério, nem Godofredo de Bouillon, que com um só golpe de espada separavam em duas partes um homem, poderiam hoje resistir ao menos hábil desses atiradores que andam mostrando a sua perícia nas salas de café-concerto ou nas barracas de feira!

Que fazer! O instinto bestial triunfa de todos os encantos do Ideal e do Belo. É força que os homens se devorem sem piedade, em pleno século vinte, como se devoravam nos séculos primitivos à beira das cavernas. A serena Inglaterra, a criadora do Júri, em cujo seio Spencer escreveu o seu extraordinário livro d'*A Justiça*, é a primeira a dar o exemplo de crueldade e da intolerância, exterminando a ferro e fogo todos os homens válidos de uma nação heróica, e, por cautela, matando à fome todas as mulheres e todas as crianças, para que nunca mais rebentem flores e frutos da árvore amaldiçoada.

Seja tudo para vossa maior glória, Senhor Deus dos Exércitos! Mas que ao menos, não tenhamos aqui, na calma e livre América do Sul, uma dessas guerras, que tão agradáveis parecem ser à vossa soberana vontade!

s. a.

Gazeta de Notícias 1902

19 jan. 1902 Crônica

Uma grande cidade é um organismo vivo, que não é muito mais complicado do que o organismo de um ente qualquer. As leis da vida são sempre as mesmas; e já alguém disse que tanto vale ser um raio esplêndido de Sirius como um triste fogo fátuo de pântano: tudo é calor, tudo é luz, tudo é vida. Uma cidade tem seus pulmões que respiram, o seu estômago que digere, o seu coração que pulsa, o seu cérebro que pensa; e assim como os seus órgãos podem ser minuciosamente estudados por um fisiologista, também a sua alma vasta, confluência de milhares de almas, não escapa ao estudo de um psicologista, bem dotado de olhos para ver e de critério para discernir.

* * *

Aqui está, para exemplo, este livro – *A Falência*, de D. Júlia Lopes de Almeida – em que a vida do Rio de Janeiro foi apanhada em flagrante, em plena crise de uma doença moral. O aparecimento do livro foi o assunto culminante da semana: e a *Crônica*, que é um espelho, embaçado embora, em que se vem refletir a existência da cidade, deve ser dedicada, da primeira à última linha, a este estudo forte, que muita gente estranhará tenha sido feito por uma mulher.

Por uma mulher! Mas as mulheres, amigo, são muito mais inteligentes e muito mais fortes do que nós. O que lhes abala a inteligência e o que lhes anula a força é o círculo de ferro em que as mantemos cativas, numa prisão cruel, em cuja porta monta guarda o nosso egoísmo. Com um cuidado meticuloso, vamos rasourando todas as faculdades que lhes apontam na alma e só lhes deixamos, viva e livre, a faculdade de amar. Pura tolice! essa mesma faculdade de amar não pode ficar limitada à ventura do marido, ao conforto do lar, à educação dos filhos. O amor é fecundo e criador, como as grandes águas da serra, que não querem ficar apertadas na solidão agreste onde nasceram e vitoriosamente se espalham pelo pendor das colinas e pela chateza dos campos, levando a toda a parte a fertilidade e a frescura... Assim, a faculdade de amar das mulheres quer dilatar-se, e correr, e levar longe a sua influência social, de regeneração e de brandura...

Sempre que uma mulher consegue vencer o preconceito, e sair do ergástulo em que se via presa, para vir competir conosco em misteres de arte e observação, há verdadeiras revelações que nos confundem e espantam.

A observação feminina tem sutilezas que nos escapam: e quase sempre, onde nós vemos apenas bestialidade que profana a vida, elas vão descobrir o lado bom e escondido das coisas, a pureza da interação que desculpa o crime, a inocência que redime a falta.

A Falência, se fosse o livro de um homem, teria sido pensado, deduzido e executado de outro modo. Só uma mulher poderia ter lançado sobre o duro assunto deste romance o véu de suave poesia, que docemente ondula pelas suas páginas, num perfume vago.

Há aqui duas falências, uma comercial, outra moral. O velho Francisco Teodoro, homem prático, endurecido pelo trabalho e pelas asperezas da vida do comércio, tem a sua alma repartida por duas casas que são os dois pólos da sua existência: cá em baixo, na medonha e empoeirada rua de S. Bento, fica sua casa de negócio, um horror de casa, um inferno de calor, de sacos de café, de especulações, de cálculos, de sobressaltos; em Botafogo, entre árvores lindas, perto do mar que canta, entre o esplendor do sol e grazinada dos pássaros, fica o seu lar confortável, um paraíso de luxo, de riquezas, de fausto. Quando a crise estala, ambas as casas se submergem, no naufrágio da falência.

É possível (não provável) que um escritor pintasse com mais vigor o tumulto de S. Bento e Gamboa, a agitação das horas do trabalho bruto, a explosão das ambições de jogo que sacodem aquele bairro de dinheiro, as inimizades e as invejas que dividem os *reis do café* e todo o infernal mecanismo daquela existência febril. E ficou escrito que "é possível, e não provável", porque, na parte do livro em que a escritora estudou esse *maelstrom* de ambições, há páginas de mestre, páginas que honrariam o mais seguro escritor.

Mas o que nenhum de nós, homens, encontraria talvez, é a maneira, a um tempo enérgica e doce, severa e compadecida, pela qual a escritora analisou e estudou a outra falência, a mais grave das duas, a falência moral em que naufraga a família do especulador.

A mulher casou por interesse. Era linda e pobre; como não aceitar o amor daquele homem prático, que lhe dava um nome e luxo, que lhe abria as portas da grande vida, e que sustentaria toda a família faminta? E aí temos o lar constituído, como tantos outros, sem o amor que a tudo salva, apenas pelo interesse que tudo estraga. Não tarda a chegar o infalível egoísta, o parasita das felicidades alheias, o *tertius gaudet* de todas as situações mal equilibradas. A moça é ardente, o sedutor é esperto, o marido é cego: estabelece-se o *ménage à trois*. Junto dos filhos que crescem, junto dos criados que murmuram, junto dos vizinhos que espiam; e solapada, minada pela base, lenta e implacavelmente roída pela desmoralização que não pára no seu trabalho, lá se vai a família pelo declive, vagarosa mas seguramente precipitada para o desastre final.

E que vivo o fulgor dessa vida faustuosa, em que todos fazem jogos malabares com sacos cheios de ouro! mas, sob essa leve camada de alegria e ventura, que referver de sofrimentos, que crepitar de ameaças! O filho mais velho, já homem, já dado aos amores frascários, sabe tudo: é ele o primeiro a lançar à face da mãe leviana o primeiro anátema... mas há máquinas que, uma vez postas em movimento, não podem mais parar. Quando rebenta a catástrofe na casa da rua de S. Bento, já na casa de Botafogo está aberta a falência moral. A família já é um edifício vacilante, que só o dinheiro sustenta. Na hora do *crack*, quando falta o dinheiro, quando o velho Francisco Teodoro, perdido, pobre, miserável, mete uma bala no crânio, tudo aquilo vem abaixo, num clamor de ruína e numa nuvem de pó.

Mas não! Nem tudo se afoga nesse pó sepultador... E é justamente aqui que o lindo livro de D. Júlia Lopes de Almeida adquire esse raro dom de suprema beleza moral que assinala as obras perfeitas. Pelo livro afora, entre as figuras da formosa dona de casa, requeimada por uma paixão devastadora como um incêndio; de Francisco Teodoro, mergulhado até o pescoço no pântano da especulação; do médico Gervásio, o amante, gozando o amor daquela bela mulher e o conforto daquela bela casa; do filho mais velho, odiando a mãe e desprezando o pai; das meninas, criadas no exagero dos mimos; das mucamas peraltas que intrigam e enredam; entre todas essas figuras há duas, que passam como vagas sombras angelicais, num rumor de asas invisíveis, espalhando em torno de si um perfume de inocência e bondade.

Uma é Nina, a órfã, acolhida ali por esmola, sofredora sempre e sempre resignada, tirando dos desenganos do seu amor uma nova força para amar, transformando os seus desesperos recalcados em novas nascentes de sacrifício e ternura. A outra é Rute, uma filha da casa, flor do pântano, criança com alma de artista, linda criatura com olhos verdes e coração de fogo, queimada pela febre do Ideal, consumida pelo desejo de voltar à pátria de onde vive desterrada, uma dessas estrelas que ardem como diamantes do céu...

Cada uma dessas duas figuras vale um livro: e só uma alma de mulher poderia criá-las, empregando nessa criação todo o divino material de afeto e de ternura, de que nós, os homens, não podemos dispor.

Quando é preciso mudar de vida, são as duas crianças que salvam a família, com o seu trabalho, com a sua coragem, com a sua bondade. Nina dirige a casinha modesta, jangada pobre a que se acolhem os náufragos do suntuoso transatlântico submergido; Rute dá lições de violino, e perfuma a pobreza do novo lar com a graça de sua presença e o encanto misterioso da música.

Nina é a Resignação; Rute é o ideal. E, de fato, que mais é preciso para redimir todas as culpas, para remediar todos os males, para refazer o mundo? A Resignação gera a bondade e a tolerância, que abalam as montanhas, domam as feras, acalmam as tempestades e multiplicam os pães; o Ideal perfuma os pauis, povoa os desertos, põe sobre a face podre das águas mortas o reflexo das estrelas.

* * *

Infelizmente, esta pálida *Crônica* não pode dar idéia perfeita de tão lindo livro. Mas também, para quê? todo o Rio de Janeiro vai ler e admirar *A Falência*. E se estas pobres linhas não podem, transformadas em flores, cair como uma consagração aos pés de D. Júlia Lopes de Almeida, tem ao menos o mérito de chamar a atenção do público para este romance admirável, em que é estudada, com tanto brilho e (ai de nós!) com tanta exatidão, a vida da nossa grande cidade, tão cheia de ambições e de pecados.

s. a.

26 JAN. 1902

CRÔNICA

Em um dos dias da semana passada, triste dia de lama e chuva, enquanto se discutia na rua do Ouvidor o ato do governo anulando as eleições municipais, fui passar duas horas num recanto ignorado da cidade, num calmo retiro que pouca gente conhece. Em geral, neste mundo tão cheio de vaidades, as melhores cousas são justamente as mais obscuras, aquelas que não têm em torno de si o barulho e o fulgor dos anúncios espalhafatosos.

Que foi que me levou ao *Asilo S. Luís*, na Ponta do Caju? Uma curiosidade de artista. Devia haver naquele Hospício de Velhos um aspecto novo da vida. Há sempre nos arsenais de guerra um pátio, retirado e calmo, em que se guardam os troféus de guerra, bandeiras e canhões, relíquias das gerações que serviram à pátria; nas grandes fábricas, conservam-se com amor as primeiras ferramentas dos primeiros operários, os primeiros produtos do trabalho coletivo; e é sempre com um religioso respeito que se contemplam essas velharias, restos de um tempo extinto, recordações de labores e glórias passadas. Ora, um asilo de velhos é uma espécie de museu, também. Que somos nós todos senão ferramentas, armas, instrumentos, que um Grande Artífice Desconhecido maneja, aproveita, gasta e despreza?

Somos, apenas, instrumentos que duram menos do que os outros. O aço e o ferro podem ficar por séculos e séculos nos museus, perfeitos e inalteráveis. Os homens não duram tanto: entre a invalidez e a morte, há somente um curto período de decrepitude...

* * *

Diz-se que a velhice é triste. Triste, sim, porque é uma moléstia sem remédio, desde os crédulos viajantes da velha Grécia, que procuravam por montes e vales a fonte da Juventa; desde os alquimistas da Idade Média que pediam à ciência hermética a revelação do elixir da longa vida, e dos aventureiros que buscavam através dos pantanais da Flórida a *Fuente de Juventud*, até o sábio Metchnikoff, estudando no seu laboratório do Instituto Pasteur o meio de dar combate aos *macrófagos* do organismo e preparando o seu *soro contra a velhice*, ainda ninguém achou o remédio contra essa doença implacável.

Mas a velhice, sendo um mal incurável, é um mal suave. Quem morre de velho, extingue-se docemente, com a luz de uma candeia que se apaga à míngua de azeite, como uma nuvem tênue que lentamente se dissipa ao sopro da viração. Velhice horrível é aquela que se arrasta ao desamparo, de injúria em injúria, e de miséria em miséria: os velhos, em tendo um pouco de conforto e de paz, são felizes e alegres. Já não há neles o incêndio devastador das paixões que calcinam a alma; já não há as ambições de poder e de glória, que nos roubam o apetite, o sono e a ventura; já não há a intolerância e o amor das lutas que nos impelem à injustiça e à violência. Tendo vivido muito, os velhos sabem que todo o esforço humano é inútil e vão: e, sem torturas no pensamento, sem desejos na carne, esperam a morte, com a mesma tranqüilidade com que esperam o almoço, o jantar e o sono de cada dia.

Era nisso que eu pensava, enquanto visitava o *Asilo de S. Luís*, fundado e mantido à custa dos maiores sacrifícios, pela caridade admirável do visconde de Ferreira de Almeida.

A casa, quase um palácio, fica no alto de uma pequena colina, dominando todo um largo trecho da nossa encantada baía. Sobe-se por uma curta ladeira, ladeada de árvores, e quem passa cá em baixo na agitação da rua, nem pode suspeitar a existência daquele retiro, refúgio dos deserdados que a vida gastou e desprezou.

Logo à porta, sorri uma irmã franciscana com a pálida face dentro do capuz negro orlado de branco: envolve-lhe o corpo o severo hábito de S. Francisco, grosso e áspero burel de cor havana; em torno da cinta, o cordão simbólico, com os três nós da Castidade, da Pobreza, e da Humildade, e o rosário, em cuja ponta oscila uma pequena caveira; os pés nus, na sandália pobre. A que outra ordem religiosa poderá, com mais justiça, ser confiada a missão de agasalhar e proteger os velhos? Pronunciar o nome de Francisco de Assis é evocar todas as tradições da Caridade e da Renúncia...

Oh! a doce e serena alegria que há lá dentro! as irmãs, na sua faina de atender às exigências, aos caprichos, às reclamações daquela multidão de decrépitos que já voltaram à primeira infância, não têm a dura e impenetrável tristeza dessas monjas macilentas que parecem adorar um Deus cruel, só amigo de mortificações e de asperezas: aquelas, como verdadeiras filhas de S. Francisco de Assis, sabem que Jesus amou a alegria, mãe da bondade, e que o melhor meio de servir a Deus é consolar as tristezas da terra e dar um raio de sol à escuridão de cada sofrimento. E ei-las que se agitam e sorriem, e vão de uma a outra sala, acalmando os impertinentes, reconciliando os brigadores, repreendendo maternalmente os recalcitrantes. E não param um minuto, numa revoada contínua; aves benfazejas, espalhando o bem; e o seu hábito de pano grosso parece esplender como um hábito de gala; e as passadas miúdas de seus pés descalços levantam do chão o vago murmúrio de um hino...

Por toda a parte, vê-se, sente-se, admira-se o cuidado com que, à custa de tanta caridade, são tratados ali os velhos desamparados. A cozinha esplende; os assoalhos reluzem; da rouparia sai um cheiro bom de linhos frescos; os dormitórios são uns modelos de asseio, de simplicidade, de higiene, com as suas janelas rasgadas para o mar, e as duas filas de cama de ferro, em que as roupas têm uma alvura de neve. Chega a espantar que tudo aquilo seja quase exclusivamente obra de um só homem... Toda a parte velha do Asilo já está sendo demolida. Em breve, todo o edifício será novo: e o número de asilados, que é hoje de 60, poderá ser dobrado.

Mas o que mais agrada ali dentro é a evidente felicidade dos náufragos, que acharam, na hora do desastre, aquele porto seguro. Quando se repara nisso, é que se reconhece a verdade do que acima ficou escrito: basta um pouco de conforto e de carinho para que a velhice seja a ventura e a alegria.

Não há, naquela aglomeração de decrépitos, uma só enfermidade séria: a enfermaria do Asilo não se abre; e as camas lá dentro, com os colchões dobrados ao meio, esperam em vão os doentes. E que paz! que sossego! que despreocupação!

Acabou agora mesmo a refeição da manhã. Nas claras salas, em que o ar e a luz circulam à vontade, e nas largas varandas que olham para a baía, cochilam, sentadas nos bancos, ou passeiam, arrastando as pernas trôpegas, as velhas, trêmulas, pequeninas, curvadas, com as gengivas sem dentes mastigando palavras que ninguém entende, e tendo nas faces enrugadas uma serenidade que é mais do céu que da terra. Umas são brancas, outras mulatas, outras pretas: há ali brasileiras, polacas, francesas, africanas; cada uma delas tem a sua religião, cada uma delas as suas crenças e os seus hábitos. O manto caridoso do grande Instituidor da Ordem dos Menores abriga todas as raças, todas as cores, todas as modalidades de fé... No jardim, trabalham ou descansam os velhos: um deles, um alto homem, – tão curvado que o seu pobre corpo descreve um semicírculo completo, – cuida dos animais, fala-lhes, entende-os, vive com eles na paz do Senhor; outro, ferido de hemiplegia, com o olhar parado, parece seguir de longe o lento desdobrar de um sonho infindável; outro, com uma auréola de cabelos de neve sobre o pergaminho amarelado da face, trabalha em carpintaria, absorvido no trabalho, alheio a tudo, polindo com as mãos encarquilhadas e trêmulas um toco de pau. E não há uma fisionomia que revele tortura moral: a paz está ali, pairando sobre todas aquelas cabeças vacilantes que a idade e o trabalho encaneceram.

Ao fundo de uma das salas, uma velha, chegada à extrema fraqueza, com as juntas aquilosadas, encolhe-se dentro de uma vasta poltrona: quando passa uma das irmãs, a mão direita dessa nonagenária levanta-se a custo, e traça o sinal da cruz. E vê-se bem que cada um desses destroços humanos abençoa a sua sorte, no doce e tranqüilo crepúsculo daquele fim de vida, com o pão seguro e a paz garantida.

Há entre as asiladas uma preta da Costa da África, a velha Ursulina, cega de ambos os olhos, que passa os últimos dias da vida a rir, como uma criança inocente: o seu único trabalho é moer o café. Aproximo-me dela, pergunto-lhe se está contente. A pobre anciã cai de joelhos no chão, levanta os braços ao céu, e diz na sua meia língua atrapalhada: "Deus Nosso Senhor abençoe tudo, grandes e pequeninos!" Que beleza de frase! Aquela rude mulher, na sua caduquice, não sabe o que diz: mas como é fácil compreender o alcance da sua expressão inconsciente! A pobre valetudinária, cega, decrépita, já com meio corpo dentro da sepultura, não abençoa apenas o homem bom que fundou e mantém o *Asilo da Velhice Desamparada*: abençoa, com aquela frase ingênua, a toda a humanidade, que apesar de todos os seus crimes e todas as suas maldades, ainda é capaz de produzir homens bons...

* * *

Quando saí do *Asilo de S. Luís*, vim pensando nessas palavras da pobre cega. O melhor meio de abençoar uma boa obra é auxiliá-la... E é por isso que, deixando de parte os outros assuntos (bem desagradáveis em verdade) de que poderia tratar hoje esta *Crônica*, preferi dedicá-la toda a este único assunto consolador. O visconde de Ferreira de Almeida é dos que fogem ao barulho da publicidade, e amam o labor obscuro, e o benefício praticado sem *rèclame*. Mas não será tempo de auxiliá-lo eficazmente? O que ali está feito é muito, mas não é tudo. Se o governo e o povo concorressem no propósito de proteger o *Asilo S. Luís*, acolher-se-iam ali não os sessenta, mas trezentos ou quatrocentos velhos. E aquilo ficaria sendo a Cidade da Velhice, o abençoado Município do Bem.

Quem sabe? há por ali algumas pessoas que me dão a honra de ler com benevolência esta coluna da *Gazeta*... É possível que a curiosidade que me levou a visitar aquele prodígio da Caridade tente a mais alguém: e talvez alguma cousa se faça para completar a criação que já é tão bela.

s. a.

02 fev. 1902

Crônica

A semana foi desenxabida e triste, apesar da grande quantidade de máscaras burlescas que estão careteando às portas das lojas. Chuva e calor, calor e chuva: e a gente pobre, mergulhada em tédio, lendo com inveja as notícias das festas que há na fidalga Petrópolis.

Não te desesperes muito, ó gente pobre que não podes viver em Petrópolis!, aquela felicidade é só aparente. O nome deste mês de fevereiro, *februarius*, vem de *februare*, expiar, purificar, purgar. E para essa casta de cariocas, que são conhecidos pela denominação de "diários de Petrópolis", o mês é realmente de expiação.

Uns são *diários*, porque precisam dar conforto e felicidade à família; outros, porque têm necessidade de fingir que estão ricos; outros, por amor da moda, por obediência às imposições do soberano chique. Mas para todos eles a vida é uma tortura, que Dante se esqueceu de mencionar em qualquer dos sete círculos do Inferno.

O desgraçado *diário* chega à Prainha, estremunhado e suado, às 10 horas, engole às pressas o almoço, e corre aos seus negócios; mas, daí a pouco, o relógio marca 2 horas da tarde, e urge abandonar o escritório, para fazer compras, para despachar encomendas, para atender a compromissos vários; às 3 1/2 o infeliz abala de novo para a Prainha, suando em bica, através do tumulto e do atropelo do bairro do café, e chega esbaforido e carregado de embrulhos à estação das barcas; e há depois as atrapalhações do trem em Mauá, e a chegada a Petrópolis com a chuva ensopando as ruas, e o banho tomado às pressas, e o jantar comido sem apetite, e o concerto, e o baile, e o joguinho; quando o *diário* cai, estrompado, na cama às 2 horas da madrugada, a sua vontade é dormir ali o seu último sono; – mas, que esperança! é preciso acordar às 5 1/2 e fazer a barba em segundos, e engolir atabalhoadamente o café, e sair do hotel a galope, para recomeçar o insano labor, o inenarrável suplício, a indizível tortura daquela vida de forçado do Chique, de calceta da Moda, de galé da Elegância!

* * *

O melhor é viver, sem invejas, neste marasmo de vida carioca. A gente aborrece-se mas não se arrisca a morrer de *surménage*.

Parece que com a aproximação do Carnaval, a vida carioca retrai-se, concentrando as suas forças para o dispêndio dos três dias de loucura. Estamos armazenando atividade, vibração nervosa, alegria: e, enquanto sai à rua o primeiro Zé-Pereira, ficamos nesta modorra pesada, de que nada consegue arrancar-nos.

Nada: nem mesmo o novo triunfo, em Nice, de Santos Dumont.

Já não se trata agora de um passeio sério, sobre o casario de uma grande cidade, entre St. Cloud e a Torre Eiffel. Agora, o voador estende as asas da sua aeronave sobre as ondas pérfidas, sujeitando-se às traições das tempestades do alto mar. A primeira experiência foi uma vitória. A multidão dos fidalgos despreocupados e dos banqueiros orgulhosos, que se refestelavam nas delícias de Nice, viu o brasileiro elevar-se aos ares, governar a sua aeronave dócil, ir e vir com segurança. E bem o disse Artur Azevedo num belo soneto! Santos Dumont está fazendo pelo renome do Brasil mais do que têm feito, em mais de cinqüenta anos, todos os nossos diplomatas.

Por ora, as notícias das experiências não têm feito barulho no Brasil. Há como uma desconfiança e um espanto, diante do maravilhoso caso. O país inteiro está na atitude daquele matuto que, ouvindo pela primeira vez um fonógrafo, sorriu com ingênua malícia, e foi procurar debaixo da mesa o esconderijo do espertalhão que o queria enganar... Nenhuma mensagem de felicitações, nenhum telegrama recebeu até hoje Santos Dumont, da sua gente, do seu povo. Todas as manifestações têm sido oficiais: e pela frieza com que a multidão recebe as novas de tão radiantes e repentinas vitórias, ninguém dirá que é o nome brasileiro que está em jogo no caso.

* * *

O acontecimento que ainda conseguiu fazer barulho foi a prisão sofrida por uma senhora brasileira em La Plata, em circunstâncias que ainda não se esclareceram.

Ninguém pode supor, está claro, que a execução dessa violência obedecesse ao propósito de desfeitear o Brasil. Essa suposição será uma rematada tolice; e quem quisesse em torno desse caso simples, levantar a tempestade de um conflito internacional, mereceria ser exposto na praça pública, com um par de descomunais orelhas postiças, – como as que se punham antigamente na cabeça dos meninos tapados, que não conseguiam aprender, nas escolas, a cantilena do *sum, es, fui*.

Todos percebem que aquilo não foi mais do que um estenderete da polícia platina. E, como, neste particular de estenderetes policiais, nós sabemos bem de que força é a nossa própria polícia, não nos é difícil desculpar até certo ponto a imbecilidade da polícia dos nossos vizinhos. Em todo o caso, a agitação provocada pelo extravagante sucesso foi salutar.

O que mais espanta é a ingenuidade deste telegrama publicado ontem:

"Buenos Aires, 31. – Informações oficiosas enviadas ao governo pela polícia de La Plata, negam que a Sra. D. Evangelina Palhares tivesse sido maltratada, e *apenas* reconhecem culpa em tê-la conduzido para um hotel de segunda ordem, que não goza de boa fama".

Aquele *apenas* é, realmente, uma delícia! Que foi que houve? quase nada! *apenas* isto: a polícia deitou a mão sobre uma senhora respeitável, e meteu-a dentro de um bordel!

Ah! polícias da América, da Europa, de todas as partes em que se divide o planeta!

Sois sempre as mesmas, irmãs na brutalidade, gêmeas na falta de senso!

* * *

Fechamos quanto antes esta crônica de uma semana estupidamente aborrecida. Já as ruas se atapetam de *confetti*, já se cruzam os esguichos das bisnagas, zombando da proibição policial, e já se distinguem ao longe o surdo clamor do *Zé Pereira*...

s. a.

23 fev. 1902

Crônica

Esta crônica é escrita na terra paulista, por uma bela manhã que parece de doce inverno. Escrever assim de tão longe, e sem saber o que houve, durante a semana no Rio de Janeiro, não é tarefa agradável nem fácil. Além disso, como ter idéias, como ter estilo, escrevendo num quarto de hotel, entre quatro paredes nuas e frias que nada dizem à alma do escritor?

A mesa é acanhada, a cadeira é incômoda, a pena é ruim, a tinta é pastosa, tudo é hostil e aborrecido. Pelo chão do quarto, escancaram-se as malas, espalham-se as roupas: e, no meio desta desordem, as idéias baralham-se e perdem-se, perdem-se e baralham-se as palavras. Um adjetivo esconde-se no fundo da caixa dos chapéus; um verbo substantivo perverso mete-se entre as camisas em pilha; um verbo espertalhão salta do bico da pena, e, em vez de cair sobre o papel, vai alapardear-se debaixo da cama. Lá fora tudo também é confusão e desordem. Pelos corredores do hotel, soam passadas fortes, gritam vozes desconhecidas, arrastam-se bagagens, tinem campainhas, travam-se disputas: e cada um desses confusos rumores entra pelo ouvido da gente como uma alfinetada torturante.

Ah! quem me dera outra vez o tempo em que a minh'alma, alegre e moça estava bem em toda a parte, como uma despreocupada cigana sem pátria! Num quarto de hospedaria ou num gabinete luxuoso, sobre uma rica mesa de canela ou sobre uma pífia tábua de pinho, no aconchego da minha casa ou na lufa-lufa da sala de redação de jornal, – em toda a parte, a pena, ágil e pronta, deslisava com a mesma facilidade sobre o papel, e bastava um gesto para que as idéias, como servas obedientes, acorressem logo, e viessem fulgir e revoar, num bando alado, em torno de mim.

Esse era o tempo da rija saúde e do bom humor imutável: as manhãs, por mais nubladas que despertassem, pareciam sempre feitas de sol; os dias corriam sem um tropeço, como águas de rios calmos; as noites voavam sem um sonho mau. E para o trabalho como para o prazer, os nervos estavam sempre afinados, e os músculos estavam sempre firmes, e o cérebro estava sempre fresco...

Mas a que vem tudo isso? o realejo aqui está à minha espera... Não há desculpa possível: é empunhar a manivela e começar a moer a música!

* * *

Como não sei o que houve no Rio de Janeiro, o melhor é espalhar por esta coluna alguns aspectos de S. Paulo, algumas notas sobre a vida da linda capital do café.

Não vale a pena, está claro, falar do progresso material, em verdade espantoso, que se admira por aqui. S. Paulo não fica no fim do mundo: e não há carioca que não conheça as maravilhosas criações da administração Antônio Prado. Alargam-se as ruas, arborizam-se as praças; os velhos paralelepípedos tortos do calçamento são substituídos por outros, novos e bem feitos, de arestas vigorosamente retas; as calçadas são de elegante ladrilho; e já no largo do Rosário há um *refúgio*, como os das ruas de Paris, – *excusez du peu!*

O que mais interessa, porém, não é esse progresso: é o outro, o progresso moral, a boa vontade com que o povo se vai educando e disciplinando.

Nesta semana, houve no policiamento dos teatros paulistas, uma reforma altamente significativa. Até agora, esse policiamento era feito por soldados de polícia. Naturalmente, esses soldados apresentavam-se armados, porque havia até agora a convicção de que o povo, essa eterna criança malcriada, devia ser intimidado pelo minaz aspecto dos mantenedores da ordem. Mas, há poucos dias, o policiamento começou a ser feito pela guarda cívica, e sem armas.

Isso parece pouco, e é muito. Há reformas que só são possíveis, quando se tem na cordura e na boa educação de um povo uma absoluta confiança. Uma multidão civilizada pode ser vigiada e policiada por um só homem inerme, e até por uma criança débil: e, para conter em respeito e calma uma multidão de Zulus ou de cafres, não bastarão decerto cinqüenta metralhadoras...

Mas para provar que essa medida pode ser sem receio adotada em S. Paulo, basta citar dous fatos:

Quando a *Light and Power* inaugurou os seus bondes elétricos, adotou desde logo um regulamento rigoroso. Marcou-se uma lotação para cada carro; estabeleceu-se que só se poderia subir para o bonde ou dele descer por um lado da linha; e ficou terminantemente proibido fumar nos três primeiros bancos de cada veículo. Pois há mais de um ano que o serviço se faz sem a menor disputa. As senhoras, que não suportam o fumo, sentam-se nos três primeiros bancos do bonde, – e nunca, mas absolutamente nunca, houve um passageiro que, tomando lugar em um desses bancos, se lembrasse de acender um cigarro... Eu conheço muito intimamente uma grande cidade, – a cidade da desobediência, da indisciplina e do *não pode!* – em que tal regulamento, com essas exigências, que pareceriam logo atentados contra a liberdade individual, provocaria motins, protestos, assuadas, e tiros de revólver... Não é verdade? nos bondes dessa grande cidade a que me refiro, todo o mundo fuma, lançando baforadas à face das senhoras, e todo o mundo cospe e escarra, com estrépito e orgulho, nos soalhos, cujo aspecto dá náuseas mortais...

Valha-se Nossa Senhora da Disciplina, ó cidade do meu amor e do meu desespero!

O outro fato admirável é este. A municipalidade de S. Paulo está retirando as grades de todos os jardins públicos. As grades, quando se conservam, são baixinhas e frágeis, simples cercados, que apenas servem para enfeitar e não para resguardar as plantas.

No Rio de Janeiro, é preciso levantar em torno dos jardins altas e pavorosas paliçadas de ferro; é preciso guardar as plantas com o mesmo desvelado rigor e a mesma escrupulosa avareza, com que, na rotunda do Museu do Louvre, em Paris, se guardam a coroa de ferro de Carlos Magno e as pedrarias da coroa do Rei-Sol! E não é preciso resguardar apenas as plantas: ainda há poucos dias, um jornal contava que os baixos-relevos da estátua de Caxias, no largo do Machado, estão quase de todo destruídos pelas mãos dos vagabundos...

Nos jardins de S. Paulo, não há somente folhagens; há flores, e lindas flores, ao alcance da cobiça de quem passa, esplêndidas rodas, radiantes camélias, cheirosas gardênias, melindrosas orquídeas, – e ninguém deixa cair sobre elas a mão devastadora.

Decerto, o povo do Rio de Janeiro não é uma turbamulta de vândalos: se é um povo mal educado, é porque ainda lhe não quiseram dar educação. Se a polícia metesse no xadrez e desancasse com uma boa roda de pauladas todo o vagabundo que estragasse árvores e monumentos e plantasse figurinhas torpes nas paredes das casas, em breve os nossos jardins teriam flores, e os trabalhos de Bernardelli ficariam salvos, e as senhoras poderiam sem receio olhar as muralhas dos prédios...

* * *

E está acabada a quinta tira de papel. Que pena, Santo Deus! que tinta! e que triste este quarto de hotel! Imagine o leitor que a *Gazeta* de hoje não trouxe *Crônica*: vá ler o noticiário, e não se arrepele com o logro que lhe pregou o cronista.

Daqui a uma semana, já por esta coluna haverá um pouco de frescura e de aroma: a próxima *Crônica* virá de um lindo pedaço de terra mineira, de um formoso vale encantado, que as Musas e as Graças habitam, em companhia da Saúde e do Sossego. Lá, na serena vila de Poços de Caldas, poderá o cronista analisar a vida carioca: às vezes, para bem apreciar as cousas, é preciso estar bem longe delas! Deus permita que não haja pelo Rio de Janeiro assassinatos nem torpezas, para que, no meio da doce paz da Natureza, eu não seja obrigado a tratar de cousas tristes!

E até domingo! A manhã, que parece de meigo inverno, convida a um longo passeio...

s. a.

02 MAR. 1902

CRÔNICA

Estas linhas que vais ler, amigo leitor, chegam de longe. Entre o dia em que foram escritas e aquele em que são lidas, há dois longos dias de viagem, por montes e vales, ao galope frenético da locomotiva. Lidas ao domingo, foram escritas na quinta-feira, – justamente no dia em que o mundo celebrava o centenário do nascimento de Victor Hugo.

Que importam quarenta e oito horas de atraso? não é muito que se consagre toda uma semana de culto à memória daquele cuja alta voz sonorosa encheu todo o século passado, – todo esse grande século que tinha apenas dois anos, quando nasceu em Besançon, o poeta que devia interpretar em versos imperecíveis todas as paixões, todas as cóleras, todos os gemidos, todos os sorrisos da humanidade.

O cronista quis fazer a sua *semana hugoana*, e passou estes dias relendo o que aquela nobre musa deixou na sua passagem pela miséria da terra. Viagem maravilhosa, deslumbradora viagem através de esplendores e assombros: – furnas lôbregas e clareiras radiantes, desertos escaldados e devesas úmidas, solidões alpestres e fecundos vales, rios serenos e torrentes devastadoras, – há de tudo nesse fabuloso mundo de sonho, que a alma potente de Hugo extraiu do nada.

O nome de poeta anda abastardado e malbaratado. Qualquer um de nós pode, com maior ou menor esforço, fixar em versos mais ou menos perfeitos, uma idéia mais ou menos nova. Tudo é questão de estudo e paciência: não há dificuldade que a pertinácia não vença: e fazer jogos malabares com as palavras é prodígio que só pode maravilhar os que se não iniciaram nos mistérios dessa arte vulgar. Que valem os nossos sonetos, as nossas baladas, as nossas fantasias de vôo certo? O artífice chinês, que consome um ano de trabalho em cavar e arrebicar um pedacinho de marfim, para dele extrair uma maravilha de escultura microscópica tem mais valor do que qualquer de nós... Poetas, como o maior de nós, aparecem às dúzias, de ano em ano, por este vasto mundo: aparecem, brilham um momento, e apagam-se e desaparecem, como flóculos de espuma, no mar sem raiz do tempo.

Poeta quer dizer *criador*, continuador e rival de Deus, capaz de tirar luz das trevas, e da inércia da morte a palpitação da vida. Só é poeta o homem, cujo espírito tem a faculdade de se desdobrar em mil espíritos, e de propagar pela face do planeta esse calafrio de febre que fecunda e transforma as coisas e as almas. Poeta é Homero, que eterniza a idade heróica; Dante, que humaniza o amor divino; Shakespeare, que resolve todo o mundo moral; Camões, que imortaliza a conquista dos mares tenebrosos;

Cervantes, que fixa num tipo sublime todas as nossas ambições e todas as nossas loucuras; Victor Hugo, que junta, dentro do mesmo canto apaixonado, todo o horror de nossa decadência e toda a fulguração das nossas esperanças. Nós, outros, somos os miniaturistas do sentimento, os fabricantes dos pechisbeques literários que a moda aclama e repele ao sabor de seus caprichos. Um capricho nos eleva, outro capricho nos abate: e, dez anos depois da nossa morte, já os homens acharam aborrecido e pretensioso aquilo que tanto esforço nos custa.

Mas, o velho Hugo!, que alma e que irradiação de pensamento e de amor! Esse cobriu, com as suas asas possantes, três gerações humanas: e quando a raça latina mergulhada no olvido em que tudo há de acabar, já estiver quase de todo submergida, ainda este grande nome há de fulgurar, como o último raio de um astro que se apaga!

Logo no dia seguinte ao da morte de Victor Hugo, o sereno Renan escrevia: "Ce fut un homme extraordinaire, vraiment unique: il semble qu'il fut crèe par un décret special et nominatif de L'Eternel!..." Nós todos ainda nos lembramos daqueles tristes e sobressaltados dias do ano de 1885, durante os quais agonizou o poeta da *Legenda dos Séculos*. Suspendera-se a vida humana: todos os corações palpitavam de ansiedade e de medo: dir-se-ia que toda a raça latina agonizava com ele. Depois, quando a notícia de sua morte chegou, não houve quem não sentisse o peso do luto que caía sobre a França. Por quê? é o mesmo Renan que o explica: "Fut-il français? allemand? espagnol? Il fut tout cela et quelque chose encore. Son génie est au-dessus de toutes les distinctions de race; ducane de familles que se partagent l'espèce humaine un physique et un moral ne peut se l'attribuer..."

Deus cria, de quando em quando, almas como essa, – vastíssimos estuários em que vêm desaguar, como rios tumultuosos, todas as aspirações e todos os ideais da humanidade.

Victor Hugo foi um dos poetas a que os gregos chamaram *demiurgos*, – a um tempo sacerdotes e guerreiros, depositários dos segredos divinos, intérpretes de teogonias e cosmogonias nebulosas, – através de cujos cantos reviviam, e ganhavam a existência eterna, as crenças e as religiões, os apóstolos e os heróis, os conquistadores e os mártires.

Decerto, na obra vasta e radiante em que o cantor dos *Quatro Ventos do Espírito* imortalizou a língua francesa, há volumes que vibram apenas os seus sentimentos individuais, a sua inocência de criança, as suas aspirações de adolescente, as suas inquietações de homem feito, as suas tristezas de velho. Como poeta lírico, não houve nunca talvez quem se lhe avantajasse: o amor, aquecido dentro do seu coração, teve ternuras e desesperos nunca sentidos; e a voz humana, ecoada através dos seus lábios, teve soluços novos, queixas de nunca sonhada amargura. Ninguém, como ele, cantou jamais a formosura da natureza, a graça das mulheres, o sorriso das crianças, e a indizível harmonia da música dos beijos, entre ramadas floridas ao clarão melancólico do luar. Quem abre ao acaso um volume de *L'Art d'être grand-père* ou das *Chansons des rues et des bois*, fica pasmado e tonto, vendo surgir, diante dos olhos e da alma, sutilezas de amor nunca sonhados, recantos do coração nunca sondados, requintes de meiguice que devem ser mais do céu do que da terra...

Mas, ai do poeta e ai da sua glória, se houvesse nos seus versos apenas essa preocupação egoísta de contar aos outros homens a sua alegria ou a sua mágoa! Não! Victor Hugo foi um largo espelho em que se refletiram as mágoas e as alegrias de todos os homens...

Este poeta extraordinário não se deixou ficar à margem da corrente da vida, contemplando as ondas humanas anônimas, que se atropelavam e gemiam no seu curso insano: ao contrário disso, ele rolou e sofreu com essas ondas, confundiu-se com elas, e foi positivamente uma delas, – uma das que mais penavam e choravam. Não houve desastre humano que o não comovesse, não houve conquista da humanidade que o não entusiasmasse. E como se lhe não bastasse meter dentro do próprio coração o tumulto de todos os corações de seu tempo, – quis rememorar toda a vida da humanidade, e vibrando a um só tempo, criou essa estupenda epopéia da *Legenda dos Séculos*, que abre com a madrugada fugidia da vida terrestre, pompéia na graça da manhã da civilização grega, sorri e esplende no meio dia do império romano, esbate-se melancolicamente no lusco-fusco da invasão dos bárbaros, agoniza no eclipse da Idade Média, renasce para a luz na febre da história moderna, e sonha, por uma antevisão de gênio, uma era futura, toda de paz e de amor.

É por isso que a festa do centenário do seu nascimento foi uma festa universal. E a festa do outro centenário, o da sua morte, em 1985, há de ser ainda mais bela, – porque, nesse tempo, talvez já o mundo não esteja convertido num vasto matadouro, em que os povos fortes assassinam os povos fracos.

Quem sabe? a era da Paz e do Amor, que o *Aedo* da *Legenda dos Séculos* anuncia na última página do seu poema, não vem talvez muito longe. Felizmente, os homens cansam-se depressa de tudo: até mesmo de ser maus...

s. a.

23 MAR. 1902

CRÔNICA

Não é possível ao cronista [*****] de longe as notícias que lhe vêm do Rio de Janeiro. Os jornais chegam atrasados: as notícias mais frescas são as que vêm pelo telégrafo, laconicamente redigidas, curtas e secas, apertadas pela dura necessidade de economizar palavras. Assim aconteceu com estas duas novas, chegadas há poucas horas do meu retiro: "Foi declarada extinta a epidemia de peste bubônica"; e "um intendente municipal propôs que se votasse a verba de quinhentos contos de réis para o embelezamento do Rio de Janeiro". Será isso verdade?

Mas acreditamos que o telégrafo não se haja equivocado, e regozijemo-nos com as duas comunicações benfazejas. *Sursum corda*! está salva a cidade de Mem de Sá!

Realmente, para que nunca mais o Rio de Janeiro seja o terror do estrangeiro e a vergonha do Brasil, que mais cumpre fazer, além de *declarar extinta* a peste bubônica e de votar *quinhentos contos* para o embelezamento da urbis? Para nós, cariocas, que tão facilmente nos contentamos com palavras, isso é bastante. O diabo é que o resto do mundo não é tão pouco exigente...

O resto do mundo, mais praticamente educado, sabe que as epidemias não se submetem facilmente a declarações nem a decretos; e sabe ainda que as cidades são como as pessoas, cujo corpo não fica asseado pelo simples fato de se revestir de uma roupa limpa. Nada mais louvável, certamente, do que a intenção do poder sanitário que declarou extinta a peste; todos nós desejamos vê-la extinta, apesar da farta messe de dinheiro que a muita gente fornece essa Ceifadora de vidas. Mas diz um rifão que de boas intenções está calçado o inferno – cujo calçamento deve ser muito parecido com o do Rio de Janeiro.

Não é lícito supor que a epidemia, usando de uma bondade que não está nos seus hábitos nem na sua índole, se resigne a deixar o cômodo leito em que até agora tão regaladamente se refocilou. O único meio de a pôr para fora, seria desmancharlhe a cama: e foi disso que não cuidamos até agora. Imaginemos que alguém, morando na vizinhança de um monturo, se sentisse vivamente incomodado pelos mosquitos; e que, para dar cabo dessa praga, se lembrasse, não de consumir o monturo, mas de lançar aos quatro ventos da publicidade um decreto concebido nestes termos: "fica estabelecido, para todos os efeitos, que, de hoje em diante, não haverá mais mosquitos na minha vizinhança!" Os mosquitos continuariam a nascer, aos milhões, e o desgraçado continuaria a passar as noites em claro, com o ouvido azoinado pela surriada infernal dos filhos da podridão...

Quanto a gastar quinhentos contos com a toalete de Mlle. Sebastianópolis, não é de crer que isso melhore muito as condições de saúde dessa madura solteirona. Mademoiselle está cheia de reumatismos, que quase a não deixam ter-se em pé, e de sarnas, que lhe cobrem de liqüens vivos a velha pele. Quinhentos contos de vestidos novos não lhe amaciarão as articulações nem lhe abrandarão a coceira...

O que é preciso, é dar-lhe iodoreto de potássio e pomada de enxofre! Mademoiselle não precisa de *embelezamento*, mas de *saneamento*. Depurem-lhe o sangue, levantemlhe as forças, chamem-lhe às faces as rosas da saúde, e só depois disso é que deverão tratar de cobri-la de sedas: porque antes disso, coberta de sedas ou de mulambos, Mademoiselle será sempre uma horrorosa tartaruga!

Então, e somente então, é que se poderá declarar extinta a peste bubônica. Essa amável peste já foi extinta por decreto algumas três ou quatro vezes, e não se importou muito com isso...

* * *

Caberia bem aqui uma referência à inundação providencial com que o céu beneficiou o Rio de Janeiro. Mas à hora em que é escrita esta *Crônica*, é provável que já se tenham fechado as cataratas do céu, e que já tenham voltado ao mar as canoas que andaram pelo largo do Machado substituindo os bondes.

Antigamente, eram raras as inundações no Rio. O que havia, era aquela chuva forte de todas as tardes, no verão, – um aguaceiro rápido e forte, que lavava as ruas, refrescava o ar, e moderava o rigor da canícula. Essas abençoadas trovoadas do nosso verão desapareceram, como tantas outras cousas boas, por culpa nossa. As matas que cercam a cidade têm sido devastadas com um vandalismo cruel: e a devastação continua, e provavelmente continuará porque nós não nos contentamos com o não querer ajudar a Natureza, e ainda nos esforçamos por destruir o que ela tem de bom.

Agora, a nossa única providência é a tromba de água que em cada estio nos vem visitar. Não tarda muito que se descubra o meio de também evitar essa providência...

Mas deixemos tudo isso de parte, e vamos a um triste assunto que nos chama a atenção.

* * *

Custódio de Mello, o bravo marinheiro que inesperadamente acaba de desaparecer, merecia bem as homenagens comovidas que a população do Rio de Janeiro prestou ao seu cadáver.

É raro o homem em que não se reúnem, amalgamadas e confundidas numa só, duas ou mais personalidades distintas. Não somente o nosso modo de pensar e de agir se renova incessantemente de minuto a minuto, de maneira que eu não sou hoje justamente o que fui ontem nem o que serei amanhã, como ainda, num mesmo momento dado, pode haver dentro de cada um de nós duas entidades diferentes, que não raro se guerreiam e sempre se atrapalham.

Nesse brasileiro ilustre, que tanta falta há de fazer à nossa já tão pobre marinha, havia um militar e um político, duas individualidades, que "hurlent de se trouver ensemble", mas que tão freqüentemente, no Brasil, vemos agora reunidas. O soldado tinha o orgulho da sua profissão, a consciência do seu saber, a certeza do seu valor, um patriotismo exaltado, e uma bravura que a má vontade dos inimigos não conseguiu nunca negar. O político, esse tinha, como quase todos os políticos, uma ambição desarrazoada, que o cegava, turvando-lhe às vezes de um modo deplorável a inteligência, e escravizando-lhe o claro espírito e o nobre caráter ao mando de uma vaidade infantil.

É inútil lembrar como o político prejudicou o soldado. Os regimes democráticos têm este grave inconveniente: pondo o pomo de ouro do poder ao alcance de todas as mãos, açulam e nutrem ambições, que podem conquistar fulgurantes glórias, mas que quase sempre conduzem a irreparáveis desastres. Uma das páginas mais admiráveis de Renan é aquela em que esse grande e virtuoso Mestre, – estudando o reinado de Marco Aurélio, e mostrando as vantagens do *princípio de adoção*, posto em prática na corte imperial de Roma no 2º século da era cristã, – prova que o poder só pode ficar a coberto de ambições nefastas, "quand il perd une partie de cet attrait qui le vend si dangereux..."

Mas que havia de fazer, no caso especial de que tratamos, o soldado?

Nós todos não passamos no mundo de títeres, movidos pelo capricho de uma poderosa mão desconhecida. Quando se fez a República, o almirante Custódio estava longe daqui, preocupado apenas com os seus deveres de militar e de educador, comandando um punhado de moços.

Mal podia ele então imaginar que se estava passando no Brasil uma cousa que tão grande influência deveria ter sobre a sua vida...

Ao chegar à pátria, caiu em pleno fervedouro de paixões, em plena florescência da ambição política. O 15 de novembro agitava, até as mais baixas camadas, o seio do país: o soldado não se resignou a ser somente soldado, – e desde esse dia, a sua alma não teve mais sossego. Também, nesse dia começou a sua infelicidade: o almirante Custódio pagou, sofrendo violências, as violências que cometeu; e viu perdoadas por causa das injustiças que teve de suportar na hora da desgraça, as injustiças que na hora do poder praticou.

Hoje, que a Morte lhe deu o eterno descanso, o nome do político desaparece, consumido e apagado; o nome que fica é o do marinheiro, que tantas vezes honrou a Pátria dentro e fora dela.

Ministro de Estado, deputado, chefe de revolução, ora poderoso e adulado, ora banido e injuriado, – tudo isso pouco importa: não nos faltam políticos, e todos eles têm as mesmas qualidades e os mesmos defeitos. Os marinheiros é que não nos sobram: e quando se perde um como este, patriota e competente, instruído e bravo, é justo chorá-lo e honrá-lo, perdoando-lhe os erros e exaltando-lhe a memória.

s. a.

30 mar. 1902

Crônica

Semana Santa. Em Caldas: os dias da solene hebdômada da Igreja Católica fluíram aqui, repassados de uma infinita doçura, numa profunda calma.

O sino da pequena igreja ficou calado; não se acenderam luzes no altar-mor, não se rezaram os ofícios sagrados, não se cantou o *Stabat Mater*, não houve sermão de lágrimas, não se distribuíram as palmas bentas do domingo de Ramos, nem os galhos de arruda e alecrim do sábado de Aleluia, – porque não há atualmente padre que cuide da salvação das almas nesta vila de Pedro Botelho. Mas o céu esteve tão lindo, os jasmineiros arrearam-se de tantas flores, tão vivamente esplendeu ao sol o verde das serras, – que a Natureza parece ter querido festejar e comemorar, ao seu modo, a semana do sacrifício de Jesus.

Depois das chuvas aborrecidas que, por todo um mês de tédio, turvaram os ares e encharcaram a terra, – a vila, amável e risonha, com o seu firmamento de veludo azul, as suas colinas de desmaiada esmeralda, e a sua ociosa e cosmopolita população de banhistas, é um cantinho do Paraíso perdido na terra.

Para ocupar a preguiça da semana santa, o cronista escolheu justamente um livro que trata de religião e religiões. Foi *Le Conflict*, de Felix Dantec.

Nesse livro, agita-se mais uma vez a questão secular, a eterna e fatigante questão da briga da Ciência com o Credo, – essa mesma questão, que Oliveira e Silva e Luiz de Castro, por não terem mais o que fazer, andaram discutindo ultimamente nas colunas da *Gazeta*.

Fabrice Pacaud, um livre-pensador que mora numa sossegada aldeia bretã, recebe a visita de um amigo de infância, o abade Joson, a quem os médicos aconselham um mês de repouso à beira-mar. Logo no primeiro dia, os dois amigos são insensivelmente levados, pela contemplação do lindo crepúsculo que doura os rochedos da praia, a discutir as belezas da criação e a existência do criador. E a discussão só finda, quando o padre Joson, acabada a sua cura de ar salitrado, volta à sua paróquia, cada vez mais convencido da infalibilidade do Papa e deixando o contendor cada vez mais aferrado às convicções materialistas.

Fecha-se o livro, com um sorriso de compaixão... E ainda há quem perca tempo em discutir estas coisas! Tão louco é o padre, cuja inteligência não pode romper o círculo de ferro da Bíblia, que piamente acredita que Deus tenha feito o mundo em seis dias no ano 4138 antes de Cristo, – como o ateu orgulhoso, que nega a existência da alma e reduz todos os fenômenos da vida espiritual a simples operações físico-químicas.

O Conflito! Mas, que conflito? A Ciência continuará a sua marcha triunfante pelos séculos dos séculos, e pelos séculos dos séculos a religião continuará a dar o consolo da ilusão às almas crédulas.

O Mistério não se há nunca desvendar aos olhos humanos: e a nossa miséria há de perder esta necessidade de acreditar numa vida melhor, esta necessidade de ter asas para fugir do lodo...

Pasteur, o grande sábio que foi talvez a maior glória do século XIX, definiu bem essa dualidade do cientista-crente: "En chacun de nous, il y a deux hommes: le savant, celui qui par l'observation, l'experimentation et le raisonnement veut s'elever a la connaissance de la nature, – et puis l'homme sensible, l'homme de tradition, de foi ou de doute, qui ne veut pas mourir comme meurt un vibrion; les deux domaines son distincts, et malheur à celui qui veut faire empiétés l'un sur l'autre".

E quem pode afirmar que a Igreja repila o que a ciência demonstra? A Igreja, batida em todos os seus dogmas, vendo pouco a pouco derrocada a construção formidável das suas *verdades reveladas* irá recuando, recuando, até chegar ao ponto em que a Ciência, impotente e vã, bata, sem resposta, à porta do grande Segredo. Então, o Sonho e o Terror hão de recuperar o seu domínio, – e o homem, vendo inútil todo o seu esforço, há de refugiar-se de novo no seio da crença ingênua, que é a mãe de todo o consolo.

Querem ver como a Igreja se vai submetendo, de passo em passo, ao que lhe aconselha a Ciência?

Há poucos dias, *O Estado de S. Paulo* publicava um ofício, que a Associação Paulista dos Sanatórios Populares dirigiu ao ilustre bispo da diocese, D. António de Alvarenga, pedindo-lhe que, em todas as igrejas da capital e do interior do Estado, se ponham em prática certas medidas, tendentes a impedir a disseminação da tuberculose.

Eis as principais das providências lembradas pela associação: "Três vezes por semana remover-se-á a poeira dos bancos dos confessionários e dos altares, por meio de panos umedecidos em água simples; as grades dos confessionários serão freqüentemente lavadas com uma solução de lisol ou de creolina, ou melhor, com lixívia fervida; as pias de água benta serão esvaziadas pelo menos todas as semanas, e lavadas com uma solução de ácido fênico a 5 graus ou sublimado a 1 por 1000".

Imaginar o que sucederia aos signatários deste ofício na Idade Média! Todos eles, sumariamente condenados à morte, seriam assados a fogo lento... Mas não é preciso ir tão longe. Há cem ou duzentos anos, o bispo, que recebesse esta carta revolucionária, ordenaria que ela fosse reduzida a cinzas e purificar-se-ia, com quinze dias de jejum e cilícios, do crime de ter tocado em tão abominável manuscrito, evidentemente inspirado e composto pelo demônio!

Quem admitiria, nessa época, que nas grades dos confessionários, quotidianamente santificados pela presença do sacerdote, se pudesse acumular uma poeira geradora de morbos mortais? quem acreditaria que na água benta das pias, preservada da decomposição pelo sinal-da-cruz, pudessem viver miríades de micróbios assassinos? O que então se admitia e acreditava é que a poeira dos confessionários era capaz de curar todas as moléstias; [*****].

s. a.

06 abr. 1902

Crônica

Vejam que grande é a hipocrisia humana! Os homens, assim como inventaram para a comemoração dos mortos o Dous de Novembro, inventaram para a exploração dos tolos o Primeiro de Abril. Como se em todos os outros trezentos e sessenta e quatro dias do ano nós não vivêssemos a enganar-nos uns aos outros!...

Diz o amável Larousse, – fonte da erudição de muita gente boa, – que em 1564, quando o rei Carlos IX da França decretou que o primeiro dia do ano, até então fixado no dia 11 de abril, passasse a ser o 11 de janeiro, muita gente, por carrancismo, não se quis submeter a essa inovação. A esses retrógrados começou então o povo a perseguir com pilhérias e chalaças: quando chegava o primeiro de abril, a gente engraçada mandava aos emperrados adeptos do antigo regime presentes simulados, *corbeilles* cheias de calhaus, caixinhas artisticamente pintadas em que o festejado encontrava, em vez de jóias ou doces, um rato morto ou um sapo vivo.

Assim, esta usança dos logros de 11 de abril tem quase quatro séculos de idade: há quatro séculos que reservamos um dia de cada ano para a prática dos logros inofensivos, servindo-nos de todos os outros dias para a prática dos logros mais sérios com que vivemos a mistificar-nos mutuamente.

Ai de nós! a grande logradora é a vida. Cada dia que passa traz um desengano: e, apesar disso, não há um só de nós que não viva a correr atrás de enganos. Assim que perdemos uma ilusão, agarramo-nos a uma outra: e não nos cansamos de dar caça a essas esquivas borboletas, que, quando se deixam apanhar, acham sempre meio de fugir, deixando-nos nas mãos um bocadinho somente de pó das suas asas brilhantes.

Este ano, também o cronista da *Gazeta* teve de engolir o seu *poisson d'avril*: um nédio peixe, de aspecto convidativo e reluzente escama.

Felizmente, quem está habituado às decepções, não estranha facilmente qualquer logro...

Foi durante uma dessas preguiçosas e deliciosas sestas, que a gente dorme no campo sobre o chão relvoso, em cujo verde tapete a luz do sol coada através das ramarias desenha arabescos fantásticos, e debaixo de copas cheirosas em que cantam pássaros alegres. Tinha eu nas mãos um livro, que não lia; e, pouco a pouco, entorpecido pelo calor da linda tarde, embalado pelo barulho da cachoeira que rolava perto, fui cerrando os olhos, e caindo num sono leve... Não era bem sono: através das pálpebras fechadas, os meus olhos entreviam a claridade forte da soalheira que castigava a serra; e os meus ouvidos percebiam, num zunzum confuso, o canto das aves, o barulho da água, o farfalhar dos ramos, o rincho de um carro de bois que passava numa quebrada distante: – mas o cérebro não distinguia bem essa mistura de impressões.

Foi então que me pareceu escutar uma voz antiga, que dizia:

"Vai ser satisfeito o teu grande sonho, desventurado! Um deus piedoso teve dó do seu sofrer, e quis dar um pouco de paz à tua alma desesperada! De hoje em diante, não gastarás mais o teu tempo e o vigor da tua alma neste estéril e inútil labor de escrever cousas fúteis para os jornais; de hoje em diante, apartado do barulho da cidade, internado na calma da vida da roça, vivendo como a gente simples que entende a linguagem dos pássaros e das folhagens, tu passarás a ser um homem primitivo, inocente e humilde como qualquer dos animais que te cercam; e soprarás a tua avena rústica, e apascentarás os teus rebanhos mansos, e farás versos às pastoras, às estrelas e às flores!...

Tanto eu não dormia, que ainda pude raciocinar, e responder a essa voz tentadora:

"Por que me hás de enganar, ó Tentação? Tu bem sabes que essa ventura de gozar a paz e a doçura da vida campestre não pode caber a um complicado como eu... Só pode amar a inocência quem é inocente! Se me fosse possível poder ficar para todo o sempre nesta tranqüilidade inefável, em breve tempo a minha alma estaria lacerada pelas saudades da agitação perdida. Como poderei eu mudar a minha existência, se não posso mudar a minh'alma? Ainda mesmo que me transformasse num deus, o meu rosto lembraria, em poucos dias, como diz Machado de Assis:

... o rosto de um deus enfermo,
Que se aborrece
Da divindade, e que apetece
Também um termo...

Mas a voz tentadora insistiu:

"Não! também a tua alma será mudada, porque será privada de todos os elementos de sofrimento que a perturbam. Não saberás ler nem escrever, não saberás mentir, não saberás sorrir quando tiveres vontade de chorar nem chorar quando tiveres vontade de sorrir; perderás a noção de todas essas pequeninas hipocrisias de que se compõe a vida social; quando amares, amarás sem requifes de lirismo, e, para ser feliz junto da mulher que amares, não inventarás penas, não criarás torturas fantásticas, não complicarás, enfim, aquilo que a natureza tem de mais simples! E, assim, restituído à primitiva pureza, nunca mais terás saudades da tua ignóbil rua do Ouvidor, e da existência fútil e mentirosa que arrastas por salas e praças..."

E, deliciosamente acalentado por essas promessas, eu sentia que uma vida nova me nascia no corpo; toda a minha alma reverdecia e rebentava em flores, numa primavera de inocência e de amor; a terra parecia abrir-se, para guardar-me todo no seu seio carinhoso.

Mas uma folha seca, revoluteando ao vento da tarde, veio cair-me sob a face que o sol aquecia. Despertei num sobressalto e ouvi a risada escarninha das aves, das flores, das nuvens, das águas, de tudo, zombando o logro em que eu caíra.

E lembrei-me logo (pobre de mim) de que era preciso escrever a *Crônica* da *Gazeta*. Vim sentar-me à banca do suplício, e comecei a escrever estes disparates.

Console-se o leitor: isto é uma crônica de 11 de abril, uma peça, um logro. Mas como todos nós somos todos os dias logrados, não há motivo para que briguemos. Até domingo!

s. a.

27 abr. 1902

Crônica

A cena passa-se nos Campos Elíseos, nessa abençoada região que o poeta Horácio, no seu Épodo XV, diz ficar situada na mais bela das Ilhas Afortunadas. É aí que as almas dos grandes homens, habitando corpos perfeitos e sempre jovens, vão repousar, entre delícias, das fadigas da vida humana.

Um meigo sol doira a paisagem, que uma perpétua primavera acaricia. Ninfas amorosas aparecem e desaparecem entre os troncos das árvores, de cujos galhos pendem frutos de ouro. Águas vivas, de viva prata, achamalotam-se à branda luz da tarde. As rochas manam regalos de ambrosia. E, sob a esmeralda móbil das ramadas, passeiam preguiçosamente os Grandes Homens, que outrora habitaram a terra, trocando idéias, e querendo (vão desejo!) gastar com a palestra um pouco do tempo infindável da sua eterna vida.

Num grupo, conversavam, indo e vindo pela cheirosa alameda de oliveiras, COLBERT, CROMWELL e MAQUIAVEL. E há na face de cada um deles a desesperada expressão de um aborrecimento sem termo.

COLBERT

Que tédio, irmãos! Temos aqui tanta cousa boa! temos frutos e néctares, músicas divinas, ninfas candescentes, grutas encantadas, leitos de cândido marfim. Mas que falta faz aqui um relógio! Há três séculos, desde que parti da matéria, não ouço o tic-tac de uma pêndula... Triste cousa é ter perdido a noção do tempo!

CROMWELL

O Tempo não existe para as nossas almas, e onde não há o Tempo, que amadurece os frutos da alma, não pode haver a Ambição, que é a razão de ser da vida... Alma sem ambições é árvore sem seiva. Começo agora a reconhecer, apesar de todo o puritanismo católico que ostentei na terra, que bem melhor seria que a alma não fosse imortal: tudo devia acabar na cova, debaixo da terra fria.

MAQUIAVEL

Infelizmente, não acaba. Eu, quando me lembro que anda tanta gente, humana e feliz, vivendo, vibrando, politicando, intrigando, fazendo e desfazendo impérios, tenho vontade de morrer de novo, – não de morrer como da primeira vez, mas de morrer de todo, num aniquilamento completo da matéria e do espírito. Como a gente humana é feliz! E, a propósito, que me dizeis vós daquele banquete que houve no Brasil, e em que tanto se falou de nós três?

CROMWELL

Que é o Brasil?

MAQUIAVEL

É um país novo, que, quando morremos, ainda não tinha saído da selvageria. Mas, em três séculos, progrediu muito: é hoje um país que tem finanças...

CROMWELL

...finanças?!

MAQUIAVEL

...parlamento, exército...

CROMWELL

...exército?!

MAQUIAVEL

... e todas as outras boas cousas que nós já deixamos na velha Europa. E vede que progresso! para que nós três pudéssemos viver à larga, foi necessário que cada um de nós vivesse em seu país: tu, Colbert, na tua cavalheira França; tu, Cromwell, na tua rígida Inglaterra; e eu, na minha risonha Itália. Mas parece que no Brasil há um homem que reúne em si, num só feixe de esplêndidas virtudes, o teu gênio financeiro, Colbert, e a tua indomável energia, Cromwell, e a minha sutil astúcia... Imaginai o que poderá fazer esse homem ultrafeliz, se puder praticar, na mesma nação, no mesmo momento da história, na mesma conjunção do espaço e do tempo, os prodígios que separadamente nós três praticamos!

CROMWELL

Há de ser difícil... Eu era um puritano severo, e, apesar disso, era tolerante...

MAQUIAVEL

Caluda, irmão! não fales da tua tolerância! olha que vai ali adiante, por aquela outra alameda de oliveiras, o teu rei Carlos I em conversa com Luís XIV...

CROMWELL

Que me importa o meu rei Carlos I? Eu lhe teria de bom grado poupado a vida, se pudesse. Mas, infelizmente, ainda no meu tempo não se tinha inventado o meio de fazer uma *omelette* sem quebrar pelo menos um ovo... E fui tolerante, porque, em vez de sacrificar apenas um rei, poderia ter sacrificado um rei e alguns milhões de súditos! Mas esse homem de que falas, irmão, terá a energia precisa para entrar num parlamento, com a Bíblia na mão esquerda e a espada na direita, e impor a sua vontade às hordas amotinadas dos retóricos?

MAQUIAVEL

Talvez tenha... O Brasil está muito civilizado.

Já houve por lá quem entrasse no Parlamento, não com a Bíblia, mas com a espada. E ninguém se queixou. Se este tiver a mesma coragem...

COLBERT

Talvez tenha... tudo está em ter consigo um exército fiel! Eu não quero magoar os teus melindres, Cromwell: mesmo porque, nesta eternidade sem raias em que vivemos, não podem servir para grande cousa os melindres. Mas sempre te direi que acho mais difícil que ele seja Colbert... Onde há um Colbert, há sempre um Fouquet: e destronar um Fouquet é tarefa muito mais árdua do que decapitar um Carlos I. O meu, deu-me um trabalhão! estava agarrado ao poder como um mexilhão a um casco de navio. Foi preciso que Mazzarino, no seu leito de morte, me recomendasse a Luís XIV como o único homem capaz de inventar dinheiro... Além disso, para fazer o que eu fiz, esse brasileiro de que falas terá, depois de destronar o seu Fouquet, de anexar territórios, de organizar uma marinha, de criar manufaturas, academias, estradas, canais, observatórios, cidades. E, depois de fazer tudo isso, se morrer milionário, ainda há de o povo insultar o seu cadáver, como insultou o meu... Enfim, tudo é possível. O essencial é que este homem seja um gênio, e que consiga ficar durante meio século senhor do espírito do seu Luís XIV.

MAQUIAVEL

Ah! Isso é impossível! no Brasil, os Luís XIV só duram quatro anos...

CROMWELL

São logo decapitados?

MAQUIAVEL

Não! são logo... substituídos. O Brasil é uma república. E eu, como sabeis, não gostei nunca dessa forma de governo: o que me agradou sempre e ainda hoje me agrada é uma boa tirania. Durante quatorze anos servi a República de Florença, como seu primeiro secretário; e que lucrei com isso? Fui perseguido, torturado e exilado, sob o pretexto de que conspirava contra aquele famoso Médicis, que foi depois Leão X. Para de novo tomar pé, tive de me humilhar diante de todos os Médicis, e de dedicar a um deles um livro que ainda hoje é muito lido e praticado entre os homens... Grandes deuses! para que me serviu tanta astúcia? acabei desgostoso e desprezado. Tu tens razão, Colbert! Não há nada, para quem quer governar e vencer, como ter consigo um exército fiel, – como aquele que tu tiveste, Cromwell...

CROMWELL

Tudo é vaidade no mundo, irmãos. De que me serviu lutar e vencer? A morte, que dá cabo de tudo, deu cabo do meu poder. Deixei a Inglaterra entregue a meu filho: e o moleirão deu com os burros n'água. A morte dá cabo de tudo, lá em baixo... Aqui em cima, é que não há morte! nem morte, nem prazer! há apenas vida, - uma vida imensa, infinita, horrivelmente longa e horrivelmente aborrecida! Que feliz é esse mortal que há no Brasil! vai ainda governar, viver... e morrer!

COLBERT

Deixemos lá o Brasil e os seus políticos! Que eles comam em paz os seus banquetes, e que em paz abusem dos nossos nomes! Que temos nós com isso? Deuses piedosos! Que hei de eu fazer para me distrair?

MAQUIAVEL

Eu, por mim, vou convidar para um passeio romântico aquela ninfa que acolá nos espia...

CROMWELL

Maroto! sempre hás de mostrar que és o autor daquela pornográfica *Mandrágora*, cuja leitura ainda hoje delicia os libertinos da terra... Adeus, Colbert! adeus, não digo bem: até logo, até sempre, até o fim dos séculos dos séculos! Vou fazer as pazes com o Carlos!

COLBERT (bocejando)

Que tédio! triste cousa é ter perdido a noção do Tempo... Há trezentos anos que não ouço o tic-tac de uma pêndula!

s. a.

04 maio 1902

Crônica

Maio... Por todas as igrejas, os sinos cantam, num barulho de vozes claras, celebrando a beleza e a candura de Maria. E nos altares, em que ardem as velas votivas, sorri, iluminada e linda, a Senhora Piedosa, coroada de rosas, radiante no seu manto azul salpicado de estrelas de ouro.

Para os anos europeus é que o primeiro dia deste mês suave é verdadeiramente o núncio do amor, da alegria e da felicidade. Já se derreteu a neve dos caminhos aos beijos do sol. Já o céu todo azul, depois de desmanchadas e sumidas as neblinas tristes do inverno, se recurva amorosamente sobre a terra, que desperta do seu melancólico sono. Pelas galhadas ainda nuas das árvores, aparecem, pequeninos e tenros, os gomos carnudos de que irromperão as novas folhagens. E o ano, então, começa a florescer e a cantar, a correr iluminado e alegre.

Mas, para a terra brasileira, maio chega sem surpresas e sem novidades. De janeiro a dezembro, a terra é a mesma, toda aberta em flores. Bela terra da primavera perpétua! por que não hão de os teus filhos sair do teu ventre fecundo, armados como tu dessa inalterável mocidade? por que havemos de ter o desgosto de ver nascer os nossos primeiros cabelos brancos, e de chorar os nossos primeiros reumatismos, e de suportar os nossos primeiros desesperos, – vendo-te, a ti, tão velha e sempre tão moça, – Cibele de peitos que se não esgotam e de entranhas que não se fatigam?...

Logo no primeiro dia de maio, tivemos a festa do Trabalho. Daquilo, que, no Gênesis, era uma pena, um castigo e uma humilhação, a idade moderna fez uma glória e uma honra. Já o velho Jó, afastando-se dos primeiros preceitos da Bíblia, achava o trabalho um dever natural: "o homem foi feito para trabalhar, como a ave foi feita para voar".

Mas, quanta gente ainda está de acordo com o Gênesis! Ainda é tão vasta a multidão de ociosos, e tão grande é o número dos que só trabalham à força, que a sociedade, logo abaixo da pena de morte, coloca a pena dos "trabalhos forçados"...

Por aqui, não morremos positivamente de excesso de labor. Morremos, quando muito, de excesso de parolagem, porque o nosso maior trabalho consiste em dar com a língua nos dentes de sol a sol.

Um fantasista, que cultiva com especial carinho a Ironia, dizia, na rua do Ouvidor, na tarde de 1º de maio a uma roda de amigos:

– Querem vocês saber? Tive uma idéia sublime. Lembrando-me de que é hoje o dia da festa do Trabalho, fui logo de manhã cedo procurar o *Trabalho Nacional* para apresentar-lhe as minhas felicitações...

– E encontraste-o?

– Encontrei-o. Sua Senhoria estava regaladamente ressonando em cima de velha esteira esburacada, num quarto escuro e sujo; a um canto, havia um monte de ferramentas, cobertas de teias de aranhas; e ao lado da esteira, havia um púcaro com um pouco de água, e uma cuia com um pouco de farinha.

Sacudi o Trabalho Nacional por uma perna, e acordei-o. Ele abriu metade de um olho, e perguntou com enfado:

– Que é lá?

– Acorde amigo! olhe que hoje é o dia do Trabalho!

– Não pode ser! (tartamudeou ele). Que dia é hoje do mês?

– Primeiro de maio.

– Então não é o dia do Trabalho... O dia do Trabalho é o primeiro de novembro.

– Como assim?

– Sim, senhor! porque, sendo o dia de Todos os Santos, deve ser o dia de São Nunca, e esse é que é o dia do Trabalho!

– Deixe-se de graçolas! Levante-se, que o sol já vai alto!

O Trabalho Nacional tornou a fechar metade do olho e resmungou:

– Diga-me uma cousa: nesse púcaro ainda há água?

– Há.

– E nessa cuia ainda há farinha?

– Alguma.

– Pois então, deixe correr o marfim. Quando acabar a farinha, e quando não houver mais água, volte e conversaremos.

E recomeçou a dormir. Deixei-o descansado, e saí. Quando cheguei ao centro da cidade, ouvi o clamor... toda a gente gritava: "Viva o trabalho! Viva o Trabalho!" E eu disse, de mim para mim: "Pois sim, o Trabalho está dormindo como uma pedra..."

Está bem visto que este fantasista só se queria referir a um certo Trabalho Nacional, que só sabe trabalhar de boca, falando ou... comendo. Felizmente, todo o Brasil não é uma assembléia de papagaios, de papo incansável e inesgotável loqüela. Enquanto por aqui palramos e dançamos, na mórbida sarabanda da politicagem, os braços fortes dos lavradores cavam a terra, os operários suam nas oficinas ardentes, e as vítimas dos erros da nossa ambição e da nossa maluquice não esmorecem na sua faina sagrada.

Os operários que há três dias percorrem a cidade, festejando o Trabalho, não davam, decerto, vivas ao trabalhinho político em que a vitória pertence sempre ao mais esperto e nunca ao que mais se sacrifica pelo bem comum.

O que eles festejavam é o Trabalho humilde e anônimo que ninguém reconhece nem recompensa, o labor obscuro dos que são chamados para a luta e esquecidos na hora do prêmio. Esse é o Trabalho que não vive na madraçaria da cidade fútil, à sombra das paixões dos régulos. E, se ainda há deputados ou senadores, do governo ou da oposição, que desdenhosamente franzindo os lábios, declarem que "isto é uma pátria morta" – esses não sabem o que dizem, e devem ser perdoados.

Não desesperemos. Não falta quem trabalhe... E nós, amigos palradores, fiquemos por aqui, assistindo às sessões do Congresso, namorando, ouvindo as prédicas do mês de Maria, fazendo *meetings*, e declarando guerra à Bolívia, aos Estados Unidos, ao mundo inteiro. Isso não perturbará a harmonia das esferas...

s. a.

11 maio 1902

Crônica

Toda a nossa atenção esteve, durante [*****] semana, voltada para o "jardim da Europa à beira mar plantado". Feias desavenças entre governo e povo perturbaram [*****] da vida do velho Portugal. [*****] do resto do mundo pelo [*****] do seu telégrafo, Portugal não podia [*****], aos seus filhos residentes no estrangeiro, notícias da moléstia moral que o afligia. E o desassossego e a inquietação [*****] grandes, principalmente aqui onde [*****] por milhões os que, apartados da terra portuguesa, lá deixaram o coração e o amor. Os homens não se [*****] como as árvores, mudando radicalmente de vida e de solo: mesmo de [*****], as almas ficam presas à terra natal, [*****] essas invisíveis e fortes raízes do [*****], que nem o machado, nem o [*****], nem o fogo conseguem rasourar e [*****].

Parece, porém, que a moléstia cedeu, ou que, pelo menos, teve uma remissão temporária. Temporária, porque essas moléstias sociais, que vêm de longe, lentamente [*****] os mais sólidos organismos, não [*****] nunca de todo à aplicação dos remédios paliativos, que são os únicos de que o governo pode dispor.

É possível que o povo português acredite (todos os povos têm a mesma ingenuidade!) que uma mudança de regime [*****], mudando as suas condições de vida, [*****] mudando o temperamento e a educação [*****] seus homens políticos, mudar em [*****] radiante prosperidade a sua atual [*****]. Mas, ai de todos nós! que vale a [*****] dos rótulos, quando a droga é [*****] mesma?

O velho Portugal é torturado pela [*****] indefinida aspiração, que tortura atualmente todas as nações da Europa e do resto do planeta.

Uma fermentação de germes desconhecidos agita o mundo; e se há revolução que se deve esperar, não é nenhuma dessas revoluções que passam o poder das mãos de um grupo para as mãos de outro grupo, deixando inalterável o mal secreto, que é a fonte de todos os descontentamentos e de todos os desesperos.

A doença é constitucional, e a sua natureza escapa à argúcia dos médicos, que querem debelá-la. Aqui aparece uma dor vaga, ali um furúnculo, acolá um entorpecimento muscular: os médicos correm logo a dar combate a essas manifestações anormais, convencidos de que estão atacando a causa, quando apenas atacam os sintomas. O grande médico para essas doenças é o tempo que as amadurece, e que um dia as precipita numa crise terrível, que tanto pode ser a morte como a salvação.

Neste caso especial que nos preocupa, o que devemos pedir aos céus é que os sintomas do grande mal não aflijam muito o cansado corpo da pequena pátria, de que somos netos. O seu sofrimento é o mesmo das grandes nações, que à insuficiência do nosso critério parecem prósperas e fortes, e, apesar disso, são trabalhadas por uma agonia moral que não encontra lenitivo...

Velho e nobre Portugal! a tua dor de cabeça não provém do peso dessa antiga coroa que os teus ancestrais fundiram e fabricaram no campo de Ourique: o barrete frígio causar-te-ia a mesma opressão.

* * *

Também por aqui, em matéria de política, não estamos vivendo com calma.

Nas duas tribunas parlamentares, na da rua da Misericórdia e na rua do Areal, trovejam cóleras patrióticas, e ardem labaredas vivas. Parece que somente agora perceberam os políticos que a pátria está perdida, e, envergonhados da sua cegueira antiga, querem aos berros arrancá-la da perdição. Quem cotejasse esta atitude de agora com a de há um ano, cuidaria talvez que há um ano o governo era outro, e que outra era a gente das Câmaras, e que outra era a situação do país... Mas, não! esta efervescência de patriotismo, de veemência de linguagem, de crueza de expressões e de vibração patriótica, é um fenômeno que periodicamente e fatalmente aparece, de quatro em quatro anos, justamente quando um governo vai ser substituído por outro.

É o fim da viagem... Os viajantes já estão aborrecidos, os corpos já estão cheios de tédio, e, o que é ainda mais sério, as munições de bocas já estão faltando, e já é preciso distribuir com parcimônia as rações de água... A princípio, tudo é alegria, apetite, boa digestão, amizade franca, solidariedade incondicional. No fim, os ânimos azedam-se, e todos brigam, e ninguém tem razão.

Oh! a infinita tristeza dos crepúsculos do poder!

Passou o tempo límpido e ridente dos meses abundantes, em que os campo coalhado de espigas de ouro, podia fartar todos os desejos e todas as ambições. A colheira era farta; e ao fim do trabalho, cada colhedor, pondo os joelhos em terra e levantando as mãos para o céu, abençoava o nome do pródigo Senhor que tão generosamente distribuía as dádivas e os bens... Adeus, dias de larga ventura e sobrada fortuna, em que cada ceifeiro podia, em cinco minutos de suave labor, carregar braçadas grossas de trigo fresco! o campo, longamente explorado, foi perdendo o seu milagroso encanto... E, agora, vai abrir-se outro campo, – o campo do novo Booz, exuberante de promessas! e para ela já começa a dirigir-se a gente insaciável, desde os ceifeiros ambiciosos que só se contentam com muito, até as modestas Ruths, que se contentam com as minguadas espigas que os segadores costumam por descuido deixar cair no chão. É o fim! barriga cheia, companhia desfeita...

* * *

Mas deixemos de lado a política e os seus abissínios, e regozijemo-nos com a novidade, graciosa e elegante, que nos vai dar a Prefeitura na próxima terça-feira.

Nesse dia, a cidade celebrará a glória de Rio Branco, – o ilustre brasileiro que, além de dar à pátria a lei de 28 de setembro, ainda lhe deu um filho continuador do seu nome e dos seus serviços, já credor também da gratidão nacional.

Ora, no pequeno jardim, que circundará a estátua do grande estadista, vamos ver o que ainda até agora não víramos nas praças públicas da cidade: belas roseiras, carregadas de rosas, perfumando o ar e encantando a vista. Não encolham os ombros, com ar de pouco caso, achando insignificante a novidade! as pequeninas cousas, os fatos de nenhum valor, as minúcias da vida de um povo é que servem para mostrar a sua civilização e para afirmar o seu progresso... É lícito dizer que a Prefeitura vai fazer isso como uma experiência, para ver se a população carioca, tão famosa pelo seu vandalismo, está disposta a despir-se dessa fama, enveredando por um bom caminho. Quem sabe? as nossas queixas, as nossas lamentações pela imprensa, as nossas recriminações, não caíram talvez em mau terreno. Graças a Deus, a nossa população não é constituída apenas por moleques malcriados: a gente séria, que não quer ser civilizada apenas em nome, encarregar-se-á de punir o vandalismo dos troca-pernas e dos capadócios.

* * *

A novidade literária da semana foi o aparecimento de *Canaã*, de Graça Aranha.

O talento de Graça Aranha só era, até agora, conhecido dos seus pares, que, quando lhe deram uma cadeira na Academia de Letras, bem sabiam a que fino e brilhante escritor a davam. Mas, atualmente, o nome desse escritor forçou a popularidade. *Canaã* é um livro forte e vibrante, que vem revelar um dos mais poderosos artistas da nossa língua. Da primeira à última página, levanta-se do volume um hino caloroso, que celebra a formosura e a bondade da terra brasileira; mas nem tudo é louvor e entusiasmo nesse hino: de trecho em trecho, uma nota magoada revela as apreensões, os sustos, os terrores do filho carinhoso, que adivinha dias de negro perigo na vida da pátria bem-amada...

Mas os sustos são frutos do muito amor; não se perderá a língua formosa, em que Graça Aranha escreveu o seu romance; da fusão das raças, uma raça forte e feliz sairá para a luta, para a glória; e o Brasil será verdadeiramente a *Canaã* abençoada, a Terra da Promissão, o berço de uma civilização perfeita...

S. A.

18 MAIO 1902

CRÔNICA

Ainda não se atenuou, nem tão cedo se atenuará, o sentimento de dor profunda que invadiu a terra brasileira, no negro momento em que aqui chegou a notícia da morte de Augusto Severo. Tão brilhante tinham sido as experiências preliminares do *Pax*, tão cheios de promessas nos chegavam os telegramas de Paris, e tal era (como ainda é) a nossa certeza de que o problema da navegação aérea, pela primeira vez enfrentado em 1709 por um brasileiro, tem de ser definitivamente resolvido por outro brasileiro, que já o nosso coração se enchia de júbilo e de orgulho, esperando a notícia de uma radiante vitória, de um estrondoso triunfo.

Mas a ironia do Acaso compraz-se às vezes em trocar inopinadamente o clarão da esperança pela noite do desengano, cobrindo de luto as almas que se aprestam a cobrir-se de galas. E nada pôde dar idéia do assombro e do fulminante pesar que, pondo um fecho inesperado aos nossos sonhos, vieram ferir-nos com a nova da horrenda catástrofe.

Mas, quando o tempo, que tudo atenua, tiver corrido sobre esta primeira impressão de inegualável dor; quando acautelado pela providência do governo o bem-estar da família do aeronauta, pudermos, livres da insuportável intensidade atual da nossa mágoa, refletir com mais calma sobre o desastre cruel, reconheceremos então que Augusto Severo foi o que os velhos poetas gregos chamavam um "amado dos deuses".

Todos morrem, como tudo morre, no misterioso universo; e a suprema felicidade consiste em morrer de repente, depressa, e belamente, sem as agonias que afeiam o corpo e profanam a alma.

Há homens que nascem fadados à morte violenta: são esses os que trazem dentro da alma a ânsia das grandes aventuras, a sede das glórias que fulminam, a aspiração das rudes empresas eriçadas de perigo.

Há quem se contente com as sensações mesquinhas do viver vulgar; os que não têm ambições, querem caminhar pela vida como quem caminha por uma vereda achanada e lisa, bordada de rasteiros arbustos, e tendo todos os frutos ao alcance das mãos. Essas são as existências obscuras, que aceitam sem discussão o Mistério, e acabam morrendo como viveram, sem lustre nem barulho. Mas, ao lado dessas almas que não abandonam jamais a planície, há as almas que o desconhecido atrai, aquelas que são a todo instante chamadas para a altura, aquelas que vivem na terra como num exílio, e que, na baixeza da vida comum, fazem sempre lembrar o verso famoso:

> Mème quand l'oiseau marche, on sent qu'il a des ailes...

Os homens, que nascem com essa febre da conquista e da glória, raras vezes acabam lentamente consumidos pela velhice e pela moléstia, numa cama ensopada do suor da agonia, amargurando a família e os amigos com o triste espetáculo do bruxulear da sua razão e do esmaecer das suas forças. Os domadores de feras correm as feiras do mundo, assombrando o povo com as suas façanhas: a seus pés, curvam-se os leões submissos, os tigres lambem-lhe as mãos amorosamente, obedecem ao menor dos seus gestos as hienas ferozes; mas lá vem um dia em que uma súbita revolta incendeia o sangue de uma fera, e o domador cai morto, sem um grito, num lago de sangue... Ora, há feras piores do que essas que os beluários amansam e adestram: são as forças da Natureza, terríveis, imutáveis, indomáveis sob a sua aparente inércia. E os que as afrontam, os que as castigam, os que as irritam, os que se divertem e gozam em contrariá-las e subjugá-las, caem quase sempre fulminados pela sua própria ousadia e temeridade.

Cada passo dado, na Terra, para a conquista da verdade, custa um milhão de vidas. E ainda nenhum segredo da Natureza se desvendou aos olhos dos homens, sem que a esfinge devorasse um milhão de curiosos. O pólo, essa gelada solidão, virgem até há pouco do passo humano, guarda no seu alvo e temeroso seio os despojos de milhares de existências. Ainda nenhum sertão se abriu ao arado, ainda nenhum mar se abriu à navegação, sem que os seus primeiros exploradores por lá ficassem comidos das feras ou tragados das ondas.

Na teogonia grega, Júpiter castigava todos os atrevidos que buscavam devassar os mistérios da criação. Essa oposição aos esforços da humanidade é ainda a mesma, nos tempos de agora.

Na tragédia de Ésquilo, Prometeu aparece como o primeiro civilizador. Encadeado ao rochedo, o roubador do fogo celeste invectiva as cousas insensíveis que o rodeiam: "Céu infinito, ventos de asas indomáveis, nascentes dos rios, ondas inumeráveis do mar. Terra, mãe comum de todos os seres! Bem vedes que não choro a minha sorte! foi por ter querido dar aos homens a felicidade, que os deuses implacáveis me condenaram a este horrendo suplício!" e quando o coro procura consolá-lo, o semideus torturado murmura: "Eu tudo havia previsto... Foi voluntariamente, bem voluntariamente que me sacrifiquei: perdi-me para salvar os mortais!"

Toda a imensa e luminosa epopéia do trabalho humano está contida nessa tragédia do velho poeta grego. Esse trabalho, para se desenvolver e vencer, vai triturando e destruindo aqueles que lhe dão o melhor da sua alma. Uma conquista, que não custa um milhão de sacrifícios, não chega a ser uma conquista.

Para Augusto Severo, o desastre foi uma glorificação. Ninguém sabe quantas vidas preciosas esse problema ainda há de devorar. Ai de nós! nada se faz sem sangue, sem lágrimas, sem luto... Porém morrer assim, em um segundo, vitimado por uma nobre idéia, fulminado em pleno céu, sem saudades do mundo e dos seus baixos prazeres, sem ter tempo de sentir o horror da morte, ainda é para um homem ousado a mais bela e a mais invejável das mortes.

Com o inventor, não morreu a invenção. E mais vale morrer assim, chorado por todos e por todos amado, do que continuar a arrastar pelo mundo uma existência a que não faltariam com certeza os doestos, as injustiças, as injúrias e os desenganos.

S. A.

25 MAIO 1902 — CRÔNICA

Enquanto o Rio de Janeiro se prepara para ouvir os canários da *troupe* Sansone e para se deliciar com os espetáculos da incomparável Réjane – uma nuvem negra, pejada de tristeja e vergonha, paira sobre as nossas almas. E uma terrível apreensão nos tortura: "Somos nós dignos de receber aqui a visita de artistas ilustres, somos dignos de hospedar os representantes mais gloriosos da Arte estrangeira, quando, pela nossa imperdoável incúria e pelo nosso nunca visto desleixo, deixamos o Rio de Janeiro transformar-se numa vasta e perigosa Maremma assassina?"

Em menos de dez dias, a febre amarela matou quatro ou cinco homens de nota, sem falar no grande número de vítimas obscuras que a nossa grande inimiga prostrou em pleno viço da força e da saúde. O efeito disto é tremendo e decisivo, lá fora.

Se nos declarássemos falidos e em bancarrota, se todos os dias tivéssemos nas ruas uma mazorca, se de mês em mês depuséssemos pela força das armas um presidente da República, todos esses horrores não comprometeriam tanto a nossa reputação, como este único horror de uma epidemia traiçoeira, que começa a matar a gente, em pleno começo de inverno, com esta deliciosa temperatura, nestes lindos dias que só parecem feitos para o prazer, para a ventura e para o amor... Com que fingida indignação poderemos ainda protestar contra os vexames que os portos estrangeiros infligem aos navios que saem daqui?

Ah! se a natureza nos houvesse sido, não mãe carinhosa, porém madrasta cruel: se a nossa terra fosse de fato uma região amaldiçoada, pouso perpétuo das febres, e asilo eterno das pestes, nós seríamos apenas infelizes, sem que sobre a nossa infelicidade pesasse a sobrecarga da vergonha. Mas o Brasil não pode, como Jó, queixar-se do rigor imerecido e injusto dos desastres que o afligem: em cada um desses desastres temos de ver o castigo de uma culpa nossa, uma conseqüência do nosso relaxamento. Felizes os que só se podem queixar do destino! mas quase sempre, somos nós mesmos que fazemos o nosso destino.

O mais interessante é que todos reconhecemos isso, que todos o proclamamos, que todos confessamos o pecado, e que continuamos a pecar com uma tranqüilidade inconsciente. Todos os anos, assim que a epidemia aumenta, a imprensa abala-se e revolta-se: de cada coluna de honra no jornal sai um grito de indignação e de horror; e, para exigir providências e medidas que dêem cabo de tamanha vergonha, põem-se de acordo governistas e oposicionistas... Mas, bem depressa, a fadiga e a indiferença abafam essa revolta passageira: e ficamos confiadamente à espera... do seguinte verão e da seguinte epidemia. Ditosa pátria que tais filhos tem!

* * *

O assunto é negro e medonho. Tratemos, antes, do interessante livro que Ernesto Senna acaba de publicar sobre o *Conselheiro Ferreira Viana*.

Dos homens do império, ainda hoje vivos, e afastados ou não da política, Ferreira Viana é com certeza o mais popular, e talvez o mais estimado. E vede quanto é pouco lisonjeira a popularidade: o velho e ilustre parlamentar é mais conhecido e mais célebre pelos seus bons ditos, pelas suas pilhérias, pela sua ironia, sempre alerta, e pelo saber picante da sua maledicência do que pelos grandes serviços que prestou à sua pátria e à sua capital. Uma grande parte do livro de Ernesto Senna é dedicada à recordação das anedotas a que anda ligado o nome do grande orador, cuja *verve* era, na Câmara dos Deputados, o terror dos adversários.

Lembro-me de que, há poucos anos, o ex-deputado José Carlos de Carvalho, acusado de profanar o augusto recinto da representação nacional com um bom humor impróprio de tão solene lugar, proferiu para se defender da acusação, um longo discurso, a que poderia ter dado o título de *Resumo da História do Bom Humor no Parlamento Brasileiro*.

Nesse discurso, havia uma curiosa estatística. E nela se mostrava como, na sessão de 22 de março de 1882, o conselheiro Ferreira Viana, tratando da *passagem de Vênus*, provocara, segundo as notas fornecidas pelos taquígrafos, *20 risos, 13 hilaridades e 3 risadas*; e, como daí a dous dias (24 de março), o mesmo conselheiro, em outro discurso, causara *riso*, três vezes; *risadas*, três vezes; *hilaridade*, cinco vezes; *risadas prolongadas*, 3 vezes. E para provar que o parlamento do império fora um parlamento alegre, o Sr. José Carlos demonstrava que também Taunay, Paulino Soares de Souza, Lafayette, Cotegipe, Silveira da Motta, Martinho de Campos haviam figurado gloriosamente na estatística da chalaça parlamentar...

Vê-se por aí que não é imerecida a fama de fino humorista e de ironista consumado, de que goza o conselheiro Ferreira Viana. E Deus me livre, a mim, pobre cronista fútil, de achar que ser alegre constitua um feio pecado! "Alegria, saúde da alma" – é uma velha frase, cem mil vezes dita e escrita, e cem mil vezes verdadeira. "Mieux est de ris que de larmes écrire, pour ce que rire est le propre de l'homme", dizia, no seu velho e precioso francês de 1400 o cura Rabelais, pai da Alegria.

A alegria é santa: e só uma alma enfarruscada, doente, negra, aborrecida dos homens e das cousas, poderia ter achado aquela fórmula falsa "bon palisant, mauvais caractère"...

Não! é força reconhecer que no conselheiro Ferreira Viana, a alegria não foi apenas uma fonte de íntimos consolos; foi também uma arma muito poderosa com que ele deitou abaixo muito preconceito e muito abuso.

Mas o que me não agrada é a fama de demolidor, que a repetição constante e a constante reedição das suas anedotas lhe estão criando.

Eu amo, com um carinho religioso, os velhos homens da minha terra, como amo os velhos livros, os velhos monumentos, as velhas tradições que são o nosso patrimônio. Entre esses homens, um dos que mais estimo, é esse alegre ancião, tão amigo das letras e das artes, tão conhecedor e tão entusiasta de todas as conquistas do espírito humano, e cuja atuação não se perdeu nesse *mare magnum* de interesses mesquinhos da política. É por isso que não gosto de o ver apontado como um demolidor terrível.

Não! esse homem foi, antes de tudo, um construtor, e um construtor de rara coragem e de alto merecimento. Sem falar do nobre papel que lhe coube na epopéia abolicionista, basta, para ver que em Ferreira Viana o amor da ironia não prejudicou o amor do trabalho, lembrar os serviços que ele prestou a esta amada e infeliz cidade, como presidente da Câmara Municipal e como ministro do [*****]: fez três jardins públicos, entre os quais o da praça Duque de Caxias; restaurou o Tombamento, criando uma grande fonte de renda; mandou calçar grande parte da cidade, organizou a numeração dos prédios, arborizou as ruas; fez o Necrotério, construiu dous suntuosos edifícios para Escolas Públicas; mandou demolir as famosas *escuras* da Detenção, antros horríveis que lembravam os mais ferozes *in-pace* da Inquisição; reformou o Asilo da Mendicidade; criou o Asilo do Galeão e a colônia Conde de Mesquita; abriu, para as crianças desamparadas, a Casa de S. José; instituiu albergues noturnos, combateu epidemias, criou a Assistência Pública, instalou o hospital de S. Sebastião...

Acham pouco? Eu, por mim, penso que quem fez tudo isso tem o direito de rir um pouco das tolices humanas, e pode serenamente envelhecer, cultivando o seu antigo bom humor, e sentido-se cercado do respeito e da estima dos seus contemporâneos.

Fez bem Ernesto Senna em prestar ao nobre velho esta homenagem. O seu livro é interessante; por isso mesmo, quis eu acrescentar-lhe este curto comentário, cujo único fim é mostrar que a popularidade nem sempre é lisonjeira: muita gente, que acha graça nas anedotas de Ferreira Viana, mal se lembra de que nele está personificada toda uma geração de trabalhadores, cujo árduo labor há de um dia ser abençoado e glorificado com entusiasmo.

* * *

Registrem as últimas linhas da crônica a catástrofe que veio enlutar a mocidade dos Clubes de Regatas. A propósito desse triste naufrágio da *Vascaina*, toda a imprensa lembrou que não temos, nesta vasta baía, dia e noite cruzada por embarcações de toda a espécie, um serviço de *sauvetage*. Ai! de nós! não o temos e não o teremos, como não temos e não teremos o saneamento da cidade! se o tempo mal nos chega para a politiquice...

s. a.

01 JUN. 1902 — CRÔNICA

Parece, leitor amigo e contemporâneo, que morreremos sem ver o raiar dos dias de paz e ventura que há tantos anos nos prometem. Todos os anos, por dá-cá-aquela-palha, põem-se as forças de prontidão, quebram-se os lampiões, descarregam-se carabinas. E ninguém sabe, quando sai de casa, para o seu trabalho ou para a sua vadiação, se há de voltar vivo e lépido, com um embrulho de doces para a família, ou morto e inteiriçado sobre uma maca da Assistência Pública!

Entretanto, que pacíficos e quietos foram os primeiros dias desta boa República! Mas outros dias vieram, para a vossa atribulação e o vosso susto, ó almas tímidas! ó almas que oscilais perpetuamente, entre as opiniões extremas, ao sabor da ventania dos acontecimentos! ó almas-pêndulas, ó almas-girassóis que vos limitais a seguir, como escravas, o movimento do astro que reina! ó almas-camaleões, que de momento em momento mudais de cor! ó pobres almas a que a Natureza deu o suplício da hesitação perene!

Dera-nos Deus a República, que aceitastes, caladas e recolhidas, como convinha a almas que não amam os riscos e perigos da resistência enérgica ou da adesão entusiástica. Ficastes dous dias trancadas a sete chaves nessa prudente reserva. Ao terceiro dia, levantastes um cantinho da cortina, e espreitastes medrosamente a rua...

Não havia motins. O sangue não rolava, em ondas rubras e quentes, pelos regos do calçamento. Não passavam carroções, entupidos de condenados à morte, a caminho do patíbulo. Não avermelhavam o horizonte os fogaréus da revolução...

Os burgueses comerciavam; as mulheres amavam; os políticos especulavam; os jornalistas pediam empregos públicos; os poetas faziam versos patrióticos; e o conde d'Eu, sabendo que as instituições nascentes lhe asseguravam a posse da fortuna, declarava que nunca esperara outra cousa da generosidade de tão gentis vencedores!

Então, almas tímidas, desafogadas do medo pânico que vos paralisava, saístes a aderir, não com grandes gestos frenéticos nem com grande frases campanudas, mas com aquele silêncio sorridente, que sempre foi o melhor meio de aceitar os fatos consumados. E fostes vivendo, e sorrindo, vendo que dos abusos mortos nasciam abusos novos, e que, sob formas diversas, as paixões eram as mesmas, – porque a política é uma adega singular em que a mesma zurrapa fermenta, aqui dentro de garrafas de Chablis, ali dentro de frascos de curaçao, acolá dentro de pipas de cerveja...

Víeis isso, mas não dizíeis nada; que ver e calar são as duas bases da sabedoria e da comodidade. Mas, de repente...

De repente, tudo isso mudou. Começou a haver deposições e conflitos: navios e fortalezas começaram a disparar tiros de morte; desencadearam-se revoltas sobre revoltas; ferveram ambições, chocaram-se partidos, puseram-se anistias sobre rebeliões e rebeliões sobre anistias, fez-se do estado de sítio um Estado no Estado; e já lá se vão mais de dez anos sem sossego nem esperança!

Até agora, a política tomava sinceramente, francamente, escandalosamente, a responsabilidade dos conflitos que armava. Isso era de uma grande vantagem, porque quem não queria ser lobo não lhe vestia a pele... Hoje, porém, a matreira senhora põe em prática novas manhas. Disfarça-se em condutor de bonde, em operário, em carroceiro de lixo, em açougueiro, e disfarça-se tão bem, que só mesmo quem lhe conhece as tricas é que pode descobri-la sob essa máscara proteiforme.

Observai bem, que lhe reconhecereis o olhar perdido, os modos hipócritas, aquele andar que é mais um lento escorregar de serpe, aqueles falsos gestos de modéstia e recato, aquele esperto e disfarçado mover das mãos em cujos dedos há garras de fera, aquele vago sorriso mentiroso que mostra uma dupla fileira de dentes aguçados. É ela, é ela, a eterna, a perpétua, a insaciável, que, desprezando a divisa *frangar, non flectar*, adota, como muito mais cômoda, a divisa *flectar, non frangar*...

Agora, a manhosa anda disfarçada em marchante. Passou em torno dos rins um avental sujo de sangue, arregaçou as mangas, pôs à cinta uma faca afiada, e, chorando lágrimas de crocodilo sobre as misérias do povo, começou a quebrar lampiões e arrancar trilhos.

Oh! as misérias do povo! Desde que o mundo é mundo (porque a demagogia nasceu assim que se formou a primeira associação humana) o povo assiste, de boca aberta, apavalhardamente, às lutas dos que querem salvá-lo. Já Cleon de Atenas, já Clócio em Roma sabiam ler na boca essas palavras retumbantes, que a turba aplaude sem compreender...

O povo!... Mas o povo paga pelo mesmo preço a carne que vem de Santa Cruz, ou de Niterói, ou do Inferno, – e paga-se sempre com o suor do seu rosto e com a agonia da sua alma. E, quando há uma agitação como esta que está fervendo nas ruas, ele começa a pagá-la também com o seu sangue: porque os agitadores, esses ficam em casa, ouvindo lá fora o motim, e esperando os lucros do negócio. Quem sofre é a gente pobre que não pode trabalhar nem gozar, e é o soldado que se vai expor às pedradas e aos tiros para ganhar o seu minguado e suado pão de cada dia.

E o que é mais triste, leitor amigo e contemporâneo, é que isto tudo, durará enquanto durar nossa vida! Quem nos mandou nascer nessa época atrapalhada? Enfim, não nos queixemos... Talvez o futuro seja ainda mais triste do que o presente; e talvez haja motivo para que os nossos netos nos invejem a sorte!

E basta. Nós não somos um casal de marchantes ou de açougueiros, musa da Crônica! o teu lindo avental, de alvo linho, foi feito para carregar flores, e não para carregar mocotós e fressuras. Se a cidade, por causa dos malandros, está convertida num vasto matadouro em que se abatem reses humanas, a culpa não é nossa. Levanta um pouco a tua saia, para que o sangue não a manche, e vamos sonhar... Vamos sonhar, por exemplo, que isto é uma cidade civilizada, em que se pode viver e trabalhar à vontade... Quando a realidade é asquerosa, sonhar é doce.

S. A.

22 JUN. 1902

CRÔNICA

Foi na quarta-feira passada. Toda a gente saíra à rua, ansiosa por ver o préstito fúnebre que acompanhava o corpo de Augusto Severo a S. João Batista. O bom povo do Rio de Janeiro entendera, e entendera bem, que o dia era mais de glória do que de luto: morrer, todos morrem... e quem morre bem mais deve ser glorificado do que chorado.

Ao meio-dia, quando o préstito saiu da Candelária, estava eu parado no começo da rua do Ouvidor, perto da rua Direita, naquele trecho em que já se pode admirar a beleza do novo calçamento da *via elegantiarum*. Estava parado, e esperava o préstito, quando a minha atenção foi irresistivelmente chamada para uma singular personagem, que, como eu, parecia esperar a procissão glorificadora...

Essa personagem era um velhinho trêmulo e fraco, homem talvez de uns oitenta ou noventa anos, um desses velhinhos asseados e gamenhos, que eram tão vulgares há dez ou vinte anos mas que hoje vão desaparecendo. Porque, certamente, já tereis notado que temos atualmente poucos velhos gamenhos: a velhice anda hoje desconsolada, maltradada, indiferente às cousas da elegância... Mas o velhinho que encontrei na rua do Ouvidor era um ancião escovado, escorreito, e janota, – não dessa janotice espalhafatosa que parece às vezes a capa de mau gosto, mas da janotice comedida, sábia, e fina dos que se vestem bem por amor próprio e para satisfação do seu próprio corpo. O colarinho alvo e sem lustro, constrastava com o negro da severa gravata de três voltas; e nem o microscopista Eduardo Chapot conseguiria achar um átomo de caspa na gola da sua sobrecasaca ou um átomo de pó no polimento das biqueiras dos seus sapatos.

Mas o que, principalmente, chamou a minha atenção para esse homem de outras eras foi a sua atitude de profunda melancolia. O velhinho olhava o calçamento novo, olhava as fachadas das casas, tornava a abaixar os olhos, tornava a levantá-los, e sacudia a cabeça, e dava de ombros, e deixava cair os braços desamparados ao longo do corpo, num desânimo, num desconsolo, num abandono moral, num desespero mudo...

Ah! bem te conheci e bem te compreendi, limpo e desconsolado, velhinho! Tu eras a imagem da gente da minha cidade, o símbolo vivo da população da minha *urbs*! Espantado e triste, naquele dia em que se glorificava um *voador*, tu te revoltavas em silêncio contra as inovações, ou, para melhor dizer, contra a *Inovação*, contra esse monstro, cujo só nome basta para encher de terror a alma dos velhos. Imaginai que horror! por um lado, um brasileiro "que pretendera voar!" e, por outro lado, a rua do Ouvidor saneada, a rua do Ouvidor "limpa"!

Naturalmente, aquele bom velhinho, [*****] que a minha imaginação personificou [*****] o nosso carrancismo, ainda poderia admitir a ousadia de Santos Dumont, de Severo, de Patrocínio, querendo voar, querendo disputar o domínio do céu, às aves e às nuvens: admitiria com certo desdém e com certa tristeza, mas enfim, sempre admitiria. Mas admitir a limpeza da rua do Ouvidor, – isso nunca!

Já sei que ides achar alguma contradição no que escrevo... Direis, naturalmente: "Como corporficas tu toda a tua gente nesse velhinho tão limpo e ao mesmo tempo tão inimigo da limpeza da rua do Ouvidor?!"

Ah! entendamo-nos, amigos! A verdade é que nós, os cariocas, somos *pessoalmente* limpos, mas *coletivamente* sujíssimos. Todos nós gostamos de tomar todos os dias o nosso banho, e de mudar todas as manhãs as nossas camisas e as nossas peúgas, mas todos nós nos resignamos a pisar, todos os dias, calçadas que se não varrem, e a subir a bondes que se não desinfetam, e a freqüentar casas que nunca se lavam.

Os nossos políticos, – aqueles que armados de plenos poderes, decidem dos nossos destinos, – vestem-se pelos últimos figurinos de Londres, ostentam fatos saídos das alfaiatarias mais finas, e pulem com esmero as unhas e encalamistram com apuro os bigodes, mas não tratam de sanear nem de lavar a cidade em que vivem e legislam, – esquecidos daquele antigo rifão, segundo o qual "não há porco limpo em pocilga suja"...

E tudo mais vai assim: fiquemos nesta verdade, pessoalmente janotas, coletivamente desmazelados.

Basta ver o que se anda por aí a dizer do calçamento novo da rua do Ouvidor. Todo o mundo acha que a cousa não presta, que a cousa vai ficar cheia de defeitos, que a cousa é mal dirigida e mal executada. Se esses faladores quisessem refletir um pouco, reconheceriam que, seja o novo calçamento o que for, sempre será melhor do que o antigo, – senão melhor, ao menos mais decente. Mas o que eles sentem, e o que não querem confessar, é justamente essa ameaça que pesa sobre a rua do Ouvidor: oh! a rua do Ouvidor limpa! a rua do Ouvidor decente, sem lama empoçada, sem buracos, sem lajedos em zig-zag, sem calhaus pontudos! pode lá haver quem admita essa barbaridade?!

Mas, voltemos ao nosso velho. Olhava ele o calçamento com horror, e com igual horror as fachadas modernas das casas reconstruídas, quando se anunciou o préstito. Diante daquela nova causa de horror que ali vinha, – a glorificação de um voador! – o bom ancião não se conteve: fez meia volta, engatou sob o braço a bengala de unicórnio, e começou apressadamente a subir a rua, fugindo à massa humana que vinha de baixo. Eu, interessado, segui-o: onde se iria abrigar aquela relíquia do passado, aquele espectro, aquele remanescente de outras eras?

Parecia que o modernismo conspirava contra o carrancismo: do lado do largo de S. Francisco vinha outra mó de povo, ao encontro da que subia a rua. O velhinho, mal equilibrado sobre as pernas fracas, aos encontrões, gemendo e ansiando, viu de repente abrir-se diante do seu corpo combalido um porto seguro: a rua Nova do Ouvidor. Embarafustou por ali, e eu embarafustei com ele. Já se ouviam os primeiros acordes da marcha fúnebre, chorada pelos pistões e pelas requintas de uma banda militar.

E perdi logo de vista o meu ancião. Mas, procurando bem, fui dar com ele na entrada do antigo "Hotel de la Paix", no vestíbulo em que se conserva, não sei por que, a figura monumental d'aquele famoso *Profeta*...

Que duas relíquias reunidas! Há poucos dias, num folhetim da *Notícia*, o erudito Fazenda escrevia: "Na entrada lá está a figura do *Profeta* que por muitos anos ostentara-se na rua do Ouvidor, em frente do grande estabelecimento fundado por Melleardin, continuado por João Poey e Estouigt.

O *Profeta* que assistiu aos préstitos carnavalescos, resistiu à chuva de pedra, viu a passagem dos voluntários e tudo quanto de notável houve no Rio de Janeiro, reduzido ao papel de porteiro, tendo ainda na mão a lanterna que outrora servira de farol!"

Pois foi junto desse outro espectro que fui achar o Carrancismo, engelhado, encolhido, tremendo, com calafrios na pele da cara mais enrugada do que um pergaminho secular, e esfregando uma contra a outra as mãos ossudas amarelas. Ah! o *Profeta*! ali estava um, que, se ainda estivesse na rua do Ouvidor, na sacada do João Poey e Estouigt, e se visse a *via elegantiarum* calçada de novo, seria capaz de precipitar-se de lá de cima, num desesperado suicídio...

S. A.

29 JUN. 1902

CRÔNICA

Tão habituados já estávamos a ver as estações trocadas, que ficamos espantados com a pontualidade do inverno. Anunciavam os almanaques que ele entraria no dia 22: e no dia 22, pontual como um credor no dia do vencimento de uma letra, vimo-lo chegar, com as suas longas barbas brancas e o seu grosso capote de peles, exilando do Rio de Janeiro os ásperos calores e as febres malignas.

Se não houvesse cousas dignas da atenção da *Crônica*, caberia aqui um hino fervoroso a essa boa estação que nos vem livrar de tanta cousa ruim. Cantaríamos a amabilidade desses tempos de frio, em que o amor é mais doce, no aconchego dos ninhos fechados, e em que o trabalho é mais suave, no rude afã da conquista do pão. E não deixaríamos entrar o inverno sem lhe prestar a homenagem da nossa gratidão.

Mas deixemos que o bom ancião se instale primeiro com comodidade, e deixemos que cessem estas chuvas que o vieram escoltando como damas de honor impertinentes.

O grande, o importante assunto da semana não foi um assunto nacional.

Foi um assunto que ocupou a atenção de todas as gentes do planeta, de pólo a pólo: a enfermidade do rei da Inglaterra.

Os últimos telegramas que chegam de Londres asseguram que a grande cidade, já tranqüila, acredita no estabelecimento da saúde de Eduardo VII. Parece que está passada a grande crise, e que em breve o rei poderá ser coroado com toda a pompa.

O acaso (que costuma receber às vezes o nome de Providência) tem ironias cruéis. Por um pouco, escapamos de ver a Morte pôr em jogo uma de suas grandes perfídias, aniquilando um dos maiores soberanos da terra, justamente no momento em que toda a sua glória e todo o seu poder iam fulgurar aos olhos do mundo inteiro. Se ela tivesse querido levar ao extremo o seu gracejo de mau gosto, – nem as preces dos quinhentos mil pobres que se banquetearam à custa do governo de Londres, nem as orações de todos os súditos ingleses, nem as solenidades religiosas celebradas em todas as catedrais do império britânico, nem as lágrimas de todos os soberanos do planeta, – conseguiriam afastar de sobre a cabeça do poderoso descendente de Hugo d'Este a condenação tremenda!

É preciso confessar que a Morte não poderia escolher mais imprópria ocasião, para o exercício de sua terrível força.

Eduardo VII, que passou sessenta anos de vida afastado das responsabilidades do poder, e cercado de todos os confortos e de todos os regalos de uma existência bem afortunada, foi chamado a reinar em dias de angústia e sangue. O que ele recebeu, no dia da morte de Vitória, não foi uma coroa de folhas de louro e oliveira: foi uma pesada coroa de espinhos. O sangue corria, em ondas, no Transvaal: e, com o sangue, corria em ondas o dinheiro, consumido pelas despesas de uma guerra odiosa, que atiraria sobre a Inglaterra a antipatia e má vontade de todas as nações civilizadas. Vitória tivera um reinado longo, e quase todo ocupado pelos horrores da guerra: durante esses sessenta e quatro anos, a Inglaterra avassalara as terras e os mares; mas esse imenso poderio fora conquistado à custa de atrocidades sem nome. Cada passo civilizador dado pela Inglaterra na Ásia e na África fora assinado por uma hecatombe; e sucederam-se as revoltas, e a grande nação gastava mais sangue e mais dinheiro em conservar o seu imenso império, do que os que gastara em conquistá-lo.

Ora, Eduardo VII teve, logo no primeiro ano do seu reinado, a incomparável fortuna de ver sorrir sobre a sua pátria a alvorada da paz. E era no meio de aclamações unânimes, em plena convalescença do país, cercado de aplausos e de bençãos, que ele ia solenemente receber a coroa, já não de duros espinhos, mas de verdes folhas de oliveira e louro. E foi esse o momento que a Morte escolheu para segredar ao ouvido do Pacificador o seu terrível e sinistro: *Memento, homo...*

Felizmente, já o poder da Morte não é o mesmo. A glória maior da idade em que vivemos é a assombrosa conquista dos meios de defesa com que a Vida se armou contra a Morte. Há cinqüenta anos a moléstia do rei da Inglaterra não teria remédio: todos os médicos reunidos seriam obrigados a cruzar os braços diante do mal implacável que minava o organismo do soberano. Nenhum deles se atreveria a intervir cirurgicamente, para contrariar a ação da enfermidade. Mas a cirurgia moderna ousa tudo. E, desta vez, a perversidade da Morte foi lograda.

É [*****] dizer com que ansiedade o mundo inteiro acompanhou e continua acompanhando as peripécias dessa luta. É tão grande a influência que a Inglaterra exerce sobre o mundo, que nada do que abala o seu organismo social nos pode ser indiferente. Só os sentimentos desmiolados podem amaldiçoar as conquistas da civilização inglesa, esquecendo o que essas conquistas têm trazido de benefícios à humanidade, para só contar as crueldades e as violências que elas têm custado. Desgraçadamente, como diz um velho rifão, ainda "não se descobriu o meio de fazer uma fritada sem quebrar alguns ovos..."

É fácil dizer que a Grã-Bretanha só atende às instigações do seu egoísmo, quando, para plantar a civilização na Ásia e na África, extermina os hindus e os cafres. Mas que fazem todas as outras nações, senão isso mesmo? Agora mesmo, com o estabelecimento da paz na África do Sul, ficou bem provado que o egoísmo é tudo no mundo. Um escritor d'*A Tribuna*, o brilhante Pangloss, que nunca disfarçou a sua simpatia pela causa dos *boers*, resumiu há poucos dias os resultados da guerra: a Inglaterra mostrou o seu egoísmo promovendo uma guerra iníqua; as nações da Europa mostravam seu egoísmo, deixando sem protesto que os *boers* fossem esbulhados da sua independência; e os próprios *boers*, não querendo ficar atrás da Inglaterra e das outras nações, afirmaram também o seu egoísmo, aceitando jubilosamente a paz, e abandonando ao rigor da vingança dos vencedores os colonos do Cabo e do Natal, que pegaram em armas contra os ingleses, e que, considerados réus de alta traição, ficaram, pelo convênio, fora do alcance da anistia.

Egoísmo, tudo egoísmo, sempre egoísmo. E, se não está em nossas mãos transformar o mundo e provocar o advento de uma era toda de altruísmo e brandura, para que havemos de exigir da Inglaterra o milagre nunca visto de conseguir alguma cousa sem sacrificar outro tanto?

* * *

Assuntos propriamente nacionais: a apuração da eleição presidencial, alguns crimes de sensação, uma tentativa de duelo, um suicídio e o bate-barbas a propósito de um possível arrendamento da Central...

Não vale a pena gastar espaço e tinta com essas cousas que envelheceram em três ou quatro dias. Melhor é que fechemos a *Crônica* tratando ainda do inverno, e das festas que com a sua chegada já estão começando. Já tivemos Viana da Mota e Moreira de Sá, no *Lírico*, e nesse mesmo lugar teremos daqui a dous dias a incomparável Réjane.

Só com o escrever este lindo nome, sente-se um vago prazer. Vamos ter Arte, Arte boa e verdadeira, noites de apurado gosto intelectual e de refinada delícia de espírito. É tão raro isso, nesta monótona vida carioca!... Bem-vinda sejas, Réjane!

s. a.

20 jul. 1902

Crônica

A Exposição de Arte Portuguesa... Já lá vamos!

Aquela formosa coleção de obras de arte deveria merecer toda uma crônica especial, em que se celebrasse devidamente a glória da velha nação portuguesa, tão cheia de artistas que a sabem prezar e honrar.

Mas a vida não tem apenas aspectos sedutores. Ao lado de cada beleza, há um amontoado de torpezas: não há seio perfumado de flor, que tenha a certeza de ficar livre da presença de um imundo caramujo. E nós, míseros cronistas, pobres comentadores da vida, nem sempre podemos andar com a cabeça levantada e com o olhar perdido entre as estrelas: é preciso que tenhamos cuidado com os pés, que o chão está cheio de poças de lama...

* * *

Assim, antes de deliciosamente repousar o espírito na contemplação dos quadros de Columbano, liquidemos este caso da "doença de Réjane", cuja exploração tão justamente nos amofinou.

Não houve, decerto, quem não se sobressaltasse com a notícia de que a grande atriz enfermara. Nesse sobressalto, não havia apenas o desgosto de saber doente e sofredora a encantadora mulher, que estamos há quinze dias admirando na interpretação das melhores peças do moderno teatro francês. Havia, também, em larga dose, uma preocupação egoísta, um terror justíssimo: se Réjane morresse, de febre amarela, o júbilo dos nossos "bons amigos", vizinhos ou não, seria ilimitado e ardente. Isto ficaria definitivamente considerado a *Maremma* da América, a região da morte e do horror, a pátria da podridão e do perigo...

Felizmente, o belo sangue gaulês, que corre nas veias da gentil parisiense, não deu guarida ao micróbio funesto: Réjane tinha apenas uma nevralgia, uma simples dor-de-dentes, um desses *dodóis* que não matam.

Mas a Calúnia é uma bicha imprudente, que não escolhe os seus meios de ataque.

Para uma bicha de boa fé (se é que a boa fé pode residir dentro de uma lombriga ou de uma serpe) o transformar uma dor-de-dentes numa pirexia fulminante, seria um trabalho difícil; mas, para a Calúnia, isso é a infância da arte, o rudimento da ciência de fazer mal. Basta-lhe um simples esgrimir da língua daninha, e pronto: está feito o milagre.

O que é injusto é supor que o autor dos boatos haja sido este ou aquele correspondente telegráfico de jornal estrangeiro. Não vamos tão longe, e não queiramos admitir que houvesse, de fato, telegrama claramente transmitido para Buenos Aires. Para acreditar que a Réjane, atacada de vômito negro, já está morta e enterrada, Buenos Aires não carece de informações. Os mesmos "bons amigos" nossos que escreveram à querida atriz algumas dúzias de cartas anônimas, aconselhando-a que não viesse deixar os ossos neste cemitério, inventaram e propagaram facilmente esta nova gentileza!

Mas, sejamos justos! Para que havemos de amaldiçoar os boateiros do estrangeiro, se cada um de nós já é também uma verdadeira fábrica de boatos? O carioca é um homem incapaz de dizer "não sei". Se lhe perguntarem: "Quem foi que deitou abaixo a Torre de S. Marcos em Veneza?" – ele, em vez de simples e naturalmente responder: "não sei!" – responderá logo: "Foi o Papa! foi o rei de Túnis! foi o czar da Rússia!"

Na mesma noite em que se soube da miséria de Réjane, havia por estas ruas muita gente a afirmar "que estivera no Hotel dos Estrangeiros! que Réjane tinha febre amarela! que Réjane estava às portas da morte!"

Nós somos os piores, os mais incorrigíveis boateiros. E, como o mal é de nascença, com ele havemos de morrer.

* * *

Mas vamos à Exposição de Arte Portuguesa. E louvemos antes do mais, a patriótica iniciativa do Sr. Guilherme da Rosa que, em boa hora, fazendo sacrifícios consideráveis, tão brilhantes provas [*****] veio mostrar do rejuvenescedor talento dos artistas portugueses de hoje.

Isto não pode ser, está claro, um artigo de crítica artística. Para fazer a crítica de uma exposição de belas-artes é preciso estar apercebido de tantos e tão variados conhecimentos, que pouca gente ousará arcar com essa responsabilidade...

Falemos desde já do admirável busto de Eça de Queirós, pelo grande Rafael [*****]. Esse busto, de que o ilustre artista ofereceu um exemplar ao Dr. Rego Barros, é uma obra-prima. Naquele frágil barro, vive e palpita a fisionomia singular do fino escritor, que foi na idade moderna, não o mais puro, mas o mais nervoso e o mais brilhante cultor da forma na língua portuguesa. Já devastada pela moléstia, ali está a face inteligente e sarcástica do analista implacável, do sutil ironista que tantas páginas deixou, imortais e incomparáveis...

E, coloquemos ao lado desse trabalho de Eça, [*****] louvor, [*****] retratos de *Ramalho Ortigão* e [*****], devidos ambos ao pincel de [*****], de que há ainda, na

Exposição, três quadros de mestre: [*****]. O segundo daqueles dous retratos, principalmente, é uma maravilha de expressão e de vida.

Os nove quadros de Columbano devem ser vistos, cinco, dez, cem vezes. Nenhum deles tem mais de 70 centímetros de altura por 60 de largura: são todos pequenos estudos, em que se revela uma ciência profunda de colorido e expressão.

Será uma ambição exagerada querer ser dono de todos eles: por mim limito-me a invejar os possuidores daquela *Cabeça de Mulher*, severa e triste, sob a mantilha escura; daquela rude *Locandeira*, tão flagrante de verdade; e daquela *Rapariga*, pobre e modesta, nas suas roupinhas baratas.

Malhôa, além das *Cebolas*, que tantos elogios já mereceram, tem cinco quadros adoráveis de graça: Cenas da vida rústica ou burguesa, Um barbeiro de aldeia, Um sendeiro Magro, Uma lavadeira corando a roupa ao sol, Um capitalista anafado gozando a sesta na Avenida, cenas *vistas*, cenas copiadas da natureza, apanhadas em flagrante por um artista de raro valor.

Dos quadros grandes da Exposição, sem falar do *Engano d'alma ledo e cego* de Souza Lopes, há dois que encantam o olhar e a alma. Um é uma linda marinha, *No Tejo*, de João Vaz, um grande barco inclinado, sobre a água clara, sob um meigo céu de crepúsculo, que parece tecido de seda pálida. O outro é a *Música sacra* de F. da Costa: uma virgem dentro da roupagem cândida, aureolada de um esbatido esplendor, deixa o olhar e alma fugirem, nas asas da harmonia que um violino exala, pela alta janela aberta que mostra um trecho do céu profundo...

Para tratar agora das paisagens de Condeixa, de Cristino, de J. Pinto, de Casanova, de Galhardo, dos quadros de gênero de Gameiro, do Souza, de Luciano Freire, das *naturezas mortas* de Maria Augusta Bordalho, dos *estudos* de Henrique Pinto e de Collaço, seria preciso encher mais duas colunas de crônica. Demos tempo ao tempo, que o que é bom deve ser apreciado aos goles, discreta e voluptuosamente.

Mas nem só de quadros se compõe esta bela Exposição da moderna Arte Portuguesa. Há ali, além de várias louças do inimitável Bordallo, alguns primores de arte aplicada, que devem ser admirados com vagar atento e meticuloso carinho.

Cristofanetti expõe 31 trabalhos em prata, que têm feito a delícia dos visitantes. Botões, alamares, castões de bengalas, pentes, broches, fivelas, bandejas, há de tudo naquela *vitrine* que nos vem revelar um grande artista cinzelador. No mesmo gênero, há dous admiráveis anéis de ouro, trabalhados por Silva Carvalho: uma *máscara* e um *dragão*, de uma perfeição encantadora. E ao lado desses primores não fazem má figura os lenços e guarnições de renda de João dos Anjos.

* * *

Para quem ama o velho Portugal, uma visita feita à Exposição atual, no Liceu de Artes e Ofícios, é, além de uma delícia, um conselho. Aquilo demonstra a vitalidade forte e pujante da pequena nação. Para continuar a obra das gerações desaparecidas, outras gerações vêm surgindo, com a consciência da tremenda responsabilidade da tarefa que lhes cabe. Nem tudo é politicagem no velho reino: e se os politiqueiros conseguissem arruinar a antiga terra dominadora dos mares, os seus escritores e os seus artistas lhe salvariam, intacto e fúlgido, o nome glorioso.

A forte árvore generosa, plantada em fins do século X, no extremo sul da Europa, ainda está de pé, vencedora dos temporais que a têm sacudido: as suas raízes tenazes e poderosas, ainda inabalavelmente se fixam no solo; e sobre a sua imensa copa verde, de um verde luminoso e moço, cantam ainda as aves, e mourejam ainda as abelhas, – poetas e artistas.

s. a.

05 AGO. 1902 CAFÉ COM LEITE

A princípio, quem ler este título há de pensar que vou escrever uma página de literatura amena... Os títulos enganam quase sempre: o artigo que vou escrever é um artigo sério, cheio de graves idéias que se relacionam com a higiene, com a economia política, com a lavoura, com o comércio, com tudo. Vou tratar da crise do café!

Não digo cousa nova, dizendo que o café está desvalorizado. O general Quintino Bocaiúva já o disse, já o disse S. Paulo, já o disseram todos os estadistas, todos os economistas, todos os financeiros desta terra, desde o Sr. Serzadello e o Sr. Nussbaum, até o Sr. Vieira Souto e o Sr. Vasconcelos (do *Brasiléo*). Todos o sabem, todos o dizem, todos o berram! mas, quando se trata de arranjar um remédio para o mal, ficam todos atrapalhados e acaba-se-lhes a eloqüência.

Pois bem! eu que não sou amigo de Leroy Beaulieu, eu que não sou ministro homeopata, eu que não tenho e nunca tive lavoura, eu sei qual é a causa da desvalorização do café, e sei qual é o meio de tornar a valorizar essa preciosa rubiácea, cujo uso pode em certas ocasiões substituir, sem graves inconvenientes, na alimentação pública, o uso do milho e da chicórea.

Ficai sabendo que a causa da desvalorização do café... é o leite!

É o leite! O café fica empatado, porque o seu consumo diminuiu; e o seu consumo diminuiu, simples e unicamente porque o povo deu em tomar café com leite, em vez de tomar café puro! O leite... *voilá l'ennemi!*

Antigamente, o leite era um líquido que servia unicamente para alimentar crianças. Os adultos não tomavam leite. Isto é: havia alguns adultos que o tomavam; mas tomavam-no, com certa moderação e certo recato, em certas e determinadas circunstâncias, de modo a não prejudicar o comércio do café. Hoje, porém, o abuso toca às raias da pouca vergonha!

A cada passo, encontra-se uma casa de dar leite! E é leite de vaca, é leite de cabra, é leite de burra, é leite de Minas, leite do Itatiaia, leite frio, leite quente, leite morno, leite de manhã, leite de noite, leite aqui, leite acolá, leite por todos os lados! E, ainda para maior profanação, tomam leite com café, ou café com leite, – o que é assim uma espécie de mula russa, filha de jumento branco com égua preta!

Que é o que mais sofre, com esse abuso do leite? é o café! Olhem que é preciso que um homem seja muito tapado para não compreender isto!

Que querem? a inteligência não é cousa que anda por aí aos pontapés! Já houve quem, para valorizar o café, se lembrasse de queimá-lo, como o meu amigo Joaquim Murtinho queima dinheiro. O resultado da queima, já se sabe qual foi: foi cinza; e a quebradeira renasceu das cinzas como a Fênix da fábula...

Não, senhores! o único meio de valorizar o café é dar cabo do leite! e se o meu amigo Dr. Leite e Oiticica, que é tão bom financeiro como eu, não descobriu isto, é porque ele também é leite, e leite não bebe leite. A população está, de fraldas de fora, agarrada a uma mamadeira; tirem-lhe a mamadeira das mãos, e verão como o café dá uma guinada para cima.

O que é preciso é decretar, quanto antes, penas severas para todo aquele que tomar leite puro ou tomar café com leite! Com estas crises não se brinca. O café é a fortuna do Brasil! O Brasil sem café será como um homem sem... ouvido: não prestará para mais nada!

E agora, que aí está indicado o remédio, apliquem-no. E se o não quiserem aplicar, queixem-se de si... e tomem café com leite!

Puck

P. S. – Para evitar dúvidas futuras, declaro em tempo que, no correr deste artigo de fundo, não quis fazer alusões ao Sr. Coronel Leite Ribeiro: o Sr. Coronel Leite Ribeiro é presidente do Conselho Municipal, e eu não sou capaz de bolir com as autoridades constituídas!

P.

07 ago. 1902 — A Pródiga e a Prodigalizadora

Foi com a alma sobressaltada e o patriotismo alarmado, que assisti ultimamente ao nascimento de duas companhias de Economia!

De *Economia*! que horror! só o diabo deste nome dá calafrios! A Economia é a ruína social, o aniquilamento da felicidade doméstica, o vórtice das liberdades públicas, a negação da vida!

E não pensem que isto é idéia minha. Spencer, o grande filósofo, claramente o diz, à pág. 147 dos *Primeiros Princípios*: "a felicidade humana repousa unicamente sobre o instinto de gastar: a Natureza é uma grande usina, que não faz senão gastar forças; a economia é um crime!" Stuart Mill vai ainda mais longe; diz esse profundo pensador, à pág. 18 do *System of Logic*: "O pródigo é um criador de fortunas, um semeador de searas, um pai das gentes; o econômico é um eunuco, um morto civil, uma inutilidade social".

Creio que não tenho necessidade de citar outras autoridades contemporâneas. Mas para que se veja que a verdade da minha tese tem por si o apoio das tradições, o valimento dos séculos, o amparo do consenso unânime dos povos, socorrer-me-ei da Bíblia, dessa fonte da eterna sabedoria, desse monumento que, se é mais moço do que os hieróglifos egípcios de Horapolon, sempre é mais velho do que a *História da Fundação do Império*, do Sr. Pereira da Silva.

Que diz a Bíblia? A Bíblia diz que o *filho pródigo* foi mais amado do que os outros. Os outros filhos, os econômicos, comiam carne seca e pão duro. Mas quando o *filho pródigo* voltou à casa, o pai mandou assar um boi inteiro, – e, se não mandou abrir uma garrafa de champagne, foi só porque naquele tempo ainda a viúva Cliquot não tinha nascido nem enviuvado. E basta de argumentos: a economia é um crime!

O principal culpado dessa mania econômica, que nos envergonha diante do resto das nações civilizadas, é o Sr. Ennes de Souza, que, em vez de continuar a aperfeiçoar a raça das couves e a fazer propaganda da virtude alimentícia do capim melado, meteu-se a dirigir a Casa da Moeda e mandou inscrever nas moedas de cobre aquelas duas heresias: "a economia é a base da prosperidade" e "vintém poupado, vintém ganho". É fresca a tal teoria econômica! o resultado [*****] foi este: ficou tudo tão caro, que já não há mais nada nesta terra que custe um vintém nem dois vinténs! E ontem, caindo eu na asneira de dar dous vinténs a um pobre, na rua Gonçalves Dias, o pobre atirou-me à cara a prosperidade, a base e a economia da moeda e berrou: "Vá dar porcarias destas à sua avó!"

Pois, senhores, para dar combate a essas perigosas doutrinas de economia, vou fundar duas companhias: *A Pródiga e A Prodigalizadora.*

Fundo as duas ao mesmo tempo, e fico com a direção de ambas, porque, se as fundasse separadamente, elas começariam logo a brigar, e só haveria uma cousa prodigalizada: o sopapo!

Além disso, cada uma delas tem o seu fim e a sua utilidade: *A Pródiga* é uma companhia fundada *para gastar*; e *A Prodigalizadora* é uma companhia fundada para *fazer gastar*. Quero dizer: na primeira, gasto eu; e na segunda gasto eu também, e gastarão os outros, se ainda acharem o que gastar. É claro como água; se não entenderem, peçam ao Dr. Rui Barbosa que me endireite a língua.

Quando estiver de pachorra, publicarei os prospectos das minhas duas companhias. Mas para que prospectos? Em negócio, o que faz fé é a confiança. Entrem para as minhas companhias, e fujam das outras, porque as más companhias deitam a gente a perder. Entrem, e confiem-me os seus capitais: e verão que, daqui a pouco, estaremos todos tão ricos como o Sr. conde de Modesto Leal, porque, segundo Spencer e Stuart Mill, quanto mais se gasta mais se tem.

E não lhes digo mais nada: eu não nasci para gastar palavras, mas para gastar dinheiro.

PUCK

10 AGO. 1902

CRÔNICA

Já alguém disse que a era em que vivemos bem podia receber o nome de Era das Falsificações. A principal preocupação do homem é corrigir a Natureza, ou por orgulho ou por interesse. O esforço, está bem visto, é sempre baldado. O esplendor e a força da Natureza vencem todas as tentativas humanas, e o nosso inútil e pretensioso trabalho não passa nunca de uma ignóbil macaqueação. Debalde, como uma legião inumerável de formigas, penamos e mourejamos aos pés dessa árvore formidável: ela esmaga-nos com a sua sombra; e basta a queda de uma só das suas folhas para aniquilar todo o nosso ridiculíssimo labor.

Tudo se falsifica, nesta era civilizada. O que comemos e bebemos é o produto de monstruosos laboratórios, em que os Borgias da indústria moderna calmamente levam a efeito o seu firme propósito de envenenar a humanidade. Falsifica-se a lã que nos veste, o tabaco que fumamos, o couro e o linho com que fabricamos os nossos sapatos e as nossas camisas, o leite que bebemos, o vinho com que muitas vezes hipocritamente saudamos nos banquetes os grandes homens do dia. Falsifica-se a beleza; e com três pastas de algodão em rama, meio quilo de carmim, uma dentadura americana, algumas pinceladas de bistre e *khol*, e um colete Leots, faz-se de uma megera uma Vênus. Falsifica-se a ciência, a arte, a política. Falsifica-se tudo. Por que é que não se poderia, então, falsificar uma conta de pedras?

Entre as cousas que mais se prestam à falsificação, figuram justamente as pedras. Muitas vezes, quem, numa sala, admira os braceletes, os colares, as pulseiras de uma rica senhora, está apenas admirando pedaços de *strass* que imitam perfeitamente os diamantes, e vidrilhos coloridos, que competem em brilho e formosura com os mais belos rubis da Sibéria e com as mais lindas safiras da Índia. Mas essa falsificação representa muito trabalho e muita arte. A que aqui tivemos foi mais simples: não se forneceram paralelepípedos de papelão ao governo; o que se lhe forneceu foi uma conta falsa, falsa como Judas, em que o que apenas valia um, ficou valendo dezesseis...

* * *

E não foi essa a única falsificação da semana. Parece que também na *Escola Quinze de Novembro*, se foi achar a prova de que o homem consegue sempre, com uma habilidade diabólica, fazer de uma cousa boa uma cousa má, dando-lhe a aparência de ótima.

A cousa era, sem dúvida, boa. Pelos menos, era excelente a intenção de quem a inventou.

Apanhar na rua as crianças que a ociosidade e o vício pervertiam, salvá-las da ignomínia, do xadrez e da penitenciária, transformar essa vermina humana em gente, matar nessas almas em flor os parasitas daninhos que as comiam, saneá-las, extrair homens desses animais inconscientes, era prestar-lhes um grande serviço, e prestar ainda maior serviço à sociedade. Mas parece que os perigos da rua continuavam a existir no asilo, e agravados. Ao menos, cá fora, havia o ar que tudo saneia, e a liberdade que tudo desculpa...

O que se diz da *Escola Quinze de Novembro* é tão grave, que todo o escrúpulo deve parecer pouco a quem quiser julgar da validade das acusações. Mas o próprio fundador da instituição já veio dizer em público que "preferia vê-la morta a vê-la como está". E a ocasião é boa, para mais uma vez fazer notar que conseqüências pode ter o nosso habitual e incorrigível relaxamento.

Nós estamos em uma terra em que qualquer sujeito, vindo de qualquer parte, pode fundar um asilo. Funda-o, e começa a arrebanhar crianças. Afluem os donativos, a imprensa põe nas nuvens a alma caridosa que assim se preocupa com a sorte da infância desvalida, todos os tambores da *réclame* rufam freneticamente em torno dessa obra meritória, – e ninguém pensa em ir verificar nesses asilos, nessas casas de caridade, que espécie de caridade é a que nelas se pratica. Há autoridades que têm o dever de fazê-lo: mas o tempo é tão curto, e o trabalho tão pesado!... e, um belo dia, graças ao acaso ou à providência de uma denúncia anônima, chega a gente ao conhecimento de que a caridade dessas boas almas protetoras da infância é como a caridade do Diabo, que às vezes, para com mais comodidade chegar aos seus fins, dá para fingir de S. Francisco de Assis... Já houve por aí cinco ou seis asilos de caridade que eram casas de tortura e de depravação. Em um deles, verificou-se mesmo, há uns seis ou sete anos, que as crianças passavam fome e sede, e sofriam castigos corporais hediondos, enquanto dous apaniguados do diretor tocavam tambor e trombeta para abafar o gemido das vítimas...

Pois bem. Há poucos meses, um juiz, o Dr. Ataulfo Paiva, num artigo publicado pelo *Jornal do Comércio*, lembrava a necessidade da fundação de uma Repartição Central de Assistência, especialmente incumbida de fiscalizar os asilos. A troça nacional tomou conta do assunto, e matou a tentativa a frechadas de ridículo!...

Depois do escândalo é que vêm as queixas, as polêmicas, os relatórios, as primeiras providências espalhafatosas... e o esquecimento. Querem apostar? Daqui a um mês, sem que se chegue a saber com segurança o que houve e o que há na *Escola Quinze de Novembro*, cai tudo na pasmaceira, e não se trata mais disso...

* * *

Quem não gosta de falsificar a verdade (apesar de ser chefe político) é o presidente do Estado do Rio de Janeiro.

Esse não é dos que, por interesse ou timidez, pretendem tapar o sol com uma peneira. Afrontando a impopularidade, acaba de dizer ao doente, cuja salvação lhe pediram: "Não estás irremediavelmente condenado à morte, meu pobre amigo; mas não disfarço a gravidade da tua doença... A ruína aí está bem perto de ti! Resigna-te a sofrer, porque só te posso dar remédios fortes. Sofrerei mais do que tu, mas ficarei com a consciência tranqüila!"

A primeira medicação, do enérgico sistema terapêutico empregado por Quintino Bocaiúva para disputar à morte o Estado enfermo, foi a medida da mudança da capital, que a assembléia legislativa patrioticamente votou, já segura de que lhe não faltaria a sanção presidencial. As outras medicações, ainda mais enérgicas e dolorosas, não tardarão.

É lícito dizer que só mesmo um chefe político, certo do seu prestígio, consciente do seu valor moral, confiando na autoridade da sua palavra, como Quintino Bocaiúva, se animaria a tentar essa reforma radical, – assim como há certas operações de alta cirúrgica que só os grandes mestres, os Péan e os Nélaton, se atrevem a praticar.

Por ora, o que cai sob a alçada da *Crônica* é o fato da mudança da capital. Niterói está tão perto de nós, e tão íntimas são as relações entre as duas cidades, que todas as dores e todas as alegrias da velha *urbs* fluminense são também nossas. Chegam até aqui, através da baía, os rumores da festa com que Niterói, novamente declarada capital do Estado do Rio, está celebrando essa reivindicação dos seus direitos.

Petrópolis não sofre com a mudança: fica sendo o que era antes de 1895, – uma cidade fidalga e elegante, mais dada aos gozos do luxo do que aos sacrifícios do trabalho. Mas Niterói ganha material e moralmente; e não seria justo fechar a *Crônica* sem enviar à boa e heróica cidade um punhado de flores.

* * *

Dessas flores ainda nos sobrará uma fresca braçada, com que brindaremos a guarnição da *yole-franche* que ganhar hoje a regata do "Campeonato de Remo".

Qual será ela? *Botafogo? Boqueirão? Natação? Marina? Internacional?*

Que importa? nestas belas e admiráveis lutas, não há vencedores nem vencidos. Caiba o prêmio a quem couber, quem sempre vence é a brava e querida mocidade da nossa terra.

s. a.

17 ago. 1902

Crônica

Vejam a influência que uma simples e feia viela, um apertado e melancólico beco pode ter sobre a vida de toda uma grande cidade, de toda uma imensa nação!

Aí estão os chilenos, há cinco ou seis dias; já tiveram sessões solenes, regatas, touradas, matinês, bailes, jantares; já admiraram, em festões, toda a opulência da nossa flora, e, em discursos, toda a pujança da nossa eloqüência; já correram, enfim, salões particulares e salões de clubes; e já tiveram o ensejo de cortejar as mais belas das nossas damas e de confabular com os mais ilustres dos nossos homens. Mas, nas ruas, não há povo, não há bandeiras, não há música, não há vivas. Por quê? porque a rua do Ouvidor está intransitável!

A Rua do Ouvidor é o Rio de Janeiro; a rua do Ouvidor é o Brasil. Perguntar: "como está a rua do Ouvidor?" é o mesmo que perguntar: "como está a Pátria?" Quando a rua do Ouvidor passa bem, a pátria exulta e vibra, numa pletora de mocidade e de saúde; quando a rua do Ouvidor tem uma pontinha de febre, o Brasil está sepultado no fundo de uma cama, desconsolado e moribundo...

A causa da falta de animação popular não está na questão das pedras do Tesouro: está na questão das pedras da rua do Ouvidor. Para outra vez, quando se tratar de alguma visita de esquadra amiga, bom será que a chancelaria do Brasil se entenda com a diretoria das Obras Públicas, para saber, antes da organização do programa das festas, se a rua do Ouvidor está ou não está disposta a permitir a expansão do entusiasmo popular.

Atualmente, a velha rua, com o calçamento em reformas, desalinhada e triste, não está de humor para festas. O que ela quer é que a deixem, em menores, cheia de pó, atravancada de pedras, entregue aos cuidados dos calceteiros que lhe tratam das mazelas. Sobre aquele desalinho e aquela modorra de enferma, não fariam bom efeito as bandeiras e as luminárias... E como aquela estreita rua é o centro da nossa vida, a sua tristeza entristece toda a cidade, que nem parece estar sendo honrada com a visita de tão ilustres amigos.

Mas isso não quer dizer que as festas tenham sido chochas. O que elas têm perdido em vibração de rua, têm ganho em requinte de elegância e bom gosto.

* * *

Dessas festas, a mais expressiva, a mais bela, foi com certeza a da Escola Naval. O melhor meio de honrar os nossos hóspedes marinheiros da nobre República do Pacífico era justamente mostrar-lhes o nosso viveiro de oficiais em germe, a nossa *pépinière* de almirantes.

À hora em que é escrita esta crônica, termina a linda festa. Com uma admirável correção, correram os exercícios de armas: e, ao lado do chefe do Estado, alguns veteranos da nossa armada, envelhecidos no serviço da pátria, viam com orgulho e garbo a elegância daqueles meninos, já educados e preparados para a continuação da obra gloriosa de Barroso e Tamandaré.

Em um dos pátios da Escola, levantava-se o mastro legendário da *Amazonas*, – relíquia veneranda, guardada com um carinho religioso na ilha das Enxadas: e nesse mastro viam-se içados os sinais históricos do Riachuelo – "O Brasil espera que cada um cumpra o seu dever" e "Avivar o fogo que a vitória é certa".

* * *

[*****], numa [*****] multidão, tagarelando e [*****] as lindas senhoras, que foram aplaudir ontem os alunos da Escola Naval, se preparavam para acabar em alegres danças aquela luminosa tarde de festa – quem escreve estas linhas pensava na longa história da nossa marinha, e sentia que um amargo travor lhe vinha estragar o gosto daquelas horas felizes e belas...

Depois da deplorável revolta de 93, feita a paz, serenados os ânimos, unidos todos os nossos queridos oficiais da marinha pelo mesmo sentimento de solidariedade e [*****] – por que havia a "lei da anistia" conservar as odiosas restrições que lhe puseram a princípio?

Houve agora, no sentido de reparar essa injustiça, uma tentativa. Mas esta mesma [*****] suas [*****] há dous dias, esta notícia dolorosa: "Ouvimos que o projeto apresentado, na Câmara dos Deputados, [*****] as restrições da lei da anistia, não chegará a ser discutido nem terá parecer. É um projeto que nasceu morto".

O ódio partidário não quer que se apague dos corações brasileiros a recordação dos dias de sangue e luto. E, nas fileiras da marinha de guerra, continuarão a reinar os sentimentos que a dividem.

Pensando bem, não se compreende por que é que os revoltosos de 93 ainda são considerados réus de um crime imperdoável.

Revoltosos são todos os oficiais do exército e da armada, desde 15 de novembro de 1889. E o argumento de que as revoluções que vencem não podem ser equiparadas às revoluções que são vencidas, pode ter força, mas não tem moral. Acresce que, depois de 15 de novembro de 1889, já houve no Brasil revoluções que foram vencidas, obtendo depois os seus chefes a anistia ampla que é negada aos revolucionários de 93: basta citar os revolucionários de Mato Grosso, os da questão [*****] *Marajó* e os da flotilha do Amazonas...

Há na Escola Naval, na aula de ginástica, uma divisa que é sublime na sua simplicidade: "sê forte, mas não feroz!" Infelizmente, nem todos os que saíram daquela Escola compreendem esta divisa...

A ampliação das restrições da anistia [*****] o esquecimento completo da luta fratricida, a confraternização definitiva da classe, o aniquilamento dos ódios que ainda podem dividir a marinha, e que os espíritos intolerantes não querem ver aniquilados...

Mas não o querem compreender alguns emperrados. Que fazer! esperar melhores dias, – os dias da justiça, que podem tardar, mas chegam sempre.

* * *

Afinal, não cabe na índole desta *Crônica* a discussão desse caso. Aqui o que cabe é uma saudação aos bravos marinheiros da nação amiga. A semana foi de festas: mais vale não perturbar essas festas, lembrando injustiças.

s. a.

14 set. 1902

Crônica

O progresso é uma lei fatal. Obriguem uma *preguiça* a subir uma árvore de cinqüenta metros de altura, e verão que a morrinhenta bradípoda, ao cabo de dez anos de esforço, sempre há de chegar ao galho mais alto... se não tiver morrido no meio do caminho. Todos os povos progridem: alguns voam, outros arrastam-se, mas todos andam, porque a vida é o movimento: mesmo no seio do mais parado e podre marnel, há uma eterna palpitação de germes cujo desenvolvimento não pára.

A prova de que o Rio de Janeiro progrediu nestes últimos sessenta anos, está em que o público fluminense não compreendeu a comédia de Martins Pena, *Os Meirinhos*, representada há poucos dias no Recreio. Aquilo parecia a evocação de cenas de uma outra civilização e de uma outra gente: a platéia, sem rir e sem protestar, limitou-se a exprimir, num cego bocejo, o seu tédio.

A representação dessa comédia foi a exumação de um tipo carioca, que ainda encontrei cheio de vida, – o meirinho, o antigo meirinho do nosso fórum, – que hoje tem o nome de oficial da justiça.

A entidade, afinal, é a mesma; mas o tipo é outro. É possível que haja por aí um ou dous meirinhos do tempo antigo, mas esses, se existem, devem andar, como espectros de outra idade, perdidos às tontas no meio de gente nova. Por mim, há muito tempo não vejo um meirinho autêntico, um daqueles que Martins Pena pôs em cena em 1846.

A classe era unida, e destacava-se da massa da população, pelo seu vestuário, pelas suas maneiras, pela sua vida original. Quem topava um deles na rua, reconhecia-o logo. Em primeiro lugar, eram quase todos da mesma raça, – ciganos, magros, esgrouviados, de uma cor morena abaçanada, de compridos cabelos lisos de um negro intenso. Depois, vestiam-se todos do mesmo modo. A pessoa do meirinho era inseparável da sobrecasaca outrora preta e agora esverdeada pelo uso, com a gola sebenta do roçar do cabelo e as longas abas puídas oscilando sobre as escanifradas pernas do dono; a sobrecasaca era, por sua vez, inseparável da cartola, um alto canudo já sem pêlo, de cor inominável, atarrachado na cabeça do executor das penhoras.

Hoje, o devedor que é procurado por um oficial de justiça, recebe-o sem desconfiança, porque esse funcionário, pelo seu modo de trajar e pela sua fisionomia inexpressiva, tanto pode ser um oficial de justiça, como um negociante, ou um caixeiro, ou um bacharel. Mas, antigamente, um meirinho era o *meirinho*, um ente à parte, um tipo inconfundível, uma criação *sui generis*. Quando ele apontava na esquina de uma rua, saía o povo às portas, abriam-se as janelas e toda a vizinhança sabia que o morador da casa em que ele parava tinha qualquer cousa a liquidar com a justiça pública.

Que fim levou essa gente? morreu de velhice, de miséria ou de lazeira. Agora a gente da justiça é escovada, e não chama a atenção. Tudo se renova, tudo progride...

* * *

Até os índios do Tocantins progridem.

Há bem pouco tempo, esse pobres americanos só respeitavam Tupã, o senhor universal que fala pela voz dos trovões. Viviam correndo as matas, em busca da caça esquiva, ou, nas leves [*****] de um só tronco de árvore, subindo ou descendo as águas azuis do seu rio.

Se alguém os ofendia ou lesava, só pediam justiça ao seu arco: uma frecha ligeira, silvando no ar, vingava logo a afronta. E debaixo do vasto céu azul, cheio da fulguração do sol ou do choro de prata das estrelas, eram felizes e livres.

Mas houve quem aparecesse por lá com muitos bons modos, a falar-lhes de outras maneiras de viver, de outros costumes, de outra religião. Disseram-lhe que, abaixo de Tupã, há outras [*****] quase tão poderosas, e de [*****] tão [*****] como ele. Deram-lhes um livro de orações e meteram-lhe no cérebro, à força, as vinte e cinco letras do alfabeto. E, como se [*****] não bastasse toda essa civilização, deram-lhes patentes de [*****] da guarda nacional.

E eis que, de repente, junto do aldeamento semicivilizado, veio estabelecer-se um homem civilizado de todo, que começou a maltratar os *pinagés*, e a destruir-lhes as plantações, e a matar-lhes os rebanhos, e a violar-lhes as mulheres e a amargurar-lhes a vida.

Antigamente, esse homem não exerceria por muito tempo a sua ação perversa. Uma frecha ervada, disparada por um arco certeiro, prostrá-lo-ia sem vida, no meio do campo, sem lhe dar tempo de se arrepender da sua maldade.

Agora, porém, os *pinagés* são homens finos, sabem ler e escrever, são oficiais da guarda nacional: não podem proceder como selvagens. E foi por isso que, a pé, devorando os sertões bravos, vadeando os rios, galgando montanhas, atravessando cidades e vilas, os índios vieram pedir justiça ao Morubixaba do Brasil, ao Papai-Grande, àquele que, abaixo de Tupã, é quem tem mais força nestas riquíssimas terras.

Já é progresso, não acham? Há apenas a notar que o progresso parece às vezes ser um grande mal para quem progride. Se os *pinagés* não tivessem progredido, já estariam livres do seu perseguidor; como progrediram, gastaram as solas dos pés, passaram algumas [*****] na polícia como assassinos ou gatunos, estiveram expostos como girafas à curiosidade importuna dos desocupados, e voltam para a sua terra, onde, naturalmente, o perseguidor há de rir da sua ingenuidade, – se os não reduzir ao cativeiro...

* * *

Pena é que, assim como levaram os *pinagés* ao palácio do Catete, não os tivessem também levado ao Lírico.

Ali, melhor do que em outra qualquer parte, poderiam eles ver o que é a civilização. Piscando os olhos à fulguração da luz elétrica; com os ouvidos encantados pela voz da Darclée, voz muito mais suave do que as das mães d'água que habitam o frio seio do Tocantins; vendo toda aquela riqueza, aqueles colos alvos carregados de jóias, aquelas sedas, aquele luxo; os *pinagés* diriam consigo: que cousa boa é a civilização! como deve ser feliz esta gente, e como tudo isto é diferente da nossa aldeia selvagem, à beira do rio natal!

Porque, enfim, ninguém lhes diria que, sob aquela aparência de fausto e gozo, ardem tragédias, escondem-se agonias, ocultam-se misérias, bocejam tédios e sangram corações. Assim também, quando foram ao palácio do Catete, só viram o lado brilhante das cousas: e vendo a guarda do palácio, vendo aquelas salas ricas, vendo as librés da criadagem, nenhum deles chegou a suspeitar que aquele Morubixaba é um simples mortal, descomposto todos os dias e todos os dias coberto de injúrias...

* * *

É impossível encerrar a *Crônica* sem tratar da denúncia.

Se disséssemos aos *pinagés*: "sabem vocês? aquele Morubixaba a quem vieram pedir justiça foi denunciado como criminoso!" – eles, naturalmente, perguntariam: "como assim?! então ele, que é o mais poderoso dos homens depois de Tupã, está sujeito a ser acusado, a ser julgado, a ser condenado?" E mais espantados ainda ficariam, quando lhes dissessem que isto de denúncia é apenas um exercício retórico, um fogo de vistas, uma brincadeira, uma cousa para rir...

Foi pena que não levassem os *pinagés* à Câmara: os pobres índios perderam uma boa ocasião de ficar sabendo o que é a civilização, o que é a seriedade da política.

S. A.

21 SET. 1902

CRÔNICA

Que é isto, deuses inclementes? Ainda a primavera vem longe, e já o estio se instalou no Rio de Janeiro... E, para nos tornar absolutamente insuportável a existência, a poeira secunda o calor, – e chega a gente às vezes a pensar que está vivendo em pleno Saara. Há colaborações que são boas e colaborações abomináveis. Da colaboração de Júlio e Edmundo Goncourt, da colaboração de T. Sandeau e G. Sand, saíram livros encantadores que ainda hoje prendem e seduzem as almas. Mas, da colaboração do calor e da poeira, só pode sair a morte, ou, pelo menos, a loucura!

Não falta quem diga que o Rio de Janeiro está ameaçado de um cataclisma qualquer. Uma névoa estranha amortalha este céu, habitualmente tão belo: através dessa névoa, ao cair da tarde, vê-se o globo inflamado do sol, vermelho como um coágulo de sangue: e a lua, quando nasce, vem também ensangüentada e medonha, como horrorizada de algum terrível espetáculo. E, de dia, e de noite, no ar pesado e morno, flutua a poeira assassina, carregada de micróbios, cegando os olhos e tapando as ventas dos pobres mortais.

* * *

Os *pinagés*, que ainda passeiam pela abrasada *urbs* a sua fealdade, deveriam preferir a esta empoeirada metrópole a sua tranqüila aldeia. Diz-se que três entre eles já enfermaram, com os pulmões infeccionados por este ar pesado, e os intestinos arrasados pelo abuso de feijoadas gordurosas...

Mas, agarrados às saias da sua *mamãe grande*, não querem os pobres índios voltar ao calmo remanso do sertão natal. Por quê? Porque a civilização é como essas velhas e peritas mercadoras de amor, que, aos cinqüenta anos, ainda inspiram paixões... Há mulheres que, mesmo depois de velhas, transtornam as cabeças jovens e abrasam as almas adolescentes. Os meninos que se apaixonam por elas, não vêem que os seus dentes e os seus cabelos são postiços, que os seus olhos estão cercados de pés-de-galinha, que a pele das suas faces está gretada, e que só o carmim, o *khol*, o bistre, os chumaços de algodão e todos os outros recursos da arte é que dão ainda uma aparência de mocidade e fulgor à velha megera decrépita.

Mery dizia que havia um veneno mais perigoso do que todos os outros: a *parisina*, tóxico terrivelmente sedutor, ao qual de tal modo se habituavam os envenenados, que nunca mais podiam dispensá-lo. Mas não é a vida parisiense a única que estila esse veneno pérfido e cativante. Nós também temos o nosso, que não tem nome, mas que nem por isso é menos poderoso.

Vêde bem que, nesta tumultuada cidade, em que falta o pão e sobram as moléstias e os desgostos de toda sorte, há pelo menos cem mil desocupados que vivem a queixar-se da falta de trabalho e da falta de saúde. Entretanto, o Brasil é uma vasta porção de terra de mais de oito milhões de quilômetros quadrados. Por essas léguas adentro, o solo é de uma fertilidade que espanta: o seio generoso da terra está só à espera de quem o revolva, de quem lance nele as sementes, berços da fartura e da fortuna. E o ar é puro, nesses campos e nessas montanhas: ali a vida deve ser paradisíaca e suave, só feita de regalos e felicidades, sem micróbios e sem política, na doce paz da natureza, na inevitável contemplação da grandeza da obra divina... E tudo isto está despovoado, inculto, abandonado. Ainda há poucos dias, a comissão militar que está abrindo uma estrada estratégica no sul do Brasil, comunicava ao governo ter encontrado um aldeamento de índios que ainda estão na *idade da pedra*, que nunca conheceram o uso do vestuário, e nunca viram um cão!

Mas não há quem queira sair do Rio de Janeiro... Ninguém compreende que, fora destas ruas apertadas e destes focos de infecção, possa haver felicidade e vida. A falta de alimentação e higiene, a madreçaria e a prática das malandragens vão corrompendo o corpo e a alma dos desocupados: a tuberculose e o crime vão todos os dias mandando essas vítimas do Rio de Janeiro para o cemitério e para a Casa de Detenção.

Eles, porém, preferem a morte e a desonra à renúncia da capital.

Por quê? Porque provaram o veneno, a um tempo suave e terrível da vida civilizada, e já não podem dispensá-lo, como os morfímanos não podem dispensar a morfina.

Os *pinagés* levaram à boca o cálice maldito. E é em vão que o seu cacique, tremendo de ira, quer reconduzi-los ao Tocantins, à paz, à felicidade. Os *pinagés* depuseram o seu chefe, e continuam a respirar a poeira da cidade e a engolir as feijoadas assassinas.

O chefe nem pode, como o velho piaga de Gonçalves Dias, clamar, cheio de mágoa profunda:

Eis rebenta a meus pés um fantasma,
Um fantasma de imensa extensão
Liso crânio repousa a meu lado,
Feia cobra repousa no chão;

O meu sangue gelou-se nas veias;
Todo inteiro, – ossos, carnes, – tremi
Frio horror me [*****] pelos membros,
Frio vento no rosto senti!

Pobre capitão dos *pinagés*! o fantasma que viste foi o da indisciplina... E não há esconjuro, nem reza, nem mandinga que valha contra ele!

Foste deposto? Consola-te! pois não é muito seja deposto pelos seus soldados um simples capitão, numa terra em que já muitos generais têm sido depostos por alferes!

* * *

Ai de nós, se para animar a nossa vida, tivéssemos somente a presença desses feios bugres de orelhas recortadas em bambinelas! Felizmente, temos a presença de uma flor da mais pura civilização, cujo aroma está entontecendo todas as almas.

De que te queixas ainda, incontentável cidade? Tiveste a Réjane, e tens a Darclée... Uma só dessas duas divinas mulheres já bastaria, para, com a sua presença, ministrar-nos um pouco desse consolo, que só a Arte pode dar às misérias da existência.

Em geral, neste mundo de decepções, a realidade fica sempre abaixo do sonho. A desilusão é tão comum, que o homem, quando espera uma aventura, pede ao céu que a demore, com receio que ela venha embrulhada num desengano. Bem diz o povo que "o melhor da festa é esperar por ela..."

Mas a Darclée real saiu melhor do que a Darclée sonhada!

A sua estréia foi uma revelação. Que palavras darão idéia da Arte refinada e perfeita dessa cantora que é, ao mesmo tempo, uma admirável atriz? Gargantas de prata, e mesmo de ouro, já não têm conta as que o público fluminense tem admirado e aplaudido, no Lírico. Mas as melhores cantoras que temos ouvido cantavam no palco do Lírico como se cantassem num salão, friamente, esquecidas de que uma ópera é, na essência, uma peça teatral, ornada de música. Darclée não pensa apenas na partitura, não estuda apenas a música da ópera que canta: estuda a fundo o libreto, apodera-se da ação dramática, mete-se dentro da pele da personagem que o libretista criou – e, no desempenho que ela dá ao papel, não se sabe bem o que é mais digno de admiração, se o modo de representar, se o modo de cantar. A maior atriz contemporânea não é superior à Darclée no final do 2º ato da *Tosca*...

* * *

Para fechar a *Crônica*, registremos com um caloroso aplauso a publicação de *Sarah*, o novo poema de Luís Murat. Nesse livro, em que vibra o talento de um grande poeta, Murat fixou, em versos admiráveis, a história de sua adolescência. Raras vezes terá ido tão alto, tão acima da terra e das suas tristezas, o lirismo brasileiro. *Sarah* é um desses livros que se lêem e relêem, e que se guardam com carinho e desvelo.

s. a.

05 out. 1902

Crônica [Cia]

Uma das qualidades mais admiráveis de Zola era o amor do método e da tenacidade. Como o semeador que, ao raiar da manhã, ao primeiro gorjear dos pássaros, sai para o campo a confiar à terra generosa a sua provisão de sementes, e só volta ao sossego do lar quando termina a árdua tarefa, assim aquele prodigioso escritor, operário tenaz e metódico, lançava todos os dias sobre o papel a sua sementeira de idéias com a alegre serenidade e a regularidade inalterável de quem ama e compreende o valor do trabalho em que se empenha. Ao cair da tarde, esgotada a sua provisão cotidiana, o semeador dá um último olhar à terra palpitante, mira-lhe com amor o seio fecundo preparado para a glória da messe futura, e já pensa no trabalho do dia seguinte, na continuação do labor sagrado, que é a única preocupação e o único orgulho de sua existência... Zola, também, quando, ao fim do trabalho diário, contemplava o resultado de suas oito horas de produção intelectual, devia olhá-lo com amor e satisfação.

No primeiro capítulo do *Gênesis*, há um estribilho insistente: "e viu Deus que isto era bom!" A cada nova criação, o Senhor contempla o progresso da sua obra, e sorri, satisfeito.

E no último versículo do capítulo, ainda o estribilho manifesta a satisfação divina: "e viu Deus todas as cousas que tinha feito, e reconheceu que eram boas..."

Nem todos os criadores têm essa consoladora segurança na excelência de sua obra. Quase todo o trabalho humano é o produto de um longo sofrimento, em que os períodos de esperança e febre alternam com os períodos de abatimento e desânimo. Mas Émile Zola não conheceu nunca os desfalecimentos que desmoralizam o trabalhador, as dúvidas, as hesitações, as síncopes da vontade, as fases de trágico e tremendo desespero em que o espírito a si mesmo pergunta se não é uma loucura perder as forças num trabalho vão. Zola não duvidou nunca da nobreza e da utilidade da sua tarefa. A Vontade governou essa existência de infatigável labuta. O romancista poderia ter assinado, como seu, este pensamento um pouco nebuloso de *Louis Lambert*, de Balzac: "se o espaço existe, certas faculdades dão o poder de transpô-lo, com uma tal rapidez, que ele fica abolido; do lugar em que estamos até a última fronteira do mundo, só há dous passos: a Fé e a Vontade".

Para completar a sua obra, que devia ser coroada pelos quatro evangelhos da humanidade de hoje, o Trabalho, a Fecundidade, a Verdade e a Justiça, Zola precisava ainda de um ano de vida. Um ano de vida! o destino irresponsável negou-lhe essa pequena esmola.

A máxima de Louis Lambert, há pouco citada, é falsa, como tudo quanto sai do cérebro humano. Para interromper a marcha vitoriosa de uma vontade, basta um grão de areia no caminho – uma casa que desaba, um micróbio que os pulmões absorvem, um golpe de vento, um calorífero que funciona mal... Para que nunca Napoleão I tivesse existido, para que toda a história moderna do mundo fosse mudada, teria bastado que uma bala de canhão esmigalhasse a cabeça de Bonaparte em Toulon.

* * *

Para quem está convencido de que o esforço do homem não poderá nunca endireitar as cousas do mundo, Zola parece, a princípio, um ingênuo, querendo dar, com a sua literatura, remédio eficaz a males que dependem da própria essência da natureza humana.

Mas, não! o apóstolo da Verdade e da Justiça nunca se enganou sobre a incurabilidade de nossa miséria... Quando publicou, em 1897, o volume de *Paris*, Zola ainda não se havia empenhado na "questão Dreyfus". O livro já era, da primeira à última página, um grito de revolta contra a injustiça.

Na primeira página, os quarteirões pobres da cidade aparecem, amortalhados no nevoeiro, "disparus dans la souffrance e dans la honte"; na última, a cidade fulgura "ensemencée de lumière, roulant dans sa gloire la moisson future de verité", Mas nesse mesmo livro, o romancista escreve: "Voyez ce que c'est que d'être dans l'absolu! on perd tout la sagesse et tout l'équilibre, quand on tombe à cet absolu qu'on se fait de l'idée de Justice..."

Isso não impediu que o escritor caísse no mesmo erro que censurava ao seu *Pierre Froment*, e à sua encantadora *Marie*. Também ele se deixou dominar pela idéia absoluta de que condenar um homem que pode ser inocente é um crime. Não! o apóstolo não era um ingênuo... Ele bem sabia que o seu sacrifício seria inútil: mas sabia também que nunca mais fruiria no sono um repouso feliz, que nunca mais a sua alma adormeceria na paz da consciência satisfeita, que nunca mais poderia ver o céu e a terra com olhos satisfeitos, que nunca mais poderia viver e amar, se não pusesse a sua bondade e o seu talento ao serviço dessas duas grandes idéias da Justiça e da Verdade, aspirações intangíveis da alma humana.

* * *

Que importava a inutilidade do esforço? A grandeza das obras da inteligência não se mede pela extensão do resultado prático, mas pelo que elas contêm em si de heroísmo, de nobreza moral e de bondade de intentos.

Que importava, também, a guerra dos interesses feridos, a revolta da hipocrisia desmascarada, a vingança da maldade acuada nas trevas?

Desde o começo de sua vida literária, Zola se acostumara ao sacrifício "de engolir todas as manhãs um sapo vivo". Não houve injúria que lhe não fosse assacada. Ele era o explorador da bestialidade humana, o remexedor dos mais ignóbeis detritos da vida, transformando a arte em servidora dos mais baixos instintos da plebe, profanando a vida, rebaixando o amor, amaldiçoando Deus, amassando com a lama dos alcouces livres que pervertiam a humanidade...

O trabalhador ouvia tudo isso, e sorria com desdém. De pedra em pedra, o edifício da sua obra hercúlea crescia e subia. Nascido do lodo, com a base no fundo asqueroso do pântano humano, esse edifício demandava o céu, a claridade serena, a alta glória da luz. Aquela imensa construção já estava, desde o lançamento da sua primeira pedra, delineada no sonho do construtor. Pouco importava que, em torno do operário, que vivia com os pés enterrados na vasa escura e podre, rissem ou blasfemassem os imbecis e os maus. Os pés do trabalhador estavam na podridão, mas as suas mãos iam erguendo pouco a pouco a torre ansiosa e brilhante em que palpitavam as esperanças de sua alma.

Cá embaixo ficavam o crime, a maldade, o egoísmo, o incesto, o parricídio, o lupanar, a ganância, o amor ao dinheiro; todos os vícios da vérmina humana, compendiados no lúgubre e doloroso poema dos *Rougon Macquart*. Mas, do fundo desse atascal, a miséria dos homens bracejava e ansiava, pedindo a luz e o ar livre da altura. E os *Quatro Evangelhos* deviam coroar o edifício, com a bênção dos quatro ideais da regeneração da espécie: a fecundidade que santifica o amor, o trabalho que anula a miséria, a verdade que emancipa a razão, a justiça que gera a bondade...

Quando a obra esplendeu, quase acabada, viu-se que aquele homem, tão acusado de ser o instigador das baixezas viciosas e o sacerdote da animalidade, era apenas um poeta, um grande poeta, cuja alma de criança sonhara pôr o céu ao alcance da terra, e que, dia e noite, via sorrir sobre as tristezas da vida contemporânea o prenúncio de uma vida melhor, o primeiro rubor de uma aurora fecunda, toda de paz e igualdade, toda de amor e fartura.

* * *

Em geral, os inovadores são prejudicados pelos discípulos. As grandes árvores são sempre o pasto da vegetação parasita, que se lhes agarra ao tronco, vivendo à custa delas. Zola foi uma das grandes árvores do espírito humano.

Muito cipó bravio e inútil agarrado aos seus galhos, e muito inseto nocivo viveu entre as suas folhagens opimas. Para poder admirar perfeitamente esse belo carvalho, é preciso despi-lo dos parasitas que se lhe aferram ao córtex.

Não se pode lançar à conta do prodigioso romancista o que os seus imitadores fizeram. Os imitadores copiavam apenas aquilo que podia agradar ao baixo gosto da multidão. O que eles não podiam copiar era a grandeza e a nobreza da idéia, da *alma mater* que inspirava o mestre.

Toda essa multidão de pornógrafos, que viveu um momento à sombra do prestígio de Zola, já desapareceu, ou desaparecerá em breve. Ele, não. Ele ficará como um orgulho da espécie, como uma glória da Inteligência humana. Dentro de alguns anos, já ninguém ligará importância ao que certos romances seus têm de escabroso e de cru, – como já ninguém liga importância às durezas e violências de expressão obscena, que há na *Divina Comédia* e nos dramas de Shakespeare. Se isso pudesse entrar em linha de conta, o nosso Camões teria de ser banido das [*****].

s. a

19 OUT. 1902

CRÔNICA

Vai correndo a primavera carioca, com alegria e paz. Sucedem-se as festas; anunciam-se três bailes suntuosos, uma nova companhia lírica, modesta e barata, nos atenua as saudades da Darclée, e, antes que com a agravação do calor fique o Rio de Janeiro inabitável, sacudimos as pernas nas últimas valsas e tratamos de remediar a escassez do dinheiro com a abundância da jovialidade.

De todas as festas deste fim de ano, porém, nenhuma teve nem terá a significação da esplêndida festa com que os que trabalham no *Jornal do Comércio* celebraram o 12º aniversário da direção – José Carlos Rodrigues.

O *Jornal do Comércio* era, antigamente, pela sua sisudez como pelo seu volume, um imenso mastodonte, pesado e respeitável. Infundia respeito, não se fazia amar. Quem passava por ele, tirava o chapéu, mas afastava-se logo, sem ter a coragem de lhe dirigir uma dessas amáveis palavras em que cabe todo o coração de quem as diz...

Mas, há doze anos, um sangue novo foi injetado nas veias do grande órgão: e viu-se, de repente, aquela montanha, até então escalvada e seca, reverdecer; viu-se a vida palpitar e cantar, com as garridices da juventude, no corpanzil do monstro; ouviu-se, nas torres da velha e severa catedral, até então só ressoante do soporífero rosnar do cantochão, o canto festivo dos repiques, anunciando a missa nova do progresso...

A respeitabilidade não diminuiu; mas, adoçada por uma larga dose de amabilidade, adquiriu nova força de persuasão. Já nem só a gente velha procura o velho órgão: as colunas do *Jornal do Comércio* são hoje o estuário vasto em que vêm desaguar as torrentes da vida universal, em ondas de informações interessantes. Já não reina ali o patriotismo estreito, que faz todas as questões da filosofia, da arte e da religião questões fechadas em que seria um sacrilégio tocar. Os colaboradores nacionais e estrangeiros ali discutem todos os problemas que preocupam o espírito humano. E, para que nada falte, até mesmo o folhetim airoso, a crônica ligeira, a seção graciosa têm o seu lugar marcado e inalienável, entre os artigos de política, de economia, de higiene, de filosofia.

Um jornal é um espelho, em que se vêm refletir diariamente os aspectos móveis da vida, sempre tão agitada e tão cheia de surpresas. Por isso mesmo, um jornal que conserva imutável o programa com que nasceu, é uma inutilidade, um tropeço, um absurdo.

Foi tão justa e merecida a homenagem prestada ao Dr. José Carlos Rodrigues, pelos seus auxiliares, que toda a imprensa do Rio de Janeiro transformou a festa de anteontem, de festa doméstica que era, em solenidade coletiva, de toda a classe. Todos nós corremos, a glorificar, na pessoa do diretor do *Jornal*, a nossa profissão, tão profanada pela incompetência ou pela maldade dos interesses, mas tão digna do respeito quando servida pelo talento e pelo caráter.

* * *

Depois dessa grande festa, vamos ter o grande baile do *Cassino* e dous bailes políticos: um de despedida, outro de boas-vindas. E serão as últimas festas, que o estio aí vem, inclemente e feroz...

Daqui a pouco, quem não estiver com as finanças em petição de miséria, entrouxará as camisas e o *smoking* e irá continuar o folguedo em Petrópolis, na Tijuca, em Teresópolis. Os pobres, esses ficarão aqui mesmo, engolindo poeira, comendo sol, bebendo culturas de micróbios, jogando no bicho e calmamente esperando que o calçamento da rua do Ouvidor fique acabado... ao fim do ano de 1910 ou no começo do de 1911.

* * *

Oh! o calçamento da rua do Ouvidor!

Talvez as crianças que nasceram ontem ou anteontem ainda encontrem, aos quinze anos de idade, na rua do Ouvidor, os mesmos britadores de pedra e os mesmos arranjadores de mosaicos, ultimando este prodigioso calçamento de Santa Engrácia.

É possível que expire o mandato presidencial do Sr. Rodrigues Alves, é possível que os monarquistas de S. Paulo restaurem a monarquia, é possível que se torne a estabelecer a República, é possível que se passem cinqüenta, cem, mil anos, antes de ficar acabado o calçamento da rua do Ouvidor!

Os homens da idade do Sr. visconde de Barbacena, quando se querem referir a um fato de remota ancianidade, dizem: "Naquele tempo a cidade acabava em Mataporcos..." Para o futuro, daqui a uns séculos, os cariocas dirão: "naquele tempo, havia apenas cinqüenta anos que se tinha iniciado a reforma do calçamento da rua do Ouvidor..."

Este calçamento ainda acaba sendo uma ficha cronológica, um ponto de reparo histórico, um marco miliário!

* * *

Agora, para fechar a crônica, registremos a surpresa que tiveram há dias os trabalhadores da Companhia Telefônica.

Descobriu-se no largo de Santa Rita um cemitério colonial. Colonial – quem sabe? talvez as ossadas não sejam de europeus ou de filhos de europeus, mas de índios. À primeira vista, ninguém pode, pelo exame de um esqueleto, dizer a que família humana pertencia o sujeito possuidor desse arcabouço de ossos. Isso é tarefa que cabe aos sábios. Aos olhos dos trabalhadores da Companhia Telefônica e aos nossos olhos (que todos somos leigos no assunto), não haveria diferença sensível entre o esqueleto de Anchieta e o de Cunhambebe, como não haveria diversidade clara entre o esqueleto de S. Francisco de Assis e o de Tropman.

O que é certo é que os esqueletos achados no largo de Santa Rita são velhíssimos. Há mais de cem anos, com certeza, estavam eles ali dormindo, calmamente, à espera do dia do Juízo Final. De quando em quando, um barulho mais forte ecoava na sua recôndita jazida, e eles acordavam. Teria chegado a hora tremenda? não! era apenas o ruído dos carroções e dos bondes que passavam, era o tropel dos vivos que iam aos seus negócios ou aos seus prazeres, no tumultuar da existência.

Há três dias, porém, quando as enxadas dos trabalhadores da Telefônica começaram a remexer a terra naquele ponto, os esqueletos reconheceram que o barulho era mais forte do que nunca, e julgaram que, desta vez, tinha sem dúvida soado a trombeta fatal, mandando que os músculos tornassem a recobrir com a sua púrpura palpitante a fria brancura dos ossos ressequidos. De puro medo, entrechocaram-se as vértebras, os fêmures, os úmeros, as calotas craneanas: enfim! chegara a hora do julgamento supremo! era força comparecer diante de Deus!

Mas quando os esqueletos (se é que esqueletos podem ver alguma cousa) viram, à beira do buraco, as caras dos trabalhadores, devem ter considerado, de si para si, que os anjos encarregados de despertar os mortos no dia do Juízo Final, eram feios e sujos demais...

E nem viram o clarão tão radiante do Paraíso, nem a noite espessa do Inferno: foram metidos num saco e transportados para a vala comum de algum cemitério... E lá se foram esperar ainda o grande dia: mudaram apenas de sala de espera...

S. A.

16 NOV. 1902

CRÔNICA

Seria necessário ter um sono de pedra bruta, para não despertar ontem, às 6 da manhã, ao fragoroso barulho das salvas festivas. Rugiam as fortalezas, rugiam os nossos navios, rugiam o [*****], o *D. Carlos*, o *Buenos Aires*, o [*****] e o [*****] [*****]. A cidade acordou, sobressaltada, ao troar do [*****]; e, logo ao acordar, lembrou-se de que a República fazia anos.

Treze anos! É o alvorecer da puberdade, é a era doce em que no corpo da *menina e moça*, começa a apontar, segundo o formoso dizer de Raimundo Correia

> ... a clara
> protuberância olímpica do seio.

Treze anos! Como o tempo voa! Parece que foi ontem que vimos aquele estardalhaço das tropas proclamando a República, e o povo espantado, desconfiando de tanta facilidade, e o último ministério da monarquia prisioneiro no quartel-general, e a figura leonina de Deodoro à frente do exército...

Se ainda há por aí quem se lembre do velho D. Pedro II, essa lembrança é apagada e vaga. Treze anos dão cabo de muita cousa.

Todo o mundo sabe, por exemplo, que, em todo o Brasil, o grosso do partido sebastianista era formado pelas velhas senhoras que, dedicadas ao trono pela força da tradição e pelo amor do velho monarca e da piedosa imperatriz, rezavam todas as noites a toda a corte do céu, pedindo a queda da negregada gente de 15 de novembro. Pois até esse ódio das matronas reacionárias já vai desaparecendo. De umas delas sei eu, cuja evolução do sebastianismo para o jacobinismo pude acompanhar. Quando chegou ao Rio a notícia de que o Imperador morrera, essa intransigente monarquista estremeceu de horror. Para ela, o monarca sucumbira à inclemência dos golpes da ingratidão do Brasil. E, então, na sua severa alcova de viúva sem filhos, instalou um oratório, em que a figura de D. Pedro II avultava, com as suas longas barbas alvas, entre velas sempre acesas. Durante quatro anos a imagem do monarca morto assim ficou, como a imagem de um verdadeiro mártir da Igreja, na glória daquela adoração.

Mas no começo do quinto ano, as velas começaram a ser renovadas e acendidas com menos constância; doze meses depois, o Santo Bragança vivia às escuras; e a poeira começou a cobrir o vidro do quadro, e somente as corochas e as traças o adoravam, no [*****] sereno e mofado do oratório.

Algum tempo depois, visitando a boa senhora, vi que em uma das paredes da sala de visitas havia um retrato de Prudente de Morais... Ela, compreendendo o meu sorriso, disse logo: "É um homem bom! não sei por que foi que o quiseram matar!" E, como lhe perguntasse pelo oratório, a minha convertida respondeu, um tanto vexada: "Dei-o a uma amiga: quis desafogar a alcova..."

Não sei se essa veneranda matrona ainda vive: se vive, não me causaria espanto saber que, ao lado do retrato de Prudente de Morais, está hoje o retrato de Campos Sales, – e também o de Rodrigues Alves, por causa das dúvidas...

* * *

Cantemos e dancemos, [*****], que estes primeiros dias são de risos e flores. Não tardam muito os dias negros. Daqui a pouco, de cada cálice de flor rebentará um espinho, e cada riso se [*****] um sarcasmo.

Os governos são como os dias. De manhã e à tarde há crepúsculo: mas tão alegre é o da manhã, quanto é triste o da tarde. Um é feito de esperanças, outro é feito de desconsolos. O primeiro tem a saudá-lo a orquestra viva de todos os pássaros, [*****] de alegria; o segundo tem a melancolia do pio dos [*****]...

Enquanto não chegam as horas tristes, folguemos: [*****] *pede libero...*

É pena que já não haja astrólogos. Seria interessante ouvir os vaticínios de um desses argutos leitores do grande livro infinito, em que o Destino escreve, com o alfabeto de ouro dos astros, os casos futuros. Quem nos dera agora um [*****], um Cosme de Raggieri, um Nostradamus!

Dizem todas as folículas que a noite de ontem foi de lua cheia. Segundo os antigos, a lua, como Saturno, tem uma influência antes má do que boa sobre os acontecimentos. A lua é o astro da misantropia, das paixões tristes, do [*****].

Entretanto, as promessas do novo governo não estão de acordo com esses prognósticos...

Entre essas promessas há uma, – a do saneamento do Rio de Janeiro, – que enche de um grande júbilo a alma da gente.

Há trinta anos que nos lançam dentro dos olhos essa poeira dourada... Já no tempo do Império, todos os governantes e todos os governados, com uma convicção firme na voz, diziam a todo o instante, com a mão espalmada sobre o peito: "É preciso sanear o Rio de Janeiro!" E o império morreu, e o saneamento não se fez. Veio a República, e todo o mundo exclamou com alegria: "É agora! vamos ter o saneamento!" E o que tivemos não foi o saneamento: foi a difusão das muitas epidemias que já conhecíamos, e a revelação de algumas epidemias novas, com as quais nos vamos dando otimamente.

Para sufocar as revoltas, filhas do interesse e da ambição, já gastamos fortunas que dariam para sanear quatro ou cinco cidades. E Deus sabe quantas fortunas ainda gastaremos, antes de ter dado à pobre cidade do Rio de Janeiro a compostura, a decência, a dignidade de que ela até agora se tem visto privada!

Mas que o diabo seja surdo! já que temos a promessa do saneamento, agarremo-nos a ela com unhas e dentes; e, de joelhos em terra, erguendo para os altos ecos as mãos e a alma, peçamos aos deuses misericordiosos que nos não reduzam a pó essa esperança, como já nos têm reduzido tantas outras.

E vamos começar vida nova!

s. a.

07 DEZ. 1902

CRÔNICA

"É de cantos e lágrimas a vida!" – dizia tristemente o suave João de Deus. Mãe carinhosa, cujo grande coração está hoje trespassado de dor, a pátria brasileira, mal acabava de se cobrir de flores, para receber um filho que chegava, teve logo de se cobrir de luto, para chorar um filho que partia. Como o triunfo anda perto da morte, como as lágrimas se misturam aos risos, nesta vida atribulada!

Recebida em qualquer outra ocasião, a notícia da morte de Prudente de Morais já teria sido um grande golpe, desses que emudecem e paralisam a gente, de dor e espanto. Mas, recebida em pleno fervor de júbilo, em pleno ressoar de aclamações, quando a cidade sorria e delirava acolhendo com orgulho e carinho o grande Rio Branco, essa notícia feriu o coração brasileiro com redobrada crueza.

Decerto, já todos sabiam que o Pacificador não poderia viver muito.

Esta frágil e delicada máquina do corpo humano não pode impunemente afrontar certas comoções. Um grão impalpável de poeira basta para perturbar o andamento do mais perfeito relógio. Que não bastará para perturbar este complicado aparelho da nossa vida orgânica, cuja natureza e cujo modo de funcionar ainda são um profundo mistério para a pretensiosa e titubeante ciência humana.

* * *

O homem que acaba de morrer em Piracicaba, venerado e chorado por todo o Brasil, teve, no período presidencial de 1894 a 1898, uma vida tão intensa e tão agonizada, que nunca mais a sua alma pôde recuperar a antiga serenidade e o antigo equilíbrio. Aqueles quatro anos foram a

> ...selva selvaggia ed aspra e forte.
> [*****] ne pensier rinnova la paura;

e, assim como Dante saiu, do seu grande e tenebroso sonho, com o aspecto de um verdadeiro evadido do inferno, assim Prudente de Morais guardou até agora, durante outros quatro anos que deviam ser os últimos de sua nobre vida, a recordação infernal das intrigas, das calúnias e dos crimes com que o saltearam a ambição e o interesse.

Nunca me esquecerei da expressão da face daquele homem, no palácio do Catete, na noite de 5 de novembro. Apenas algumas horas tinham corrido sobre o monstruoso atentado do Arsenal de Guerra.

Havia na cidade um espanto grande, uma estupefação indizível. Entravam as portas do palácio pessoas de todas as classes sociais, que queriam ver de perto o presidente da República, para de seus próprios lábios ouvir a confirmação da hedionda notícia.

De pé, muito pálido, cercado de uma compacta multidão, cujas fileiras se renovavam sem cessar, Prudente de Morais não tinha na face uma contração de cólera ou de revolta contra a brutalidade sem nome da ofensa. O que havia na sua fisionomia era aquela mesma estupefação que se estampava na fisionomia de todos. Ele próprio não compreendera ainda o que lhe havia acontecido: e naquele rosto pálido, naqueles olhos dilatados de assombro, naquele espantado abrir de braços – havia a pergunta ansiosa e aflita de sua consciência de homem bom: que fiz eu, para merecer esta injúria? a que causa perversa podia estar servindo a minha vida? que crimes cometi, que só o meu sangue pudesse remir e remediar?

* * *

Foi naquela noite, diante daquele homem acabrunhado, que não sentia apenas a afronta feita à sua bondade, mas também a perda da vida que salvara a sua, – foi naquela noite que senti crescer dentro da alma, com desusada violência, o nojo da política. Uma náusea irreprimível (de que Deus nunca me liberte!) me levantou o coração contra a torpeza dessa profissão abominável, cuja aprendizagem é a abolição do orgulho e dos bons sentimentos, a abdicação da bondade e da lealdade; o desprezo da tolerância e da boa fé.

Que tinha feito aquele homem, contra o qual se armara a garrucha de um assassino?

Tinha decerto cometido erros, – porque era homem, e era além disso político, – e a política é um marnel que ninguém pode atravessar sem ficar com alguns pingos de lama na roupa.

Mas a obra da Pacificação, de que ele foi o Hércules sagrado, era tão bela e tão fulgente, que na sua beleza e no seu fulgor morriam, apagados, todos os erros possíveis do Pacificador. Quando, em 1894, Prudente de Morais entrou as portas do palácio do Catete, sozinho, insultado na sua dignidade, sem honras oficiais, sem homenagens que lhe eram devidas, ainda o sangue brasileiro ensopava o Sul, na mais criminosa e absurda das guerras civis. Pacificar o Rio Grande, todos o sabiam, seria prestar à pátria o mais glorioso dos serviços. Mas a empresa era arriscada.

Já foi várias vezes dito é cousa muito sabida, que a dificuldade de restaurar a paz entre as nações que brigam, não consiste apenas em pô-las de acordo. Mortas por isso estão sempre elas, depois de alguns anos de luta. Mas é que, à sombra dessa luta, nasceram, cresceram, criaram raízes, viçaram interesses, cuja felicidade depende da continuação das hostilidades.

Quando o incêndio ganha uma floresta, quem mais resiste, por instinto de conservação, à ação destruidora das chamas, não é a árvore: é o cipoal parasita que vive à custa dela...

Como o interesse do cipoal se apertou, se enrugou, se retorceu para resistir à obra da pacificação! Hércules, porém, não quis ouvir a grita alucinada dos interesses feridos, e deu o golpe de morte nos que exploravam a guerra. Nem todos, certamente, ficaram contentes: porque, por mais absurdo que isso pareça, já houve no Brasil um tempo, em que só havia um meio de ser patriota: era querer a guerra, prezar a guerra, louvar a guerra...

Daí vieram sem dúvida as cóleras surdas, os ódios recalcados, os rastejantes despeitos que preparariam o medonho crime de 5 de novembro.

* * *

Mas não revolvamos essa lúgubre vala. O crime veio dar ao grande patriota a auréola, que lhe faltava, de mártir. O dia em que Prudente de Morais deixou o governo foi um dia de apoteose. Todos os corações saudaram nele a nobreza do coração brasileiro.

Infelizmente o grande brasileiro saía dali com a saúde arruinada, com a alma alanceada de dores inesquecíveis, com o coração para todo o sempre perturbado pela contemplação da maldade dos homens. A provocação fora forte demais para a fragilidade do arcabouço em que palpitava aquela alma valorosa. À subida do poder, já a morte o espreitava: estavam contados os dias de vida daquele que pusera um termo aos morticínios da guerra civil.

Pensando bem, reconhece-se que não foi mau que víssemos, no mesmo momento, coincidindo no espaço e no tempo, a glorificação de Rio Branco e a morte de Prudente de Morais. Nós não valemos nada por esta miserável carne, tão sujeita aos desvarios do desejo, aos assaltos da dor, à fealdade das moléstias. Como um fogo fátuo brilhando sobre a podridão de uma cova, a alma que anima o corpo pode às vezes rutilar um momento e apagar-se logo, mas pode também atear incêndios, propagar-se, fixar-se em clarões imorredouros. Um vivo ainda, sacrificando ao serviço da pátria o seu repouso e por amor dela arriscando a sua popularidade; o outro morto, gozando no fundo da terra o descanso que o seu corpo cansado ambicionava, e gozando na veneração da pátria o prêmio dos seus trabalhos, – esses dous homens, cujos nomes encheram a semana, são duas belas afirmações da grandeza do Brasil.

Segundo se lê na Bíblia, Deus prometeu a Abraão poupar Sodoma, se dentro dos seus muros fosse possível encontrar dez homens puros. Dentro do Brasil, felizmente, não seria difícil ao Senhor achar fundamento para o cumprimento de sua promessa. A terra, que no mesmo dia, pode glorificar um filho como Rio Branco e chorar um filho como Prudente de Morais, não é um deserto moral...

s. a.

21 dez. 1902 — Crônica

Não é decerto agradável, nesta época de festas, quando já aí vem o Natal com a sua ingênua poesia e o seu risonho encanto, tratar de presos e de prisões, de crimes e de criminosos.

Mas não somos nós, cronistas, quem pode escolher os assuntos. É a própria vida, com o seu tumultuoso atropelo e com o seu irresponsável capricho, quem no-los oferece e impõe. Disfarçar a tristeza de uma semana triste seria uma improbidade. E o trabalho seria inútil, porque por mais que cubramos de lírios a face de um pântano, sempre há de o pântano ser pântano e desfazer-se em exalações mefíticas.

O que mais preocupou a atenção do público, durante estes ardentes sete dias, foi o chamado "Escândalo da Detenção". Mas não parece que o vocábulo – *escândalo* – tenha no caso uma aplicação rigorosa. O velho frei Domingos Vieira diz que "escândalo é a ofensa do ânimo causada com mau exemplo, ou o ato que provoca indignação". Ora, o que se descobriu na Casa de Detenção, já foi tantas vezes descoberto nessa e em outras casas congêneres, que já nem o ânimo público se sente mais ofendido pela revelação dessas cousas, nem há quem fique indignado com um mau exemplo tão freqüente e soez. A imprensa deveria ter adotado, para epígrafe das suas notícias, um título mais preciso, – como este, que não perderia por ser longo: "Belezas do nosse regime penitenciário, ou conseqüências da nossa criminosa desídia..."

Tudo quanto foi agora revelado: os presos, como uma vara de porcos, metidos numa ignóbil pocilga, cevados com toucinho podre e batatas bichadas; homens metidos em *solitárias* medonhas; sessenta mulheres, seminuas e cobertas de vermina, num calabouço de oito metros quadrados; tudo horrorizaria e estremeceria às próprias pedras, se neste país as próprias pedras já não estivessem habituadas [*****].

Que vai fazer agora o governo? Vai demitir o administrador da Casa de Detenção? daqui a pouco tempo será obrigado a demitir o cidadão que o substituir, e as cousas continuarão no mesmo pé, – porque a causa dos abusos não reside na incapacidade de um funcionário, mas num vício essencial do sistema, num defeito orgânico do aparelho penitenciário. E não há de ser a demissão de um administrador que há de consertar o que já nasceu torto e quebrado.

* * *

Mas o que espanta, realmente, não é a passividade com que o Estado assiste aos progressos dessa moléstia social, sem procurar, abandonando o sistema dos paliativos, aplicar-lhe um remédio seguro que ataque e anule o mal na sua origem e nas suas causas primeiras. O que espanta é a inconsciência com que o Estado, réu confesso de incapacidade em tudo quanto se refere ao serviço de Assistência, procura ainda alargar a esfera da sua ação nefasta, agravando e propagando a doença que não sabe ou não quer combater.

Anteontem, *A Notícia* traçava dos horrores da Casa de Detenção um quadro medonho. E, duas colunas adiante, noticiava:

"Entre os Srs. ministros do interior e chefe de polícia civil está mais ou menos assentada a escolha do local para a instalação da colônia correcional. À noite, quando o Sr. ministro do interior se retirava horrorizado da Casa de Detenção com o que ali viu e ouviu, perguntou ao nosso *repórter* se era possível prescindir da criação da colônia correcional para se poder fazer policiamento nesta capital, atender às comodidades higiênicas dos presos e tratar da regeneração dos mesmos por meio do trabalho".

E, provavelmente, em breve, estará também assentada a escolha do local para a instalação da *Escola Correcional...*

Será ainda tempo de opor embargos ao açodamento com que se está atrapalhando esta questão? Tratando-se de um homem de real talento, de reconhecida sensatez, e de fervoroso patriotismo, como o Sr. Seabra, nunca se deve perder a esperança.

Ainda se compreende que o Estado conserve nas suas mãos a direção das "casas de repressão", contanto que os seus delegados se convençam de que o seu papel principal não é "punir" o criminoso, mas "salvá-lo de si mesmo, melhorá-lo e regenerálo". Ultimamente, um dos mais ilustres pensadores da Europa, Max Nordau, escrevia em *La Révue*, um artigo admirável, expondo a "nova teoria biológica do crime".

A conclusão desse artigo devia ser lida, relida e medida por quantos são chamados a exercer essa espinhosa profissão de "médicos da alma". Max Nordau prova que o criminoso habitual, por debilidade moral, é um *minus habens*, um doente; e que os crimes acidentais são desastres, catástrofes psíquicas, a que todos os homens estão sujeitos. E acrescenta: "O verdadeiro crime imperdoável, porque é evitável, é a exploração social: e o verdadeiro remédio dessa criminalidade seria uma nova organização da sociedade, que aperfeiçoasse a cooperação, impedisse o abuso da superioridade dos fortes, e assegurasse aos fracos já não o *maximum*, mas o *minimum* dos bens indispensáveis à existência".

Em geral, entrega-se a direção das penitenciárias a homens que podem ter uma probidade sem mácula e uma boa vontade louvável, mas que não têm a educação indispensável para a missão difícil e sagrada que são chamados a desempenhar. Em todo o caso, sabendo o Estado escolher os seus delegados, ainda se compreende que ele fique com a administração das penitenciárias, das casas de correção, – do sistema de repressão, em suma.

O que não se compreende é que a polícia, que até se manifesta incapaz de evitar arruaças, de reprimir a gatunagem, de dar cabo do lenocínio, seja encarregada de dirigir as "casas de prevenção", as "escolas correcionais", onde o papel de diretor é antes de tudo um papel de educador, de evangelizador, de apóstolo da mais bela de todas as religiões.

E é isto, desgraçadamente, o que se pretende fazer, nesta terra de maravilhas e de disparates!

* * *

É preciso dizer que, no estudo destas questões, já não há nada que inventar: tudo está estudado, tudo está demonstrado, assentado, organizado.

Na Europa, há tanto interesse pelas questões de Assistência Pública e Privada, que Casimir Périer, ao deixar o governo da República Francesa, passou a dedicar todo o seu tempo, e toda a sua atividade a essa grande obra de regeneração social: e em 1900, abrindo o Congresso Internacional de Paris, o presidente Loubet assinalava, como a maior de todas as glórias da França, a glória de reunir em seu seio aquele concílio de sumidades intelectuais de toda a Europa, interessadas na empresa de implantar e enraizar o culto do sublime princípio da solidariedade humana.

Pois bem. Esse Congresso Internacional de Assistência Pública e de Beneficência Particular, reunido em Paris, esgotou o estudo da organização das Escolas Correcionais. A Escola Correcional deve depender exclusivamente da Assistência Pública; ela não deve ser uma prisão, nem a antecâmara de uma prisão.

Dir-se-á que não temos Assistência Pública. Fundemo-la!

Uma das conclusões do Congresso de 1900 é esta: "A educação preventiva deve ser confiada às administrações de assistência pública e às associações de beneficência privada, *solidárias, e associadas sob uma fiscalização comum*".

Outra cousa não pede o ilustre magistrado Ataulfo de Paiva, que há cerca de um ano quebra-lanças pela criação de uma Repartição Central de Beneficência constituída por homens capazes, escolhidos pelo governo, e aptos para exercer a missão que a polícia não pode de modo algum exercer. É inútil explicar ainda uma vez a idéia desse eminente brasileiro, porque ela, comentada e defendida por todos os jornais, já está no domínio público. Só uma imperdoável cegueira impediria a realização desse nobre projeto, depois de cuja realização ficariam afastadas todas as dificuldades e removidos todos os obstáculos que se opõem ao bom funcionamento das obras de beneficência. O homem que está à frente dos negócios da justiça não peca pela ignorância nem pela preguiça: é, ao contrário, um espírito lúcido, um cérebro educado, e uma alma de eleição. O Brasil tem o direito de esperar que a sua administração[*****].

s.a

Gazeta de Notícias 1903

04 jan. 1903 — Crônica

Há quem diga que, ao nascer, todos os homens são, moralmente, os mesmos. Segundo essa doutrina, a criança é um animal como o camundongo, como o cachorrinho, como a pequira, como o pintassilgo: só com o correr dos anos é que a influência do meio e da educação vai tirando do escuro seio daquela animalidade vulgar os clarões da inteligência, da bondade, e do caráter. Mas há também quem sustente o contrário: há quem diga que dentro do corpinho frágil da criança está a alma do homem adulto, com os germes, imutáveis e indestrutíveis, de todas as futuras virtudes e de todos os futuros vícios.

Se esta última teoria é verdadeira, coitado do infante 1903! Ou, antes: coitados de nós, que temos de aturá-lo ainda por mais trezentos e sessenta e um dias!

Porque o ano de 1903 entrou na vida com o pé esquerdo. Começou logo as suas proezas impelindo para a sepultura três homens ilustres, um marechal, um almirante, um presidente do Supremo Tribunal. E Deus sabe para quantos mais foi ele fatal! A Morte é como o raio: só impressiona quando fulmina os altos topos dos gigantes da malta: ninguém percebe os seus estragos nos arbustos fracos e nas ervas rasteiras.

* * *

A coluna do mercúrio minguou repentinamente dentro dos tubos de vidro dos termômetros: a queda, de onze graus, foi súbita e sem transição. E trinta dias de áspero calor, sem chuva, fariam menos mal do que esta cabriola de temperatura, provocando resfriamentos que podem ser simples e inofensivas macacoas, mas podem ser também infalíveis passaportes para o outro mundo...

É por causa dessa extraordinária e originalíssima variação termométrica que o Rio de Janeiro está cheio de doentes. Toda a gente espirra, toda a gente se queixa de cefalias e de dores nos rins. E já não falta quem levante as mãos para o céu, implorando a volta desse mesmo implacável calor, que tantas maldições provocava há poucos dias. Jesus! sempre o homem há de ser o animal incontentável que só há de pedir frio quando há calor e calor quando há frio!

* * *

O ano novo trouxe ao Distrito Federal um novo Prefeito. E houve um espanto na cidade, quando, na primeira coluna do *Jornal do Comércio*, apareceu em telegrama de torna-viagem, o programa da nova administração municipal...

Uma avenida de 120 metros de largura começando no Pão de Açúcar e terminando na Copacabana! uma avenida do Parque da República à Tijuca! outras avenidas, largas e belas, cortando e arejando toda a cidade! novos parques, novas esplanadas, mais praças! o replantio das matas, o abastecimento de água, o recuo obrigatório dos prédios, a incineração dos lixos, o aperfeiçoamento da higiene domiciliar, a criação da guarda municipal, o equilíbrio orçamentário, quanta cousa!

A cidade, maravilhada e tonta, perdeu a cor e a voz: e, com as mãos na cabeça, começou a andar à roda de si mesma, sem poder acreditar no que via, mas com a secreta e ardente esperança de que tudo aquilo fosse a expressão da verdade.

Ai de nós! A vida é uma série de desilusões! Logo no dia seguinte, verificava-se que o deslumbrante programa era uma blague, uma mistificação, um parto monstruoso da imaginação esquentada de um repórter; o novo Prefeito veio negar ao enganador documento toda a autoridade; e o próprio *Jornal do Comércio*, que pagara a peso de ouro as 283 palavras do telegrama, punha sobre a falsa *plataforma* o peso fulminador deste adjetivo implacável: *quixotesca*!

* * *

Vamos com calma ao assunto... Quixotesca, – por quê?

D. Quixote, essa admirável criação, que é talvez a mais bela da literatura de todos os tempos, só pode ser uma figura ridícula para aqueles que não sabem ver através das ficções literárias o fundo de eterna beleza e de eterna verdade que lhes serve de arcabouço.

Esgrouviado e feio, sujo e miserável, equilibrado sobre um esfaimado rocim, viajando por todos os distritos da Decepção, e por todas as circunscrições da Pancadaria, saco de bordoadas ambulante, judeu errante do Sonho e do Desengano, com a barriga vazia e a alma iluminada, D. Quixote não é um pobre maluco, mais merecedor da piedade do que da admiração...

D. Quixote é o ideal incontentado, é a febre, a ânsia, o desespero da Perfeição.

Nunca de cérebro humano nasceu mais formosa, mais nobre criação! Se Cervantes arrastou o seu herói por todas as ruas da Amargura, e em cada uma das esquinas dessas ruas lhe disparou uma decepção e uma sova, foi para mostrar a que dolorosos desastres está sujeito quem se atreve a pregar o Bem e a Justiça aos homens. O mundo está hoje, como estava no tempo de D. Quixote, cheio de órfãos e de perseguidos; e se hoje, como então, ainda se arrisca a ser lapidado quem os defende, isso não é razão para que só mereçam riso e escárnio os que se sujeitam a esse mistério...

* * *

Que o ilustre Prefeito do Distrito Federal não se zangue com o que vai ler:

Se S. Ex. quer achar um modelo na epopéia de Cervantes, não hesite, seja D. Quixote, e não queira ser Sancho Pança!

Sancho Pança é apenas o Bom Senso. E se o Bom Senso sempre houvesse governado o mundo, a humanidade ainda estaria hoje tão adiantada como no tempo dos merovíngios. O Bom Senso é a prudência, a cautela, a paciência; mas é também a casmurrice, o amor do preconceito, o ódio do progresso.

D. Quixote é o Ideal. Se ele se não tivesse, de quando em quando, metido a reformador, não haveria a estrada de ferro, a lâmpada elétrica, o telégrafo, a máquina a vapor; não haveria a *Divina Comédia*, os dramas de Shakespeare, a *Legenda dos Séculos*. O ideal pode ser, às vezes, a precipitação, a imprudência, a loucura: mas é sempre o progresso, a invenção, a beleza, a iniciativa, o desejo da perfeição.

Sancho Pança deixaria o Rio de Janeiro no estado atual; D. Quixote cumpriria o programa apócrifo que o próprio *Jornal do Comércio* renegou.

D. Quixote foi o Barão de Haussman que reformou Paris; D. Quixote foi o Marquês de Pombal que das cinzas de uma Lisboa medonha arrancou uma Lisboa airosa; D. Quixote foi o grande Alvear que criou Buenos Aires! D. Quixote foi o espírito *yankee* que em menos de um século encheu de cidades maravilhosas todo o território dos Estados Unidos...

* * *

O programa era apócrifo? paciência... Esperemos que o programa autêntico, o verdadeiro, o legítimo, não se afaste muito desse que foi tão malsinado!

Santo Deus! pois é loucura querer sanear o Rio de Janeiro, querer dar-lhe avenidas e parques, querer água em abundância, boa higiene, boa administração, boa polícia, boas finanças? Então, que diabo é o Juízo? é a porcaria? é o relaxamento? é a desídia?

Mais vale ser D. Quixote, e morrer apedrejado, empalado, queimado vivo, enforcado e estraçalhado por ter amado a limpeza e a beleza, do que ser Sancho Pança, e morrer de velhice por ter respeitado o preconceito e por ter amado o atraso.

Pelo amor de Deus, Sr. Dr. Passos! Seja o D. Quixote... e não tenha medo das sovas!

s. a.

11 jan. 1903

Crônica

É uma narrativa comovedora a da viagem do Dr. chefe de polícia à Ilha Grande. A esta hora, todos os membros dessa expedição devem estar doentes, em panos de arnica, convalescendo dos sustos, das quedas, da fadiga da jornada. Por veredas fragosas, atravessando rios e cachoeiras, galgando abismos, beirando despenhadeiros, os viajantes, se são verdadeiras as notas publicadas pelos jornais, tiveram horas agoniadas e trágicas...

É para que se veja o trabalho que os patifes dão aos homens de bem!

Os homens de bem não dão trabalho. Vivem ganhando honradamente o pão de cada dia, sustentando a prole, elegendo os governantes, e pagando com uma resignação evangélica todos os impostos. O Estado, vendo-os tão pacatos, tão quietos, tão pouco exigentes, chega a esquecer-se de que eles existem; e, quando se lembra da sua existência, é para lhes pedir mais dinheiro, mais trabalho e mais resignação.

Os patifes, esses dão um trabalho! É para vigiá-los e contê-los que o Estado sustenta uma polícia que lhe custa os cabelos da cabeça. É para julgá-los que há uma porção de juízes. É para hospedá-los que se fundam e mantêm prisões e penitenciárias. E, hospedados e sustentados pelo Estado, os meliantes são de uma exigência feroz: querem casa confortável, querem comida farta e suculenta, querem médico, botica, padre para encomendação final, enterro e sepultura. Se sucede que os cubículos são incômodos ou a carne seca não é de primeira qualidade, os biltres põem a boca no mundo, a imprensa faz-se eco de suas queixas, e toda a população, comovida, começa a lamentar a tristíssima sorte desses desventurados gatunos, desses infelizes assassinos, desses míseros tratantes a quem o Estado egoísta nega *paté-de-foie* e *champagne*. Decididamente, a sorte dos patifes é bem mais invejável do que a dos homens de bem!

Isto parece paradoxo, mas não é. Leiam a notícia da viagem à Ilha Grande: o Sr. chefe de polícia ficou atacado de linfalite; um médico teve um delíquio; um membro da comitiva caiu seis vezes; um oficial despenhou-se por uma ribanceira; três *reporters* perderam-se no mato... E reflitam que todos esses sacrifícios, todos esses desastres, todos esses atos de heroísmo foram provocados pelo nobre propósito, em que está a polícia, de dar alojamento, seguro e higiênico, aos senhores assassinos, aos senhores ratoneiros, aos senhores arrombadores de portas!

Há por aí além, nesta vasta e misteriosa cidade, muitas casas em que a Miséria se instalou, sem delas desalojar a Honra. O marido pena e sua todo o dia, sobre o banco de carpinteiro ou no revérbero ardente da forja; a mulher esfalfa-se sobre a tábua de lavar roupa; as filhas entisicam, curvadas sobre a máquina de costura; os filhos pequenos vivem descalços, mal alimentados, sem educação e sem alegria. Tudo vai bem, enquanto há trabalho e saúde; mas lá vem um dia a falta de trabalho, lá vem um dia a doença, e a família não pode pôr a panela ao fogo. E aí estão a fome, o desespero, o desamparo...

Mas essa miséria não merece a piedado do Estado! O Estado só se abalará, só se decidirá gastar trabalho e dinheiro, no dia em que aquele pobre homem der em salteador, no dia em que aquelas raparigas derem em meretrizes desordeiras, no dia em que aqueles pequenos derem em *pungas* e em *pivetes*! De maneira que o Estado não poupa sacrifícios para corrigir e castigar, ao passo que não pensa jamais em evitar os males que depois hão de exigir correção e castigo! Positivamente, a vida é muito mal feita...

* * *

Mas deixemos a comitiva do Sr. chefe de polícia repousar das fadigas dessa expedição heróica – e vamos a outros assuntos que pedem registro.

Foi um republicano exaltado quem teve há poucos meses a idéia de abrir uma subscrição popular para as despesas da ereção de uma estátua de D. Pedro II. Apareceu, depois, a generosa idéia do transporte dos despojos do monarca, atualmente em S. Vicente de Fora, para a terra da Pátria. E, agora, três jornalistas de Santos pedem ao Supremo Tribunal *habeas corpus* para a família imperial que, por força de um decreto do governo provisório, está privada do direito de voltar ao Brasil.

Quem não nos conhece bem será capaz de supor que o aparecimento, quase simultâneo, dessas três idéias, denuncia um rejuvenescimento das idéias monárquicas, uma nova e mais forte atividade da propaganda sebastianista. Puro engano! Nós somos todos uns legítimos sentimentais, incapazes de segunda tenção em matéria de sentimento. Essas três idéias, cuja realização aliás bem pode ser, sem inconvenientes, adiada para mais tarde, não obedecem a um plano concertado entre os inimigos da República. Quais são os inimigos da República? Ninguém os conhece. A República não tem inimigos, como não tem amigos: nós a aceitamos, com elas vamos vivendo como vivemos com a monarquia, numa indiferença que não é muito para louvar... A ereção da estátua de D. Pedro II, a vinda dos seus ossos, e a visita de alguns dos membros da velha casa imperial, não bastariam para tornar possível uma restauração que já ninguém sinceramente espera...

Das três idéias, a mais simpática e a de realização mais fácil, é a do transporte dos despojos do último monarca do Brasil.

Dizem que o velho imperador, ao chegar à Europa, mandou pedir a amigos daqui que lhe enviassem uma almofada cheia de terra do Brasil; e dizem que sobre essa travesseirinha repousou, no último sono, a sua cabeça inerte, dentro do duplo esquife de chumbo e carvalho que está em S. Vicente de Fora.

Essa admirável e enternecedora lembrança de querer dormir o sono derradeiro sobre um pouco de terra brasileira, mostra bem o extremo carinho com que D. Pedro amava a Pátria... seria um ato de justiça, de lealdade, de bondade, satisfazer completamente o desejo do nobre ancião, deixando-o repousar para todo o sempre, já não sobre um punhado de terra que foi sua, mas no seio dela, maternal e carinhoso.

As outras duas idéias não valem tanto como essa.

Nós já estamos abusando de estátuas: e, além disso, é ridículo levantar estátuas numa cidade que ainda não tem praças, nem ruas decentes. Quanto à revogação do decreto de banimento, poderia parecer, e provavelmente parecerá, uma fanfarronada, uma bravata, uma afirmação, categórica demais e demais presunçosa, de que a República se sente tão forte que não teme nenhum perigo. O fato é verdadeiro: a República está forte. Mas as ostentações de força são sempre inúteis e de mau gosto.

Infelizmente, o primeiro projeto não se pode separar deste último. Não é de crer (porque não seria humano) que a família imperial permitisse o transporte dos restos mortais do seu chefe para um lugar em que essa veneranda relíquia ficasse forçosamente privada da sua solicitude e da sua respeitosa vigilância...

De tudo isso se conclui que os três projetos já deram tudo quanto tinham que dar, ao menos por ora...

* * *

Adeus, *saúde e fraternidade*!

Essa fórmula, desengraçada e cômica, que foi, durante treze anos, de rigor em todos os documentos oficiais, vai agora desaparecer... já desapareceu, pelo menos, dos documentos da Secretaria do Exterior, e praza aos céus que desapareça, quanto antes, dos documentos de todas as outras repartições do Estado.

O povo, com o seu inalterável bom senso, nunca a adotou, e nunca a suportou. Deus lhe fale na alma! E seja esta a última (e primeira) vez em que o cronista a dirija aos seus leitores:

– Saúde e fraternidade!

s. a.

18 JAN. 1903 CRÔNICA

Há poucos dias, num bonde, uma linda mocinha, – linda apesar de sua extraordinária magreza, – tossia, tossia, de instante a instante, em acessos de sufocação que a extenuavam. Os outros passageiros interrompiam a leitura dos jornais, sustavam o curso da sua meditação, e olhavam compadecidamente a infeliz... E era bastante olhá-la para reconhecer que ali [*****] vítima da "moléstia do século", da medonha tuberculose: as mãos, com que a mísera apertava o lenço contra a boca, tentando abafar a tosse esfalfante, eram transparentes, cor de cera virgem, com os ossos e as veias avultando na pele; o peito, – o seu pobre peito de virgem estiolada ainda em plena puberdade, – cavava-se côncavo, comido pela enfermidade implacável; e duas rosas de febre, duas vivas rosas de febre, desabrochavam nas maçãs do seu formoso rosto de moribunda...

É nessa idade que a tísica escolhe de preferência as suas vítimas. Mas, nem por isso, as outras idades são respeitadas. A infame tem um estômago pouco exigente: primaveras e outonos, verões e invernos satisfazem igualmente a sua [*****] insaciável. Se lhe não escapam os miseráveis que se alimentam mal, que moram em pardieiros infectos, que penam de sol a sol em trabalhos ingratos, não lhe escapam também os ricos, os privilegiados da sorte, os mimosos da fortuna. Ela é a igualadora das condições, a moléstia niveladora por excelência...

Ainda não se pode dizer quantas vítimas faz por ano a tuberculose no Rio de Janeiro.

Em França, a estatística já foi feita. Cento e cinqüenta mil franceses são anualmente levados pelo bacilo de Koch: e só Paris fornece a essa estatística um contingente de dez mil e seiscentas vidas. No Brasil, o estrago deve ser enorme. A cada passo, no Rio de Janeiro, encontra-se um homem, uma mulher, uma criança com o estigma do morbo terrível...

Justamente no dia em que o cronista viu, no bonde, aquela pobre moça, cuja contemplação lhe chamou a atenção para o assunto, esta *Gazeta* publicava uma notícia de raro interesse, que merece transcrição: "As oito primeiras listas da subscrição aberta pelo *Figaro*, de Paris, para a organização da luta contra a tuberculose, produziram *um milhão, cento e setenta e cinco mil francos*". Quem escreveu essas linhas achou ocioso acrescentar-lhes alguns comentários. Mas esses comentários são indispensáveis, porque urge entravar a marcha assassina dessa feroz inimiga.

Em França não é só a iniciativa particular que se encarrega de debelar os progressos da tísica; e em todas as nações da Europa a campanha vai intensa e fecunda. As *Ligas* multiplicam-se, fundam-se sanatórios, estabelece-se a prática rigorosa de medidas higiênicas. E o *Almanaque Hachette* deste ano traz, em fac-símile, os bilhetes postais em que, por meio de ilustrações, se faz em Paris uma cruzada enérgica contra o hábito de escarrar no chão, contra o uso de vassouras, contra a moda dos pesados reposteiros e das espessas tapeçarias, que não passam de viveiros de micróbios.

É bom organizar o balanço que temos feito até aqui, para não perder esta ocasião. Amanhã, já haverá outros assuntos; e o cronista, escravo deles, terá de esquecer este assunto magno, que tão de perto interessa à felicidade da população.

Não temos feito pouco, mas ainda não fazemos o bastante. A *Liga Contra a Tuberculose* tem sido incansável; mas que há de ela fazer sem recursos, sem o dinheiro que é a alma de todas as propagandas? Exceção feita do *dispensário* da rua Gonçalves Dias, mantido sabe Deus à custa de quantos sacrifícios, a ação da *Liga* só se pode limitar a dar conselhos. Esses, não os tem ela poupado, multiplicando conferências, publicações, cartazes; pedindo providências contra a exposição de gêneros alimentícios à ação da poeira; batendo-se pela necessidade do exame do gado em pé e abatido, pela fiscalização do abastecimento de leite, pela verificação da saúde das amas, opondo-se à convivência, nas escolas, de professores e alunos tuberculosos; mostrando os perigos dos beijos, dados de boca a boca, principalmente em crianças; procurando levantar uma estatística perfeita e discriminar as causas que mais concorrem para a disseminação do hediondo mal.

Apesar da grandeza e da nobreza da sua missão, a *Liga* conta hoje com um número insignificante de sócios; além disso, nem o poder público a tem amparado como deve, nem os particulares abastados têm corrido a socorrer-lhe. Deu-lhe a municipalidade uma taxa adicional sobre os impostos de licença para o comércio e álcool e fumo; concedeu-lhe o Congresso uma quota dos favores do novo contrato de loterias; e mais nada. A própria renda dos *coupons* de companhias de bondes, que poderia ser uma fonte regular de recursos, é hoje quase nula, porque não há associação, pública ou particular, leiga ou religiosa, que não peça e obtenha *coupons*!

Ora, é preciso que o dinheiro aflua, com fartura, para os cofres daquela benemérita associação, mantida por um grupo de homens de boa vontade, à cuja frente trabalha, com abnegação rara, o ilustre Dr. Azevedo Lima. O Estado não pode tratar dessas cousas; mas pode e deve amparar e auxiliar a quem, por amor do bem público, está disposto a sacrificar tempo e trabalho.

A tísica não é um flagelo divino, um mal inevitável e cruel contra cuja ação nada valham os recursos humanos. Não é também uma enfermidade que só ataque os imprudentes, os que se entregam a excessos de toda ordem, os que abusam dos prazeres da mesa, do fumo, do álcool, do amor...

A tuberculose fulmina igualmente culpados e inocentes. O micróbio fatal, inimigo impalpável e invisível, está no ar, no chão, na água, na poeira, no objeto que tocamos, no alimento que ingerimos, no abraço, no beijo, no aperto de mão, em toda parte e em tudo.

Não o recebe no organismo somente quem se entrega a excessos: as mais das vezes, são os mais inocentes, como as crianças, os que mais facilmente se expõem a alojar dentro de si esse hóspede assassino e covarde.

Se a tísica é um micróbio, nada mais fácil que evitá-la: basta para isso fazer guerra ao seu germe.

Por outro lado, a tuberculose não é uma moléstia incurável: *é uma moléstia curável, em todos os seus períodos*. Na Alemanha, as medidas de profilaxia, as "curas de ar" e os sanatórios conseguiram já diminuir consideravelmente os estragos do bacilo de Koch. Tudo isso prova que, no Brasil, esses estragos só não serão diminuidos ou abolidos, se não quisermos diminuí-los ou aboli-los.

É ainda o *Almanaque Hachette* deste ano que, comparando o que se faz em França, ao que se faz na Alemanha, mostra que aquele país tem sido de uma fraqueza vergonhosa na luta contra o implacável inimigo. Que diremos nós de nós mesmos?

O povo tapa os ouvidos aos conselhos, o governo fica de braços cruzados, a Municipalidade não tem dinheiro, – e, isolada na sua nobre mas inútil dedicação, a *Liga Contra a Tuberculose* vê os seus esforços dissipados em pura perda, e sua ação desmoralizada pela indiferença geral, o valor dos seus intuitos anulado pela insignificância dos recursos.

Que fazer, para dar remédio a isso?

Que fazer? falar, escrever, gritar sem descanso! todos nós, que temos inteligência e palavra, devemos pô-las ao serviço dessa sagrada causa. Não há de ser aceitando, numa desmoralizada resignacão, a fatalidade do mal, que havemos de livrarnos dele. "Façamos sete vezes a volta pela cidade maldita (como se diz na Bíblia) e pela sétima vez desabarão as muralhas".

S. a.

25 JAN. 1903 CRÔNICA

Dez ou vinte casas, não mais, tiveram acesas, durante as três primeiras noites da semana, as clássicas luminárias de S. Sebastião. O nosso bom santo, que não é orgulhoso, deve ter ficado contente: já dizem os livros sagrados que mais vale um óbolo dado de boa vontade, do que uma fortuna cedida com ostentação e sem sinceridade. Se dessas dez ou vinte casas, em cujas fachadas rebrilhavam as luzes votivas, subiram ao céu dez ou vinte preces sinceras e ardentes pedindo ao santo padroeiro que dê juízo e calma à sua leviana cidade, tanto terá bastado para encher de júbilo o coração d'Ele, e tanto terá bastado para chamar sobre nossas esquentadas cabeças a sua benção e a sua proteção.

E calma e juízo, com efeito, precisamos agora mais do que nunca. Já os jornais começam a pedir ao governo que ponha em pratos limpos o caso do Acre. Em cada esquina, encontra-se um grupo exaltado, estranhando que o governo ainda não tenha dito quantos soldados vão partir para o Acre, e quantos contos de réis vai custar a expedição que se prepara. O patriotismo trêfego já quer organizar batalhões, já quer armar as levas de voluntários, já pede carabinas e patentes em altos brados. Parece que Pando, o Invencível, já está chegando às portas do Rio de Janeiro!

Já se sabe que não falta no Brasil quem morra pela pátria. Mas é melhor esperar que chegue a hora de ir morrer, sem cansar inutilmente a garganta. Quem grita demais, antes da batalha, arrisca-se a, chegado o momento decisivo, não se poder bater, por ter adquirido uma angina. A mais elementar idéia de prudência está aconselhando que não se faça barulho em torno do homem calmo, que está com o punho cingido à cana do leme, a bordo do barco em perigo, nesta hora grave da nossa vida...

Esse homem é uma tradição, uma glória, um símbolo vivo da honra do Brasil. Não haverá atualmente no mundo quem esteja como ele representando, segundo a fórmula inglesa, *the right man in the right place*. E nunca, no Brasil, o bom nome da nação esteve tão bem confiado como agora: Rio Branco impôs-se à admiração de todo o mundo civilizado; e hoje na América do Sul, principalmente, pode haver quem o olhe com inveja ou ira, mas não há com certeza quem o não olhe com respeito. Por que perturbar a serenidade de sua ação com um desenganado clamor? É como se, para apressar a marcha de uma locomotiva, enchêssemos a linha de calhaus...

* * *

Por outro lado, para que dar importância exagerada ao desvairado papaguear de certa imprensa estrangeira? Ódio velho não cansa. E não há ódio mais cruel do que aquele que se alimenta de um despeito longo tempo contido.

Daí, quem sabe? é provável que as injúrias dos jornais do país vizinho não traduzam ódio. Desgraçadamente, a imprensa, nestas épocas agitadas e turvas, não é sempre um sacerdócio: é muitas vezes uma indústria, que só pode medrar graças ao escândalo e a blasfêmia. O público é exigente: quer todos os dias um assunto palpitante e novo que o apaixone, que lhe sacuda os nervos, que lhe estimule o apetite. Desta vez, como não há outro assunto bom, o Brasil pode prestar-se a cabeça de turco. Que mal há nisso? a cabeça é dura, é capaz de esfolar e quebrar os punhos que a socarem.

Nem nos fica bem atirar a primeira pedra à pecadora. Examinando com cuidado a nossa consciência, pesquisando com atenção todos os recantos, iremos achar dentro dela, escondidos e esquecidos, muitos pecados. Também nós, jornalistas brasileiros, nos damos às vezes à discussão do que não sabemos, querendo dirigir, com a nossa orgulhosa imprudência, os destinos e a vida das nações vizinhas. O mal é de muitos, e portanto consolo é.

Dai-nos calma e juízo, milagroso S. Sebastião! Calma e juízo, para que não precipitemos os acontecimentos, calma e juízo para que perdoemos as ofensas dos vizinhos importunos!

* * *

Chorai, barracões de todos os estilos, de todos os feitios, de todas as cores, góticos, manuelinos, egípcios, amarelos, vermelhos, azuis, altos, baixos, finos e grossos que encheis a cidade, que oprimis o solo, que tapais o horizonte, que ofendeis os olhos, que nauseais as almas! Chegou a vossa última hora...

Um prefeito, que não gosta de monstros, jurou guerra implacável e feroz à vossa raça maldita: preparai-vos todos para cair, fortalezas de mau gosto, baluartes da fealdade, templos da hediondez, – como já caiu o vosso companheiro do largo do Paço, aos golpes dos martelos abençoados da Prefeitura!

O povo, que folgava e ria, em volta daquele medonho trambolho condenado à morte, na bendita madrugada da demolição, não folgava e ria apenas por causa da rica provisão de lenha que assim lhe dava de mão beijada a Cantareira: ria e folgava também de pura satisfação estética, por ver livre daquele aleijão o pobre largo do Paço...

O povo é um eterno caluniado. Dizem que ele é grosseiro, mal educado, malfazejo. Que há de ele fazer, se não lhe dão boas maneiras, se não o educam, se não lhe ensinam a ser bom e limpo?

O povo de uma cidade limpa há de ser fatalmente limpo. Que idéias claras, que pensamentos bons, que nobres sentimentos há de ter uma população condenada a viver numa cidade mal calçada, sem jardins, e coberta de barracões imundos e cambaleantes?

Dizia-se que o povo do Rio de Janeiro era incapaz de respeitar jardins: entretanto, ainda ninguém danificou o jardim da praça Rio Branco, e ainda ninguém interrompeu ou perturbou os trabalhos de aformoseamento do largo do Paço. O povo, para ser bom conservador, espera apenas que lhe confiem a conservação de qualquer cousa boa. Enquanto só lhe confiarem a conservação da imundície, não podem exigir que ele, na sua fraqueza, extraia pérola da podridão.

O que consola é ver que, em dous anos, já se fez mais do que em vinte. Se esse bom movimento não for contrariado por qualquer dessas causas que escapam às previsões humanas e tão freqüentemente se manifestam no Brasil, o Rio de Janeiro será em breve uma cidade reabilitada.

Juízes da cidade! metei dentro das gavetas, sob cautela de sete voltas de chave, os mandatos de manutenção! e, ó barracões, desmoronai-vos, esfarelai-vos, desaparecei sem deixar saudades!

* * *

Chove. A coluna de mercúrio deu uma queda repentina nos termômetros... Assim estivesse baixa também as temperaturas dos ânimos!

Ainda uma vez: dai-nos calma e juízo, doce e amado padroeiro, – se é que depois de haver recebido tantas setas deste mundo, ainda vos preocupais com o que nele se passa!

s. a.

01 fev. 1903

Crônica

Haverá quem ria desses batalhões patrióticos, que se estão formando por aí, para defender a dignidade nacional? Talvez haja. Mas o riso, neste caso, é intempestivo e cruel...

Claro está que ninguém pode tomar rigorosamente ao pé da letra a significação dessas organizações militares. Ninguém espera que chegue até o doloroso sacrifício de marchar para os inóspitos seringais do Acre a boa bondade patriótica dos que alistam essas levas de voluntários, em que até figuram, parece, crianças de 9 anos. Tudo isso, está bem visto, é platônico, e nunca passará do terreno da realidade. Mas nem só as realidades honram e dignificam a pátria: e rir desse belo movimento seria um crime de lesa-patriotismo.

Tudo é preferível à apatia em que se afogam todas as forças de caráter. E, se em matéria de loucura, pudesse haver preferências, sempre haveríamos de preferir as loucuras animadas e vivas, os altos arranques, as explosivas alucinações da megalomania e do fanatismo à abjeta depressão do delírio melancólico, da demência, do idiotismo e da paralisia geral. Os entusiasmos, embora passageiros e platônicos, são uma escola de civismo. O homem pacato que se vai alistar num desses batalhões patrióticos pode estar convencido de que está voluntariamente entrando numa inofensiva mistificação: mas, ainda assim, está pensando na pátria, está com o seu nome venerado aos lábios e com a sua sagrada imagem no cérebro. E antes isso do que estar com todo o cérebro cheio apenas de palpites para o jogo do bicho!

Não provoque sorrisos de desdém o fato de aparecerem nomes de crianças nessas listas de batalhões, em que quase sempre as verdadeiras crianças são as grandes, as que já gozam das regalias da maioridade. Por mim, não vejo inconveniente em que um brasileirinho de 9 anos se pavoneie com o nobre orgulho de já ser um herói. É dessa massa que se fazem os heróis.

Nem há mais bela educação do que essa de ir familiarizando as crianças com a idéia de amar e defender a sua terra. Só se pode exigir produção boa e forte das terras bem educadas e bem lavradas: das terras bravas e maninhas não saem louros trigais nem copados cafeeiros.

Haverá também quem diga que, às vezes, esses movimentos de patriotismo encobrem interesses ocultos, ânsias insofridas de *réclame*, manejos de disfarçado egoísmo. Que importa? de causas feias, podem nascer efeitos belos: e nada se perde em aproveitar, em favor do bem, o que só se destinava ao mal.

A *Crônica*, por todos esses motivos, aplaude o ardor do povo, manifestado em *vivas*, em aclamações, em passeatas heróicas, em vozerias ruidosas, e em um ou outro *morra*, que não causa a morte de ninguém.

* * *

A princípio, parece que há contradição, ante o que aí fica escrito e o que aqui mesmo se escreveu no domingo passado. Mas a contradição não existe.

A agitação perniciosa não é a do povo nas ruas: é a da gente, que se diz ajuizada e ilustrada, nas colunas dos jornais e... alhures. Ainda ontem, o grave *Jornal do Comércio* escrevia:

"Compreende-se que ordens dadas a respeito da designação de corpos do exército ou de navios de guerra caiam no domínio da publicidade; o que, porém, não pode ter desculpa é que se chegue ao ponto de saber e noticiar nos jornais até o número de cartuchos embarcados para esse ou aquele ponto da fronteira".

Parece que essa moléstia é incurável... Há pouco tempo, ainda na passada administração, quando se reformavam as antigas fortificações da barra do Rio de Janeiro, os jornais, a cada nova inauguração de baterias ou de cúpulas blindadas nas fortalezas, traziam, em longas colunas, cheias de minúcias técnicas que só podiam ter sido fornecidas por profissionais, descrições meticulosas de todo o artilhamento e de toda a planta das fortificações, – como o número de canhões, a natureza dos meios de defesa e dos meios de desembarque, os pontos de acesso, as falhas das posições, os [*****] fracos do [*****] e até instruções sobre o modo de funcionar das baterias!

Diante dessa indiscrição, não havia homem sensato que não dissesse, de si para si: "Ora, bem! se assim se revelam todos os segredos das fortificações, claro está que o governo é o primeiro a não tomar a sério a sua obra... Logo, todas essas medidas de precaução não passam de brincadeira! e essas cúpulas blindadas, essas formidáveis e móveis carapaças de aço, essas potentes baterias de imensos canhões, essas perigosas filas de torpedos sob a linha d'água, são fantasias de luxo, são meros ornamentos bélicos, tão inúteis e tão inofensivos como as fortificações de papelão e tela pintada que aparecem nas apoteoses das peças de espetáculo!"

E o ingênuo contribuinte, depois dessa reflexão, não podia deixar, apesar de toda a sua ingenuidade, de pensar que mais teria valido, nesse caso, que o encarregado de aprontar as fortificações da barra fosse, não o careiro Krupp, mas qualquer barateiro cenógrafo, Carrancini ou Coliva...

Agora repete-se o caso. E é com razão que o *Jornal* conclui:

"O Sr. ministro da Bolívia não precisa fazer nenhum esforço para informar ao seu governo dos preparativos militares do Brasil; basta-lhe ficar em Petrópolis e ler as folhas diárias. Nas nossas repartições militares as cousas se passarão de modo que os *reporters* possam ir contar pessoalmente, ou ter quem por eles conte, no cais do Arsenal, as caixas de munições embarcadas para o Norte ou para o Sul. Essas notícias não servirão só para S. Ex., podem ser telegrafadas também para toda parte, para os jornais dos países que acompanham com interesse o que estamos fazendo".

O mais interessante do caso é que contra a imprensa divulgadora de segredos importantes é que se volta sempre a cólera do governo... Mas a imprensa, nesses casos, está simplesmente representando o seu papel. Exigir que um *reporter* seja discreto é o mesmo que exigir juízo de um louco ou palavras de um mudo. Ao governo é que cabe o dever de acautelar as suas medidas, e de cercar de precauções as suas providências. O *reporter* só vê aquilo que lhe mostram, e só adivinha as charadas fáceis. A reportagem carioca não está a cargo de uma legião de Édipos...

* * *

Mas é possível dar espaço, na *Crônica*, a qualquer cousa que não se relacione com o Acre.

À hora em que isto se escreve, é possível que grandes novidades se preparem. Onde está Pando? está em marcha para o Acre ou já voltou para La Paz? Pando ainda é o presidente da Bolívia? Pando trocou definitivamente suas insígnias de presidente pela pasta de amostras de *commis-voyageur*? Pando é general? Pando é negociante? eis aí uma série de perguntas a que o cronista não pode dar resposta...

Mas não passe sem comentário a tocante unanimidade com que toda a imprensa argentina estranhou o "tom acerbo" da nota da nossa chancelaria às legações na Europa.

Convém notar que essa nota foi enviada, quando ainda o Brasil acreditava no valor da palavra do presidente da Bolívia... Agora, depois do inesperado desfecho das negociações, depois da partida do presidente Pando e das várias e desencontradas explicações que se têm dado a essa partida – ainda haverá quem ache descabido o tom daquela altiva nota, tão justa e tão verdadeira?

Decididamente, por mais que se queira conter a indignação, é preciso confessar que há em todo esse negócio uma falta de seriedade que roça pela capadoçagem. Vamos lá! um presidente que não pode sair de sua capital sem desterrar o seu substituto legal; que manda declarar terminantemente o seu propósito de não partir, e parte, entretanto, às escondidas, como quem tem vergonha do que faz; que justifica depois o seu ato pela necessidade, não de comandar uma expedição de guerra, mas de representar um papel de caixeiro de sindicato indo entregar aos alugadores o território alugado; que faz depois correr outra versão, dando-se como vítima de um conluio, e explicando sua partida pela obrigação em que se vê de procurar reforços contra os conspiradores, – tudo isso afinal estaria pedindo música de Offenbach, se não fosse a causa de complicações graves em que vemos a nossa dignidade ultrajada pelas caçoadas desse singular presidente!

Só a má vontade pode enxergar na nota da chancelaria brasileira uma quebra das serenas fórmulas diplomáticas. Aquela curta linha da nota: "o arrendamento é uma concessão para terras da África, indigna do nosso continente!" – é um protesto justo, é um programa de governo, – é um brado de nobre altivez, que deve ser acolhido com júbilo por todos os corações verdadeiramente americanos. para que nos respeitem, é mister que nos respeitemos a nós mesmos. E não há energia que seja exagerada, para repelir esse plano de alugar a um sindicato um pedaço de terra com os trinta mil brasileiros que povoam, – tão serenamente como, na África, se passa de sindicato a sindicato uma faixa de sertão bravio, com o direito à propriedade, não só do solo, mas também dos cafres ou dos zulus que nela vivem!

Queira Deus, que daqui a sete dias, já a *Crônica*, desafogada e alegre, possa cuidar de outros assuntos. O caso [*****].

s. a.

08 FEV. 1903 CRÔNICA

Livre-me Deus da guerra, dessa grande comedora de dinheiros e de vidas! É possível que para a Bolívia, a guerra seja de grande vantagem: há por esta América do Sul muito país que, arrebentado e triste, só pode ser salvo por uma aventura arrojada... Mas o Brasil não precisa, graças ao céu, de apelar para os riscos das aventuras. Em todo caso, se a guerra se impuser, não há de faltar quem saiba cumprir o seu dever.

Parece que a questão do Acre vai ter uma solução, cruenta ou pacífica, mas definitiva. O telegrama do novo governo brasileiro, comunicado à imprensa há três dias, foi para todos um desafogo. Não há situação pior do que a da incerteza: não há alma que se não estrague, quando sujeita por longo tempo às oscilações da dúvida. Agora, ao menos, já se sabe o que há. O Brasil ofendido pela capadoçagem intolerável do vizinho, não quer ficar exposto à [*****] e dispõe-se a corrigir, sem crueldade, mas com firmeza, a desengraçada malícia do peralta.

Infelizmente, muita gente confunde a tolerância com medo. Raras vezes as boas maneiras, a prudência, a condescendência, a calma conseguem fazer respeitado quem as emprega. O temor ainda tem neste baixo mundo, mais força que a bondade; e quase sempre para conter os desregramentos de um menino malcriado, mais vale um cascudo do que cem beijos.

Decerto, ninguém punha em dúvida o talento e a calma coragem do grande brasileiro a quem está entregue o espinhoso encargo de resolver a questão do Acre. Todos sabiam, que confiada a Rio Branco, essa missão estava confiada "ao mais digno". Mas, ainda assim, que consoladora, que desvanecedora, que deslumbradora sensação de orgulho e de alegria foi a de todos os brasileiros que leram aquele admirável telegrama de 3 de fevereiro! Há naquelas linhas uma energia de que já estávamos desabituados: sob a fria concisão daquele estilo sóbrio e medido, matematicamente calculado de palavra em palavra, arde e vibra uma decisão inabalável, palpita uma convicção perfeita do direito do Brasil e do seu justo orgulho.

Agora, sobre o procedimento da Bolívia e do Brasil, já o mundo civilizado pode tomar o seu juízo. Não raro, na vida particular, como na vida pública, entre os homens ilustres, mas comedidos, e os homens fúteis, mas engraçados, a vitória principia por caber aos últimos. A capadoçagem faz rir; e fazer rir já é lograr meia vitória. Mas, quando o homem sério, perdendo a paciência, esborracha com um soco o motejador que o desrespeita, gela-se o riso nos lábios dos espectadores, e todo o ridículo se volta contra o chocarreiro que rabeia no pó.

Há atitudes que só são compatíveis com a licença sem limites do Carnaval. Para o livre exercício das garotadas e das jogralices dos pierrôs, dos princeses e dos diabinhos, há, em cada ano, três dias forros e largos em que podem caber todas as cabriolas e todos os saracoteios. Mas a diplomacia não é uma mascarada, nem é lícito tolerar por muito tempo, em assunto sério, as liberdades de um senhor que, para lançar poeira nos olhos dos outros, uma cousa diz e outra faz, e ora se apresenta sob o fardão mirabolante de um general de ópera-bufa, ora sob a jaqueta de xadrez de um caixeiro de *trust*.

No telegrama de Rio Branco ficou definida a posição da Bolívia. A nossa posição, essa não carecia de definições. Falam por nós oitenta anos de história política, onde pode haver desastres e desgraças, mas onde nunca houve um baixo interesse, uma traição, uma nódoa. Esses mesmos vizinhos do Sul, que tão comumente esquecem o que nos devem, sabem que o Brasil, se algumas vezes se meteu em aventuras de guerra, foi para desagravar a sua honra... ou a honra dos amigos mal agradecidos, tão dispostos a morder a mão que lhes deu a liberdade. Em que guerra de conquista já nos metemos? Para orgulho nosso, podemos dizer que, por onde nossos exércitos têm passado, só temos semeado benefícios e felicidades...

Não foi a nossa prosperidade que aproveitou a campanha do Paraguai. Lá deixamos ficar o nosso dinheiro, que valia muito, e a flor da nossa mocidade, que valia tudo. Não foi para enriquecer o Brasil que sacrificamos nessa aventura a melhor gente de uma geração. Quando a guerra teve um termo, o Brasil arfava ao peso de um dívida tremenda. E, enquanto, no Prata, os nosso aliados prosperavam, lançando as bases de uma opulência que seria hoje brilhante se a megalomania não tivesse vindo aniquilá-la, nós ficávamos apenas (e graças a Deus não há mais nobre motivo de orgulho) com a glória de não ter conquistado um palmo de terreno, de não ter cobrado a pontaços de baioneta o que nos era devido, de ter livrado o Paraguai de um tirano, e de ter deixado ao país inimigo, entre outros dons, uma estrada de ferro.

No Paraguai, o nome do Brasil não é odiado. Ainda há poucos dias, numa radiante festa que ficará famosa nos anais do corpo acadêmico, o ilustre representante do bravo povo do Paraguai, D. Ricardo Brugada, entregava à mocidade brasileira uma carinhosa lembrança da mocidade paraguaia. A aproximação entre os dous povos é hoje definitiva: e a valorosa nação que com tão alto heroísmo se bateu contra nós, só pode hoje desconfiar, não de nós, mas de outros vizinhos, menos dados ao amor da paz e da modéstia.

Neste caso do Acre, não cobiçamos seringais: não é uma questão miserável de ambição, a que nos leva a opor uma resistência digna aos desmandos dos alagadores do território americano. O que queremos é que um juízo arbitral, sereno e desprovido de paixões, liqüide uma dívida velha e complicada: e o que queremos, sobretudo, é que o trabalho e a vida de trinta mil brasileiros não fiquem à mercê da cupidez e da crueldade dos sindicateiros. Filhos da terra mártir, cujos sofrimentos são uma escola de energia e heroísmo, os acreanos, desde 1879, são todos cearenses. Eles desbravaram a terra; eles perlustraram os rios; eles morreram aos punhados naquela região pavorosa; eles deram combate aos índios, às feras e à febre; eles transformaram numa vasta colméia humana, ressoante dos hinos do trabalho, um deserto bravo, até então só habitado de bugres e miasmas.

O telegrama de 3 de fevereiro, que o nome glorioso de Rio Branco assinou, e cuja leitura encheu de júbilo e orgulho o coração do Brasil, estabeleceu de modo claro e precioso os termos da questão. Já não cabiam, no momento grave, meias palavras e exageradas prudências, por sob as quais os olhos interesseiros pudessem enxergar fraqueza ou hesitação. O médico viu bem que era tempo de pôr de parte os paliativos e de dar batalha, frente a frente, à grave moléstia. Ides ver que o doente está salvo!

Não sei bem por que vaga associação de idéias me lembro neste instante de um imenso e potente elefante que viveu há tempos, no "jardim da aclimação" de uma cidade da Europa...

Era um colosso, uma vasta mole ambulante, uma torre imponente que passava, como uma criação fabulosa, pelo verde parque perfumado. E nunca se vira tanta bondade aliada a tanta força!

Nos seus grandes olhos meigos brilhava uma alma humana e compassiva. Entre as suas grandes patas, brincavam impunemente os pequenos animais do jardim; e muita vez, quando uma criança, confiando na mansidão daquele enorme e bom amigo, se aproximava, o elefante apanhava-a com a imensa tromba, embalava-a docemente no ar e depunha-a no chão, sem lhe ter feito o menor mal. Quando um guarda do jardim o maltratava, o elefante limitava-se a olhá-lo com um desdém soberano; e nem quando os garotos lhe atiravam pedras, ele se despojava daquela divina bondade de que era um atributo a sua força.

Mas houve um dia, em que lhe fizeram um agravo revoltante. O colosso passeava à beira de um fundo charco... Um jogral qualquer (desses de que o mundo está cheio) apanhou um punhado de lama, e jogou-a à cara do inofensivo paquiderme... Com um urro de revolta o elefante enrolou a tromba no corpo do atrevido, e, depois de lhe esmigalhar os ossos, arremessou-o ao seio podre do pântano...

Não há calma que não tenha um limite: a bondade exagerada pode parecer falta de brio. O amigo Pando, se quiser, ou se souber, *aplique el cuento*!

S. A.

15 fev. 1903

Crônica

Quem agora entrar, pelas horas cálidas de qualquer tarde, no edifício do Conselho Municipal, assistirá a um interessante espetáculo. Verá a ampla sala majestosa, com todas as suas janelas abertas, bem varrida, bem espanada, largamente cheia de ar e de luz, como preparada para qualquer solenidade: e, ao fundo, em torno da severa mesa presidencial, verá alguns homens, graves e sisudos, cabeceando de sono sobre as pastas de papel e os altos tinteiros. Do teto, do alto das tapeçarias, das vivas molduras em que se enquadram os retratos dos brasileiros célebres, dos imensos lustres de gás, cai uma pesada modorra; o relógio, num tic-tac monótono, vai lentamente moendo os segundos, os minutos, as horas; e os homens, graves e sisudos, continuam a cochilar, naquela enervante atmosfera de preguiça e de tédio...

Que fazem ali, que esperam ali aquelas criaturas, com os corpos numa imobilidade de estátuas, com as almas numa estagnação de lagoas, quando cá fora o sol, a luz, o céu azul convidam todos os entes ao movimento, à ação, ao exercício da vida?!

Aqueles homens são os pretores! aqueles homens são os membros da Junta do Alistamento Municipal! aqueles homens estão ali à espera e à disposição dos cidadãos que se queiram alistar!

E as horas passam. O sol vai pouco a pouco caindo. A viração fresca do mar vem docemente balançar os reposteiros do grande salão do conselho. E os cidadãos não aparecem! E os pretores cochilam! E há vinte e seis dias que dura aquele suplício!...

É assombroso! justamente quando se pode esperar que, de um alistamento feito com seriedade e verdade, saia um eleitorado capaz e decente, é quando toda a gente se recusa a adquirir um diploma... Provavelmente, nem mil cidadãos se irão alistar. E o futuro conselho municipal de uma cidade, que tem quase um milhão de habitantes, representará apenas a vontade e a confiança das poucas dúzias de homens corajosos que se tenham animado a ir interromper o sono dos pretores no palácio da rua Chile.

Em todo o caso, antes isso do que a continuação do velho sistema, segundo o qual ainda se vão fazer as eleições federais do dia 18! Ao menos, os cem ou duzentos eleitores municipais serão cem ou duzentos homens conhecidos e vivos, homens de carne e osso, de domicílio certo, de nome verdadeiro e de profissão conhecida: ao passo que os eleitores do dia 18 são uma inconcebível e surpreendente multidão de mortos e vivos, de capazes e de incapazes, entre os quais só se encontrará um *vir bonus* em cada grupo de vinte ou trinta defuntos, cafajestes ou candidatos à hospedagem na Colônia Correcional.

Confesso que, apesar do que até agora ouvira dizer sobre falcatruas eleitorais, ainda não tinha chegado a conceber o assombro de patifaria, o milagre de falta de escrúpulos, a maravilha de desfaçatez que é uma eleição no Rio de Janeiro. Somente agora, por um acaso providencial, pude chegar ao conhecimento dessa medonha e nauseante verdade: e ainda não voltei a mim, do pasmo e do nojo que me avassalaram.

Contemos o caso como o caso foi.

Foi uma destas últimas manhãs de chuvarada forte. Ouvi bater à porta, e fui abrir. Pela porta aberta, entrou um golpe áspero de vento, com uma bátega de chuva. E, no meio dos borrifos, vi um sujeito alto e magro, todo vestido de preto, metido numa comprida sobrecasaca surrada, e com a gaforinha sobrando de sob as abas deformadas de um sujo chapéu de palha. O homem estava tão molhado, pingava tanta água, que, assim alto e esguio, com os braços colados ao longo dos quadris, parecia um imenso guarda-chuva fechado depois de longa viagem por um dilúvio desabrido...

Pedi ao estranho visitante que tivesse a bondade de entrar. Ele entrou desmanchando-se em mesuras que espalhavam água por toda a sala, e abriu a boca num sorriso escandalosamente amável.

– A quem tenho a honra de...?

– Saiba V. S. que eu sou eleitor! – disse ele logo, com desembaraço. – Trabalhei muito com o Dr. Duque Estrada, com o Dr. Henrique de Carvalho. Não é por me gabar: mas ninguém sabe de eleições como eu!

– E daí?

– Daí, eu venho oferecer os meus serviços a V. S.

– Perdão, amigo! A minha má estrela felizmente ainda se não lembrou de me impelir à perigosa mania de ser candidato...

– Infelizmente, infelizmente! V. S., se quisesse, poderia ser tudo nesta terra! Mas eu bem sei que V. S. não é candidato, mas tem um amigo candidato, homem de letras como V. S. Não é verdade?

– É verdade.

– Pois bem! Eu desejo que V. S. me apresente ao seu amigo. Seu amigo tem adversários poderosos, mas eu posso dar-lhe trezentos votos! E esses trezentos votos estão aqui, Sr. doutor, estão aqui, comigo, dentro das minhas algibeiras!

E, dizendo isso, batia as duas mãos espalmadas sobre a sobrecasaca molhada; a cada palmada, saltava do pano encharcado um borrifo. E, logo, metendo as mãos nos bolsos, sacou dous rolos de papel, que foi lentamente abrindo, diante dos meus olhos curiosos, com os dedos trêmulos de veneração e respeito.

Eram diplomas! Ardendo em curiosidade, tomei-lhe das mãos os dous maços. Que diplomas! Tinham várias datas, várias formas, várias assinaturas, várias chancelas; mas, todos eles, amarelados, sujos, roídos, puídos, rotos, esfarelados, – e fedendo! Era um fedor horrendo! e não era só o cheiro do mofo, ou da velhice, ou das muitas mãos de cafajestes e de falcatrueiros que já os tinham apalpado e amarrotado em várias eleições; era principalmente um cheiro *moral*, um nauseabundo cheiro de malandragem, um odor repugnante de maroteira, um hediondo fedor de falta de vergonha!

– Mas, então, (gaguejei) estas cousas fazem-se assim?

– Como não? (exclamou o sujeito, piscando os olhos velhacos) assim é que se fazem as eleições...

– Mas esses eleitores estão vivos? Você conhece-os?

– Isso não tem importância, Sr. Doutor! Quem vota com estes papéis é minha gente...

Tonto, enjoado, restituí os papéis ao guarda-chuva-eleitoral, e despedi-o com vagas promessas. E quando o vi pelas costas, outra vez mergulhado na chuva torrencial que caía lá fora, corri ao quarto e fui ensaboar as mãos, para as desemporcalhar daquela infâmia...

Ora, pois! Parece impossível que um homem limpo, um homem que toma banho e preza a sua honra, se decida a ser deputado com o auxílio de tal gente e de tais diplomas... Porque, enfim, tratar com essa gente, nivelar-se com ela, suportar-lhe os perdigotos e a *gíria*, pactuar com ela na prática dessas maroteiras, aceitar a cumplicidade dessas fraudes e dessas canalhices, – são cousas que, se não desonram, sujam!

Eu, por mim, declaro que, se algum dia perdesse o senso moral até o ponto de me sujeitar a isso, e se tivesse a desgraça de ser eleito deputado por essa tropa de maraus, o meu primeiro cuidado, ao receber o alvará de representante da nação, seria pegar [*****] com as extremidades de uma longa pinça e levá-lo ao Desinfetório da rua D. Manuel, para pedir ao meu amigo Nuno de Andrade que o mandasse desinfetar. E não contente com isso, ainda me submeteria a um longo banho de vapor de formol, a ver se tirava do meu pobre corpo toda a recordação do contágio!

Ai de nós! é realmente assim que se faziam aqui as eleições, e é ainda assim que elas se vão fazer no próximo dia 18! O guarda-chuva humano, que me visitou há dias, não é uma exceção, um caso singular, uma anomalia, um caso teratológico: é um exemplar da rica fauna eleitoral, o representante de uma vasta família de empreiteiros de cabala e fraude.

E espantemo-nos! quando se trata de dar cabo disso, matando essa bicharia com um alistamento sério, como se matam os mosquitos daninhos com fumegações de piretro, ninguém se vai alistar, e os pretores, na vasta sala do Conselho, ficam às moscas, cochilando sobre as listas virgens, na modorra do tédio e do desespero...

s. a.

01 mar. 1903

Crônica

Ainda estamos vivos? Não houve pneumonia, não houve tifo, não houve febre amarela que nos levasse? Pois não foi por culpa nossa... Por três dias e três noites a fio, sem descanso, andamos à procura da morte, afrontando-a, desafiando-a, pedindo-lhe encarecidamente que nos arrancasse desse vale de lágrimas. Provavelmente, a Morte, vendo-nos tão molhados, teve medo de constipar-se: deixou-nos entregues ao gozo do entrudo, e foi por aí fora em busca de gente mais seca e menos maluca.

Desta vez, ressuscitamos o velho entrudo desbragado dos nossos maiores.

Numa antiga tradução do *Brasil*, de Ferdinand Dénis, há páginas interessantes sobre o jovial entrudo desses tempos apartados: "Isto chegou a tal ponto, que induziu o intendente geral da polícia a publicar um edital proibindo os jogos de entrudo nas ruas e no teatro, não podendo ser permitidos semelhantes divertimentos numa sociedade civilizada; para que a ordem tivesse execução, postaram-se guardas em todos os bairros da cidade. Mas a sociedade civilizada do Rio de Janeiro teve em pouca conta o edital, voltando ao divertimento, – e, francamente, outra cousa não podia acontecer, porque o próprio imperador dava o exemplo: é notório que ele participava do folguedo, com seus filhos e amigos..."

Agora, nem houve edital: a polícia concedeu *habeas corpus* ao entrudo, e só não se molhou quem teve o mau gosto de ficar em casa.

* * *

Enfim, não morremos: já secamos ao sol as roupas e a pele, já repousamos da fadiga desses dias de suprema loucura, – e vamos cair no monótono ram-ram da vida.

Ora, o assunto magno, o assunto que se impõe, é justamente o que diz respeito a essa generosa Morte que não se quis aproveitar do entrudo para levar consigo o cronista e aqueles que o lêem. No Rio de Janeiro, março é o mês da morte. Os dias ardem, requeimados de um sol inclemente: as noites abafadas, cheias das ferventes evaporações da terra, sem um sopro de brisa fugaz, arrastam-se carregados de pesadelos: e por mais que se queira esquecer a febre amarela, sente-se na treva o seu passo fatal, ouve-se estalar a mola da sua foice cruel, e contam-se as vítimas que a arruinadora do nosso crédito vai fazendo...

Em S. Paulo, o Estado que deveria ser o modelo de todos os Estados do Brasil, já não há quem se limite a soltar lamentos sobre a crueldade da febre amarela. Logo no dia seguinte ao último do carnaval, o *Jornal do Comércio* publicava os resultados das experiências feitas na capital paulista sobre o papel que representam os mosquitos na transmissão do tifoteróide. E mais uma vez se verificou que o Rio de Janeiro, com toda a sua importância comercial, com toda a sua filáucia de primeira capital da América do Sul, está, em matéria de civilização, infinitamente abaixo daquela nobre cidade cujo progresso febril e rutilante cobre de vergonha a nossa inércia.

O Rio de Janeiro é a sede da Academia de Medicina, e de várias outras sociedades científicas; temos aqui, às dúzias, clínicas que podem competir com as mais notáveis do velho mundo; temos hospitais admiravelmente instalados: e, sendo esta a terra clássica da febre amarela, a sua residência preferida, a sua pátria de eleição, era natural que aqui se iniciassem os estudos sobre essa hipótese da transmissão do morbo pela picada dos mosquitos. Mas sobre esta mísera cidade parece pesar uma *jetatura* fatal, um mau-olhado cruel que a condenou a ser inerte e indiferente. O Progresso passa por nós, ao alcance dos nossos olhos e das nossas mãos, sem que os nossos olhos o percebam, e as nossas mãos o toquem: o Rio de Janeiro é a figura clássica do *Brás Bocó*, de boca aberta e músculos relaxados, entorpecido numa contemplação idiota, sem consciência do tempo que passa para nunca mais voltar, estarrecido numa preguiça de macaco tísico!

S. Paulo, em dez anos, reabilitou-se e depurou Santos, que era mais imunda que o Rio de Janeiro, salvou Campinas da ruína, saneou várias cidades do interior, e transformou a sua velha capital sorna e feíssima em uma admirável cidade moderna que, daqui a dez anos, será superior a Buenos Aires.

Não há lá fora, na América do Norte ou na Europa, uma descoberta, uma invenção, um estudo novo, uma tentativa em favor da felicidade humana, um bom movimento de iniciativa pública ou privada, um impulso para o bem, que não interessem esse belo Estado, e não cativem a atenção do seu governo. Agora mesmo, as experiências feitas no hospital de isolamento de S. Paulo pelos Drs. Pereira Barreto e Adriano de Barros e Silva Rodrigues são a prova desse interesse, a demonstração desse patriótico desejo de progredir.

E, aqui, estamos condenados ao triste papel de esperar que de lá nos venha o ensino! E ainda será bom que saibamos aproveitar esse ensino e que lhe não demos o desdenhoso pontapé com que costumamos acolher o que é sério, para só amar e prezar as eleições cômico-trágicas em que o ridículo corre parelhas com a selvageria!

* * *

As experiências feitas agora com mosquitos infeccionados colhidos em S. Simão, perto da cidade de S. Paulo, vieram confirmar plenamente as que foram feitas em Cuba: o mosquito é o principal transmissor da febre amarela.

Santo Deus! para a desgraçada capital do Brasil, a solução do problema está ficando cada vez mais difícil. Até agora ainda poderíamos supor que, com os melhoramentos do porto, com a construção de uma ou duas avenidas, com o arejamento de toda a cidade, com um farto abastecimento de água, com a lavagem constante das redes de esgotos, ficaríamos livres da febre amarela...

[*****] essa miragem nos sorria deliciosamente, se bem que os cálculos mais otimistas não fossem capazes de anunciar para breve a realização desses melhoramentos tão simples, mas tão pouco compatíveis com a nossa incúria. Agora, porém, complica-se o problema...

O mosquito demoníaco, esse átomo vivo provido de asas, esse atormentador invisível, esse *gnomo* intangível, esse *djin* impalpável, é filho das águas paradas, dos lixos expostos ao ar, e de toda a imundície, enfim. É possível sanear a cidade; mas isso não bastaria: seria preciso, para exterminar os mosquitos e exterminar com eles a febre amarela, dar a toda esta população o amor à limpeza, a paixão do asseio, o culto da higiene domiciliar...

Até das insignificantes poças de água depositadas pelas chuvas nos cacos de garrafa com que, para afugentar os gatunos, adornamos os muros das nossas chácaras, nascem legiões cerradas de mosquitos, – gatunos muito mais perniciosos do que os outros, porque nos furtam a vida, enquanto os outros só nos furtam as galinhas.

Quantas outras legiões desses assassinos microscópicos não nascerão dos tanques de lavar roupas, dos coradouros, das hortas, das estrebarias, dos estábulos, dos capinzais, dos aterros inacabados de que estão cheios os subúrbios?

Pouco importará que todas as ruas sejam limpas, varridas, capinadas, lavadas, bem calçadas, se, dos muros para dentro, a imundície continua a imperar. E quanto aparecerá o homem capaz de extinguir as estalagens, as casas de cômodos, os viveiros de todos os micróbios que há por aí.

Em outra cidade, a população dócil e inteligente colaborará com os poderes públicos nas obras de saneamento. Mas aqui, desgraçadamente, já não é lícito esperar esse concurso da docilidade e da inteligência. *Brás Bocó* não é só um tolo: é também um revoltado; e, na sua apatia, na sua preguiça, no seu idiota entorpecimento, só tem energia para protestar contra posturas e gritar - *não pode*!

* * *

Ah! pérfido mosquito! zumbido alado, dentada viva, tortura importuna, invisível gênio do mal, filho da podridão e servidor da morte! quando havíamos de pensar que, tão pequenino, tão fraco, tão humilde, deste modo atrapalharias a nossa vida?

Porque, atualmente, ó mosquitos! perdemos a esperança de ver extinta a febre amarela! se não temos nem força nem coragem para acabar com os grandes males que aí estão entrando pelos olhos de toda a gente, como as teremos para dar cabo desses males, inumeráveis e invisíveis, mais incontáveis do que as estrelas do céu, e os grãos de areia do mar?

Jesus! é fácil, talvez, matar os mosquitos que nascem de uma escassa poça d'água... mas como dar cabo dos que nascem, aos milhões de milhões de miríades deste vasto pântano de cento e um mil, quinhentos e quarenta e quatro quilômetros quadrados, que, nas cartas geográficas, figura com o nome de cidade do Rio de Janeiro?

S. A.

08 MAR. 1903 CRÔNICA [CIA]

À pequena distância do Méier, encravado num vale, entre montanhas verdes salpicadas das manchas brancas da casaria, assenta um vasto galpão, sempre fechado, num ar de sono e mistério. Quem passa por ele vê, através da larga abertura que o areja na parte superior, um emaranhamento rutilante de hastes metálicas que brilham como prata; só de muito perto, aplicando bem o ouvido, se pode perceber lá dentro o ruído de malhos sobre bigornas, um rumor confuso de trabalho, que é como o respirar sossegado do casarão; e só um fio de fumaça, que do seu dorso sobe para o céu azul, denuncia dia e noite a vida operosa que anima o seio daquela vasta mole de ferro e de telhas.

Ali dentro, o gênio humano está armazenando forças para alcançar uma nova conquista; ali fermenta e ferve uma idéia imensa, ali cresce e se empluma, para a grande viagem da luz, um sonho radiante. E quem vê o pesado bonachão, que parece calmamente dormir, sob a soalheira ardente do dia ou sob a paz estrelada da noite, não pode imaginar que assombroso e misturado mundo de esperanças, de desesperos, de desenganos, de surtos de fé, de assomos de coragem, de sacrifícios, de desilusões, de milagres de pertinácia e de prodígios de trabalho está vivendo e palpitando entre aquelas quatro paredes mudas...

* * *

É aquele o *hangar* da aeronave *Santa Cruz*, o ninho em que se abriga, ainda desprovido das asas que vão tentar a conquista do céu, o condor gigantesco gerado do cérebro de Patrocínio; dali, se Deus quiser proteger até o fim a sagrada coragem do grande brasileiro, há de em breve levantar o vôo a ousada nave dos ares, encarregada de espalhar em pleno vôo a glória do nome do Brasil.

* * *

Há em uma das salas do Museu de Londres, atravacando o espaço, a reconstrução, escrupulosamente feita, do arcabouço ósseo de um mamute. Medindo seis metros de altura, recurvando no ar os formidáveis dentes de quatro metros de extensão, o esqueleto do *elèphas primigenius*, remanescente da idade quaternária, assombra a vista pela sua desmarcada grandeza: e o visitante, pasmado, começa a imaginar o que seria a força desse animal primevo, de que o elefante de hoje é apenas uma imagem reduzidíssima.

Imaginai agora um esqueleto de alumínio, que mede quarenta e cinco metros de comprimento, vinte e dois de largura, nove de altura, equilibrado no ar, à espera da seda que se há de adaptar, como uma pele resistente, à sua prodigiosa ossatura metálica. As longas hastes de metal rebrilhante recurvam-se como costelas de um monstro nunca sonhado, alongam-se aqui, arredondam-se ali, casam-se e ligam-se mais adiante, desenhando todo o corpo da ave maravilhosa. Um homem, posto ali, ao lado da portentosa construção, desaparece como uma formiga... É isso o esqueleto do *Santa Cruz*.

Mais adiante, em frente a uma das portas do galpão, aprumam-se as imensas turbinas também de alumínio: e a viração da tarde bate nas suas asas convolutas, e elas giram, com um gemido longo e contínuo, – como hão de girar mais tarde, quando, adaptadas ao corpo do monstro voador, captarem os largos ventos, aproveitando-os e transformando-os em força e velocidade. Mais adiante ainda, outros membros do prodigioso animal descansam, fundidos e prontos, à espera do dia em que se tem de dar a última demão ao invento. E todas essas peças enormes, rutilando, enchendo o vasto *hangar* de uma fulguração viva, dão à gente a impressão de estar dentro de um laboratório fantástico, onde um semideus, cioso de sua força, prepara empresas sobrehumanas, como a que causou o suplício de Prometeu, encadeado à rocha do Cáucaso...

Mas a imensidade da construção não dá, como o mamute do museu de Londres, uma idéia esmagadora de peso e volume. A impressão, que predomina, é a da esbelteza da nave, toda arquitetada em linhas de graça e harmonia. Aquele colossal esqueleto é feito de um metal levíssimo, leve como o mais leve papel. Uma criança pode sem esforço levantar, com uma só mão, qualquer das costelas daquele tórax monstruoso. E, parada, suspensa no ar, a mole prodigiosa já parece palpitar num ensaio de vôo, ansiosa por sair da imobilidade, rompendo as paredes do galpão, que a encarceram e abafam...

* * *

Mas a atenção de quem tem a felicidade de ser admitido a visitar o galpão *Santa Cruz*, não pode ficar monopolizada pelo esqueleto da aeronave. Em cada canto do galpão, trabalha uma turma de operários. O ar está cheio de um barulho de trabalho, de febre, de vida. A colméia da Glória moureja. Dentro daquele amplo ventre fecundo, todas as forças se empenham configuradas, colaborando na gestação do prodígio.

Aqui, junto do fogo, que crepita em [*****], os ferreiros caldeiam o metal candente; ali, os carpinteiros reforçam estrados e esteios; acolá os maquinistas experimentam as máquinas aquecedoras do ar; mais adiante o engenheiro do *Santa Cruz* põe em ação os motores elétricos; e, a um canto, inclinado sobre a cova da modelagem, o velho Ayres, um operário que é um verdadeiro e grande artista, modela para a fundição as largas pás da hélice propulsora.

O que enche de orgulho, ali dentro, a alma de um brasileiro não é apenas o empenho maravilhoso de Patrocínio: é também o valor modesto, o obscuro merecimento daqueles companheiros que o amparam e ajudam. A construção da aeronave *Santa Cruz* vale por uma reabilitação do operário brasileiro, por uma glorificação da nossa força e da nossa aptidão industrial e fabril. Ali, só a matéria-prima não é nossa.

Não há uma só cavilha, um só parafuso, uma só tubo, uma só manilha de alumínio [*****] aço, uma só das complicadas e delicadas peças de que se compõe o extraordinário aparelho, que não tenha saído das mãos de operários brasileiros. E, se fosse permitido ao entusiasmo do cronista cometer indiscrições, que seriam imperdoáveis, já aqui se poderia adiantar que, no decurso daquele pertinaz e glorioso trabalho, tem havido verdadeiras descobertas e invenções que hão de dar muito dinheiro e muita glória...

* * *

No meio daquela azáfama, pálido e doente, devorado de desgostos, agita-se Patrocínio, multiplicando-se, atendendo a tudo. Cada tropeço encontrado come-lhe um ano de vida: cada uma das pancadas que ressoam ali dentro sobre a madeira ou sobre o metal, vem repercutir no seu próprio coração alvoroçado; dentro do seu próprio peito é que está verdadeiramente pulando e batendo as asas aquele enorme aparelho de alumínio. Para se assenhorear do segredo do esmalte das faianças, Palissy alimentava o fogo do seu forno de experiências com os móveis de sua casa, com as roupas dos seus filhos. Também Patrocínio, naquele recanto apertado do Meyer, dentro daquele barracão em que vive o seu sonho, enterrou a sua saúde, a sua mocidade, a sua vida, – e o seu jornal! o seu jornal, que era toda a sua glória, todo o seu passado, toda a sua alma! Para pôr em movimento aquele mundo, o criador aniquila-se e mata-se...

É preciso *ver* a aeronave *Santa Cruz* para reconhecer que tudo quanto tem sido dado, como auxílio, a Patrocínio, é menos do pouco: é nada. Basta dizer que o governo entregou-lhe, para a conclusão da obra gloriosa, a fabulosa soma de vinte contos de réis! Pois bem: esse dinheiro não bastou para mandar vir da Europa a seda do balão...

Para a construção do arcabouço da aeronave, gastou-se mais alumínio do que todo aquele que até então tinha vindo ao Brasil. O que ali está não é só uma invenção maravilhosa: é o sacrifício de toda uma existência, é um fervor incessante de desgostos e desesperos, é um incansável e inenarrável desprender de talento, de energia moral e de sobre-humana coragem. Só a contemplação do que está feito enche a alma de espanto, e prostra-a maravilhada. E parece impossível que um homem possa encontrar, na sua frágil e contingente natureza, força bastante pra perseverar em labor tão sobrenatural!

Para que, porém, pedir ao governo que se não limite a dar auxílios que pouco podem adiantar? Nós estamos na terra da chalaça e do desrespeito: o prêmio que se dá nesta pátria ao engenho e ao labor de Patrocínio é a pilhéria grosseira das badernas carnavalescas...

* * *

Mas Deus não te há de abandonar, servidor do Ideal! Tu pairarás, na tua aeronave, sobre as nossas cabeças e sobre a nossa indiferença: e, no dia do triunfo, haverá na tua boca um riso bom de perdão e de esquecimento, o riso dos entes superiores que se não deixam ofender pela protérvia imbecil dos medíocres!

s. a.

15 mar. 1903

Crônica

Com este duro calor que nos oprime, seria cruel exigir que a *Crônica* tratasse das cousas desesperadamente banais ou tristes que encheram a semana: os últimos atos dos conflitos eleitorais, o matadouro-modelo, a colônia correcional, estupros, suicídios, assassinatos...

A *Crônica* pode e deve ser a resenha da vida carioca, mas não pode ser um prolongamento do noticiário da polícia, do obituário e do *Diário Oficial*. Se a vida carioca não teve, durante os sete dias, um raio de beleza e poesia que a dourasse, procuremos essa poesia e essa beleza longe daqui. E que um nome grande e querido, dos mais amados por todos os que prezam as letras, espalhe por esta coluna a sua sedução.

* * *

Há dias uma carta de Paris trouxe ao cronista da *Gazeta* uma ordem honrosa, que só pode ser obedecida com a colaboração de quantos, há oito anos, demoram o olhar benévolo nesta seção. A ordem veio da *Alliance Latine*, – uma liga internacional, que tem a sua sede na capital francesa, e cujo fim é manter o culto das tradições da raça a que pertencemos.

Trata-se do monumento que se vai erigir em Paris ao suave Renan. A *Alliance* deseja que todos os povos latinos se congreguem moralmente, no dia da inauguração, em torno da estátua do amado apóstolo da liberdade do espírito humano: junto do monumento, nesse dia festivo, deve pulsar o coração da raça nascida do Lácio; e todas as nações que saíram desse tronco sagrado devem concorrer para a apoteose do poeta-filósofo, que soube aliar, em obras imperecíveis, a pureza das idéias à pureza do estilo.

Cabe à *Gazeta de Notícias* e ao seu cronista a honra da missão. E desde já é bom dizer que, devendo a representação do Brasil ser principalmente moral, não se trata de uma subscrição popular: trata-se de um apelo feito aos intelectuais brasileiros, para que a nossa inteligência, tão mal conhecida lá fora, esteja presente à nobre festa de Renan. Não se pedem grandes quantias: os pequenos óbolos serão recebidos com agrado e gratidão; o que se quer é que uma pequena porção do bronze, em que se vai fixar a imagem do autor da *História do Povo de Israel*, seja paga com dinheiro nosso. O nosso dinheiro não irá salvar de qualquer apuro a comissão: o monumento está pronto e será inaugurado em setembro. O que a comissão deseja é poder dizer que todo o mundo latino prestou homenagem ao fino e delicioso artista. É esse o pedido da *Alliance Latine*. E a urgência da missão explica e desculpa a má escolha do intérprete.

Que dizer de Renan, que não seja sabido dos que lêem esta *Crônica*?

Já alguém comparou o espírito humano a um sistema orográfico, estendido através das idades. Nesse sistema, Renan não foi, como Shakespeare ou Dante, uma dessas altíssimas montanhas, cujos cimos, perdidos no céu, topetando com as nuvens, se amortalham de neves eternas ou se desmancham em lavas ardentes. Na orografia moral, Renan foi uma verde e suave colina, embalsamada e fresca, – ponto de repouso, mansão de sonho, ninho de aves canoras.

Ali, tudo era cultivado e sóbrio. Nem despenhadeiros abruptos, nem torrentes impetuosas, nem areais adustos, nem matagais impenetráveis. Naquela serenidade, a alma humana descansou de largos vôos e de viagens ousadas...

Essa perfumada colina foi acessível a todas as almas. E que almas deixaram, nestes últimos cinqüenta anos, de ir aprender ali a sentença dificílima do bem pensar e do bem dizer, e a ciência, ainda mais difícil, da bondade e da tolerância?

Vencedor dos ataques virulentos que lhe grangeou o seu profundo amor da liberdade do pensamento, Renan ficou vivo na memória dos homens, como um dos mais admiráveis servidores do Ideal. A sua obra, formosíssima e imutável, responde, vitoriosamente, ao desrespeito das injúrias; e para confundir os que ainda queiram ver um grosseiro materialista e um inimigo do espiritualismo no escritor da *Vida de Jesus*, bastará citar as últimas linhas do prefácio da décima terceira edição desse maravilhoso poema: "Le dernier des simples, pourvu qu'il pratique le culte du coeur, est plus eclairé sur la realité des choses, que le materialiste qui croit tout expliquer par le hasard et le fini".

O que ele não tinha era uma crença estreita e fechada, cárcere em que o espírito e o coração só podem sofrer e morrer. Renan sabia e pregava que "o progresso da razão só pode ser funesto aos falsos deuses; e que o verdadeiro Deus do Universo, o Deus Único, é aquele a quem o homem só verdadeiramente adora e satisfaz quando procura uma verdade ou pratica uma boa ação".

Os próprios católicos, os que verdadeiramente o são, devem amar esse filósofo, que tinha compaixão da vaidade humana, e de cujo estudo a figura eterna de Jesus subiu cheia de um novo encanto, iluminado de uma poesia mais humana: "Quaisquer que sejam as conclusões do futuro, Jesus não será excedido: o seu culto remoçará sem cessar; a sua história provocará lágrimas sem fim; os seus sofrimentos enternecerão todos os corações e os séculos proclamarão que, dentre os filhos dos homens, nunca nasceu nem nunca nascerá outro Jesus..."

Em Renan-filósofo, a qualidade primaz foi a tolerância. Não o irritavam os erros alheios, como não o encolerizavam os desvarios do pensamento ou da linguagem; ninguém compreendeu e desculpou, como ele, a fragilidade humana. Foi ele quem escreveu estas palavras admiráveis, que devem ser a divisa dos bons: "para ser verdadeiramente tolerante, é preciso tolerar a intolerância".

É tão rara essa qualidade, nesta época de violências e de crueldades, que é um dever honrá-la, honrando a memória daquele que com tanta perfeição soube amá-la e praticá-la. Mostremos, ao menos, que a amamos, já que a não sabemos praticar...

Ao lado do filósofo, que fino e incomparável artista vivia em Renan! A clareza e a simplicidade, o horror do exagero, o amor da sobriedade, – essas qualidades superiores da boa literatura latina, tiveram no escritor d'*Os Apóstolos* e d'*O Anticristo*, no apologista de Marco Aurélio, no delicado humorista dos *Dramas Filosóficos* um cultor apaixonado e constante.

Lê-lo, é como ver correr um rio claro, cujas águas límpidas fluindo de manso deixam ver as palhetas de ouro que lhe matizam o leito; o artifício, se existe, é tão disfarçado, que ninguém o percebe; e os profanos, que não sabem quanto custa a um verdadeiro artista o ser simples e natural, podem ter a ilusão de que Renan escrevia como os pássaros cantam ou como os jasmineiros dão jasmins. Mas aquela perfeição só pode ser atingida por um grande escritor, por um desses raros trabalhadores que só assentam a mão no tear do estilo definitivo, quando já a têm educada e torturada por um estudo longo e pertinaz.

A influência do sábio mestre não se fez sentir somente em França, onde atualmente Anatole France tem orgulho em dizer que a sua educação espiritual e o seu estilo vêm da leitura assídua e da meditação constante da obra renaniana. Toda a raça latina sentiu o influxo daquele claro espírito, semeador de idéias, propagador de verdades, fecundador de almas.

Justo é que toda a raça latina lhe pague hoje um pequeno tributo de gratidão.

Há onze anos que a alma de Renan repousa nas mãos de Deus. Deus, a quem ele começou a amar e a servir na meninice, entre as paredes frias do seminário, para depois amá-lo e servi-lo, até morrer, cá fora, no templo mais vasto da natureza, celebrando em períodos de ouro o esplendor eterno da sua criação, Deus acolheu com certeza carinhosamente essa doce alma, tão compassiva e tão humana, tão inflamada sempre do amor da Justiça e da Beleza.

Para glorificá-la na terra, quer a *Alliance Latine* que todos os povos que a amaram e compreenderam estejam representados em Paris, no mês de setembro. O cronista da *Gazeta de Notícias*, escolhido pela comissão do monumento, aceita com desvanecimento a designação, e pede o apoio e o concurso de todos os homens de letras do Brasil, e de todos aqueles que, não praticando as letras, sabem estimá-las.

Renan foi uma das mais belas flores da grande árvore latina: dessa flor nasceram frutos saborosos e sadios, que ainda hoje aplacam a nossa sede de ideal.

* * *

Não foi melhor que o nome de Renan enchesse a *Crônica*? Ficamos livres das eleições, dos *habeas corpus*, do Acre, e do matadouro...

s. a.

29 MAR. 1903

CRÔNICA

Não são alegres, não dão lugar a satisfações de otimismo, as conversas que se travam por aí além, pelas ruas, pelas casas, pelos bondes, neste escaldado e melancólico fim de março. A cada passo, uma notícia má: "Fulano está doente... Fulano morreu!... E já ninguém pede, sobre a moléstia ou sobre a morte de Fulano, informações mais precisas, porque já sabe que vai ouvir, em resposta, as duas palavras fatais, que pairam, [*****] e negras, como as duas asas de monstruoso avejão, sobre a nossa vida: "febre amarela!"

Ela, sempre! Ela, eternamente! Nós a respiramos, nós a comemos, nós a bebemos, nós andamos e dormimos com ela, sobre ela, dentro dela, – fechados dentro [*****] e terrível da sua ação desmoralizadora! Ela nos infamou o passado; ela nos desonra o presente; e, quando queremos prever um futuro melhor, ela nos tapa o horizonte, com o seu vulto nefando, furtando-nos a visão de dias melhores, de mais nobreza e de menos vergonha.

Falemos dela, já que não é possível arredar o espírito dessa preocupação dolorosa. Seria mesmo bom que, em todas as almas, a lembrança da febre amarela se transformasse numa dessas idéias fixas, que, tanto podem ser mais da loucura como da glória, da ruína como da salvação.

* * *

No seu último relatório, apresentado ao ministro do interior, há cerca de quinze dias, Dr. Nuno de Andrade defendia brilhantemente a Diretoria de Saúde Pública das acusações que lhe são diariamente feitas.

E, antes de prosseguir, seja [*****] ao cronista lamentar que o governo se tenha visto privado dos serviços desse homem, a quem já se pode agora elogiar francamente, sem o receio de ver o elogio atribuído a um intuito de [*****]. A demissão de Nuno de Andrade impunha-se como uma conseqüência da declaração de ilegalidade das "[*****] remuneradas"; e não é possível combater essa declaração, porque não é possível contestar a moralidade de uma lei tendente a dar cabo do açambarcamento dos empregos rendosos. Na mesa em que se serve o banquete do orçamento, há lugar para muitos: e não é justo que alguns recebam ração dobrada, quando outros, com iguais exigências de estômago e iguais direitos, ficam apenas olhando, com olhos compridos de fome, as vitualhas apetitosas. O regime das acumulações remuneradas é injusto, e por isso mesmo, imoral: para os interesses da comunhão que devem pesar mais do que os interesses individuais, mais vale que o pão seja distribuído por cem do que por cinqüenta.

O monopólio é sempre odioso; e pouco importa que os que mais gritam contra os monopólios sejam sempre os que mais o ambicionam: a lei deve atender aos princípios, sem cogitar dos desonestos que os possam adulterar.

Mas, sem negar a utilidade da lei, é justo lastimar que, para ela ser cumprida, a Diretoria da Saúde tenha ficado órfã da competência e da dedicação desse funcionário.

O seu relatório de 4 de março é o desesperado desabafo de uma consciência, que não pode mais com o peso de culpas alheias, e quer libertar-se de responsabilidades que lhe não cabem. O ex-diretor da Saúde Pública explica a diferença espantosa que há entre o estado sanitário de S. Paulo e o do Rio de Janeiro:

"A administração paulista despendeu dezenas de milhares de contos com o saneamento da sua capital e gasta, hoje, anualmente, com o seu serviço de higiene, cerca do dobro do que gastamos nós, com uma área territorial muitíssimo mais larga e uma população três vezes maior. Ela está certa de que é impossível esperar sentimentos de grandeza, o culto do aperfeiçoamento, a delicadeza do patriotismo, a dignidade civil e até a verdadeira noção de liberdade, de uma população que se abandona à varíola por preguiça de vacinar-se; que mora, indiferente e resignada, no cortiço e na casa de cômodos, respirando o odor dos maus esgotos, a exalação das valas próximas e cercada de capinzais nocivos, de hortas estrumadas; que transita por esburacadas ruas lodosas, cheias de lixo; que se deixa devorar pela tuberculose, pela febre amarela, pelo tifo, espantada ainda de que prosperem em tal meio tantas desgraças juntas; e apesar de tudo, brada contra o "Despotismo sanitário" quando se procura melhorar-lhe a sorte, e aponta o exemplo de Venezuela, quando se gastam oitocentos e poucos contos, em um ano, com o serviço de higiene das epidemias!"

Essa é a verdade terrível, dita por quem sabe o que diz. Hércules matou a hidra de Lerna, venceu na carreira a corça dos pés de aço, estrangulou o leão de Numéia, castigou e venceu Diomedes, aprisionou o javali do Erimanto, deu cabo do touro de Creta, domou Antheu, aliviou Atlas, estrangulou os Centauros e limpou as estrebarias de Áugias... Mas Hércules era Hércules! Era filho de uma estirpe divina, tinha n'alma o poder sobrehumano da essência de Júpiter! Se para executar todos esses assombrosos trabalhos, naquela maravilhosa e fulgurante idade heróica, o filho de Alcmene precisasse do apoio dos orçamentos, da imprensa e do povo, – os monstros, as feras, os gigantes continuariam a oprimir a Hélade, porque o herói nada poderia fazer...

Para extinguir a febre amarela, para reabilitar o Brasil, para salvar do opróbrio a nossa nacionalidade, é preciso ter a coragem de gastar dinheiro sem conta e de não medir sacrifícios. As grandes glórias não se conquistam como as fáceis e baratas popularidades. Só logrará a grande glória de livrar o Brasil da maior, da única das suas vergonhas, o governo que afrontar a impopularidade e que se arriscar a ser apedrejado na praça pública, empenhando nessa obra redentora todos os recursos, todo o crédito da nação, e dando-lhe em troca de privações e misérias passageiras, a felicidade perene em um futuro próximo.

* * *

O substituto de Nuno de Andrade é um moço ilustre, que se recomenda à pátria pelo amor ao trabalho, pelo culto do estado, pela religião da ciência. Mas que poderá ele fazer, com todo o seu talento e com toda a sua competência, se lhe negarem recursos, como os negaram ao seu antecessor? Fídias não esculpiria o seu Júpiter Olímpico e não ergueria do solo da Grécia a maravilha do Partenon, se lhe não dessem mármore; Rafael não perpetuaria na tela a doce imagem da [*****], se não tivesse as tintas que, amassadas pela mão do gênio, se transformam em carne viva e radiante; e o Universo não saiu do Nada, mas das Nebulosas primitivas que já tinham dentro de si todos os mundos em formação...

Logo no dia seguinte ao da nomeação do Dr. Oswaldo Cruz, depois de tecer encômios justíssimos à competência do nomeado, noticiou a imprensa que "o novo diretor da Saúde tenciona ir a Cuba, a fim de estudar de perto as condições em que foram ali feitos o saneamento do solo e o aniquilamento da febre amarela".

Deve haver nisso uma tolice ou uma perversidade dos *reporters*. A notícia é tão absurda, que não há ingênuo que a tome a sério.

O novo diretor da Saúde Pública conhece, melhor do que nós todos, o processo de que os americanos do Norte se serviram para extinguir a febre amarela em Cuba. Esse processo assentou nestas bases: dinheiro a rodo, limpeza rigorosa, extinção de mosquitos.

O *Jornal do Comércio* de 17 deste mês publicou a tradução integral do relatório lido, num congresso médico, pelo major W.G. [*****], do corpo de saúde dos Estados Unidos, dando conta de todas as experiências tenazes e pertinazes à custa das quais pôde a comissão de médicos livrar a Havana do mesmo flagelo que nos mata. Qualquer profano, qualquer leigo, lendo aquilo, fica sabendo o que é preciso fazer para que o Brasil, e principalmente o Rio de Janeiro, deixem de ser a pátria da febre amarela. Essa simples leitura evitaria a qualquer de nós o incômodo de uma viagem a Cuba: e o Dr. Oswaldo Cruz já está farto de saber, a fundo, aquilo que o nosso bom senso já a todos nos ensinou...

Não! Não é certo que o Dr. Oswaldo Cruz tencione ir a Cuba!

Não será dessa viagem que há de vir a nossa salvação! Será, sim, de uma outra viagem, mais séria e mais difícil do que essa, – de uma viagem que devemos empreender nós todos, governo e povo, mandantes e mandados, grandes e pequenos, àquele sagrado e recôndito país que cada homem tem dentro do próprio peito e onde residem as forças soberanas da consciência do dever e da energia moral.

Para extinguir a febre amarela, e para extinguir com ela a nossa desonra, é preciso não medir sacrifícios, não contar vintém nem milhões, e sacrificar o bem-estar de alguns anos à prosperidade futura: é preciso modificar quanto está feito, arrasar quarteirões inteiros, rasgar avenidas, revolver e purificar o solo, obrigar toda a população à prática do asseio, contrariar mil interesses, transpor mil barreiras, desgostar meio mundo, tapar o ouvido às reclamações do egoísmo prejudicado, castigar os recalcitrantes, e caminhar para a frente, sem olhar para trás, sem medo, sem hesitação, sem desfalecimento.

Se todos se não empenharem nisso, pode o Dr. Oswaldo Cruz ir preparando a retirada: porque há de sair, como saiu o seu ilustre antecessor, crivado de remoques, injuriado e maltratado, com o arrependimento de ter perdido tempo e trabalho inutilmente.

* * *

Ir a Cuba? para quê? para estudar a febre amarela?

Mas a época do estudo passou! nós já sabemos o que é a febre amarela: é a ruína, é a vergonha, é a infâmia, é a maldição da nossa terra! Se, em vez de procurar dar remédio ao mal, continuarmos a estudá-lo, acabamos como aquele célebre professor maníaco, da anedota alemã, que não chegou a escrever seu *Tratado de Filosofia* em sessenta volumes, porque passou noventa anos a aparar as penas com que devia escrevê-lo...

s. a.

05 ABR. 1903

CRÔNICA

Abril é o nosso mês adorado. Para o Brasil, o outono é que é a verdadeira primavera. O verão é como uma longa enfermidade, que nos quebranta o corpo e abate a alma: durante esses longos meses de aflição e suor, o trabalho é um sacrifício, o prazer é um aborrecimento, o próprio sono é um suplício. Com os primeiros dias de abril, chega a convalescença: as chuvas desterram o calor; as árvores lavadas e frescas, respirando com alívio, revestem-se de uma verdura mais suave; as almas cantam e amam, desafogadas e alegres.

Com a morte do verão, já as cousas que há poucos dias nos pareciam terríveis e irremediáveis, tomam um novo aspecto, risonho e simples. Já lemos sem cólera, sem espanto, sem apreensões, as notícias do Acre, das complicações da Sorocabana, da falta d'água, – porque as lemos sem suar. Um homem suado é um homem desesperado! Estas últimas chuvas aplacaram o nosso desespero: abril é um claro sorriso! gozemo-lo e abençoemo-lo!

* * *

Infelizmente, não é possível tecer a *Crônica* com a luz do sorriso de abril, com a frescura deste bom ar do começo do outono, com o perfume das flores que já o duro sol de março não requeima.

No reflorir da alegria geral, sempre há gente que fique triste.

A boa gente mineira, por exemplo, tão amiga da paz e do trabalho, tão dada ao horror do pecado e tão temente a Deus, tem agora motivos de sobra para viver em sobressalto. Várias cidades suas estão sendo o teatro de fenômenos assustadores: entre outras, Cataguases e Bonsucesso. Em Cataguases viu-se há dias um enorme bólido que atravessou o espaço, havendo logo, depois da sua passagem, um forte abalo subterrâneo; e, em Bonsucesso, no último domingo, justamente quando o sacerdote na igreja levantava a hóstia, durante a missa das 10 horas, ouviu-se um barulho temeroso, todo o solo da cidade começou a tremer, puseram-se os prédios a dançar, e o povo saiu a correr pelas ruas, em altos brados, desatinado e tonto.

Lá se vai mais uma tradição! Até agora, o Brasil passava por ser um privilegiado canto do planeta, livre, por especialíssima graça divina, de terremotos, de erupções vulcânicas, de ciclones, de inundações; a não ser a seca, que periodicamente aflige o Ceará, não havia, nesta abençoada terra de Santa Cruz, as calamidades que tão duramente castigam as outras porções do orbe. Nós dizíamos isso, com orgulho e júbilo, como também dizíamos que não havia no mundo país tão rico como o Brasil, nem povo tão amável e tão bondoso como o brasileiro. O Tempo, que é o grande descobridor das verdades, foi pouco a pouco destruindo essas idéias falsas. Quanto à nossa riqueza, já ninguém nutre ilusões: sem lavouras variadas, sem indústrias, sem população, sem trabalho organizado, o Brasil – sabem-no todos – é uma nação paupérrima, que não pode ainda viver dos seus recursos e importa tudo quanto consome. Quanto à nossa bondade, essa tradição naufragou nos mares de sangue do Rio Grande do Sul e de Canudos, onde a ferocidade andou fazendo prodígios...

Agora, também lá se vai perdida a tradição de benignidade excepcional do clima e da extraordinária brandura das condições geológicas: já temos terremotos por aí afora!

Como as tradições mentem! Os que afirmavam que a terra brasileira estava, por um decreto da Providência Divina, a coberto das calamidades tão comuns em outros países, esqueciam que as secas periódicas não assolam apenas o Ceará, mas todos os sertões do Piauí, da Bahia, da Paraíba, do Rio Grande do Norte; esqueciam que o extremo Norte é uma região inabitável, cheia de febres assassinas; e esqueciam que, pela nossa velha incúria, a febre amarela, o tifo, a varíola, a tuberculose, a caquexia, as infecções de toda a espécie fazem mais estragos no Brasil do que todos os terremotos que há no Peru e no Chile...

Para aniquilar a falsa legenda, não eram necessários os tremores de terra em Cataguases e Bom Socorro (sic). Nós fomos perdendo lentamente o doce engano, ledo e cego, em que confiadamente dormíamos. Não há países ou povos felizes ou infelizes: só o trabalho e o sacrifício podem dar um pouco de felicidade, que ninguém alcança quando confia exclusivamente na bondade da Providência...

* * *

Doce abril! com a tua chegada, exacerbou-se o amor dos namorados. Desgraçadamente, o amor exacerbado não dá apenas para rimar sonetos e multiplicar beijos: exprime-se também por meio de punhaladas e de tiros de revólver.

Houve dous ou três dramas de amor, durante a semana. E o negro ciúme, – esse monstro feroz que todos aborrecem, mas a que todos dão guarida dentro do coração, – foi o causador desses conflitos amorosos.

Das tragédias da semana, a mais triste foi a que a paixão provocou entre dous primos, – duas crianças ainda, na flor da adolescência, ainda na idade ingênua em que a gente acredita na eternidade das mágoas e das venturas.

Como se houvesse alguma cousa eterna!... Com o correr do tempo, à proporção que os cabelos brancos vão aparecendo, a gente vai se habituando às decepções da vida, e desculpando as fraquezas da carne e do espírito. Aos quarenta anos a traição de uma mulher amada parece a cousa mais natural do mundo...

Mas, dos quinze aos vinte anos, um amuo da namorada, uma palavra de mau humor, um muxoxo de arrufo, parecem irreparáveis desgraças, monstruosas desculpas que pedem sangue. Por felicidade, o mocinho e a mocinha, que tiveram os primeiros papéis dessa triste tragédia, estão vivos. Que Deus os salve, e os case; e que a triste recordação daquele dia desapareça, apagada pelos doces beijos da reconciliação!

* * *

Um assunto, que nos deve interessar:

É forçoso desistir da bela idéia, há tanto aventada, de trasladar para o Brasil a ossada de Pedro Álvares Cabral.

Passou quase desapercebida a notícia, publicada há dias pelo *Jornal*, das pesquisas feitas em Portugal para o reconhecimento do esqueleto do descobridor do Brasil.

Reza a tradição que Pedro Álvares Cabral foi enterrado em Santarém, numa campa rasa do velho templo da Graça. Em 1882, abriu-se a sepultura, e encontraram-se as ossadas de três indivíduos; fechou-se de novo a campa, que foi agora reaberta no dia 14 de março; e – oh! espanto! – desta vez, em vez de três ossadas, encontraram-se oito, sendo cinco de homens, duas de mulheres e uma de criança!

Como explicar o milagre da "multiplicação dos ossos"? Ou os pesquisadores de 1882 não souberam contar as diversas peças dos esqueletos, ou, depois daquela época, alguém violou a sepultura e meteu dentro dela os ossos que agora sobram.

O que é certo é que, a 14 de março, o ministro do Brasil, os advogados dos descendentes do grande navegador, o governador civil, as comissões das várias sociedades científicas quedaram num espanto, e reconheceram, depois de curta reflexão, que era impossível reconhecer naquela misturada ossaria, o arcabouço ósseo do corpo em que se hospedou outrora a alma arrojada do almirante. A sorte remexeu e baralhou com tal arte os despojos mortais daquelas oito criaturas, que ninguém seria capaz de dar hoje um nome a qualquer delas. Sabe-se apenas que, daqueles ossos, alguns, cobertos de carne forte, andaram pelos mares largos, ao serviço de um espírito atrevido, em aventuras de grande glória.

A quem terão pertencido os ossos dos outros quatro varões? quem terão sido, na terra, as duas mulheres, cujos esqueletos foram dormir ao lado do de Pedro Álvares? o que foram ali fazer, ao lado dos fortes ossos do grande português, os ossos frágeis daquela criança?

É quase certo que ninguém dará resposta a essas perguntas. A Morte não admite castas, nem hierarquias, nem diversidades de espécie alguma: o esqueleto de um grande homem não se distingue do de um patife.

O mais interessante é que, à beira da cova rasa em que os investigadores foram achar essa decepção, duas nobres casas portuguesas disputaram a honra de ser, na terra, as representantes do sangue e do nome de Cabral. O advogado Alberto de Carvalho apresentara uma procuração do marquês de Castelo Melhor, que se dizia o legítimo descendente do almirante, mas D. José Maria de Figueiredo Cabral da Câmara protestou contra isso, reinvidicando para a sua casa a honra da representação. Houve apenas uma ligeira discussão: e, quando se abriu o ossuário, viu-se que cada um dos pretendentes poderia ficar, se quisesse, não com um só esqueleto, mas com quatro!

Tudo é vaidade.

* * *

E está fechada a crônica, graças a Deus!

Calemo-nos, e vamos gozar a doçura do meigo abril.

s. a.

19 abr. 1903 Crônica

Que é isto?... Cheia de um novo encanto, a rua do Ouvidor refloresce; há mais gente pelas esquinas; os floristas ambulantes fazem mais negócio; os alfaiates exultam; os chapeleiros engordam; as lojas de modas ressoam, cheias de risos; esgotam-se os sortimentos de gravatas; que é isto?!

São Eles que chegam... Como as andorinhas, que, aos primeiros sorrisos do verão, reaparecem no céu da Europa, em bandos, alegres, ruflando as asas e jovialmente bailando nos ares, também Eles reaparecem na rua do Ouvidor, ao primeiro frescor do outono carioca, com a sua elegância, a sua eloqüência e a sua majestade... São Eles que chegam, os nossos amáveis deputados, Talleyrands e Brummels ao mesmo tempo, casando a argúcia política à futilidade gamenha. Cada paquete que chega do Norte ou do Sul traz as amuradas garridamente cheias dessas flores humanas, em cachos e em festões, já desprendendo o aroma de sua eloqüência...

Santo Deus! vai começar a Falação!

Enquanto ela não começa oficialmente na rua da Misericórdia e na rua do Areal, já se fazem sessões preparatórias na rua do Ouvidor. Em torno dos eleitos sem contestação, seguros do seu diploma, impando de contentamento e de orgulho, reúnem-se os outros; os contestados, murchos e tristes, com clarões de esperança ou nuvens de desespero nos olhos, tentando captar as boas graças dos que vão decidir da sua sorte.

Nessa azáfama, os boatos fervilham... E, antes da formatura geral nas salas solenes do Parlamento, haverá uma revista de mostra, em torno da mesa de um lauto banquete, oferecido ao Gaúcho-Mor, que vai ser o árbitro da situação.

A idéia do banquete é ótima. Diz uma velha canção que

La gourmandise
Quoi qu'on en dise,
C'est le meilleur peché de tous...

A boa mesa não faz bem apenas ao estômago: faz bem ao espírito. Um homem que jantou bem, é um homem que não tem vontade de praticar o mal.

Mas parece que o que se vai comer neste banquete é um acepipe novo, não mencionado nas bíblias de gastronomia.

No banquete de Trimalcão, que Petrônio, o *arbiter elegantiarum*, tão profusamente descreveu no *Satiricon*, comeram-se cousas fantásticas: veados inteiros, um javali recheado de pombos vivos, um grande navio de massa, tripulado por macacos assados, imensos porcos cheios de trutas – tudo quanto os cozinheiros romanos sabiam inventar de saboroso e ao mesmo tempo de grandioso.

Neste banquete de agora, porém, o prato principal é mais extravagante do que todos aqueles... Dizem que os convivas vão comer vivo o Sr. Júlio de Castilhos!

[*****] a digestão!

* * *

Palavras... palavras... palavras...

Enquanto os políticos falam e comem, a Prefeitura Municipal mostra-se disposta a agir, comprando prédios velhos para deitá-los abaixo, e rasgando ruas novas no centro da cidade.

Desta vez, parece que já há quem compreenda que não pode haver civilização sem limpeza, nem adiantamento moral sem adiantamento material.

Porque o nosso grande mal tem sido este: quisemos ter estátuas, academias, ciência e arte, antes de ter cidades, esgotos, higiene, conforto.

Se tenho um terreno vasto, numa vasta propriedade, e se quero aproveitá-la, claro está que devo começar por construir no meio desse terreno uma casa, uma casinha, uma cabana confortável, cujo teto me abrigue das intempéries, e que, posta no meio do meu domínio, e tendo uma porta que eu possa abrir e fechar à vontade, seja a afirmação dos meus direitos de proprietário...

Depois, tratarei de desbravar as minhas terras, de lavrá-las, de adubá-las, de semeá-las, de regá-las, de modo que elas me possam dar a alimentação. E tratarei de evitar que as águas estagnadas em torno da minha casa envenenem o ar que respiro, e tratarei de cercar a minha saúde e a minha vida de toda a segurança e de todo o bem-estar.

E, somente depois disso, depois de ter satisfeito os meus interesses de homem, é que tratarei de satisfazer meus interesses de artista, pintando em torno da minha casa um jardim cheio de flores, e pondo dentro dela um piano, alguns quadros, alguns *bibelots*, para regalo da minha vista e da minh'alma.

Individualmente, nós todos soubemos sempre que é assim que procede quem tem juízo: mas coletivamente, quisemos ter arte e regalo intelectual, antes de tratar do nosso bem-estar e da nossa saúde. Temos as praças cheias de estátuas; temos academias de onde saem doutores e bacharéis às mancheias; temos poetas e artistas; temos uma Câmara e um Senado em que se faz um consumo espantoso de tropos fulgurantes e de metáforas sublimes! – e vivemos sobre um solo podre, em casas que não se podem lavar por falta de água, construídas em ruas estreitas, tortas, esburacadas e cobertas de capim!

* * *

Quando começou agora a demolição dos prédios da rua General Câmara, para prolongamento da rua do Sacramento, houve um episódio curioso. Um cidadão tinha, em uma daquelas casas um estabelecimento de banhos: intimado a mudar-se, ele declarou que não podia achar uma casa que lhe conviesse, e que, portanto, não sairia dali.

Esgotado o prazo, as picaretas começaram a trabalhar. O nosso homem, sentado no meio da sala principal, jurou que só se retiraria daquele lugar depois de morto. Começaram a cair as telhas; e ele impassível! Caíram algumas vigas pequenas; e ele imóvel! Mas, quando uma viga maior, como um pedaço de céu velho, desabou com fragor junto da cadeira em que ele ostentava a sua bravura, o herói abalou para a rua, confessando que mais valia salvar a pele, perdendo o capricho, do que salvar o amor próprio, perdendo a vida...

Na sua teimosia, na sua simplicidade, na sua ignorância, esse bom homem é um símbolo. Há homens assim, fadados a concentrar e refletir no seu corpo e na sua alma todos os defeitos ou todas as virtudes, todas as belezas ou todas as fealdades de uma época.

Péricles foi a idade de ouro na Grécia; César foi o ciclo das conquistas de Roma; Godofredo de Bulhão foi a Idade Média; Dante foi o Renascimento; Camões foi a era das navegações... Esse bom homem da rua General Câmara é também um símbolo: é o velho Rio de Janeiro, é o Atraso, é a Oposição ao Progresso.

Ah! gravemente sentado naquela simples cadeira, coberto de pó, sentindo sobre a cabeça a esfarelada chuva da caliça e dos cacos das telhas, ele pensava estar apenas sustentando um capricho e defendendo uma opinião. Mas, não! quase todos os que cumprem uma missão fatal, são inconscientes: o dono da casa de banhos não podia saber que dentro da sua teimosia estava a teimosia de toda uma cidade, de todo um povo...

Felizmente, se há teimosias que resistam a uma saraivada de cacos de telhas, não há birras que resistam à queda de uma grossa viga contundente. Avante, picaretas! Não vos hão de faltar bençãos, depois da obra terminada...

Nem só a enxada que revolve e fortifica a terra, nem só a trolha do pedreiro, nem só a esquadria do arquiteto devem merecer adoração, como instrumentos sagrados postos ao serviço do gênio e do trabalho do homem. Tu também, picareta ousada e destruidora, és digna de amor!

Victor Hugo perguntou um dia, num verso célebre:

> Qu'est ce que'un coup de pioche aux flancs
> d'une montagne?

Nada, naturalmente. Mas muitos golpes de picareta, redobrados, multiplicados, deitam abaixo a montanha...

Nós, atualmente, não precisamos da trolha, nem da esquadria, nem do compasso; precisamos, sim, da picareta destemida, exterminadora de aleijões de arquitetura, rasgadora de ruas, desafogadora de bairros lôbregos, matadora de cortiços e de estalagens. Depois, sim! quando ela tiver cumprido a sua missão, venham os pedreiros, venham os carpinteiros, venham os arquitetos.

E, no dia em que o Rio de Janeiro, reconstruído e belo, já puder com orgulho dizer que é "uma cidade", nas suas armas ideadas por Bernardelli deverá figurar mais um ornato... Sobre a esfera e a coroa mural, sobre as setas, a quilha de navio e os golfinhos, pintaremos uma picareta, para eterna memória dos serviços que nos tiver prestado esse nobre instrumento, inimigo dos pardieiros feios e das vielas apertadas!

* * *

Falai, deputados! Trabalhai, picaretas! Neste mundo, os destinos variam de indivíduo a indivíduo, e de objeto a objeto. Cada qual, para a sua missão... Os deputados, bonitos, elegantes, eloqüentes, transpirando aromas e talento, vieram ao Rio de Janeiro para falar. Vós, picaretas, sujas, grosseiras, feias, brutais, não servis para fazer discursos, mas deveis servir para livrar o Brasil da vergonha de possuir a capital mais horrenda da América...

s. a.

03 MAIO 1903

CRÔNICA

Quatrocentos e três anos de vida, hein? Está ficando rapariga a nação... Uma nação, que apenas conta quatro séculos de idade, está na renova da existência, – é uma menina púbere, em cuja carne começa a ferver o sangue.

Se Pedro Álvares Cabral ressuscitasse, e viesse visitar o Brasil, não acharia nele grande mudança. O mato é o mesmo: muito bravo, inexplorado, cobrindo quase todo o território. As cidades, com raríssimas exceções, não diferem muito dos antigos aldeamentos dos índios. E os índios, apesar de vestidos à moderna, com cartolas na cabeça e sobrecasacas no corpo, não deixam de ser índios.

Isto consola a gente. O progresso precipitado só pode fazer mal. Quando uma criança começa a crescer exagerada e prematuramente, logo os pais se amedrontam, porque sabem que esse desenvolvimento extemporâneo é doença, e doença perigosa. Afinal, um país é um homem em ponto grande: se se põe a progredir demais, é capaz de entisicar.

Essas idéias não são minhas. São de um homem sério, carioca da gema, capitalista, bom pagador de impostos e inimigo de todas as precipitações. Esse cavalheiro tem hoje mais de oitenta anos. Nunca ninguém o viu andar depressa: o seu passinho, miúdo e lento, é sempre o mesmo, inalteravelmente medido. Com esse passo tem ele atravessado a vida, e com ele vai caminhando para a morte, devagar, com quem não tem grande desejo de se ir esconder na cova, deixando cá fora as suas apólices e os seus prédios.

Quando se fala, a esse homem, dos Estados Unidos, pinta-se-lhe na face um terror angustioso. Para ele, a América do Norte é a Loucura, a Devassidão, o Pavor!

Um dia, revoltado contra tanto carrancismo, pretendi opor-lhe algumas considerações:

– Reflita, meu caro senhor, que aquela é hoje a nação mais rica do mundo!

– Pode ser! mas a riqueza não dá a felicidade. Os milhões tiram o sono da gente... Eu, que só tenho alguns prédios e algumas apólices, vivo às vezes horas bem amargas. Se fosse milionário, já teria morrido!

– Mas aquele progresso, aquelas fábricas, aquelas estradas de ferro...

– Aquelas fábricas e aquelas estradas de ferro só servem para a patifaria dos *trusts*!

– Mas aquela maravilhosa instrução pública...

– Tá tá tá! essa cousa de saber ler é uma cachaça que sobe facilmente à cabeça, e transtorna o juízo. Meu pai não sabia ler e escrever e ganhou bastante dinheiro com os seus negrinhos e as suas terras. Eu, que mal sei ler por [*****], nunca roubei, nunca matei, ouço missa aos domingos, pago pontualmente os meus impostos e vivo bem com Deus e os homens!

Aí tendes... Essa opinião é a opinião do Brasil. Creio mesmo que, se pudéssemos voltar atrás, ao belo tempo em que Cunhambebe era senhor destas águas e deste litoral carioca, teríamos com isso a mais viva satisfação!

Deus nos abençoe!

* * *

Só amamos o progresso numa cousa: na política. Aí, sim! aí somos de um adiantamento e de uma cultura que tocam as raias da perfeição suprema.

Para que diabo havemos de querer estradas de ferro, indústrias, escolas, cidades limpas, se temos parlamentos bem organizados e estadistas geniais, como não os tem nenhum povo da velha Europa?

Creio que, neste particular, a nossa incontestável superioridade depende da excelência da língua que herdamos dos nossos maiores.

Isto é difícil de compreender, sem explicação; mas, depois de explicado, é claro como água. O brilho da vida parlamentar vem principalmente do consumo de desaforos que há nas sessões. Quanto mais crespas são as objurgatórias, quanto mais descabeladas as descomposturas, mais brilhante é o parlamento. Ora, não há língua que possa competir com a nossa em riqueza de vocabulário insolente. Qualquer injúria tem, em português, uma sinonímia opulenta. É por isso que o nosso parlamento excele, entre todos os do mundo...

Ainda há três dias houve uma sessão animada:

– Você é um miserável!

– Você é um cachorro!

As paredes não ruíram, o teto não desabou, o relógio não parou, as cadeiras não estremeceram. A sala da Cadeia Velha já tem ouvido cousas piores: já não há destemperos de linguagem que a espantem.

Como a espantariam agora aqueles inofensivos desaforos, que, sendo pronunciados em sessão preparatória, foram apenas tímidos ensaios, vacilantes provas, estudos hesitantes de quem, ainda no noviciado parlamentar, está experimentando forças para as grandes descomposturas das sessões ordinárias?

Aquela foi apenas a sinfonia da grande ópera da Palavrada. Vai subir o pano.

* * *

Basta, porém, de ironia. Os quatro séculos de vida do Brasil não têm sido quatro séculos de vida intensa e febril. Mas, lá chegaremos. Nestes últimos dois anos, há como uma ressurreição da energia nacional. Enquanto os parlamentares se descompõem e injuriam, os trabalhadores obscuros vão modestamente cumprindo a sua missão na terra.

Ainda anteontem, a grande procissão operária, que enchia as ruas da cidade, era a exposição viva e animada da nossa força. Naquele dia, os operários pronunciavam discursos, davam vivas, discutiam e folgavam. Mas, nos outros trezentos e sessenta e quatro dias do ano, não é em exercícios retóricos que eles gastam o tempo. Enquanto os palavrões reboam no parlamento, as máquinas trabalham nas fábricas, e eles, os bravos trabalhadores, suam e penam sobre os teares, sobre os aparelhos, preparando a era nova da indústria e da riqueza.

Nem sempre o Brasil há de pensar como esse velho carioca, que prefere o andar [*****] do cágado ao trote largo do [*****] de raça. Quando o movimento [*****] Deus [*****]!

s. a.

07 jun. 1903 — Crônica [cf]

Por estes dias deve chegar ao Rio de Janeiro o general Khan, embaixador da Pérsia.

A novidade é grande. As embaixadas não são comuns no Rio de Janeiro: e, tratando-se de uma embaixada da Pérsia, de um país tão remoto e fabuloso, a novidade não pode deixar de influir fortemente sobre a nossa imaginação, sempre tão pronta em apreender e gozar o lado fantástico das cousas.

Para nós, e para todos os que mamaram o leite da civilização latina, a Pérsia continua a ser o que era no ciclo heróico que se estendeu de Ciro a Alexandre. Falar na Pérsia é evocar a soberana grandeza e o fausto glorioso de Persépolis e Suza: os palácios do Grande Rei, apunhalando o céu com as suas cem torres esguias e as suas seis mil colunas de granito; os metais preciosos, em caudais faiscantes, canalizados das mais longes satrápias para o erário real; os exércitos inumeráveis, recrutados entre os Partas e os [*****], cujas bagagens enchiam todos os vales da Capadócia...

É preciso não ser latino, é preciso não ser escravo da imaginação e do sonho, para não pensar desde logo que uma embaixada persa deve ser um deslumbramento, um cortejo de apoteose, um arco-íris de maravilhas, com o embaixador caminhando, entre secretários cobertos de ouro e prata, com o turbante constelado de pérolas, de diamantes e de esmeraldas, e cheio de plumas raras de avestruz e pavão. Fechai os olhos, pronunciai as palavras – embaixada persa –, e vereis que irradiação ofuscante...

Mas os jornais ilustrados de Buenos Aires já nos deram várias fotografias do general Khan, e dos seus secretários. Por mais dolorosa que seja a realidade, é preciso lembrar que a Pérsia de hoje não é a Pérsia do ano 500 antes de Cristo. O general Khan é um homem não muito baixo nem muito alto, simpático, sem ter na face a ferocidade sobre-humana que devia haver na face de Dario ou Cambises, e sem mostrar no vestuário a antiga magnificência dos sátrapas que adoravam Ormuz. O general Khan calça botas de montar, como qualquer dos nossos oficiais de cavalaria, e traz o corpo envolvido numa longa farda, cujos ornatos de mais preço são aspeliças alvas da gola e das mangas, e as condecorações do peito.

Em Buenos Aires, o representante do Xá Mozzafer-el-Dine almoçou e jantou à européia, em palácio; assistiu a revistas militares; conversou, em francês e em inglês, com as mais lindas senhoras da sociedade argentina; valsou, no Jockey Clube; e cumpriu, enfim, todos os preceitos da etiqueta diplomática, não se distinguindo, nem na polidez das maneiras, nem na gravidade da conversação, de qualquer dos outros diplomatas que vivem junto do general Roca. A idade moderna matou o exotismo. As tendências atuais da civilização convergem todas para o fim de transformar toda a superfície do planeta numa mesma nação de vida uniforme e monótona, sem surpresas, sem originalidade, sem novidades.

A única nota de magnificência verdadeiramente persa, dada pelo general Khan em Buenos Aires, consistiu nisto: antes de partir, o embaixador de S. M. Xá, ofereceu ao general Roca uma riquíssima comenda da mais alta ordem honorífica do seu país. Telegramas da capital argentina já disseram o excepcional valor dessa jóia, incrustada de esmeraldas e rubis, e trabalhada em ouro, do mais fino quilate, com a mesma perícia que o ourives russo Rachoumosky empregou em afeiçoar a famosa tiara do rei Seitafarnés. Mas, verifiquem bem, indaguem bem, e hão de ver que essa jóia foi feita em Paris ou em Londres, é tão persa quanto é cita a tiara do Museu do Louvre...

* * *

Que nos importa isso? o que nos importa é saber que o embaixador de S. M. Mozzafer-el-Dine, despedindo-se do general Roca, entregou-lhe, em nome do seu soberano, uma comenda, e que o general Roca aceitou a dádiva, e agradeceu, comovido, a distinção.

O general Roca é chefe de uma nação republicana: não é chefe de Estado por direito de nascimento, e não usa do supremo poder como de uma regalia conferida por Deus. Daqui a pouco, esse chefe de Estado sairá do palácio da praça de Maio, e continuará a ser, fora do governo, o que era dentro dele: um homem simples e chão, eleitor, soldado, chefe de família, cidadão. Entretanto, esse democrata recebeu a comenda do Xá da Pérsia, e colocou-a sobre o coração, em cima da pala esquerda da casaca: e nem por isso deixou de ser um democrata, filho do Povo, e mantenedor dos "imortais princípios de Oitenta e Nove".

Ora, por estes dias, teremos por aqui o embaixador persa.

Com certeza, diplomata moderno, conhecedor de todas as regras invioláveis e rígidas do Protocolo, já ele deve saber que não pode conceder ao presidente do Brasil a mesma distinção honorífica que concedeu ao presidente da Argentina. O Brasil não admite essas cousas: o Brasil é a República Ideal e Pura, é o reinado legítimo e límpido da Democracia e a sua constituição é o templo onde se guarda, a coberto de todas as profanações, o Paládio da idéia da Igualdade, e o sacrário, onde se conserva, inviolável, o [*****] dos princípios de Oitenta e Nove!

Se o embaixador persa não estivesse prevenido, seria interessante ver o seu espanto, ao saber, assim de sopetão, que o presidente do Brasil é obrigado a rejeitar uma cousa que em toda a Pérsia, em toda a culta Europa e em todo o vasto planeta, toda a gente vive a pedir de joelhos.

Se o general Khan tivesse o hábito de escrever a seu soberano, diariamente, algumas "cartas de viagem", como aquelas *Lettres Persannes* que o satírico Montesquieu atribuiu ao persa Usbek, – e se nos fosse possível, por um acaso providencial, violar o sigilo dessa correspondência, – como seria interessante ver, nessas cartas, o "estado de alma" do embaixador diante de tais revelações do nosso puritanismo!

A princípio, o general teria uma impressão de pasmo grande, e talvez de ira, vendo desprezar a distinção. E as suas cartas refletiriam essa impressão, dando a entender que o Brasil ainda é um país bárbaro, como o país dos [*****] do tempo de Dario.

Mas, logo depois, passado o primeiro espanto, e sabendo que a rejeição da encomenda não significava um sentimento de hostilidade à Pérsia, mas uma louvável obediência aos preceitos de virtude republicana impostos pela Constituição, o general Khan sentir-se-ia invadido de uma infinita e comovida admiração por este jovem país, tão amigo da democracia, tão rígido nos seus princípios, tão inabalável nas suas crenças republicanas, tão desdenhador das honras e das distinções, tão dado à modéstia e à simplicidade. E, em estilo colorido e entusiástico, escreveria ao seu soberano: "Sabereis, Sol da Pérsia, que o Brasil é a República Ideal de Platão, com duas diferenças apenas: Platão queria um governo aristocrático e excluía da sua República os poetas; ao passo que, no Brasil, é o povo quem se governa a si mesmo, e não se pode dar um passo nas ruas, sem esbarrar com um poeta, de [*****] em punho, cantando as palmeiras e os sabiás!"

Seria essa a segunda impressão do embaixador. Mas não seria a última. Bem depressa, alargando o círculo das suas relações, penetrando mais fundo no mecanismo da nossa vida social e política, o enviado do Xá notaria, com surpresa, que o nosso desdém das distinções e das honrarias não vai além das comendas, das grã-cruzes e das [*****] um assombro maior começaria a [*****] a sua alma perturbada, e ele compreenderia que um brasileiro é, pelo menos, tão enigmático... como um persa.

Veria o general Khan, em primeiro lugar, que os viscondes, os condes, os barões, os comendadores, os conselheiros da monarquia continuam a ser conselheiros, comendadores, barões, viscondes e condes. Veria que o supremo ideal do brasileiro, ter o título de *doutor*, mesmo quando nunca se familiarizou com doutrina nenhuma, ou o título de *bacharel*, mesmo quando nunca manuseou uma carta de *abc*. Freqüentando bailes e teatros, veria grande número de homens [*****] de ouro, com espadagões retinintes e penachos fulgurantes, – oficiais de uma milícia cívica de que nunca se conheceram os soldados. E, entrando em qualquer repartição pública, veria que o diretor é coronel, o chefe [*****] major, o amanuense capitão, o [*****] tenente, o contínuo alferes, – todos honorários, se bem que mais habituados a empunhar a pena do que o gládio. E, boquiaberto, com a mão trêmula, e com os olhos esgazeados de fundo susto, o embaixador escreveria: "Este país, Grande Xá, não é a República de Platão! Este país é a República... de Aristófanes!"

* * *

Mas tudo isso é fantasia. É fantasia de domingo, fantasia de dia alegre, [*****] por um cronista que não quer tratar das encampações, nem de outras cousas igualmente insípidas.

O general Khan já deve saber que o presidente do Brasil não pode aceitar condecorações, e ao saltar no cais Pharaoux, já deve conhecer a nossa vida, pelo menos tão bem como nós conhecemos a vida... da Pérsia.

Em todo o caso, sempre lhe poderemos mostrar algumas cousas novas, que lhe forneçam assunto para cartas interessantes.

Que lindas páginas, por exemplo, escreveria o arguto Usbek, das *Lettres Persannes* de Montesquieu, se, no seu tempo, em Paris, visse uma brigada de mil homens exclusivamente empregados no sobre-humano afã de caçar mosquitos?

O general Khan, se quiser manter correspondência com o seu soberano, poderá escrever-lhe uma carta que comece assim: "[*****] Senhor! dizem os historiadores que um antepassado nosso, o Sublime Xerxes, levantou um dia contra a Grécia um exército composto de cinco milhões de soldados pertencentes a cinqüenta e seis povos diversos. Com a devida vênia, devo confessar-vos, ó Sol da Ásia!, que nunca acreditei muito nessa afirmação dos cronistas persas e gregos...

Mas agora, vendo a facilidade com que este heróico povo brasileiro levantou em dous dias mil homens contra os [*****] *fasciatas*, sou obrigado a declarar, em bem da verdade, que já me não espanta aquele prodígio do divino Xerxes..."

Olavo Bilac

21 JUN. 1903 CRÔNICA [CIA]

Há dias, um jornal, apelando para o espírito de justiça do Prefeito, pedia-lhe que dilatasse o prazo concedido aos proprietários para a pintura das fachadas dos seus prédios, – "por não haver na cidade pintores bastantes para tão grande trabalho".

A razão alegada é interessante. Não convém que isso fique perdido, sem comentário, nas curtas linhas de uma reclamação escrita às pressas. Os noticiaristas registram; os cronistas comentam. O noticiarista retira da mina a ganga de quartzo, em que o ouro dorme, sem brilho e sem préstimo; o cronista separa o metal precioso da matéria bruta que o abriga, e faz esplender ao sol a pepita rutilante. Naquela notícia e naquela razão há um lindo pedaço de ouro, que convém aproveitar...

Há poucos meses, um estrangeiro, jornalista de Buenos Aires, perguntava-me na rua do Ouvidor: "Que faz toda esta gente, que ampara as paredes das casas com as costas?" E dizia-me o seu espanto ao ver nas praças, nas esquinas, no cais, nos jardins, às horas habituais do trabalho, a multidão inumerável dos desocupados, dos que se consumiam na ociosidade, mãe dos pensamentos maus... Desviei desse assunto a conversa, e não respondi. Que poderia responder? apenas que o trabalho era um mito no Rio de Janeiro e que, para os dous terços da população carioca, as horas ligavam-se às horas, todas vastas, todas inúteis, dissipadas na bandarrice, na maledicência e no ócio...

Ora, quem não trabalha, por não achar trabalho, não merece censura. As próprias abelhas, que são a imagem viva do trabalho mais infatigável, envelheceriam e morreriam depressa, se, em todo o perímetro da porção da terra explorada pelo seu vôo afanoso, não achassem onde colher a matéria-prima para a sua indústria.

Aqui mesmo, no centro da cidade, nesta rua do Ouvidor que é o centro da madraçaria, há, no segundo andar de uma casa de comércio, uma colméia, propriedade de um apicultor entusiasta. Certa vez, admirando aquela maravilha de inteligência das abelhas, perguntei ao apicultor: "Onde vão elas buscar o mel?" E ele, com um sorriso: "Onde o encontram... Nos jardins públicos e particulares, no Silvestre, no Corcovado, na Tijuca... E fazem essa viagem muitas vezes por dia, e nunca se perdem no caminho..." Mas imaginemos que numa extensão de léguas e léguas não houvesse vegetação, e que, por um acaso impossível (Deus nos livre de tal calamidade!) não se pudesse encontrar uma só flor no Rio de Janeiro, nem nesses vales e nessas montanhas que o cercam... – pobres abelhas! não achando trabalho, sucumbiriam de pesar e de marasmo, depois da longa tortura do descanso forçado!

O Rio de Janeiro era, há poucos meses, uma metrópole de desocupados. Ninguém reconstruía as casas incendiadas ou desmoronadas, ninguém edificava prédios novos. O Dinheiro, atacado de uma covardia sem nome, não se animava a circular, e dormia improdutivo nos bancos, nas caixas econômicas, nos pés-de-meia bolorentos. As ruas não se calçavam nem varriam. A cidade era um cemitério de vivos...

Quando o Capital se acovarda, o Trabalho morre. Toda a gente que vive do esforço braçal, todo o operariado que ganha dia a dia o seu pão e nunca chega a juntar economias, tinha de sofrer as conseqüências dessa estagnação da atividade. E era por isso que só se via gente desocupada e triste pelas ruas...

* * *

Agora, já um jornal diz que "não há operários bastantes para a tarefa..." E os operários andam contentes, porque lhes sobra o trabalho cá fora, e já não lhes mingua a comida no lar.

Quando os pobres têm alegria, tudo vai bem. Já a sua resignação é uma segurança de tranqüilidade geral, porque, como escrevia o grande Lammenais, "la société repose toute entière sur la resignation des pauvres..." Mas a resignação não é a felicidade: a felicidade é a paz, é a esperança, é a alegria.

Os ricos são quase sempre alegres: só não são alegres, quando se deixam dominar pelo tédio; e, como o tédio é uma doença que só é contraída por quem a quer contrair, a tristeza da gente rica não deve inspirar compaixão. A tristeza da gente pobre, sim! essa é terrível e dolorosa, porque é a tristeza dos que não pedem muito, dos que pedem pouco, dos que pedem quase nada: apenas o direito de viver, apenas um pouco de pão e um pouco de paz. Quem pode ter pena dos ambiciosos, que só se satisfariam se pudessem meter o sol na gaveta e as doze constelações do zodíaco dentro do bolso do colete? Para os insaciáveis, a tristeza é um castigo merecido e necessário; mas para os modestos, ela é uma injustiça que dói e desespera...

Anteontem, às primeiras horas da tarde, eu atravessava, em bonde, a larga avenida do Mangue, vindo de trabalhar e indo trabalhar, com o espírito ocupado e, por isso mesmo, fora do alcance do tédio e acessível à alegria.

A tarde era formosa e consoladora. Os leques das altas palmeiras reais balançavam-se de leve, em realce vivo sobre a esplendente porcelana azul do céu. Os bondes que subiam ou desciam, ao longo do canal, estavam cheios de gente que olhava as obras, que apontava os progressos do novo calçamento, ou que simplesmente mirava o esplendor do céu e a verdura dos leques das palmeiras, deliciando-se com a beleza do espetáculo e com a doçura do ar.

Duas horas. Pela porta principal de uma escola acabava de sair uma grande multidão de crianças, risonhas, falando em voz alta, derramando pela rua uma lenta e ruidosa maré de frescura, de mocidade, de animação. E enchia o ar o rumor do trabalho, o sussurrar da colméia humana, – choques de picaretas, tinir de metais, rodar de carroças, pregões de vendedores.

Mas não era somente ao longo do canal que se agitavam os trabalhadores, calceteiros, ferreiros, britadores, carpinteiros. Ao longo das casas, de espaço a espaço, via-se uma escada encostada à parede, e, no alto dela, um homem que cantava, ultimando um reboco ou rematando a pintura de uma frisa de telhado. E quem olhasse atentamente a face de qualquer [*****] felizes, [*****] de alegria e de paz, que ninguém pode fingir, como ninguém pode esconder...

* * *

Não é difícil verificar que os registros da polícia acusam uma diminuição considerável de rixas, de conflitos, de furtos e, em geral, de todos esses pequenos crimes tão comuns nos bairros pobres, nas zonas da cidade que servem de residência à rude gente de trabalho. É que o trabalho está mais fácil, e a ociosidade é menor.

Administrar não é somente gerir: é também, e principalmente, assistir, acudir, prover. Quem administra não pode, está claro, dar ventura e riqueza a todos. Mas pode, e deve, dar trabalho aos homens de boa vontade. Dar trabalho não é ministrar socorro: é ministrar justiça.

O homem pobre, que vê a sua atividade sem emprego, não tem a esperança infatigável. Bate a uma, a dez, a cem portas: quando o desespero lhe entra na alma, aí está a taverna, com o seu balcão tentador, aí está o álcool com as suas alucinações, aí está a gazua para os roubos e a faca de ponta para o assassinato.

Infelizmente, a retórica, que se encarrega de estragar tudo, desmoralizou todas as belas frases que se podem escrever, em louvor do trabalho.

Trabalhar, meus irmãos, que o trabalho...

Toda a gente conhece de cor esse estafado hino de Castilho. Toda a gente o conhece, e ninguém o toma a sério. As velhas frases são como as velhas moedas: por mais belas que sejam, vão passando de mão em mão, vão perdendo o cunho e a serrilha, vão ficando vulgares e indistintas. O vulgo acaba por envolver, na mesma indiferença e no mesmo desprezo, a ênfase das grandes frases retumbantes e as idéias que essa ênfase queria exprimir e acentuar.

Mas, já que os homens são ridículos, dispensemo-los. Não cantemos o trabalho: amemo-lo e abençoemo-lo. O que, segundo o Gênesis, foi para Adão, logo em seguida ao primeiro pecado, uma punição e um opróbio, é hoje a salvação única e o único remédio. Pai da fortuna e da alegria, é o trabalho que está regenerando o Rio de Janeiro, transformando-o, de vasta e lúgubre necrópole que era, em uma radiante e feliz colméia em que o esforço, em vez de ser um sacrifício, é um consolo e um gozo.

Já era tempo de ressuscitar. Dizem as leituras sagradas que Jesus deu a vida de novo a Lázaro, que havia quatro dias estava na cova. Mas Jesus já não anda pelo mundo, e quatro dias não são quatro séculos...

O famoso conde da Cunha, primeiro vice-rei do Brasil, escrevia, há quase dous séculos: "os naturais do Rio de Janeiro distinguem-se pela preguiça..." Justa ou injusta naquele tempo, essa acusação do severo vice-rei ainda hoje nos é lançada em rosto. Mas o que parece certo é que não temos tido preguiça natural; o que tem havido é falta de estímulo, falta de coragem – e falta de governo.

Permita o céu que o Lázaro agora ressuscitado não torne a meter-se na cova por sua própria vontade, – e que se perpetue o trabalho, que é a alegria do pobre!

O. B.

05 JUL. 1903

CRÔNICA [CF]

Creio que nunca, no Brasil, houve época em que tanto se pronunciassem e escrevessem as três sílabas deste vocábulo: *Verdade*! Essas três sílabas pairam em todas as bocas e bailam no bico de todas as penas. Não se encontra na rua um grupo, em cuja conversa não estale de tempo em tempo essa palavra sonora; não se lê um artigo, em que ela não esplenda em letras de fogo. Se eu não conhecesse o largo abismo que sempre separou e que sempre há de separar as palavras das idéias, acreditaria estar assistindo ao advento daquela era vaticinada pelo profeta Zola, era fúlgida e abençoada, em que os homens devem colher a "moisson de justice et de verité".

O que provocou esta súbita paixão pelo vocábulo não foi, está claro, a discussão do projeto de reforma eleitoral nas câmaras. O substantivo – verdade – quando se encosta ao adjetivo – eleitoral, perde todo o seu brilho e toda a sua sonoridade: fica sendo como uma estrela amortalhada em névoas e como um tiro disparado no vácuo, – não tem luz nem som. A verdade de que tanto se fala, é a verdade absoluta e pura, a verdade na natureza, na arte, no teatro, na literatura, na vida social. E quem a veio pôr em moda, foi o grande Antoine, cujos triunfos estão sendo admirados e aplaudidos por toda a gente que, no Rio de Janeiro, possui inteligência e bom gosto.

O nome desse extraordinário ator é um programa de arte. E esse programa pode ser resumido em poucas palavras: consiste essencialmente em "interpretar a verdade com a verdade", isto é: em "exprimir, com rigorosa exatidão, idéias, sensações e situações verdadeiras".

É a fórmula do teatro naturalista.

* * *

Realmente, a inteligência humana não pode conceber que um homem seja capaz de representar com mais simplicidade, com mais verdade, com mais "humanidade". O pano de boca do teatro não se levanta ali para descobrir um horizonte de ficção e de sonho, mas para deixar a nu um vasto espelho em que a vida se reflete em toda a sua realidade, e (ai de nós) em toda a sua fealdade. Representar assim, não é só interpretar a vida: é viver. E parece que aquilo é, definitivamente, a perfeição na arte de representar.

Antoine, como bom francês, como filho legítimo dessa bela raça, cujo grande amor foi sempre o da clareza sóbria, adotou e aplicou o conselho que, já no décimo sexto século, o grande Montaigne dava a todos os homens: "em vossas opiniões e em vossos discursos, assim como em vossos costumes e em tudo, sede sempre amigos da sobriedade e da moderação, e evitai a excentricidade: todos os caminhos extravagantes me aborrecem..."

Nesse mesmo século, em outro país divorciado da França por uma diferença radical na índole e nos costumes, um outro grande homem, que, além de filósofo e poeta, era ator, dirigia especialmente os mesmos conselhos aos seus companheiros de ofício. Não seria difícil obter de Antoine a confissão de ter longamente e muitas vezes meditado sobre aquelas lições que Hamlet, no terceiro ato da tragédia de Shakespeare, dá aos atores. Quem ali fala é o próprio Shakespeare: "Falai de maneira que as palavras vos corram naturalmente sobre a língua. Não vos ponhais a cortar ferozmente o ar com a mão espalmada, em todas as direções! Sede sóbrios, e usai da palavra e do gesto com moderação, porque até mesmo na torrente, na tempestade, no turbilhão das vossas paixões, podeis conservar uma certa temperança..."

Isso prova que a reforma realizada no teatro moderno e de que Antoine foi talvez o mais ardente apóstolo, era uma aspiração antiga. Mas naquele tempo, o próprio Montaigne, que tanto amava a sobriedade, só tinha ao serviço do seu talento uma linguagem que não chegara ao seu completo desenvolvimento: é por isso que, às vezes, o seu estilo é a negação da prática da sua teoria: um estilo ramalhudo e emaranhado, em que as idéias se perdem num labirinto de circunlóquios. E Shakespeare não poderia também aplicar ao seu trabalho os seus próprios conselhos, porque o teatro do seu tempo, privado de encenação, era apenas um vago rudimento de teatro: a platéia confundia-se com o palco, os papéis de mulheres eram representados por homens mascarados e os cenários eram substituídos por cartazes em que se lia: "Isto aqui é um bosque", ou "Isto aqui é um campo de batalha".

Para que a criação do *Théâtre Antoine* fosse uma realidade e um triunfo, foi necessário que a língua francesa, amadurecida, simplificada e fixada pelo trabalho de muitos séculos, chegasse à sua perfeição atual; e foi preciso também que uma lenta e contínua transformação, iniciada em 1830, se fosse operando na arte de "encenar".

Hoje, o teatro, como o compreende e realiza Antoine, é uma maravilha de verdade. Não há, não pode haver sobre isso, duas opiniões. E é preciso notar que Antoine está trabalhando num mau teatro, sem os *seus* cenários, sem a *sua* instalação de luz, sem o *seu* pessoal completo, – fora enfim do *seu meio*, como um peixe obrigado a nadar em terra, ou uma ave obrigada a voar dentro d'água.

Ainda assim, o que se vê é uma perfeição. Ninguém o nega, ninguém o discute, e todos os admiram e aplaudem.

Mas...

* * *

Mas se essa entronização definitiva da verdade na arte de representar é uma estupenda e admirável conquista do naturalismo, não se pode dizer o mesmo da sua entronização na arte de compor os poemas dramáticos.

No *Théâtre Antoine*, – o que vale o mesmo que dizer: em todo o teatro moderno, – o modo de representar é definitivo, mas o teatro em si mesmo, o teatro-idéia, esse é de transição. Se esse teatro não fosse de transição, a arte dramática estaria agonizando.

Antoine até hoje, no Rio de Janeiro, só representou cinco peças. Mas o seu repertório é todo conhecido. E esse repertório, com a sua preocupação de só reproduzir a Verdade, é só uma fábrica de desesperos, de angústias e de tédio. Um homem equilibrado de corpo e de espírito, que fosse ouvir essas peças todas as noites, não unicamente para passar o tempo, mas interessando-se, estudando, sentindo, vibrando, ficaria desequilibrado e acometido de uma grande náusea moral, pensaria no suicídio.

Está claro que não me refiro aqui à moralidade ou imoralidade das peças. Essa questão de Moral nada tem que ver com a Arte. A vida humana não é moral nem imoral: é simplesmente a vida, e tanto a moralidade como a imoralidade são perfeitamente normais.

O que desespera no teatro moderno é a secura, é a frieza implacável, é a inexorável dureza da verdade. Esse vocábulo, cujas três sílabas, depois da chegada de Antoine, estão em todos os lábios e em todas as penas, encobre e veste a fonte de toda a amargura e de todo o sofrimento. A Verdade é a tristeza, é o nojo, é o enfaro. A Verdade é amarga como o fel: e as abelhas do sonho, do amor, da felicidade, da alegria de viver, não podem alimentar-se com esse fel, cujo [*****] as envenena e mata.

Na vida íntima, na imprensa, na vida pública, na rua, no teatro, em tudo, a Verdade inspira sempre terror. Por quê? porque esse terror é a base da civilização... Os homens vivem em sociedade unicamente porque têm medo de ficar a sós consigo mesmos, porque têm medo da sua própria alma, porque têm medo da Verdade; e é por isso que se dão bem com a vida em comum, que é um tecido de mentiras.

O mais puro de todos nós tem dentro de si profundezas insondáveis de maldade, de moléstia moral, de egoísmo. Para que servem o trabalho, a arte, o estudo, a contemplação espiritual, a vida em sociedade, senão para fazer esquecer essa instintiva e irreprimível repulsão de si mesmo que cada homem sente?

Ir ao teatro para admirar a epilepsia, a histeria, os desvios da sensibilidade, as perversões do sentido genésico, as traições e as perfídias, a animalidade baixa da gente do campo, a duplicidade feroz da gente das cidades, as injustiças de que a vida está cheia, a arrogância brutal dos fortes, a covardia repugnante dos fracos, a inconsciência bestial dos que obedecem, a vaidade balofa dos que mandam, é ir procurar na sociedade e no convívio educado o que se encontra, com menor incômodo e com menos despesa, na solidão... Para ver tudo isso não é preciso vestir uma casaca, nem pôr no peito uma camélia e na boca um sorriso.

A vida real, quando não é o horror, é a banalidade.

Se este teatro, exclusivamente votado ao culto da Verdade, tivesse de triunfar, nada impediria que os dramaturgos forçassem a nota, pondo em cena assuntos corriqueiros como este: um almoço. Imaginem que linda peça em um ato faria um dramaturgo de tal assunto: a cena representaria uma sala de hotel; entraria um sujeito, despiria o sobretudo, sentar-se-ia, desdobraria um guardanapo; chamaria o criado, organizaria a lista do almoço; comeria meia dúzia de ostras, um bife, dois ovos; beberia vinho e café; pagaria a conta, tornaria a vestir o sobretudo, daria uma gorjeta ao criado, – e pronto! o pano desceria lentamente... Pode haver assunto mais *verdadeiro*? Nada impediria também que outro dramaturgo, querendo ser mais original, escrevesse outra peça, já não sobre "um almoço"... mas sobre as "conseqüências de um almoço"... Não haveria nisso motivo para espanto: porque já se apresentou, em Paris, uma peça em que há um aborto em cena!

* * *

Não! esse teatro não é definitivo: é um teatro de transição. O que o teatro naturalista tinha de fazer, já o fez. A sua grande conquista imortal é a da instalação da naturalidade na maneira de representar e de "encenar". Mas, sobre esse arcabouço de verdade, uma nova geração de artistas da palavra, de fixadores de sonhos, de consoladores de almas, virá construir uma arte dramática nova e ridente, em que virtude e vícios, purezas e impurezas, gostos e martírios serão contados com essa larga e divina poesia que Shakespeare derramou sobre as misérias da terra.

A verdade continuará a triunfar, como já triunfa no *Théâtre Antoine*, na sobriedade, na simplicidade, na *realidade* dos gestos e das inflexões de voz, na expressão fisionômica dos atores e na perfeição dos cenários, que já são, nos teatros bem montados, maravilhas da ciência imitativa.

Os atores, que quiserem ser perfeitos, terão de ser o que é Antoine. Mas os dramaturgos, que quiserem ser grandes, terão de abrir nos seus poemas um largo espaço reservado ao sonho.

Para vir reformar a maneira de representar, bem-vinda seja a Verdade; mas para entristecer cada vez mais a raça humana, não, mil vezes não! Mais vale que ela fique para sempre metida no seu poço alegórico, com o seu espelho indiscreto e o seu facho imprudente.

Para que sintamos quanto é baixa a nossa natureza, não é necessário que o teatro no-lo diga... Cada um de nós bem sabe que, dentro de si mesmo, há um monstro horripilante agachado, eternamente rilhando os dentes e remordendo os punhos!

O. B.

26 JUL. 1903 — CRÔNICA

Quem foi que disse que "não há sábado sem sol"? Foi com certeza algum colegial adolescente: para os colegiais, os sábados são sempre alegres, porque são os núncios dos regalados domingos de ócio; e para os adolescentes, o sol está sempre aparente e claro, porque eles o trazem sempre no coração e nos olhos, o sol de ilusão, sol de esperança, sol de divino contentamento. Mas para os que já não são colegiais nem adolescentes, há sábados tristes, – como este, de chuva miúda e fina, anunciando um domingo insípido e uma crônica ainda mais insípida. Permita Deus que, ao raiar de domingo, ainda as cordas da chuva estejam caindo do céu, continuamente, monotonamente, desesperadoramente: ao menos assim, o leitor da *Gazeta*, acordando triste e aborrecido, não estranhará o aborrecimento desta coluna.

As câmaras trabalham; já está funcionando o novo Conselho Municipal; um ministro viaja, inaugurando estradas de ferro; outro ministro está visitando, com pasmo e horror, os velhos casarões, cobertos de bolor e roídos de cupim, onde estão instaladas repartições públicas dignas de mais carinho; o câmbio está firme; o Acre passa bem, muito obrigado; o *Barroso* vem aí, fatigado das festas com que foi recebido nas águas do Prata e do Pacífico; e, enfim, sem sobressaltos, satisfeitos com a paz interna e com as amizades externas, vamos vivendo calmamente.

Nem o diabo, com a sua eterna e argutíssima esperteza, seria capaz, se fosse cronista, de achar nessas cousas, que aí foram enumeradas, assunto para uma coluna de comentários. Positivamente há dias em que um pobre cronista, ao olhar com terror a mesa de trabalho, chega a pedir a Deus que haja um terremoto, que caia sobre a terra um pedaço de céu velho, que os mundos todos tomados de loucura, se entrechoquem e destruam, – que enfim suceda qualquer cousa espantosamente grave, graças à qual se dispensem todas as crônicas e todos os cronistas!

Mas não há nada! o desgraçado ergue os punhos fechados contra o céu inexorável, e começa a despejar do cérebro sobre o papel a catadupa de banalidades...

* * *

Quem aprecia as sensações fortes, e gosta dos espetáculos horrendos, teve uma semana cheia. Não que houvesse, na vida das ruas, alguma dessas tragédias que horrorizam a multidão. O único fato um pouco violento que houve foi um duplo ato de desespero, assassinato-suicídio provocado pela alucinação amorosa... Mas, se a vida das ruas foi calma, a dos teatros teve uma vibração intensa. Em primeiro lugar, houve no Lírico a representação de uma peça em que somente (*excusez du peu!*) se tratava do cancro e da tuberculose; e, em segundo lugar, houve no Cassino a exibição de um *faquir* de grandes bigodes e fisionomia dura, um prodigioso sujeito que fere e magoa o próprio corpo tão severamente, como se estivesse ferindo e magoando o corpo... de qualquer de nós.

Não há dúvida! o teatro moderno, em que se servem ao público, com molhos diversos, as *tranches de vie*, é um belo divertimento!

O homem que, durante o dia, labutou e penou, em contato com a miséria ou com o egoísmo dos outros, mergulhado até os cabelos na água turva dos negócios, achando em cada esquina uma traição e em cada casa um sofrimento, adivinhando em cada aperto de mão um interesse, vendo em cada sorriso uma mentira, sente, ao cair da tarde, quando chega a hora do repouso e do divertimento, um grande alívio na alma, e prepara-se para passar alguns momentos de prazer intelectual e consolador. Vai ao teatro, instala-se na sua cadeira, e espera com ansiedade, o levantar do pano.

Levanta-se o pano: e eis que o drama, como um cinematógrafo perverso, começa a reproduzir a mesma série de misérias, de egoísmos, de interesses, de traições, de sofrimentos, que povoam o grande teatro da vida de todos os dias. Aqui, é a avareza do camponês; ali, o marido desbriado que vende a mulher, a amante que especula com o sabor dos seus beijos, o filho que na morte do pai só vê a madrugada de uma vida opulenta; adiante, a força risonha que moteja da fraqueza em lágrimas, a astúcia do tratante que se locupleta com a fome da inocência; mais adiante, o mapa dos horrores mórbidos desenrolado, – a epilepsia, a histeria, as úlceras, os cancros, a tuberculose...

E em tudo isso não há um bocado de sonho, não há uma nesga de céu, não há uma palavra de esperança ou consolo, não há um arranco da alma para o Ideal: tudo é chato, tudo é mesquinho, tudo é humano e "vivido". Esse é, de todos, o principal defeito: porque, enfim, com talento e ternura, é possível tirar de um feio assunto uma linda peça; e, como um dia escreveu o sutil Sully-Prudhomme, "um verdadeiro estatuário pode transformar numa obra-prima um busto de um corcunda".

Mas, no *menu* dessas *tranches de vie* tudo é cru e duro. E o pobre diabo, que ali foi buscar um pouco de repouso moral, sente renascer no seu espírito a grande náusea que o torturou durante o dia, e vai dormir, com o desespero no coração, misturando a vida real e a arte no mesmo desconsolado desengano.

Ninguém seria capaz de suportar um tratado de anatomia patológica escrito em verso, com louçanias de imagens e de tropos. E, cousa estranha!, ao passo que toda a gente considera absurda a invasão do domínio da ciência pela fantasia, ninguém protesta contra a invasão do domínio da fantasia pela ciência. Em breve, se Deus não mandar o contrário e se os cozinheiros de *tranches de vie* não mudarem de manual de cozinha, veremos no palco autópsias, operações cesarianas, reduções de hérnias estranguladas, feitas ao vivo, praticadas em doentes verdadeiros, emprestados pela administração dos hospitais à administração dos teatros.

Será o triunfo acabado e definitivo da verdade!

* * *

Quanto às façanhas do *faquir*, cujos milagres de anestesia e de hemostasia estão enchendo todas as noites o Cassino, esse divertimento ainda é maior!

Realmente não pode haver delícia tão boa, como essa de admirar a insensibilidade monstruosa de um homem, que, sem uma contração na face inexpressiva, finca algumas dúzias de agulhas nos braços, atravessa o pescoço com um punhal, retalha o ventre a golpes de sabre, e voluptuosamente beija a boca gelada de uma serpente viscosa! Oh [*****] delicadíssimo regalo! oh suaves e encantadoras sensações! quem nunca vos experimentou não sabe decididamente o que é bom!

Conheci um sujeito, cujo maior prazer era ir todas as manhãs ao matadouro, onde assistia, com os olhos úmidos de gosto e com o peito aflante de alegria, ao morticínio de bois. Isso prova que pode haver gosto [*****]... E se é digno de lástima o desgraçado que gosta de cousas puras e vai encontrar no teatro a apoteose das cousas torpes, só pode ser digno de inveja quem, gostando dessas cousas torpes, facilmente as encontra, perfeitas e baratas, para satisfação do seu depravado apetite...

* * *

Ainda haverá razão para o registro da morte do Papa?

A agonia foi tão longa e tão explorada pelos comentadores, que a crise final não causou grande impressão.

Já se pensa em outras cousas. Bem dizia Musset:

> Quinze jours, je le sais,
> Font d'une mort récent une vieille nouvelle;
> De quelque nom d'ailleurs que le regret s'appelle,
> L'homme, par tour pays, en a bien vite assez!

Quinze dias? Não é preciso tanto tempo para fazer esquecer a morte de alguém. No fim de oito dias já toda a gente está cansada de ouvir o nome de quem morreu, – cantora ou sábio, plebeu ou príncipe, santo ou facínora, poeta ou papa. É para lutar contra essa onda avassaladora do olvido que se fazem as exéquias solenes, a exposição do corpo embalsamado, as longas comemorações fúnebres, as poliantéias, as estátuas. Mas tudo é baldado. A atenção do público, fatigado, volta-se para outro ponto, e nada pode galvanizar e reanimar o interesse esvaído.

No Vaticano, em Roma, na Itália, no mundo inteiro, já ninguém se preocupa sinceramente com o corpo de Leão XIII, embalsamado, injetado de líquidos conservadores, lavado em óleos aromáticos: todos pensam no papa futuro... A comunhão humana, sobre a terra imensa, é como a comunhão das formigas, no restrito formigueiro: quando, no vai-vem da constante labuta, morre uma formiga, as outras afastam o cadáver importuno, e continuam a trabalhar...

Os jornais ainda publicam colunas de pormenores sobre o Papa morto; nas catedrais, os oradores relembram a sua vida; nas legações e em todos os edifícios públicos, as bandeiras pendem melancolicamente, arriadas a meio pau; mas tudo isso é exterior, incolor, simples formalidade.

Os próprios familiares do Vaticano, que estão velando o cadáver, têm o espírito longe dali, pairando sobre a sala em que se prepara o advento de um novo representante de Cristo. Daquelas mãos inertes e rígidas já não podem sair favores: os milhões do tesouro papal já não são administrados, contados e distribuídos por elas. E, daqui a poucos dias, guardado o corpo no templo de S. João de Latrão, a existência de Leão XIII parecerá tão remota como as de S. Lino ou S. Cleto, que foram os primeiros sucessores do Pescador. Tudo passa!

* * *

Relendo o que aí está escrito, reconheço com sinceridade que não se perderia grande cousa, se tudo isso tivesse ficado no fundo do tinteiro. Mas o dever é o dever. Refletindo bem, é forçoso confessar que um cronista, obrigado, haja o que houver, a escrever a sua crônica, merece mais desculpa que o Supremo Arquiteto do Universo, como se diz nas sessões maçônicas. O Supremo Arquiteto não era obrigado a fazer o Mundo: fê-lo por sua livre e soberana vontade, – e não fez grande cousa.

O. B.

02 AGO. 1903 CRÔNICA [IP] [CIA]

Crônica de saudades...

O aniversário da *Gazeta* vem lembrar-me o tempo em que, desconhecido e feliz, com a cabeça cheia de versos, eu parava muitas vezes ali defronte, naquela feia esquina da travessa do Ouvidor, e ficava a namorar, com olhos gulosos, essas duas portas estreitas que, para a minha ambição literária, eram as duas portas de ouro da fama e da glória. Nunca houve dama, fidalga e bela, que mais inacessível parecesse ao amor de um pobre namorado: escrever na *Gazeta*! ser colaborador da *Gazeta*! ser da casa, estar do lado da gente ilustre que lhe dava brilho! – que sonho!

Naquele tempo a *Gazeta* era para mim, como uma alta cidadela, coroada de estrelas, perdida entre as nuvens; o meu desejo andava, tonto e ansioso, rodando em torno dela como um animal faminto em torno de um presa cobiçada. Felizmente, a minha mocidade não permitia mortificações prolongadas; depois de um namoro de meia hora, lá me ia eu, pela rua abaixo ou pela rua acima, sonhando e rimando. E tudo, então, me parecia digno de rimas: o sol que esplendia, a chuva que toldava o céu, o olhar de uma mulher que passava, o bater dos seus pés na calçada, uma criança que sorria, um velho que manquejava, as flores que fulguravam nas cestas dos vendedores ambulantes, as fachadas das casas, as jóias que ardiam nos mostradores dos ourives, e até a tristeza dos aleijados que pediam esmola. Tudo para mim era o ponto de partida de um sonho. Os meus passos moviam-se dentro de uma nuvem perfumada: nem sempre os meus sapatos tinham as solas perfeitas e nem sempre as minhas calças tinham a barra sem fiapos: mas o meu andar era soberano e firme, como o de um deus orgulhoso perdido na terra. Os meus dezoito anos e os meus versos eram uma riqueza tão grande, que a riqueza dos outros não me podia causar inveja...

Não era pois o desejo de ganhar dinheiro que me impelia para esta formosa *Gazeta*; ela não era uma rica matrona, arreada de jóias e dona de muitas apólices, aureolada pelo fulgor de um grosso dote capaz de lhe disfarçar a hediondez da decrepitude: era uma linda rapariga, amada e querida de todos, alegre como um canário, fresca como uma madrugada, e servida por um bando de adoradores. Como eu invejava esses felizes! Os da casa, os que dirigiam a vida da linda rapariga, já não me causavam tanta inveja. Mas, os de fora! como eu lhes silabava os nomes com ciúme e admiração! Eram Eça de Queirós, Machado de Assis, Ramalho Ortigão, tantos outros... Quando as minhas mãos abriam a *Gazeta*, e os meus olhos liam o nome de alguns desses mestres, assinando um soneto, uma crônica, uma novela, parecia-me estar vendo um ídolo, numa ara de ouro puro, incensado pela admiração e pelo aplauso de um milhão de homens.

É que a *Gazeta*, naquele tempo, era a consagradora por excelência. Não era eu o único que a namorava; todos os da minha geração tinham a alma inflamada nessa mesma ânsia ambiciosa. Não era o dinheiro que queríamos: queríamos consagração, queríamos fama, queríamos ver o nosso nome ao lado daqueles nomes célebres. Nós todos julgávamos então que a publicidade era um gozo, e que a notoriedade era uma bem-aventurança. Onde se vão esses sonhos? onde se vai essa crença no valor da glória literária? onde se vai essa fé no trabalho?

Hoje, não há jornal que não esteja aberto à atividade dos moços. O talento já não fica à porta, de chapéu na mão, triste e encolhido, farrapão e vexado, como o mendigo que nem sabe como há de pedir a esmola. A minha geração, se não teve outro mérito, teve este, que não foi pequeno: desbravou o caminho, fez da imprensa literária uma profissão remunerada, impôs o trabalho. Antes de nós, Alencar, Macedo e todos os que traziam a literatura para o jornalismo, eram apenas tolerados: só a política e o comércio tinham consideração e virtude. Hoje, – oh! espanto! – já há jornais que pagam versos!

Quanto eu tinha 18 ou 19 anos, a *Gazeta* era o único jornal que acolhia e prezava a literatura. Por isso mesmo, os pretendentes formavam cauda aos pés da dama gentil... Nunca esquecerei, em cem anos que viva, a manhã do ano de 1884, em que vi um dos meus primeiros sonetos na 1ª página desta amada folha que hoje faz anos. Doce e clara manhã! – talvez fosse, realmente, uma agreste manhã, feia e chuvosa; mas a minha alegria, o meu orgulho de rimador novato, a minha vaidade de poeta "impresso" eram capazes de acender um sol de verão na mais nevoenta alvorada de inverno.

Depois, quando mais alguns anos passaram sobre a minh'alma; quando o amor dos versos rimados foi diminuindo à medida que crescia a responsabilidade da vida; quando deixei de crer (com que tristeza!) que o homem capaz de fazer versos não tem necessidade de fazer mais nada; então, um novo cerco, mais paciente e mais longo, começou. O que eu queria era ter aqui o meu dia marcado, o meu cantinho de coluna, o meu palmo de posse. Já não me bastava a glória de entrar às vezes na casa, para beijar a mão da linda senhora, e segredar-lhe ao ouvido um galanteio rimado: o que eu queria era um quarto no castelo, um lugar certo na mesa, um posto na fileira.

Essa satisfação tardou, mas veio.

Entramos dous no mesmo dia, ambos chamados pelo bom sorriso daquele doce mestre, cujo busto em bronze está agora mesmo perto de mim, na sala de trabalho da *Gazeta*. Entramos dous no mesmo dia, 24 de abril de 1890, trazidos pelas mãos de Ferreira de Araújo. Aquele que entrou comigo já não vive, como já não vive aquele que nos pôs aqui dentro... Esse companheiro amado era Pardal Mallet: juntos fundáramos *A Rua*, um jornal vermelho que morreu de "mal de sete... números", e logo depois viemos colaborar efetivamente na *Gazeta*. Alguém, ao saber da estréia dos dous, disse com malícia: "Singular idéia essa, de meter dous macacos em loja de louça!..." Não quebramos nada: ou, se por excesso de mocidade e ardor, jogamos no chão alguma xícara ou algum prato, a benevolência do Mestre, que sempre foi moço e moço morreu, desculpou logo a estroinice.

Assim, há mais de 13 anos que estou aqui, às vezes trabalhando, às vezes vadiando, ora nesta coluna, ora naquela, – como um gato doméstico que ama a casa em que vive, e tanto se compraz de estar na sala como na cozinha ou no telhado. Na *Crônica*, neste aposento reservado em que se apura a resenha semanal dos casos, vivo há pouco tempo. Já moraram aqui vários espíritos formosos: um deles, o que me precedeu, foi o [*****] espírito de Machado de Assis, um nababo egoísta, que, um belo dia, ali por volta de 1897, meteu dentro de um saco as luzes e os perfumes, as estrelas e as rosas que costumava espalhar por esta seção, e levantou acampamento, obrigando o leitor, habituado ao licor precioso do seu estilo, a contentar-se com a água chilra do meu.

Treze anos! Não sei como os leitores da *Gazeta* ainda não forçaram a administração a aposentar-me, – com vencimentos por inteiro, – para descanso meu... e principalmente dos outros.

Treze anos! Não sei dizer se tenho sido, nestes treze anos, mais feliz do que antigamente, durante aquele largo tempo de adolescência, mocidade, em que tinha a cabeça cheia de versos, e em que passava horas, ali defronte, naquela feia esquina, a namorar a *Gazeta*. A gente não sabe nunca quando é feliz, nem quando é infeliz. E a felicidade não é gênero de absoluta e imediata necessidade neste mundo... O essencial é viver e trabalhar, com ou sem brilho, mas sempre com boa vontade e bom humor, "en attendant bien doucement la mort", como dizia o velho Montaigne. Não sei se tenho sido mais feliz: mas também dos dias tristes a gente tem saudade. Tenho saudade, – por que não o confessarei? – do tempo do meu namoro: quem me dará hoje a febre daqueles dias, a ingenuidade daqueles versos, o ardor daquela ambição?

Quanta cousa tenho deixado por aqui, – quanto sonho vago, quanta palavra alegre ou magoada, quanta sincera piedade e quanta ironia mal contida, – na contínua contradição deste trabalho diário, que se desfaz e desaparece mais facilmente do que as pegadas de um caminhante sobre a neve!

Só Deus sabe, porém, se tudo isso se perdeu.

Talvez algum dia, nas linhas que a minha fantasia tem derramado por aqui, alguma alma tenha achado um pouco de consolo e de prazer. E isso basta para que a minha pena continue a escrever e para que o meu espírito continue a sonhar, nas colunas desta amada *Gazeta* que entra hoje no seu 31º ano de vida.

O que vejo é que, por causa das minhas saudades, a semana ficou sem história. Que importa? Quantos milhões de semanas terá vivido este velho e aborrecido planeta antes do nascimento de Heródoto? E todas essas hebdômadas ficaram, como esta, sem história.

O que teve história hoje foi a minha vida de jornalista... na *Gazeta*. Se não acharem nisto encanto ou novidade, paciência: as cousas novas e as cousas encantadoras estão ficando cada vez mais raras. Para mim é que há sempre encanto e novidade na recordação daquele tempo em que eu, ainda menino, dava a qualquer dos outros, já homens feitos ou velhos, os mesmos epítetos de "medalhão" e de "mastodonte", que os meninos de hoje já me devem dar por aí. À vontade, meus amigos!, eu gosto tanto da mocidade, que só me resolverei a ser velho no dia em que a Morte me convidar a acompanhá-la numa excursão pela treva. Lembrar com saudade a adolescência, ainda é uma maneira de ser adolescente.

O. B.

23 ago. 1903

Crônica

Nem tudo pode ser festa na vida. Já os velhos trovadores da Idade Média diziam que a vida nos reserva

pour une joye cent douleurs

No mesmo dia em que uma grande parte do povo, folgando e rindo, se esmagava nas alamedas do Parque da República, deliciando-se com o alegre espetáculo da batalha de flores, já a agitação dos operários em *grève* sobressaltava todo um bairro da cidade. Essa agitação, de domingo para cá, tem crescido, alastrando-se e propagando-se de bairro em bairro. E ainda não se sabe, a esta hora, quando cessará o conflito, que se prejudica os patrões, ainda prejudica mais os próprios operários – aos quais infelizmente sempre cabe, nestas revoltas periódicas, a sorte que, na famosa fábula d'*As duas panelas*, coube à panela de barro...

As *grèves* são crises de longo processo mórbido. Quantas *grèves* haverá ainda, antes do dia que, estabelecida a harmonia plena entre o capital e o trabalho, elas se hão de tornar inúteis? Ninguém o sabe. Longos e muitos anos separam ainda a humanidade dessa era fúlgida, em que os bens da terra e os prazeres da vida, distribuídos com eqüidade, serão o patrimônio comum de todos os homens de boa vontade.

Daqui até lá, a fórmula de Lammenais continuará a ser uma verdade: "A sociedade repousa sobre a resignação dos fracos". E os trabalhadores, além do jugo férreo que lhes impõe a má organização da sociedade, ainda ficarão sujeitos à exploração dos agitadores demagogos, peritos em transformar o sofrimento e a ingenuidade dos pobres em degraus de escada triunfal para a subida das suas ambições pessoais.

Atualmente, os que mais se interessam, abnegadamente, pela sorte dos operários, podem apenas dar-lhes assistência moral durante estas crises do grande problema. Não está dentro do limite da ação das forças humanas apressar a vitória de uma idéia, que só pode vencer pelo aperfeiçoamento gradual da bondade humana, aperfeiçoamento que, por desgraça, é muito mais lento do que o da inteligência.

Esperamos que esta crise tenha solução pronta, pela intervenção do poder público. Há moléstias do corpo social, que são como outras do corpo humano, cíclicas e fatais: os médicos não podem impedir que elas se desenvolvam, através de agravações e de períodos de calma, até a sua última estação; mas podem e devem intervir para debelar as complicações da doença, evitando desastres e surpresas.

* * *

A semana que passou assistiu à consagração dos serviços do velho visconde de Cabo Frio; a que entra hoje vai assistir à comemoração do centenário de Caxias.

Serviços prestados na paz e serviços prestados na guerra são serviços que se valem. É justo que com o mesmo entusiasmo se celebrem e exaltem. Mas é justo pedir aos céus clementes que se multipliquem cada vez mais as ocasiões de celebrar os segundos.

Nas coroas votivas que vão ser depositadas no sopé da estátua do grande Caxias, nota-se um grande abuso de folhagens de louro: seria bom que entre elas houvesse bastantes folhagens de oliveira. O loureiro *semper virens* é a árvore dos triunfadores brutais; sempre os seus galhos foram despojados em proveito da força, e sempre as suas folhas serviram para coroar a violência. E Caxias nunca foi um triunfador brutal nem um violento. Aquele calmo e sereno cabo de guerra não amava a guerra pela sua brutalidade: praticava-a e exercia-a como um meio de firmar e perpetuar a paz. A guerra de conquista, a guerra amaldiçoada que viola direitos e rouba liberdades nunca teria nele um servidor...

É por isso que, para a sua apoteose, não deveria haver apenas folhagens de louro nas grandes coroas triunfais, como nas coroas que Roma orgulhosa arremessava aos pés de César, vencedor das Gálias. Para coroá-lo, também as folhagens da oliveira deveriam servir. A árvore bendita que, segundo a crença dos velhos gregos, Minerva fez surgir do seio de Hélade, com um choque da sua lança sobre o solo, é a árvore da paz e da amizade. Os plenipotenciários antigos, quando iam, cercados de respeito e de veneração, negociar a paz entre os povos, marchavam agitando ao sol grandes ramos verdes de oliveira; e esses ramos, de um verde intenso em que a luz do sol rebrilhava, eram a promessa da concórdia, o anúncio ridente da harmonia entre os homens.

Celebremos Caxias-guerreiro, mas exaltemos também Caxias-pacificador. Dias virão (sempre é bom alimentar utopias!) em que os loureiros crescerão em paz, sem que os homens os despojem das suas folhas para a apoteose dos homens de guerra. Então, as guerras aparecerão, num passado longínquo, vago, esfumado, como inevitáveis males que estrumaram o progresso humano. E só a oliveira, filha de Minerva, dará, para as comemorações cívicas, a contribuição das suas ramagens a cuja sombra Péricles legislava, sob o céu puríssimo da Hélade...

* * *

Passemos de um assunto a outro; e deixemos a ironia substituir o entusiasmo. Creio que foi Bismarck que criou a expressão: "mentiroso como um telegrama". E esse astuto diplomata falava "de cadeira": só Deus sabe quantas vezes, nas suas mãos, o telégrafo terá sido um passivo instrumento de complicadas e geniais intrigas. Mas, criada por ele ou por outro profundo conhecedor das cousas dos homens, a expressão é verdadeira e justíssima na sua concisão.

É sempre bom pôr de quarentena as notícias que vêm por via telegráfica: porque essas notícias, até quando não exprimem uma absoluta mentira, refletem a primeira e imediata impressão do correspondente diante de certo fato; e as primeiras impressões quase sempre são enganadoras.

Aqui temos, para exemplo, este telegrama de Paris em que se trata de uma carta do ator Antoine ao escritor Edmond Sée, publicada no *Figaro*, e contendo ataques ao público do Rio e à sua moralidade. A cousa é tão abstrusa, que não deve ser tão feia como pinta o telegrama...

Acredito bem (mas não afirmo) que o eminente ator tenha estranhado a nossa frieza, ou a nossa indiferença, ou a nossa ignorância, ou outro qualquer nome que a cousa tenha, em matéria de arte dramática. É de crer que ele se tenha espantado do pouco interesse que manifestamos pelas peças em que se nos mostravam os costumes dos camponeses do norte ou do sul da França... Esse espanto, partindo de um artista que tem a paixão da sua arte, é natural e justo. De todas as gentes que povoam a Terra, a gente do teatro é a que mais se delicia com o aplauso e a que mais se zanga com a indiferença. O ator vive num contato constante e imediato com o público, e recebe ali mesmo, no palco, face a face com ele, a sua aprovação ou a sua reprovação. Isso não sucede com os outros artistas, a quem a lisonja e a censura já chegam amortecidas pelo tempo e pela distância.

A verdade é tão humana, que sempre deve ser desculpada. Se o eminente ator se irritou com a nossa ignorância, nada mais justo.

O que não creio é que ele tenha atacado a nossa moralidade.

Porque, enfim, o ator Antoine esteve tão pouco tempo aqui, e, durante esse pouco tempo, esteve tão atarefado! Não creio que algum brasileiro desnaturado tenha perversamente convidado o ilustre fundador do *Teatro Livre* a assistir a uma das nossas pavorosas saturnais, tão comuns e tão freqüentes, – a uma dessas orgias que no Rio de Janeiro se realizam todos os dias em todos os pontos da cidade, – tenebrosas e assombrosas bacanais, em que costumamos embriagar-nos com sangue humano misturado com pólvora, fartar-nos com crianças recém-nascidas assadas no espeto, e praticar nunca vistas loucuras que deixam a perder de vista as loucuras praticadas pelos mercenários de Cartago no festim de Amílcar, tão bem descrito por Flaubert no primeiro capítulo de *Salambô*...

Não! o ator Antoine não teve tempo para ver isso! ele só teve tempo para ver que já não somos macacos... Como, pois, admitir que possa ter feito uma idéia clara do que é a nossa estupenda imoralidade, muito mais completa do que a da velha Ásia e da moderna Europa?

Deve ser mentira do telégrafo! Vamos esperar, com calma, a chegada do número do *Figaro* em que foi estampada a carta fatal...

* * *

Na cidade continuam as demolições. Agora já a vetusta rua da Guarda Velha começa a ser desafogada. Talvez haja quem lamente a queda daqueles pardieiros medonhos, – porque, neste mundo extravagante, não falta quem goste do que é abominável.

Eu, por mim, confesso que, a cada golpe das picaretas demolidoras, sinto um alívio no coração. Não há quem, mais do que eu, adore as tradições desta terra. Quanto mais vivo, mais me sinto preso, por cadeias fortes, ao passado, e mais amo e abençôo o trabalho dos homens que me precederam. Mas a tradição, para viver perpetuamente, não carece de ficar materializada em casas medonhas, em ruas tortas, em exemplares de arquitetura teratológica. Assim mesmo, tomando banho todos os dias e comendo com faca e garfo, posso prezar a memória dos homens do século XV, que não se lavavam, e comiam com a mão. Conservemos a tradição moral, e lavemo-nos.

As demolições continuam; a limpeza cresce; afirma-se a vontade de melhorar; a cidade convalesce... Deus te ampare a convalescença, cidade amiga!, e Deus te aplaque neste momento, a agitação de teus filhos, daqueles que servem a tua indústria e o teu progresso com a força do seu braço e o suor do seu rosto.

O. B.

06 SET. 1903 CRÔNICA [CF]

Já estamos bem longe do tempo em que a inteligência era tida como privilégio do Homem, animal dominador e orgulhoso, em cujo cérebro se enfeixavam e empilhavam as Idéias, num monopólio egoísta, concedido e mantido por uma graça especial do Criador. Com o correr dos tempos, o Homem foi perdendo o orgulho, e reconhecendo que há nos animais, às vezes, já não esse lampejo fugaz do instinto, mas um claro fulgor de inteligência. De estudo em estudo, a alma dos nossos irmãos inferiores se nos foi revelando. A nossa vaidade sofreu bastante com isso: mas, em compensação, lucrou a nossa bondade, que se alargou, envolvendo num mesmo carinho todos os entes vivos, – os que voam livremente pelos ares e os que rastejam no solo, os de quatro patas que puxam os carros e os de dous pés que governam a terra, os que moram em furnas escuras e os que se alojam em palácios esplêndidos.

Certos sábios, crendo firmemente que todos os animais raciocinam, concluíram daí que todos os animais devem falar. Isto é: devem dispor de certos meios tradicionais e seguros, que lhes permitam a troca das idéias, o intercâmbio dos sentimentos, o comércio das impressões morais. Há ornitologistas que já chegaram a definir a significação de certos pios, de certos gorjeios, de certos pipilos de aves. E, recentemente, um naturalista meteu-se numa gaiola de ferro, dentro de um cerrado sertão africano, e ali, com uma pachorra digna do reino dos céus, começou, de lápis em punho, a estudar a linguagem dos macacos, anotando, e lançando os fundamentos da gramática simiana.

Todo esse exórdio é posto aqui para mostrar que não estou louco. Tenho de contar uma conversa em que me empenhei com um mosquito, – e não quero que os leitores duvidem da minha integridade mental.

Que os mosquitos falam, isso é cousa que não pode ser posta em dúvida. Aquele zumbido não pode ser inútil: na Natureza nada se perde. O que eu mesmo não sei explicar é como o mosquito e eu conseguimos entender-nos em português, nesta formosa língua tão pouco falada entre os homens. Quem sabe? Talvez o *culex* que conversou comigo, conte, entre os seus remotíssimos antepassados, um dos mosquitos que azoinaram os ouvidos e amarguraram as insônias do velho Camões, na úmida gruta de Macau: é possível que, de ninhada em ninhada de larvas, através de pântanos e de séculos, a língua aprendida pelo mosquito asiático com o vate que a criou, viesse até os nossos dias ornar a educação do *stegomia*, que, há poucas noites, me disse tantas cousas irônicas. Tudo é possível neste mundo interessante, que já tem sido teatro de tantos sucessos assombrosos, – desde o caso da burra de Balão, até o daquele papagaio de Londres que recitava, sem tomar fôlego, mil versos do *Paraíso Perdido*.

Seja como for, aqui está a minha aventura.

As insônias não são monopólio dos grandes poetas como Camões: eu também as tenho, às vezes, e tão aborrecidas, pelo menos, como as dele. Em uma destas últimas noites, estava eu, na cama, sem poder dormir, com os olhos abertos para a treva do quarto, pensando em algumas cousas alegres e em muitas cousas tristes, e pacientemente contando e recontando de um até cem, a ver se com esse artifício conseguia acalmar os nervos e chamar o sono.

Um mosquito perverso (creio que o único que existe na rua em que resido) pôs-se a fazer voltas e contravoltas no ar, sobre a minha face. Ia acima, vinha abaixo, voava à direita, voava à esquerda, fugia, voltava, e sempre que chegava a um dos meus ouvidos, casquinava uma risadinha irônica. Em pouco tempo, comecei a perceber que os *zum-zum* do *culex* daninho fundiam-se, aglutinavam-se, formando sílabas, palavras e frases. Quando percebi que as frases eram portuguesas, pensei que tinha o Diabo dentro do quarto, e quis acender a vela para espantar a tentação. Mas criei ânimo, e comecei a escutar o que dizia o *fasciata* palrador, com a sua vozinha irritante que me entrava pelos tímpanos como um turbilhão de finas pontas de agulhas:

– Ora, graças a Deus que não tens sono! Quero trocar contigo algumas idéias de mosquito. Que me dizes do que se está passando em Cuba? Dizem que a febre amarela reapareceu... Tanto mosquito morto, e Ela cada vez mais viva! Pelo telégrafo sem fio que mantemos, os da nossa raça, através do espaço, tive notícias do que foi o culicídio naquela ilha. Os meus irmãos morreram ali às miríadas. Foi uma hecatombe quase tão grande... como a dos cristãos na Armênia! Mosquitos grandes e taludos, já senhores do seu nariz; mosquitos adolescentes, ainda na idade das ilusões; crisálidas púberes ainda descuidadas na inocência virginal; ninfas inconscientes de gestação incompleta; larvas entorpecidas no sono bruto; tudo isso foi colhido nas malhas da profilaxia implacável. Ah! se os mosquitos tivessem jornais!...

Aqui, o *culex* teve um longo suspiro, em que suspiraram conjuntamente todas as queixas da raça oprimida. Mas a comoção foi certa; e o *stegomia* continuou:

– Vocês por aqui também nos juraram guerra de morte... Agora mesmo, vão destinar cinco mil contos ao extermínio da mosquitada carioca. Vejam lá, não vá todo esse dinheiro ser consumido em enxofre inútil!

Interrompi o mosquito, e disse-lhe mais ou menos isto:

– Ouça, meu amável companheiro desta fastidiosa noite de insônia! Você, que fala tão bem, com tão perfeito conhecimento das nossas regras gramaticais e com tão acabado bom senso, deve ser um mosquito estudioso e observador. Ponha a ponta de uma das patas dianteiras sobre o seu pequenino coração de *culex*, e fale com franqueza: é verdade que são vocês os transmissores da febre amarela?

O meu microscópico interlocutor saracoteou com impaciência em torno da ponta do meu nariz, e exclamou:

– Sei lá se nós transmitimos alguma cousa? Neste ponto, estamos nas mesmas condições dos homens: não sabemos o que viemos fazer nesta vida. Mosquitos e homens, estamos todos representando um papel, que nos foi indicado por um grande empresário invisível; não compreendemos a peça, não sabemos como ela começou, nem sabemos como acabará: entramos por uma porta, atravessamos a cena; dizemos a nossa parte, e, quando o contra-regra apita, saímos por outra porta, e vamos despojar-nos das tintas da caracterização. Não sei se transmitimos a febre amarela ou qualquer febre de qualquer outra cor. Nós vamos dos monturos às peles humanas, como vocês vão da sopa ao peixe, e do peixe aos assados. A nossa fome não tem exigências de luxo: e, se casualmente, transmitimos ao homem a infecção do monturo ou transmitimos ao monturo a maldade dos homens, a culpa não é nossa: a culpa é de quem nos criou e nos deu o apetite. O que sei, meu caro amigo, é que, se nós somos os transmissores únicos da febre amarela, a febre amarela há de ser eterna sobre a face da terra, tão eterna como a tolice humana...

– Por que, mosquito pessimista? – indaguei eu, com um grande susto.

– Por quê? – tornou ele – porque nós somos inextermináveis! Em nossa raça, a pequenez do indivíduo é compensada pela vastidão da espécie. Nós somos, mais ou menos, como os chins... Apesar dos suicídios freqüentes, da tísica, da porcaria, dos vícios contra a natureza, do ópio, das inundações periódicas dos rios, e de todas as causas que na China concorrem para matar os chins e para impedir o crescimento exagerado do povo, ainda assim, há tantos filhos do Celeste Império, que nem as guerras, nem os terremotos, nem todos os desinfetantes do mundo seriam capazes de dar cabo deles! Se houvesse na Ásia um cataclismo que arrasasse toda a China, em poucos minutos os chins ressurgiriam dos escombros, e repovoariam todo o império: e ainda sobrariam muitos chins para vir vender peixe pelo mundo afora... Nós somos como os chins. Os *yankees* pensavam que nos haviam exterminado: tolice! mosquito não é preto da Luisiana...

– Mas, infernal mosquito! nós não vamos apenas matar mosquitos! nós vamos arrasar pardieiros, dessecar pântanos, reformar esgotos, rasgar avenidas...

– Isso é outra cousa! – zumbia o perverso – isso é outra cousa! Não sou engenheiro, nem higienista, e não meto o ferrão em cousas de que não entendo. O que sei é que, enquanto vocês matam mosquitos, e discutem se nós somos ou não somos os transmissores únicos da febre amarela, estamos rindo de vocês. Escute! está ouvindo o barulho da chuva que cai lá fora?

A chuva, de fato, caía abundante...

– Sabe o que esta chuva nos diz? Diz-nos que o inverno agoniza. São as últimas águas da estação. Daqui a pouco, entrará a Primavera, com o seu clássico açafate cheio de rosas... e de mosquitos. Nos países da Europa, quem diz Primavera diz alegria, consolo, desafogo; aqui, quem diz Primavera diz calor, opressão, febre amarela. A Primavera, aqui, já é o Verão. Eu sou um mísero mosquito, mas ando bem informado. E, ai! meu pobre cronista insone! a febre amarela, quando chegar, não há de querer saber se somos nós, os mosquitos, os seus transmissores, – como não há de querer saber se o depurado A tem a voz mais agradável do que o deputado B, ou se o deputado C argumenta com mais força do que o deputado D.

Então, no meio da minha insônia atroz, um desespero grande me sacudiu todo:

– Mas dize-me ao menos, enviado dos monturos, o que se deve fazer para extinguir a febre amarela!

– Eu não sou médico, nem deputado... Sou apenas um mosquito inteligente, que vejo de perto a incapacidade dos homens. Vocês vivem a encher as bochechas com a sua ciência e acabam sempre confessando que não sabem nada. Todo o resultado das pesquisas humanas cabe perfeitamente nas seis letras desta frase: *Não sei!* E é para chegar a esses resultados, que há academias, faculdades, bibliotecas, enciclopédias. Nós, mosquitos, não temos nada disso, – e chegamos ao mesmo fim: *não sabemos!* E, como entre os mosquitos não há dinheiro corrente, não gastamos cousa alguma para conquistar a certeza da nossa ignorância. Vocês, que são ricos, põem fora rios de dinheiro. Cinco mil contos! cinco mil contos!...

E o zumbidor impertinente desandou a dançar e a cantar:

Cinco mil contos!
Cinco mil contos!...
Cinco mil contos!...

E eu, embalado por essa cantiga monótona, caí num sono consolador...

O. B.

13 SET. 1903 CRÔNICA [CF]

Creio que teria dado conta do meu recado, se escrevesse aqui simplesmente: "a semana foi Santos Dumont!" – e fosse cuidar de outras cousas. Mas ninguém se contentaria com isso: todos se queixariam da decepção, e malsinariam o cronista inepto, bastante inepto para suprimir do *menu* o único prato cujo tempero lisonjeia atualmente o paladar público. Santos Dumont concentra hoje a nossa vida: em torno desse foco luminoso, tudo se apaga, tudo esmaece, repelido para planos afastados. Aclamado como "rei dos ares", atordoado pelas ovações, mais atropelado e confundido pelos abraços dos homens do que pelos ventos do espaço, o aeronauta anda numa roda vida, do Rio para São Paulo, de São Paulo para o Rio, vendo bem, nesse entusiasmo, quanto a Terra lhe agradece o serviço de ter aberto as portas do Céu...

O último canto da *Legenda dos Séculos*, – desse maravilhoso poema em que o velho Hugo cantou a marcha penosa e lenta da Humanidade desde a névoa da criação até a apoteose da suprema glória, – é a profecia da conquista dos ares. O Poeta descreve a profundidade infinita do firmamento, em que brilham os mundos; nessa profundidade, um ponto, quase invisível, aparece:

Dans l'espace, ce point se meut: il est vivant;
Il va, descend, remonte; il sait ce qu'il veut faire;
Il approche, il prend forme, il vient: c'est une esphère,
C'est un navire en marche!...

Mas esse navio aéreo não é uma criação da Fábula, não é uma condensação de relâmpago, não é um fantasma do céu, não é a irradiação de um anjo, não é um sonho nem uma maravilha do poder divino:

Qu'est-ce que ce navire impossible? C'est l'homme!

Esse navio impossível é a grande revolta, é a chave do abismo azul, é a audácia humana, é o esforço do cativo, é o furor sagrado,

C'est du metal, du bois, du charre et de la toile,
C'est de la pesanteur delivrée et volant
C'est la Force alliée à l'homme ètincelant!

O que nós estamos glorificando em Santos Dumont é o começo da realização da profecia sublime. O Homem já sabe o que faz no espaço, como já sabe o que faz na terra e no mar: o balão levanta-o nos ares, as hélices batem e aproveitam a resistência da atmosfera, o leme contraria os ventos; e as vagas impalpáveis do éter obedecem e sujeitam-se à sua inteligência, tão submissa como as vagas espumantes do mar.

É o primeiro passo. Virão depois os outros?

Não há horizonte fechado à ambição humana. Daqui a pouco, o homem não se contentará em poder pairar perto da terra: quererá desaparecer na vastidão gloriosa, quererá chegar ao limite dos sessenta quilômetros de atmosfera, em que os cosmógrafos supõem envolvida esta bola errante que é o nosso mundo. Depois quererá transpor essa meta assombrosa, e dispensará o ar, atravessando o vácuo, visitará o satélite, dará uma volta de olhos pelas civilizações dos outros planetas, prevenir-se-á contra os excessos do calor, roçará o sol com as asas, e, farto de conhecer este nosso mísero sistema solar, irá estudar os outros, até chegar ao centro a que Flammarion dá o nome de Deus, e a que eu não dou nome nenhum, porque já estou com dor de cabeça e não quero ir dormir esta noite num manicômio...

Tudo isso é sonho, tudo isso é palpitação louca, tudo isso é desperdício de imaginação, mas tudo isso é humano.

Por um defeito de educação polissecular, o homem considera o planeta onde vive como uma habitação provisória, como uma residência de exílio, como um "vale de lágrimas", onde as provações apuram e desinfetam as almas, preparando-as para vidas futuras, incomparavelmente melhores. A Terra, esta boa mãe, tem, felizmente, uma inconsciência que a preserva de sentir a nossa ingratidão. Desde o dia em que a bicharada humana, depois de um trabalho longo de fermentação, começou a viver sobre a crosta da Terra, o seu orgulho começou a desprezar Aquela que lhe deu a vida. Nós colhemos os frutos que ela nos dá, gozamos a sua beleza perpetuamente renovada, vamos fruindo os prazeres que nos vêm da sua inesgotável generosidade, mas sempre com um mau modo desagradecido, sempre com uma careta de fastio, sempre com um dar de ombros de desprezo. O nosso estômago, os nossos nervos, os nossos sentidos estão com ela, mas a nossa imaginação está fora dela, sonhando vidas que nos parecem mais agradáveis talvez pelo único motivo de serem inacessíveis.

Todas as relações têm mantido e desenvolvido esse desprezo das cousas e dos bens da Terra. Os gregos antigos sabiam amar a vida, vivendo numa terra linda, sob um céu puríssimo, num clima delicioso, prezando o Amor e a Beleza: mas esses mesmos não estavam contentes, e viviam a sonhar as delícias do Além...

A religião cristã foi sempre a grande inimiga da Terra. Todo o cristianismo repousa sobre a idéia da renúncia. Só será feliz quem desprezar a realidade da "cidade terrena" pela esperança da "cidade divina". É preciso andar pelo chão com os olhos no céu. Viver aqui embaixo não é uma ventura: é um sacrifício. O amor, a beleza, o gozo, a contemplação inteligente dos espetáculos da natureza, a agitação da alma em busca da comodidade do corpo, tudo isso é inútil, quando não é pecaminoso. Só é feliz quem logra assentar-se aos pés de Deus, na glória divina. E até os sofrimentos do purgatório são preferíveis aos encantos do mundo, porque aproximam o pecador da redenção...

São essas as nossas idéias. Mamamo-las no berço, e ninguém é capaz de suprimi-las da nossa alma.

Ó grande, ó bela, ó generosa Terra! o que nós queremos é fugir de ti: a tua grandeza não nos basta, a tua beleza não nos contenta, a tua generosidade não nos sacia! O que nós queremos é voar, é quebrar esses grilhões, é trocar pela ventura problemática a escassa mas deliciosa felicidade que podemos gozar aqui embaixo. Fúteis e levianos, não vemos que há neste suposto degredo, alguns momentos de supremo prazer, que valem mais do que eternidades de pasmaceira. Pode haver ventura maior do que a do artista, que se revê numa obra acabada e perfeita? Pode haver beatitude comparável à de um pai que se mira na glória de um filho? pode haver êxtase mais alto do que o de um casal ardente e moço, que troca o seu primeiro beijo de amor? Todas essas felicidades da inteligência, do coração e dos sentidos são da Terra. Tudo depende da boa vontade e da atenção de quem vive: a Terra não possui apenas atoleiros; possui também devesas frescas e recantos perfumados, em que se pode fazer reviver a antiga ficção do Éden da Bíblia.

Quem assiste às festas delirantes com que o nosso amado e glorioso Santos Dumont é saudado, pensa estar assistindo apenas a uma explosão do orgulho nacional. Há, de fato, muito orgulho nosso, e orgulho bem legítimo, nessa glorificação do brasileiro pertinaz que chamou para o Brasil a atenção de todas as gentes civilizadas. Mas, não há somente isso. Não se trata de uma preocupação nacional, mas de uma preocupação humana. Todos os homens anseiam por essa conquista do Céu. A apoteose de Santos Dumont é a apoteose do sonho libertador, - é a apoteose da ingratidão humana.

O que se vê na vitória de Santos Dumont é a vitória de Prometeu e de Ícaro, a derrota do mistério, a possibilidade da fuga, através do espaço, para alguma dessas outras vidas em cuja promessa os padres de todas as religiões e os poetas de todas as escolas vivem a embalar o nosso estúpido descontentamento. É próprio da estultície do homem o andar procurando ao longe o bem que lhe está tão perto da mão. Esses sonhos estragam a vida: quem os alimenta dentro da alma não tem os olhos para ver as cousas, tantas e tão amáveis, que estão por aí a oferecer-se ao apetite do mais exigente...

Boa e querida Terra! bem merecias um pouco mais de ternura e de gratidão!

Agora mesmo, depois de ter deslumbrado os olhos e o espírito com a leitura de *Plein Ciel* – desse luminoso surto lírico que o poeta pôs como rebate à *Legenda dos Séculos*, – fui reler a primeira página do poema.

A última página é um hino ao Céu; a primeira é um hino à Terra. Aquela entontece, esta seduz; aquela fulmina, esta beija. Só não ama a Terra quem não a compreende. Ela é a harmonia, ela é o exemplo do trabalho, ela é a lição da ventura:

> Ne frappe pas, tonnerre! Ils sont petits, ceux-ci.
> La terre est bonne; elle est grave et sevère aussi;
> Les roses sont pures comme elle!

Quiconque pense, espère et travaille lui plait;
Et l'innocence offerte à tout homme est son lait,
Et la justice est sa mamelle...

Nós a manchamos com os nossos crimes! nós abusamos da vida que ela nos dá; nós a infamamos com os nossos vícios; e queremos deixá-la, e queremos fugi-la, como se ela fosse a culpada dos nossos erros, e como se as aeronaves, que nos têm de levar pelos ares, não tivessem também de levar, conosco, a nossa maldade e a nossa estupidez!

Felizmente para os que não desprezam de todo a Terra, as viagens aéreas ainda não passam de uma tentação afastada e nebulosa.

A Terra ainda poderá, por séculos e séculos, ignorando, na sua inconsciência, a ingratidão com que a desamamos, continuar a dar-nos prodigamente os seus bens, a formosura dos seus aspectos, o esplendor das suas paisagens, as suas flores e os seus frutos, – a flor suave da Beleza, o fruto saboroso do Amor, – a abundância dos seus encantos materiais e morais.

Por mim, confesso que me agrada imensamente esta consoladora certeza de que a conquista definitiva do céu ainda vem longe. Visto de perto, o Céu não dever ser tão belo como parece, de longe, à ansiedade dos incontentáveis. Quem sabe viver, não se arrepende de se ir demorando o mais possível pela terra.

Hurra por Santos Dumont, que nos deu uma grande glória! mas...

Mas, se é verdade que nas suas mãos está agora a chave do Céu, ele obedeceria a uma feliz inspiração se deitasse fora essa chave. O nosso cativeiro é tão bom!

O. B.

20 set. 1903 — Crônica [CF]

Conheço um sujeito muito alto, muito robusto, muito belo, muito jovem, muito rico, – um sujeito, enfim, que parece ter o monopólio de todos os superlativos nas qualidades físicas e morais.

A sua força e a sua beleza são incomparáveis; incomparáveis são também a sua liberalidade e a sua bondade simples.

Quanto à sua inteligência, – essa, se não vive acompanhada da tenacidade e do estudo que levam as almas inteligentes às grandes conquistas, – tem, em compensação, um brilho e uma felicidade que espantam: é uma inteligência toda feita de sol, de calor, de relâmpagos, – uma inteligência que logo compreende tudo sem esforço, e que floresce numa eterna primavera de sonhos e frutifica num perpétuo outono de frutos da imaginação.

Quanto à sua riqueza, é uma das maiores, senão a maior de todo o planeta. Perguntaram-lhe uma vez qual a extensão de sua propriedade territorial; e ele, como se desse a mais natural e simples de todas as respostas, disse sem orgulho, e com uma ingênua simplicidade: "ainda não sei bem... deve andar por um milhão e meio de léguas quadradas! sei apenas que toda a França caberia quatorze vezes dentro das minhas terras..." E que terras! cobertas de uma vegetação maravilhosa, tendo nas entranhas riquezas prodigiosas, banhadas por imensos rios, que fertilizam imensos campos, rolando sobre leitos forrados de diamantes. Sobre a face deste vastíssimo domínio, agitam-se quinze milhões de homens, que trabalham para a glória do proprietário: uns cavam o solo, outros perlustram as florestas, outros navegam os rios, outros mourejam em fábricas, outros fundam cidades, – e outros ainda, querendo dar as léguas incontáveis do céu a quem já possui tantas léguas da terra, andam a inventar maneiras de conquistar os ares em naves ousadas...

O nome deste nababo? Os que o tratam com alguma cerimônia dão-lhe o nome de "Colosso da América"; e os que o tratam sem cerimônia, os que se sentam com ele nos botequins, os que vão com ele aos regabofes e às pândegas, dão-lhe o nome familiar e irreverente de "Brás-Bocó".

Ora, pois! este sujeito, tão superlativamente dotado de beleza, de riqueza, de inteligência, de força, não é um sujeito feliz...

Os que tiveram o raro prazer de ouvir anteontem, na Academia, o formosíssimo discurso de Afonso Arinos, lembram-se e lembrar-se-ão sempre da comoção com que ele descreveu um jequitibá que há na fazenda do Brejão, – um estupendo gigante da mata, que mede cem metros de alto, – mas cujo tronco um parasita roaz vai devastando pouco a pouco, fibra a fibra, agoniando a vida secular do maravilhoso prócer vegetal.

O nosso "Colosso da América" – ou o nosso "Brás Bocó", como quiserdes, é como esse jequitibá do Brejão. Um mal secreto lhe vai minando a existência: – uma térmita moral, um cupim de desgosto, um bichinho perverso vai lentamente roendo a alma desse poderoso e brilhante Rajá. E no meio de tantas riquezas, lastimavelmente estirado em cima do seu ouro e dos seus diamantes, vendo crescerem as suas plantações e sobrarem as suas colheitas, o mísero nababo aturde todos os dias o céu com suas queixas. E Deus, animado de um especial carinho por esse filho tão belo e tão rico, já não sabe o que há de fazer para libertá-lo do Descontentamento que o vai matando...

* * *

Porque "Brás Bocó" sempre foi um descontente: é esta a sua moléstia é esta a sua *tara* moral, é esta a nuvem do seu horizonte, é este o bacilo que lhe envenena o sangue.

Antigamente, muitos dos homens que lavraram as terras do ricaço eram escravos. Trabalhavam de graça; comiam um por cento, se tanto, do que produziam, não se queixavam das lambadas de couro cru que lhes retalhavam as carnes; não pediam para si a mínima parcela de felicidade nem da fortuna do senhor. E o senhor, descontente, resmungava: "Estes ladrões trabalham de má vontade! eu só poderei ser feliz no dia em que me livrar da lepra da escravidão!"

Um dia, tiraram do corpo do milionário essa lepra. E o milionário, daí a pouco começou a torcer o nariz: "Ah! quem me dera outra vez os meus negrinhos, tão dóceis, tão obedientes, contentando-se com tão pouco feijão e sujeitando-se a tanta pancada! Como hei de ser feliz, se tenho que pagar o cultivo das minhas terras, e de empregar, em recompensar o trabalho dos que me tratam das propriedades, o dinheiro que tão bem empregava outrora, com tanta fartura, em regalar a minha carne e em satisfazer os meus vícios, nos prazeres da mesa, da cama e da batota?!"

E então, o nababo pensou: "Tudo isto depende do maldito regime político que mantenho. Pode lá haver progresso, riqueza, prosperidade, numa existência em que tudo fica às ordens de um monarca velho e babão, que, como dizia o esperto Beaumarchais, só teve o trabalho de nascer para ficar sendo o dono de tantas almas?..."

E tanto essa idéia trabalhou o espírito descontente de "Brás-Bocó" que, um belo dia, o monarca, metido à pressa num navio, como um fardo importuno, foi despachado para longe. O dono das terras teve um suspiro de alívio. Agora, sim! agora "Brás Bocó" ia escolher livremente o seu feitor, conservando-o enquanto ele andasse bem, e substituindo-o por outro assim que o seu zelo esfriasse.

Mas, cauteloso e prevenido, o senhor não quis que o mordomo fosse um homem qualquer, de alma branda e maneiras doces: quis que fosse um homem de guerra, fardado e armado, apercebido de energia militar, cercado de sabres e carabinas, aureolado de um rutilante prestígio de força e terror. E foi assim que "Brás Bocó" confiou à ditadura militar a gestão da sua glória.

A satisfação durou pouco. Nas terras do Grande Descontentamento, entre as árvores que já as faziam tão belas e tão ricas, apareceu uma árvore frondosa, de cujos galhos caíam freqüentemente uns frutos amargos e duros de roer, – os pomos cabeludos e acres do estado de sítio...

E o Descontente, num desespero angustiado, torcia o nariz e dizia com voz embargada e aflita: "Meu Pai! afastai dos meus lábios estes frutos!" E pedia a Deus que lhe desse um outro feitor menos dado a durezas de guerra, menos propenso ao furor do que à ternura, – um feitor togado e não fardado, mais amigo de Ceres do que de Marte, mais afeito ao uso de pena do que ao uso da espada, e capaz de conseguir pela conciliação o que era tão difícil conseguir pela repressão.

E foi feita a vontade ao suplicante. Três feitores, todos filhos de Ceres e afilhados de Têmis, empunharam sucessivamente a vara da mordomia. Todos eles foram recebidos e beijados pelo Descontente, que viu em todos eles palpitar, tornado realidade palpável e brilhante, o seu ideal sonhado. Mas, assim que cada um desses novos prepostos começou a agir, o nababo começou a ter aquela irritada torcedura de nariz, que sempre foi o traço característico da sua fisionomia. Este era conciliador demais, este outro era concentrado, este outro expansivo: um era mole, outro era ousado, outro era desconfiado; um era faustoso, outro era falador, outro era simples: e tudo era defeito em qualquer deles, e tudo irritava o ânimo azedo do "Colosso da América", em cujas entranhas o parasita roedor do Descontentamento continuou sempre o seu trabalho surdo e implacável...

Pobre colosso! sentado diante de uma farta mesa bem servida, não há acepipe que lhe seduza o paladar: assim tem ele vivido, e assim vive, sempre torcendo o nariz...

* * *

Ultimamente o Grande Incontente julgou mais uma vez descobrir a causa de sua aflição, e, como das outras vezes, acreditou que tinha achado o meio de se reconciliar com o bom humor e o contentamento.

Sentado à porta do seu palácio central, que é uma vasta cidade plantada à beira do Atlântico, "Brás Bocó" estava olhando águas azuis, arfando ao peso dos navios, das lanchas, das faluas, dos botes. E pôs-se a pensar:

– Decididamente, este meu palácio não passa de um albergue muito ordinário. A entrada é a mais suja do mundo... Quem me vem visitar, tem de ficar dentro do navio, no meio das águas, à espera de um bote arrebentado que o traga até o cais. E, depois de posto em terra, o visitante só encontra corredores estreitos e salas mal varridas. Não tenho um salão decente, onde receba com dignidade os amigos: e, como se me não bastasse tal vergonha, ainda favoreço esses amigos com o dom pouco apetecível de alguma febre da peste mortal. A minha tristeza vem da minha pouca limpeza. Tenho dissipado em pura perda o meu dinheiro... Deus misericordioso! Dai-me quem me saneie estas terras, quem me reforme este porto, quem me limpe esta casa! Dai-me isso, que não vos pedirei mais nada!

E, ainda uma vez, Deus atendeu ao pedido do nababo. E o nababo teve alguns dias de radiante e completa felicidade... Mas, ei-lo que começa a resmungar:

– Hein? vão começar as obras? Ai! quem me acode, que me vão furtar tudo o que é meu! Estes ingleses vão deixar-me a pedir esmolas! Este empreiteiro vai levar nas algibeiras do casaco todas as minhas minas de ouro e diamantes, vai levar nos bolsinhos do colete todos os meus jequitibás, vai levar dentro da copa do chapéu alto todas as minhas cachoeiras e todos os meus rios! Quem me mandou pedir avenidas e portos? Quem me livra agora desses ingleses?!

E aí tendes o último descontentamento deste sujeito muito alto, muito gordo, muito belo, muito robusto, muito rico, que, apesar de ter o monopólio de todos os superlativos nas qualidades físicas e morais, vive eternamente a queixar-se...

* * *

E quando este sujeito morrer (se morrer) há de comparecer diante do Juiz Supremo com a mesma zanga e com o mesmo descontentamento.

E o Juiz Supremo, passando os dedos, em pente, pela vasta nebulosa, formigante de astros, que lhe serve de barba, perguntará:

– Gostaste de morrer, Brás?

E o Brás com desconsolo:

– Não gostei de morrer nem de viver, Senhor! eu nunca pude gostar de cousa alguma! o que eu queria...

– Que é que querias, Brás?

– Eu queria que me désseis a faculdade de ficar contente!

– Ah! isso é impossível, Brás! Isso é impossível! Tu nasceste descontente, descontente viveste na terra, descontente morreste, e descontente hás de viver aqui, junto de mim, na Eternidade, por todos os séculos dos séculos. Tu nunca hás de ficar contente... Porque o teu verdadeiro nome não é "Colosso da América", nem "Brás Bocó": o teu verdadeiro nome é "Nariz Torcido"!

O. B.

27 set. 1903

Crônica

Não vale a pena registrar a entrada da primavera. Aqui, o encontro da primavera é tão banal, como o de uma pepita de ouro no Transvaal e no Kondyle, ou como o de uma pedra de gelo no Spitzberg. A primavera é uma hóspede constante, uma comensal de todos os dias, uma agregada efetiva da nossa casa. Quando os almanaques, com o seu importuno aviso, lhe anunciam que o seu reinado já passou, ela finge que arruma as suas bagagens, despede-se da gente, e faz uma saída falsa: esconde-se num quarto da casa, pinta a cara, tinge os cabelos de branco, de amarelo ou de vermelho, caracteriza-se com arte, e fica representando o papel de verão, de outono ou de inverno. A fisionomia transforma-se; a pessoa, porém, é a mesma. Ou carregada de frutos, a fingir de outono; ou suando em bicas, a imitar o verão; ou cheia de gripes e reumatismos, fantasiada em inverno, a primavera não nos deixa nunca...

E que estação condescendente e fácil! tanto se contenta com formosuras como com fealdades; tanto se desfaz em aromas como em miasmas; e trata com o mesmo carinho maternal as rosas e a febre amarela, os lírios e os botões da peste, as violetas e as pústulas da varíola...

* * *

O que merece registro é a partida de Santos Dumont. À hora em que escrevo esta *Crônica*, o aeronauta deve estar estirado a uma cadeira, na tolda do *Atlantique*, fruindo um repouso que foi bem ganho.

As pessoas que viveram junto dele, aqui, em S. Paulo, em Minas, na roda vida dos aplausos, no *maelstrom* entontecedor das aclamações, no torvelinho alucinante das viagens, das passeatas, das sessões solenes, dos discursos, dos jantares, dizem que o rei dos ares é um homem dotado de tal resistência física, e tão amigo de festas, e tão acostumado aos berreiros e às confusões da popularidade, que não mostrou, durante essa longa e estafante peregrinação através do entusiasmo nacional, o mais fugitivo sinal de fadiga.

Não há de ser tanto assim... O que ele é, com certeza, é um homem habituado a dominar os seus nervos, um mártir, já calejado no martírio e capaz de disfarçar com sorrisos satisfeitos as revoltas da alma e da carne. Não sei bem se o heresiarca João Huss era sincero, quando olhava sorrindo a velha mulher fanática que lhe atiçava as chamas da fogueira; suponho que, no íntimo, o condenado estaria sentindo o desejo de se abaixar um pouco, de abrir de meio a meio, com uma das achas inflamadas, a cabeça da energúmena; mas, para representar até o fim, com dignidade e nobreza, o seu papel, o mártir continha o seu furor, e murmurava, com os olhos no céu: "sancta simplicitas"... O nosso Santos Dumont, também deve ter sido obrigado a conter muitas vezes um movimento de rebelião contra a tirania do entusiasmo popular: sorria, agradecia, e lá ia, cumprindo o seu fadário, e agitando para a direita e para a esquerda o seu famoso *panamá*...

* * *

Os que se desesperaram quando viram o aeronauta chegar sem a aeronave, já esqueceram a decepção, e já devem estar pensando que foi providencial a falta do *Santos Dumont nº 9*. Em vez desse pequeno aerostato, vamos ter daqui a um ano o *Santos Dumont nº 10*, balão-ônibus, bonde-aéreo, diligência alada, transportando não sei quantas pessoas corajosas, capazes de acompanhar o aeronauta na sua atrevida viagem

à conquista da Cólquida dos astros...

E não é só isso que vamos ter: vamos ter um *steeple-chase* de naves voadoras, disputando a golpes de hélice o domínio do céu, e envergonhando, com a sua altiva independência, os ronceiros transatlânticos, os atartarugados navios de guerra e as reles barcas Ferry, que, no dia da disputa, estiverem torpemente boiando sobre as águas da pacata Guanabara.

O belo projeto Álvaro de Carvalho vai ser aprovado, parece, sem atropelo. Santos Dumont virá disputar o "Grande Prêmio Bartolomeu de Gusmão" (denominação que humildemente proponho para o concurso de 1904); disputá-lo a José do Patrocínio com a sua airosa e rutilante *Santa Cruz*; e é de supor que o venham também disputar os aeronautas franceses, que desdenhosamente dão às vitórias de Santos Dumont, por um eufemismo desculpável, a reservada designação de "prometedoras experiências..."

O fraco entusiasmo com que tem sido comentado cá fora o projeto de Álvaro de Carvalho, prova que ainda não calculamos devidamente o grande bem que nos vai fazer esse concurso.

O problema da navegação agora chegou à sua crise decisiva. Já está achada a direção: só um S. Tomé, teimoso e irremediavelmente incrédulo, contestará o valor das viagens aéreas de Santos Dumont, realizando itinerários previamente marcados, afrontando o vento, avançando, parando e recuando com uma precisão absoluta.

O que falta agora é a aplicação prática da conquista: o transporte de passageiros, as viagens de longo curso, e a adaptação do invento ao serviço dos ideais pacíficos da humanidade, e ao estudo fácil e completo da cosmografia, à exploração dos desertos e das florestas brutas, ao aperfeiçoamento das observações meteorológicas.

Tudo isso vai ser facilitado grandemente, e talvez mesmo resolvido, pela realização do grande concurso criado pelo projeto Álvaro de Carvalho; e nós não lucraremos apenas moralmente, adquirindo nome e glória: lucraremos materialmente também, porque a disputa do grande prêmio desenvolverá no Rio de Janeiro um largo movimento de curiosidade, de animação, de comércio, de vida. Nem é possível descrever desde já o incalculável benefício que nos trará essa grande festa do gênio humano!

Esperemos! Para o ano, os curiosos e os corajosos não terão apenas o prazer de ver aeronaves: poderão também, se para tanto lhes sobrarem curiosidade e coragem, tomar passagem para excursões entre as nuvens, longe da terra, no vasto domínio dos furacões e dos raios.

Curiosos e corajosos! para o ano, podereis pôr em prática aquele sonho que Luís Delfino exprimiu em belos versos:

> encostar uma escada no infinito,
> e entrar pela estelífera voragem!

* * *

Enquanto não satisfazeis esse desejo ardente e bem extravagante, permiti que eu recomende a vosso aplauso cousas da terra, – da terra que continua a parecer-me muito mais agradável e proveitosa do que o céu.

A semana teve a fortuna de ver assinado o contrato das obras do porto.

É possível que aos homens do governo tenha parecido imprudente e impertinente a impaciência expressa em queixas e recriminações acerbas ou irônicas com que o povo comentava as protelações desse caso. Sim! houve imprudência e impertinência, – mas imprudência e impertinência perdoáveis.

O povo não mede a responsabilidade dos que governam. Quando ele se apaixona por qualquer idéia, a sua grande alma ingênua não admite delongas nem reflexões. Assim, as crianças, quando têm fome, não querem saber se o preparo da comida tem de ser demorado pelo acender do fogo e pelo temperar das panelas... Aos que governam, aos que têm a responsabilidade das cousas, é que cabe fechar o ouvido, com paciência e tolerância, a essas exigências da ansiedade pública. Mas o povo, bradando, exigindo, duvidando, mofando, indignando-se, berrando, está no seu papel de povo – no seu papel de criança que quer ser servida depressa...

Felizmente, as dificuldade foram removidas, o caminho está desbravado, – e as obras vão começar.

Ah! meus amigos! não vos zangueis comigo, lendo esta opinião modesta: nós precisamos muito mais de limpeza, cá em baixo, do que de bravura e glória, lá em cima; o saneamento desta pobre terra que é nossa, tão boa e tão infeliz até hoje, vale muito mais do que a conquista do firmamento estrelado! Nós não sabemos o que viemos fazer no mundo; sabemos apenas que a vida nos foi dada; e o essencial, para homens dignos de ser homens, é aproveitar e honrar a vida que lhes deram. Amemos e sirvamos este canto da terra em que nascemos; não temos outra pátria, não temos outra mãe, não temos outra amiga. O nosso dever é limpá-la, é enfeitá-la; é fazê-la merecedora da admiração, e mesmo da inveja das outras pátrias; é livrá-la das pestes e das febres que a infamam e difamam; é, enfim, saneá-la e dignificá-la, porque só assim taparemos a boca de quem nos decompõe...

Malsinai-me, à vontade, se quiserdes! mas não deixarei de vos dizer, ainda uma vez, que, de todo o planeta, de todo o cosmos, de todo o formigante, incomensurável e invisível Universo, – o único que amo verdadeiramente é este Brasil, de que nunca me pude envergonhar, – nem mesmo nos seus dias de maior maluquice e de mais desmoralizado relaxamento.

Vão começar as obras do porto do Rio de Janeiro: vai começar a nossa reabilitação de terra, de sociedade, de povo. Deus me dê vida para ver a empresa terminada, e para abençoar quem a tiver levado a cabo!

O. B.

04 OUT. 1903 CRÔNICA [CF]

A antigüidade era alegre, de uma alegria ingênua e ruidosa, que animava toda a face da terra, e enchia o sereno céu de um ecoar de risos e cânticos. Os deuses gregos tinham paixões como os homens, seduziam mulheres, gostavam do bom vinho, da boa mesa, dos amores regalados, e ostentavam sem pudor fraquezas perfeitamente e legitimamente humanas.

Só poderia ter inventado esses deuses uma humanidade risonha e feliz, amando a vida e o prazer. Para essas gentes antigas, a vida era um longo festim, aberto a todos os apetites: não um festim, como o compreendemos hoje, farto para alguns e nulo para muitos, e cujos melhores pratos somente são conquistados pelos fortes, mas um banquete que contentava todas as fomes... Nesse tempo, a alegria era uma hóspede da terra: nós a pusemos daqui para fora, com uma brutalidade sem nome, – e ninguém sabe em que seio dourado de outro mundo, de Sirius ou de Aldebarã, de Vega ou de Cassiopéia, andará ela atualmente, encantando a vida de outra raça feliz...

Essa evocação saudosa da alegria antiga vem a propósito da festa da Penha, que começa hoje.

Há quem ache ruidosa demais, irreverente e escandalosa, a jovialidade dos romeiros que se emborracham em honra de Nossa Senhora. Por quê? porque as religiões modernas vieram entristecer a terra, e já não se compreende que haja expansões e júbilo vivo e de familiar carinho nas relações da terra com o céu, dos homens com Deus...

Para os antigos, os deuses eram uns bons camaradas, tolerantes e um pouco céticos, não ligando grande importância à sua divindade, e confundindo-se às vezes de boa vontade com os homens. Júpiter descia freqüentemente a este baixo mundo, disfarçava-se em cisne, em chuva de ouro, em águia, em sátiro, em homem, e vinha meter-se em frascarias descabeladas; Juno, roída de ciúmes, desertava também o Olimpo, e descia até cá, no encalço do seu leviano marido e senhor; Minerva abalava muitas vezes do seu solo augusto, e vinha fundar cidades cá em baixo, e dar conselhos paternais aos homens; Diana, cansada dos banhos de luz do Empíreo, vinha banhar-se nas águas cristalinas do Eurotas e do Cefiso, onde a sua maravilhosa nudez ficava exposta à admiração do guloso Acteon; Vênus fugia quase todos os dias de lá de cima em companhia de Marte, e vinha correr com ele os albergues de Crido e de Cisteda; deuses e deusas, enfim, amavam os homens, compreendiam e perdoavam os seus defeitos, e levavam a sua bondade até o ponto de ter vícios humanos, como querendo complacentemente demonstrar que nem sempre os vícios são crimes...

Para ver bem a idéia fácil e simples que a idade heróica fazia dos seus deuses, basta ler a descrição daqueles famosos *cortejos báquicos*, com que se celebravam as graças do deus vinho e da alegria.

Baco infante não vinha, ali, de conquistar apenas as Índias: vinha de conquistar também uma dispepsia...

O jovem Lyêo, patrono das carraspanas olímpicas e terrestres, passava, coroado de pâmpanos, gordo e vermelho, suando álcool e bom humor, empunhando a taça de ouro, de onde escorria o suco das uvas capitosas. Em torno dele, havia a marcha dos coribantes, em dança descompassada, agitando os tirsos sobre as cabeças engrinaldadas de folhas de parreira; vinham depois os sátiros caprípedes e as mênades voluptuosas, e fechava a marcha o velho Sileno, com a boca lambuzada de mosto, oscilando molemente sobre o dorso do seu anafado jumento.

Ora, quem vê passar, ao cair da tarde, de volta da Penha, um carro de romeiros, aos trote dos muares enfeitados, compreende bem que essa festa popular, tão ruidosa, tão cheia de descantes de viola, de excessos de mesa, de tarraçadas de vinho, e de regabofes escandalosos, não é menos do que uma reminiscência, embora apagada, da antiga alegria religiosa.

As gentes rudes, cansadas da tristeza atual, procuram recuperar aquela intimidade, tão consoladora e tão boa, que mantinham outrora com as potestades divinas. Essas almas simples não podem compreender que Deus, e Nossa Senhora, e os santos da corte do céu, exijam delas, em troca do paraíso, o sacrifício do bom humor, do apetite, e de toda as cousas agradáveis da terra. A festa da Penha é um sintoma: revela o cansaço da melancolia religiosa, revela a ansiedade que há nas almas, pelo regresso à alegria primitiva.

Foi a Idade Média, – esse escuro e longo reinado da imundície e da aflição, – que deu cabo das boas relações de carinho e franqueza, entre a terra e o céu. Os ascetas começaram a pregar a inutilidade dos esforços humanos: e a humanidade começou a viver dentro de uma espessa nuvem de terrores e sobressaltos. Tudo, as guerras, as pestes, os terremotos, as secas – tudo era um sinal da cólera divina, tudo era um anúncio do próximo acabamento do mundo.

Deus ficou sendo um senhor cruel, tendo na mão um azorrague de [*****] boca cheia de maldições; os santos eram os prepostos desse déspota, os tetrarcas desse novo tirano, todos implacáveis, todos odiando a espécie humana; e até a Virgem-Mãe perdeu de todo a sua suavidade, transformando-se numa figura macerada e fúnebre, de ouvidos cerrados à súplicas dos pecadores, e nunca disposta a perdoar aos vermes da terra as torturas inflingidas ao seu divino filho. A alimentação ficou sendo um pecado; o banho ficou sendo um requinte abominável de sensualidade; o riso ficou sendo um crime perverso; e muito suja, muito faminta e muito triste, a humanidade só tinha um sonho: morrer.

O fato é que tudo isso já abrandou; mas a religião ainda é uma escola de melancolia.

Ainda ontem, parando junto de uma vidraça de livraria, na rua do Ouvidor, vi uma edição nova, novíssima, da *Preparação para a Morte*, de Santo Afonso de Ligório. E, hoje, abrindo um jornal, vi um anúncio dessa edição, com este aviso, em letras gordas: "*Preparação para a Morte* é um livro indispensável..."

Um livro indispensável! Não achais que muito mais indispensável seria o livro em que se ensinasse a preparação para a vida?

Mas voltemos à festa da Penha. Por que havemos de condenar o excesso de comida, de bebidas, de gritaria, e não raro de rixas, a que se entregam às vezes os romeiros? A sua devoção não é menos sincera, por ser tão alegre. A Senhora da Penha lá saberá distinguir, no meio daqueles vivas, daquelas cantigas, daquele barulho de guizos e de pandeiros, as preces ardentes, a pureza das intenções, a franqueza das promessas. Pela peneira da sua misericórdia, ela passará todo aquele tumultuar de cousas boas e más: e, deitando fora os delírios báquicos, as extravagâncias pantagruélicas, os destemperos de estômago, de garganta e de língua, recolherá somente o que houver de puro na romaria tradicional.

Viva o bom humor! Se não chover, o dia de hoje será uma ressurreição, ainda que incompleta, da velha alegria humana. Pelas estradas que levam à ermida branca, uma quinta parte da população carioca irá rezar e folgar lá em cima. Por toda a manhã, e toda a tarde, ferverá na Penha o pagode; e, sentados à vontade na relva, devastando os farnéis bem providos de viandas gordas e esvaziando os "chifres" pejados de vinho, os romeiros celebrarão com gáudio a festa da compassiva Senhora. E, logo mais, às 6 da tarde, sobre o seio da cidade desabarão os carros já desmantelados, trazendo a multidão dos crentes, carregando a custo os odres vazios, com os violões arrebentados, com as gargantas roucas de tanto cantar e as pernas bambas de tanto dançar.

Ao menos, no dia de hoje, essa gente pobre, que ganha com suor e sangue o pão que come, não se lembrará da carestia dos gêneros, nem do preço fabuloso que custa o aluguel de um quarto infecto na mais infecta das estalagens. Haverá quem possa condenar uma festa que é alegre, numa época tão fúnebre, – e uma festa que dá aos pobres a ilusão da felicidade, sufocando-lhes na alma, durante doze horas, a recordação de todas as amarguras da vida?

Livre-nos o Bom Senso de querer que as potestades divinas sejam hoje, para os homens do nosso tempo, precisamente, o que eram os deuses da Grécia heróica para os homens de então, uma caterva de numes desmoralizadas, vindo confundir-se com os mortais em ambições, em conflitos, em interesses, em vícios e em pagodes! Mas não queiramos também que essas potestades só amem os macambúzios, os bezerros-humanos, os hipócritas e os casmurros, e não tenham jamais um pouco de condescendência para as fraquezas da carne.

Por mim, confesso que acho divinamente bela e divinamente encantadora aquela misericordiosa Senhora da Penha, com as mãos sobre o peito e os olhos levantados para o céu, ouvindo sem cólera as orações dos romeiros:

– Ave Maria, cheia de Tolerância! as nossas almas viciosas estão prostradas diante de ti, pois que, mais condescendentes do que os homens tartufos, permites que os nossos vícios, ao lado das nossas virtudes, se expandam à sombra do teu manto estrelado!

O. B.

11 OUT. 1903 — CRÔNICA [CF] [CIA]

Não me faltariam assuntos com que atulhar o bojo de uma larga crônica, bem nutrida e bem variada, neste sábado em que escrevo – um sábado alegre e quente de um sol que cobre de tons de ouro e topázio os nossos feios telhados do século atrasado. Mas não quero outro assunto, senão este: o bonde, – o bonde amável e modesto, veículo da democracia, igualador de castas, nivelador de fortunas, – o bonde despretensioso, de que, anteontem, festejamos o 35º aniversário natalício.

Natalício sim, – porque, para o Rio de Janeiro, o bonde nasceu há trinta e cinco anos somente. E a cidade ainda está cheia de gente que se lembra das gôndolas pesadas e oscilantes, que se arrastavam aos trancos, morosas e feias como grandes hipopótamos.

O bonde, assim que nasceu, matou a gôndola e a diligência, limitou despoticamente a esfera da ação das caleças e dos *coupets*, tomou conta de toda a cidade, – e só por generosidade ainda admite a concorrência, aliás bem pouco forte, do tílburi. Em trinta e cinco anos, esse operário da democracia estendeu por todas as zonas da *urbs* o aranhol dos seus trilhos metálicos, e assenhoreou-se de todas as ruas urbanas e suburbanas, povoando bairros afastados, criando bairros novos, alargando de dia em dia o âmbito da capital, estabelecendo comunicações entre todos os alvéolos da nossa imensa colméia. São deles as ruas, são deles as praças, tudo é dele, atualmente. De dia e de noite, indo e vindo, ao rom-rom da corrente elétrica, ou ao rumoroso patear dos muares sobre as pedras, aí passa ele, o triunfador, – o servidor dos ricos, a providência dos pobres, a vida e a animação da cidade.

Haja sol ou chuva, labute ou durma a cidade, o trabalho metódico do bonde não cessa: à alta noite, ou alta madrugada, quando já os mais terríveis notívagos se meteram no vale dos lençóis, ainda ele está cumprindo o seu fadário, deslizando sobre os trilhos, abrindo clareiras na treva com as suas lanternas vermelhas ou azuis, acordando os ecos das ruas desertas, velando incansável pela comodidade, pelo conforto, pelo serviço da população. Cheio ou vazio, com passageiros suspensos em pencas nas balaustradas ou abrigando apenas dous ou três viajantes sonolentos, – a sua marcha é a mesma, certa e pausada, num ritmo regular que é a expressão perfeita da regularidade da sua missão na terra...

Trinta e cinco anos... Para celebrar esse aniversário, a JARDIM BOTÂNICO, que se orgulha da sua decania, da sua dignidade de primaz das companhias de bondes, organizou festas alegres, com muita música e muita luz, – e com muita satisfação dos empregados, que tiveram *lunch*, relevações de penas, pequenos favores amáveis, e até uma proclamação do gerente, falando em "vestais", em "fogo sagrado", e em outras cousas igualmente lindas e retóricas.

No largo do Machado, vi ontem um bonde, encostado ao jardim, fulgurante e garrido, emergindo de entre tufos de folhagens, constelado de lâmpadas elétricas, apendoado de flâmulas, e ressoante de músicas festivas. Confesso que gostei imensamente dessa apoteose do Bonde. Era bem justo que o glorificassem, – a esse belo companheiro e servidor da nossa atividade. Naquela apoteose, vibrava a alma agradecida de toda a população.

Por mim, não me lembro das gôndolas, nem do dia em que os primeiros bondes partiram da rua do Ouvidor. Nesse tempo, eu ainda era um pirralho de dous anos e tanto, mais ocupado em ensaiar a língua tatibitática do que em tomar conhecimento de progressos. Mas o *Jornal do Comércio*, esse venerando ancestral, (que, se não me engano, em fins de abril de 1500, já dava minuciosa notícia da ancoragem de Cabral em Porto Seguro) contou em 10 de outubro de 1868 o que foi a festa da inauguração. "O trajeto (disse o velho *Jornal*) fez-se entre alas de povo, achando-se também as janelas guarnecidas de espectadores; os carros são cômodos e largos, sem por isso ocuparem mais espaço da rua do que as gôndolas, porque as rodas giram debaixo da caixa, e uma só parelha de bestas puxa aquela pesada máquina suavemente sobre os trilhos, sem abalo para o passageiro, que quase não sente o movimento". Essas palavras podem parecer hoje frias e secas: mas naquele tempo, escritas pela gente do *Jornal*, deviam ser o cúmulo do entusiasmo... Daquele reduto de circunspecção, daquele templo de Prudência, só podiam sair louvores bem calculados e medidos. Tanto assim, que o final da notícia revelava uma reserva cautelosa: "Cumpre deixar que a experiência fale por si, mas, tanto quanto desde já pode conjecturar-se, o que devemos desejar é que a mesma facilidade de locomoção se estenda a outros arrabaldes da cidade".

Vejam só o que é o hábito! Naqueles primeiros dias da existência dos bondes, tudo parecia bom: era um espanto ver que as rodas giravam debaixo das caixas, e que os carros não ocupavam mais espaço do que as gôndolas, e que uma só parelha de bestas bastava para puxar a pesada máquina, e que o passageiro quase não sentia o movimento!

Cotejem-se esses elogios com as queixas de hoje, ter-se-á, mais uma vez, a confirmação dessa grande lei, que é tão verdadeira para as cousas do espírito como para as cousas do corpo: "As exigências aumentaram na razão direta das concessões". Se naquele tempo tudo parecia bom, hoje tudo parece mau: o movimento é moroso, os solavancos são terríveis, a luz é escassa, os condutores só merecem censura, os horários nunca são cumpridos, e tudo anda à matroca...

Tudo isso é natural: depois da luz do azeite, já a luz do querosene não nos satisfaz, como não nos satisfaz a luz do gás; e a mesma luz da eletricidade já nos está parecendo insuficiente...

Mas que te importa que digamos mal de ti, condescendente e impassível bonde? Tu não dás ouvido às nossas recriminações, e vais alargando o teu domínio, dilatando o teu aranhol, suprimindo as distâncias, confraternizando pela aproximação o Saco do Alferes com Botafogo e a Vila Guarani com o Cosme Velho, e reinando como senhor absoluto e indispensável sobre a nossa vida.

E deixa-me dizer-te aqui, nesta coluna repousada, que não te amo apenas pelos serviços materiais que nos prestas, senão também pelos teus grandes serviços morais.

Tu és o Karl Marx dos veículos, o Benoît Malan dos transportes.

Sem dar mostras do que fazes, tu vais passando a rasoura nos preconceitos, e pondo todas as classes no mesmo nível. Tu és um grande socialista, ó bonde amável!

Os ricos, atendendo à tua comodidade e apreciando a tua barateza, abandonam por ti as carruagens de luxo, e preferem ao trote dos cavalos de raça o trote das tuas bestas ou a suave carreira da tua corrente elétrica. Assim, nos teus bancos, acotovelam-se as classes, ombreiam as castas, flanqueiam-se a opulência e a penúria; sobre os teus assentos esfregam-se igualmente os impecáveis fundilhos das calças dos janotas e os fundilhos remendados das calças dos operários; e, nessa vizinhança igualadora, roçam-se as sedas das grandes damas nas chitas desbotadas das criadas de servir. Ah! ao lado do capitalista gotoso, senta-se o trabalhador esfomeado; a costureirinha humilde, que nem sempre janta, acha lugar ao lado da matrona opulenta, carregada de banhas e de apólices; o estudante brejeiro encosta-se ao estadista grave; o poeta, que tem a alma cheia de rimas, toca com o joelho o joelho do banqueiro, que tem a carteira cheia de notas de quinhentos mil réis; aí a miséria respira com a riqueza, e ambas se expõem aos mesmos solavancos, e arreliam-se com as mesmas demoras, e sufocam-se com a mesma poeira... Tu és um grande apóstolo do Socialismo, ó bonde modesto! tu destruíste os preconceitos de raça e de cor, tu baralhaste na mesma expansão de vida o orgulho dos fortes e a humildade dos fracos, as ambições e os desinteresses, a beleza e a fealdade, a saúde e a invalidez...

E, além disso, amo-te porque és, juntamente com o café, o que era nas antigas povoações selvagens o *cachimbo da paz*, o veículo da hospitalidade e da sociabilidade.

Na roça, é tomando café que se estabelecem e estreitam as relações; na cidade, é viajando no mesmo bonde que se consegue isso.

O bonde é um criador de relações de amizade... e de amor... Há amigos inseparáveis que se viram pela primeira vez no bonde, começaram por olhar-se com desconfiança, passaram a saudar-se com cerimônia, encetaram palestras frias, foram do *senhor* ao *você* e do *você* ao *tu*, e uniram-se para a vida e para a morte. E há casamentos felizes e amores delirantes de que o bonde pachorrento foi o primeiro *onze-letras*.

De encontros fortuitos em bondes, têm saído negócios, namoros, combinações políticas e financeiras, empresas e bancos, e até... revoluções. O bonde põe em contato pessoas, que nunca se encontrariam talvez na vida, se não existisse esse terreno neutro e ambulante, em que se misturam diariamente todas as classes da sociedade. Às vezes antipatizamos com certo sujeito: um belo dia, esse sujeito sobe conosco para um bonde, paga-nos a passagem, ilude a nossa antipatia, conquista a nossa confiança – e daí a pouco, sem saber como nem porque, estamos a contar-lhe toda a nossa vida, e dizer-lhe o nome da mulher que amamos, e a convidá-lo a vir jantar em nossa casa...

Ó bonde congraçador! tu fazes mais do que nivelar os homens: tu os obriga a ser polidos, tu lhes ensinas essa tolerância e essa boa educação, que são alicerces da vida social...

E, já agora, deixa-me dizer-te tudo. Tu és o grande amigo dos poetas! Eu, por mim, devo-te grande parte dos meus versos, dos meus pensamentos, das minhas páginas de tristeza ou de bom humor... O teu suave deslizar embala a imaginação! o teu repouso sugere idéias; a tua passagem por várias ruas, por vários aspectos da cidade e da Vida, – aqui ladeando o mar, ali passando por um hospital, mais adiante beirando um jardim, além atravessando uma rua triste e percorrendo bairros fidalgos e bairros miseráveis, e cruzando aglomerações de povo alegre ou melancólico, – vai dando à alma do sonhador impressões sempre novas, sempre móveis, como as vistas de um cinematógrafo gigantesco. Tu és um grande inspirador e um grande conselheiro, um grande fornecedor de temas, de sensações, de emoções suaves ou violentas, – ó bonde! amigo dos que passam, embalados de sonhos, resolvedor de problemas difíceis, amadurecedor de reflexões fecundas!

Nós todos dizemos mal de ti, porque conhecemos a tua bondade: se nos privasse do teu serviço, ficaríamos sem tino, estonteados e pasmados, por essas ruas rolando à toa, como formigas de um formigueiro enlouquecido...

Ontem, quando te vi simbolicamente apoteosado, junto da estátua de Caxias, numa irradiação ofuscante, dei-te um longo olhar enternecido e grato. Emblema da simplicidade, imagem do congraçamento, veículo da Democracia – tu bem merecias essa homenagem ruidosa!

Agora mesmo, quase ao terminar essa *Crônica*, toda consagrada à tua glória, estou antegozando a satisfação que me vais dar daqui a pouco... Por esta linda manhã, tão cheia de sol, vais levar-me por aí afora, embebido na contemplação das cousas e das gentes, adormecendo com o teu brando movimento a recordação dos aborrecimentos que me oprimem, e oferecendo-me, em cada esquina dobrada um espetáculo novo e um novo germe de sonhos consoladores.

Haverá alguém que não te ame, bonde carioca?

Vê lá agora se, inchado de orgulho com esta declaração de amor, vais ficar pior do que és. Porque, enfim, tu és bom, mas não és perfeito. E nada impede que te aperfeiçoes: podes muito bem livrar-te do sistema de comboios, podes bem ter uma luz que não prejudique tanto os olhos de quem te freqüente à noite, – e podes, enfim, andar um pouco mais depressa. Nem todos gostam de sonhar como eu: há quem goste de agir, – e, para esses, tu ainda és quase tão moroso como a velha gôndola que destronaste...

O. B.

08 nov. 1903 — Crônica [CF]

É vezo humano muito antigo, o de procurar nos defeitos alheios a desculpa dos defeitos próprios. "Consolo-me facilmente da minha perversidade, ou da minha preguiça, ou da minha miséria, quando reconheço que há pelo mundo vasto muitos homens mais perversos, ou mais preguiçosos, ou mais miseráveis do que eu" – dizia, com uma grande resignação, um filósofo grego.

Essa resignação é cômoda, mas não é nobre. O raciocínio inverso é que pode, nobremente, ser empregado por qualquer homem: "Por que não hei de procurar ser melhor do que sou, se há pelo mundo tantos homens menos perversos, menos preguiçosos e menos miseráveis do que eu?" Mas o desejo de melhorar demonstra uma energia moral, de que nem todos são capazes: ao passo que a resignação, sendo a renúncia da luta, o aniquilamento da vontade, a morte da ambição, é um recurso fácil, ao alcance de qualquer palerma.

No Brasil, a resignação é uma virtude (fresca virtude!) praticada em larga escala. Todos esses sintomas que vemos e estudamos de dia em dia: a pobreza pública e a pobreza individual, a pachorra com que cada um se contenta com a mediania das condições pecuniárias e com a mediocridade das glórias, a indiferença diante das grandes batalhas intelectuais, o gosto decidido que todos temos pelo rastear no chão a nossa aversão profunda pelo galgar das alturas, – tudo isso não revela otimismo nem bondade: revela achatamento moral e impotência. O Brasil é a terra dos resignados.

Ainda ontem, como, numa roda de amigos, comentássemos os escândalos da Câmara, um de nós estendeu sobre esses escândalos o manto de uma suave tolerância: "Isso é cousa que se vê em todos os parlamentos da terra... Aqui está, para prova, este telegrama em que se conta o que houve na Câmara espanhola: Salmeron descompôs furiosamente Garcia Alix, e Garcia Alix arremessou-se como uma fera sobre Salmeron. Não nos indignemos: o nosso parlamento não é o melhor da atualidade, mas também não é o pior!"

Ora, não há nada tão desmoralizador como essa resignação. Porque, enfim, sendo infinita a gradação entre o *melhor* e o *pior*, nós nos iremos resignando a ser cada vez piores, e iremos aceitando sem protesto esse rebaixamento contínuo, com a certeza consoladora de ser inatingível o pior absoluto... O que salva as nações e o que nobilita os homens é justamente a ambição. A nação que deseja ser a mais forte da terra já revela com esse desejo uma força indomável e sagrada; o homem que procura ser o melhor dos homens já demonstra, com a manifestação desse propósito, possuir uma bondade admirável.

Dizer que os desmandos da linguagem da nossa Câmara são desculpáveis, porque não são mais escandalosos do que os das outras Câmaras, equivale a achar natural e humano o linchamento que houve há dous dias em Guarapuava, só pelo fato de haver todos os dias linchamentos na América do Norte...

* * *

Ninguém pode exigir que, ao entrar na Câmara, os deputados fogosos fiquem prudentes, depositando os seus nervos e o seu temperamento na ante-sala, juntamente com o chapéu e o guarda-chuva. Mas o que se pode exigir é que, reunidos em assembléia, os deputados conservem coletivamente a compostura e a boa educação que cada um deles mostra cá fora. Parece que não é pedir muito...

Mas é justamente o contrário o que se vê. Aqueles homens civilizados, bem vestidos, barbeados de fresco, cheirando a água de Colônia e a sabão fino, transformam-se, assim que transpõem o limiar daquela sala fatal, em canibais. E o seu canibalismo não é de ações: é de palavras. As ações, por mais violentas que sejam, têm uma vantagem: fulminam, ferem ou aleijam, – mas não mancham. As palavras, – essas mancham. Os conflitos armados, que se decidem pela brutalidade da força, têm nessa mesma brutalidade o seu corretivo e a sua desculpa. Mas os conflitos de palavras são intermináveis: bem diz o povo que palavra puxa palavra... E, como a riqueza do nosso vocabulário injurioso é inesgotável, nunca se pode encontrar injúria irrespondível: cada um dos doestos acorda outro doesto mais ferino, – e a peleja só termina pela fadiga dos combatentes.

Não se diga que o efeito das palavras é nulo: nessa troca de ofensas, perde-se alguma cousa que vale mais do que um braço, ou uma perna, mais do que a integridade da pele, e mais do que a própria vida: perde-se a consciência do valor moral.

Pouco importa que, depois da contenda, os contendores troquem um aperto de mão e passem a tratar-se cá fora com a compostura e a urbanidade que não souberam ter lá dentro... Entre dous homens que uma vez se injuriaram quebrou-se alguma cousa que nunca mais pode ser soldada. Entre eles, poderá ainda haver simpatia – porque a simpatia é, como o amor, um sentimento que não raciocina; mas nunca mais poderá haver estima, que é sentimento melindroso e frágil. Das palavras acerbas alguma cousa fica sempre: ficam o remorso e a vergonha de quem as disse e de quem as ouviu, – porque o próprio ofensor acaba por sentir que metade da ofensa lhe coube em partilha.

No colégio onde estudei humanidades, tínhamos um parlamento em ponto pequeno, onde discutíamos, todas as tardes, à hora do recreio, cousas assombrosas, desde a imortalidade da alma à flexão dos verbos. Havia um presidente e dous secretários, eleitos semanalmente. O regimento interno era feroz: qualquer desmando de linguagem era punido com a pena de expulsão perpétua do infrator, semanalmente, que nunca mais podia tomar parte nos debates. Era uma delícia a gravidade com que, pirralhos de calças curtas, nos tratávamos por *Excelência* e trocávamos amabilidades e cortesias. Muitas vezes, o velho cônego Belmonte, diretor do colégio, vinha assistir à sessão, - e, com as mãos postas em cruz sobre o vasto abdôme, com a face congestionada pelo trabalho da digestão, ficava ali maravilhado e pasmado diante daquela precocidade de eloqüência e sisudez...

Uma tarde – lembro-me bem – discutia-se a ordem do dia: "Calabar foi ou não foi um traidor?" Falava um jacobino de doze anos, exaltando as virtudes do mestiço; um *colonial* da mesma idade dava-lhe apartes ferozes; a discussão azedou-se a tal ponto, que o orador exclamou:

– Peço vênia a V. Ex. para lhe declarar que logo mais tenciono puxar-lhe as orelhas!

E o apartista respondeu com a mesma gentileza:

– E eu declaro a V. Ex., com todo o respeito devido, que à hora da saída, pretendo quebrar-lhe a cara!

De fato, à hora da saída, os dous contendores atracaram-se no largo do Rocio, aos socos e aos pontapés; mas, dentro do colégio, no recinto augusto do parlamento, aqueles dous pedacinhos de gente contiveram a sua fúria e salvaram de um deslustre a dignidade parlamentar.

Não é extraordinário que, no Congresso, os parlamentares maiores de quarenta anos tenham um procedimento diametralmente oposto? Toda a sua amabilidade é reservada para a vida dos corredores da Câmara e das ruas da cidade. Cá fora, os deputados esquecem as suas divergências políticas, respeitam-se, cortejam-se, confraternizam civilizadamente; mas uma vez lá dentro, no ádito solene da representação nacional, injuriam-se tão atrozmente que... até as cadeiras ficam envergonhadas!

O. B.

15 nov. 1903

Crônica [CF]

Quatorze anos estão pesando sobre os que proclamaram a República. Muitos dos proclamadores já desertaram a vida terrena, e partiram para esse amedrontador Além, onde não se sabe se haverá, como aqui em baixo, diversas formas de governo e diversos modos de pensar... Mas ainda temos, bem vivos e bem fortes, muitos, muitíssimos, que viram nascer a menina, saudando-a com hinos de alegria, e pondo-lhe em torno do berço os corações inflamados de esperança e entusiasmo.

Com quatorze anos de idade, nessa encantada fase da Révora, – em que corpos e almas se arreiam de flores, na primavera do sangue e do espírito, – seria natural que ela, com uma graça irresistível no desenvolver das formas, no apontar do seio, na expressão do olhar, na meiguice da voz, só andasse causando por aí delírios amorosos e transportes de admiração, entre alas compactas de adoradores, entontecendo todas as cabeças e perturbando todas as almas. Costuma ser esse o triunfo maravilhoso da puberdade...

Mas a República tem uma puberdade triste e apagada. Dizem alguns que a menina chegou à velhice, sem ter passado pela primavera nem pelo outono, como essas plantas que as soalheiras ou as geadas mirram e matam antes da sazão feliz. Outros, mais otimistas, dizem que a moça está com o desenvolvimento retardado, guardando ainda adormecidas dentro do corpo as forças criadoras...

O certo é que ninguém está satisfeito. A República festeja o seu décimo quarto aniversário no meio de um descontentamento geral. E em vez de pisar, no seu dia natalício, um chão forrado de flores frescas, de madrigais bem rimados, e de gementes declarações de amor, só encontra no caminho ramalhetes de esperanças frustradas, festões de risos sardônicos, e bilhetinhos anônimos, cheios de recriminações.

Ide à Câmara, ide ao Senado, lêde os jornais políticos, entrai nos botequins em que se reúnem os republicanos sem emprego, – e por toda a parte encontrareis esta frase magoada, soando como uma campanada de *réquiem*: "Não era esta a república que eu sonhava!" Dizem que o velho Saldanha Marinho, pronunciou essa frase pouco antes de morrer; a moda pegou, e, até nos colégios, os rapazolas impúberes, no salão de estudo e no recreio, murmuram entre si, com um ar desconsolado: "Não era esta a república que sonhávamos..."

Pouco importa que a frase desanimada seja dita por meninos... Esses meninos, quando se fez a República, não sonhavam nem viviam: estavam ainda no seio do incriado. Mas o que espanta é ouvir essas tristes sílabas de desânimo ditas por bocas maduras, pelos lábios da gente que teve ao seu cuidado o aleitamento, a *criação* e a educação dessa menina tão mal sinada.

Os que se queixam, com mágoa maior, são justamente os que ainda estão governando e os que já governaram, os que ainda estão ou estiveram no parlamento, no ministério e na imprensa, encarregados da missão de zelar pela saúde física e moral da república que viram nascer. Se ela envelheceu antes da puberdade, ou se, à míngua de nutrição, ainda não tem o desenvolvimento que os seus quatorze anos de vida já lhe deviam assegurar, – a culpa é vossa, tutores sem escrúpulo, amas-de-leite sem leite, amas-secas sem carinho, educadores sem preparo, mentores sem prudência! queixai-vos de vós mesmos, e não dela, – que só de vós tem recebido a alimentação do corpo e do espírito.

* * *

Enquanto festejamos aqui tão chochamente o aniversário da nossa República, festeja-se no Istmo de Panamá, com grande alegria e transbordante entusiasmo, o nascimento de uma outra república americana. A nossa tem quatorze anos; a do Panamá tem, quando muito, quatorze dias.

A recém-nascida foi ontem solenemente batizada e inscrita no registro civil das nações. Dizem, de fato, os telegramas que o ministro plenipotenciário da nova república apresentou ontem suas credenciais ao presidente dos Estados Unidos; essa apresentação equivale a um reconhecimento oficial, – e tal reconhecimento é para as nações novas, o mesmo que, para as crianças recém-nadas, são as formalidades da apresentação ao pretor e a imersão na pia da igreja.

No caso presente, quem serviu de padrinho à batizada foi o próprio pai. Já ninguém ignora que a república do Panamá é filha legítima (?) do grande país da América do Norte, acostumado a conseguir tudo quanto deseja por fás ou por nefas, pela força ou pela manha, pela persuasão ou pelo pulso. Vendo que não chegava a um acordo com a Colômbia, a respeito da abertura do canal interoceânico, o Tio Sam, que não gosta de negociações demoradas, fez cair sobre o istmo o seu sopro criador, e transformou-o numa nova criatura, separada da comunhão colombiana por meio de uma espécie de *dexifopagação* milagrosa. Também a cirurgia diplomática tem vitórias estupendas, – quando a intervenção é feita por mão de mestre...

Dizem que o primeiro ato consciente de uma criatura é sempre um movimento de revolta contra o criador...

Catulle Mendès desenvolveu essa idéia num lindo poema. O Criador, tendo feito o homem de barro, dá um pontapé nesse corpo inerte e ordena: "vive, e levanta-te!" E o homem, vivo e levantado, pergunta logo, com rancor: "por que me fizeste a injúria de tocar o meu corpo com o teu pé?"

Talvez a República do Panamá, seguindo as tradições da regra, também se rebele, dentro em pouco, contra quem a criou, pagando-lhe a vida com a ingratidão. Mas, por ora, tudo vai bem: a recém-criada exulta, a Colômbia resigna-se, e o canal interoceânico será rasgado segundo os planos e as convenções dos Estados Unidos.

Contra a intervenção cirúrgica, praticada com soberba audácia pelo Tio Sam, já começou a ouvir-se os protestos do Sentimentalismo. O Sentimentalismo é um médico da escola antiga, que tem medo dos processos novos, e não se anima a praticar outra medicina que não a de pomadas e pílulas. O grande Cirurgião do Norte não acredita na ação de pílulas e pomadas: empunhou a sua rutilante faca cirúrgica, e deu o golpe decisivo na questão, com uma coragem e uma perícia que encheram o mundo de espanto. Será ou não será um benefício para o Comércio, para o Trabalho, para a Civilização, a abertura do canal? – se a resposta é afirmativa, cale-se o Sentimentalismo, console-se a Colômbia, abra-se o canal, e viva a nova República!

Daqui a poucos anos, essa *caçula* das repúblicas americanas estará naturalmente desgostando e descontentando os que a viram nascer, esses mesmos que celebram agora o seu nascimento com tão vivo júbilo e tão barulhenta alegria... E não há de faltar, pelo território do istmo, quem diga, melancolicamente: "Não era esta a república que eu sonhava..."

Ai de nós! o que realizamos nunca é tão belo como o que sonhamos!

* * *

A semana foi enlutada pela morte de Ferreira Viana.

Esse nobre velho usou em vida um nome que fica sendo um patrimônio nacional, uma glória da nossa terra.

Para os homens do seu valor, a morte é uma providência. O abalo é rude para a família, para os amigos, para quantos lhe admiravam o talento e prezavam o caráter, para quantos se deliciavam com o trato desse luminoso espírito em que tão maravilhosamente se uniam a Ironia e a Ternura. Mas, acalmada a dor da separação, todos reconhecem que a morte chegou em boa hora, quando o trabalhador já tinha dado conta da sua tarefa, quando a sua missão estava cumprida, na terra.

Aqui mesmo, nesta seção da *Gazeta*, pude um dia referir-me à grande figura desse estadista, lamentando que, em torno da sua individualidade, se estivesse formando uma legenda abusiva, que lhe empanava o verdadeiro brilho e lhe diminuía o real valor.

Popularizou-se de tal modo a facilidade dos seus bons ditos, espalhou-se de tal modo a fama da sua ironia faiscante e mordaz, que o conselheiro Ferreira Viana ficou sendo, para o comum dos seus contemporâneos, apenas um brilhante demolidor dotado de um ceticismo risonho, duvidando de tudo e de todos. Nada mais vulgar do que esses erros de apreciação: o povo tem memória fraca, e esquece facilmente os serviços dos que envelhecem.

A verdade é que esse homem extraordinário, cujo espírito, aos 71 anos, ainda tinha a frescura e o ardor da mocidade, estava muito longe de ser um demolidor. O seu trabalho de construtor, na política do Segundo Império, foi sólido e admirável. Nem é preciso, para esclarecer tal verdade, lembrar o valor da sua ação na campanha abolicionista e em todas as batalhas liberais em que se empenhou esse conservador: basta recordar o que ele fez em favor da instrução pública, – como vereador, como deputado, como ministro. Ninguém, mais do que Ferreira Viana, compreendeu que o grande mal do Brasil, a sua doença terrível, o cupim que lhe está roendo pouco a pouco e incansavelmente o organismo é a *ignorância*: e pouca gente tem contribuído, como ele contribuiu, para dar remédio a essa moléstia mortal...

Agora, que o seu corpo alquebrado pela idade e pelo trabalho descansa na cova, é tempo de esquecer os seus *bons ditos* de monarquista irredutível contra a República, e de prestar homenagem agradecida aos seus grandes serviços patrióticos. A geração dos estadistas do Segundo Império vai desaparecendo. Este, que acaba de partir foi um dos maiores; e não foi dos maiores como político, como chefe de partido, como guerrilheiro de facção – mas como criador de reformas sociais e como educador de almas.

O. B.

29 nov. 1903

Crônica

Era meio dia, – um meio dia ardente e ofuscante, como somente os sabem ser estes nossos verões abrasados. O bonde, passando a curva do Russel, beirou a mole esboroada do Mercado da Glória, e ia correr ao longo do cais da Lapa, quando teve não sei que desarranjo no maquinismo elétrico e ficou parado junto do monumento do Descobridor.

À direita, o espetáculo era radiante. Sobre a face lisa do mar, como sobre uma chapa de aço azulado, o sol quebrava, num dardejar de diamantes, os seus venábulos de fogo. A essa hora de vivo calor, a atmosfera estava tão limpa, tão seca, tão transparente, que a baía dava a ilusão de se ter alargado e aprofundado, tão longe ia o olhar da gente. Não havia no céu um fiapo de nuvem; no ar parado e esplêndido não passava o mais leve frêmito; não havia um só rebrilhar de espuma no chamalote das águas; a paisagem dormia, estatelada, como extenuada pelo rigor da canícula.

Tirei dali os olhos deslumbrados, e volvi-os para a esquerda. E, enquanto o motorneiro, suando em bica, esmurrava a caixa do motor e os passageiros se impacientavam, rosnando, vi uma cousa que me surpreendeu e espantou...

Um homem do povo, de roupas modestas e fisionomia comum, empunhando uma vassoura, varria o calçamento da praça, à roda do monumento. A vassoura obedecia ao impulso das mãos do varredor, mas os olhos dele, embebido num êxtase, não se despregavam do grupo simbólico de Cabral, frei Henrique e Caminha, que esplendiam sobre o alto bloco de pedra, no halo flamejante da luz solar...

Encostado ao pedestal, no soco bem limpo e espanado do monumento, havia um grosso molho de folhagens verdes, à maneira de ramalhete votivo, com algumas dessas pobres flores amarelas e vermelhas que o vento arranca às amendoeiras e aos *flamboyants* das ruas. Outras folhagens, em volutas festiva, subiam pelos lampiões que rodeiam a estátua. E o homem, varrendo as pedras, com a cabeça exposta à chuva de fogo da soalheira, continuava a mirar com olhos namorados o Descobridor e os seus companheiros, – Cabral voltado para a terra descoberta, frei Henrique com os olhos cravados no céu, e Caminha estendendo o braço para o mar como a transmitir à pátria, através das águas, a boa nova gloriosa...

E como eu, à procura de uma explicação para o caso, me agitasse inquieto sobre o banco do bonde, um passageiro meu vizinho tirou os olhos do jornal que estava lendo, e disse-me com calma:

– Não conhece? É o *Laranjinha*...

– Que *Laranjinha*?

– É um homem que tem o culto do Descobridor... Varre a praça, espana o monumento, enfeita-o... É o zelador da glória de Cabral: passa aqui todas as suas manhãs, a namorar-lhe a estátua. Um maluco inofensivo...

* * *

Consertou-se o maquinismo, o motorneiro deu volta à manivela, os passageiros tiveram um suspiro de alívio, e o bonde voou ao longo do cais, numa desabalada carreira, para recuperar o tempo perdido.

– Um maluco!... – repetia eu, de mim para mim, – um maluco!...

O grande Erasmo, o venerável pensador de Rotterdam, que mereceu da gente do seu tempo o título de "mestre dos sábios", escreveu um dia um livro perturbador, meio alegre, meio triste, – *Morioe encomium, Elogio do Loucura* – que foi a obra mais escandalosa do começo do século XVI. E foi em Erasmo e no seu *Elogio da Loucura* que eu vim pensando até a Carioca, repetindo comigo mesmo aquela fria palavra do meu companheiro de bonde e guardando na retina a impressão daquela rude figura de homem do povo, amigo de Cabral e da sua glória...

Um maluco! Nós damos sempre o nome de "malucos" aos que não pensam nem vivem como nós pensamos e vivemos.

Quando esse mesmo Erasmo publicou o seu *Morioe encomium*, o papa Leão X, – e foi um grande papa, fundador de bibliotecas e protetor de artistas! – disse com maldade: "O maior dos loucos elogiáveis é o autor do elogio...". Basta a um homem a desgraça de ter uma idéia nova ou de confessar um sentimento desusado, para passar por maluco. Em uma sociedade séria e grave, será maluco o sujeito que rir de tudo e de todos; mas em uma sociedade de chalaceiros e chacoteiros, o maluco será o homem que encarar a vida com seriedade e respeito.

O maluco é sempre aquele que se destaca da comunhão, que envereda por estrada nova, que escandaliza com a novidade dos seus pensamentos e dos seus atos a carneirada dos contemporâneos.

Ah! o verdadeiro elogio da loucura ainda está por fazer!

O filósofo Erasmo escreveu apenas um livro de ironia e sátira. O que ele fez foi caricaturar os gramáticos pedantes, os reis imbecis, os papas orgulhosos, os monges devassos, os governantes rapaces do seu tempo. O seu *Elogio da Loucura* foi o complemento daquele célebre *Navio dos Loucos*, em que o ferocíssimo Sebastião Brant encarcerou todos os vícios e todos os crimes da Idade Média...

Mas a Loucura merece bem um elogio sincero e ardente, escoimado de toda a intenção de sátira, sem o mínimo travor de ironia. Há malucos que são a encarnação da Bondade, no meio dos maus; há malucos que são a febre do gênio na estagnação dos medíocres; há malucos que são a irradiação da Vontade entre os cochilos dos inertes; e há malucos, enfim, em cuja maluquice se refugiam o patriotismo, o respeito das tradições, o culto da glória, a gratidão nacional, no meio das sociedades apáticas que não sabem prezar o passado, nem gozar o presente, nem confiar no futuro.

Esses malucos, conscientes ou inconscientes, geniais ou estúpidos, responsáveis ou irresponsáveis, são protestos vivos que essa força misteriosa da natureza – Providência ou Acaso, – anima e levanta de vez em quando de pé, como punidores ou salvadores de toda uma época. São malucos? Serão... mas a sua maluquice vale às vezes muito mais do que a nossa sensatez!

* * *

Na sua humildade de homem rústico, e com a sua idéia fixa de desequilibrado, aquele pobre trabalhador, aquele pés-no-chão, aquele "inofensivo maluco" do largo da Glória é um sarcasmo animado, uma sátira palpitante contra a indiferença geral. Naquelas folhagens sem valor, naquelas flores sem beleza, naquele carinhoso trato dado à estátua do Descobridor, arde e vibra uma alma que protesta contra o abastardamento das outras.

Um brasileiro abriu recentemente uma subscrição pública, destinada a custear a reparação da capela em que jazem os ossos de Pedro Álvares Cabral. O resultado tem sido irrisório... Que temos nós, os homens de bom senso, com a memória do grande português que descobriu a nossa terra? Só um maluco pode perder tempo com essas cousas... E é um maluco quem preza a glória do navegante, dando-lhe, não dinheiro, que o não tem, mas os ramos verdes que arranca das árvores, as flores pobres que apanha no chão, e os cuidados das suas mãos leais, e os beijos dos seus olhos enternecidos...

Daquele bruto coração inocente, recebe o Descobridor o respeito e o afeto que lhe não sabem dar os nossos corações de homens cultos. Nós, os homens de bom senso e de inteligência, nunca levamos flores à estátua de quem deu uma nova glória à sua pátria, preparando uma pátria nova; nunca levamos flores à estátua do velho Patriarca da Independência; nunca as levamos aos túmulos dos que trabalharam pela grandeza da nossa terra; deixamos sofrer e morrer ao desamparo os que mais lutaram pela equiparação cívica das raças de cuja fusão saiu a nossa nacionalidade; e, não contentes com isso, quando vemos que um brasileiro está, no silêncio e no recolhimento do seu gabinete, honrando pelo estudo e pelo trabalho o nome do Brasil, vamos chamá-lo para a vida pública, vamos impor-lhe o sacrifício do seu sossego e do seu labor pacífico, só para que tenhamos o prazer satânico de injuriá-lo e difamá-lo...

O maluco é o pobre homem do largo da Glória; nós somos os homens sensatos. Mas a sua loucura é muito mais bela do que o nosso juízo.

Do naufrágio em que sucumbiu a razão do obscuro admirador de Pedro Álvares Cabral, salvou-se alguma cousa. Uma luz sagrada ficou brilhando naquela treva, uma idéia linda ficou palpitando naquele destino: a luz, a idéia da Pátria. Aquele português exilado, ainda na confusão e na tristeza da sua loucura, conserva a saudade da terra em que nasceu, o amor de sua gente e o orgulho de ser português. Todos esses sentimentos, destroços e remanescentes da sua razão naufragada, ele a congrega e enfeixa no culto do grande Almirante, devassador de mares e descortinador de continentes, que deu à sua pequenina pátria a glória infinita de ter alargado o mundo... Tudo morreu naquele cérebro, – exceto o patriotismo. Isso ficou, – e isso vale mais do que tudo quanto se perdeu...

Nós, os sensatos, perdemos justamente isso. Que vale o resto que nos ficou? que vale a nossa inteligência, se a não aplicamos em servir a terra dos nossos maiores, e se a malbaratamos em diabribes e chacotas? que valem as forças da nossa alma, se as dissipamos em destruir as glórias que deveríamos prezar e em cobrir de lodo aqueles que deveríamos cobrir de flores? que vale o nosso bom senso, se ele serve apenas para nos manter na descrença em que nos acanalhamos, sem o amor da Pátria, sem o amor da justiça, sem o amor da Beleza moral?

* * *

Erasmo, o "mestre dos sábios", pôs na boca da Loucura estas palavras, que devem perder no meu pobre estilo toda a beleza do terso latim em que as escreveu o filósofo: "Todos dizem mal de mim; e até aos ouvidos mais loucos soa mal o meu nome. Eu, porém, sou a consoladora dos deuses e dos homens!"

Ah! é pena que o estranho livro do pensador de Rotterdam seja um livro de ironia e sarcasmo! a Loucura deve ser amada e louvada com sinceridade – e causa dó que não haja um novo Erasmo para lhe fazer o verdadeiro elogio, – como o porto de refúgio a que se vão acolher os sentimentos nobres, banidos dos cérebros ajuizados.

O pobre maluco do largo da Glória só parece maluco porque vive numa sociedade em que as preocupações do patriotismo são tidas como extravagâncias e destemperos. Aqui o bom senso é a negação desse amor sagrado da terra, das tradições, dos exemplos de heroísmo e bondade que recebemos dos antepassados. O nosso bom senso é a maledicência, é a risota, é a demolição dos grandes nomes que deveríamos adorar.

– Um maluco inofensivo!

Nessa frase, do meu companheiro de bonde, havia todo um programa e toda uma profissão de fé...

O. B.

06 DEZ. 1903 CRÔNICA

A Avenida... Parece-me que a vejo acabada, ampla e formosa, com as suas árvores, os seus palácios, as suas lâmpadas elétricas, os seus "refúgios", e cheia de uma multidão contente e limpa. Ainda não é realidade: mas já não é sonho. Já os mais incrédulos perderam a incredulidade; calaram-se os motejos, esfriaram os sarcasmos, apagaram-se os risinhos de mofa; e há por toda a cidade um espanto. "Como?! sempre então é verdade que se vai fazer alguma cousa grandiosa e bela nesta boa terra, em que todos os projetos costumavam finar-se em gérmen, e em que todas as flores murchavam em botão?"

É verdade, sim! Daqui a poucos dias, o primeiro golpe de picareta, na Prainha ou no Boqueirão do Passeio, entoará a primeira nota do hino triunfal. E não teremos de viver muito, para ver terminada essa obra de salvação nacional; a limpeza, o arejamento, a regeneração da grande cidade operosa e honrada, que já seria, há mais de cinqüenta anos, a mais linda do continente sul-americano, se há mais de cinqüenta anos tivesse encontrado quem a servisse e amasse com coragem, em vez de só encontrar servidores parlapatões e moles, gastando em palavras a energia que deveriam gastar em atos.

É verdade, sim! A Avenida já não é um sonho: e o povo já compreendeu que só o amam verdadeiramente aqueles que, em lugar de engabelá-lo com discursos, querem dar-lhe saúde e vida decente, dando-lhe uma capital moderna e esplêndida...

Para ver como o povo já sente a extensão dos benefícios que lhe estão preparando o governo e a prefeitura, basta lembrar a alegria com que se celebrou, há poucos dias, a queda da última das casinholas da rua Treze de Maio. Sustentada pela Birra, escorada pela Má Vontade, era ela o último protesto contra o progresso. Isolada no meio da rua, como uma excrescência mórbida, o casebre indecente berrava contra a iniciativa do Prefeito; as suas vigas podres, o seu teto arrebentado, os seus portais carcomidos, as suas janelas tortas diziam: "Não! Não saio daqui, porque sou o passado, porque sou a fealdade, porque sou a trea, porque não quero que a cidade se regenere, porque não quero que o ar e a luz desinfetem esta Marema de novecentas mil almas..." Chegou, porém, o dia em que a desapropriação por força da lei conseguiu obter o que não obtivera a persuasão. O torpe casebre ruiu, e o povo correu a buscar uma banda de música, e triunfalmente passou e repassou sobre os destroços do monstro aniquilado, celebrando a vitória do Ar e da Luz...

Eu vi, com estes olhos que a terra há de comer, a alegria do povo, – alegria sincera e ruidosa, dessas que ninguém pode encomendar e pagar, e que são espontâneas e irresistíveis como os estos do mar e como as irradiações da luz do sol e espero ver, com estes mesmos olhos, dentro de pouco tempo, a alegria mais vasta e mais ardente com que toda a população há de saudar a inauguração da grande Avenida...

* * *

Para mim, para o Rio de Janeiro, e para todo o Brasil, o início das obras da Avenida, por acordo amigável com os proprietários, tem mais importância do que a eleição de hoje...

De eleições andamos fartos. Quantas eleições já terá havido nesta cidade verdadeiramente heróica e leal, – heróica pela resignação com que tem suportado tantos sofrimentos, e leal pela cordura com que tem aturado maus senhores? Não sei... só o amável Vieira Fazenda é capaz de esclarecer esse obscuro da nossa história. O que sei é que já no ano da Independência havia eleições. Os "homens bons" da cidade formavam uma lista de cidadãos idôneos, e *limpavam a pauta*, isto é: escolhiam doze nomes, e com eles formavam três listas com quatro cada uma; depois *faziam pelouro*, isto é: metiam as listas dentro de uma urna, e dessa urna mandavam que uma criança tirasse, com a sua mão inocente, a lista dos quatro vereadores.

O processo era simples e rápido. O de hoje é que é complicado e lento. Já não é uma criança que mete a mão na urna: entram nela todas as mãos, limpas e sujas, inocentes e criminosas; há facadas, tiros, falcatruas; os mesários comem empadas e bebem cerveja, ali mesmo, junto da urna que representa a soberania nacional; e no dia seguinte é preciso gastar uma fortuna na lavagem das salas escolares e das repartições públicas em que se reúnem as mesas eleitorais.

Não se sabe bem para que é que se despende nisso tanto dinheiro, tanto tempo e tanta paciência. Mas os jornais dizem que a cidade não pode viver sem autonomia; e, como para a cidade, a autonomia consiste na existência de um Conselho Municipal, – ainda que esse conselho municipal trabalhe tanto como a Academia dos Sonolentos da China, – não é possível evitar essas despesas de papel, de tinta, de editais, de empadas, de cerveja, de barrela.

Este Conselho Municipal de agora, que vai ser hoje completado com a eleição de um conselheiro, foi saudado com a pérola, o assombro, o cisne cor-de-rosa, a *avis rara*, a tulipa azul, o elefante branco, a maravilha dos conselhos. Eleito sem barulho nem protestos, recebido com as mais enternecedoras manifestações de simpatia, instalado no meio do júbilo geral, o miraculoso conselho começou a trabalhar: houve logo desavenças, desgostos, despeitos, uns conselheiros resignaram o mandato, outros brigaram, – e há uma porção de dias que os salvadores do município, os representantes da autonomia da cidade, os símbolos venerandos da independência do eleitorado não se reúnem em sessão... por questões políticas!

Valha-nos Nossa Senhora da Autonomia! e vamos às urnas, vamos completar o prestigioso conselho, vamos dar mais um florão àquela coroa preciosa... Mas peçamos desde já aos conselheiros que se deixem dessa mania de renúncia! A cada renúncia, corresponde uma nova eleição: e, francamente, nós todos temos mais o que fazer...

* * *

A semana, iniciada, para o cronista, por uma festa, terminou em luto.

A festa foi a de Julião Machado. O criador da *Cigarra*, da *Bruxa* e do *Gil-Blas*, está fechando as malas para uma viagem à Europa. Souza Lage, que fundou com ele e comigo aquela *Bruxa*, tão bonita e tão infeliz, reuniu, em ágape fraterno, os amigos do encantador caricaturista. Por ser de despedida, o banquete deveria ser triste: mas todos sabiam e sabem que Julião há de voltar, e não houve tristeza naquela reunião de artistas e de jornalistas, que saudavam o grande artista, o jornalista brilhante, e, principalmente, o bom e leal companheiro, que não deixa um só inimigo, – cousa espantosa! – na roda dos oficiais do mesmo ofício.

Julião voltará. Dizem que há no ar e na luz de Paris um doce amavio, a que se dá o nome de *parisina*: quem uma vez provou essa perigosa droga, não pode mais dispensá-la e há de morrer envenenado, mas deliciosamente envenenado por ela. O Rio de Janeiro não é Paris, – ah! não é! Mas também possui o seu amavio, o seu veneno sutil e cativante. Julião provou-o, e leva-o no sangue e na alma; a saudade há de torturar-lhe o coração; e ele voltará para trabalhar, para rir e para sofrer conosco, como irmão e amigo, nesta nossa vida de imprensa a que o seu talento e a sua bondade deram tanto brilho e encanto.

* * *

O luto da semana foi o causado pela morte de Cesário Alvim.

Só se pode estabelecer o valor de um homem, pela soma de simpatias e de antipatias, de dedicações e de ódios que a sua ação provocou entre os contemporâneos. As grandes e nobres existências são tumultuosas e vibrantes: decorrem em febre, em estos de paixão, simpatias e de antipatias, de dedicações e de ódios que a sua ação provocou entre os contemporâneos, em vitórias e derrotas, em apoteoses e quedas, em ardores e desfalecimentos, agitando em torno de si todas as outras existências, – como os vulcões, cujo trabalho interior abala e estremece a terra num raio de muitas léguas.

O ilustre brasileiro, cujo corpo agora repousa em S. João Batista, foi um desses homens privilegiados que nascem para agitar idéias, para levantar tempestades de paixões, para mover e dirigir grandes massas humanas. A sua vida pública foi um grande combate. A toda a história política contemporânea do Brasil, no Segundo Império e na República, está ligado o seu nome glorioso. Jornalista, parlamentar, homem do governo, chefe de partido, foi tudo quanto quis ser, e foi tudo com grande brilho, com extraordinário relevo, levando para todos os cargos e para todas as posições aquela mesma perpétua mocidade, aquele estupendo vigor de corpo e de alma, que resistiu por tanto tempo a todos os dissabores, a todos os vai-vens da sorte política, a todas as alternativas da sua agitada existência de homem público.

Ultimamente, quando, já velho e alquebrado, todos o supunham resolvido a ir gozar na sua amada Minas um repouso bem ganho, vimo-lo surgir de repente à frente de um jornal de combate, retomando a pena, e entrando de novo em ação com o mesmo talento, com a mesma coragem, com o mesmo fogo dos primeiros anos. Esse velho de sessenta e quatro anos, quando escrevia, era um polemista jovem, ousado e cintilante, com um estilo crepitante de imagens felizes, tão ardente na ironia quanto meigo na piedade. E, por singular e raríssima coincidência, o guerreiro, quando despia a couraça e depunha o montante, era um administrador calmo e severo, de uma serenidade impertubável, e de uma imaculada e olímpica probidade, que nunca os seus mais ferozes adversários políticos ousaram pôr em dúvida.

Mas, no exuberante temperamento desse homem, havia um aspecto que nem todos puderam conhecer e admirar. Era a sua bondade. Conheci-a, admirei-a eu, que lhe experimentei a doçura em várias crises da vida. Nele, não perdi apenas um compatriota ilustre, desses que afirmam e enraízam em mim o orgulho de ser brasileiro: perdi um grande afeto, um grande protetor, um grande e nobre Amigo, a cujo coração devo os mais altos e generosos favores.

Posso ter palavras, para lamentar a morte do compatriota glorioso: mas não as posso ter, para chorar a perda do Amigo...

O. B.

13 DEZ. 1903 CRÔNICA

Não sei que bom gênio me visitou durante a noite, não sei que fada amiga velou à minha cabeceira: sei que acordei otimista e alegre, disposto a ver tudo cor-de-rosa neste quente sábado.

Se me viessem dizer hoje que fui eleito intendente municipal, ou que o reizinho da Espanha me condecorou com o Tosão de Ouro, ou que o meu particular amigo Pierpont Morgan deliberou animar o meu trabalho e a minha inteligência atirando dentro do seco poço da minha pobreza a chuva milagrosa de dois ou três milhões de dólares, creio que não estaria mais alegre nem mais otimista do que estou. As melhores alegrias são as que não têm causa, ou pelo menos, as que não têm causa conhecida. As outras, sendo discutíveis, transformam-se rapidamente em tristezas, porque no fundo de todas as cousas boas há sempre uma pequenina gota de fel. Não há nada tão bom como estar alegre sem saber porque...

Aproveitemos esta alegria saída do seio irresponsável do Acaso, aproveitemos este otimismo caído do céu por descuido, e enchamos uma coluna suave, em que não haja esgares de revolta nem risinhos de ironia. Deus, se fosse imensamente Misericordioso e imensamente Bom, daria sempre a todos os cronistas o otimismo que me deu hoje: nós não podemos endireitar o mundo, e mais vale disfarçar tristezas e inventar belezas, do que apontar defeitos e desnudar fealdades...

* * *

Que há de novo sobre a nossa grande avenida?

Há que tudo vai bem. Até sexta-feira, já duzentos proprietários tinham contratado calmamente com a comissão a venda dos seus prédios: e espera-se que as justiças da República não serão chamadas a decidir um só pleito, porque tudo se fará em santa paz, para glória maior da nossa reputação de povo cordato e meigo.

Ah! meus amigos e meus irmãos! nós somos o povo mais incompreendido e mais caluniado de quantos formigam na superfície deste bolorento planeta. O famoso verso

> Mais propenso ao furor do que à ternura

nunca será bem aplicado ao nosso gênio.

É sempre em vão que os malucos ou os perversos procuram fazer vibrar, em nosso organismo, a corda que não possuímos, a corda áspera e gritadora da intolerância. Há no fundo do nosso caráter um rico depósito de bondade e de bom senso: a raça portuguesa, com a sua sensatez, com a sua prudência, com o seu fecundo amor do trabalho e da paz, aliou-se bem à raça negra, – à raça entre todas boa, resignada e mártir. A raça primitiva do Brasil quase não entrou nessa operação de química social, de que saiu a nossa nacionalidade: nós temos muito pouco da sua malícia, da sua astúcia, da sua fria dissimulação. Somos lisos, confiantes, pacientes e bons. Um mau governo pode levar-nos à ignonímia: mas não é preciso que um governo seja extremamente bom para que nos leve à felicidade e à glória.

Quando o grande Haussmann iniciou a realização que fez de Paris a mais bela cidade da terra, não faltou quem se opusesse, com armas na mão, àquilo que era dado, nas câmaras e nas ruas, como a "ruína da grande cidade"...

E é interessante lembrar que em 1867, um deputado francês apontou Haussmann à execração de toda a França, conferindo-lhe o título de "Átila Moderno"...

Em Buenos Aires, a grita não foi menor, como não foi menor a oposição, quando se quis rasgar a *Avenida de Maio*: houve um dia em que quase as metralhadoras tiveram que entrar em cena, para prestar o auxílio da força bruta à ação dos executores da lei da desapropriação...

Falai malucos! intrigai, perversos! nós não amamos as resistências loucas, nem as oposições sem causa, nem as teimosias sem razão, nem as lutas que só têm por base a má vontade e o capricho. Se estamos atrasados, devemos esse atraso à falta de inteligência e de coragem dos que nos têm governado. O rebanho nunca é mau, quando encontra pastor que saiba amá-lo e dirigi-lo.

* * *

Não deu grande resultado o leilão dos terrenos da Avenida Passos? Não há de ser por isso que a Prefeitura verá perdido o seu trabalho.

A cláusula que proíbe o aproveitamento do rés-do-chão das casas, naquela parte da cidade, para residência, tem sido explorada contra a Prefeitura, com uma maldade que revolta...

Eu, por mim, acho preferível que a Avenida fique como está, desguarnecida de prédios, a que se transforme em mais uma dessas torpes vielas em que se faz a exposição permanente da flora verde-negra do vício. Toda a zona central da cidade já é uma vasta Suburra, tão infecta e tão malsã como a da antiga Roma: não a aumentemos, dando-lhe mais uma rua...

Os compradores, que não apareceram ontem, aparecerão amanhã. Já, agora, ninguém tornará a estreitar aquele ponto urbano: já alguma cousa se lucrou, – e não é próprio do trabalho humano conseguir de uma só vez e em um só minuto quanto se ambiciona.

* * *

Estamos com a mão na massa otimista: demos algumas palavras de defesa a esse paciente Congresso Nacional, que ainda os raios ardentes do verão não afugentaram do Campo de Sant'Ana e da rua da Misericórdia.

Em toda a parte, por toda a cidade, nas praças e nos becos, nos palácios e nas bibocas, nas repartições públicas e nas estalagens, nos escritórios dos jornais e nos botequins, só se ouve uma recriminação: "Que fazem estes deputados e estes senadores? Já prorrogaram a sessão até 30 de dezembro, e vão ainda, parece, prorrogá-la por janeiro adiante, invadindo o outro ano, – e reeditando com o subsídio, em proveito próprio, o milagre da multiplicação dos pães..."

O subsídio! – eis a questão... Nós vivemos em uma época tão baixa, tão soterrada no egoísmo e no amor da pecúnia, tão dada a mesquinhos cálculos de ganância, que, quando temos de julgar os atos dos nossos contemporâneos, imediatamente os atribuímos, sem reflexão demorada, a móveis rasteiros, a ignóbeis interesses de dinheiro! Na opinião geral, a vadiação das Câmaras durante os primeiros meses do ano, e as prorrogações que são as conseqüências inevitáveis e fatais dessa vadiação, obedecem a um plano longamente concebido e amadurecido na alma de cada deputado ou senador: o plano de esticar esse abençoado e providencial subsídio, que é uma fonte maravilhosa de confortos, de gozos, de apurados e deliciosos regalos. Oh! a malevolência das turbas! como pode acreditar essa gente perversa que a Câmara e o Senado gostem tanto assim dessa abominável Pecúnia, que só tem servido até hoje para atrasar moralmente a Humanidade, atirando os homens uns contra os outros, numa luta implacável de feras famintas!?

Não! por mim, penso que não é o gozo do subsídio o causador das prorrogações. Trabalhar intelectualmente, discutir e votar orçamentos, pesar e medir interesses nacionais, assumir tão graves responsabilidades morais, com este calor bárbaro que quase derrete o cérebro de um homem dentro da marmita da caixa craneana, são sacrifícios tão grandes e tão sérios, que não há soma de dinheiro bastante para pagá-los.

A sala da Câmara e a sala do Senado não são propriamente dous pedaços do paraíso: e ganhar setenta e cinco mil réis por dia, para estar ali gastando, em idéias, em palavras e em suor, a energia vital, nestes abrasados dias de dezembro, não é ideal que entusiasme ou contente alguma alma.

Fui há dias à Câmara, e pude realizar algumas observações de alta psicologia.

Os deputados daqui, habituados ao calor e à agitação do Rio de Janeiro, moviam-se, sacudiam-se, vibravam, não denotando na face descontentamento ou cansaço. Mas os deputados do Centro, do Norte e do Sul, os filhos dos verdes sertões, dos largos pampas e das praias serenas, – esses, encolhidos no fundo das cadeiras, com a testa rorejando suor e os braços derreados numa postura de desânimo e desconsolo, tinham os olhos perdidos ao longe, num sonho vago, numa contemplação melancólica...

Ah! desventurados! bem compreendi com a minha piedade, o êxtase em que estáveis mergulhados naquela tarde de verão, dentro daquela sala abafada e triste...

Estáveis pensando nos largos pampas, nos verdes sertões, nas serenas praias, de onde o dever cívico vos mantém arredados e saudosos!

Dezembro, na roça, é o mês idílico e suave, o mês do sonho, do amor e da poesia. O sol doura a paisagem, achamalota e inflama a água dos rios, dá vibrações de riso ao azul do céu; os sinos cantam a glória do Natal, a verdura das árvores esplende, as flores esmaltam a relva, os pássaros celebram a beleza da vida; à noite, há os descantes à viola, as danças rústicas ao luar, – todo o meigo encanto da vida rural, na paz paradisíaca dos campos embalsamados...

Ah! bem compreendi, desventurados representantes do sertão, que era isso o que estáveis contemplando em sonho, entrefechando os olhos, na sala abafada da Câmara, naquela tarde triste! – e há ainda quem diga que sacrificais tudo isso ao amor do subsídio... Não! não há dinheiro que pague essa dolorosa abnegação...

Trabalhai, trabalhai! continuai a perder, em bem do serviço público, o encanto, o prazer, a ventura que podíeis estar fruindo nos vossos estados longínquos, – e consolai-vos, sabendo que ainda há quem vos compreenda e defenda!

* * *

Decididamente, não sei que bom gênio me visitou durante a noite, nem que fada amiga velou à minha cabeceira... Até defendi o Congresso!

Basta, pena otimista! Agora vou tratar um pouco de mim mesmo: vou passear, e dar aos olhos um banho de luz...

O. B.

20 dez. 1903

Crônica

Seria revoltante injustiça não dedicar as primeiras linhas desta *Crônica* ao dilúvio que alagou a cidade, no dia de Santo Eusébio. Não sei se Santo Eusébio concorreu de algum modo para isso: é de crer que não... Esse bem-aventurado foi, na vida terrena, um obscuro e piedoso bispo, distribuidor de esmolas e consolador de aflitos, muito metido com a sua fé e com a salvação da sua alma. Os padroeiros das ventanias, dos temporais e das inundações são Santa Bárbara e São Jerônimo, a quem, nos dias de trovoada, as velhas senhoras cariocas dirigem preces fervorosas. Santo Eusébio nunca se preocupou com isso: se o Rio de Janeiro ficou alagado no seu dia, a coincidência obedeceu a um simples capricho do irresponsável acaso; mas isso não deve tirar ao Santo a glória, embora casual, de ter presidido à generosa e providencial barrela com que nos agraciou o céu.

O primeiro dilúvio, o grande, o formidável, aquele que, segundo o Gênesis, teve a terra coberta de água durante cento e oitenta dias, foi um castigo tremendo: o Senhor Deus, vendo que "era em extremo grande a malícia dos homens da terra", ficou arrependido de ter dado uma alma ao barro vil, e sentiu-se "interiormente tocado de dor e ferido de indignação". Como se o seu Espírito onisciente pudesse ter deixado de prever que de um bocado de barro não haveria de sair cousa boa!... Dessa dor e dessa indignação, saiu o castigo do dilúvio, que veio purificar a terra.

Mas o nosso dilúvio de terça-feira, que durou apenas uma hora, não foi demonstração da cólera divina: foi demonstração da piedade do Senhor, que sentia subir do Rio de Janeiro um cheiro horrível de sujidade, e previa o extermínio de todos os cariocas pela falta d'água, pelo calor, pela infecção dos esgotos. Vendo que o congresso não atava nem desatava a meada da reforma sanitária, o Senhor disse de si para si: "Não há de ser a reforma sanitária que há de salvar aquela pobre vérmina: desinfetemos aqueles bueiros com a água destilada das nuvens!" E mais uma vez o Criador salvou as suas criaturas, para cumprir aquela promessa feita solenemente a Noé, na cumeada dos montes da Armênia, ao suave clarão do arco-íris: "Não amaldiçoarei mais a terra por causa dos homens, nem daqui em diante haverá mais dilúvio que a assole!"

* * *

E, assim que refrescou o tempo e que as águas deixaram de cobrir as ruas, o Congresso acabou a votação da reforma sanitária. Parece que aquelas hesitações, aquelas demoras, aquelas manobras pouco dignas eram ainda uma conseqüência da pressão atmosférica, que enervava os corpos e amolecia as vontades dos legisladores. Com a descarga, esclareceram-se os espíritos, e a Câmara readquiriu a consciência do seu dever e da sua missão.

Agora, é o Senado que tem o projeto empatado.

Esta demora lembra um episódio antigo...

Em certo país da Europa, houve, há mais de um século, uma epidemia de cólera. O rei, bom amigo do seu povo, mandou logo chamar todos os sábios da nação, físicos-mores, astrônomos, doutores, arquitetos, alquimistas, e disse-lhes: "Chegou o momento, amigos, em que deveis mostrar a utilidade da vossa sabedoria; o cólera aí está dizimando o meu povo... Fechar-vos-ei nesta sala, dar-vos-ei os alimentos que quiserdes, e achareis com as luzes da vossa ciência o meio de dar combate à epidemia. Que Deus vos ilumine!" E o bom rei descansou sobre a competência daqueles luminares.

E os luminares começaram a discutir. De dia e de noite, saía da sala um forte rumor de discussões violentas em que havia gritos de ira e de entusiasmo, num fervor de apóstrofes inflamadas. Os dias emendavam-se aos dias, as semanas encadeavam-se às semanas – e a discussão não terminava; e o cólera, implacável e irônico, ia matando gente com uma fúria insaciável.

Quando já dous terços da população tinha morrido, o bom rei mandou abrir as portas do conclave, e apresentou-se aos sábios: "Que resolvestes, ó glórias do meu reino, ó pérolas da minha coroa, ó candelabros da minha civilização?! que descobristes para debelar esta moléstia feroz?"

O mais velho dos sábios levantou-se e falou, com uma voz pausada e cava, em que havia um tom solenemente profético:

– Majestade! ainda não pudemos achar o remédio para a moléstia, porque estamos discutindo uma preliminar importante, e ainda não chegamos a acordo. Nós queremos, antes de tudo, saber se deveremos dizer *o* coléra ou *a* cólera...

A anedota é verdadeira, rigorosamente histórica, e tem uma bela aplicação.

Não foi decerto uma questão de gramática, a que demorou as deliberações da Câmara. A Câmara não ama extremamente a gramática, que é freqüentes vezes maltratada com grande rigor naquele recinto augusto. Mas todas as questões fúteis e inúteis foram debatidas a propósito do projeto da reforma sanitária! e, enquanto isso, a peste bubônica e a febre amarela foram alastrando pela cidade a sua ação daninha...

* * *

O que mais tem indignado os adversários da reforma é a importância da soma pedida para os novos serviços de higiene.

Cinco mil contos! – ao pronunciar essas três palavras, os legistadores põem os olhos em alvo no céu, e deixam cair os queixos com espanto.

Cinco mil contos! – dir-se-ia que, depois de gastar esse dinheiro com os serviços de higiene, o Brasil teria de sair pelo mundo afora a pedir esmolas, depois de ter posto no prego o seu cocar e a sua tanga de penas!

Entretanto, se os legisladores fizessem o cálculo das somas que custa ao Estado a sua parolice infecunda, veriam que muito mais de cinco mil contos se têm despendido em discussões e demoras...

Há poucos dias, apareceu numa correspondência de Berlim para o *Jornal do Comércio* uma notícia que merece transcrição integral:

"O governo prussiano aprovou o projeto de empréstimo de 228 milhões de marcos pedidos pela Municipalidade de Berlim: 52 milhões vão ser aplicados aos trabalhos de embelezamento da cidade; 12 1/2 milhões são destinados ao aumento dos aquedutos urbanos e 30 1/2 milhões serão dispendidos nos trabalhos de canalização. O restante será consagrado à construção de muitos edifícios de utilidade pública, como escolas, hospitais, asilos, etc. etc."

Não se trata, note-se bem, de saneamento propriamente; trata-se de embelezamento. Para tornar a sua capital mais atraente, mais formosa, mais digna de ser visitada e admirada pelos estrangeiros, o governo alemão não hesita em gastar cinqüenta e dous milhões de marcos, de pancada, além dos outros milhões que já são anualmente empregados no mesmo propósito...

Aqui, parece um crime pedir cinco mil contos para dar combate às epidemias; aqui, a Prefeitura é injuriada e coberta de apodos, quando adquire prédios velhos e infeccionados, para deitá-los abaixo, alargando as ruas; aqui, o saneamento da cidade é tido como uma vasta ladroeira...

Todos tratam de amaldiçoar os esbanjamentos, todos tratam de cortar despesas, todos protestam contra as prodigalidades. Mas as despesas que se cortam são justamente as que se não devem cortar: são as despesas feitas com a higiene, com a instrução, com a assistência pública, com o correio, com o telégrafo, com todos os serviços exigidos pelo bem-estar e pela civilização do povo.

As outras despesas, – as que se fazem com um exército que não tem inimigos a combater, com uma marinha que não possui navios capazes de afrontar o mar, com um corpo legislativo que consome o ano inteiro em organizar orçamentos que nunca ficam prontos, – essas são despesas sagradas, em que não se pode fazer um corte sacrílego.

O dilúvio também veio desencantar o complicado caso das eleições do 21º distrito.

Não se sabe bem para que é que ainda se fazem eleições, uma vez que é a política da Câmara que se encarrega verdadeiramente de eleger os candidatos. O pobre eleitor, que, para cumprir um dever cívico, vai depôr a sua célula na urna eleitoral, cuida ingenuamente estar criando com o seu voto um representante seu, filho da sua vontade e da sua confiança: mas, de fato, esse voto vai ser entregue às comissões de reconhecimento, que o aceitam ou o desprezam à vontade, de acordo com os interesses da política. O que se chama, em linguagem parlamentar, uma apuração, é uma operação química que altera a essência das substâncias, quando devia ser uma simples operação aritmética, destinada a somar parcelas.

Para que um deputado seja reconhecido pela Câmara, o que menos importa é que esse deputado tenha um diploma.

O que importa grandemente é que em torno da pessoa desse deputado se congreguem interesses desta ou daquela facção... E a prova disso é que, na véspera da votação, ainda os próprios deputados que já estão cansados de estudar os vários diplomas, não sabem a que diplomado vão dar a sagração do reconhecimento: à última hora, a intervenção de qualquer chefe político basta para desmentir as conclusões da aritmética e para transformar o preto em branco e o branco em preto, transformando todos os cálculos e engendrando surpresas inconcebíveis.

E ainda se fala em reforma eleitoral! O que vale é que o Congresso, quando começa a discutir uma reforma, dispõe-se logo a envelhecer sobre ela...

O. B.

Gazeta de Notícias 1904

17 jan. 1904

Crônica

Oh! esta pressão atmosférica! O ar pesa dentro dos pulmões, como de chumbo; o coração, obrigado a trabalhar mais depressa, precipita as suas pulsações; o cérebro, tomado de preguiça, não pensa cousa que preste; e uma grande tristeza amortalha a alma da gente, diante deste feio céu cinzento que se não quer desmanchar de uma vez em chuva benéfica...

Que é feito daqueles belos verões cariocas, tão alegres e tão regulares, de um céu tão azul e de um sol tão claro, apenas escurecidos de quando em quando por uma curta e fragorosa tempestade? Decididamente, não foi só o regime político o que mudou nesta terra: e bem diz uma velha senhora muito sebastianista, minha amiga, que "a República até veio bolir com o clima..." Quem não se lembra dos verões de antanho? O calor era forte, mas o azul do céu era admirável: à tarde, uma grossa nuvem negra crescia no horizonte, dilatava-se, cobria todo o céu, rasgava-se em relâmpagos, abria-se numa grande carga d'água, cinco minutos depois, o céu ficava de novo todo azul, e o sol acendia pedrarias faiscantes nas calçadas ainda molhadas. A gente já estava tão acostumada a isso, que as entrevistas, os passeios, as visitas combinavam-se para "depois da trovoada": a trovoada era um acontecimento esperado, infalível, seguro.

Por mim, confesso que, entre as dúzias de janeiros que já vi neste mundo, nunca vi janeiro tão aborrecido. Creio que ainda não tivemos vinte horas de sol, neste mês de úmido calor, e de ar abafado. O calor é o menos: carioca, que se queixa de calor, é carioca degenerado, indigno do amor e do respeito da comunhão. Mas queremos calor com sol forte e claro, com atmosfera limpa, com horizonte lavado. Queremos suar e ofegar, mas queremos também ver o nosso querido céu incomparável, cuja contemplação encanta os olhos e enleva o espírito!

A pressão atmosférica é, decerto, a causadora dessa medonha série de crimes que tem havido. A leitura dos jornais de ontem dava arrepios. Se todos eles tivessem saído impressos a tinta vermelha, teríam escolhido uma tinta adequada ao horror das cousas que nos contavam.

A loucura e a ferocidade têm andado soltas, por todos os bairros, distribuindo tiros e facadas. Não nos podemos queixar de falta de sensações fortes: tivemos, na semana, tragédias para todos os gostos, desde as que nascem do ciúme ou da vingança, até as que nascem de um desequilíbrio mental fulminante. A mais terrível de todas foi a da Estrada de Ferro: é impossível conceber cousa mais trágica do que o desvario daquele pobre homem, enlouquecendo subitamente e matando o seu melhor amigo, o seu mais velho e querido companheiro, confidente de todas as suas alegrias e de todas as suas tristezas... Um outro louco saiu de casa em trajes menores e começou a apunhalar quanta gente encontrava, fazendo frente a toda uma multidão, até cair, vencido pelo número dos adversários, como uma fera cercada, acuada e ferida de morte... Bela semana!

Seria injustiça atribuir ao calor a responsabilidade de todos esses crimes. O calor, quando é normal, é uma fonte de vida, de saúde, de pensamentos bons e de idéias risonhas. O sol é a alegria do pobre, é o gerador das ilusões que consolam. A mais miserável choupana, quando banhada de sol, resplandece como um palácio; de um casebre arruinado o sol faz um templo rutilante de ouro e prata, e de uma poça de lama faz um escrínio de topázios e rubis. Não é o seu calor que perturba a marcha do sangue, que desconcerta os nervos, que alucina o cérebro: o que causa tudo isso é esta intolerável e assassina pressão atmosférica, a que não há equilíbrio nervoso que resista.

Não é de espantar que as sessões da Câmara e do Senado tenham sido tumultuosas. As assembléias estão sujeitas, de modo notável, à influência dos fenômenos naturais. Antigamente, na supersticiosa Roma, os comícios só se reuniam em dias previamente marcados pelos *augures*, que, consultando os vôos dos pássaros, a forma das nuvens, a cor das águas, evitavam os maléficos influxos de certas condições climatéricas. Em dias de céu coberto, de ar pesado, de respiração difícil, os ânimos exacerbam-se: um gesto mal compreendido, uma palavra mal ouvida, um olhar mal interpretado, provocam o desencadear de tempestades de palavras, facilmente mudadas em tempestades de... socos. A tormenta que infelizmente não se desencadeia no céu para desoprimir a atmosfera, desencadeia-se no cérebro humano. E Vitor Hugo contou bem o que é o horror de "uma tempestade dentro de um cancro"...

É de justiça, porém, salientar que os tumultos da Câmara e do Senado não se têm formado, como muita gente esperava, em torno da questão do Acre: têm sido tumultos sem importância, movidos por melindres pessoais, que nem de longe se relacionam com a discussão do tratado.

Cá fora, toda a gente sabe o que se tem passado nas sessões secretas. O segredo dessas sessões é como o segredo de Polichinelo. Ainda os deputados não deram remate aos seus discursos, e já eles andam pelas ruas, repetidos e impressos, sabidos e decorados por todos. Por ora, o tratado tem sido discutido com gentileza e boas maneiras: ainda o negociador não foi injuriado, e ainda os que o aplaudem e os que o censuram não se atracaram em duelos de insultos. Regozijemo-nos! seria deplorável que um convênio diplomático fosse estudado e pesado... sem diplomacia.

* * *

Rigorosamente, a revolução do Uruguai não deveria ser um assunto nosso, merecedor de registro e comentário nesta seção. Mas, como não havemos de prestar atenção ao que se passa em casa de vizinhos, de que nem uma parede nos separa?

Não pode haver, no Uruguai, uma revolução de que o Rio Grande do Sul fique salvaguardado. A gente, que vive além ou aquém daquela vaga fronteira, é a mesma. Brasileiros e uruguaios confundem-se ali, falando a mesma língua atrapalhada, que não é bem espanhola nem bem portuguesa, interessados na mesma lavoura e no mesmo comércio, e tendo no sangue o mesmo irrequieto amor das aventuras e das guerras.

Basta um passo, para que um brasileiro, em caso de perigo, fique em território do Uruguai, ou para que um uruguaio fique em território do Brasil.

Essa vizinhança, essa facilidade de comunicações, essa uniformidade de índoles e de interesses, seriam uma felicidade, – se não houvesse, nesse esquentado Uruguai, tantas e tão frequentes revoluções. Nunca podemos saber quando os nossos vizinhos estão em paz: ali, não há tréguas entre um e outro motim, – e ainda não houve presidente do Uruguai que pudese atravessar sem sobressalto o seu período de governo.

Nós, brasileiros, nada teríamos com isso, se as revoluções desse bravo povo não nos viessem atrapalhar a vida. Cada um tem o direito de fazer o que quer dentro de sua casa, – com tanto que não incomode os vizinhos... No caso, que nos interessa, o incômodo é inevitável. Blancos e colorados começam a esbordoar-se nas cochilhas uruguaias, e vêm acabar o conflito nas cochilhas rio-grandenses. E o nosso governo tem sempre de intervir nessas brigas alheias, gastando nisso tempo, dinheiro e trabalho que poderiam e deveriam ser aproveitados em casos mais sérios...

O *Jornal* publicou ontem um telegrama interessante:

"Entrevistado por um repórter, o chefe político uruguaiano José Pedro Ramirez declarou-lhe que não acredita no êxito da revolução, e concluiu: No nosso país as revoluções estão destinadas a fracassar sempre".

É fantástico! Se estão sempre destinadas a fracassar as revoluções, por que perder com elas tanto esforço e tanto sangue?

Parece que os nossos vizinhos são revolucionários por amor da arte: são os parnasianos da briga. Sabem que não lucram com o barulho, mas vão brigando sempre.

Ai de nós! quem dará um dia um pouco de juízo a estes vizinhos tão amáveis mas... tão brigões!

* * *

Para atenuar a tristeza da semana, tivemos um acontecimento artístico de raro valor: o aparecimento da deslumbrante *Kosmos*, – uma revista que é uma maravilha. O primeiro número da *Kosmos* é a demonstração cabal de que, no Brasil só não se faz o que não se quer fazer. Já agora ninguém poderá falar do atraso das artes gráficas no Brasil. Das oficinas da nova revista podem sair livros tão bem impressos e tão bem ilustrados como os que têm feito a fortuna dos grandes editores de Paris e de Londres.

Sobre o primeiro número da *Kosmos* não há duas opiniões: todos o acham admirável. Assim houvesse, nesta pobre terra, muita gente que soubesse ler! O que nos falta não é o progresso de artes gráficas: é público. Se há vinte ou trinta anos tivéssemos estabelecido o ensino primário obrigatório, as empresas jornalísticas e as casas editoras estariam ricas, e nós, escritores, não estaríamos representando este ridículo papel de pregadores no deserto...

O. B.

31 jan. 1904

Crônica

A viagem presidencial teria fornecido à coscuvilhice ociosa da cidade uma farta messe de temas para a conversação, se não fosse uma viagem tão rápida, tão relampagadamente começada e acabada.

Cousa estranha: o Sr. presidente da República saiu da Capital, foi a S. Paulo, voltou, – e os jornais nada publicaram sobre os incidentes dessa viagem. Não houve um só repórter que se intrometesse na comitiva presidencial, que se escondesse debaixo de um dos bancos do vagão, e que, de lápis em punho, febrilmente enchendo de garatujas algumas folhas de papel, fosse anotando com fidelidade e minúcia todos os atos, todos os gestos, todas as palavras e todos os pensamentos do chefe do Estado. Decididamente está havendo uma revolução nos hábitos da imprensa, – e a amável classe dos repórteres de moto-próprio se está despojando das prerrogativas que eram até agora a própria essência e a própria razão de ser das suas funções.

Até há pouco tempo, o chefe do Estado não podia dar um passo sem que logo o público soubesse, cá fora, qual fora a extensão e a duração desse passo. Antes de encetar uma conversa com qualquer ministro, o presidente da República era obrigado a esquadrinhar todo o aposento, a examinar os vãos das janelas, a sacudir os reposteiros, a revistar os armários, a fim de verificar se algum repórter se deixara ali ficar oculto, com o lápis na mão e as orelhas a fito. E os jornais diziam sempre: S. Ex. tomou banho às 6 horas; S. Ex.; às 7; achou saboroso o café; S. Ex. gabou a excelência dos ovos quentes que lhe serviram; S. Ex., ao meio-dia, espetou na gravata uma linda pérola; e, enfim, não havia cousa que os jornais não registrassem, porque todos eles se julgavam obrigados a imitar os almanaques, que sempre dizem a hora em que o sol se levanta e a hora em que o sol se deita...

Mas, desta vez, para descanso de S. Ex. e para desespero da coscuvilhice urbana, os repórteres não quiseram agir. Pode-se dizer que a cidade só soube da partida de S. Ex. depois do seu regresso. Ainda a população não sabia que S. Ex. tinha ido a Guaratinguetá, e já o trem presidencial estava despejando a comitiva de S. Ex., um pouco fatigada pela rapidez dessa viagem-relâmpago, na gare da Central. De maneira que a viagem não chegou a ser um acontecimento...

* * *

Também não foi um acontecimento a eleição municipal.

E, francamente; chegou a haver eleição? Ainda não encontrei um homem que me afirmasse, com a alma à flor dos lábios e a mão na consciência, a exatidão do boato. Todos os meus amigos e conhecidos dizem que também ainda não viram confirmada por uma só criatura humana essa notícia. É verdade que os jornais afirmaram haver por aí um cidadão, vagamente chamado não sei como, e ainda mais vagamente sufragado com os votos de mil cento e quarenta e um coevos... Mas os jornais inventam tanta cousa! Também um jornal, não sei se francês ou inglês, inventou um dia a "serpente do mar", e não falta quem piamente creia na existência desse animal fabuloso, que nunca foi visto por humanos olhos.

Mil cento e quarenta e um votos! Pois é possível que nesta população de menos de um milhão de almas, numa cidade que se preza de ser inteligente e esperta, ainda hajam encontrado mil cento e quarenta almas, bastante crédulas e bastante inocentes, que tenham tomado a sério uma eleição municipal?

Por mim, confesso simplesmente que, se me viessem um dia dizer: "O senhor foi ontem eleito conselheiro municipal", eu acreditaria logo estar diante de um mistificador, e piscaria os olhos com brejeirice, perguntando-lhe: "Parece-lhe, então, que tenho cara de tolo, hein?..."

O que há de perigoso nessas mistificações é que, às vezes, o mistificado, ou por ingenuidade natural, ou por distração, aceita como verdade a pulha, e considera-se eleito, elabora projetos, discute leis, faz oposição ao Prefeito, recebe o subsídio e fica representando na vida o singular e macabro papel de um homem que é o que não é...

É bom que nos deixemos dessas caçoadas. Nem todos os dias do ano devem ser como o primeiro de abril, consagrados à apoteose do logro e à glorificação da patranha.

Eu, como não gosto de abusar da credibilidade alheia, cumpro um dever de consciência, abrindo os olhos do cidadão que supõe ter obtido aqueles mil cento e quarenta votos, mostrando-lhe piedosamente a inanidade e a vacuidade do seu engano. Fizeram a esse cidadão um gracejo de mau gosto, e cujas conseqüências, se podem ser muitas, também podem ser terrivelmente funestas... Conheci um indivíduo, a quem alguns empulhadores perversos disseram um dia: "Você é um homem bonito!" Ele, ingenuamente, acreditou; e habituou-se de tal modo a ser o que não era, que foi, por auto-sugestão, acreditando que era muitas outras cousas: acreditou sucessivamente que era rico, príncipe e imperador. Depois, acreditou que era cardeal; depois, que era Papa. Numa bela manhã, acordou com uma idéia fixa de que era Deus; e, quando se convenceu de que não podia ser mais nada acima de Deus, ficou tão desgostoso que meteu uma bala no crânio...

Às vezes, essas brincadeiras acabam mal!

* * *

Realmente, se não tivesse havido a fuga de Obed, a semana ficaria totalmente privada de acontecimentos; e não sei como, apesar do ódio que tenho das mistificações, eu poderia deixar de mistificar o leitor.

Felizmente, Obed fugiu. Foi um acontecimento real, comprovado, evidente. E, até agora, ainda a polícia não achou Obed: outro acontecimento positivo e seguro.

O Rio de Janeiro passou os últimos sete dias a interessar-se nesse duelo cravado entre o Bem e o Mal, entre a Justiça e o Crime, entre o faro dos secretas e a astúcia de Obed, – duelo cujas perícias têm apaixonado a cidade, que, fútil como todas as grandes cidades, só se apaixona verdadeiramente pelas cousas mais tolas.

Dizem os filósofos que a consciência humana, assim que despertou, criou logo a idéia deste dualismo que governa a vida. O espírito do homem sempre concebeu o maquinismo do universo material e moral como o equilíbrio de duas forças opostas, contrastando-se e sustentando-se pela compensação. Todas as criações da religião, da lenda, da arte primitiva repousam sobre o dualismo. Vejam-se, por exemplo, os irmãos inimigos que sempre aparecem na história: Caim e Abel, Esaú e Jacó, Eteoclo e Políniclo, Rômulo e Remo. Nas teogonias, há sempre a mesma oposição de forças adversárias: Armuz e Arimã, Osíris e Tifon, Celos e Tellus, Deus e o Diabo. Não há menino de colégio que nos seus primeiros discursos não explore, como um rico veio de bonitas figuras de retórica, esse antagonismo: a luz e a treva, a primavera e o inverno, o amor e o ódio, a mocidade e a velhice, S. Francisco de Assis e Troppman, etc.

Não é, pois, estranhável que todo o Rio de Janeiro esteja comovidamente empenhado em conhecer o resultado final da luta que travaram os dous inimigos, representantes atuais do eterno princípio do antagonismo: Obed e os secretas, a raposa e o sabujo, a lebre e o lebréu. Em que moita, em que espessura de capão de mato se meteu o esperto Obed? A polícia já conseguiu seguir-lhe o rastro até o largo do Catete: aí paravam as pegadas do esquivo animal perseguido; aí Obed volatilizou-se, evaporou-se, sumiu-se; aí parou o sabujo, espantado e tonto, com o focinho levantado, cheirando o ar, à procura da raposa...

A propósito dessa fuga maravilhosa, já os jornais começam a rir da polícia, salientando e criticando a sua incapacidade. Aí têm os senhores outro exemplo do antagonismo fatal: a Imprensa e a Polícia. Leio jornais há mais de vinte anos, e nunca jamais conheci um chefe de polícia que incondicionalmente fosse apoiado pela imprensa. Parece que a polícia foi criada para irritar a imprensa, e a imprensa foi criada para injuriar a polícia; e como imprensa e polícia são irmãs, na missão de vigiar e fiscalizar, aí temos a verificação do velho princípio da fraterna inimizade entre Esaú e Jacó, Rômulo e Remo etc.

No caso presente, o motejo da imprensa é sumamente injusto. Nem sempre Ormuz há de vencer Arimã: alguma vez o Mal há de subjugar o Bem, – porque, se isso não se desse, o Mal desapareceria do mundo, o equilíbrio seria perturbado e a humanidade assistiria à anulação de uma lei fatal, – o que é absurdo, porque o que é fatal não pode ser anulado.

Não sei se, na toca onde se enlapou, o esperto Obed poderá ler esta *Crônica*. Se as minhas linhas tiverem a fortuna de cair sob o astuto olhar desse homem matreiro, ele que atenda à súplica fervorosa que aqui lhe faço: – não se deixe prender, não se deixe prender, por quem é!

Os interesses da consciência humana, as tradições da filosofia, o prestígio das verdades consagradas exigem que, ao menos uma vez, Ormuz seja vencido por Arimã. Não se deixando prender, Obed manterá o equilíbrio necessário entre as forças antagônicas. E veja agora o que faz esse ilustre cavalheiro; veja se vai dar cabo do Dualismo, como deu cabo dos quatrocentos contos do seu amigo!

O. B.

07 fev. 1904

Crônica

É impossível deixar de misturar, nesta resenha da semana, o profano com o sagrado. Os cronistas são como os bufaninheiros, que levam dentro de suas caixas, rosários e alfinetes, fazendas e botões, sabonetes e sapatos, louças e agulhas, imagens de santos e baralhos de cartas, remédios para a alma e remédios para os calos, breve a pomadas, elixires e dedais. De tudo há de contar um pouco, esta caixa da *Crônica*: sortimento para gente séria e sortimento para gente fútil, um pouco de política para quem só lê os resumos dos debates do Congresso, e um pouco de carnaval para quem só acha prazer na leitura das seções carnavalescas.

Aqui está a caixa do bufarinheiro, leitor amigo: mete dentro dela a tua mão e serve-te à vontade. Não fui eu quem a encheu de tantas coisas desencontradas e opostas. Eu sou apenas o retalhista, o varejista dos assuntos. Quem me enche a caixa é a Vida, a fornecedora dos cronistas, – a Vida que nunca foi coerente nem metódica, – a Vida que tem sempre um milhão de contradições em um só minuto do seu curso acidentado e contraditório.

* * *

Aqui está o compartimento da Política: no Brasil, o Acre; na América, o Uruguai; na Europa e na Ásia, a guerra entre a Rússia e o Japão. O imperador do Saara e o Sr. Brézet, um parisiense que se proclamou presidente da República do Cunany, e que pretende agora, em Paris, obter do governo francês o reconhecimento de sua República e da sua presidência. Rigorosamente, estes dois últimos assuntos – o imperador do Saara e o presidente do Cunany – deviam estar no compartimento do Carnaval. Não é tão vago o limite dos dois compartimentos, que, ao menor solavanco da caixa, os artigos saltam de um para o outro, e baralham-se.

No Uruguai, a revolução campeia. Diz-se que Aparicio bate às portas de Montevidéu, como outrora Catilina batia às portas de Roma e a linda cidade, fortificada, armada até os dentes, transformada numa feia praça de guerra, espera o assalto do desabusado caudilho, entre sustos. Quando, há seis meses, depois do assassinato de Borda, o septuagenário Cuestas foi chamado ao poder, não, faltou, dentro e fora do Uruguai, quem profetizasse o advento de uma era de paz e de trabalho para a pequena República. Depois, quando Battle y Ordóñez tomou conta do governo, os blancos e os colorados confraternizaram; – e parecia que o Uruguai, cansado de guerras, ia definitivamente trocar a garrucha pelo arado, e empregar nos trabalhos da lavoura os árdegos cavalos que até então empregava nos trabalhos da aventura belicosa. O tempo veio desfazer esse belo sonho. Colorados e blancos desprezaram os arados, bruniram, carregaram e escorvaram as garruchas, e montaram os cavalos fogosos que se finavam de tédio na monotonia do labor pacífico. E aí temos de novo a guerra civil, com as suas violências e traições, com todos os seus horrores habituais, – entre os quais figura, logo em primeira plana, a degola, – a inevitável degola, que é a flor mais viçosa da estrumeira das revoluções sul-americanas.

O que vale à América do Sul, como consolo, é que a Europa não pode também viver sem guerras. A ambição anda causando por lá as mesmas desgraças.

Conflitos da ambição entre nações diversas, ou conflitos da ambição entre filhos do mesmo país, todos são criminosos e repugnantes, todos deveriam inspirar somente asco e horror. Mas a paz universal é uma miragem, que cada vez parece afastar-se mais. A necessidade da guerra continua a afirmar-se como uma necessidade brutal: a besta humana, por mais que se civilize, sempre há de mostrar que é besta, e besta-fera, dotada de terríveis e irreprimíveis instintos sanguinários.

Vede os Estados Unidos, a grande nação que é a honra e a glória maior do trabalho humano... Os jornais de toda a terra descrevem as maravilhas que já se levantam do solo de S. Luís, para a glorificação do trabalho e da paz, na grande festa internacional do próximo mês de junho: ao mesmo tempo, porém, esses mesmos jornais descrevem, com admiração e louvor, as experiências feitas com um novo canhão fabricado pelos norte-americanos, – o maior canhão do mundo, um monstro de aço, em cujo fabrico se despendeu a bagatela de meio milhão de dólares... A Guerra não dorme: e a cada conquista da Paz corresponde um novo esforço de sua grande inimiga, ciosa das suas prerrogativas seculares, mantidas através das eras desde o tempo dos Calibãs cabeludos e rudes das cavernas até o dos homens civilizados, que fazem exposições universais.

* * *

Bem fazem o imperador do Saara, e o presidente do Cunany, que, governando países fantásticos e fabulosos, não precisam de canhões nem de carabinas, porque não temem os conflitos com as nações estrangeiras, nem receiam a desgraça das guerras civis.

Jacques Lebaudy, em Londres, e Brézet, em Paris, são dous soberanos felizes. E o primeiro é ainda mais feliz do que o segundo, porque é apenas imperador de areias e leões, ao passo que o segundo, menos modesto, quer ser governante de um trecho do planeta em que há homens! Mas como esses homens são brasileiros, e como o Brasil não está disposto a converter alguns filhos seus em súditos de um *laideur* de Montmartre, a presidência de Brézet é tão platônica como a coroa de Labaudy.

Soberanos felizes! um, no seu quarto de hotel, em Londres, recebendo as homenagens de alguns amigos... do seu dinheiro; e o outro, nas cervejarias de Paris, descrevendo a alguns camaradas, entre algumas filas [sic] de *bocks*, as maravilhosas riquezas de sua república, – esses dois chefes de Estado têm a consciência tranqüila: se nada fazem a favor da Civilização, também nada fazem em favor da Selvageria; não cometem o crime de promover guerras, nem têm a desventura de suportá-las.

* * *

O Acre...

O Acre continua a estar na ordem do dia do Senado. Já nada se pode dizer da questão, que está vencida, e que vai valer ao vencedor uma expressiva manifestação de apreço e carinho.

Mas convém registrar que as sessões *secretas* do Senado, como era de prever, tiveram uma publicidade... sublime.

Dando conta do que se passara, na primeira sessão *secreta*, a *Gazeta* escrevia, anteontem:

"Tomadas todas as precauções para que nada transpirasse cá fora, foi aberta a sessão depois de ter um empregado de boa confiança assegurado ao Sr. conselheiro Afonso Pena que ninguém, fora os Srs. senadores, estava no recinto, nas tribunas, nas galerias ou nas salas imediatas". E, logo em seguida, contava tudo quanto se passava lá dentro, – todas as palavras, todos os gestos, todos os pensamentos dos senadores, e esse mesmo prodígio foi realizado pelos outros jornais, que todos revelaram o segredo de Polichinelo, com uma uniformidade e uma retidão maravilhosas!

Quem forneceu e continua a fornecer à imprensa essas informações? ninguém o sabe, e ninguém, o saberá jamais... O caso traz à lembrança o final do Canto III dos *Timbiras*:

> De Timorato
> Procura Gurupema o autor do crime,
> E autor não lhe descobre; Inquire... embalde!
> Ninguém foi, ninguém sabe; e todos viram!

Decididamente, a nossa raça não é muito dada a segredos e mistérios: gostamos de viver às claras, e creio que somente neste particular é que somos verdadeira e sinceramente positivistas. Guardar um segredo, para quem nasceu indiscreto, é um sacrifício mais terrível do que o de não comer, tendo fome e comida, e do que o de não beber, tendo sede e água. Ainda há poucos dias, um cronista registrava o interessante fato de serem todas as nossas conspirações, tanto monarquistas como republicanas, tramadas na rua do Ouvidor, em voz alta, com pleno conhecimento da polícia e de toda a gente. Que é que havemos de fazer com mistério, se nem ao menos sabemos conspirar em segredo!

Em vez de achar que isso seja um defeito da raça, devemos achar que é uma bela qualidade, – uma das suas mais belas qualidades. Há quem diga que somos um povo prematuramente envelhecido, extenuado, em decadência antes de ter chegado ao apogeu, como os frutos que apodrecem antes da maturidade. É uma tolice! Nós somos, ao contrário, um povo criança, perfeitamente criança, com toda a candura, todo o estouvamento, toda a tagarelice, todas as imprudências e todas as indiscrições da infância.

Antes assim. Deixemos o amor do sigilo e da circunspecção dos povos maduros e velhos, e fiquemos com a nossa leviandade, e com o nosso amor das coisas claramente pensadas e executadas. O que é lícito e belo não carece de ser feito às ocultas.

* * *

O Carnaval...

Ei-lo aí que chega, – sem água. Parece que passou o reinado das bisnagas, dos limões de cheiro, das seringas; o entrudo que, nos últimos anos, tomou conta da cidade, como um senhor temido e respeitado, achou agora quem o condenasse. Daqui a oito dias, veremos se a polícia conseguirá apoiar e sustentar as determinações da Prefeitura. Já há quem jure que há de correr água em catadupas, apesar de edital que declarou o entrudo um perigoso inimigo da saúde pública...

Mas haja ou não haja entrudo, é justo defendê-lo de uma feia acusação que contra ele levantam. Dizem que foi ele quem matou o Carnaval. Não há nada mais falso: o entrudo limitou-se a apoderar-se do lugar do Carnaval, quando o viu morto.

Os primeiros anos da República foram os últimos do esplendor da mascarada, que, valha a verdade, não passava de uma descarada apoteose da prostituição. De ano em ano, esses esplendor foi diminuindo, e os préstitos carnavalescos foram perdendo a sua riqueza: hoje, a opulência daquelas imensas procissões escandalosas é apenas uma recordação.

Querem saber o que matou o Carnaval? Foi o *sport*. Antigamente os rapazes economizavam todo o seu dinheiro, pensando nesses três dias de barulhenta folia. Quando chegava a época da mascarada, todas as economias eram sacrificadas em honra de Momo: por isso, havia préstitos carnavalescos em cuja organização se despendiam facilmente oitenta e cem contos de réis. Hoje, os rapazes têm outro Ideal e outro Gosto. Incontestavelmente mais belos e úteis: não há moço, hoje, que não pertença a um club de regatas, de *foot-ball* ou de *cricket*. Foi isso que matou o Carnaval, isso, e mais a falta de dinheiro, de que todos, velhos e moços, vivem, há mais de dez anos, a queixar-se...

Quando o Carnaval morreu, o povo abraçou-se ao Entrudo. O povo, coitado! quer divertir-se, seja como for, com água ou com máscara, rebentando bombas ou espremendo bisnagas, fantasiando-se ou molhando-se. Não quero defender o Entrudo... mas receio que, proibido o uso das bisnagas e das seringadas, fiquemos sem carnaval e sem entrudo, com os três dias gordos transformados em três dias tão magros como todos os outros do ano...

O. B.

14 FEV. 1904 — CRÔNICA

É pouco provável que muita gente demore hoje a atenção na leitura da *Crônica*. A paixão do Carnaval é absorvente. Quase todos os que começaram a ler esta coluna, interromperão a leitura, assim que virem desterrado daqui o assunto magno, o assunto único do dia, – que é o Carnaval...

Paciência! sempre alguns leitores me hão de ficar, – ou porque não gostem da folia carnavalesca, ou porque desejem distribuir com eqüidade o seu tempo, dando alguns minutos às cousas sérias, e reservando outros para o folguedo e o baile.

A mim, o barulho que hoje me interessa, não é o dos bumbos e tambores, que passam pelas ruas, esbordoados pelos foliões: – é, sim, o rumor atroz do canhoeiro, que atroa o mar Amarelo, o mar da China, o mar do Japão, na guerra bárbara em que os dous povos civilizados se empenham.

Tão vivo e tão profundo horror tenho da guerra, que os meus nervos estão há cinco dias dolorosamente vibrando, abalados pelas notícias que leio dos primeiros combates entre russos e japoneses. Chego a ouvir o canhoeiro, chego a ver a batalha, e chego a sentir o cheiro nauseabundo da pólvora e do sangue; e a minha imaginação aterrada reproduz todo o pavoroso espetáculo...

E foi para isso que se reuniram tantos Congressos da Paz, e foi para isto que os monarcas e os chefes dos Estados da Europa andaram, durante um ano, numa contradança de visitas de oficiais, trocando promessas de amizade, em *toasts* festivos!

Decididamente, os homens não querem ouvir o que os bons apóstolos lhes dizem...

Há, no meio do Oceano Pacífico, pequenina e isolada na extensão infinita das águas, uma ilha deserta de homens, – a ilha de Laysan, – que pertence aos Estados Unidos, mas em cujo solo ainda impera a natureza virgem. A água, marulhosa e inquieta, acaricia as praias rochosas desse pedaço de terra, – tão insignificante, que poucos mapas o assinalam na superfície do grande mar. Os navios que passam por ali não prestam atenção àquele ponto branco e verde perdido no vasto lenço azul. Até 1902, ninguém tivera a curiosidade de ir ver o que havia ali dentro, e a ilha de Laysan dormia em paz, acalentada pela sentinela das vagas, fecundada pelo hálito ardente do sol, vigiada pelo plácido olhar das estrelas, longamente beijada pela claridade suave do luar...

Em 1902, dous naturalistas norte-americanos, Gilbert e Fischer, que se dedicam especialmente ao estudo da ornitologia, ponderaram que, no retiro dessa ilhota virgem devia viver uma grande multidão de aves selvagens: havia ali, talvez, espécies novas, ainda não estudadas e classificadas...

E, com essa nobre paixão do estudo que não mede dificuldades, os dous ornitologistas fizeram uma vasta provisão de víveres, e transportaram-se para o seio da ilha virgem, desvirginando-a...

Gilbert e Fischer acabam de publicar a história dos dias que lá passaram sozinhos, no meio de uma inumerável república de pássaros. O relatório, de que *La Révue* de Paris publica um excelente resumo, encerra encantadoras revelações sobre a vida desse povo alado, que antes do desembarque dos dous naturalistas, nunca tinha visto uma só figura de homem.

Assim que puseram os pés no solo da ilha, Gilbert e Fischer viram aproximar-se um albatroz, que os mirou longamente, contemplando com demorada atenção a máquina fotográfica que um deles carregava.

O pássaro, com o seu ar sisudo e refletido, não manifestava a mais insignificante impressão de terror ou de desconfiança. Voava e revoava em torno dos viajantes, pousava no chão, recebia com prazer as migalhas que lhe davam. Daí a pouco, outros albatrozes chegaram... E foi no meio de uma compacta guarda de honra de grandes aves brancas, que os dous sábios se internaram pelos domínios da república volátil.

Mas isso foi apenas o início das surpresas. Os naturalistas nunca tinham podido imaginar que houvesse tantos pássaros naquela ilhota desconhecida. Cada passo que davam entre as rochas e as árvores, vinha revelar-lhes a existência de novos habitantes voadores: fragatas, tentilhões, corvos-marinhos, cercelas [sic], francolins, procelares, andorinhas do mar, – uma infinita multidão de aves. E todas elas, grandes ou pequenas, de vôo largado ou vôo curto, aninhadas nas árvores ou nas rochas, todas seguiam os dous sábios carinhosamente, sem medo, com uma inocência perfeita. Um francolin, principalmente, mostrou-se tomado de uma irresistível simpatia pelos estrangeiros, "acompanhando-os por toda a parte como um cão" pousando no ombro de um e de outro, e várias vezes deixando que o fotografassem. O naturalista Fischer quis experimentar até onde iria a ingenuidade dessa confiante galinhota, e tentou várias vezes amedrontá-la, com o gesto e com a voz, ameaçando-a e gritando; mas o francolin não se deu por achado, e continuou a segui-lo, vindo dar-lhe bicadas amáveis nas mãos.

É interessante isso, não? Porém ainda mais interessante é a conclusão. Os naturalistas, que não tinham ido à ilha de Laysan com o único intuito de fotografar passarinhos e de receber as suas carícias, trataram de matar alguns de seus amigos alados... A passarada, quando viu alguns francolins e algumas procelárias por terra, sem vida, com as asas quebradas e as plumas enodoadas de sangue, ficou aterrada. Uma grita confusa, ansiosa, de pavor, de susto, de cólera, de indignação, encheu a ilha.

Pobres pássaros! tinham afinal compreendido que a chegada daqueles estrangeiros, recebidos com tanto afeto e com tanta gentileza, era a chegada da perseguição e da morte... E foi assim que as aves da ilha de Laysan ficaram conhecendo o animal *Homo*, rei da criação, que se supõe ser uma criatura de extrema brandura, mas que é afinal tão sanguinário e tão perverso como qualquer *Felix-Tigris* ou como qualquer *Canis-lupis*...

Ah! gaivotas! ah! francolins! ah! procelárias, andorinhas do mar, corvos-marinhos, fragatas e tentilhões da ilha de Laysan! Mal sabíeis, quando ingenuamente vos aproximastes desses dous bichos bípedes e sem asas, que eles pertenciam a uma espécie que não pode viver sem as lutas, sem as guerras, sem o sangue, sem o espetáculo atroz do incêndio, da assolação e do morticínio!

A tranqüilidade em que vivíeis em vossa ilha pequenina, povoando-a de asas com os vossos amores, encantando-a com as vossas cantigas, comendo, amando, gozando a vida sem conflitos, fruindo a paz da confederação cordial dos vossos ninhos irmãos, – essa tranqüilidade é incompatível com a presença do homem...

Porque os homens, ó pássaros da ilha de Laysan!, quando se cansam de matar os pássaros, começam a matar-se uns aos outros, – tanto é certo que a brutalidade é uma condição essencial de sua existência na terra...

Bem perto de vós, aí nesse vasto Oceano Pacífico, à flor de cujas águas resplende ao sol a vossa ilha pequenina, os homens estão a matar-se com uma fúria alucinada.

Oceano Pacífico!... essa denominação mentirosa, já desmoralizada pela crueza e frequência das tempestades que agitam o grande mar, ainda tem de ser anulada pelas guerras ferozes a que ele assiste...

Quem vos há de restituir agora a tranquilidade, ó pássaros da ilha de Laysan?

Porque, enfim, o grande prejuízo que vos trouxe a visita desses dous sábios, não foi o extermínio de alguns de vossos irmãos, que já devem, a esta hora, estar empalhados e mumificados, figurando em algum museu de história natural dos Estados Unidos. O maior prejuízo dessa visita, foi o exemplo de crueldade que recebestes, a lição de morticínio que vos deram, – o pernicioso contágio a que vos expusestes, quando voluntariamente ficastes expostas ao contato do Homem...

Até agora, não sabeis o que é a guerra. Nas árvores e nas rochas da vossa ilha, havia lugar bastante para todos os vossos ninhos. Na mesma árvore, pousavam o tentilhão alegre e a taciturna fragata; nas fendas da mesma rocha, depunham os seus ovos a débil andorinha do mar e o enorme albatroz robusto.

Aves grandes e aves pequenas, rainhas das alturas vertiginosas, habitantes de planuras modestas, amigas dos verdes recessos da mata ou freqüentadoras da larga solidão do mar agitado: – todas viviam aí, nessa doce paz fraternal, em que os homens não podem ou não querem viver. Mas, agora, ó pássaros de Laysan!, agora que os vossos olhos contemplam o espetáculo do morticínio, vai começar também para vós o regime das bicadas e das garradas: brigareis por causa de um galho de árvore, por causa de uma frincha de rochedo, por causa de uma nesga de céu, por causa de um palmo de águas, esquecendo, que há em vossa ilha e em torno dela, bastantes árvores, bastantes rochedos, bastante céu e bastantes águas para as necessidades do vosso pouso, da vossa alimentação e da vossa felicidade...

* * *

Também, é só isso que os homens podem ensinar aos pássaros. Eles, os homens, viveriam tão bem, se se quisessem amar como irmãos!

Mas, não querem... E lá estão a matar-se, no Extremo Oriente – no seu horroroso carnaval de sangue e fogo, – por causa de um pedaço de terra. Como se não houvesse, nos cem milhões de quilômetros quadrados de terra firme que há no planeta, lugar para todos os entes, alimentos para todos os apetites, e descanso para todas as almas!

O. B.

06 mar. 1904

Crônica [Cia]

"A religião é um freio!" – dizia o conselheiro Acácio, venerado filho do boticário Homais, e neto de Monsieur de la Palisse.

Parece, porém, que o Rio de Janeiro, esta árdega e desbocada cidade em que vivemos, não se contenta com um só freio: o Rio de Janeiro precisa de muitos freios, cuja ação combinada lhe modere e sofreie o ardor dos instintos em marcha acelerada para a abolição dos pecados.

O Rio de Janeiro não tem Religião: tem Religiões. Os cariocas acreditam ardentemente ganhar o reino do céu, lançam mão de todas as amarras, e recorrem ao mesmo tempo ao auxílio de todos os credos e de todos os ritos. Ora, graças! Já não se dirá de nós o que dos Tasmânios incréus disse o missionário Clark: "Morrem sem pensar em Deus, como os cangurus", ou o que dos Hotentotes disse Campbell: "Só vieram ao mundo para matar e comer". Nós viemos ao mundo para... crer e rezar.

Ninguém imaginava que houvesse tantas religiões por aqui: nós somos católicos, positivistas, budistas, protestantes, batistas, luteranos, calvinistas, hierosolamitas, sebastianistas, ocultistas, gnosticistas, cabalistas... que sei eu? O Rio de Janeiro é Credópolis: aqui, como naquele vale do Egito, em que Flaubert localizou a *Tentação de Santo Antão*, todas as religiões da terra... e do espaço vieram reunir-se, e exibir-se em parada de mostra.

O meu companheiro João do Rio deu-se agora a um inquérito sobre todas essas religiões, e os seus artigos, publicados nesta mesma *Gazeta*, têm revelado cousas maravilhosas. Ontem, encontrei João do Rio... Ele resplandecia: pareceu-me que cada uma das religiões estudadas e devassadas lhe tinha dado um pouco do seu clarão do Além-mundo... João saía do Mistério, todo cheio de Mistério: tinha mistério na face, no corpo, no chapéu, nas botas. E, assim como as mulheres de Florença diziam de Dante, quando ele passava pelas ruas: "Lá vai aquele que voltou do inferno!", – também do meu querido João do Rio se pode dizer, com respeitoso espanto: "Lá vai aquele que voltou do Mistério!"

* * *

Essas revelações têm despertado um interesse justo. Não houve ainda, desde o princípio das eras até hoje, problema que, mais do que o problema religioso, apaixonasse a alma humana. Alguns psicólogos acreditam que há no cérebro humano uma região especial, onde reside o domínio privado da religiosidade...

O inquérito da *Gazeta*, conduzido com talento e brilho, vem provar que esse domínio da *religiosidade*, se existe, nunca terá talvez as suas fronteiras anuladas.

João do Rio tem corrido vários templos – uns encantadores e sóbrios, outros severos e solenes, outros lôbregos ou equívocos, ou sinistros, ou cômicos, instalados em bibocas ou em fundos de clubes de dança. E ainda o inquiridor não visitou as casas em que se praticam a quiromancia, a necromancia, a cartomancia, a piromancia, a sticomancia [sic], a oneirocricia, e todas as outras artes da magia, que, pelo seu caráter cultual e místico, também fazem parte da grande repartição das religiões.

Somente agora, podemos avaliar os mistérios que a nossa Capital, sob a sua enganadora aparência de leviana futilidade, guarda e esconde no seu seio.

Mal sabíamos nós que vivíamos a acotovelar por essas ruas tantos sacerdotes!

Olhai aquele sujeito, que vai de rosto magro e chupado, pitando melancolicamente um cigarro, com um ar apagado e insignificante de quem não sabe o que está fazendo no mundo... Não vos deixeis iludir pela sua aparência nula: aquele sujeito é um vidente, que confabula de dia e de noite com os mortos e a cujo aceno imperativo e seco as almas fogem do limbo e vêm roçar de novo com a ponta da sua asa imaterial, a Terra corrompida.

Vêde aquele homem calmo, pacato, gordo, vestido com correção e limpeza, pisando firme, com a mão na algibeira da calça, sacolejando as chaves da burra. Pensais que aquele pacífico burguês só trata dos seus negócios e da prosperidade de sua casa comercial? Puro engano nosso: – aquele homem vive dentro de um halo de espíritos, e conversa com eles, e deles recebe lições, e por eles conhece todos os segredos do éter infinito, em cuja amplidão, entre os mundos volantes, erram as Psiques e os Corpos Astrais...

Reparai agora naquele mocinho imberbe, esbelto, com um buço no beiço e um clarão de garotinho nos olhos. Cuidais que é um alegre colegial, somente preocupado com o *sum-es-fui* e com o teorema de Euclides, dividindo o seu tempo entre o estudo dos preparatórios e o namoro das meninas janeleiras? Longe disso! aquele mocinho é um sacerdote de Mitra, para quem a Gnose não tem segredos, e para quem o Talmud é mais claro do que um copo d'água...

E ali tendes um mendigo, sentado à soleira de uma porta, com a cabeça calva ao sol, estendendo o chapéu aos transeuntes. Não vos enganeis... Aquele mendigo é mais rico que Rockfeller e Morgan: sabe consultar os astros, possui um pedaço da pedra filosofal, vende aos centilitros o elixir da longa vida, e, versado em todos os arcanos da alquimia, sabe converter o chumbo em ouro, com o simples auxílio de uma pitada de pó e da boa vontade do divino Hermes Trimegisto...

Nos bondes, nos teatros, nos cafés, nós vivemos irreverentemente a pisar os calos de grandes Heresiarcas, de poderosos Magos, de fortes Arquiatros, de sagrados pastores de almas. Em cada uma das ruas de Botafogo, ou do Saco do Alferes, da Gamboa, ou das Laranjeiras, há um templo, uma basílica, um delubro, uma capela, um antro de pitonisa, uma caverna de oráculo: o Rio de Janeiro é Credópolis.

* * *

A todas essas religiões cujo culto é público ou secreto, mas que têm uma organização mais ou menos metódica, é preciso juntar as religiões individuais, as superstições que são peculiares a cada indivíduo.

Este nunca sai de casa, sem fazer quatro piruetas seguidas no patamar da escada; aquele não vai para o trabalho sem beijar sete vezes um pedaço de corda de enforcado; aquele outro tem na corrente do relógio um dente de veado morto no quarto minguante da lua de outubro; qual não realiza negócio senão em quarta-feira; qual não arrisca cinco tostões no jogo dos bichos sem oferecer um copinho de aguardente a Santo Onofre; e um sujeito conheço eu (não lhe escrevo o nome para não o vexar) que, há doze anos, ao descer do bonde, entra na cidade pondo o pé direito na mesma pedra da mesma calçada da mesma esquina da mesma rua...

Também essas superstições são governadas pelo instinto de "religiosidade". Religião não é somente "um freio", como dizia o conselheiro Acácio: é um freio para as almas ardentes e impetuosas; mas, para as almas lerdas ou apáticas, não é freio: é acicate; é chicote, é espora; é estimulante, é álcool, é choque elétrico... Da Religião se pode dizer o que dizem do hábito de fumar os fumantes incorrigíveis: dá fome a quem não a tem, e aplaca a fome a quem a tem...

* * *

Estou em dizer que nunca se fez, no Rio de Janeiro, como pesquisa de psicologia social, um inquérito tão interessante como esse da *Gazeta*.

O século Dezenove, no seu último quartel, assistiu a um reflorescimento de crenças. O século Vinte está assistindo à exacerbação desse movimento de regresso à fé. O reverdecer, não da Religião, mas das Religiões, não se está fazendo apenas no Rio de Janeiro: faz-se em todo o mundo civilizado. Multiplicam-se as conversões, ressuscitam crenças mortas, exumam-se ritos antigos, reacendem-se apagadas seitas. Na culta Europa, em Paris e em Londres, já existem templos do Mazdeísmo, do Budismo e do Saleísmo.

Que quer dizer esse regresso à fé? É um sinal de progresso ou de decadência moral?

Pela mistura das religiões, pela complicação dos credos, pelo baralhamento das seitas, parece a princípio que há aí um sintoma de degenerescência. O primeiro sintoma da queda de Roma foi a importação e a implantação de todos os cultos e de todas as religiões das províncias conquistadas. Nos últimos tempos do Império Romano, um imperador erigiu um templo "a todos os deuses". Mas, depois desse, veio outro imperador que erigiu um outro templo "aos deuses desconhecidos"... O espertalhão ponderou que bem podia ainda haver, em certos escaninhos do céu, algumas potentades divinas privadas de culto: e a cautela foi tratando de angariar a estima hipotética desses hipotéticos numes.

Mas essa manias de resolver problemas históricos, de diagnosticar moléstias sociais, de vaticinar o progresso ou a decadência de raças com o auxílio das lições do Passado, conduzem sempre a muito absurdo...

O que suponho é que não haja "regresso à Fé". Só há regresso quando houve ausência. E a Fé nunca esteve ausente. Há de existir crença enquanto existir pavor. O que sucede é que, só de quando em quando, a largos trechos de tempo, alguém se lembra de pesquisar essas cousas: e, então, a gente supõe que é uma novidade aquilo que não passa de cousa constante e contínua.

Enquanto houver mundo, haverá Religiões: a humanidade há de ser sempre este mesmo rebanho sensual e covarde, governado ao mesmo tempo pelo gosto da vida e pelo medo da morte, pelo amor do pecado e pelo terror do castigo...

O. B.

13 MAR. 1904 — CRÔNICA [CF]

No dia da inauguração das obras da Avenida, enquanto o povo, na Prainha, vitoriava o governo, eu andei, por muitas vielas e por muitos becos, acompanhando um vulto, invisível para todos, mas bem visível para mim, – um vulto merencório e fúnebre, que andava sem tocar o solo com os pés, esquivando-se impapável entre os transeuntes, cosendo-se com as paredes, deslizando sem rumos e sem peso, como um fantasma que era...

Encontrei-o nas proximidades do Liceu Literário, perto do local em que se realizava a grande festa. Quando o vi, cuidei que fosse realmente um homem, de carne e osso, vivo como eu, um ancião de cento e tantos anos, esquecido no mundo por descuido da morte, e desencantoado por milagre do seu plácido retiro para vir gozar o festival.

Era alto e corcovado, muito velho, magro como um caniço; a pele, amarela e seca, parecia um papiro polisecular da Babilônia ou do Egito; as pernas longas, finas e duras, anquilosadas pela velhice e pela reuma, abriam-se e fechavam-se sem flexão, como as duas hastes de um imenso compasso; e uma barba e uma cabeleira, curtas e ralas, de um branco amarelado, como o dos pêlos das espigas de milho, enfeitavam o seu mento e a sua nuca... Trajava gibão de veludo escuro, já muito sovado e pelado; colete comprido, cobrindo todo o ventre; calções de belbute, com os fundilhos remendados; meias cerzidas e recerzidas de algodão.

– De onde saiu este velhote do século atrasado? – perguntei a mim mesmo. Mas, de repente, notei um fato que me encheu de assombro: no meio daquela espessa multidão, o velhote marchava como se fosse feito de fumaça, deixando-se atravessar pelos corpos humanos que encontrava. Quando alguém o abalroava, a massa ténue e gasosa do seu corpo adelgaçava-se, remexia-se, enovelava-se, separava-se, sem resistir ao choque, e, passado este, tornava a condensar-se numa figura humana...

– É um fantasma! pensei, arrepiado.

Houve um vasto clamor. As bandas de música romperam num estrugir selvagem executando o hino nacional; estalaram girândolas; ressoaram exclamações; estavam inauguradas as obras da Avenida; o povo, num mar agitado, refluía para junto do Liceu Literário; e eis ali vinham o presidente da República, os ministros, o arcebispo, os convidados, sorrindo, apertados, rompendo a custo a multidão.

O fantasma estremeceu e ondulou no ar como um novelo de fumo sacudido do vento. E fugiu...

Deixei a festa, a alegria, o tumultuar do povo, o "copo d'água", e abalei atrás dele, – intrigado e curioso. E começamos a patrulhar a cidade, – eu, ansioso e suando, – ele, sereno e sem suar, – porque fantasma não sua.

O velhote espectral entrou na rua da Saúde, e começou a perlustrar as travessas e os becos do morro da Conceição, – e eu a segui-lo. Andamos, aos trancos, subindo e descendo vielas e betesgas, a Pedra de Sal, o Escorrega, o Sereno, o Jogo da Bola, o João Homem, o João Inácio, o Mato Grosso, o Valongo, o João de Gatinhas, as Escadinhas do Livramento e do Oliveira, a Madre de Deus, o Sem Saída, o Cleto, a Funda, o Adro de S. Francisco, por todo aquele complicado e entontecedor labirinto de veredas escarpadas e sujas. O fantasma não parava: quando um dos becos o levava para o litoral ou para a cidade baixa, ele desandava, metia-se de novo pelas betesgas.

Oh! que jornada! no solo, apodreciam cadáveres de gatos e de cães, entre revoadas e moscas; descompunham-se ao sol os detritos vegetais; uma lama viscosa enchia os buracos; rios de água suja desciam espumando. As casas, encostadas umas às outras, amparando-se mal, abriam as janelas imundas, como bocas desdentadas; a gente, que chegava às portas, olhava-me com suspeita... E o espectro andava sempre, para diante e para trás, sem descanso. A tarde caia. Mas eu não desanimava...

Por fim, já na meia luz do crepúsculo, vi que o fantasma parou junto de uma furna, aberta na rocha. Parou, esteve um momento em reflexão com o queixo enterrado na cova do pescoço, – e fez um movimento para entrar na caverna... Vi que me ia escapar, e interpelei-o:

– Ó tu, que tens de humano o gesto e o peito – ele voltou-se, espantado, e aproximou-se:

– Isso é de Camões... – disse, com um fiozinho de voz que quase não se ouvia.

– É de Camões! – confirmei – Mas tu, de onde és, e quem és, larva, lêmure, avantesma, avejão?!

E o fiozinho de voz murmurou:

– Eu sou a Tradição, eu sou o Passado, eu sou a Prudência! Saí hoje da minha furna, para ver de perto o Progresso. Oh! o Progresso! Pobre desta cidade! pobres destas boas casas que morrem! pobres destas boas ruas que desaparecem! pobres das minhas alegrias que se esvaem! Esta avenida, menino, vai ser o caminho largo da Perdição! O caminho do Céu é estreito e feio como o Escorrega; o caminho do Inferno é que é amplo, rasgado, cômodo, bonito! pelas veredas apertadas só passam as almas puras, mas pelas avenidas largas passam todas as multidões pecadoras...

– Mas que fazes ainda na terra, tu, que já devias estar no céu ou no inferno? e que te importa que tenhamos travessas ou avenidas, se já és apenas a sombra do que foste, a recordação de ti mesmo, alma penada sem descanso?

– Ah! eu só sairei daqui no dia em que puserem abaixo todas estas amadas casinhotas do meu século, todos estes cochicholos que me viram nascer. Quero assistir ao sacrilégio final; só desejo verdadeiramente morrer, quando morrer o meu Tempo!

– Vai então fazendo desde já o teu último testamento, fantasma idiota! O que viste hoje foi apenas o prólogo do drama glorioso. Os dias das tuas casinholas e dos teus cochicholos estão contados. O drama vai ser luminoso e rápido. Daqui a poucos anos, o desfecho virá, com a grande apoteose da salvação... Dissipa-te já, desaparece já, vai-te já para o céu e para o inferno, espectro importuno!

– Não posso! eu sou a Prudência, eu sou o Juízo, eu sou o Protesto!

– Não! tu és a porcaria, tu és a Preguiça, tu és a Moleza!

O fantasma teve um rictus de cólera na boca sem dentes. Quis dizer alguma cousa, quis cuspir-me alguma injúria, – mas não pôde: lançou-me um olhar de ódio, e enlapou-se na sua toca.

Anoitecera. Comecei a descer o morro sinistro. Perto de um paredão, detive-me pouco; – e mirei a cidade que se alastrava lá embaixo.

As luzes dos lampiões desenhavam as ruas estreitas e tortuosas; cruzando-se; emaranhando-se; como lombrigas.

Em torno de mim, as velhas taperas, as medonhas bibocas do morro, fechadas, silenciosas, fúnebres, desfaziam-se em miasmas.

Mas o meu sonho animou tudo aquilo: comecei a ver, ao longo da cidade derramada aos meus pés, rasgar-se a grande Avenida; diante dos meus olhos deslumbrados relampejavam jatos de luz elétrica; e vi desenhar-se a cidade futura, resplandescente e rica, mais bela do que todas as suas irmãs, irradiante na glória da civilização.

Ah! quem me dera vida para te ver e te amar nesses dias, cidade do meu amor!

E, tropeçando nos calhaus, tapando o nariz para não sentir a fedentina das vielas, vim descendo o morro.

O. B.

10 abr. 1904

Crônica [Cia]

Este abril, que logo no seu segundo dia de vida, teve como saudação de boas vindas o repique festivo dos carrilhões da Aleluia, veio trazer-nos uma farta messe de alegrias. Uma chuva torrencial se despenhou do céu, afugentando os últimos calores, lavando a cidade, – e além desse grande serviço higiênico, dando-nos o regalo de um espetáculo raro: as ruas transformadas em rios, as praças mudadas em lagoas, os bondes metamorfoseados em gôndolas, – e homens e cachorros nadando, como peixes, pela vasta extensão das águas espalhadas.

Vão agora chegar os dias suaves do outono, – deste nosso generoso outono carioca, tão doce, tão meigo, que flui como uma primavera risonha, sem desfolhar as grandes árvores, sem lhes envelhecer as copas frondosas, ameigando-lhes apenas um pouco o verde intenso das folhagens.

Saudemos o outono – mas não nos queixemos do verão. Onde vos ides, ó duros verões de antanho, sufocantes e inclementes, com o vosso hediondo cortejo de febres e de agonias?! O verão de agora não chegou a alucinar o Rio de Janeiro. A coluna do azougue, nos tubos termométricos, não realizou ascenções notáveis: deixou-se ficar abaixo de 30º, com uma amabilidade cativante...

O boletim demográfico, anteontem distribuído, consigna um fato, que chega a parecer maravilhoso: de 1873 para cá, não houve um só mês de fevereiro, em que apenas se dessem sete casos fatais de febre amarela, como agora acaba de acontecer; e a soma dos óbitos devidos a essa torpe inimiga, em janeiro e fevereiro de 1904, é inferior a idêntico obituário de qualquer mês de qualquer dos últimos trinta e um anos!

Ontem, todos os jornais deram à população uma notícia agradável: foi suspenso o regime sanitário a que estavam sujeitos os navios que daqui saíam, e já em Montevidéo (oh! espanto!) não há quarentena para os passageiros do Rio. Por isso, é justo repetir que abril merece fervorosa gratidão, pela sua bondade: paguemos-lhe, em louvores, o que ele nos está dando, em alegria, em sossego, em céu azul, em frescura de ar, em lindas rosas perfumadas!

* * *

A propósito das excelentes condições sanitárias da cidade, já ontem ouvi uma conversa em que se manifestava o nosso incorrigível costume de não acreditar na competência, nem no trabalho, nem na energia dos servidores públicos. Falava-se da guerra ao mosquito, e alguém observou:

– Seja como for, o que é certo é que, com a guerra ao mosquito, já a febre amarela desapareceu...

E, logo, uma outra pessoa, torcendo o nariz, e enxugando os cantos da boca, murmurou com desdém:

– Ora! foi por acaso... O que isso prova é que o Oswaldo é um sujeito que tem sorte!

"Que tem sorte"... Nós somos, em matéria de fatalismo, tão maometanos como os súditos do xá da Pérsia e do sultão de Marrocos. Acreditamos na sorte: é a sorte quem nos governa, e é a ela que atribuímos tudo quanto de bom nos sucede. E o interessante é que o nosso fatalismo e a nossa superstição servem apenas para atribuir à sorte a responsabilidade das cousas boas, sem lhe atribuir a responsabilidade das más. Quando tudo vai mal, a culpa é dos funcionários que são incapazes, ou desidiosos, ou venais: mas, quando tudo vai bem, a glória é da sorte – do Destino responsável e cego.

O vício é antigo, e tem raízes profundas no organismo... Como o Brasil foi descoberto por acaso, não falta quem jure que do descobrimento do Brasil até hoje, toda a nossa organização social tem sido uma questão de "sorte", uma obra do Acaso...

Ainda agora, se o governo conseguiu resolver sem conflitos o caso do Acre, se o empréstimo para as obras do porto foi tomado, se a cidade começa a progredir, se as desapropriações se fazem sem protesto, se os terrenos da Avenida se vendem rendosamente, se a febre amarela desapareceu, nada disso foi devido à inteligência, à energia, à competência do governo: à Sorte, ao Destino, à Providência, à misericórdia de

Deus é que devemos todas essas felicidades... Realmente, a misericórdia de Deus deve ser infinita, para assim se comprazer em conceder favores a um povo que tão pouco acredita e confia em si mesmo!

Ah! meus amigos! a felicidade é uma palavra oca... O que chamais felicidade, ou "sorte" ou boa estrela, é apenas o prêmio inevitável e fatal que a Vida concede a quem tem decisão e coragem. A coragem e a decisão, que não podem existir sem fortaleza de alma, podem talvez naufragar... Mas esses naufrágios são pelo menos mais honestos do que os outros, causados pela Imprevidência e pela preguiça. Nesta vida miserável, ninguém pode ter a certeza de vencer: mas quem tem o nobre desejo de acertar já possui uma virtude de alto valor...

* * *

Esta crônica é a última da série: um cronista mais digno da *Gazeta* e dos seus leitores virá substituir vantajosamente o escritor que aqui esteve hospedado por largos anos, numa interinidade honrosa, ocupando o lugar outrora ocupado pelo grande mestre Machado de Assis.

Agora, os meus artigos não serão uma resenha da vida carioca: refletirão aspectos da vida estrangeira, e virão pontualmente da Europa, por todos os paquetes, trazendo, durante algum tempo, impressões de outros climas e de outras gentes.

Traçadas à pressa, no atropelo da partida, estas linhas ficam aqui como um agradecimento à bondade, que o cronista sempre mereceu do público. Não nos despedimos, o público e eu: separamo-nos por pouco tempo, por poucos dias. Até breve.

O. B.

01 jun. 1904 — Bahia

À medida que o bote se aproxima da terra, impelido pelas remadas largas e fortes dos dois catraieiros desempenados e tagarelas, uma estranha cidade, de singular e nunca visto aspecto, vai surgindo aos meus olhos.

Vista do mar, a Bahia, para quem está acostumado ao aspecto do Rio de Janeiro, e, em geral, do das cidades do Sul do Brasil, parece uma cidade de outro país, edificada por outro povo. Não temos no Rio aqueles enormes edifícios de três e quatro andares, estendendo-se ao longo do litoral, e galgando os morros, acastelados uns sobre os outros, – formando uma alta e larga muralha, que tapa o horizonte, toda furada de janelas pequenas e simétricas. A princípio, julga-se estar vendo uma cidade somente ocupada por conventos... Aquelas fachadas imensas e tristes lembram fronteiras dos velhos claustros adormecidos.

No meio de uma vozeria infernal, entre gestos e risadas, o bote chega ao cais e atraca à famosa "Escada de Pedra", cujos degraus cobertos de limo os pés de quem desembarca têm de pisar com mil cuidados para evitar escorregões perigosos.

E imediatamente desvanece-se a impressão de tristeza, que a cidade dava de longe. O cais é apertado, estreito, sujo, maltratado; mas toda aquela gente que se move em torno do chafariz, – onde há uma terrível serpente de ferro apertando entre os dentes um peixe fantástico, – é uma gente alegre e faladora, pródiga da palavra e de gestos, com uma grande animação na face e uma jovialidade cantante na voz. Já na conversa dos pescadores, dos catraieiros, das quitandeiras, dos carregadores, apanho, aqui e ali, algumas expressões de raro calor, alguns ditos em que a vivacidade da imagem se alia à propriedade do termo. E, enquanto em torno de mim se aprumam os velhos casarões melancólicos e enormes da era colonial, suando tristeza e vetustez, - eu me delicio com o contraste daquela multidão barulhenta, expandindo-se e vibrando com tanta alma num meio que só devia inspirar idéias lúgubres...

É verdade que o céu também contrasta ali com a fealdade das casas de beiramar; e não só o céu, mas também as árvores, e também o mar achamalotam-se ao sol, num esplendor de espumas de prata... Ah! decididamente estamos em terra dos poetas, dos oradores, dos patriotas ardentes, das comidas excitantes e dos amores impetuosos...

* * *

À proporção que penetrava no coração da cidade, esta minha sensação de estar vivendo entre gentes alegres e calorosas foi avultando e crescendo. Eram somente oito horas da manhã. E, a essa hora, já toda a cidade palpitava e tumultuava. As pretas quitandeiras atroavam o ar com o seu pregão cantado; os garotos, descalços, corriam, trauteando *modinhas*; os "elevadores" trabalhavam, subindo e descendo, transportando gente; os bondes elétricos, muito melhores do que os nossos, passavam cheios.

Uma cousa que, na Bahia, indica bem o "estado de alma" dos habitantes é a pintura da fachada das casas.

A policromia dessas fachadas é extraordinária: há casas pintadas de vermelho, de amarelo, de verde, de azul; e, em algumas, essas cores combinam-se, produzindo efeitos que fazem doer a vista. É natural que um artista, de olhos educados, não goste dessa profusão e dessa mistura de cores, às vezes tão disparatadamente casadas... Mas esse excesso decorativo, esse abuso de pinturas vistosas, esse amor exagerado de tonalidades vivas, demonstram uma forte vivacidade de impressões, uma extraordinária pujança de imaginação.

O aspecto de uma cidade é sempre a reprodução da fisionomia moral do povo que nela vive. Na Bahia, as construções da era colonial são taciturnas e lúgubres: os modernos, não podendo arrasar esses casarões funéreos, criaram, para contraste e para expansão do seu temperamento exuberante, a decoração vistosa e gritadora das casas novas...

Fora da cidade, nos arrabaldes que a rodeiam, há essa mesma jovialidade de tons na pintura dos leves *chalets*, das confortáveis vivendas, entre as mangueiras copadas, a cuja sombra florescem canteiros de rosas e cravos. E deve ser delicioso viver nessas chácaras frescas e vastas, onde os baianos ricos ou remediados descansam, à tarde, das fadigas da sua labuta do dia, nas ruas estreitas e mal calçadas da cidade baixa.

* * *

Confesso que as poucas horas que passei na Bahia me deram um vivo prazer.

Um companheiro meu, carioca também, quis motejar daquele feio cais de desembarque, tão pouco asseado, tão coberto de imundícies, tão pouco digno de uma cidade que se preze. Mas impus-lhe silêncio, com poucas palavras sensatas:

"Que era o cais de desembarque no Rio, amigo, ainda há menos de dois anos? Não era mais limpo nem mais decente do que este... Estou mesmo em dizer que era muito mais sujo e muito mais indecente, porque era muito maior, e a sua imundície era muito mais visível... Entretanto, com um pouco de dinheiro e com um pouco de boa vontade, o nosso velho largo do Paço ficou uma jóia! Não zombe também destas casarias em ruína... Quem vem do Rio de Janeiro, que sabe o que é o centro comercial da nossa grande cidade, não tem o direito de ser exigente em matéria de arquitetura e bom gosto... A Bahia pode ser, dentro em breve, uma bela capital: basta para isso que se livre da moléstia da politiquice e que os seus homens públicos, como os nossos, se decidam a preferir o trabalho fecundo à parolagem estéril. Agora, saiba você que há aqui uma cousa que o Rio de Janeiro talvez nunca possa ter: é esse patriotismo, é esse amor da terra, é esse *baianismo* que se revela em tudo".

Com efeito, não é preciso passar mais de cinco ou seis horas na Bahia, para compreender que esta cálida terra é um reduto do patriotismo brasileiro.

A praça principal da cidade é a que possui o monumento de *Dous de Julho*. É aí, em torno do monumento augusto, tratado com carinho excepcional, que o povo prefere reunir-se. Quando chega o grande dia, toda a cidade delira. Há passeatas, espetáculos de gala, iluminações festivas. De cada janela fala um orador, em cada esquina aparece um poeta.

Na parte comercial da cidade não têm conta as casas cuja pintura é feita com as cores nacionais – verde e amarelo, – combinadas e entrelaçadas em faixas, em semicírculos, em florações. É uma manifestação ingênua de patriotismo. É ingênua, mas não é ridícula: em matéria de patriotismo só o que pode ser ridículo é... a sua falta.

O grande culto da gente baiana pelas suas cousas e pelos seus homens revela-se sobretudo no preito religioso tributado a Castro Alves. Castro Alves é o ídolo da Bahia: tem o seu monumento, a sua praça, a sua rua, a sua travessa, os seus colégios, os seus clubes, – e vai ter a sua estátua; e várias casas comerciais da cidade condecoram a sua tabuleta com o nome do grande poeta: *Charutaria Castro Alves*, *Livraria Castro Alves* etc.

Estive parado algum tempo junto da esbelta e linda coluna levantada pelo povo baiano ao cantor d'*Os Escravos*. Perto de mim, um homem de cor, ainda moço, descalço e mal vestido, fumava com indolência um grosso cigarro de palha. Era um homem do povo, um rude trabalhador. Entabulei conversa com ele, acerca do poeta: e daí a pouco, ele dizia-me, de cor, com a voz trêmula de comoção, as primeiras estrofes das *Vozes d'África*...

* * *

A minha curta e rápida visita à Bahia acabou por um vatapá, e ia acabando ainda por um desastre.

O vatapá era delicioso, os comensais eram amigos: e a nossa palestra foi seguindo o seu curso acidentado e alegre...

Quando consultei o relógio, eram 2 horas da tarde. Ó deuses imortais! era a hora marcada para a partida do *Chili*!... Levantei-me, saí, abalei, rolei por uma rua em ladeira, cheguei ao cais, caí dentro do bote, e comecei a animar com as minhas súplicas e imprecações os dous catraieiros. Quando o bote se aproximou do *Chili*, já estavam levantadas as escadas: suspendiam-se os ferros do imenso transatlântico... Os catraieiros fizeram um último esforço; eu, de pé, bracejava desesperadamente. A gente de bordo teve pena da minha aflição: já em marcha, o *Chili* houve por bem baixar uma de suas escadas salvadoras.

Agarrei-me a ela, como um náufrago; e, no alto, encontrei o comandante Lartigue, que, com os braços cruzados sobre o peito, me fulminava com um olhar severo...

Às vezes, não há nada pior do que um bom vatapá!

OLAVO BILAC

08 JUN. 1904

LISBOA

Quando vi Lisboa pela primeira vez, – já lá vão alguns anos, – os trabalhos do porto estavam apenas iniciados, e a Avenida da Liberdade apenas traçada. Lisboa era, então, uma cidade triste; quem chegava do Rio de Janeiro tinha uma surpresa desagradável, porque não encontrava na capital portuguesa a vida, a animação, o tumulto da capital brasileira: toda a agitação lisboeta ficava concentrada na ladeira do Chiado, nas ruas Augusta e Áurea, e à noite a cidade adormecia numa paz provinciana, num sossego patriarcal propício ao bom sono sem sonhos perturbadores...

Ora, Lisboa é hoje a antítese do que era: de dia e de noite, uma vida intensa e febril tumultua no seu seio; e a cidade, saneada, varrida de ar e de luz, graças às grandes avenidas que completaram a da Liberdade, e graças à importância comercial que lhe deu a construção do porto, é uma borboleta saída de uma crisálida, se é que essa comparação de tão estafado e ridículo lirismo pode ser aplicada a uma vasta metrópole em plena pujança de expansão e progresso.

Um homem, que conhece e ama Lisboa com um carinho verdadeiramente filial, dizia-me ontem, em conversa interessante, o que, no seu modo de ver e de apreciar as cousas, motivou esta radical transformação.

Enquanto conversávamos, em plena Avenida da Liberdade, à hora mágica do esmaecer da terra, ao cair de um lento e suave crepúsculo de primavera, as alamedas enchiam-se de carruagens de luxo, de automóveis, de bicicletas; à sombra das grandes árvores, desfilavam ondas de gente repousada e alegre; ao longe, tremiam no ar perfumado as notas de música de um concerto popular; os últimos raios de sol bailavam sobre as ramagens verdes, e acendiam pedrarias rutilantes nas vidraças dos altos prédios; e eu espantava-me, diante daquela Lisboa tão nova para mim, tão vibrante de força e mocidade, tão diferente da velha capital pacata e retrógrada.

O meu amigo dizia-me que só o dinheiro pode realizar estes milagres; todas as grandes fortunas particulares de Portugal estão na África, houve tempo em que as colônias da África davam pouco, – e isso explica a falta de animação, a apatia em que todo Portugal e, em particular Lisboa, caíram durante tão longo tempo. Agora, porém, as terras africanas, bem exploradas, bem administradas, produzem rios de dinheiro: e todo esse dinheiro, canalizado para o reino, vem dar à vida metropolitana a riqueza, o conforto, o luxo, a alegria, o brilho que faltavam.

Eu, porém, sorria, ouvindo essas explicações que não me satisfaziam; e, de mim para mim, ponderava que o dinheiro, por si só, pode dar o luxo inconsiderado e custoso, mas não pode dar a elegância, nem o bom gosto, nem progresso artístico bem concebido e bem executado.

Tenho para mim que o que realizou o milagre da transformação de Lisboa foi o movimento de coragem heróica com que ela se decidiu a dar os dous primeiros passos para a sua salvação: o porto e a avenida da Liberdade.

Para o bem como para o mal, é o primeiro impulso que decide da sorte das cidades, como dos homens. O povo diz bem que o vício é uma íngreme ladeira, em que só o primeiro passo é difícil. Mas também, na marcha ascensional para o bem e para a perfeição, tudo depende do impulso adquirido, multiplicado por si mesmo, em virtude das leis fatais do progresso. Não é só no comer e no coçar que tudo está em começar...

Poderia a África produzir fortunas incalculavelmente maiores; poderia o nobre trabalho da raça portuguesa expandir-se e frutificar em colheitas de muito maior opulência; poderiam o erário público e os mealheiros particulares encher e rebentar em muito mais assombrosa pletora de dinheiro: se não tivesse havido, há quinze ou vinte anos, alguns homens de coragem e de energia, Lisboa, apesar de toda essa riqueza, estava ainda mergulhada no seu triste letargo.

Veja-se a avenida da Liberdade. Quando um homem, – o grande Rosa de Araújo – começou a executar esse belo sonho, não lhe faltaram vaticínios maus, profecias sinistras, augúrios funestos. Em grande parte, as "pragas" foram justificadas: esse homem, dizem-me, morreu arruinado pela sua idéia. Mas a Avenida, começada por ele, sobreviveu ao seu criador: sobreviveu, e completou-se, e aperfeiçoou-se, – e é hoje este imenso e formoso parque encantador, ladeado de palácios, constituindo o maior e o mais legítimo orgulho da cidade...

Não é tudo. Quando a avenida da Liberdade ficou pronta, já uma revolução se tinha operado no espírito público. Já aquela grande empresa, tão malsinada a princípio, parecia acanhada e insuficiente. Do ponto terminal do extenso *boulevard*, começaram pouco a pouco a irradiar outros. E, em torno das novas avenidas, – nascidas, por assim dizer, por cissiparidade, da primeira, – começaram a surgir novos bairros higiênicos e alegres, que formam hoje uma vasta cidade radiante e bela, ao lado da qual o Bairro Alto, a Alfama, e os outros remanescentes da era escura são nódoas envergonhadoras e inconfessáveis...

Por outro lado, a construção do porto deu origem à abertura de ruas largas e admiráveis, que se estendem à beira do Tejo, facilitando as comunicações, e rejuvenescendo a velha urbe pombalina. E, já agora, nada pode deter o progresso... Os lisboetas começaram a amar a sua cidade. Para eles, a residência em Lisboa já não é um castigo, um sacrifício imposto pela necessidade. Lembram-se daquele tolo e ridículo Damaso, d'*Os Maias*, de Eça de Queirós? Uma frase predileta lhe enchia sempre a boca: "Isto não passa de uma choldra! eu cá, se pudesse, não tirava os pés de Paris..." – Pois bem: atualmente, só um Damaso idiota e pelintra poderá dizer isso. Porque Lisboa já é uma cidade de primeira ordem, e os lisboetas, de inteligência e coração, já não precisam sair daqui, para gozar o conforto e os regalos de uma bela capital, moderna e elegante.

Era isso o que eu pensava enquanto o meu amigo, à hora doce do crepúsculo, no meio da formosa Avenida da Liberdade, cheia de povo e de vida, de animação e de perfumes, atribuía o progresso de Lisboa unicamente a um aumento das fortunas particulares.

Não! o dinheiro é um fator insignificante para tais conquistas e tais vitórias! o grande fator decisivo e dominador, para isso, é a energia com que a cidade e o povo que se querem salvar dão o primeiro passo para a salvação.

Mas não era somente isso o que eu pensava: pensava ainda que também tu, minha linda e amada cidade, hás de ser daqui a vinte anos uma maravilha de civilização e de beleza, se tiveres a coragem de não sair do bom caminho em que entraste agora...

OLAVO BILAC

12 JUN. 1904 — EÇA DE QUEIRÓS

Ontem, à noite, deixando a elegância da Lisboa moderna, vaidosa das suas graças e louçanias, fui fazer uma visita a Lisboa de outras eras, aos velhos bairros poupados pelo grande terremoto, e sobre os quais não se pôde fazer sentir a ação pombalina.

Havia luar, – um luar desmaiado e suave, que acentuava com o seu clarão mortiço a velhice e a tristeza das cousas. Andei pela Alfama e pelos outros bairros decrépitos, subindo e descendo vielas íngremes, contemplando as casas inválidas, com os seus pátios de azulejos, os seus travejamentos à mostra, os seus vários andares em ressalto, comunicando por arearias carcomidas. Depois, do alto de uma colina, admirei o panorama da cidade baixa, desdobrado em reticências de gás e luz elétrica, e o Tejo, plácido e vasto, banhado na luz melancólica da lua.

Desci. E ao entrar na Lisboa nova, fui visitar ainda uma vez Eça de Queirós, no seu repousado retiro do largo do Barão de Quintela.

Este largo é um dos mais sossegados recantos da cidade: pequeno, cercado por antigos palácios de severo aspecto e fisionomia fechada e muda, parece, apesar de vizinho do Chiado, um trecho de subúrbio longínquo. Durante o dia, o movimento comercial já é nele insignificante; à noite, a sua tranqüilidade é completa, interrompida apenas pela passagem barulhenta dos carros elétricos.

As casas altas e silenciosas aprumam-se em torno de um lindo jardim, circulado por uma grade baixa. No centro, um imenso coqueiro, de palmas largas e úmidas, levanta seu leque verde: e, sobre esse fundo escuro, avulta o lindo monumento em que Teixeira Lopes perpetuou a glória de Eça de Queirós.

A escultura é de uma simplicidade cativante e, ao mesmo tempo, de uma rara nobreza de idéia. O escritor está representado, em busto, sobre uma coluna; apoiada a essa coluna, com os braços abertos, os seios firmes levantados pela flexão do dorso, a cabeça erguida, está a Verdade, cujo corpo forte e belo se envolve na vaga translúcida de um largo véu. O olhar de Eça mergulha no olhar dessa admirável figura de mulher; e na base do monumento, a epígrafe de *A Relíquia*, que sempre foi a verdadeira divisa literária do escritor, explica a concepção do escultor: "Sobre a nudez forte da Verdade, o manto diáfano da Fantasia".

Eu já havia contemplado longamente, ao sol, na viva luz de um dia radiante, o trabalho de Teixeira Lopes. Mas, então, não pudera descobrir o seu verdadeiro encanto de alta poesia e de comovedora naturalidade. Agora, à noite, no silêncio das cousas, entre as casarias mergulhadas num sono de morte, e sob a chuva de prata do luar, o grupo adquiria um movimento e uma vida, que a claridade brutal do dia lhe negava.

O formoso corpo da mulher palpitava; e todas as suas formas se desenhavam, mais belas, sob o véu que se adelgaçava e ondulava. Os braços, abertos num abandono lânguido, tremiam de leve; o seio ofegava, a boca entreabria-se num sorriso de desejo, o olhar molhava-se numa ânsia de amor. Naquela atitude, a um só tempo de provocação e de súplica, de vitória e de humilhação, de atrevimento e de medo, - a Verdade entregava-se, rendia-se, cedia-se. Inclinada sobre ela, a cabeça de Eça de Queirós, num desejo veemente de saber, num contraído e desesperado esforço de toda a inteligência e de toda a atenção, buscando ler naquele olhar que o fitava, naquela face que se lhe oferecia em êxtase, em todo aquele corpo que se lhe queria dar para sempre, o eterno segredo e o eterno mistério da Vida...

Raras vezes, um artista terá podido interpretar com tanta precisão e tanta clareza a individualidade de uma obra literária. Toda a vida de Eça de Queirós está estereotipada ali, naquela face marmórea que interroga a Verdade, e sempre a encontra, apesar da sua complacência e de seu grande desejo de ser conhecida, misteriosa, e fugitiva, e incerta, e envolvida no véu traiçoeiro com que as ilusões perpétuas a disfarçam e resguardam...

Que foi a ironia de Eça de Queirós, senão um disfarçado desespero de todo o artista diante do mistério impenetrável da existência? O homem, afinal, é apenas uma criança adulta... E nós todos somos como as crianças e como os animais, que dilaceram e magoam o que não podem compreender...

De certos escritores, é hábito dizer que perdem o coração à medida que apuram o cérebro. Realmente, nada parece a princípio mais cruel, mais privado de bondade, mais despido de "humanidade" do que o ofício desses pensadores de eleição, que se comprazem em analisar misérias e ridículos, pondo a nu todas as chagas morais dos seus semelhantes, remexendo todos os seus sofrimentos e insultando a sua fraqueza ou rindo da sua miséria...

Quem mais sofre, porém, nessas duras análises, é sempre o analista. O sorriso cético e frio que lhe enruga os cantos da boca, é apenas o disfarce da sua agonia. O desejo de alcançar a verdade e a perfeição é a sua fortuna e o seu castigo. Nada é mais expressivo do que aquela lenda dos Hindus, que nos mostra o Criador de todas as cousas dizendo ao primeiro homem: "Tu vieste ao mundo para nada saber, e hás de morrer por querer saber tudo!"

OLAVO BILAC

17 JUN. 1904 LUTÉCIA [IP] [CIA]

Tarde triste, de céu fechado, pesando sobre os escuros casarões da velha Paris.

Saindo do Louvre, atravesso o rio, pela ponte das Artes, e piso a margem esquerda, onde se refugiam, longe da vida tumultuosa dos grandes *boulevards*, o estudo e a pobreza, a vida tranqüila dos que amam os livros.

Para lá da água turva do Sena, fica a barulhenta Cosmópolis, – sala de visitas da Europa e de toda a terra, – centro de reunião de todos os povos, onde se encontram e baralham todas as nacionalidades, todas as raças, todos os idiomas, todos os costumes, na confusão de Babel. Aqui, porém, estamos na Lutécia secular e veneranda, de cujo seio ancestral já em 1200 tinha surgido a universidade, *alma mater* do Pensamento Moderno, onde todos os espíritos curiosos e ávidos de saber se vinham nutrir dos princípios da Escolástica.

Aqui nasceu, ou antes renasceu, dos destroços da civilização antiga, a civilização de hoje; aqui a Loba Latina, que amamentou Rômulo e Remo, se veio abrigar, quando escorraçada, pelos bárbaros, do reduto das suas sete colinas sagradas...

A poucos passos daqui, na Ilha da Cidade, eleva-se Notre Dame, como uma imensa nave ancorada no Sena, levantando as suas torres como esguios mastros, e esticando à popa, como possantes remos de pedra, os seus góticos botaréus em arco recurvo. Mais longe, na outra margem, apunhala o céu a Torre Saint Jacques. E, encravada no Palácio da Justiça, dorme o culto severo da Santa Capela... A vizinhança desses três monumentos, que são os remanescentes da Lutécia primitiva, dá a este lugar o caráter de um santuário. Santuário da Tradição, da Ciência, do Estudo. A universidade fragmentou-se, segmentou-se em vários corpos distintos: mas o seu vasto corpo dividido não ultrapassou o rio.

A Sorbonne, os Liceus, as Faculdades, as Escolas, ficaram todas para cá do Sena, vivendo nos mesmos bairros pacíficos e silenciosos, nas mesmas ruas que serpenteiam entre edifícios negros, e cujo aspecto austero não é modificado pela alegria moça e irreverente dos estudantes e das *grisettes*.

A Ciência é nova, como são novas as folhagens que em cada primavera rebentam dos castanheiros, e como são novos os amores que animam as trapeiras em que os rapazes pobres estudam, os *ateliers* em que os *rapins* trabalham, as cervejarias em que Mimi e Musette continuam a encantar os boêmios de Murger. Mas toda essa florescência jovem de ideais e de sentimentos vive ainda agarrada ao velho tronco sacratíssimo do passado.

A ponte das Artes enfrenta o Instituto de França. Os anos têm ido depondo sobre a face desse sacrário das letras francesas os sinais indeléveis da sua passagem. Pesado e lúgubre, coberto de uma fúnebre cor de velho chumbo, o Instituto eleva no céu revestido de névoas a sua cúpula severa, – a famosa *coupole* em que se vêm cravar todos os dias as frechas da ironia dos *novos*, mas debaixo da qual não há em toda a França, um só homem de letras que não ambicione obter uma cadeira... e a imortalidade.

Montando guarda ao sacrário, Voltaire e Condorcet em bronze, sobre os seus pedestais de granito, cismam, imóveis e rígidos, com o olhar perdido ao longe: e, instintivamente, quem passa por ali diminui o andar e abala o rumor dos passos para não perturbar a meditação dessas duas sentinelas da Inteligência Francesa, desses dous demolidores do fanatismo e da intolerância...

Poucas carruagens, poucos ônibus vêm quebrar a quietude deste canto de Paris. Em frente ao Instituto, beirando o rio, partem, de um e de outro lado da ponte, os dous cais prediletos dos bibliófilos: o cais Conti e o cais Malaquais. É aqui o reino do *bouquin*, o império do livro. Sobre o largo parapeito dos cais alinham-se, a perder de vista, as caixas dos *bouquinistes*. São feias e grosseiras caixas de madeira ordinária, pintadas de negro: mas já todas conservam apenas vestígios longínquos dessa pintura, – como a vaga saudade do tempo em que eram moças...

Velhos, como elas, são os livros encerrados no seu seio – à espera da visita do estudante modesto que procura um compêndio barato, ou da operária que cá vem à caça de um volume único, de uma edição primeva, de um manuscrito comido de traças, de um breviário da Idade Média...

No bojo dessas caixas anciãs, dormem em santa paz, lado a lado, entrerroçando fraternalmente as suas lombadas sujas, os mais desencontrados e disparatados produtos do engenho humano: os versos de um cançonetista de Montmartre fazem cócegas no vasto dorso das Tábuas de Callet; um código antigo esmaga a prosa pretensiosa de Bourget; um missal, já sem capa, não cora com a vizinhança de um volume desapartado das *Memórias* de Casanova. E não raro nesse misturado acervo de antiqualha e de novidade, aparecem verdadeiras preciosidades bibliográficas, transviadas por ali não se sabe como...

O revendão de livros é sempre também um homem velho, embrulhado em roupas incríveis, cheirando a mofo. Os fregueses – exceção feita dos estudantes e das *grisettes* – são todos figuras de outros séculos, trazendo sobrecasacas antidiluvianas, cartolas fantásticas, cabeleiras grisalhas sobrando nas costas, sobretudos no frio com algibeiras pejadas de folhetos – como aquela imortal figura do *Colline*, de Murger, tipo clássico do erudito boêmio que vive, envelhece e morre estudando, de que não se conta os exemplares espalhados pelo *Quartier Latin*.

O ar que se respira aqui, entre este monumento, entre estes prédios vetustos, entre estes livros empoeirados, não é o de Paris: é o ar da Lutécia.

Paris é a margem direita, com os seus palácios, com as suas avenidas, com os seus cafés refulgentes, com os seus hotéis luxuosos, com os seus teatros elegantes: Paris é o esplendor dos Campos Elíseos, é o luxo do *Bois*, é a *blague* de Montmartre, é o delírio e a festa perpétua dos *boulevards*, é a futilidade do prazer, é a prosperidade dos que vêm esbanjar dinheiro nesta vasta Feira das Vaidades.

Aqui, porém, vive e subsiste Lutécia, a cidade plantada à beira do *Sequanne*, pela tribo dos *Parisii*, entre os quais já o conquistador Júlio César veio achar desenvolvido o amor das Artes e das preocupações do espírito...

Passo a passo, numa lenta excursão respeitosa, sigo até o cais Voltaire, enveredo pela rua da Universidade, pela rua Jacob, pela rua Dauphine, parando diante das escuras lojas onde se vendem gravuras amareladas, bronzes azinhavrados, móveis decrépitos, velharias de toda a espécie, – circulo todo um largo trecho da urbe venerável, e venho parar de novo no cais Conti, diante da mole pesada e melancólica do Instituto.

A tarde vai caindo e morrendo, numa síncope lenta. Os *bouquinistes* vão rareando.

O sol, quase a desaparecer, consegue romper as nuvens e despeja um feixe de raios pálidos sobre a cúpula do templo das Ciências e das Letras. Um bando de pássaros, – destes alegres e familiares pardais de Paris, – fugidos das árvores das Tuilleries e do Luxembourg, vem revoar em torno do zimbório e sobre as estátuas de Voltaire e Condorcet. E, seguindo o vôo jovial dessas aves inquietas, na luz suave desse moribundo sol, cuido ver a eterna graça, a eterna mocidade, a eterna inquietação do espírito latino, pairando sobre a velhice da Lutécia.

OLAVO BILAC

23 JUN. 1904

UMA SEMANA EM PARIS

Segunda-Feira, 23 de maio – Três horas da tarde. No Louvre, visita à Vênus de Milo.

Já de sob a cúpula do vestíbulo Daru, alongando o olhar ansioso através da Sala Grega, através do corredor de Pan, através das quatro Salas de Medéia, da Hermafrodita, de Adonis e de Psique – enxergo ao longe, alva e diminuída pela distância, a Divina Mutilada, sobre o fundo vermelho escuro do seu santuário... Vou seguindo lentamente, lentamente, para demorar a comoção que me espera; passo insensível pelo deus Pan, pelo sarcófago de Adonis, pelo rei Perseu – sem afastar a alma da brancura sagrada que além a chama e seduz [sic]. E quando entro no santuário, os meus olhos se escurecem de amor e de adoração enternecida, beijando o corpo maravilhoso da deusa.

Nesta pequena sala recatada do Louvre, onde só fazem companhia à Vênus de Milo os fragmentos de velhíssimas esculturas encontrados com ela num subterrâneo da ilha de Mélos, – reside, providencialmente fixada, toda a tradição sublime da antiga beleza. Téofile Gautier dizia que o Acaso fôra justo, permitindo que a Vênus de Milo perdesse os braços, para deixar que os deslumbrados olhos humanos pudessem contemplar à vontade o seu seio imortal... Que seio! e que cabeça majestosa e serena, iluminada por um sorriso eterno, em que se julga ver um desdém divinal pela fealdade e pela baixeza das cousas da terra!

Na meia luz da sala, toda forrada de alcatifas de um rubro quase negro, Vênus irradia, animada e palpitante, como uma figura humana: as duas pernas estremecem, arfa o colo, oscila o pescoço, ondula a curva do quadril e ardem dous reflexos de vida nos dous olhos de mármore...Mas essa vida parece tão nobre, tão sobrehumana, tão superior à minha miséria, que involuntariamente cerro as pálpebras, tomado de um respeito religioso, para não afrontar com o meu olhar de bárbaro a majestade daquela formosura olímpica...

Terça-Feira, 24 – No Museu de Sèvres. Sèvres está situada na estrada de Versailles, pouco antes de St. Cloud, e guarda preciosamente no seu seio entre os arvoredos, algumas casas senhoriais da antiga França, em torno de cujas muralhas de pássaros vivem agora estes formosos dias de primavera, folgando e triscando, do romper da aurora ao cair da noite. O museu, em que se conservam os mais belos exemplares dessas admiráveis porcelanas que são um dos maiores orgulhos da indústria e da arte da França, está no meio de um lindo parque que é como a antecâmara perfumada do bosque de St. Cloud.

Nestas vastas salas, cheias de obras-primas da cerâmica francesa e da cerâmica estrangeira, sob o patrocínio de Bernard de Palissy, cuja estátua se eleva diante do pórtico do palácio – qualquer profano só com o simples trabalho de olhar com atenção, pode reconstruir facilmente a história dessa indústria artística, – a mais velha talvez de quantas foram inventadas pelo engenho humano. Desde os vasos grosseiros, que os escavadores têm encontrado, entre ruínas de cidades, no velho solo da Ásia, do Egito, da Grécia, da Itália, até os vasos imensos e maravilhosos, em cuja execução se esmeraram os maiores artistas de Sèvres e de Saxe, há ali exemplares da cerâmica de todas as fábricas, de todas as origens, de todas as idades.

E ficai sabendo amigos, que a cerâmica *brasileira* (?) também está representada nesse concurso de maravilhas: – e quereis saber o que é que ali se condecora com o título de cerâmica brasileira? é um tosco e sujíssimo vaso de barro, – uma igaçaba de índio, achada em qualquer sertão de Mato Grosso ou da Bahia, e oferecida ao Museu de Sèvres pelo último imperador do Brasil...

O caso não seria digno de nota se na etiqueta da igaçaba houvesse algumas palavras, explicando que aquilo é um produto da indústria e da arte dos Tamoios ou dos Coroados, em tempos que já lá vão, quando o Brasil era apenas uma vastíssima floresta cheia de selvagens. Mas não! sobre o medonho vaso de barro há um letreiro, em que somente se lêem duas palavras: *céramique brésilienne*. E quem lê isso, fica naturalmente pensando que ainda hoje fabricamos primores iguais, como um povo de Bororós, ainda na madrugada da civilização e na infância da arte...

Quarta-Feira, 25 – O Theâtre Antoine fechou a estação com uma peça de Donnay e Descaves, *Les Oiseaux de Passage*, que é uma das mais fortes e belas composições do teatro francês contemporâneo. A principal personagem é uma niilista russa Vera Lewanoff, jovem, formosa e apaixonada pelo seu ideal político. Em torno de Vera, agitam-se e vibram outras figuras revolucionárias, entre as quais a de Grigoriew, que é uma criação admirável.

Há na peça uma intriga de amor: Vera decide separar-se de um de seus amigos para casar com um burguês que a adora – mas num dado momento, a paixão política recupera o seu domínio, e a formosa niilista despreza a felicidade doméstica pela vida revolucionária, e parte para o perigo, para a vingança, para a luta, para a morte...

Todas as noites, o público aplaude com delírio o drama de Donnay e Descaves. E quando Grigoriew descreve o que é a vida da gente pobre da Rússia, o que é a tirania do governo, o que é a agonia dos prisioneiros da Sibéria devorados pelas febres, assassinados pelo *Knout*, roídos pelas bicheiras, consumidos pelo frio, – toda a sala estremece, os homens cerram os punhos, as mulheres choram e todos amaldiçoam aquele abominável despotismo.

Pois bem! essa gente, que assim se comove e revolta, ao ouvir a narração desses crimes e desses sofrimentos, é a mesma gente, que dali a pouco, anda pelas ruas a dar vivas frenéticos à Rússia e ao czar!

Quinta-Feira, 26 – Ia eu hoje ler os jornais, no jardim das Tulherias, quando ouvi, partindo de um canto do parque, um prolongado e ensurdecedor latir de cães. Deixando-me guiar pelo barulho, fui encontrar, levantado entre arcos de folhagens e coberto de bandeiras revoantes, o pavilhão em que está instalada a exposição anual do *Fox Terrier Club de France*.

Entrei. Mais de mil cães, – de caça, de guarda, ou de luxo, – têm ali o seu palácio provisório, onde os vai admirar todas as tardes, com carinho, a população de Paris. A seção mais procurada e louvada do certame é a dos cãezinhos de luxo. Não há palavras que possam dar idéia da riqueza, da elegância, do fausto dessa instalação. Algumas das *cabines* em que dormem os *caniches* e os *carlings*, são pequeninos *boudoirs*, em que se reúnem todos os extremos do bom gosto e da opulência: berços primorosos, fofos colchões de penas, travesseirinhos de paina macia, – e tudo isso alcatifado de sedas, de cetins, de veludos, de renda de Valentiennes. Sobre a cama de um totó microscópico, vi um cortinado de rendas de Malines, preso, no alto, por um broche de pérolas e safiras. A água para alguns desses bem aventurados cachorrinhos é depositada em vasos de prata e primorosamente lavrada.

E, – ó cúmulo! – sobre o berço de um *caniche* vi um crucifixo de ouro, pendente de um fio de seda... A dona desse cachorro colocou-o assim sob a proteção de Deus, provavelmente para dele afastar as moléstias, as pulgas e os maus-olhados. E mais de cem criados com a libré do *Fox Terrier Club de France*, vivem ali, de dia e de noite, vigiando os cães, amimando-os, acariciando-os; e os proprietários, cavalheiros e senhoras da mais fina sociedade, condes e condessas, duques e duquesas, passam horas e horas, diante das casinholas luxuosas, namorando esses animais adorados, que são o encanto maior da sua existência ociosa e da sua vadia opulência.

Mas nem todos os perfumes de Pinaud, de Jones, de Houbigant, de Rinmel, que ensopam as roupas e os lenços desses adoradores da raça canina, conseguem disfarçar o cheiro acre e repugnante que sai daquela cainçalha feliz... Confesso que me arrependi da visita, e que nunca mais voltarei a admirar a ditosa cachorrada. Mas é verdade que não sou duque, nem milionário. Talvez um título de duque e alguns milhões de fortuna me pudessem transformar num canalatra exaltado, forçando-me a preferir o cheiro de um canil ao aroma de um jardim...

Sexta-Feira, 27 – No *salon*, na parte reservada à exposição da *Societé Nationale des Beaux Arts*, diante de *Le Penseur* de Rodin.

Tenho para mim que Rodin, tão discutido, tão elogiado por uns e tão injuriado por outros, acaba de realizar a sua obra-prima, – essa obra que assinala o zênite do vigor e da inspiração de um artista. *Le Penseur* é uma estátua absolutamente e imortalmente bela. A colossal figura de bronze espalha em torno de si uma atmosfera de idéias...

É um homem, inteiramente nu assentado sobre um penhasco: o braço esquerdo cai, abandonado e esquecido; o braço direito, recurvo, levanta-se para sustentar, na concha da mão, o queixo do "homem que pensa". O corpo, de uma assombrosa anatomia, tem uma atitude de cansaço, de apagada lassidão: toda a vida está concentrada na cabeça, – uma cabeça enorme, inchada pelo pensamento...

Na testa, sobre os dous olhos que se perdem numa contemplação misteriosa, cavam-se rugas profundas; a face contrai-se, numa atenção pertinaz; o crânio dilata-se, pequeno demais para conter o cérebro que trabalha; e sente-se bem que está ali o Homem, – "o homem que pensa", o homem criador de mundo morais, o Homem rival de Deus!

Sábado, 28 – Mounet-Soully, que é o ídolo da crítica dramática francesa, está interpretando agora, na *Comédie*, o papel de *Hamlet*.

Parece impossível que, numa terra possuidora de tantos atores e de tantas atrizes fenomenais, Mounet-Soully seja um ídolo. Mas é. Para mim, que não sou francês, Mounet-Soully não passa de um gritador frenético. E não posso compreender como a crítica francesa incensa esse ator, a quem faltam as qualidades que são justamente os caracteres primazes da raça: a clareza e a sobriedade.

Na admirável tragédia de Shakespeare, *Hamlet* diz aos atores: "Falar de modo que as palavras vos corram naturalmente sobre a língua; não vos ponhais a cortar ferozmente o ar com a mão espalmada; sede sóbrios, e usai da palavra e do gesto com moderação!..." Pois, ninguém é capaz de imaginar o excesso de berros estrepitosos e o abuso de gestos delirantes, com que, na *Comédie*, Mounet-Soully declama essas palavras de *Hamlet*! É espantoso!

Domingo, 29 – Toda a manhã e toda a tarde em Saint-Cloud. Os *tramways*, os *bateaux-mouches*, e os trens que saem de Saint-Lazare e da Gare du Nord, chegam de instante a instante, despejando gente dentro da encantadora cidadezinha, que é na verdade um subúrbio de Paris.

O grande parque está cheio. Ao som da música militar, dançam rapazes e raparigas. Cruzam-se no ar os pregões dos vendedores de guloseimas, de água fresca, de frutas, e os pregões dos arautos que chamam concorrência para o Teatro Guignol, para as Montanhas Russas, para o Carroussel, para o tiro ao alvo. Sobre os relvados, ao delicioso sol da primavera, almoçam famílias, numa alegria barulhenta. E as crianças, mil, duas mil crianças, saltam e tagarelam, numa ensurdecedora matinada...

Aqui, toda a gente é alegre. Os que são crianças não têm medo de mostrar que o são; os que não o são, lembram-se do tempo em que o foram, e cabriolam como pirralhos.

A um canto do jardim vou encontrar um colégio. Os alunos jogam a cabra-cega. E os dois mestres que os acompanham não se vexam de tomar parte do folguedo. O mais velho, – um homem gordo e pesado, com uma barriga abacial e farta, – é justamente quem se presta a representar o papel da cabra-cega, aos pulos, com os olhos vendados, entre as risadas da criançada. Mais longe, há uma família que se entrega ao exercício do *foot-ball*. Até a matrona, já bem entrada na madureza, anda pinoteando com os filhos, perseguindo a grande bola voadora. E o pai, que tem a barba salpicada de neve, despiu a sobrecasaca, e desenferruja também as pernas reumáticas nos saltos desajeitados.

Há uma algazarra indizível por todo o parque, – risos de crianças, granizada de pássaros, roncos de trombones, vozes fanhosas de realejos, rufos de tambores... E, no meio de toda essa alegria, fico pensando num certo país, que bem conheço e apaixonadamente amo, num país lindíssimo, forte, moço, – o mais lento de todos os países da terra! – , onde toda a gente pensa que só tem valor quem é sério, onde toda a gente tem medo de rir e de folgar, onde os pirralhos são tristes como bezerros, e onde os adultos são fúnebres como gatos-pingados...

Olavo Bilac

30 out. 1904

Crônica

Onde estará o meu diploma? Não o vejo há dous anos...

Há dous anos, fui sujeitá-lo ao exame da mesa eleitoral da minha seção. Os mesários examinaram o pequeno papel em que palpitava a minha parcela de soberania, e permitiram que eu depusesse na urna o meu voto. Confesso que o meu almoço foi, nesse dia, tranqüilo e feliz: a consciência, repousada e satisfeita, dava ao estômago uma bela saúde; almocei, como um homem que acabava de cumprir o seu dever... E passei todo o dia num regalado consolo, passeando e sorrindo ao sol, augurando vida brilhante à assembléia recém-nada.

Poucos dias depois, uma decepção desabou sobre mim. O cidadão, a quem eu havia dado o meu voto, declarou pelos jornais que não se sentia com vocação para o ofício, – e desprezou a honra que nós, eleitores soberanos, lhe havíamos conferido. De maneira que aquele meu belo gesto de agitar diante dos olhos dos mesários, com orgulho e nobreza, o meu diploma, e aquele meu outro gesto, igualmente belo, de deixar cair dentro da urna, com majestade e vagar, a minha cédula, tinham sido dous gestos perdidos e inúteis. O que eu lucrara, naquela manhã de cumprimento de dever cívico, fôra somente isto: primeiro, ter almoçado com desusado apetite, e, depois, ficar sabendo que, para ser conselheiro municipal, é necessário que um homem possua uma especial vocação, – a embocadura do ofício...

Em que consistiria essa vocação, e quais serão as qualidades ou os defeitos pessoais que mais possam concorrer para o bom exercício desse espinhoso cargo? Não sei: o cidadão que me obrigou a despender, em pura perda, aqueles dous gestos supracitados, não quis, ao retirar-se para o voluntário ostracismo, revelar ao eleitorado esse misterioso segredo; e, até hoje ainda não pude, neste caminho de Tebas, decifrar o enigma da esfinge.

Agora, já prometi de novo o meu voto, depois de ter perguntado ao candidato da minha simpatia: "Diga-me, com toda a sua franqueza... de candidato: sente dentro de si mesmo, bem decidida e bem clara, uma impetuosa vocação para o cargo de conselheiro municipal?" Ele pôs a mão direita espalmada sobre o peito, alçou o olhar ao céu, e respondeu com voz firme: "Sinto!"

Animado por essa firmeza de voz, ousei pedir-lhe que me dissesse, em poucas palavras, em que consiste essa vocação. Mas, aqui, o meu candidato estremeceu, deixou cair pela face um véu de recatado mistério, e começou a titubear: "É uma vocação que... é um certo jeito que... é uma certa maneira que... enfim, é uma vocação especial!" E, apertando-me ambas as mãos, com agradecida efusão, foi arranjar outros votos.

Enfim, o meu voto está prometido. Que ao menos, justos deuses, eu possa hoje, depois do passeio matinal à seção do largo de S. Salvador, sentir de novo aquele belo apetite, que, há dous anos, recompensou o meu fervor de civismo! Sempre será alguma cousa... Já é um consolo que o eleitor consiga comer com delícia um almocinho modesto, depois de ter contribuído para servir o banquete aos senhores conselheiros.

Mas onde está o meu diploma?

* * *

Não tive a felicidade, ou a infelicidade, de assistir ao rude e longo debate, que se travou na Câmara em torno da lei da vacinação obrigatória. Quando me reinstalei neste mirante, de onde costumo contemplar as cousas sérias ou burlescas da vida carioca, já os contendores haviam esgotado as suas munições, – e o projeto, vitorioso, ia a caminho da sanção.

Creio que nada poderá retardar agora a execução dessa lei. Essas oposições formidáveis às medidas de higiene, ou de restauração de crédito, ou de utilidade pública, são sempre exclusivamente parlamentares e jornalísticas. O povo é sempre amigo da contradição e da maledicência; mas sob essa aparência de indignada e desordenada oposição, ele possui um sólido fundo de bom senso, que o preserva dos perigos a que o expõe o instinto da revolta. O agrado e a satisfação com que assiste aos ataques, dirigidos à autoridade, não lhe tiram a faculdade preciosa de distinguir, nesses ataques, a parte devida à convicção e à sinceridade, da parte devida a interesses mesquinhos de politicagem e a paixões nem sempre confessáveis. Pelo que já se tem feito, e pelo que se está fazendo, em bem da saúde pública, o povo sabe que o governo quer apenas salvar a cidade e o país do descrédito e da ruína. As medidas serão rigorosas; mas ainda não se inventou o meio de curar uma gangrena com açúcar-cândi, nem o processo de remediar um grande mal com o auxílio de contemporizações e adiamentos.

Não foi contra a utilidade e eficácia da vacina jenneriana que se levantou a campanha de oposição: são tão raros hoje os adversários dessa medida preventiva, que a sua opinião não devia nem podia pesar no debate. A oposição foi feita em nome do princípio de uma incompreensível liberdade, – liberdade, cujo reconhecimento seria o reconhecimento de uma anarquia irremediável. Cada um de nós terá talvez o direito de se matar, mas não tem, decerto, o direito de se expor, por birra e má vontade, a contrair uma moléstia, que, passando de indivíduo a indivíduo, dizima a população e desacredita o país.

Os que, como eu, vivem diariamente em contato com aglomerações consideráveis de crianças, sabem quanto é difícil, nas escolas públicas, obter, por bons modos, a vacinação e revacinação dos alunos. O aparecimento do médico vacinador ocasiona um medo pânico indescritível. E, não raro, no dia seguinte ao da vacinação das crianças, as professoras ficam sujeitas às maiores ofensas, da parte de certos pais, que protestam, rugindo e descabelando-se, contra esse "escandaloso atentado à liberdade individual".

Diante desses exemplos, não é difícil reconhecer que o governo carece de uma lei expressa e clara, em que se possa apoiar para acautelar a saúde pública. A última epidemia de varíola, ainda não extinta, veio mostrar que nem só a febre amarela nos dá a triste fama de cidade inficionada...

O povo, com o seu bom senso e com a sua cordura, reconhece tudo isso. Não há de ser dele que há de partir a resistência: os que falam, ou supõem falar em nome dele, é que gostam de sacrificar o interesse público a pequeninos caprichos de vaidade e a histéricos pruridos de ambição.

* * *

Outra questão, que também já achei esgotada, foi a do "eixo da avenida".

Não sei se a avenida está errada ou certa: nem posso dar opinião sobre o caso, porque tenho o hábito, para mim muito cômodo, de não tratar das cousas em que sou leigo. E parece-me que, se todos tivessem esse hábito, a vida perderia pelo menos metade das suas complicações, e não haveria por aí fora tanta palavra perdida e tanta presunção mal empregada...

O que sei é que a Avenida está, de ponta a ponta, cheia de gente que trabalha e canta. Onde há trabalho e pão para os humildes, há felicidade para todos! E é esse, dos novos aspectos da vida carioca, o que mais me encanta e orgulha. Governar não é somente administrar: é também prover, é também dar trabalho aos homens válidos que precisam ganhar o sustento diário com o suor do rosto. Dos lares pobres, onde hoje não míngua a comida, já não irrompe o coro de maldições e de lamento de há dous anos atrás. O que se está fazendo não é somente um bem para a nação: é também uma providência para cada trabalhador e uma alegria para cada família.

E basta isso para que eu pense que a avenida está certa...

* * *

E vou procurar o meu diploma.

O. B.

06 nov. 1904

Crônica

A semana, apesar de ter um dia de eleições e um dia de finados – dous dias igualmente fúnebres – foi alegre, de uma formosa e radiante alegria. A chuva espancou e dissipou os calores da primavera carioca, e, não obstante a poeira e a lama das demolições, – abençoada poeira e abençoada lama da Redenção! – a cidade teve sorrisos e prazeres civilizados.

O dia das eleições não aumentou o número dos mortos que daí a quarenta e oito horas tinham de ser visitados. Nem um só cidadão faleceu, no seu posto de eleitor, à beira da urna, vitimado pelo seu fervor cívico. Houve apenas um conflito, apenas um tiro de revólver, apenas um ferimento leve.

O candidato mais votado não logrou obter seiscentos votos; pelas notícias da apuração parece averiguado que somente seis mil cidadãos – se tanto! – foram meter cédulas dentro das urnas: os outros cidadãos, que vivem, trabalham ou vadiam, gozam ou penam, aborrecem-se ou divertem-se nesta cidade, não acharam que um curto passeio às seções eleitorais fosse um bom emprego para as primeiras horas da manhã de domingo. Alguns – foi o que me sucedeu – acharam a urna às moscas e vazias as cadeiras dos mesários...

O dia de finados foi, como de costume, um dia de calor abafado, de lágrimas sinceras e lágrimas fingidas, de piedoso respeito e de sacrílega vaidade. Só se via pelas ruas gente carregada de luto; as bandeiras, a meio pau, pendiam melancolicamente dos mastros; e as flores, habituadas a ornar os lindos dias da vida, as horas de amor, de prazer e de glória, as salas de baile e as alcovas nupciais, foram todas ornar as sepulturas, nos cinco cemitérios, cheios de povo do romper da aurora ao cair da noite.

Mas, ao raiar da manhã seguinte, a cidade, despindo o luto e sacudindo a tristeza, acordou para uma grande festa. E essa festa, na sua tocante simplicidade, alegrou toda a semana, e fez brilhar sobre a velha *urbs* comercial e politiqueira o clarão triunfal e consolador da Arte e do Sonho...

* * *

Napoleão, que abominava todos os ideólogos, disse um dia que só uma cousa o seduzia na "República Ideal" de Platão: a proscrição dos poetas e dos artistas. Coitado! que seria da sua glória, daqui a alguns séculos, se Victor Hugo e outros ideólogos não a tivessem perpetuado em páginas de ouro?... E que era ele, também, senão um grande ideólogo? Toda a sua vida foi um fulgurante sonho de glória e de ambição; apenas, esse fulgor era mantido pelas fogueiras em que ardiam as cidades conquistadas e devastadas, e o seu tom vermelho vinha da vasta sangueira em que o ambicioso ensopava os pés...

Para Platão, que foi apenas um grande poeta, e para o conquistador da Europa, os poetas deveriam ser proscritos, como inúteis. Como se pudesse haver, no imenso mecanismo da Vida, regido por leis que ninguém ainda conhece, qualquer criatura e qualquer cousa inúteis, e como se a "utilidade" só pudesse existir, à maneira de qualidade essencial, nos objetos e nas almas que valem ouro ou dirigem exércitos... Se submetêssemos tudo ao mesmo estúpido estalão, inútil seria a beleza, inútil seria a graça, inútil seria a bondade, como seriam inúteis a flor que não sabe ganhar dinheiro, e a borboleta, que não sabe ganhar batalhas.

A fábula da cigarra e da formiga nem sempre tem a mesma moralidade. Se somente houvesse formigas na terra, as nossas manhãs de verão, privadas da cantiga ardente das cigarras, perderiam o seu maior encanto...

Ramalho Ortigão reformou um dia, em meia dúzia de linhas compadecidas e justas, a fábula de La Fontaine: "O senhor perguntou à formiga: – Que fizeste? – E ela respondeu: – Eu ajuntei... – E à cigarra: – Que fizeste? – E ela respondeu: – Eu cantei... – E o senhor disse: – Façam-me na terra um buraco bem fundo e bem negro, e metam-me dentro dele essa torpe usurária! E ponham-me ao sol, na copa de uma olaia em flor, nadando em luz e glória, esta pálida cantadeira!"

* * *

Que foi Gonçalves Dias? Um poeta. Soube amar e cantar. Quando sofreu, transformou o seu sofrimento em versos que ainda hoje suavizam os sofrimentos alheios. E como só teve tempo para amar, sofrer e cantar, não dirigiu povos, não ganhou fortunas, não sacrificou vidas, como qualquer político, negociante ou soldado. Na velha sociedade burguesa do Maranhão, não faltavam formigas... Mas aquele pobre mestiço, tão infeliz, tão perseguido, tão maltratado pela família, tão desprezado e ferido pelas mulheres que amou, – era uma cigarra inocente e "inútil". Pois bem! as formigas foram metidas no fundo da terra, e a cigarra, eternamente viva, fixada em uma perpétua mocidade pela glória, aí está cantando, ouvida com afeto e ternura, endeusada pela gratidão e pela admiração de todo o Brasil! O que se viu, nesta cidade, nos últimos dias da semana, foi a cousa mais bela e mais consoladora que jamais iluminou e perfumou a nossa vida de povo. Quarenta anos depois de morto um homem, numa terra em que tudo se esquece tão facilmente, a sua memória teve congregadas em torno de si todas as almas; os versos, que esse homem deixou, andaram cantando de boca em boca: para recitá-los e louvá-los, os ambiciosos esqueceram a sua ambição, os espectadores deixaram de parte a sua ganância, os levianos reagiram contra a sua leviandade, os tristes deixaram de sentir a sua tristeza, – e houve uma trégua em todas as lutas, um repouso em todos os sofrimentos, um encanto em todos os corações... Um povo, que assim sabe honrar um poeta, não é só uma agremiação de indivíduos: é um "povo" no sentido mais nobre e mais belo da palavra.

* * *

A vantagem destas festas é imensa. A festa de Gonçalves Dias veio lembrar à consciência brasileira esta grande e desvanecedora verdade: que se não somos hoje a nação mais rica, nem a mais armada, nem a mais saneada, nem a mais disciplinada, nem a mais corajosa, nem a mais operosa da América do Sul, somos ainda o que sempre fomos: a mais inteligente, a mais afetiva, a mais culta de todas. Estas qualidades primazes da nossa raça ainda não desapareceram e não desaparecerão: o que é preciso é instigá-las, é excitá-las, é ampará-las. E a encantadora e singela glorificação a que assistimos foi um estímulo e uma providência.

É voz corrente que, na exposição universal de S. Luís, o Brasil afirmou com grande brilho a sua vida industrial, comercial e agrícola, ganhando um sem número de prêmios. Ainda bem! depois dessa vitória de indústria, de agricultura e de comércio, tivemos uma vitória moral: afirmamos a nossa vida de Idéia, de Pensamento, de Arte e de Ternura.

O. B.

13 nov. 1904 **Crônica**

Um motim! Aí está uma cousa de que a rua do Ouvidor já devia ter alguma saudade.

A velha rua de Aleixo Manuel não pode perder as suas tradições de via revolucionária: podem abrir-lhe no seio o largo rasgão da Avenida, podem calçá-la de tijolinhos coloridos e pelintras, podem modificar a fisionomia dos seus velhos prédios; o que não podem modificar é a alma vadia e ao mesmo tempo insolente que a ameaça, alma de criança malcriada, nunca disposta a trabalhar e estudar, mas sempre disposta a protestar e a cometer desatinos. Todos os conflitos do Império e da República têm vindo acabar nesta viela insubordinada, que ama igualmente os namoros suaves e as arengas revolucionárias, os mexericos fúteis e as arruaças violentas, os préstitos carnavalescos e as cargas de cavalaria.

Francamente, se na minha qualidade de homem maduro e com responsabilidade, detesto os motins e as correrias, – como carioca, nascido nos domínios da Rua Leviana, eu ficaria um pouco triste, se a visse jamais convertida numa rua de inalterável bom senso e de monótona pacatez, dada somente ao comércio e à chocalhice, ao passeio e à maledicência. Uma arruaça por ano – uma só! – não é cousa que arruine as instituições e que abale o crédito da paz. O que é preciso é que essa arruaça seja alegre... e curta: vinte e quatro horas de berreiro e de briga bastarão, anualmente, para que a rua do Ouvidor conserve a sua reputação e mantenha seus foros, conquistados através de três séculos, de 1590 até hoje, à custa de tanto grito, de tanta pedrada, de tanta garrafada e de tanto tiro.

O motim de anteontem teve apenas uma originalidade, – a invenção de um novo grito sedicioso: "À Avenida! À Avenida!".

Esse grito não teve a mesma significação daquele famoso: "À Berlim! À Berlim!", que forma o estribilho do último capítulo de um romance de Zola. Não se tratava aqui de tomar de assalto a Avenida – que, apenas nascida, ainda vagindo infante, não pode cometer crimes que a apontem, como ré, à explosão da vindicta popular. O que o povo queria era apanhar as pedras soltas, que juncam o esburacado solo do *boulevard* inocente, para lapidar com elas os agentes policiais...

E é possível que tenha havido, nessa criação inconsciente de um novo grito sedicioso, um providencial benefício do Acaso. Até agora, já havia bastantes motivos para que se apressasse a construção da primeira das nossas avenidas: a necessidade de entregar ao comércio e ao trânsito uma cômoda via de comunicação, a conveniência de suspender as indigestões de poeira com que se desesperam os cariocas, a urgência de dar emprego e renda aos capitais que ali se estão consumindo, além de outros motivos, que dizem respeito à estética, e que não são os menos valiosos. Agora, porém, há um novo motivo de alta relevância.

A permanência daquelas montanhas de seixos e calhaus, a dous passos da rua das Arruaças, é uma ameaça constante para as vidraças das lojas e para as cabeças dos soldados. O grito "À Avenida!" pode ficar na moda, – e é deplorável que uma obra abençoada e fecunda, fadada a dar lucro material e moral a toda a cidade e a todo o país, comece a dar prejuízos à integridade craniana dos mantenedores da ordem pública, dando apenas lucro aos vidraceiros e aos negociantes de arnica e esparadrapo...

* * *

O motim – os motins não se preocupam muito com a Lógica – veio a acabar em protesto contra a lei da vacinação, mas tinha começado em protesto contra os pagodes do Conselho Municipal.

Este caso do Conselho Municipal não tem o mérito da originalidade. Todos os Conselhos Municipais iniciam a sua vida no meio de uma indiferença geral, e morrem no meio de uma execração também geral. Para os amaldiçoar na hora de sua morte, toda a gente tem cóleras e zelo; mas para os formar, para lhes dar vida, para lhes dar dignidade, escolhendo com interesse os seus membros, ninguém teve tempo nem boa vontade. Um Conselho Municipal é sempre aqui o resultado de uma eleição misteriosa e velada a que somente concorrem os candidatos, os empreiteiros da cabala, e os apaniguados, cujos serviços estão à disposição de qualquer ambicioso bem falante ou bem apercebido de dinheiro.

Ainda há poucos dias, nasceu um novo Conselho: o intendente mais votado teve 556 votos. Basta ter o pequeno trabalho de somar todos os votos apurados, para ver que esse Conselho representa apenas a vontade de 4175 cidadãos; e só os deuses oniscientes podem saber quanto defunto havia entre esses 4175 eleitores, e quanta esperta maquinação de fraude se entremeteu na contagem e na distribuição dos votos!...

Diz-se que Péricles, antes de governar Atenas, tendo um dia concedido o seu voto a um governante que deu má conta do mandato, apareceu na ágora, descabelado e soluçante, esbofeteando-se e amaldiçoando-se. "Que tens? – perguntaram-lhe. "Tenho vergonha de mim mesmo! e é no meu próprio erro que castigo a incapacidade do homem que elegi".

Nós, nem ao menos podemos fazer o mesmo, porque quando há eleições, nem tomamos a responsabilidade de eleger os incapazes, e deixamos que eles se elejam a si mesmos. Depois, é que é a grita, é que é a maldição, é que é a fúria: e fúria, e maldição e grita não seriam necessárias, se antes tivesse havido um pouquinho de zelo.

* * *

Parece, porém, que se esperam grandes remédios da lei da reforma eleitoral.

Não sei bem, se algum dia, alguém conseguirá inventar uma lei que extermine a fraude eleitoral... Mas, para que procurar dar cabo de uma tendência, que é profundamente humana? O que se deseja não é que todos os eleitores sejam puros, mas que todos sejam "eleitores de verdade" que vão votar, que assumam a responsabilidade da escolha dos seus dirigentes, para que depois tenham ao menos o direito de, como o velho Péricles, castigar no seu próprio erro a incapacidade dos eleitos. O que não pode continuar é essa absurda e inconcebível existência de um eleitorado que não elege ninguém, para depois se queixar dos desmandos daqueles que a si mesmos se elegeram. Não é possível abolir a fraude? paciência! mas o que é revoltante é que continue abolida a nossa consciência de povo.

A lei eleitoral vai ser sancionada no dia 15 de novembro. A data foi bem escolhida: se dessa lei se obtiverem os efeitos esperados, quem lucrará com isso será esta extravagante República, em que todos querem governar e em que ninguém quer votar.

Creio que era Gambella quem dizia da República Francesa: "Esta República precisa de mulheres!" A nossa precisa também de mulheres; mas precisa, antes de tudo, de eleições.

Numa república sem eleições, não sei bem a quem fica reduzida a estafada definição de "governo do povo pelo povo": a um regime como este caberia melhor a definição de "governo dos políticos pelos políticos", pois que, de fato, são aqui os políticos que se elegem, ou antes, que se nomeiam uns aos outros, dispondo do poder como de cousa sua, e revezando-se no posto de comando, como os sócios de uma firma comercial se revezam na gerência...

Um telegrama recente dizia que o primeiro cidadão norte-americano que felicitou Roosevelt pela sua reeleição foi Parker, seu competidor no pleito. Roosevelt e Parker eram e são dous adversários dignos um do outro, dirigindo dous grandes partidos igualmente poderosos.

Roosevelt teve 7.900.000 votos e Parker 6.400.000... Assim, é lícito dizer que ambos saíram vitoriosos da luta, porque ambos representavam uma grande massa de aspirações do povo.

No Brasil todas as eleições presidenciais são unânimes. Por quê? Porque, em cada eleição, só aparece um homem capaz de governar o país? – não: porque não há em nós a energia para a luta, para a afirmação de uma vontade.

Dirão que, nos Estados Unidos, muitíssimos dos votos dados a Roosevelt e Parker foram comprados. Que tem isto? Antes vender o voto e ir votar, do que deixar o diploma esquecido no fundo da gaveta das recordações, entre as velhas cartas de namoro e as velhas contas prescritas. A venalidade é imoral, mas ainda tem o mérito de revelar algum desejo de agir, de intervir nas cousas da vida, de "existir"; a indiferença é que é torpe, porque é a estagnação e a morte.

* * *

Jesus! Que começo e que fim! A *Crônica* principiou sorrindo e acabou doutrinando. Enfim, antes sorrir ou doutrinar, do que ir apenas apanhar as pedras da Avenida para rebentar crânios e vidraças...

O. B.

20 nov. 1904

Crônica [Cia]

Se eu quisesse fixar aqui, resumidas e enfeixadas na *Crônica*, todas as tristes recordações que me ficaram desta abominável semana, toda esta página não bastaria para contê-las.

Quando há barulhos assim, costuma o povo dizer que o "diabo andou solto"... Ai de nós! o diabo, se existe, já não se vem perder pelos andurriais da terra, a perverter os corações e a complicar a vida: ele já nos ensinou tudo quanto nos podia ensinar, – e, se há algum nome perverso, que ainda nos arraste ao mal e à ruína, é um monstro bem humano e bem nosso: é o demônio da ambição, que se entoca em certas almas...

Mas algumas dessas recordações devem ser avivadas e escritas: não há desastre que não encerre uma lição, – e este pobre povo, que tem tantos insensatos no seu seio, não deve perder lições.

* * *

O que primeiro me entristeceu, naquela amargurada manhã de 14, quando já estava armado o motim criminoso, foi o aspecto da Avenida. Por ali viera, num tropel destruidor, o bando dos *Pratas Pretas* e dos *Troviscos*, ao serviço dos ambiciosos e dos retóricos, levando tudo de roldão diante da sua estúpida fúria.

Passando pela rua Senador Dantas, a alcatéia arrancara, torcera, espezinhara, destruíra todas as pobres árvores pequenas, que, ainda fracas e humildes, dentro de suas frágeis grades de ferro, só pediam, para crescer e dar sombra, um pouco de sol ao céu, um pouco de umidade à terra e um pouco de carinho aos homens.

Já com essa brutalidade sem nome, o bando feroz mostrara bem claramente a natureza do seu instinto e das suas intenções... Na Avenida, as suas vítimas foram os postes de iluminação elétrica. Árvores e luz, para quê? para perfumar e purificar a atmosfera? para auxiliar, iluminar, animar o trabalho? mas o pântano só quer a podridão, e a alfurja só quer a treva: abaixo as árvores, e extinga-se a luz!

Quando cheguei à Avenida, ao meio-dia, os operários, tendo em vão tentado resistir às ameaças das feras, recolhiam à pressa as suas ferramentas: as enxadas, as picaretas, os martelos caíam com sinistro fragor, dentro das arcas. Era o medo pânico do trabalho diante da calaçaria amotinada, era a fuga da civilização diante da barbárie vitoriosa. A tempestade soprara sobre as colméias, atirara-as por terra, onde as esmagavam as patas da matuta desenfreada; tontas e perdidas, as abelhas voavam em debandada; a rapina vencia a indústria; a ferocidade triunfava do labor; e havia naquele largo trecho da cidade, no ar e no chão, nas ruínas dos prédios, em tudo, – um tremer de aflição e de horror, como se até as cousas inanimadas compreendessem e amaldiçoassem a infâmia daquele atentado!

Depois, à noite, quando já, em outra esfera, se representava o último ato do drama, andei pela cidade, às escuras, na curiosidade sofredora de quem prevê uma catástrofe.

Como o teu coração pulsava na terra, amarguradamente, minha pobre cidade!

Aqui e ali, de cinqüenta em cinqüenta metros, ardia um lampião: pelo bico arrebentado do combustor a chama jorrava, alta e espalhada, como a de um archote, dando clarões de incêndio às fachadas das casas; fora desses círculos de luz violenta, a escuridão aumentava pelo contraste; e, na escuridão, reboavam os passos da tropa, o estrupido dos cavalos, o fragor das carretas de artilharia, em marcha para o Catete. Todas as casas fechadas se recolhiam na sombra e no susto; os raros transeuntes passavam, como fantasmas, aparecendo fugazmente numa réstia de luz e desaparecendo logo absorvidos pela negrura das ruas.

E eu perguntava a mim mesmo, embrutecido pelo espanto, que mágoa, que ressentimento, que receios, e que despeito pudera levar esta gente a um ato de tão completa insensatez, obrigando todo o Brasil a perder em um dia o que ganhara em quinze anos, revoltando-se contra um governo que só quer dar luz, avenida, saúde, árvores, limpeza, dignidade ao povo, dando trabalho aos que querem trabalhar, provendo os lares de pão, preparando a grandeza futura de uma pátria, que só ainda não é grande e bela por ser suja e despovoada...

Mas a minha pergunta não tinha resposta; e, pelo caminho que eu seguia, continuavam as tropas a passar aceleradamente em silêncio, no escuro, pela cidade deserta.

No Catete, guardando o Palácio, as baionetas e os tubos das metralhadoras reluziam. Todo o bairro, da Glória ao Botafogo, era uma vasta praça de guerra. E, na incerteza do resultado daquela aventura, sem saber se o governo venceria o motim, ou se os amotinados poderiam no dia seguinte dar com o seu triunfo um golpe de morte no prestígio e na reputação de todo o país, apinhava-se a gente nas janelas de todos os prédios, faces espantadas e pálidas, olhos fixos na tropa que esperava ordens...

Há quantos anos já, esse amaldiçoado espetáculo de uma revolta não comovia a cidade! Parecia que, enfim, acalmada a luta entre as ambições, o Brasil, sem inimigos fora das fronteiras, ia fazer o congraçamento definitivo de todos os seus filhos, reunindo-os no propósito de salvar a nacionalidade da ruína, pelo saneamento das cidades, pelo povoamento dos campos, pela instrução e pela paz. Mas as ambições ainda viviam, – e é preciso agora recomeçar todo o trabalho perdido.

Dez anos de governo civil teriam naufragado num desastre irreparável, se o homem que nos governa tivesse experimentado um minuto de desfalecimento. A esta hora já se aproveita contra nós essa prova de indisciplina. Poucos dias de agitação já bastaram para nos fazer um mal tão grande, que muitos anos serão necessários para remediá-lo. Que seria então, se a revolta vencesse, se alguns descontentes e alguns desordeiros pudessem forçar o Brasil a mudar de governo, com essa mesma tranqüila facilidade com que cada um de nós muda de camisa?

Não sei se os facínoras da Gamboa recebiam ordens dos chefes do movimento, e se nessas furnas onde se enlapam os *Ratos Brancos* e os *Bocas Queimadas* havia ciência dos planos que se urdiam em outro lugar. É provável que não. Aquela gente, para se desencadear, numa tromba devastadora, pela cidade, não precisa de instruções nem de planos concertados. Ali há sempre navalhas afiadas e trabucos carregados, à disposição de todas as causas e a serviço de todos os patrões.

Em todas as cidades, existe esse exército do crime; o que não há, porém, em todas as cidades, é gente culta, inteligente, polida, civilizada, que dê à vérmina humana o exemplo da desordem e da maluquice...

E não há também em todas as cidades, como há aqui, uma tão considerável massa de gente ignorante, não sabendo ler nem escrever, e sempre disposta, pelo seu analfabetismo, a ouvir e aceitar todas as desbragadas mentiras que os exploradores lhe impingem. Se esta cidade não estivesse cheia de analfabetos, ninguém lograria convencer a pobre gente ingênua das estalagens que o governo queria vaciná-la com caldo de ratos mortos de peste...

E aí estão os três elementos de desordem: a ambição dos que sabem ler mas não têm juízo, a ferocidade desocupada dos vagabundos e dos facínoras, e a ingenuidade dos analfabetos, que, coitados, são sempre os menos responsáveis e sempre os que mais sofrem.

Se cada um dos ambiciosos matar dentro da própria alma esse demônio da ambição, que lhe envenena a vida, que lhe perturba o discernimento, e só sabe gerar pensamentos maus; se uma lei bem feita e bem aplicada, ainda que violenta, pudesse livrar a cidade desses bandidos que guarneciam o indecente *Port Arthur* da Gamboa; se tratássemos já e já de decretar a instrução primária obrigatória, pondo a gente pobre e humilde a coberto da exploração dos que especulam com a sua ignorância, nem haveria levantes militares, nem haveria *Port Arthur* de sicários, nem gente bem intencionada mas inculta se amotinaria contra a vacinação... E todos e tudo lucrariam com isso, desde a gente que trabalha até a gente que governa, desde a limpeza das ruas até a nossa dignidade de povo, desde os inofensivos postes de iluminação pública e as pobres árvores até o crédito do país.

* * *

Semana, maldita, some-te, mergulha no grande abismo onde tudo cai, no abismo insondável do Tempo, onde há esquecimento para tudo, para as ambições, para a ignorância, e até para a maldade consciente!

O. B.

27 NOV. 1904

CRÔNICA

Trinta graus à sombra, poeira em nuvens tormentosas, ar pesado e quente, – e estado de sítio. Se ainda não estais contentes com essas felicidades, acumuladas e variadas, é porque pertenceis à raça dos incontentáveis... Que quereis ainda, homens exigentes? Três epidemias e três guerras, um terremoto, o dilúvio?... Bem sei que o Japão e a Rússia estão mais bem aquinhoados do que o Brasil, atualmente: essas duas nações estão atravessando um período tão brilhante da sua vida, que, só em doze dias do mês de outubro, perderam 70.000 homens em batalhas tremendas. Mas a Rússia e o Japão são duas terras muito mais velhas e muito mais civilizadas do que a nossa e é justo que guardem para si a melhor parte das alegrias e das glórias da vida.

Ironia! tu nem sempre és irmã do desespero e da maldade! algumas vezes és irmã da resignação... Mais vale ser irônico do que ser brutal. As grandes fúrias não consertam estragos, nem curam moléstias, nem limpam nódoas. E já que ninguém nos pode livrar dos trinta graus à sombra, nem da poeira, nem do peso do ar, nem do estado de sítio, é melhor que aceitemos a vida como ela se nos impõe, dando-lhe piparotes em vez de socos, e troçando-a em vez de amaldiçoá-la. O verão há de passar, uma boa carga de chuva há de refrescar os ares e aplacar a poeira, o estado de sítio há de acabar, – e o tempo há de dar juízo aos malucos, arrependimento aos ambiciosos, e moderação aos estouvados.

E tratemos do estado de sítio.

Talvez ainda apareça, no Brasil, um amigo dos estudos históricos, que escreva a "História do estado de sítio".

Não sei dizer de repente quantos já houve, nesta terra, nos últimos quatorze anos. Foram seis? foram dez? – já perdi a conta; apenas conservei a lembrança de alguns, ou porque especialmente me tenham pesado sobre as costas, ou porque se tenham particularmente revestido de um mais acentuado caráter de ferocidade ou brandura. Porque, assim como, entre os cachorros, há cachorros de luxo e cachorros de guarda, fraldeiros de antecâmara e molossos de portão, também entre os estados de sítio, há uns que sabem a mel e outros que sabem a fel...

Lembro-me bem do espanto da cidade na manhã de 16 de novembro de 1889. Não havia propriamente estado de sítio, porque não havia ainda Constituição – e o estado de sítio foi criado pela Constituição – cousa que não deve espantar, porque não é raro ver uma virtuosa matrona, cheia de bondade e cordura, dar à luz um filho malvado e cruel...

Não havia estado de sítio, mas havia estado de guerra. E a cidade, quando viu o aparato bélico daquela manhã, estremeceu de susto, tão novo era para ela o espetáculo daquelas patrulhas de armas embaladas, e daquele galopar contínuo de piquetes de cavalaria pelas ruas estreitas. Na véspera, às 11 horas da noite, quando já estava proclamada a República e organizado o governo provisório, encontrara eu no largo de S. Francisco um troço de forma armada: no centro, um oficial a cavalo declamava, entre dous rufos de tambores, um "bando" do marechal Deodoro: "O marechal Deodoro manda dizer ao povo que o governo garantirá a propriedade e a vida dos cidadãos, etc... etc..." A cousa era tão nova, tão original, e, ao mesmo tempo, tão temerosa, que um cidadão, ao meu lado, com os olhos escancarados, tremia como um bambu ao vento; e eu escutava o rumor dos seus dentes que se entrechocavam, acompanhando o ritmo do rufar dos tambores...

Depois, quando a Constituição engendrou o estado de sítio, e quando, graças às complicações da política e à maluquice de todos nós essa medida excepcional começou a ser freqüentemente aplicada, ainda esse espanto e esse terror abalaram por longo tempo a pacata *urbs*.

Mas a gente se habitua a tudo, neste baixo mundo... E, por outro lado, os estados de sítio foram perdendo a sua ferocidade, atenuando-se e enfraquecendo-se, como essas culturas de micróbios, que chegam a transformar-se de germes de moléstia em remédios. Entre os últimos estados de sítio, e os primeiros (que desgraçadamente conheci bem de perto), houve a mesma diferença que deve haver entre o purgatório e o inferno: o purgatório não é propriamente o céu mas também não é propriamente o inferno; e, com um pouco de filosofia, as almas devem suportar com relativa felicidade uma curta residência nessa estância de branda expiação...

Não é bom pensar na dureza dos estados de sítio, que se pareceram mais com o inferno do que com o purgatório: há cousas que se não recordam sem desgosto, e quem esteve metido nas bernardas daquele tempo só o que pode ambicionar é poder apagar da memória a impressão das cousas, brutais ou ignóbeis, que viu e sentiu...

O último (antes deste, com que nos estamos agora regalando) foi um estado de sítio "pamonha". Lembram-se? Refiro-me ao de 1897. Ninguém morreu, ninguém recebeu palmatoadas em carros especiais da Central, e os jornalistas inocentes não tiveram de ir trocar pernas pelos sertões de Minas...

Quem se encarregou de dar gravidade ao estado de sítio daquele ano foi o Boato...

Saía a gente da casa para o trabalho, e logo no bonde, ouvia esta confidência: "Sabe, foi preso o Juca... eu logo vi que o Juca devia estar comprometido... está na Detenção!" E mais adiante: "Não sabia? não é somente o Juca! o Quincas também está seguro! dizem até que já lhe puseram *anjinhos*..." E, ao saltar do bonde: "O amigo ainda não tinha notícia da prisão do Cazuza? pois foi apanhado! parece até que fez revelações importantes, à força de receber chumbo derretido dentro dos ouvidos!" E, na rua do Ouvidor, corria que o Nhonhô tinha sido fuzilado, e que o Manuelzinho tinha sido queimado vivo, e que o Joãozinho tinha sido enforcado... E daí a pouco, a gente encontrava o Nhonhô tomando um sorvete, e o Joãozinho tomando café, e o Cazuza saboreando um chope, e o Quincas engraxando as botas, e o Juca namorando uma senhora. E o Juca, o Quincas, o Cazuza, o Joãozinho e o Nhonhô principiavam por sua vez a inventar prisões, fuzilamentos, martírios, suplícios...

Mas, desta vez, neste último estado de sítio (será realmente o último, justos deuses?) nem boatos malévolos aparecem. E quando se ouve dizer que os vagabundos e os desordeiros vão seguir para o Acre, não há quem diga que o governo há de ser execrado pela Posteridade implacável, no dia em que, diante do tribunal da História, tiver de justificar a crueldade com que tratou o inocente *Prata Preta*, o inofensivo *Napoleão da Saúde*, e o angélico *Terror da Gamboa*.

Assim através dos anos, essa perigosa instituição se veio modificando, quanto aos seus efeitos. Agora, já ninguém se lembra da gravidade do momento, senão quando, abrindo os jornais, encontra uma referência à vergonhosa agitação da semana passada, ou quando, nos bairros mais afastados, ainda encontra os lampiões do gás atirados ao chão e os restos das barricadas. Quem te viu e quem te vê, estado de sítio!

Em todo o caso, não é bom que nos habituemos a este mal. Dizem que há moléstias que engordam a gente, e venenos que dão prazer. Sempre são moléstias e venenos... Não sei se é verdade o que se conta de Mitridates, que pouco a pouco se habituou a ingerir, sem perigo, todas as espécies de tóxicos: verdade ou mentira, o que é certo e que nem todos os organismos têm a mesma resistência, e veneno é cousa com que não se deve brincar...

O. B.

04 DEZ. 1904 CRÔNICA

Estado de sítio aqui, complicações com o Peru no extremo Norte, agitações no Uruguai, guerra civil no Paraguai, quase guerra entre o Paraguai e a Argentina... Oh! como é doce viver dentro dos limites deste imenso presunto, que, no mapamúndi figura com o nome de América do Sul!

Quando, em 1504, Américo Vespúcio chegou à Europa, de volta deste formoso trecho do planeta, todos procuravam saber o que ele tinha visto de notável. E Vespúcio resumia as suas impressões numa frase lírica: "Se nel mondo, è alcun [?] paradiso terrestre, senza dubio debe essere non molto lontano di questi longhi [?]!"

Muitos anos depois, o grande Humboldt dizia o mesmo, assegurando que a região central da América do Sul seria o Éden do futuro, o vale sagrado, de onde, pela fusão das velhas raças retemperadas e regeneradas, surgiria uma nova civilização...

Um Paraíso? Um Éden? Mas todo o Éden há de ter Mulher e Diabo, e o nosso tem a política, que é a mais intrigante das mulheres, e o interesse, que é o mais perverso dos diabos. No Éden antigo, nesse lendário lugar de delícias colocado entre o Tigre e o Eufrates, a aliança da Mulher com o Diabo não foi de todo perniciosa. Pelo contrário! Se não houvesse a malícia da Serpente e a curiosidade de Eva, não se teriam inventado o Amor e o Trabalho, as duas felicidades que ainda nos ajudam a suportar com resignação os aborrecimentos da Vida... Mas, neste falso Éden da América do Sul, a Política e o Interesse só têm gerado a Guerra e a Vadiação. A árvore do Bem e do Mal é aqui a árvore do Poder, cujos frutos, por todos apetecidos, não podem bastar para todos; e, junto ao tronco dessa árvore, sob as suas ramadas formosas, ferve a guerra contínua das ambições incontentáveis; e, enquanto a guerra ferve, os campos ficam por lavrar, e o famoso Vale Sagrado de Humboldt só vê a proliferação da raça das onças, dos macacos, das cobras e dos mosquitos.

Creio que, até hoje, depois do divino Dante, ninguém voltou de alguma viagem ao Inferno... No tempo de Dante, o inferno não era propriamente uma residência apetecível; mas, quem sabe? É possível que nestes últimos seis séculos tenha havido modificações radicais no reino de Platão. É pena que não estejamos em comunicação com essas tenebrosas regiões, porque talvez haja no Inferno mais calma, mais juízo e mais felicidade do que neste Paraíso em que vivemos...

* * *

O que nos vale é que de toda a América do Sul, ainda é o Brasil o país que menos sofre. O nosso estado de sítio é uma calamidade suportável. E, em vez de uma calamidade suportável, terá sido uma inegável felicidade, se, como se espera, de seu bem aplicado rigor nascerem os primeiros núcleos do povoamento e da prosperidade do Acre.

Quem sabe se, a bordo daquele navio que já vai com rumo feito ao Amazonas, e naquelas prisões da Ilha das Cobras, não se estão agitando e palpitando os germes da grandeza de toda uma extensa região da nossa pátria?

Não foi de outro modo, nem com gente de melhor casta, que se fez o primeiro povoamento do Brasil, antes da divisão do território em capitanias, quando ainda Portugal não reconhecera o infinito valor dos domínios que lhe doara Pedro Álvares...

"Ficaram na praia chorando sua infeliz sorte, e acompanhando com os olhos as quilhas pátrias, até que elas já se haviam sumido no horizonte: acaso as saudades dos que até ali eram seus carcereiros cresciam com o medo daqueles desconhecidos a cuja mercê ficavam..." Assim conta Varnhagen a tristeza dos dous criminosos, que Pedro Álvares deixou em Porto Seguro, quando, depois de plantar no solo brasileiro os padrões de el-rei, retomou o caminho das Índias.

Esses dous sujeitos foram os primeiros "colonos" do Brasil. Está claro que não eram dous anjos: se o reino não os queria por lá, e se Cabral com tanta felicidade os deixou entregues à voracidade dos selvagens, foi porque havia na fé de ofício de ambos muitas notas pouco lisonjeiras. E, daí por diante, durante os primeiros anos da posse, Portugal foi mandando para a terra, ainda desconhecida e inaproveitada, todos os meliantes de cuja regeneração desesperavam as justiças reais. Foi assim que se fez a primeira colonização do Brasil, como a de todas as outras terras, cuja existência só começou a ser revelada à Europa em 1492.

Pois não se dirá, por isso, que somos uma nação de meliantes... Depois dos maus vieram os bons; depois dos brancos vieram os pretos; e bons, e maus, e brancos e pretos, e índios tão bem se misturaram que formaram este grande povo, nem melhor nem pior do que qualquer outro, com as virtudes e os defeitos que a todos são comuns.

* * *

Quando, no galho de uma roseira, sorri e pompéia ao sol uma grande rosa vermelha, cheia de aroma, de vida, de mocidade, de graça, ninguém se lembra de lhe lançar em face a triste origem da estrumeira que lhe deu aquele viço, aquela majestosa formosura.

Tudo quanto vive, começa no lodo para acabar na glória. As mais nobres, as mais soberbas famílias aristocráticas da Europa nasceram de sementes bem pouco dignas: tal marquês descende de um pirata do século XI, e tal duque vem em linha reta de um salteador do século X. Roma, senhora do mundo, cérebro e coração da raça latina, orgulho e glória de toda a humanidade, mãe de todas as raças, era no ano de 730 a.C. uma furna de aventureiros e depredadores. E nós todos, sem exceção, homens civilizados de todos os países e de todas as raças, de quem descendemos? De uns bichos cabeludos e feios, macacões horripilantes, vivendo em cavernas, comendo carne viva, exprimindo os seus pensamentos por meio de uivos e guinchos.

Nestas cousas de ascendência e origem, não há homem que tenha o direito de rir à custa de outro homem, e não há nação que possa desprezar outra nação. Todos nós, homens e países, nos valemos – saídos da mesma lama, e apenas notabilizados pelo desejo de progredir – como o caniço trêmulo e débil que, com as raízes no pântano, emprega toda a força e todo o impulso da sua seiva em ascender para o céu, para a luz fecunda e abençoada do sol...

A terra é um vasto cadinho, em que o Tempo, Alquimista Imortal, opera na transformação gradual das causas e dos homens. Depois de feita a transformação, não é bom que o ouro esqueça a amálgama preta e feia de que saiu, nem que o diamante despreze o cascalho grosseiro que o abrigou... Porque plantas e animais, metais e pedras preciosas, homens e nações – tudo tem uma origem que não justifica exagerados orgulhos. Todas as árvores genealógicas têm galhos podres e raízes sujas. E a tudo, nesta vida, se aplica aquele famoso soneto com que João de Deus castigou a insolência de um certo Gaspar, fidalgo de arribação:

Ora, se não sei eu quem foi teu pai!
Fidalgo! Si perfeitamente bem!
O que não sei, Gaspar, é o que vem
N'esta vida fazer quem já lá vai!

Já se vê que é aos pais que a gente sai:
Tal pai, tal filho! pois duvida alguém
Que um pai, se é, como o teu, homem de bem
Tu és homem de bem como o teu pai?

Isso não há quem possa duvidar:
Mas queres um conselho que te dou?
Não bulhas nisso! Cala-te, Gaspar!

Que eu, cá por mim, bem sabes como sou...
Mas é que outro talvez mande tirar
Certidão de batismo a teu avô!

* * *

Daqui a um século, quando o clima, o trabalho, o cruzamento tiverem transformado essas levas de desordeiros numa população de trabalhadores, amigos da terra e do dever, quem reconhecerá nos lavradores de então, pacíficos e fortes, na vida patriarcal da agricultura, os filhos e netos dos quebradores de lampiões? Ninguém; e o Acre não se envergonhará de dever a sua riqueza ao esforço dos arruaceiros da Gamboa e dos assassinos da Saúde – porque já nesse tempo não haverá assassinos nem arruaceiros – mas uma raça forte, nobilitada pelo trabalho e pela bondade.

O Acre faz parte desse fecundo vale, em que, segundo a profecia de Humboldt, ficará assentado o Paraíso futuro, berço da civilização triunfante. Quem sabe se não vai, agora, começar a realização da profecia radiosa? Quem sabe se este Paraíso, que, com as suas complicações atuais, não nos parece preferível ao Inferno, não vai agora principiar a ser um verdadeiro Éden de prosperidade e de riqueza?

Abençoada a estrumeira de que saem as rosas! porque não há rosa que se envergonhe de sua origem...

O. B.

Gazeta de Notícias 1905

08 jan. 1905 Crônica

Leio que o presidente da República vai sancionar a resolução legislativa que autorizou a desapropriação do prédio em que residia o marechal Deodoro em 1889. E, lendo essa notícia, fico a lembrar aquele escaldado dia e aquela quente noite de 15 de novembro.

Como isso já vai longe! Em quinze anos, a Morte levou Deodoro, e levou número considerável dos que trabalharam com ele ou contra ele: sumiram-se na treva muitos dos que viram naquele dia sorrir o mais belo dia da sua vida, e muitos dos que choraram lágrimas de raiva, e muitos dos que, sorrindo incrédulos, acreditavam que a República só viveria quinze dias... Acreditavam mal: a República já viveu quinze anos, não quero saber se bons ou maus, proveitosos ou inúteis, virtuosos ou criminosos; sei que os viveu, tendo visto morrer uma basta porção dos que a mudaram. A Vida é assim: nós todos vivemos a edificar e a mobiliar casas para os outros; quando as casas ficam prontas, entregamos as chaves a inquilinos que não concorreram com um só tijolo para a edificação, e vamos morar nessa infinita casa do Nada, que ninguém edificou, e para onde os inquilinos só se transferem à força, torcendo a cara, e tremendo de medo.

* * *

A notícia vem acordar em mim a recordação da noite tumultuosa em que, à sacada desse prédio do campo de Santana, vi Deodoro, arquejante, quase moribundo, recebendo, ao lado de Benjamim Constant, as aclamações do povo.

O dia, para os jornalistas, fora trabalhoso e rude. O calor fora cruel. Ao cair da tarde, na sala da *Cidade do Rio*, eu estava extenuado por doze horas de trabalho contínuo: a *Cidade do Rio*, àquela hora, já tinha dado três edições, em que se atropelavam, escritas e compostas à pressa, todas as notícias desencontradas, todos os atrapalhados boatos, todas as complicadas surpresas daquela jornada fantástica. A sala da redação estava cheia de gente que entrava, demorava-se um pouco, cercando Patrocínio, e saía, para dar lugar a outra onda humana. Lá em baixo, na rua do Ouvidor, a multidão burburinhava: era um mar agitado, tempestuoso, ondulando a perder de vista...

Foi a essa hora que entrou na sala da *Cidade do Rio*, pálido e irritado, com aquele andar coxeante, que sempre teve, e aquele brilho de olhar ardente, que até a morte conservou, o nervoso e vibrante Aníbal Falcão. Entrou, e foi logo dizendo: "Mas tudo isso me está parecendo uma *journée des dupes*!...."

Rodearam-no todos; e enquanto a noite caía de todo, e já se acendiam os lampiões da rua do Ouvidor, Aníbal explicava o seu susto: – que havia até aquela hora? simplesmente uma revolução vitoriosa... mas quem podia assegurar que a República estivesse feita? uma noite bastaria, talvez, para frustrar todas as esperanças dos republicanos... Os chefes da revolução estavam reunidos em casa de Deodoro; mas ainda ninguém sabia, cá fora, o que se resolvera lá dentro... Que era preciso fazer? Ir à casa de Deodoro!

Foi assim que se organizou, em minutos, o préstito colossal, que se dirigiu, pouco depois das sete horas da noite, a essa casa do Campo de Santana, cuja desapropriação o Congresso acaba de decretar.

Era o segundo préstito, que, na jornada revolucionária, saía da *Cidade do Rio*. O primeiro saíra, às duas da tarde, acompanhando à Câmara Municipal José do Patrocínio que, como o mais moço dos vereadores, solenemente declarou, na sede do governo da cidade, proclamada a República, em nome do povo...

Agora, a imensa coluna viva, engrossada de passo em passo pela afluência de novas manifestações, atravessou a rua do Ouvidor, o largo de S. Francisco, o largo do Rocio, e entrou no campo da Aclamação, pelo lado do Corpo de Bombeiros. Ainda estou nitidamente revendo à frente da coluna, ao lado de Patrocínio, de Trovão, e de tantos outros, três figuras que desapareceram, três dos operários mortos desse grande dia, – Aníbal Falcão, Silva Jardim, Pardal Mallet...

Quando o povo entrou na larga praça houve alarma na força que se estendia ao longo da fachada do Corpo de Bombeiros... Mas o préstito passou, vitoriando a força, – e uma voz moça, a voz de um oficial de quem nunca pude sabe o nome, ordenou: "Apresentar armas!" – e os bombeiros prestaram essa homenagem ao povo que passava...

Em frente à casa de Deodoro, havia já uma compacta multidão. À porta, sentinelas impediam a invasão. Nos quadros, violentamente iluminados, das janelas, lá em cima, passavam e repassavam vultos. Uma aclamação ruidosa clamou por Deodoro... Deodoro não aparecia... Uma voz, para acalmar a multidão, gritou que "os chefes do movimento iam consultar a nação, que escolheria livremente a forma de governo que mais lhe agradasse..."

Mas essa declaração foi logo abafada, pela grita ensurdecedora:

– A nação já escolheu! Viva a República! Deodoro! Deodoro!

Deodoro, porém, não aparecia... a verdade – só o soube depois – é que o marechal estava, nessa noite, atravessando uma crise gravíssima da moléstia que pouco mais de dous anos depois, devia matá-lo. Para dirigir o movimento, Deodoro tivera de realizar milagres de energia, de heroísmo físico e moral; e, agora, tomado de dispnéia, o marechal sofria tanto, que muitos dos que o cercavam pensaram vê-lo morto antes da ultimação do trabalho...

Mas a multidão ignorava isso, e bradava sempre:

– Deodoro! Deodoro!

Então, ao fundo luminoso da janela central da casa histórica, apareceu o marechal entre Benjamim e Quintino. Quando o clamor do povo se extinguiu, foi Benjamim Constant quem falou, aconselhando calma, declarando que o governo provisório estava sendo organizado.

Deodoro, muito pálido, agitava ambas as mãos no ar, agradecendo as ovações. E nunca mais esquecerei o aspecto da figura do grande soldado, naquela noite, com o peito num arquejo que parecia querer romper a farda abotoada, a boca aberta pedindo ar, a bela face de leão demudada pelo sofrimento, e a clara barba oscilando, subindo e descendo, ao esforço do ofego...

* * *

Faz bem o Congresso decretando a desapropriação do prédio modesto, entre cujas paredes se desdobrou o drama da fundação da República.

Ali foi tramada a conspiração, ali se organizou o governo provisório, dali saiu a República, ali se passaram as horas febris da esperança, do desânimo, da ansiedade, do triunfo, – e ali viveu Deodoro os melhores dias do seu governo, quando ainda a perversidade dos conselheiros maus e a ingratidão dos amigos interesseiros não lhe haviam envenenado a existência...

A lei, que o presidente da República vai amanhã sancionar, é uma lei de justiça e veneração. Aquela casa só pode pertencer ao Estado, que a deve guardar e zelar, com carinho e ciúme. Todos os cultos morais, todas as religiões cívicas precisam de uma objetivação: os homens só compreendem e amam bem as idéias quando as vêem corporificadas. E respeitar e amar o prédio humilde em que a República nasceu e viveu, antes de ocupar palácios, é de algum modo respeitar e amar a própria República.

Não tenho presente o texto do decreto legislativo, e não sei que destino pretende dar o Estado à casa, quando a houver adquirido. Atualmente, ela está ocupada por uma escola pública primária. E tenho para mim que se lhe não pode dar destino melhor do que esse.

Não sei se o regime republicano pode florescer e frutificar bem, num país que conta no seu seio mais de dez milhões de analfabetos... O melhor meio de honrar o regime e honrar quem o fundou, é associar a memória do fundador à obra santa da instrução primária.

Cada criança, das que daquela casa continuarem a sair sabendo ler e escrever, será mais uma criatura livre, capaz de defender, transformar esta República, – que, desgraçadamente, ainda parece pensar que pode merecer o nome de homem um animal incapaz de decifrar os caracteres do alfabeto...

O. B.

15 jan. 1905

Crônica

Há três anos, mandava eu de S. Paulo, à *Gazeta*, uma *Crônica*, em que confessava o meu espanto e a minha admiração pelo progresso que fora encontrar na capital paulista. E, naturalmente, cotejando o que lá via com o que aqui deixara, escrevi palavras que não podiam ser de leite e ambrosia para o paladar do Rio de Janeiro...

Durante toda uma semana (e só durante uma semana, porque felizmente a tolice e perversidade têm o fôlego curto) os carteiros do correio levaram-me punhados de cartas anônimas. Umas duvidavam da minha inteligência, outras da minha honestidade, estas me injuriavam, aquelas me cobriam de ridículo, quais demonstravam por $a + b$ a minha estupidez, quais perguntavam quanto eu ganhava para difamar o Rio de Janeiro, – e todas pareciam provir de pessoas convencidas da suprema beleza, do inexcedível asseio e da incomparável salubridade da capital da República.

A carta anônima é um desafogo natural e desculpável. Nunca uma carta anônima conseguiu irritar-me, porque sei que todos a recebem; e mal de todos consolos é. Dizia-me uma vez um amigo meu que a criação da carta anônima coincidira com a criação do mundo. E explicava: "No princípio era o Verbo. E Deus, depois de haver criado as águas, os céus e as terras, criou o Homem. E do Homem tirou a Mulher. E deu-lhes o Paraíso. Mas o diabo levou o Homem e a Mulher ao pecado, e escreveu uma carta anônima a Deus, dizendo-lhe que, se quisesse apanhar em culpa flagrante as suas criaturas, fosse a tal hora, em tal noite, espiar o que elas faziam na estância paradisíaca..." E aí está porque é que as cartas anônimas não me irritam: porque não hei de recebê-las eu, se até o Senhor Deus já as tem recebido?

Há três anos, os meus correspondentes encapotados acreditavam que era com satisfação que eu verificava a superioridade de S. Paulo: não percebiam que o meu coração de carioca sangrava.

A verdade é que a minha revolta era grande: eu não podia perceber como a pequena cidade de S. Paulo, muito menos rica e muito menos importante do que a do Rio de Janeiro, ganhava sobre esta uma tão incontestável supremacia de formosura e de higiene. Esse contraste entre S. Paulo e o Rio afligia-me ainda mais do que o contraste entre o Rio e Buenos Aires. Não se tratava já de duas cidades de origem diferente e de diferente fortuna: tratava-se de duas irmãs, filhas dos mesmos pais, falando a mesma língua, alimentadas pelo mesmo sangue, e tão dessemelhantes na sorte: uma pompeando em louçania e galas, indo a bailes e folguedos, arreada de alfaias e jóias – enquanto a outra, mísera Gata Borralheira, ficava, maltrapilha e descalça, na trapeira sórdida, à espera de um príncipe encantado que não aparecia.

* * *

Ora, os tempos, felizmente, mudaram. Apareceu à Gata Borralheira o príncipe encantado, que ainda lhe não deu equipagens de luxo, nem arrecadas de rubis, nem estemas de diamantes, – mas que já a arrancou da lama em que jazia, lavando-a e vestindo-a, restituindo-a à sua dignidade de mulher.

E já posso, sem inveja ou despeito, aplaudir a manifestação com que o povo de S. Paulo galardoou os serviços do seu prefeito. Já me não vexa o confronto do que há por lá com o que há por aqui, – e tenho, ao contrário, o consolo de verificar que, relativamente, o trabalho daqui tem sido mais rápido, mais fecundo, mais difícil, e por isso mesmo mais admirável do que o de lá.

S. Paulo sempre teve uma população dócil e, ao mesmo tempo, orgulhosa: com bastante docilidade para se deixar governar sem revoltas, e com bastante orgulho para querer sempre suplantar as suas irmãs.

Com essas duas qualidades, concorrem lá circunstâncias várias, que facilitaram a campanha da regeneração higiênica e artística: a relativa exigüidade da área ocupada, a brandura do clima, a riqueza das produções, a independência dos recursos, – e a circunstância, entre todas propícia e benéfica, da fixidez da população.

Ao Rio de Janeiro faltavam todos ou quase todos esses elementos favoráveis. Nós sempre fomos um povo insubmisso e insubordinado; nunca tivemos o amor próprio bairrista, o *chauvinismo* do povo paulista; a cidade ocupa uma área de quase dous mil quilômetros quadrados, – toda ela mal traçada e mal edificada; o clima, áspero e acabrunhador, não permite o trabalho demorado; as rendas são escassas, e tinham sido comprometidas por administrações mal orientadas; e, sobre tudo isso, a população não é fixa: o Rio é, como nenhuma outra cidade do Brasil, ocupado por sucessivas caravanas comerciais, vindas de todos os países da Europa, fincando no solo as suas tendas, e levantando o acampamento, assim que os lucros são gordos, ou assim que uma crise social perturba o comércio.

E é preciso notar que há por aqui inevitáveis elementos de desordem, que estão bem longe de aproveitar à cidade. O Rio é o coração da República. Todas as perturbações da circulação vital do país aqui repercutem: toda a atenção de quem governa é pouca para atender aos perigos da atividade política, aqui concentrada. Todo o trabalho, para ser proveitoso, tem de se desenvolver numa atmosfera de paz e disciplina; e nunca há disciplina e paz nos lugares em que a presença e a sedução do poder reúnem todos os ambiciosos.

Tudo isso dificultava a empresa da regeneração do Rio; e, apesar de tudo isso, a regeneração já está quase feita, em pouco mais de dous anos de trabalho.

Ah! eu abençôo todas as cartas anônimas, que os carteiros do correio me entregaram há três anos! Elas tiveram, para mim, esta grande vantagem: provaram-me que eu estava servindo à verdade, – porque só a Verdade costuma irritar desse modo os que não a sabem ou não a querem ver.

Quem viu o Rio, há três anos, maltratado e sujo, com os seus taciturnos jardins murados e sem flores, com as suas tristes vielas povoadas de cachorros vagabundos, e quem agora o vê, com as novas avenidas em via de edificação, com os jardins viçando, abertos e floridos, com as ruas alargadas e enchendo-se de edificações elegantes, com a variedade dos novos tipos de calçamento adotados, – reconhece sem dificuldade que, neste curto espaço de tempo, muito mais se fez aqui, do que em S. Paulo num espaço de tempo três ou quatro vezes maior.

Os olhos humanos não têm memória vivaz. Os nossos olhos já se não lembram do que eram a Prainha, a rua Treze de Maio, a rua do Sacramento, a praia de Botafogo, – e principalmente do que era a praça da Glória, com aquele hediondo Mercado, agonia dos meus dias, pesadelo das minhas noites, tortura e tormento da minha vida!

Daqui a pouco tempo, dentro de dous anos, quando a Avenida Central e a Avenida Beira-Mar estiverem concluídas; quando o Rio de Janeiro se encher de carruagens e de automóveis; quando começarmos a possuir a vida civilizada e elegante que Buenos Aires já há tantos anos possui, – também nessa época já nos não lembraremos do que era a nossa vida tediosa e vazia, sem teatros, sem passeios, de distrações limitada à maledicência dos homens na rua do Ouvidor e à pasmaceira das senhoras nas janelas...

* * *

São Paulo faz bem em demonstrar a sua gratidão, glorificando o homem a quem deve, em grande parte, a sua beleza e a sua higiene.

Aqui, também os saneadores hão de receber um dia, em aplauso grato, o prêmio da sua corajosa dedicação, a que não têm faltado tropeços. A injúria e a calúnia, de mãos dadas, têm feito o possível (felizmente em vão) para perturbar a salvação da cidade...

Ah! também em S. Paulo, a admiração e o louvor não foram e não são unânimes. Diz-se que, durante a grande festa popular, houve uma distribuição de folhetins, em que se procura diminuir a glória do glorificado...

Não é possível governar, sem ferir interesses: e os interesses não são como os cordeiros resignados, que sofrem e morrem sem protesto. Ninguém pode administrar sem criar descontentes: quando o número destes é menor do que o dos contentes, já o administrador pode, ultimado o trabalho, sentir esse doce consolo que vem da tarefa bem cumprida, mais valioso do que o esplendor passageiro das apoteoses.

O. B.

22 JAN. 1905 — CRÔNICA

Todos os anos, a revista francesa *Les Annales Politiques et Littéraires* oferece aos seus assinantes um grande "número de Ano Bom", cujo assunto é sempre de interesse universal.

Este ano, o fascículo-prêmio, abundantemente ilustrado, compendia e descreve *As cem maravilhas do mundo*, escolhidas de acordo com o resultado de um plebiscito aberto pela revista entre os seus leitores. Cada concorrente indicou cem maravilhas, sendo vinte e cinco naturais, vinte e cinco de pintura, vinte e cinco de escultura e vinte e cinco de arquitetura. Realizada a apuração dos votos, a revista acaba de publicar a lista das "maravilhas" escolhidas: a da Natureza, mais votada, foi o Niágara, com 5832 votos; a da pintura, a *Gioconda* de Leonardo da Vinci, com 7854; a da escultura, a *Vênus de Milo*, com 5358; e a da arquitetura, a Igreja de S. Pedro de Roma, com 9872.

Para nós, brasileiros, o que há de particularmente interessante no resultado deste original plebiscito, é que também o Brasil forneceu o seu contingente para a catalogação das "cem maravilhas do mundo"...

Claro está que não poderíamos figurar em qualquer das seções artísticas do plebiscito. Não poderíamos ter essa pretensão, quando nem as nações da Europa conseguiram, com a sua pintura, a sua escultura e a sua arquitetura de hoje, disputar os primeiros lugares da classificação. Todas as obras de arte vencedoras são antigas, antiquíssimas: a igreja de S. Pedro é do século XV, a *Gioconda* foi pintada por Leonardo no mesmo ano em que Pedr'Alvares descobriu o Brasil, e a *Vênus de Milo* tem mais de vinte séculos de idade e de suprema beleza.

Somente na seção das "maravilhas naturais" poderia haver lugar para o Brasil. A nossa "natureza" é, por ora, tudo quanto nos pode recomendar à atenção e à admiração dos povos: e não nos desgostemos com isso, porque, enfim, a beleza natural já é, para um país, um dote de alto valor, como a formosura já é, para uma mulher, uma das maiores, senão a maior das prendas apetecíveis...

E exultai, cariocas! a maravilha do Brasil, favorecida pela preferência dos leitores dos *Anais Políticos e Literários* foi... a baía da Guanabara, que obteve 3422 votos, e foi classificada em 13º lugar, logo abaixo do Niágara, do Golfo de Nápoles, da Gruta Azul de Capri, do Himalaia, do Monte Branco e de mais sete maravilhas naturais.

Haverá, decerto, entre os que me lêem, alguém que não fique muito contente com a classificação, – considerando, com alguma justiça, que a baía do Rio é incomparavelmente mais bela do que a de Nápoles. Mas é preciso lembrar que a baía de Nápoles fica ali em plena Europa, a dous dias de viagem da rua Saint-Georges, onde a revista parisiense tem o seu escritório; ao passo que a nossa baía ainda é, para quase todos os europeus, uma espécie de mito, uma cousa do outro mundo, vagamente conhecida por informações...

E deixemo-nos de exigências exageradas: levantemos as mãos ao céu, porque o favor não é pequeno. A Europa poderia ignorar completamente a existência da baía do Rio de Janeiro... E ainda mais: a redação da revista parisiense poderia ter escrito, em baixo da gravura: "maravilha do mundo... e da febre amarela". Desde, porém, que a incluíram no número das maravilhas, e que não caluniaram as suas condições de salubridade, creio que a minha velha e boa amiga Baía da Guanabara não se deve desconsolar, devendo, ao contrário, agradecer esse 13º lugar, – sem pensar na funesta influência do número 13...

* * *

Para acompanhar a gravura de cada uma das maravilhas escolhidas, a revista publica um trecho de escritor contemporâneo, vivo ou morto. A *Vênus de Milo* e a *Gioconda* aparecem emolduradas no ouro da prosa de Théophile Gautier; a gruta azul é descrita por Maxime du Camp; o palácio e o parque de Versailles são celebrados em um lindo soneto de Henri de Regnier.

Para enquadrar a fotogravura da baía da Guanabara, foram escolhidos alguns períodos de um artigo do Sr. Gaston Donnet, redator do *Temps* de Paris, que por aqui andou há dous anos.

O trecho é curto, e não trata propriamente da baía, mas da cidade. Vale a pena traduzi-lo na íntegra, para gáudio da gente indígena:

"Rio de Janeiro é uma linda cidade, finamente linda, que despreza as leis de equilíbrios, e zomba dos preceitos da geometria. Nasceu e cresceu *à la diable*: banha-lhe o mar os pés, e o resto do seu corpo ocupa as posições mais extravagantes. As casas se alcandoram pelos vértices das colinas, numa dança de tetos cor-de-rosa; escondem-se dentro de recantos forrados de bambuais; descem, espraiam-se, agrupam-se em pequenos aduares redondos, dispersam-se de novo, afastando-se, acompanhando as sinuosidades dos rochedos."

"Dir-se-ia que essas casas foram [*****] ao acaso, à toa, como sementes atiradas ao vento..."

"Decididamente, eu lamento a sorte dos homens, que nunca hão de ver o Rio de Janeiro, e que, durante toda a vida, se contentarão com ir molhar a sua roupa de banho, uma vez por ano, nas praias de Royan ou de Sables-d'Olonne..."

"Que casas! pequenas casas brancas, pequenas casas rosadas, – em pequenas ruas, em pequenas vielas, – diminutivos de vielas, – empedradas de calhaus pontudos, sem lajedos altos, de modo que as carroças invadem as calçadas, roçam as portas, e decerto esmagariam algumas dúzias de transeuntes por dia, se as lojas não estivessem abertas, e se esses pobres transeuntes não tivessem o supremo recurso, no momento do perigo, de cair dentro das barricas de melaço ou de azeitonas, que há nas mercearias..."

* * *

É um lindo quadrinho, um perfeito *instantâneo* do Rio, não acham? Está bem fotografado nessas linhas o aspecto mais característico do Rio – o enxame inumerável das suas casinhas, subindo e descendo morros, cobrindo o Castelo, Santo Antônio, Paula Matos, Santa Tereza..

O que não é lisonjeiro é o título de "pequenas vielas, diminutivos de vielas", dado às nossas ruas, – não é lisonjeiro, mas é verdadeiro, – e nem sempre a verdade pode andar de braço dado com o agrado.

Bem sei que ainda nenhum dos meus comunícipes foi obrigado a mergulhar "dentro de uma barrica de melaço ou de azeitonas", para não ser feito em farrapos pelas rodas das carroças. Mas isso é somente uma figura de retórica, entre perífrase e hipérbole, de que o Sr. Gaston Donnet se serviu para bem frisar a angustura das nossas ruas.

Não tenhamos receio de confessar a verdade: até há bem pouco tempo (há dous anos) o único processo que conhecíamos para alargar as ruas, consistia em... estreitar as calçadas. Nas calçadas das ruas centrais, os peões só podem marchar a um de fundo. E, quanto ao sistema de calçamento sem lajedos altos, a observação também é justa: aí está a rua Gonçalves Dias, por exemplo, que não desmente a acusação do jornalista francês...

* * *

Eu, por mim, – e sou um carioca de vivo e melindroso bairrismo, – não vejo nessas curtas linhas do Sr. Donnet cousa alguma em que se possa fundar um ressentimento. Creio até que nunca houve escritor, nacional ou estrangeiro, que tivesse a felicidade de fixar, em tão pequeno número de palavras, uma fotografia tão perfeita da cidade. Daqui a dez anos, já o viajante não obteria a mesma chapa fotográfica: o alargamento das ruas, dentro em pouco, há de tornar bem rara, para os peões, a necessidade de procurar abrigo "dentro das barricas de azeitonas e melaço". Mas o que nunca o Rio há de perder é o aspecto pitoresco de alguns dos seus morros, que, vistos do mar alto, como os viu o Sr. Donnet, parecem como cheios de bandos de aves, de plumagem multicor, pousadas ao acaso, num descanso descuidado...

Enfim, não há, desta vez, motivo para queixas. O 13° lugar da classificação é honroso, as linhas do Sr. Donnet são agradáveis, – e sempre é consolador ouvir dizer, ou ler que a nossa amada baía é uma das maravilhas do mundo. Estou alegre!

E se houver algum carioca, que tenha a coragem de achar fútil e infantil a minha alegria, – que esse carioca apareça diante de mim: convocarei um grande *meeting* de indignação, e, à face do sol, entre as vociferações sagradas da turba, excomungarei o filho desnaturado de Sebastianópolis!

O. B.

29 jan. 1905 — Crônica [Cia]

Não houve, durante a semana, assunto de interesse local, que cativasse as almas. O que as cativou, agitando-as em alternativas de cólera, de piedade, de furor e de dó, foi um assunto de interesse "humano": a tragédia da revolução russa, concentrando nas ruas de Petersburgo a atenção e ansiedade de todos os homens civilizados do planeta.

E nem houve quem pudesse pensar nos seus próprios sofrimentos: a explosão revolucionária do sofrimento daquele povo, expandido em cólera, foi uma dessas raras crises morais em que todas as raças, a um tempo, sentem que estão empenhados o seu futuro e a sua dignidade. O que ali se revoltava era, de fato, a dignidade humana, era o orgulho humano, era a humana e indomável aspiração de liberdade e de justiça.

A organização social da Rússia é um crime, é a vergonha do século. Não se trata aqui de um sentimentalismo doentio: trata-se de uma revolta justa, a quem homem nenhum de inteligência e de coração se pode forrar. Manter uma porção da humanidade na ignorância, na escravidão e no embrutecimento, é um atentado que ofende a toda a comunhão: e a chicotada infamante que corta as carnes dos mais humildes dos *mujiks* russos atinge e infama toda a espécie.

* * *

A esta hora parece que a revolução foi sufocada. Até quando?...

Em Petersburgo já a neve, caída do céu impassível, estendeu o seu manto piedoso sobre a terra manchada de sangue, cobrindo as poças vermelhas, em que se esgotou o desespero dos oprimidos. Mas, sob a toalha da neve, o sangue está vivendo e palpitando, sementeira da vingança e da desafronta. E não haverá neve bastante para aniquilar esses gérmens.

Os cárceres já devem estar cheios. E, de cidade em cidade, a polícia fareja e esquadrinha todas as casas, à procura dos dous homens que dirigiram a revolução: Gapon e Gorki.

O primeiro pertence a essa classe dos *popes*, a quem já Dostoievsky nos *Irmãos Karamazov* vaticinava o papel de chefes do inevitável e vingador levante. O *mujik* analfabeto, ingênuo, embrutecido pelo trabalho e pelo sofrimento, tem no *pope* o seu conselheiro único, o seu único amigo. O *pope* vive em contato direto, diário e completo com o povo: só ele conhece bem a fome, o abandono, a miséria física e moral, o desamparo em que vive aquele triste rebanho humano; e o *pope* é também desprezado e humilhado, como o povo...

O segundo dos chefes do movimento foi o sombrio escritor revolucionário, o romancista da Treva e do Sofrimento, cujos livros são um monumento sinistro, erguidos para honrar a agonia de um povo. Gorki é hoje talvez a primeira força intelectual da Rússia, depois de Tolstoi. E Tolstoi, velho, mergulhado num misticismo doentio, já não lhe faz sombra. O verdadeiro e único apóstolo russo é Gorki, – em cujos romances, cheios de fel, de ironia, de amargo sarcasmo, se contorcem e rugem as figuras de todos os deserdados, de todos os oprimidos, de todos os rebelados.

Gorki nunca teve olhos para ver nem pena para descrever o luxo insolente da corte, as sedas e os amores das grandes damas, a futilidade e o servilismo dos cortesãos, a vida regalada dos príncipes: o seu talento nasceu da dor e do desespero; a sua vida tem corrido como um fio de lágrimas, incorporando-se ao grande rio em que tumultua e ferve o pranto de toda a Rússia escrava. O que arde e vibra nos seus livros é a tortura sem nome de todos aqueles milhões de homens, estudada ao vivo, narrada em palavras cuja leitura queima os olhos da gente. Gorki é o continuador de Dostoievsky: é, como este, o historiador da escravidão política da Rússia.

Se ele descreve tão bem os antros medonhos, as pocilgas infectas, a vagabundagem, a rapinagem, a embriaguez embrutecedora a que a tirania atira aquela gente infeliz, – é porque também como ela padeceu fome e frio, como ela dormiu ao ar livre, sob a neve, e como ela também em vão pediu uma esmola, sempre negada...

Agora, popular, vitorioso, disputado pelos editores, tendo conquistado uma celebridade que transpôs as fronteiras russas e se impôs a toda a Europa, – Gorki não renega o lodo em que nasceu. E, quando viu que o povo, – a sua gente, a multidão inumerável dos seus irmãos de opróbio, era chicoteado e fuzilado nas ruas, o romancista abandonou a contemplação pela ação, e foi alistar-se nas fileiras dos que morriam.

A Morte não o quis, – felizmente. O seu cérebro e o seu coração são agora, mais do que nunca, necessários à grande causa. No exílio ou no cárcere, eles continuarão a pensar e a sentir.

Se a polícia o encontrar, Gorki irá conhecer de perto a Sibéria assassina, a devoradora de vidas. Dostoievsky também a conheceu: foi de lá que ele trouxe aquelas sinistras *Memórias da Casa dos Mortos*, cujos capítulos competem, em trágico horror, com os cantos mais terríveis do *Inferno* de Dante. Mas Dostoievsky morreu sem ter visto arrasada a *Casa* maldita. E a Gorki ela não há de sobreviver: os seus dias estão contados, – porque, como escrevia há pouco Tolstoi, no seu estilo bíblico, "a taça das iniqüidades está cheia..."

* * *

Entre os pormenores da luta, comunicados pelo telégrafo, há um, que caracteriza bem a crueza da tirania russa.

Quando os operários tentaram invadir o palácio para falar ao czar, os cossacos receberam-nos a chicote, e depois a bala.

Antes da morte, o aviltamento. Das prisões, dos presídios, das penitenciárias, das casas de correção de toda a terra, já a pena das chicotadas foi abolida. Mas, na Rússia, ainda o chicote é a arma predileta do despotismo, a defesa melhor da autocracia.

O chicote não castiga apenas fisicamente. É a imposição da infâmia, além de ser a imposição da dor. Quando retalham as carnes de um pobre diabo, as pontas de couro e ferro do *knut* estão dizendo à vítima: "Lembra-te que não és homem, como o Senhor a quem ofendes! és uma besta de carga, um animal inferior, sem inteligência nem vontade! não és digno da forca, nem da guilhotina, nem das balas: és só digno do chicote, com que se castigam os cães que ladram e os burros que empacam. Revoltas-te? morrerás infamado, como nasceste: infamado no berço pela falta de nobreza, infamado na morte pelo chicote!"

Ah! o que consola é que as chicotadas, com que os guardas do Palácio receberam os operários russos, foram talvez as últimas.

A besta de carga está cansada de sofrer; o cão, cansado de ladrar, mostra os dentes para morder; o burro, cansado de empacar, atira as patas, num coice de protesto...

Em vão a neve piedosa quer esconder o sangue dos mártires: aquele sangue está pedindo mais sangue, – e antes do fim do primeiro quartel do século, o povo russo há de ser incorporado à civilização, e a tirania há de morrer, afogada no mesmo sangue que derramou.

O. B.

05 FEV. 1905

CRÔNICA

"Eu tenho pelos animais um respeito egípcio... Creio que eles têm uma alma, ainda que rudimentar: já vi um burro suspirar, como um justo, depois de brutalmente esbordoado por um carroceiro, que atulhara a carroça com carga para uma quadriga, e queria que o mísero animal a arrancasse do atoleiro..."

Foram estas as últimas palavras escritas por Patrocínio, quando a Morte o veio buscar, no seu retiro do Engenho de Dentro, – não longe da aeronave gigantesca, em que devia tomar corpo o último sonho da sua alma ardente e luminosa. E parece que a Morte, para o levar consigo, quis justamente escolher esse momento, em que ele escrevia uma como profissão de fé, um testamento de piedade, uma declaração final de enternecido panteísmo...

A sua agonia, longa e penosa, entrecortada de melhoras falazes, que não chegavam a alimentar a esperança dos que o amavam, foi a derradeira luta em que se empenhou aquele espírito, cuja permanência na terra valeu por um perene combate, entre glórias e sofrimentos, entre apoteoses e desgostos. E, no acerbo transe, na provação extrema da agonia, a alma do grande libertador parecia agradecer, como um dom precioso, aquelas torturas derradeiras, que a apuravam e santificavam na enormidade do martírio.

Já sete dias se passaram sobre a catástrofe; já o cadáver do Redentor atravessou em triunfo as ruas da cidade, recebendo a homenagem do respeito de todo o povo. Mas não sei se já foi bem medida e sentida a extensão do golpe que feriu o Pensamento Brasileiro, sufocando aquela voz, em que o Amor e a Liberdade tiveram os seus mais belos hinos, e fulminando aquele cérebro, em que as idéias fulguravam e ferviam, como os mundos incontáveis no espaço infinito...

* * *

Há certos homens, que não podem desaparecer da vida sem um abalo profundo e um desequilíbrio geral: o seu desaparecimento é, na ordem moral, o que seria, na ordem física, o desaparecimento de um continente, tragado pelas águas. Para o Brasil, e para a Civilização, Patrocínio era um desses homens-ideais, uma dessas "forças vivas da Natureza", cujo aniquilamento não se pode dar sem uma dilatada perturbação de todo o corpo social.

A vida desse homem, tão ardentemente amado por uns, e tão rancorosamente odiado por outros, foi um poema singular, em cuja composição se esmerou o capricho do destino.

Não quis o destino que o Libertador nascesse de um ventre feliz, entre carinhos e beijos fidalgos, na ventura de um lar amoroso... Tirou-o de um ventre humilde e desventurado, deu-lhe à pele a cor da treva, cercou-lhe o berço de todas as infelicidades: a condição baixa, a origem obscura, a privação da paternidade legítima, – e a atmosfera dos sofrimentos da gente cativa. O destino quis que no corpo, nas células orgânicas, no sangue, na vibração dos nervos daquele homem, se acumulassem e confundissem todas as torturas seculares da raça oprimida e misérrima, todas as revoltas da gente mártir contra a maldade dos opressores, toda a longa e trágica epopéia do sacrifício africano...

Em torno do berço pobre, em que vagia o futuro Redentor, não houve fadas brilhantes e amorosas, desfiando sobre a sua cabeça o rosário luminoso dos vaticínios risonhos: houve, sim, uma multidão de sombras taciturnas, uma escura turba de espectros vindos do fundo das geenas do cativeiro, uma ronda esquálida de fantasmas sofredores, num infernal ulular de lamentos, num ressoar de grilhões entrechocados... Foram essas as falas, que se reuniram em torno do seu berço. Traziam as faces cavadas pela passagem das lágrimas ferventes, traziam a boca retorcida pelos gritos da revolta impotente, traziam os olhos incendiados pelo desespero contra a injustiça, da terra e do céu. E as suas mãos mirradas e tristes abençoaram o berço do Vingador...

E a infância do Apóstolo foi uma longa iniciação no sofrimento. Os seus olhos inocentes não tiveram nunca o repouso desses espetáculos de paz e brandura, que embalavam, num sonho venturoso, a alma, ainda em formação, das outras crianças do seu tempo. O que eles viam era o horror da condição da sua raça, chicoteada como uma bestiagem feroz, esmagada como uma vérmina ingnóbil. Outros apóstolos, fadados a grandes obras de redenção, iam outrora fortalecer a alma nos desertos, no silêncio, na meditação e no estudo. E este, ao contrário, fortaleceu-a na agitação e no vozerio de um Inferno, contemplando a amargura do cativeiro, vendo a trágica palpitação dos eitos, ouvindo os estalos do chicote, que se casavam a gritos de angústia e loucura...

Depois, a sua mocidade continuou a correr triste e amargurada, na miséria quase, num trabalho extenuante. Ele mesmo contou, um dia, em algumas linhas, que têm a simplicidade e a beleza de uma página bíblica, a história da sua adolescência e do esforço tenaz que o levou à conquista da glória: "Perguntam-me como vivo e do que vivo, – e têm razão. Quem sabe que eu sou filho de uma pobre preta quitandeira de Campos, deve admirar-se de me ver hoje proprietário de um jornal, e de que eu pudesse fazer uma viagem à Europa..." A autobiografia é minuciosa e comovedora. Mal alimentado, mal vestido, mal aboletado, o moço desprotegido trabalhava e estudava sem tréguas. E na sua alma se ia cristalizando a consciência da sua obra e divina missão sobre a terra...

* * *

Quando chegou a hora da erupção daquela cólera vingadora, toda a sociedade estremeceu, abalada, tomada de uma comoção entontecida. Nunca houve, no Brasil, uma voz que soasse tão alto, que ferisse tão fundo, que derramasse em torno uma tão larga torrente de ódios, de sustos, de maldições, – e, ao mesmo tempo, de esperanças e de bênçãos... E a raça negra viu aparecer o Profeta esperado, o Messias anunciado nas eras, dentro de uma tempestade de raios e de flores, acendendo cóleras, pensando feridas, despedaçando grilhões, fulminando orgulhos, beijando cicatrizes, ateando a fogueira em que se havia de purificar o Brasil, salvando-se da infâmia e do opróbrio.

Quem teve o orgulho de viver ao lado de Patrocínio, nos últimos dias da propaganda, quando ele, na ânsia de vencer, punha de parte todas as condescendências, desrespeitava todos os preconceitos, arrasava todos os obstáculos, esmigalhava todos os adversários que o enfrentavam, e precipitava a sua ação numa corrida vertiginosa e invencível para a vitória, não esqueceria nunca a trágica beleza daquela cabeça, que assomava, transfigurada e olímpica, à tribuna, no delírio da luta, dentro de um bafo fúlgido, cercada de um resplendor de chama viva...

Havia momentos, em que aquela fronte parecia crescer, inchar, dilatar-se, quase estalar, – quando a improvisação desmanchava o cérebro do tribuno em torvelins de imagens, de imprecações, de rompantes de gênio...

Nunca uma causa radiante foi confiada a mais radiante talento. Se fosse possível reunir todos os artigos, todos os discursos com que Patrocínio atacou a escravidão e os seus defensores, o livro, em que ficassem compendiados esses libelos, seria a Bíblia da vingança e da Misericórdia, opróbrio eterno da Maldade, e eterna glorificação do Martírio...

* * *

Onde estava agora aquele fogo, onde estava agora aquela sobre-humana energia dos tempos da propaganda?

Há justamente oito dias, Patrocínio atravessou pela penúltima vez a rua do Ouvidor. A sua última passagem por aqui foi há quarenta e oito horas, – dentro do féretro, impelido pelo braço e pelo coração do povo... Mas, há oito dias, ele ainda vivia, ainda tinha nos lábios aquele doce sorriso de resignação com que morreu, e ainda vinha contemplar com saudade a vida agitada da rua, de que a doença o afastara. Já era apenas uma sombra, uma reminiscência de homem...

Mas, dentro daquele pobre corpo comido pela moléstia, quase de todo destruído pelo sofrimento físico, vivia a mesma alma piedosa de outrora. Das duas antigas forças da sua missão – a Piedade e a Cólera – somente a primeira subsistia. A Cólera desaparecera com a vitória, com o aniquilamento do mal que fora chamada a combater. A Piedade, essa, era agora a própria essência daquela vida.

Ultimamente a pena que escrevera tantas páginas admiráveis, – ou suaves, ou irônicas, ou graciosas, ou terríveis, – já não sabia sorrir: a vizinhança da morte não inspira sorrisos de ironia ou de alegria: inspira somente tristeza misericordiosa, compadecida e meiga comiseração por todos os seres e por todas as cousas...

O espírito do Redentor, ao despedir-se da existência, desenvolvia e apurava a sua faculdade de amar. Já não era somente o amor de uma raça infeliz que lhe enchia o coração, nem o amor somente de todos os homens: era o amor da Vida, amor de tudo quanto vibra e sente, de tudo quanto rasteja e voa, de tudo quanto nasce e morre: "Eu tenho pelos animais um respeito egípcio: creio que eles têm uma alma!..."

Assim, o sublime revoltado acabou compadecido e resignado. Em torno do seu leito de morte, já não houve a ronda das figuras tristes dos mártires do cativeiro, que haviam cercado o seu berço humilde para lhe vaticinar e impor a missão redentora. A missão estava cumprida, o martírio estava resgatado, – o vingador repousava na satisfação e na glória da tarefa bem desempenhada. E, agora, tendo experimentado todas as ingratidões, tendo sofrido a amarga desilusão de ver o seu trabalho mal compreendido, o seu nome injuriado, o seu talento desprezado, a sua bondade desconhecida, Patrocínio não se arrependia do bem que fizera, e transformava o próprio sofrimento em piedade, para se compadecer da sorte de todas as criaturas que sofrem.

Aquele que nasceu padecendo, morreu amando, perdoando e sorrindo...

O. B.

19 fev. 1905

Crônica

Povo de imaginação exaltada, nós não podemos passar muito tempo sem um belo romance, de fundo comovedor, lances trágicos e textura complicada. A Vida, que é uma grande fabricante de romances, sempre nos fornece uma boa quantidade deles. Quando um nos aborrece, apanhamos logo outro, e assim vivemos, sempre apaixonados, vibrando sempre, – passando do "caso das pedras" e do "caso de Botafogo" ao "caso do caixote". E essas novelas reais são o encanto da nossa existência, salvando-nos do tédio, alimentando a nossa maledicência natural, e aliviando-nos do peso dos negócios, das preocupações do câmbio e da política...

Sucede, porém, às vezes, que a Vida, cansada de nos dar novelas, principia, por birra, a dar-nos uma série de dias chatos e monótonos, sem um escândalo, sem uma aventura arrojada, sem um drama, público ou doméstico, palpitante de interesse. E, então, como não podemos viver sem sensações fortes, suprimos com a generosidade da nossa imaginação a avareza da Vida, – e inventamos um romance, um romance todo nosso, inteiramente filho da nossa fantasia, falso da primeira cena à última, falso como um dobrão de chumbo ou como os cabelos negros de um octogenário...

* * *

A novela que agora inventamos é um primor de Fantasia. Já o título, *O Redivivo de Canudos,* é um verdadeiro achado. Só para ter inventado esse título, um Montepin ou um Boigobey dariam de bom grado um décimo da sua fortuna...

O Redivivo de Canudos! num rodapé de jornal, esse título seria para os leitores o que o visgo é para os pássaros e o que a luz é para as mariposas: o jornal centuplicaria em uma semana a sua tiragem, – e a empresa ofereceria ao autor do romance um cheque de cem contos de réis.

Que enredo!

Um homem, em pleno horror da Campanha de Canudos, desaparece. Morreu? é quase certo. Quem vai à guerra, só tem vinte probabilidades, em cem, de morrer na cama: as outras oitenta probabilidades pendem para a morte violenta, no campo de batalha, com o corpo crivado de balas, – ou com a cabeça separada do tronco, na degola, – hipótese mais natural, em se tratando de uma guerra com jagunços... Em todo o caso, o homem é dado por morto, e a viúva e os filhos tomam luto pesado, e o Estado começa a prover a subsistência deles, com a ajuda do meio-soldo e do montepio.

Correm dias, correm semanas, correm anos; não há notícia do homem desaparecido, – ou, antes, a única notícia, vaga e sem prova, que há, é a de que ele realmente morreu, degolado... E o tempo, que tudo consome, vai lentamente executando a sua obra sedativa: os corações enlutados renascem para a vida; vão aliviando o luto e recomeçam a gozar a inefável delícia de viver.

Passados três anos, a viúva contrai novas núpcias, recebe a divina dádiva de ser novamente mãe, – e, consolada, feliz, amando e amada, dividindo o seu tempo e o seu coração entre a ternura do novo marido e a ternura dos filhos dos dous matrimônios, nem mais se lembra quase da desgraça que a feriu...

E é aqui que intervém a Fatalidade, – senhora cuja intervenção é sempre necessária em todos os romances verdadeiros ou falsos.

De repente nasce um boato, cresce, espalha-se, afirma-se: o primeiro marido não morreu; está vivo e bem vivo, e vai chegar pelo primeiro paquete, disposto a reclamar a patente, o soldo, a mulher e os filhos! Oh! a Fatalidade!...

A Fatalidade intervém, entra com ares trágicos, traça a capa, esbugalha os olhos, e diz ao novo marido: "Tu não és o marido desta mulher" e à mulher: "Tu tens dous maridos, desgraçada!" e às crianças: "Vocês agora têm dous pais!..." E tendo derramado o espanto, a consternação, a tristeza em todas aquelas almas, a Fatalidade sai, como entrou, lentamente, tragicamente, muito satisfeita com o que acaba de fazer, com a consciência de ter plenamente cumprido a sua dupla missão de Complicadora de situações e de Perturbadora de existências, – e vai dali intervir em outros romances, e atrapalhar outras vidas...

* * *

E esse entrecho do *Redivivo de Canudos* não parece um romance de hoje; parece um romance medieval.

Na Idade Média, durante o longo ciclo das Cruzadas, eram freqüentes as atrapalhações como essa.

As campanhas das Cruzadas consumiram a vida de seis milhões de homens. E, além desses homens, que morreram com as armas na mão, pelejando na Terra Santa, houve ainda alguns milhões de extraviados, cujo reaparecimento inesperado originou tragédias terríveis...

Partia para a Peleja Santa um senhor, barão ou conde, comandando, sob o seu pendão de guerra, alguns milheiros de cavalheiros e peões. Do alto da torre do castelo, a Castelã, condenada a uma viuvez temporária, assistia, lavada em lágrimas, à partida do Castelão... A pobre mulher, com as tranças desgrenhadas sobre as pedras da muralha, ficava ali, fitando a nuvem de poeira, dentro da qual se afastava o seu Senhor e marido, e não havia palavras de aias nem cantigas de trovadores que consolassem a sua grande mágoa. E, pelos meses e pelos anos em fora, enclausurada como uma freira na sua cela, a desventurada mortificava o corpo e a alma, diante de uma imagem de Cristo, sem comer, sem se lavar, sem se vestir, pedindo aos céus que protegessem Aquele que lá ia, a caminho da Terra Santa, a combater a moirama e a defender o Sepulcro do Redentor...

Mas o tempo ia correndo, – e o Castelão não voltava. Enfiavam-se meses em meses, anos em anos, voltavam soldados estropiados, vinham mensageiros esbaforidos, partiam novas levas de guerreiros, – e só o Castelão não mandava dizer se estava vivo...

Entrementes, as aias continuavam a consolar a Senhora, e os trovadores, peritos na prática da *gaia ciência*, continuavam a embalar a sua mágoa com os mais doces cantares.

Ela, cansada de chorar e de esperar a volta de seu Senhor, principiava a rezar pela alma... dele, e ia pouco a pouco sentindo diminuído o seu desgosto. E já vinha um dia em que os seus olhos pousavam com mais doçura sobre os olhos de um dos mancebos que a requestavam. Havia tanto tempo que o Castelão partira! Decerto já tinha morrido, acutilado por uma cimitarra de incréus, lavando com o seu sangue de cristão as lajes sagradas do sepulcro... E a Castelã caía nos braços do mancebo, eleito de sua alma, – e o leito do Castelão agasalhava uma nova primavera de amores.

Ora, de repente, num belo dia, ou numa bela noite, vinha ter, à ponte levadiça do castelo, um pobre mendigo, pedindo agasalho...

Deixavam-no entrar. Vinha roto, maltrapilho, envelhecido, coberto de vérmina, com os pés chagados, e com a barba branca e suja, sobrando sobre o peito. A castelã, solícita e piedosa, vinha dar ceia a esse pobre filho de Deus... Mas, logo que o fitava, caía para trás, desmaiada: o mendigo era o Castelão! Era o "Redivivo"... não de Canudos, mas da Palestina. E o romance acabava, num pátio do castelo, por um duelo tremendo entre o Castelão antigo e o Castelão novo, – duelo que só findava quando um dos combatentes tombava morto, numa poça de sangue...

Enfim, cousas da Idade Média! Na Idade Média, isso era freqüente... Mas acontecer uma cousa assim, aqui, ontem, na Bahia, no expirar do século XIX, e no alvorecer do século XX, durante uma guerra presidida, não por Godofredo de Bouillon, mas pelo Sr. Luís Viana... Oh! pavor!

* * *

Mas sosseguemos! tudo isso foi invenção... Não há tal redivivo, não há tal duplicata de maridos, não há tal tragédia doméstica. Tudo isso foi um romance, urdido pela imaginação escaldada não se sabe de quem, – um romance anônimo, como o *Romance da Rosa* ou o *Romance da Raposa*, ou antes um romance-rapsódia, em que colaboraram e se exercitaram várias imaginações.

Este calor!... que é que este calor não há de produzir, esquentando-nos o cérebro, e alucinando-nos o espírito?!...

O. B.

26 FEV. 1905

CRÔNICA

Passei ontem o dia em Baependi, na velha cidade mineira, que abriga a sua velhice veneranda num recanto da serra da Mantiqueira, a três quartos de léguas de Caxambu.

– Que vai fazer a Baependi? – perguntavam-me todos. – É uma cidade morta...

Ah! como eu amo estas cidades mortas do interior do Brasil, esgotados mananciais da nossa civilização, arruinados berços da nossa vida de povo, guardando sob a melancolia das suas ruínas a lembrança das gentes fortes e atrevidas que foram as primeiras a desbravar estas terras! Nelas, cada muralha derrocada, cada vetusto palácio, cada laje vermelha da estrada, cada tapera abandonada tem uma história: e todas essas histórias parciais reunidas formam a história da nossa raça.

Todas essas velhas cidades foram outrora animadas e brilhantes, possuidoras de uma vida intensa, pontos de passagem e estações de parada das imensas caravanas comerciais, que varavam os sertões, propagando a agitação e a riqueza; todas elas preponderaram na política da era colonial e da era da independência; todas elas deram ao Brasil filhos ilustres; – depois, o comércio e a civilização foram concentrar-se em outros pontos, elegeram outros caminhos para a sua expansão, – e elas ficaram, desertas e mudas, vivendo da recordação do esplendor passado; – mas a sua população conservou a bondade, a simplicidade de vida, o nobre orgulho das populações primitivas, e elas são o sacrário do nosso passado, o livro em que palpitam as crônicas da existência nacional...

* * *

De Caxambu a Baependi, a viagem é um deslumbramento.

Os cavalos galopam alegremente pelos caminhos orvalhados, subindo e descendo colinas, afundando-se em gargantas barrentas, galgando visos inundados de luz, vadeando lagoas, esfarelando com as patas grandes blocos de pedra calcárea, beirando rochedos de que saltam fios de água viva. A cada volta da estrada, o panorama se modifica e renova: aqui, tapam o horizonte as serras acasteladas; além, uma campina toda verde se desdobra, monótona e intérmina; mais adiante, rolam cascatas de pedra faiscante, cavam-se abismos negros, rutilam ribeiros inquietos, alvejam boiadas no pendor dos morros. É a paisagem mineira, em toda a sua exuberante majestade...

De repente, derramada por um declive, aberta em leque sobre a verdura da colina, aparece a velha Baependi, que, vista de longe, com o prestígio do claro sol, finge uma graciosa mocidade risonha.

Agora, os cavalos pateiam, com estrépito, sobre as grandes lajes do calçamento da primeira rua, sobre esses largos pedaços de pedra ferruginosa, que calçam todas as cidades da Minas anciã.

São oito horas. Na torre carcomida de uma capela, canta um sino quase sem voz – um sino velho como a cidade – anunciando a missa. O tropel dos animais chama às portas e às janelas das casas os habitantes curiosos.

Atravessamos quatro ou cinco ruas em ladeira, e paramos em frente à Matriz.

Essa igreja é uma das duas "curiosidades" de Baependi. É administrada por um padre, que é um artista. O vigário Marcos Nogueira concebeu, há anos, o projeto de fazer daquele templo um monumento de arte original. Mandou destruir os ornatos de estuque que o revestiam, e começou a cobrir o teto, as paredes, os altares, de madeira esculpida.

É preciso dizer desde já que o vigário Marcos está executando aquelas obras à custa de sacrifícios incríveis, e que os escultores que ali estão criando uma maravilha de obra de talha são artistas revelados como por milagre, – homens que nunca estudaram, que nunca saíram de Baependi, e cuja habilidade aquele padre amigo das artes descobriu com uma argúcia de "achador de tesouros".

Claro está que a expressão "uma maravilha de obra de arte" deve ser aceita, num sentido restrito. Aquilo não seria uma maravilha, se fosse um trabalho de profissionais... Mas, sendo um trabalho de amadores, é um *tour de force* admirável, que seduz e comove. O que é mais original, nesse trabalho, é o *brasileirismo* da ornamentação, em que foram aproveitados, como "motivos", vários espécimes da flora mineira. Todo o teto da nave da ábside está sendo coberto de um entrelaçamento de folhas de palmeira, bananeira, fumo e café, em cedro e peroba; de espaço a espaço, pende um gragoatá de largas espátulas espinhosas, e há florões de vides, entre folhagens de magnólia e cinamomo.

Do romper do sol ao cair da noite, o vigário Marcos ali vive, entre os andaimes, animando os operários, vendo tudo, dirigindo tudo, embevecido no seu grande sonho artístico, animado pelo único desejo de erigir aquele monumento de paciência e tenacidade à glória da sua Fé...

– Quando ficarão prontas as obras? – perguntei-lhe.

– Não sei! daqui a uns dez anos, talvez... – disse-me ele, sorrindo com o olhar iluminado pela alegria de ver compreendido e aplaudido o seu sonho...

* * *

A outra curiosidade de Baependi é a sepultura de *Nhá Chica*, a *Santa* do lugar.

A sepultura está no interior da igreja que *Nhá Chica* erigiu, à custa de esmolas, junto da casinha modesta, onde essa boa mulher passou sessenta anos de uma vida virtuosa, praticando o bem, consolando almas inquietas, aconselhando espíritos fracos, e operando "milagres".

A casa, quase arruinada, é baixa, de parede de taipa, coberta de grossas telhas cor de vinho, – com três portas e duas janelas. Na porta do aposento, em que vivia *Nhá Chica*, há uma cruz de cor branca.

A igreja, pequenina e alva, tem um único altar, singelo e florido. Entre o altar e o coro, no meio da capela, fica a sepultura, – coberta por uma laje de mármore, onde se lê: "Francisca Paula de Jesus começou a edificar esta igreja em 1867, deixando-a quase concluída, quando faleceu octogenária. Falecida a 14 e sepultada a 18 de junho de 1895". Sobre a pedra, há uma cercadura de flores naturais, diariamente renovadas pelos devotos.

Quem foi *Nhá Chica*? Uma excelente mulher, analfabeta e crente, de alma simples, de coração caridoso, e de esclarecido bom senso, – que se supunha diretamente inspirada por Nossa Senhora, quando era simplesmente inspirada pela sua própria bondade e pelo seu próprio critério. Em todas as situações difíceis da vida, os que procuravam *Nhá Chica* iam nela achar um conselho prudente, uma palavra de animação, de carinho, de esperança. Graças a esse conselho e a essa animação, e graças ainda ao extraordinário tino com que a *Santa* resolvia os mais difíceis problemas, – a sua fama cresceu, e afirmou-se a sua santidade. Abençoavam-na os ricos, que lhe deviam o consolo; abençoavam-na os pobres, que lhe deviam o pão; e admiravam-na todos, pela sua virtude exemplar, pelo seu incansável altruísmo, pela sua nunca desmentida caridade.

Era uma Santa, a *Nhá Chica*? Era, decerto. Santas são todas as almas que desconhecem o egoísmo e a maldade, e que só sabem espalhar em torno de si os benefícios, o conforto material e moral, o alívio dos sofrimentos...

Como se lê na lápide do seu túmulo, *Nhá Chica* faleceu a 14 de junho, e só foi sepultada quatro dias depois... Diz-se que durante esses quatro dias, o seu corpo não entrou em decomposição; e foi isso que ainda mais robusteceu a fama da sua santidade.

Nhá Chica, quando morreu, era uma velhinha mirrada, de corpo consumido pelos jejuns, só pele e ossos. Morreu em junho, em pleno inverno mineiro, – inverno seco e rigoroso. Tudo isso bastaria para explicar a conservação do seu corpo, quatro dias depois da sua morte... Mas para que dizer isso à boa gente, que acredita em milagres? Em torno do nome de *Nhá Chica*, já se formou uma suave lenda poética, que não convém destruir. As lendas poéticas são tão úteis e tão necessárias, como o pão que se come e o ar que se respira: elas elevam e purificam as almas, apuram a imaginação, e consolam das misérias e das amarguras da vida real.

* * *

Depois de almoçar, atravessamos a cavalo o rio Baependi e fomos visitar a casa em que nasceu Brás Carneiro Nogueira da Gama, marquês de Baependi. É uma velha casa que se chama "o Engenho"; está arruinada e triste, no meio de uma linda paisagem sempre nova e alegre. É aquele um dos solares da moderna nobreza de Minas, – nobreza patriarcal, saída do nobre trabalho da lavoura, como a dos antigos *reis parses* da Judéia. Em Baependi há várias casas como aquela, ilustres, pelo fato de terem abrigado os primeiros dias de vida de homens que se tornaram notáveis na política da independência, e do primeiro e do segundo Império.

Uma cidade morta, sim! Mas há na Morte uma certa majestade e uma certa poesia, que nem sempre se encontram na Vida... Baependi, privada hoje do seu antigo e florescente comércio, pode dormir tranqüila no seu orgulhoso e na sua honrosa pobreza; nós todos devemos respeitá-la e amá-la, porque ela foi um dos núcleos de formação da nossa nacionalidade.

Ai de nós! Nada é eterno: nem os homens, nem as cidades, nem os países, – nem todo este planeta em que rolamos através do espaço infinito!

O. B.

19 mar. 1905 — Crônica

(O bonde parte do largo do Machado.)

– Bom dia, conselheiro! como vai?

– Como velho, meu caro amigo, como velho... A velhice tomou conta de mim, e, quando essa abominável senhora toma conta da gente, a gente nem sabe como vai.

– Não diga mal da velhice, conselheiro. A velhice é uma graça especial dos deuses, uma dádiva generosa do destino. O velho Anacreonte, quando riam da sua calvície e da sua falta de dentes, costumava dizer: "Isso prova que sou mais forte do que vós, porque, depois de noventa anos de alegria, ainda tenho alegria que me ilumine e doure a entrada da morte...!"

– Deixe lá o Anacreonte, que já morreu há mais de vinte séculos. Nós não estamos na Grécia; estamos em um país onde não se respeita o que é velho, e onde a maluquice e o desaforo dos moços amarguram os que tiveram a desventura de viver em tempos sensatos e de sobreviver a esses tempos. Que é que os senhores têm feito? têm destruído o que havia de bom: casas e homens, políticos e costumes, ruas e finanças...

Perdão, conselheiro! lá quanto à política e às finanças, não sei bem... é possível que a política e as finanças do seu tempo hajam sido melhores do que as de hoje, – se bem que eu sempre tenha ouvido dizer que o império sempre teve *déficits* e que os seus estadistas viviam, justamente como os nossos, a descompor-se e a difamar-se mutuamente. Mas vá lá! não quero ser advogado de causas que me não inspiram simpatia. Agora, quanto às ruas e às casas, acho que a injustiça é grande. Que temos feito? temos dado cabo de vielas escuras para abrir ruas claras, e temos arrasado casas velhas para construir casas novas...

– Pois é um mal! Cada cidade tem uma fisionomia própria, que deve ser conservada. Uma cidade é como um homem, que acaba por perder a vergonha, quando muda muitas vezes de cara. Que me diz o senhor de um sujeito, que usa hoje barba cerrada, amanhã somente bigode, depois de amanhã costeletas, e no dia seguinte cavanhaque?

– Digo que é um homem que ainda não achou a cara que mais lhe convém...

– E eu digo que é um homem que não respeita a sua própria cara! Ninguém tem o direito de mudar de cara como muda de camisa. E a fisionomia das cidades ainda deve ser mais respeitada do que a dos homens. Nela vivem a fisionomia da raça, a recordação dos avós, o respeito do passado. Os nossos avós bem sabiam o que faziam, quando fizeram ruas estreitas, com casas baixas...

– E sem calçamentos e sem esgotos, não?

– Sim, senhor! tudo quanto eles fizeram foi muito bem feito!

– Mas, conselheiro, Londres, Paris, Berlim...

– Aí vem o senhor com a mania! A Europa é a Europa, e o Brasil é o Brasil! Eu nunca vi Londres, nem Paris, nem Berlim...

– Não tenho pena. Para saber o que é civilização, não precisei sair daqui. O Brasil já foi respeitado e invejado por todas as outras nações da terra.

– Invejado? por todas?

– Sim, senhor! Quando o imperador ia à Europa, era uma admiração! todos o procuravam, todos o cercavam, todos o adulavam...

– E todos pasmavam, não compreendendo que este país de bugres tivesse um imperador branco! Realmente, nós já fomos muito invejados, conselheiro!

(O bonde passa pelo palácio do Catete. Soldados em linha, banda de música, muitas carruagens.)

– Que é aquilo?

– É a recepção do embaixador americano.

– Olá! pelo que vejo, vai tudo muito bem! É o que os senhores querem... Não sei porque é que não se resolvem a entregar tudo isto, de uma só vez, à América do Norte!

– Mas, seriamente, o conselheiro acredita que este Mr. Thompson, tão correto, tão amável, tão pacífico, venha aqui com a disposição de meter todo o Brasil dentro do bolso da sobrecasaca? Olhe que a cousa não me parece fácil: dentro desse bolso não pode caber um só desses jequitibás; e a cartola do embaixador *yankee* não é bastante vasta para conter um só dos afluentes do Amazonas!

– Vá gracejando, vá gracejando! Eles não gracejam... já percorreram todo o Amazonas, já estudaram as nossas minas de carvão, estão agora examinando os Estados do Sul, e já organizaram uma companhia para transformar em eletricidade a força das nossas cachoeiras!

– Ah! então está tudo perdido! se vamos ter eletricidade, vai tudo raso!

– Continue a gracejar, continue!

– Mas como quer o conselheiro que eu não graceje? Esses homens não vão levar consigo, para a América do Norte, o nosso carvão, as nossas cachoeiras, os nossos portos e as nossas florestas. Nós temos tudo isto, e não temos dinheiro; eles têm dinheiro, e não têm tudo isto. Aproveita-se tudo isto com o dinheiro deles, – e o que resultar dessa cooperação ficará aqui, prosperando. O que é absurdo é que, por falta de dinheiro, nada prospere.

– Está enganado! o que nos falta não é dinheiro: é juízo. Ricos somos nós!

– Ricos, de que, conselheiro? De filáucia e de medo tolo. Temos carvão, temos águas, temos florestas, temos ouro, temos brilhantes, temos sol, temos umidade, temos terra fecunda. E, apesar disso, morremos à fome...

– Isso é uma figura de retórica.

– Uma figura de retórica? Vá ao interior do Brasil...

– Não vou a parte nenhuma! Já não estou em idade de fazer viagens. E já lhe disse que nunca saí do Rio de Janeiro! Mas não preciso sair daqui para saber que temos lavoura, e muito boa!

– Essa lavoura é que é uma figura de retórica! Se o conselheiro condescendesse em fazer uma viagenzinha, de poucas horas, – uma viagenzinha cômoda e curta, em caminho de ferro, pelo interior de qualquer dos Estados mais próximos, – veria que a nossa riqueza é uma ilusão muito triste. Veria que, por léguas e léguas a fio, o trem o levaria por uma extensão de terras sem cultura, sem plantações, sem gado, sem habitações. Em certas estações, o meu venerando amigo veria uma gente magra, amarela, depauperada pela escassez da alimentação, vendendo leite a tostão a garrafa... E atravessaria cidades outrora florescentes e ricas, e agora desertas e tristes, amortalhadas num silêncio fúnebre. E reconheceria que a nossa riqueza é uma fantasia...

– Mas esta cidade que estamos atravessando...

– Esta cidade não é o Brasil. Toda a nossa prosperidade de nação está na faixa do litoral; e, ainda nessa faixa, já há pontos em que a pobreza é de uma evidência assustadora. Oh! a nossa riqueza! O carvão, o ouro, os brilhantes estão dormindo no fundo da terra... Ainda o carvão, podemos dizer que foi descoberto ontem. Mas o ouro? que serviços nos presta ele, nesse seu profundo sono?... Lembra-se do *Jaqueta*, conselheiro?

– Que *Jaqueta*?

– O *Jaqueta* era um velho avarento, que morava lá para os lados do Trapicheiro, e morreu há uns dez anos. Era o tipo acabado do faminto, do miserável, do pés-no-chão. Almoçava um pedaço de pão seco, jantava um punhado de feijão cozido, e ceava um padre-nosso. Escusado é dizer que nunca deu uma esmola: se nem fazia bem a si mesmo!... Um dia, os vizinhos notaram que a porta da casa do *Jaqueta* permanecia fechada: bateram, insistiram, não obtiveram resposta; chamaram a polícia, e arrombou-se a porta. O velho *Jaqueta* estava morto, morto de inanição e de miséria, em cima de uma grande arca, que lhe servia de cama. Abriram a arca, e estava cheia de...

– De quê?

– De moedas de ouro, inglesas e brasileiras! O desgraçado morrera de fome, em cima de um tesouro!

– Mas que diabo tem isso com a nossa conversa?

– Tem que... mal comparando, esse *Jaqueta* é o Brasil!

– Como? o Brasil?!

– É o que lhe digo! Há somente uma diferença: é que o *Jaqueta* morreu de fome em cima do ouro, por avareza; ao passo que o Brasil morre de fome em cima do ouro, por...

– Por?

– Por preguiça, conselheiro.

(O bonde chega ao largo da Carioca).

– Homem! você é um mau brasileiro! Vocês, o que estão fazendo, é entregar o Brasil aos estrangeiros! Mas, basta! Passe muito bem, renegado!

– Passe muito bem, conselheiro!

O. B.

26 MAR. 1905 CRÔNICA [IP]

Há poucas semanas, indo à Biblioteca Nacional reunir material de trabalho, fiquei sentado em frente a um mocinho imberbe e pálido, que devorava com os olhos e com a alma as páginas do livro que pedira.

Quando cheguei, já ele estava no fim do volume; e, a cada página voltada, uma vibração nova, de ansiedade, de supremo gozo intelectual, de infinito encanto de espírito, agitava a sua face de adolescente, sob a claridade crua da lâmpada elétrica. Os seus olhos, num movimento febril, iam do começo ao fim de cada linha, voando; os seus dedos torturavam a quina da folha, dobrando-a; uma ruga funda se lhe cavava na testa; e toda a sua cabeça palpitava no esforço da atenção. Havia, naquela atitude, um prazer tão agudo que já era sofrimento. Aquela alma inocente, de menino de treze anos, atravessava a crise de uma dessas tensões intelectuais, que já não são dadas a quem chega à idade madura tendo abusado da inteligência..

As últimas folhas do livro foram lidas em poucos minutos. Quando a última linha morreu sob o flamejamento dos olhos ávidos, houve na face do leitor um afrouxamento súbito da força vital, – um como alívio misturado de tristeza, – alívio de quem se libertara de repente de um grande peso, tristeza de quem vê findar um sonho esfalfante e ao mesmo tempo suave. O mocinho ficou algum tempo imóvel, fixando na capa do volume um olhar indeciso e flutuante, – um desses olhares "que olham para dentro"; – depois, levantou-se, teve um espreguiçamento de todo o corpo, e saiu, lentamente, como ainda embalado pela última vaga da fantasia em que se perdera.

Curioso, ergui-me do meu lugar, e apanhei o livro, que ficara sobre a tábua da mesa. Era a *Viagem à Roda da Lua*, de Júlio Verne.

* * *

Oh! a saudade, a deliciosa e dolorosa saudade que então me apertou o coração! saudade dos meus treze anos, da minha inquieta e sofredora puberdade, agitada de sonhos que ninguém compreendia, de distrações que ninguém perdoava, de súbitos acessos de fervor de estudo e de preguiça, e das vagas torturas de uma imaginação que acordava e não se entendia a si mesma...

Agora, no lugar que estava vazio diante de mim, naquele lugar há pouco ocupado pelo leitor da *Viagem à Roda da Lua*, – estava eu ainda vendo um mocinho pálido e nervoso, sonhando e sofrendo. Era o mesmo de há pouco? era e não era... Era o símbolo de uma idade: era um desdobramento de mim mesmo, era eu mesmo, era a minha pessoa recuada até a adolescência.

Que são os homens todos, nesta vida sempre vária e sempre imutável, senão formas diversas de uma mesma essência? Nós somos os espectros de outros homens: aquele velho que ali vem, coberto de cabelos brancos, vai na escala das agonias e das esperanças, ser continuado e prolongado por aquele menino que passa por ele sem o ver, sem suspeitar que acaba de acotovelar a sua própria personalidade futura...

Quantas vezes, também, como aquele menino que saíra da sala da Biblioteca e ali gozara e sofrera tanto com a leitura de Júlio Verne, – quantas vezes também, eu devi a esse encantador de almas o consolo único dos meus sofrimentos de criança!

Júlio Verne era um criador de mundos novos, que se rasgavam ante o meu espírito inquieto.

Como eu era criança, como ninguém sabia esclarecer a minha alma, como não havia quem me explicasse a vida, este mundo, em que eu vivia, só me parecia hostil e cruel. As injustiças que eu sofria, – essas pequeninas injustiças que assombram a alma da criança e ficam eternamente doendo na alma do homem, – tomavam um vulto exagerado, e afiguravam-se-me tremendas e monstruosas. Havia dias em que eu me considerava mais desgraçado do que os escravos que via algemados e espancados, e do que os burros de carga, que encontrava na rua, ofegando sob as chicotadas. A minha puberdade (como a puberdade de quase todos os homens) foi um tecido de inquietações, de revoltas, de desesperos. E, para mim, esta vida era uma cousa torpe, um cativeiro ignóbil e torturante, em que tudo era severo e duro, e sobre o qual pairava ameaçadora, numa eterna inclemência, a sombra da negra palmatória do cônego Belmonte, meu mestre...

Graças, porém, a Júlio Verne, eu fugia, num surto vitorioso, deste mundo que me aborrecia, e entrava, cantando, vestido de luz, sorrindo, delirando nos mundos radiantes que a sua piedade abria à minha imaginação.

No colégio, todos nós líamos Júlio Verne; os livros passavam de mão em mão; e, à hora do estudo, no vasto salão de paredes nuas e tristes, – enquanto o cônego dormia a sesta na sua vasta poltrona, e enquanto o bedel, que era charadista, passeava distraidamente entre as carteiras combinando enigmas e logogrifos, – nós mergulhávamos naquele infinito páramo do Sonho, e encarnavamo-nos nos personagens aventureiros que o romancista dispersava, arrebatados por uma sede insaciável de perigos e de glórias, pela terra, pelos mares e pelo céu.

Oh! os homens e as cousas que vi, as paisagens que contemplei, os riscos que corri, os amores que tive, os sustos que curti, os combates em que entrei, os hinos de vitória que cantei e as lágrimas de derrota que chorei, – viajando com Júlio Verne, conduzido pela sua mão sobre-humana!

Quase morri de frio no pólo, de fome numa ilha deserta, de sede na árida solidão do centro da África, de falta de ar no centro da terra, de deslumbramento na proximidade da lua!

Atravessei areais amarelos e infinitos, beijei com os olhos oásis esplêndidos, dormi à sombra das tamareiras da Síria e à sombra dos pagodes da Índia, contemplei o lençol intérmino das águas dos grandes rios, cacei tigres e crocodilos na Ásia e na África, arpoei baleias no mar alto, perdi-me em florestas virgens, naveguei no fundo do mar entre vegetações fantásticas e animais imensos, ouvi o estrondo da queda do Niágara, enjoei com o balanço de um balão no meio do céu formigante de astros, e quase fui comido vivo pelos Peles Vermelhas!...

E, quando os meus olhos pousavam sobre a última linha de um desses romances, quando eu me via de novo no salão morrinhento e lúgubre, quando ouvia de novo o ressonar do cônego e as passadas do bedel charadista, – havia em mim aquela mesma súbita descarga de força nervosa, aquele mesmo afrouxamento repentino da vida, aquele mesmo alívio misturado de tristeza, a que, há poucas semanas, na sala da Biblioteca Nacional, vi sucumbido o rapazola que lia a *Viagem à Roda da Lua*.

Era o regresso à triste realidade, à tábua dos logaritmos, à gramática latina, à palmatória do cônego, às charadas do bedel. Era o desmoronamento dos mundos, o eclipse dos sóis, a ruína dos astros: era o pano de boca que descia sobre o palco da Ilusão, matando a Fantasia e ressuscitando o Sofrimento...

* * *

Nós todos, homens feitos ou já velhos, lendo a notícia da morte de Júlio Verne, sentimos que morreu o maior amigo e o maior benfeitor da nossa adolescência.

Nesta mesma hora, em que escrevo, quantas almas ardentes, na encantada e melindrosa révora da primavera, estarão embebidas na leitura dos livros desse grande apóstolo da estrelada e consoladora Mentira!

Há quem diga que a glória maior do talento de Júlio Verne consiste em haver vaticinado, sob a forma de sonhos, alguns sucessos e algumas conquistas que a Ciência mais tarde realizou. Pode ser!... Mas, pensando bem, considerai quanto seria preferível que todos esses sonhos permanecessem no estado de sonhos, – e que Nansen nunca chegasse ao pólo, e os submarinos franceses não tornassem exeqüível a utopia do *Nautilus*, e Santos Dumont não chegasse a aperfeiçoar o balão em que o alegre Joe atravessou a África...

O que eu venero e amo no homem que acaba de morrer, não é o papel de precursor e de profeta: é o seu papel de enfeitiçador e consolador de almas, de fecundador de imaginações. Sobre os espíritos juvenis, a leitura de Júlio Verne tem a ação do sol sobre a terra: aquece as sementes que dormem, reforça dentro delas a vida, prepara-as para a germinação vitoriosa.

Todas as puberdades são tristes... Dir-se-ia que, ao chegar a essa idade perigosa, a criança tem uma antevisão e uma pré-sensação do que vai sofrer na vida: como que a sua alma se recolhe, hesitante, numa angústia vaga, numa timidez doentia, procurando alguma cousa que a proteja e console. Nessa crise do corpo e da alma, é preciso que o cérebro receba uma excitação saudável, que lhe ative a germinação da força criadora. A razão virá depois: nessa idade, o que precisa de desenvolvimento é a imaginação.

O que mais desenvolveu a minha imaginação, e o que consolou as vagas e indefiníveis tristezas da minha adolescência foi a leitura de Júlio Verne. Todos os homens da minha idade dirão o mesmo. E, daqui a anos, quando eu e os homens da minha idade já tivermos também entrado o escuro caminho por onde Júlio Verne penetrou na Paz, outros homens dirão o mesmo, e abençoarão o nome desse criador de mundos maravilhosos.

O. B.

09 abr. 1905

Crônica

Os homens riem habitualmente de muitas cousas que só lhes deveriam inspirar piedade e respeito: riem da fraqueza, da humildade, da pobreza. Aquela definição "o homem é um animal que ri", encerra, sob a sua aparência de gracejo ou paradoxo, uma profunda verdade.

Há, porém, uma desgraça de que homem nenhum é capaz de rir: é a loucura. Somente é capaz de rir de um louco um outro louco. Essa miséria física e moral de um homem que fica alheio a si mesmo, inconsciente, tateando na treva cerrada, sem pensamento e sem vontade, sempre inspirou e sempre há de inspirar um respeito infinito. Para os antigos, a loucura era um mal sagrado, um castigo divino, – o mais duro dos castigos que a divindade podia infligir a um mortal.

A literatura, que com tanta ironia e maldade tem sempre zombado da miséria humana, nunca tratou da alienação mental sem um acatamento supersticioso. Os livros, que, tratando da loucura e dos loucos, mais irreverentes parecem, são justamente os que mais comiseração revelam a quem os sabe ler mais com a alma do que com os olhos. *D. Quixote* é um livro de soberana bondade; o *Navio dos Loucos* de Sebastião Brandt, e o *Elogio da Loucura*, de Erasmo, são a crítica fria, a condenação implacável dos "falsos loucos", dos que, sob a capa de uma loucura fingida, encobrem e disfarçam o egoísmo calculado e a perversidade consciente, que não podem medrar fora do domínio da razão.

Mas, se através dos séculos, os loucos escaparam sempre à afronta do remoque e do motejo, não se livraram sempre da brutalidade e da dureza. Antigamente, – até há bem pouco tempo – havia no respeito misturado de terror que eles inspiravam um incentivo para o mau tratamento. O louco era um maldito de Deus, e uma fera perigosa: urgia isolá-lo e encadeá-lo. Não só respeitado, mas evitado e temido, o mísero era escorraçado, – ou amarrado e esbordoado. Não riam dele, mas não o amavam. Era um leproso moral.

Antes de Pinel e Esquirol, a sorte dos alienados era ainda mais triste do que a dos animais malfazejos, cuja ferocidade o homem receia. Só não o matavam, porque a superstição impedia que a mão humana colaborasse com a mão divina na imposição do castigo. Os loucos inspiravam respeito, mas não inspiravam piedade.

* * *

Ora, há poucos dias, houve, no Rio de Janeiro, uma inauguração, que merece comentário demorado e comovido. Foi a inauguração do Hospício dos Alienados.

Escrevo bem – inauguração do Hospício – e não – inauguração das reformas e dos melhoramentos do Hospício – como se tem escrito em todos os jornais.

Tudo quanto o chefe do Estado, e as pessoas que o acompanhavam, ali viram na quinta-feira passada, é, sob um certo ponto de vista, novo, absolutamente novo. Antigamente, não havia, naquele formoso recanto da baía da Guanabara, um hospício; havia uma Casa de Torturas, uma Penitenciária de Loucos. O que ali se inaugurou não foi apenas uma série de melhoramentos materiais; foi também, e principalmente, uma instituição moral, que não existia.

Guiados por Juliano Moreira e Afrânio Peixoto, – dous moços que fizeram da sua profissão um sacerdócio – os visitantes atravessaram as várias salas do prédio imenso, e admiraram o conforto, a decência, o luxo com que ali estão agora instalados os serviços de eletricidade, de balneoterapia, os gabinetes de operações e as oficinas. Há cerca de um mês, também eu andei por ali, curiosamente examinando as reformas por que passava o Hospício, – e pasmei diante da atividade, da inteligência, da coragem com que se estava saneando aquela casa, destinada pelos seus fundadores a ser um templo de caridade, e rebaixada depois pela incúria e pela inépcia do Estado até a categoria de Cloaca Máxima, onde os infelizes apodreciam na imundície.

Quem viu o Hospício, e que o vê, não o reconhece. O que era uma vergonha, é uma glória. Aquilo já não é o que era: uma casa que se não varria habitada por gente que se não lavava...

* * *

Mas o que há de mais notável na reforma do Hospício é o novo regime de tratamento. É o que não havia até agora, – e o que me leva a dizer que não houve ali a inauguração de alguns melhoramentos, mas a inauguração de um hospital inteiramente novo.

O Hospício estava mais de um século atrasado. Tomando conta dele, o diretor atual teve quase de fazer o que fez o grande Pinel, ao tomar conta de Bicêtre: um trabalho de libertador, de despedaçador de algemas. O que ali havia, como tratamento psiquiátrico, era apenas isto: duchas, camisola de força, e quarto-forte. Um belo e excelente regime, sem dúvida, para agravar a loucura dos loucos, ou para transformar em loucos os sãos!...

Não sei se é verdade o que me contam: – que, em certo dia, o novo diretor mandou queimar todas as camisolas de força que encontrou naquela casa atrasada... Se é verdade, tenho pena de não haver assistido a esse admirável auto-de-fé... Era a rotina que assim se incendiava e reduzia a cinzas; era o Passado que crepitava e morria, devorado pelo fogo purificador...

Agora, ninguém mais encontrará no Hospício loucos furiosos. O que causava a fúria desses desgraçados era a estupidez de quem os maltratava. Vi duas ou três salas cheias de loucos, – dos que antigamente eram chamados "os furiosos". Deitados, com os olhos fixos acompanhando cousas que só eles viam, movendo os lábios na articulação de palavras sem nexo, com a face cheia da resignada e comovedora expressão de alheiamento que a loucura dá a toda as suas vítimas, – aqueles "furiosos" não gritavam, não se estorciam, não deliravam. O carinho, a brandura, o regime do *open door*, tinham modificado a sua doença, acalmado o seu sofrimento, sossegado a sua excitação.

Quem hoje atravessa aquelas salas, já não tem a impressão de estar atravessando as divisões de um inferno, povoadas de gritos estridentes ou lúgubres, – mansão de agonia e terror.

Agora, sim!, aquilo é uma casa de caridade e de ciência.

* * *

O chefe do Estado, nestes três anos de governo, tem assistido a muita inauguração, a muita festa agradável ou aborrecida. Não creio que nenhuma dessas festas e inaugurações lhe tenha dado a impressão de consolo e de satisfação que deu esta.

O ministro do interior, a quem o Brasil deve tantos serviços de administração inteligente, também deve preferir a todos os seus títulos de glória e de orgulho, a consciência de haver planeado e executado esta obra de benemerência, esta regeneração material e moral do asilo dos alienados. Governar é sempre sofrer: quem governa, não pode nunca satisfazer todos os interesses, nem contentar todas as opiniões: e não há interesses feridos nem opiniões contrariadas que deixem de se vingar. Mas, se alguma cousa pode consolar um político de todos os dissabores e de todas as torpezas da política, é a felicidade – bem rara! – de poder um dia idear e realizar um trabalho de alcance social, uma dessas empresas humanitárias, que atestam a civilização de um povo, e atendem a um só tempo, ao interesse da ciência e da caridade. Tal felicidade, – teve-a o ministro do interior: e creio que, sejam quais forem os triunfos políticos que ainda o futuro lhe reserve, nenhum deles valerá, para o seu consolo, à glória de ter operado a reabilitação do Hospício Nacional.

O. B.

23 abr. 1905 **Crônica**

Começo a escrever estas linhas à hora em que entram a repicar os sinos da aleluia. É o primeiro anúncio da Ressurreição. O dia, que acordara vestido de neblinas espessas, acaba de despojar-se dessa mortalha triste, e está inundado de sol. A luz canta, a multidão enche as ruas, – e os sinos, precipitando os seus dobres, multiplicando os seus repiques, interpelando-se e respondendo-se de torre em torre, povoam a cidade de músicas alegres. É a Ressurreição.

Enquanto os sinos cantam a Ressurreição, tratemos da Vida, – da Vida, bem precioso, misteriosa dádiva singular, que nem todos compreendem, mas todos amam.

A festa da Ressurreição de Cristo é a festa da Vida: e todo o claro poema da existência desse Deus humano, – a sua vinda ao mundo, a santificação da sua presença dada ao ventre de uma mulher, o seu nascimento entre humildes, a sua grande paixão pela Natureza, o seu alto amor pelas plantas, pelos animais e pelos homens simples, o seu largo e luminoso panteísmo afirmado em tantas parábolas, a sua morte para salvar os vivos, e a sua volta à existência corpórea para ainda conceder aos homens um olhar de infinito amor, – todo esse poema de eterna beleza, o mais belo que jamais foi criado pela imaginação humana, é a apoteose da "felicidade de viver".

Quem sabe? talvez todas as criaturas ressurjam depois da morte, em outras vidas, em outros mundos, com outras aspirações e outros amores... Mas, se não há outra vida além desta, se tudo acaba aqui, ainda assim o prazer de ter conhecido a Vida, a glória de ter uma vez existido, o orgulho de ter sentido, de ter pensado, de ter amado, – de ter "sido" enfim – já devem bastar para que o homem abençoe o secreto concurso de forças incompreensíveis que o criaram e animaram.

* * *

Oh! a onipotência, a soberania e os caprichos da Vida! Que meios escolhe ela, às vezes, para afirmar a sua fertilidade e o seu inalterável propósito de se prolongar pelas eras, numa reprodução incessante e gloriosa!

Toda a população da cidade se comoveu, há dous dias, com a história dessa pobre mulher que, num escuro quarto de estalagem, num ambiente de abandono e miséria, teve o espanto de dar ao mundo três filhas, – três! – no curto espaço de duas horas.

Casara, fora desprezada pelo marido, aceitara o amor e a proteção de um outro homem. Que amor e que proteção! Quando o egoísta viu que a sua companheira ia ser mãe, recuou diante da responsabilidade material e moral que assumira, e fugiu, – fugiu daquele aborrecimento para um outro prazer. Sozinha, no catre modesto, sem dinheiro, sem amparo, – mulher sem marido, fraca, sem protetor – a infeliz começou a sentir o primeiro rebate da maternidade, a dor sagrada com que a Natureza santifica a geração, e encarou com horror a sua sorte: ia ser mãe de um filho sem pai, ia ser forçada a repartir a miséria e a tristeza da sua condição com uma criatura inocente, condenada à fome e à pobreza...

Com uma criatura, não! em menos de duas horas, três meninas, todas bem vivas, todas fortes, choravam e agitavam-se sobre o catre, já exigindo alimento, já afirmando a sua vontade de viver e de gozar a vida. E a pobre mulher, maravilhada com aquilo, que à sua alma simples com certeza pareceu um milagre, já não pensava na miséria nem no abandono, e só tinha olhos para admirar e amar aquelas três vidas saídas prodigiosamente da sua vida, aquelas três flores humanas brotadas do seu ventre três vezes abençoado pela glória da maternidade em um só parto...

E sucedeu que, vinte e quatro horas depois, já as três criaturinhas tinham roupas, leite e cuidados. A população, comovida, assim que soube do estranho caso, correu a tutelar com o seu carinho as três filhas sem pai; pela porta da triste morada, entrou a Fartura, levada pela mão da Caridade; e todas as almas boas quiseram, contribuindo para a alimentação e o conforto da mãe e das filhas, dar uma homenagem de respeito e de amor àquele lar desgraçado, que a Vida, num dos seus caprichos, escolhera para cenário de tão lindo milagre...

* * *

Os caprichos da Vida! Quantas mulheres, fortes e belas, ricas e felizes, pedem em vão um filho que lhes honre o seio e glorifique os dias! E a Vida, surda a tais súplicas, deixa estéreis essas entranhas, e vai fecundar outras.

Para honra da espécie humana, não são legião as mulheres que não desejam ter filhos, e que para conservar, por egoísmo ou faceirice, a tranqüilidade ou a beleza, pedem à arte sacrílega de médicos sem consciência a anulação da sua faculdade de procriar. Haverá muitas assim; mas a grande maioria é das que têm a maternidade como uma honra e uma glória. E quantas dessas se desesperam e lamentam, amaldiçoando a esterilidade que as rebaixa, julgando-as malditas de Deus, indignas da felicidade que ele concede a tantas outras.

A pior desgraça que pode acontecer a um homem é ser incapaz de pensar; mas, para a mulher, a maior desgraça é ser incapaz de conceber.

Diz a Bíblia que Sara, mulher de Abraão, tinha em tal horror a sua esterilidade, que não duvidou partilhar com uma serva o seu leito conjugal, para que o seu lar não deixasse de ser alegrado pela presença de um filho; e o Senhor Deus dos Hebreus, aquele Sabath implacável e feroz, que tinha tão prontos os castigos para todos os pecados humanos, não condenou o procedimento de Sara: antes o aprovou e abençoou.

As estéreis de hoje não recorrem a esse escabroso expediente: adotam uma criança, e chegam, com o tempo, a criar uma ilusão da verdadeira maternidade, e não deixam assim de fruir a delícia de ter quem lhes dê o doce nome de mãe.

Antes, porém, desse recurso da adoção, quantos outros recursos tentados? Há as consultas aos mais afamados médicos da terra; os conselhos dos príncipes da ciência, adquiridos a peso de ouro; as viagens longas a países de vários climas; a freqüentação dispendiosa das estâncias balneárias; o apelo desesperado a todas as drogas dos charlatães; e a esperança em Deus e nos santos: as promessas, as rezas, os votos, os jejuns, as penitências e todos os sacrifícios de dinheiro feitos para seduzir a bondade divina, desde as libras de cera oferecidas aos altares até a construção de novas capelas oferecidas ao culto...

Pois bem! a Vida, que não se deixa corromper por esses recursos, a Vida, que distribui ao acaso os seus dons sem nunca os lançar em terreno maninho, – a Vida achou no seu caminho o seio infeliz desta mulher do povo, que não queria ter filhos porque não sabia como poderia sustentá-los, e quis operar nele o prodígio da sua força eterna: beijou-o três vezes com a luz criadora, rasgou-o com o seu arado fulgente, deu-lhe a palpitação de fogo que animava o seio divino de Cibele, transformou-o no instrumento glorioso da sua eterna expansão, e dele arrancou de uma só vez três existências em flor, três mulheres em botão, três novas mães destinadas ao sacrossanto mister da perpetuação da espécie!

* * *

Triste seria, bem triste, que o lar, felicitado por capricho, ficasse sem pão e sem alegria... Mas, não! o povo, toda a gente pobre, – toda a gente que, rude e simples, sabe compreender, melhor do que a gente rica e fina, a beleza e a ventura da maternidade, – foi levar dinheiro e afagos à boa mulher e às três filhinhas. Creio que já montam à soma de dous contos de réis as dádivas.

Em vários países da Europa, os governos concedem favores especiais e especiais facilidades de existência às famílias fecundas; e, na América do Norte, os pais de numerosa prole são largamente recompensados: ainda ontem, li em um jornal que o presidente Roosevelt, sabendo que em Findlay, no Estado de Ohio, um cultivador, Jeff Forthing, já deu à pátria doze filhos, endereçou a esse cidadão uma carta de felicitações, e fez-lhe a doação de 65 hectares de terras devolutas.

O que aqui levou o povo a socorrer essa fecunda moradora de um quarto de estalagem não foi a preocupação, que anima os governos da Europa e da América do Norte, de animar e premiar os povoadores da terra. Aqui o movimento foi, apenas, de impulsiva e quase inconsciente ternura: foi, como já escrevi acima, um preito dado à vida, uma homenagem prestada à força criadora da Natureza.

Ser mãe é receber uma benção, uma consagração. O mais grosseiro e bestial dos homens curva-se diante da majestade dessa divina missão da Mulher. E, quando uma mulher recebe da Natureza a honra, que esta recebeu, de agasalhar nas suas entranhas, ao mesmo tempo, três vidas humanas, realizando o prodígio de desdobrar em três a sua própria existência, – essa mulher aparece aos olhos do povo aureolada de um prestígio sublime.

Cada um dos tostões que a gente pobre vai levar ao quartinho daquela estalagem, representa uma genuflexão diante do altar da Vida.

O. B.

30 abr. 1905

Crônica

Acabamos de jantar... Faláramos um pouco de tudo, – de arte, de poesia, de amores, de negócios, de intrigas, de política... e da galeria subterrânea do morro do Castelo. Agora, diante do café aromático, acendendo os charutos, estávamos calados, na doce delícia de um bom começo de digestão, achando a vida agradável.

Foi então que Fantasio, rompendo o silêncio geral, disse, de manso, com pausa e serenidade, estas palavras perturbadoras:

– Eu já estive uma vez dentro da galeria subterrânea, e vi todos os tesouros dos jesuítas!

Uma risada escarninha acolheu esta revelação:

– Grande empulhador!

Mas Fantasio declarou:

– Eu não gracejo nunca depois do jantar. É o único momento da vida em que sempre falo com seriedade! Já estive na galeria e vi os tesouros!

– Viste os doze apóstolos? – perguntou Pangloss.

– Não os contei. Não pensei nisso. Mas vi muitos... Seriam doze, ou onze, ou dez, – mas eram todos de ouro maciço, com diademas de esmeraldas faiscantes.

E, depois de aspirar uma larga fumaça, principiou a narrar o estranho caso:

– Não sei se esse buraco, que acabam de descobrir na Avenida, é uma das portas da galeria. Mas há uma porta no alto do morro, em certo lugar que não quero dizer. Foi por aí que entrei...

– Quem te revelou a existência da porta?

– O padre Simão de Vasconcelos, que morreu em 1671.

– Caramba! – rosnou um de nós – deves ser bastante velho...

– Atenção! – exclamou Fantasio, imperturbavelmente. – Quando digo que foi o padre Simão de Vasconcelos quem me revelou a existência da porta, não quero dizer que ele ma tenha revelado de viva voz. O padre Simão veio a esta parte do mundo como missionário, e escreveu a *Crônica da Companhia de Jesus no Estado do Brasil*. Foi nesse livro que encontrei a indicação preciosa.

– Podes dizer a página? – interveio o O. L.

– Perfeitamente. É a página 448, da edição de 1864, anotada pelo cônego Fernando Pinheiro. A frase reveladora está no parágrafo 13 do Livro V da *Crônica*. É uma frase sibilina, que vocês não seriam capazes de entender mas que eu entendi graças a estudos especiais...

– Mas, observou Anselmo Ribas, impressionado pela gravidade com que Fantasio falava – em 1671, quando morreu o padre Simão, ainda os jesuítas não tinham escondido os seus tesouros...

– Menino! – disse com profunda seriedade o narrador – há no céu e na terra muitas cousas que a tua vã filosofia não imagina!

– Bravos, Hamlet! – gracejou João do Rio.

– O padre Simão adivinhou, antes de 1671, o que os jesuítas iam fazer um século mais tarde... Mas isso pouco importa: o que importa é que descobri a entrada da galeria, e entrei.

Houve um curto silêncio. Fantasio saboreou um gole de Père-Kermann e continuou:

– Um corredor estreito e baixo, úmido e trevoso. A luz da minha lanterna palpitava e tremia, de quando em quando, lambendo trechos de muralhas abauladas e viscosas que suavam. Os meus pés ecorregavam no chão; e havia ali um cheiro indefinível, cheiro de antigüidade e morte, odor de mistério e treva, hálito de passado. Andei não sei quanto: a galeria, que era uma só, sem bifurcações, sem encruzilhadas, ia coleando, sinuosamente, pela noite do seio da terra, longa e misteriosa... De repente, pela abundância do ar, senti que o corredor se alargava de chofre, sem transição. O primeiro passo, que dei então, ecoou soturnamente; espirrei: e o meu espirro estourou, reboou, rebombou como uma vasta série de trovões. E os meus olhos começaram a ver... – a ver, não digo bem! começaram a prever, a adivinhar uma faiscação de ouro. E os meus pés começaram a enterrar-se num solo duro e móvel, fragmentado, como formado de calhaus que se entrechocavam com um barulho metálico... Abri a lanterna, acendi na sua chama dous grossos archotes de que ia apercebido; e, quando a luz espancou o espaço, quedei pasmado, estarrecido, fulminado de espanto!

– Estavas na sala dos Doze Apóstolos, desgraçado?! – regougou Anselmo Ribas, levantando-se, com os seus olhos felinos em chama.

– Na Sala dos Apóstolos! afirmou Fantasio. – Já disse que não verifiquei se eram doze. Não os somei. Era o que faltava: que, naquele espanto, naquele aturdimento, eu ainda fosse capaz de realizar qualquer das quatro operações... Não os somei: mas caí de joelhos diante deles. Eram imensos, maravilhosos, fulgurantes, todos de ouro, com as esmeraldas dos resplandores fuzilando, e as túnicas estreladas de ametistas, de topázios, de carbúnculos, de granadas, de rubis, de crisoprázios, de safiras!

– Judas também era de ouro? Perguntou João do Rio.

– Isso não é pergunta que possa fazer um homem versado em religiões como tu, João! – recriminou o narrador. – Judas foi demitido do cargo de apóstolo, logo no dia seguinte ao da traição: antes de se enforcar, já estava demitido. Quem estava lá, no lugar dele, era Matias, que o substituiu: por sinal, que tinha no peito uma pérola do tamanho de um ovo de galinha... A chave de S. Pedro era talhada num só diamante... As unhas dos pés de S. João eram turmalinas cor de rosa... Os lábios de S. Mateus eram de coral da Abissínia... Aos pés dessas estátuas colossais e resplandescentes, havia mitras de prata incrustadas de pérolas, pátenas cravejadas de berilos, cibórios repicados de espinelas e de sardônicas, custódias recamadas de calcedônias e de turquesas, cálices recobertos de aventurinas e de opalas. E o fulgor de tudo aquilo me requeimava os olhos! Assim fiquei de joelhos, imóvel e tonto, até que...

– Até que?... – interrogou, ansioso e ofegante, o Arthur:

– Até que senti os joelhos doídos, machucados por duas arestas afiadas. Baixei os olhos e vi... Meninos! eu estava ajoelhado sobre uma fortuna incalculável! O chão era só ouro...

– Ouro em pepitas?

– Ouro amoedado, meninos, amoedado! Eram ducados, coroas, dobras, dobrões, guinéus, patacões, cruzados, piastras, escudos, sequins, rúpias, pistolas, dracmas, sestércios, maravedis, – e uma infinidade de moedas desconhecidas, redondas, quadradas, triangulares, de todos os feitios, de todos os valores, de todas as nações. Finquei naquele precioso chão movediço os dous archotes, e comecei a mergulhar as mãos, os braços, as pernas, a cabeça, no tesouro. Eu era Midas, rolando nas ondas do Tactolo! E tinha a sensação de também me estar transformando em ouro, em carne de ouro, em pele de ouro, de nervos de ouro, em alma de ouro! O que ali havia de ouro! ouro bastante para comprar impérios, ouro bastante para corromper milhões de milhões de homens! Como aqueles jesuítas eram ricos, rapazes! Jesus, que andava com os pés no chão pelos campos da Judéia, acabou arquimilionário! Oh! deslumbradoras, terríveis, assombrosas horas, as que ali passei!

– Não enlouqueceste?

– Idiota! já viste alguém enlouquecer por excesso de riqueza? o que enlouquece a gente é a miséria. Naquele momento, vendo-me senhor de tão maravilhosa fortuna, tive a sensação perfeita da minha força, da minha soberania, da glória da minha missão na terra!

– E que fizeste?

– Que fiz? Levantei-me, e, cambaleando sobre o areal de moedas, cruzei os braços, encarei os Apóstolos, e bradei: "Curvai diante de mim esses duros joelhos de ouro, Apóstolos! ajoelhai-vos e adorai-me! Vós espalhastes pelo mundo a palavra do Mestre, e fundastes sobre a terra uma religião que avassalou nações... Mas, agora, o apóstolo sou eu! venderei aos pedaços os vossos corpos fulgurantes, e, com a minha fortuna, fundarei e arrasarei quantas religiões quiser, armarei e massacrarei exércitos, humilharei todos os reis, invadirei o céu, reformarei a Vida! De joelhos Apóstolos! eu não sou um homem rico: eu sou a Riqueza! eu sou o Poder! eu sou a Força! eu sou Deus!" Isto dizendo, estendi o braço direito, numa atitude de comando, para forçar os Apóstolos a cumprirem as minhas ordens. Mas, nesse momento, ouvi um rumor de curtas pancadas e...

– E ? – interrogamos todos nós.

– E... – concluiu Fantasio – e acordei!

– Hein? acordaste? pois tu estavas dormindo, miserável?

– Estava dormindo. O rumor, que me despertara, era feito por alguém, que me batia à porta com impaciência. Fui abrir... Era o senhorio, que me vinha cobrar sete meses atrasados do aluguel do quarto!

O. B.

04 JUN. 1905

CRÔNICA

Impossível tratar de outro assunto... Não há alma que não esteja impressionada e comovida pelas últimas e terríveis notícias que vieram de Londres, Paris, Tóquio e S. Petersburgo, acerca da grande batalha naval, em que a autocracia russa teve talvez o seu desastre final e irreparável.

Lendo os telegramas, que relatam minuciosamente o horrendo combate, cuidamos estar daqui ouvindo o choque das torpedeiras, ágeis e pérfidas, contra os couraçados formidáveis, e o clamor das ordens de comando, e a grita confusa da maruja, e as lamentações dos feridos, e os brados de desespero das tripulações naufragadas, e o reboar estrepitoso e contínuo do canhoneio, trovejando nos ares, por setenta horas de horror, de mortandade, de espanto, de trágica e alucinante ferocidade. Sete mil russos afogados, mil espatifados pelas balas de artilharia, três mil e oitocentos prisioneiros; vinte e dous couraçados postos a pique, vinte torpedeiras tragadas pelo mar!

Tristes cousas, tristes surpresas estavam destinadas à nossa geração! Depois do ciclo napoleônico, pareceu, durante algum tempo, que a humanidade, fatigada de morticínios e de horrores, farta de cenas de assombrosa selvageria, enjoada de sangue e de carnagem, repousaria durante um século, pelo menos, à sombra das oliveiras da paz, restaurando as forças perdidas, fazendo esquecer, com prodígios de amor, de justiça, de trabalho, os prodígios da sangüinária ambição e da bárbara crueldade, que haviam ensangüentado o começo do século XIX. Ilusão! os cadáveres ainda não tinham de todo apodrecido no fundo da terra, o sangue não tinha ainda secado no aço das espadas, a erva não tinha ainda de todo crescido nos campos espezinhados e devastados pelo tropel dos exércitos, – e já novas guerras estavam manchando e profanando a face da Europa; depois, o delírio assassino ganhou os outros continentes, e assolou a Ásia, a África, a América; e esse século abominável passou à história, condecorado com o título pretensioso e falso de "século das luzes"... de sangue é que ele foi, o cruel!...

O grande sonho do primeiro fabricante de dinamite era descobrir um explosivo tão temeroso, e de tão terríveis efeitos de destruição, que as nações possuidoras do medonho segredo, fossem forçadas a recuar assombradas, diante do inominável horror das conseqüências da guerra.

Fez-se a invenção, – e as nações a abençoaram, não porque ela viesse pôr um termo às lutas internacionais, mas porque veio facilitar e desenvolver a satânica indústria da morte; e, nos intervalos das guerras, a dinamite não tem ficado inativa: adotaram-na, carinhosamente, os anarquistas, para as suas execuções sumárias de reis, de príncipes, de presidentes da República, de... pobres homens do povo, inocentes e inofensivos: as bombas de dinamite são cegas, – cegas como o ódio de quem as fabrica e emprega – e ainda agora, por ocasião do atentado contra o rei da Espanha, a máquina infernal poupou o monarca visado, e apenas feriu alguns desgraçados populares.

* * *

O acaso, que é cruelmente irônico, aproxima de um modo singular acontecimentos opostos e antagônicos, que avultam pelo contraste.

Anteontem, quando nas casas e nas ruas, com mais calor e espanto se comentavam os telegramas chegados do teatro da guerra, o primeiro secretário do Senado, logo depois de aberta a sessão, leu com indiferença e pressa, aos senadores que conversavam, ou cochilavam, ou pensavam na sua vida, esta carta, a que o *Diário Oficial* deu uma resumida publicidade:

"Nova York, 6 de outubro de 1904. – Aos membros dos Parlamentos e dos Congressos do Mundo. – É com muito prazer que vos apresentamos com estas credenciais o Dr. William Asborne McDowell, L.L.D. de Nova York, que tencionava vos visitar nos interesses da grande obra, na esperança de que cada membro cujo nome ainda não se acha registrado, de todos os parlamentares do mundo, tenha, antes da próxima reunião que deve se realizar em setembro próximo em Bruxelas, Bélgica, adicionado o seu nome aos dos 2050 membros já registrados, que crêem em condições de paz para o mundo. Quaisquer gentilezas ou cooperação, estendidas ao Dr. MacDowell, serão apreciadas pela: *União Interparlamentar*. – (Assinado) A. Gobat, secretário".

Não sei quem fez a tradução desse documento, que está em língua portuguesa, redigido de modo a merecer meia dúzia de palmatoadas... Mas deixemos de parte a redação, e atendamos somente à essência da carta.

Suponho que o nosso parlamento, seguindo o exemplo dos outros "parlamentos do mundo", gostosamente secundará com o seu apoio à generosa iniciativa da *União Interparlamentar*.

Ai da pobre humanidade! – isso é apenas mais um esforço inútil tentado em favor da paz universal... A grande hora da concórdia e do amor ainda não soou: envernizando a nossa selvageria com um disfarce de civilização, fazendo alarde de um falso e mentiroso culto da tolerância e da justiça, – nós todos, homens das cinco partes do mundo, ainda somos uns animais ferozes "mais dados ao furor do que à ternura"...

Ainda Heródoto não havia nascido, e já a Grécia possuía as suas Anfictiônias, – conselhos pacíficos, destinados a moderar os impulsos da ambição humana, e a evitar o derramamento de sangue. A "trégua de Delfos" conseguiu, durante algum tempo, dominar a ferocidade dos homens; durante algum tempo, as leis dos homens puderam sufocar a crueza dos instintos guerreiros e os gregos respeitaram as decisões das Anfictiônias, sobre cujos infratores caía uma maldição tremenda: "Possa a terra negar-lhes todos os seus frutos! Que os seus rebanhos pereçam miseravelmente! que os seus filhos nasçam monstruosos! que os deuses rejeitem, como indignos, todos os seus sacrifícios!"

Mas, logo depois, a bestialidade readquiriu os seus direitos, e a Guerra insaciável foi, de ano em ano, apurando a crueldade dos seus meios, e dilatando a esfera da sua ação. Na Idade Média, já não eram apenas nações que se batiam: eram famílias. Duas casas rivais juravam exterminar-se, e esse ódio passava de geração a geração, até que uma das famílias desaparecia da face da terra. Foi então que a Igreja conseguiu estabelecer a chamada "trégua de Deus", que ainda durou menos do que a de Delfos: e não tem sido outra a sorte de todos os congressos platônicos, de todas as ligas interparlamentares ou não que desperdiçam palavras ao vento, tentando em vão abrandar os embates das ambições humanas.

* * *

Ninguém conseguiu nunca exprimir, com mais ardor e mais verdade, do que Girardin, o que é realmente esse flagelo das guerras, tão celebrados pelos aedos de todos os tempos, desde Homero até Hugo. "A guerra é o assassinato e o roubo. É o roubo aclamado, louvado, dignificado, coroado. É o assassinato, disputado ao cadafalso, pelo Arco do triunfo. É o assassinato e o roubo, não com a vergonha e o castigo, mas com a impunidade e a glória. É a glorificação do que deve ser vilipendiado, e o vilipêndio do que deve ser glorificado. É o crime, ensinado e ordenado aos povos por aqueles que os governam!"

Mas a essas belas palavras não falta quem responda: "As mais velhas lendas da humanidade são todas de sangue e morticínio: o mundo, segundo a Bíblia, acabava apenas de ser criado, quando Caim matou Abel... A guerra apareceu com o aparecimento dos primeiros animais, e só desaparecerá, quando este pobre planeta, enregelado e deserto, rolar como um fantasma pela amplidão, no mesmo estado em que hoje contemplamos a lua, cadáver do mundo..."

* * *

Não! nem tanto, nem tão pouco!

A hora ainda não soou, mas há de soar. O homem não será sempre uma fera, apenas mais inteligente do que as que habitam os matagais cerrados. E nem sempre haverá, – como há poucos dias, assediando o edifício do Almirantado russo – mães e esposas, que, tragicamente descabeladas, ululando a sua grande dor inconsolável, com a boca cheia de maldições, e com os olhos incendiados em clarões de loucura, vão exigir, dos diretores das guerras, a restituição dos filhos e dos maridos, estupidamente sacrificados aos interesses baixos e mesquinhos desses devoradores de vidas humanas.

Não será, porém, com a nossa retórica, não será com a propaganda platônica das ligas e dos congressos, como não será também com as bombas dos anarquistas, que se há de conseguir essa vitória definitiva e luminosa da causa sagrada da Paz. Essa vitória virá no dia, talvez bem próximo, em que bem definida a liberdade humana, e bem esclarecida a inteligência de todos os homens, já não houver governantes e governados, – pastores cruéis, armados de chicotes, e rebanhos inconscientes, resignados, pela ignorância, a todos os sofrimentos...

O. B.

18 jun. 1905 Crônica

– Que lindo dia, hein?

– Glorioso dia!

– E que frio!

– Uma delícia!

– E a chuva aplacou a poeira...

– E que céu! e que sol! e que frescura nas flores dos jardins!

– Como é bom viver!

Foi esse, e ainda é esse, e ainda será esse, por muitas semanas, o tom geral das conversas. O inverno, – este delicioso inverno carioca, que é a mais bela estação com que nos favorece a Natureza – trouxe consigo uma espalhada e consoladora alegria. Valeu bem a pena ter esperado por ele: os últimos dias de calor foram como o Purgatório, que é a antecâmara do Céu.

Para gozar, sempre é preciso saber esperar. Os prazeres fáceis, que se apresentam por si mesmos, oferecendo-se sem provações preliminares, são os que menos agradam. Para que uma felicidade seja completa, é mister que seja esperada, desejada, ambicionada, suplicada.

Vêde a transformação da cidade. Se, por um prodígio fenomenal, por um milagre impossível, o Rio de Janeiro amanhecesse um dia transmudado, sem vielas, sem calçamentos esburacados, sem casebres feios, – e retalhado de amplas avenidas, coberto de palácios, esmaltado de jardins, teríamos uma surpresa entontecedora, mas não teríamos uma ventura perfeita.

A ventura perfeita só a teremos no dia em que, depois de dois ou três anos de trabalho paciente e progressivo, acabada a grande Avenida, concluída a encantadora avenida à beira-mar, terminadas as obras do porto, rasgadas as avenidas de Mem e Estácio de Sá, – virmos o resultado de toda a energia empregada pela administração pública nesse empreendimento colossal. A poeirada é espessa, daninha, sufocante, terrível... Mas, que quereis? é preciso sofrer um pouco, para poder gozar.

É por isso que os últimos dias de bravo e insuportável calor, com que se despediu o outono, foram abençoados: depois deles, é que podemos devidamente apreciar estes dias de suavidade sem igual, que são o encanto dos olhos e a alegria das almas.

* * *

Há ainda quem duvide da influência boa ou má que o estado da atmosfera possa escrever sobre as ações humanas?

Bastou que chovesse um pouco, e que se desfizesse a atrocíssima pressão atmosférica que oprimia todos os corações, e que a coluna termométrica descesse cinco ou seis graus, – para que, nas colunas dos "a pedidos" da imprensa também baixasse o diapasão das ásperas disputas a que dá ensejo o trabalho de propaganda das candidaturas presidenciais. As injúrias escasseiam, as descomposturas mínguam, os agravos pessoais diminuem. Abençoada baixa de temperatura...

Também, felizmente, está próximo o termo da campanha. Daqui a pouco mais de dois meses, já a luta será inútil, porque já se saberá com certeza que candidato será o vencedor.

A mim, – como a todos os brasileiros que não fazem da política um meio de vida – pouco importa que o novo presidente venha de S. Paulo, ou de Minas, ou do Rio Grande, ou da Bahia: o que eu desejo, o que todos os homens de boa fé exigem, é que apareça um candidato cujo programa de governo inclua a promessa de um certo número de providências que a nação reclama.

O governo passado cuidou da reorganização financeira; o atual cuidou do saneamento; – agora que esses dous problemas se podem considerar resolvidos, porque já nada pode sustar a sua solução, urge que o governo futuro trate do terceiro problema vital da nossa organização de povo: a educação popular, a luta contra a ignorância.

Dos candidatos, ainda nenhum publicou a sua "plataforma". O candidato que prometer encarar a sério o problema, comprometendo-se a obter do corpo legislativo leis e verbas com que possa difundir o ensino público, esse terá o meu voto, e os votos de quantos sabem que o progresso de um povo não se mede pela extensão da sapiência balofa dos seus bacharéis, mas pela extensão da cultura intelectual da massa popular.

No seu livro, *A América Latina*, agora publicado, o Dr. Manuel Bonfim estabelece claramente o estado da questão:

"É espantoso, é monstruoso que, num país novo, onde toda a educação intelectual está por fazer, onde a massa popular é ignorantíssima, onde não há instrução industrial nem técnica, onde o próprio meio e os seus recursos naturais não são estudados, – é monstruoso que, num tal país, para um orçamento de trezentos mil contos, se reservem setenta e três mil contos para a força pública, e apenas *três mil e duzentos contos* para tudo quanto interessa à vida intelectual – ensino, bibliotecas, museus, escolas especiais, observatórios etc.! Haverá quem pense que: se a União não dispende fortes somas com a instrução pública, nem por isso esta se vê abandonada, e que os governos dos Estados concorrem eficazmente para desenvolvê-la. Ilusão! os Estados que mais gastam com este serviço são: o Estado de S. Paulo, Rio Grande do Sul e o Distrito Federal. No Distrito Federal, – cidade e subúrbios – empregam-se em instrução primária, profissional e normal, 3500 contos; em S. Paulo, todas as despesas nesse capítulo orçam por 6000 contos, e no Rio Grande do Sul não chegam a 2000 contos. Todos os outros Estados reunidos não alcançam 13000 contos. Resultado último: no Brasil, para uma população de 18 milhões de habitantes, todas as despesas públicas – Estados e União – com a instrução e cousas intelectuais, andam por 28 mil contos... É a outra cultura da ignorância como programa".

Pois bem! é preciso que apareça um programa, capaz de contrariar e anular esse "programa de cultura da ignorância" de que fala o escritor de *América Latina*. O candidato, que apresentar esse programa, será o nosso candidato, – o candidato dos que verdadeiramente amam o Brasil.

* * *

Enfim! vai ter um termo a carnificina desumana e feroz, que ensangüenta e infama as terras e as águas da Ásia. Rooselvelt, com o seu esclarecido tino de estadista, acaba de conseguir um armistício entre a Rússia e o Japão. Em Washington, os plenipotenciários vão [*****] condições de paz.

À jovem América [*****] esta bela missão humanitária [*****] provoca a reconciliação da [*****] Ásia anciã. Na briga briga [*****] quem representa.

Será celebrada a paz? [*****] não.

Mas já é uma grande e radiante vitória conseguir que os beligerantes, que até agora discutiam como feras rugindo e [*****] comecem a discutir como homens, falando e entendendo-se.

* * *

Que mais? mais nada... Perdão! Coquelin embarcou anteontem para o Brasil: é uma bela notícia com que se poderá fechar a *Crônica*. Mas a *Crônica*, antes de ser entregue ao prelo, quer enviar braçadas de flores a Henrique Chaves, que ontem recebeu uma prova brilhante do amor e do carinho de quantos com ele trabalham na imprensa.

O. B.

25 JUN. 1905 — CRÔNICA

Crônica... de quê? Crônica de poeira! Nada mais há, nada mais existe, nada mais é, – no restrito e rigoroso sentido do *haver*, do *existir*, e do *ser*!

Poeira, poeira, poeira... Se aparecesse um Moisés, capaz de escrever o *Gênesis*, o *Beresith* da nova Rio de Janeiro, esse historiador-profeta começaria deste modo o primeiro livro do seu *Pentateuco*: "I. – No princípio, Lauro e Passos criaram a poeira; 2 – e antes disso, a terra era vazia e vã, e vão e vazio era o céu; 3 – e, então, nada mais houve além da poeira; 4 – e os dois espíritos de Lauro e Passos andavam sobre as nuvens da poeira; 5 – e da poeira saiu a cidade radiante, a cidade cuja beleza é o maior louvor e a honra maior dos filhos de Mem de Sá".

Oh! a poeira! – a poeira continua, perpétua, implacável, inexorável, feroz, ubíqua, oníqua, onímoda, onipotente!

Nas ruas vêde-a, que alcatifa as calçadas; que se levanta em nuvens, em bulcões, em rodamoinhos, em torvelins; que acinzenta a verdura das árvores; que cobre de sujidade as fachadas das casas; que varre os bondes com o seu seco sopro terrível; que vos entrega em uma semana as roupas feitas para durar vinte meses!

Nas casas, vêde-a, que estraga os móveis e as alfaias; que torna imundos os livros e os linhos; que estraga o maquinismo dos relógios; que se entranha na tela dos quadros e na porcelana dos bibelôs; que salpimenteia o bife que comemos e a água que bebemos! E, nas ruas e nas casas, é inútil tapar, com a mão ou com lenço, o nariz ou a boca: ela entra por entre os dedos da mão e pela malha do lenço, e tapa-vos as narinas, e entulha-vos a garganta, e abafa-vos, e sufoca-vos, e asfixia-vos, e mata-vos! Oh! poeira!...

* * *

Já sei, – e já isto foi escrito – que esta poeirada está estrumando o terreno, de que há de brotar a nossa glória. Entre tantas invenções, que se tem feito do meado do século passado até hoje, invenções que são verdadeiros prodígios do engenho humano, – não aparece (e provavelmente nunca aparecerá nos séculos futuros!) esta invenção: – o meio de fazer uma *omelete* sem quebrar pelo menos um ovo. Quero dizer: toda a conquista tem de ser previamente paga com um sacrifício: e não há meio de modificar a cidade, deitando abaixo casebres e construindo palácios, sem levantar essa poeira assassina...

Mas...

Mas quantas vidas vamos sacrificar nestes três ou quatro anos mais próximos!

Há dias, conversava eu com um médico à hora que precede o crepúsculo. As janelas abertas davam para uma das ruas mais tumultuosas da cidade. Uma faixa de sol entrava, como uma barra de ouro luminoso, retalhando o gabinete, e indo esbater-se no chão: e havia nela um polvilhamento de fogo, um mundo infinito de corpúsculos, que nadavam na chama ofuscante, palpitando e fulgindo.

– Como é belo isto! – exclamei – Quanta vida está vibrando nesta réstea de sol!

O meu amigo médico teve um sorriso indulgente:

– Quanta vida, não! quanta morte é o que você deveria dizer!

E continuou, apontando a fita flamejante:

– Sabe você o que há naquela fulguração? há a gripe, a pneumonia, a tuberculose, e uma quantidade imensa de moléstias ferozes. Diz-se que, quando respiramos o ar atmosférico, estamos respirando a vida... Nem sempre: às vezes, estamos respirando a morte. Este polvilhamento de fogo é realmente bonito... mas, justamente, as cousas mais bonitas são sempre as cousas mais perniciosas. O misterioso e incompreensível Agente que rege a vida tem a perversa preocupação de mascarar, sob os mais risonhos e encantadores aspectos, as mais torpes origens da Desgraça – Isto é bonito, mas é terrível!

– Mas, neste caso, – atalhei – esta poeira que enche atualmente o Rio de Janeiro é a nossa ruína!

– É a nossa ruína... provisória e passageira. Você verá, – se não morrer – como as moléstias das vias respiratórias vão matar gente por aqui, enquanto durarem as obras da transformação da cidade!

– Naturalmente! a poeira está carregada de micróbios!

– Oh! os micróbios não me assustam. São raros os micróbios que resistem à ação prolongada deste nosso benéfico sol carioca. Ao cabo de duas ou três horas de soalheira purificadora, quase todos morrem... Mas o que faz mal é a ação mecânica de todo este pó dentro do pulmão, enchendo, secando, irritando o tecido orgânico... Você compreende que o pulmão, para se alimentar, precisa de ar, – mas unicamente de ar; não precisa dessa quantidade pavorosa de impurezas que sobrecarregam atualmente o ar no Rio de Janeiro. Olhe bem esta faixa de sol: há aqui vegetais, animais, minerais; todos os reinos da natureza estão representados nesta barra luminosa que você acha bonita, e que eu acho horrível. O próprio calor do sol mata os organismo que aqui existem: mata-os, mas não os destrói. Todos eles entram pelo seu nariz e pela sua boca, e queimam todas as suas mucosas e arranham todo o seu tecido pulmonar!

– Então, – exclamei, aterrado – a reconstrução do Rio de Janeiro é um crime!

– Não, meu caro, não é um crime: é uma necessidade, é um benefício. Há um meio de evitar todas ou quase todas as desgraças que podem vir da abundância de poeira. Não podemos suprimir a poeira, mas podemos fixá-la no chão, – por meio da água!

* * *

– Por meio da água! Aí está o remédio, aí está a solução...

– É absurdo, é monstruoso, é imperdoável que, ao lado de uma serviço tão bem organizado de demolições e de reconstruções, não se tenha organizado um serviço de irrigação das ruas.

É fácil prever a objeção: não há água!

Como não há água? sempre há água, quando há boa vontade. O Rio de Janeiro não é um trecho do Saara...

E, se não há água doce, há a água do mar!

Dizem que a água do mar é perniciosa, porque custa a secar, e porque gera mosquitos, e porque... não sei mais o que. Histórias! Tudo é preferível a esta lenta e constante asfixia a que estamos submetidos!

O. B.

02 jul. 1905 — Crônica [Cia]

Inaugura-se hoje, em Campinas, a estátua de Carlos Gomes. Haverá, decerto, muitas flores, muita música, muitos discursos. De todos os pontos do Brasil, chegarão telegramas, em que palpitará o entusiasmo nacional. Os noticiaristas rebuscarão, para descrever a festa, os seus mais belos adjetivos; os poetas, com as teorbas engrinaldadas de rosas e de laços de fitas, cantarão os seus hinos mais ardentes; – e, no meio desse transbordar de louvores e desse ferver de elogios, não haverá talvez quem pense no que foi a vida desse homem, que, depois de morto, tanto carinho, tanta admiração, e tanta homenagem merece...

Não podendo ir a Campinas, e querendo associar-me à glorificação do artista, preferi escrever alguma cousa sobre o que ele sofreu enquanto vivo. Projetei narrar alguns episódios da sua existência, e relembrar algumas das conversas que com ele tive nas ruas, nos teatros, ou em casas amigas, entre paredes discretas... Mas o Acaso quis que um homem (que foi o maior, o mais dedicado, o mais constante amigo de Carlos Gomes) me confiasse por algumas horas todas as cartas que recebera do autor do *Guarani*. Passei uma noite a folhear essas cartas, – e reconheci que a exumação de todas as minhas recordações pessoais não valeria, como comentário digno da festa de hoje, um simples resumo desta documentação fiel, espontânea, sincera, com que o próprio maestro comentou a sua vida, e que o seu amigo conserva como uma relíquia preciosa e sagrada.

O proprietário das cartas é o Sr. Manuel Guimarães.

Uma amizade inalterável ligou em vida estes dois homens. O amigo, que ficou, não fala do amigo morto, sem que uma nuvem de saudade lhe tolde o olhar.

Todas as cartas são inéditas, – e todas são interessantíssimas. Mas aproveitarei somente um volume da correspondência: e desse volume, extrairei algumas das lágrimas de desespero, de dor, e de desengano, que Carlos Gomes chorou no seio do seu melhor confidente.

* * *

São doze anos de correspondência íntima e afetuosa; e são justamente os doze anos mais agitados, mais tumultuosos, mais torturados, mais *vividos* da vida do maestro.

A primeira carta é de Lecco (Lombardia), e tem a data de 26 de abril de 1884; a última é de Milão, e foi escrita em 18 de março de 1896, – quando Carlos Gomes, já com a boca devorada pelo carcinoma que o matou, se dispunha a partir para o Pará, onde vinha tomar posse do cargo de diretor do Conservatório de Música.

O que dá valor a estas cartas é o seu tom de absoluta sinceridade. Quem conheceu Carlos Gomes, sabe que nunca houve no mundo um homem mais simples, mais ingênuo, mais inocente. Ele próprio dizia: "Haverá alguém que possa odiar este pobre caboclo de Campinas?..."

Artistas há, que, ainda quando estão escrevendo a amigos íntimos, têm a "preocupação da posteridade", e escolhem as suas frases, e velam os seus pensamentos, com a mira no "efeito". Já alguém disse que alguns homens célebres, até quando dormem, têm a atitude de quem está diante da máquina de um fotógrafo... Carlos Gomes não conhecia essas atitudes estudadas. Quando falava, em público ou na intimidade, falava como um caipira, com o coração à flor dos lábios; e, quando escrevia, escrevia tão naturalmente, que alguns trechos da sua correspondência não podem ser publicados, ou pelo desalinho e incorreção da frase, ou pela crueza da expressão...

* * *

Que vida agoniada, inquieta, sobressaltada, foi a deste glorificado de hoje, numa perpétua luta com os editores, com os empresários, com os cantores, e com os credores!

Já a primeira carta (1884) é um grito de angústia: "Não repare se lhe escrevo às carreiras, e, ainda mais, com demora. Tenho sofrido ultimamente contínuos desgostos, e de tal natureza que me paralisam os sentidos. Por minha parte, nada espero do futuro, porque sou muito caipira, e não posso ser adulador..." E daí por diante, não cessa o *caiporismo*...

Dizia-se que Carlos Gomes esbanjava o dinheiro, – e até que jogava. Todos os seus amigos sabem que o pobre nunca pôs a mão num baralho de cartas... E, quanto ao esbanjamento do dinheiro, – como pode esbanjá-lo quem somente o ganha em porções mirradas e contadas? E não teria o direito de ganhar muito dinheiro e de gastar muito dinheiro, o homem que, pelo seu talento e pelo seu trabalho, tanto honrou e elevou o nome do Brasil?... Mas, não!, pela leitura da sua correspondência, vê-se bem que as quantias que lhe passavam pelas mãos, mal lhe bastavam para viver com decência, e para educar os filhos. Em 1889, o maestro veio com uma companhia lírica ao Brasil, levou-a por sua conta a S. Paulo, – e voltou de lá endividado. Em 1890 (carta de 19 de outubro), depois de *um ano* de negociações, vendeu, a uma certa casa editora daqui, a propriedade de *onze* peças de música, por 350$000! A carta é dolorosa: "Aceito, enfim, a proposta da casa *** porque a força maior a isso me obriga... Eles todos, desde *O Guarani* até o *Escravo*, ganham dinheiro, e riem do pobre autor... É inútil repetir-te que fico aqui esperando a quantia em francos o mais breve possível, pois sabes que vivo no inferno das necessidades, e sustentando a aparência de independente. Oh! que luta, que luta, meu amigo!" Mas não haveria aqui espaço bastante, para conter a narração dessas explorações de editores...

Em 1891 (carta de 3 de abril) Carlos Gomes vem de novo ao Brasil, com o empresário D**, que deve montar algumas das suas óperas: "A patifaria de D** chegou ao ponto de ter partido daqui (Milão) sem me garantir a passagem no vapor *Europa* a 14 do corrente. Não me chegando o adiantamento que ele me fez, tive de pôr no *prego* a lira com que presenteaste a Ítala. E, assim mesmo, não sei se poderei partir!..." Voltando à Europa, nesse mesmo ano, – depois de ver fracassado o plano de direção de um teatro, com que o embalaram e enganaram – o maestro deixara aqui, com o seu amigo, algumas jóias. Mandou buscá-las depois, e, assim que as recebeu, empenhou-as: "Não sei como te agradeça (carta de 12 de junho de 1892) o cuidado que tiveste em remeter as jóias, que já estão depositadas no *Mont de Pieté*, pela quantia de oitocentos e dez francos. As despesas extraordinárias, o resgate do *Condor*, o *seguro* dos meninos, a *copiatura* do *Colombo*, me obrigaram a isso. Coragem, Gomes! Tenho certa esperança de obter qualquer cousa em Chicago!..."

Oh! esta famosa viagem a Chicago!... mais de um ano de pedidos, de promessas, de desculpas, de demoras de pagamento, – e, depois da má vontade da comissão, de exigências dos comissários, de impossibilidade de organizar bons concertos, – e, finalmente, de *déficits*, de calúnias, e de desgostos...

Em 1895, já não é somente a falta de dinheiro, o que atormenta o espírito do infeliz. Dois novos sofrimentos o torturam: a moléstia do filho (Carletto, que veio a morrer tuberculoso), e a moléstia própria, o início da medonha enfermidade que o matou.

A carta de 2 de fevereiro de 1895 (Milão) é um largo brado de desespero: "É triste! é doloroso! É caiporismo do teu compadre! e até cômico: gastar o último vintém, disparar o último cartucho, para, no fim, ficar prisioneiro da feroz inimiga: a Miséria! Mas ainda não disparei o último cartucho, – o crédito de que ainda gozo nesta terra estrangeira. Ando aumentando dívidas, mas, seja como for, hei de defender o meu filho, custe o que custar!... Carletto não apresenta melhoras... Não conto mais as consultas dos médicos desde o ano passado, nem as contas da botica... Imagina, compadre, como vou eu para o Pará!"

Nessa carta, há ainda esta linha terrível, em que aparece a idéia do suicídio: "Mancinelli (o maestro que se suicidou no Rio) era em vida um 'joão-fera', um *bicho-brabo* intratável, – mas, por fim, *deu um exemplo imitável...*"

Carletto ficou em San Remo, cada vez pior, Ítala ficou em Milão – e Carlos Gomes veio ao Pará (primeira viagem): já então, o cancro progride: "A minha saúde (carta de 12 de julho de 1895, escrita a bordo) tem sofrido muito ultimamente. A antiga moléstia da boca piorou... A inflamação da garganta também se tem agravado, – e isso quer dizer que o clima do Pará não é para mim. Mas que fazer? No Rio, não me querem, nem para porteiro do Conservatório! Em Campinas, e em S. Paulo idem! No Pará, porém, querem-me de braços abertos... Não me querem no Sul? morrerei no norte: tudo é terra brasileira... Amém!"

De todas as calúnias de que foi vítima em vida o grande artista, cuja estátua se inaugura hoje, a que sempre mais lhe doeu foi a que se levantou sobre a sua falta de patriotismo.

Dizia-se comumente, sempre que se queria magoá-lo, que Carlos Gomes se havia naturalizado italiano, e que impusera aos filhos a nacionalidade italiana; e até se apresentava como uma demonstração do seu anti-brasileirismo, a escolha dos nomes que ele dera às duas crianças: Carletto e Ítala...

A correspondência esclarece esse ponto, e destrói triunfalmente a calúnia.

Em 1 de dezembro de 1891, escrevia o maestro, de Milão, ao seu amigo: "Fui derrotado em Pesaro, onde me apresentei candidato ao lugar de diretor do conservatório. O motivo da minha derrota é simples e natural: não sou italiano. Se fosse ao menos naturalizado!... Eis aqui, compadre; sem que eu a procurasse propositalmente, posso hoje dar a melhor e mais eloqüente resposta a todo e qualquer brasileiro (de Manaus a Uruguaiana) sobre as calúnias que me levantavam de ter renegado a minha pátria... Se a imprensa de todo o Brasil quisesse registrar este fato, não faria mais do que um dever de justiça; mas será inútil: a calúnia sempre deixa a *catinga*.

Outras derrotas posso também registrar, começando pelo Rio de Janeiro, onde nem lugar de porteiro do Conservatório posso obter, e pela indiferença de São Paulo, Pernambuco, Pará, Barbacena, e até Campinas, que não responderam às minhas propostas e oferecimentos a respeito da fundação de Conservatórios de Música!"

Mas há ainda melhor: é o trecho da longa carta, escrita em 12 de setembro de 1895, de bordo do vapor *Brasil*, entre Pará e Pernambuco: "... Devo agora falar-te de uma nova desgraça a respeito do meu Carletto. A questão é séria e grave, tratando-se do recrutamento militar. Logo que nasceu o Carletto (29 de Janeiro de 1873) *registrei-o no consulado geral em Gênova declarando-o brasileiro*. Aos vinte anos, recebi aviso do Ministério da Guerra italiano, declarando que meu filho estava na lista da soldadesca (sic) para 1895, por ter nascido em Milão, ainda que de pai estrangeiro. Protestei, e houve troca de ofícios entre mim e o ministério da Guerra em Roma. Afinal, o ministério italiano mandou-me um ultimatum, dizendo que competia ao meu rapaz, aos vinte e um anos, declarar qual a nacionalidade que então entendesse adotar.

Antes de deixar a Itália, este ano, tratei do assunto na Repartição do Recrutamento, em Milão (visto a ausência de Carletto, por motivo de grave moléstia). Responderam-me que tudo ficaria em regra logo que o *recruta* se apresentasse... Parti, portanto, da Itália, tranqüilo a respeito do melindroso assunto, certo de que o Carletto, voltando a Milão, chegaria a tempo... Não, senhor! o Carletto, voltando a Milão, teve o aviso do chefe do recrutamento, declarando-o *soldado de primeira categoria*, isto é, obrigado por três anos, visto não ter feito *em tempo* a declaração da nacionalidade estrangeira, à qual tinha direito por ser filho de pai brasileiro".

Felizmente, tudo se arranjou, não sem dificuldade. E, em outra carta de Milão (15 de outubro de 1895), há estas nobres e comovedoras palavras: "És o primeiro a quem escrevo a este respeito... Carletto acaba de receber do governo italiano a declaração formal de ficar livre do serviço militar, por ser considerado estrangeiro. Estrangeiro, por quê? pergunto eu: por ser filho do maestro Carlos Gomes, o qual foi, é, e há de ser sempre estrangeiro na Itália. Este fato é mais uma resposta aos meus inimigos do Brasil, resposta a todos quantos até hoje duvidam da minha lealdade como brasileiro legítimo e patriota! Carletto está enfim livre da farda italiana; quem o livrou foi o governo do Brasil, ou foi a legalidade?... se eu fosse naturalizado italiano haveria governo no mundo capaz de salvar o meu filho? Compadre, a mentira tem pernas curtas; por mais que possa correr, acaba por ser alcançada pelas investigações da verdade... Carletto está agradecido a Carlos de Carvalho, ao nosso ministro em Roma, aos deputados que o recomendaram aos nosso governo; Carletto agradece também a ti e ao compadre Castelões, pelas visitas feitas ao ministro das relações estrangeiras no Rio; mas Carletto agradece ao mesmo tempo a seu pai, por ser brasileiro, fiel à sua pátria..."

* * *

Agora, a última carta da coleção.

Carlos Gomes vai de novo partir de Milão: "A 1 de abril (carta de 18 de março de 1896) conto embarcar em Lisboa para o Pará, onde fui positivamente nomeado diretor do Conservatório da capital. O meu emprego poderá durar de dous a três anos... Tudo é possível! é possível também que eu não continue por muitos meses ainda neste mundo... Não imaginas o estado gravíssimo da minha boca: a garganta e glândulas sempre inflamadas; no centro da língua uma ferida enorme... Há muitos meses que perdi o paladar; o meu alimento normal é leite e miolo de pão, nada mais. Qual é o homem que, neste estado, pode ver o fruto cor de rosa? Ninguém imagina o heroísmo com que eu suporto a minha situação. Acrescenta a este estado físico insuportável a agitação moral... Depois do *Colombo*, não consegui terminar trabalho algum principiado". E, mais adiante: "Bastava-me um emprego, o qual finalmente acabo de obter no Pará. Este fato me consola bastante. Pará é terra brasileira... Eu sempre desejei finalizar a luta na minha terra!"

E agora, o epílogo, o último passo doloroso da longa vida de torturas... É uma carta, já não do maestro, mas de um amigo de sempre: "Pará, 26 de maio de 1896. – Meu caro... Desde o dia 14, o Pará hospeda com fidalguia Carlos Gomes, havendo da parte do governador Lauro Sodré toda a solicitude. Infelizmente, a junta médica, chefiada pelo Dr. Pais de Carvalho, julga-o inteiramente perdido. É horrível o sofrimento do nosso maestro: a língua, inteiramente tomada, dificulta a fala, e só lhe permite alimentar-se com leite e caldo. Como ele é teu compadre e amigo, prepara-te para tudo quanto possa haver de mais desagradável..."

De fato, poucos meses depois, a 11 de julho de 1896, o grande artista morria. O emprego, tão ardentemente ambicionado, chegara tarde; o pão, tantas vezes pedido, já não achara boca com que o pudesse comer...

* * *

Não nos revoltemos contra essa dura fatalidade, que pesa sobre o destino dos homens de gênio, – desconhecidos e desprezados em vida, e glorificados depois da morte. Na terra, sempre existiram cigarras e formigas. A cigarra nasceu para cantar, e a formiga nasceu para enriquecer: como se há de evitar que cada uma delas cumpra a sua missão, sujeitando-se às desvantagens ou gozando as vantagens que nessa missão estão compreendidas?

A formiga tem mais dinheiro, mas a cigarra tem mais glória. Infelizmente, a glória não é cousa que os prestamistas e os agiotas aceitem como penhor de qualquer empréstimo...

O. B.

16 jul. 1905

Crônica

Vai haver no Passeio Público, ainda este mês, uma exposição de canários...

(Depois dos longos e monótonos meses do estio, – estes curtos e agitados meses do inverno carioca são um turbilhão frenético, uma roda viva, que nos leva, aos roldões, de festa em festa, de novidade em novidade, de comoção em comoção: – jantares, bailes, recepções, espetáculos, exposições, – nada falta; ainda haverá quem se aborreça do Rio atualmente, quem se deixe emparedar entre as muralhas escuras do Tédio?)

Uma exposição de canários... Aqui está um assunto com que eu não contava, nesta deliciosa manhã de inverno. Quando acordei, com o ouvido ainda cheio da música dos versos de Rostand, gorjeados na véspera por Mlle. Moreno, imaginei que só encontraria nos jornais os assuntos de sempre: furtos, prisões, conflitos, palpites do *bicho*, notícias de guerra, mexericos, políticos... Mas uma exposição de canários! – isto não é um assunto: é um consolo!

* * *

Antes, porém, tratemos de outra exposição, que já está aberta, a do *Photo Club*.

Já daqui estou vendo muitos artistas pintores, com o nariz torcido, encolhendo os ombros com desdém... Os pintores odeiam a fotografia: servem-se dela, às vezes, como de uma arte auxiliar, que lhes poupa o trabalho e a dificuldade do desenho, de modelo vivo. Servem-se dela, mas desprezam-na. Para eles, a fotografia não é uma arte, no sentido preciso do vocábulo: ou, melhor, se é uma arte, é uma "arte mecânica", acessível a todas as inteligências e a todas as habilidades.

Exclusivismos profissionais! Toda a ocupação humana, por mais simples e comum que seja, pode ser uma arte. O que dá a um trabalho o distintivo artístico, não é a natureza desse trabalho: é, sim, o esmero maior ou menor com que ele foi executado, o apuro com que as suas minúcias foram tratadas, a perfeição que o trabalhador conseguiu dar ao seu conjunto.

Há fotografia e fotografia, – assim como para o esperto Sganarello de Molière havia *fagot et fagot*. Há uma fotografia que qualquer homem pode praticar, – desde que disponha de duas lentes convergentes, de uma câmera escura, de um pouco de luz, e de uma placa sensível. Mas há uma outra fotografia que requer um operador inteligente, paciente, fino, dotado de bom gosto e de educação artística; e esta é a fotografia-arte, que nem todos podem praticar.

A exposição do *Photo Club* demonstra essa verdade. Há ali pequenos quadros que são legítimas criações de arte.

Digam-me os senhores pintores: que é o que dá valor a um quadro a óleo, a uma aquarela, a uma *guache*, a um *pastel*? É o desenho? certamente não... Um homem qualquer pode, à custa somente de estudo e de tenacidade, e sem possuir a mínima parcela do "fogo sagrado", adquirir uma perfeição absoluta de desenho, e reproduzir as linhas de um corpo animado ou inanimado com a mesma exatidão com que as reproduz uma máquina fotográfica. O que dá valor a um quadro é a *vida* das figuras, das criaturas, das águas, das árvores, – é a luz que anima a pintura, é a palpitação de verdade que nela se agita. Isso, nem todos os pintores e nem todos os fotógrafos o podem conseguir: só o conseguem, entre pintores e entre fotógrafos, aqueles que possuem a *centelha*.

Deus me livre da heresia de afirmar que um grande fotógrafo possa valer tanto como um grande pintor... Nunca! porque, no bom pintor, o poder de criar, a *vis creatrix*, sempre será mais desenvolvida do que no bom fotógrafo, – e a criação sempre há de sobrepujar a imitação. Mas daí a dizer que o fotógrafo não pode ser um artista, há uma distância considerável. O exclusivismo é sempre um defeito de crítica.

Deixemos, porém, pintores e fotógrafos, – e vamos aos canários!

* * *

Não sei que exaltado poeta (um *romanesque* como os de Rostand) disse um dia que só amava as flores... no galho, e as aves... em liberdade. Hipertrofia do Sentimentalismo! Eu também ainda sou um pouco poeta (se bem que não o pareça) e gosto sempre das flores, ainda quando as tenho na lapela do casaco, e dos canários, ainda quando os vejo nas gaiolas.

Até porque nunca vi canários em liberdade...

Nós não conhecemos aqui o canário selvagem, cuja plumagem e cujo canto são muito diferentes da plumagem e do canto do canário doméstico. O canário selvagem, filho das Hespéridas, é feio, cinzento-pardo e possui um canto rude e desentoado. Os que conhecemos, os domésticos, pequenos e cor de ouro, como gemas de ovo, com a garganta povoada de trinados, cuja modulação percorre gamas de infinita variedade, são produtos de cruzamentos complicados, e nascem, vivem e morrem no cativeiro.

Não há, pois, razão para que os sentimentalistas lamentem a sorte desses tenores adoráveis, que, na frase de Buffon, "apenas sabem cultivar a música de câmara". O canário doméstico, que nasceu entre as grades da gaiola, não pode ter saudade de uma independência que jamais conheceu...

Em um livro do meu querido mestre Machado de Assis, há um conto-apólogo em que se encerra toda a psicologia do canário... O universo foi criado unicamente para a glória do canário; o Homem é o súdito e o servidor do Canário; o Canário vive cantando, – o Homem vive trabalhando, para poder dar ao canário a alpiste dourada, os ovos frescos, as alfaces verdes...

Essa invenção poética com certeza não se distancia muito da verdade. Deve ser justamente essa a convicção dos cantores emplumados, – alegria das nossas casas, encantos do nosso ouvido – que, reunidos no Passeio Público, vão transformar o parque perfumado num imenso palco de teatro lírico, onde ouviremos as óperas heróicas, as óperas cômicas, as óperas de todos os gêneros, que, para uso dos canários, compõe o Grande Maestro Invisível, Regente da harmonia das esferas...

Há no Rio (o Rio sempre teve gente de muito bom gosto) não sei quantos colecionadores de canários. Aí está uma mania adorável, – bem diversa da mania dos colecionadores de cartões postais (raça maldita!) e dos colecionadores de cachimbos, de botões, de fechaduras e de sapatos velhos. Todos esses amigos dos canários vão concorrer à exposição: e daqui a alguns dias, quem passar pelo Passeio Público ouvirá o concerto mágico de mil gargantas à compita, trinando, trilando, com alma, com delícia, com entusiasmo.

E fiquem certos: dentro das suas gaiolas de vime ou ferro, prateadas ou douradas, os cantores da exposição não invejarão os tico-ticos que voarem em liberdade pelas galhadas verdes do jardim... O hábito é uma segunda natureza: os canários, nascidos e criados na escravidão, talvez cheguem até a ter pena dos tico-ticos livres; e estes, enfarados da liberdade, e cansados de andar caçando sem repouso o alimento escasso, hão de aproximar-se das gaiolas dos prisioneiros, para namorar gulosamente o seu alpiste e a sua alface...

* * *

Mas, que é isso?! Já estou no fim da sétima tira de papel, e ainda não escrevi uma só linha sobre as novidades políticas da semana...

Também para quê? Seria necessário que eu fosse profundamente e irremediavelmente idiota, para imaginar que os leitores da *Crônica*, depois de haver lido sete tiras a respeito da futura exposição de Canários no Passeio Público, ainda quisessem ler sete linhas a respeito da dupla e perpétua exposição de papagaios e de periquitos que há na rua do Areal e na rua da Misericórdia!

O.B.

30 jul. 1905

Crônica

Começam a chegar os estrangeiros que vêm tomar parte nos trabalhos do Congresso Latino-Americano. Daqui a poucos dias, em torno da mesa do banquete inaugural, veremos, no vasto salão do Teatro S. Pedro, poetas, jurisconsultos, médicos, artistas, do México, de Venezuela, da Colômbia, do Peru, da Bolívia, do Chile, da Argentina, do Uruguai, do Paraguai, de todas as Repúblicas latinas, em que revivem, transplantadas para o solo da livre América, a glória e as tradições da Loba Augusta que amamentou Rômulo e Remo.

Desta vez, cabe ao Brasil a honra de agasalhar na sua capital os representantes do Pensamento Latino-Americano. A mais nova das Repúblicas recebe as mais velhas, – e pode, felizmente, recebê-las com decência e orgulho.

Há cerca de dez anos, quando o Brasil sofria e sangrava, extenuado pela guerra civil, com as finanças estouradas e o crédito comprometido, houve quem tivesse a triste idéia de promover aqui uma Exposição Internacional. Muita gente, dotada de um entusiasmo fácil, entrou logo a aplaudir a idéia que só não foi realizada... por falta de dinheiro. E, no caso, a falta de dinheiro foi providencial!

Nesse tempo, em que desmazelada e triste casa receberíamos os nossos hóspedes! A festa seria um vexame para os convidados e um opróbrio para os donos da casa...

Agora a situação é outra: não convidamos os vizinhos para uma exibição de inércia desmoralizadora, mas para uma exibição de trabalho febril e nobre.

E de tudo quanto eles vão ver, na cidade, enquanto durarem as sessões do Congresso, o que mais os deve interessar e entusiasmar é, de certo, este glorioso esforço, este tremendo e fecundo sacrifício, em que nos empenhamos, para sair da Ignomínia e conquistar o lugar que nos compete.

Não lhes vamos agora mostrar, unicamente, o Corcovado e o Pão de Açúcar, o nosso Corpo de Bombeiros e os nossos poetas, a nossa natureza e a nossa eloqüência.

Pelas ruas cheias de ruínas e de destroços de casas velhas, comendo e respirando poeira, saltando fossos, galgando montanhas de paralelepípedos, vadeando riachos de lama, com o ouvido aturdido pelo bater das picaretas e pelo rodar das carroças carregadas de materiais, os nossos hóspedes hão de ter algum atropelo e algum incômodo. Mas nesse atropelo e nesse incômodo reconhecerão o sagrado início da grandeza majestosa e da soberana beleza da cidade futura. E verão que já não somos os relegados herdeiros de uma fortuna imensa, desvalorizada pela incúria e pela incapacidade: – agora é que o nosso trabalho começa a aproveitar o legado bendito, que apodrecia e morria à míngua de trato.

Bem-vindos sejam os hóspedes ilustres, cujo pensamento, posto em contacto e em colaboração com o nosso, vem servir o grande ideal da confraternização pela paz e pelo estudo!

* * *

O Rio de Janeiro despediu-se de Coquelin e recebeu Mancinette.

Coquelin teve o abençoado bom gosto de fechar com chave de ouro a série das suas representações. A última noite da temporada foi uma radiante compensação, que varreu e destruiu a lembrança do truculento *Thermidor* e da insípida *Plus que reine*. Nessa noite, o grande ator resplandeceu em plena glória do seu talento: *Gringoire* e *Mascarille* – duas criações maravilhosa e eternas – ficam vivendo em nossa memória. Impagáveis.

Pena foi que Coquelin não tivesse quem o aconselhasse, na organização dos espetáculos: as duas peças napoleônicas do repertório, *L'Aiglon* e *Plus que reine*, e o dramalhão da era da revolução francesa, *Thermidor*, teriam sido suprimidos; e ninguém perderia com isso. Em lugar dessas peças, que só podem interessar vivamente um público francês, poderíamos ter ouvido um pouco de Racine e mais um pouco de Molière – um pouco dessa arte dramática de interesse universal e eterno, que sempre há de comover todos os homens de pensamento e de coração.

Valha-nos, porém, a recordação de algumas das noite da temporada: o *Cyrano*, a *Notre jeunesse*, os *Romanesques*, o *Gringoire*, as *Précieuses ridicules*, a *Joie fait peur*, – e consolemo-nos com isso, que já não é pouco.

E, agora, preparemo-nos para ouvir o grande Wagner, poeta fenomenal, que foi ainda mais escritor do que músico, e que, no dizer do seu melhor crítico, soube, como ninguém, casar nas suas óperas o elemento masculino e primordial do poema ao elemento feminino e secundário da partitura.

* * *

Um caso, que parecia ter acabado, mas não acabou: o das pedras...

Sísifo, o desventurado filho de Éolo, foi condenado a carregar eternamente uma pedra. Grande cousa! Mais desventurados somos nós, que há mais de dous anos carregamos todas as pedras deste aborrecido caso!

O último episódio desse complicado romance é, ao mesmo tempo, doloroso e ridículo. Absolvidos os funcionários públicos comprometidos no caso, só um homem foi escolhido para bode expiatório da vindicta.

Esse mesmo, porém, ainda não sabe se está condenado ou absolvido, porque, à última hora, alguém descobriu que os juízes tinham contado mal os votos...

Seria bom que se tratasse de tornar impossíveis esses enganos, que são duros de roer para quem está com o pescoço debaixo do cutelo da Justiça.

O critério humano já é, em si mesmo, tão falível, que um réu, quando se apresenta diante dos juízes, nunca pode ter a certeza de receber a única e verdadeira sentença, boa ou má, que merece. Já alguém disse que as decisões de muitos juízes dependem da qualidade do almoço que eles comeram antes de seguir para o tribunal. Um fígado que se congestiona, um estômago que não funciona com regularidade, um dente que dói, um calo machucado, podem ser às vezes a origem de erros judiciários terríveis...

Se a todos esses elementos de engano vier agora juntar-se a distração na contagem dos votos, – pobre dos réus!

Afinal, não devemos amaldiçoar um membro de tribunal, simplesmente porque ele revela ignorância da tabuada ou invencível aversão pelas operações aritméticas. Nem todos podem ter inclinação para a matemática...

Mas seria prudente, para segurança daqueles que têm a desventura de cair debaixo da alçada do Supremo Tribunal, criar ali o cargo de "contador de votos".

Se os ilustres membros do tribunal não querem confiar essa missão a um homem, – que até poderia ser qualquer menino aluno da escola primárias – lembro-lhes, com a devida vênia, o recurso da aquisição de um "contador mecânico". Os "contadores mecânicos", não tendo paixões, e não sendo acessíveis à influência das más digestões ou a qualquer outra influência perturbadora da integridade da bossa do cálculo, são rigorosamente infalíveis...

* * *

O caso das pedras é um caso que ainda não acabou; mas o caso dos acontecimentos de 14 de novembro parece que é um caso que nunca mais acabará.

Já morreram alguns juízes, outros já envelheceram e requereram reforma, outros já se esqueceram do começo do processo, e o processo continua, eterno, constante, implacável como um rio farto que quanto mais despeja água no mar, mais água tem para despejar.

Compreendo bem a sofreguidão dos que querem já e já a anistia dos revoltosos. A anistia é o remate indispensável, inevitável e fatal de todas as revoluções brasileiras...

Sendo indefinidamente prolongado o processo, deve ser também indefinidamente adiada a anistia? É bom não facilitar... No andar moroso em que vai o julgamento, pode suceder que, daqui a dez ou vinte, ou cinqüenta anos, venham a morrer todos os réus... sem anistia! E perder-se-á assim mais uma das tradições fundamentais da nossa raça: a tradição das revoluções de que ninguém é culpado e que acabam sempre com um abraço geral, discursos, *toasts*, flores e apoteoses com fogos de bengala e *tremolo* na orquestra...

O. B.

13 ago. 1905 Crônica

Não sejamos, sincera ou fingidamente, insensíveis. Interrompamos, por um momento, o coro de louvores justíssimos com que estamos saudando e exaltando a transformação da cidade, – e reconheçamos que há no aspecto atual das nossas ruas uma tristeza, um ar de infelicidade, um tom de mágoa que devem merecer algumas palavras de compadecida simpatia. Não gastemos todas as forças da nossa alma em amar e celebrar a cidade nova que está surgindo, – e reservemos um pouco de emoção para a morte da cidade velha!

* * *

O Rio de Janeiro era como um imenso castelo de cartas, – desses que as crianças costumam construir sobre a mesa, à hora em que a família, depois do repasto, ocupa a doce intimidade do lar com a palestra suave, em que os corações se mostram e falam...

As mãos inábeis, juntando as cartas do baralho, encostando os ouros aos paus, equilibrando as copas sobre as espadas, vão levantando pouco a pouco a frágil construção, aprumando as muralhas, edificando os andares, firmando as torres e os mirantes: quando uma ala do castelo fica pronta, começa a dispor-se a estrutura de outra; e, em breve, graças a um largo e paciente esforço, toda a fábrica resplandece, acabada e bela. Falaz acabamento e enganadora beleza! a mão travessa de uma das crianças sacode uma das cartas da base, – e toda a construção maravilhosa vem abaixo, de roldão, amontoada em ruínas...

A mesma coisa aconteceu nesta feia aglomeração de casas podres, que era a nossa velha cidade. A primeira pedra deslocada deslocou todo o conjunto. As primeiras casas demolidas deixaram ver o caruncho e o desmanzelo das outras. E, como a um sopro destruidor, ruas inteiras, bairros compactos aluíram. O vasto corpo da cidade parece o vulto de um cadáver exposto, em pedaços, sobre a mesa de um anfiteatro de anatomia, depois da dissecação: falta-lhe aqui um naco do peito, ali um braço, ali um pé, ali uma lasca do ventre, ali um fragmento do crânio. A *urbs* de Mem de Sá, amputada, retalhada, espostejada, sangra poeira de barro e caliça por todos os lados...

* * *

Ninguém mais do que eu aplaude essa obra de destruição, porque ninguém mais do que eu reconhece a sua necessidade. Mas, que quereis? tenho no fundo da alma uma estratificação de velho sentimentalismo, em camadas resistentes e fortes...

Há pouco tempo, vi cair na rua da Uruguaiana, a casa em que nasci; depois, vi cair, na rua da Assembléia, uma casa triste e escura, em cujo sótão se abrigou durante alguns meses a minha mocidade boêmia; e, há bem poucos dias, passando por uma rua longínqua, assisti ao começo do desmoronamento de uma certa casa pequenina onde... Mas nem quero avivar a crua saudade que esta recordação me traz!

Ora, todos ou quase todos os cariocas, nascidos e criados nesta boa cidade, devem estar vivendo, como eu, dias de infinita melancolia, ao assistir à queda e ao desaparecimento dessas casas anciãs, onde viram o primeiro raio de luz, onde passaram a sua meninice, onde foram felizes ou infelizes. Cada um desses prédios é para muitos de nós todo um universo de lembranças que se aniquila: no rolar dessas pedras, no desabar dessas muralhas, no tombar dessas telhas, gemem vidas inteiras que resistiam à morte, fixando-se aos lugares em que se expandiram, e que se desfazem agora em poeira e em nada.

Daqui a dez anos, a minha geração viverá (se ainda viver!) numa cidade estranha, sem um só vestígio da existência antiga...

Mas daqui a dez anos, já nenhum de nós sentirá a amarga melancolia de hoje: os nossos olhos e as nossas almas já se terão acostumado à nova natureza e ao novo aspecto das coisas, – e só conservaremos na memória ingrata uma reminiscência vaga e esbatida da cidade morta, indecisamente diluída entre névoas como um sonho remoto.

O momento doloroso e duro é o atual: a cidade já não é a mesma e ainda não é outra; há um crepúsculo de transição, crepúsculo espalhado e longo, entre as duas fases da vida urbana; – e algumas casas ainda de pé, mas com a fachada demolida, mostrando lá dentro a disposição das salas e das alcovas, onde os olhos de quem as habitou ainda reconhecem o lugar e a marca deixada pelos móveis familiares, – têm o aspecto lamentável e trágico de santuários violados...

* * *

E há ainda uma outra causa de melancolia e tristeza, nesta demolição de prédios: é a lembrança dos atropelos, das angústias, das aflições em que se vê a gente pobre, obrigada a mudar-se da noite para o dia.

A mudar-se, para onde?

As casas novas, que estão aparecendo como por milagre, rebentando quase instantaneamente do seio da cidade, seriam miseráveis albergues para os Rotschild, para os Rockfeller, para os Pierpont Morgan: mas, para a gente humilde, que vive do parco produto do suado trabalho das suas mãos, essas casas são verdadeiros palácios maravilhosos, solares radiantes, alcáceres de inatingível luxo, que essa gente nem em sonho se atreve a cobiçar.

Para onde levarão os pobres os seus trastes, modestos mas queridos, os tristes cacarecos que são toda a sua fortuna?

As casas, que as picaretas estão demolindo, eram justamente as únicas em que, pela modicidade do aluguel, se podiam aboletar os trabalhadores. Em que ponto da cidade vai essa multidão procurar um teto, à cuja proteção confie os seus penates sagrados?

Há uma grande comissão nomeada para resolver o problema das habitações operárias. Mas essa grande comissão, com toda a sua grandeza, só tem feito até agora o que costumam fazer todas as comissões: tem falado, e tem feito falar de si. E os casebres vêm abaixo, – e os míseros operários, à hora em que deixam o trabalho e regressam à casa, não sabem se ainda irão encontrar os filhos à sua espera, no remanso do lar intacto, ou se os irão encontrar na rua, ao lado dos trastes desalojados, sob o único abrigo do céu indiferente, sob o sorriso luminoso das estrelas escarninhas...

Suponho que duas são as principais causas que demoram a solução do problema: a escolha do local em que devem ficar situadas as habitações operárias, e a escolha dos recursos pecuniários de que é preciso lançar mão. Mas, quando se trata de resolver um tal problema, de tão vasta e sagrada importância essas duas causas de demora são de uma futilidade irritante e criminosa.

O local? – mas as duas margens do leito da Estrada de Ferro, pela imensa extensão da zona de subúrbios, podem abrigar uma infinita colmeia humana. O dinheiro? – mas emita-se, cunhe-se, invente-se esse dinheiro sem hesitação! esse dinheiro não será despejado à toa! esse dinheiro frutificará em vidas, em trabalho, em civilização, em glória da nossa terra, em orgulho da nossa raça, – porque aniquilará a tuberculose, a miséria, a fome, os crimes, todas as moléstias físicas e morais, todas as epidemias corporais e sociais que nos afligem e desonram!

Mas parece que ainda há hesitações... E fala-se em arrasar todo o morro do Castelo... Arrase-se o morro, que já há muitos anos devia ter sido arrasado! mas, antes de arrasá-lo, digam-me, pelo amor de Deus, para onde se há de mudar toda a gente que o habita, – gente que é tão gente como nós, e que, como nós, tem o direito de possuir uma casa, um lar, uma família, e uma vida!

* * *

Ah! nem tudo é beleza e encanto nesta lufa-lufa benéfica em que se vê a cidade!

Os hinos de louvor são justos: mas também deve haver lugar para um pouco de melancolia, – porque as causas de melancolia são muitas...

O. B.

27 AGO. 1905

CRÔNICA

– Tens muito que fazer, leitor amigo?

– Nem por isso! Andei numa roda viva de banquetes, de bailes de salões, de sessões solenes, e estou descansando.

– Se queres, vamos escrever juntos, em colaboração, a crônica desta semana...

– Como?

– Conversando. Conversando pacificamente, sem abuso de retórica, com a perna traçada [sic], fumando, tomando café.

– Conversar bem é difícil!

– Sim! saber conversar é um segredo, é uma aptidão especial que nem todos possuem. Assim, o Medeiros...

– O Medeiros vai amanhã conversar deliciosamente com o público!

– Tens então gostado das conferências?

– Muito. Tenho gostado, em geral, de tudo quanto tem havido ultimamente no Rio de Janeiro, – excetuando, está claro, a poeira...

– A poeira há de acabar!

– Há de acabar como tudo acaba, como acabou o Congresso Latino, como está acabando a febre amarela, como há de acabar o mundo!... E como há de acabar este abominável costume de brigar e armar conflitos por causa das companhias líricas. Por que é que só no Rio de Janeiro a Harmonia há de mãe da Desarmonia? Mas, vamos às conferências! Tens gostado?

– Muito. E confesso que não tinha grande confiança no êxito da tentativa... Conferências literárias? e com lugares pagos? – cheguei a recear que a cousa degenerasse em fiasco!

– A idéia não era nova: já tinha sido posta em prática...

– Sim! em Paris...

– Em Paris? Em Paris, em Londres, em Berlim, em toda a parte... A propósito: ainda agora, folheando um volume de Teófilo Braga, encontrei uma nota interessantíssima. Aqui está o volume... aqui está a nota... É a transcrição de um *anúncio* que vem no nº 22 da *Gazeta de Lisboa*, do ano de 1796... Ouviste bem? 1796! há cento e nove anos! Diz o anúncio: "O Dr. Talassi, Poeta ao atual serviço de Sua Majestade, dá esta noite uma *academia* de Poesia Italiana *de improviso*, numas casas que ficam defronte do quartel-general britânico; os bilhetes de entrada são de 1&600 réis".

– Hein? mil e seiscentos réis? em 1796! mas, mil e seiscentos réis desse tempo valeriam hoje uma fortuna...

– Creio bem! Não sei se haverá aqui um erro de cópia ou de revisão... Mas a cousa cá esta escrita e impressa. Em todo o caso, pouco importa o preço dos bilhetes; o que importa é o fato: já em 1796 havia em Lisboa palestras literárias em que o público pagava a entrada.

– Seja como for, a idéia foi admiravelmente acolhida no Rio. E isto é uma prova de cultura.

– Leitor amigo, nunca houve quem duvidasse da cultura do Rio. Podes ter a orgulhosa certeza de estar vivendo na cidade mais inteligente da América do Sul!

– Assim fosse ela a mais limpa e a mais bela!

– Será! Material e moralmente, o que nos tem faltado até agora é o estímulo. Conheces a anedota do Preguiçoso que morreu de fome? O Preguiçoso, não querendo trabalhar, e nem ao menos tendo a coragem necessária para levar a comida aos dentes, foi deitar-se debaixo de uma macieira, abriu a boca, e esperou a queda de um fruto; a macieira teve pena dele, e piedosamente lhe jogou uma maçã dentro da boca; mas o malandro, ainda, assim, não quis ter o trabalho de mastigar a maçã, – e morreu de inanição... Com tal preguiça, não há vida possível, leitor amigo! Mas o Rio de Janeiro sacudiu a sua preguiça. Estás vendo? o progresso não é só material: é moral também. Limpam-se as ruas e limpa-se a gente. Alarga-se o âmbito povoado da cidade e alarga-se a ambição intelectual do povo. Que revistas de arte possuíamos nós antigamente? Hoje, possuímos quatro ou cinco... O movimento literário acompanha o movimento industrial e comercial O luxo e o bom gosto aliam-se à beleza e ao conforto. Daqui a pouco, todas as tardes, verás uma fila imensa de automóveis e de carruagens particulares cortando a cidade, num longo préstito, do extremo da Prainha ao extremo do Botafogo.

– Tem razão, cronista! também os jardins públicos não eram freqüentados!

– Porque eram feios, gradeados, fechados, escuros, lúgubres, funerários. Não eram lugares para passeio: eram retiros para suicídio!

– E vamos ter dous teatros na praia de Botafogo!

– E sabes o que será um deles? Aqui está a notícia: "A Prefeitura Municipal abriu concorrência para a construção de um teatrinho de *Guignol*, em Botafogo, no ponto mais pitoresco da Avenida Beira-Mar..."

– Um teatrinho de *Guignol*? Parabéns às crianças! Além de escolas, teatro...

– Parabéns às crianças! Já estiveste em Paris? Lembras-te dos Campos Elíseos?

– Se me lembro! Quem já viu uma vez, em Paris, nos Campos Elíseos, as reuniões de crianças diante dos teatrinhos desse gênero, nunca mais esquece o encantador espetáculo da multidão de cabecinhas formosas, extáticas, atentas ao desdobrar das peças ingênuas em que o Arlequim sempre acaba por enganar e sovar a polícia...

– O *Guignol*, em Paris, é uma instituição!

– Uma verdadeira instituição! Levar as crianças parisienses ao *Guignol* é dar-lhes um alto prêmio, uma recompensa deliciosa, um gozo magnífico; e privá-las desse prazer é dar-lhes o mais rigoroso e cruel dos castigos. E, todas as tardes, cercando os grupos infantis, que se divertem e deliram de alegria com o namoro e a briga de Arlequim e Colombina, há ali grupos compactos de gente madura ou velha, contemplando com enternecido carinho a explosão do contentamento comunicativo das crianças!

– Pois graças à espantosa e onímoda atividade do nosso Prefeito, – um homem que realiza o milagre de inventar tempo para tratar simultaneamente dos mais diversos e desencontrados problemas – também as crianças do Rio de Janeiro vão ter o seu *Guignol*. Se, para tornar concorrida e animada a Avenida de Botafogo, ainda fosse necessário outro elemento de vida além da beleza do sítio e do esplendor do mar, bastaria esse teatrinho, que vai ser o chamariz e o encanto da pirralhada.

– De modo que o Passos, a quem alguns proprietários retrógrados e alguns contribuintes recalcitrantes dão o duro nome de *papão*...

– ...vai receber das crianças o doce nome de *papai*!

– O nome de *papai*, não! o nome de *vovô*, que ainda é mais carinhoso! E basta de conversa, senhor cronista! São horas de jantar... Até logo!

– Até logo, no *Lírico*, que é o *Guignol* da gente grande!

O. B.

03 set. 1905

Crônica

Estava eu desanimado, à procura de um assunto para esta crônica, quando me trouxe o correio uma carta. Abri-a. Encontrei uma folha de papel, cheia de versos.

Versos bucólicos e políticos ao mesmo tempo, – uma singular mistura de idílio e sátira.

Não sei de quem são os versos, e não os compreendo bem; mas, como não tenho assunto, aqui vai, para que este espaço da *Gazeta* não fique vazio, a extravagante poesia, cujo título é:

ÉGLOGA VIRGILIANA

Títiro

Aqui sob estas árvores, enquanto
Ao largo pasce o armento sossegado
E o vento agita as ramas, – conversemos,
Melibeu! A abelha zumbe, o rio
Canta, o sol ilumina o campo verde,

E em paz e em calma a Natureza sonha.
A vida é bela, ó Melibeu! Parece
Que a mesma seiva, que estes troncos incha,
As veias me percorre, transformando-me
Num homem novo. No meu peito sinto
Uma força nutriz de primavera,
Feita de glória, de esperança e gozo.
A vida é bela, ó Melibeu!

Melibeu
É bela,
Para os felizes, para os contentados!
Não para aqueles que, por serem tristes,
Triste, em torno de si, tudo divisam
– Não para mim, que em minha grande mágoa,
Já não encontro paz na Natureza!
Para mim, nestes dias de amargura,
A vida é feia, ó Títiro! Até cuido
Que, qualquer dia, desprezando a avena,
O querido rebanho abandonado,
E, insensível às graças das pastoras,
Desenganado do viver bucólico,
Desesperado irei fazer-me frade...
A vida é feia, ó Títiro!

Títiro
Tu choras?!

Melibeu
Choro o poder perdido! E é tua culpa!
Tua sim, – que o cajado mor do mando
Das minhas mãos potentes arrancaste,
Pastor ingrato, desleal amigo!

Títiro
Ó Melibeu, que cólera te cega!
A culpa é do Destino... Se os pastores
Querem que eu seja o chefe, a culpa é minha?
Foste chefe doze anos: é bastante,
Descansarás de tão penosa lida!

Melibeu
Descansar?! O poder não cansa, ó néscio!
Cansa o amor, cansa a vida, cansa tudo:
Unicamente, neste mundo vário,
A glória de mandar não cansa nunca!
Oh! doces tempos, tempos venturosos

De antanho, onde vos ides dispersados!
– Toda esta terra era só minha! E eu era,
Afilhado do apóstolo S. Paulo,
Entre os vinte e um pastores destes campos
O pastor dos pastores... Anos doze
Vivi, ditando a lei: eu fui Prudente,
Fui Campos Sales, fui Rodrigues Alves,
E ia ser Bernardino, quando, a súbitas,
Tu surgiste, pastor de lombo e queijo,
A tomar-me o lugar! Té agora, todos
Me eram servos: – os dois do extremo norte,
Que a borracha e o cacau em ouro mudam;
Os outros logo abaixo, que cultivam
A cana e a mandioca, o milho e o fumo,
O açúcar e o algodão, a carnaúba
E o coco; os mais centrais, em cujo seio
O ouro dorme em jazidas fabulosas;
Os do sul, cujos largos descampados
São a estância feliz do gado nédio,
E onde a erva-mate e os pinheirais abundam,
– Todos (e tu também, pastor mineiro!)
Todos eram té agora meus vassalos...
Oh! glória extinta!...

Títiro
Melibeu, sossega!
Não pode ser de um só o que é de todos!
Quem és tu, por que assim, de orgulho inchado,
Queiras ser tudo e tudo ter, vaidoso?!

Melibeu
Eu sou Aquele que enriquece a todos!
Da minha roxa exuberante terra,
São o café, que se inverte em libras;
Eu trabalho, eu produzo, eu prolifero...

Títiro
E gastas!

Melibeu
O que é meu!

Títiro
O que é de todos!

Melibeu
Se não fosse o café, tu o que serias?

Que seriam os outros? A penúria
Devastaria os campos e os rebanhos;
E os banqueiros de Londres os cajados
E as frautas pastoris nos tomariam!
Quem sou? Sou o Café, – e mais não digo
Que isto baste!

Títiro
Pois eu, pastor modesto,
Sou o Leite. Que queres? os pastores
Passam, cansados do regime antigo,
Do café simples ao café com leite!
Sou o leite, a manteiga, o queijo, o porco,
O feijão e a batata... Tu excitas,
E eu nutro! Ó Melibeu, que insânia a tua!

Melibeu
Muito menor que o teu atrevimento,
Ó Títiro!

Títiro
Orgulhoso!

Melibeu
Malcriado!

Uma napéia (intervindo)
Basta, amigos! A vida é curta. A Sorte
É vária. A glória de mandar é fútil.
Abraçai-vos, irmãos...

Uma Dríada
Tomai cuidado;
Que, enquanto assim brigais, outro não venha,
Um terceiro, do que ambos mais esperto,
Usando manhas, enganar-vos ambos!

Títiro (vitorioso)
Ninfas do campo, como a vida é bela!

Melibeu (despeitado)
Ninfas do campo, como a vida é feia!

* * *

Nada mais se continha na folha de papel... Esses poetas! Quem será este Virgílio de fancaria?

O. B.

10 set. 1905

Crônica

No Corpo de Bombeiros, na última quinta-feira, no correr da linda festa com que ali se comemorou a data da Independência, muita gente se extasiou, ouvindo o concerto executado por uma banda de menores, – uniformizados e corretos, trajando blusas de um azul escuro, calçando sapatos brancos, trazendo alguns ao peito uma pequena cruz de Malta prateada ou dourada. No fim do concerto, houve aplausos calorosos, e uma informação correu à assistência: "É a banda da casa Lage!..." E várias pessoas, naturalmente, começavam a indagar que casa Lage é essa, que assim dispõe de uma banda de menores, capaz de entrar em competência e desafio musical com a banda dos Bombeiros.

Há cerca de dous meses, num domingo à noite, no teatro S. Pedro, tive eu igual surpresa. Havia ali um espetáculo de acrobacia, transformismo e ginástica, e, logo no primeiro intervalo, notei que o saguão se enchia de uma multidão de meninos uniformizados, trazendo ao peito aquela mesma cruz de Malta. Não tive mão na minha curiosidade, e perguntei a um deles: "A que colégio pertence você?". O pequeno perfilou-se, e pronunciou uma só palavra, com firmeza e orgulho: "Lage!"

Disse-me então alguém que a casa Lage tem, nas duas ilhas que ocupa, uma grande colônia de operários menores, aos quais fornece trabalho e educação. E não descansei enquanto não fui ver e estudar de perto essa colméia de crianças trabalhadoras. Agora, a presença da banda no quartel de Bombeiros veio despertar-me a recordação dessa visita, – e não quero adiar por mais tempo o prazer e a obrigação moral de escrever alguma cousa do que ali observei.

Claro está que não vou tratar das oficinas formidáveis, dos estaleiros, das fábricas que esse poderoso estabelecimento mantém e explora na ilha do Viana. Isso é assunto que escapa totalmente ao domínio da minha competência, e, em grande parte, ao domínio do meu interesse. O que me impressiona é o aspecto moral da questão: e, se quero dedicar algumas linhas à descrição do que vi, é porque nesse estabelecimento se está admiravelmente resolvendo, sem regulamentação oficial, sem códigos e sem imposições de autoridade, um dos mais difíceis e graves problemas da economia política e social do nosso tempo: o problema da organização do trabalho das crianças.

* * *

A Ilha do Viana é, todos o sabem, o mais poderoso centro da produção industrial do Brasil. Posto no meio da radiante baía de Guanabara, essa ilha em que vivem e trabalham mais de mil pessoas, é quase um Estado no Estado, não independente, mas até certo ponto autônomo, podendo subsistir por si mesmo, produzindo quase tudo quanto consome, graças à uberdade da ilha de Santa Cruz, sua vizinha, que é o seu celeiro. Não longe dela, ancoram os grandes navios da "Navegação Costeira", que dela recebem a direção e o governo; em torno dela, formigam dia e noite as lanchas e os rebocadores da casa Lage; e, pelo seu seio, bufando sem pausa, voam as locomotivas num contínuo transporte de materiais e operários. É uma cidade industrial, com as suas ruas bem alinhadas, bordadas de um lado e de outro pelas filas das fábricas e das oficinas, – cidade vibrante e operosa, limitada pela coroa dos cães cheios de animação, e tendo num dos flancos a chanfradura colossal do dique que serve de abrigo aos navios, – hospital de pedra e ferro, em que os monstros afrontadores do mar vão reparar os estragos causados pelas viagens longas através das águas e dos ventos.

Nas oficinas e fábricas da ilha do Viana, o que mais espanta e deslumbra é a risonha e plácida facilidade do trabalho.

Não há ali as nuvens sufocantes do pó de carvão, os densos penachos de fumaça negra e o atroante e ensurdecedor barulho que tanto afetam o geral das fábricas e oficinas.

Ali, tudo é sereno, fácil, cômodo, suave. A Eletricidade, invisível e milagrosa, opera ali prodígios de ubiqüidade e onipotência. A Eletricidade está em toda parte, impalpável, silenciosa, imperceptível, animando tudo, como um espírito vital. Ela é quem abre e fecha, enche e esvazia os diques; ela é quem remove e transporta blocos de granito que esmagariam os ombros do gigante Atlas; ela é quem sacode os martelos ciclópicos, ela quem empurra os pistões hercúleos, ela quem impele num giro estonteante os imensos volantes de aço fúlgido, ela quem abala numa vibração fantástica as brocas de ar comprimido...

É graças ao misterioso influxo dessa força benfazeja, que ali se pode assistir a esse milagre do gênio humano: um menino, uma criança de quinze anos, risonho, calmo, tranqüilo, governando e dirigindo, apenas com um rápido e leve gesto, uma formidanda máquina cujo vulto assombra e intimida a vista; e, a cada passo que se dá na ilha, às horas do trabalho, o mesmo espetáculo se reproduz e renova: um aparelho desmedido, arfando e bufando, – e ao lado dele, a dirigi-lo, uma criança, como um pigmeu ao pé de uma montanha...

Às quatro horas da tarde, um silvo prolongado anuncia a suspensão do labor. Termina, para os pequenos operários da casa Lage, o dia de trabalho, – de trabalho fácil e bem remunerado; vai começar para eles, na outra ilha, uma outra vida de estudo e repouso. Os rebocadores enchem-se da multidão dos trabalhadores crianças, – e, atravessando o estreito canal, vão depositá-los no seio verde e perfumado da formosa Santa Cruz.

* * *

Santa Cruz, diante da ilha do Viana, é como Delos, a ilha de Apolo, diante de Lípara, a ilha de Vulcano. É, ao mesmo tempo, um vasto pomar, um lindo jardim, uma horta abundante: legumes, frutas e flores cobrem o seu solo fértil, – terra abençoada que a água da baía amorosamente e carinhosamente embala. A um canto, viça um bosque, cheio de sombra e frescura, alegrado por abundantes águas em repuxo. Esse bosque é um imenso aviário, – cheio de pássaros em liberdade, que não fogem das crianças, porque sabem que estão a salvo das pedradas...

Pelo pendor das colinas verdes, em que se arredonda de espaço a espaço o solo da ilha, sorriem as casas elegantes, em que moram os pequenos operários. Cada uma delas, leve, rasgada em amplas janelas, varrida de ar e de luz, dominando a amplidão azul das águas, abriga de dez a vinte habitantes. Em todas, há no pavimento térreo, separando os dormitórios e os banheiros, uma sala comum, onde, entre as horas de estudo e as horas de sono, os pequenos se divertem com a leitura e os jogos de salão.

Junto a um planalto, onde se fazem os exercícios de ginástica, demora a Escola, com a vasta sala cheia de carteiras, de paredes cobertas de mapas e ardósias: ao fundo, as estantes de música; é ali que, depois das aulas de português e de aritmética, se exercita três vezes por semana a excelente banda, que ainda há três dias deliciou os visitantes do quartel dos Bombeiros.

E é essa vida que vivem, nas duas ilhas do Viana e de Santa Cruz, as crianças da casa Lage.

Para elas, Antônio Lage não é o "patrão": nem elas empregam nunca esta palavra áspera e ríspida, de tão antipática expressão. Para todos os seus pequenos operários, o chefe da casa é simplesmente "*seu* Antonico", como todas elas o chamam. Todos os dias, uma turma de três janta à mesa do chefe, ao lado dele, com a sua família. Uma vez por mês, os mais distintos, os "condecorados", os que merecem a honra de trazer ao peito a cruz de Malta, têm o regalo de um espetáculo na cidade. E cada um deles, no segundo andar da casa que habita, tem um armário, onde guarda as roupas, os livros, os brinquedos.

Reparo agora que, desta maldizente cidade, onde é tão grande o gosto de deprimir e tão pequeno tão pequeno o gosto de dizer bem, muita gente há de supor que há nestas linhas exagero. A distância é tão curta, daqui às duas ilhas! não é muito difícil, aos incrédulos, dar até ali um pulo...

A mim, o que me impressiona e deslumbra na organização daquela colônia operária, não é, repito, o estupendo acúmulo de força, de energia, de capitais, de atividade, de riqueza que ali se patenteia. São coisas que o dinheiro e o tino administrativo conseguem sempre, com maior ou menor facilidade. Mas o que o dinheiro e o tino administrativo, sem aliança do sentimento de justiça e do sentimento de bondade, não podem conseguir, é a conquista moral, de vasto e radiante alcance, que re-presenta aquela admirável compreensão do que deve ser o trabalho dos menores nas oficinas e nas fábricas.

Bom seria, sem dúvida, que os menores nunca tivessem de trabalhar. Mas é preciso aceitar a sociedade humana como ela realmente é, – tratando de melhorá-la, de diminuir os inevitáveis defeitos, e de lhe adoçar e polir as rudes arestas. Ali, nas duas ilhas, sob o governo paternal de um homem que sabe utilizar o dinheiro como instrumento de civilização e de bondade, os menores que trabalham não são explorados: o seu trabalho, que é suave e fácil, é largamente pago, e quem lhes dá o trabalho, também lhes sabe dar educação e carinho, que sempre valem tanto como o pão, e algumas vezes valem mais.

Naquelas duas ilhas que se defrontam, – uma rude e barulhenta, outra quieta e encantadora – no admirável remanso da nossa maravilhosa Guanabara, acham os menores da casa Lage as duas providências: na do Viana, o trabalho que nobilita e justifica a existência, e o preparo para a rude tarefa da Vida; na Santa Cruz, a instrução que gera a independência, e o carinho que gera a bondade. Lípara, a ilha de Vulcano, é a oficina; Delos, a ilha de Apolo, é o lar.

* * *

E somente depois de ter visitado as duas, e depois de ter admirado a organização material e moral daquela colméia humana, – pude compreender o orgulho com que um dos pequenos, no saguão do teatro S. Pedro, respondeu, numa só palavra, "Lage!", à minha pergunta curiosa...

O. B.

17 SET. 1905

CRÔNICA

As casas velhas...

Não há meio, atualmente, no Rio de Janeiro, de evitar este assunto. As casas velhas, que abrigaram a nossa vida, as nossas paixões, as nossas alegrias, os nossos sofrimentos, não querem desaparecer em silêncio e em paz, sem necrológio, como coisas insignificantes.

Algumas só vêm abaixo depois de discussão feroz e de processos violentos, depois de prolongados e acesos bate-barbas entre advogados e engenheiros; outras não esperam o primeiro ataque das picaretas, e, preferindo o suicídio ao assassinato, deixam-se cair antes do tempo, – como essa, que, há poucos dias, na rua Direita, esmigalhou e matou debaixo dos seus escombros uma mulher e uma criança...

Somente agora se vê o que era e o que ainda é esta cidade. Em todas as ruas que a Prefeitura está alargando, amontoam-se de um lado e de outro as vigas, os caibros, as tábuas imprestáveis.

Todo esse material está podre, comido pelo cupim, devastado pela umidade, devorado pelo tempo. Cada uma dessas ruas é um atestado vivo da ancianidade e da doença senil das casas que habitávamos, – e, ai! de nós! das casas que ainda habitamos. E a impressão de quem examina tais ruinarias é uma impressão, ao mesmo tempo, de alívio e de susto. De alívio, porque a gente pensa, com prazer: "As casas, que eram constituídas pela reunião de todas estas tábuas podres, já não hão de cair em cima de nós!..."; e de susto, porque uma dúvida vem logo assaltar o nosso espírito: "quem sabe se não estarão igualmente corrompidos e tábidos, igualmente comidos dos bichos e prestes a desabar, os tetos que abrigam as nossas famílias, o nosso trabalho, o nosso sono, a nossa vida?!"

Porque, às vezes, a gente pensa que está ocupando uma casa bem construída, bem sólida, bem segura, – quando verdadeiramente está vivendo debaixo da iminência de uma catástrofe tremenda. Também aos prédios se pode aplicar o nosso velho brocardo: "Quem vê cara não vê coração". A casa da rua Direita, que aniquilou duas existências, – a de uma pobre senhora que trabalhava, e a de uma pobre criança que folgava e ria – era uma casa de belo aspecto: ninguém imaginaria, ao vê-la, com a sua aparência de prédio feio mas sólido, que ela fosse uma inválida, uma aleijada em via de desmoronamento.

Também alguns proprietários de prédios conhecem os artifícios da "maquilagem". Há artistas para toda a espécie de falsificações...

Há mulheres e homens, que, graças ao emprego de várias tintas, de vários cosméticos e de vários enchimentos, fingem uma mocidade que já se perdeu de todo nas brumas do passado. Dessas criaturas, a gente vê apenas a fachada. E é apenas, também, o que se vê de certas casas...

Alguns lambrequins de zinco ou pau, alguns ornatos de gesso, convenientemente pintados, podem dar à fachada de uma tapera a aparência de um palacete. E quem vai morar num desses prédios, deixando-se seduzir somente pelo seu aspecto exterior, sem verificar o estado de suas vigas e dos seus caibros, – é tão imprudente como quem casa, por procuração, com uma senhora a quem só conhece de longe, através do espaço e do tempo, por informações de terceiros, ou pelo testemunho suspeito de um retrato...

Felizmente, uma consideração deve tranqüilizar as nossas almas aterradas: a Prefeitura está dando cabo de todas as casas velhas, – matando-as, antes que elas se lembrem de matar os seus habitantes. Já é um consolo!

* * *

Das casas velhas para as casas novas, – o salto não é largo. Falemos também um pouco das novas.

Quantas são? são mil, duas mil, talvez mais. Vão surgindo, como por milagre, com uma rapidez espantosa, – quase com a mesma extraordinária facilidade com que, depois das grandes chuvas, surgem os cogumelos da terra molhada dos quintais e dos jardins. São mil, duas mil, talvez mais, – na rua da Uruguaiana, na formosa avenida do Acre, na rua Marechal Floriano – sem falar das que já se elevam, ladeando a Avenida Central. Algumas são feias; muitas, porém, são bonitas; e, quanto à sua solidez, deve ser perfeita, – porque, atualmente, os engenheiros da Prefeitura não dormem.

Não é da sua solidez, nem da sua beleza que desejo tratar: é, sim, da falta de inteligência com que quase todas as casas do Rio são projetadas e construídas.

Já há muitíssimos anos, o velho Porto Seguro, o nosso bom Varnhagen, criticando a arquitetura das casas do Rio de Janeiro, estranhava que "do uso dos pátios com repuxos e dos *eirados* ou *açotéias* se não houvesse alguém lembrado, como mais a propósito para o nosso clima..." Varnhagen dizia isso da velha cidade, da cidade colonial, que começou a ser edificada na segunda metade do século XVI, – quase três séculos depois! Dessas mil, duas mil ou mais casas novas, que por aí vão surgindo, quantas possuem os pátios mouriscos e os terraços espanhóis, cujo uso o amável cronista aconselhava? Creio que nenhuma...

Ora, justamente agora, um dos últimos números de *La Revue* (15 de agosto) publica, com o título *Air et lumière*, um pequeno artigo, do qual é conveniente e proveitoso traduzir alguns trechos:

"É inegável que nas grandes cidades da Europa, vivemos em luta declarada contra a higiene, e em completo desacordo com os seus preceitos. Todas as nossas casas têm pouco ar e pouca luz. Em Berlim, começa agora a fazer-se uma revolução na arquitetura. Imitando e copiando as edificações argelinas e orientais, alguns proprietários berlinenses estão mandando construir casas, cujos tetos são substituídos por amplos terraços acessíveis a todos os habitantes. Os habitantes podem assim (sem aumento do preço do aluguel), gozar dos benefícios de um banho de ar, de luz, de sol, ou de frescura, conforme a hora e a estação: com algumas plantas, esses terraços são, durante o estio, verdadeiros jardins suspensos, onde as crianças, sem sair de casa, encontram local para os seus folguedos e correrias... É uma inovação que devemos assinalar."

Aí está! Nas cidades do Norte da Europa, onde a época do verão é curtíssima, já se adotou aquilo, contra cuja falta Varnhagen protestava, – aquilo que os nossos maiores não adotaram, apesar dos exemplos e das lições que lhes deram os árabes, e que nós continuamos a não adotar, apesar de todas as nossas fumaças de gente moderna e civilizada...

* * *

Casas velhas e casas novas, – não tenho mais tinta, nem mais papel, nem mais espaço que vos possa dar. Este fim de crônica pertence à batalha de flores.

Batalha de flores! – que singular e cativante antítese há no consórcio dessas palavras! Deus nos dê sempre dessas batalhas ridentes e perfumadas... E dê-nos, ainda, hoje, um claro dia triunfal, um dia magnífico, de sol, de céu azul, de terra enxuta, – um dia de glória e de beleza, digno da formosa festa que vamos ter!

O. B.

01 OUT. 1905 — CRÔNICA

Há semanas, cujos dias podem todos ser marcados com cruzes negras, assinalando desgraças acumuladas.

Neste ofício de historiador hebdômada, já tenho encontrado muitas dessas épocas sinistras: domingo, um incêndio; segunda-feira, um desmoronamento; terça-feira, dous suicídios; quarta-feira, dous assassinatos; quinta-feira, um conflito, quatro mortos, trinta feridos; sexta-feira, uma revolução, trezentos lampiões quebrados; sábado, um descarrilamento em caminho de ferro, uma sessão tempestuosa na Câmara, três desfalques em repartições públicas... Isso é apenas um dos muitos *menus*, que os cronistas têm às vezes o triste dever de servir aos seus leitores; e já não é dos mais trágicos: eu, por mim, já os tenho servido muito mais terríveis ou repugnantes...

Em compensação, há semanas que fluem como rios mansos e frescos, entre ribas floridas, ressoantes de música e cheios de riso. A semana, que acabou ontem, foi destas últimas.

Vejam que lindo e apetitoso *menu*: domingo, a chegada da *Pátria* e a regata do Campeonato; segunda-feira, festa na legação de Portugal; terça-feira, récita de gala no *Lírico* e festa no Gabinete Português; quarta-feira, *pic-nic* no Corcovado; quinta-feira, *Te Deum* na Candelária, lançamento do *Pernambuco* ao mar, baile no Itamarati; sexta-feira, passeios marítimos, recepções e visitas; sábado, *garden party* no Jardim Botânico...

E parece que a nova semana vai continuar essa vida folgada e festiva, com muitas flores, e muita música, e muitos discursos.

É verdade que houve, entre tantas festas, um suicídio e algumas outras desgraças avulsas; mas quem pode ouvir um gemido abafado e isolado, um soluço que se envergonha de si mesmo, um ai que quase não tem a coragem de soar, no meio das aclamações delirantes, do retumbar dos hinos, e do ritornello amoroso das valsas? quando há tantas iguarias finas e saborosas, alguém estraga um *menu* com a inclusão de *vol-au-vents* de fel ou cálices de lágrimas...

* * *

E não se espantem agora, lendo aqui uma referência aos últimos e heróicos trabalhos da Junta de Alistamento.

Heróicos! – o adjetivo é justo. O tipo clássico e supremo do Herói, legado pelas eras poéticas à nossa idade prosaica, é a do divino Hércules, cujos famosíssimos doze trabalhos têm fornecido assunto à literatura de trinta séculos.

Todos esses doze trabalhos não valem, como heroísmo, o trabalho da Junta!

Matar o javali de Erimanto, estrangular a hidra de Lerna, limpar as cavalariças de Áugias, subjugar o leão de Neméia, encadear Cérbero no inferno, são cousas que um semideus pode realizar sem grande esforço; e é bom notar que o orgulho do filho de Zeus e de Alcmene também se vangloriava de ter vencido, em batalha sangrenta, a amazona Hipólita, – como se pudesse haver glória em vencer uma senhora com outras armas que não os beijos e as flores...

Sabes tu, semideus fabuloso, o que fez esta Junta, constituída por homens de carne e osso, filhos de homens e não filhos como tu do deus de todos os deuses do Olimpo? Esta Junta recebeu, leu, despachou trinta mil petições de candidatos ao título de Eleitor!

Trinta mil, ouves bem?

Das dez horas da manhã à meia-noite, quem pelo edifício do Conselho Municipal passasse, pasmava diante da multidão dos candidatos, que enchiam as salas e transbordavam para o largo e para as ruas adjacentes, como as águas tumultuosas de um mar em ressaca. Lá dentro, a pobre Junta, suada, esfaimada, extenuada recebia petições, lia petições, despachava petições. As petições cobriam as mesas, empilhavam, amontoavam-se, cresciam em cordilheiras, arrombavam o teto da casa, invadiam o céu, ameaçavam o domínio das nuvens e do sol! E cada vez apareciam mais petições! E a Junta firme, imperturbável, a recebê-las, a lê-las, a despachá-las, sem comer, sem dormir! Estás ouvindo, Hércules vaidoso? que vale, diante disto, o heroísmo fácil com que rachavas montanhas, exterminavas tribos de gigantes e saneava pântanos?

É justo, penso eu, incluir a notícia de tal acontecimento entre as notícias de tantas festas. Que pode haver, de mais alegre e mais agradável, do que esse entusiasmo, com que trinta mil cidadãos se atiraram à conquista dos Diplomas? Também isso foi uma festa.

Foi uma festa do patriotismo! Já se não dirá que somos uma imensa manada de carneiros indiferentes. Essa pertinácia, com que um cidadão passa dias inteiros, a ser pisado e contundido, numa sala sem ar, à espera de um retângulo de papel que lhe dará a qualidade de Eleitor, é um belo sintoma.

Dir-me-ão os eternos descontentes, os céticos irredutíveis, que uma cousa não se pode prever: – o uso, bom ou mau, que cada eleitor vai fazer do seu diploma... Isso, porém, entende com a consciência de cada um; que o eleitor saiba escolher com independência e critério o seu candidato, ou que prefira dar ou vender um voto a um incapaz, – pouco importa! o que importa é que todo o homem válido, sabendo ler e escrever, queira deste modo afirmar a sua vontade de ser cidadão, de ser eleitor, de ser *alguém*.

Por mim, declaro que não acho perfeita a nova lei da qualificação: eu já lhe encontrei uma boa porção de defeitos, e tive a franqueza de apontá-los, – o que me valeu algumas descomposturas... Mas, boa ou má, a lei existe, e o povo correu a aproveitar-se dela, alistando-se: teremos, pelo menos, vinte mil eleitores. E isso quer dizer que não teremos doravante o desgosto de saber que há, por exemplo, um deputado eleito por três votos: o seu, o do compadre, e o do filho mais velho.

* * *

Outra festa de patriotismo é a que se está realizando em Santa Cruz.

Não morro de entusiasmo pelas guerras. Nem pelas verdadeiras, nem pelas fingidas. Ah! quem dera ao Brasil, e a todo o planeta, uma era de ouro, toda civilização e brandura, na qual, por serem impossíveis as guerras, fossem inúteis os exércitos! pudessem todos os homens, – são milhões e milhões! – que hoje empunham espadas e carabinas e manejam em terra e no mar formidáveis máquinas de extermínio, abandonar por desnecessário e ridículo esse ofício, e ir, no amanho das terras ou na agitação das oficinas, dedicar a sua força, a sua inteligência, a sua boa vontade, aos trabalhos de paz e do amor!...

Isso, porém, não passa, por ora, de um sonho. Ai de nós! as guerras sucedem-se, e quem não se prepara para elas está preparando a sua própria humilhação e a sua própria ruína!

Dada e admitida essa iniludível necessidade de possuir um exército, – o que é imperdoável e incompreensível é que ele seja mantido, como mantínhamos o nosso, na modorrenta paz das casernas, sem exercício, sem estudo, sem lições...

Todos os jornais lembraram agora, quando começaram os exercícios de Santa Cruz, que as últimas grandes manobras do nosso exército se realizaram no tempo do império [sic], há vinte anos! Vinte anos de estagnação, de imobilidade, de anquilose! – que se poderá, num momento de perigo, exigir de um exército que durante vinte anos não sabe o que é a prática da fadiga, da tenacidade, das resignação e do sacrifício?

Felizmente, houve quem se rebelasse contra esse absurdo. Os campos de Santa Cruz estão transformados, neste momento, numa admirável Escola de Guerra. Os soldados acampam ao ar livre, batem-se, agitam-se, familiarizam-se com o perigo e com o cansaço. A fumaça da pólvora escurece os ares, a artilharia troa, chocam-se os regimentos de cavalaria, – e, à hora do repouso, as vivandeiras solícitas circulam pelo acampamento animando com a sua presença os bravos que cantam...

É uma festa, uma radiante festa, – porque é o início de um renascimento de força militar.

Livrem-nos os céus clementes da desgraça de uma guerra: mas, se ela for inevitável, que ao menos possamos, confiando num exército disciplinado e forte, esperar com tranqüilidade a vitória da nossa causa!

* * *

E vamos de novo desfiar o rosário das festas: anunciam-se outros *pic-nics*, outros bailes, outros passeios. É lindo o sol, a cidade progride, há saúde, há alegria... que mais podemos desejar?

O. B.

15 out. 1905

Crônica

Está sabido que o assunto magno é a plataforma política do futuro presidente. Nem a chuva contínua, nem a estréia de Sarah Bernhardt, nem as casas desmoronadas, nem as festas à oficialidade da *Pátria* conseguiram desviar de tal assunto a atenção e o interesse de todos.

Essa "plataforma", lida pelo candidato no fim de um banquete suntuoso, foi o prato mais anunciado, mais esperado e mais saboreado do *menu*. Em vão as sopas e os polmes, os pastéis e os paparichos, os refogados de molho cheiroso e as empanadas de caça, os imensos peixes nadando em caldos preciosos, os gordos perus atulhados de túbaras e farofa, desafiaram o apetite dos convivas; em vão, rebrilhando nas taças e nos cálices de cristal, cruzavam os seus raios fúlgidos o desmaiado topázio do Chateau-Yquem, a granada escura do Chambertin, o ardente rubi do Porto, os diamantes boliçosos do Pommery; em vão! os convivas esperavam a "plataforma", prato novo e inédito, artisticamente temperado e cozinhado pelo Brillat-Savarin da Política com a assistência e a ajuda dos *marmitons* da Coligação...

* * *

Não é de agora, vós todos o sabeis, o uso de aproveitar um banquete como veículo da expansão das idéias e dos programas.

A mesa é a sociedade, a união a cordialidade...

Já um filósofo escreveu que a vida humana pode ser simbolicamente representada por dous móveis: o Leite, onde nascemos, onde amamos, onde dormimos e onde morremos, e a Mesa, onde nos alimentamos, onde folgamos, onde estudamos e onde trocamos idéias.

A Mesa, assim como reúne as famílias, reúne também as sociedades. Direi mais: toda a Sociedade bem constituída é a reprodução de uma Mesa doméstica bem servida. Assim, vêde o que é a Mesa, nas casas de família: à cabeceira, o chefe da casa, o *pater familias*, detentor do poder e da autoridade; à sua direita, a *Uxor*, a *Mater*, a Companheira fiel; depois, em gradação de importância ou de idade, os filhos, os amigos, os apaniguados, os "encostados"; e, em torno, os serviçais solícitos, que passam os pratos, mudam os talheres, enchem os copos. Na Sociedade, o *pater familias* é o chefe do Estado; a *Uxor*, que está ao seu lado, é a Lei; a seguir, os privilegiados da casa, ou da inteligência, ou do dinheiro, os que têm os empregos e a influência, os conselheiros e os executores de ordens, os auxiliares; e, em torno, de pé, servindo os que comem, o Povo, que não come, – ou come depois, contentando-se com as sobras...

Em todas as eras, a Mesa tem sido, não só um pretexto para a reunião de estômagos, mas também um pretexto para a reunião de espíritos. *Cenáculo*, que é hoje quase sinônimo de concílio, vem de *cenare*, *ceiar*. Foi ceiando que Jesus fez o seu pacto imortal com os discípulos; foi sobre o cenáculo que desceu o Espírito Santo, em línguas de fogo.

Na velha Grécia, era comendo e bebendo que os Filósofos transmitiam aos seus alunos o conhecimento das eternas verdades; e, quando enfeixavam em um livro as suas lições, esses Filósofos quase sempre davam ao livro o título de "Banquete": há o "Banquete" de Platão, o "Banquete" de Xenofonte, o "Banquete" dos Sete Sábios de Plutarco, o "Banquete" dos Sofistas de Ateneu...

Não se compreende Política sem banquetes: em todos os países civilizados, é nos banquetes que os grandes homens exprimem as suas idéias; teve bastante razão aquele poeta francês que escreveu:

c'est en dinant qu'on gouverne les hommes...

* * *

Voltemos à "plataforma"...

Foi, como já disse, o prato mais anunciado, mais esperado, mais saboreado do *menu*.

"Adubado por mão de mestre, cozido a ponto, nem muito cru, nem muito passado, nem muito desprovido de especiarias, nem muito carregado de excitantes, é um prato que honra a culinária republicana!" – foi a opinião, creio eu, de todos os convivas que o comeram.

Eu, que não era conviva, não o comi. Cheirei-o apenas, de longe, esticando para ele o nariz ansioso. Direis, sem dúvida, que, por isso, não o posso criticar... Por quê? Tão intimamente ligados estão, no homem, o olfato e o paladar, que, sem o concurso simultâneo dos dous, não há prato que de todo agrade, nem vinho que de todo o saiba. Bebei um copo do bom Bourgogne, com as narinas bem abertas, recebendo o seu capitoso vapor, e vereis que delícia! mas enchei de novo o copo e esgotai-o de novo, com o nariz tapado, e já o vinho não parecerá o mesmo... Eu apenas cheirei a "plataforma", é verdade; mas isso me bastou para achar que faltou um condimento...

Claro está que ninguém pede a minha opinião sobre o prato. Mas, se o não comi, como conviva, no banquete, tenho de comê-lo depois, – como cidadão e como contribuinte. E, parece-me justo que eu peça, no bocado que me vai caber, mais uma pitadinha de sal...

* * *

A "plataforma" é minuciosa acerca dos problemas da política, das finanças, das indústrias, da lavoura, do comércio, da viação, da defesa em mar e em terra. Todas essas iguarias e todos esses temperos foram sabiamente misturados, em doses fartas e racionais. Mas o tempero da instrução pública?

Há um trecho que se refere a isso; mas esse trecho, que ocupa na publicação dos jornais vinte e quatro linhas de impressão, é incolor e obscuro. Li-o e reli-o várias vezes, espaçando os seus períodos, virando e revirando as suas frases, pesando as suas palavras, procurando apanhar e apalpar a sua significação e a sua alma, – e confesso que saí desse longo e aturado estudo com esta convicção: só há ali uma referência vaga à *instrução secundária e superior* e nenhuma referência à *instrução primária*.

Ora, o que eu devo, como cidadão e como homem, dizer ao eminente autor da "plataforma" é isto:

"Desculpe-me Vossa Excelência, – mas é preciso, enquanto é tempo, carregar a mão neste tempero! Nós não temos, no Brasil, vários problemas temerosos; temos um só, mas temerosíssimo problema: o da instrução. O problema da instrução não é um *problema*: é *O Problema*. O Brasil é uma agremiação de analfabetos. E uma agremiação humana qualquer pode ter boas finanças, boa lavoura, bom comércio, boa indústria, bom exército, boa marinha; se não tiver instrução, poderá ser tudo o que quiserem, mas nunca será uma *nação*. O ilustre estadista, que, antes da 'plataforma' de Vossa Excelência, serviu aos convivas do banquete a 'plataforma' da Coligação, fez referências entusiásticas ao povo japonês, ao seu exército, à sua marinha... Mas reflita Vossa Excelência nisto: o Japão venceu por ter soldados e marinheiros que sabem ler: toda a indenização que o Japão recebeu da China (duzentos mil contos de réis) foi empregada na construção de escolas e na difusão do ensino; o Japão é forte, o Japão é poderoso, o Japão venceu a Rússia, porque mantém atualmente nas suas escolas primárias uma frequência constante de *cinco milhões de crianças*. E o Brasil... a respeito do Brasil, neste assunto, nem é bom falar! Desculpe-me Vossa Excelência! mas julgo, que de todos os temperos com que Vossa Excelência adubou o seu excelente prato, este tempero da instrução pública foi usado com uma desconsoladora parcimônia!"

* * *

Aí está o que eu devo dizer, com franqueza, ao autor da "plataforma".

Uma consideração, porém, me está desde já consolando...

Programas são programas: nem tudo o que eles prometem é sempre cumprido, nem tudo o que eles esquecem deixa sempre de ser feito. Um bom cozinheiro sempre está em tempo de melhorar os pratos que prepara.

É possível que o problema da instrução, tão levemente tocado na "plataforma", de Afonso Pena – Candidato, ainda venha a ser o problema que maior atenção e maior carinho mereça do patriotismo de Afonso Pena – Presidente.

Ouça-me Deus, – e o Diabo seja surdo!

O. B.

05 NOV. 1905 — CRÔNICA

C'était le jour des morts... Une froide bruine
Au bord du ciel rayé, comme une tranche fine
Pendait ses filets gris...

Esses versos de Théophile Gautier bailavam-me na memória, enquanto eu subia a ladeira da Misericórdia, em direção ao alto do morro do Castelo.

Não vem a pêlo dizer o que me levava ao morro ancião... basta dizer que era dia de Finados, que um céu de chumbo, prenhe de água, pesava sobre a cidade, "que lá em cima peneirava uma garoa fina e triste".

Quando me vi no alto, defronte da velha igreja de Santo Inácio, quase esquecera o que ia fazer. Aquele cenário melancólico, – o céu feio, os edifícios arruinados, como roídos de lepra – tudo aquilo me empolgou a alma: e fiquei parado, olhando tudo com um largo olhar de despedida, – porque tudo aquilo vai desaparecer.

No alto da torre quadrada, revoavam andorinhas; a umidade porejava naquelas paredes que têm mais de três séculos de idade. De um lado, levantava-se, entre a torre e a porta do Observatório, a fachada esborcinada da igreja; do outro lado, derramava-se pela encosta a feia construção da casa dos jesuítas, de teto arruinado, sobre as janelas de vidraças quebradas, que parecem mirar a gente com a fixidez sinistra dos olhos dos cegos.

E, lá em baixo, sob o céu carrancudo, estendia-se o mar quieto, de águas sem brilho, adormecido na tristeza da tarde chuvosa, como uma larga planície de estanho baço.

A garoa aumentava. Alguns cães, tiritando, magros, de cauda encolhida, farejavam a grama. Uma preta velha, de carapinha alva, veio recolher à pressa uma roupa esfrangalhada que estendera junto ao muro do Colégio...

Não sei quantos minutos ali estive, olhando a igreja e o mar. Sacudi-me, reagi contra a melancolia que me dominava, e fui ao meu destino, – enveredando pelo labirinto de ruas em declive, esburacadas, entre ruas cambaleantes e tortas.

A cada passo, um rápido olhar, lançado através de uma porta, vinha revelar-me aspectos novos de uma vida de trabalho e miséria. Pátios de estalagens, inundados de água de sabão; quintais cheios de crianças nuas e sujas rolando no chão, entre galinhas arrepiadas; oficinas escuras em que trabalhavam homens calados, cosendo sapatos, soldando caçarolas rebentadas, martelando tábuas; casebres imundos, onde madraços dormiam, sobre esteiras negras, de boca aberta, cozinhando a aguardente; poiais em que se estatelavam, numa modorra vaga, mulheres maltrapilhas, fitando as pedras da rua com um olhar idiota; quitandas repugnantes, botequins tresandando a cachaça e suor, tascas de onde saía um bafo asqueroso de gordura e de azeite queimado...

Eram, a cinco minutos da Avenida, uma terra e uma gente de outra raça, de outra época, de outra civilização. E, àquela hora em que os cemitérios da cidade se enchiam de visitantes, eu tinha a sensação de estar visitando também um cemitério, – um cemitério de vivos.

Enfim, depois de um insano trabalho, descobri a casa e o homem que buscava e desandei o caminho andado, voltando a palmilhar aqueles duros calhaus do calçamento primitivo. Agora, cessara a ameaça da chuva. À porta de uma estalagem, um caboclo reforçado, em camisa de meia, tangia a viola e cantava; por cima e atrás dele, a parede inclinava-se, rachada, formando uma grossa barriga, como se fosse cair e esmagá-lo; mas, junto desse muro em ruína, o caboclo moço e vadio, com um cigarro apagado atrás da orelha, garganteava a sua saudade:

Tu eras a minha vida,
Da tua vida eu vivia,
Eras a alma, eu o corpo,
A ti a vida eu daria...

Passei pela igreja dos Capuchinhos. Entrei, vi o túmulo de Estácio de Sá, e vim depois contemplar, encostado ao cunhal do templo, o marco da fundação da cidade. Rodeei-o, apalpei-lhe a escultura da cruz de Cristo e do escudo das quinas, – e quedei-me ali, longo tempo, com os pés na umidade das largas lajes de pedra, ouvindo ainda, ao longe, a voz avinhada do caboclo:

Tu eras a minha vida,
Da tua vida eu vivia...

Ali eu via a célula geradora da cidade; dali nascera, dali partira o Rio de Janeiro, a minha *urbs* querida... Aquelas pedras, aquelas esculturas, aquelas inscrições têm mais de trezentos anos; o morro do Castelo é o relicário da nossa infância de povo...

Agora, tudo aquilo vai desaparecer: o morro está condenado. Não lhe hão de valer razões de respeito histórico ou religioso, nem razões de economia. A cidade moderna, a cosmópolis soberana precisa daquele largo espaço que ainda é tomado pela cidade colonial. Os ossos de Estácio de Sá descerão dali, para outro sarcófago mais limpo. O marco da cidade descerá também; nada impede que, depois de arrasado o Castelo, o padrão glorioso venha ocupar na planície, no centro de uma linda praça, a mesma situação que ali em cima ocupa. Todos aqueles paredões esfarelados de fortalezas e igrejas, todos aqueles casebres de vigamentos podres, toda aquela mole formidável de pedra e barro, – tudo aquilo virá aterrar os nossos cais; e a tradição permanecerá intangível e eterna; os materiais da metrópole antiga virão servir a glória da metrópole moderna. O morro está condenado. Já se sumiu, da sua encosta, destruído pela expansão da Avenida, o velho Seminário. Dia a dia, as picaretas vão furando as entranhas da colina sagrada. O Progresso já lavrou e assinou a sentença de morte daquele imenso mausoléu em que jaz o nosso passado...

A tarde caía.

Passei de novo pela Casa dos Jesuítas, e olhei o mar. Entrava à barra um grande transatlântico, bufando rolos fumaça... Por aquele mesmo ponto, entraram, em 18 de janeiro de 1567, as naus em que Mem de Sá vinha socorrer Estácio e a Cidade; por ali entraram também na mesma época, as canoas de guerra do nosso bravo Araribóia. Agora, era um imenso navio a vapor que entrava...

Eu não podia, com os meus olhos, estabelecer um confronto entre esse transatlântico e as naus de Mem. Mas podia estabelecê-lo entre essa velha cidade que acabava de percorrer e a cidade moderna para a qual me vinha dirigindo, a passo lento, pela ladeira íngreme.

Era quase noite. De S. João Batista, do Carmo, da Penitência, de todos os cemitérios da cidade, voltava a multidão dos visitantes. Eu também voltava de um cemitério.

Grossas nuvens rodavam no céu. Que tristeza em tudo!

C'etait le jour des morts. Une froide bruine
Au bord du ciel rayé, comme une tranche fine,
Pendait ses filets gris...

O. B.

19 NOV. 1905 CRÔNICA [CIA]

O meu bom povo, o povo da minha linda e amada cidade está delirante.

Delírio, não digo bem: o delírio é barulhento, é espalhafatoso, é vibrante; e tereis notado que, na Avenida, ainda não houve um grito alto de triunfo e de júbilo, uma dessas aclamações frenéticas em que a alma popular se abre chispando e estrondando em girândolas...

Delirante, não: o meu bom povo está estatelado de júbilo e de espanto, – está presa de uma dessas comoções embatucadoras, que, às vezes, secam a garganta, fazem todo o sangue refluir para o coração, e concentram toda a vida nos olhos da gente. O seu silêncio não é frieza: é excesso de alvoroço moral.

Já vistes alguma vez uma criança pobre, dessas que raras vezes têm a sorte grande de uma verdadeira alegria, receber um brinquedo caro, um boneco ricamente vestido, um dixe de preciosa beleza? A criança, a princípio, tem medo de aceitar o presente inesperado; estende as mãos, retrai-as, como quem receia uma cilada do Destino mau... Anima-se por fim, apanha o brinquedo com mil precauções, com as mãos trêmulas; apalpa-o de leve, de manso; toma-lhe o peso, e mede-o com os olhos ávidos; e fica a mirar o tesouro, tonta, aparvalhada, sem falar, sem rir, sem chorar...

O meu bom povo está como essa criança.

Que é que lhe haviam dado os governos até agora? impostos e pau; ruas tortas e sujas; casas imundas... e às vezes atravessadas por balázios; estados de sítio e bernardas; febre amarela e tédio...

Ele, o deserdado, não se queixava. Lá diz Perrault, no seu conto imortal, que a Gata Borralheira passava as noites olhando o borralho, sem esperança e sem revolta, como quem sabe que só veio ao mundo para trabalhar e sofrer... Assim o povo carioca, resignado, ia vivendo a sua vida triste, habituado ao vasto persigal que lhe davam por morada, sem outro ideal que o de comer duas vezes e trabalhar dez horas por dia, com o só divertimento de politicar um bocadinho e a só comoção de arriscar todos os dias dez tostões na cobra ou no peru...

E eis que, de repente, alguém lhe tapa os olhos, e leva-o assim vendado a um certo lugar, e retira-lhe a venda, e mostra-lhe uma avenida esplêndida bordada de palácios, e cheia de ar e de luz, – e diz-lhe: "Recebe isto, que é teu! folga e regala-te! teve um fim o teu aviltamento, e começa a ter o que todos os outros povos já têm: um pouco de decência na tua casa, e um pouco de ventura na tua vida!"

E o povo esfrega os olhos, belisca-se para verificar que está bem acordado, sacode-se, desmandibula-se de pasmo, começa a embebedar os olhos com aquelas maravilhas, e não acaba de perguntar a si mesmo se tudo aquilo é realmente seu, e se aquele paraíso não é uma cenografia de papelão e gaze, que o primeiro pé de vento vai esfarrapar e destruir. Assim ficou a Gata Borralheira, quando lhe entrou à cozinha a Fada Bondosa, e, com um golpe, de varinha mágica, lhe mudou os andrajos sórdidos em alfaias de seda e ouro.

O meu bom povo não está delirante, não, – que ainda não voltou a si da surpresa.

Porque aquilo foi uma surpresa, – uma como obra de encantamento e feitiço.

Enquanto a Avenida estava atulhada de pedras e andaimes, com os seus palácios cobertos de tapumes, e cheia do formigueiro dos operários, ninguém a atravessava de ponta a ponta, ou sequer de quarteirão a quarteirão. A gente, passando pelas vielas transversais, dava à direita e à esquerda um olhar distraído, e ia andando o seu caminho, murmurando: "E não é que a Avenida progride?" – ou não murmurando cousa alguma, e nem fixando a atenção no milagre que ali se operava.

Mas, no dia 15, foi como se um velário se abrisse, descobrindo um região de sonho. Os olhares, mergulhando na Avenida, pasmavam diante da sua prodigiosa amplitude. As ruazinhas, que outrora nos pareciam tão largas, estreitavam-se, afunilavam-se, espremiam-se, entre os palácios das esquinas; e eu, por mim, querendo entrar à rua do Rosário, fiquei parado, hesitando, inquerindo de mim mesmo se o meu corpo poderia passar pela abertura angusta daquele cano...

Por todo aquele dia e por toda aquela noite, o povo, debaixo das cordas de água que caíam, resistindo heroicamente à flagelação da chuva grossa, patinhando na umidade, ficou ali, indo e vindo, de boca aberta, olhando os prédios, sem acreditar no que via, – pobre desconfiado de tão grande esmola.

Já lá se vão cinco dias. E ainda não houve aclamações, ainda não houve delírio. O choque foi rude demais. A calma ainda não renasceu.

Mas o que há de mais interessante na vida dessa mó de povo que se está comprimindo e revoluteando na Avenida, entre a Prainha e o Boqueirão, é o tom das conversas, que o ouvido de um observador apanha aqui e ali, neste ou naquele grupo.

Não falo das conversas da gente culta, dos "doutores" que se julgam doutos.

Falo das conversas do povo, – do povo rude, que contempla e critica a arquitetura dos prédios: "Não gosto deste... Gosto mais daquele... Este é mais rico... Aquele tem mais arte... Este é pesado... Aquele é mais elegante..."

Ainda na sexta-feira, à noite, entremeti-me num grupo, e fiquei saboreando uma dessas discussões. Os conversadores, à luz rebrilhante do gás e da eletricidade, iam apontando os prédios: e – cousa consoladora – eu, que acompanhava com os ouvidos e com os olhos a discussão, nem uma só vez deixei de concordar com a opinião do grupo. Com um instintivo bom gosto subitamente nascido, como por um desses milagres a que os teólogos dão o nome de "mistérios da Graça revelada", aquela simples e rude gente, que nunca vira palácios, que nunca recebera a noção mais rudimentar da arte da arquitetura, estava ali discernindo entre o bom e o mau, e discernindo com clarividência e precisão, separando o trigo do joio, e distinguindo do vidro ordinário o diamante puro.

É que o nosso povo, – nascido e criado neste fecundo clima de calor e umidade, que tanto beneficia as plantas como os homens – tem uma inteligência nativa, exuberante, pronta, que é feita de sobressaltos e relâmpagos, e que apanha e fixa na confusão as idéias, como a placa sensibilizada de uma máquina fotográfica apanha e fixa, ao clarão instantâneo de uma faísca de luz oxídrica, todos os objetos mergulhados na penumbra de uma sala...

E, pela Avenida em fora, acotovelando outros grupos, fui pensando na revolução moral e intelectual que se vai operar na população, em virtude da reforma material da cidade.

A melhor educação é a que entra pelos olhos. Bastou que, deste solo coberto de baiúcas e taperas, surgissem alguns palácios, para que imediatamente nas almas mais incultas brotasse de súbito a fina flor do bom gosto: olhos, que só haviam contemplado até então betesgas, compreenderam logo o que é a arquitetura. Que não será, quando da velha cidade colonial, estupidamente conservada até agora como um pesadelo do passado, apenas restar a lembrança?

Fui até a Prainha e voltei. Eram 10 horas da noite. O povo redemoinhava sempre. A luz, ofuscante, palhetava de prata viva as fachadas novas, espancava com o seu clarão o céu carregado de nuvens, estendia-se em arrufadas e deslumbrantes toalhas sobre a multidão que borborinhava. E, ao passar pelas esquinas, quando o meu olhar se metia pelos apertados e escuros buracos das ruas velhas, eu comparava com os olhos e com o coração o que fomos ao que já somos e ao que haveremos de ser, – e com uma tristeza, a um tempo suave e amarga, pensava: "Por que nasci eu tão cedo? ou por que não apareceu, há quarenta anos, gente capaz de fazer o que se faz agora?..." E, intimamente, invejava a sorte dos que estão agora nascendo, dos que vão viver numa cidade radiante, – quando eu, e os de minha geração, pela estupidez e pelo desleixo dos enfunados parlapatões que nos governaram, tivemos de viver numa imensa pocilga de dous mil quilômetros quadrados, como um bando de bácoros fuçando a imundície...

E, quando cheguei ao Boqueirão do Passeio, voltei-me, e contemplei mais uma vez a Avenida, em toda a sua gloriosa e luminosa extensão. E só então reparei nos coretos, nas bandeiras, nas sanefas, nos arcos de folhagem com que enfeitaram o *boulevard* recém-nado.

Para que folhagens, para que sanefas, para que bandeiras, para que coretos? Tirem-me quanto antes, já, desta Avenida, que é a glória da minha cidade, esta ornamentação de festa da roça! O enfeite da Avenida é a própria Avenida, – é o que ela representa de trabalho dignificador e de iniciativa ousada, de combate dado à rotina e de benefício feito ao povo!

O. B.

03 dez. 1905

Crônica

A "complicação" da Sorocabana, que ficará célebre nos anais da Atrapalhação da Vida Humana, foi resolvida, ou está sendo resolvida. As complicações atmosféricas, – bulcões negros rodando no céu, relâmpagos e trovões – resolvem-se em chuva; também a da Sorocabana se resolveu em chuva... de ouro. E que chuva! quarenta e quatro mil contos! nem Jove, quando quis seduzir e possuir a formosa Danae, foi capaz de transformar a sua divina pessoa em tão rico dilúvio!

Não se falou de outra cousa, na cidade, durante toda a semana. As grandes somas de dinheiro, verdadeiras ou fantásticas, têm sempre um prestígio que deslumbra e acabrunha o povo. Não é preciso que o povo realmente as veja, ou toque: basta que ele as toque ou veja, na realidade bem pouco real da letra de forma, estendidas em algarismos fascinantes pela coluna dos jornais.

Quarenta e quatro mil contos de réis! haverá quem não sinta vertigens, ao pensar na formidável riqueza que representa tal soma? Assim expressa em letras, ainda essa quantia não deslumbra muito. Mas, expressa em algarismos, assim:

44.000:000$000,

com dous números significativos, nove zeros, três pontos e um cifrão, – parece um sonho, um pavor, um assombro!

Para tal assombro, concorre e contribui bastante este nosso velho e absurdo sistema monetário. Esta história de dar à magra quantia de *dez tostões* o nome imponente de *mil réis*, é uma das cousas mais atrapalhadas que jamais se inventaram.

Aqui há tempos, quando o câmbio andava pela hora da morte, assisti a uma cena engraçada. Um francês, de passagem pelo Rio, foi a uma loja, a fim de comprar já não sei o quê. Era uma futilidade qualquer, que não valia mais de dez tostões. *"Combien?"* perguntou ele ao caixeiro da loja. "Mil réis". O homem arregalou os olhos: *"Mille?! mille... quoi?"*, – e começou a dar mostras de querer ficar louco. E, quando lhe explicaram que, ao câmbio da época, aquele milheiro de moedas que ele não conhecia não valia mais do que... um franco, o francês não pôde deixar de extravasar a sua embasbacada admiração: *"Mais, comment? c'est un franc, rien qu'un franc, tous ces mille je ne sais pas quoi? Ah! ça, vraiment!... mais vous êtes enormement riches... en Arithmétique!"*

É por isso, também, que de tal modo nos espanta essa soma de 44.000:000$000, tão cheia de números, de pontos e de zeros, – soma que, afinal, seria um recheio insignificante para o menor buraco do menor dente do menor milionário da América do Norte!

Reconheçamos, porém, que nem todos os brasileiros se deixam deslumbrar pelo dinheiro...

Quereis a prova disto? Relede este telegrama de Maceió: "A notícia do fracasso do empréstimo de meio milhão causou geral contentamento no comércio e na população".

Não chega a parecer espantoso que o comércio e a população de uma cidade fiquem contentes com o fracasso de um empréstimo de meio milhão de libras esterlinas?

Refletindo bem, creio que Maceió não pensou no valor desse meio milhão esterlino... Se em vez de se lhe ter mostrado essa quantia, expressa de modo tão simples, lha tivessem indicado desta maneira:

7.291:500$000,

já Maceió não teria talvez desprezado tão facilmente uma soma, em cuja representação numérica figuram um 7, um 2, um 9, um 1, um 5, um cifrão, cinco zeros e três pontinhos...

* * *

Uma bela notícia, inesperada e radiantemente engraçada, veio distrair-nos um pouco do deslumbrado espanto em que nos mergulhou a chuva de ouro da Sorocabana.

É esta a notícia: "Já tivemos, ou ainda temos, um Presidente da República que se chama *Alonso 11º*, e um outro Presidente da República, que dá pelo nome de *Mariano Batista*!"

Parece caçoada, mas não é. O *Jornal do Comércio* copiou textualmente esse assombro do *Almanaque Nacional*, – anuário *oficial* da República Francesa! Nesse anuário *oficial*, entre os brasileiros que têm a honra de pertencer à Legião de Honra, figuram os Srs.: *Mariano Batista*, Presidente da República, como comendador, e *Alonso 11º*, também Presidente da República, e também como comendador...

Aí está uma cousa que nos deve consolar da facilidade com que os franceses metem os pés pelas mãos quando tratam da nossa geografia, da nossa política, das nossas cousas e dos nossos homens. Para todos os franceses, a Legião de Honra é uma instituição sagrada, sacrossanta, inviolável... Pois bem! se, nos assentamentos e registros dessa Ordem veneranda, destinada a consagrar as grandes glórias da sua pátria, – eles permitem que se introduzam tão espantosas incongruências e tão extraordinários erros, – já lhes não devemos querer muito mal pelas barbaridades que se escrevem em França, em jornais e em livros, acerca do Brasil.

Que mal nos faz que eles não saibam quanto representa a soma *de mil réis, e que descrevam no Larousse o Rio de Janeiro como uma cidade empesteada, edificada sobre um solo movediço ao pé de montanha Ulorrodo [sic] Castelo*, e que digam que a polícia da Bahia é venal, e que... Ah! nada disso nos fere, nada disso nos magoa, nada disso nos deprime, já que eles nem respeitam a sua gloriosa Legião de Honra...

* * *

Talvez como vingança às picardias da imprensa francesa, alguns puristas (?) nossos começam a protestar contra o uso da palavra *chauffeur*.

Ai! Estes puristas, que se querem dar como vestais do idioma, guardas do fogo sagrado do classicismo, é que são os que, com o seu excesso de zelo, maiores atentados autorizam e cometem!

Para evitar o francesismo, há quem se atire cegamente aos braços do Neologismo, sem refletir que, às vezes, a criação desarrazoada de uma palavra bárbara é mais criminosa do que a adoção franca de um vocábulo de qualquer língua estrangeira.

Já ontem um correspondente anônimo desta mesma *Gazeta*, revoltado contra a adoção da palavra *chauffeur*, diz preferir que o condutor ou diretor de um automóvel seja chamado *automoveiro* ou *automoveleiro*!

Que horror!

O mais engraçado é que o neologista, inventor dessa barbaridade, escreve: "Temos a palavra correspondente a *chauffeur*, que é *foguista*, mas esse nosso vocábulo não exprime bem o ofício moderno de que se trata..." Como não exprime? Mas também em francês *chauffeur* não é somente o sujeito que conduz um automóvel...

De certo, *foguista* não é *chic*, não é elegante, não é garboso. Mas ainda menos garboso, elegante e *chic* é automoveleiros ou automoveiros!... Credo! até parece descompostura!

Creio que nada é tão perigoso como este vezo de inventar palavras novas. A nossa imprensa já tem concorrido de um modo tão eficaz para transformar a língua portuguesa numa sarrabulhada infernal! – que já é tempo de lhe suplicar que não invente mais vocábulos. Já lhe devemos o medonho verbo *silenciar*, o pavoroso *aniversariando* ou *aniversariante*, o abominável *conferencionista*, e outros primores de igual valia. Basta!

Se não queremos dizer simplesmente "condutor de automóvel", digamos *chauffeur*. *Chauffeur* para designar um "condutor de automóvel" é tão absurdo em português como em francês. E mais vale adotar um absurdo, que já existe, do que criar um absurdo novo, como "automoveiro" ou "automoveleiro".

Mas, pensando bem: que necessidade há de uma palavra especial, francesa, portuguesa ou chinesa, para indicar a qualidade ou o ofício de quem conduz um automóvel? Um automóvel é um carro, é um coche: quem conduz um coche é um cocheiro.

Dir-me-ão que a designação de *cocheiro* não vai bem ao rapaz janota ou à dama elegante que conduz com as suas próprias mãos o automóvel. Mas, quando essa mesma pessoa, na boléia de uma *charrette* ou de um *phaeton*, guia uma parelha de cavalos de raça, há porventura uma vocábulo especial para designá-la, distinguindo-a das pessoas, que, para ganhar a vida, exercem o ofício de cocheiros?

O que me parece é que tudo isso é muito fútil. Para que havemos nós de ainda estar inventando complicações filológicas, – quando a Vida já é uma tão vasta complicação de negócios, de ambições, de amores, de esperanças, de desesperos e de trabalhos?!

O. B.

10 DEZ. 1905

CRÔNICA

– Que calor!

– Infernal!

Assim começam e assim acabam agora todas as conversas, de dia ou à noite, nos becos angustos da cidade velha, ou na larga faixa da Avenida. Todos sabem que a queixa é inútil: mas pouco importa; todos continuam a queixar-se, – a queixar-se e a casar indissoluvelmente o adjetivo *infernal* ao substantivo *calor*.

Cousa singular: no Inferno, segundo a descrição de Dante, o pior lugar, o lugar destinado ao pior sofrimento, é justamente aquele em que não há calor. Há, pelos vários círculos, muitos lagos de pez fervente, muitas cachoeiras de enxofre em chamas, muitos rios de fogo vivo. Mas, no último círculo, apertado e medonho, que forma o fundo do pavoroso funil, – no círculo em que, cercado pelos mais torpes traidores, jaz o fulminado Lúcifer, não há fogo nem calor: há frio, frio de morte... Lúcifer, diz o sombrio poeta florentino, está mergulhado até o meio do tronco dentro de uma geleira:

L'imperador del doloroso regno
Da mezzo'l petto uscia fuor della ghiacchia...

É bem verdade que cada homem sempre imagina Deus, o Diabo, o Céu, o Inferno conforme o seu temperamento e a sua raça... Se o divino Dante houvesse nascido num país tropical, teria imaginado de outra forma a derradeira e mais horrível estância do país de Averno: tê-la-ia criado vermelha e candente, e não pálida e gelada.

Seria interessante perguntar a cada homem qual a idéia que forma do céu do inferno. Um D. Quixote diria: "O céu é um lugar em que há muitas batalhas e muitas aventuras, e o inferno é um lugar em que todas as almas são covardes!" E um Sancho Pança opinaria logo: "Nada disso! o inferno é uma casa em que se jejua todos os dias, e o céu é um palácio em que há três vezes por dia banquetes opíparos, – bois inteiros recheados de frangos, e rios de vinho correndo ao alcance de todas as bo-cas!" Opinião de um caloteiro: "O inferno é um país amaldiçoado, cheio de cobradores e de meirinhos, e o céu é uma região em que ninguém paga o que deve!" Idéia de um preguiçoso: "No inferno a gente dorme em cima de pedras, e trabalha; no céu os colchões são de arminho, e o trabalho é um mito!" E assim por diante...

O criador da *Divina Comédia*, nascido na fria Europa, achou que o extremo frio seria o mais adequado castigo para o rebelde Lúcifer; nós, porém, cariocas, é que não podemos deixar de condecorar o calor, – o nosso assassino – com este adjetivo "infernal", que resume, em nossa opinião, todas as descomposturas...

* * *

A verdade é que cada vez mais me convenço da inépcia dos que vivem a dizer que o brasileiro é naturalmente mole, irremediavelmente malandro.

Moles e malandros, nós, que trabalhamos neste clima, com 37° à sombra? Há por aqui, é verdade, como por toda a parte, malandros e moles, que odeiam o trabalho como o Lúcifer de Dante odeia a geleira em que está metido. Mas o brasileiro é em tudo exagerado e excessivo, quando dá para trabalhar, trabalha... como um relógio sem parar, sem descansar, até arrebentar ou enferrujar as molas.

Na Europa, quando chegam os grandes calores, e eles nem de longe se comparam com os daqui, que vão inclementes e ferozes de novembro a abril! – há uma prostração geral. A gente rica deserta as cidades. A gente, que não pode fugir, começa a arrastar-se, a lamentar-se, a emagrecer, a minguar. Do meio-dia às duas da tarde, ninguém trabalha: suspende-se todo o esforço, os corpos e as almas paralisam-se, adormecem, num extenuamento completo.

Nunca olvidarei o aspecto dos bulevares, em Paris, nos dias cálidos de agosto, nas horas de calor mais forte. Eu, lépido e fresco, atravessava o asfalto, ao sol, sem suar; mas em torno de mim, só passavam faces congestionadas, olhos injetados, espirrando fogo. E, todas as manhãs, os jornais davam-me a relação dos mortos por insolação: dois, cinco, dez, vinte...

Ora, aqui, há cinco dias, a coluna de mercúrio subiu, nos termômetros, a 40°. No porto, os navios carregavam e descarregavam mercadorias; na alfândega, uma imensa colméia humana agitava-se e sussurrava; nas abafadas vielas da *city*, apertava-se a multidão; nas pedreiras, ao sol bárbaro, e nas cumieiras das casas em construção, os operários nadavam num banho de ar incandescente. E não havia repouso, e ninguém morria de insolação...

Malandros e moles, nós?! Mas, conheço, neste forno escaldante, muita gente que trabalha dez e doze horas por dia sem dificuldade... E é por isso que afirmo e juro que o carioca é o homem mais forte e mais resistente da terra!

* * *

E é bom que se saiba isso, e é bom que se desminta essa triste e injusta fama de preguiça e vadiação.

Se continuarmos a afirmar que não temos energia, se formos os primeiros a criar e a assoalhar essa mentira, como quereremos que nos respeitem os estranhos? Não dissipemos as nossas forças em bravatas e rodamontadas; mas não nos diminuamos física e moralmente, caluniando-nos, e autorizando desrespeito e desaforos.

Claro está que, nem de longe, quando escrevo isto, quero dizer que o caso da *Panther* (como evitar este assunto?) seja um *casus belli*... Não é um *casus-belli*, mas é um caso que não deve passar despercebido, sem protesto e reação.

Se é verdade que marinheiros de um navio estrangeiro pisaram o nosso território como terra conquistada, e às leis e aos tribunais de nosso país sobrepuseram o seu arbítrio e o seu atrevimento, é talvez porque essa gente estranha acredita no que nós infelizmente vivemos a dizer: – que somos um povo de dorminhocos e de cangueiros, física e moralmente arrasados pelo calor.

Não, amigos! nós somos mais rijos e resistentes do que todos esses latagões que nos afrontam, ou pretendem nos afrontar, com a sua filáucia. O que nos falta é o que eles têm demais: é a confiança na própria força, é a fé na própria coragem, é a consciência do próprio valor...

Esperemos que o caso seja um simples equívoco, uma inocente atrapalhação. Já sabemos, pelas informações dos jornais de ontem, que o ilustre representante da Alemanha reprovou, com energia, o procedimento da gente do seu país, que invadiu o território do Brasil.

Assim, o incidente não terá consequências mais sérias.

E, se as tivesse, nós deveríamos provar que ainda somos capazes de dizer, e de confirmar pela ação, aquelas nobres palavras, que um dos ancestrais gloriosos da nossa raça, o velho marquês de Pombal, disse a um diplomata exigente: "Saiba Vossa Mercê que cada um de nós, dentro da sua casa, tem tanta força, que, ainda depois de morto, são precisos seis homens para tirá-lo daí!"

O. B.

17 dez. 1905

Crônica

Era uma vez um poeta, rico e feliz, filho de fazendeiro, e que, no retiro bucólico da fazenda, vivia a rimar cousas suaves, – enquanto os colonos, remexendo, revolvendo, fecundando a terra, e lançando nela as sementes maduras, preparavam as colheitas opimas.

O sol raiava lá fora, na áspera manhã de dezembro, torrando as árvores, extenuando os homens que trabalhavam. Mas no gabinete do filho do fazendeiro, adoçava-se a luz, coada através das cortinas: e, metido em leves roupas, saboreando refrescos gelados, o bardo ia amorosamente compondo um *hino ao sol*, cheio de apóstrofes coruscantes e de imagens rútilas, que faiscavam como crisólitas. E eis senão quando entra no gabinete uma velha preta, ex-escrava, que o criara, e a quem ele, à míngua de outro público, costumava ler os seus poemas...

– Ouve cá, mãe Maria! ouve estes versos inspirados!

Mãe Maria, com a sua meiga submissão, abriu os ouvidos, fechou os olhos e dispôs-se a fingir que escutava e entendia os versos.

– Isto é um *hino ao sol*, mãe Maria... Vais ouvir uma obra-prima! E principiou, depois de molhar a garganta com mais um gole de bebida refrigerante:

Ó Sol! ó deus flamívono!
Nume prócido e forte!
Fonte de toda a Vida!

E pelo plácido gabinete, entre os móveis e os quadros de arte e luxo, no ar perfumado e brando, começaram a voar os versos, entrebatendo as suas rimas de cristal sonoro, – cantando a coroa ignívoma de Febo, e os beijos de alegria com que o Sol amima a terra, e a brejeirice com que ele aquece e acaricia o coração das rosas... E o hino acabava com uma outra exclamação exaltada:

Que eu nunca, ó Sol magnífico,
Fique de ti privado,
órfão do teu amor!...

Mãe Maria cuidou que a cousa ia continuar, e deixou-se ficar na mesma atitude de respeitosa admiração.

– Já acabou, mãe Maria! gostaste?

A velha preta abriu os olhos, descobriu num sorriso as gengivas sem dentes, e disse, coçando a carapinha branca:

– Eu gosto de tudo que nhonhô faz... Tudo isso é muito bonito, nhonhô! mas, se vocemecê estivesse lá fora, com uma enxada na mão, já não havia de gostar tanto do Sol!...

* * *

Qual de nós, ó poetas meus irmãos, deixou de fazer versos ao Sol? Não há vate, bom ou mau, medíocre ou sublime, que não tenha celebrado a glória fúlgida de Hélio, gabando-lhe a força e a graça, a beleza e a doçura. O Sol é, nos nossos poemas, um gênio bom, amigo das plantas e dos animais, inimigo da enfermidade e da miséria, uma entidade benfazeja, que somente sabe distribuir favores e repartir venturas...

Ah! se também fossem poetas os lavradores que cavam a terra, os canteiros que britam a pedra, os operários que por aí andam labutando e morrendo, sob o cáustico infernal da soalheira, nestes dias abrasados!... Se também esses mártires fossem poetas, e soubessem também rimar *furor* com *calor* e *maldição* com *insolação*, Hélio receberia a homenagem de outros hinos, bem diferentes dos nossos, – hinos de cólera e de angústia, trovejando imprecações iradas!

* * *

Triste semana!

A sinistra sala do necrotério não teve uma só mesa desocupada nestes últimos dias. Àquele porto derradeiro, onde costumam ir parar os suicidas e as vítimas das rixas sangrentas que o álcool e o ciúme provocam, foram dar, esta semana, as vítimas do trabalho, assassinadas pelo sol inclemente. E era terrivelmente doloroso ver aqueles cadáveres de gente robusta e moça, fulminada em pleno viço da idade e da saúde por esse nume tão cantado pelos poetas como um pai misericordioso e amigo...

Lembram-se do famoso encontro entre Alexandre e Diógenes em Corinto? O velho filósofo aquecia-se ao sol, no Kranion, quando veio a passar por ali o cortejo suntuoso do rei da Macedônia. Alexandre quis agradar ao sábio, e perguntou-lhe: "Que ambicionas tu? posso te dar honras, dinheiro, tudo!" E Diógenes respondeu com enfado: "O que eu quero de ti é que te afastes um pouco, porque estás me privando do sol!" Se Diógenes agora ressuscitasse, e viesse viver no Rio de Janeiro, não creio que fosse para ele uma delícia o ficar deitado, ao sol, no meio do largo do Paço ou no meio do campo de Santa Ana; no centro de qualquer dessas duas fornalhas, o filósofo cínico em vez de reprochar a Alexandre, como uma crueldade, a privação do sol, agradeceria de joelhos o bocado de sombra que o corpo do herói lhe desse.

Felizmente, já o governo municipal tratou paternalmente de acautelar a existência dos seus operários, fornecendo-lhes chapéus de palha e toldos de lona. Bom seria que todos os patrões tivessem igual caridade.

Mas a providência geral, que parece estar naturalmente indicada, é a da alteração do horário de trabalho. Não seria difícil suspender a labuta durante quatro horas por dia, das onze da manhã às três da tarde, sem prejuízo do salário, – começando o trabalho mais cedo e prolongando-se um pouco pela noite adentro.

Nunca houve no Rio, suponho, um começo de verão como este. A insolação é uma calamidade rara nesta cidade. E, como as desgraças excepcionais reclamam providências também excepcionais, não seria muito ordenar a suspensão do trabalho durante essas poucas horas, em que só os lagartos podem suportar sem sofrimento o castigo das chamas que chovem do céu.

* * *

Por felicidade, ainda o rigor do estilo não transtornou o nosso juízo, a propósito do caso da *Panther*, impelindo-nos a patriotadas de rua e a explosões de impropérios e berros.

Afinal, parece que esta pantera, sem deixar de ser um felino perigoso e traiçoeiro como todos os felinos, não é propriamente aquele terrível *Felis pardus* de pêlo amarelo-dourado, pintalgado de rosetas negras, – animal ferocíssimo, que é o terror dos sertões da Ásia.

Não. O que parece averiguado é que a *Panther* é simplesmente... uma gata. A família zoológica é a mesma: os gêneros é que são diferentes.

Esta cousa de sair à noite por uma cidade, correndo hospedarias à procura de um desertor, e provavelmente estacionando demoradamente em botequins, para aplacar a sede com tarraçadas de cerveja, não é cousa de pantera: é cousa de gata.

Esperemos que o governo do Kaiser, tão cioso da disciplina da sua gente de armas, modere o assanhamento dessa bichana, dizendo-lhe que as gatas que se prezam, não fazem tropelias em casas alheias...

* * *

Jesus, que calor! Pousei um pouco a pena, fui à janela, e recuei tonto.

Nas árvores, as cigarras ziziam, à compita. São dez, são vinte, são cinqüenta. As folhagens, empoeiradas e imóveis, parecem de duro zinco sujo. E as cigarras, coitadinhas, escondidas nessas copas abrasadas, devem estar sentindo um calor de mil diabos.

Os poetas dizem que elas cantam o sol, celebrando a sua força, e a sua suprema beleza. Pois sim! que sabemos nós da alma dos insetos? Talvez o barulho que fazem esses pobres hemípteros não seja um canto de triunfo e de alegria, mas um desabafo de desespero: aquilo é talvez um protesto contra o calor bárbaro.

Não, poetas! somente nós somos capazes de elogiar este sol que mata: e, se o elogiamos, é porque não o temos na cabeça e nas costas como uma ducha de fogo.

Bastante razão tinha a preta velha, quando dizia ao seu sinhô-moço poeta:

– Nhonhô! se vocemecê estivesse lá fora, com uma enxada na mão, já não havia de gostar tanto do sol!...

O. B.

24 DEZ. 1905

CRÔNICA

Camões, grande Camões! quão semelhante
Acho o teu fado ao meu, quando os cotejo!
Igual causa nos fez, perdido o Tejo,
Arrostar com o sacrílego Gigante.

Como tu, junto ao Ganges sussurrante,
Da penúria cruel no horror me cego:
Como tu, gostos vãos, que em vão desejo,
Também carpindo estou, saudoso amante.

Ludíbrio, como tu, da sorte dura,
Meu fim demando ao céu, pela certeza,
De que só terei paz na sepultura;

Modelo meu tu és... Mas, ó tristeza!
Se te imito nos transes da ventura,
Não te imito nos dons da Natureza!...

Assim previa o seu destino, em Goa, antes de partir para a China, o grande poeta cujo centenário foi esta semana comemorado pelos dous povos que falam o idioma português.

Ai dele! O que tão diverso o fez de Camões, não foi a disparidade nos "dons da Natureza": foi o destino, que é cego, e reparte arbitrariamente os seus favores e as suas perseguições. Camões estava fadado para ser um poeta épico. Os poetas épicos não se inventam: aparecem, inesperadamente e inconscientemente, em crises históricas, que a crítica humana não pôde determinar ou sequer compreender. Camões surgiu e eternizou-se como o poeta máximo da sua raça, porque essa raça tinha chegado a um ponto de desenvolvimento social, em que, à semelhança do que se passa no terreno da Química, todos os seus elementos de glória, em fusão perfeita, deviam fatalmente cristalizar-se em um poema definitivo. A época, em que viveu Camões, era heróica; a época, em que viveu Bocage, era apenas sensual.

O pobre Elmano foi um espelho do seu tempo. E, perante a posteridade, ele ainda hoje comparece, carregando o peso de defeitos e de erros, que não foram exclusivamente seus, mas da época e do meio em que teve a desventura de nascer: "É certo que o povo português (escreve Teófilo Braga) só conhece dous poetas pelos seus nomes, – Camões e Bocage; não porque repita os seus versos como os gondoleiros de Veneza as estâncias de Tasso ou os romanos as canções de Salvador Rosa, mas porque Camões representa o amor da pátria e Bocage o repentismo muitas vezes cínico das suas anedotas picarescas..."

Bocage, quando chegou a Lisboa, em 1781, tinha apenas 16 anos. Era um menino. Reinava D. Maria Primeira. Corria, então, para a história de Portugal, um período triste, em que é difícil dizer o que mais dominava: se o fanatismo religioso, se a luxúria, se a intolerância política, se a depravação dos costumes.

Oliveira Martins deixou, dessa época, uma vasta série de quadros cruéis, de um colorido macabro, a um tempo trágico e cômico: "O palácio era um convento; o rei esposo, feíssimo, com um aspecto de idiota, o olhar esgazeado, a peruca desgrenhada, parecendo bêbado, era um sacristão ou cousa nenhuma. O exército era uma confraria; e Santo Antônio, que por ordem de D. Pedro II sentara praça no regimento de infantaria de Lagos, subia ao posto de major-ajudante. A capital do reino lembrava Fez ou Mequinez, em Marrocos... Mas, por sobre a Lisboa africana havia uma outra Lisboa afrancesada: e a reunião das duas, e a cor, raiada de preto e branco, da população produziam contrastes extravagantes. Os *peraltas*, e as *franças* ou *sécias* falavam agitadamente, com grande mobilidade, agudezas e repentes, em cousas preciosas. Essas importações francesas adquiriam na música uma expressão nacional; a *modinha brasileira* era o encanto doce daquela sociedade licenciosa: havia mulatos célebres, autênticos, aplaudidos nos salões por darem ao *lundu* um acento libidinoso; era uma feiticeira melodia sibarita, em lânguidos compassos entrecortados, como quando falta o fôlego, numa embriaguez de sensualidade voluptuosa... D. Maria I endoideceu de todo; e, na cena portuguesa, levantou-se a espessa figura do príncipe regente, com o seu olhar vago, na imóvel contemplação da régia ociosidade, bocejando em permanência, a assistir, indiferente e passivo, ao desabar do edifício da nação..."

Foi no seio dessa sociedade beata e corrompida que caiu de chofre o menino, ávido de glória e de amores, que começou logo a perverter o seu talento nos "improvisos", e habituou-se logo à triste existência de "parasita", peralteando com os vagabundos, freqüentando as *grades* dos conventos, vivendo às sopas dos fidalgos e das freiras, pagando com ditirambos e glosas a ceia que lhe davam, ou, como ele próprio disse, em um lindo verso, pouco antes de morrer:

pagando em metro o que devia em ouro...

E, daí por diante, a vida do pobre Elmano foi uma longa, contínua, dolorosa tortura...

Depois da sua iniciação na calaçaria de Lisboa, Bocage partiu para a Índia. Essa viagem foi uma epopéia de sofrimento, de revolta, de desregramento e de desespero. Goa era um viveiro de ociosos e de viciosos,

terra sem lei, madrasta de poetas,
Estuporada mãe de gentes baças.

A sociedade era ali enfatuada e ridícula: Bocage começou logo a maltratá-la com epigramas ferinos. Caiu na vida airada, foi seduzido por um famoso jogador, – o alferes José Dionísio – desertou, fugiu, esteve em Damão e Surrate, naufragou em Cantão e partiu para Macau a pé, esfarrapado, faminto, mendigando. Mas a vida de Macau era ainda pior do que a de Goa, muito mais cheia de vícios, de devassidão e de fatuidade:

Seis fortes, cem soldados e um tambor,
Três freguesias, cujo ornato é pau,
Com um vigário geral, sem provedor.

Dois clérigos, e um deles muito mau,
Um senado que a tudo é superior,
E quanto Portugal tem em Macau!

Depois de 4 anos de uma existência miserável na Ásia, Elmano volveu a Portugal. Tinha 24 ou 25 anos, e vinha encontrar Lisboa como a deixara, entregue ao beatério, à madraçaria e à maroteira. Camões, no Oriente, sofrera e cristalizara o seu sofrimento num poema imortal; Bocage, da mesma escola, apenas aprendera a amar a maledicência e adquirira o gosto da sátira mordaz, que é o desabafo habitual do descontentamento e do desespero. Filhos de duas épocas diferentes, cada um deles foi o que tinha de ser: Camões foi a era da Conquista e da aventura, em que a Fé era o heroísmo e a nobreza da alma. Bocage foi a era da decadência, em que a Fé era a carolice e a hipocrisia.

Os quinze anos, que o extraordinário poeta ainda viveu, não puderam consertar uma existência tão completamente errada: foram quinze anos de "improvisos", de revoltas da vaidade, e de lampejos de independência logo sufocados na estreiteza do meio e do hábito. Foram quinze anos de botequins... De botequins, – porque era nos botequins que viviam todos os poetas da época, e era nos botequins que se tratavam todos os assuntos da literatura e da política... No tempo de Camões, o campo de ação era o Mar Tenebroso, era a Ásia, era a África; no tempo de Bocage era a tasca, com as tocatas de viola, as bruegas, os motes, e as marafonas...

Ai do triste Elmano! de alma tão ardentemente lírica, tão vivamente amorosa e entusiasta, e tão estragada e atormentada pela injustiça do Destino! Ainda hoje, cem anos de depois de morto, poucos conhecem Bocage como o grande poeta do Amor, que ele foi, e como o mais correto e brilhante metrificador que jamais houve na literatura portuguesa: quase todos o conhecem como um rimador de indecências; – a ponto que, na boca do povo, a expressão "versos bocageanos" quer dizer: rapsódia de obcenidades, *folk-lore* pornográfico, literatura poética de alcouce. O famosíssimo e admirável lirismo de Bocage é desconhecido ou esquecido: o que dele perdura, conhecido e lembrado, é o seu gênio boêmio, desordenado, gandaieiro, maldizente e brigão.

Mas não para aí a inclemência da Sorte: como se não bastassem para comprometer a memória de Elmano as rimas obscenas, que, infelizmente, ele deixou, suas, bem suas, autenticadas pelo cunho inconfundível do seu estilo, – ainda todas as gerações, que têm vivido depois da sua, se têm comprazido em inventar imundas trovas malfeitas, torpes sonetos cambaios, ignóbeis quadras imbecis, sem gramática, sem métrica e sem graça, que são pela ignorância alvar e sacrílega atribuídas ao versificador impecável do *Tritão*, ao artista incomparável das Epístolas a Amália.

Dous sacrilégios num só, e duas profanações numa só: o povo não se contenta com imputar a Bocage versos de uma brejeirice idiota, indignos da sua alma apaixonada e terna; imputa-lhe ainda versos errados, – errados! – como se Elmano houvesse algum dia escrito um só verso que não fosse um modelo de harmonia e de beleza métrica! E não sei, francamente, o que magoaria mais o desventurado poeta, cujo centenário celebramos, se ele, na outra vida, se pudesse preocupar com o que cá em baixo se pensa e se diz a seu respeito: – as torpezas que se atribuem ao seu caráter de homem, ou as calúnias com que se deturpa o seu talento de metrificador...

O. B.

Gazeta de Notícias 1906

21 jan. 1906

Crônica

Tanto pedimos água, que a água veio, em cachoeiras, em gorgolões, em dilúvios. Duas cidades ficaram debaixo d'água; e o elemento benéfico transformou-se em calamidade, reduzindo à fome uma grande quantidade de gente.

Santo Deus! tanta água, ali tão perto, sobrando dos leitos de todos os tributários do Paraíba, – e Rio de Janeiro sem água! Assim que a chuva cessou, a poeira, que adormecera em lama, acordou, ressurgiu ao sol, levantou-se, e recomeçou a sufocar a multidão carioca. Não se irrigam as ruas, por falta de água. Por falta de água! – e Campos e Juiz de Fora afogando-se em água! E daqui a pouco, quando o calor apertar, recomeçaremos a padecer sede e a viver sem banho!

Desde o dia em que comecei a conhecer-me, – e já lá vão bastantes anos! – comecei a ouvir esta queixa agoniada e torturada: não há água no Rio de Janeiro.

Rocha Pita, o nosso venerando historiador, referindo-se um dia às águas da Carioca, escreveu que "essas águas dão aos músicos vozes suaves, e tornam mimosos os rostos das damas que nelas se banham..." Não ponho em dúvida essa virtude: as nossas águas serão milagrosas; mas são tão escassas, que se os nossos músicos e as nossas damas confiassem somente em tal milagre, é bem de crer que já não houvesse por aqui músicos de voz suave, nem damas de rosto mimoso.

A falta de água! há quarenta anos que ouço dizer que não há água no Rio de Janeiro, – e há quarenta anos, que me conste, ninguém tratou de dar água ao Rio de Janeiro.

Nunca esquecerei uma cena, a que assisti, há já bastante tempo no teatro S. Pedro de Alcântara. Representava-se uma pantomima aquática *S. Pedro debaixo de água.* Lembram-se? A sala ficava cheia de água, e os palhaços faziam diabruras, navegando em canoas e lanchas. Ia começar a pantomima, e já a pista estava transformada em lago, quando um homem sério, bem vestido, debruçou-se à beira do lago, sacou de um balde, encheu-o de água, pôs a cartola debaixo do braço, equilibrou o balde sobre a cabeça, e muito tranqüilamente se ia retirar, quando o povo começou a vaiá-lo. Houve barulho, a polícia interveio. Preso, o homem explicou o seu ato: "Senhores, há um mês que eu não tenho água em casa! Em vão reclamei, em vão fui à imprensa, em vão recorri a todos os poderes... Hoje, lendo o jornal, vi o anúncio desta representação; e, como o anúncio dizia que a sala do S. Pedro ficaria inundada de cem mil litros de água em trinta segundos, deliberei vir aqui encher o meu balde, – porque, afinal, não é justo que os palhaços tenham tanta água em trinta segundos, quando eu, que sou um homem sério, casado e pai de filhos, não tenho em casa uma só gota há trinta dias!"

Também agora, se quisermos água, teremos de ir buscá-la ao Paraíba.

A falta de água! Há duas cousas que já não espero ser resolvidas até a hora da minha morte: a crise turca, e o problema da água no Rio de Janeiro...

* * *

Mudemos de assunto. Parece que S. Paulo, sendo, pelo seu progresso e pela sua atividade, uma cidade *yankee*, também quer ser *yankee* por outros motivos.

Parece que vai haver por lá distinção de raças como nos Estados Unidos. Na guarda civil da capital paulista só pode figurar gente branca... Os pretos e os mulatos não são aceitos... por incapazes ou más figuras.

Não sei quem foi o homem que assim ressuscitou em S. Paulo o "preconceito da cor", – o mais bárbaro e revoltante de todos os preconceitos. Seja quem for, já deve estar arrependido da triste idéia que teve...

Justamente aquilo que mais honra e nobilita a civilização brasileira é a singela e admirável harmonia que ela estabeleceu entre as raças que contribuíram para a sua formação. A cor jamais impediu, no Brasil, que um homem galgasse as mais altas posições. Já no tempo do Império havia no Senado homens de cor. Vários mulatos, bem pouco disfarçados, foram ministros de Estado... Foi preciso que estabelecêssemos a República e que nos entregássemos de corpo e alma ao mais democrático de todos os regimes, para que alguém se lembrasse de excluir do seio de uma corporação os pretos e os seus descendentes!

Para honra nossa, o protesto contra essa tolice tem sido ardente e unânime.

Felizmente! seria um crime imperdoável, uma vergonha sem nome, que destruíssemos agora, por uma ridícula vaidade, a grande obra de confraternização entre as raças, que os nossos avós empreenderam e realizaram.

E que ingratidão, que hedionda e revoltante ingratidão haveria nisso! Foi o preto quem fez o Brasil. Se temos hoje riqueza e prosperidade, se somos uma nação forte e opulenta, devemo-lo a essa raça que penou e sofreu sobre a terra bruta, desbravando-a, desmoitando-a, fecundando-a com o seu trabalho. A quem deve S. Paulo a sua fortuna, senão aos pretos que lhe cultivaram o solo?

Mas, nesta perseguição imoral e vergonhosa exercida contra os homens de cor em qualquer ponto do Brasil, não haveria apenas ingratidão: haveria também uma filáucia cômica. Quantos brasileiros haverá que possam jurar que são completamente, legitimamente, absolutamente brancos, com o sangue positivamente limpo de mescla africana?

Lembrai-vos, amigos, que já o marquês de Pombal foi um dia obrigado a lançar um decreto determinando "que todos os fidalgos de Portugal, fosse qual fosse a sua ascendência, seriam para todos os efeitos considerados brancos..." É que por lá, depois das conquistas na África, começou a nascer muito fidalgote de pele trigueira demais... E que diremos nós da nossa fidalguia agrícola, nascida entre o palácio e a senzala?

* * *

Também, já nada admira no Brasil, uma vez que, dezoito anos depois da decretação da lei de 13 de maio, estamos criando no Amazonas uma nova escravidão tão iníqua e miserável como a antiga...

Não teve a repercussão que devia ter, o magnífico artigo de Euclides da Cunha, há dias, no *Jornal do Comércio*, sobre a Amazônia. Há nesse artigo, – que é um grito de alarme, e um aviso generoso aos poderes públicos por uma alma reta e digna – revelações que horrorizam. Os homens, que se engajam para trabalhar nos seringais, são escravos, verdadeiros escravos, tão dignos de compaixão como os que outrora eram comprados e vendidos para trabalhar nas fazendas: "O seringueiro é um degredado que se degrada. Longe do solo nativo que deixou num lance de aventureiro, o próprio afastamento, e a grande cópia de desilusões que o salteiam, acabam por transmudá-lo. Obliteram-se-lhe os mais fortes e generosos sentimentos. Mas isto está longe de ter a generalidade e a fixidez de um atributo social. É um acidente, digamos mesmo, uma doença aguda, mas transitória – e provém quase toda da mais falsa, da mais revoltante e da mais criminosa organização do trabalho que ainda engenhou o mais absorvente egoísmo. De feito, o seringueiro (e não designamos o patrão opulento, senão o *freguês* jungido à gleba das "estradas"), o seringueiro realiza uma triste anomalia: é o homem que trabalha para escravizar-se".

E Euclides da Cunha mostra o que são os *contratos* que ali se fazem entre patrão e trabalhador. O trabalhador ainda não começou a trabalhar, e já está devendo ao patrão mais de dous mil réis! Essa dívida vai sempre crescendo; no fim de alguns anos, o desgraçado está insolvável: "Queda então na mórbida impassibilidade de um felá desprotegido, e dobra de todo a cerviz à servidão completa". Porque o Regulamento é impiedoso: "Qualquer *freguês* ou *aviado* não poderá retirar-se, sem que liqüide todas as suas transações comerciais..." Que há de fazer o mísero? "Fugir? Nem cuida em tal. Aterra-o o desmarcado da distância a percorrer. Buscar outro barracão? Há entre os patrões acordo de não aceitarem, uns os empregados de outros, e ainda há poucos meses houve no Acre numerosa reunião para sistematizar-se essa aliança, criando-se pesadas multas aos patrões recalcitrantes..."

Tal é a situação dos brasileiros *livres*, que trabalham naquele ponto do Brasil republicano!

Não admira que haja quem deseje ver restabelecido no Brasil o "preconceito de cor", triste legado da escravidão, quando há quem restabeleça a escravidão...

* * *

As últimas linhas da crônica serão a homenagem comovida do cronista à memória do grande homem que a República Argentina e a Civilização Humana perderam anteontem. Há, no telegrama, em que o barão do Rio Branco comunicou ao ministro da guerra a triste nova, uma frase justa, que deve ser lembrada sempre: "Em Don Bartolomeu Mitre, a nação brasileira perde um amigo sempre leal".

Se não bastassem, para que todo o Brasil se associasse ao luto que cobre a república vizinha, os altos merecimentos desse homem eminente, soldado, estadista, diplomata e homem de letras, – a sua grande e nobre amizade ao Brasil, sempre revelada e afirmada, por palavras e atos, em todas as épocas, seria um motivo para que a sua morte fosse aqui sentida com enternecida e gratíssima afeição.

Não estamos tão habituados a demonstrações de amizade estrangeira, que o falecimento de um amigo como Mitre nos possa deixar indiferentes...

O. B.

18 fev. 1906 — Crônica [RLL]

A época é de reivindicações. E nem só os homens se rebelam contra o vício social da Desigualdade. Também as cousas irracionais (ou que supomos irracionais) são capazes de vastas explosões de cólera, com que afirmam o seu descontentamento e a sua revolta.

Vistes como se revoltaram anteontem os rios do Rio de Janeiro?

Ó Amazonas, majestoso Maranhão que na ocasião das cheias engrossado pela fusão do gelo que amortalha as tuas cabeceiras e pelo tributo de águas marulhantes que te trazem os afluentes, confundes num só intérmino destino todos os teus *furos* e todos os teus *paramirins*, e submerges léguas e léguas de florestas virgens! Ó Parnaíba, acachoeirado filho da soberba Taguatinga que antes de vir inundar, perto do oceano, as terras civilizadas em que o homem vive e moureja, inundas dous mil quilômetros de selvas misteriosas só conhecidas das onças e das antas! ó soberano S. Francisco, pai da mais bela e forte catarata que há na terra, senhor e fecundador de cinco vastas províncias! Ó Paraíba impetuoso, que acabas de engolir vorazmente a vida e o progresso de toda uma cidade! – os rios do Distrito Federal já não vos invejam...

Rios?... rios, sim, homens incrédulos! esses fiozinhos de água escassa, esses filetes de tênue linfa, que habitualmente não dão nem para banhar a ponta da asa de uma borboleta, tiveram anteontem uma dessas revoltas que transformam anjos em demônios, e mudam os pigmeus em gigantes: quiseram mostrar que também são capazes de assolar e de matar, e que podem competir com os grandes rios em volume de água e em violência de espraiamento; engrossaram, e, saindo dos leitos ridículos e insignificantes, entraram a praticar loucuras, – como os meninos malcriados, quando se vêem com algum dinheiro no bolso, e estréiam as suas primeiras calças compridas.

Foi uma reivindicação, uma *parede*, um protesto coletivo. Irritados, feridos na sua vaidade de arroios presunçosos pelo soberano e ferino desdém com que os geógrafos os tratam, – todos os ribeiros cariocas, por tão largo tempo adormecidos numa resignação ignóbil, transformaram o seu inútil e abafado resmungo num alto clamor de ira, e bradaram forte o seu direito à rebelião e à independência.

Lamennais, aquele nervoso e febril filósofo cristão, em cuja alma se concentraram todas as amarguras da existência humana, escreveu um dia uma frase, que ficou sendo o lema da Revolução Social: "A sociedade repousa e firma-se na resignação dos pobres..." Sacudi a energia dos pobres, abalai-a, despertai-a, arrancai-a da sua resignação, – e a Sociedade estará perdida!

Ó *Cabuçu*, ó *Caboclas*, ó *Maracanã*, ó *Pedras*, ó *Joana*, ó *Andaraí*, ó ribeirinhos miúdos e franzinos do Distrito Federal! – que Lamennais vos converteu ao socialismo, que apóstolo, de palavra ardente e alma abrasada, deu cabo de vossa paciência e vos excitou ao motim?...

* * *

Imagino que neste ponto da leitura da *Crônica*, já os leitores estarão com os lábios franzidos num sorriso de mofa, murmurando:

– Cousas de poeta!... que diabo de relação pode haver entre Lamennais e a inundação de anteontem?!

Perdão, amigos! os poetas sabem muitas cousas que o comum dos homens ignora. Conversam com as nuvens, com os astros, com as árvores, com as águas, e são senhores de todos os segredos dessa maravilhosa linguagem universal, que ainda não foi e provavelmente nunca será incluída nos programas do método Berlitz...

Assim, um poeta amigo meu, há pouco tempo, por uma noite de vivo e límpido luar, recebeu as confidências e as queixas de uma dessas humildes ribeiras da cidade.

Era nas Laranjeiras. A água minguada do riacho, – algumas gotas apenas, e tão sujas!... – deslizava à claridade albente da lua, debaixo de uma ponte. O poeta passava por ali alta noite, talvez sonhando, talvez fazendo versos, talvez pensando nos seus reumatismos, quando ouviu uma vozinha fina e trêmula, mais débil do que a voz de um passarinho. Era a voz do *Caboclas*, sob a ponte da rua de Guanabara, – a voz desse mesmo *Caboclas* que anteontem cresceu e transbordou, minando, desconjuntando e quase desmoronando essa mesma ponte...

– Ai de mim! (chorava o arroio) ai de mim, e ai de todos os meus companheiros! ai de vós, *Cabuçu*, *Pedras*, *Maracanã*, *Andaraí*, e *Joana*! ai de nós todos! Que triste sorte, ignorada e mísera, é a nossa! Que somos nós, e que valemos nós, que de rios apenas temos o nome?! Não há compêndio de geografia que nos consagre mais de duas linhas apertadas e indiferentes; não há estudante que nos decore os apelidos pitorescos, não há canoa que sobre nós deslize, por este lindo luar, carregando um casal de namorados; não há peixe que em nosso tísico seio possa viver; – não temos água, não temos fama, não temos vida... É o anonimato, é a existência apagada e nula das cousas inúteis!

Assim se lamentava o *Caboclas*, cujo fio de água, de tão fino, parecia à luz da lua uma longa minhoca de prata... O poeta, compadecido, debruçou-se sobre o regato gemedor, e procurou consolá-lo. Falou-lhe das vantagens da existência obscura e anônima; disse-lhe que os rios são como os povos, dos quais os mais felizes são justamente aqueles que não têm história; repetiu-lhe todos os velhos chavões que a filosofia fácil e hipócrita dos felizes tem inventado sobre as tribulações irremediáveis dos ricos e sobre a consoladora tranqüilidade dos pobres; e acabou a sua prédica, recitando o famoso verso de Lamartine:

Heureuse au fond des bois la source pauvre et pure!...

O *Caboclas* ouviu tudo aquilo em silêncio e teve depois uma risadinha, a um tempo alegre e amarga, em que havia soluços:

"Ah! poeta! quem me dera a mim que eu fosse uma dessas fontes sossegadas e ignoradas de que falou Lamartine, adormecidas num fundo ensombrado de bosque! Essas sim podem julgar-se felizes: não têm fama, nem glória, – mas têm os perfumes da mata, os cantos das aves, a dança das borboletas, sobre a sua água embalsamada... Mas que tenho eu, e que têm os meus companheiros? Temos o cisco, a imundíce, a lama, a abjeção! As fábricas, as estalagens, as cozinhas, as estrebarias, os palácios e as taperas despejam dentro de nós toda a escuma, toda a escória, todo o rebotalho da sua vida. Rios urbanos, servidores da imensa e tumultuosa cidade, nós recebemos tudo quanto ela rejeita, despreza e deita fora... E vens falar-nos dos regatos que vivem no seio da floresta! como se a sorte deles, no repouso e na frescura das sombras nemorosas, fosse comparável à nossa escura e ignóbil sorte de carregadores de lixo, de tábuas velhas, de latas de querosene arrebentadas, e de carcaças podres de animais!... Ah! mas não há nada como um dia depois do outro! – no dia em que nos sentirmos fartos e cansados de ser infelizes e de ser miseráveis, toda a cidade há de tremer apavorada e tonta!"

Neste ponto, o poeta, achando chiste na grandeza de tal ameaça partida de tão fraca e desgraçada pessoa, disse em voz alta: "Este riacho perdeu o juízo!"; e, deixando-o com a sua maluquice, seguiu para casa, continuando a sonhar, ou a fazer versos, ou a pensar nos seus reumatismos...

* * *

Pois bem! anteontem o *Caboclas* mostrou para quanto vale e para quanto serve, e vingou-se desse desprezo do poeta!

Chovia a cântaros. O céu abrira todas as suas cataratas. O poeta, dentro de um *bond* transformado em arca de Noé, ficou insulado no meio de um oceano revolto. Esperou que o nível das águas baixasse, mas esperou em vão. Passaram-se duas horas, três horas... Por fim, o infeliz, meio morto de frio, de fome e de sono, tirou as botas, arregaçou as calças, e, com água acima dos joelhos, agarrando-se aos portões das casas, vencendo a custo a correnteza, foi andando pela rua Cristóvão Colombo, em procura do lar...

Aconteceu então, uma cousa maravilhosa. A água lodosa, que enchia a rua de lado a lado e corria vertiginosamente para o Flamengo, começou a falar:

– Não me conheces, poeta motejador? Eu sou a água do Rio das Caboclas! Venho das Laranjeiras, alagando e arrasando tudo; quase deitei abaixo aquela ponte sob a qual ouviste a minha voz, cobri todo o largo do Machado, e aqui me vou a caminho do mar, danificando quanto encontro, inundando casas, invadindo salas, minando alicerces, demolindo prédios... e agravando os teus reumatismos! A esta hora, todos os meus companheiros estão revoltados e furiosos como eu, alagando Botafogo, a Tijuca, o Engenho Velho, a Fábrica das Chitas, todos os subúrbios. Já matamos três ou quatro criaturas, já deitamos abaixo dez ou doze casas, já arruinamos, apavoramos, desesperamos uma porção de gente!... Não me conheces, poeta motejador? Vê agora de quanto é capaz um riacho miserável, quando perde a paciência, quando sacode a sua resignação!...

* * *

Ah! meus amigos! decididamente Lamennais tinha razão...

Não zombemos da fraqueza dos fracos, que só são fracos porque são resignados. Também os ribeiros podem ser Amazonas quando se revoltam!

O. B.

11 mar. 1906

Crônica

O café e o "convênio dos três presidentes"...

Não há outro assunto. A rubiácea admirável está na ordem do dia e na ordem da noite. Com essa preocupação vivemos quando acordamos, e com ela sonhamos quando dormimos.

O Convênio é bom? O Convênio é mau? Que é o que vale mais? a alta do câmbio ou a alta do café? – diante dessas interrogações ansiosas e comovedoras, calam-se todas as outras...

É bom notar que esse extraordinário ferver de discussões, de opiniões, de polêmicas, de controvérsias sobre o café, não é mais do que a exacerbação de um estado moral da alma brasileira. O café sempre foi a nossa preocupação fatal e absorvente.

Para a vida de cada um de nós, o café é uma necessidade: não acabamos de acordar, de manhã, enquanto não tomamos café; não podemos conciliar o sono, à noite, enquanto não tomamos café; sem café, não podemos trabalhar, não podemos pensar, não podemos viver. O café serve para tudo: para dar apetite, para aplacar a fome, para fazer dormir, para tirar o sono, para refrescar e para aquecer, para excitar e para acalmar. O café é, ao mesmo tempo, o nosso alimento, o nosso remédio, a nossa virtude, o nosso vício. E isso, que se dá na vida individual, é o mesmo que se dá na vida nacional: toda a vida social, política, econômica do Brasil gira em torno do café.

* * *

Café... café... café...

Creio que não há palavra que tantas vezes se pronuncie no Brasil, na cidade e na roça, no litoral e no centro.

Há tempo, num expresso da Mogiana, ouvi tantas vezes pronunciar esta palavra, que ela se converteu para mim num zumbido importuno e intolerável, enchendo-me o ouvido e o crânio, mordendo-me e remordendo-me os miolos, alucinando-me e desvairando-me. O trem corria por uma região fantástica, onde tudo era terra vermelha e café. Pela moldura da janela do vagão desfilavam diante de mim rubras planícies, rubras colinas, coroadas de plantações de café. Os cafeeiros, estes pequenos, aqueles grandes, estes apenas floridos, aqueles já carregados de fruto, alinhavam-se, unidos, uniformes, regulares, como soldados incontáveis de uma legião fabulosa, tapando o horizonte, confundindo-se ao galopar do trem numa compacta massa verde-negra justaposta à massa vermelha da terra. O pó, que entrava no vagão, era rubro como fogo, – pó da terra mãe do café, terra que vale ouro, terra que guarda, no seu seio criador de café, toda a fortuna do Brasil. E toda a gente no vagão falava do café. Agricultores tostados do sol, embrulhados em amplos casacos de brim pardo recobertos de poeira rubra, entravam e saíam, a cada parada do trem, trocando frases em que só se distinguia a palavra *café*. Caixeiros viajantes, chefes políticos, cobradores, funcionários da Estrada, só abriam a boca para dizer: café... café... café! Falavam no café as senhoras, falavam no café as crianças; o apito da locomotiva silvava: "café!"; as rodas dos carros rinchavam sobre os trilhos: "café!"; e as vidraças sacudindo-se nos caixilhos, as portas batendo nos portões, as ferragens do trem estrondando sobre o leito da estrada, os pistões da máquina bufando, as válvulas berrando, – tudo dizia, tudo gritava, tudo urrava: "café!..."

* * *

O café!

É a riqueza, é o corpo, é a alma, é a vida do Brasil! O Brasil é o café, e o café é o Brasil! De todos os produtos naturais desta grande terra, não há um só que vença o café. No pau-brasil, que deu o nome ao país, ninguém pensa: dessa árvore famosa, que os armadores europeus vinham outrora arrancar das nossas matas, só resta memória nos exemplares magros e esturricados que parecem estar morrendo de fome ou de vergonha na Avenida Central. Ninguém pensa no açúcar, ninguém fala da borracha, ninguém cogita do ouro. Todos os pensamentos, todas as palavras, todas as cogitações são para o Café, deus vegetal, senhor da terra, soberano indiscutível, regulador da nossa existência comercial e da nossa existência social, árbitro do nosso destino, pai da nossa alegria e da nossa tristeza, causa primaz das nossas esperanças e dos nossos desesperos...

Diz-me um velho cronista que o café entrou no Rio de Janeiro, em 1762, trazido por um certo chanceler João Alberto Castelo Branco, dono de algumas sementes da "preciosa rubiácea", que cuidadosamente plantou na *Horta do Hospício de Jerusalém*, no sítio onde está hoje aberta a rua Evaristo da Veiga. De certo, esse primeiro cultivador do café não pôde imaginar, vendo a pequenina planta lentamente crescer, ganhar forças, que estava assistindo à formação de um deus... Entretanto, ali estava nas débeis folhas e no tênue caule daquele arbusto palpitando, ainda ignorado, o Dominador da vida brasileira! O fruto, que ia sair da branca flor aromática daquele arbusto, tinha de governar toda a nossa existência, tinha de monopolizar todas as nossas preocupações, tinha de açambarcar todos os nossos cuidados, todos os nossos sustos, todos os nossos contentamentos, todas as nossas mágoas! E pensar que essa primeira plantação de café ficou esquecida e desprezada durante dezoito anos na ensombrada *Horta do Hospício de Jerusalém*, antes de sair daí, triunfante e avassaladora, para se alastrar pelo solo do Brasil, fecundando centros rurais, criando cidades, congregando trabalhadores, atraindo colonos... e provocando este assombroso bate-barbas a que deu origem o "convênio dos três presidentes"!...

* * *

O bate-barbas é natural. A alta e a baixa do preço do café explicam no Brasil todas as alternativas de calma e de susto, de paz e de revolução, de riqueza e de pobreza.

Quando o café se vende bem, tudo sorri! tudo fulge, tudo é cor-de-rosa e de ouro. Enchem-se as cidades de povo satisfeito; os teatros transbordam gente, os lares domésticos florescem em risos; o comércio rejubila; mercam-se jóias, vestidos de luxo, alfaias preciosas; nas casas de jogo, em torno dos tapetes verdes, o dinheiro corre a rodo; empavesam-se, arreadas de sedas e brilhantes, as *cocottes* caras; tudo é felicidade, tudo é satisfação, tudo é empáfia, tudo é bazófia, e dissipação, e folguedo. Eis, porém, que o café começa a vender-se mal: e tudo míngua, tudo murcha, tudo chora: ermam-se as ruas, enfarruscam-se as caras, fecham-se as batotas; não há bailes, não há espetáculos, nem convescotes, nem pândegas; e toda a gente, com os olhos afogados em pranto, desata a bradar: "Este país está perdido!"

Assim, não é difícil compreender a profunda comoção e o vivíssimo interesse, com que todos discutem o convênio de Taubaté.

Eu, francamente, não sei dizer se as operações financeiras, que se vão iniciar, em virtude desse convênio, são boas ou más. Não entendo dessas cousas; e estou até convencido disto: a ciência das finanças é uma complicadíssima trapalhada, que ninguém compreende e todos fingem compreender.

O que sei é isto: os interesses do café são superiores a todos os outros interesses. E, ainda com grande sacrifício, devemos proteger e salvar o Café.

* * *

Porque, enfim, é preciso que sejamos gratos: é a ele que devemos tudo quanto somos e quanto temos. Ainda agora, com a crise terrível que sofre a lavoura de café, é essa lavoura quem nos sustenta, é ela quem nos dá algum dinheiro e algum crédito!

E, se não basta essa razão de ordem material, não faltam razões de ordem moral, para que sejamos gratos à rubiácea querida.

O café é o nosso bom amigo: é a leve e deliciosa bebida, que nos tonifica o organismo, que nos avigora o sangue, que nos esclarece a inteligência, que nos levanta as forças deprimidas pelo trabalho. E não devemos amar essa bebida unicamente pelo bem que ela nos faz ao corpo e à alma; devemos ainda amá-la porque ela é o símbolo e o veículo da nossas hospitalidade...

Assim como, nas antigas populações selvagens, era uso passar de boca em boca, pelos hóspedes que chegavam, o "cachimbo-da-paz", – também, na vida meiga e afetuosa das nossas cidades e dos nossos campos, a simples e boa gente do trabalho considera o café como um penhor de paz e amizade. O café, oferecido a quem chega, aos amigos, como aos indiferentes, aos conhecidos como aos desconhecidos, revela a boa vontade do dono da casa, e o desejo, que o anima, de acolher com carinho quem o procura. O mais pobre dos nossos homens do campo, vendo chegar à sua modesta vivenda o viajante cansado, nunca lhe pergunta quem é, antes de lhe abrir a porta e antes de lhe oferecer a chávena em que o café reconfortante fumega. É a primeira manifestação de amizade... Com ela se inicia a conversação, com ela se estreitam as relações, com ela se apertam os laços sociais... E, assim, sendo a fonte principal da riqueza da terra, ainda o café serve para mostrar a bondade da gente, – bondade que se revela pela mais encantadora das suas formas: o culto dos hábitos de franca hospitalidade.

Decididamente, se o convênio de Taubaté traz sacrifícios, devemos sujeitar-nos de boa vontade a esses sacrifícios. O Café merece o nosso amparo, porque é credor da nossa gratidão!

O. B.

25 MAR. 1906 — CRÔNICA

Não discutamos, que é perder tempo. Não haverá estio este ano, e começamos a ter inverno em pleno março.

Petrópolis está cheia de casas por alugar, fechadas e tristes, à cuja frente se balançam ao vento os retângulos de papelão, com o clássico *aluga-se*, como as papeletas que nos hospitais se penduram à cabeceira dos enfermos. Friburgo está deserta, Teresópolis está selvagem. E um amigo meu, que tomara casa na Tijuca, voltou de lá, desesperado e triste, cheio de reumas, dizendo-me: -"Não imaginas! A umidade mata, lá em cima... Eu já me estava sentindo transformado em árvore: com um pouco mais, esgalhava-me em ramos, coroava-me de folhagens, cobria-me de flores e frutos, arreava-me de ninhos!..."

Aqui, na planície urbana, também há umidade. Mas não há o deserto, que há lá em cima nas montanhas, nem a melancolia das longas horas sem ocupação, vendo as névoas que sobem e descem, a chuva que escorre pelos troncos, a lama que ensopa as estradas ermas.

Aqui, ao menos, a gente diverte-se, sai, anda, saracoteia, mexerica e paparica pelas confeitarias, diverte-se a espionar a vida alheia, – ou mergulha de cabeça para baixo no trabalho, que é o grande Letes consolador.

Aqui, a gente diverte-se. E até há quem se divirta sinistramente, alarmando os outros, enchendo de susto as almas crédulas, com a invenção de maranhas pavorosas...

* * *

Quem será o sujeito, que anda inventando esses boatos aterradores?

Deve ser uma alma à parte, – uma dessas almas que se entediam na terra e, com um requinte de gozo sádico, amam gerar em torno de si o terror e o sobressalto.

Esse Gracioso Fúnebre inventou anteontem que houvera fenômenos sísmicos em Petrópolis, e já antes predissera uma inundação fenomenal para este domingo, e um grande terremoto para a semana santa, no Rio de Janeiro... O malvado imagina e incuba longamente essas mentiras, e, quando as vê maduras, atira-as ao ouvido do primeiro papalvo que encontra; – e sai dali, satanicamente, sorrindo à espera da germinação da semente daninha.

Foi ele, naturalmente, quem ideou e espalhou aquela famosa oração que cada um deveria dizer sete vezes por dia, sob pena de receber espantosos castigos da cólera divina...

Que inventará ele amanhã? Que a Mãe da Água vai engolir todas as crianças, ou que o Pão de Açúcar vai abrir-se em vômitos de cinza e lava, ou que do flanco do Corcovado vai romper uma cachoeira de chamas.

E não faltará quem lhe dê crédito. Acender-se-ão nos oratórios as lamparinas votivas, encher-se-ão de "promessas" de cera as capelas, – e algumas almas, mais fracas do que outras, resvalarão para a loucura e para o suicídio. E o perigoso e masoquista gracejador, o Sade dos boatos alarmantes rirá na sombra, – como um Diabo de nova essência e de nova forma, menos apercebido de chavelhos e de pés de cabra, porém muito mais imaginoso e perverso do que o outro...

* * *

Felizmente, não é desse modo que todos se divertem no Rio, neste falso inverno de março.

Inaugurou-se o *Teatro Lírico Brasileiro*, no velho e remoçado *S. Pedro*, com uma ópera nacional e um belo concerto sinfônico.

Foi uma tentativa corajosa e admirável.

O que nessa idéia mais me interessa e entusiasma é o que ela representa de útil e proveitoso como reabilitação do bom nome do idioma português, tão formoso e tão caluniado. A ópera *Carmela* de Araújo Viana foi cantada em português... É uma reação salutar contra o vezo absurdo, tão enraizado no Rio de Janeiro, de não se querer admitir que o português possa ser, no canto, tão suave e tão harmonioso como o espanhol ou o italiano.

Essa triste campanha de desmoralização do nosso idioma vem de longe, e é um fruto do *snobismo* dos brasileiros viajados.

Eduardo Prado contava que certa vez em Paris, uma senhora, que só compreendia e falava o francês, quis um dia fazer idéia do que seria o português bem pronunciado, e pediu-lhe que declamasse alguns versos. Eduardo recitou as duas primeiras estrofes dos *Lusíadas*. A senhora teve um gesto de horror, e disse: "Je n'aime pas ça; ça hurle et ça siffle!"

Esta anedota correu todo o Brasil, ganhou foros de verdade histórica, – e muita gente começou, por pedantaria a dizer que a língua portuguesa com o som cavo das suas terminações em *ão* e os seus sibilados (*ça hurle et ça siffle...*) é uma língua dura e brutal, e apenas tolerável quando falada, mas absolutamente insuportável quando cantada.

Que tolice!

Se os *ss* sibilados afeiassem a tal ponto uma língua, que a tornassem incompatível com o canto, de todas as línguas latinas, somente a italiana, singularmente favorecida pela abundância dos seus plurais em *e* ou em *i*, poderia servir de arcabouço à composição musical.

A língua francesa e a espanhola usam e abusam, como a portuguesa, do *s* forte, transformado em *z*, quando se junta a uma vogal. Se nós, quando queremos dizer *seus olhos*, pronunciamos *seu-zólhos*, também os franceses pronunciam *se-zieux*, e os espanhóis *su-zojos*. Objetar-me-ão talvez que os franceses, se pronunciam o *s* final da palavra quando o ligam à vogal inicial de outra palavra, não o pronunciam quando a palavra seguinte começa por uma consoante. Essa objeção é fraca, porque a regra tem muitas exceções: é verdade que nunca os franceses pronunciam o *s* final de *amis*, ou de *remplis*, ou de *enfants*; mas sempre, ou quase sempre, pronunciam o *s* final de *fils*, *plus*, *tous* etc. E, além disso, se os sons sibilados furtassem toda a harmonia a uma língua, haveria verso mais feio do que este sibiladíssimo verso de Racine: "pour qui sont ces serpents qui sifflent sur vos têtes..."?

Assim, os *ss* sibilados não são um monopólio de nosso idioma. O idioma francês e o idioma espanhol também os têm. E nem por isso é mais feio o canto das *malagueñas* e das *peteneras* de Espanha, e nem por isso Paris deixou de possuir dois teatros líricos subvencionados, a *Opéra* e a *Opéra Comique*, onde apenas se permite a execução de óperas cujo libreto é escrito em francês.

Restam as terminações em *ão*, que de fato só existem no idioma português... Mas, no canto, a desinência portuguesa em *ão* é tão rude como a em *on* dos franceses e dos espanhóis, e como a em *one* dos italianos...

Até na linguagem falada, o do português é rude ou suave, temeroso ou brando, enérgico ou meigo, conforme a palavra que termina e conforme a boca que o pronuncia. O *ão* de trovão não é igual ao de *coração*. E a palavra *coração*, dita por um brutamontes, não é a mesma palavra *coração*, dita por uma linda boca de mulher... Em certas palavras, o *ão* é trovoada, e em outras é arrulho e beijo. Em *vulcão*, o *ão* atordoa, mas em *paixão* e *compaixão* acaricia e abençoa...

* * *

Tolices! esnobismo! pedanteria!

A língua portuguesa é tão harmoniosa como a italiana, e mais harmoniosa do que a espanhola e a francesa. Para que havemos nós de caluniá-la, declarando-a incompatível com a música? Isso é um crime, isso é matricídio imperdoável!

Há poucos meses, em uma casa de hospitaleira e distinta família do Rio, preparava-se um sarau. Algumas senhoras estudavam canções e romanças italianas e francesas, com a letra em italiano e francês. Tiveram, porém, a magnífica idéia de cantá-los em português... Associei-me, encantado, à experiência, e traduzi ou parafraseei em versos portugueses os versos dos trechos que iam ser cantados. Quando se realizou o sarau, o efeito foi surpreendente! – não pelo valor dos meus versos, que era nulo, mas porque a doce língua portuguesa, e o doce falar brasileiro, deram um encanto novo às melodias.

Essa experiência já foi várias vezes feita, em várias épocas, e sempre com o mesmo admirável e perfeito resultado. Todos se lembram do estrondoso sucesso com que Mlle. Camilla da Conceição e o professor Carlos de Carvalho cantaram, há anos, em vários concertos, vários trechos de música de Viana da Mota, justapostos a versos portugueses. E ainda ninguém esqueceu, de certo, o êxito das representações líricas do Centro Artístico.

Experiências? Creio que a idéia já não carece de experiências. É uma idéia vencedora!

Urge que, senão nos teatros, ao menos nos salões se dê cabo dessa desengraçada mania, que têm as senhoras de só cantar cousas francesas, italianas ou espanholas, deixando desprezada a língua materna, que não merece tal desamor.

Há, no Rio de Janeiro, meninas que cantam cousas estrangeiras, maquinalmente, sem que compreendam uma só palavra do que estão cantando.

Certa vez, uma dessas gargarejadoras de romances acabava de estropiar uma linda *berceuse* de Gounod, bordada sobre versos de Victor Hugo. E, como eu lhe perguntasse se não achava admiráveis aqueles versos, ela respondeu:

– Não sei... Gosto muito da música; dos versos nada posso dizer, porque não entendo bem o francês...

– Mas não acaba de cantá-los?

– Sim! decorei-os, mas não os entendo bem...

Confesso que fiquei com imensa pena da lambisgóia!

* * *

Enfim, o *Teatro Lírico Brasileiro* foi a mais bela criação e a mais louvável invenção desta semana de prematuro inverno, durante a qual tantas cousas imbecis ou perversas se criaram ou inventaram no Rio de Janeiro...

O. B.

08 abr. 1906

Crônica

Semana de muita política. Não, porém, de política interna, – dessa politicazinha doméstica, que só tem interesse para os chefes grandes ou pequenos que a dirigem. Essa, por hora, está em descanso. As águias provincianas ainda estão pousadas sobre os seus pequenos campanários natais, e ainda não desferiram o vôo soberano para os dous grandes campanários do Senado e da Câmara...

A semana foi muito política... internacional, – e de política internacional, cujo eixo foi o Brasil. O artigo publicado em Paris por um estadista francês e a aprovação do programa da Conferência Pan-Americana foram os dous magnos assuntos da hebdômada. E se bem que o primeiro desses assuntos se relacione com as relações entre o Brasil e Alemanha, ao passo que o segundo se refere às nossas relações com os Estados Unidos da América do Norte, há entre eles uma conexão tão íntima e perfeita, que não é possível separá-los.

O "perigo alemão" e o "pan-americano" são dous aspectos do mesmo problema. E reconheçamos que discutir esses dous assuntos é para nós muito mais útil e proveitoso do que discutir as probabilidades que tem este ou aquele candidato à senadoria ou à deputação, de entrar, para o Senado ou para a Câmara, pela porta larga da verdade da eleição ou pela portinhola escusa do "reconhecimento" arranjado entre amigos. O "perigo alemão" e o "pan-americano" interessam realmente o país, ao passo que essas pequeninas disputas eleitorais interessam apenas os profissionais da politiquice.

* * *

O perigo alemão.

"Sombra implacável, pavoroso espectro", que vive a encher de pesadelos o agitado sono de muita gente, acaba de preocupar também o espírito do Sr. Méline, ilustre político e parlamentar francês. O Sr. Méline mostra-se apreensivo e assustado, quando prevê o futuro do Brasil, que lhe parece carregado de tremendas ameaças. E todos nós, de certo, estaríamos a esta hora infinitamente gratos a esse inesperado amigo, se não fossemos forçados a reconhecer que a sua intervenção é antes uma demonstração de ódio à Alemanha, do que uma prova de amor ao Brasil...

O Sr. Méline parece querer armar concorrência à famosa madame de Tebes, pitonisa de Paris. Vaticina ele que, dentro de poucos anos, a Alemanha terá vinte ou trinta milhões (*excuzez du peu!*) de filhos seus domiciliados no Brasil, e que, então, este vastíssimo país deixará de ser uma república independente, para ser uma colônia germânica.

À primeira parte da profecia merece que lhe digamos: "Amém!" Porque no dia em que, além dos vinte milhões da população atual, o Brasil tiver mais vinte milhões de trabalhadores alemães, ou franceses, ou italianos, ou ingleses, o nosso progresso será formidável...

Quanto à sua segunda parte, a profecia não passa de uma *boutade* francesa contra o imperialismo alemão, – *boutade* em que o Brasil representa o papel pouco lisonjeiro de "gato morto".

Esses vinte milhões de alemães (que o Destino os traga o quanto antes!) seriam aqui transformados pelo clima e muitos outros fatores, em vinte milhões de brasileiros. A terra tem encantos e proveitos que seduzem, e esses encantos e proveitos fazem mais do que as nossas teorias. O trabalho, a família, a beleza do céu, a liberdade, a fartura do solo mudam aqui, os inimigos e os indiferentes em amigos e amantes. No Sul, já há muitos teutões, que nem à viva força se resignariam a ir servir de *chair à canon*, para sustentar as ambições belicosas do espalhafatoso Guilherme.

Só haveria um perigo: que nos deixássemos ficar na criminosa indiferença com que encaramos a difusão do ensino primário, – e consentíssemos que a língua portuguesa, pela falta de escolas e pela falta do ensino obrigatório, desaparecesse de todo... Mas essas providências de tal modo se estão impondo, que o governo vai ser fatalmente obrigado a adotá-las!

Sossegue o Sr. Méline! A Alemanha, por hora, não parece ter o desejo de conquistar o Brasil. A primeira cousa que faz um país, quando quer conquistar outro, é estudá-lo, até conhecê-lo bem. E, em matéria de geografia brasileira, os alemães são quase tão ignorantes... como os franceses.

Ainda ontem, vi um número da *Brücke zur Heimat*, revista que se publica em Bremen. Há aí um desenho, representando o *Aquidaban* submergido em *Jacarepaguá* (*das in mehrbusen von Jacarepaguá bei Rio de Janeiro untergegangene...*) E é preciso notar que esse erro crasso de geografia apareceu em um grande número de revistas e jornais da Alemanha... Se é com esse conhecimento do nosso litoral que eles nos querem conquistar, podemos dormir tranqüilos.

* * *

Afinal, têm muita graça esses amigos novos do Brasil, brasileiros e estrangeiros, que, aterrando o nosso espírito com o fantasma da "ocupação estrangeira", querem deixar esse pobre país isolado e desamparado na face do planeta, sem uma aliança em que se possa apoiar. Esses mesmos, que nos assombram com o perigo alemão, são os primeiros a bradar que vamos morrer, quando nos vêem dispostos a aceitar a amizade comercial e política dos Estados Unidos... Com quem devemos, então, aliar-nos? Com quem devemos procurar manter uma solidariedade, que favoreça o nosso progresso, tão retardado por sessenta e sete anos de monarquia inepta e dezessete anos de república desmiolada? – com os vizinhos, que só querem crescer e prosperar à custa da nossa difamação, sistematicamente organizada? com os cafres? com os chins? com os lapões, com os zulus?!

O espectro do "perigo americano" ainda é mais ridículo que o do "perigo alemão".

Basta ler o texto do programa adotado para a *Conferência* de julho, para ver que essa *Conferência* vai ser o ponto de partida para uma extraordinária expansão do progresso material e moral do Brasil. Somente os cegos (os piores deles, que são aqueles que não querer ver...) deixarão de reconhecer que esse Congresso vai ser o mais importante de quantos jamais se realizaram. A codificação do direito internacional, a lei da naturalização, o desenvolvimento das relações comerciais entre os países do continente, a celebração de tratados de comércio, de propriedade literária e de exercício de profissões liberais, a simplificação de leis aduaneiras e consulares, a construção da ferrovia pan-americana, o estudo das questões que se relacionam com a saúde pública, – tais são os principais pontos desse programa. Onde está aí o atentado à soberania do Brasil? onde está aí a ameaça contra a nossa independência?

Já um escritor nosso lembrou, há dias, com felicidade, que, se ainda nos fosse necessária uma prova clara e soberana do quanto nos será proveitosa a aproximação moral com os Estados Unidos, tê-la-íamos na manifesta hostilidade com que todas as nações da Europa encaram essa aproximação.

Se a França, a Inglaterra e a Alemanha nos querem afastar do amigo natural que nos é indicado, não é de certo por causa dos nossos bonitos olhos, como se costuma dizer em linguagem familiar...

* * *

Não se trata, porém, de aliança. A Conferência Pan-Americana vai consultar os interesses de todas as nações do continente.

Esse congresso reunir-se-á no Rio de Janeiro, como já se reuniu em Washington e no México e como se poderia reunir em Buenos Aires, ou em Montevidéu, ou em Santiago, ou em Lima, ou em Caracas. Não se vai, nesse congresso, tratar de interesses *brasileiros*, mas de interesses *americanos*. E se alguma honra especial nos cabe, é a de receber em nossa casa as nações interessadas no caso...

Essa honra, não nos iludamos, é grande. Nós vamos poder mostrar, não só aos Estados Unidos, como a todas as outras nações americanas, que estamos atravessando uma fase admirável, uma crise salutar da nossa vida de nação. Estamos trabalhando, estamos lutando, estamos vibrando, estamos *vivendo*, no mais nobre e preciso sentido que pode ter o verbo *viver*. Há alguns anos, a reunião de uma Conferência Pan-Americana no Rio de Janeiro seria um desastre e uma vergonha para o Brasil: que poderíamos nós então mostrar aos visitantes, que não provasse a nossa preguiça e o nosso desmazelo?... Hoje podemos mostrar-lhes uma capital sem epidemias, prodigiosamente transformada em pouco tempo por um milagroso trabalho de saneamento e fadada a ser a mais bela e a mais povoada da América do Sul...

* * *

Deixemo-nos de prevenções tolas, e exultemos. Nunca houve, no Brasil, política diplomática mais sábia e prudente do que a que ora temos. E não há de ser tendo medo de tudo quanto é progresso que havemos de desenvolver... O. B.

13 maio 1906

Crônica [IP]

Vai partir o *Maranhão*, em breve pintado e alcatifado de novo, garboso e airoso, levando no seu seio o homem que, durante quatro anos, vai ter a obrigação de governar o Brasil. A viagem é de "instrução": mas o marinheiro não é de primeira viagem. É homem que já governou, e já sabe o que é governar. Desta vez, porém, a responsabilidade é tão grave, que ele quer primeiro considerar o passo, – como nos ginásios, o acrobata, antes do salto perigoso, considera com cuidado a extensão do espaço que vai transpor.

Já os jornais publicaram o itinerário do novo presidente. Bela, agradável, deliciosa viagem seria essa, – para quem apenas a realizasse como recreio e desenfado! Por pouco que o *Maranhão* navegue na proximidade da costa, poderá S. Ex. admirar as montanhas, as angras, as obras, as baías, os cabos, as vertentes escarpadas, os recifes que bordam a imensa faixa do litoral, desde o Rio até a Bahia; na Bahia, gozará o aspecto da velha cidade colonial, cidade de ruas estreitas, cheia de uma gente afável e intensamente patriota, cujo patriotismo até se manifesta na pintura auriverde dos portões das lojas; daí irá contemplar, com encanto maravilhado, a majestade régia do São Francisco; volverá à capital do vatapá, e irá por mar a Aracaju e Maceió; de Maceió em estrada de ferro, furará os sertões até Pernambuco, Rio Grande do Norte; irá depois ao Ceará, a terra mártir, ao berço dos heróis da seca, da fome e da liberdade; depois visitará a Amazônia feraz e esplêndida; voltará ao sul, prolongará a sua viagem, – tão longa e tão interessante como um daqueles arrojados *périplos* que realizavam os navegadores da Idade Antiga, – até o lindo Paraná, visitará os pampas, espiará o "perigo alemão" em Santa Catarina, admirará o progresso de São Paulo, e irá repousar em Belo Horizonte, onde compendiará, analisará, resumirá e digerirá as suas impressões... Bela, agradável, deliciosa viagem, para quem apenas a realizasse como recreio e desenfado!

A viagem, porém, não é de passatempo: é de instrução.

S. Ex. vai viajar como "patriota". E o seu patriotismo já começou a afirmar-se neste propósito seu, que o *Jornal do Comércio* desveladamente tornou público: "Informam-nos que o Sr. Dr. Afonso Pena estimará certificar-se por toda a parte do estado de adiantamento da indústria nacional e assim ser-lhe-á agradável servir-se de cousas preparadas no país, pois é sua opinião que constitui verdadeiro preconceito supor-se que só é bom o que vem do estrangeiro". Outro jornal acentuou o patriotismo da intenção de S. Ex., num estilo mais confuso, porém mais insistente: "Deliberado a romper com a injustificável prevenção de que não é de bom gosto e de bom tom dar preferência, nos nossos serviços domésticos, inclusive os de mesa, aos artefatos e produtos da indústria nacional, no falso pressuposto de que mais finos (porque em geral mais caros) sejam os importados, ou como tais utilizados inconscientemente, muito estimará o Sr. Dr. Afonso Pena ter por toda a parte, ensejo de certificar-se de que é, com efeito, bem fundada essa deliberação".

Isso quer dizer que o eminente viajante servir-se-á, com prazer, de mobílias nacionais, de alfaias nacionais, de linhos nacionais; que a fâmulos e serviçais franceses ou ingleses, emproados e escanhoados, preferirá a criadagem da terra, modesta, leal, afável, talvez um tanto confiada demais, porém, em todo caso, mais sincera; e que, quando se sentar à mesa, a bordo do *Maranhão*, ou na sala de jantar dos palácios presidenciais, ou nos desataviados refeitórios dos albergues provincianos, comerá com prazer os acepipes nossos, bem nossos, preferindo, aos complicados *ragôuts* e *rôtis* da cozinha estrangeira e aos seus molhos incendiários, o bom caruru da Bahia, as suculentas fritadas de guaiamus de Pernambuco e Maceió, a saborosa carne-de-sol do Ceará (onde sempre há sol, mas onde nem sempre há carne), a bela tartaruga do Amazonas, o fresco chimarrão do Paraná, o sangrento churrasco dos pampas, o fino viradinho de S. Paulo.

O propósito é louvável, – e não haverá um só brasileiro que o não aprove.

* * *

Somente, já que S. Ex. assim revela a disposição de proteger tudo quanto é brasileiro, quero eu chamar a sua preciosa atenção para uma cousa bem nossa, bem brasileira, que S. Ex. encontrará a cada passo por essas cidades e por esses sertões, e que, ao contrário das outras, não deve ser protegida: – a falta de instrução.

S. Ex. verá que, nas cidades do litoral, onde residem os governos, há ainda algumas escolas (bem poucas em verdade!), em que se formam homens conscientes e livres. Mas, por pouco que o ilustre viajante se embrenhe nos sertões, verá que o Brasil ainda está à espera de Alguém que o inicie nos mistérios do Abecedário, imitando o legendário Cadmus, herói e semideus da velha Grécia, introdutor do alfabeto fenício na terra helena...

Bem sei (ai! de mim!) que sou importuno e impertinente, vindo dizer a um homem eleito Presidente: "V. Ex. vai ter a honra de governar um povo de analfabetos!..." Que hei de fazer, porém, se lendo e relendo a mensagem de S. Ex. nela não encontrei a promessa decisiva e formal de que alguma cousa se fará, durante o seu governo, para dar instrução primária aos que a não têm?

Escrevi, acima, que S. Ex., depois de visitar o Paraná e os Pampas, "espiará o perigo alemão em Santa Catarina". Peço agora a S. Ex. que não deixe de dar um salto a Blumenau...

O verdadeiro "perigo alemão", – como o compreendem aqueles que sabem que a *língua* é a essência e a forma da *nacionalidade*, e não como o compreendem os que querem ver o Brasil isolado, fraco e paupérrimo, no mundo, – é este, demonstrado por um telegrama do *Jornal do Comércio*, de ontem:

"No relatório do superintendente de Blumenau se encontra o seguinte trecho referente ao desenvolvimento da instrução do município.

A respeito das línguas em que as diversas matérias são lecionadas nessas 112 escolas, informará a seguinte exposição: português, em quatro escolas; português e alemão, em quatro escolas; polaco e alemão, em quatro escolas; italiano e alemão, em uma escola: italiano em 17 escolas e alemão em 81 escolas".

Não é possível, de certo, imaginar mais deplorável situação. Ao passo que o alemão é ensinado *exclusivamente* em 81 escolas de Blumenau, e o italiano, também *exclusivamente*, em 17, somente há quatro escolas especialmente destinadas ao ensino exclusivo do português! E, se juntarmos em grupos as escolas em que as línguas são ensinadas separadamente e cumulativamente, chegaremos a este desconsolador resultado: nas cento e doze escolas de Blumenau, *cidade brasileira*, a língua oficial do Brasil só é praticada (e sabe Deus como!) em *oito*, ao passo que a língua polaca é estudada em igual número, a italiano em *dezoito*, e a alemã em *noventa*!

* * *

Creia o Sr. Dr. Afonso Pena que é assim, e não de outro modo, que um povo perde a sua dignidade, a sua independência, a sua nacionalidade.

Ainda em Blumenau, há 8 escolas em que se ensina o nosso idioma. Há, porém, no Brasil, imensos tratos de terra em que não floresce uma só escola. A instrução primária, estupidamente confiada pela Constituição ao governo dos Estados, definha e desaparece de dia em dia. Exceção feita do Distrito Federal, de S. Paulo, do Rio Grande do Sul e do Pará, todos os Estados, quando querem entrar num período de economia começam a suprimir escolas e a demitir professores. Nos quatro Estados, que citei, a instrução primária ainda não é o que deve ser, mas sempre é alguma cousa; nos outros, é burla, é caçoada, é mentira, é nada. Os estadistas alegam: "Nada se pode fazer, porque a União não pode chamar a si o encargo de espalhar a instrução..."

Não pode, por quê? Porque a Constituição proíbe?... Ah! deixai-me rir desta Constituição, tantas vezes violada e prostituída, como uma pobre ervoeira, quando é preciso atender a interesses políticos, e unicamente inviolável, como uma Lucrécia, quando se trata de salvar a nacionalidade brasileira! E, se de todo não a querem violar, por que é que a não reformam?...

Permita o Sr. Dr. Afonso Pena que eu lhe peça isto: em cada capital, em cada cidade, em cada vila onde pousar ou por onde passar, pergunte aos chefes políticos qual é aí o número de analfabetos: e horrorize-se! porque, muitas vezes, esses chefes políticos, se quiserem ser francos, hão de no número de analfabetos incluir-se a si próprios...

* * *

É realmente louvável que S. Ex., durante a sua viagem, somente se queira servir de "cousas preparadas no país". Mas reflita o chefe do Estado: não é usando tecidos da Alemanha, servindo-se de móveis franceses, calçando sapatos ingleses, bebendo vinhos húngaros, comendo carne da Argentina, que o Brasil se desnacionaliza. A sua desnacionalização vem do abandono em que está ficando a língua materna.

A língua é tudo: é a nacionalidade, é a raça, é a pátria. Perdida a língua, tudo está perdido.

Ainda há poucos dias, li o livro de um norte-americano, – livro de um orgulho desmarcado, em que este publicista ianque diz que, para que a sua pátria seja verdadeiramente uma Pátria, só lhe falta possuir um idioma seu, exclusivamente seu: e aconselha, para isso, a obrigatoriedade do estudo da língua dos *Peles-Vermelhas* nas escolas da União Americana... E uma fanfarronada, é um disparate, é um contra-senso. Mas, entre isso, e a criminosa indiferença com que nós nos arriscamos a perder a nossa nacionalidade, perdendo a língua que herdamos dos nossos maiores, há um meio termo; e é nesse meio termo que deveríamos ficar.

Nada, porém, fazemos para alcançá-lo. Não criamos, na imensa extensão dos sertões brasileiros, escolas em que se ensine o idioma português; por outro lado, no litoral não contrabalançamos, com a criação de novas escolas nossas, o mal que nos podem fazer as escolas italianas e alemães. É um suicídio! Já não é preciso que outros nos matem, porque nós mesmos nos estamos encarregando desse serviço...

* * *

Não nego que seja um dever de patriotismo proteger as nossas indústrias e a nossa arte culinária. Mas, espero que o futuro chefe do Estado, já que está com a mão na massa do protecionismo, dê à pobre língua portuguesa, à desventurada e formosíssima língua, que está morrendo por falta de difusão do ensino primário, um pouco da generosa proteção que vai dar ao vatapá da Bahia, aos abacaxis de Pernambuco, aos sururus de Alagoas, ao arroz do Maranhão, ao gerimum do Rio Grande do Norte, à carne-de-vento do Ceará, à tartaruga do Amazonas, à banana com peixe de Santa Catarina, ao mate do Paraná, ao terneiro assado do Rio Grande do Sul, ao café de S. Paulo, ao lombo de Minas, e à feijoada do Rio de Janeiro.

O. B.

20 MAIO 1906 — CRÔNICA [CIA]

Não há interesse mais vivo, não há atenção mais ansiosa, do que o interesse e a atenção, com que, depois de uma longa enfermidade gravíssima, as pessoas que amam o enfermo espiam na sua face, no seu olhar, nas suas maneiras, o lento progredir da convalescença. É a ressurreição...

No organismo, que a morte gulosa andou rondando, como uma fera ronda uma presa cobiçada, a vida reponta aos poucos, num brando anseio de maré que sobe; nos olhos, em que já tinham começado a crescer as névoas do aniquilamento, acorda vagamente a luz da saúde; o sangue começa a transparecer na face, ainda pálida, como uma nuvem cor-de-rosa sob a água límpida de um rio; todo o corpo desperta do torpor prolongado; a voz principia a adquirir calor e animação; o sorriso reaparece à flor da boca; o apetite renasce...

Mas as pessoas amigas, que ansiosamente acompanham esse moroso ressurgimento do enfermo, ainda têm desconfiança e susto. Não venha uma recaída estragar todo esse esforço do organismo! não seja essa melhora uma cilada da Morte insidiosa, que, às vezes, gosta de brincar com a sua presa, antes de a tragar, como um gato cruelmente se diverte com o ratinho prisioneiro, fingindo soltá-lo, fingindo distraí-lo, dando-lhe segundos de enganadora esperança, antes de lhe arrancar o último anseio de vida com uma dentada misericordiosa! E esse receio é um sobressalto constante, uma contínua preocupação...

Não de outro modo, os cariocas (os verdadeiros, os legítimos, – porque há muitos cariocas que só se preocupam com a beleza e a saúde de... Paris), acompanham, atentamente, interessadamente, carinhosamente, e assustadamente, a convalescença do Rio de Janeiro, – pobre e bela cidade, que quase morreu de lazeira, e, por um milagre mil vezes bendito, foi arrancada às garras da morte.

Os médicos ainda se não despediram. A moléstia foi longa e séria, – e o tratamento também há de ser sério e longo. Mas a cura parece, agora, infalível. A cidade engorda, ganha cores, faz-se mais bela de dia em dia. E, a cada novo sinal de saúde, a cada novo progresso da beleza, a cada novo sintoma de renascimento que lhe notam, os seus amigos exultam, e sentem a alma alagada de uma ventura infinita...

* * *

Agora, o que está particularmente interessando os cariocas é a rapidez maravilhosa com que se vai erguendo o majestoso pavilhão de S. Luís, no fim da Avenida.

A qualquer hora do dia ou da noite, quando por ali passa um bonde, há dentro dele um reboliço. Interrompe-se a leitura dos jornais, suspendem-se as conversas, e todos os olhares se fixam na formosa construção, que está pouco a pouco subindo, esplêndida e altiva, da casca dos andaimes, já revelando a suprema beleza em que daqui a pouco pompeará.

As velhas casas de em torno ruem demolidas. Rasga-se ali, no coração da cidade, um imenso espaço livre, para que mais formoso avulte o palácio. No alto das cúpulas imponentes, agitam-se os operários como formigas, completando a *toilette* do monumento. E a cidade não pensa em outra cousa. Ficará pronto ou não, em julho, o palácio? Ferve a discussão, chocam-se as opiniões, – fazem-se as apostas – porque o carioca é um homem que nada faz sem aposta e sem jogo.

Sim! o Pavilhão ficará pronto! será dignamente hospedada a Conferência Pan-Americana, e aqueles que, por birra ou vício, apostaram pela não conclusão do trabalho, hão de perder o seu dinheiro e ficar corridos de vergonha...

* * *

E, por felicidade, não é apenas materialmente que a cidade convalesce: é moralmente também. A população naturalmente vai perdendo certos hábitos e certos vícios, cuja abolição parecia difícil, senão impossível.

Verdade é que, para outros vícios, é ainda necessária a intervenção da autoridade, com o argumento sempre poderoso e decisivo da multa... Mas, voluntária ou obrigada, espontânea ou forçada, o essencial é que a reforma dos costumes se opere.

Ainda ontem, a Prefeitura publicou um edital, proibindo, sob pena de multa, "a exposição de roupas, e outros objetos de uso doméstico, nas portas, janelas e mais dependências das habitações que tenham face na via pública..."

Era esse, e ainda é, um dos mais feios hábitos do Rio de Janeiro...

Já não falo das casas humildes, nos bairros modestos da cidade. Que há de fazer a gente pobre, que mora em casinhas sem quintal, senão fazer da rua lavadouro, e das janelas coradouro da sua minguada roupa? Não falo das míseras vestes que, nas estalagens dos subúrbios, aparecem aos olhos de quem passa, estendidas em cordas, ou desdobradas no chão, lembrando os farrapos de Jó, de que fala Raimundo Correia,

> ...Voando, – desfraldadas
> Bandeiras da miséria imensa e triunfante...

Não! muita cousa deve ser permitida aos pobres, para quem a pobreza já é uma lei pesada demais...

O que se não compreende é que essa exibição de roupas de uso íntimo seja feita em palacetes nobres, de bairros elegantes. De manhã, ainda é comum ver, em casas ricas, essa exposição impudica e ridícula. Na janela desta casa, vê-se um alvo roupão de banho, sacudido ao vento matinal; e a casa parece estar dizendo, com orgulho: "Vejam bem! Aqui mora gente asseada, que se lava todos os dias!..." Mais adiante, vêem-se saias de fino linho bordado, ricas anáguas de seda; e a casa proclama, pela boca escancarada da janela: "Reparem! Aqui moram senhoras de bom gosto, que usam lençarias de luxo!..." Que cousa abominável! A casa de família deve ser um santuário: não se compreende que se transformem as janelas da sua fachada em vidraçarias de exposição permanente, para alarde gabola do que a vida doméstica tem de mais recatado e melindroso...

* * *

Não seria também possível, ó cidade bem amada! que, em muitas das tuas casas dos bairros centrais, pudéssemos deixar de ver tanta gente em mangas de camisa?

Já sei que o calor explica tudo... Mas, santo Deus!, se é só para se ver livre do calor, e não por economia ou pobreza, que essa gente quer viver à frescata, por que não adotar o uso de um leve jaleco de brim, ou de uma leve blusa de linho? A frescura do trajo não é incompatível com a compostura! e não há de ser o uso de um tênue paletó de fazenda rala, que há de assar em vida essa gente tão calorenta!

* * *

Mas, vamos devagar! Roma não se fez em um só dia. Os convalescentes querem ser tratados com tino e prudência. Depois de uma longa dieta, os primeiros dias têm de ser de uma alimentação moderada e sóbria. Não vá a cidade morrer de pletora, quando escapou de morrer de anemia. Já que evitamos a inanição, não provoquemos a indigestão.

Tudo virá com o tempo, e a tempo.

O progresso já é grande, e será cada vez maior. Que é que não é lícito esperar a quem já viu o que era o Rio há cinco anos e vê o que ele é hoje?!

O. B.

27 maio 1906

Crônica

Foi uma semana marcial, a que acabou ontem. Deu-se à comemoração de 24 de maio uma agitação belicosa, encheram-se as ruas de tropas, estromparam-se os metais das bandas de guerra, ondularam bandeiras, – e um sopro heróico passou sobre a cidade... Os veteranos do Paraguai desfilaram diante da estátua de Osório, e a Guarda Nacional formou em parada. Foi comovedora a homenagem dos velhos soldados. Quanto à parada da Guarda Nacional, o povo – é preciso confessá-lo! – assistiu à passagem dos batalhões cívicos com um sorriso, não direi de mofa, mas... de ceticismo.

* * *

Sou dos que nasceram e passaram a primeira infância no período heróico da história do Brasil. Nasci no mesmo ano em que Barroso venceu em Riachuelo e em que Uruguaiana caiu em poder dos aliados. O Brasil palpitava, moço e forte, desperdiçando sangue e acumulando glórias...

Nesse tempo, não havia muitas casas no Rio de Janeiro, em que não houvesse um sobressalto constante. As mães dormiam mal, pensando sempre nos maridos e nos filhos que andavam longe, na aventura da guerra, correndo mil perigos. Alta noite, acordavam com o rosto inundado de lágrimas, interrompendo um sono agoniado, em que viam um ausente querido expirando numa poça de sangue, retalhado de golpes, furado de balas, acabando sem confissão e sem carinho, entre montões de cadáveres, sobre os quais galopavam cavalos, sem respeito, no ardor da batalha. Se não havia cartas do sul, o susto e a amargura redobravam. Quando chegavam cartas, – que ansiedade e que hesitação! que viria ali dentro? que novas, alegres ou tristes, estariam encerradas naqueles retângulos de papel?...

Mas, acabada a guerra, renascida a tranqüilidade, os guerreiros, que voltavam, traziam tão belas, tão heróicas, tão comovedoras histórias!

Depois do chá, a conversa prolongava-se pela noite afora, em torno da mesa familiar. Nós, crianças daquele tempo, perdíamos o sono e para ali ficávamos também, ouvindo aquelas narrativas ardentes, em que vinham renascer e ressoar, evocadas pela nossa imaginação infantil, o estrépido, o fragor, o trovejar das batalhas, a abalada louca das cargas de cavalaria, o crepitar dos tiros, o rolar ansioso dos rufos de tambor, a gritaria esfuziante dos clarins... Assim crescemos, assim chegamos até à idade em que nos puseram nas mãos a carta do *abc*.

Isso explica o respeito com que os da minha geração sempre encaramos o ciclo da campanha do Paraguai. Eu, por mim, nunca me atrevi a dizer, como tantos dizem, que a campanha do Paraguai foi uma vergonha nacional, ou que apenas servimos ali mesquinhos interesses e imperdoáveis caprichos da dinastia, ou que foi injustificável a crueza com que estrangulamos e aniquilamos a nacionalidade um povo de heróis. Não o digo, e não o penso. As lágrimas que, em pequeno, vi choradas no meu lar, as cousas heróicas que ouvi relatadas, toda aquele atmosfera de heroicidade e de quixotismo brilhante que rodeou a minha infância, influíram soberanamente na formação da minha alma; nos primeiros tempos da vida, o nosso espírito é como uma cera maleável e dócil, em que facilmente se insculpem as impressões: depois, a cera endurece, petrifica-se, e já não há meio de destruir o que nele ficou gravado.

Isto porém, não quer dizer que eu encare todas as cousas militares como encaro o ciclo da guerra do Paraguai. De então para cá, o cenário mudou, mudaram os costumes, mudou o momento histórico.

A educação, que tivemos na primeira infância, poderia ter feito de nós uma geração de belófilos, se a educação, que se lhe seguiu, também tivesse o mesmo caráter de exaltação guerreira. Mas, não. Depois de 1870, o Brasil caiu numa pasmaceira desmoralizadora; e se, de então para cá, temos visto lutas, não têm sido lutas heróicas, mas lutas políticas sem beleza moral. As guerras, que tivemos, têm sido guerras civis: e o que nelas se tem passado não é cousa que se deva rememorar com orgulho. Não sei se na guerra do Paraguai houve degolas em massa, como na última revolução do Rio Grande, ou se houve atrocidades sem nome exercidas sobre velhos, mulheres e crianças como na guerra de Canudos. Naquele tempo, essas cousas, – se tais cousas havia –, eram escondidas e caladas. E o que eu aprendi daquela época foi apenas o seu lado brilhante, o seu aspecto refulgente, de exaltada bravura, de exuberante varonia, de ímpeto glorioso. E que temos nós visto, depois? revoltas sobre revoltas – generais na Casa de Correção, alferes prendendo coronéis, coronéis desprestigiando marechais – e muitas outras cousas que ainda não puderam apagar-se da memória da gente, porque o ano de 1893 ainda não vai muito longe...

* * *

Outra cousa, porém, contribuiu grandemente para o desprestígio das cousas da guerra: a militança "de mentira" com que a Política presenteou o Brasil.

Não há meio de dar um só passo nas ruas, sem topar um coronel... ou, ao menos, um major.

Coronéis que nunca pegaram uma espada, e majores, que nunca se fardaram. E ainda não me refiro, por ora, aos coronéis e majores da Guarda Nacional, – mas aos "honorários", aos que pertencem a esse "exército político", que se pegou ao flanco do verdadeiro exército, como a hera se pega a um muro. Nas repartições públicas, todos os funcionários são oficiais honorários. Por quê? eles mesmos não o sabem. E, em geral, esses homens inteligentes, honestos, sérios, sensatos, não percebem quanto a sua situação de "honorários" é semelhante à dos comendadores e à dos barões, de cujas comendas e de cujos baronatos, eles são, como bons republicanos, os primeiros a rir.

Quanto à Guarda Nacional, por uma má compreensão do seu papel, pela sua péssima organização em todos os tempos, o povo nunca a encarou com seriedade. Não há quem não sorria, ao ler no *Diário Oficial* as avalanches periódicas de patentes com que o ministério do interior inunda o país em certas épocas. São como as cheias do Paraíba ou do S. Francisco... São, de cada vez, cem coronéis, duzentos tenentes-coronéis, quatrocentos majores, oitocentos capitães, mil e seiscentos tenentes, três mil e duzentos alferes! E a cousa dura há tantos anos, há tantos anos se repetem e reproduzem as fornadas, que parece incrível ainda haja no Brasil um só homem que esteja virgem dessa investidura bélica! Toda essa gente não comanda soldados: comanda eleitores; não dirige assaltos a fortalezas e a redutos: dirige, quando muito, assaltos a mesas eleitorais...

Assim, a ninguém deve zangar ou surpreender o sorriso de ceticismo com que o povo carioca assistiu, a semana passada, ao desfilar da Guarda Nacional. O povo sabe que, verdadeiramente, não há Guarda Nacional: isto é, que, da Guarda Nacional, somente existem os oficiais. O povo sabe que aqueles batalhões foram organizados em quinze dias, e por processos nem sempre brandos. Havia ali muito soldado que estava fardado por sua vontade, e tinha muita satisfação em estar com o pé entalado em bota pequena demais, e com o corpo boiando em farda folgada demais. Mas havia também muito miliciano que ali estava dando o ofício ao Diabo, – e, recrutado na véspera, fardado e armado à força – transformado, por meio de um passe mágico, de copeiro ou cozinheiro em filho de Marte. E o povo sabe ainda que, a esta hora, já aqueles batalhões terão sido dissolvidos, voltando os copeiros para as suas copas e os cozinheiros para as suas cozinhas, uma vez que tudo aquilo foi preparado como encenação teatral, para servir apenas durante algumas horas.

Sabendo tudo isso, como não havia o povo de sorrir?

Sorrir, e não rir, – entenda-se bem. Ninguém riu, e ninguém podia rir daquilo, porque, entre aqueles soldados, ia a bandeira, – e ninguém tem o direito de rir de qualquer cousa em que a bandeira figure.

E entenda-se ainda que ninguém sorria por achar graça nos oficiais, nem nos soldados. A gente sorria porque achava graça na organização apressada e fictícia da cousa.

Não é só no Brasil, e não é só nesta época, que a milícia cívica tem provocado e provoca tal sorriso.

Já em 1840, na França, no tempo em que a Guarda Nacional defendia bravamente o trono de Luís Felipe, havia sátiras contra a natureza meio militar, meio burguesa dessa instituição. Conta Alphonse Karr, nas *Guêpes*, que viu uma tarde formar-se um ajuntamento de povo em certa rua de Paris. Um soldado da Guarda Nacional, que estava de sentinela à porta do Louvre, atracara-se com uma mulher, e esbordoavam-se os dous a valer. Averiguado o caso, soube-se que o guarda nacional era merceeiro, e que a mulher era uma freguesa caloteira. Vendo passar por ali a cliente má pagadora, o merceeiro reaparecera dentro da farda do guarda nacional, e entendera cobrar a dívida... E Daumier e Gavarni, e todos os velhos caricaturistas franceses pintavam sempre o guarda nacional como um sujeito de dous aspectos, ao mesmo tempo, soldado e paisano, misturadamente guerreiro e pacato, de farda e cartola, com a espada na mão direita e o guarda-chuva na mão esquerda, pronto para se bater, mas pronto também para resguardar de alguma carga de água os seus reumatismos...

* * *

Quer isto dizer que a Guarda Nacional sempre há de ser uma instituição inútil e um pouquinho cômica?

Não, por Marte! Nós temos, bem perto do nosso, um país onde a Guarda Nacional é uma cousa séria, de que fazem parte, como simples soldados, os filhos das melhores famílias. Ainda não conseguimos isso, porque ainda ninguém se lembrou, no governo de considerar a organização da milícia cívica como uma necessidade do patriotismo e da defesa nacional, e não como uma necessidade do interesse político. O que vimos, há dias, foi um *tour de force* teatral: a esta hora, já os não sei quantos batalhões, que por essas ruas desfilaram, foram dissolvidos e dispersados como por encanto.

No dia em que tivermos uma Guarda Nacional "de verdade", ninguém há de sorrir, quando a contemplar em parada. Mas, enquanto não chega esse dia, ninguém tem o direito de estranhar e reprovar que o povo, reservando o seu respeito para os veteranos do Paraguai que vão prestar continência a Osório, acompanhe com um sorriso de ceticismo as manobras dos cozinheiros e dos copeiros, que, por um dia apenas, são forçados a trocar o avental pela blusa e o cabo da caçarola pela coronha da espingarda...

O. B.

17 jun. 1906 Crônica [Cia]

Enfim, vai o Rio de Janeiro conhecer-se a si mesmo... Uma cidade sem recenseamento é uma cidade que a si mesma se ignora, porque não tem a consciência da sua força, do seu valor, da sua importância.

É mais que um serviço – e não é dos menores – que o Rio vai dever ao seu Prefeito, a esse homem providencial, de quem já se pode impunemente dizer o maior bem, sem o risco de passar por adulador, pois que já não há, em toda a cidade, quem o não admire e o não louve.

Infelizmente, já se descobriu o meio de opor embaraços à realização da bela idéia. No mesmo dia em que o Prefeito decretava a organização do recenseamento da população, era publicado um ofício do ministro da guerra, solicitando a organização do alistamento militar... E o povo, cotejando essas duas medidas, juntando-as, pesando-as na mesma balança, começou logo a atribuir-lhes uma aliança oculta, um conúbio escondido, uma identidade de intuitos e de fins. A gente culta (que infelizmente não é legião) sabe que esses dois serviços nada têm de comum, e que o propósito da Prefeitura é, única e exclusivamente, o de saber quantos habitantes tem a capital da República, – cousa que, por vergonha de todos nós, ainda não se havia tentado averiguar. Mas, para a gente ignorante e desconfiada (a desconfiança e a ignorância são irmãs gêmeas) o recenseamento é o pretexto para o alistamento militar, – e já o medo da farda e do serviço de caserna começa a sugerir às almas inquietas a idéia de se recusar a encher as listas censitárias.

Esse terror é natural. Antigamente, o recenseamento apenas era feito para auxiliar dois serviços profundamente antipáticos aos povos de todos os tempos: o do recrutamento militar e o da cobrança de impostos. O imposto e a farda, dois espectros, dois espantalhos! Já na velha Roma, no remotíssimo tempo de Servius Tulius, quando os *curatores tribuum* saíam, com as suas tabuinhas enceradas e os seus estiletes de marfim, a percorrer a *urbs*, e a recensear os habitantes, separando-os em *assidui* e *proletarii*, – um medo pânico se alastrava pelas vielas e pelas alfurjas da cidade, e um terço da população, sabendo que aquilo significava guerra ou imposto, cobrança de sangue ou cobrança de dinheiro, transpunha as portas, e ia refugiar-se no campo.

Hoje, o recenseamento tem um fim mais amplo, mais nobre, mais belo, – um fim social. É uma parte essencial da Estatística, que, sendo "o estudo numérico dos fatos sociais", é uma das ciências tributárias e auxiliares da Sociologia. Como explicam os mestres da Economia Política, a vida social é um movimento perpétuo, uma transformação contínua, e uma constante renovação de fenômenos, que, por mais diversos que pareçam, sempre se podem classificar em um número relativamente limitado de categorias. Não há um só fato *individual* que deixe de ser interessante, porque os fatos *individuais*, reunidos, formam os fatos *sociais*; e não há meio de governar sem o conhecimento desses fatos. É a Estatística que torna possível o governo. Ela é, por assim dizer, a "escrituração social": se uma casa de comércio não pode viver e prosperar sem o registro minucioso das suas compras e vendas, e sem os balanços periódicos que demonstram o bom ou mau estado dos seus negócios, também a sociedade humana não pode dispensar os seus guarda-livros, que são os encarregados da Estatística...

Essa "escrituração social" tem sido até hoje criminosamente relaxada no Brasil. Os "guarda-livros" do país, ou são incompetentes, ou são indiferentes. Aqui a Estatística é um mito. Para não ir muito longe, e apenas citar um fato simples e de fácil verificação, basta lembrar que, no Rio de Janeiro, a Biblioteca Nacional e o Museu Nacional não têm catálogos! É incrível, mas é verdade... Se nem temos sido capazes de organizar e publicar o catálogo de um museu ou de uma biblioteca, não é de espantar que não tenhamos organizado e publicado até hoje o catálogo geral da nossa população, das nossas riquezas, do nosso trabalho, da nossa vida...

Há pouco tempo, a Legação Japonesa no Brasil distribuiu, pelas repartições públicas e pelas redações dos jornais, o *Anuário Financeiro e Econômico do Japão*, relativo a 1905. Lendo esse livro, que é um monumento assombroso e maravilhoso de Estatística, é que se pode compreender o estupendo progresso daquela nação.

O que nós costumamos chamar "milagres" não é mais do que o resultado simples e natural da combinação destas duas forças: o trabalho e o método... Nesse anuário, tudo quanto constitui a vida do país está incluído, estudado, discriminado, catalogado, classificado: orçamentos, dívida pública, empréstimos, agricultura, indústria, viação, comércio. Há ali cousas, que espantam; há, por exemplo, um quadro demonstrativo da produção do fumo, que é um assombro de exatidão e de minúcia: o fumo colhido foi contado de folha em folha... É com esse trabalho e com esse método que as casas de comércio prosperam, que as casas de família têm fartura e conforto, e que as nações enriquecem e se fazem fortes e respeitadas!

Agora reparo que a *Crônica* está perdendo o tom que lhe compete, e enveredando por um estilo que não é o seu.

Estas cousas são tão corriqueiras, que até as crianças das escolas primárias as conhecem...

E parece, realmente, que é pedantaria ridícula, e ridícula ostentação de ciência barata, o estar aqui o cronista a demonstrar as vantagens e a utilidade da Estatística em geral, e do recenseamento em particular...

Mas estas idéias, tão simples, tão claras, tão vulgares, não podem, desgraçadamente, ser eficazmente incutidas no ânimo de toda a nossa população. Por quê? porque uma grande parte da nossa população não sabe ler...

Basta lembrar a última "bernarda" que tivemos no Rio: a de novembro de 1904... Que foi o que causou esses sanguinolentos motins? Foi a intriga perversa de alguns especuladores políticos que excitaram o povo contra a lei da vacinação: e muita gente acreditava *que os médicos iam injetar no seu corpo sangue de rato atacado de peste bubônica!* Essa balela, que apenas parecia cômica, teve efeitos trágicos. Que utilidade poderiam ter, para destruí-la, os boletins profusamente espalhados pelas autoridades sanitárias, e as explicações dadas pela imprensa? Nenhuma. O papel benéfico da imprensa não pôde deixar de ser quase nulo, numa cidade que conta quase um milhão de habitantes, mas na qual todos os jornais diários reunidos não chegam a vender cem mil exemplares por dia...

Assim, não há meio de contrariar eficazmente o equívoco, que a publicação simultânea das duas medidas veio criar. Se o ministério da guerra houvesse adiado a publicação do seu propósito, o povo, que confia no Prefeito, porque dele só tem recebido benefícios e cuidados, veria no recenseamento mais uma prova da sua paternal administração, e auxiliá-lo-ia. Mas parece que há, neste país, uma doença orgânica, que leva muita gente, irresistivelmente, a perturbar e estragar, com consciente ou inconsciente maldade, tudo quanto se pretende fazer de bom.

Vão agora tirar da cabeça de certa gente que a entrega das listas censitárias há de expô-la ao recrutamento militar!

O que é verdade é que, para, abusivamente, e contrariando expressamente a letra da lei, pôr em prática o recrutamento forçado, as autoridades militares não carecem do recenseamento. Ainda há pouco, para organizar a parada espetaculosa de uma guarda nacional que não existe, alguns coronéis de mentira andaram complicando a vida doméstica dos cidadãos, privando-os violentamente dos serviços dos seus cozinheiros e dos seus copeiros...

O povo, porém, não compreende isso. Se lhe não demonstrarem cabalmente que o recenseamento civil, organizado pela Prefeitura, nada tem de comum com o alistamento militar, organizado pelo ministério da guerra, ele, apavorado pelo fantasma da Farda, há de mais uma vez furtar-se ao cumprimento de um dever social, que tão facilmente e com tão grande utilidade para todos pode ser cumprido. Como, porém, fazer essa demonstração àqueles, que, por culpa e desídia do Estado, continuam aviltados pelo analfabetismo, moralmente cegos, tristemente mantidos na ignorância, privados da compreensão dos seus direitos e dos seus deveres?

É aqui que tudo vem ter: o problema da instrução é como, nas máquinas, o eixo central, em torno do qual os movimentos de todas as peças se combinam e conjugam. Por isso, é que não deixo de tocar este realejo, cuja música pode parecer enfadonha, mas é indispensável: e

> si cette histoire vous embête,
> nous allons la recommencer!

O. B.

29 jul. 1906

Crônica

É um sonho! é um delírio! as festas sucedem-se, e nem se pode tomar fôlego, entre uma inauguração e um baile, entre um banquete e um espetáculo... Quem mais se diverte, porém, nestes dias de iluminações, de paradas militares, de bandeiras e música, é o povo que enche as ruas, e goza das festas o que elas têm de melhor, que é o seu aspecto exterior. Como em todos os espetáculos, também neste os atores penam e os espectadores folgam.

O nosso povo diverte-se à larga, e sente-se bem que há na sua alegria pouco de orgulho, de satisfação moral, de amor próprio lisonjeado. Não é um povo que se contente com *panem et circensis*...

Esse pedaço de verso de Juvenal é quase sempre mal aplicado. O povo romano, quando se contentava com *panem et circensis*, já era um povo desmoralizado, em plena decadência, – um velho fruto quase podre, quase a cair por si mesmo do galho. Na tragédia *Tibério* de Chénier, o César devasso explica de modo admirável ao áulico Sejano a inconsciência a que chegou o seu povo:

Sejano
Que terei eu de ti, que te sirvo?

Tibério
Dinheiro.

Sejano
E os outros?

Tibério
Mais dinheiro!

Sejano
E o povo?

Tibério
Que exige o povo, – se tem pão e circo?

O nosso povo, graças a todos os deuses, não se contenta com tão pouco: quer mais alguma cousa, – quer um bocado de glória. E é o que lhe não falta neste momento, em que o Rio de Janeiro hospeda a América, e sente concentrada em si a atenção de todos os povos civilizados.

Antigamente, quando recebíamos visitas, tratávamos de encobrir com folhagens de mangueiras os buracos das ruas, e de disfarçar com bandeiras e colchas de damasco a fealdade das casas: e, quando a *maquillage* da velha cidade ficava pronta, reconhecíamos, corridos de vergonha, que ela ainda ficava assim mais feia, sob a mentira do apressado enfeite. Agora já não precisamos de bandeiras nem de colchas e até nem compreendo a idéia dessas cestas de flores artificiais, com que se ornaram lampiões da Avenida: a Avenida é como uma mulher moça e formosa, que não carece

...de peindre et d'orner son visage,
pour réparer des ans l'irreparable outrage...

Ornamentações, para quê? A única ornamentação valiosa da cidade é a sua própria e natural beleza de agora – e é ainda a vida, a alegria, a animação, o orgulho satisfeito do povo.

* * *

Nós, que aqui vivemos e assistimos ao lento e gradual trabalho da transformação da cidade, não podemos sentir bem o que é essa transformação. Mas a sedução das cerimônias da Conferência Internacional chamou da roça uma porção de gente que só conhecia o Rio antigo, – e essa gente está deslumbrada.

"Grande cousa é o Progresso!", dizia-me há poucos dias, com uma convicção de conselheiro Acácio, um desses visitantes, um excelente velho, chegado há uma semana de apartada e obscura cidade do interior, para assistir às festas pan-americanas. Esse bom homem, que viveu dez anos fora do Rio, andava e anda pelas ruas novas, espantado, em êxtase, envolvido numa teia de assombros, pasmando diante de tudo, e não chegando a acreditar no que vê. E, no maravilhado enleio, sem frases com que possa exprimir o que sente, sabe apenas repetir, de cinco em cinco minutos, a quantos conhecidos encontra: "Grande cousa é o Progresso! grande cousa é o Progresso!"

A mim, dizia-me ele, pela centésima vez, essa cousa profunda, dentro de um automóvel que nos levava a Copacabana. E até eu, com a minha presunção literária, não poderia, naquele momento, achar uma outra frase, que exprimisse bem a velocidade e a comodidade daquele veículo, que nos levava num impulso vitorioso, maciamente rodando sobre o asfalto...

Realmente, o automóvel parece o cúmulo do progresso a quem conheceu as velhas "gôndolas" cariocas, e ainda conhece os bondes da Carris Urbanos e da S. Cristóvão. E ainda há por aí quem tenha conhecido o Rio sem "gôndolas", – num tempo em que a "cadeirinha" carregada por escravos era o único veículo de que dispunham as pessoas ricas ou simplesmente remediadas. É desse tempo o bom velho que foi comigo a Copacabana: "Muita vez (disse-me ele) tive de empreender uma longa viagem a pé, ou sobre as costas de um burro para vir do centro da cidade até o lugar em que está hoje hospedado o Sr. Root, – até este elegante Botafogo que hoje fica a tão curta distância da rua do Ouvidor! Grande cousa é o Progresso!..."

* * *

O Progresso, porém, é como o apetite, que *vient en mangeant*. Já não nos contentamos com os automóveis, que por mais depressa que andem, precisam fazer várias voltas, dobrar esquinas, ladear jardins, – e evitar os peões... quando não preferem passar por cima deles, reduzindo-os a papas. Já não nos contentamos com os automóveis, – e queremos balões que nos transportem pelos ares, num vôo vertiginoso, devorando milhas celestes.

Ainda ontem, a *Gazeta* publicava uma interessante e singularíssima carta, em que um Sr. Vasconcelos anunciava o propósito, em que está, de vir de Vassouras até aqui, varando o céu numa aeronave de sua invenção, em seis horas, passando por Mendes, Rodeio, Macacos, Queimados e Cascadura. Escreveu ele que, "partindo às oito horas da manhã, parando em todos esses sítios para telegrafar, e parando em Rodeio para almoçar, pretende estar no largo de S. Francisco de Paula às duas horas da tarde, para depois ir navegar sobre a formosa Guanabara, e cumprimentar o Sr. presidente da República".

Como se vê, o aeronauta ainda não quer dar à sua aeronave toda a velocidade que lhe pode dar: se dispensasse os telegramas e o almoço, poderia sair de Vassouras e chegar à casa do Sr. presidente da República em tempo muito mais breve do que aquele que o Diabo habitualmente gasta em esfregar um olho. Mas é bom não esquecer que se trata de uma primeira viagem, – um simples ensaio da águia, apenas emplumada, que experimenta a força das asas. Com algum *entrainement*, esse voador operará prodígios maiores: passará, por exemplo, um telegrama de Vassouras ao Sr. presidente da República, prevenindo-o da partida, e virá desabar ao lado de S. Ex. antes do telegrama...

Jesus! Isso será talvez progresso demais! não vamos nós progredir tanto, em matéria de viação, que venhamos a ter saudade do tempo das "cadeirinhas" e das "gôndolas". Antigamente com as "gôndolas" e as "cadeirinhas" o viajante andava devagar, mas sempre tinha a certeza de chegar ao seu destino; e é o que, felizmente, ainda acontece, algumas vezes, a quem viaja em automóvel. Mas, se formos progressivamente aumentando a velocidade dos veículos, chegaremos talvez a resultados inesperados e fantásticos; a dificuldade já não consistirá no partir, nem no correr, mas no parar: assim, pode ser que, algum dia, o Sr. Vasconcelos, querendo parar no Rio de Janeiro, somente possa parar na Cochinchina, ou em qualquer ponto ainda mais afastado; e é ainda possível que os adoradores da velocidade cheguem ao absurdo e monstruoso resultado de chegar ao ponto de destino, antes de haver saído do ponto de partida! será uma perturbação de todas as leis materiais, imateriais, naturais, sobrenaturais, humanas e divinas, – e não sei o que será de nós, com essa pavorosa inversão das regras físicas e morais!

Não! o Progresso é uma grande cousa, mas é preciso que não se transforme em loucura.

O Progresso que hoje temos já é admirável e consolador. Nada de precipitações!

O. B.

05 AGO. 1906

CRÔNICA

– Anne, ma soeur Anne, ne vois-tu rien venir?

– Je ne vois rien que le soleil qui poudroie et l'herbe qui verdoie...

Tal era a única, triste e desconsoladora resposta, que, no conto de Perrault, recebia a ansiosa mulher de Barba Azul, enquanto, no palco do castelo, o marido sanguinário afiava a larga faca com que devia degolá-la.

Tal era também a única resposta, desconsoladora e triste, que durante longos, longuíssimos anos recebiam as perguntas ansiosas da nossa Terra, à espera de progresso, de movimento, de vibração e de vida. O Império fora uma pasmaceira; e os primeiros tempos da República tiveram uma agitação estéril, tão inútil como a pasmaceira do Império; muitas palavras, muita filáucia, muita presunção tola, muita vaidade ridícula, e nada mais; vivíamos a dizer que éramos a nação mais rica da Terra, adormecíamos nessa confiança, e íamos ficando cada vez mais pobres, material e moralmente isolados do resto do mundo, envenenados pela febre amarela, desmoralizados pela falta de trabalho, devorados pela politicagem. Assim deixávamos a nossa pobre terra, desamparada e misérrima, no fundo do calabouço em que se consumiam os seus dias infecundos, – enquanto a sua boa irmã Ana, a sua Esperança ansiosa, interrogava o horizonte impassível:

– Anne, ma soeur Anne, ne vois-tu rien venir?
– Je ne vois rien que le soleil qui poudroie et l'herbe qui verdoie.

Eis, porém, que, de repente, a irmã Ana, do alto do seu torreão altíssimo, solta um grito de triunfo e alegria, Ah! vem, aí está, o Salvador esperado, o Salvador ambicionado!

Não imaginem os malévolos e os pérfidos que me refiro ao Sr. Elihu Root... Esse estadista americano não veio aqui como um qualquer D. Quixote, de espada em punho e escudo embraçado, para salvar a nossa Terra. O Salvador, a que me refiro, não é um homem: é um conjunto de forças novas, um composto de novas esperanças e de novas coragens. É o Progresso – abstração que anda muito desmoralizada pela literatice e pela retórica dos artigos de fundo, mas que não tem outro nome, e é uma condição indispensável de vida.

A visita do Secretário da América do Norte ao Brasil já foi uma conseqüência necessária, um resultado fatal de um trabalho corajoso em que estamos empenhados.

Soeur Anne avistou, enfim, o Salvador esperado. Temo-lo aqui, conosco, libertando-nos da apatia em que vivíamos, e dando-nos, entre todas as nações da terra, o lugar que nos compete e que nunca mais perderemos...

Quanto à visita do Sr. Elihu Root, parece-me que já nada pode ser dito nem escrito, depois de toda uma semana de artigos e de discursos cheios do mais ardente e justo entusiasmo.

A admirável peça oratória que esse homem notável pronunciou na sessão solene da Conferência Americana, já foi estudada, dissecada, analisada, minuciosamente investigada em todos os seus períodos, em todas as suas frases, em todas as suas palavras. A admiração foi geral; o louvor unânime. O estilo desse discurso é, como as suas idéias, simples, conciso, rigoroso, de uma clareza de céu escampo. Nessa página brilhante, de uma sóbria eloqüência, há, ao mesmo tempo, conselhos e compromissos de honra. Aqui estão algumas linhas, que é bom reler: "Um povo cujo espírito não se abre aos ensinamentos do progresso do mundo, cujo espírito não se abala ante as aspirações, ante as conquistas da humanidade a pelejar por todo o mundo pela liberdade e pela justiça, merece que a civilização o deixe atrás de si na sua constante e benéfica avançada...". E aqui estão outras que também não devem ser esquecidas: "Não desejamos outras vitórias que não sejam as da paz; não desejamos território que não seja o nosso; não desejamos soberania, senão a soberania sobre nós mesmos. Reputamos a independência e direitos iguais dos mais pequenos e mais fracos membros da família das nações merecedoras do mesmo respeito que os do maior império e consigamos a observância desse respeito a melhor garantia dos fracos contra a opressão dos fortes. Nem reclamamos nem desejamos direito algum, privilégio algum, poder algum que não concedamos livremente a todas as Repúblicas americanas".

Conselhos e compromissos que deveriam ser guardados na memória de todos...

Naturalmente, os eternos presunçosos, que não são poucos, hão de talvez irritar-se com os conselhos; e os eternos desconfiados, que também não são raros, hão de duvidar da sinceridade dos compromissos. Que fazer? há quem tenha vindo ao mundo unicamente para ter presunção e desconfiança. Há quem suponha que o Brasil pode, no século XX, viver, como a China viveu durante tantos séculos, dentro de uma estúpida muralha de egoísmo, vaidade e medo. Esses "narizes torcidos" nem esperaram que o Sr. Root saísse do Rio de Janeiro, e foram logo insinuando as suas intriguinhas pérfidas.

Jesus! quantas vezes o "patriotismo" é apenas a capa em que se embuça o partidarismo acanhado!... Se o Sr. Elihu Root, dentro da sua malinha de mão e dentro da sua chapeleira, trouxesse, ao desembarcar no Rio de Janeiro, uma coroa e um cetro, com estas etiquetas: "Para a cabeça e para a mão do Sr. D. Pedro III" – , esses "patriotas", tão ciosos da soberania e da independência do Brasil, cairiam de joelhos, beijando as mãos desse mesmo homem, a quem hoje atribuem a missão de um lobo que quer conhecer a presa antes de comê-la.

Mas o que o Sr. Root trouxe ao Brasil foi uma admirável, uma completa, uma absoluta apologia ao Governo Democrático, foi o louvor acabado e perfeito da mais pura Democracia. Não era, naturalmente, bagagem que pudesse deixar de parecer suspeita aos adeptos do Bandarra, profeta da vinda do Messias... Como poderiam eles engolir, sem protesto, sem uma careta de revolta, essa pílula tão amarga ao seu paladar: "Quem estuda o nosso tempo não pode deixar de perceber que não só a América, como todo o mundo civilizado, foge das suas antigas normas de governo, e confia a sorte da sua civilização à capacidade dirigente da massa popular; é esse o caminho que a humanidade tem de seguir, onde quer que ele conduza; desse êxito depende a nossa grande empresa e esperança da humanidade..."?

Mas não esqueçamos que o Barba Azul, que mantinha a nossa terra sob a ameaça constante da morte, era um Barba Azul filho, justamente, da Presunção e do Medo...

Se ainda estivéssemos a ouvir sugestões da Vaidade e do Egoísmo, ainda a Pátria estaria ansiosamente perguntando:

– Anne, ma soeur Anne, ne vois-tu rien venir?

E de lá de cima, a pobre irmã Ana ainda estaria a responder:

– Je ne vois rien que le soleil qui poudroie et l'herbe qui verdoie...

O. B.

12 ago. 1906

Crônica

Os que amam as festas (quem é que não ama as festas?) vão ter agora vinte dias de delirante e esfalfante júbilo. Já está publicado o programa das diversões que a cidade vai oferecer aos seus hóspedes, – e este programa está organizado de maneira a satisfazer a todos os gostos e atender a todas as predileções. Almoço no Leme, diante das largas águas do Atlântico; partidas de *foot-ball*; excursões à Tijuca; *garden party* no Jardim Botânico e no Passeio Público, à sombra das grandes árvores amigas; festa veneziana em Botafogo! Espetáculos, batalha de flores, concertos, bailes, banquetes e recepções, e até haverá uma festa da inteligência e da Cultura do Brasil, na Academia, – uma grande e nobre festa, em que Mário de Alencar fará o elogio do grande Patrocínio, e em que a palavra mágica e fulgurante de Coelho Neto arrebatará o auditório.

Como se vê, o programa é farto e brilhante: e, durante vinte dias, a cidade, alegre e risonha, vai rodamoinhar num folguedo completo.

* * *

Parece, porém, que alguma cousa faltava no programa... Parece que não bastaria mostrar aos hóspedes, que nos honram com a sua visita, a nossa natureza, a nossa eloqüência, a nossa música, a nossa poesia, as nossas lindas mulheres: era preciso mostrar-lhes uma cousa bem nossa, – uma das nossas revoluções.

Todas as festas no Brasil são como esses festejos de igreja na roça, que nunca são completas quando não acabam com algumas cabeças quebradas...

Seria difícil, para completar o programa, organizar uma revoluçãozinha no Rio; e, como a de Mato Grosso já acabou, – os amigos das bernardas andavam tristes e cabisbaixos, cochichando uns aos outros: "Vai ser uma vergonha! vai ser um escândalo! pois, havemos de consentir que todos estes estrangeiros amigos saiam daqui sem ver uma bernarda?..."

Felizmente, para eles, Sergipe salvou a situação. Sergipe é um dos menores Estados da União; mas o valor dos Estados é como o valor dos homens: não depende do tamanho. Diz o povo que é quase sempre nos pequenos frascos que se guardam as melhores essências. Aí está o caso de Sergipe... Precisamos de uma Revolução, para mostrar aos nossos hóspedes o que é esse admirável hábito político da nossa Democracia, – e, ao passo que os grandes Estados se conservam retraídos diante dessa necessidade, o pequenino Sergipe chamou a si a honra e o sacrifício do nobre encargo, e completou o programa das festas.

E a revolução foi admirável. Um telegrama diz que a força policial de Aracaju assaltou o palácio do Governo, e que o presidente defendeu o seu mandato até à última gota de sangue; – mas outro telegrama afirma que tudo se passou civilizadamente, sem sangue, sem gritos, sem desordem: o presidente, depois de conferenciar longamente com o vice-presidente e com o capitão do porto, deu a sua renúncia *por escrito*, – de modo que o que realmente parece é que ele defendeu o seu mandato até à última gota... de tinta.

* * *

Haverá talvez quem ache um tanto irreverente o tom com que me refiro, nesta *Crônica* leviana, à revolução de Sergipe. Jesus! como me hei de eu referir a cousas tão graves, em tempo de festa, – e quando essas cousas graves deixam de ser graves, para transformar-se em número de programa de festa?

Ainda ontem, o *Jornal do Comércio* publicava o resumo de uma conferência feita em Paris por um certo Sr. Casabona, acerca do "Convênio do Café". Esse Sr. Casabona, depois de declarar com ênfase, que "passou *cerca de um ano* da sua vida no Brasil", afirmou com solenidade e espanto:

"O acordo realizado ultimamente em Taubaté entre os presidentes dos Estados de S. Paulo, Minas e Rio de Janeiro tornou-se uma questão política. Abstenho-me de falar nele. A política é geralmente cousa pouco interessante, e confesso humildemente que a política brasileira foi sempre para mim um verdadeiro *quebra-cabeça chinês*".

Vejam que grande novidade! Aqui estou eu, que vivo no Brasil há quarenta anos (esse pouco!), e ainda estou, no que diz respeito à política brasileira, na mesma situação de que olha maravilhado, boquiaberto e estúpido, para o tabuleiro de um quebra-cabeça chinês!...

* * *

O que sei é que houve uma revolução, – e que os nossos hóspedes de agora já não sairão daqui sem ter visto um dos aspectos característicos da nossa vida política.

Sempre que tenho de tratar de cousas políticas da minha terra, sou insensivelmente levado , não sei porquê, a lembrar-me do *D. Quixote* de Cervantes...

Há, nas primeiras páginas da segunda parte desse admirável poema, um episódio interessantíssimo. O licenciado Carrasco, vendo que o pobre Dom Quixote, entre conceitos de perfeito senso e falas de alta sabedoria, continua a desarrazoar, conta a anedota de um certo maluco, internado num manicômio de Espanha, que já ia sair do manicômio como *curado*, quando um repente da sua irremediável loucura veio comprometer a sua libertação. O maluco foi despedir-se dos seus companheiros de hospício, e um deles, espantado com a notícia, bradou: "Caramba! eu, que sou Júpiter, ficarei tão indignado com a injustiça que se vai fazer, que condenarei toda a terra a ficar crestada e ressequida durante um século!" O maluco, já tido como homem de juízo, ouviu isso com toda a calma, e disse aos médicos e enfermeiras que o cercavam: "Não se importem vocês com o que diz este desventurado! Ele é Júpiter, e pode fazer o que promete; mas eu, que sou Netuno, alagarei toda a terra, e o perverso propósito desse infame Júpiter será burlado!..." O resultado dessa declaração foi que o pobre diabo, em vez de ver abrir-se diante de si, de dentro para fora, a porta do hospício, tornou a ver abrir-se, de fora para dentro, a porta da sua célula...

Creio que não é preciso dizer mais. Não tenho tempo disponível para *aplicar el cuento*... Mas o que me parece é que não há maluquice que não acabe por se mostrar no meio do mais bem fingido juízo...

* * *

Não! deixemo-nos de anedotas, de ironias e de *cuentos aplicados*.

O que Sergipe fez, foi apenas isto: achou que o programa das festas pan-americanas estava incompleto e completou-o.

Benemérito Estado! Decididamente, é nos frascos mais pequenos que se guardam as melhores essências!

O. B.

02 set. 1906

Crônica

Praza aos céus que hoje sorria setembro, em flor, para dar um digno cenário à batalha de flores. Um dia feio, hoje, gotejante de chuva, ou encapotado em névoas, não abonaria muito a clássica bondade dos céus...

A festa das flores vai ser o lindo epílogo das festas pan-americanas. Que fizemos, durante todo o mês de agosto, senão dar e receber flores, – verdadeiras ou de retórica? Pouco importa que, de certo ponto da América, só nos tenham chegado pedras, em troca das rosas que atirávamos; pouco importa! as pedras, às vezes, dão mais prazer do que as rosas: tudo está em que não magoem, – e, afinal, a gente, com um pouco de bom humor e pachorra sempre consegue perdoar e esquecer todo o mal que lhe fazem.

Depois, se as pedradas partem de um ponto só!... As nações são como os homens: precisam de inimigos. Ai do homem, que atravessa a vida sem uma antipatia, sem uma contrariedade, sem um ódio! o louvor unânime deprava e aniquila: é como a água da rega, que, quando moderada, alimenta, refresca, aviventa a planta; mas, quando demasiada, consegue matá-la, apodrecendo-lhe as raízes. É bom ser amado e louvado; mas também é bom que, entre muitas bocas que mostram os dentes para sorrir, alguma boca os mostre para morder...

Deixemos que as poucas pedras durmam em paz no chão onde caíram, e apanhemos e guardemos as muitas flores que nos atiraram.

* * *

A Conferência foi uma verdadeira batalha de flores. E nem podia ser outra cousa, porque foi uma Conferência, em que quase todos os delegados eram, às claras, ou disfarçados, legítimos poetas.

Não digo que todos os representantes do Tio Sam também entrassem no número: muitos deles, porém, abrigavam e escondiam-se sob a capa do economista, ou do jurisconsulto, ou do diplomata, vates ardentes que, de quando em quando, apareciam, e diziam a sua égloga ou o seu ditirambo. E que podia fazer a grave e fria bancada dos Estados Unidos, metida, como estava, entre as bancadas meridionais? Do istmo do Panamá para baixo, a América é um imenso Parnaso, um vastíssimo viveiro de pássaros canoros, que nascem gorjeando, e gorjeando vivem e morrem. Entre tantos poetas, os *yankees* não podiam deixar de tornar-se poetas: porque ninguém vive impunemente entre vates, – como ninguém vive entre anjos ou demônios sem adquirir um certo feitio angelical ou demoníaco...

Não vão agora os leitores imaginar que, na Conferência, os pareceres sobre a "Doutrina Drago" foram escritos em redondilhas, ou que cada um dos considerandos do tratado sobre "Patentes e Marcas de Fábrica" foi enviado à Mesa sob a forma de um soneto clássico, de rimas alternadas, ou de um rondó arcádico, torcido em voltas e estribilhos.

Não! durante as sessões, falava-se prosa maciça e severa, – às vezes um pouco bárbara, cheia de antipáticos termos técnicos. Mas as sessões foram poucas. E, nos intervalos delas, o imenso salão do Palácio Monroe, branco e rubro, tendo ao centro a larga mancha austera das bancadas negras, enchia-se de um cochicho confuso, que partia ao mesmo tempo de todos os cantos, onde se aglomeravam os grupos, formados ao acaso das simpatias e das afinidades eletivas. Eram os poetas, que trocavam estrofes. Era a alma da América, que se expandia e vibrava, – a alma desta América, onde Colombo, logo ao chegar, no dia Glorioso do Descobrimento, encontrou um caboclo, que lhe desfechou contra o peito, à queima-roupa, uma ode inflamada.

Era um conclave de Aedos! Só quem ali viveu, dia e noite, durante o pan-americano agosto, é que pode imaginar quantas décimas, quantas quintilhas, quantas oitavas, quantos tercetos andaram por ali esvoaçando, como aves tontas, para aqui, para ali, acima, abaixo, até encontrar uma janela aberta, por onde fugiam para as alamedas perfumadas do Passeio Público...

À hora em que escrevo esta *Crônica*, os operários estão levantando o amplo tapete vermelho que forrava o salão das sessões: e sabe Deus quantas rimas estarão eles encontrando por ali, esquecidas!

* * *

Era de esperar que tantos poetas reunidos não tratassem apenas de cousas secas e áridas: era de prever que alguma idéia generosa e bela, de caráter puramente literário, surgisse daquela assembléia de literatos. E foi o que aconteceu. Os poetas, viciados pelos sistemas das atas, reuniram-se, fundaram uma *Liga*, e assinaram uma ata: vamos ter uma revista internacional, troca de livros e de idéias, uma comunicação fraternal de todas as literaturas que viçam na América.

Será um sonho? Talvez... a idéia é tão bela, que parece irrealizável; – porque, desgraçadamente, só as idéias feias ou más costumam lograr uma realização fácil e completa, neste mundo torto. As boas colheitas são, em geral, para os semeadores de tempestades: os semeadores da Paz e da Virtude perdem quase sempre o seu tempo e o seu trabalho.

Mas sonhar, ainda sem proveito, já é uma ocupação feliz, quando o sonho é nobre.

Talvez, daqui a alguns dias, já os poetas não tenham lembrança da ata que assinaram, ou apenas dela se lembrem apenas como uma cousa muito vaga e longínqua, perdida em névoas confusas. Mas, ao menos, naquele dia em que lançaram os seus nomes na folha de papel, estavam aproximados, e entendiam-se, e amavam-se, e tinham a suave ilusão de que alguma cousa real e duradoura se pôde fazer em proveito da paz e da harmonia entre todas as raças.

Talvez, também, os outros Convênios, políticos e econômicos, que se assinaram na Conferência, venham a ser esquecidos, como o Convênio literário. Mas, enquanto não há guerra, que cousa melhor se pode fazer do que amar e cimentar a paz?

Estas Conferências, e os seus resultados materiais e morais, não representam talvez uma conquista sólida e eterna: mas são, com certeza, – e já alguma cousa, isso! – tréguas consoladoras no meio da rivalidade perpétua.

E, daí quem sabe?, de um momento para outro, as condições da vida podem mudar, e, com ela a própria natureza humana...

O convite que o "Grupo Parlamentar dos Amigos da Paz" de Paris, acaba de dirigir aos Parlamentos Americanos, já é uma bela conseqüência do Congresso do Rio. No Rio, o Brasil recebeu a América: para o ano, a América será recebida em Paris pela Europa. Já a América não é, para a Europa, a concorrente odiada ou desprezada, sem civilização e sem ideal: é uma rival, que começa a ser, não temida, mas decerto respeitada, e cujas relações não podem ser desdenhadas...

Não creio que tudo isso seja capaz de eliminar para sempre os conflitos e os ódios. Mas por que razão não hão de todos os homens visitar-se, e conhecer-se, e estimar-se, enquanto não chega o momento da briga? Sempre será tempo para darmos as mãos: saibamos gozar as tréguas, e sejamos homens, enquanto não soa a hora de sermos feras.

* * *

E vamos à batalha de flores. Céu, conserva-te azul e escampo! sol, não te envolvas em nuvens medonhas! saqueai os jardins da cidade, mulheres formosas! e bateivos a braçadas de rosas e a catadupas de violetas!

O. B.

Gazeta de Notícias 1907

10 FEV. 1907 CRÔNICA [IP]

Perguntaram-me ontem: "Por que não escreve uma crônica carnavalesca?..." Não achei a idéia antipática. Considerei que não acharia leitores se de outra cousa escrevesse, e aceitei a sugestão. Mas cuido que será melhor tratar, não propriamente do Carnaval, mas dos carnavalescos.

São uma gente à parte, – quase uma raça distinta das outras. Os que amam o Carnaval, como amam todas as outras festas, não são dignos do nome de carnavalescos. O carnavalesco é um homem que nasceu para o Carnaval, que vive para o Carnaval, que conta os anos de vida pelos Carnavais que tem atravessado, e que, na hora da morte, só tem uma tristeza: a de sair da vida sem gozar os carnavais incontáveis que ainda se hão de suceder no Rio de Janeiro pelos séculos sem fim.

Que se hão de suceder no Rio de Janeiro, – escrevi eu. Porque o verdadeiro, o legítimo, o autêntico, o único tipo de carnavalesco real é o carnavalesco do Rio de Janeiro. A espécie é nossa, unicamente nossa, essencialmente e exclusivamente carioca: só o Rio de Janeiro, com os seus Carnavais maravilhosos, delirantes e inconfundíveis, possui o verdadeiro carnavalesco.

E não suponham que haja por aí muitos verdadeiros carnavalescos... Quase todos os foliões do Carnaval folgam por acidente, ou por imitação, ou por desfastio, ou por entusiasmo passageiro: folgam dous anos, cinco anos, ou dez anos, – e cansam-se, e recolhem-se à vida séria. Mas o carnavalesco legítimo não tem cansaço nem aposentadoria; envelhece carnavalesco, e morre carnavalesco; morre no seu posto, extenuado pelo Carnaval, entisicado pelo Carnaval, devorado pelo Carnaval. O Carnaval é para ele ao mesmo tempo uma paixão absorvente e arruinadora, um vício indomável, uma religião fanática. Para ele, o Carnaval é o único oásis fresco e perfumado, que se lhe antolha no adusto deserto da vida!

Esse é o verdadeiro carnavalesco. Trabalha todo o ano, pena e sua doze meses a fio, privando-se de tudo, alimentando-se mal, vestindo-se mal, acumulando somiticamente, ansiosamente, alucinadamente, vintém a vintém, os contos de réis que há de gastar no Carnaval. São doze meses de sacrifício, de renúncia, de desprendimento: o carnavalesco pensa apenas no Carnaval. Não era maior do que a sua a constância de Jacó, pastor apaixonado, servindo o velho Labão, pai da formosa Raquel... O carnavalesco, para conquistar o Carnaval pena toda a vida,

Dizendo: Mais penara, não fora
Para tão grande amor tão curta a vida!..."

Acontece às vezes que o carnavalesco já não é um rapazola, sem família e sem deveres sociais: – é um homem maduro, negociante matriculado, tendo próprio casal e nele assistindo, tendo mulher e filhos, tendo apólices e comenda. Pouco importa! é um carnavalesco... Na vida desse homem, vida regrada, equilibrada, o Carnaval é um hiato, é uma síncope, é a anulação completa de sua consciência de homem e de chefe de família, é a suspensão absoluta de toda a sua gravidade de negociante e de comendador.

A família conhece e perdoa a sua paixão: e, no sábado de Carnaval, ei-lo que se despede dos seus, e parte para o delírio, com os olhos acesos em febre, e o coração rufando um zé-pereira precipitado, – e, como os antigos paladinos da Cruz partiam para Jerusalém a defender o Santo Sepulcro, ou como os heróis da Ciência partem para o Pólo a devassar o mistério das neves eternas. Parte, – e a família não o vê durante os três dias fatais: e, na quarta-feira de cinzas, o carnavalesco volta ao seu lar e ao seu negócio, moído, pisado, contundido, – e muitas vezes com a cara quebrada, – mas sem remorso, sem arrependimento, com o orgulho que dá a consciência da missão bem cumprida...

Evoco a recordação, neste momento, de alguns carnavalescos autênticos que tenho conhecido, – e dous, sobre todos, avultam na minha memória, claramente relembrados.

Um deles, era um negociante rico, cuja opinião pesava na praça, e cuja firma valia como ouro nos bancos. Não tinha vícios: não fumava, não jogava, não bebia, não freqüentava cantinas nem chafaricas suspeitas. Era carnavalesco...

Haviam-no feito presidente de uma sociedade de carnavalescos, – e era ele quem pagava a baderna, quem sustentava a glória do pavilhão do *club*. E somente duas vantagens e regalias exigia em troca das muitas dúzias de contos de réis que lhe custava cada ano a sua paixão: a honra de carregar o estandarte social, e o privilégio de dar as idéias para os carros de crítica no grande préstito da terça-feira.

Quando o conheci, já ele tinha vinte anos de carnavalesco e de fornecedor de *idéias*. E, como eu o cumprimentasse pela fecundidade da sua imaginação, disse-me apertando a cabeça entre as mãos: "Realmente, eu não sei como esta cabeça ainda pode ter idéias! Imagine o senhor: vinte Carnavais!..." E parecia-me realmente acabrunhado e sucumbido ao peso da sua missão: e eu inclinei-me diante dele, saudando-o, como se tivesse diante de mim um Darwin, um Comte, um Spencer, um desses criadores de doutrinas e sistemas, que atravessam a vida semeando idéias pela imensa extensão do campo moral...

Mas era de vê-lo, terça-feira de Carnaval, no alto do grande carro do estandarte, sobre uma montanha de papelão dourado, empunhando o pavilhão do Club, entre quatro meretrizes que lhe formavam a guarda de honra, – e atravessando a cidade, numa apoteose, no clamor triunfal das fanfarras, sob a abóbada chamejante dos arcos de gás, ao clarão vermelho dos fogos de bengala! A sua face, nédia e escanhoada, de honrado comerciante, resplandecia ali como a de um Deus! Assim devia Baccho partir para a conquista das Índias! assim deviam os triunfadores romanos entrar em Roma, depois da vitória, precedidos pelos senadores, pelos *lictores* e pelos *buccinatores*, entre os despojos da guerra e as riquezas do saque! Aquela noite só pagava ao carnavalesco todos os seus sacrifícios de dinheiro e todos os seus esbanjamentos de *idéias*... Hoje, esse carnavalesco é morto: morreu sempre rico, sempre respeitado, sempre honrado, – e sempre carnavalesco. Quanto à causa da morte, não tenho informações seguras: não sei se foi apoplexia proveniente do orgulho de uma daquelas noites de triunfo, ou se foi anemia cerebral, proveniente de imoderada criação de idéias...

O outro, cuja figura tenho agora presente ao espírito, era um carnavalesco pobre, – dos que economizam o dinheiro todo o ano para gastá-lo no Carnaval. Era guarda-livros. Não lhe escrevo o nome, – nem a alcunha, mais conhecida ainda do que o nome. Era famoso! fantasiava-se e mascarava-se no sábado, e só tirava a fantasia e a máscara na quarta-feira, para dar entrada num hospital de Ordem Terceira, onde se refazia durante um mês dos estragos dos quatro dias de loucura. Com a continuidade do exercício carnavalesco já a sua face adquirira esgares grotescos de máscara, e a sua voz descera a tons aflautados de disfarce de dominó.

A tuberculose acabou por lhe tomar conta do corpo, depois de um dos seus desvairados Carnavais. Mas ainda o carnavalesco viveu dous ou três anos, tísico, sem abandonar o Carnaval. E nos Carnavais desses dous ou três anos, – lembro-me bem! – era um espetáculo macabro encontrá-lo pelas ruas, burlescamente vestido de chita ou de metim, com os ossos do corpo descarnado dançando dentro das pantalonas amplas e da blusa larga, – tendo por máscara a sua própria cara encaveirada, em que os olhos ardiam com o brilho da febre héctica – e dizendo cousas engraçadas entre dous acessos de tosse convulsa. Era um pesadelo!

Alguém, que o conheceu até à morte, contou-me que esta se deu, – ironia da sorte? ou bondade do destino? – num domingo de Carnaval, à hora em que mais atroadora e bárbara era pelas ruas a alegria carnavalesca...

Não creio que a morte lhe tenha aparecido com a sua trágica e terrível majestade habitual. Suponho que, no seu delírio último, Ela lhe apareceu como uma Morte de Carnaval, – dessas que hoje encontraremos por aí, entre os velhos de cabeça enorme e os diabinhos de cauda vermelha, nos *cordões* que, inconscientemente, reproduzem as cerimônias cômicas e pavorosas da Idade Média.

Assim deve ela ter aparecido, a Morte, ao carnavalesco moribundo, – como uma velha amiga de folia e de pândega. E o carnavalesco arrojou-se aos seus braços com alegria e foi valsando com Ela, cabriolando com Ela, cancaneando com Ela, até com Ela cair no grande abismo negro...

Cousas de carnavalescos! Não lhes dizia eu que os verdadeiros carnavalescos são de uma raça à parte, uma gente que não parece com as outras gentes e que nasce carnavalesca para viver carnavalesca e morrer carnavalesca?

O. B.

24 mar. 1907

Crônica

Não foi comentado um incidente que houve na viagem do general Roca para S. Paulo. Nesta Imprensa sem assuntos, – cujos cronistas são obrigados a realizar milagres e prodígios de invenção para encher diariamente as tiras de papel que os fascinam e os torturam com a sua brancura, à espera de causas brilhantes – não houve quem glosasse em meia dúzia de linhas alegres ou tristes, irônicas ou piedosas, aquele singular encontro que o general Roca teve na estação de Resende, numa das paradas do trem de luxo que o levava, entre aclamações, à capital paulista.

Ou por causa da humildade da principal personagem do incidente, ou pela singularidade do presente que essa personagem ofereceu ao general, o caso ficou sem comentadores; tomou-nos sem dúvida o receio de que houvesse alguma vergonha nessa inesperada e escandalosa entrada de um negro velho e maluco em festas de tamanho fausto e tão civilizado esplendor...

Pelos deuses do Olimpo, ó meus amigos e meus irmãos; tenho para mim que o episódio foi lindo, porque foi comovedor; e confesso que uma nuvem de ternura me embaciou os olhos, quando tive notícia dele, pela leitura desta mesma *Gazeta*.

* * *

Foi assim o caso. O trem chegara a Resende. Servira-se o almoço na Barra do Piraí, houvera brindes entusiásticos, a digestão era boa, – e, da Barra até Resende, todos os que acompanhavam o general procuravam à porfia distrair o hóspede ilustre, chamando a sua atenção para as belezas da paisagem, e não consentindo que ele a fixasse nas cousas tristes que ofendem os olhos de quem viaja pelas nossas estradas de ferro: estações sujíssimas, campos imensos sem cultura, multidão escance-lada de ociosos mal trajados pasmando para os trens com ar faminto...

Em Resende, bandas de música, foguetes, aclamações. E eis que, de repente, entre os *vivas*, um *viva* se escuta, extravagante e absurdo: "Viva o Imperador!"

Era, diz a *Gazeta*, um preto octogenário, desdentado, de carapinha branca, – um veterano da guerra do Paraguai, que se adiantava para junto do general Roca, oferecendo-lhe um cacho de bananas...

Estais vendo, daqui a cólera de uns, o riso de outros, o espanto de todos? A aparição espectral (que outra cousa não era o assomar daquele fantasma de outro idade) era burlesca e comprometedora. Um preto! e maluco! e dando vivas ao imperador!!! e oferecendo um cacho de bananas ao estadista argentino!!!! Quando os argentinos querem cobrir-nos de ridículo, lançam-nos à face justamente estes dous estigmas: os nossos pretos e as nossas bananas. E ali estava um preto, oferecendo bananas ao general Roca!... Imaginais o pasmo dos da comitiva? os que não coraram de vergonha, riram de malícia... Nem sei até como não se levantou ali algum punho colérico para fulminar com um soco patriótico o imprudente, que ousava, com a sua presença bárbara, perturbar a harmonia da festa civilizada!

Enfim, o general Roca, – esse não se indignou e não riu. Recebeu o preto com benevolência, apertou-lhe a mão quando soube que ali estava um veterano do Paraguai, aceitou as bananas, e gratificou generosamente o pobre ancião.

O general não se indignou e não riu. O general é um velho soldado e um velho político, que respeita a velhice e respeita a humildade. Não riu, – e suponho até que ficou enternecido com aquele espetáculo, que apenas envergonhou alguns bonifrates da comitiva...

* * *

Vergonha de quê? riso por quê?

Já os oitenta anos do espectro bastavam para cercá-lo de uma auréola. A velhice, – ainda a mais miserável e feia das velhices – tem uma majestade própria, que desafia o riso dos fúteis e o desdém dos pedantes. Mas não havia ali apenas a velhice de um homem: havia a velhice da nossa terra, o nosso passado, a nossa tradição.

Estava ali a raça a quem mais devemos, a raça mártir que nos desbravou a terra, que a regou com o seu sangue, que a defendeu, que a formou, que a enriqueceu!

Não é difícil contar a história daquele preto decrépito: é uma história muito banal e muito vulgar; é a história de todos esses pretos, que para aqui vieram escravos, ou aqui nasceram cativos, e se fizeram homens debaixo do azorrague e do opróbrio, e obtiveram a liberdade a troco de uma nova escravidão, e foram mandados para o Paraguai como soldados inconscientes, e lá se bateram sem saber porquê se batiam, – e que, voltando de lá, abandonados pelo nosso egoísmo ingrato, numa terra em que até hoje a organização do trabalho ainda é um mito, foram envelhecendo e embrutecendo-se na ignorância, na ociosidade e no abuso do aguardente.

Poupado pelas balas paraguaias, quem sabe como viveu até hoje esse octogenário? Nós todos costumamos dizer, com uma basófia retumbante, que não desprezamos a raça negra, que a incorporamos dignamente em nossa civilização, que a não perseguimos, nem a exterminamos. Não a exterminamos pelas armas, é certo. Mas não é menos certo ainda que a tratamos sempre com desdém. Aqui, os brancos desprezam os pretos; os mulatos claros dizem que são brancos, e os mulatos escuros dizem que não são descendentes de pretos, mas descendentes de tamoios e de tupiniquins. É ainda uma raça maldita! e, entretanto, o Brasil foi feito por ela... Oh! a nossa cruel tolice! a nossa estúpida presunção! Como se uma pátria pudesse anular o seu passado, alterar a sua tradição, destruir a sua história, tão facilmente como qualquer de nós deita ao lixo as botinas estragadas e a roupa branca puída pelo uso!

* * *

Mas o que envergonhou a comitiva não foi somente a cor do octogenário de Resende: foi também aquele seu *Viva o Imperador!*, revelando a sua maluquice, e foi também aquele cacho de bananas, lembrando tão inoportunamente os motejos que nos têm valido a abundância da *musa paradisíaca* nestas plagas.

Pobre preto velho ignorante! na sua boca desdentada aquele grito *Viva o Imperador!* é a frase única em que a sua alma inocente pôde consubstanciar e resumir homenagens, respeitos, temores, submissões!

Crescido na escravidão, envelhecido na miséria física e moral, o octogenário de Resende não sabe que o Brasil é hoje uma república, e não sabe bem o que é um Imperador. Um Imperador, para ele, é todo o homem que tem poder, que é festejado e adulado, que recebe vivas e zumbaias, que viaja em trens de luxo. Perguntem-lhe o que vem a ser um Imperador, e ele dirá talvez na sua meia-língua atrapalhada: "é um homem muito grande e muito rico, que tanto pode mandar matar a gente no eito, debaixo do vergalho, como mandar matar a gente na guerra, debaixo das balas..."

Viva o Imperador!... Quem sabe? esse pobre veterano do Paraguai foi talvez um daqueles *voluntários* (!) que a 10 de junho de 1865 partiram daqui, com o Imperador, para defender Uruguaiana. O Imperador assistiu ao embarque de todas as tropas: mostram-no as gravuras da época, trajando a farda *voluntário*, e distribuindo, com as suas próprias mãos, as *barretinas* aos soldados. Entre estes, estava talvez o velho preto de Resende; gritou, como os outros: "*Viva o Imperador!*"; – e esse grito nunca mais se lhe apagou da memória, como também nunca mais se lhe apagou da memória a figura daquele homem alto, de barbas louras, entrevista numa manhã de entusiasmo bélico, ao ondular das bandeiras e ao clamor dos clarins...

E esta mágica palavra – *Imperador* – ficou sendo, fixada para sempre no seu cérebro, a expressão de todas as grandezas, de todas as majestades, de todas as excelências, de todas as soberanias. No dia 17 de março, o pobre preto velho assistiu aos preparativos para a recepção do General Roca em Resende; viu a população agitar-se como um formigueiro, viu a estação embandeirada e apendoada de folhagens, ouviu os ensaios das bandas de música, – e disse de si para si: "Tanta festa... quem vai passar? só pode o Imperador! vou oferecer-lhe um cacho de bananas, para que ele tenha pena de mim, e não me mande outra vez para o eito nem para a guerra!"

* * *

Quanto ao cacho de bananas...

Jesus! que poderia o preto velho oferecer ao general Roca? um diamante do Tijuco? uma barra de ouro das minas de Morro Velho? uma lata de *paté de foie gras*? uma garrafa de *Pommery Carte blanche*?... Cada um dá o que tem. Lá está em S. Marcos a parábola da viúva; e o general Roca, que é cristão e crente, bem conhece o que disse Jesus, quando viu a pobre mulher lançar ao gazofiláceo o seu óbulo modesto: "Esta deu mais do que todos os outros; porque todos os outros deitaram do que tinham, na sua abundância; porém esta deitou da sua mesma indigência tudo o que tinha, e tudo o que lhe restava para o seu sustento..."

Diz o telegrama da *Gazeta* que o General deu ao preto, como recompensa, uma nota de cinqüenta mil réis. Quem deu mais? creio que foi o preto: "Deu da sua mesma indigência tudo o que tinha..."

Que importa que nos chamem comedores de bananas? A bananeira recebeu dos botânicos o doce nome de *paradisíaca*. Seria ela a famosa árvore do Bem e do

Mal? Sei lá!... Mas, no Brasil, a banana é a sobremesa dos pobres e dos ricos, dos poderosos e dos humildes. Foi o único presente que o veterano do Paraguai, de pele preta, pôde dar àquele outro veterano de pele branca. Deu-lho de boa vontade. E que tem que os macacos também gostem de banana? a ciência diz que todos nós somos macacos aperfeiçoados, – uns argentinos, outros brasileiros, uns brancos, outros pretos, – mas todos mais ou menos macacos, que ganhamos em inteligência o que perdemos em cauda.

Esta fruta saborosa, nutriente, higiênica, é vendida na Europa, e até na América, a peso de ouro: ja figurou, até, num banquete da Corte Imperial da Rússia, – *excusez du peu*!...

* * *

Não, meus amigos e meus irmãos! Fizemos mal em não comentar este incidente da viagem do general Roca! Não foi um incidente vergonhoso, nem um incidente ridículo. Nessas festas ao nosso amigo, a homenagem do soldado ancião, do preto maluco, do cidadão humilde, foi a nota mais enternecedora. Aparecendo ali, inesperadamente, em pleno brilho do festival civilizado, o preto decrépito parecia estar dizendo: "Um momento, amigo! eu também sou brasileiro, e dos mais dignos, apesar da minha cor, apesar da minha decrepitude, e apesar da minha baixa condição. Podem rir à vontade esses meninos bonitos que vos acompanham: vós não rireis! E não rireis, porque somos irmãos: batemo-nos juntos, vencemos juntos – e, se a minha pele tem uma cor diferente da cor da vossa pele, os nossos cabelos e as nossas barbas têm a mesma cor..."

O. B.

31 mar. 1907

Crônica

Disseram-me ontem, em Caxambu, onde vim passar estes quatro dias feriados da Semana Santa:

– Já sei que volta no sábado para o Rio...

– No sábado? por quê?

– Porque no domingo haverá eleições municipais, e o senhor, como bom carioca, não há de deixar de votar!

Fiquei mudo e pasmado, estarrecido de espanto e de indignação – capaz de cometer um crime.

Imaginai que essa cousa monstruosa me foi dita no Parque de Caxambu, às 8 horas da manhã, – à hora triunfal em que o sol despedaça as névoas e despenha as suas cascatas de ouro fluido sobre os relvados verdes – à hora em que os periquitos, saindo dos bambuais cerrados, vêm revoar em torno das copas das acácias e dos cedros, numa gritaria ensurdecedora, comentando talvez, na sua linguagem misteriosa, a gravidade com que os *aquáticos*, corados e vendendo saúde, mas convencidos de sofrer do estômago, sorvem religiosamente os seus dez goles matinais de água D. Pedro ou água Viotti.

A essa hora, o parque era como uma imensa e maravilhosa cesta de flores, que a luz do sol beijava com delírio. Faceiravam-se as dálias; empinavam-se orgulhosas nas hastes das roseiras as grandes rosas vermelhas; trocavam desafios de cor e perfume os grandes cravos redobrados; até as humildes margaridas tinham um ar de rainhas! E sobre as flores voavam as borboletas, como voavam sobre as árvores os periquitos, sem fazer o barulho que eles faziam, mas possuídas da mesma intensa alegria de viver, de gozar a vida, de animar e glorificar com a sua presença este lindo canto edênico da terra mineira, onde até a alma seca do mais seco dos financeiros e dos políticos seria capaz de rebentar numa explosão de sonetos e de madrigais.

E o bárbaro vinha falar-me das eleições municipais!

A minha primeira idéia foi prostrá-lo ali com um soco indignado e vingativo. Mas contive-me, e disse, dominando a minha cólera:

– Veja o lindo tom daquele verde do morro de Caxambu, meu amigo! olhe como esplende lá em cima o cruzeiro singelo, na faiscação do sol...

– Sim! – disse-me ele, com um ar enjoado – fui até lá em cima ontem: voltei com os calos em mísero estado. Mas diga-me: não vai votar?

– Votar?! Veja que aparição idílica, a daquela senhora que ali vai, toda de branco, destacada do fundo verde-negro do bambual...

– Conheço, conheço! Mas é verdade o que diz a *Gazeta*? É verdade que há mil e seiscentos candidatos?

Em perguntando isso, travou-me do braço, arrastou-me para um caramanchão, obrigou-me a cair derreado sobre o banco rústico, e entrou a falar das eleições municipais. Compreendi que nem o grande deus Pã, o deus que é Tudo, e ali estava esplendendo na luz do sol, desmanchando-se em aromas nos cálices das flores, e cantando na voz dos pássaros, seria capaz de evitar o meu martírio, e resignei-me. Foi com uma voz de condenado à morte que disse ao curioso:

– Nada sei, meu caro senhor, nada sei, e não vou votar, porque não posso votar!

– Não pode votar?! Não creio que sejam as suas crenças políticas que o impeçam de cumprir esse dever cívico... O senhor não é monarquista?

– Não, senhor.

– Não é monarquista?

– Não, senhor.

– É republicano?

– Ferozmente, horrendamente republicano, meu caro senhor: aos quatro meses de idade, já eu trazia ao peito, debaixo do babadouro, uma medalha com o busto de Tiradentes; aos oito meses, assinei um manifesto; e, no dia em que completei um ano, como me perguntassem qual o presente que mais desejava, respondi com convicção: "A cabeça do imperador, desse Nero disfarçado em Marco Aurélio!". Já vê, meu caro senhor, que sou um republicano tremendo!

– Mas, se é republicano, por que é que não vota? No regime republicano...

– Tá, tá, tá, meu caro senhor! não se trata aqui das minhas convicções! Eu não voto, pela única e simples razão de não ser eleitor; e não sou eleitor, pela razão ainda mais simples e mais única de ter sido repelido do alistamento eleitoral...

– Repelido? o senhor?! mas por quê, justos céus?!

– Não sei! São mistérios! Também nem eu nem o senhor sabemos o que viemos fazer neste mundo, e nem por isso é menos certo que vivemos, e que estamos aqui em Caxambu a tratar das eleições municipais, enquanto os periquitos estão rindo de nós... Olhe aquele que ali está: parece uma esmeralda com asas!

– Deixe lá os periquitos! por que foi que o repeliram do alistamento?

– Já disse que não sei. Quando me disseram que ia haver alistamento, preparei os meus papéis, entreguei-os à junta e humildemente perguntei o que me faltava fazer. Um senhor de óculos de ouro, de fala dura e cenho carregado, mediu com um olhar de desprezo a minha insignificância, e disse-me: "Volte aqui amanhã, às 10 horas, e espere que o chamem!" Voltei no dia seguinte, e esperei que me chamassem. Chamaram cafajestes, ratoneiros, jogadores de bicho, quitandeiros, *garis*, – e não me chamaram. Às 3 horas da tarde, acabou a chamada, sem que a minha paciência tivesse acabado. Saí, fui tratar da minha vida, e no outro dia aproximei-me timidamente do homem dos óculos de ouro. Ouviu-me entre dous bocejos, e sentenciou: "O senhor foi chamado ontem: se não ouviu, ouvisse! E ponha-se lá fora!". Obedeci. Mandei à junta um protesto, dous protestos, três protestos. A junta mandou-me às batatas com todos os meus protestos e não me qualificou. E aí tem o senhor porque é que não vou votar! Bem bom! passarei ainda o domingo neste Paraíso, à sombra amiga destas árvores, bebendo este ar de veludo, e conversando com estes periquitos, que são deliciosos de alegria e encantadores de graça. E a propósito: vamos passear, vamos ver os periquitos! Daqui a pouco, quando o sol esquentar um pouco mais, todos eles fugirão para o seio fresco do bambual!... Vamos!

– Não! espere! acho essa cousa tão inexplicável!... Francamente, o senhor não tem alguma suspeita, alguma hipótese, alguma dúvida sobre o motivo da sua eliminação!

– Não tenho...

– Porque, enfim, vejamos! O senhor tem alguma capacidade moral...

– Alguma, é verdade.

– O senhor não é inteiramente louco...

– Há outros mais loucos.

– O senhor nunca cometeu um crime...

– Só um: o de estar aqui a ouvi-lo em vez de estar a ouvir os periquitos.

– Não graceje! O senhor não é cego, nem mudo, nem surdo...

– Suponho que não.

– O senhor tem uma profissão conhecida e honrada...

– Menos conhecida e menos honrada que a de capanga de eleições, mas enfim sempre tenho uma profissão que não é de todo desprezível...

– Certamente. O senhor sabe ler e escrever.

– Parece-me que sim.

– Mas, então, decididamente, não posso compreender!

– Ouça, meu amigo! – disse eu, levantando-me. Creio que fui eliminado justamente por todas essas razões que em sua opinião deveriam impor a minha qualificação!

– Como assim?

– É o que lhe digo. Creio que fui eliminado por estes seis motivos: primeiro, por ter alguma capacidade moral; segundo, por não ser inteiramente louco; terceiro, por nunca haver cometido crimes; quarto, por não ser cego, nem mudo, nem surdo; quinto, por ter profissão conhecida e honrada; e sexto, por saber ler e escrever. A junta considerou, naturalmente, que eram perfeições ou imperfeições demais; o sexto motivo, sobretudo, deve ter influído bastante: um eleitor sabendo ler e escrever! onde é que já se viu essa monstruosidade?! um eleitor sabendo ler e escrever é uma ameaça à segurança das instituições: é capaz de dar o seu voto a um homem que também saiba ler e escrever, e lá vêm abaixo as referidas instituições! E agora, meu caro senhor, permita que eu vá interrogar os periquitos, como o senhor me interrogou.

– E que vai o senhor perguntar aos periquitos?

– Vou perguntar-lhes se também eles têm conselheiros municipais, e eleições, e alistamentos, e política...

– Devem ter!

– Estou que não têm. Os periquitos são muito mais inteligentes do que nós. Nascem, amam, divertem-se, voam, tagarelam e morrem, sem sujar com tolices e maroscas a existência que a Natureza lhes deu. Vou-me a eles, meu amigo! Até amanhã.

Saí do caramanchão, e fui em busca dos meus amigos. Mas o sol ia alto no céu. A periquitada fora dormir entre os bambus. O Parque escaldava. E, como a sineta do hotel, ao longe, anunciava o almoço, fui satisfazer a fome de lobo que o ar destas montanhas açula no estômago da gente.

O. B.

19 maio 1907 — Crônica

Dizia-me alguém, na segunda feira, considerando a tristeza do dia feriado, sem uma procissão festiva, sem musicatas, sem bailes públicos, sem luminárias:

– Os pretos, que a lei 13 de Maio libertou, são ingratos. Há ainda muitos, muitíssimos deles por aí. Não seria natural que, no dia de hoje, todos se congregassem numa grande festa alegre, que fosse ao mesmo tempo um preito de saudade aos libertadores que já morreram, e uma homenagem de afeto aos que ainda vivem?

Torci a conversa para outro assunto, e não respondi. Não respondi, porque não estava de acordo com o meu interlocutor, e não gosto de discutir. Mas, depois, já ouvi a mesma consideração repetida por outras pessoas, e até escrita num jornal: e não posso resistir ao desejo de declarar que acho soberanamente injusta essa pecha de ingratidão atirada aos libertos.

Ingratos, por quê? Porque não aceitam como esmola ou favor o que foi apenas justiça? Que gratidão deve o roubado ao roubador que acaba confessando o roubo e restituindo-lhe o que lhe roubara? O cativeiro era a mais torpe, a mais criminosa das espoliações. E a sociedade, que aceitava, admitia, e defendia tal espoliação, – esta é que deveria, todos os anos, no dia 13 de maio, penitenciar-se publicamente, com vergonha e remorso, da feia culpa de haver por tanto tempo demorado a vitória da justiça.

A comemoração dos abolicionistas mortos e a glorificação dos abolicionistas vivos não devem ser feitas pelos libertos: devem ser feitas pelo país inteiro, e principalmente pelos cidadãos que nasceram livres, filhos de pais livres, e netos de escravizadores. Esses, sim, devem gratidão, e gratidão sem limites, aos que livraram o Brasil da desonra de possuir escravos.

Creio que os libertos não somente não nos devem gratidão alguma, como ainda têm o direito de nos lançar em rosto o não termos ainda completado a obra da Abolição.

Que fizemos nós, afinal? Proclamamos a liberdade dos cativos, mas não tratamos de assegurar a sua vida e a sua felicidade. Não os instruímos, não os educamos, não lhes demos trabalho; estupidamente e cruelmente admitimos que já tínhamos feito por eles o mais que podíamos fazer.

Que escolas agrícolas, industriais ou profissionais fundamos, de 1888 até hoje, para transformar em verdadeiros cidadãos os homens que havíamos explorado como animais? Os que lutaram e venceram, lutaram e venceram sozinhos, sem o nosso auxílio; e não têm conta os que morreram, nesses sertões ignorados, à míngua de trabalho e de instrução, devorados pela miséria, pela ignorância, pelo alcoolismo, pelo abandono moral...

E ainda exigimos gratidão! E ainda queremos que as vítimas transformem em beneméritos os seus algozes de ontem! Lafontaine faria com isso uma linda fábula: o leão sacrificando os animais sem força, e estranhando que eles lhe não agradecessem o favor...

* * *

E já que falamos em fábula...

"Era uma vez um príncipe muito moço, muito louro, muito lindo, muito rico..."

Quem não ouviu, em criança, uma história que principiasse desse modo? O príncipe chegava, libertava um rei cativo, matava um dragão, conquistava um império, casava com uma princesa, e acabava-se a história, que entrava por um ouvido e saía pelo outro.

Contaram-nos, no princípio da semana, uma dessas histórias. O príncipe, muito moço, muito louro, muito lindo, muito rico, chegou, – e, se não libertou um rei cativo, se não matou um dragão, se não casou com uma princesa, foi naturalmente porque não há por aqui reis cativos, nem dragões, nem princesas. Talvez o príncipe pudesse conquistar um Império, – se tivessem permitido que ele desembarcasse no largo do Paço. Mas não permitiram. E, muito moço, muito louro, muito lindo, muito rico, o príncipe seguiu para Buenos Aires, e acabou-se a história, que entrou por um ouvido e saiu pelo outro.

Foi uma história inocente e divertida para quase todos.

Só não foi divertida nem inocente para um homem extraordinário, que se meteu à força dentro dela, indo até o *Amazone*, apresentando ao príncipe suas homenagens, e aproveitando a oportunidade para dar um viva à República. Houve um reboliço, o príncipe empalideceu, os monarquistas protestaram, – e o homem foi preso.

Preso pelos monarquistas? Não! Pelas autoridades republicanas, que consideraram, e consideram com muita razão, que era imperdoável imprudência ir alguém perturbar uma história tão bonita e tão inofensiva...

O príncipe empalideceu, e levou a mão ao lugar onde devia trazer a espada se estivesse fardado e armado. Empalideceu, porque supôs talvez que ali estava o dragão feroz que todos os príncipes de histórias de fadas são obrigados a matar... Mas o homem não era um dragão: era um sargento. E o príncipe não tinha espada: tinha um óculo de alcance. O sargento foi preso, o príncipe foi beber champagne com os seus súditos fiéis, despediu-se deles, seguiu para Montevidéu, pisou terra uruguaia para se consolar de não ter podido pisar terra brasileira, e está agora em Buenos Aires, encantando Palermo com a sua presença, e transtornando o juízo das portenhas sentimentais.

E o sargento já foi solto, e não correu gota de sangue, e tudo acabou otimamente. Bonita história! talvez um pouco idiota e um pouco sem pés nem cabeça... mas as histórias mais bonitas são as mais insensatas.

* * *

Outra história, que os jornais nos contaram, durante a semana, foi a de um crime vulgar que veio a ser o ponto de partida para a descoberta dos autores de um outro crime mais importante.

Mataram, há tempo, um velho negociante, que apareceu numa bela manhã, numa poça de sangue, com o crânio despedaçado. A polícia recolheu o cadáver, lançou em todas as direções os seus bandos de agentes perspicazes, interrogou meio mundo, prendeu outro meio mundo, perdeu-se em conjecturas, e acabou por descobrir unicamente o que já estava descoberto: que o homem fora assassinado. Os jornais bradaram, mas acabaram por ficar cansados de bramar, e ninguém pensou mais no caso.

E eis que, há poucos dias, brigam dous sujeitos, e um deles atravessa o pescoço do outro com uma bala de revólver. E o ferido, no leito do hospital, denuncia o seu contendor como o assassino do velho negociante, sobre cujo túmulo a polícia, já há dous anos, pôs uma pedra pesada, atestando a sua incompetência...

É um caso que se repete freqüentemente, não só aqui, mas nas cidades mais policiadas do mundo. O melhor agente de polícia que se conhece é o Acaso. Não há

Sherlock Holmes que lhe leve as lampas. Os piores crimes ficariam quase sempre impunes, se esse caprichoso deus protetor da polícia não se encarregasse de descobrir os criminosos.

E como todas as nações civilizadas ganham fortunas consideráveis com o serviço policial, seria justo que todas elas se cotizassem, destinando uma parte pequena de tanto dinheiro à construção, em qualquer ponto da terra, de um templo consagrado ao Acaso, – que é cego, mas vê mais do que todos os Javert...

* * *

Que quereis que vos diga da reforma ortográfica?

Como acontece sempre que se trata de gramática, ou de cousas que com ela se relacionam, já chovem descomposturas sobre os que se atrevem a querer a simplificação do modo de escrever. Quando não chovem descomposturas, chovem sátiras.

Deuses imortais! nada se fará... Tudo ficará como dantes, e continuaremos a escrever como nos der na veneta, desrespeitando e injuriando a famosa Etimologia, que fingimos adorar.

Ainda ontem um jornal, defendendo a ortografia etimológica, escrevia: *ortographia*, sem se lembrar que só há dous modos lógicos de escrever tal palavra: ou *orthographia*, etimologicamente, com os dous *hh*, ou *ortografia*, foneticamente, mandando ao diabo todos os *hh*.

Nada se fará. E, como só os sábios podem conhecer a fundo a etimologia da língua portuguesa, cada brasileiro terá a sua ortografia própria... e errada, e os poetas continuarão a poder dirigir às suas namoradas aquele famoso madrigal de Gonçalves Crespo a uma linda rapariga que escrevia *hamor* e *shaudade*:

São mais lindos que as estrelas
Teus erros de ortografia...

O. B.

02 jun. 1907

Crônica

Vai a *Gazeta* encetar a publicação de alguns documentos do famoso *Arquivo do Marechal*, há doze anos mantido em misterioso e profundo segredo, excitando a curiosidade de todos, e talvez causando o terror de muitos.

Na política contemporânea do Brasil, esse arquivo é como aqueles três cofres de ouro, prata e chumbo, que, no *Mercador de Veneza*, de Shakespeare, desafiam com o seu mistério os pretendentes à mão da bela Pórcia, ou como aquela laje, que no *Gil Blás de Santillana*, os dous estudantes encontram na estrada de Salamanca, com a enigmática inscrição: "Aqui jaz a alma do licenciado Garcia..."

* * *

Noticiando a publicação do *Arquivo*, escreve a *Gazeta*:

"É óbvio que esses documentos, que esclarecem muitos dos fatos e a verdadeira situação do Brasil durante essa sangrenta época, pertencem à História".

Pode a princípio parecer estranho que se afirme já pertencerem à História fatos que se passaram há menos de quinze anos. Normalmente, quinze anos, na vida de uma nação, representam menos do que quinze horas, em vida de um homem. Mas é preciso não esquecer que a história do Brasil, nestes últimos vinte anos, não teve o curso regular e plácido de um rio, rolando por um manso declive: foi antes uma catadupa despenhada do alto, estrondando, remoinhando, arrastando tudo consigo. Nestes vinte anos, o Brasil viveu um século; viveu aos saltos, aos choques, aos solavancos, vertiginosamente, galopando, voando. Assim, não é absurdo julgar que já pertencem à História os acontecimentos de 1893. Para a História, pouco vale o número de anos de vida de uma nação; o que vale muito, para ela, é a variedade e a importância dos fatos, ou espaçados por longos séculos, ou coincidindo e resumindo-se em um decênio ou em um lustro.

E, depois da morte do Marechal, quanta cousa tem havido! Chega até parecer que a revolta da Armada é cousa do tempo das primitivas capitanias, do tempo da exploração da terra virgem, do tempo do Descobrimento...

Dos pró-homens da luta sanguinária já muitos morreram. E, dos que vivem, alguma cousa também já morreu: já lhes morreu dentro da alma a paixão partidária que os exaltava. Há jacobinos e maragatos governando juntos, auxiliando-se e abraçando-se; os que eram declarados corsários e piratas administram o país; os que odiavam a revolta fazem brinde ao patriotismo dos revoltosos. O Tempo, aqui como em tudo, e agora como sempre, cumpria a sua missão niveladora e conciliadora: e a Política, que nada mais é do que a Conveniência, se encarregou de tornar a unir aqueles mesmos a quem havia separado.

Tem razão a *Gazeta*. Tudo aquilo já pertence à História.

* * *

Que haverá dentro das arcas em que se contém o célebre *Arquivo do Marechal*? Devem estar ali recolhidos os autos de um processo interessantíssimo; deve estar ali dormindo a responsabilidade de muita gente. Haverá ali denúncias, conselhos, súplicas, ameaças, ambições, [*****], sentenças, intrigas, [*****], injúrias, ironias, esperanças, desesperos...

E, quem sabe? talvez não haja nada disso... lembram-se da anedota daquele sábio, que nunca mostrara, falando ou escrevendo, a sua sabedoria, mas que nem por isso deixava de ser proclamado pelos seus amigos o maior sábio do mundo? Diziam os amigos: "Vocês verão! Quando ele morrer, verão o que nos deixa!..." Morreu o homem, deixando uma grande arca trancada e lacrada. Abriram-na, ardendo em curiosidade, e dentro dela, no fundo, acharam uma mecha de cabelos, dentro de um envelope, com estas palavras: "Cabelos da minha filha Alice..." Era todo o espólio do grande sábio.

No *Arquivo do Marechal* sempre há de existir alguma cousa. Mas não haverá todas as cousas, de cuja existência suspeitam o rancor de uns e o medo de outros. O Marechal era um homem que somente operava pela sua própria iniciativa e que se não deixava levar pelas influências do passado nem pela consideração do futuro. Fazia o que queria fazer, e nunca ligou importância à opinião pública. Alcindo Guanabara, que o conheceu bem e foi seu partidário e amigo, assim o descreve em poucas linhas: "É um cético voltaireano; e esse ceticismo armou-o de uma desconfiança geral, absoluta, profunda, contra tudo e contra todos; desconfia, e portanto vigia, inquire, esquadrinha. Pode ouvir o que lhe dizem, – e é raro que o faça; mas ninguém jamais pôde gabar-se de que o determinou a fazer isto ou aquilo: – delibera por si exclusivamente. Desta modalidade de seu caráter resultou que o regime presidencial se transformou em regime pessoal. Os ministros são entidades que não existem: nem agem por si, como chefes de suas repartições, nem agem nos conselhos do governo, porque o chefe não recebe conselhos. Concentrou em suas mãos todos os negócios de Estado, convencido de que, sendo sua a responsabilidade, necessária se tornava que tudo fosse feito segundo a sua vontade, e assim é desde a nomeação do último contínuo".

E Euclides da Cunha, que também o conheceu, e com ele privou, escreve: "Era um impassível, um desconfiado e um cético... A um tempo ameaçador e plácido, sem expansões violentas, e sem um tremor no rosto impenetrável, desdobrando silenciosamente, diante do assalto das paixões tumultuárias e ruidosas, a sua tenacidade incoercível, tranqüila e formidável..."

Ora pois! Não é de crer que um homem assim perdesse tempo em armazenar documentos que o defendessem e justificassem perante a História. Que lhe importava o futuro? menos ainda do que o passado. O Marechal só ligava importância ao presente.

As arcas do Arquivo devem conter apenas os documentos insignificantes, que o presidente não destruiu ou não perdeu.

Em todo o caso, a publicação vai ser interessante; e, por menos importante que seja o Arquivo, é natural a ansiedade com que todos o esperam, – uns com prazer, outros com medo, e outros apenas com a curiosidade que sempre despertam as indiscrições e os mexericos.

* * *

Talvez haja entre os documentos algumas cartas particulares, das que a Polícia apreendia, naquele tempo, com uma sem cerimônia de *pick-pocket*!

E, a propósito, vem-me à lembrança uma carta fatal, em cuja redação colaborei, e que levou um homem inocente à Casa de Correção.

Estávamos, nesse tempo, em Ouro Preto, Emílio Rouède e eu. A revolta estava quase vencida no Rio. Mas havia prisões em massa, a polícia secreta andava numa azáfama, os "soromenhos" não tinham mãos a medir, e ninguém sabia, na capital ao sair de casa pela manhã, se passaria a noite na tranqüilidade do seu lar ou na palha úmida do cárcere.

Estávamos em Ouro Preto. Entrando uma tarde em um botequim, encontrei Rouède, que escrevia à família. Mas Rouède esquecera em casa os óculos, e mal via o que escrevia. Quando me reconheceu, pediu-me que acabasse de escrever a missiva, que estava sendo escrita *em francês*. Acedi ao pedido, e continuei a carta *em português*. Rouède recomendava à família que, quando partisse para Ouro Preto, levasse todos os objetos de fácil transporte que pudessem servir à sua nova instalação; e acrescentava: "Tragam também as galinhas que houver em nossa casa do Rodeio, e todos os ovos; e não esqueçam os três lampiões belgas, que nos serão aqui de muita utilidade..."

E estava eu neste ponto da missiva, quando assomou à porta do botequim um ilustre chefe político de Minas, que era, nesse tempo, pelo seu espírito de tolerância política, pela sua natural oposição a todas as violências, e pela carinhosa hospitalidade com que amparava os proscritos, altamente suspeito ao governo do Marechal.

Reconheceu-nos, e veio falar-nos. Explicamos-lhe o apuro em que se via Rouède com a perda dos óculos.

– Homem! veja se lhe serve o meu *pince-nez*! – disse o recém-chegado.

O *pince-nez* servia. E Rouède, equilibrando sobre ao nariz a luneta do chefe político, tomou-me a pena, releu o que eu já havia escrito, e acabou a carta, *em francês*: "Era o B, quem escrevia esta carta, porque deixei em casa os óculos. Mas acaba de chegar aqui, enviado pela Divina Providência, o Dr.***, que salvou a situação, emprestando-me a sua luneta..."

Fechada a carta, confiou-a Rouède ao engenheiro Leyret, que na madrugada seguinte partia para o Rio.

E agora vereis o que nasceu de tudo isto!

Leyret, ao chegar a Entre-Rios, caiu nas mãos de uma quadrilha policial, que achou talvez suspeitas as suas barbas cor de fogo. E o engenheiro, atordoado, perguntava ainda a Deus qual seria o motivo de tão inesperada prisão, e já o chefe da turma o revistava, e tomava conta de todos os seus papéis, entre os quais figurava a maldita carta, a incendiária carta, a negregada e sediciosa carta!

Inútil é dizer que a missiva nunca chegou ao destino que lhe havia determinado Rouède... E, tempos depois, vim a saber que, na repartição da rua do Lavradio, foi grande o alarma provocado pela leitura daquela estranha epístola, escrita por dous punhos de suspeitos, em duas línguas diferentes, metade em francês e metade em português, e contendo o inexplicável episódio da entrada dramática de um chefe político, também suspeito, empunhando um misterioso *pince-nez*, em cujos vidros biconvexos faiscava o olhar de fogo da Hidra! Para os Argos da rua do Lavradio, a chegada do velho chefe político significava a sua adesão ao movimento revolucionário; os três lampiões belgas representavam três dezenas de contos de réis; as 40 galinhas queriam dizer quarenta carabinas; e os ovos eram, naturalmente, cartuchos de balas...

Tudo isto parece mentira. mas é verdade. Tanto é verdade, que, por causa desses lampiões belgas, dessas galinhas, e desses ovos, o engenheiro Leyret ficou algumas semanas residindo na Casa de Correção...

* * *

No fundo das arcas em que dormem o seu sono esfingético os documentos do *Arquivo do Marechal*, quantas cartas não haverá como essa!

Mas alguns documentos haverá de real importância. A sua publicação será, ao menos, um divertimento. Já alguém escreveu que não há ironia maior, nem mais perversa malícia, do que a malícia e ironia dos papéis velhos. E muita gente não gostará de ver exumada a vida febril da revolta nesta época em que o Tempo já cumpriu a sua missão niveladora e conciliadora...

O. B.

21 jul. 1907

Crônica

Esta semana, em que houve a apoteose da grande Duse, depois da maravilhosa interpretação de *Rosmersholm*, e em que houve a revelação de Salvini, com a admirável interpretação d'*Os Espectros*, merecia uma crônica fulgurante, cheia de arte e de repousado estilo. Não o quis *Mors-Amor*...

* * *

Conheceis *Mors-Amor*?

Antero de Quental viu um dia, em uma das suas alucinações de poeta, um corcel negro, galopando às tontas pela estrada da vida:

....
Um cavaleiro de expressão potente,
Formidando, mas plácido no porte,
Coberto de armadura reluzente,
Cavalga a estranha fera sem temor...
E o corcel negro diz: "eu sou a Morte!"
Responde o cavaleiro: "eu sou o Amor!"

Esse monstro duplo e autoritário, *Mors-Amor*, que nenhum Chapot-Prevost é capaz de separar, andou esta semana à disparada, patejando em sangue, e sacudindo as crinas revoltas um vento de tragédia e horror. Vimo-lo passar como o viu Antero, abalando com as suas passadas o silêncio noturno, "tenebroso e terrível". Era ele, o sombrio pesadelo, o furioso gerador desses crimes a que a tecnologia moderna dá o qualificativo de "passionais", e que nada mais são do que a reminiscência indestrutível da bestialidade antiga, ou, como diz Zola na *Bête Humaine*, "da violência hereditária, dessa necessidade de matar, que nas florestas primitivas, atiravam o bruto contra o bruto".

Por uma amaldiçoada coincidência, tivemos, esta semana, reunidas, quase todas as modalidades do crime passional. Vimos o Amor cavalgando a Morte, em quatro casos diversos: a mulher matando o homem por ciúme; por ciúme, o homem matando o homem; por ciúme, o homem matando a mulher; e por ciúme, abandono e desespero, a mulher dando cabo da própria vida...

É, como se vê, a antologia completa do crime passional: não falta aí uma só das flores vermelhas, que costumam brotar do solo, à passagem desabalada e fatal de *Mors-Amor*, centauro sinistro.

Tantas vezes o homem mata a mulher, por ciúme, e por vingança de amante traído, – que também alguma vez se hão de inverter os papéis, e a mulher abandonada há de recorrer ao revólver e ao punhal, quando reconhece a inutilidade das súplicas e das lágrimas. E queixem-se os homens desse processo sumário de vingança! não foram eles que o ensinaram às mulheres? e estas aprenderam a lição à custa do próprio sangue... É a desforra do sexo.

Esta pobre mulher de Vila Isabel, que tentou matar o amante e matar-se, vivera vinte anos ao lado desse homem, amando-o, ajudando-o, trabalhando para ele; agora, velha e feia, tendo a fealdade da velhice a agravar-lhe a já triste condição de mulher ignorante e quase preta, não resistiu à dor de se ver desprezada por outra, e baleou o traidor, voltando depois contra si mesma a arma vingadora. É possível que a condene o júri, – esse mesmo júri que com tanta facilidade e tanta ternura absolve, quase louva e condecora, os maridos truculentos que assassinam as esposas infiéis, e os namorados sem ventura que esfaqueiam as ingratas amadas... Talvez o júri não tenha pena da mísera assassina, por não poder achar, nessa vingança de uma mulher velha, feia e de pele escura, a mesma poesia que acha na brutalidade dos Otelos de classe superior e na crueldade dos apaixonados não correspondidos...

Fará mal o júri. Matar sem poesia, ou matar com poesia, – tudo é matar. E se merecem tanta compaixão os egoístas inteligentes e cultos, que para vingar o seu amor próprio ferido, recorrem ao assassinato, igual compaixão, senão maior, deve merecer a desgraçada mulher ignorante, que quis vingar a sua vida estragada, o seu largo sacrifício pago com a ingratidão, o seu amor e o seu trabalho perdidos.

Sede ineptos e injustos, oh juízes!, mas sede, ao menos, coerentes na vossa inépcia e na vossa injustiça!

* * *

Além desse triste caso, e do assassinato em Paquetá, do suicídio de uma desconsolada rapariga no Parque da Boa Vista e do sangrento drama no Jardim Botânico, houve ainda a tragédia de Campos, que todos os jornais descreveram.

Um sacristão, apaixonado, e sabendo que sua amada não o queria para marido, foi procurá-la e perguntou-lhe, apontando-lhe um revólver: "Responde já! casas ou não casas comigo?" A requestada não se deixou intimidar e injuriou-o com um *não* categórico. E o alucinado desfechou contra a mísera quatro vezes o revólver, desfechando-o depois duas vezes contra si mesmo.

Morreu ele, o assassino; a rapariga teve apenas ferimentos leves... Também a ciumenta da Vila Isabel não matou o seu ingrato...

É o que quase sempre acontece. Nesses atos de supremo desespero e de supremo ódio, há ainda muito amor. E o amor sempre faz vacilar o braço que quer exterminar o objeto amado. Até Otelo, o rude, o forte mouro brutal, quando vai matar Desdêmona, hesita, empalidece, e exclama, ao apagar a lâmpada que alumia a alcova: "Posso apagar esta lâmpada e acendê-la de novo... Mas quando eu te houver apagado, quem te poderá reacender, estrela do meu amor, luz divina da criação, obra-prima da Natureza?!"

Mas não agravemos a mania, já infelizmente tão generalizada, do crime passional, com citações literárias, porque a literatura é má conselheira. Está ficando tão grave esta mania, de tal modo se está espalhando esse abominável costume de atentarem os namorados sem ventura contra a vida das amadas esquivas, que daqui a pouco as moças bonitas tremerão de pavor quando souberem que inspiraram paixão aos rapazes solteiros: e só lhes fará medo aquilo que até agora tanto lhes lisonjeava o amor próprio.

Triste costume, amaldiçoada moda, execrável mania!

* * *

Antes, mil vezes antes, a mania das conferências... É inofensiva, e, ainda melhor: é salutar.

Há por aí quem se queixe da estupenda multiplicação das conferências e dos conferentes. Realmente, o número é excessivo. Esta semana teve dez: uma política, no domingo; uma, literária, na terça-feira; uma, geográfica, na quarta-feira; uma, ocultista, na quinta-feira; uma, esperantista, na sexta-feira; e, no sábado, uma literária, uma musical e uma geográfica. E hoje, domingo, haverá ainda uma política e outra... zoológica. Há conferências em português, em francês, em espanhol, em esperanto, em turco! Todos os salões do Rio andam por empenho...

É um mal? Não creio. Se há tantas conferências, é porque há muita gente capaz de as fazer, e muita gente capaz de as ouvir e compreender. Tanto melhor para a nossa reputação de povo inteligente e instruído! O abuso, se abuso existe, é um sintoma de progresso. Enquanto se realizam as conferências, aqueles que as declamam e aqueles que as ouvem não estão preocupados com a politicagem, nem com a maledicência, num com a difamação; já é uma vantagem moral, de extraordinário valor.

Deixemos, portanto, que a mania se propague, até o excesso de quarenta ou cinqüenta conferências por dia. Enquanto não se inventa outra cousa, falai, oradores!

* * *

E não tarda muito que se invente outra cousa. Não é talvez sem razão que o Brasil tem a fama de ser um país de inventores...

A revista *Le Nature*, em um dos seus últimos números, diz que "o Brasil é a terra dos aeronautas"; e refere-se ao padre Bartolomeu de Gusmão, a Augusto Severo, a Santos Dumont, – e a um Sr. Álvares, que acaba de realizar em Berlim notáveis experiências com um aeroplano de sua invenção; a este último aeronauta brasileiro faz grandes elogios a *Trenden-Zeitung*, que "augura para o Brasil a glória da definitiva solução do problema". Seremos realmente um povo de inventores! Parece que sim. Ainda nenhum psico-sociólogo explicou porque é que certos povos têm determinada tendência para este ou aquele mister civilizador; mas creio que há aí uma verdade científica, cujas leis serão um dia descobertas e fixadas.

Não há semana em que o nosso ministério da indústria não conceda cinco ou seis patentes de privilégio de invenção. Quem tivesse a curiosidade e a paciência de ler, nos arquivos desse ministério, a extensíssima lista das patentes concedidas até hoje, teria a revelação de um mundo novo: e veria quanto é fecunda a nossa imaginação, e quão maravilhosa foi sempre a nossa faculdade de inventar cousas simples ou complicadas, fúteis ou importantes, – desde os acendedores instantâneos de lâmpadas e cigarros até os aparelhos de moto-contínuo, desde as máquinas de calcular até o adubo elétrico do solo, desde as fechaduras espanta-ladrão até as retortas em cujo bojo se realiza o milagre da procriação artificial...

Ainda ontem, em longo artigo recheado de documentos, o *País* demonstrava que a máquina de escrever, esse prodígio da indústria moderna hoje adotado e utilizado em toda a face do planeta, é invenção de um padre brasileiro, Francisco de Andrade, que morreu pobre, e suspenso de ordens, por ser maçom, no Palco do Terço, na cidade do Recife, há uns 30 anos, – como também pobre e desamparado, em 1724, faleceu em Toledo outro padre brasileiro, Bartolomeu de Gusmão, inventor do aeróstato...

O Dr. José Félix da Cunha Meneses, que prestou a sua assistência de médico ao padre Francisco de Andrade, diz que viu e examinou, em 1873, a sua máquina de escrever, a qual foi vista por muita gente que ainda hoje vive. O padre inventor deixou acabado, e funcionando com perfeição, um modelo em madeira; o seu grande sonho, nos últimos dias de vida, era arranjar algum dinheiro, com que pudesse mandar fundir em metal esse modelo. Mas a morte chegou antes do dinheiro...

É mais uma demonstração da nossa *vis inventrix*.

Somos, não há dúvida, um povo de inventores. Se nem sempre podemos realizar praticamente as nossas invenções, se perdemos ao mesmo tempo a sua glória e o seu proveito, a culpa não é nossa: é dessa irônica e cega Fatalidade, que às vezes com tamanha inclemência persegue homens e povos.

Perversa ironia da Fatalidade! Inventamos o aeróstato e a máquina de escrever, duas cousas úteis e sublimes, e hoje outros povos se pavoneiam com o lustro do achado; ao passo que nunca ninguém se lembrou de disputar a glória da invenção do jogo de bichos, – glória que a nossa dignidade dispensaria de bom grado...

O. B.

11 ago. 1907

Crônica

Na Avenida. Cinco horas da tarde...

– Boa tarde!

– Boa tarde? péssima tarde, é o que devemos dizer! Céu enevoado, solo úmido, um vento gelado que retalha as carnes, bronquites, gripes, reumatismos. E estamos no Rio de Janeiro, na terra clássica do calor! Também, tenho visto tantas novidades, neste últimos anos, que já nada me espanta. Quando pensei que ainda teria de recorrer aqui, no meu escaldado Rio de Janeiro, às flanelas grossas com que na Europa costumo desafiar a inclemência do inverno? Creio que ainda hei de ver a Avenida coberta de neve, e desfolhadas todas as árvores do Passeio Público, e convertida em duro gelo a água dos lagos do Parque da República. Tempo virá talvez, em que o carioca, em vez de fugir no verão para Petrópolis ou para Friburgo, trate de fugir no inverno para o Amazonas ou para a costa da África!

– Dizem que as condições de vida de todo o planeta estão atravessando uma crise misteriosa... Caiu neve em Paris nos fins de junho... De que dependerá a crise? Da proximidade de Marte? de uma deslocação do eixo da Terra? da passagem do cometa?

– Talvez dependa de tudo isso, e talvez não dependa de nada disso. Toda a Criação sempre foi e sempre há de ser governada pelo Absurdo. No dia em que todas as cousas fossem explicáveis, no dia em que a Lógica presidisse a vida do mundo físico e do mundo moral, a humanidade morreria de tédio. Nós vivemos para não saber, para indagar, para duvidar, para ansiar. Desgraçados serão os que souberem: estancada neles a fonte da curiosidade e da dúvida, a sua existência passará a ser insípida e desesperada. Felizmente, suponho que nunca há de chegar essa era de completa sabedoria. A Terra e a humanidade continuarão a envelhecer, pelos séculos dos séculos, em pleno domínio do Contraste, do Absurdo e do Inesperado.

– Mas a Civilização caminha...

– Já se dizia o mesmo no tempo de Horácio e de Augusto, no tempo de Péricles e de Platão. Está claro que a Civilização caminha. Mas ninguém sabe se caminha para diante, ou para trás, ou nem para diante nem para trás, rodando sempre em torno do mesmo ponto. Tudo é ilusão! Mal comparando, ou bem comparando, a vida humana é como uma dessas plataformas giratórias, que se inauguraram, creio eu, na Exposição de Chicago ou São Luís. A plataforma caminha num sentido, os que estão sobre ela caminham em sentido contrário, e, afinal, tudo caminha e tudo fica no mesmo lugar. Tudo é ilusão!

– Bravo! nunca pensei que o frio fosse capaz de dar-lhe essas idéias... Parece-me que estou aqui, em plena Avenida Central, conversando com velho cético Tímocles de Cós, embrulhado num sobretudo marrom.

– Não é o frio que me dá tais idéias, amigo!, é a experiência, é a observação das cousas da vida. Acho que, parecendo ter mudado muito nestes últimos séculos, realmente a Vida não mudou. A Civilização é uma chalaça! Os aspectos variam, mas a essência é sempre a mesma. Olhe! ali adiante, foi inaugurado ontem um animatógrafo aperfeiçoado, que dá aos olhos da gente uma impressão real da vida, luz, cor, movimento... Imagine que, por milagre, ressuscitasse hoje um homem do tempo antigo, – esse mesmo Tímocles de Cós, a que você se referiu há pouco. Esse homem, vendo os prodígios deste século, sabendo da invenção do telégrafo, e do telefone, e do radium, e indo ali admirar aquele biógrafo, deixaria talvez, a princípio, por alguns momentos, de ser um cético, e acreditaria no progresso da humanidade. Mas, se, depois de contemplar tudo isto, começasse a contemplar a situação moral dos homens, o sorriso de dúvida reapareceria nos seus lábios; e ele, continuando a dizer que tudo é ilusão, reentraria com prazer no domínio da morte. Por que, enfim, que era o que havia no tempo em que ele viveu, há tantos séculos? havia ricos e pobres, felizes e infelizes, inteligentes e estúpidos; e, no ponto de vista político, havia povos cultos e povos bárbaros, os cultos atacando, os bárbaros resistindo, – e toda esta luta girando em torno deste móvel: as exigências do estômago. Mudou porventura a situação? não é justamente isso o que ainda se vê no mundo?

– Já adivinho que quer falar do caso de Marrocos...

– Adivinhou. Que me diz do caso de Marrocos? Na Haia, as Nações estão tratando da Paz... É o conclave do amor e da concórdia; de repente, abafando o suave murmúrio das frases de afeto, há um estrondo sinistro: é o eco do bombardeio de Casablanca. Bonito, hein?

– Mas, que remédio? a Civilização precisa caminhar!

– Sem dúvida. Mas não esqueça que quem diz Civilização diz Comércio, e quem diz Comércio diz Estômago. Se a França, a Inglaterra, a Alemanha e a Espanha não tivessem fome, os marroquinos ficariam em paz; acredita você que, se não houvesse na África terras férteis, e florestas ricas, e minas abundantes, os europeus se dedicariam abnegadamente a "civilizar" os africanos?

– Mas não confunda, por amor de Deus, estas guerras de hoje, aconselhadas por uma dolorosa necessidade, com as guerras de outrora, que eram apenas explosões bestiais do instinto sanguinário!

– Como? Mas, meu caro amigo, pode você acreditar que os romanos tenham sido guerreiros por amor da guerra e conquistadores por amor da conquista? Os romanos eram, antes de tudo, lavradores; conquistavam a terra para cultivá-la e para dela tirar o pão. Não era o instinto sanguinário que os impelia: era a fome. Não se iluda! sempre há de haver povos cultos e povos bárbaros; e sempre os cultos, sendo os mais espertos e os mais fortes, hão de bombardear, esganar e espoliar os bárbaros; e, como os bárbaros sempre se hão de defender, a luta será eterna!

– Mas os bárbaros hão de desaparecer; e, então, a luta cessará.

– Hão de desaparecer? Isso é opinião de civilizado. Veja que o planeta ainda está cheio de bárbaros. Considere o que se está passando agora mesmo no Brasil. Veja esta Avenida, este movimento, este esplendor, estes palácios, estes automóveis. Estamos em plena civilização material. E também em plena civilização moral: o Brasil está fazendo uma bela figura na Haia, passou por aqui o Turot, vem por aí o Doumer, temos Academia de Letras, temos conferências literárias, temos *A Caravana*... Entretanto, ali adiante, em São Paulo, na Lagoa dos Patos, poucos quilômetros além de Bauru, uma turma de engenheiros e de operários foi há poucos dias chacinada por uma tribo de índios Coroados. O Brasil ainda está cheio de índios selvagens e ferozes. E quantos bárbaros ainda há na África, na Ásia, em toda a América?

– Há muitos. Mas, incontestavelmente, o seu número diminui. A Civilização caminha!

– Caminha. Bom proveito lhe faça! Também a lenda diz que o Judeu Errante ainda está caminhando... Por mais que ela caminhe, sempre há de encontrar selvagens no Caminho. O movimento civilizador nunca será homogêneo e isócrono. Imaginemos que daqui a dois ou três séculos já todos os homens saibam ler, e tenham moral, e creiam em Deus, como nós... Mas, a esse tempo, o que hoje nos parece civilização será barbárie. Haverá homens muito mais cultos do que nós; esses serão então os civilizados; e os que, desse tempo, tiverem a cultura que temos hoje, parecerão aos outros tão bárbaros, quanto hoje nos parecem bárbaros os Coroados e os Zulus... E sempre haverá fome, descontentamento, fúria e chacina! A Civilização é uma ilusão! Tudo é sonho! Creio que só não é sonho este endiabrado reumatismo que me está triturando os tornozelos... Tudo mais é ilusão!

– Mas, então, não vale a pena viver...

– Como não vale a pena viver?! Que necessidade tem você de compreender a vida para gozá-la? Venha daí! venha jantar comigo. Continuaremos a discutir o caso de Marrocos, jantando. Comendo é que a gente pode compreender bem as guerras aconselhadas pelas exigências do Estômago. Venha daí! Tenho hoje umas admiráveis perdizes recheadas de trufas. Abrirei, para lhe demonstrar que vale a pena viver, duas garrafas do meu velho Bourgogne.

– Bourgogne? trufas? perdizes? mas veja que tudo isso faz um mal terrível aos reumáticos!

– Quem lho disse? Os médicos? Os médicos não sabem o que dizem. Tudo é ilusão! Vamos às perdizes...

O. B.

08 set. 1907

Crônica

Ao começar a escrever estas linhas, ouço ao longe, para o lado do palácio do Catete, o clamor de uma banda militar. Começa ou acaba neste momento a recepção de gala. Sete de Setembro... A bandeira nacional ondula na fachada de cada edifício público. À noite haverá iluminações, e o presidente e os ministros ouvirão no *Lírico*, o *Baile das Máscaras*. E mais nada... Nem uma só festa pública, nem uma só demonstração de regozijo popular. O povo sabe que se comemora... ou que deveria comemorar hoje o aniversário da Independência do Brasil, – mas fica tão indiferente e tão frio como se se tratasse da independência de qualquer longínqua e insignificante republiqueta.

Artur Azevedo lembrou que poderíamos, para o ano, organizar uma romaria pública ao túmulo de José Bonifácio, em Santos: "A viagem não poderia ser mais cômoda nem mais fácil: embarcaríamos num paquete que, em poucas horas, nos deporia no maravilhoso cais de Santos, e ali mesmo organizaríamos o préstito cívico, levando ao morto as mais belas flores dos nossos jardins e da nossa retórica".

A idéia é linda. Mas se houvesse por aqui animação, entusiasmo, fervor patriótico, não seria necessário ir tão longe para honrar José Bonifácio. As flores poderiam ser levadas à estátua do Patriarca, – àquela feia estátua do largo de S. Francisco. Que importa a fealdade do monumento? Torná-lo-iam formoso as flores que o cobrissem neste dia de gala.

Mas tudo é inútil. Não se dá entusiasmo a quem não se quer entusiasmar...

Verificando hoje a nossa frieza, o Sr. Paul Doumer há de lembrar-se com desvanecimento do que são as festas de 14 de julho em Paris: metade da população madrugando em Longchamps para assistir à parada, e as ruas cheias de alegre multidão durante todo o dia, apesar do calor violento, e, à noite, a imensa metrópole justificando o seu apelido de *Ville-Lumière*, ardendo e fulgurando na apoteose das iluminações e dos fogos de artifício, e delirando na alegria franca dos bailes populares.

E, espantado, o nosso ilustre hóspede perguntará a si mesmo como se explica a nossa frieza, numa terra de tanta luz, de tanta flor, de tanto esplendor natural...

* * *

Felizmente, a nossa indiferença não vai até o extremo de receber friamente os homens gloriosos que nos visitam. O Sr. Paul Doumer deve ter sentido bem que o conhecemos e prezamos, e que amamos sinceramente o seu belo país, fonte nutridora de toda a nossa cultura.

As suas conferências sérias e sóbrias, cheias de idéias sólidas e claras, expostas com essa precisão e essa nitidez que são as qualidades essenciais e distintivas do gênio francês, têm sido ouvidas por uma mocidade inteligente e instruída. E o excelente educador, que é o Sr. Paul Doumer, terá de certo percebido que está falando a um auditório tão perspicaz e tão culto como o de qualquer centro da civilização européia.

Este auditório, familiarizado com a língua francesa, e intelectualmente alimentado pela ciência, pelas letras, pelas artes da França, escuta o Sr. Paul Doumer com uma simpatia que não seria obtida por um conferente de qualquer outra nacionalidade. O nosso espírito ainda é, e creio que sempre será, um prolongamento do espírito francês.

Houve, no norte do país, há bastantes anos, uma reação que falhou. Desviada durante algum tempo, e por homens de grande valor, para as fontes germânicas, a nossa ânsia de saber voltou logo a dessedentar-se nas tradicionais nascentes latinas. A velha Lutécia sempre foi a nossa metrópole intelectual. Os homens que primeiro sonharam a emancipação política do Brasil, os Inconfidentes, eram, moralmente, filhos da França; de lá lhes veio o impulso generoso para a conquista da liberdade. E era também moralmente um francês, um verdadeiro francês, o grande José Bonifácio, que à França deveu quase toda a sua extraordinária e multiforme educação científica, e que escolheu a França para residência de exílio, quando a ingratidão dos seus o expulsou da pátria. Ainda hoje, a influência francesa é a mesma, sobre a inteligência brasileira. Até nas regiões do país em que se têm desenvolvido prodigiosamente a população italiana e a população alemã, – até aí o elemento nacional ficou fiel às tradições, lendo quase exclusivamente livros franceses.

Não é de espantar que a França ignore essa influência. As nações têm a mesma inconsciência dos homens. Raramente um homem, escritor ou artista, filósofo ou político, consegue verificar ou suspeitar o valor real da ação que exerce sobre os seus contemporâneos; e quase sempre os que, levados e insuflados pela vaidade, se julgam influentes, precursores de eras novas, ou condutores de gerações, são justamente os que passam sem deixar vestígios da sua passagem; – enquanto os verdadeiros próceres e os verdadeiros guiadores de homens trabalham inconscientemente, e não têm previsão da vida intensa que germina nas suas idéias, lançadas às almas ao acaso, como sementes entregues ao sabor do vento pela fantasia de um semeador cego. E também as nações; não adivinham a extensão do sopro da sua influência: e muitas vezes vão procurar em vão, com grandes sacrifícios, em regiões que só lhes reservam decepções e desastres, um predomínio moral que já lhes está assegurado em pontos de ignorada simpatia.

Para dissipar a ignorância que a França tem da simpatia brasileira, contribuirá muito a visita que ora nos faz o Sr. Paul Doumer, o qual merece de sobra, pelo seu valor intelectual e moral, todas as demonstrações de afeto e respeito que está recebendo no Rio de Janeiro.

* * *

A companhia lírica...

Está enfim satisfeito o Rio de Janeiro. A nossa boa cidade não pode dispensar a temporada lírica anual: é o seu hábito, a sua mania, o seu vício. Vício louvável, mania civilizada, hábito precioso.

Este ano, a companhia é boa, os preços são razoáveis, e a grande sala do teatro *Lírico* tem sido pequena para conter a concorrência formidável. Quem nunca viu a sala do *Lírico* do Rio de Janeiro em uma noite de enchente, nunca viu um dos mais belos espetáculos que podem ser dados à admiração dos olhos humanos. Luzes, decotes, jóias, – um deslumbramento!

A segunda récita foi uma novidade. Ainda o Rio não conhecia a *Madame Butterfly* de Puccini. Tragédia, – dizem os anúncios. Mas tragédia comedida e fina, para a qual Puccini bordou, com esmerada fantasia, uma linda série de melodias amáveis. Não é uma ópera magnífica. É uma ópera "agradável"; e não é dizer pouco, porque, enfim, agradar sempre é mais difícil do que deslumbrar.

O enredo de *Madame Butterfly* ainda é inspirado nas velhas e falsas idéias, que escritores fantasistas, com o Sr, Pierre Loti à frente, haviam propagado na Europa acerca do Japão: – um país artificial e fútil, materialmente e moralmente feito de papel e lantejoulas, habitado por uma densa multidão de bonecos pitorescamente vestidos e assombrosamente levianos. Na tragédia musical de Puccini ainda aparecem esses bonecos exóticos: ridículos, desmanchando-se em mesuras cômicas, andando aos pulinhos, parecendo ter vindo ao mundo apenas para tomar chá em chávenas minúsculas e abanar-se com ventarolas pintalgadas de rosa e ouro... Doce ilusão, que os japões subitamente desfizeram, inflingindo aos russos as mais completas humilhações de que há exemplo na história universal, e impondo-se pela força e pelo terror ao respeito de todo o mundo!

Mas história é história, e ópera é ópera. *Madame Butterfly* é um encanto, – um sonho suave que dura três horas, e do qual a gente desperta com saudade...

O. B.

29 set. 1907

Crônica

Na última quarta-feira, à noite, na tranqüilidade da minha salinha de trabalho, depois de um dia agitado e fatigante, repousei os olhos e o espírito na leitura de um velho número da *Semana Ilustrada*, que por acaso, na véspera me caíra nas mãos.

Este número, – tenho-o ainda diante de mim – é o 420 do 91 – ano da famosa revista; saiu à luz no dia 27 de dezembro de 1868. O exemplar, manchado e puído, tem um vago cheiro de sepultura; trinta e nove anos de idade lhe amareleceram e roeram o papel, sem que desmerecessem, na sua capa, a tinta negra da litografia, em que se vê a clássica figura do "Doutor Semana", de face expansiva, boca rasgada, nariz pontudo, basta cabeleira crespa, ao lado da figura não menos clássica do esperto moleque, de pele retinta, que era o companheiro inseparável do humorista.

1868! Nesse tempo, a gente que tem hoje a minha idade, já não engatinhava, mas ainda não se familiarizara com as complicações do *abc*: usava calcinhas curtas, fralda de fora e passava os dias, nos escuros e tristes sobrados da cidade, brincando com soldadinhos de chumbo.

Os soldadinhos de chumbo eram o brinquedo predileto dessas crianças, que então contavam apenas três anos de idade. Os nossos pais andavam longe, batalhando, as nossas mães pensavam somente na guerra, somente falavam na guerra, tinham o coração no Paraguai, – e nós, inconscientemente dominados também pela exclusiva preocupação da época, organizávamos batalhas campais com os nossos soldadinhos de chumbo, enquanto nos atoleiros e nas cochilhas do Sul, outros soldados, de carne e osso, morriam todos os dias, baleados, acutilados, ou envenenados pelo escorbuto e pelas febres malignas. A guerra ia acesa por lá. Já houvera o episódio épico do Riachuelo, já Uruguaiana estava de novo em poder nosso, já Osório transpusera o Passo da Pátria, já Porto Alegre derrotara o inimigo em Tuiuti. Mas o nosso exército estava ainda longe de Assunção e de Aquidabã: a campanha atravessava a sua fase mais difícil e perigosa...

1868!... Fecho os olhos, aperto as pálpebras, concentro toda a minha atenção, procuro descobrir no fundo do meu ser pensante uma vaga reminiscência dessa época, – e nada encontro, absolutamente nada. Todas as lembranças de tal idade se varreram do meu cérebro, como cousas gravadas sobre a areia e varridas pelo vento destruidor. Que fazia eu nesse tempo? Nada, ou quase nada: comia, dormia, cabriolava, brincava com os meus soldadinhos de chumbo, e não compreendia as lágrimas, os sustos, os suspiros que havia em torno de mim, – nem as ladainhas festivas, quando vinham boas notícias da guerra, nem as preces ansiosas, quando as notícias eram más ou nenhumas...

Ora pois! na última quarta-feira, abrindo o número 420 da *Semana Ilustrada*, dispus-me a estudar a vida de 1868, pensando encontrar ali qualquer revelação do Rio de trinta e nove anos. Passara todo o dia no fervedouro da cidade, nas avenidas amplas, saltando para a direita e para a esquerda a fim de evitar os automóveis assassinos, ouvindo os mexericos das esquinas, apanhando aqui um comentário sobre o caso Nilo-Backer, ali uma opinião sobre Doumer e Ferrero, acolá um eco da Câmara, do Senado ou da Bolsa. À tarde, no Corso, assistira ao desfilar das carruagens à beira do mar azul, e passara meia hora dizendo e escutando futilidades no Pavilhão Mourisco. Tivera, pois, um dia bem civilizado, bem moderno, bem mil novecentos e sete... e agora, no silêncio do gabinete, abrindo a *Semana Ilustrada*, pensava:

– Vou aqui achar a vida de uma era hoje bem morta, a simplicidade antiga e a antiga inocência da minha urbe, uma velha civilização que era, com certeza, bem diferente da civilização de hoje. Levanta a tampa dessa sepultura, meu bom "Doutor Semana", e mostra-me o que era o Rio de Janeiro em 1868!

Pensei isto e mergulhei na leitura.

Ah! meus amigos! que triste e grande verdade disse quem disse que nada é novo debaixo do sol! A vida é uma fastidiosa repetição de todas as cousas; o que é, já foi: o que foi, torna a ser; e as críticas, as notícias, as novidades, os mexericos, as complicações de 1868, eram as mesmas críticas, as mesmas notícias, as mesmas novidades, os mesmos mexericos, as mesmas complicações de hoje.

Vinde cá e lede comigo este número velho da *Semana Ilustrada*!

A cousa única, que aqui encontramos, diferente das cousas de hoje, é a guerra do Paraguai. Quando foi publicado este número 420 da *Semana*, o vapor *Guaporé* acabava de entrar o porto trazendo notícias da campanha. Caxias, Herval, Triunfo, Inhaúma e Argolo continuavam a ganhar batalhas. Duas novas vitórias tivera o exército em

Angostura e Villeta; e o artigo de fundo do "Doutor Semana" celebrava com entusiasmo este acontecimento.

Não temos disso hoje... Mas, ainda no comentário dessas vitórias, quereis ver como as duas épocas se parecem? Lede este enfático trecho do artigo:

"Aos verdadeiros patriotas e aos curiosos, agradaram as notícias, e os encheram de júbilo. Não obstante difundirem-se pela cidade a [sic] hora muito adiantada da noite, não houve quem sabendo-as e apreciando-as, não sentisse a centelha elétrica do entusiasmo agitar-lhe e vigorar-lhe o brio de brasileiro, a dignidade de filho da civilização. Só uma classe de habitantes se entristeceu e deplorou a boa nova: a classe dos agiotas, dos pelotiqueiros do câmbio, e dos inimigos do Império..."

Não é o mesmo tom dos artigos de fundo de hoje? Já naquele tempo o jornalismo político descompunha os especuladores da Bolsa, e os denunciava como "inimigos do Império": substitua-se aí a palavra "império" pela palavra "república", e o trecho parecerá extraído de um jornal jacobino.

Logo em seguida ao artigo de fundo, há uma crônica política (o "Doutor Semana" era político como todos os diabos!) em que se vê que a ferocidade partidária era em 1868 tão terrível como hoje. Os conservadores diziam que os progressistas eram asnos e ladrões; os progressistas diziam que os conservadores eram jumentos e gatunos. E o Doutor Semana escrevia contristado:

"...Divisão política quer dizer divisão pessoal. O adversário é também inimigo. Duas famílias que professam idéias opostas sentem profundo rancor entre si. Tristes! não se pode compreender que um homem possa combater idéias de outro, e passear com ele de braço dado!"

Entre os desenhos desse semanário de 1868, há um, que nos parece de uma atualidade... milagrosa. Representa uma velha mulher, muito feia, que é a Câmara Municipal, atracada a uma panela cheia de comida e vorazmente enchendo a barriga; ao lado dela, o amo, quase a expirar, diz: "come, minha velha! come até rebentar! já que és tão comilona podes morrer como viveste!" Hein? que vos parece esta linguagem? já estais vendo que o verbo "comer", numa certa acepção, não é invenção do jornalismo político dos nossos dias...

E os costumes, as graças, os adultérios, e as lamentações acerca da falta de dinheiro? Em um desenho, uma senhora pede "festas" ao marido; e ele, segurando a cabeça com ambas as mãos, exclama: "Ah! minha filha! os tempos estão péssimos! não há dinheiro!...." E, em outro desenho, vê-se esse mesmo sujeito oferecendo um adereço de brilhantes a uma *cocotte*... Não sei se ainda hoje há esses costumes, porque não sou casado, e não gosto de esmerilhar a vida íntima dos meus contem-porâneos; mas aquelas duas frases "os tempos estão péssimos!" e "não há dinheiro!" são duas frases de hoje, que se ouvem por aí em cada canto da cidade...

Lede agora a *Crônica Teatral*. Representava-se no *Ginásio Dramático* a Baronesa de Caiapó, paródia da *Grande Duchesse de Gerolstein*. E vede quem a representava: Furtado Coelho e Ismênia! E o "Doutor Semana", em 1868 (como Artur Azevedo em 1907) já lamentava que "tais artistas estragassem assim o seu talento"! E, naquele tempo, as paródias como hoje a revistas de ano eram o gênero predileto do público: depois da *Baronesa de Caiapó*, o Ginásio ia levar à cena o *Traga-moças*, paródia do *Barbe Bleu*... E o "Doutor Semana" a exclamar: "Lá se vai a Arte por água abaixo!" Não vos lembra isto a justa indignação com que o nosso ilustre e querido Artur comenta a "decadência do teatro nacional"?

E lede agora isto, sob o título "Músicas": "Recebemos a quadrilha *Satã*, do Sr. Henrique de Mesquita, e uma polca do Sr. J. L. Pina, dedicado aos Tenentes do Diabo. Não sabemos quem é capaz de dançar tantas quadrilhas e tantas polcas que atualmente se editam..." Em 1868 já haviam [sic] Tenentes do Diabo, e já havia quem se queixasse da abundância das quadrilhas e das polcas!...

....

Ah! meus amigos! nada é novo, nem velho: o que é, já foi; o que foi, torna a ser; no palco da Vida, o Grande Empresário faz prodígios de economia com a encenação e com a comparsaria, montando todas as peças com o mesmo cenário, e fingindo ter muitos comparsas, quando realmente só tem uns dez ou doze, que entram, saem, passam por trás dos bastidores, e tornam a entrar com outra roupa.

Este número 420 da *Semana Ilustrada*, de 27 de dezembro de 1868, parece escrito hoje. As folhas de hoje terão estilo mais bonito; mas exploram os mesmos assuntos. Transformou-se a cidade, mas a nossa alma é a mesma.

Como esta existência é monótona, ó deuses imortais! e como nós seríamos desgraçados, se fôssemos imortais como vós!

O. B.

20 out. 1907 — Crônica

Já houve tempo em que, no Rio de Janeiro, muita gente morria de aborrecimento. Os médicos atestavam: "falecimento por febre infecciosa ou síncope cardíaca, ou tuberculose, ou pneumonia"; mas a verdadeira *causa mortis* era o tédio, molestiazinha feroz e roaz, térmite moral, que lenta e implacavelmente vai roendo o organismo da gente – como os outros, os cupins, as formigas brancas, devastam e aniquilam silenciosamente as mais grossas vigas de madeira rija.

Morria-se de aborrecimento aqui! Uma cidade onde os exclusivos divertimentos eram o carnaval nas ruas, a semana santa nas igrejas, e, de ano em ano, duas ou três estafadas óperas no *Lírico*! A nossa míngua de divertimentos era tão séria, que até as epidemias, as inundações, as chuvas de pedra, as grandes catástrofes eram abençoadas, como distrações benéficas... Estávamos, mais ou menos, na situação moral daquele sentenciado na Sibéria, de que fala Dostoievski, – um desgraçado, que se enfarava prodigiosamente, e um dia, tendo quebrado um braço, começou a chorar de alegria e a rezar, agradecendo a Deus a esmola daquela distração!

Ora, pois... Agora, creio que vamos morrer, ou já estamos morrendo, de esgotamento nervoso por excesso de festas. Os médicos continuam e continuarão a passar atestados convencionais, distinguindo-se apenas dos antigos pela citação de algumas doenças novas, das quais os nossos antepassados, mais felizes do que nós, não sofriam ou não tinham conhecimento, – enfermidades inventadas ou descobertas há pouco tempo para regalo dos arquiatros e dos farmacopolas, e para ornato dos mapas nosológicos. Mas a nossa grande moléstia de hoje é o excesso de festas.

Vamos morrer e já estamos morrendo disso. A civilização é uma espécie de dança de São Guido, uma coréia trágico-cômica: o doente está sofrendo barbaramente, mas sofre dançando, careteando, pinchando, com as mais vivas demonstrações de júbilo frenético, e assim morre, e assim ultrapassa, bailarino sinistro, os umbrais da *undiscovered Country*. O prazer mata, como a dor. E então os prazeres chamados "de sociedade", os bailes, os jantares, os espetáculos?! Lord Palmerston, que, na sua brilhante e esmagadora qualidade de primeiro ministro de Inglaterra, era obrigado a assistir a todas as festas da corte, costumava dizer que a vida humana seria perfeitamente suportável... se não fossem os divertimentos.

Enfim, pois que sempre havemos de morrer, sempre há maior brilho em morrer dançando e rindo, do que morrer paralítico e caquético; tanto desaparece a água do rio, que entra, bufando e esplendendo no seio luminoso do mar, como a água das poças formadas pela chuva, que lenta e apagadamente se infiltra pelo seio escuro da terra; é mais bela a primeira dessas mortes, – se é que a morte alguma vez pode ser bela...

E hoje, no Rio de Janeiro, só morrerá do antigo tédio obscuro quem for bastante misantropo para se enlapar em casa, como um caramujo dentro da sua carapaça, tampando os ouvidos com chumaços de algodão para não perceber a agitação das ruas, e proibindo a invasão do domicílio pelos jornais, esses portadores do delírio, que levam a toda parte no fru-fru do papel e no cheiro da tinta de impressão, o germe concentrado da coréia pública. Tudo se precipita hoje, nesta cidade. Cada festa traz em si milhões de festas, – como essas ovas de peixe, que se esfarelam no mar, cobrindo vastas extensões de água e desmanchando-se em milhões de peixes. Um baile engendra cem bailes, de uma conferência nascem mil conferências... E até, – já repararam? – parece que os cometas andam agora pelo céu, ao alcance das vistas cariocas, às dúzias, dando-se *rendez-vous* nas proximidades do Cruzeiro do Sul, como querendo contribuir para manter este colossal divertimento em que fervemos: pagode no céu e na terra!

Quando parecia, agora, que os primeiros ásperos calores iam trazer alguma suspensão do folguedo, um canhoneiro festivo abalou o anfiteatro das montanhas da Guanabara, e as bandas de música começaram a tocar o hino chileno. E um grito ecoou do morro do Pasmado ao morro do São Bento e da ponta do Arsenal ao fio de água do Maracanã: *"Viva o Chile!"*. E apareceu logo o infalível, o longo, o interminável programa das festas: *pic-nics*, regatas, banquetes, corridas, bailes. Pois vamos a isso, cariocas, viva o Chile, e continue o delírio! Quando o *Zenteno* zarpar daqui, aparecerá no horizonte outro navio de nação amiga; se não aparecer navio, aparecerá outra cousa, ou aparecerá alguém, que trará consigo novas festas, nova agitação, nova febre. E, se nada aparecer, nem por isso ficaremos quietos: viveremos pré-vibrando e ante-delirando, com as futuras festas, a futura agitação e a futura febre da Exposição de 1908.

A Exposição! Ainda nada se fez, ainda nada se decidiu, – mas já todos nós falamos da *nossa Exposição* como de uma entidade real e positiva; vemo-la, apalpamo-la, cheiramo-la... e criticamo-la, como se ela já estivesse criada, viva, crescida, funcionando e esplendendo.

A ansiedade cria essas miragens. Assim, nos lares moços, quando o casal, ainda sob a meiga influência da lua-de-mel, reconhece, por sintomas inconfundíveis, que vai ser abençoado pelo velho mistério, sempre moço e sempre doce, de um natal: começam as hipóteses, as esperanças, as discussões: será homem? será mulher?... será homem, e será homem de gênio!... será mulher, e será uma deusa!... – e tanto se discute, e tanto se espera, que, daí a pouco, a criatura, que ainda está sendo criada, começa a figurar, na conversação doméstica, como se já houvesse nascido, e como se já estivesse animando a casa com a sua presença, alegrando-a com o seu riso ou entristecendo-a com os choros e os sobressaltos da primeira dentição.

Não de outro modo vivemos a admirar a nossa Exposição, que ainda está para nascer. Ainda não sabemos se ela terá o seu radiante sólio no fim da Avenida do Mangue, ou no Russell e na Glória, ou em S. Cristóvão, ou no alto do Corcovado, ou no meio da baía, ou na altiplanície da Gávea; mas já a vemos, rumorosa e fúlgida, com os seus palácios, os seus hotéis, os seus jardins, as suas cascatas, os seus teatros e os seus rios humanos fluindo e [*****] entre as construções, – [*****] imensa e entontecedora... Miragens da sociedade!

Creio que, se ainda não começaram os trabalhos de construção, é porque os vários bairros do Rio de Janeiro estão em luta, pretendendo cada um deles conquistar a honra de alojar em seu seio a vasta mole dos palácios comemorativos. É pena que, em vez de uma só Exposição, não possamos fazer, dentro do Rio de Janeiro, algumas vinte ou trinta! todos os bairros ficariam contentes, e a vibração e o delírio seriam gerais. Mas não é possível! e não seria prudente! porque se com a esperança de uma só, já é tão grande a nossa agitação, que não seria, se esperássemos vinte ou trinta?

A propósito: até esta data, ainda ninguém me pediu "idéias" para a Grande Exposição. Mas, com a minha irremediável bisbilhotice de trêfego cronista, sempre tomarei a liberdade de aventar uma "idéia" que não me pareça má.

Por que não havemos de fazer, bem no centro da Exposição, em lugar bem visível, uma exibição comparativa do "carioca de outrora" e do "carioca de hoje"? Seria um cotejo pitoresco de psicologia histórica...

Dous grandes bonecos representariam esses dous frutos díspares da mesma árvore.

Um deles seria o carioca pé-de-boi, que morria de tédio: atarracado, gorducho, com óculos de aro de ouro, usando barba passa-piolho, com uma cartola pesada na cabeça, um guarda-chuva de cabo em gancho suspenso do braço, um lenço de Alcobaça sobrando da algibeira de rabona, uma pitada de rapé Paulo Cordeiro entre dous dedos da mão direita e um livro de missa na mão esquerda...

O outro seria o carioca de hoje, o carioca que está morrendo de coréia, o carioca festeiro e delirante, – fininho, pálido, inquieto, febril, trêmulo como uma figurinha de cinematógrafo, usando óculos de *chauffeur*, calção e sapato de jogador de *football*, e tendo na mão direita um foguete comemorativo e na esquerda um *carnet* de baile...

Que pensais da minha idéia? Não costumo fazer grande caso das minhas idéias... Esta, porém, não me parece má: serviria para mostrar que, ao contrário do que se costuma dizer, a Natureza dá saltos, e saltos prodigiosos. Do carioca de 1808... – que digo? – do carioca de 1858 para o carioca de hoje, que salto! E um salto mortal!

O. B.

03 nov. 1907 — Crônica [Cia]

Venho escrever esta *Crônica* depois de uma longa excursão.

Estou derreado, tenho dores nos rins e nas pernas, doem-me os olhos de ter visto tanta cousa, dói-me o cérebro de haver pensado tanto.

A minha viagem durou duas horas: entretanto, em tão escasso tempo achei meio de ver meio mundo: estive em Paris, em Roma, em Nova York, em Milão; vi Cristo nascer e morrer; desci ao fundo de uma mina de carvão; estive ao lado de um faroleiro, no alto de um farol, entre os uivos das ondas; assisti ao tumulto de uma greve na França; vi o imperador Guilherme passar revista no exército alemão na Westfália; vi Sansão ser seduzido e vencido por Dalila, e sepultar-se sob as ruínas do templo derrocado...

Creio que já todos terão compreendido que esta longa viagem foi... cinematográfica. Fui hoje arrastado por um conhecido a quatro dos 18 cinematógrafos que fazem atualmente a delícia dos cariocas. Paguei o meu tributo à mania da época, e não me arrependo – apesar de estar fatigado como se houvesse realmente vagamundeado durante dous anos por terra e mares.

Dezoito cinematógrafos! Já foi feita a estatística. São dezoito e, na Polícia, aguardam despacho outros tantos requerimentos de cidadãos que pretendem explorar o mesmo gênero de negócio. Funcionando já há dezoito, – dúzia e meia. Só a Avenida possui quatro. E cada bairro da cidade possui pelo menos um; há um na rua Larga de S. Joaquim, outro no Passeio Público, outro em Botafogo, outro no Haddock Lobo, outro no largo do Machado, outro em Vila Isabel, outro em São Cristóvão. Daqui a pouco haverá outro no Jardim Botânico, outro no Corcovado, outro no planalto da Gávea; – e, assim que se construir o elevador elétrico para o Pão de Açúcar, logo um empresário instalará um aparelho Pathé ou Lumière no alto da majestosa atalaia da barra.

É atualmente a ocupação dos desocupados do Rio. E, como os desocupados do Rio são legião, todos os cinematógrafos são freqüentados e dão dinheiro. Já um jovem médico de talento, que estuda com fervor as psicopatias, o Dr. Humberto Gottuzo, publicou há dias n'*O Brasil* um excelente artigo, afirmando que a mania cinematográfica é uma nevrose. Não sei! Prefiro acreditar que essa mania seja apenas resultado da vadiação carioca. Há indivíduos que passam todos os dias quatro e cinco horas nos cinematógrafos da Avenida, de boca aberta, a ver tremer na tela branca a vida saracoteante das fitas...

Pois eu também fiz hoje, neste sábado de finados, a minha estréia de freqüentador de sessões cinematográficas.

Fui matriculado nesse vício por um sujeito que vagamente conheço, e com o qual esbarrei ontem à porta de uma dessas casas. Ia entrar e convidou-me:

– Venha! Temos hoje toda a vida de Cristo em trinta e nove quadros e mil metros de fita, – um quilômetro do Novo Testamento! – desde o estábulo até o Calvário! Não gosta de cinematógrafos?

Respondi que nem gostava muito, nem aborrecia muito... E perguntei:

– E o senhor gosta muito?

– Assim, assim... Quando estou desocupado, como hoje. Que se há de fazer num dia como este? Três dias de folga a fio! Todos os Santos, Finados, Domingo... Que horror! Como isto atrapalha a vida da gente!

Não pude deixar de sorrir, ouvindo esta lamentação. O sujeito, que assim me falava, é o tipo modelar do vadio carioca. Há muitos vadios por aqui: mas nenhum é tão vadio como esse que nasceu rico, foi criado com mimo, cresceu na ociosidade, passou dez anos a cursar uma faculdade de Direito, herdou duas centenas de apólices, e só tem na vida um trabalho: o de ir receber periodicamente os juros fartos e fáceis desse capital. É um preguiçoso que sai da cama ao meio-dia, almoça às duas da tarde, namora e passeia até às cinco, faz visitas, boceja em todas as festas, e fica até às quatro da manhã animando com a presença as salas de jogo dos clubes. E de quando em quando, em conversa, queixa-se da escassez do tempo. Já repararam como se queixam da falta de tempo as pessoas que nada fazem?...

O meu interlocutor não viu ou não compreendeu o meu sorriso. E continuou:

– É um escândalo! Há no ano cinqüenta e um domingos, dez dias feriados, vinte e cinco dias santificados! Terra de vadios!... Eu nunca tenho tempo disponível para divertimentos: mas hoje, que hei de fazer para matar o dia de finados? Entre comigo! Um dia não são dias!

Entramos. Sobre a tela tremia a vida dos mineiros de carvão no fundo da terra. Agitando-se como toupeiras, aquelas estranhas figuras apareciam de repente, surgindo de um buraco escuro, e desaparecendo logo em outro buraco. Sacudiam-se picaretas, subiam e desciam elevadores, havia quedas súbitas de terra e pedras, explodiam pedaços de rocha. E, no tremor convulsivo da cena, os atores pareciam atacados de um morbo trepidante, de um delírio agudo de trabalho e movimento...

O meu iniciador no vício cinematográfico olhava, mirava, admirava, embevecido, deliciado, enlevado. E, ao mesmo tempo, num acesso de lirismo industrial, entoava um hino ardente ao labor, à agitação, à febre, à vida intensa:

– Veja o senhor! Como é belo o trabalho! é a maior glória humana! E que gênio o do homem que inventou isto, esta máquina milagrosa que parece ter uma vida própria e uma inteligência individual, este aparelho prodigioso, que tão estupendamente apanha em flagrante e reproduz com tanta fidelidade o sagrado delírio, a febre fecunda, o reboliço fértil, o alvoroço criador do Trabalho Humano! Chega a ser monstruoso que haja tanta gente, no mundo, vivendo sem trabalhar...

Desdobravam-se agora na tela os episódios da história de Sansão e Dalila. E dizia-me o apologista do Trabalho:

– Esta fita está um tanto estragada. E este cinematógrafo não é dos melhores. Quero, daqui a pouco levá-lo a outro, que é muito superior a este. Estive lá ontem: é magnífico. E o de São Cristóvão? também é muito bom: estive lá anteontem. Já fui também ao do largo do Machado, ao de Botafogo, ao do Haddock Lobo...

E, pouco a pouco, o meu companheiro, tão admirador do Trabalho Humano, foi confessando conhecer todos os dezoito cinematógrafos do Rio de Janeiro, do primeiro ao último: e acabou por declarar que era raro o dia em que não entrava em sete ou oito!

Acabou a sessão... Saímos. E, dócil, sem protestar, – como é fácil perverter um homem! e que terrível é o contágio da vadiação! – acompanhei-o a um segundo cinematógrafo. E fomos ao terceiro. E fomos ao quarto!

Quando me lembrei da *Crônica* eram dez horas da noite...

E aqui estou a escrevê-la, derreado, tonto, moído, – e aterrado por esta idéia: terei contraído também a moléstia da época? desandarei, agora, no fim da vida, em madraço frequentador de cinematógrafos?

São mais de onze horas... Já da tipografia vieram súplicas, pedidos, exigências, protestos: "os originais da *Crônica*?! vêm ou não vêm esses originais?! todo o trabalho vai ser perturbado! mandem essa *Crônica*, com todos os diabos!" E, às pressas sem pesar palavras, escrevo, escrevo, escrevo... E o secretário da redação, exasperado, lança de minuto em minuto em que escrevo um olhar de fera faminta...

Deus de misericórdia! decididamente não há nada pior do que as más companhias...

O. B.

10 NOV. 1907

CRÔNICA

Enquanto as calamidades se sucedem lá fora, – terremotos, inundações, catástrofes de toda espécie – vamos por aqui vivendo uma vida normal e pacata. A existência da cidade só foi, durante a semana, sacudida por alguns crimes, – e pelo aspecto pitoresco da peregrinação da maruja americana do *Washington* e do *Tennessee*, pelas ruas, em bandos alegres, e nem sempre firmes, correndo a via sacra dos botequins, aos risos e aos bordos, provocando aqui e ali alguns pequenos conflitos, que os guarda civis procuravam não agravar com uma intervenção violenta. Por uma louvável precaução da administração naval, os nossos marinheiros, – gente de guelra sanguínea e ira fácil – ficaram recolhidos a quartéis e navios. E a polícia só interrompeu o cortejo báquico e rixento nos raros casos em que o pagode ia degenerando em luta séria. Tudo acabou bem: e os poucos "calotes" sofridos pelos botequineiros não diminuíram muito os fartos lucros que lhes deu a inesgotável sede dos peregrinos...

É sempre perigoso elogiar a Polícia: primeiro, porque esta Instituição, assim que se vê elogiada e apoiada, costuma aproveitar-se disso para desatar e cometer desatinos; segundo, porque são tantos os "encostados" da Polícia, e tão espalhada é a fama, que ela tem de pagar generosamente dedicações e serviços, que a gente, quando quer elogiá-la, fica sempre com o receio de adquirir alguma reputação pouco limpa.

Mas alguma vez se há de desprezar esse perigo. E quero confessar que, quando cotejo o serviço policial de hoje com o de outrora, verifico entre um e outro a mesma diferença que há entre a Avenida Central e o beco dos Ferreiros.

Vi passar pela Avenida, anteontem, o primeiro automóvel-ônibus, adquirido pela Polícia para o transporte da guarda civil. Novo e garrido, rebrilhando na pompa do seu verniz esmaltado e na luz das suas claras e polidas ferragens, ia apinhado de guardas. E estes diziam bem com o luxo do veículo: fardados, enluvados, empolainados, limpos, elegantes, faceiros. Petrônio, se os visse, poderia dizer de cada um deles as mesmas cousas que dele, Petrônio, dissera o severo Tácito: "erudito luxo, elegantia arbiter..."

Vi passar o automóvel, e fiquei pensando na polícia urbana de outrora. Fechei os olhos, e reconstruí com o auxílio onipotente da imaginação a figura do nosso antigo "morcego", feio e lambuzão, trôpego e cambado, com um apito inútil a bimbalhar sobre o peito da farda, e um refle, ainda mais inútil, a sacolejar sobre a perna torta. O "morcego" era um saco de pancadas e um alvo de chufas. Na vida urbana, este mantenedor da ordem representava o mesmo papel e nas farsas de Guignol representa o famoso tipo do *sergent*, sucessivamente e alternativamente esbordoado por Arlequim, Pierrô e Polichinelo, para maior gáudio da pequenada freqüentadora dos teatrinhos de bonecos. No tempo em que florescia no Rio de Janeiro essa espécie de policial, o maior divertimento dos rapazes estróinas e valentões era "sovar morcegos". E não havia madrugada em que não aparecessem, na Polícia Central, algumas dessa infelizes vítimas fardadas, – sem refle, sem apito e sem boné – queixando-se da maldade dos rapazes insubordinados, que as havia amassado e depenado à hora da saída das ceiatas alegres... Ora, constantemente desrespeitado e batido, o "morcego" era intolerante e desabusado. Nesta vida, os sujeitos mais cruéis e menos humanos são justamente os que mais comumente experimentam a crueldade e a desumanidade dos fortes. Sovado pelos valentões, o "morcego" era terrível para os fracalhões: fugia, a tremer, quando encontrava um latagão desempenado, que o injuriava; mas, se via um bêbedo prostrado na rua, logo ia contra ele aos socos e aos pontapés. Era a sua vingança, a sua desforra, e a sua delícia! Assim, incapaz, por medroso, de se opor às tropelias dos desordeiros, e incapaz, por intolerante, de evitar escândalos e excessos, o "morcego" era o causador principal, senão único, de todos os excessos, de todos os escândalos, de todas as tropelias que envergonhavam a cidade.

Se ainda fosse essa, agora, a nossa polícia, as moafas inocentes da maruja americana teriam acabado mal. O antigo policial propositalmente provocava os conflitos, só para ter o prazer e o orgulho de fugir assim que se trocavam as primeiras bordoadas. Era um "agente provocador", e nada mais. Mas o que nele mais revoltava e enojava, e o que mais concorria para desprestigiá-lo e desmoralizá-lo, era a sua sujeira, era a sua fealdade, era o seu aspecto moleirão, relaxado e repelente.

Felizmente, o "morcego" desapareceu. Desapareceu, como as vacas leiteiras, como o tipo clássico do capoeira de profissão, como os anúncios de escravos fugidos, como os mendigos chagados, e como tantas outras cousas e pessoas que eram partes integrantes da vida do velho Rio de Janeiro.

Não direi que a nossa Polícia seja hoje mais atilada, mais vigilante, mais ativa do que a de qualquer outra nação da América ou da Europa.

Debaixo deste ponto de vista, todas as polícias do mundo se valem. Em geral todos os criminosos são imbecis. Em noventa e cinco por cento dos crimes que se cometem, a captura e o castigo dos criminosos se devem à sua própria estupidez e não ao atilamento da polícia. Os Arsênio Lupin são heróis de romance, são ficções. E já o grande Fouché (que sabia disso como ninguém) costumava dizer que, se os patifes não fossem tolos, a justiça estaria perdida...

Mas de uma cousa nos podemos gabar: a nossa polícia das ruas é tão limpa e tão decente como as melhores da Europa.

E aqui ocorre uma consideração de bastante valor.

Nessa época de hipercivilização, em que os gatunos e os meliantes de toda a espécie deixam de ser maltrapilhos e pés-no-chão, e apresentam-se como cavalheiros da mais fina sociedade, seria injusto que não lhes déssemos uma polícia digna deles, uma polícia tão... (como é que se diz agora?)... tão *smart*, tão *dernier bateau*, tão *up-to-date* como eles.

Durante toda a semana, trataram os jornais de uma fina quadrilha de espertalhões, a que a graça boêmia dos repórteres deu o pitoresco e expressivo nome de "confraria dos moços bonitos". Essa quadrilha anda por aí, operando em larga escala; e não é fácil destruí-la, porque para isto seria necessário distingui-la e separá-la da gente da boa sociedade, à qual por artes diabólicas ela se misturou.

Que vem a ser um "moço bonito?". É um rapaz simpático, bem apessoado, elegante, trajando com apuro, gastando sempre muito dinheiro: tem amantes, é freguês dos melhores automóveis, vai ao Corso, bebe *champagne* e joga largo. Não trabalha, não tem pai rico; de onde lhe vem o dinheiro? ninguém o sabe, e ninguém o indaga... Se temos tão pouco tempo para cogitar da própria vida, que tempo in-ventaremos para cogitar da vida alheia? O certo é que só pensamos nisso, a repararmos na singular existência desses "moços bonitos", quando sabemos que um deles foi preso como batedor de carteiras ou estelionatário.

Uns são "gregos": vivem de explorar a ingenuidade dos fazendeiros ricos que freqüentam os clubes de jogo; outros são procurados no foro: vivem a especular com a mania demandista dos papalvos; outros são rufiões: vivem de alugar, a tanto por hora, o amor das amantes.

E ainda há a classe, de todas a mais abominável, dos que exploram a fraqueza e o terror das mulheres casadas que têm a desgraça de conhecê-los e ouvi-los. Às vezes, um desses patifes é o primeiro *flirt*, o primeiro pecado, a primeira *queda* de uma senhora que até então teve juízo e virtude. A desventurada encontrou-o, conheceu-o freqüentando as melhores rodas, deixou-se levar pela sua lábia, amou-o, deu-lhe quanto lhe podia dar, – e praticou a suprema tolice de escrever-lhe cartas apaixonadas e imprudentes. Está perdida! um belo dia, recebe uma carta em que o seu adorador, entre dous beijos, lhe pede um conto, dous contos de réis. Não é um pedido; é uma exigência, uma ordem: a honra da infeliz está nas mãos do infame. É a mais torpe, a mais miserável das chantagens!

Há "moços bonitos" capazes de tudo!

Ainda esta semana, a confraria brilhou: um dos confrades recebia aluguéis de casas que não eram suas; outro agenciava seguros para uma Companhia que nunca o teve como agente; e três outros assaltaram, alta noite, uma casa em que moram três pobres meninas sem defesa...

É a hipercivilização. Os salteadores de hoje não têm a feia catadura dos de outrora; não usam trabucos, nem navalhas catalãs, e não são sujos, nem grosseiros: lavam-se, perfumam-se, alfaiam-se, educam-se, têm distinção e elegância.

É pois justo, justíssimo, que honremos essa classe de meliantes limpos, dando-lhes perseguidores e caçadores também limpos.

Para patifes *smarts*, polícia *up-to-date*... O. B.

24 nov. 1907

Crônica

Tem andado solto o Escândalo, – personagem desvairada, que periodicamente sai pelas ruas a espalhar o medo, a cólera, o riso, a piedade, a indignação e o escárnio, assoprando gaitas, rufando tambores, tilintando guizos, batendo gongos, precedida e seguida de gritos, bramidos, chufas e zurriadas.

Havia antigamente, na velha Roma, perto do Capitólio, uma larga pedra, em forma de banco, que tinha o nome de "pedra do escândalo"; ai vinham sentar-se os bancarroteiros, os condenados a fazer publicamente a cessão de todos os seus bens aos credores. Hoje, a "pedra do escândalo" tem a sua sede nas colunas dos jornais. É aí que se afirmam e proclamam todas as bancarrotas, fraudulentas ou não, e que se pronunciam todos os crimes verdadeiros ou falsos; a moderna "pedra do escândalo", é, ao mesmo tempo um pelourinho. Em geral, a imprensa conhece tudo, antes da autoridade policial: é ela quem recebe em primeira mão a denúncia de todas as maroteiras, e é ela quem a transmite à polícia.

De quando em quando, a argúcia de um repórter descobre uma menor martirizada, uma menina rica seqüestrada, uma velha opulenta mantida em cárcere privado... Às vezes, não é o repórter quem descobre o crime: a denúncia vem dentro de uma carta anônima, em que se desafoga a piedade ou em que se satisfaz a vingança de um vizinho do denunciado. O jornal dá logo o grito de alarma. Os outros jornais põem em campo todos os seus caçadores de notícias. A polícia acorda, agita-se, abre inquérito. E começa o escândalo...

Mas um escândalo nunca vem só. Outras pessoas, conhecendo outros casos de seqüestro, ou de exploração de menores, ou de surrupiação de bens de órfãos, deixam-se ganhar pelo contágio da delação, e vêm revelar o que até então tinham calado por indiferença ou prudência. E são dias e dias de asfixiante atmosfera de horror e vergonha, nomes respeitáveis arrastados na lama, segredos de alcova postos na rua, melindres de vida íntima enxovalhados sem escrúpulo...

O que vale é que o Escândalo é uma criatura de fôlego curto. Tanto se esgoela e com tanto furor se sacode, que cansa depressa, e dorme, ao atordoamento dos seus próprios excessos.

Passada a crise, todos são obrigados a reconhecer que nada se lucrou com tamanha algazarra; e que esses bate-barbas seguidos de longos períodos de indiferença, ao invés de punir e amedrontar os criminosos, antes os acoroçoaram e protegeram. E freqüentemente se reconhece ainda que o barulho serviu apenas para amargurar a vida de gente limpa de toda a culpa, difamando inocentes, e dando alegria aos tratantes.

* * *

É tão difícil descobrir e verificar a verdade, nesses casos em que se acusa um tutor de seqüestrar e maltratar uma pupila rica.

É esta uma velha história, que já era vulgar no tempo em que havia no mundo fadas e gênios, princesas encantadas e dragões, torres de marfim e príncipes aventureiros.

Quem há que não tenha ouvido, na infância, um conto de fadas com uma princesa encarcerada e um tutor malvado?

"Era uma vez uma princesa muito rica, muito bonita, e muito prendada. O rei, seu padrasto, tomou conta de todas as suas riquezas, e fechou-a numa torre muito alta, de cujas seteiras a infeliz princesa só podia ver as léguas infinitas do céu azul; e os passarinhos vinham conversar com ela, e choravam, ouvindo a sua triste história. Mas apareceu um dia um príncipe muito valente que... etc... etc... etc."

É uma velha história; e, dada a natural perversidade e a natural cobiça desse deste animal perigoso a que se dá o nome de "homem", é uma história muito natural e muito humana.

Mas nem sempre, nestas histórias, o criminoso é o tutor. Às vezes, este só tem um crime: o de zelar bem a fortuna e a órfã que lhe foram confiadas, tratando de livrá-las dos espertalhões que namoram a menina com a mira na sua riqueza. Uma órfã milionária é uma presa tentadora para os milhares gulosos de que o mundo está cheio. E, são estes, freqüentemente, os inventores do seqüestro.

É tão difícil apurar a verdade!

Não seria melhor que a Justiça Pública, que é paga para isso, tivesse sempre os olhos bem abertos para vigiar as criaturas órfãs ou desvalidas que precisam da sua proteção? Se assim fosse, não haveria escândalos, e muitas vergonhas inúteis e injustas seriam evitadas, – vergonhas de que saem conspurcados, muitas vezes, nomes veneráveis, que deviam estar a coberto de tão revoltantes profanações.

Perversa entidade é o Dinheiro! E pobre sempre, da órfã rica, que, quando não é vítima da ganância do tutor, é vítima da cobiça dos meliantes, que só atacam o carcereiro para ver se tomam conta da encarcerada. Em todos esses casos, nem o tutor nem a pupila conseguem nunca ter um sono tranqüilo. Já um velho e triste filósofo costumava dizer que mais vale, como travesseiro, um saco de lama do que um saco de ouro: o ouro vale muito mais, porém a lama é muito mais macia...

* * *

É impossível tratar hoje de qualquer cousa que não seja profanação e escândalo. A semana só teve isso. Foi uma desgraçada semana!

Não sei dizer o horror e a revolta que me possuíram, quando, na manhã de sexta-feira, abrindo os jornais, encontrei em todos eles a narração minuciosa (macabramente e sinistramente minuciosa!) do epílogo do caso da "supliciada de Botafogo".

Se, porventura, pudéssemos ressuscitar Edgar Poe, Hoffmann, e Hadeliff [sic], e se às suas três penas, em colaboração, confiássemos a redação de um conto horripilante, não teríamos, no gênero, obra mais perfeita do que a que saiu da colaboração da polícia e da imprensa.

A segunda exumação do cadáver de Serafina, muitas vezes anunciada e muitas vezes adiada, foi um espetáculo público. Em torno da vala comum, acotovelaram-se os curiosos, de olhos arregalados e nariz espichado... mas, como nem toda a população pôde assistir à festa, os jornais quiseram dar de toda ela notícia circunstanciada, completa, integral, colorida, animada de rasgos brilhantes de estilo. Que notícia! foi a apoteose da Necrofilia!

Não houve uma enxada na terra, uma irrigação de ácido fênico, um ato de solução de sulfato de ferro, um golpe dado no cadáver decomposto, que não tivessem registro.

E o auto da autópsia, publicado da primeira linha à última, é de uma crueza de minúcias, que causa asco e cólera. Não houve um palmo, um centímetro, um milímetro daquelas míseras carnes putrefatas, que não fossem desvendadas e descritas. Há ali pormenores cuja divulgação chega a ser um crime contra a natureza, uma monstruosidade, uma perversidade, uma falta absoluta de piedade e de respeito. Nem me atrevo a insistir nisso: quem quiser ver até que ponto podem chegar a brutalidade de uma autoridade policial e a maldade inconsciente do jornalismo, descrevendo e profanando as regiões mais recatadas de um cadáver de mulher, e descrevendo-as e profanando-as sem necessidade, apenas por amor de uma mórbida preocupação de minúcias, – quem quiser ver isso, procure ler o parágrafo nono da sexta coluna da segunda página desta mesma *Gazeta*, no número de sexta-feira...

Parece, porém, que isso não bastava. Era necessário que o espetáculo sinistro tivesse uma nota picante.

No pé da notícia macabra, todos os jornais inseriram este pequeno trecho:

"Ainda durava o trabalho da autópsia, *quando o delegado convidou os seus amigos para um fino almoço no Hotel Carvalho, no campo de S. Cristóvão, e servido na casa do administrador do cemitério*". Seguiam-se os nomes dos convivas... Faltava apenas a declaração de ter havido champagne e brindes! Excelente reclame apanhou o Hotel Carvalho.

Outro pequeno trecho, ainda mais interessante, completava a graça do primeiro: "O delegado elogiou os médicos legistas da polícia, porque os mandou chamar para o almoço, e eles peremptoriamente rejeitaram o convite, dizendo que só almoçariam depois de terminada a autópsia..."

Não se sabe bem o que é isto: se é ingênuo, se é medonho, se é trágico, se é cômico, se é perverso, se é tolo. É tudo, ao mesmo tempo!

* * *

Enquanto se pensa nisto; quando se verifica que o resultado de todas essas profanações foi positivamente nulo, como não poderia deixar de ser quando se reflete na inutilidade, prevista e por todos reconhecida, das exumações repetidas, que nenhum esclarecimento poderiam trazer à Justiça; – não se pode deixar de estremecer de horror, diante da obra satânica desses escândalos, aos quais a imprensa, por amor do *faro* arrasta a polícia, e aos quais a polícia se deixa arrastar por medo da imprensa, e... da demissão.

O. B.

01 DEZ. 1907 CRÔNICA [IP]

Não me malsinem por isto os patriotas exaltados...

Por mais que procure estimular o meu patriotismo, não consigo odiar esse extraordinário Sebastião Magali, que, à frente de um eletricista, de um carteiro, de um ator, de um corretor de companhia de seguros e de três caixeiros viajantes, tentou a conquista do Brasil, começando pelo assalto de Ilhéus, – essa mesma pequena cidade de Ilhéus, fundada por Francisco Ramiro em 1535, uma cidadezinha heróica e predestinada, à qual, depois da glória de ter várias vezes resistido aos ataques dos Tupiniquins, dos Franceses e dos Holandeses, ainda estava reservada a glória de resistir à investida destes canadenses e destes *yankees*.

Não posso odiar Magali, nem sequer nutrir contra ele algum sentimento de ódio. Sinto por ele, ao contrário, um outro sentimento, em que há tanto de admiração quanto de piedade.

Principalmente de piedade...

Sebastião Magali é um homem deslocado no tempo. E são sempre profundamente infelizes os homens que nascem fora do tempo em que deveriam nascer, – ou muito cedo ou muito tarde – vivendo como exilados numa época que não lhes convém. Magali veio ao mundo muito tarde; também ele, se fosse poeta em vez de conquistador de nações, teria achado o verso admirável em que Musset exprimiu o seu amor das cousas antigas e a sua saudade das eras de ouro em que os deuses desciam à baixeza da terra:

> Je suis venu trop tard dans un monde trop vieux...

Para brilhar e triunfar, para ter estátuas e coroas, para ser aclamado herói e semideus, não teria Magali necessidade de nascer no tempo das velhas civilizações da Hélade e de Roma. Já lhe bastaria ter nascido no século 16 ou no século 17, naquelas épocas em que conquistar e depredar eram os caminhos mais seguros para a fortuna e para a glória, – tempos de bravura louca e de crueldade fria, em que os mares arfavam ao peso dos navios dos flibusteiros, e em que os conquistadores, tão belamente celebrados por Herédia,

> Fatigués de porter leurs misères hautaines,
> De Palos de Moguer, voutiers et captaines,
> Partaient, ivres d'un rève héroïque et brutal...

Então, para conquistar cidades e terras virgens, Magali não conseguiria apenas reunir sob a sua bandeira negra de corsário oito pobres diabos famintos e ambiciosos. Não faltariam reis que lhe fornecessem navios, homens, colubrinas, mosquetes e pólvora; os banqueiros de Gênova e de Cartagena desapertariam, em proveito dele, os cordões das largas bolsas pejadas de ouro; e Magali seria duque ou príncipe, e os seus descendentes ainda hoje conservariam, no brasão da família, como uma insígnia gloriosa, uma garra de ave de rapina, nimbada de ouro e luz.

Mas o mísero Magali nasceu muito tarde. E isso explica a piedade que ele me inspira.

A minha piedade, porém, não é desdenhosa nem humilhante: há nela uma larga dose de admiração.

Para os mais exaltados, o Conquistador Sebastião é um bandido; para os menos exaltados é um maluco.

Mas o velho Sêneca disse também que Alexandre o Grande era um bandido. E que diferença há entre Alexandre e Sebastião? apenas esta: Alexandre *conquistou* a Ásia, e Sebastião *tentou conquistar* Ilhéus; o primeiro teve estátuas de ouro e templos da mármore; o segundo está metido numa enxovia; – o que deu a glória ao primeiro foi o triunfo; o que dá o opróbrio ao segundo é o fracasso.

Um maluco! Mas só os malucos são capazes de fazer grandes cousas no mundo! E as maluquices que dão bom resultado passam a ser demonstrações de gênio; ao passo que os gênios que não vencem passam a ser cretinos...

Em todo caso, se Magali é maluco, é um maluco tão completo, tão inteiriço, tão apurado, tão interessante, que só pode inspirar admiração.

Esse nosso imenso Brasil, com a sua imensa costa desguarnecida, sempre foi uma tentação para todos os aventureiros. Já nem é preciso lembrar as invasões e as ocupações da terra brasileira organizadas e realizadas pelos franceses e pelos holandeses, – expedições regulares, bem planejadas, bem apercebidas de homens e de dinheiro. Lembremos apenas os ataques dos flibusteiros. Cavendish, Cook, Davis, Lancastre, João Veuner, Hartmann, foram outros tantos Sebastião Magali. Cook e Davis, em 1591, ancoraram perto da ilha de S. Sebastião. Daí saíram para a barra de Santos. Meteram-se com mais vinte homens em dous escaleres e desembarcaram. Era domingo. Os santistas estavam ouvindo missa. Os corsários cercaram a igreja, e teriam assassinado toda a população desarmada, se não tivessem caído numa orgia feroz, que os deixou estendidos na praia, bêbedos de aguardente e orgulho...

Mas eram vinte e dous homens! e tinham ali perto os seus navios cheios de gente! e esperavam o reforço e a ajuda de Cavendish! Que vale essa proeza, comparada com a de Magali, que serenamente se apresta para a conquista, armando-se dentro de uma grande cidade policiada e guarnecida de tropas, como a Bahia, e mais serenamente ainda, em companhia dos seus oito soldados, vai de armas na mão estabelecer um governo provisório em Ilhéus?

Tudo isto é maluquice, mas é maluquice sublime. Cem malucos como este reformariam todo o mundo. E este mesmo maluco, sozinho, se vivesse há alguns séculos, teria operado façanhas que ainda hoje estariam bem vivas na memória dos homens.

Todos os grandes apóstolos e fascinadores de homens foram mais ou menos malucos...

Não podemos admitir que os oito homens, de que se rodeou Magali, – três caixeiros viajantes, um ator, um corretor de seguros, um carteiro e um eletricista – sejam absolutamente imbecis e cretinos... Se esses homens se deixaram convencer e seduzir por Magali, acompanhando-o em tão absurda e estapafúrdia aventura, é porque o seu chefe é um desses grandes tentadores, cuja palavra ardente abala montanhas e escraviza almas. E é bom notar que não foi apenas um exército (um exército muito reduzido, mas sempre um exército) o que ele conseguiu com a sua lábia: conseguiu também dinheiro, e não pouco, – porque, enfim, não é com pouco dinheiro que se transportam, que se equipam, que se armam, que se alimentam nove homens...

Não! não posso odiar nem desprezar Magali. Admiro-o.

Magali, com a sua bravura, com o seu desplante, com a sua confiança em si mesmo, com o seu soberano e incomparável topete, é uma criatura excepcional, um ente raro nesta época de prudência, de cautela, de contemporizações, de diplomacia e de precatada malícia.

Dizem que esse homem fenomenal é brasileiro... Se é verdade, creio que, em vez de maltratá-lo e encarcerá-lo, devemos chamá-lo a nós, seduzi-lo, aproveitá-lo, utilizá-lo. E estou até em dizer que é esse um dever... da nossa gratidão.

Porque esse homem acaba de prestar-nos um grande serviço. A sua aventura não é tão louca como a princípio parece.

Reflitamos nisto. Há um ano que temos ciência do plano de Magali. Todos os dias nos mandavam dizer os correspondentes telegráficos que Magali vinha conquistar o Brasil. E Magali veio, de fato. Veio, desembarcou, com os seus oito homens, na Bahia. Hospedaram-se todos no melhor hotel da cidade. Compraram armas e cavalos sem regatear. Esses preparativos consumiram semanas. E, afinal, os oito flibusteiros atacaram Ilhéus. E, se a gente de Ilhéus não fosse uma gente decidida, legítima descendente da gente que outrora repeliu Tupiniquins, Holandeses e Franceses, talvez a esta hora o exército invasor, engrossado pelas adesões do medo, da ingenuidade e do fanatismo, estivesse tomando conta do sertão, de conquista em conquista... Pois bem! não houve, na Bahia, polícia que desconfiasse de Magali e dos seus companheiros. Quando Cook e Davis, em 1591, desembarcaram em Santos, – Santos estava ouvindo missa. Agora, quando Magali saltou na Bahia, – a Bahia estava... politicando.

Não achais que há em tudo isto uma lição que não deve ser perdida? Devemos muita gratidão a Magali: é preciso que lhe demos uma pensão, e que o conservemos aqui, bem perto de nós, como um exemplo vivo do que pode fazer a temeridade de um homem e do que pôde resultar da indiferença de muitos...

Conservemo-lo aqui!; – e sempre que o olharmos, tenhamos bem presente ao espírito esta verdade: o que constitui o banditismo e a maluquice de um aventureiro é a sua infelicidade. Quando o aventureiro é feliz, não é bandido nem maluco: é herói, é deus, e governa o mundo.

O. B.

08 dez. 1907 — Crônica

Se ainda fosse possível haver um escândalo que fortemente impressionasse o país, nesta época em que tanto se usa e abusa dos escândalos, esse seria a publicação, que acaba de ser feita das *Atas do Governo Provisório*. Mas, se me é permitido o emprego deste monstruoso neologismo, nós, em matéria de escândalo, estamos "mitridatizados": assim como o famoso rei do Ponto conseguiu, ingerindo cotidianamente doses cada vez mais fortes de veneno, ficar refratário à ação dele, também nós, tendo habituado a alma ao regime do escândalo, chegamos a ficar inescandalizáveis...

A publicação das *Atas do Governo Provisório* não despertou sequer o interesse que costumam despertar quaisquer acontecimentos de pequena importância.

Era de esperar que todos quisessem saber qual foi a vida da República no berço, e de que modo seus pais lhe encaminharam os primeiros passos no mundo.

Dizem os franceses, pitorescamente, que "l'enfant est le père de l'homme": O que quer dizer que toda a inteligência, toda a energia, toda a "humanidade" do homem já estão em germe na criança: foi o que o psicólogo inglês James Sully exprimiu com maior clareza e extensão, escrevendo que "uma criança é toda a história moral da humanidade, porque as fases sucessivas da sua vida mental são o resumo das estações mais importantes percorridas pela espécie humana em sua marcha progressiva". Se tudo isso é verdadeiro em relação ao homem, também deve ser verdadeiro em relação aos países, aos regimes e aos governos. A nossa República de hoje já esteve cronologicamente contida na República de 1889, e o *nosso* governo de hoje é uma conseqüência lógica e fatal do governo provisório. Por tudo isso, era de esperar que esta publicação dos *Atos* viesse abalar fortemente o espírito nacional. Mas não. Muito maior, incomparavelmente maior é o interesse despertado por qualquer notícia de adultério elegante ou de crime "passional"...

Entretanto, nada falta para dar a significação de escândalo a essa publicação. Ela é tão inconveniente e tão comprometedora, que seria um alívio o podermos admitir a sua apocrifia...

Mas os *Atos* são assinados pelos ministros do gabinete revolucionário e pelo secretário do Governo Provisório. E, como até agora ainda nem uma só dessas pessoas protestou contra a autenticidade das assinaturas, é força acreditar que realmente o volume contém o processo verbal, legítimo e verdadeiro das sessões do primeiro governo da República.

Está claro que, considerando uma inconveniência a publicação de tais documentos, não censuro o autor do livro. Em iguais condições, ninguém resistiria à tentação de ser indiscreto. Ninguém se resignaria, possuindo esses papéis, a rasgá-los ou a esquecê-los no fundo de uma gaveta trancada a sete chaves.

O meu amigo Dunshee de Abranches, antes de ser deputado, foi jornalista. E o jornalista sobrevive ao deputado.

Nem sempre o homem pode mudar de profissão como as serpentes mudam de pele. Quem uma vez foi jornalista, há de morrer jornalista...

Mas é lícito estranhar que não tenham sido acautelados esses documentos em que há, entre outras coisas, algumas revelações de gravidade excepcional e de inconveniência especialmente comprometedora, – como as que se contêm na ata da sessão de 29 de novembro de 1890 – sessão em que se discutiu largamente a "política sul-americana", e, no correr da qual houve até quem falasse na necessidade da "anexação" do Estado Oriental do Uruguai...

Como saíram essas atas do arquivo que deviam permanecer secretas?

É bom notar que o volume comprometedor foi publicado pela Imprensa Nacional, pela tipografia do Estado...

Mas todas essas considerações são importunas. O que está feito, está feito. E, se alguma cousa nos deve ainda espantar, é somente que o volume de Dunshee Abranches não esteja sendo discutido e comentado com a animação e o barulho que as suas revelações deveriam provocar.

Não sou político, felizmente; – e não posso, nem quero entrar na apreciação das idéias políticas que sugere a escritura das *Atas e Atos do Governo Provisório*.

Como jornalista, e principalmente como cronista compassivo e irônico das belezas e das tolices da vida humana, especialmente me deliciei lendo estas *Atas*, com dous aspectos da fisionomia moral do governo provisório.

Em primeiro lugar, a preocupação constante, – de cólera e irritação – que a imprensa diária causava aos promotores da revolução triunfante...

Aquela revolução, nascida das entranhas e criada nos peitos da imprensa, aproveitou logo os primeiros dentes para morder o seio que a amamentava, e serviu-se logo da primeira força muscular para esmurrar o ventre do qual saíra. Aquele governo, filho da imprensa, tinha uma idéia fixa: matar, ou ao menos, amordaçar a imprensa, – miseranda Agripina, que também poderia dizer, como disse a mãe de Nero ao soldado que a matou: "Fere-me no ventre, porque foi daqui que saiu quem quer a minha morte!"

Deodoro lia todos os jornais; quando neles achava alguma agressão ao seu governo, ficava sufocado de ira. E, assim que se abria a sessão do conselho de ministros, o ditador insinuava, mostrava, aconselhava, impunha a necessidade da repressão. Quase não há, de todas as atas, uma só, em que se não verifique essa fúria matricida.

Em algumas sessões, o debate sobre os abusos da imprensa foi caloroso.

Já na sessão de 30 de janeiro de 1890, dois meses depois da proclamação da República, Deodoro, irritado pela oposição da *Cidade do Rio*, dizia que ia consultar o Tribunal Militar, "a fim de que este visse se o excesso das apreciações desse jornal, com relação aos atos do governo, dava lugar a que aquele Tribunal sob ele exercesse a sua ação..." Em 29 de março, o chefe do governo comunicava ao conselho de ministros "que ordenara a prisão do Dr. Pedro Tavares em conseqüência de artigos por ele publicados no *República*, de Campos, e ordenara também ao chefe de polícia da capital que providenciasse em ordem a serem punidos os redatores do *Notícias* e do *Diário do Comércio*, – *pelo mesmo delito*". A 23 de agosto, "o Sr. generalíssimo chamou de novo a atenção do governo para o abuso da imprensa mal orientada". Em 1 de dezembro, pouco depois do assalto à *Tribuna*, Deodoro diz que "quando um jornal se arvorar em órgão de difamação contra si, irá *em pessoa à rua e às claras dará a punição ao insolente*"; e, referindo-se ao assalto, diz que, cansado de pedir ao ministério uma lei contra a Imprensa, que nunca lhe foi dada, "resolveu dormir sobre o caso, e só tomou conhecimento dele *para louvar a quem daquele modo se defendeu de uma insólita agressão...*"

Mas não era somente a oposição dos jornais o que irritava o chefe do governo provisório. Deodoro também queria "moralizar a literatura". Logo ao abrir a sessão do dia 4 de dezembro de 1890, "o Sr. generalíssimo (diz a nota) lê um conto publicado na seção editorial da *Cidade do Rio*, com o título *Nua... quase nua...* assinado Fausto Júnior e supinamente imoral; e, aludindo à liberdade de imprensa, acha necessário tomarem-se medidas enérgicas *sobre tanta imoralidade e corrupção;*

do contrário, retirar-se-á do governo, onde não pode conservar-se sem a precisa dignidade!"

É delicioso... de infantilidade! Um ditador glorioso, o chefe de uma revolução vitoriosa, o grande soldado que mudara a face política de todo o país, disposto a deixar o governo por causa da pornografia de um conto brejeiro de Fausto Júnior! Quem será este Fausto Júnior, que com a sua brejeirice esteve a ponto de deitar abaixo a República?!

Escrevi poucas linhas acima a palavra *infantilidade*.

É esse outro aspecto do Governo Provisório que me impressionou.

Quem percorre as quatrocentas páginas dos *Atos* fica pasmado com o sem número de brigas fúteis que houve entre Deodoro e os seus ministros. A impressão que se tem é a de estar assistindo a esticas de meninos de colégio... Brigava Deodoro com os ministros, brigavam os ministros com Deodoro, brigavam os ministros uns com os outros; havia queixas, recriminações, palavras ásperas; depois os brigadores, inesperadamente, passavam às lágrimas e aos abraços, – e tudo acabava em paz. Às vezes, quando acaba de ler uma das atas, o leitor fica pensando: "Desta vez foi sério! não há reconciliação possível!..." Mas, ao voltar a página, lá está a ata da sessão seguinte: todos os ministros estão presentes, todos estão de acordo, todos se amam. Passou a borrasca... Passou? não! apenas estiou o tempo: dali a pouco recomeça a resinga, e todos outra vez "ficam de mal"... É inacreditável o número de vezes que aqueles ministros se demitiram... e retiraram a demissão!

De todas essas brigas, a mais extraordinária de puerilidade cômica, e ao mesmo tempo enternecedora, foi a que houve entre Deodoro e Benjamin, no correr da sessão de 27 de setembro. A cousa começou pelas queixas, continuou pelas ironias e acabou pelas afrontas. E tudo por causa da nomeação de um tesoureiro do Correio! Os dous pró-homens da República, – o soldado admirável de bravura e o austero homem da ciência – decompuseram-se, desafiaram-se para duelo, e acabaram abraçados, chorando com grande comoção dos outros ministros, que enxugavam os olhos e aplaudiam à reconciliação; dali, foram todos jantar; e, no dia seguinte, continuaram a deliberar... e a brigar.

* * *

Não sei se tais revelações eram necessárias. A história não lucrará muita cousa com o conhecimento dessa vida íntima, tão cheia de episódios engraçados, do Governo que fundou a República.

Mas, por outro lado, também se deve considerar que a seriedade e a solidez da República não podem ser abaladas pela divulgação das puerilidades daqueles homens velhos e maduros.

Deodoro e os seus companheiros não ficam parecendo ridículos aos olhos de quem folheia o volume das Atas e assiste à exumação dos primeiros dias da República. Afinal, que eram eles? Nem eram deuses, nem semideuses. Eram homens.

Todos os homens têm vaidades e inconseqüências, – e, quanto mais alta é a posição em que os vemos, tanto mais claramente se nos mostram essas inconseqüências e vaidades.

A má vontade com que o governo provisório olhava a imprensa era naturalíssima. A revolta da criatura contra o criador é uma lei fatal... E, quanto à infantilidade daqueles grandes homens, – qual é o grande homem que não é infantil? Não há grande homem para... o seu secretário particular.

O. B.

Gazeta de Notícias 1908

05 jan. 1908 Crônica [IP]

A Notícia, nos seus espertos e pesquisadores "Pequenos Ecos", aos quais não escapa um só dos aspectos da nossa vida social, assinalou ontem uma feição nova do Rio: "O aspecto dos pontos urbanos em que se vendem jornais. Feição nova, não propriamente pelos pontos, que são antigos, mas pelo *stock* exposto, que é agora mais volumoso. Com efeito, o Rio conta hoje nada menos de doze diários, sendo oito de manhã, três da tarde, um da noite. Assim, a exposição dos vendedores é mais vasta e as pilhas de folhas mais altas. E há ainda os semanários, que orçam por número equivalente, alguns jornais dos Estados, alguns suplementos ilustrados de jornais estrangeiros..."

Seria essa uma novidade consoladora, se não soubéssemos, como afirma a própria *Notícia*, que o número dos leitores dos jornais diários, no Rio, fica muito aquém de cem mil...

O forasteiro, que por aqui passasse, observando as nossas cousas pela rama, ficaria realmente admirando a nossa cultura: porque deveria ser intensamente culta uma cidade que sustenta oito jornais diários. Mas, se disséssemos a esse forasteiro que os analfabetos, na população desta cidade, estão na proporção de dois para um, o homem escancararia os olhos, não podendo compreender a simultaneidade e a coincidência dessa prosperidade da imprensa com a falta de instrução popular.

Para fazer cessar o seu pasmo, e restituir-lhe o equilíbrio cerebral, seria preciso que lhe explicássemos longamente muitas coisas, – entre as quais esta, que é de explicação difícil: a prosperidade da imprensa é apenas aparente, e constitui somente um dos sintomas de certo vício, que é muito nosso, o vício literário.

* * *

Não é sem razão que se diz que "o mundo é mal feito". Muito mal feito! O homem é fraco, as virtudes são poucas, os vícios são muitos, o caminho que leva à felicidade é um só e escarpado, e as estradas que levam à ruína são várias e lisas...

Há mais vícios do que virtudes, – e cada dia se inventam vícios novos. E se é verdade que foi Deus quem fez aqueles e o Diabo quem inventou e inventa estes, é força confessar que o Gênio do Mal tem muito mais imaginação e muito mais fertilidade criadora do que o Gênio do Bem...

Mas de todos os vícios velhos e novos da sociedade brasileira, estou em dizer que o mais espalhado e pernicioso é o literário.

* * *

Só quem vive rabiscando crônicas e notícias para os jornais é que pode saber como é espantosamente numerosa a produção literária no Brasil. Não há dia em que não cheguem a cada escritório de jornal três ou quatro volumes de versos e novelas.

Vem do extremo Norte, do extremo Sul, dos sertões do Centro, de todos os pontos do vasto país. Já houve uma semana, em que recebi (não há nisto o menor exagero) dezoito livros de poesia!

"Publicar um livro!" – é o sonho de todos adolescentes, e até de todos os homens maduros, nesta harmoniosa terra em que todos os sabiás são poetas e todos os homens são sabiás.

E todos esses livros são editados pelos próprios autores! E, quando se pensa no resultado prático e benéfico, que para a indústria, o comércio, a lavoura, as ciências, as artes, e a instrução do povo, se tiraria de uma outra e melhor aplicação do tempo, do dinheiro, do esforço intelectual, da energia moral, da paciência, da esperança que se gastam inutilmente com a concepção, a composição e a impressão de todos esses folhetos líricos, não se pode deixar de sentir certo rancor contra os velhos poetas e os velhos críticos, que, afirmando ser a nossa raça a mais lírica de toda a terra, injetaram em nós este terrível e avassalador veneno da mania literária!

Verdadeira mania, verdadeira doença... Compreender-se-ia bem a nossa superprodução literária, se neste país houvesse leitores. Mas não há. As edições dos livros e folhetos que se publicam não saem das tipografias: o autor manda brochar cem ou duzentos exemplares, que dá aos amigos; e o resto da tiragem é dado em pasto às traças vorazes, quando não é vendido a peso, para embrulhar manteiga.

* * *

Mas o mal não seria grande, se essa mania apenas se manifestasse por meio da publicação contínua e torrencial de folhetos de versos e contos...

O que há de terrível neste vício é que fazemos literatura em tudo, e a propósito de tudo, em todas as idades, em todas as classes, em todas as profissões. É um horror! Há literatura nas mensagens presidenciais, nos relatórios dos ministros, nos artigos de fundo, nos noticiários, nos anúncios, nos compêndios de matemática, nos tratados de anatomia, nos códices de farmácias, nas teses de doutoramento, na balas de estalo, nos anais do parlamento, nas revistas científicas, nos manuais de escrituração mercantil, nas tábuas de logaritmos, e até nos quadros estatísticos!

Ainda há poucos dias, tendo necessidade de verificar alguns apontamentos sobre a meteorologia do Rio de Janeiro, consultei um livro de demografia, escrito por um "homem prático", por um homem de ciência, – desses que tem a vida regulada como o movimento de um cronômetro, e declaram sempre desprezar a poesia, preferindo passar um ano no Hospício entre malucos a passar uma hora num café entre poetas.

Pois aqui tendes a frase que encontrei no livro desse homem; aqui a tendes, sem a alteração de uma vírgula nem de uma letra: "A cidade é sempre *suavemente acariciada* pelas brisas; de manhã, e à noite, há os *zéfiros chamados terrais*; e, quando, à tarde, eles deixam de *amenizar a temperatura*, aparecem as *auras consoladoras do mar*...

Os zéfiros chamados terrais! as auras consoladoras do mar!

Fechei o livro, – e fui procurar informações meteorológicas... nas *Liras* de Dirceu.

* * *

O fato de existirem tantos jornais em uma cidade em que quase ninguém lê jornais, é uma das conseqüências desse vício literário.

Ainda no colégio, fundamos jornaizinhos manuscritos, em que ensaiamos o primeiro vôo. Não há liceus, nem escolas, nem faculdades superiores, nem clubes literários, que não tenham os seus jornais. Agora, até as tavernas e os armazéns de secos e molhados têm jornais: *O Farol do Barateiro, A Atalaia dos Fregueses, O Bom Mercado, A Estrela do Bom Toicinho, O Arauto da Carne Seca...*

Quem é capaz de dizer quantos jornalistas há no Rio de Janeiro? O jornalismo é a baía salvadora em que vêm ancorar os náufragos de todas as profissões. Todo o homem, que não pode aqui intitular-se outra cousa, logo se lembra de intitular-se jornalista. As confeitarias, os botequins, os teatros, os clubes de dança, as casas de jogo, todas as casas e todas as ruas da cidade estão cheias de jornalistas!

Mas, enfim, quem lê esses jornais? Lemo-los nós, que os fazemos, – assim como também os livros de versos são lidos pelos autores. É um caso de... Não! não posso escrever a comparação que o caso me sugere!

E, enquanto isso, nada se faz para criar um público. O analfabetismo progride, engrossado pelas levas de imigrantes que nos chegam da Europa. De onde vêm os povoadores que atrai a Diretoria do Povoamento? Não vêm da França, nem da Suíça, nem da Inglaterra, nem da Alemanha do Norte, nem da península escandinava, onde não há homem adulto ou adolescente, que não saiba ler e escrever: – vêm das penínsulas meridionais da Europa, e da Polônia, e da Armênia, onde há aldeias inteiras que nunca viram uma carta de *abc*.

Como se o número dos analfabetos nacionais não fosse considerável! Ainda ontem, ao jantar, como falássemos destas cousas que sempre me preocupam, disse-me um amigo: "Quer você horrorizar-se? pois, ouça isto! Há algum tempo, estive em Minas, em uma pequena povoação chamada *Os Teixeiras*, a 14 léguas de Belo Horizonte, no município de Itaúna, perto do rio Paraopeba. Essa aldeia tinha 237 habitantes, – e desses 237 habitantes apenas dois sabiam ler!"

Não tratamos de criar um público, – nem de criar um povo livre. Estamos criando um povo de escravos. Temos serviço militar obrigatório antes de ter instrução primária obrigatória... O projeto de reforma do ensino encalhou no Congresso... Nada se faz para instruir essa imensa multidão de candidatos ao cativeiro!

E fundamos jornais, e publicamos livros de versos e de novelas, e de dia em dia nos dedicamos com maior ardor ao vício literário...

E este vício é mais enganador e mais alucinador do que o do ópio, porque até nos dá esta ilusão de delírio vesânico: a existência de uma literatura nacional em um país que não sabe ler!

O. B.

16 FEV. 1908 CRÔNICA [CIA]

Cada um de nós conhece e lembra as várias crises da sua existência material e moral, – esses estágios da vida, assinalados por moléstias e convalescenças, beijos da fortuna e pontapés da adversidade, curtos minutos de glória ou amor e longas horas de desgosto ou de ansiedade: e todos somos capazes de traçar e limitar, no mapa dos nossos dias, com precisão e verdade, as crises sucessivas que nos vão brandamente levando à crise última, que é uma síncope sem ressurreição.

As cidades, que como nós são organismos vivos em constante evolução, também têm as suas crises; mas, dessas anamorfoses, tão freqüentes como as nossas, cada um de nós só pode lembrar uma ou duas, tão espaçadas parecem elas, perdidas na imensidade do tempo de duração das metrópoles, devoradora da vida de inúmeras gerações de homens.

Vamos morrendo e as cidades vão vivendo; uma doença que, em cada um de nós pode durar um ano, pode nelas durar um século; e felizes de todos nós, daqueles que vivem bastante para poder apreciar, em conjunto, uma dessas peripécias críticas na existência de uma vasta aglomeração humana...

Estamos gozando essa felicidade, no Rio de Janeiro, – os que atravessamos vivos estes últimos dez anos. Dez anos de "muda" em tudo: no aspecto e na essência, na forma e no fundo, na superfície e no âmago.

O último aspecto do atual metabolismo urbano (será o último?) é a transformação e a deslocação do celeiro imenso que há tantos anos abastecia e alimentava o Rio de Janeiro.

Os jornais, noticiando os preparativos para a mudança do Mercado, descrevem a lufa-lufa, a febricitante agitação, o movimento delirante, que, durante as madrugadas de anteontem e ontem, houve naquela velha zona da cidade.

Imagine! Se o trabalho de todos os dias ainda me permitisse tais lazeres, eu também teria ido apreciar, ao lusco-fusco da manhã, aquela revolução. Seria doce e delicioso, à minha alma de carioca, o espetáculo da mudança, que na frase feliz da *Gazeta*, assinala "um momento histórico para a cidade": e eu teria o raro prazer de assistir, em poucas horas, ao trabalho completo da metamorfose de uma feia lagarta numa linda borboleta.

O *Jornal do Comércio*, que nunca foi muito amigo da retórica, diz que houve no Mercado velho "um verdadeiro dia de Juízo".

A imagem é feliz.

Dizem os Santos Padres que, no dia do Juízo Final, "haverá choro e ranger de dentes".

Mas, no Mercado velho, imagino que houve atos, gestos e barulhos incomparavelmente mais variados e misturados: cacarejavam as galinhas, cocoreavam os galos, grunhiam os porcos, grugrulejavam os perus, guinchavam os macacos, grasnavam os patos, latiam os cães, miavam os gatos, palravam os papagaios, maritacavam os periquitos, chiavam os canários: e só não protestavam contra o incômodo da mudança os peixes, por dois motivos: primeiro, porque estavam mortos: e segundo porque, mortos ou vivos, estando fora do seu elemento natural, tanto lhes fazia estar no Mercado da Praça das Marinhas como no Mercado da praia de D. Manuel...

E imagino ainda que a todos estes clamores dos bichos se devem ter juntado os clamores dos homens: praguejar de carroceiros, vociferar de carregadores, ordens de guardas municipais, intimações de guardas civis, e, principalmente, abafadas e melancólicas lamentações de alguns mercadores fiéis à Tradição...

É ainda o *Jornal do Comércio* quem narra, em estilo adequado, a tristeza desses tradicionalistas: "O velho casarão do antigo mercado, em que tanta gente viu passar uma boa parte de sua mocidade, em que tanta gente fez fortuna à custa de muita persistência, esforço e trabalho, lá está abandonado, com as suas portas cerradas. Comerciantes houve, cuja saudade não se conformou com a mudança e preferiram, uns liqüidar os seus estabelecimentos, outros mudar-se para os pontos centrais da cidade..."

Compreendo bem essa mágoa.

Não sou dos homens mais aferrados ao Passado e à religião dos hábitos, mas acho profundamente humano esse culto. Que é, afinal, o próprio sentimento de Pátria senão um resultado do costume e da tradição? Amamos profundamente a terra em que nascemos, a casa em que crescemos, as árvores que abrigaram com a sua sombra os nossos folguedos, os nossos sonhos e os nossos amores; amamos até os lugares em que sofremos... E, como em certa idade, a principal preocupação humana é o dinheiro, – com muito maior razão se explica que amemos a terra, o bairro, a rua, a loja em que prosperamos e enriquecemos...

É natural a mágoa dos mercadores tradicionalistas. E não me causará espanto que, qualquer noite destas, os rondantes da Candelária, ouvindo choro no Mercado abandonado, vão encontrar lá dentro um desses tendeiros inconsoláveis, na solidão da tapera imensa, carpindo o seu desespero, sob as lajes desertas, como Mário sobre as ruínas de Cartago...

Ai! não é só aos varejistas amigos da tradição que o velho mercado deixa saudades!

Neste mesmo momento estou relembrando casos e cenas da minha turbulenta mocidade, – casos e cenas da antiga vida boêmia, que se passavam ali.

Já lá se vão vinte anos... Nesse tempo, Zola era o autor da moda. Todos nós, rapazolas que começávamos a escrever, poetas incipientes, que já nos julgávamos gênios, e prosadores bisonhos, que já nos considerávamos glórias nacionais, – todos nós tínhamos a mania do "naturalismo", do "documento humano", da "tranche de vie". E, alta noite, enquanto os "burgueses ignóbeis" dormiam, saíamos a correr estalagens, baiúcas, alforjas.

Às vezes, chegávamos ao extremo do disfarce espetaculoso: saíamos de casa, sem gravata, vestindo blusas de zuarte desbotado, e fumando cachimbos que nos davam náuseas.

Quase todas essas excursões, que eram verdadeiramente de pândega, mas que nós solenemente afirmávamos serem de severa documentação psicológica, iam acabar no Mercado, à hora em que os botes e as catraias chegavam, trazendo os peixes, as frutas, os legumes...

Apanhávamos ali, muita vez, furiosas indigestões de documentos humanos e de ostras cruas! Mas a ilusão era magnífica: estávamos realizando e estudando praticamente as cenas do *Ventre de Paris*...

E ainda hoje (há quantos anos não vou ao Mercado!) tenho bem presente o espetáculo daquele pitoresco e rude labor dos pequenos lavradores, dos pescadores, dos leiloeiros de peixe, dos "atravessadores", dos lojistas, gritando, disputando, brigando: às vezes, na meia luz da manhã que rompia, havia lutas ferozes, corpo a corpo, na rampa escorregadia, e brilhavam lâminas de navalha...

Não é propriamente desse espetáculo, nem das indigestões de ostras e documentos humanos, nem do cheiro repugnante dos legumes pisados e dos peixes espostejados, nem dos guinchos dos macacos e do cacarejar das galinhas, que tenho saudade neste momento. Tenho saudade da minha inquieta adolescência, e daquela saúde e daquela despreocupação que me permitiam o uso e o abuso das noitadas e das madrugadas de "documentação"...

Mas não é disso que se trata! Trata-se da mudança do Mercado...

Os tradicionalistas irredutíveis, que preferiram a suspensão do negócio e do lucro à mudança, foram naturalmente poucos. Nem a humanidade progrediria, nem a vida humana poderia ser continuada através dos séculos dos séculos, – se essa casta de gente formasse a grande maioria da bicharada raciocinante que formiga na face do planeta.

Tudo se renova, tudo progride, – e nada morre. Morremos nós, que nada somos. Mas as cidades ficam e perduram, devoradoras de gerações.

E felizes daqueles de nós que conseguem viver bastante, para poder apreciar, em seu conjunto, uma das crises dessas grandes aglomerações humanas...

O. B.

12 ABR. 1908 — CRÔNICA [IP]

Domingo de Ramos. Benzer-se-ão daqui a pouco as palmas verdes, e os sinos, depois de um repique festivo, emudecerão até a hora, em que, vibrando e delirando, tiverem de cantar a glória da Ressurreição.

Mas já não se encontram, nas ruas, como outrora, as crianças, soprando as imensas trombetas verdes, fabricadas com as finas varetas das palmas bentas. O Rio de Janeiro, bem o diz o Sr. padre Júlio Maria, é hoje uma cidade de descrentes ou de indiferentes. Onde se vão as semanas santas de outros tempos, com as suas palmas, as suas procissões, os seus judas, as suas matracas, as suas Marias-Beús, as suas romarias de gente enlutada às igrejas?

A Eletricidade, Fada pagã, matou tudo isso. O Sr. padre Júlio Maria, que, no pretório da Catedral, tão veementemente acusou e verberou, como soldados e sequazes do Demônio, os poetas, os doutores, os comerciantes, os industriais, os operários, e até os próprios padres, esqueceu, na sua longa objurgatória de cinco semanas, essa grande Pecadora, a Eletricidade, filha mais nova e dileta de Satanás.

Foi ela quem matou a Fé. Enchendo de povo as ruas e os cinematógrafos, desertou as igrejas. Em vez de ir ver e meditar nos templos a Paixão de Cristo, ouvindo os sermões e os cantos sacros, a multidão vai vê-la e meditá-la nos palácios Pathé, em filas de três léguas de extensão.

Mas como castigar a Eletricidade, toda poderosa e invisível, impalpável e soberana, intangível e temível, força misteriosa que ninguém compreende? E que adiantaria à Igreja, votando-a às penas do Inferno, se foi lá que ela nasceu, lá que ela se criou, e de lá que ela saiu para iluminar e perverter o mundo?

Certo amigo meu, que não é padre, também odeia e amaldiçoa a Eletricidade por outros motivos: abomina-a como assassina da Poesia, como distribuidora de uma luz excessiva e escandalosa, que já nos não deixa gozar a melancolia das penumbras, em que medra tão bem a delicada dor do Sonho.

Foi anteontem, sexta-feira, que ele se desmanchou, depois de um calmo jantar, em invectivas contra a Luz Elétrica.

Sexta-feira agoniada, em que muita gente forçada a sair à noite, teve de ressuscitar o uso daquelas lanternas de que se serviam os cariocas de 1820, quando, [*****] tinham de atravessar a cidade depois do toque de recolher.

Sexta-feira, que foi uma antecipação, e não figurada, mas bem real, da quarta-feira de Trevas...

Jantáramos juntos, quatro amigos, num amplo terraço deslumbradoramente iluminado por festões de lâmpadas elétricas. Tendo começado a jantar ao cair da noite, não sabíamos que a cidade estava às escuras, amortalhada na treva espessa. Descemos, saímos: e doeu-nos nos olhos a escuridão, pondo-nos na alma um vago susto.

Será a mazorca?

Raros lampiões ainda estavam acesos; um pequenino ponto luminoso, trêmulo e vago, piscando de espaço a espaço, nas ruas lúgubres, cheias do espantado vozerio da multidão invisível. O céu, coberto de nuvens negras, pesava sobre a cidade. Trevas em cima, trevas em baixo: e cada rua era um túnel onde os passos dos transeuntes soavam funereamente.

Somente a Avenida Central, região encantada onde impera a Fada Eletricidade, conservava o seu habitual esplendor: e a faiscação das suas altas lâmpadas, e a ornamentação fulgurante dos cinematógrafos, que a bordam de um lado a outro, contrastavam impressionadoramente com o negror do resto da cidade.

Toda a multidão afluía para a grande via esplêndida. A multidão tem medo da treva... Os cafés transbordavam gente; e, à porta de cada cinematógrafo, uma longa fila de povo se formava, assaltando a bilheteria. Toda aquela turba queria ficar fora de casa: a casa sem gás é um túmulo.

Nós quatro, conversando, comentávamos o caso.

Não era a mazorca, felizmente. Não havia chegado, transmitido pelos ares, o micróbio da "bernarda", vindo de Campos ou da Bahia. Não íamos ter, graças a todos os deuses, a reprodução daquelas medonhas noites de 1904, de guerra às vacinas e aos candeeiros. Havia apenas uma parede dos operários da Companhia do Gás. Parede pacífica e platônica, que bem depressa acabaria, como as outras, continuando os pobres trabalhadores a contentar-se com promessas e prestando o Estado o auxílio da sua força ao Capital, com essa solidariedade que une todos os tiranos numa inquebrantável aliança ofensiva e defensiva.

Dos quatro, que passeávamos, um era um velho carioca, já cinqüentão, e tão amigo da sua cidade que nunca daqui saiu, – nem para ir a Mendes ou à Barra do Piraí.

E enquanto os outros, com entusiasmo, entoávamos um coro de louvores à Fada Eletricidade, ele caminhava, resmungando cousas incompreensíveis.

Louvávamos a grande Fada, que suspendia sobre as nossas cabeças aqueles globos fulgurantes, e estendia ao longo dos prédios aqueles pendões de luminárias brancas, amarelas, verdes, vermelhas, formando letras e dísticos, aglomerando-se em estrelas e crescentes, dando à Avenida um aspecto de zona de milagre, dotada de uma vegetação de flores e frutos de fogo.

Mas, levados pelo acaso do passeio, enveredamos por uma das ruas transversais, e de novo a noite nos cobriu, nos rodeou, nos embrulhou no seu manto sinistro. E foi então que o nosso companheiro cinqüentão falou, combatendo o nosso entusiasmo:

– A Eletricidade! Se vocês soubessem que alívio é para mim um passeio como este, por uma rua trevosa! Já estou cansado de tanta luz... Ainda sou do tempo dos lampiões de azeite. A cidade era pobre, paupérrima. E, como pobre, e honesta, não tinha luxos. Todos jantavam em casa, às quatro da tarde. Depois, um pequeno passeio, uma partida de gamão e uma discussão política nas boticas, uma ou outra novena, uma ou outra visita, e, de longe em longe, um fogo de artifício. Jesus! atualmente o fogo de artifício é cotidiano e perpétuo! Esta orgia de luz embebeda-me, alucina-me, cega-me! Abençoada seja esta parede, que nos vem dar um pouco de repouso aos olhos e às almas. Continuemos a passear por aqui, por estas ruas e passeios que ainda os dutos e os postes da Light não invadiram... Tenho a impressão de estar revivendo o tempo antigo. Antigamente, todo o Rio era assim...

Um de nós bocejou:

– Não sei que poesia se pode achar na treva...

O cinqüentão inflamou-se:

– Quer você saber qual é o grande crime da Eletricidade no Rio? Matou a poesia do Luar! Os nossos luares, neste céu incomparável, sempre foram famosos. No inverno carioca, uma noite de lua cheia, no céu escampo, em que desfalecem e morrem todas as estrelas ofuscadas, é uma maravilha sem par, cuja contemplação dá poesia e imaginação a todas as criaturas, – até aos muares das carroças do lixo, e aos cachorros vagabundos. O luar do Rio! foi por causa dele que esta cidade teve tantos poetas, no tempo em que ainda havia poetas. Agora há... cronistas e burocratas, como este que aqui vai conosco, e que é adorador da Eletricidade. Quem faz caso do luar, hoje? Nem o podemos ver; nem levantamos os olhos para o céu: as avenidas e as lâmpadas elétricas cativam toda a nossa atenção; vivemos a olhar o asfalto ignóbil que calcamos aos pés. E ninguém mais vê o luar, quando ele cascateia em rios de prata pelo pendor das montanhas, e mergulha gládios rutilantes na face arrufada do mar, e chora chuveiros de pérolas entre os ramos das árvores. A Eletricidade matou o luar!

Tínhamos chegado ao velho largo do Paço. O jardim Osório, o chafariz histórico, tudo dormia, sob a capa das trevas. Mas, de repente, rasgou-se uma larga brecha na muralha das nuvens que forravam o céu, e um luar admirável, límpido, de uma brancura e de uma maciez de arminho suavemente se espalhou sobre a dormente amplidão dos canteiros, dos relvados, das calçadas de cimento. Os oitis animaram-se, bracejaram, vestidos de prata viva. Osório agitou-se sobre o cavalo de bronze, nessa existência fictícia que a fantasmagoria do luar dá sempre às cousas inanimadas. O mar, ao longe, resplandeceu, retalhado por uma larga faixa fúlgida e tremente. Ficamos os quatro estáticos, suspensos, gozando o espetáculo magnífico. E o cinqüentão exclamou, abrindo os braços, com um ar de beatitude na face:

– Abençoada seja a parede dos gasistas, que nos permite ver toda a sua majestade divina, sem o contraste odioso e a concorrência indigna da luz artificial, a tua luz incomparável, ó Diana formosa, caçadora de Estrelas, Mãe de todos os Sonhos, consoladora dos tristes!

Todos nós dissemos:

– Amém!

Cerrou-se de novo o véu das nuvens. Dura tão pouco o que é belo!...

Retrocedemos, e enfiamos os passos pela rua da Assembléia, escuríssima: longe, irradiava o clarão da Avenida. E o nosso amigo, cerrando o punho, bradou, naquela mesma voz tonitruosa com que o padre Júlio Maria amaldiçoa o pecado e os pecadores:

– Maldita sejas, Fada perversa, inimiga do luar. Satânia abominável, filha de Belzebu!

O. B.

26 abr. 1908

Crônica [RLL]

Não é possível! Banir da crônica o assunto doloroso da semana: a catástrofe da Casa de Saúde de São Sebastião. Mas não quero insistir sobre as causas do desastre, nem sobre a necessidade de ter proibida no centro da cidade a exploração dessas pedreiras assassinas, que constantemente nos ensurdecem e abalam com o estampido das suas explosões. Tudo isso já foi dito e discutido.

O que a *Crônica* pode e deve fazer é registrar este consolo: milagrosamente, a catástrofe produziu danos pessoais muito menores do que os que se poderiam temer. Chega a ser maravilhoso e incompreensível que aquela horrorosa eversão apenas houvesse vitimado duas pessoas. Isso deve minorar a mágoa intensa de que se acha possuído o ilustre médico diretor do estabelecimento, – mágoa que é compartida por todos que o conhecem e lhe prezam e admiram as extraordinárias qualidades de talento, de ilustração e de bondade.

Para não dar a esta crônica semanal da *Gazeta* uma tristeza incompatível com a índole da folha da seção, prefiro encarar o assunto através dos vidros cor-de-rosa dos óculos do Dr. Pangloss.

Sejamos otimistas, registrando com júbilo justo que, se as nossas riquezas e as nossas felicidades não são descompassadas, também, em compensação, não costumam ser desmascaradas as nossas desgraças.

* * *

Pensei nisto ainda há pouco, lendo em uma revista que New York vai ter o maior hotel do mundo: quarenta andares, sobre o último dos quais haverá um parque, com árvores e águas; uma sala para refeições com o comprimento de duzentos pés; e não sei quantos quartos que poderão acomodar oito mil pessoas...

Nos Estados Unidos só se fazem cousas monumentais: tudo ali é descomunal, – casas e idéias, fortunas e falências. Até os desastres assumem proporções grandiosas na terra dos *yankees*: se há um incêndio, morrem quinhentas pessoas; se há um ciclone, desabam duas mil casas; se um rio transborda, desaparecem trinta povoações. É espantoso! Mas é também consolador. Bem diz o nosso povo que quanto maior é o barco, maior é a tempestade. Nos Estados Unidos não é somente colossal o que é bom: também o que é mau é formidável.

Esse hotel de quarenta andares deve ser um assombro. Nem o podemos imaginar, nós que estamos aqui habituados às nossas modestas pensões, onde todos os hóspedes se conhecem e tratam por "você", e onde não se pode dar num quarto um espirro, sem que os moradores de todos os outros quartos digam: "resfriou-se o hóspede do quarto número tal..."

No hotel, que se está edificando em New York, a vida será a reprodução de uma grande cidade civilizada. Haverá ali dentro namoros, casamentos, batizados, divórcios, suicídios, assassinatos, comédias, dramas, tragédias, farsas, melodramas; e cada pavimento terá a sua existência própria e inconfundível; e haverá castas e classes, partidos e *clãs*; e, quem sabe?, talvez ainda algum dia rebente alguma guerra entre os hóspedes de alas ou andares diferentes, e armem-se metralhadoras pelos corredores, – sem que a cidade, cá fora, suspeite o que se passa lá dentro. O hotel terá necessariamente os seus jornais, os seus armazéns, os seus "bars"; e, no parque babilônico, plantado sobre o quadragésimo andar, haverá corsos, regatas, batalhas de flores...

Que inveja faz isso!

Mas a inveja logo desaparece quando se pensa nas proporções que deve ter, naquele mundo em forma de hotel, um incêndio... Imagine-se o horror das chamas e das nuvens de fumaça invadindo e devastando aqueles quarenta andares!

Decididamente, mais valem as nossas modestas pensões de cacaracá, pequeninas e térreas, onde todos se conhecem, onde todos se tratam por "você", – onde, em caso de incêndio, todos os hóspedes, saltando as janelas, em fraldas de camisa, vêm apreciar da rua o espetáculo da conflagração, comentando e aplaudindo a bravura dos bombeiros...

* * *

Felizmente, ainda não temos um progresso desvairado como o dos Estados Unidos. Estamos num meio termo razoável, – entre os *yankees* megalômanos e os bugres ingênuos.

Ainda temos alguma simpleza. Tanto assim que estamos todos a comentar, com enternecimento e gratidão, esse caso dos vinte e tantos viajantes do *Aragon*, que, deslumbrados pela beleza do Rio de Janeiro, desistiram do resto da viagem e aqui se deixaram ficar, escravos da sedução carioca, – como o errabundo Ulisses se deixou ficar na ilha Ogígia, cativo dos beijos da bela Calipso, e deixando a laboriosa e infeliz Penélope consumir-se, em Ítaca, de ansiedade e de saudade, às voltas com a roca e o fuso...

Em uma cidade monstruosa como Londres, New York, ou Paris, este caso passaria despercebido. Mas, aqui, ainda acabaremos levantando numa praça pública um monumento comemorativo da chegada e da sedução dos vinte e tantos forasteiros atraídos e cativos: – uma figura de mulher, representando a cidade, com uma cabeça irresistivelmente bela, e possuindo vinte e tantos braços de polvo, cativadores de ádvenas embasbacados...

* * *

E falamos, um pouco acima, dos bugres ingênuos... Também estes nos visitam: visitam-nos e invejam-nos como nós, às vezes, invejamos os *yankees* civilizadíssimos.

Nesta semana andaram por aí dous bugres, visitando os ministros e o chefe de polícia.

Tais aparecimentos de índios na cidade estão ficando muito freqüentes: parece que ao âmago dos sertões já chegou a fama da beleza das nossas avenidas, e que os selvagens, cansados da solidão, e devorados pela curiosidade, mas ao mesmo tempo com a sua invencível desconfiança de caboclos, querem verificar se realmente esta é a cidade formosíssima, cujos encantos tão liricamente lhes descrevem os caixeiros viajantes.

Ainda não tive o prazer de encontrar na rua um só desses amáveis selvagens, que ultimamente nos têm visitado. Tenho todo o meu tempo ocupado, e não disponho dos minutos necessários para uma *interview* com os indígenas. Mas não sei porque é que os profissionais da *interview* têm deixado escapar tão boas ocasiões... Seria interessantíssimo saber o que os botocudos pensam dos automóveis, dos corsos, das avenidas e dos cinematógrafos.

Não creio que esses silvícolas ainda sejam tão brutos como os que Pedro Álvares Cabral e Pero Vaz de Caminha encontraram em 1500 em Porto Seguro. O cronista da frota descobridora narrou pitorescamente a ingenuidade daqueles filhos da mata: "Mostraram-lhes uma galinha, e quase tiveram medo dela; trouxeram-lhes vinho, e puseram-lho na boca, e não gostaram dele nada; e estiraram-se de costas na alcatifa a dormir sem ter nenhuma maneira de encobrir as suas vergonhas..." Não! os índios que atualmente vêm espiar a nossa vida civilizada, já são muito mais educados: já conhecem o sabor da carne de galinha, usam e abusam do vinho e andam vestidos à moderna.

Mas certas cousas da nossa civilização lhes devem ser completamente desconhecidas. A política, por exemplo, e a controvérsia religiosa, e o caso dos colégios equiparados, e as seções do *smartismo* na imprensa, e o levantamento do teatro brasileiro pela representação de *vaudevilles* franceses e italianos, e a linguagem ultra-polida com que os jornais discutem os "casos", e as guerras memoráveis entre o Jardim da Infância e o Retiro dos Velhos, e tantas outras cousas que devem causar verdadeiros animamotos aos filhos das selvas.

Mostrar-lhes essas cousa e pedir sobre elas a sua opinião, é um dever dos profissionais da *interview*. Todos lucraremos com isso: nós e os caboclos. Ouvindo os seus conselhos, aperfeiçoaremos talvez a nossa maneira de politicar, adotando como costumes políticos, além da difamação de que já usamos, a frecha ervada de curare, o escalpamento e a antropofagia. E eles, estudando-as a fundo, lucrarão isto: fugirão horrorizados para as suas tabas, e ficarão muito consolados com o descanso e a pureza da vida selvagem, perdendo para todo o sempre o desejo de ver de perto o que é a civilização...

O. B.

31 maio 1908 — Crônica [Cia]

Já sei que esperas, Senhora minha, uma crônica azul, perfumada, leve, – como esses dias com que maio nos esteve favorecendo antes de expirar. Esperas aqui encontrar uma página de poesia, que te obrigues a alguns minutos de sonhos entre a missa e o almoço, – uma página risonha que não contraste com o aspecto do céu e da terra nesta manhã de aroma e veludo...

Mas, ai de mim!, nem só para a amar e servir, leitora minha, estou eu neste posto de cronista. Os graves negócios da República, os interesses da Pátria, o serviço da Política também exigem a minha atenção...

Se queres o comentário repousado e suave da beleza destes dias, – pede-o às aves [*****] que estão delirando no teu jardim ao brando calor caricioso do sol de inverno. Aves e borboletas são felizes: em tendo um pedaço de céu azul, um bocado de jardim verde, um raio tépido de sol, não pedem mais nada. Vivem numa república ideal, em que todas as repúblicas são iguais. Ao passo que nós, homens...

Nós, homens, temos as oligarquias.

As oligarquias! Aí está o meu assunto obrigatório, Senhora minha. Se absolutamente queres poesia, atira esta gazeta para o lado e abre qualquer livro de versos. Mas, se a política não te desagrada de todo, continua a ler: verás que a formosura do tempo me deu um otimismo radiante, – e que não sou inimigo das oligarquias, como não sou inimigo de ninguém nem de nada.

Uma quadrinha popular, citada em pleno Senado por um legislador, diz que em Pernambuco quem não é Cavalcânti é cavalgado. A quadrinha é do tempo do Império; suponho que hoje a supremacia dos Cavalcânti, descendentes da mais alta nobreza veneziana, está muito abalada no Recife. Em compensação, outras famílias, nobres ou plebéias, surgiram dominadoras em vários pontos do Brasil. E foi justamente a discussão desse caso das oligarquias que motivou a incursão irreverente e pitoresca da musa popular no austero recinto do Senado.

Já o grande Aristóteles era inimigo declarado dos governos oligárquicos. Mas esse grande filósofo era um republicano, – no velho sentido do vocábulo. Era também inimigo da democracia. Tanto a democracia como a oligarquia lhe causavam asco: "Se a primeira é o predomínio dos pobres, – dizia ele – a segunda é o predomínio dos ricos: ambas são odiosas, porque são governos de interesses particulares; só a república aristocrática é um governo de interesse geral".

No tempo antigo, a palavra *republicana* tinha um sentido preciso e definido: mas hoje é uma palavra de significação amplíssima. Não é uma palavra: é uma hospedaria, um albergue, em que moram várias idéias disparatadas. É mais do que isso: é uma caravançará, em que se abrigam mil caravanas de credos políticos. No regime republicano (principalmente no nosso) cabem aristocratas, democratas, monarquistas, oligarcas, socialistas, anarquistas, plutocratas.

No seu tempo, Aristóteles não podia ser oligarca sendo republicano. Hoje, se ele viesse de novo ao mundo e caísse por descuido no Brasil, talvez tomasse conta de um dos nossos Estados. E teríamos "os Aristóteles", como temos "os Accioly", "os Malta", e "os Nery".

Os republicanos de hoje aliaram ao lema "do povo, pelo povo, para o povo" o dístico "Mateus, primeiro os teus!". E, afinal, que grande pecado há nisso? A família é o núcleo da pátria, a cousa doméstica é a base da cousa pública, – e a boa justiça começa por casa.

Sinceramente, considero inútil e vã toda essa campanha que no Senado, na Câmara e na imprensa se está travando contra as oligarquias. Não há na Constituição atual, como não haverá em qualquer outra Constituição que se decretar, um meio de matar as tendências oligárquicas dos homens.

Seria preciso para isso matar no coração humano, o sentimento de família.

Ou seria preciso decretar: "Só poderão ocupar os altos cargos da administração pública os homens que demonstrarem, com documentos irrefutáveis, que são sozinhos no mundo, não tendo conhecido pai, nem mãe, não tendo irmãos, nem mulher, nem filhos, nem primos".

Seria o governo dos filhos das ervas, dos "cheminaux", dos vagabundos, dos sem lar...

Mas onde encontrar esses homens absolutamente sós? Ninguém é só neste mundo: aquele de nós, que parece o mais egoísta e o mais isolado dos homens, tem na vida um grande número de ligações morais. Encontra-se às vezes, nos descampados, um tronco seco, mirrado, nu, misérrimo; parece que esse tronco morto é inútil; mas é um engano: agarram-se a ele líquens e parasitas diversas; e nos buracos das suas raízes vivem as prévidas [sic] e diligentes formigas. Ninguém é só neste mundo. E quem não é só, fatalmente há de interessar-se pelos seus.

O sentimento de família é velho como a humanidade. Já nos tempos bíblicos, o Senhor nunca abençoava as pátrias nem os homens: abençoava as famílias, considerando, com a sua suprema sabedoria, que as pátrias nada mais são do que famílias grandes, e que os homens sem parentes são como as andorinhas, que, quando isoladas, nunca fazem verão. Jesus Cristo, que foi um grande revolucionário, quis matar o sentimento de família, e foi crucificado...

Assim, não me irrita muito a existência das oligarquias dos Nery, dos Malta, dos Accioly. Só tenho pena de uma cousa: é que o Brasil seja tão pequeno. Maior fosse ele, e outras oligarquias ainda seriam possíveis.

Não têm razão os homens ferozes, que, no Senado, na Câmara e na imprensa, arremetem furiosamente contras esses fundadores de "clãs" políticos. Se qualquer destes deixar os parentes sem emprego, – todos diriam: "Fulano é um homem sem entranhas! Assim que se apanhou no poder, deu um pontapé em toda parentela! é um homem desnaturado: os irmãos são trabalhadores braçais, os tios são varredores de ruas, os sobrinhos são caixeiros de venda, os primos vivem por aí batendo carteiras! malvado!". Aí está o que diriam todos de qualquer desses chefes de tribo, se o não vissem distribuir pelos parentes todos os empregos públicos. O mundo é mais [*****] por natureza; e nós todos somos presos por ter cão e por não ter cão.

E pensemos nisto: daqui a pouco não haverá no Amazonas, onde reinam os Nery, no Ceará, onde imperam os Accioly, e nas Alagoas, onde dominam os Malta, quem se queixe do predomínio oligárquico.

A razão é simples: assim que se instala no poder uma dessas famílias absorventes, toda a gente começa a agregar-se a ela, na qualidade de parente. Quem tem dinheiro ou poder tem sempre parentes a rodo.

É bem conhecido o caso daquele velho senador e marechal, já falecido, que indo, depois da proclamação da República, ao seu Estado natal, lá encontrou nada menos do que cinco mães! Se as mães eram tantas, imagine-se quantos seriam os afins!

Daqui a pouco, já não haverá no Ceará quem não seja Accioly, e não haverá no Amazonas quem não seja Nery, e não haverá nas Alagoas quem não seja Malta. Accioly, Nery e Malta, por mais que façam, não conseguirão livrar-se dessa parentela desenfreada e pululante: a gente neste mundo não tem os parentes que quer ter, e sim os que o querem ser.

Não há, portanto, razões para cóleras nem para queixas.

Lá está na Bíblia: "O Senhor abençoa as famílias prolíficas e fortes!"

E, demais, toda esta oposição é platônica e inútil. Quem é capaz de desenraizar do Ceará, do Amazonas e das Alagoas os Accioly, os Nery e os Malta? Nem um terremoto, nem um cataclismo, nem o Diabo! E, mal que não tem remédio, remediado está.

Vai ao teu jardim, senhora minha! Lá estão as borboletas, as aves e as flores a chamar-te.

Quanto a mim, vou consultar a minha árvore genealógica, a ver se nela encontro alguma cousa que me demonstre que eu sou um remoto Nery, um afastado Accioly, ou um longínquo Malta... O. B.

21 jun. 1908

Crônica

Contaram-me há dias uma cousa que me causou um certo calefrio de horror.

Trata-se de flores, e parece-me impossível que tal assunto possa provocar sensações e idéias que não sejam de suave encanto. Mas há flores e flores. E as que constituem este artigo são as que nascem e crescem nos cemitérios da cidade, – ornatos da morte, poesia da mansão melancólica do eterno sono.

Estou em dizer que, quase exclusivamente ao hábito de enchermos de flores os cemitérios, deverão eles a sua conservação, numa época em que as revelações e as descobertas da higiene parece que deveriam aconselhar e impor a sua extinção. Não há quem possa, em boa fé, negar a excelência da cremação sobre a inumação, no ponto de vista especial do saneamento das cidades. Chega a ser absurdo e monstruoso que se mantenham no seio das grandes cidades, no coração de bairros populosos, esses focos de decomposição, essas usinas de miasmas, que são os cemitérios. Mas os cemitérios mascaram o seu horror com uma aparência de beleza poética, que lhes dá o aspecto de jardins encantados. A verdura dos relvados, a sombra das árvores em cujas copas cantam pássaros, a alvura dos mármores dos mausoléus, a beleza das alamedas bem tratadas, e, principalmente, a policromia e o aroma das flores que esmaltam os canteiros, – tudo isso dá à residência dos mortos uma formosura e um prestígio que fazem esquecer a podridão escondida sob esse manto esplêndido.

Os velhos gregos queimavam os cadáveres em piras de madeira aromática. Outros povos os embalsamavam. Todos evitavam a decomposição dos corpos humanos. Foi preciso que se inventasse a crença da ressurreição da carne, da reunião dos corpos e das almas no dia do Juízo Final, para que os homens se lembrassem de meter dentro da terra os cadáveres.

Os primeiros cemitérios foram lugares de horror e asco... Ainda hoje, aqui mesmo no Brasil, há cemitérios de roça, que são hediondos, cheios de vegetação brava em que rastejam cobras...

Mas os cemitérios urbanos são lindos.

Quando a gente passeia pelas avenidas de qualquer deles, aspirando o perfume das suas flores, acaba por esquecer que está pisando um solo em que se efetuam fermentações horríveis. E não há quem possa, entre tantos tufos de rosas e de dálias, pensar em lêmures, nem em almas do outro mundo, nem espíritos penados pedindo missas. Há uma famosa ilustração de Goya, horrivelmente trágica, que representa um esqueleto, levantando a tampa do sepulcro, e sobre ela, traçando com a ponta do dedo adunco as letras da palavra "nihil".

Quem pode imaginar, em qualquer dos nossos campos santos, uma cena como essa? Poderíamos, sim, imaginar uma outra cena: o esqueleto levantando a pedra para colher uma das admiráveis flores que lhe rodeiam o túmulo...

Mas todas essas divagações me levaram muito longe. Quero dizer o que me contaram há dias.

Já há algum tempo, um jornal, – creio que foi *A Notícia* – publicou um pequeno artigo impressionista, com o título "As flores do Letes", tratando do comércio de flores que se faz à porta dos cemitérios. É um comércio tão importuno como o das coroas e grinaldas de pano e biscuit, feito à porta da Empresa Funerária, anexa à Santa Casa: tanto uns como outros desses mercadores de artigos fúnebres perseguem com as suas ofertas irritantes os que vão à Empresa pagar as despesas de um enterro e os que vão enterrar um morto ou visitar um túmulo.

Há dias, passei, em bonde, por um dos jardins da morte. Ia comigo um companheiro, que tem a paixão das flores, uma antolatria exagerada até o fanatismo.

À porta do cemitério vimos uma família, que se debatia ansiosamente dentro de uma nuvem de mercadores de ramos e ramalhetes. Os gananciosos disputavam a presa com fervor. Esfregavam os ramos na face das senhoras e agarravam-se à sobrecasaca do homem que as acompanhava...

– São urubus humanos! – disse-me o meu companheiro – Vivem à custa da morte. A eles se podem aplicar aqueles belos versos do soneto de Raimundo Correia:

...Triste sorte,
De quem para ter vida necessita
De ir a vida buscar na própria morte...

– É horrível! murmurei.

– É horrível, mas há ainda cousa mais horrível. Vou contar-lhe uma novidade. Você é, como eu, amigo das flores. Mas não é, como eu, um fanático, um florimaníaco. Eu, quando vejo uma bela flor, não me contento em admirá-la: estudo-a, analiso-a, quero conhecer a sua história e a sua origem, quero saber onde nasceu, e como foi cultivada a roseira que a produziu. Graças a esta curiosidade extrema, tenho feito descobertas interessantíssimas. Aqui está uma delas. Conhece você essas lindas rosas que se chamam "Púrpura de Orleans"?

– Conheço.

– Pois nunca vi tão linda "Púrpuras de Orleans" como as que aparecem freqüentemente em certo mercado de flores do Rio, tão lindas, tão polpudas, tão cheirosas, que me deram o desejo de conhecer o recanto da terra carioca em que se criaram... Indaguei, e vim a saber que são rosas de cemitério.

– De cemitério?

– De cemitério. O administrador, ou cousa que o valha, de um desses jardins da morte, faz negócio com as flores que enfeitam os canteiros funerários. A produção é abundante e as rosas são tão belas que são vendidas por bom dinheiro...

– Enfim, – disse eu – o pecado não é grande. Esse administrador considera que os mortos não podem ter o monopólio das rosas, e acha, com certa razão, que aquilo que enfeita a morte dos mortos bem pode ajudar a vida dos vivos...

– Espere um pouco. O mais interessante da anedota é o nome que os floristas dão a essas rosas de cemitério. Sabe como elas são chamadas, na gíria antográfica?

– ?

– São chamadas as "caveirinhas". Parecem realmente pequenas caveiras vermelhas... E, dada a sua origem, é força confessar que o apelido é bem achado.

– Bem achado e macabro!

– Porém, muito mais macabra é a frase que ouvi ao florista a quem devo estas informações. Como eu lhe dissesse que realmente as "caveirinhas" eram as mais belas "Púrpuras de Orleans" do Rio, ele, com um sorriso alvar que lhe descobriu as gengivas desdentadas, observou: "Pudera! os que as cultivam têm o estrume de graça! e que estrume! o mais rico de todos!..."

* * *

O estrume de graça!

Tal foi a cousa que me deu um certo calafrio de horror.

Confesso que não me preocupa muito o destino que há de ter, depois da minha morte, este corpo que me dá tantos cuidados e tantas despesas.

Mas pensar que tudo isso há de merecer o nome de estrume...

De hoje em diante não poderei ver uma "Púrpura de Orleans" sem pensar na morte, e na frase do florista.

É uma frase preciosa, a um só tempo sinistra e cômica, – uma frase que não ficaria mal na boca de um daqueles coveiros, que, no quinto ato do drama de Shakespeare, filosofam com Hamlet à beira da cova de Ofélia...

O. B.

28 jun. 1908 — Crônica

O projeto Melo Matos... É o grande assunto da semana.

Neste justo empenho, que se observa agora, de dar campanha decisiva aos grandes males que dizimam a população do Rio de Janeiro, – um inimigo, um grande inimigo estava esquecido. O mais forte, o mais poderoso, o mais manhoso de todos, o mais sedutor, o que com mais arte se sabe disfarçar.

Deitando abaixo os pardieiros da cidade colonial, rasgando as largas avenidas varridas de ar e de luz, extinguindo os focos geradores de mosquitos, preparando o combate às moscas, fiscalizando a higiene das fábricas e das habitações coletivas, multiplicando e espalhando os postos vacínicos, procuramos contrariar a ação assassina da tuberculose, da varíola e da febre amarela. Mas até agora, o alcoolismo, muito pior do que os mosquitos, as moscas e a falta de ar e de luz, andava por aí a pompear soberanamente, sem que se procurasse opor um embargo à sua influência nefasta.

O projeto Melo Matos, repelindo a idéia absurda da repressão violenta do alcoolismo pelas multas e pela prisão, e considerando o alcoolista inveterado um doente carecedor de assistência médica e moral, vem estabelecer nos seus justos termos o problema, e oferecer contra o mal o remédio melhor que até hoje foi lembrado.

Já todos falaram e escreveram sobre esse projeto, – os que bebem e os que não bebem, os homens sérios e os humoristas; e a crônica e a caricatura já exploraram o assunto em todos os tons e sob todas as formas.

Até já se pronunciou sobre ele um semideus que tenho em casa...

* * *

Entre os modestos bronzes que alegram o meu modestíssimo cubículo de trabalho, há um que estimo especialmente, pela sua graça de caricatura. É antigo: modelou-o em dia de bom humor, um artista amigo dos velhos deuses e da velha alegria dos tempos da Hélade.

Representa Sileno, o borracho preceptor e amigo inseparável de Baco, o mentor fiel que acompanhou o filho de Júpiter e Semele na aventura da conquista das Índias, e com ele errou pelo mundo, participando dos seus triunfos e das suas moafas. O meu Sileno é pequenino e gorducho, montado sobre um jumento ainda mais pequeno e gordo. A face velha do semideus, sob o pâmpano que lhe agrinalda a cabeça, transpira uma alegria exuberante. O jumento empacou e, com as ventas arregaçadas e a queixada aberta, solta um zurro desesperado. O borracho agarra-se-lhe a uma das orelhas com a mão esquerda, e castiga-lhe a rechonchuda barriga com os pézinhos carnudos, enquanto com a mão direita empina um cântaro. O grupo é harmonioso; – e parece que a alimária está no mesmo estado da divindade, tendo também provado repetidas vezes o conteúdo dos odres dionisíacos...

Ora, há dias, como acabasse de ler nos jornais o projeto do deputado Melo Matos sobre o "Asilo de Bebedores", notei que se acentuava a alegria sarcástica da face do meu Sileno. Havia um clarão de ironia nos seus papudos olhinhos de bronze. E creio que compreendi o que estava pensando o velho Sátiro aposentado em mentor de Liceu.

* * *

– Tempos tristes, homens tristes e tristes costumes de uma triste civilização! – pensava o semideus, bamboleando sobre o jumento. – Quando eu andava pelo mundo, todos bebiam, homens e deuses, e a bebida não fazia mal a ninguém. Toda a Hélade, onde o meu discípulo e eu tivemos um culto extremado, era um vastíssimo vinhedo. As colinas de Chio, de Cós, de Metimno, de Lesbos, de toda a Tessália, de toda a Frígia, de toda a Trácia cobriam-se de sarmentos viçosos, vergados ao peso dos cachos abundantes. As abelhas revoavam sobre os rácimos saborosos. E os homens que bebiam o suco vinificado das uvas eram grandes guerreiros, grandes poetas, grandes filósofos, conquistaram o mundo, fundaram a civilização humana, e morreram na extrema velhice, sem tuberculose e sem *delirium tremens*. Onde quer que se plantasse uma vinha, reinavam logo a força, a saúde, e a alegria. A primeira vinha que Dionísio e eu plantamos no Egito foi adorada como a fonte de todas as venturas. E os deuses, como os homens, amavam o licor saboroso, e se lhes tornava ainda mais grata a consistência da divindade. Quando, trazendo às mãos as ânforas transbordantes de ambrosia, apareciam Hebe e Ganimedes no Olimpo, uma satisfação ruidosa interrompia a gravidade da assembléia divina; e Júpiter bebia, até cair esborrachado, sobre o seu sólio de nuvens de ouro. Tempos tristes, homens tristes, e tristes costumes os de hoje! quando eu andava pelo mundo, o homem (ou o deus) que se lembrasse de condenar o vinho e de internar os bebedores, seria vaiado por todos os egipãs, apedrejado por todos os Sátiros, agatanhado por todas as Ninfas, esbordoado por todos os homens, e fulminado por todos os deuses!

* * *

Fora isso, naturalmente, o que pensara o borracho Sileno, – se é que um pedaço de bronze é capaz de pensar.

Tive o desejo de abrir discussão com ele sobre o assunto. Mas fui o primeiro a zombar do meu desejo, a desistir do ridículo da discussão.

O que eu lhe poderia ter dito é que o alcoolismo é uma doença moderna, que não se relaciona de modo algum com o velho uso tradicional do bom vinho.

Houve, há alguns anos, na Itália, uma série de conferências contra o alcoolismo. Todas, ou quase todas, foram inexoráveis e terríveis libelos contra todas as bebidas alcoólicas, pregando e aconselhando a todos os homens o uso exclusivo da água da fonte. Mas o último orador da série foi o meigo Edmundo de Amicis. Esse, como fino artista e bom filósofo, evitando o exagero, que é sempre nocivo, condenou o alcoolismo sem condenar o vinho. A sua conferência – Il Vino – é uma obra-prima de graça, de bom senso, e de concisão: por que confundir o álcool terrível, que por aí anda a envenenar a humanidade sob a forma de aperitivos e de empurra-cafés, com o licor delicioso que se extrai da uva, sangue generoso da vinha, tão sagrado, que até no sacrifício da missa representa o sangue divino de Cristo?

Júpiter, Baco, Sileno, o pai Noé, todos os antigos bebedores não tinham *delirium tremens* nem tuberculose, porque não bebiam senão vinho puro e legítimo.

Mas o vinho, que se bebe hoje, é fabricado em negros alambiques assassinos, onde nunca entrou um só escasso pingo de suco de uva. Não é vinho: é água-tofana. Vinho legítimo, – só os podem hoje beber os reis e os magnatas do mundo.

E, além da triaga infame, que os envenenadores propinam à guisa de vinho, que é o que se bebe em toda a superfície da terra? Misturas infernais de extratos e de essências, de cores mirabolantes e faiscantes, e de aspecto sedutor: a opala do absinto, a esmeralda do pipper-mint, a granada do bitter, o rubi do curaçao, o topázio do uísque, – e os vários diamantes, alvos, azulados ou amarelados, da genebra, do chartreuse, da aguardente, do vermute, do conhaque... É toda a pedraria dos Venenos! é todo o escrínio dos Tóxicos!

Não era isso o que Jove bebia no Olimpo; não era isso o que bebiam Baco e Sileno; não era isso o que emborrachava Noé; não era isso o que inspirava Anacreonte... Antigamente, o padroeiro dos bebedores era o alegre Lico. Hoje, eles não têm padroeiro. Têm uma padroeira; é Lucrécia Bórgia, a Envenenadora Maior.

E todas estas cousas já foram ditas, certa vez, em estilo lapidar, em uma só frase concisa, por um velho: "Depois que se falsificam as bebidas, já não há bebedores sãos. Tanto é assim, que, antigamente, os bebedores morriam de velhos; e hoje... os moços morrem de bêbedos!"

* * *

Aí está o que eu poderia dizer ao meu Sileno, – se valesse a pena discutir com um semideus de bronze... e ébrio.

O projeto Melo Matos é humanitário. O velho Sileno seria o primeiro a aplaudi-lo, se fosse hoje condenado a beber as horrorosas e daninhas drogas alcoólicas que há por aí.

Estou até em dizer que o borrachão preceptor de Baco, com o seu bom senso, correria logo a pedir estrada, como asilado voluntário no "Asilo dos Bebedores"...

O. B.

12 JUL. 1908

CRÔNICA

Haverá hoje lugar, no cérebro do Rio de Janeiro, para qualquer idéia que não se refira à batalha final do *foot-ball*, entre o *scratch* argentino e o *scratch* brasileiro? Não creio. O que hoje governa e domina a cidade é a bola que vai decidir a pendência, no campo de Paissandu. Daqui a pouco, andará ela aos saltos, entre os dous redutos rivais. E com ela saltarão todos os corações, da esperança para o desespero e do desespero para a esperança...

Mas ainda é cedo para que a *Crônica* também se deixe fanatizar e hipnotizar por esse único assunto. Uma partida de *foot-ball* não pode sustar o curso da História, e a semana passada teve acontecimentos que querem ser contados. Sejamos rápidos e leves, – para que o leitor não chegue atrasado, nem aborrecido, ao *ground*.

* * *

Guerra com a França? seria uma honra para a pátria... Mas é uma honra que jamais nos há de caber; – felizmente!

Os telegramas – (não era Bismarck quem costumava dizer: mentiroso como um telegrama?...) – anunciaram-nos há pouco que a França está queixosa de nós. Queixosa, porque o imperador Guilherme convidou o ministro da guerra do Brasil para assistir às manobras do exército alemão na Alsácia-Lorena, e porque o brasileiro aceitou o convite.

É mentira telegráfica, e mentira tola. A França não é essa rapariga estonteada e doidivanas que os seus caricaturistas reproduzem constantemente, de saiote curto, gorro frígio à cabeça, e sorriso malicioso nos lábios. A França é o país do bom senso, da justa medida, do equilíbrio mental e moral; e é um país que tem um medo atroz do ridículo... Ninguém em França seria capaz de imaginar que a presença do nosso ministro da guerra, que é apenas um secretário do presidente da República, nas manobras da Alsácia-Lorena, pudesse significar um ato de desamor à nação européia que mais admiramos. Já assistiram a essas mesmas manobras, em vários anos, e na mesma província alemã outrora pertencente à França, muitos soberanos da Europa. E não consta que a França haja declarado guerra a esses soberanos, nem sequer estranhado a sua presença nos arredores de Metz e de Strasbourg...

Nós amamos a França, – talvez demais. Depois de amanhã, os canhões dos nossos navios e das nossas fortalezas hão de saudar o 14 de julho, já não como data francesa, mas como data nossa, incorporada ao calendário nacional. É um amor excessivo, que se manifesta na política, nas letras, nas artes, nas ciências, nos costumes. Somos todos franceses de alma.

Mas essa transbordante simpatia não nos pode tolher a liberdade de nação, nem a boa educação de povo civilizado. Que temos nós com os velhos ressentimentos da França? E como poderíamos rejeitar o convite da Alemanha?

Mas a notícia foi invenção do telégrafo, – maranha desse extraordinário barão de Münchausen, que vive através dos ares e das águas a semear mentiras pela terra. Quando acabarem as manobras militares na Alsácia-Lorena, o marechal Hermes irá a Paris, e não há de ser apedrejado no boulevard. Nenhum Gregori, alucinadamente *chagrin* lhe há de desfechar um tiro de revólver. E o presidente Fallières, aquele bom velho que é um tipo ideal de chefe de democracia, há de acolhê-lo com um grande abraço, e há de oferecer-lhe um bom copo de excelente vinho dos seus domínios do Loupillon...

Uma das provas do grande amor que votamos à França está na preferência que sempre nos mereceu o seu teatro. As companhias francesas de drama, comédia, ou opereta, são as que mais gente levam ao teatro, no Rio. Ainda agora estamos aplaudindo com entusiasmo Féraudy e Brandés. A língua francesa nos é mais familiar do que a italiana, e até do que a espanhola. Tina, que daqui se foi há poucos dias, e Guerrero, que dentro de poucos dias de novo chegará, nunca nos hão de agradar tanto como Sardou, Réjane ou Brandés.

Para mim, confesso que o que me atrai para o teatro francês, mais do que para qualquer outro, não é o amor que nutro pela França, nem a preexcelência da literatura dramática francesa: é que os atores franceses ainda são, de todos, os que mais compreendem a sua arte, e os que a praticam com o mais escrupuloso respeito. A pior *troupe* de França tem uma homogeneidade, um ajuste, uma harmonia, que não se encontram nas melhores italianas, espanholas ou portuguesas. Veja-se esse admirável conjunto, que ora se exibe no *Lírico*. Naturalmente, Féraudy e Brandès avultam e dominam o todo. Mas todas as outras figuras são aceitáveis, e obedecem disciplinarmente às necessidades do concerto. Não há ali um papel que não esteja conscienciosamente decorado, não há uma réplica demorada, não há uma entrada fora de tempo: a marcação é perfeita, e o "ponto" é inútil.

As noitadas do *Lírico* têm sido um encanto. Féraudy conquistou a platéia com a sua completa criação de Lechat, em *Les affaires sont des affaires*. Monstro moderno, minotauro de hoje, remexedor egoísta de milhões, corruptor de almas e esmagador de escrúpulos, o *brasseur d'affaires* achou, em Féraudy, quem fixasse a sua fisionomia em um tipo definitivo e inolvidável. Brandès apareceu-nos depois em *Le Passé*, como uma artista verdadeiramente, genuinamente, rigorosamente francesa, aliando a mais ardente paixão ao mais nobre horror do exagero, e mantendo nas vibrações da mais intensa comoção, essa encantadora sobriedade, que já Montaigne prezava e proclamava como a mais bela e constante qualidade da sua raça.

* * *

Uma nota de arte e de melancolia para terminar a *Crônica*.

Houve há pouco tempo, na Casa Vieitas, uma admirável exposição de arte italiana. Quase todos os quadros e quase todas as esculturas, terminada a Exposição, reentraram para os caixotes, e seguiram para Buenos Aires. Os nossos homens ricos acharam muito caros aqueles primores.

Anteontem, houve um leilão de móveis, porcelanas, tapetes e quadros, que pertenceram à casa imperial; venderam-se alguns quadros e alguns móveis; mas quando o leiloeiro anunciou um serviço de velha porcelana azul e ouro, com oitenta e uma peças, houve quem oferecesse por ele treze mil réis! e, como ninguém cobriu esse lance, o leiloeiro não tomou a sério a oferta, e retirou o aparelho da hasta pública.

É preciso notar que não se trata de uma baixela vulgar, mas de um serviço de raro valor artístico e de inestimável valor histórico, porque está no Rio de Janeiro há cem anos, tendo pertencido a D. João VI, a D. Pedro I e a D. Pedro II.

Tudo isto constituiria um forte depoimento contra o nosso bom gosto e a nossa educação artística, se o caso não tivesse uma outra explicação muito natural e muito verdadeira, – que é a falta de dinheiro. Mas [sic] temos dinheiro para esses luxos de arte. As poucas fortunas, que existem no Rio, são fortunas pouco sólidas, que vivem a experimentar altos e baixos, sempre metidas e arriscadas em demandas e especulações. Já conheci no Rio muitas lindas coleções de arte: mas sempre as conheci mudando de casa e de dono, pertencendo hoje ao comendador X., amanhã ao bolsista Y., depois ao visconde Z., depois ao bicheiro Z. Z., e afinal dispersadas, indo servir de núcleos geradores de outras coleções igualmente condenadas à dispersão, ou exportadas para a Argentina e para a Europa...

Não há dinheiro! eis aí uma afirmação que ninguém contesta, e que explica muita coisa.

Mas não há dinheiro somente nos cofres particulares. Nos cofres públicos sempre há algum ouro. O Estado nunca é pobre. E não se compreende que o governo permita a emigração de tantas riquezas de arte histórica.

Temos um Museu Nacional, e temos uma Pinacoteca Nacional. São duas casas que poderiam ser hoje riquíssimas, se não fosse a avareza dos nossos governos, – tão mãos-rotas para as inutilidades da politiquice e tão unhas-de-fome para as cousas de Arte. Com um pequeno sacrifício, que não arruinaria o Tesouro, o governo provisório poderia ter adquirido todas as preciosidades que ornavam os dous Paços Imperiais. Esses dois Paços eram feios e tristes: mas guardavam nas suas salas muita coisa bela, muito quadro de preço, muita baixela opulenta, muito mobiliário rico. Quase tudo isso já emigrou. E as poucas preciosidades, que ainda não saíram do país, andam por aí a arrastar-se de leilão em leilão, sem compradores, como o serviço de porcelana de D. João VI, que não logrou anteontem oferta superior a treze mil réis. Daqui a pouco tempo, de tantas coisas preciosas, nem uma só há de ser nossa: todas irão ornar terras estranhas, onde haja mais dinheiro e mais amor da Arte e da História.

E, de vez em quando, recebemos cada esmola vergonhosa!... O negociante, que realizou há pouco tempo na Casa Vieitas a exposição de arte italiana, esperou naturalmente que a nossa Escola de Belas Artes adquirisse algumas das suas maravilhas. Mas a Escola não tem verba... E o negociante, compadecido da penúria da pobrezinha, ofereceu-lhe não sei bem o quê: um quadro ou uma estátua. Se não fosse essa generosidade, não teria ficado aqui uma só daquelas obras-primas...

* * *

Mas vamos ao *ground* do Paissandu.

O. B.

26 jul. 1908

Crônica

O jogo... Reina um grande medo pânico e impera uma surda cólera no vasto mundo das fichas e dos ficheiros. Mundo estranho, muito conhecido e sempre misterioso, fornecendo um campo inesgotável à exploração dos filósofos, dos neurologistas, dos moralistas e dos humoristas...

Em todos os países e em todas as cidades, esse mundo se divide em várias regiões, que são os bairros opulentos e os bairros pobres do Vício. No Jogo há Botafogo e Saco do Alferes; há Viminal e Suburra. De um lado, mãos enluvadas manejam fichas de marfim e madre-pérola; do outro lado, mãos calosas e sujas remexem grãos de milho. Mas, em um como em outro lado, o dinheiro é o mesmo, e a mesma é a paixão. Esse vício é um grande nivelador de almas...

É o bairro nobre do Azar que está atualmente revolucionado pelo medo e pela cólera. Caiu de sobre os olhos da Polícia a venda tolerante que os tapava: e o seu olhar, libertado do anteparo condescendente percebeu enfim que não é somente nas alforrias da Gamboa e nas espeluncas da Saúde que a paixão do Azar fabrica assassinos.

Foi um assassinato, praticado numa praça pública, em pleno dia, que chamou para as batotas elegantes a atenção policial. Ficou averiguado que os dous heróis desse drama de valentia eram freqüentadores assíduos dos grêmios equívocos que florescem bastamente no Rio, intitulando-se sociedades recreativas, sendo de fato, empresas de jogatina. E muitas vezes agregando à indústria do Azar a indústria do [*****]. São esses os quartéis-generais da grande multidão dos misteriosos sujeitos que infestam as confeitarias e os teatros, vestindo-se com luxo, sustentando amantes, gastando dinheiro a rodo, – e sem profissão [*****] rendas confessáveis. É desses viveiros de pelintragem *smart* que saem as "quadrilhas dos moços bonitos", as confrarias dos passadores do conto do vigário, e as irmandades dos "Alphonse" e dos "Bel-Ami", sedutores de mulheres casadas, a quem extorquem primeiro os beijos, pelo amor, depois o dinheiro, pelo terror. É também aí que se engendram os estelionatos, os desfalques das repartições públicas, todas as malandragens que destroem mocidades em flor e almas em formação. Raros são os que conseguem fugir a tempo, com a honra intacta, dessas oficinas de depravação moral. Não há trabalho possível depois de uma noitada perdida nessas furnas esplêndidas, que só dão lucro aos que as dirigem e exploram ostensivamente ou por trás da cortina.

Em boa hora (já era tempo!), a Polícia, deixando por um momento em paz os antros sórdidos e as batotas reles, onde os candeeiros fumegantes iluminam caras patibulares, passou a vigiar os clubes elegantes, onde se rende culto simultâneo a Eros e Fortuna, e onde a abundância da luz elétrica, apesar da boa educação dos homens e da *maquillage* das mulheres, mostra bem a tortura, o sofrimento, o martírio que as alternativas da perda e do ganho estampam nas faces dos jogadores.

Sempre que se inicia, no Rio de Janeiro ou alhures, uma campanha contra o Jogo, renascem os velhos problemas: é possível dar combate sério, decisivo e mortal a esse Vício? E tem o Estado o direito de impedir que qualquer cidadão esbanje o seu dinheiro nas batotas em vez de dissipá-lo em roupas, em quadros de preço, ou em charutos finos e vinhos preciosos? A primeira dessas questões é tola. O Jogo é velho e eterno como a inteligência humana. O primeiro e mais sério desejo da criatura inteligente é ser forte e dominadora: vencer essas forças desconhecidas que são naturais para os céticos e sobrenaturais para os crentes, mas que igualmente preocupam, irritam e desesperam aos céticos e aos crentes. Prometeu não foi o primeiro nem o último afrontador de deuses. E que deus mais irritante do que o Acaso? Não há homem que, ao menos uma vez na vida, não procure derrotar e subjugar esse nume desaforado, cujas incoerências parece que obedecem a um método incompreensível. Assim, sempre houve e sempre há de haver jogadores.

E essa paixão sempre foi e sempre há de ser, de todas as paixões humanas, a mais terrível e absorvente. Jean-Jacques Rousseau dizia: "Je conçois qu'un homme aille au jeu, mais c'est lorsqu'entre lui et la mort, il ne voit plus que son dernier écu". É uma concepção errada. Entre os milhões de jogadores, de que está cheio o mundo, raros são os que jogam por necessidade: quase todos jogam por hábito, por vício, por paixão. A necessidade pode ser o primeiro motivo: mas é motivo que desaparece logo. O que fica é a escravidão ao Azar, é o cativeiro irremediável a que se sujeita o jogador, prisioneiro do Acaso, a quem pretendeu vencer. O tipo de jogador por vício irreprimível é muito mais comum do que pensava Rousseau. Os maiores jogadores não querem o dinheiro para gastá-lo em qualquer outro gozo material ou moral: querem-no para continuar a jogá-lo. Nem a velhice, nem a riqueza, nem a enfermidade, nem o Amor, nem a religião podem vencer esse vício demoníaco. Duas anedotas, respigadas ao acaso, na imensa antologia do Jogo, explicam bem o poder soberano de tal paixão. Uma é a do ricaço Volanerius, de que fala uma velha sátira do velho Horácio: homem opulento, que, quando a gota lhe entorpecia os dedos, pagava fartos salários aos criados que se encarregavam de lançar os dados sobre a mesa. Outra é a daquele velho estadista, devotíssimo e riquíssimo, respondendo ao confessor, que lhe exprobrava o tempo perdido nas casas de jogo: "É verdade, meu padre! Perde-se muito tempo em baralhar as cartas!" E há jogadores que, depois de perdido todo o dinheiro, jogam a posse da mulher a que amam! E há jogadores que jogariam a própria alma se achassem quem quisesse aceitar essa parada com cotação no mercado! É, portanto, inepto querer dar cabo desse vício. Já na idade pré-histórica os homens-macacões jogavam; – e daqui a muitos séculos, quando chegarem os tempos de bondade e justiça que sonham os otimistas, ainda os super-homens, quase anjos, hão de jogar.

Mas o segundo problema já não é inepto. Tudo depende do modo de formulá-lo. Se tenho o direito de esbanjar uma fortuna como me aprouver, e se ninguém me pode negar a liberdade de optar, como processo de esbanjamento, entre o luxo, o jogo e qualquer outra maneira de gastar dinheiro, não se pode concluir daí que qualquer espertalhão monte e mantenha usinas de ratonices e de assassinatos, montando e mantendo casas de jogo franco.

O Estado não pode proibir que a gente de responsabilidade, senhora de si, podendo livremente dispor do que é seu, se reúna para jogar, em sua casa, ou em *clubs* regularmente constituídos, cujos estatutos não sejam apenas uma desbragada maranha.

Mas as batotas douradas que os empresários da roleta exploram por aí não são *clubs*. Sempre se entendeu, na Europa, aqui, e creio que até nos outros planetas, que *club* é uma associação de homens que se conhecem, que se respeitam mutuamente e que conscientemente se reúnem para isto ou para aquilo. Não pode ser *club* uma casa de entrada livre, para onde as cantoras de cafés-concertos conduzem todos os ingênuos que arrebanham pela cidade. Não pode ser *club*, – nem ter as regalias de *club* – um estabelecimento que só pelas mobílias de preço e pelos candelabros luxuosos se distingue das espeluncas em que se joga o [*****], com baralhos imundos, sobre mesas de pau tosco. Não é possível determinar com justiça e precisão qual desses dous gêneros de batota é o mais pernicioso, – como também não é possível dizer qual é o meliante mais funesto: o que anda descalço e maltrapilho, fazendo alarde da sua degradação, ou o que se veste com apuro e apregoa com insolência a sua honestidade.

Foi bom que caísse dos olhos da Polícia a venda da tolerância. E se essa venda tem de retornar ao lugar que até agora ocupou, que a tolerância seja para todos: para os pés rapados e para os moços bonitos.

O. B.

30 AGO. 1908 CRÔNICA [CIA]

Na Exposição. Domingo.

Que falta à Exposição?

Nem luz, nem movimento. Durante o dia, o Sol, que é o Empreiteiro da iluminação do nosso sistema planetário, fornece de graça a sua luz ofuscante, que chega a ser demasiada: o dorso falado [?] da Urca e da Babilônia, a face espelhante do mar, as fachadas brancas dos Palácios, ardem, reverberando. À noite, a luz elétrica, estendida em fios, conglomerada em grandes massas irradiantes, chega a ofender a vista da gente, doendo nos olhos. E, exceto nas noites e nos dias em que chove, o âmbito larguíssimo é pequeno para conter a inundação estuante da multidão, que se espraia pelas avenidas.

Mas, nesse movimento e nessa fulguração, há um silêncio que impressiona mal. Ainda nesse domingo, 23, dia de incomparável formosura, sessenta mil pessoas andaram por aqui, torvelinhando; mas que silêncio! As bandas de música são poucas e têm preguiça. Só de longe em longe se ouve o eco abafado de uma música. E o rio humano se escoa sem uma crepitação alegre, sem uma espumarada de riso, sem um estalar de entusiasmo. Há senhoras que passam gravemente carregadas de sedas negras, pelo braço de homens fúnebres, que dão a impressão de estar acompanhando a procissão do Enterro. Até as crianças, chupando o dedo, pasmando para os Pavilhões, têm uma solenidade que irrita...

Que falta à Exposição? falta barulho. Nas outras grandes cidades da terra, onde a Natureza é triste, onde o solo sua melancolia e onde o céu chove tédio, uma grande Exposição como a nossa é sempre uma quermesse barulhenta e delirante, cheia de um vasto e tonitruoso clamor em que se misturam gritos e risadas, pregões de barraqueiros, guinchos de palhaços, berros de cocheiros, alaridos triunfais de músicas e cantos.

Escrevi "guinchos de palhaços"... À nossa gente *smart*, idólatra do *smoking*, adoradora da casaca, fetichista da Elegância, pode parecer absurdo e *schocking* (vá lá mais este peregrinismo!) que uma Exposição tenha palhaços. Tem, sim, senhores! Em Paris, em Londres, em Berlim, nas mais velhas e ricas, e elegantes capitais da Europa, as Exposições servem para entreter e divertir, ao mesmo tempo, a gente grave e a gente fútil, a gente rica e a gente pobre, a gente poderosa e a gente humilde. Há por lá restaurantes e teatros de luxo, onde o lugar à mesa e o lugar na platéia custam gordas quantias; mas, fora desses recintos privilegiados, o povo encontra as suas diversões favoritas.

Entremeando-se com os palácios suntuosos, há as barracas pitorescas, sarrafos e lona, em que a modéstia da construção não é difícil de conciliar com uma certa elegância de linhas e de decoração; e encontram-se aqui as danças exóticas, ali o engolidor de espadas, acolá a mulher elétrica, além o hércules de feira, mais adiante o domesticador de cobras, o homem-escafandro, o prestidigitador, o pintor de paisagens instantâneas, o acrobata, o ensinador de cães, e um sem número desses saltimbancos alegres, que são a delícia das crianças de calças curtas e das crianças de cabelos brancos.

Nada disso é *up-to-date*, nem cheira à "Victoria-Essence" ou à "Féria"; mas as Exposições não são feitas apenas para divertir banqueiros e diplomatas; e o povo tem o direito de exigir os divertimentos que são modestos e inocentes como a sua alma rude.

Tudo isso falta à nossa Exposição, e, faltando-lhe isso, falta-lhe o barulho, falta-lhe a animação, falta-lhe a vida. A gente *chic* é adorável: mas o seu mesmo *chic* lhe impõe o dever de ser sisuda, entediada, enjoada e melancólica; de modo que, se contarmos apenas com esse escol, com essa gema, com essa nata da sociedade, a Exposição há de ser sempre taciturna como fim de mês sem dinheiro e acabrunhadora como a leitura do *Corpus Juris*.

Onde está aqui, para as crianças, o teatrinho de João Minhoca? onde está a barraca da leitora de "buena dicha"? onde está a tenda do tirador de fotografias instantâneas? onde estão todos esses divertimentos ingênuos e baratos, que são o maior encanto da boa arraia-miúda, dessa forte e simples multidão sobre cujo trabalho e sobre cuja resignação, assenta a felicidade dos remediados e dos ricos?

Onde estão aqui, principalmente, os cantores de modinhas brasileiras? Essa nota, profundamente nacional, seria um encanto para nós, e uma surpresa e uma revelação para os estrangeiros. Já sei que o violão anda muito desmoralizado nas rodas da alta: mas o povo continua a gostar muitíssimo dele, e basta isso para que ele conserve todo o seu prestígio.

A grande Indústria, a que consome e rende milhares e milhares de contos de réis, enriquecendo prodigiosamente os seus magnatas, está aqui muito bem representada, dentro desses imensos palácios, que são a glória dos arquitetos da Exposição. Mas em vão se procura cá fora, ao ar livre, nas alamedas, a exibição dessas pequenas indústrias, que, em qualquer Exposição da Europa, nos maravilham pela sua diversidade e pela sua originalidade, revelando o gênio inventivo do povo: brinquedos, jogos, utensílios domésticos, toscos instrumentos e aparelhos, mil nadas que pouco valem pecuniariamente, e valem muito como afirmação de inteligência, de vontade de ganhar dinheiro e de amor ao trabalho.

Claro está que a culpa de todas estas pequenas faltas não cabe à Comissão. Cabe à própria índole tristonha e apática do nosso povo, e à escassez da iniciativa particular, que é um dos distintivos da nossa raça. Em matéria de pequenas indústrias de rua, temos apenas o padre dos fósforos, a espanhola dos tapis, e os mascates.

Glorioso domingo, gloriosa Exposição, glorioso esplendor de riqueza e de arte! Mas triste povo! Decididamente, só o Carnaval consegue abalar e entusiasmar esta cidade tão cheia de luz, de calor, de beleza, – e tão vazia de bom humor...

O. B.

06 set. 1908 — Crônica [RLL]

Há na Exposição, exibidos não sei se como consolação ou como castigo, dous grandes criminosos. Estão em vários pontos da Exposição, ao mesmo tempo; mas estão, principalmente, nas seções de Minas e de S. Paulo.

São dous grandes culpados... Entretanto, não têm aspecto repulsivo. Apresentam-se, ao contrário, de modo sedutor. Um deles aparece em mostruários de luxo, em forma de lindas pepitas de finíssimo e refulgente pó, e de sólidas barras rebrilhantes. O outro, mais modesto, mas igualmente belo, mostra-se dentro de bocais de vidro e de sacos de linho. Mas é bem certo que quem vê cara não vê coração. Ali onde os vedes com aquelas caras de santos, aqueles dous sujeitos causaram durante muito tempo o atraso do Brasil.

Já deveis ter adivinhado que me refiro ao Ouro e ao Café.

São dous grandes criminosos.

Têm ainda, e sempre hão de ter, muitos defensores e muitos e muitos adoradores. Isso, porém, nada prova. Até o Diabo, que é o diabo, acha quem o defenda e adore...

Imagino o espanto que já está causando esse começo de crônica. Já alguns leitores estarão dizendo: "Pobre cronista! subiu-lhe a Exposição à cabeça e está com as idéias transformadas em fogos japoneses!"

Mas aqui vai a explicação de tudo.

Era eu menino quando ouvi pela primeira vez esta frase, que de então por diante nunca mais deixou de soar ao meu ouvido, com foros de verdade inabalável: "O Brasil é um país essencialmente agrícola". Verdade é que também sempre ouvi dizer que a agricultura tem falta de braços; e não é possível conciliar bem estas duas idéias: um país essencialmente agrícola, cuja Agricultura é uma espécie de Vênus de Milo, desprovida de seus membros toráxicos, que sempre foram e sempre hão de ser os principais, para não dizer os exclusivos instrumentos de trabalho para conduzir a charrua, de arrotear os campos, de semear a terra e de realizar as colheitas. Mas os chavões são sempre assim: não se explicam, e contradizem-se, e desmentem-se todos os dias, e continuam a parecer verdades absolutas.

Um país essencialmente agrícola, – não é o que dizem os que visitam a Exposição. Os industriais andam impando de contentamento e de orgulho. É deles a época. E os agricultores, com a crise do café, já perderam aquela serena confiança antiga, com que se apresentavam como os únicos soberanos legítimos do Brasil. Ainda eles pompeiam, é certo, em algumas seções da Exposição; mas que é a agricultura moderna, senão um ramo secundário da Indústria propriamente dita, que lhe dá as suas máquinas e o auxílio dos seus processos extrativos e fabris?

Em todo o caso, não é diante do café em bocais [?], nem do milho, nem do arroz, nem da borracha, que pasmam os visitantes da Exposição. Todo o interesse se concentra diante dos mostruários em que se amontoam os produtos do trabalho manual ou mecânico, – produtos cuja riqueza e cuja variedade assombram os mais céticos. "Já produzimos isto! Já produzimos aquilo!" – são as frases de espanto que com mais freqüência se escutam ali. A verdade é que se ainda não produzimos tudo, já tudo somos capazes de produzir, – desde o que é simplesmente útil e indispensável à satisfação das necessidades imperiosas da vida, até o que é simplesmente belo e agradável, destinado a servir às exigências do luxo e da vaidade.

É consolador verificar que esta conquista foi rápida e facilmente alcançada.

A nossa última Exposição Industrial, realizada já no regime republicano, era quase uma vergonha pela escassez de produtos, pela pobreza da instalação, pela trapalhice da organização; e dela ainda se podia dizer o que disse Joaquim Manuel de Macedo da de 1868: "Abundou em produtos de trabalho não industrial e em obras de fantasmas que ali eram hóspedes imperturbáveis".

Para que tivéssemos boas indústrias e boa Exposição Industrial, foi preciso que o Café e o Ouro, esse dous grandes produtos criminosos fossem derrotados, vencidos, manietados e afastados do poder absoluto.

O primeiro déspota insaciável e abominável que nos dominou, empecendo-nos o progresso, devorando-nos toda a energia, atrapalhando-nos toda a vida industrial, foi o Ouro.

Grande Sicário esse! Já nem lhe quero lançar em face as vidas que sacrificou, as tempestades de ambição que desencadeou, as guerras que atiçou, o sangue que fez correr, e as atrocidades a que deu origem.

Para malsiná-lo e envergonhá-lo basta-me lembrar que foi ele quem matou, em 1785, a indústria nascente do Brasil. O nosso bom povo daquele tempo, oprimido pela tirania da metrópole, trabalhava e penava sem esperança; e já havia por aqui algumas manufaturas e alguns teares. Isso não agradava à metrópole. A metrópole queria ouro e mais nada, – ouro e mais ouro. Daí a expedição do alvará régio de 5 de janeiro de 1785, mandando fechar no Brasil, sob penas graves, todas as fábricas, as manufaturas, os teares de algodão, de bordados de ouro, prata, seda, linho, algodão ou lã, excetuando-se somente a fazenda grossa para uso dos negros, dos índios e das famílias pobres: também ficou absolutamente proibida a vinda de navios de comércio ao Brasil; e a razão principal da medida estava explicada nesta linha: "...as fábricas desviavam os trabalhadores do trabalho da exploração das minas..."

Ora pois! o Ouro afinal foi vencido. Chegou até nós a nota autêntica das riquezas que daqui foram para Portugal durante o reinado de D. João V, mais de cento e vinte e cinco milhões de [*****] de ouro, mais de cem mil moedas de outro cunho, também de ouro: vinte e duas caixas de ouro em obra; vinte e cinco mil marcos de ouro em pó, – além do produto do quinto das minas que [*****]

O *Jornal do Comércio* de anteontem publicava o seguinte telegrama de Londres: "A *Ouro Preto Gold Mining Company* vendeu por lbs. 8760 o ouro obtido por suas minas no passado mês de julho". Apenas um pouco mais de cento e quarenta contos! E, enquanto isso, as nossas indústrias se ostentam em plena glória na praia Vermelha. O Tempo, que é o único juiz absolutamente incorruptível e infalível, vingou o agravo feito aos teares e às manufaturas de 1785.

E que dizer do outro grande criminoso – desse emproado e petulante Café, que durante quase um século monopolizou aqui todo o tempo, todo o trabalho, todo o dinheiro, todos os cuidados e todas as honras?

A preciosa rubiácea já foi preciosa demais. Tão preciosa, que, deslumbrado e corrompido pelo seu alto preço, o Brasil se despreocupou de tudo quanto não era café – e viveu a plantar café, a colher café, a vender café, a beber café, a oferecer café, a arrotar café. Todos supúnhamos que isso era um patrimônio eterno e inesgotável, tesouro maravilhoso que sustentaria, através dos séculos, a riqueza do Brasil...

Mas, como aconteceu com o ouro, chegou também a hora má para o café. A preciosa rubiácea, cantada entusiasticamente por Voltaire, anda hoje depreciada. Tanto pior para os plantadores de café – mas tanto melhor para o Brasil, que duramente aprendeu, à custa de grandes apuros, quanto é precária a sorte do país que só conta com uma fonte de renda.

Mas o mal está passando. Temos já indústrias, prósperas, variadas e fortes – graças à derrota dos dous grandes criminosos.

Ouro e Café! estais pagando o mal que fizestes! E não sei se é como consolação ou como castigo que ainda vos expomos na praia Vermelha.

O. B.

27 set. 1908 — Crônica [Cia]

Alguns acontecimentos desta semana me deram uma certa melancolia – que bem poderia ser contada em verso, se eu ainda tivesse tempo e paciência para andar à caça de rimas. Prefiro cantá-la em prosa corrente, para não estragar imagens e ritmos com o comentário de vulgares saudades.

Acontecimentos vários, várias notícias: a entrada da primavera, a partida dos voluntários para as manobras, os dias da Exposição consagrados aos divertimentos das crianças, o "corso das carroças"...

A entrada da primavera, no Brasil, não dá à gente aquele ferver do sangue, aquele vibrar de nervos, aquela exaltação de almas que na Europa [*****] a época do reverdecer das árvores. Mas por associação de idéias, e por uma influência da nossa educação literária bebida em fontes da Europa, não podemos deixar de sentir, ao ler nos almanaques, a boa nova da chegada da estação das flores, uma certa revolução do espírito. É uma convenção.

Foi essa convenção que impôs ao Congresso dos Estudantes, em Montevidéu, a escolha da data de 23 de setembro para a Feira dos Moços.

A primavera simboliza a mocidade das cousas e das almas [*****] da esperança [*****], a inocência da vida, o gosto de viver, – e a faculdade de rir.

Foi nesse dia que os estudantes realizaram aqui o famoso "corso das carroças", formidável caricatura animada, estrepitosa *charge* que deu à vida da cidade uma nota de inesperada alegria. Como é bom poder rir e fazer rir daquele modo, e ter a coragem precisa para escandalizar com aquela veemência de bom humor impetuoso toda a forçada elegância de uma sociedade que obriga à tortura das batas e verniz a pés que só anseiam pela comodidade dos chinelos de trança! Passada a mocidade, já ninguém se rebela contra os ridículos da época: depois dos trinta anos, os homens submetem-se a tudo, e toleram tudo, e acham que tudo vai bem, e que tudo é sério. Para ter a força de dizer: "isto é cômico", e para ter a força de rir do que a maioria respeita, é preciso ter vinte anos, idade em que se [*****] para a pancada, para o barulho e para a morte sem palidez na face e sem susto na alma.

Foi também nesse dia, ou no dia seguinte, que se realizou na Exposição a primeira festa dedicada às crianças dos colégios. Ora pois! já as crianças são criaturas dignas dessa consideração! Já uma grave e circunspecta comissão (em que há um general, e vários engenheiros e bacharéis) não acha indigna da sua respeitabilidade a preocupação de organizar folguedos para a pirralhada! Como os tempos mudaram!...

E foi ainda nesse mesmo dia que li nos jornais as primeiras notícias vindas dos acampamentos dos voluntários em Deodoro. A partida foi uma festa, e uma festa em que moços ricos e pobres confraternizavam: todas as classes desfilavam ali, naquele préstito fúlgido. Rapazes entre dezessete e trinta anos, todos partiam cantando, e lá estão, na rude vida das manobras, dormindo sobre o duro chão, afrontando o vento e a chuva, transformando o desconforto em fonte de alegria. Dizem as notícias que o acampamento dos "especiais" é uma vasta "república" de estudantes. As barracas têm tabuletas satíricas, em prosa e verso; à noite, gemem os violões e o céu fica povoado de canções líricas. E se, em vez de manobras de instrução, ali se estivessem realizando operações de verdadeira guerra, e se ali perto o inimigo e a morte andassem rondando o acampamento, – a alegria seria a mesma, e as mesmas canções celebrariam a vida e o amor... Mocidade! mocidade!

Todas essas notícias e todos esses acontecimentos que falam [*****] e de mocidade, me vieram lembrar esta cousa triste: que nunca fui verdadeiramente menino e nunca fui verdadeiramente moço.

A cousa não teria importância, se fosse uma desgraça acontecida a mim somente: mas foi uma desgraça que aconteceu a toda uma geração. Toda a gente do Rio, que tem hoje a minha idade, deve estar sentindo, ao ler estas linhas, a mesma tristeza.

Fomos todos criados para gente macambúzia, e não para gente alegre.

Nunca nos deixaram gozar essas duas quadras deliciosas da vida em que o existir é um favor divino. Os nossos avós e o nossos pais davam-nos a mesma educação que haviam recebido: cara amarrada, palmatória dura, estudo forçado, e escravização prematura à estupidez das fórmulas, das regras e das hipocrisias.

Tudo quanto era divertimento, estroinice, namoro, surto para o ideal e para a liberdade, tinha de ser feito às escondidas. Aos dezesseis anos, ainda éramos tratados como meninos; e éramos profundamente hipócritas, e abominavelmente perversos, fingindo, por medo do castigo, uma inocência que já fora atirada às urtigas...

"Pueri [*****]" dizia a *artinha* latina, que o padre Belmonte me pôs nas mãos, quando os meus dez anos de idade, em vez das regras da gramática latina apeteciam e ambicionavam a cabra-cega, a peteca, e o *saute-mouton*. Havia alguma ironia acerba naquela frase, lida e traduzida por um menino: *pueri* [*****] e eu, em vez de brincar, estudava, Jesus! o ódio profundo, o ódio terrível, o ódio sanguinário, que dediquei àquele *capitão prudente* da frase [*****] *prudens imperat!*. Jamais houve na vida capitão tão sinceramente detestado!

Quem se lembra jamais, ó Cariocas da minha geração, de dar-nos festas infantis? As nossas festas eram torturas: vestiam-nos uma roupa nova, entalavam-nos os pés com sapatos que nos [*****] os tornozelos e levavam-nos a passeio com esta medonha intimação: "É preciso estar quieto! é preciso ser sério! é preciso ser homem!"

Tanto nos recomendavam isso, que ficamos homens antes do tempo. E que homens! céticos, tristes, de um romantismo doentio...

Do colégio para a academia levamos um embezerramento que ainda hoje é o nosso distintivo. Aos dezesseis anos, éramos sábios! Não brincávamos: *pensávamos*, tínhamos clubes literários, e declarávamos, com asco, que a Vida era uma podridão! Não namorávamos: *amávamos*, com esgares, e desvairamentos, e excessos trágicos, amaldiçoando a Mulher e odiando o Amor!

Conheço muito intimamente um certo sujeito, que aos dezessete anos de idade fez uma conferência sobre "localizações cerebrais"! – grande pedante – que hoje só tem o desejo ardente e irrealizável de morrer, para nascer de novo e poder aproveitar em gozo exuberante e em escandalosa alegria a adolescência que dissipou estupidamente em emprego estéril e em estudo mal feito...

Ah! que tumultuosos "corsos de carroça" inventaria esse sujeito, se pudesse volver aos vinte anos! com que júbilo marcharia para as manobras, e com que prazer suportaria o chão duro, a chuva e o vento, e todas as agruras do abarracamento *à la diable*! e com que formidável explosão de entusiasmo, à entrada da Primavera rebentaria os [*****] em *vivas* e *urras* à Festa da Mocidade!

Mas os vinte anos não voltam mais; nenhum de nós, ó Cariocas da minha geração, há de viver outra vida, para recuperar o bom tempo perdido!

E daí, quem sabe?, talvez seja melhor assim! Se tivéssemos uma outra vida, seríamos capazes de estragá-la de novo, – e essa reincidência no crime seria monstruosa!

O. B.

25 out. 1908 — Crônica [Cia]

Que outro assunto, hoje, senão a morte de Artur Azevedo?

A Crônica está de luto: perdeu um dos seus melhores servidores, – talvez o melhor, porque foi de todos o que mais soube tratá-la, como ela quer ser tratada, com um espírito onímodo, dando a todos os assuntos uma leve graça fugitiva, e pondo a arte do dizer ao alcance de todas as inteligências, sem prejuízo da correção do estilo.

Foi a Crônica e foi o Teatro que deram a Artur Azevedo a larga popularidade que o favoreceu em vida, e que ainda o acompanhou à cova, traduzida na multidão extraordinária que o levou ao cemitério; popularidade essa de que o escritor nunca se vangloriou, aceitando-a sem grande orgulho, sem dela abusar. Teatro e Crônica estão de luto pesado...

Quando comecei a minha vida de escritor, poeta obscuro, paupérrimo e desamparado, querendo abrir caminho na vida com os meus cotovelos fracos em que se puía o pano do meu único paletó, Artur já era o príncipe da Crônica: os seus artigos diários tinham um largo público, e o seu louvor e a sua censura criavam doutrina. Mandei-lhe um dia dois sonetos, e vi-os estampados no dia seguinte: lembro-me bem! Foi o melhor dia da minha vida! Nunca vi o céu tão azul! Boêmio adolescente, atravessei a rua do Ouvidor como o conquistador da cidade e do país, tendo a ilusão de que as solas avariadas dos meus sapatos arrancavam chispas de estrelas das pedras do calçamento!

Já lá se vão mais de vinte anos...

A quantos outros escritores novatos Artur não deu, como me deu a mim, o amparo da sua popularidade, o prestígio do seu nome, a proteção da sua bondade generosa! Foi um criador de nomes e de reputações, esse dominador da opinião: e não é estranhável que tenha recebido muitas ingratidões em paga de tantos benefícios – porque parece ser uma condição essencial da vida a revolta da criatura contra o criador...

O cronista e o comediógrafo conservaram até a morte – e hão de conservá-la por muito tempo – essa popularidade que poucos homens têm alcançado na carreira das letras, no Brasil. Dizem os *incompreendidos* que só é popular quem abdica o orgulho artístico e renuncia ao gozo da Arte pura e nobre. Mas ainda não conheci um *incompreendido* que não quebrasse lanças para alcançar celebridade: o ódio do vulgo ignaro, o horror da multidão profana, o desprezo do louvor popular, só vêm depois, quando falha sem esperança a última tentativa da conquista... A verdade é que somente logra ser bem compreendido quem é simples: e a simplicidade é a virtude máxima do escritor e do artista.

Artur teve sempre essa virtude admirável entre todas. E nem por isso deixou de ser um puro, um legítimo artista, sempre que o quis ser. Foi um poeta lírico como poucos; e isto já é um grande louvor, em uma terra em que há tantos poetas líricos de primeira ordem. Há sonetos de Artur Azevedo que sempre hão de figurar em todas as antologias da nossa língua, – e, no teatro, seu nome há de ficar como o do empreendedor fecundo e forte. A sua campanha em favor do levantamento da arte dramática no Brasil já está incorporado ao patrimônio da nossa história de povo civilizado, como uma demonstração de energia e de fé. Não houve remoques que a desanimassem, não houve desenganos que a enfraquecessem; até no delírio, antecâmara da morte, vestíbulo do nada, em que a sua inteligência esteve parada durante algumas horas, o defensor do Teatro balbuciava palavras em que ainda vibrava a maior preocupação de toda a sua vida...

Artur foi sempre um artista. E não me refiro apenas à sua arte de escrever. Foi artista em todas as manifestações da existência, no escrever, no pensar, no falar, no viver. Não havia províncias da Arte em que ele fosse forasteiro: – familiar em umas, hóspede em outras, era conhecedor e freqüentador de todas, amando a música, adorando a pintura, admirando a escultura, estudando e compreendendo até as artes vassalas, as subartes que são mais da competência dos artífices do que da dos verdadeiros artistas.

Quando o fui ver pela última vez, já morto, já estendido no caixão que o ia levar ao fundo da sepultura, encontrei-o dentro de uma moldura que o definia, dentro de uma casa que o explicava.

Há sempre uma relação íntima entre o animal e o seu *habitat*.

Mas essa relação não é sempre a mesma.

Nas espécies inferiores, é o animal que pratica o mimetismo, adaptando-se ao meio, imitando-o, incorporando-se a ele: a minhoca tem a cor, o aspecto, a umidade da terra em cujo seio vive; o peixe tem nas escamas e nos olhos a fluidez, o brilho e a fosforescência das águas em que se agita; e o inseto e os répteis reproduzem, por instinto de conservação, a aparência da sua habitação preferida, imitando este a rugosidade da casca das árvores, aquele o verde opaco ou brilhante das folhagens, aquele outro a forma das flores ou o duro aspecto das pedras.

Mas na espécie superior, o mimetismo é, ao contrário, exercido pelo animal sobre o meio. É o homem quem comunica a sua fisionomia à casa: a inteligência humana, dominadora do meio físico, afeiçoa o *habitat* à imagem do habitante. Assim a casa é o prolongamento material e espiritual do morador. Não é preciso ser um psicólogo sutil, um profundo conhecedor dos segredos da indução e da dedução, para dizer, pelo simples aspecto de uma residência: "Aqui mora um artista ou um financeiro, um médico ou um engenheiro, um homem de trabalho ou um vadio gozador da vida". Parece que em todos os móveis, em todos os ornatos, em todas as alfaias, e até no chão, nas paredes e no teto de casa há outros tantos espelhos milagrosos que fixam a fisionomia, o modo de vida, a alma do seu proprietário...

Pensei tudo isto, na sala da casa e no Campo de S. Cristóvão, onde o corpo de Artur fez o seu último estágio antes do descanso definitivo no cemitério.

A sala estava alfaiada de luto. Mas o crepes, os veludos negros, as sanefas tristes em que brilhavam as cruzes de ouro, não tinham podido tirar ao aposento o seu aspecto de santuário de um artista. Contrastando com os ornatos funerários, contrariando-os, opondo-se a eles, e vencendo-os, avultavam os quadros, os livros, as estátuas. Entre dous tocheiros, apareciam, como um protesto contra a Morte, a carnação rosada de uma ninfa, o colo nu de uma deusa, o sorriso lindo de uma criança, em telas de mestres: as grinaldas de flores, com as suas largas fitas negras ou roxas, entremeavam-se com estátuas e estatuetas, em que a Vida e a Beleza ardiam e cantavam; e a coleção opulenta de quadros, de esculturas, de livros, de gravuras transbordava da sala, ganhava os corredores, estendia-se pelas escadas, conquistava todos os aposentos. Por todas aquelas paredes pompeavam o gozo de viver, o culto da formosura, a religião da Arte, – toda a fisionomia, toda a vida, toda a alma do escritor que ali jazia inerte, e que dali a minutos ia descer a escada dentro do féretro oscilante...

O Artista ia deixar a sua casa, que era a continuação e o complemento da sua personalidade... Um véu de lágrimas me escureceu a vista: a casa ficava, como uma moldura sem tela, como uma peanha sem estátua, como uma estante sem livros...

Mas que importa que também desapareçam agora a estante, a peanha e a moldura? Não desaparece verdadeiramente o Artista, que ficará vivendo na história deste país, quando a Morte também já tiver consumido todos os corações e todas as inteligências que admiraram a sua inteligência.

O. B.

Título	*Bilac, o Jornalista: Crônicas – volume 1*
Organizador	Antonio Dimas
Produção Editorial	Marcelo Masuchi Neto
Projeto Gráfico da Capa e do Box	Marcelo Masuchi Neto
Projeto Gráfico do Miolo	Andrea Yanaguita
Caricatura de Olavo Bilac da Página 1	Loredano
Editoração Eletrônica	Marcelo Masuchi Neto
	Tereza Kikuchi
Editoração de Texto	Alice Kyoko Miyashiro
Revisão de Texto e de Provas	Antonio Dimas
	Alice Kyoko Miyashiro
	Fabiane Rodrigues Zorn
	Fábio Duarte Joly
	Maurício Katayama
Divulgação	Regina Brandão
	Bárbara Borges
	Jamila Venturini
Secretaria Editorial	Eliane dos Santos
Formato	16 x 23 cm
Tipologia	Palatino
Papel	Cartão Supremo 250 g/m^2 (capa)
	Offset linha d'água 75 g/m^2 (miolo)
Número de Páginas	904
Tiragem	3000
CTP, Impressão e Acabamento	imprensaoficial

ctp, impressão e acabamento

imprensaoficial

Rua da Mooca, 1921 São Paulo SP
Fones: 6099-9800 - 0800 123401
www.imprensaoficial.com.br

Na página anterior, caricatura de Olavo Bilac feita por Loredano.

Bilac, o Jornalista

Antonio Dimas

BILAC, O JORNALISTA

Crônicas – volume 2

edusp imprensaoficial EDITORA UNICAMP

Ficha Catalográfica Elaborada pelo Departamento
Técnico do Sistema Integrado de Bibliotecas da USP

Dimas, Antonio, 1942 -
Bilac, o Jornalista: Crônicas: Volume 2 / Antonio Dimas. – São Paulo: Imprensa Oficial do Estado de São Paulo, Editora da Universidade de São Paulo, Editora da Unicamp, 2006.
576 p.; 16 x 23 cm.

Inclui: Índices de assuntos, onomástico, de sumários, topográfico.
ISBN: 85-314-0925-X – ISBN: 85-314-0923-3 (caixa) (Edusp)
ISBN: 85-268-0737- 4 – ISBN: 85-268-0735-8 (caixa) (Editora da Unicamp)
ISBN: 85-7060-441-6 – ISBN: 85-7060-443-2 (caixa) (Imprensa Oficial do Estado de São Paulo)

1. Bilac, Olavo, 1865-1918. 2. Crônica jornalística. I. Título. II. Título: Crônicas: Volume 2.

CDD 869

Edusp – Editora da Universidade de São Paulo
Av. Prof. Luciano Gualberto, Travessa J, 374
6º andar – Ed. da Antiga Reitoria – Cidade Universitária
05508-900 – São Paulo – SP – Brasil
Divisão Comercial: tel. (0xx11) 3091-4008 / 3091-4150
SAC (0xx11) 3091-2911 – Fax (0xx11) 3091-4151
www.usp.br/edusp – e-mail: edusp@edu.usp.br

Editora da Universidade Estadual de Campinas
Rua Caio Graco Prado, 50 – Cidade Universitária Zeferino Vaz
Barão Geraldo – Caixa Postal 6074
13083-892 – Campinas – SP – Brasil
Tel./Fax (0xx19) 3788-7786 / 3788-7728
www.editora.unicamp.br
e-mail: vendas@editora.unicamp.br

Imprensa Oficial do Estado de São Paulo
Rua da Mooca, 1921 – Mooca
03103-902 – São Paulo – SP – Brasil
Tel. (0xx11) 6099-9800 – Fax (0xx11) 6099-9674
www.imprensaoficial.com.br
e-mail: livros@imprensaoficial.com.br
SAC 0800-123 401

Printed in Brazil 2006
Foi feito o depósito legal

Para Antonio Candido:

orientação que ultrapassa, de longe, o âmbito da literatura.

Qual de vós, irmãos, não escreve todos os dias quatro ou cinco tolices, que desejariam ver apagadas ou extintas? Mas, ai! de todos nós! Não há morte para as nossas tolices! nas bibliotecas e nos escritórios dos jornais, elas ficam – as pérfidas! – catalogadas; e lá vem um dia em que um perverso qualquer, abrindo um daqueles abomináveis cartapácios, exuma as malditas e arroja-as à face apalermada de quem as escreveu...

O. B., *Gazeta de Notícias*, 13 jan. 1901

Sumário

Convenções

Algumas das crônicas desta antologia, na íntegra ou transformadas, já foram publicadas por Olavo Bilac, em seus livros: *Crônicas e Novelas* (1894), *Crítica e Fantasia* (1904) ou *Ironia e Piedade* (1916).

Outras, em número bem menor, fomos nós que as publicamos em trabalhos de caráter acadêmico, visando sempre sua divulgação.

Quando foi possível a identificação segura daquelas que O. B. selecionou para seus livros, apontamos o destino bibliográfico delas. Quando fomos nós que as publicamos em outros veículos, apontamos também.

Dessa forma, as crônicas bilaqueanas anteriores a esta antologia podem estar em:

[CN] – O. B. *Crônicas e Novelas.* Rio de Janeiro, Cunha & Irmão, 1894.
[CF] – O. B. *Crítica e Fantasia.* Lisboa, Livraria Clássica A. M. Teixeira, 1904.
[IP] – O. B. *Ironia e Piedade.* Rio de Janeiro, Francisco Alves, 1916.

ou em:

[TE] – Antonio Dimas. *Tempos Eufóricos.* São Paulo, Ática, 1983. (Coleção Ensaios, 88).
[Cia] – Antonio Dimas (org.). *Vossa Insolência.* São Paulo, Companhia das Letras, 1996. (Coleção Retratos do Brasil, 6).
[RLL] – *Revista Língua e Literatura.* FFLCH-USP, n. 25, 1999.

Com a marca [*****] indicam-se passagens deterioradas e ilegíveis no jornal original.

Quanto à ortografia, atualizamo-la. Mas a pontuação, fortemente pessoal, mantivemo-la.

O Álbum 1893-1895

Jul. 1893 – nº 27 Luís Murat

Meu caro Artur Azevedo. – Que hei eu de escrever sobre Luís Murat? Publicando o seu retrato, devias apenas transcrever uma das suas estrofes de fogo; isso diria mais que a minha prosa pálida e fria.

Quando o Brasil tiver uma literatura, quando o homem de letras desta terra não escrever mais para um povo de analfabetos, os que vierem depois de nós hão de agradecer-nos este sacrifício nobre, este trabalho ingrato de estar fazendo o desbravamento do caminho entre as assuadas dos imbecis. Nem ninguém nos paga, nem ninguém nos lê. Fazendo arte neste meio de mercantilismo inconfessável e de política baixa, provocamos um escândalo tão grande como o dos anjos, que baixaram a Sodoma e tiveram de fugir horrorizados...

Há dias, estava exposto à vitrine de uma livraria o último número do *Álbum*, com o retrato do Luís Murat. Parou um grupo:

– Quem é?

– Luís Murat.

– Ah! sim, o deputado... Tem feito bons discursos na Câmara...

Olhei com atenção para o grupo. Sujeitos bem vestidos, de fisiognomia inteligente. Não eram bugres, de olhar idiota, e anca enfeitadas de plumas. Eram homens civilizados. Sabiam ler. E este nome de Luís Murat lembrava-lhes apenas um deputado que tem feito discursos na Câmara. Quer dizer isto que os olhos desses senhores têm passado indiferentemente, pelos jornais, sobre os versos que o nome glorioso do poeta assina. Os próprios animais inferiores, de ouvido bronco, são sensíveis à arte. Mas, na escala dos animais, não há nenhum colocado abaixo do homem imbecil.

* * *

Luís Murat, cujo retrato publicou o *Álbum*, não é apenas um grande poeta: é o poeta, cuja obra ficará na literatura brasileira, fixando uma época e definindo uma nacionalidade. Porque essa obra, produto definitivo do lirismo brasileiro, é o remate do trabalho de três gerações literárias. Toda a poesia, que flutuou nos versos brasileiros, veio florescer na alma divina deste poeta, em torno do qual todos os outros gravitam hoje, astros de pequena grandeza, vivendo quase exclusivamente de luz do cantor das *Ondas*.

Não cabe nesta coluna a crítica da sua obra. Gautier, para analisar o Museu do Louvre, teve necessidade de encher um volume de 400 páginas. E cada página da obra de Luís Murat é como a galeria de um museu, onde o visitante é obrigado a demorar-se meia hora pelo menos diante de cada tela, atraído pelo encanto entontecedor, pela sedução irresistível da alma do artista, desdobrada pelos produtos do seu gênio.

Ser poeta, no Brasil, é fácil. Ser poeta como Luís Murat é difícil, porque os seus versos fazem sentir e pensar, transformando-se no seio largo de um mar, em que vêm desaguar todos os rios do sentimento humano. O que lhe dá um valor excepcional e um lugar de honra na literatura brasileira, não é apenas o vigor de colorido e de harmonia com que ele soube fixar nos seus versos a natureza americana; não é apenas esse esplendor do céu que há nas suas imagens, nem esse barulho e esse perfume vivos de floresta ao pôr do sol, que enchem as suas rimas. O que lhe dá o bastão de marechal da poesia brasileira é esse poder de fechar dentro da sua poesia toda a alma do homem moderno, todas as suas dúvidas, todas as suas esperanças, todos os seus amores, todos os seus desesperos. Daí a sua influência sobre os poetas de hoje. Raro o poeta novo em cujos versos não aparece, adulterada por uma imitação quase sempre malfeita, a poesia de Luís Murat.

A sua obra não está ainda completa. Agora é que, amadurecido pela idade e pelo estudo, o seu talento deve produzir o grande trabalho definitivo. Está por escrever o poema da América. É preciso que à nossa geração, a quem já cabe a honra de haver fixado a característica da literatura brasileira, caiba a glória de ter dado à América o seu cantor imortal. Essa tarefa deve ser entregue a Luís Murat. Só a sua Musa, entre nós, tem envergadura para arcar com a responsabilidade desse trabalho glorioso.

Nestas poucas linhas, meu caro Artur Azevedo, se não fica estudado o poeta das *Ondas*, ficam, ao menos, expressa a admiração que sinto por ele, e manifestada a esperança que tenho de ver o seu nome eternamente ligado à história da raça americana. Luís Murat bem sabe que não vive em época que o compreenda e lhe possa pagar, com o aplauso e a veneração de todo um povo, o muito que ele tem feito para injetar um pouco de ideal e de arte na vida mercantil e política deste país. Mas a sua recompensa já está no amor com que escrevem o seu nome os seus companheiros de letras, e estará na justiça das gerações depois da nossa.

OLAVO BILAC

JAN. 1895 – Nº 54 ALUÍSIO AZEVEDO

Ainda há dous ou três meses, o meu querido, o meu pobre Pardal Mallet, em um artigo da *Notícia* – (ai de nós! foi o seu último artigo!) – salientava, a propósito do aparecimento da *Mortalha de Alzira*, a excepcional coragem, a exemplar pertinácia com que Aluísio Azevedo, cujo retrato insere hoje o *Álbum*, vive há vinte anos a atirar livros sobre livros a este espantosamente pífio *meio* literário. A sua vida tem sido uma longa e tremenda batalha, cheia de triunfos que lhe deixam a cabeça coberta de louros, deixando-lhe as algibeiras vazias. Nunca o viram esmorecer na luta: nas mesmas amargas decepções que o ferem tem ele haurido a força precisa para arremeter de novo contra a ingratidão desta terra.

Quem o não conhece? Belo e forte, com uma grande cabeça poderosa em que dous olhos admiráveis fulguram, a sua figura é a de um lutador sereno e bom. Há na sua fisionomia um não sei quê de grave e triste, esse ar que Balzac dizia achar-se sempre na fisionomia dos grandes trabalhadores.

Maranhense, Aluísio Azevedo tem a imaginação fecunda, a inesgotável atividade, a inabalável coragem tão comuns no Norte do Brasil, que é a nossa Provença.

Muito criança, já o glorioso romancista de *Mulato* revelava uma inclinação irresistível para as coisas de Arte.

Seu pai, o comendador Davi Gonçalves de Azevedo, antigo vice-cônsul de Portugal no Maranhão, era um velho rígido, de uma têmpera de aço, de inabaláveis princípios em matéria de honra e de trabalho. Aluísio, feitos seus exames preparatórios no Liceu da cidade natal, teve logo de procurar meios de ganhar a vida. Era um dos princípios de educação do seu severo, mas amoroso progenitor. Destinado desde logo a uma profissão que se não compadecia com as tendências do seu espírito, o moço maranhense teve cedo de pagar o seu tributo de desgostos e de contrariedades. Entrou como despachante para um armazém... Como despachante! Naturalmente, fez uma tristíssima figura nesse ofício, porque, em vez de aviar os despachos, caricaturava os empregados da Alfândega em pedacinhos de papel que corriam a cidade. Com as caricaturas, apareciam sátiras em verso: é fácil calcular quantos ódios se acumularam desde logo sobre a cabeça do atrevido despachante. Um dia, uma náusea mais forte lhe subiu da alma à garganta, e o futuro romancista atirou às urtigas o emprego e entregou-se à Arte de corpo e alma, com uma bravura de criança e uma confiança de predestinado.

Já antes de ir bocejar de tédio nos escuros armazéns aduaneiros, Aluísio mostrara tanta vocação para a pintura, que um velho professor italiano, que por esse tempo vegetava na província, Domingos Tribuzzi, entusiasmado, quis que o rapazelho partisse para a Itália. Bastava para isso que o pai do pequeno lhe fornecesse uma pensão módica. Mas, ai de nós!, os nossos pais pertenceram a uma geração, em cujo espírito a idéia de Arte se confundia com a idéia de devassidão e de vagabundagem... E o menino, que tinha então 12 anos, e que nessa idade já fora substituto do seu professor na aula de desenho, teve de ir despachar gêneros.

Abandonando o emprego, foi ser professor de português e desenho no colégio do padre Teillon. Mas, o ordenado era pequeno, e Aluísio abalançou-se a tomar quantas encomendas de retratos a óleo lhe apareceram. Começou a transportar para a tela todas as oleosas faces da burguesia maranhense: chegou a dedicar-se especialmente a retratar defuntos.

Nesse tempo já o dominava a ardente preocupação da verdade na Arte. Os outros retratistas pintavam os seus mortos como *cocottes*, – lábios tintos a vermelhão, olhos cuidadosamente cerrados, faces barbeadas de fresco, indo para o fundo da cova como para um salão de baile. Nas telas de Aluísio, o pavor e a fealdade da morte se mostravam sem disfarce: um olho mal fechado, a cor terrosa da face decomposta, um dente cariado entre os lábios do morto, – tudo aparecia fielmente reproduzido no quadro.

Imagine-se o escândalo produzido na província por essas espantosas telas! Um dia, contando-me isso, dizia Aluísio: "Ah! meu caro! imagine você que um desses retratos era tão feio, na sua crua verdade, na sua horripilante representação viva do horror da morte, que serviu muito tempo, em S. Luís do Maranhão, para intimidar as crianças manhosas... Não ria! digo-lhe a verdade! O retrato era emprestado de casa em casa, entre famílias. Assim que as crianças começavam a fazer manha, as mães intervinham: – Olha que vou buscar o tabelião! – Oh! ainda hoje há no Maranhão muita gente que deve a boa-criação, que tem, à sinistra influência do retrato do tabelião!"

Mas não só a pintura lhe enchia as horas; o escritor começava a acordar também dentro da alma do moço. Aos 17 anos Aluísio escreveu o romance *Lágrima de Mulher*, publicado em 1879, e um livro ilustrado, *Minhas Memórias*, ainda hoje inédito.

Foi então que o Rio de Janeiro começou a atraí-lo, com a sua fama de cidade civilizada. O pintor arrumou as tintas e a roupa, e abalou para esta gloriosa Sebastianópolis.

Ao chegar, rasgou as cartas de recomendação que trazia para várias casas de negócio de café, e procurou ser admitido na aula de modelo vivo da Academia de Belas Artes.

Porque ainda era esse o seu maior desejo: ser pintor. E hoje mesmo, o romancista do *Cortiço* não se consola de haver sido forçado a contrariar a sua primitiva vocação. Para comer, pintou vários cenários de teatro, e ilustrou durante anos, sucessivamente, o *Figaro*, a *Comédia Popular* e o *Mequetrefe*. Na *Comédia* estreou como poeta, e no *Mequetrefe*, então dirigido por José do Patrocínio, publicou os seus primeiros contos.

Depois de 3 anos de estudo e trabalho, aplaudido e encorajado por Vítor Meireles, Almeida Reis, Bordalo Pinheiro, Bittencourt, Aluísio Azevedo supôs (ilusões dos 20 anos!) que a sua pátria lhe devia alguma animação. E requereu do governo da província do Maranhão o auxílio de uma mesada com que pudesse ir estudar pintura na Europa. A província do Maranhão fez ouvidos de mercador...

O moço pintor, depois de uns dias de tristeza negra, resignou-se. Aos vinte anos, as ingratidões não doem. Quem tem vinte anos perdoa e esquece facilmente. E ei-lo restituído ao trabalho sem tréguas.

Nessa época florescia no Rio a boêmia dourada, o cenáculo radiante em que a palestra de Artur de Oliveira esplendia como um maravilhoso fogo de artifício: em que Fontoura Xavier, em alexandrinos de fogo e sangue pedia gulosamente cabeças de monarcas; em que o *baudelairianismo* de Teófilo Dias cantava, perturbado e sensual, nas rimas de ouro das *Fanfarras*. Aluísio, admitido no cenáculo, dominou-o logo. E quando, daí a pouco, teve, por interesses de família, de voltar ao Maranhão, já, no seu temperamento artístico, o escritor tinha vencido o pintor.

Na província, fundou um hebdomadário de propaganda anticlerical, o *Pensador*; os seus artigos, em que a violência da mocidade explodia em cóleras e ironias, fizeram época; já neles havia esse amor de análise conscienciosa, que fez de Aluísio o mais profundo observador da nossa literatura.

Perseguido pelos padres, insultado pela burguesia que a sua audácia escandalizava, o redator do *Pensador* teve mesmo de ser submetido a processo, por crime de abuso de imprensa.

Até 1880 redigiu essa folha, e a *Pacotilha*, e publicou a *Lágrima de Mulher*, obra romântica, vazada nos moldes de Lamartine e Hugo.

Em 1880, o escritor afirmou-se, e afirmou-se por uma verdadeira revolução nas letras brasileiras, publicando o *Mulato*.

Esse romance admirável, primeira conquista do naturalismo no Brasil, provocou um clamor longo de aplausos e de injúrias. No Maranhão, o escândalo assumiu proporções extraordinárias. Em pleno horror de escravidão, a obra, francamente abolicionista, soava como um grito de guerra. O processo novo, em que o amor intransigente e fervoroso da verdade aparecia com a veemência de uma religião, levantou contra si todos os gramáticos, todos os retóricos, todos os delambidos do tempo. Depois, o romance era brasileiro, profundamente brasileiro: os seus personagens falavam a língua do Norte, essa língua máscula já rica de brasileirismos; não usavam o duro português de lei, nem a alambicada doçura dos diálogos de Alencar. A edição esgotou-se em breve tempo. E o autor, com o magro dinheiro que ela lhe rendera, veio de novo para o Rio, onde Urbano Duarte chamara para o livro as atenções de todos, soltando o seu célebre grito de vigia: *Romancista ao Norte*.

No Rio, Aluísio Azevedo, abandonando pincéis e telas, dedicou-se de todo ao romance. Daí por diante, não descansou.

A sua bagagem literária é a mais rica, a mais abundante do Brasil. Vinte e cinco trabalhos forma essa bagagem. E o mesmo sopro vasto de talento, de observação e de nacionalismo anima essa brilhante série de volumes, desde o *Mulato* até os *Demônios* e esse malfadado *Livro de uma Sogra* que um editor tem em mãos há tanto tempo, deliciosas páginas de ironia e de moral conjugal, que já tenho a fortuna de conhecer por leituras feitas na intimidade do gabinete de trabalho do autor.

Não cabe no estreito limite desta notícia analisar Aluísio Azevedo e a sua obra. De resto, a crítica dessa obra está feita. Citarei apenas os títulos dos vinte e cinco trabalhos. Temos primeiro a série dos livros de fantasia: *Lágrima de Mulher, Filomena Borges, Mortalha de Alzira, Demônios, Mistério da Tijuca, Memórias de um Condenado.* A obra puramente naturalista compõe-se de: *O Mulato, Casa de Pensão, O Coruja, O Homem, O Cortiço, Livro de uma Sogra*. Obra teatrais: *O Mulato*, drama em 3 atos; *Filomena Borges*, comédia em 1 ato; *Os Sonhadores*, comédia em 3 atos. De colaboração com Emilio Rouède: *Venenos que Curam*, comédia em 4 atos; *O Caboclo*, comédia em 3 atos; *Um Caso de Adultério*, comédia em 3 atos; *Em Flagrante Delito*, comédia em 1 ato. Com Artur Azevedo: *Casa de Orates*, comédia em 3 atos; *Flor de Lis*, opereta em 3 atos; *Fritzmack* e *República*, revistas de ano. Com Olavo Bilac: *Triboulet*, tradução em alexandrinos rimados do drama *Le Roi s'amuse*, de Vitor Hugo. Não falo de uma comédia em 1 ato, *Os Massantes*, encomendado a Aluísio por um empresário, que, além de lhe não pagar o trabalho, ainda lho surrupiou, mudando-lhe o título e fazendo-o representar por conta própria na província, – façanha que em qualquer outro país seria um passaporte para o banco dos réus, mas que no Brasil é antes um passaporte para os bancos de crédito.

Também não faço menção da copiosíssima colaboração literária de Aluísio Azevedo, fartamente espalhada por toda a imprensa do Brasil.

* * *

Aí fica, rapidamente contada, a vida do prodigioso trabalhador cujo retrato faltava à galeria do *Álbum*. Se me perguntardes agora o que tem ele lucrado com todo esse esforço, com essa vida terrível, que quebra os nervos, espatifa o estômago, fulmina a alma e o corpo, – não vos direi nada. Há coisas em que não é bom tocar.

Paro aqui, porque a minha pena poderia escrever duras linhas, duras e inúteis, em que viesse palpitar a profunda indignação que me sacode, às vezes, quando vejo que o Brasil esquece aqueles que mais têm trabalhado para a sua glória.

OLAVO BILAC

A Bruxa 1896-1897

21 fev. 1896

Teatro

Lulu Júnior, da *Gazeta*, anda perguntando a todo mundo quais são as causas da decadência do teatro nacional. Muita gente tem ficado muda; mas, também, muita gente tem falado, respondendo à pergunta. Não é justo que *A Bruxa* deixe de intervir no debate. Verdade é que não compreendo bem que utilidade haverá em saber a gente quais são as causas da decadência de uma cousa... que não existe. Mas, nada no mundo é verdadeiramente útil, nem verdadeiramente inútil. Não custa nada à gente dar uma resposta qualquer a quem a pede, com tanta insistência e tanta amabilidade.

* * *

Quase todos, respondendo a Lulu Júnior, dizem cousas desagradáveis ao povo, acusando-o de só amar o que é, em matéria de teatro, imbecil e obsceno. Queriam os regeneradores do teatro nacional que esse povo desse costas às operetas e às revistas de ano, e só fosse passar as suas noites em salas severas, em que se representassem peças animadas de um largo sopro de arte, escritas com observação e estilo. Esquecem-se os regeneradores que isso, razoavelmente, só se pode exigir de povos, que, longamente educados, de geração em geração, chegam insensivelmente, depois de muitos séculos de aperfeiçoamento, a possuir um sentimento artístico, capaz de discernir e escolher entre o que é arte e o que é palhaçada.

Este povo de ontem, este povo criança, este povo que ainda nem sabe que é povo, pode lá saber o que é arte?

* * *

Dir-me-ão os regeneradores que o povo da América do Norte, tendo a nossa idade, já tem teatro, e autores. Mas o povo da América do Norte, por circunstâncias que não vêm agora ao caso, desenvolveu-se prodigiosamente e fabulosamente; e, antes de ter teatro, teve indústria, teve comércio, teve administração, teve estradas de ferro, teve navegação, teve autonomia.

Sem querer trasladar para aqui cousas muito sabidas e muito maçantes, eu, pobre diabo bem intencionado, lembrarei aos regeneradores que a educação artística é o resultado, o remate e a síntese de todas as educações. Nesse belo edifício do aperfeiçoamento humano, a Arte é a cúpula que coroa tudo. Flor de luxo, flor divina, só pode a Arte rebentar de terrenos longamente preparados: não é rosa silvestre, que nasça em qualquer mato bruto, nem botão, que apareça à tona de qualquer pântano.

Nós estamos em um país, onde não há livro de literatura que tenha mais de duas edições de mil exemplares. Mais ainda: estamos em um país, em que não há *um só jornal* que tire, por dia, a ninharia de cinqüenta mil folhas. Por quê? porque o amor da leitura, da instrução, das belas letras, das ciências e das artes, só pode existir em povo que já se tenha desenvolvido e aperfeiçoado politicamente, comercialmente, e industrialmente. Como querem os regeneradores que um povo, como o nosso, prefira Shakespeare a Sousa Bastos ou Molière a Eduardo Garrido?

* * *

Ora, peço eu aos regeneradores que me digam, (se é que o sabem), quando começou a haver teatro em França! Fiquem os regeneradores sabendo que a primeira peça regular, que Molière compôs e representou, foi *L'Étourdi*, em 1653. Daí por diante, quando o grande ator levava à cena as suas peças, em Grenoble, em Lyon, em Rouen, em Paris, mesmo depois de ter obtido a proteção da Corte, e de ter firmado a sua reputação, ainda via o seu teatro abandonado pelo povo, que preferia ir ouvir os palhaços das barracas.

Querem agora os regeneradores ver o que eram essas barracas, tão amadas de Tabarin, na Place Dauphine. Sobre um estrado, o charlatão Mondor vendia ungüentos, remédios, purgas, pílulas, emplastros. A fim de chamar a atenção do público para as drogas, aparecia Tabarin, que divertia a assistência com problemas como estes: "Pourquoy les femmes pleurent et vessent si souvent; pourquoy on vesse en pissant; pourquoy les femmes ont les fesses plus grosse que les hommes"; e outros, que, pela sua obscenidade escandalosa, não podem ser citados, nem mesmo por um demônio como eu.

Vejam lá os regeneradores que espantosa distância separa esse teatro da Place Dauphine da Comédie Française de hoje. Vejam que espantoso acúmulo de trabalhos, de sofrimentos, de reveses, de estudos, de dedicações, não foi necessário, durante séculos, para trazer o teatro francês do tablado de Tabarin ao palco de Coquelin e Sarah Bernhardt.

* * *

Vejam isso os regeneradores, e não queiram que o nosso pobre povo tenha teatro, antes de ter as outras cousas que está muito longe de ter, e que, valha a verdade, são infinitamente mais necessárias que teatro.

LÚCIFER

13 MAR. 1896

POLÍTICA

As revelações, que a imprensa tem feito acerca da asquerosíssima ilha das Flores, devem ter o seu comentário nesta seção d'*A Bruxa*.

Tem o governo aquela ilha (cujo nome é de hoje em diante um contrasenso), para nela receber os homens, que vêm do estrangeiro dar-nos o seu trabalho, e a sua saúde, e as suas forças, e a sua boa vontade. Para manter aquele estabelecimento, gasta o Tesouro rios de dinheiro. E chega-se agora à conclusão de que a ilha é um foco de infecção. Verifica-se que, numa promiscuidade imunda e indecente, vivem ali os imigrantes, sem luz, sem camas, sem banhos, sem comida, respirando um ar capaz de matar cobras e cães. E as pessoas, que, alarmadas pelos artigos d'*O País*, vão observar o Lazareto, voltam de lá horrorizadas, imaginando que foram à ilha da Sapucaia...

* * *

Para que este assunto merecesse ser incluído n'*A Política* d'*A Bruxa*, bastaria esta consideração: lá fora, as revelações d'*O País* vão naturalmente fazer um barulho hediondo. Para afastar da nossa terra os trabalhadores, já tínhamos muita cousa: tínhamos a ganância dos agentes de imigração, que só tratam de encher as próprias algibeiras; tínhamos a difamação do nosso clima, do nosso caráter, dos nossos costumes, principalmente levada a efeito pelos nossos bons vizinhos e amigos do Prata.

Faltava-nos, porém, isto! Faltava-nos que se soubesse lá fora que o lugar, em que recebemos os imigrantes, é um monturo, é uma esterqueira, é uma podridão, é um lamaçal! Imaginemos as conseqüências da cousa! calculemos quanta chalaça, quanto doesto, quanta descompostura vai custar ao pobre nome brasileiro esta vergonha!

* * *

Mas, ainda não é tudo... Assim que o escândalo caiu no domínio público, o corpo diplomático estrangeiro, (esse mesmo amável e delicado corpo diplomático, que não sai do seu remanso de Petrópolis para vir dar uma prova de consideração ao presidente da República, saudando-o nos dias de grande gala nacional), o corpo diplomático estrangeiro alarmou-se. O ministro italiano e o ministro da Áustria-Hungria correram logo a visitar a mal chamada ilha das Flores, e choraram lágrimas espetaculosas sobre a desventura dos imigrantes. E deram-lhes esmolas!

O próprio sr. Phillips, ministro da Inglaterra, tendo de partir para a sua pátria, não quis deixar o Brasil sem lhe fazer uma última afronta: e deu cem mil réis aos imigrantes desgraçados!

* * *

Suas Excelências bem devem saber que não é por falta de dinheiro que há porcaria na ilha.

Imaginam, porventura, Suas Excelências, que todo aquele pessoal que ali está, desenvolvendo e aperfeiçoando a imundície do lazareto, presta de graça esse relevante serviço à Pátria e à Humanidade?

Não! Suas Excelências bem sabem que esses dedicados mantenedores da falta de asseio e da relaxação são pagos. Não é de graça que eles se incumbem de desmoralizar o nome do Brasil. O que ali falta não é dinheiro: é governo, é moralidade administrativa, é vergonha!

O Brasil ainda não está tão arrebentado, que precise, para sustentar os seus estabelecimentos, das esmolas do Sr. ministro Phillips. E o ato do Sr. ministro Phillips, mandando dar libras aos habitantes da Ilha das Flores, sob a sua enganadora aparência de ato caridoso, é um grandíssimo desaforo, uma intolerável injúria, uma imperdoável afronta.

* * *

No sábado passado, S. Ex. o Sr. Presidente da República também foi à ilha ver o que por lá vai de desídia criminosa e de inqualificável desmazelo. O chefe do Estado voltou edificado. Veremos que providências serão tomadas.

Ai! de nós! providências de fogo de palha... Muita chama, muito fumo, e nada mais. Daqui a um mês, quando o público e os jornais, fatigados, tiverem esquecido o caso, o desmazelo continuará, a desídia triunfará de novo, – até que, de novo, novas revelações venham envergonhar-nos, e expor-nos à afrontosa caridade dos ministros estrangeiros.

* * *

Deus foi injusto!

Deu-nos tanta cousa! deu-nos o Corcovado, deu-nos os sabiás, deu-nos o Corpo de Bombeiros, deu-nos o ator Martins, deu-nos os coqueiros, deu-nos as *mofinas*, deu-nos as bananeiras, deu-nos... o diabo! Mas por que, dando-nos tanta cousa boa, não nos deu também um pedacinho de juízo?

BELZEBU

10 ABR. 1896

LIVROS NOVOS [RLL]

Já é tempo, creio eu, de inaugurar esta seção. Considerando que *A Bruxa* é, por excelência, o espelho em que se vem refletir todo o espírito brasileiro (a modéstia é humana: todo o diabo é essencialmente imodesto!), o estrangeiro, vendo que *A Bruxa* não dizia de livros velhos ou novos, acreditaria naturalmente que não há livros no Brasil. Isso prejudicaria grandemente os créditos deste povo culto. Está, pois, aberta a seção.

Mas, quero que este artigo seja um como prefácio, uma sorte de ensaio de armas. Que, antes de cuidar dos cinco ou seis volumes que aqui tenho sobre a mesa deixem-me chamar às contas um editor! Um editor! – esse bicho impassível e astucioso, essa raposa de sobrecasaca, esse judeu disfarçado... Que homem de letras não ama dizer mal de editores! Chegue-se para aqui a *Casa Laemmert*!

* * *

Podem crer que a Casa Laemmert nunca editou livro meu, e que nunca, de chapéu na mão, numa atitude de humilde mendigo, lhe fui pedir que desse ao meu nome infernal a honra de o incluir nos seus catálogos e nos seus mostradores. Não por orgulho, não por desdém, mas pela razão simples e única de que não tenho livros... Sou um pobre diabo amador de leituras, – e acho, além disso, que não vale a pena fatigar-se a gente em escrever obras, quando tão agradável pode ocupar os seus dias, poucos e passageiros, no agradável mister de dizer mal das obras dos outros... Não é, pois, por despeito, que amarro a Casa Laemmert ao pelourinho desta página. É por amor da justiça.

Quatro a cinco vezes, por mês, leio nos jornais: "Mais um bom serviço acaba de prestar a Casa Laemmert às letras nacionais, dando-nos o n... da sua *Coleção econômica*, que contém desta vez a tradução do romance... de...". Esta coleção econômica é uma maravilha! Cada volume custa 1$000. Creio que por isso, mais que pelo gênero de literatura escolhido, tem ela feito verdadeiro sucesso. Assim que um volume aparece, o povo corre à casa editora, há calos esmagados, cabeças quebradas, e a polícia é obrigada a intervir, para calmar a fúria ansiosa dos compradores da literatura barata.

Vejamos agora de que natureza é o *grande serviço* que, no dizer dos jornais, presta a *Casa Laemmert* às *letras brasileiras*, com a sua coleção econômica. A coleção tem até agora publicado nove volumes: *Tartarin*, de Daudet; *Pedro e João*, de Maupassant; *Panine*, de Ohnet; *O Sonho*, de Zola; *Soror Philomena*, de Goncourt; *Médico Assassino*, de Feré; *Milhões Vergonhosos*, de Malot; *Amigo Fritz*, de Erckmann-Chatrian; *Vogando*, de Maupassant.

Meditemos. Os nove autores são estrangeiros. Os nove volumes são impressos na casa Pereira em Lisboa, uma casa estrangeira. Os compositores, estrangeiros. Os brochadores, estrangeiros. Tudo estrangeiro. Só o público sorna que compra aqueles livros traduzidos para uma língua que pode ser tudo: cassange, abexim, turca, bunda, japonesa, – tudo, menos portuguesa, – só esse público é brasileiro. E aí têm os senhores o serviço grande prestado às letras brasileiras pela Casa Laemmert! A *Coleção econômica* ainda não deu de comer a um autor, a um tradutor, a um compositor, a um revisor, a um brochador do Brasil: por isso mesmo, presta um grande serviço às letras brasileiras!

* * *

Desdobremos esse grande serviço, e vejamos:

1° A Casa Laemmert comete um ato de rapina, apoderando-se de livros, cuja invenção e cuja fatura custou esforços sobre-humanos a autores estrangeiros, e explora-os sem indenizar esses autores. Bem sei que esse delito não está previsto no código. Mas também não tem no código uma punição especial o homem que vende o seu voto, ou que arruína a família, ou que trafica com a honra, e, nem por isso deixam esses atos de ser verdadeiros crimes.

2º A casa Laemmert tira o pão da boca dos escritores daqui, porque, num país em que um volume nacional não pode ser vendido por menos de 3$000, dá por dez tostões um volume estrangeiro.

3º A casa Laemmert prostitui obras de arte de um valor artístico inestimável, mandando-as traduzir por sapateiros, que entendem tanto da arte da palavra escrita, como Daudet ou Zola da arte de fazer sapatos. E mais: a Casa Laemmert, com essas traduções de uma incorreção revoltante, envenena o gosto público.

* * *

Para mim, esta última parte do libelo acusatório é a mais grave. E, para que não digais que exagero, vou citar pedacinhos de ouro da obra acabada que fazem para a Casa Laemmert os seus tradutores. Ah! Li nas folhas tanto elogio à celebrada *Coleção econômica*, que me não quis furtar ao trabalho de admirar de perto todas as belezas dela!

Lede-me a tradução destes trechos do *Monsieur Parent* de Guy de Maupassant, desse querido artista que escrevia com todos os seus nervos, com todo o seu sangue, com toda a sua alma: "Então, o pai pegou-lhe ao colo, e acelerando mais a marcha, suava de cansaço... Ralhava-lhe constantemente pelo que ele fazia e pelo que ele não fazia... Em seguida, saiu do quarto, feliz de não ter mais nada a recear..." Admirável, hein?

Ainda não é tudo. Os Goncourt, esses dois ourives da palavra; esses dois escritores que converteram a língua francesa, para seu uso, numa língua maravilhosa que tem cor, som e perfume; esses dois irmãos, cujo estilo, no dizer de Lemaitre, é "une coquetterie à qui la justesse ne suffit point, que ne se tient pas au brillant, que va d'elle même au raffiné, au singulier, à l'extravagant, que renchérit sans cesse sur ses trouvailles et que s'excite à ce jeu"; – os Goncourt também foram vitimados... Ai! não imaginais em que papa mole ficou transformada *Soeur Philomène*, quando saiu das mãos do tradutor: é preciso ler para crer...

* * *

"Enfim, a Casa Laemmert, editou dois livros, *Várias Histórias*, de Machado de Assis, e *Bric-à-Brac* de Valentim Magalhães. Imprimimos aqui, e vende cada exemplar deles pelo preço de 3$000..." Já sei que me vão atirar isto às barbas, como um argumento irrespondível. Pois! dois livros, entre os nove volumes da *Coleção econômica*, e os volumes do *Novo Secretário Luso-Brasileiro*, do *Mensageiro dos Amantes*, da *Arte da Dança*, e do *Dicionário do Bom Gosto ou Genuína Linguagem das Flores...*

Que a Fortuna coroe fartamente com os seus favores a grande casa, que tão grande serviço tem prestado às letras brasileiras... à algibeira dos autores estrangeiros prejudicados pela pirataria literária.

BELFEGOR

22 maio 1896

Livros Novos

Em uma das suas belas *Semanas literárias*, Valentim Magalhães acha *A Bruxa* injusta quando chama à ordem a Casa Laemmert...

Meu Valentim, tu és, como este teu colega, um dos que mais têm protestado contra a especulação das letras; não defendas a Casa Laemmert, acusando quem tem razão. O diabo sem malícia que escreve estas linhas, coitado!, é dos que vivem no inferno da literatura; este demônio, trêfego, se tu quiseres, pobre!, é dos que crêem na Arte... Valentim, não olhes com rosto meigo de editado para quem abriu uma exceção com a tua obra, pois tu mesmo, se vires as coisas como eu quero, hás de concordar comigo: teu livro, amado colega, só aproveitou à Casa Laemmert. *A Bruxa* não é injusta... Mulher, é verdade, porém verdadeira, o que é quase incrível...

Pois tu não vês, ilustre escritor do *Bric-à-Brac*, que só tu trouxeste a lume a questão da edição do Sr. Antônio Maria Pereira, de Lisboa?

Tu não sabes, Valentim companheiro, como se fizeram as edições de todos aqueles escritores que tu citaste?

Eram bons os livros; aceitou-os o Sr. Laemmert; as edições foram consumidas, e só eles, eles apenas, lucraram... Negarás?

Onde está o que ganhaste com o *Bric-à-Brac*, saído dos prelos laemmertianos?

Vens te queixar do público?

Esse é sempre o bode expiatório... mas que vai pagando. E a prova, meu Valentim, é que os editores vão enriquecendo.

Lê-se no Rio de Janeiro, ou antes no Brasil.

Os editores queixam-se sempre, porém as suas casas prosperam, e tu, Valentim Magalhães, e mais o ilustre mestre Machado de Assis, não passamos todos de uns pobretões que pensamos para servir os editores, os quais ganham bem e nos pagam mal; e quando eu lhes digo as verdades tu sais a defendê-los.

Em verdade, nem ganhas mais, nem perco menos com isso; porém eles acumulam, e no fim, quando te aborreces comigo por causa deles, eles indiferentes a nós todos voltam àquelas belas plagas da Europa, – e, não diante de Schiller, nem diante de Goethe, nem diante de Alberto Dürer, porém à luz gostosa de um fogão confortável, chupam o seu cachimbo, e saboreando o *punch*, a golos medidos, pensam que tiveram paladinos que, sem proveito, ao menos provável, trabalharam para sua fortuna...

* * *

Garantiste que a Casa Laemmert editará o Adelino; não duvido! o amigo Adelino Fontoura já não existe; é provável, senão certo, que a sua obra tenha editores...

Os mortos não cobram direitos...

Lilith

12 JUN. 1896

CRÔNICA

Já sei que não é bom brincar com a Itália. A colônia tem sangue na guelra, e, à mais leve alusão, desmancha-se em desafios... Mas, que quereis, ó coevos? Que remédio tenho eu? Desde que o assunto se apresenta, sou obrigado a aproveitá-lo. A ele, pois!

* * *

Quando leio notícias da gloriosa campanha de Manelik, defendendo a sua terra, fecho os olhos, e sonho...

Sonho que me transformo num africano de raça pura. Sinto que os beiços se me engrossam medonhamente, que o cabelo se me encarapinha; vejo-me a correr, como uma besta fera, os sertões inexplorados da Nigrícia, livre como o vento, independente como o cão, forte e altivo como Deus. Mas, como tudo é permitido ao sonho, sonho que tenho, para a par com essa rudez e com essa brutalidade da vida selvagem, o mesmo apuro intelectual que a civilização me deu, e a mesma compreensão dos homens e das cousas, que me foi dada pelo convívio social.

E continuo a sonhar que, não sei como, um jornal vem ter ao fundo da minha selva cerrada; e por esse jornal fico sabendo que o governo italiano resolveu estabelecer definitivamente o seu protetorado sobre todas as tribos vizinhas de Massaoua... Deixo cair por terra o jornal, cruzo as pernas pretíssimas, coço a carapinha, e começo a refletir profundamente sobre o caso:

* * *

"Como? A Itália é um forte país que tem tudo quanto quer, todos os confortos, um clima adorável, mulheres de pele branca e cheirosa, homens de belos bigodes, de cérebro potente, museus e lupanares, templos e mercados, teatros e quartéis... Eu, negro feio, vivo aqui sem fazer mal à Itália: o canto de terra em que vivo é terrivelmente insalubre, ardente como uma fornalha, infecto como um pântano, coberto de uma perpétua revoada de mosquitos assassinos, cheio de serpentes, de bichos daninhos, de crocodilos e de negros tão ferozes uns como outros... para que diabo precisa a Itália de mim? para que diabo precisa a Itália da minha terra? Os seus soldados virão para aqui apodrecer e mirrar, sitiados pelas febres, sugados pelas moscas, torrados pelo sol. Destas zonas estéreis, que riquezas, que abundâncias de víveres ou de pedras preciosas poderão sair para encher os cofres e os celeiros da poderosa nação? Não! a Itália não precisa nem de mim nem da África! Logo..."

* * *

Neste ponto, vejo passar ao longe um outro preto, de tribo inimiga. Vou-me a ele, brigamos, venço-o, mato-o, esfolo-o, como-o; feito esse farto almoço consolador, venho assentar-me de novo à sombra do meu baobá, e, deliciado pelo feliz começo de uma boa digestão, retomo o fio das minhas cogitações:

* * *

"Logo... Logo, a Itália, concedendo-nos a mim e aos meus irmãos de Massaoua, a honra inestimável de nos tomar sob a sua proteção, faz por nós um verdadeiro sacrifício humanitário. Não é do interesse dela que se trata: é do nosso próprio interesse. O que a Itália quer é chamar-nos ao seio da civilização ocidental e ao seio da sua Santa Madre Igreja. Mas, a Itália, acho eu, devia, antes de me civilizar a tiros de canhão e a golpes de sabre, procurar saber se me convém ou não sair do estado de barbárie em que me acho. Porque, enfim, não vejo bem que utilidade grande haverá para mim em comer carne de frango cozida com ervilhas em vez de carne humana crua, e em usar ceroulas de linho e sapatos de verniz em vez de andar, como saí das maternas entranhas, desnudando ao vento e ao sol toda esta carne escura que a natureza me deu. Isto, no que diz respeito às vantagens materiais que me pode dar a civilização... Quanto às vantagens morais! quais são elas? Em primeiro lugar, dar-me-ão o dinheiro; e eu que só faço mal aos outros homens quando tenho fome, far-lhes-ei mal mesmo sem fome, só para possuir algumas centenas de notas de banco. E, para obter essas notas, desatarei a fazer falcatruas, especulações, traições, torpezas de toda a espécie. Dar-me-ão depois o amor, a ambição, o luxo, a política, a imprensa... o diabo! – cousas que não me farão viver nem mais um ano do que os que tenho de viver aqui. Resta a questão da Santa Madre Igreja... mas, que Deus é esse, a cuja adoração me querem forçar? é o Deus de Bovio? o Deus de Schoppenhauer? o Deus de Comte? Ah! decididamente, têm muita graça esses senhores que me obrigam a acreditar em cousa, em que eles mesmos não acreditam!..."

Aqui, sou interrompido pela passagem de um leão. Naturalmente, já almoçou – como eu. Olhamo-nos com indiferença. Vejo-o afastar-se com uma grande majestade no andar. E continuo:

* * *

"Pois que! com todos os seus refinamentos, com todos os seus séculos de progresso material e moral, essa civilização se vê hoje, em 1896, a braços com o pavor de um milhão de problemas insolúveis, e desespera-se, e arrepela-se, e lastima-se, e corre em massa ao suicídio e ao álcool, – e, oh espanto! oh irrisão! é essa mesma civilização que, a pretexto de nos melhorar a sorte, nos quer dar todas as suas dúvidas, todas as suas descrenças, todos os seus desesperos! Ora, bolas para a civilização!"

* * *

E, estendendo sobre a areia combusta a minha carne preta, encoscorada, rugosa, insensível ao calor, ponho-me a dormir nu em pelo, escandalosamente, na grande paz do meu sertão da Nigrícia, digerindo o negro da tribo inimiga... O. B.

24 jul. 1896

Crônica

O caso mais interessante da semana passada foi a execução do Dr. Fort.

Este Dr. Fort já esteve aqui, há alguns anos. Vinha precedido de larga fama. E essa fama não se baseava apenas no trombetear de artigos, pelas gazetas: baseava-se também em livros, livros de algum mérito, dos quais um foi e ainda é adotado pela congregação da nossa Faculdade de Medicina. Assim que o homem chegou, todo o mundo se prostrou diante dele, cobrindo-o de aplausos, cercando-o de homenagens, cumulando-o de honras: com estes olhos, que são do Inferno e ao Inferno voltarão, vi, na aula de medicina operatória, o sábio Pertence – uma verdadeira e luminosa glória da nossa Ciência – descer da sua cadeira de lente, e oferecer o seu lugar ao Dr. Fort; e embasbaquei, diante de tamanha prova de consideração.

O Dr. Fort, insuflado e impelido, achou que lhe não bastava a glória, e quis também os proveitos: não fosse ele francês! E abriu consultório, e começou a ganhar dinheiro. Então, começaram a ver que o amigo Fort era um especulador, e correram-no daqui, quase a pau.

O amigo Fort pouco se importou com isso. Já tinha cheios os alforjes, e foi para a Europa escrever um livro, que dizem ser torpíssimo, chamado *Les récits de ma vie*. E, (ainda segundo dizem) há pavores nesse livro: neste país, as flores não têm perfume e as mulheres não têm virtude; todos os médicos daqui são cavalos e todos os estudantes são vadios; e patati, – e patatá!

Agora, o amigo Fort (não lhe tendo ultimamente corrido bem os negócios, e tendo-se-lhe esvaziado os alforjes) voltou ao Brasil. E os estudantes de medicina, organizando um binômio fúnebre, atravessaram em cantochão a rua do Ouvidor, e, no largo de S. Francisco, diante da multidão, queimaram um féretro em que estava deitado, em efígie, o notável anatomista e insaciável ganhador.

* * *

Que é feito, a estas horas, do Dr. Fort?

Se as execuções simbólicas valessem alguma cousa, esse amigo estaria, a estas horas, no outro mundo, em presença daqueles que a sua cirurgia para lá tem mandado. Mas as execuções em efígie nada valem, quando feitas em troça e riso, sem os complicados preparativos do ritual demoníaco.

Eu, como diabo que sou, acredito nessas cousas...

Em 30 de abril de 1315 (para somente citar um fato) o Templário Enguerrand de Marigny foi enforcado, por ter feito o *envultamento* de várias pessoas da real família de Luís X da França. E o que vos posso dizer é que, realmente, a mãe do rei, a rainha Joana de Navarra, tinha, havia pouco, morrido de maneira inexplicável. Que me perdoe a alma de Enguerrand de Marigny (se é que essa alma ainda existe hoje, quinhentos e oitenta e um anos depois da sua desencarnação!): não quero dizer que, de fato, esse conspícuo Templário houvesse *envultado* a rainha de Navarra. Sei mesmo de fonte limpa, (que é que não sei eu?) que todo esse processo foi uma alta patifaria de Carlos de Valois. Mas, pouco importa: em todo o caso, naquele tempo se faziam *envultamentos*.

Quando se queria enfeitiçar uma pessoa, fazia-se dessa pessoa o *vultus* em cera, benzia-se com o seu nome próprio a figura, e iam-se espetando nela, pouco a pouco, várias pontas de ferro. E a pessoa, longe, ia sentindo na carne as picadas que o feiticeiro dava na cera, e ia sofrendo, e ia penando, e ia minguando, até que uma picada mais forte, fincada na região cardíaca do *vultus*, mandava para a paz do túmulo o enfeitiçado.

Essas cousas, porém, não se faziam assim com a rapidez e a sem cerimônia com que as conto. Havia rezas intermináveis, consagrações longas, – e, se as bruxarias davam resultado, esse resultado era devido ao valor da fé que as animava, – fé, que, abalando montanhas, é capaz também de dar vida a uma figura de cera...

* * *

Mas, uma bruxaria feita por um magote de moços alegres cantando, rindo, folgando, dançando!

Vamos lá! não creio que o amigo Fort já esteja realmente no outro mundo...

Onde ele está é, com certeza, a bordo de um transatlântico, que o leva à Europa. E, daqui a dois ou três anos, quando esta ebulição de almas estiver acalmada, teremos aqui de novo o amigo Fort... Ele bem sabe que todas as nossas decisões são fogueiras de palha! Ele voltará, amigos, e ganhará dinheiro, e reeencherá os alforjes, e irá escrever outro livro, pior que o primeiro.

* * *

Porque a culpa de tudo isto é nossa! é nossa! é exclusivamente nossa!

Chega aqui um homem, – um médico, um artista, um diabo qualquer da França, precedido de fama, e, logo, todos nós nos boquiabrimos, todos nós nos prosternamos, todos nós batemos nos peitos, todos nós nos molhamos de entusiasmo e de assombro. Depois, quando vemos que o diabo só veio aqui arranjar dinheiro, para, depois, descomer sobre o prato em que comeu, ficamos indignados e arrancamos, tomados de horror, os poucos cabelos que ainda nos restam. Que pensávamos então? Pensávamos que o homem aqui vinha, atraído pelo fulgor fenomenal da nossa civilização, do nosso adiantamento moral e intelectual?

Quereis ver até que ponto foi, há anos, o nosso servilismo diante deste Fort! Ouvide!

Uma das cousas que mais indignação causam, no livro de Fort (dizem-me), é uma gravura que lá vem: – seis médicos brasileiros, com cabeça de burro, cercando o leito de um enfermo; e, entre eles, o amigo Fort, com cabeça de gente e com a sua sabedoria triunfando sobre a burrice deles. É, realmente, formidável, como desaforo, como insolência, como atrevimento, como pouca vergonha, como canalhice: de acordo!

Mas essa gravura do livro é cópia de uma gravura de jornal brasileiro! *de um jornal brasileiro*, lestes bem? Foi um jornal ilustrado daqui, que assim, para elevar este francês charlatão, deprimiu, insultou, injuriou, enlameou patrícios nossos. Que quereis mais? Ai! amigos! desrespeitamo-nos, e queremos que os charlatães nos respeitem!

* * *

Vede-me agora este caso, mais recente:

Assim que se soube que o nosso grande Carlos Gomes sofria de uma doença incurável, apresentou-se ao governo de S. Paulo um charlatão chamado Neumeier, que não é médico, que não é farmacêutico, que não é nada, e ofereceu-se para ir curar o maestro.

E, num país em que é rigorosamente punida a prática ilegal da medicina por não-profissionais; num país em que um pobre preto velho, assim que é convencido do crime de curar com ervas e rezas, vai para o fundo de um cárcere purgar essa culpa; num país em que o exercício da medicina é escrupulosamente fiscalizado, o governo de São Paulo não hesitou em mandar o charlatão ao Pará.

O homem lá foi, – e só não matou Carlos Gomes porque não quis! Agora, ei-lo de volta: e a *Gazeta de Notícias*, noticiando a sua chegada, é a primeira a dizer que "o Sr. Neumeier, segundo ele próprio nos disse, não é profissional, e provou claramente que não tem instrução médica, à vista de algumas interrogações que lhe fizemos sobre o caso".

Se o charlatão Neumeier, em vez de chegar do Pará, chegasse de Paris, a complacência e o entusiasmo das autoridades não teriam parado aí: ter-lhe-iam dado cem contos de réis, antes mesmo de ser iniciado o tratamento, ter-lhe-iam levantado uma estátua, e tê-lo-iam canonizado em vida!

* * *

Ai! basta!

Fizeram bem os moços em executar o amigo Fort e em obrigá-lo a demandar os ares mais frescos de França. Não serei eu quem reprove a indignação da mocidade. Acho mesmo que fizeram pouco: deviam moer-lhe a pontapés o cóccix!

Mas, que nos aproveite a lição! Não demos nunca mais motivo a que qualquer celebridade viajada tenha o direito de zombar de nós, vendo-se por nós adorada como uma divindade, quando não passa de um... Fort!

O Diabo Coxo

09 out. 1896

Crônica

O Divórcio

O maior e mais pertinaz inimigo do Divórcio, é, sem dúvida, o padre; o padre que foi sempre um obstáculo lançado à toda a idéia radical, em caminho da realização. A humanidade não tem deixado, por isso, de galgar, esse obstáculo, de suprimir esse óbice, de romper essa arqui-secular muralha chinesa, emperrada na sua fé criminosa e no seu dogma quase inexpugnável.

O clero não quer compreender que, depois de 1789, o Estado abrogou as matérias religiosas, pondo-se fora da influência da Igreja. Mau grado todos os esforços para o tornar clerical, o Estado é leigo.

* * *

Um legista da Revolução exclamou um dia: "A lei é atéia!" E o é de fato. Ninguém mais crê no que prega a Igreja, pelo órgão de seus representantes, e as nações, ainda que lentamente, vão-se emancipando dessa pesada tutela, a qual, durante séculos, se apoderou do espírito de reforma dos negativistas extremados, a princípio pelo trabalho paciente da evangelização dogmática, depois pela *mise-en-scène* sanguinária dos instrumentos de suplício e pela conflagração terrorística do extermínio, em nome de uma fé despótica e de uma crença inviolável. A ação, porém, exercida pelo clero sobre o homem foi cedendo o lugar a essa emancipação salutar da razão ecumênica, que opôs o seu direito e a sua liberdade às pretensões extemporâneas e, já então, absurdas da Igreja católica. O que padre algum negará, se for um homem de bem, coisa rara entre padres, é que do seio das nações se obliterou o caráter religioso do direito imperativo, propagado pelas bulas pontifícias e que fez da consciência humana, durante séculos, uma serva obediente.

* * *

O que é mister é que nos esforcemos por tirar às leis, que dirigem as nações, o cunho de religiosidade católica de que vinham eivadas. Já temos conseguido muito, e dentro em pouco tempo a Igreja terá aberto mão do suposto direito de se apropriar do homem, como de coisa sua, e de afeiçoar-lhe o espírito segundo os moldes da sua teocracia intolerante.

Para trás essa dominação deprimente! o casamento é um contrato, um *nexum*, como qualquer outro.

Não o enfeia, nem o apouca, o dar-lhe a lei a forma de uma obrigação contratual.

É um *elo*, é uma *cadeia*, que não necessita das formalidades religiosas para soldar-se.

* * *

Deixai, padres corrompidos, sacerdotes da mancebia, garanhões de comadres demoníacas, pais sacrílegos de filhos danados, que o amor impere livremente! Que tendes vós com o meu coração, com o puro surto da minh'alma para um bem que em outra alma se aninhou, e que me chama, e que me pede que o vá buscar? Não estais satisfeitos ainda com a vossa obra de dissolução, com os vossos preceitos de moral que vos ordenam não toqueis nas vossas ovelhas com a vara da vossa satiríase que aumenta, à medida que a vossa hipocrisia se embebe no cálix, que simboliza a amargura, e se irrita, se à noite os vossos olhos pousam no rosto de alguma formosa e meiga criatura, que o pontífice do vosso culto por desfastio canonizou?

* * *

Vêde o Rechoa – o santarrão do Paraná – o Casanova apostólico, se é mais puro do que outro qualquer, que, como ele, concerta o pigarro e acarinha o malungo por baixo da batina, se alguma estrela irradia, ajoelhada, junto ao púlpito, ou ao pé da hóstia... Que quereis? sois de carne e osso como eu... e, talvez, vibram mais frenéticos os vossos nervos, ó padres que o inferno aguarda com os tições inflamados e as fornalhas em labaredas!

* * *

Por que vos opondes a que um parlamento republicano decrete a indissolubilidade do laço conjugal? Achais, porventura, que eu hei de ir buscar na reunião ilegal o conforto para o meu coração, a paz para o meu espírito, o estímulo para a minha inteligência? Se me enganou a mulher a que me uni; se a minha coabitação com ela se tornou impossível, porque sou um homem honrado e ela uma depravada; se, ao contrário, ele é uma santa e eu um devasso, por que havemos de estar jungidos um ao outro, se posso encontrar no divórcio, se sou um homem digno, a esponja com que apague a recordação da minha desonra, e ela, o bálsamo para o seu coração, duramente ofendido, se é uma mulher casta?

Não... hei de dilacerar os meus sentimentos de homem, o meu orgulho de esposo traído, nos espinhos de uma religião cruel, que fez da paga e da propina a base da sua moral e página mais eloqüente do seu evangelho.

* * *

Que indigna farsa a desses charlatães de sotaina!

Andam para aí escandalosamente amancebados, carregados de filhos, saturados de vícios, enleprados de concupiscência diabólica...

Oponde-vos? é inútil a vossa oposição! O princípio da vossa autoridade, da vossa soberania começa a ser um entremez, que ao próprio povo, ignorante em matéria de filosofia, faz rir e levantar os ombros, como se não desse grande crédito ao que pregais.

* * *

Quereis limitar o direito humano ao estreito âmbito do vosso cânon? não o conseguireis! – O que a Igreja tinha de dar já deu. – Hoje, não passa de uma superfetação no domínio geral do direito, que se esteia em fórmulas mais amplas e que fez da natureza humana a fonte perene das suas investigações. Chegando a conseqüências lógicas, proclamou a autonomia individual e fez dela um dos pontos mais sugestivos do estudo da psicologia e da história.

Não há de ser, portanto, o padre, que venha conter a expansão espiritual das sociedades e refrear as descobertas que a ciência vai acumulando dia a dia. Vivemos hoje num regime republicano que não tem com a Igreja a menor solidariedade!

* * *

Ela que vá vivendo dos seus expedientes e das suas explorações; os contos do vigário que a Igreja sugere e acoroçoa podem ainda iludir mais alguns papalvos e arrebanhar mais alguns tratantes.

O divórcio é uma medida de interesse social. Há de ter o seu dia, como o teve a abolição dos escravos e a dos privilégios dinásticos, elementos tão corrompidos como os que a Igreja há dois mil anos com rara habilidade explora.

Lusbel

13 nov. 1896

Crônica

A assembléia legislativa do vizinho Estado do Rio teve este ano a idéia de reformar os programas de ensino das suas escolas normais. Cortou aqui, aumentou ali, e fez um trabalho minucioso, completo, longo.

De todas as reformas propostas a que mais fundamente calou no meu espírito foi esta: havia nas escolas normais, no programa de ensino das meninas, uma cadeira mista, cuja professora lecionava, ao mesmo tempo, trabalhos de agulha e economia doméstica. Não sei se quem quis reformar o programa achou que ensinar as duas cousas simultaneamente era trabalho demais para uma só professora; não sei se achou uma incompatibilidade flagrante entre as duas matérias, considerando que fazer trabalhos de agulha (que são todos dispendiosos, demorados e pouco rendosos) já é uma negação de economia doméstica. O que sei é que foi suprimido o ensino dessa economia, e a professora só tem hoje o encargo de iniciar as meninas nos segredos da bainha de laçada e nos mistérios do crochê, do crivo e do ponto de marca.

* * *

O ensino da economia, segundo leio, não foi removido para outra seção do programa: foi realmente suprimido. O que vale dizer que quem propôs a reforma o achou inútil, senão prejudicial.

Dizem-me que, no Estado, entre os cidadãos que têm filhas nas Escolas Normais, essa decisão da assembléia tem provocado um largo movimento de indignação e protesto. Casmurrice de pais provincianos! Querem, em 1896, educar as filhas, como se estivessem ainda em 1850...

* * *

Em 1850, o Brasil era radicalmente econômico, os gastos eram moderados, as meninas pouco exigentes, as necessidade modestas, o luxo nulo, – tudo sintoma de pouca civilização, tudo sinal de considerável atraso material, intelectual e moral. O que caracteriza a civilização é principalmente isto: a soberania do agradável sobre o útil, o domínio do belo sobre o prático...

Eram econômicos os nossos avós, porque faziam parte de uma sociedade em formação, uma sociedade simples e bruta, que só amava matrimonialmente, que só bebia água, que só jogava... o pau, que só vestia chita ou merino, que só comia feijão e arroz. Com essa vida patriarcal, deslizando serena e estupidamente, sem acidentes, sem comoções, – como ser dissipado e pródigo?

* * *

O selvagem das nossas florestas é econômico. Veste-se com uma dúzia de plumas, alimenta-se com um punhado de farinha, embebeda-se com uma cuia de *cauim*... Mas o homem civilizado precisa de sedas, de mulheres, de jóias, de jogos, de champagnes, de trufas, de espargos de bailes, de teatros, de carruagens.

Isto, quanto ao homem: – a mulher precisa de muito mais. Porque estou em dizer que a mulher só veio ao mundo para ser bela, amar, e gastar dinheiro: de maneira que mulher feia, mulher fria e mulher econômica são três tropeços que nunca deveriam ter vindo à vida!

* * *

Em 1850, a mulher brasileira era de uma economia sórdida. Não saía; não recebia; não se enfeitava; não dançava: – tudo para não gastar dinheiro.

* * *

Vivia com as escravas, trabalhando e suando como negra e meia. Era ela quem varria a casa; ela quem cuidava do galinheiro, da horta e do chiqueiro; ela quem cozinhava; ela que, com o sebo que sobrava da carne, fabricava banhas e velas; ela quem fazia cocadas e rebuçados, cujo produto, em patacos sujos de cobre azinhavrado, era cuidadosamente recolhido ao fundo dos pés-de-meia; – era ela, enfim, quem fazia tudo! E, ao cabo de todo esse dia de labuta e canseira, deitava-se, rezava, recebia a carícia conjugal com o mesmo ar pacato com que aceitava o trabalho, e adormecia na paz do Senhor, para no dia seguinte, logo às primeiras horas, recomeçar essa existência estafante.

* * *

Compreende-se que, naquele tempo, era necessário ensinar às meninas economia doméstica: o estudo da economia doméstica era a investidura do grau de dona de casa.

Homem nenhum casava, naquele tempo, sem perguntar à futura sogra: "A senhora sua filha estudou economia doméstica?" E logo, a mãe da menina, querendo mostrar ao pretendente que a sua filha tinha sido educada como uma boa e verdadeira filha-família, mandava-a chamar à sala, (àquela severa sala de visita de 1850, com mobília larga de jacarandá e caixa de música em cima do mármore da mesa central) e dizia ao noivo: "Interrogue-a, e... verá!" O noivo então, sério e digno, começava o interrogatório. E, quando a menina, vexada e vermelha, tinha respondido satisfatoriamente a todas as perguntas, – mostrando conhecer a fundo o preço do arroz e do feijão, o melhor processo de fabricar melado, e a melhor maneira de pregar fundilhos novos em ceroulas velhas – o pretendente aceitava-a ali, aos olhos da sogra futura, como legítima companheira sua, destinada a compartir o seu leito e a sua avareza.

No dia do casamento, pela última vez na vida, a menina deixava de trabalhar. E, logo depois de receber a bênção matrimonial, ainda com uns restos de flores de laranjeira na cabeça e uns restos de virgindade na alma, caminhava para a sua nova tina de lavar roupa, e para a sua nova cesta de costura.

* * *

Ora, em 1896, ano da graça das modistas, dos joalheiros e das touradas, a vida é outra. Homens e mulheres mudaram de hábitos, como de crenças. Ninguém vive mais para ajuntar dinheiro, mas para o dissipar.

A mulher brasileira de 1896 não é mais aquela avarenta matrona de 1850, que, se lhe propusessem a compra de um bracelete de rubis, ou de um bilhete de loteria, ou de um camarote para os touros, se penitenciaria longamente, rezando, cheia de invencível horror, vinte e sete rosários completos.

Este animal adorável, dissipado, mãos-rotas, caprichoso, cheio de luxos, tendo a consciência de que é a parte mais bela da Criação, este animal, enfim, que é a mulher, está civilizado. Para que se lhe há de ensinar economia doméstica? A mulher de hoje não compreende a economia, nem na rua, nem dentro de casa!

* * *

E faz ela muito bem! A mulher veio ao mundo para ser bela, para amar e para gastar dinheiro. O homem veio para admirar a beleza, para se lamber com o seu amor, e para lhe fornecer o dinheiro.

Aplaudo, pois, com delírio, a idéia de quem propôs a extirpação da estúpida matéria do programa das escolas normais do Estado do Rio! Economia doméstica para quê? Quem é que pensa que ainda estamos em 1850?

FANTASIO

04 DEZ. 1896 O CARRILHÃO DA BRUXA

Sinos alegres e diabólicos d'*A Bruxa*, cantai! mas que, desta vez, enquanto trato de um assunto piedoso, não venha o sarcasmo gritar no áspero clamor com que ressoa habitualmente o vosso bronze: antes a ternura vos abrande os largos bojos sonoros, dando-vos alguns gemidos humanos! Acabo de reler, publicado em um lindo folheto de trinta páginas, o discurso que Lopes Trovão pronunciou no Senado sobre "O trabalho das crianças". Não o ouvira eu, quando animado pela palavra ardente do tribuno: li-o depois, quando publicado no *Diário do Congresso*. Mas quis relê-lo, com cuidado e vagar, no sossego do último domingo. E se aqui venho falar-vos dele, é porque quisera que todos os homens de coração desta cidade meditassem sobre essas páginas comovidas e sinceras, em que a alma de um homem de bem se revolta contra o abandono criminoso, a infamante situação em que os políticos desta terra deixam as crianças pobres.

Há também, nisto um pouco de vaidade minha... Este *Diabo Vesgo*, encarnado em vários pseudônimos, escrevendo em vários jornais, já se tem esfalfado inutilmente, – quantas e quantas vezes! – em chamar a atenção dos que nos governam para esse mal, em pedir um pouco de piedade para a pobreza inocente... Agora, a propaganda conseguiu entrar no Senado; já não é um desgraçado folhetinista fútil quem acusa e verbera a indiferença dos grandes; é um grande, um Senador, quem vem dizer aos seus pares: "Se é verdade, como ensina o nosso direito, que a família é a base da sociedade, e da sociedade é que depende a felicidade das nações, dizei-me – que seremos nós, se a tolerância dos poderes públicos continuar fria, indiferente, impassível, ante o meio perversor em que a nossa infância está a comprometer com a saúde do corpo a sanidade do espírito?"

* * *

Resta agora saber se a palavra do Senador será mais feliz que a do cronista, fazendo-se ouvida e atendida na alta esfera em que o Sr. Prefeito Municipal dirige os destinos da política do triângulo. Provavelmente, ainda desta vez nada se conseguirá. O que se quer é cabalar, é arranjar protegidos, é comer à tripa forra!

* * *

A que veio o discurso de Lopes Trovão?

O Conselho Municipal votara uma lei "proibindo aos menores de 16 anos trabalharem em divertimentos públicos de associações, empresas, e companhias dramáticas, eqüestres etc.". O Prefeito Werneck vetou essa resolução platônica do Conselho. O Senado, chamado a se pronunciar entre a opinião do Conselho e a opinião do Prefeito, iniciou sobre isso largo debate, em que interveio logo Lopes Trovão. Declarou que a discussão desse conflito era a prova evidentíssima de ser chegado o momento de preparar na infância a célula de uma sociedade melhor, a gênesis de uma sociedade mais perfeita. Mas por onde encetar esse trabalho? "Pela rejeição unicamente do veto em questão? Ou tomando o veto por pretexto de um conjunto sistemático de leis que amparem o homem, desde o berço até à idade que o habilita a assumir inteira a responsabilidade dos seus atos civis e políticos?" E opinou pelo segundo alvitre.

* * *

Aqui, é preciso dizer que, pedindo perdão para a sua ousadia, o *Diabo Vesgo* não está de acordo com Lopes Trovão. Quando não se pode obter tudo, sempre é bom contentar-se a gente com alguma cousa. A lei votada pelo Conselho era um protesto contra a exploração torpe que duas companhias de *zarzuelas* andaram por aí fazendo de crianças de seis e oito anos de idade, obrigando-as a dançar lundus, a revirar olhos lascivos, a saracotear em público, cantando cousas obscenas diante de uma platéia ávida de patifarias. Fazer cessar este escândalo, já seria alguma cousa. Que importa, neste caso, o direito de propriedade? que importa o reconhecimento jurídico do poder pátrio? Também a roleta é propriedade do roleteiro e a lei autoriza a polícia a arrancar-lhes das mãos a roleta. Quando ao pátrio-poder... não encarcera a Lei o pai que vende a honra da filha?

O próprio ilustre Senador confessa que o direito é uma abstração, e que há casos em que a lei se põe em flagrante pé de insurreição contra o direito. Demais, quando se trata de desafrontar toda a sociedade, e, mais, quando se trata de salvar, de proteger, de redimir crianças, que importam leis? Numa terra em que as leis servem justamente para ser violadas em favor de quanta patifaria política há por aí, não é cômico que a sua inviolabilidade seja invocada unicamente para assegurar a infâmia?

Mas, esse ponto é pouco importante. O que há de belo, mesmo de sublime no discurso de Trovão, não é o seu voto a favor ou contra o veto: – é a campanha a que a sua voz dá começo, contra o desleixo com que o Poder se recusa a proteger as crianças que vagam pelas ruas, que fumam, que se embebedam, que "servem de guarda avançada aos vagabundos, aos mendigos, aos desordeiros", que se entregam aos vícios mais deprimentes, que vivem à toa sem que se procure saber quais são os seus pais, para os obrigar ao cumprimento dos deveres paternos. Mais ainda: é a campanha contra a indiferença com que a Polícia vê a exploração de menores; meninos obrigados a vender bilhetes de loteria, e apanhando bordoada rija quando voltam à casa com os bilhetes por vender; meninas obrigadas a vender flores "no vão das portas, no lado mais escuro das esquinas, em lugares discretos, nos teatros, e nos restaurantes", provocando o apetite dos devassos gastos; crianças "que recebem aluguel para fingir de filhas de quadrantárias conhecidas, com as quais residem e passeiam ostensivamente".

Isso é que é belo, isso é que é admirável no folheto que acabo de reler. E sobre a sincera explosão de cólera vingadora que anima estas páginas, quisera eu poder chamar a atenção de todos, principalmente daqueles a quem Lopes Trovão dedica o seu discurso: "aos que não envenenaram o coração nos ódios da política nem esterilizaram o cérebro nos cálculos do interesse pessoal".

* * *

Para acabar: todo o mundo andava a bradar que o tribuno do *Vintém* emudecera... Não emudeceu, não! E um só discurso como este, sincero, apaixonado de piedade e de justiça, repassado de bondade extrema, incêndio do amor da verdade e do bem, e (cousa rara neste parlamento de iletrados!) composto com estilo, com brilho de forma, com opulência de vocabulário, – vale mais, com certeza, do que os mil discursos em que se desmancha habitualmente, na Câmara e no Senado, a parolagem parlamentar, murcha como um seio de mulher velha e vazia como as minhas algibeiras.

Viva, pois, o amado Trovão! Sinos alegres d'*A Bruxa*! cantai a glória daquele que sabe amar e defender as crianças!

O DIABO VESGO

11 DEZ. 1896

CRÔNICA [CIA]

Confesso que nunca entendo bem as cousas que se passam aqui. Tenho viajado tanto, que já não há canto da terra que os meus pés de cabra não tenham calcado, nem recanto de horizonte em que não tenham pousado os meus olhos satânicos: e tenho, em todas as terras, entendido tudo; aqui, porém, o mais insignificante caso se reveste de tão extraordinárias circunstâncias e se complica de tão singulares episódios, que a minha pobre cabeça de diabo, com as idéias baralhadas, se perde, delira, ensandece... Vêde-me, para exemplo, este caso do Antônio Conselheiro...

* * *

O Conselheiro é, (dizem-no todos), um fanático, um desequilibrado, um histérico. Em criança, tinha crises de epilepsia. Casou. A mãe dele desandou logo a ter conflitos, e bate-línguas, e troca de insultos ásperos com a nora. Entre as duas, Antônio Conselheiro penava, querendo em vão reconciliá-las. Um dia, desesperado, foi-se à velha: "Por que briga a senhora com minha mulher? que lhe fez ela? por que não a deixa em paz?"

A velha, alma danada, para reconquistar o amor e a confiança do filho, não trepida em se valer de uma calúnia. E convence Antônio de que a mulher o engana: "Queres a prova? finge uma viagem, volta depois às escondidas, oculta-te na chácara, e espreita! Verás que, às horas tantas da noite, há de chegar aquele que é mais amado do que tu!"

Aceita o moço o conselho, diz que vai jornadear, beija a mulher, e parte. Mas, à boca da noite volta, e, dentro de uma moita, fica à espreita. Daí a pouco, vê que um vulto de homem salta o muro e, com passo de gatuno, leve e abafado, se aproxima da casa. Antônio (em todo o homem há sempre a fúria de um Otelo!), Antônio não resiste ao primeiro impulso da cólera: põe à cara o clavinote e dispara-o. Cai o vulto, baleado. E quando o desgraçado vai ver de perto quem matou, vê estendida por terra, numa poça de sangue, a própria mãe, vestida de homem. A mísera, querendo iludir o filho, tivera a diabólica idéia de combinar toda esta aventura, cujo êxito pagou com a morte...

* * *

Isso é o que diz a lenda. E diz mais que Antônio, desesperado, internou-se nos matos bravios, transformando-se desde então neste Conselheiro que é hoje diretor de três mil fanáticos que, armados de carabinas Chuchu, devastam a Bahia e estão dando que fazer às tropas do general Sólon.

Há desgraçados que o remorso transforma em frades, ou em criminosos relapsos, ou em suicidas, ou em idiotas. Outros, muda-os o remorso em apóstolos... E o Conselheiro não foi impelido para o Apostolado unicamente pelo remorso. Este já achou o terreno preparado na alma do Antônio, – alma de inquieto, de agitado, de nevrótico. Podia dar para outra cousa o homem: mas deu para se julgar Enviado de Deus, encarregado de regenerar o mundo, de redimir a humanidade, de combater os governos existentes.

Ainda se ele parasse aí! se os três mil homens se limitassem a correr os desertos, e a comer gafanhotos como S. João Batista, e a jejuar e a orar como Santo Antão, na Tebaida!... Mas, não! os fanáticos de Antônio Conselheiro, apesar de se dedicarem à penitência e à reza, e à reforma dos costumes dos homens, não podem passar sem pão, sem carne, sem cachaça, e sem mulheres. E, pois, saqueiam as vilas, assolam as aldeias, matam os ricos, escravizam os pobres, defloram as raparigas, e assim vão vivendo bem, bem combinando os sacrifícios do viver religioso com as delícias do comer à tripa-forra.

* * *

Ora bem! chegamos agora ao ponto principal do caso. Pelo que todo o mundo diz do Conselheiro, ele não é só um fanático: é também um salteador; e salteadores, além de fanáticos, são também todos os seus sequazes. E, em qualquer outra parte do mundo, esse pessoal seria baleado, corrido a pedra e a sabre, sem complicações, sumariamente.

* * *

Aqui, não! Aqui tudo é política. Aqui não se compreende que se faça alguma cousa, ou boa ou má, sem ser por política. Houve um incêndio? política! – Um bonde elétrico matou um homem? uma senhora fugiu de casa? política – Caiu um andaime? o Prudente tinha uma pedra na bexiga? política! – E, assim, o Conselheiro, na opinião da imprensa indígena, nem é um fanático, um Jesus de fancaria, – nem é um salteador, um Fra Diavolo da Bahia: é um homem político, é um conspirador, é um restaurador da monarquia...

A *Liberdade* cala-se sobre ele: manha de monarquista. *A República* diz que ele é emissário do príncipe do Grão-Pará: recurso de jacobino.

Entre essas duas manias, quem lucra é o nosso Conselheiro, que, sendo, ao mesmo tempo, um maluco acabado e um refinadíssimo patife, deixa de ser tudo isso, para ficar sendo, graças à mania política da terra, um agitador, um Kossuth, um Montt, um não sei quê!

Viva a política! Nada há mais sobre a terra, debaixo do clarão esplêndido do sol!

O DIABO VESGO

JAN. 1897[1]

Crônica

O valor maior da grande festa, com que se há de inaugurar em maio a estátua de José de Alencar, será este: chamar a atenção de todo o Brasil para a classe dos homens de letras.

Isto é cousa que já tem sido dita e escrita em todos os tons, mas é bom que se repita, porque o melhor meio de dar cabo de uma vergonha é descobri-la: nestes quatorze milhões de habitantes, não há talvez duzentos mil homens que tenham lido Alencar. Aqui mesmo, no coração do Brasil, onde mais largo é o movimento literário, onde com mais facilidade se vendem livros e jornais, é incalculável o número dos que dele sabem apenas que foi deputado e ministro...

* * *

Não podendo romper essa espessa muralha de ignorância e de indiferença, a classe dos homens de letras vegeta desconhecida e pobre; quase todos nós escrevemos para os oficiais do mesmo ofício: – temos assim um público escolhido e inteligente, mas (ai! de nós!) um público que não paga, – o que, francamente, não é muito consolador.

Ninguém escreve unicamente pela satisfação de escrever. Quem assina estas linhas já uma vez disse, num soneto, que não fazia versos

ambicionando
Das néscias turbas os aplausos fúteis;

mas isso foi uma descaradíssima mentira rimada. Quem escreve, quer os aplausos fúteis das turbas néscias, e quer ainda ver pago o seu trabalho, não só em louvores, mas também em dinheiro. Escrever por escrever, é platonismo, que, como todos os platonismos, é inepto e ridículo.

* * *

Abandonada do público, a classe não tem como reagir contra os editores que a exploram. Porque a impressão de livros, se não dá cousa nenhuma ao autor, sempre dá alguma cousa ao editor, sujeito esperto que não perde nunca, porque tem modos vários de impingir a sua fazenda.

Ninguém ignora o que foi o editor Garnier; ninguém ignora que a obra de Dias, Alencar, Macedo, Casimiro, Álvares de Azevedo, e tantos outros foi produção, que se lhes deu alguma glória, não lhes deu vintém. Entre os modernos, Aluísio Azeve-

1. Os quatro números de janeiro de 1897 d'*A Bruxa* não trazem o dia de sua publicação, apenas os números 48, 49, 50 e 51. Esta "Crônica" vem no número 49.

do foi tão explorado por esse editor, que, num abençoado momento de desespero, sacudiu o jugo, e denunciou o contrato, que com a casa havia celebrado, como um verdadeiro contrato leonino, instaurando contra ela um processo.

Um poeta conheço eu, que, precisando de dinheiro (não fosse ele poeta!) vendeu em 1894 a um editor daqui o seu livro de versos por 400$000. Até o momento presente, o livro não foi publicado.

O poeta não tem lei que o proteja. O editor considera seu aquilo que comprou e não indeniza o autor do prejuízo material e moral que lhe dá, demorando a publicação da primeira edição do livro (única vendida) e impedindo assim a venda provável de futuras edições.

* * *

O sapateiro, o alfaiate, o senhorio, o médico, o advogado, têm leis que lhes asseguram a plena posse dos seus direitos. O homem de letras não as têm, porque o público não lhe dá o seu apoio, e nega-se (que horror!) a admitir que o trabalho literário seja um trabalho como qualquer outro.

Não digo que um homem de letras haja, tão pouco patriota, que, desesperado, amaldiçoe a hora em que nasceu nesta pátria ignorante. Mas, com franqueza, a indiferença de madrasta desta pátria não indigna e revolta?

Vede-me este caso, que acaba de fazer grande barulho nos tribunais de Paris.

Havia um ano que Sarcey colaborava no *Petit Journal*. Um belo dia, estava ele em casa, quando se lhe apresentou um mocinho, muito embaraçado, dizendo vir da parte do Sr. Marinoni, do *Petit Journal*.

– De que se trata? – perguntou Sarcey.

– Estou encarregado de lhe participar que, a partir de 11 de junho, o Sr. não é mais colaborador do *Petit Journal*...

* * *

– Só isso? O Sr. Marinoni não o encarregou de me explicar o motivo dessa deliberação, e de me trazer uma palavra amável, de pesar ou desculpa?

– Não.

– Mas, enfim, que disse o Sr. Marinoni?

– Disse simplesmente: "Estou farto dele".

Sarcey não esteve pelos autos. Refletiu: "Costumamos dar oito dias de aviso à nossa cozinheira antes de despedi-la, ou pagar-lhe oito dias adiantados e despedi-la imediatamente. Por que não havia o Sr. Marinoni de fazer comigo o que eu não deixo de fazer com a minha cozinheira? Nada! hei de obter uma indenização!"

E recorreu ao tribunais, que lhe deram razão.

* * *

O mais curioso é que, há dias, o nosso *Jornal do Comércio*, transcrevendo o resumo desse processo, disse que ele "estabelece um precedente favorável à dignidade da profissão de jornalista". E mais adiante: "Os tribunais decidiram em favor do Sr. Sarcey, julgando naturalmente que um diretor de jornal deve atenções aos escritores que lhe fazem a honra de trabalhar sob as suas ordens".

Como isto é bom de dizer! Meta o velho e venerando órgão a mão na consciência, e responda: se o caso se desse aqui, o resultado seria o mesmo? Se o *Jornal* despedisse um colaborador nas mesmas condições em que do *Petit Journal* foi despedido Sarcey, acharia justo que "o diretor de um jornal deva atenções aos escritores que lhe dão a honra de trabalhar sob as suas ordens"? E esse colaborador despedido acharia, nesta terra em que os gatunos e as meretrizes acham juízes que os protejam com *habeas corpus* repetidos, um tribunal que afirmasse o seu direito e que o defendesse?

Ai! de nós! o *Jornal do Comércio* bem sabe o que é a terra em que vive!

* * *

Por estas e outras razões, é que a classe dos homens de letras se deve empenhar em que a próxima festa de Alencar tenha o maior brilho. É força rasgar a muralha chinesa de que estamos cercados. Afirmemo-nos! Tomemos o nosso lugar ao sol! Respeitando-nos a nós mesmos, conquistaremos o respeito do público. E, quando tivermos conquistado isso, os que nos exploram, os que especulam com o nosso trabalho hão de ir com menos sede ao pote.

Fantasio

05 fev. 1897 — Política [Cia]

Toda a alma brasileira está ansiosamente voltada para o Norte. Quando, há dois ou três anos, se começou a falar de Antônio Conselheiro, todo o mundo encolhia os ombros, com desdém e pouco caso: – um fanático! um mentecapto! um profeta de fancaria! um arrastador de sujeitos parvos e de velhas beatas! – Hoje, o apóstolo de Canudos é general de um exército de mais de cinco mil homens...

O major Febrônio, chefe da coluna derrotada em Uauá, diz terminantemente: "Toda a pólvora encontrada era de primeira qualidade; havia bom e grosso chumbo, balins, foices e dardos. Todos eles estavam tripla e quadruplamente armados; todos eles traziam armas de fogo, afiados facões e grossos cacetes pendentes dos pulsos. Pela média, sem receio de errar, posso garantir que o Conselheiro tem mais de cinco mil homens, apesar de ter afirmado o tenente-coronel Antônio Reis, residente em Cumbe, que ele tem mais de oito mil".

Não se trata, pois, de uma simples rebelião, facilmente dominável. A guerra civil de Canudos é muito mais grave que a do Rio Grande do Sul e a da revolta naval, – porque é uma guerra feita por fanáticos, por malucos furiosos que o delírio religioso exalta – gente que vem morrer agarrada à boca das peças, tentando tomá-las a pulso.

Ora, nesta gravíssima situação, é que, mais do que nunca, se devia calar a política, com as suas pequeninas paixões e os seus miseráveis interesses. No entanto, a política está complicando tudo; e já causou o desastre de Uauá, e queira Deus que ainda não venha a causar outros, terríveis e irremediáveis!

* * *

Para ver até que ponto a mania política alucina os baianos, basta ler, com atenção, os dois longos telegramas da Bahia, que *O País*, por um verdadeiro, *tour de force*, publicou segunda-feira.

O primeiro telegrama traz o resultado de um *interview*, que o correspondente d'*O País* teve com o general Sólon. Contou longamente Sólon ao jornalista a barafunda de ordens, de contra-ordens, de hesitações, de providências disparatadas que houve, e que deram em resultado a derrota de Uauá. Ora era o Governador do Estado quem se considerava exautorado pelo Governo da União; ora era ele, Sólon, quem fazia objeções a ordens que lhe pareciam contrárias à letra da Constituição...

O segundo telegrama é a reprodução integral da carta que o major Febrônio dirigiu à redação do jornal *A Bahia*. Leia-se e releia-se este trecho da carta, onde não se sabe o que mais admirar, – se a violência do ataque, se os arrebiques nefelibatas da frase:

"Nas espinhosas operações de Canudos a incompetência e ambição do autoritarismo centralizador tem sido à socapa a palavra de ordem como apanágio delituoso de desastres. Daquele tem vindo a facilidade para todo o recurso escamoteador da dignidade dos que se prezam do mesmo modo como se manejam os capangas para falsificação de atas de eleições na fábrica de galopins sem decência de mandato.

Política torpemente velhaca dos adesos diluídos nos banhos da carnagem monárquica, ignorância perversa dos nulidades que a República e a anarquia guindaram por através de fases de filhotismo de importação, a supurar do coração brasileiro, calaram sulcos fundíssimos na vida desta geração, que carrega aos ombros a ferver o sangue dos mártires, o cadáver moral do desbriamento público administrativo.

A tropa está morta, extenuada, maltrapilha, quase nua, impossível de refazer-se em Monte Santo. Avalie agora o público as desgraças que podem advir das resoluções dos incompetentes, das facilidades do governador quando telegrafou ao governo, dizendo que o Conselheiro tinha, quando muito, quinhentos homens mal armados e que o mais eram mulheres beatas."

Notai que quem fala é um soldado, cuja missão, num momento deste devia ser bater-se, e não fazer retórica! E se assim fala um militar, que tem peias de disciplina, se deste modo um militar faz política, atacando o Governador do Estado, como não falarão e como não farão política os outros, os paisanos?

Pode ser que, mesmo os mais atilados decifradores de charadas não logrem penetrar o labirinto da construção gramatical desse major nefelibata. Há, porém, no artigo, uma cousa que todo o mundo entende: é a indisciplina flagrante do soldado, que, transviado do caminho do dever pelo amor da política, se permite a liberdade de assim descompor o Governador...

* * *

Todo o mundo sabe que Antônio Conselheiro engrossou as suas fileiras com os sebastianistas e com os republicanos descontentes. Que os sebastianistas procurem ou adotem todos os meios de ferir a República, – compreende-se: estão no seu direito, e muito idiotas seriam se o não fizessem. Mas que os próprios republicanos, apenas porque não são amigos do governador da Bahia, vão apoiar o Conselheiro, isso é que é uma cousa torpe que ainda nos espantaria, se já não tivéssemos a certeza de que a preocupação política é mãe de todas as torpezas e de todas as infâmias.

E, ai de nós!, contra o mal não há remédio. Ainda eu lembraria um remédio para o mal: – enforcar todos os políticos, sumariamente, se não me detivesse a consideração de que no Brasil não há ninguém, mas absolutamente ninguém, que não seja político.

Valha-nos o diabo, meu pai! Esta terra só merece, como definição, o verso de Raimundo Correia:

> É um vasto hospital de alienados...

Mefisto

19 mar. 1897

Política [Cia]

"O que é preciso é toda a discrição no que se está fazendo e no que se vai fazer. O governo não tem a obrigação de dizer quantos mil homens manda nem quanto dispenderá. O seu tino e o conselho dos combatentes devem arbitrar o número da expedição; a sua honra administrativa responderá pela despesa". Com essas palavras sensatíssimas resumiu admiravelmente José do Patrocínio, na sua última *Semana Política* da *Cidade do Rio*, as necessidades políticas do momento. Por que manda o governo publicar a relação dos batalhões que se põem em marcha para Canudos? Por que se entregou à publicidade o decreto que abriu um crédito de 200:000$000 para os gastos da expedição? Estou em apostar que a esta hora, no seu alpestre reduto de Canudos, já o Conselheiro recebeu essas notícas, como receberá todas as que os jornais divulgarem.

* * *

Dizem que, quando Júlio César invadiu as Gálias, *em oito dias* toda a região soube da invasão, de norte a sul, de leste a oeste. Como pode assim voar essa notícia, à maneira de um relâmpago? O fato é histórico: de que modo explicá-lo? Dizem os ocultistas que, naquele tempo, já os sacerdotes druídas estavam senhores de todos esses segredos da telepatia e transmissão do pensamento à distância – segredos que somente agora estudamos. Assim, de núcleo em núcleo sacerdotal da velha Gália, desde a cadeia dos Alpes até os confins da Armórica, teria sido transmitida a nova, por meio desse misterioso telégrafo psíquico...

Aqui no Brasil o sebastiansimo não precisa recorrer a esses processos de alta sugestão, para se comunicar com o seu grande *Conselheiro*. A rede da conspiração monárquica está bem preparada para recolher e distribuir as comunicações...

* * *

Daí decorre a necessidade inadiável de tudo fazer em segredo. Mas como obter esse segredo? A nossa indiscrição e a nossa curiosidade são proverbiais. Na semana passada, o primeiro jornal que se lembrou de aconselhar ao Governo uma absoluta reserva, no mesmo número em que inseria esse conselho, inseria nada menos de quatro notícias alarmantes. Uma maravilhosa aplicação do caso do Frei Tomás que uma cousa diz e outra faz...

A discrição necessária (e mais do que necessária: imprescindível) seria fácil e imediatamente conseguida com a decretação de estado de sítio. Já sei que o simples enunciado desta idéia causa arrepios de indignação e de terror a muita gente. Mas, Santo Deus!, o estado de sítio não é nenhum bicho de sete cabeças: é uma medida simples, constitucional, que não foi metida na Constituição apenas para inglês ver. Por que ter medo dele? por temer que a sua decretação possa abalar o nosso crédito no estrangeiro? mas o crédito já está abalado, e abalo de mais ou abalo de menos não nos entornarão ainda mais o caldo das finanças. Por motivos muito menos importantes do que o motivo de agora, já tivemos muitos estados de sítio. E a medida, hoje, impõe-se como uma medida de salvação, – uma vez que é preciso cercar a desforra que se prepara de todas as garantias de sucesso.

* * *

Direis que o tom em que está escrita hoje esta coluna não é próprio desta folha; mas, que quereis? o momento é de terríveis responsabilidades; ninguém tem o direito de ficar calado, e muito menos ainda o direito de gracejar, quando os manejos dos monarquistas estão custando ao Brasil muitas vidas, muito dinheiro e muito crédito. Desgraçado de quem ri sempre, mesmo quando a sua honra está em perigo! Fora a futilidade dos motejos sem causa! é preciso que todos pensem a sério e falem bem alto, – porque nunca estiveram mais assanhados e mais merecedores de severa repressão os que desejam ver estraçalhada a República.

MEFISTO

14 maio 1897 Crônica

Justamente no dia em que, na Europa se comemorava a Festa do Trabalho, celebramos no Rio de Janeiro a Festa de José de Alencar.

Primeiro de Maio!... Na Europa, dizer esta data é como anunciar, às almas e aos corpos, a chegada dos dias de luz e de calor, – a chegada da estação abençoada, em que as árvores, desfolhadas pelo inverno, se cobrem de gomos verdes e em que os espíritos, crestados pela fadiga e pelo tédio, se cobrem de esperanças... Foi por isso principalmente que os trabalhadores do Velho Mundo escolheram esse dia para a celebração da sua festa da concórdia, de descanso e de amor.

Lá, a Primavera, que, aos primeiros raios do sol, funde a neve, e arranca das almas o desespero, e acorda dentro delas o Amor, e dentro delas acende o Desejo da Vida, e a Aspiração e a Necessidade de ser feliz e de ser amado, – invade também as oficinas, onde se morre à míngua de luz e de ar, e põe no espírito de cada operário a vontade de afirmar a sua força e de reconquistar os seus direitos.

Fez a aspiração moderna da Liberdade com que os operários da Europa quisesem desse modo afirmar, contra o egoísmo desvairado do Capital e da Exploração, o Direito daqueles que, pobres, têm o de aspirar o ar livre por vinte e quatro horas, e que, escravos, também podem amar o descanso.

Lá, a mesma alegria triunfal, que se derrama pela copa dos castanheiros, vai cantar no barulho das rodas das máquinas, e acordar, dentro do coração de cada trabalhador, até então preocupado apenas com a escravidão do seu dever, o desejo de ser como as feras, que cruzam livremente as matas e como os besouros, que livremente, zumbem no ar.

Primeiro de Maio! – É preciso ter visto, numa grande capital européia, a agitação, o entusiasmo, a febre que invadem as almas quando se aproxima essa deliciosa e suave data, para saber o que é para aquela civilização o advento da primavera, – depois dos longos dias e das longas noites de cinza e de névoa, que, enchendo o céu de tristeza, também enchem de tristeza quem passeia a sua melancolia por aqueles caminhos tristes, entre aquelas árvores desfolhadas que suam neve, à beira daqueles lagos e daqueles rios que o frio congelou, sob as nuvens carregadas que tapam o fulgor das estrelas...

Primeiro de maio! Aqui não temos, verdadeiramente, nesta Pátria da Primavera Perpétua, uma data que corresponda a essa: aqui o Trabalho (pelo menos esse esfalfante e assassino trabalho material que, na Europa, envelhece os espíritos prematuramente, e prematuramente alquebra os corpos), aqui o trabalho não carece de um dia convencional de descanso e de liberdade. Mas já temos imitado tanta cousa ruim da Europa, que não é de revoltar imitemos dela, ao menos, uma cousa boa...

Ora, pois, meus amigos, meus irmãos, vimos de celebrar, com todo o esplendor possível, no dia primeiro de Maio, a festa de José de Alencar!...

Haverá ainda alguém, neste largo pedaço de terra americana, que não conheça esse nome?! Pode ser que sim... porque este pedaço largo de terra ainda abriga muito analfabeto...

* * *

E sempre será bom dizer que José de Alencar, cuja estátua em 1 de Maio a Comissão Central da Imprensa inaugurou no largo do Catete, foi o escritor brasileiro em cujo estilo vivamente palpitou, pela primeira vez, a alma da nossa terra... Dir-se-á (uma vez que não falta nunca quem apedreje os que são glorificados) que o seu modo de ver as cousas do Brasil foi falso, – porque o Brasil não é hoje o índio *Peri*, ou o explorador português que por aqui se vinha à conquista das *minas de prata*... Santo Deus! Ninguém quis honrar em José de Alencar o esforço da moderna gente literária do Brasil, afirmando agora a sua independência definitiva, criando, com Coelho Neto, o nosso romance nativista, com Afonso Arinos, Valdomiro Silveira, e outros o estudo da vida e das paixões do nosso sertão bravo, e com Araripe Júnior uma feição nova da nossa crítica... O que se quis foi – justamente nesse dia Primeiro de Maio, que, por uma coincidência, era o dia do aniversário natalício de Alencar – honrar o trabalho literário no Brasil, tão desprotegido, tão abandonado dos poderes públicos, tão rechaçado para o último plano, do trabalho coletivo em nossa terra!...

É a primeira estátua de homem de letras que o Rio de Janeiro tem.

Esse José de Alencar, que Rodolfo Bernardelli amou e perpetuou, foi sobretudo, e antes de tudo, um homem de letras. Porque a sua passagem pela política foi apenas um acidente...

Num tempo em que, não havendo editores, toda a produção literária era forçosamente gratuita, José de Alencar, prevendo o futuro de sua terra, soube lançar o alicerce de uma literatura positivamente nacional. Diga-se que não temos índios hoje! Diga-se que não temos contratadores de diamantes, nem intendentes de ouro, nem exploradores de sertões, nem descobridores de minas! O que se não pode dizer é que ele não tenha fixado, nas páginas dos seus livros, a paisagem brasileira e mais do que isso a primeira época da nossa história.

Primeiro de Maio! Não foi bem escolhido o dia para a inauguração da estátua de José de Alencar?

Nesse dia, a Europa celebra a festa dos operários da oficina, do laboratório e do campo. Esses são lá os que não têm amparo: aqui, os que não têm amparo são os operários do Pensamento...

Meus irmãos de Letras e de arte! – a festa que celebramos no dia Primeiro de Maio, no Rio de Janeiro, foi a nossa festa e glorificação do nosso Trabalho.

OTÁVIO BIVAR

A Cigarra 1895

13 JUN. 1895 CRÔNICA [CF]

Creio que neste contrato tácito que fizemos, eu e o público, ficou-me o direito de escolher à vontade os assuntos, não?

Ora bem! Quero hoje, com uma gravidade de jurisconsulto, ocupar esta página com uma centena de linhas poderosas, em que se discuta o complicadíssimo caso das Faculdades Livres de Direito. E devo, antes de tudo, revelar um segredo, – mágoa oculta que me rói a existência, carcinoma hediondo que, dia a dia, se apossa das mais secretas, das mais profundamente recônditas fibras do meu ser.

* * *

A princípio, em menino, o título de Doutor me sorria no futuro, como uma esperança e uma glória. Os Hebreus, no cativeiro, "sôbolos rios que vão por Babilônia", não sonhavam com igual febre a doce Terra Prometida, a maravilhosa Canaã em que, para lenir as amarguras do longo exílio, deveriam achar deliciosos riachos de leite e de mel.

Quando um médico passava por mim, os meus olhos de criança comiam a pedra verde, a grande esmeralda que ele trazia ao dedo, dentro de um círculo de brilhantes, num aro grosso, em que duas cobras se enlaçavam. Depois, ai! de mim! perdi a esperança...

O mestre Machado de Assis tem um conto, em que a esperança do protagonista, que vai pedir dinheiro a um amigo, vai descendo e minguando, desde a fabulosa quantia de vinte contos até a ninharia de cinco mil réis. E o mestre explica como a ambição do mísero, – águia altiva em começo, roçando com as asas os cumes dos mais altos desejos, se transformara tristemente numa pobre franga rasteira, mariscando e bicando a estrumeira de um quintal.

Assim eu. Do ardente desejo de ser doutor, desci ao mais modesto, mas não menos ardente desejo de ser bacharel.

Oh! simples bacharel, sem borla, sem capelo, sem teses, mas com anel! mas com diploma! mas com título! mas com canudo!

E aí vieram outra vez as complicações da vida, e outra vez me esfarraparam o sonho. Ir a S. Paulo ou ao Recife, que desarranjo! Cursar cinco anos uma Academia, que loucura! – Com que dinheiro comeria eu, durante esse tempo todo?...

Cheguei a pensar em ser um simples rábula, um humilde procurador de causas... Há muita gente que tem subido às mais altas posições, não sendo outra cousa... Mas houve uma revolta na minha vaidade: rábula não é título digno! ainda se soasse bem ao ouvido!...

E acabei por, desconsolado, abandonar o meu sonho: deixei-o finar-se como um tísico, pouco a pouco, à feição de uma candeia que se apaga à míngua de azeite.

* * *

Mas um dia, abrindo um jornal, tive um sobressalto que me estremeceu o coração dentro do peito. O governo aprovara os estatutos de uma Faculdade Livre de Direito, instalada aqui mesmo, nesta cidade, dentro da circunferência em que se agitam os meus interesses, os meus negócios, os meus amores, os meus prazeres, as minhas obrigações... Dei vida nova ao meu sonho, levantei-o como um Lázaro do fundo da cova da desilusão, dei-lhe um banho de sol e de fé. E deliberei fazer-me bacharel.

Apenas, não quis ser o primeiro. Esperei que outros passassem antes de mim. Foi o meu grande erro. A modéstia em que me tenho imbecilmente embrulhado tem sido a causa mais séria dos meus desgostos. As violetas, com a sua humildade, escondidas no tapiz anônimo da relva, estão expostas a todas as injúrias do tempo e da criação: não há bota de homem que as não esmague sem piedade, como não há gato que não esguiche sobre elas uma injúria líquida. Ao passo que as palmeiras, arrogantemente levantadas no ar, afrontando as estrelas com empáfia, zombam dos próprios temporais, e riem, como mulheres esbeltas e vaidosas que são, dos homens e dos bichos que andam cá por baixo... Ai! eu ainda hei de morrer, não de moléstia, mas de modéstia, uma vez que não há meio de tirar da alma este grande defeito...

* * *

Assim, esperei. E comecei, com cuidado, a indagar do que se passava no interior da Faculdade Livre. E vai, de repente, aparece outra Faculdade, também Livre e também de Direito. Desconfiei: era esmola demais para um pobre tão pobre...

Mas começaram a sair delas duas bacharéis a granel, como uma ninhada de ratos. Não havia semana em que as duas fecundas escolas não atirassem ao Foro quatro dúzias de homens formados.

* * *

Conheci um moço que ganhava a sua vida como caixeiro de botequim. Travei relações com ele, um dia em que me veio pedir, com interesse, que lhe escrevesse uma carta à família:

– Então, não sabe escrever?

– Nem ler.

Escrevi a carta, assombrado de tão espantosa falta de instrução, e passei um ano sem ver o meu conhecido. Ao cabo desse ano, fui ao júri e vi-o, na tribuna da defesa, agitando gravemente no ar a mão espalmada, em cujo indicador fuzilava um formoso rubi. Houve um desmoronamento dentro de mim. Que era aquilo, Deus da Misericórdia? Esperei que o homem acabasse a sua arenga, vi-o descer da tribuna, abraçado e felicitado por vários colegas, e aproximei-me:

– Então! formou-se?

– É verdade! custou-me um pouco, mas enfim...

* * *

Depois, uma senhora do meu conhecimento, mãe de vários filhos pequenos, disse-me um dia:

– Olhe: Este é o mais velho, tem dez anos. Quero ver se aos doze está formado em direito...

Todas estas cousas calavam profundamente no meu espírito, e dentro dele germinavam. Não quis perder mais tempo, e animei-me.

Então, começaram a aparecer nos jornais umas notícias misteriosas: "Consta que nos relatórios dos fiscais das Faculdades livres fazem-se graves revelações" ou "diz-se que o Sr. ministro do interior vai providenciar para que se cumpram à risca os estatutos das faculdades livres", ou etc., etc.

Revelações graves?

E saí à cata de informações. Que horríveis, que indesculpáveis irregularidades se podem dar dado [sic] no governo daquelas máquinas de fazer bacharéis?

Versões desencontradas choveram sobre a minha alma ansiosa. Nada apurei. O que sei é que receio e sinto no ar uma catástrofe. Vida minha! se fecham as faculdades livres, onde irei adquirir o cobiçado diploma?

Há quem diga (é esta a versão mais corrente) que o curso de ciências sociais e jurídicas se faz ali tão à pressa, que vários concidadãos já se têm formado no curto espaço de tempo que vai, num dia só, do almoço ao jantar. Mas onde o inconveniente disso? Eu já vim de Ouro Preto aqui em 14 horas, porque vim pela estrada de ferro. Tiradentes veio em mais de dois meses, porque veio a pé. Deixamos por isso de fazer a mesma viagem?

Objetar-me-ão que, com essas espantosa celeridade, uma criança de mama viverá brevemente no colo materno com um rubi de bacharel ao dedo. Que tem isso? Há tantos casos de precocidade!... Olhem: Goethe escreveu o *Fausto* aos vinte anos. Pascal, o profundo – tão profundo, que acabou vendo sempre aberto diante de si um abismo que era talvez a imagem da sua própria profundidade, – Pascal, aos doze anos, era um grande matemático; aos dezesseis, escreveu o *Tratado dos Cônicos*; aos dezenove descobriu que a natureza tem horror ao vácuo... Isto é História, meus senhores: está no *Larousse*, que é a fonte anciã e respeitável da minha erudição.

Que inconveniência pode haver em que o Rio se encha de advogados-meninos?

Seja tudo pelo amor de Deus! o que há é que, lá no alto, no livro do Destino, está escrito que eu nunca serei bacharel! Morrerei virgem desta investidura gloriosa...

FANTASIO

01 AGO. 1895

CRÔNICA

Por que é que as semanas não hão de ter a sua cor própria e característica?

O nefelibatismo francês deu cor às vogais: o *a* é branco, o *i* é vermelho, etc., etc.

Um alemão acaba de dar cor às notas de música, construindo um aparelho, que pinta, mas que positivamente *pinta* as partituras.

Pensando bem, acaba a gente reconhecendo que isso é menos paradoxal do que parece. De resto, segundo Nordau, o paradoxo é uma verdade incubada. Ou, falando mais, claro: o paradoxo é um embrião da verdade.

Tenho para mim que as semanas possuem positivamente a sua cor própria. Uma semana santa é roxa; uma semana de carnaval é cor de vinho; uma semana de natal é verde; as quatro semanas de maio são azuis, com ramagens de ouro, como o manto de Nossa Senhora...

* * *

Toda a semana passada foi verde e amarela como a nossa bandeira: e esta semana que corre vai pelo mesmo caminho, molhando-se nas mesmas tintas.

Nós só julgamos a vida pela impressão que os acontecimentos fazem em nossa alma: o patriotismo fez com que estes últimos dias corressem aos nossos olhos, com uma cor auriverde.

Tivemos primeiro o empréstimo de seis milhões de libras. A influência das grandes somas é tal, tão soberano é o prestígio dos milhões, que todos nós estremecemos de alegria, quando soubemos que devíamos mais essa maquia gorda aos capitalistas de Londres. Já sabíamos todos que nenhuma dessas libras viria dar um arzinho de sua graça à praça do Rio de Janeiro. Sabíamos que todas elas ficariam por lá, bem acondicionadas no seio cauteloso das burras londrinas: as libras têm medo da febre amarela.

Mas, ainda sabendo disso, exultamos. Sabíamos mais e sabemos que quanto mais empréstimos se fazem, mais cara fica a vida, mais impostos se paga quem trabalha; mas, continuamos a exultar. O ouro inglês, com o seu amarelo fulvo, casa-se tão bem ao opulento verde da nossa natureza!

* * *

Depois, passada essa primeira explosão de alegria auriverde, tivemos outra.

E essa outra foram ainda os nossos amigos ingleses que no-la deram, dando-nos o caso da ocupação da Trindade. Nós todos, alarmados pelo perigo, procuramos-nos [sic], através das nossas dissensões, dos nossos ódios, e achamos-nos [sic], e reconhecemos-nos [sic], e unimos-nos [sic]. E aquela bandeira brasileira que andou pelas ruas à frente dos bandos populares, deu-nos bem a cor destes dias felizes, de revivescência patriótica, de primavera nativista.

Mas, todos esses sucessos são da competência do meu vizinho L.F.: não preciso da política para provar que a semana passada teve e que a semana presente tem as cores nacionais.

* * *

Basta falar do centenário de Basílio da Gama. Não sei se o festejarão dignamente. Receio mesmo que versos de pé quebrado e períodos de sintaxe despenteada profanem a doce comemoração do cantor do *Uruguai*.

Que importa? Nós já não estamos em 1830. Não podemos crer com o assombroso romântico da *Mademoiselle de Mapin*, que uma rima pobre seja mais feia que um vício contra a natureza. Não é preciso que a mocidade festeje Basílio da Gama com estilo: basta que o festeje com entusiasmo.

Os grandes poetas do Brasil são esquecidos, com um desamor que dói.

Apanhem-me aí um moço, ao acaso. Afirmo que esse moço conhece mais intimamente as *Flores do Mal* de Baudelaire que o *I-Juca-Pirama* do nosso divino Gonçalves Dias.

Gonçalves Dias, que é o primeiro poeta brasileiro, é o menos conhecido e o menos amado. Quem o conhece bem, conhece-o pelos seus *Cantos*: quase ninguém lê os seus dramas. Ainda há poucos dias, conversava eu com um homem de letras, a propósito do Teatro Nacional do ator Martins. Falávamos da peça com que a companhia pretende estrear. E, como eu lembrasse que se devia representar um drama de Gonçalves Dias, o homem de letras abriu os olhos com espanto:

– Que drama, homem? Gonçalves Dias escreveu algum drama?

Basílio da Gama é outro desconhecido. Ninguém o lê. O Sr. Guerra Junqueiro, com as suas frandulagens espaventosas, é ainda o poeta popular do Brasil.

Venha, portanto, a comemoração do poeta do *Uruguai*, com estilo ou sem estilo, com versos certos ou versos errados, com o estro de fogo de Murat ou o estro de manteiga do Dr. Bonsucesso, com os períodos de mármore de Machado de Assis ou os períodos de pinho bichado de... Basta! não quero desgostar ninguém. O que quero é que se festeje Basílio.

* * *

Para não sair do terreno literário, quero também falar de Aluísio Azevedo. O seu concurso para cônsul do Brasil veio acentuar aos meus olhos a cor patriótica da semana. Mallet, que amava Aluísio, como um irmão mais moço pode amar um irmão mais velho, disse-me um dia, pouco antes de morrer: "Tenho tão pouca confiança nesta gente e nesta terra, que já sei que Aluísio nunca será aproveitado por governo nenhum; saber escrever nesta terra é uma mácula original de que a gente nunca mais se livra: não há benzina que a tire".

Em outro qualquer país, quem se chamasse Aluísio Azevedo, e tivesse escrito a *Casa de Pensão, O Mulato, O Homem, O Cortiço, O Livro de uma Sogra* (oh! Magalhães! vem esse livro ou não vem?), *Os Mistérios da Tijuca*, a *Filomena Borges, Os Demônios*, e outros tantos livros em que o ilustre moço tem gasto a mocidade e a saúde para honrar o Brasil, – quem tivesse na sua fé de ofícios tantos títulos de recomendação à gratidão e ao amor de seus compatriotas, não careceria de fazer concurso para mostrar o que sabe...

Mas, enfim, foi preciso fazer concurso, e ele o fez, brilhantíssimo. Resta agora que a sua nomeação venha. O ilustre ministro das Relações Exteriores, que é um homem de letras, e que acaba agora mesmo de firmar a reputação do seu talento e do seu patriotismo com a luminosíssima discussão do caso da Trindade, lembrar-se-á de que ninguém com mais honra para todos nós é capaz de representar em qualquer parte o nome brasileiro, do que este trabalhador infatigável, cujo talento tem o esplendor do nosso céu e a fecundidade sagrada e perpétua do nosso solo.

FANTASIO

29 AGO. 1895 CRÔNICA

Oh! os maridos que matam!

Na semana passada, um deles compareceu ao júri, e saiu de lá, absolvido e livre. Eu, se fosse jurado, teria feito o mesmo que os outros fizeram: teria mandado em paz o homem, – mas unicamente porque não acredito na justiça da terra.

É uma das cousas que não compreendi nunca: como um homem, operário ou capitalista, sábio ou ignorante, tratante ou honrado, vai sentar-se ali, num lugar de jurado, depois de um almoço confortante, em pleno trabalho de digestão feliz, e julga-se serenamente habilitado a dar o seu voto solene em causas que quase nunca estudou, a cujo desenvolvimento não presta cinco minutos de atenção aturada, entorpecido como está pela digestão ou pela noite passada num baile ou numa orgia.

Se algum dia me chamassem a cumprir esse dever de cidadão, eu pagaria todas as multas imagináveis, sujeitar-me-ia a ir purgar no fundo de um cárcere o meu procedimento antipatriótico, – mas não iria nunca dizer ali a palavra tremenda de que depende a sorte de um homem, meu igual, meu irmão.

Eu, jurado! Eu, tão carregado de pecados e de más ações, e tão enlameado na enxurrada da vida, eu, tão *homem* e, portanto, tão injusto e tão mau, eu, como se em mim se pudesse encarnar e fixar esse ideal sobre-humano da justiça, contribuir com uma palavra para decidir a sorte de um homem, para arremessá-lo ao fundo de uma penitenciária...

* * *

Que idéia pode fazer o jurado – dono de venda, que furta no peso dos gêneros – da justiça? Que idéia pode fazer da justiça o jurado-azevieiro, que comete adultérios e seduz meninas? Que idéia pode fazer da justiça, o jurado – *homem*, vingativo, rancoroso, caluniador, interesseiro, hipócrita?

"Eu, por mim, sou passavelmente honesto; e poderia, apesar disso, acusar-me de crimes tão graves, que deveria desejar nunca ter nascido! sou orgulhoso, cruel, ambicioso..." – diz Hamlet a Ofélia. Ingênuo Hamlet! com esses defeitos achava-se até indigno de viver. E qualquer sujeito, que possui um milhão de outros defeitos mais sérios, julga-se capaz de ser juiz das paixões humanas!

* * *

É por isso que, sem ser príncipe da Dinamarca, nunca eu teria a coragem de aceitar o papel de jurado. Mas, se o aceitasse, absolveria sistematicamente todos os acusados, o gatuno como o falsário, o testa de ferro como o parricida, – porque preferiria mil vezes dar um malfeitor à comunhão social do que dar à minha própria alma a sombra mais leve de um remorso possível. Já vêem que não escrevo esta crônica para maldizer do júri que absolveu um marido-assassino, na semana passada: eu o teria também absolvido.

Mas, há uma observação a fazer: concordo com a absolvição, mas não concordo com os carinhos de simpatia e de piedade de que o cercou a opinião pública. – "Oh! um infeliz! um alucinado! um mártir da sua honra!"

* * *

Um infeliz – de acordo. Amava e foi traído. Não há infelicidade maior. Mas um homem, por ser infeliz, não tem o direito de tirar a vida a ninguém. Um infeliz, de acordo! mas, por que dar todas as lágrimas a essa infelicidade, e negá-las à outra, à maior, à infelicidade da que morreu, para pagar uma falta tão humana, tão simples, tão digna de perdão?

* * *

Um alucinado? sem dúvida! Mas não era também uma alucinada, alucinada de amor, a desgraçada que não soube resistir às tentações do adultério? Sem dúvida, o homem que, num momento de cólera, lança mão de um revólver e prostra sem vida a mulher infiel, não está em si: não há pior delírio que o do ciúme! Mas... e ela, fraca de inteligência, sem educação moral, sem experiência da vida, sem força de caráter, talvez sem amar o marido, talvez sem nunca o ter amado, – vê um outro homem, ama-o, entrega-se-lhe *alucinadamente*, e não tem perdão!

Oh! não me oporei nunca a que se perdoe o alucinado de ciúme. Mas, por que não perdoou ele também a alucinada de amor?

* * *

Um mártir da sua honra? Ah! isso não, tenham paciência! Digam: um mártir do seu egoísmo...

Notem bem que não há nestas palavras – mártir do seu egoísmo – o desejo de deprimir o caráter do matador. O egoísmo não é um crime, não é um defeito, não é um sentimento reprovável, porque é humano, profundamente humano. O altruísmo perfeito é um sonho. O mais altruísta dos homens é um monstro de egoísmo.

Digam – um mártir do seu egoísmo! Em primeiro lugar, que é a honra? Então uma mulher desonra um homem só porque deixa de amá-lo? Não me venham falar de deveres de casamento, de obrigações sociais, de contrato conjugal! – todos os preconceitos do mundo não valem a vida de uma criatura!

* * *

Depois, este caso de honra conjugal já não pode aproveitar a defesa nenhuma. Tanto assim, que não há júri que absolva um marido criminoso de morte, – *atendendo a que ele tinha o direito de desagravar a sua honra conjugal.* O júri faz o que fez a semana passada: absolve o acusado, – *atendendo a que ele, no momento do crime, não estava no uso pleno das suas faculdades mentais.*

E matar a mulher que peca! Que culpa tem ela, a infeliz, com os seus nervos desequilibrados, com a sua alma leviana, com a sua incompleta incompreensão da moral, – que culpa tem ela de que o único homem a quem deveria amar não tenha satisfeito o seu ideal?

* * *

Decididamente, o assunto é triste, e o que é pior – é grave.

Que quereis? ninguém é senhor dos assuntos. Eu, se pudesse, teria polvilhado do ouro puro da alegria e da sátira esta página. Em vez disso, enchi-a de cousas lúgubres e pedantes.

Não importa! fiz o que a pena queria, e fui para onde ela me levava, – o que é a única cousa razoável que um cronista pode fazer. Repito que, se fosse jurado, teria também absolvido o digno e infeliz homem, que, ciumento e exaltado, infringiu o preceito bíblico, manchando as mãos no pobre sangue de uma vítima dos seus nervos e da sua sorte má. Tê-lo-ia absolvido lá, como o absolvo aqui, do fundo da alma, tolerante como sou, e compadecido de todas as alucinações do homem.

Mas, por que a não absolveu ele também?

Vá que a não absolvesse, que lhe não perdoasse... Mas que a deixasse viver, com a sua desgraça, com o seu remorso, com os seus erros, com os seus pecados!

FANTASIO

19 SET. 1895

CRÔNICA

Creio que a tradição bíblica do pecado original foi alterada depois de Moisés. Um amigo meu, versado em ciências ocultas, profundo conhecedor de todos os mistérios da Cabala, discípulo de Elifas Levi e Papus, homem que confabula com o além-túmulo, e que, como Swedenborg sabe o que se passa no seio de Júpiter, afirma-me que os versículos 13 e 16 do Gênesis estão errados. Segundo esse investigador de cousas complicadas, o verdadeiro texto é este:

"13. E o Senhor Deus disse para a mulher: por que foi que te arriscaste a ter uma filha? E ela respondeu: A serpente me enganou, e eu comi do fruto. – 16. E o Senhor Deus disse para a mulher: Eu multiplicarei os teus trabalhos e os teus partos. Tu em dor parirás filhos e filhas, e estarás sob o poder de teu marido, e ele te dominará. E, para que sejas castigada, teus filhos e filhas casarão, e terás genros e noras. E serás sogra!"

Esse foi o castigo da mulher. E assim se explica o ódio que todo o mundo tem às sogras, e o pavor que elas incutem aos homens que procuram matrimônio, e a perseguição que lhes movem os anedotistas, e o frechamento de rimas venenosas com que têm martirizado todos os poetas satíricos da criação...

* * *

Mas, não há maldição perpétua. O tempo apaga tudo. Era justo que as sogras tivessem um redentor. Tiveram-no. É um homem bonito, não muito alto, não muito baixo, antes gordo que magro, possuidor de um par de olhos formosos e de uma pena que tem escrito mais de duas mil páginas admiráveis e fortes.

Esse homem, que nasceu em S. Luís do Maranhão, recebeu na pia batismal o nome de Aluísio Azevedo. Mas, antes, já tinha recebido no berço as profecias e as dádivas das fadas, que, avocadas no momento da sua vinda ao mundo, deram-se pressa em vaticinar-lhe o futuro.

Uma delas disse: "Será belo! fará andar à roda muita cabeça de mulher bonita, e na chama dos seus olhos muita mariposa ansiosa virá queimar as asas imprudentes!"

Outra, meneando a cabeça: "Dar-lhe-ei cousa melhor! Dar-lhe-ei o talento de transplantar para a tela as mulheres belas que amar! Será pintor!"

Disse a terceira: "Não será pintor! será escritor! a sua alma abrir-se-á, como um estuário vasto, para receber todos rios da paixão humana! dirá todos os sofrimentos e todas as alegrias da vida, descerá aos abismos de todos os corações, e a sua Obra será um largo espelho mágico, em que todo o mundo se verá reproduzido!"

E iam retirar-se, quando na alcova apareceu a própria mãe Eva, a própria mulher primeira, que foi a primeira sogra, e disse: "E como escritor redimirá as sogras! Para confusão dos genros, reabilitará as sogras caluniadas, em um livro singular e piedoso, que será posto à venda na heróica e leal cidade de S. Sebastião, na terceira semana do mês nono do ano de mil oitocentos e noventa e cinco!"

* * *

E assim foi que Aluísio Azevedo, tendo escrito muitos livros, escreveu este *Livro de uma Sogra*, que acaba de sair à luz, e que eu acabo de ler de um trago.

* * *

Seria inútil procurar neste romance de Aluísio, a mesma forma que serviu de molde ao *Cortiço* e à *Casa de Pensão*. O processo é o mesmo, – de observação e de análise. Mas, nos outros livros, o estudo do autor abrangia grandes massas humanas. De maneira que, mesmo quando estudava Amâncio, Magdá, Pombinha e todos esses personagens sem conta, que amam, sofrem, intrigam, conspiram, vivem e morrem no caleidoscópio gigante da sua obra, via-se que o autor não se demorava a fixar a atenção numa só alma, desfibrando-a escrupulosamente, submetendo-a à lente de um exame minucioso. Nessas obras, o que se estudava não era um homem, uma mulher, mas a Vida, imenso conjunto de vidas inumeráveis... Aqui, no *Livro de uma Sogra*, é uma alma de mulher, uma alma só, grande e meiga, que se estuda...

* * *

Esta crônica não pode analisar o livro novo de Aluísio. Estou aqui para dizer o que houve de notável durante a semana, e não para fazer crítica literária.

Mas que houve durante a semana? Houve boatos e suicídios. Mas, os boatos deram em nada; e quanto aos suicídios, por que tratar deles? todos nós nos matamos mais ou menos; depois, quem se mata por estar farto de viver, não se mata para fazer falar de si: por que dar ainda a vida efêmera de uma referência na crônica a quem deu à vida o safanão de supremo nojo, com que a gente se livra de uma preocupação importuna? Volto à reabilitação das sogras.

* * *

Porque, se não posso insistir nesta seção d'*A Cigarra* sobre o valor literário da obra de Aluísio, posso insistir sobre o valor moral da obra de reabilitação das sogras, a que ele meteu ombros. Que importa que os genros se rebelem contra mim? Nunca fiz caso de opinião dos homens. Só a opinião das mulheres me preocupa.

Há tempos, como eu me metesse a louvar o encanto das quarentonas, e a seriedade com que elas amam, e o sabor delicioso dos seus beijos outonais, e a paixão convencida com que sabem por toda a sua alma num olhar, e todo o universo dentro de um abraço, – todas as mulheres menores de trinta anos, não podendo conter um movimento de cólera, franziram a testa e deixaram cair sobre a minha cabeça culpada uma saraivada de remoques. Fiquei condenado a passar pela rua do Ouvidor, sem receber o mais indiferente dos cumprimentos de moça. Não me suicidei, só porque previ que a zanga não podia durar muito. Mulher bonita não odeia. Há mãos tão belas, que não servem para amaldiçoar.

Desta vez, não creio que a minha apologia das sogras provoque a cólera das noras. O *sogrismo* é uma contingência fatal na vida da mulher. Quem não é ou não foi sogra, sê-lo-á. Mesmo porque há para a mulher uma cousa pior do que chegar a sogra: é ficar para tia.

* * *

Abençoado sejas tu, Aluísio! Eu, se algum dia casar, faço questão de que minha mulher tenha mãe. Que não tenha pai! mas que tenha mãe! Que belo, ter em casa três mulheres: uma já velha, aureolada de cabelos brancos, tronco sagrado de que rompeu o galho verde e carinhoso, que nos deu à alma cansada a sombra doce do amor! a segunda, galho verde desse tronco, de onde rebentou uma flor em que vemos reviver todo o perfume da nossa alma antiga! a terceira, flor desse galho, flor de carinha brejeira e mãos de veludo, flor que nos arranca o bigode, que nos diz desaforos, que nos abre o céu num beijo, e que nos faz cair de joelhos e crer em Deus, quando deixa cair dos lábios divinos as duas sílabas da palavra mais doce: *papai!...*

Oh! por que falar mal das sogras? Olhai: de cem homens que falam mal das respectivas sogras, noventa e nove são genros sustentados por elas.

* * *

Abençoado seja Aluísio, Redentor das Sogras!

Fantasio

24 out. 1895 — Vida Noturna

Como não houve, nestes sete dias acabados, nenhuma primeira representação, nem cousa alguma que mereça ser contada aqui, aproveito a falta de assunto para responder a uma pergunta que aos dramaturgos brasileiros fez há dias o misterioso L. B. da *Notícia*. O mesmo L. B. há de perguntar aos seus botões o motivo pelo qual eu, não sendo dramaturgo, venho meter o meu longo nariz abelhudo em cousas que não são da minha competência. Que queres, misterioso correspondente d'*A Notícia*? Em a cousa me cheirando a discussão não tenho mão de mim. Demais, o ponto que se controverte não exige, da parte de quem o vai discutir, que este seja um Pailleron ou um Dumas Filho: exige que tenha um pouco de bom senso. E, em matéria de bom senso, sou um poço. Isto posto, vamos ao caso.

* * *

Trata-se do debatidíssimo caso da *Verdade no palco* e, mais particularmente, de saber 1) se o monólogo e o aparte podem ser admitidos na comédia moderna; 2) se, como propõe um escritor francês, o monólogo e o aparte podem ser substituídos pela mímica.

Tenho um meio simples de discutir a questão em poucas linhas: é reparar no que, em resposta à consulta de L. B., escreveu o meu ilustre colega A. A. no seu penúltimo folhetim *O teatro* d'*A Notícia*. Tem ele a palavra:

"A questão é uma questão vencida. Tanto o monólogo como o aparte estão há muito tempo condenados, e não há hoje dramaturgo digno desse nome que de tais recursos lance mão. Se o solilóquio é absurdo, porque ninguém fala alto quando se dirige aos seus botões, mais absurda ainda seria uma gesticulação tão expressiva, que transmitisse ao espectador o pensamento do personagem."

* * *

Perdoe-me o ilustre A. A.! – Aqui estou eu que, quando me dirijo aos meus botões, falo em voz alta. E, como eu, há centenas de milhares de homens. Mais ainda: gesticulo, quando penso. Não vejo em que seja absurdo o solilóquio.

Depois, dado e provado, como está à saciedade, que o verdadeiro absurdo é querer *fazer verdade* no palco (onde tudo tem por força de ser profundamente falso, desde o cenário até o rubor das faces das atrizes) não vejo em que possa um bom monólogo prejudicar uma boa peça. *Le Mariage de Figaro* de Beaumarchais não valeria o que vale, se não tivesse aquele estupendo e admirabilíssimo solilóquio de *Figaro* no 5º ato.

Em arte, tudo é falso. A arte da pintura consiste em obter bons efeitos de perspectivas falsas. Em literatura, a arte consiste em exprimir sentimentos numa linguagem falsa, pois que não é nem pode ser a linguagem que todo o mundo fala. Se o solilóquio é absurdo porque o comum dos homens não fala alto quando está só, mais absurdos são os dramas e as comédias em verso, porque, positivamente, nunca jamais na vida ninguém falou em verso!

* * *

Perdoe-me o ilustre A. A.! Há um caso em que o monólogo deve ser rigorosamente banido de uma peça: é quando é mau. Quando tem idéias, quando o autor o escreveu com estilo, quando o ator o diz bem, – venha o monólogo! mais ainda! venham cem mil monólogos, que nada terão de absurdos!

PUCK

O Combate 1892

08 mar. 1892 Vida fluminense[2]

Aquieta-se a vida fluminense aos golpes da canícula abrasadora e às últimas punhaladas do governo ditatorial. Quietação de morte, coma ou modorra de moribundo, eis o que fazia paisagem da nossa atualidade. A invasão da sânie tudo contaminou, espalhando a tristeza e a desilusão por toda a parte.

A própria rua do Ouvidor perdeu o seu ar festival de boêmia, a sua saúde matinal e a sua alegria trêfega de *boulevard* aristocrático. A rua do Ouvidor, esse *club* fluminense ao ar livre, deixou de ser a vitrina onde as senhoras fluminenses vinham expor às vistas as suas *toilettes* ruidosas e deslumbrantes, vestindo os seus corpos deliciosos, para transformar-se num corredor ignóbil de apodos e de insultos violentos.

Desertaram dos seus arraiais todos os artistas e com ele todo o *chic*, todo o espírito e toda a graça.

O que agora por aí cambaleia é uma multidão de vencidos e despeitados, de pobres diabos sem préstimo, sem estética e sem linha, derrotados na vida até nas mais ínfimas aspirações. É a gente do Sr. Floriano Peixoto, é o seu pessoal, pardo como um velho jaleco de mendigo, insuportável e sem talento como um abade.

Deus criou o homem à sua imagem.

O Sr. Floriano fez partidários que são o seu retrato.

* * *

Mas enquanto o Sr. Floriano não me fuzila para ter somente o prazer de assistir à minha extrema *grimace*, eu prossigo a tomar-lhe conta dos seus atentados e dos seus crimes contra a pátria.

S. Ex. mandou demitir pelo Sr. ministro do interior todo o pessoal que servia na Quinta da Boa Vista.

Ora, esses empregados da Quinta foram sempre considerados como funcionários públicos e não deram a menor razão para semelhante violência, que é mais um assalto às famílias desses cidadãos, que vão ficar agora sem recursos nesta quadra extrema da penúria, composta da fome, da peste e da guerra civil.

O Sr. Floriano devia recordar-se, quando mandou praticar essa abominável injustiça, que com esse ato maculava a palavra de honra dos nossos governos passados, que sempre respeitaram a fé dos contratos, os compromissos e os direitos adquiridos.

O governo provisório pregou e cumpriu esta doutrina, que o governo ilegal e criminoso do Sr. Floriano viola neste momento.

Sabemos que nada se deve pedir a este governo, no que respeita à justiça ou ao direito, mas como se trata de interesses de paupérrimos pais de família, embora sem esperanças de sermos obedecidos, intimamos o Sr. Floriano a mandar revogar o ato

2. Esta é a famosa crônica de O. B., cujo último parágrafo teria sido motivo remoto do suicídio de Raul Pompéia (1863-1895), ocorrido três anos depois, em 25 de dezembro de 1895.

do Sr. ministro do interior, dispensando os antigos funcionários da Quinta da Boa Vista.

* * *

E a propósito do Sr. Fernando Lobo, convém perguntar se S. Ex. realmente continua a fazer parte de um gabinete que, conforme declarou o *Jornal do Comércio*, mandou dispensar à bala os seus parentes e amigos, que estavam revolucionados em Minas por conselho de S. Ex.

Sim, meus senhores, precisamos saber do que há a respeito deste escandaloso fato, porque é ridículo para o Brasil, e mesmo inaceitável, que um dos seus ministros, pelo simples gozo da sua cadeira, se sujeite à desairosa posição em que está colocado o Sr. Dr. Fernando Lobo.

Se fôssemos amigos de boatos, nós diríamos que é pensamento do Sr. Floriano alijar o seu secretário da pasta do interior, para substituí-lo por um militar, que venha trazer mais força e solidez à máquina governamental, que tão pérfida e criminosamente se está construindo em todo país. Mas como não somos *boateiros*, queremos uma resposta imediata sobre este caso, que, enquanto não for liquidado, mantém o governo em crise.

* * *

São lamentáveis e vergonhosas as cenas degradantes de assalto e violência às pessoas que vão à cidade de Paraíba do Sul e que não professam a política florianista. Aí, quer desembarquem ou não, recebe-as uma horda de assassinos e capangas, e insulta-os, e os surra, tal qual como em Buenos Aires no tempo do espinhoso Rosas.

D. Carlos Baltazar da Silveira, com semelhante norma de governo, está manchando a sua farda de oficial da marinha, que não representa só a sua honra, mas a de toda classe a que ele pertence.

A armada nacional protesta.

* * *

O Sr. Floriano Peixoto anda seriamente encavacado com os seus amigos do *Jornal do Comércio*.

– Ora a calinada!... Ora os imbecis!... murmura S. Ex., cheio de despeito e rancor ao ler os artigos do velho órgão, clamando pela eleição presidencial.

E o Sr. Floriano resolve então recorrer aos seus luminares do *Figaro*, aos três gêmeos, Aristides, Tomás e Florisbelo, e incumbi-los de contrariar a propaganda do *Jornal do Comércio*, iniciada pelo *O Combate*.

E Aristides salta, barbado e feroz, com os colmilhos em dança, e diz que não se deve fazer a eleição presidencial. Depois vem o bem falante Tomás, com o seu arzinho de totó de [*****], o seu grande saber, escrito pelo papai na sua tese de doutorando, também escreve contra a eleição presidencial, optando pela permanência do Sr. Floriano no poder; em terceiro lugar, distanciado (isto é linguagem esportiva) chega o bacamarte Florisbelo, agarrado às *Disposições transitórias* da Constituição e chama a eleição de ilegal e que para bem da pátria é mister que fique D. Iago Judas Iscariotes de Calabar Silvério dos Reis, geral dos Jesuítas.

E parece mesmo que o homem vai ficar na presidência da República, porque já não temos nem Constituição, nem liberdade.

* * *

Nos boatos falsos d'*O Tempo*, lê-se este belo pedacinho:

Tratando-se de endeusar o gênio financeiro que nos enriquecia com emissões e concessões, o grande préstito dos carros de idéias e dos personagens enfeitados de lacinhos de fitas bicolores, nada havia de mais popular e de mais assombroso.

"A manifestação a quem *não nos dá nada*, não passa de uma arruaça sem significação alguma."

Não nos dá nada, alto lá! Não é tanto assim; não faça injustiças ao governo...

Então um lugar na Intendência não produz nada?

A gente não deve ser tão difícil de contentar...

* * *

As *Lembranças da Semana*, folhetim d'*O Jornal do Comércio*, bem estão merecendo da nossa crônica uma menção especial.

O autor das *Lembranças* é um empregado do governo, professor de Mitologia na Escola das Belas Artes. Esse moço bem podia ganhar e ingerir o seu ordenado completamente, sem rebaixamentos de caráter e sem alusões indignas. Ele, entretanto, prefere comer esse pão que o diabo amassou repassando-o pela manteiga do servilismo e da adulação.

É muito pretensioso quando pensa que, incensando o marechal Deodoro, o arrasta para as bandas florianistas, onde a desonra impera.

Talvez não seja pretensão, talvez seja amolecimento cerebral, pois que Raul Pompéia masturba-se e gosta de, a altas horas da noite numa cama fresca, à meia luz de *veilleuse* mortiça, recordar, amoroso e sensual, todas as lealdades que viu durante o seu dia, contando em seguida as tábuas do teto onde elas vaporosamente valsam.

Pierrot

Correio Paulistano 1907-1908

10 set. 1907

A Chibata

Prende e cativa atualmente a atenção e o interesse de toda a cidade um assunto máximo, um assunto sério e grave, que, justamente por ser muito grave e muito sério, é prudentemente afastado do programa de todas as conversações, nas poucas rodas civilizadas em que ainda se cultiva a "arte de conversar".

Nos jantares do Pavilhão Mourisco, nos botequins da Avenida, nos camarotes e nos corredores do *Lírico*, e nas salas em que os homens, depois do jantar e da breve ou longa demora no *fumoir*, dizem banalidades para divertir as senhoras, a conversação borboleteia sobre vários temas, sobre as festas do rei Dom Carlos, sobre a voz do barítono Amato, sobre a próxima batalha de flores, sobre a última *fancy-fair*... De repente, um distraído pergunta: "E que me dizem do marinheiro que morreu retalhado de chibatadas?" Há um constrangimento na roda, as faces empalidecem, assustam-se os olhos, ofegam os peitos, a pergunta fica sem resposta, – e toda a gente recomeça a falar da última *fancy-fair*, da próxima batalha de flores, da voz do barítono Amato, e das festas ao rei Dom Carlos...

É que o assunto é desagradável e perigoso. Entretanto, é o assunto que mais deve interessar o espírito de todos, – porque o crime que se cometeu desonra a nossa civilização e desonra toda a humanidade.

Diz-se por aí, à boca pequena, que o marinheiro já estava muito doente, e que as chibatadas foram poucas... Como se essas alegações pudessem anular, ou diminuir o horror grande do fato! Porque o fato é este, ou, melhor, os fatos são estes: primeiro, houve um marinheiro que foi castigado corporalmente; e segundo, esse marinheiro morreu durante a aplicação do castigo corporal.

E um deputado apresentou anteontem à Câmara um projeto de lei, "abolindo os castigos corporais na armada e no exército"! Mas esses castigos estão já rigorosamente, categoricamente, formalmente, absolutamente abolidos, por uma porção de leis que nunca foram cumpridas! E para que decretar mais uma lei, destinada a ser esquecida como as outras?

Antigamente, era crença geral que crianças, loucos e soldados só podiam ter uma educação: a educação da palmatória, a instrução do chicote, a pedagogia do pau.

Santo Agostinho, – um dos maiores e dos mais santos padres da igreja – escreveu textualmente: "Nos primeiros anos de vida, todo o homem é malfeitor; por isso, é preciso castigar a criança sem piedade!" E, até há bem pouco tempo, só se conheciam para os loucos dois regimes terapêuticos: a camisola de força e a ducha gelada.

Ora, no Rio de Janeiro, já não há felizmente, numa escola pública, um professor que se atreva a castigar corporalmente uma criança. E, quanto aos loucos, é sabido que as primeiras deliberações tomadas pela administração atual do Hospício dos Alienados foram estas: queimar, à vista de todos os enfermeiros, todas as camisolas de força existentes no manicômio, e ameaçar com a pena de demissão e de expulsão qualquer empregado que ofendesse fisicamente um enfermo...

Somente ao soldado e ao marinheiro não aproveitou o regime de tolerância. E o soldado e o marinheiro são tão fracos, tão humildes, e tão dignos de proteção e de "humanidade", como as crianças e os loucos, porque se não podem defender, porque não têm proteção nem amparo.

Triste e revoltante contraste: quando um oficial atenta contra as leis militares, sofre uma prisão, ou antes, uma *villegiatura* de alguns dias, numa praça de guerra, comendo peru e bebendo *champagne*, ao passo que o praça humilde, que pratica o mesmo delito, é chibatado até o sangue... e até a morte!

E ainda desprezamos e odiamos a Rússia, porque ela é a pátria do *Knout*... Ri-se o roto do esfarrapado: ri-se da "pátria do *Knout*" a "pátria da chibata".

OLAVO BILAC

13 SET. 1907

O QUE SE DIZ DE NÓS

A nossa maior preocupação sempre foi "o que se diz de nós". Já houve até um jornal que por longo tempo manteve com esse título uma seção, em que era transcrito tudo quanto se publicava no mundo sobre homens e coisas do Brasil. É uma preocupação exagerada e mórbida, que muitas vezes nos leva a ridículos excessos de melindre e amor próprio. Quando chegam os jornais estrangeiros a uma redação, os redatores arremessam-se a eles, trêmulos e pálidos, à cata de notícias sobre a vida pátria; e há júbilos ferventes quando as notícias são boas, e indignações bramantes quando são más.

Ainda agora, acaba de estourar a nossa fúria patriótica, a propósito de uma artigo publicado pela senhora Jane Hading, atriz, na revista *Je sais tout*. Escreveu ela que, em 1888, quando o sr. Coquelin esteve pela primeira vez no Rio, "um deputado negro, em cena aberta, no *Lírico*, pregou ao peito desse ator a insígnia da Ordem da Rosa..."

Foi um clamor! cinco ou seis jornalistas, transcrevendo isso, começaram a dizer "nomes feios" à atriz, falando da sua falta de sintaxe, da sua beleza avariada, dos seus dentes postiços. Dir-se-ia que esse artigo da senhora Hading viera cortar todo o nosso futuro, desgraçando as nossas finanças, e atirando sobre a nação as duas calamidades conjugadas da bancarrota e da penhora.

Entretanto, o *Jornal do Comércio* acaba de provar que a história contada pela atriz, se não é absolutamente verdadeira, é quase verdadeira: "Não foi um deputado, mas sim um vereador da ilustríssima Câmara Municipal do Rio de Janeiro, quem, no palco do teatro *Lírico*, em 1888, fez entrega ao eminente ator francês do diploma daquele oficialato. E esse vereador foi o grande abolicionista José do Patrocício".

Ora, pois! que coisa há, nesse fato, que nos possa envergonhar? Patrocínio, se não era negro, era quase negro. E desse quase negro, do seu talento, da sua formidável e esplendorosa ação social, da sua fúlgida glória de abolicionista, todo o Brasil se orgulha e orgulhará sempre.

Mas imaginemos que fosse falso, falsíssimo, absolutamente mentiroso, escandalosamente e desbragadamente falaz o episódio narrado pela senhora Jane Hading... Que perderíamos nós com isso? Que mal nos pode causar ou que bem nos pode fazer o que a senhora Jane Hading diz, pensa, escreve e publica sobre nós? É ela quem nos arranja dinheiro? É ela quem há de levantar o valor do nosso café? é ela quem paga os cupons da nossa dívida em Londres? é ela quem nos faz crescer a cana de açúcar e quem intumesce de goma riquíssima os caules das nossas seringueiras?

Vejam a grande desonra para um país: ter um deputado negro! Mas a França já teve uma porção de deputados negros, – e nem por isso o galo francês, o glorioso *Chanteclair* da Gália, perde o entono da voz possante e a cor afogueada da crista!

Olavo Bilac

15 set. 1907

As Crianças

Certamente chegou a S. Paulo a notícia da "greve" das crianças que compõem a comparsaria da "Cendrillon", no Teatro S. Pedro daqui.

O *ménager* desses pequenos artistas não lhes quis pagar o salário devido, e a petizada fez parede, e, reunida, vaiou estridentemente o contador caloteiro, obrigando a polícia a intervir no caso. Foi uma verdadeira "greve", tão justa e tão sagrada como qualquer outra, e talvez mais sagrada e mais justa do que todas, – porque já que se não pode impedir o trabalho das crianças, é preciso ao menos cercar esse trabalho de todas as garantias: os açambarcadores e os exploradores, que tão cruelmente especulam com o labor de homens feitos, com muito maior ousadia e muito mais fácil impunidade especularão com a atividade dos operários pequeninos, sem energia própria e sem amparo alheio.

A propósito desse caso recebi hoje uma triste carta, que mostra às claras uma chaga terrível da nossa vida social. Geralmente, a gente rica ou remediada do Rio de Janeiro apenas vê, de todo esse progresso atual da cidade, a parte exterior e brilhante, sem suspeitar quanta miséria vai sob essa aparência de prosperidade. Escrevera eu, há dias, defendendo os pequenos da comparsaria da "Cendrillon", que era uma infâmia extorquir o salário dessas crianças, que trabalham até uma hora da madrugada para matar a própria fome, "e a fome dos pais inválidos ou vadios". E o pai de duas dessas crianças mandou-me algumas linhas dolorosas, que há vinte e quatro horas me estão torturando a alma:

"Não! Não são apenas os homens inválidos ou vadios que se vêm forçados a explorar o trabalho dos filhos! Sou um homem válido e trabalhador; tenho quarenta e cinco anos, e trabalho das 6 da manhã às 8 da noite. Mas sou casado e pai de 9 filhos. E, trabalhando 14 horas por dia, não consigo ganhar mais de cento e dez a cento e vinte mil réis por mês! E ainda tenho de dar sustento e botica a minha mulher que, depois do último parto, jaz entreverada numa cama... Que hei de fazer, senão aproveitar os tostões que dois dos meus filhos podem ganhar, por noite, figurando como príncipes ou fidalgos nas pantomimas do Frank-Brown? No Rio de Janeiro, Sr. B., há muita miséria triste, que a gente feliz não conhece nem suspeita..."

Grande e abominável verdade essa! No Rio de Janeiro já começa a haver, com a conclusão ou a suspensão das obras de saneamento e aformoseamento da cidade, uma terrível crise de trabalho. E a vida cada vez fica mais cara; e já não há empregos públicos com que se possa satisfazer a milésima parte dos candidatos; e grande parte da população interior continua a afluir para a capital, trazida por um sonho falaz...

É o que não sabe a gente feliz, que vive gozando o conforto dos automóveis, a beleza das Avenidas, a elegância do "corso" das quartas-feiras, os *menus* luculianos do Pavilhão Mourisco, e o supremo encanto dos serões do *Lírico*.

E até eu, que não sou, graças a todos os deuses, dos mais insensíveis nem dos mais egoístas, – até eu me deixo às vezes levianamente levar pelo capricho da pena, e escrevo que só os pais inválidos ou vadios exploram o trabalho dos filhos pequenos...

Mau bicho, decididamente, é o homem! E bastante razão tinha Hamlet, quando dizia a Horácio que o melhor de todos nós é ainda tão ruim que mais lhe valera nunca ter nascido.

OLAVO BILAC

18 SET. 1907

NA BATALHA DAS FLORES

Tenho ainda bem viva na memória, esta manhã, a impressão da festa de ontem, – o imenso Parque da República cheio de povo, as arquibancadas transbordando, os carros e automóveis floridos passando e repassando como pequenos jardins errantes, um sol estival quebrando os seus dardos de fogo contra a safira do céu e a esmeralda das moitas, o clamor vibrante das fanfarras – tudo isso conjugado e instrumentado numa ampla sinfonia de cores, de aromas e de sons...

Entretanto, a última impressão, que de toda a festa me ficou, foi uma impressão de vaga tristeza, de fugitiva e indefinida melancolia, – singular efeito de uma reunião em que tudo foi – ou deveria ter sido – movimento, luz, vibração, vida, esplendor.

É que só há no Rio de Janeiro uma festa verdadeiramente alegre, – o Carnaval. Em todas as outras, há um constrangimento, um receio, ou uma vergonha de rir, de falar alto, de gritar, de delirar. Só sabemos rir, os cariocas, em plena loucura; desconhecemos essa alegria normal e equilibrada, que, em outros povos, é um estado psicológico habitual.

As avenidas que se rasgam, os jardins que se multiplicam, os prazeres civilizados que se facilitam, não conseguiram ainda alterar sensivelmente o caráter desta população. Ainda há na alma dos cariocas de hoje o sedimento da tristeza que oprimia os cariocas de 1870. Em 1870, era eu menino, de calcinhas curtas e alma curiosa; diziam-me na aula primária e em casa: "Somente os meninos malucos ou malcriados andam pelas ruas falando alto e rindo! os meninos devem ser sérios!"... E eu, aceitando a lição, era sério e triste como um bezerro. E as festas que me davam, no correr do ano, eram as procissões lentas e solenes, com os marmanjões de opa e os anjinhos cambaios, carregando e cercando andores em que Nossa Senhora chorava e Nosso Senhor sangrava. E eram essas as festas que tinha toda a população, e toda a população era séria e triste como eu, – uma população de bezerros. Mas, quando chegava o Carnaval, tudo mudava: davam-me uma roupa de Diabinho, e deixavam-me pinotear pela rua à vontade; e eu via, em torno de mim, toda a cidade repentinamente tomada de loucura furiosa, cabritando, guinchando, urrando durante três dias, – até que, na quarta-feira de cinzas, toda aquela alegria se dissipava por encanto, e a Bezerrice retomava o domínio de todas as almas.

Procissões e Carnaval: ou tristeza funérea ou loucura desvairada. Cresci, e fiz-me homem, vendo apenas isso no Rio de Janeiro. E agora, que começo a envelhecer, ainda é isso o que vejo, – mais atenuado, é verdade, mas ainda bem definido.

Ontem, no Parque da República, havia uma batalha de flores. E nem uma flor, atirada por mão de homem ou de mulher, cortava os ares. Ninguém ria, ninguém aplaudia, ninguém vibrava naquele esplendor. E, para cúmulo do escândalo, notei, em dois carros, dois cavalheiros barbados e meditabundos, envergando duas sobrecasacas negras, e aprumando sobre os crânios duas cartolas lustrosas. A cartola! o cogumelo da Respeitabilidade! o tortulho do Carrancismo!

Decididamente, somos ainda tristes; ainda temos a alma colonial; e ainda vivemos inconscientemente, por uma misteriosa influência atávica, cercados daquela opressiva atmosfera de terror que emanava da pessoa do Rei-Justiceiro e da pessoa do Padre-Inquisidor...

Olavo Bilac

20 set. 1907

O Modernismo

Estão cheios os jornais de telegramas, comentando a última encíclica do papa.

Sua Santidade condena o "modernismo, que é pai das heresias, e está em contradição com o espírito do Dogma e com a disciplina da Igreja".

Não sei que significação precisa tem, na literatura do Vaticano, a palavra *modernismo.*

Em rigor absoluto, *modernismo* é apenas uma palavra. Porque, enfim, nada é antigo e nada é moderno. A vida da humanidade é uma eterna repetição, que só nos não parece intoleravelmente enfadonho porque vivemos pouco e não chegamos a sentir a monotonia com que todos os fatos e todas as crises se reproduzem. As religiões nascem umas das outras, e todas se parecem. E todos os heréticos e todos os ateus de todos os tempos são também parentes próximos: os que hoje negam, em nome da razão, a existência de Deus ou se rebelam contra os dogmas da igreja católica, são primos-irmãos dos que, na Antigüidade, também em nome da razão, negavam a existência de Júpiter e se rebelavam contra as prescrições do conselho sacerdotal. Assim, em matéria religiosa, não há *modernismo*: a crença e a descrença, a fé e a dúvida coexistem na Terra, desde que o primeiro pensamento brotou do cérebro do primeiro homem.

Mas suponho que a nova encíclica papal é muito especialmente dirigida ao clero, e que o *modernismo* condenado por ela é essa tendência, agora manifestada por estes padres, para uma conciliação entre a Ciência e o Dogma, entre a Razão e a Fé.

Não podendo negar as verdades soberanas, que a Ciência desvenda e demonstra, esses espíritos conciliadores interpretam ao seu modo o texto dos livros santos. Por exemplo: não dizem que o o *Gênesis* esteja errado, quando afirma que o mundo foi feito em seis dias, mas explicam o aparente absurdo da afirmação, dizendo que o estilo da Bíblia é figurado e simbólico, e que cada dia daqueles é verdadeiramente um milênio...

Mas Leão X, antes de herdar o sólio de S. Pedro, era um modesto, simples, e pio vigário, conservando a ingênua fé inabalável que lhe deram no seminário. O papa atual é um sucessor, mas não um continuador de Leão XIII; não é um espírito curioso, ousado: é um escravo do Dogma, é um crente, é um homem que possui a *fé do carvoeiro*. Crê, porque crê, e não discute; e jura e há de jurar sempre que efetivamente Josué fez parar o sol, – por mais que lhe queiram mostrar a impossibilidade da realização dessa façanha astronômica.

Confesso que aplaudo francamente a condenação lançada por Pio X ao *modernismo* dos crentes. Não compreendo os crentes conciliadores, e não gabo a pachorra com que perdem o tempo em querer consagrar idéias incongraçáveis.

Os verdadeiros crentes são os que aceitam, com os olhos fechados, e com os ouvidos tapados, o que a leitura do catecismo lhes ensinou, acreditando que a astronomia de Deus é diferente da nossa astronomia, e que o mundo foi feito em seis dias, e que Eva foi tirada da caixa toráxica de Adão, e que no dia do Juízo Final todos os homens que viveram e morreram hão de comparecer em carne e osso perante o Juiz Terrível...

São esses os verdadeiros crentes; compreendo-os, admiro-os, e... invejo-os.

OLAVO BILAC

22 SET. 1907

O ANTICRISTO

Foi Voltaire quem achou, para exprimir a hipocrisia dos políticos, esta famosa frase, erroneamente atribuída mais tarde a Talleyrand: "La parole a été donnée à l'homme pour déguiser sa pensée".

Talleyrand, que era um político astuto, não inventou a frase, mas adotou-a como lema e divisa; e depois dele, raros são os homens de Estado, os diplomatas, os condutores de homens, que também não a tenham adotado, – senão com franqueza e descaramento, ao menos *in petto*. E não há nisso vergonha: aquilo que, na vida particular de cada homem, se poderia chamar "cinismo" é na vida política, na vida pública, unicamente "prudência" e "tino".

Em geral, todos os manifestos, todas as mensagens, todos os discursos dos chefes políticos atendem ao conselho dessa máxima voltaireana. Um discurso, uma mensagem, um manifesto, uma "plataforma", vêm a ser, na essência, uma aglomeração de palavras frias ou ardentes, calmas ou retumbantes, indiferentes ou entusiásticas, mas sempre vazias, prometendo cousas que não podem ser feitas, e girando sempre em torno dessas estafadas "idéias gerais" que não podem comprometer a respeitabilidade e a popularidade de um homem público.

Mas, de quando em quando, aparece uma exceção... E é sempre um fato que gera imenso espanto e provoca dilatado escândalo!

É o que se dá com as mensagens, com os manifestos, com os discursos do atual presidente do Estado de Minas Gerais, – um homem que tem a coragem rara de dizer o que pensa, e a coragem ainda mais rara de executar o que diz. Cada um dos seus discursos é uma ardente profissão de fé republicana, – e isso é positivamente uma cousa extraordinária, num regime que, habitualmente, de republicano só tem o nome.

Ainda há poucos dias, num banquete que lhe ofereceram em Belo Horizonte, o Sr. Dr. João Pinheiro pronunciou estas palavras, que lhe estão valendo os mais ferozes ataques de todos os monarquistas e ultramontanos: "Praticar a liberdade querendo o povo religioso, mas sem preferência legal por nenhum dogma; tornar a justiça protetora e ao alcance de todos; não votar medidas em favor de classes tornadas privilegiadas, sejam quais forem, porque nem merecimentos, nem aptidões, nem opiniões científicas discutíveis tiram sua autoridade dos decretos, mas da livre aceitação das consciências; ter como critério de todos os atos do governo o exame e respectivo fim e utilidade para o povo, em cujo nome as leis são votadas, pois dele e por ele exclusivamente tira o regime republicano sua legítima superioridade; é esse o dever do Congresso".

Não há aí palavras somente; há um programa de governo, várias vezes afirmado, e sempre cumprido. Um dos primeiros atos do presidente João Pinheiro foi determinar que os escrivães do fórum deixassem de cobrar custas às partes, em certos processos, atendendo a que a Justiça deve ser ministrada gratuitamente a ricos e a pobres, porque não é gênero cujo fornecimento deva render pecúnia ao Estado. E outro ato seu – o que maior escândalo tem feito – foi proibir que nas escolas públicas mineiras as crianças estudassem servindo-se de catecismos católicos romanos, ou de bíblias protestantes, ou de corões árabes.

Parece, e é fato, que em tudo isso há apenas uma simples e comezinha observância do que preceitua a Constituição Republicana do Brasil. Mas esta pobre Constituição é tão impudentemente violada e desrespeitada todos os dias, – que um estadista, quando se dispõe a respeitá-la e a cumpri-la, faz entre todos os outros estadistas uma figura de animal raro, – ou melhor, uma figura de maluco revolucionário.

Por isso, já todos os escribas do Palácio da Conceição atacam o Sr. Dr. João Pinheiro.

E não tarda muito que um deles, ardendo em zelo religioso, diga às timoratas gentes mineiras que o seu atual governador é nada mais nada menos do que aquele pavoroso Anticristo, cuja vinda ao mundo foi anunciada pelo Apocalipse.

Olavo Bilac

25 SET. 1907

FORA DA VIDA

Perco-me muitas vezes, por dever profissional, visitando escolas, no alto destes morros que intumescem de espaço a espaço a topografia do Rio de Janeiro, – Conceição, Pinto, Livramento, confusos dédalos de ladeiras íngremes em que se acastelam e equilibram a custo casinhas tristes, de fachadas roídas e janelas tortas, cujo conjunto dá a impressão de um asilo de velhas desamparadas e inválidas, encostando-se e aquecendo-se umas às outras.

É uma cidade à parte...

O Rio já é uma aglomeração de várias cidades, que pouco a pouco se vão distinguindo, cada uma adquirindo uma fisionomia particular, e uma certa autonomia de vida material e espiritual. O bairro de Copacabana, por exemplo, um bairro nascido ontem, já tem a sua população fixa, o seu comércio, os seus passeios, os seus clubes, – e até o seu jornal, *O Copacabana*, uma folha diária cujos redatores escrevem gravemente "os interesses de Copacabana", como escreveriam "os interesses de Roma, ou de Berlim, ou de Nova York"...

Mas, de todas essas cidades, que formam a federação das urbes cariocas, a mais original é a que se alastra pelos morros da zona ocidental, e onde vive a nossa gente mais pobre, denso formigueiro humano, onde habitualmente se recruta o pessoal barulhento das bernardas, de motins contra a vacinação obrigatória, contra o aumento do preço das passagens dos bondes, contra a fixação do peso máximo das carroças.

É essa a mais original das nossas subcidades. A mais original e a mais triste. Algumas ladeiras desses morros não conheceram nunca, por contato, ou sequer de vista, uma vassoura municipal. Em muitas delas, apodrecem lentamente ao sol, durante semanas e semanas, sob nuvens de moscas, cadáveres de galinhas e de gatos. E as faces humanas que por lá se encontram têm quase todas esse ar de asiática indiferença que vem do largo hábito da miséria e do desânimo.

Indiferença por tudo, pelo prazer e pelo sofrimento, pela vida e pela morte...

Há nesse morros muita gente que nada sabe do que se passa cá em baixo, e cujo espírito só tem como horizonte vital o espaço limitado por duas ou três ladeiras tortuosas e sujas.

Há poucos dias, no morro da Conceição, lá no alto, encontrei uma velha mulher, lavadeira, que não vem ao centro da cidade há trinta e três anos! Trinta e três anos, – toda uma existência!

Foi ali morar em 1874, e ali tem vivido, sem curiosidade, sem desejos, sem aspirações, ganhando o minguado pão, vendo todos os dias as mesmas pessoas, dormindo todas as noites o mesmo sono, sem compreender a significação do barulho que estronda na planície, – conflitos, festas, tragédias, apoteoses, revoluções, lutos, glórias, desgraças... Fizemos cá em baixo a Abolição e a República, criamos e destruímos governos, passamos por períodos de vacas gordas e por períodos de vacas magras, mergulhamos de cabeça para baixo no sorvedouro do "Encilhamento", andamos beirando o desfiladeiro da bancarrota, rasgamos em avenidas o velho seio urbano, trabalhamos, penamos, gozamos, deliramos, sofremos, – vivemos. E, tão perto materialmente de nós, no seu morro, essa criatura está há trinta e três anos tão moralmente afastada de nós, tão separada de fato de nossa vida, como se, recuada no espaço e no tempo, estivesse vivendo no século atrasado, e no fundo da China ou da Austrália...

Não sei se é desgraça ou felicidade, isso. Talvez seja felicidade: vibrar é sofrer; quando não é sofrer, é fazer sofrer; e essas criaturas apagadas e tristes, apáticas e inexpressivas, que vivem fora da vida, se não têm a glória de ter praticado algum bem, podem ao menos ter o consolo de não ter praticado mal nenhum, consciente ou inconscientemente...

Olavo Bilac

27 set. 1907 — Ou Bacharel ou Ferreiro...

Não ouvi ontem, na Câmara, o discurso do deputado que iniciou a discussão do projeto de reorganização do ensino público. Mas todas as folhas desta manhã inserem resumos desse discurso, – resumos tão acordes, que suponho, exprimem fielmente as idéias do orador.

Há, na oração, um período que me impressiona. "O Estado – disse o deputado – deve ensinar a cada um dos seus filhos um ofício, – de ferreiro, ou de marceneiro, ou de pedreiro. Paes de Carvalho, no Pará, mandou ensinar marcenaria a um filho; e o explorador português Serpa Pinto foi ferreiro..."

A frase não mereceria grande reparo, se não refletisse um "estado de alma", uma corrente forte de opinião, uma quase mania posta em moda ultimamente, depois de uma declaração feita pelo atual presidente da República, em um dos inumeráveis discursos que S. Exa. teve de pronunciar durante a sua excursão de 1906 por esses extensos e desconhecidos Brasis. Se não foram mentirosas ou exageradas as informações transmitidas aos jornais do Rio pelos jornalistas que acompanharam o ilustre chefe do Estado, S. Exa. disse, no Pará, ou no Amazonas, ou na Bahia, ou em Pernambuco, ou já não sei em que ponto da imensa pátria, esta palavras memoráveis: "No Brasil já [*****] clama é *educação, e principalmente educação profissional, educação industrial, educação para o trabalho*".

Essas palavras, que encerravam no seu laconismo uma condenação do "bacharelismo", tiveram larga repercussão, sobretudo porque eram pronunciadas por um diretor de Faculdade de Direito, isto é, por um diretor de uma "fábrica de bacharéis".

A autoridade e a posição de quem assim falava não podiam deixar de conferir à opinião uma alta importância. E daí vem a moda atual, tão espalhada, de usar e abusar, em artigos e discursos, desses hinos entusiásticos alçados em louvor do estudo profissional.

Até agora, a única preocupação dos legisladores, no Brasil, em matéria de instrução pública, era fomentar a superprodução de doutores. Agora, a maior preocupação dos mesmos legisladores é a de cair no extremo contrário, cuidando somente da criação de operários.

Ou bacharel ou ferreiro: é escolher!

Entretanto, a verdade é que a obrigação do Estado não é criar bacharéis nem ferreiros. O ensino secundário e o ensino profissional devem merecer grande atenção e grande cuidado; mas muito maior atenção e muito maior cuidado devem merecer o ensino primário, – e este é o que tem sido e continuará a ser mais descurado.

É vergonhoso, é humilhante, é horroroso dizer que o Brasil é uma terra de analfabetos. Mas que lhe havemos de fazer, se isso é uma flagrante, uma evidente, uma indiscutível, uma escandalosa verdade? Tão errados andavam os que apenas queriam fabricar bacharéis, como andam os que querem apenas fabricar ferreiros. O que nós devemos querer fabricar, antes de tudo, é *gente*: gente no sentido rigoroso e preciso da palavra, gente inteligente e consciente, capaz de escolher por si mesma a profissão e o destino social que preferir.

Todo o problema da instrução no Brasil se resume atualmente nisto: é preciso, preferentemente, urgentemente, e até exclusivamente, tratar já e já da difusão do ensino primário. O que o Estado deve dizer a cada indivíduo, agora, é somente isto: "Mais tarde, veremos se serás bacharel ou se serás ferreiro; mas, por ora, o antes do mais, quero fazer de ti *um homem*: e, para isso, vou forçar-te a saber ler e escrever!"

Fora disso, tudo é artigo, tudo é discurso, tudo é parolagem inútil.

OLAVO BILAC

08 OUT. 1907 ÁLVARES DE AZEVEDO

Foi com grande mágoa que não pude assistir, em S. Paulo, à inauguração da herma de Álvares de Azevedo.

Houve, na festa dessa inauguração, uma particularidade que fundamente me comoveria, como certamente comoveu a quantos puderam senti-la em flagrante, ao som das músicas, ao farfalhar das bandeiras, ao reboar das aclamações: – o ato de um estadista, de um diplomata, – do maior dos nossos estadistas e dos nossos diplomatas – do homem que, com a sua austera vida de estudo, de pesquisas, de árduo trabalho, tem alargado de modo tão notável as fronteiras geográficas e morais da nossa pátria, – inaugurando o monumento consagrado à glória de um outro homem, que só foi poeta, que nasceu poeta, que viveu poeta, que morreu poeta, sem ter sido, na sua vida breve, nem estadista, nem diplomata, nem político, mas unicamente poeta e essencialmente poeta...

Isto não quer dizer que, em qualquer outra circunstância, a inauguração da herma de Álvares de Azevedo não me comovesse. Como todos os poetas da minha geração, eu admirei ardentemente Álvares de Azevedo, e ainda hoje o admiro, com menor ardor, mas talvez com maior justiça, assinalando-lhe o justo e real lugar que lhe compete em nossa história literária.

Admirei-o ardentemente, há muitos anos quando, adolescente, vivi longo tempo nessa formosa e gloriosa Paulicéia, que ele tanto animou com a sua fantasia exuberante e a sua frenética e às vezes macabra alegria de byroniano. Qual o poeta da minha geração, que já não foi byroniano? Muitas vezes, depois das noitadas do *Corvo* ou das ceias no *Fischer*, alta noite, ao regressar à casa, rompendo a garoa frígida, nós, os boêmios do meu tempo, cuidávamos de lobrigar à distância o culto de Álvares de Azevedo, e dizíamos versos seus, e supúnhamos ouvir na treva o tropel daquele cavalo, que ele via passar na várzea do *Brás*, ou na solidão da *Ponte Grande*, cavalgado por um cavalo misterioso:

– Onde vais pelas trevas impuras,
Cavaleiro das armas escuras?
....
Cavaleiro! quem és? que mistério!...
Quem te força, da morte no império,
Pela noite assombrosa a vagar?
– Sou o sonho da tua esperança,
Tua febre que nunca descansa,
O delírio que te há de matar!

Em qualquer ocasião, e em qualquer outra circunstância, me comoveria a inauguração da herma do cantor suave dos "Cantos do Profeta", do desvairado sonhador de "A Noite na Taverna", e do irônico imortalizador do "Cônego Philippe". Porém, a minha comoção seria maior agora, se eu tivesse visto o barão do Rio Branco inaugurando o monumento desse poeta. Porque isso teve uma bela significação, vindo provar que já estamos longe, muito longe do tempo em que se considerava que o ser poeta, exclusivamente poeta, era uma vergonha irremediável e uma irreparável desonra...

Olavo Bilac

13 out. 1907 — Um Mendigo

Um dos nossos juízes, o Dr. Auto Fortes, acaba de absolver, em uma sentença que vai ficar famosa, um réu que estupidamente a qualidade da letra da lei mandava condenar. Trata-se de um pobre diabo, inválido, velho, miserável, processado como "mendigo contumaz"...

Já esta expressão "mendigo contumaz" indigna e revolta, quando se refere a um homem, condenado pela velhice e pela enfermidade à impossibilidade absoluta de trabalhar. Compreende-se que se dê o qualificativo "contumaz" a um vadio, a um criminoso, – ou a um falso inválido, a um desses espertalhões peritos na arte de fingir cegueira incurável ou chagas terríveis. Mas dizer que é mendigo "contumaz" um desgraçado que só pode viver mendigando, é uma ironia macabra, uma perversidade sinistra, de que somente pode ser capaz a Lei, – essa entidade irreal mas poderosa, abstrata mas feroz, inexistente mas tirânica, que é impessoal, irresponsável e implacável como uma divindade...

O mendigo, que foi agora absolvido pelo juiz Auto Fortes, procurou várias vezes abrigo e pão no Asilo da Mendicidade. Escorraçaram-no de lá, alegando "falta de espaço". Abandonado à sua triste sina no meio da rua, que havia ele de fazer? Estendia a mão aos transeuntes, pedindo esmola. Os policiais, assim que o surpreendiam nesse gesto proibido, agarravam-no pela gola do casaco esfarrapado, e atiravam-no ao fundo de uma enxovia. No dia seguinte, o delegado, considerando que o preso era inocente, mandava-o embora. Os soldados tornavam a prendê-lo, – e ele viveu assim, entre as sarjetas da rua e a cadeia, até que o levaram à presença do juiz, como mendigo contumaz.

Agora, absolvido, que vai ele fazer? Naturalmente, fatalmente, infalivelmente, vai continuar a pedir esmolas: porque a sentença do juiz, apesar de muito bela, de muito humana e de muito digna, não é capaz de dar forças a um inválido, nem mocidade a um velho, nem aptidão para o trabalho a uma criatura semimorta. E que há de fazer a polícia? Continuará a prender o mendigo?... É uma situação que seria cômica, se não fosse trágica!

Quando algum escritor paradoxal sustenta que seria útil criar-se em cada grande capital uma "Agência de mortes rápidas e fáceis", destinada a livrar da vida, sem dor e sem despesas, as criaturas perseguidas pela má fortuna, pelas doenças, pela senectude, – toda a sociedade se indigna, vendo nesse paradoxo uma demonstração de fria e feia maldade. Mas não é muito mais cruel o procedimento do Estado, quando não providencia para dar teto e pão aos homens que já não podem trabalhar, e ao mesmo tempo lhes veda o exercício da profissão da mendicidade, que ainda é a única que lhes pode matar a fome? Não me parece que matar de um só golpe, seja mais impiedoso do que matar aos poucos, e matar humilhando, envergonhando, infamando...

Olavo Bilac

15 out. 1907 — Nevrose de Sangue

A polícia, empenhada em dar cabo das casas de jogatina em que se pratica o cruel e extravagante *sport* das *brigas de galo*, começou a varejar essas espeluncas de extraordinária espécie, – e consta-me que ficou assombrada e maravilhada ao verificar o número estupendo de *campos de rinhas* que florescem no Rio de Janeiro.

Não há bairro que não possua uma dúzia, pelo menos, desses institutos de crueldade e vício.

Nos bairros pobres, na Saúde, na Cidade Nova, na Gamboa, é esse o divertimento favorito. Nas salas escuras e tristes, apinha-se em torno de uma arena improvisada dentro de cercas de sarrafos, a multidão de viciosos, que ali ficam, imóveis, ansiosos, arquejando, sofrendo, suando durante horas e horas, seguindo com os olhos turvos de comoção as peripécias da luta brava, que Machado de Assis tão bem descreveu, numa linda página: "Os galos de esporão agudo, olho em fogo, bico afiado, agitando as cristas em sangue, peito desplumado e rubro, invadidos de cansaço, mas lutando ainda assim, olhos fitos nos olhos, bico abaixo, bico acima, golpe deste, golpe daquele, vibrantes e raivosos..."

Já, certo dia, por bisbilhotice de jornalista, passei uma hora em uma dessas casas, e nunca esquecerei o espanto e a tristeza que essa hora me deu...

O amador das *brigas de galo* é um apaixonado, um delirante, um fanático: se a luta pudesse durar uma semana, um mês, um ano, ele passaria ali todo esse tempo, sem arredar pé, sem comer, sem dormir, dominado pela sedução do espetáculo.

O que mais impressiona a polícia é, naturalmente, a jogatina que se baseia nesse bárbaro divertimento. Mas, a mim, o que mais me impressiona é a própria barbaridade do *sport*, a bruteza do exercício, a selvageria da cena. Entre os espectadores habituais das *rinhas*, há um número imenso de *mirones*, que não jogam, que ali estão apenas para ver e gozar a fúria e o sofrimento dos combatentes, e a cor vistosa do sangue vivo que lhe parece a mais bela das cores; e, nas faces humanas que rodeiam a arena, há susto, há prazer, há cólera, há delícia, há agonia, há êxtase, há tortura infernal e gozo místico... É um espetáculo inolvidável!

Com certeza não exprimiam outros sentimentos as faces dos homens que, nos antigos circos romanos, assistiam aos choques brutais entre feras ou à luta desesperada das feras com os beluários, e as faces do que, mais tarde, espectadores apaixonados dos autos-de-fé, gozavam, uma por uma, todas as convulsões dos corpos dos judeus novos, lambidos lentamente e lentamente devorados pelas chamas.

Caso digno de estudo: em todos os países civilizados, nos mais cultos povos da terra, se está observando um surpreendente renascimento do gosto pelos espetáculos bárbaros e sanguinários. Nunca as touradas, o *box*, a *savate*, e todas as lutas, tiveram tantos amadores. E nunca o público se interessou tanto pelos espetáculos em que corre perigo a vida humana: a ginástica, os saltos mortais, o *loop*, o *pulo da morte*; ainda agora, num teatro do Rio, uma frenética multidão aplaude todas as noites um sujeito gordo e medonho, que, serenamente, expõe o corpo à passagem e ao peso de um automóvel de dois mil quilos; e não há muito, num circo, um atirador, num momento infeliz, fulminou com uma bala o homem que se encarregava de apresentar-lhe o alvo, sobre a cabeça, à pequena distância...

Se ao menos se pudesse acreditar que esta seja a última crise, a crise definitiva da revolução moral da humanidade, passando da barbárie abjeta para a civilização perfeita, do domínio dos instintos grosseiros para o domínio dos prazeres inteligentes! Mas esta não é a última crise, nem sequer uma das últimas crises. E, quem sabe lá?, talvez nunca chegue a última crise, e a humanidade continue até a consumação dos séculos a gostar de sangue...

Olavo Bilac

17 OUT. 1907 — OS CLUBS

A *Gazeta de Notícias* faz hoje, a propósito da criação de um *club de casas*, a apologia dos *clubs*.

Um estrangeiro qualquer, recém-chegado ao Rio, e ignorante das nossas cousas, ouvindo falar de tantos *clubs*, suporia, naturalmente, que somos a população mais sociável da terra, porque entenderia a palavra *club* no sentido verdadeiro e civilizado que ela tem em toda parte: associação de homens artistas, ou mundanos, ou profissionais, ou políticos, encontrando-se, diariamente, em uma casa luxuosa ou modesta, onde comem, bebem, conversam, discutem, jogam, e divertem-se ou aborrecem-se. E grande seria o espanto do ádvena, quando lhe disséssemos que somos, no Rio de Janeiro, profundamente contrários, infensos, e refratários ao que se chama *a vida de club*, – e que os nossos inumeráveis *clubs* são apenas instituições de indústria e comércio, espécies de loterias, ou rifas, ou *ações entre amigos*, verdadeiros negócios, por meio de sorteios semanais, quinzenais ou mensais.

Por mim, declaro que aprovo e estimo essas instituições, – algumas das quais, criadas e mantidas por estabelecimentos comerciais de primeira ordem, são de absoluta seriedade. Afinal, os nossos *clubs*, cujos anúncios e preconícios enchem os jornais, são, com pequena restrição, verdadeiras *caixas de mutualidade*, como as que existem em toda a Europa, e principalmente em França, onde os *mutualistas* são legião, e onde, há pouco tempo, o ex-presidente Loubet declarava que toda a fartura atual e toda a prosperidade futura da nação francesa dependem e dependerão do desenvolvimento cada vez maior do *mutualismo*. A única diferença é que, na Europa, os lucros do negócio e os juros do capital em movimento são acumulados em benefícios dos mutuários, ao passo que aqui, todos esses proventos são açambarcados pelos empresários dos *clubs*. Mas, ainda assim, tais empresas prestam serviços reais à gente pobre, porque lhe dão a facilidade de obter, por meio de prestações módicas, várias cousas necessárias à sua subsistência ou à sua veleidade de luxo.

O que me preocupa e intimida, em tudo isto, é o imprevisto e perigoso abuso a que nos pode levar a moda dos *clubs*, em uma cidade, na qual todas as modas se exageram, exacerbam e pervertem até a mania e o delírio. Não nos vá acontecer com os *clubs* o que nos aconteceu com as conferências literárias e com os cinematógrafos!....

Já temos *clubs* de relógios, de jóias, de roupas, de bengalas, de guarda-chuvas, de mobílias, de enxovais, de armas, de máquinas de escrever, de trens de cozinha, de fonógrafos, de máquinas de costura, de livros, de automóveis, – e até de prédios!

Daqui a pouco, teremos, talvez, *clubs* de noivas e de enterros! Os mutuários terão o direito de receber, por sorteio, mulheres bonitas, ricas e prendadas, – ou enterros de primeira classe, com essa armada, encomendação cantada, e missa de corpo presente, com órgão... E, dada a profunda desmoralização dos costumes políticos, e admitida a prática moderna da substituição das eleições pelas nomeações, ainda é possível que tenhamos *clubs* em que se sorteiem cadeiras no Senado e na

Câmara! Tudo é possível nesta capital do Exagero e da Mania, – e é isso o que me faz medo...

Olavo Bilac

20 out. 1907

Os Pés-no-Chão...

É a terceira vez que se abre, no Conselho Municipal daqui, discussão sobre o projeto do Sr. Tertuliano Coelho, proibindo o trânsito, nas ruas do Rio de Janeiro, de pessoas descalças; e, pela terceira vez, o projeto vai ser arquivado, por força da celeuma indignada que uma parte da imprensa levanta em torno dele.

O menos que se diz dessa malsinada tentativa é que ela é uma "ofensa à liberdade individual", "um atentado contra os direitos sagrados dos cidadãos, uma violência odiosa exercida sobre as classes pobres", e não sei que outros chavões igualmente ocos.

Como se o andar descalço pelas ruas de uma cidade civilizada pudesse ser "um direito", e como se o mais pobre dos habitantes do Rio não pudesse usar uma alpercatas de dez tostões!

Pelo tom com que alguns jornais agridem o projeto, parece que o Sr. Tertuliano Coelho quer impor aos carregadores, aos carroceiros e aos carvoeiros de Sebastianópolis o uso obrigatório de botinas, borzeguins, ou escarpins de verniz ou pelica, de trinta ou quarenta mil réis! E já um destes jornais, demagogicamente inflamado de zelo, disse aos "pés-no-chão": "Cuidado! daqui a pouco hão de também querer obrigar-vos a usar sobrecasaca, chapéu alto, e flor ao peito! revoltai-vos, cidadãos, e protestai contra a tirania desses *dandys* que insultam a vossa pobreza!"

Valha-nos Nossa Senhora do Bom Senso!

Também quando o Prefeito Passos proibiu, pelas ruas centrais da cidade, o trânsito das vacas leiteiras, acompanhadas de vaqueiros sórdidos, e a venda ambulante de carnes e miúdos, em caixas descobertas, sob a nuvem de moscas, houve uma grita infrene: parecia que o prefeito acabava de violar as cláusulas mais sagradas do pacto constitucional! Também, quando a Companhia Jardim Botânico declarou que não aceitaria nos seus carros de primeira classe indivíduos sem gravata, quase houve uma revolução na cidade! E, ainda, quando se estabeleceu a proibição de cuspir ou escarrar no assoalho dos bondes, sob pena de multa, havia todos os dias lutas ferozes entre passageiros e recebedores! E, hoje, já ninguém acha violentas essas medidas, – e se aparecesse, ou se surgisse um lambuzão vendedor de fígados e bofes, ou se um indivíduo sem gravata quisesse à força tomar passagem num bonde de primeira classe, ou se um bácoro humano começasse acintosamente a emporcalhar o chão de um *tramway*, os mesmos indignados cidadãos, que outrora protestavam contra esses "atentados à liberdade individual", seriam os primeiros a exigir o rigoroso cumprimento das posturas e a implacável cobrança das multas impostas aos seus violadores.

O mesmo se dará, algum tempo depois de ser aceito o projeto sobre o trânsito dos indivíduos descalços. Porque, mais dia, menos dia, esse projeto há de ser convertido em lei. Não se compreende em uma cidade como o Rio de Janeiro de hoje, essa usança remanescente dos tempos de antanho, das épocas bárbaras em que, no dizer de alguns cronistas antigos, Sebastianópolis, pelo seu mau cheiro e pela falta de asseio das suas ruas e dos seus habitantes, parecia, ao mesmo tempo, um presídio e uma estrebaria. E, na idade moderna, até nas estrebarias e nos presídios se exigem asseio, higiene e decência!

OLAVO BILAC

22 OUT. 1907

EDUARDO CHAPOT

A notícia da morte de Eduardo Chapot-Prévost vem estragar-me e amargurar-me esta linda manhã de domingo. É uma notícia que me acabrunha e prostra. Não sei dizer a admiração, a simpatia, o respeito, que me inspirava esse homem forte, alegre, expansivo, estudando sempre, realizando na vida milagres de trabalho e de bondade, numa atividade fecunda que chegava às vezes a ser sobre-humana...

Há pouco, depois de ler a notícia da sua morte, deixei cair o jornal, e fiquei a reviver o tempo em que travamos, na Faculdade de Medicina, as nossas primeiras relações. Foi em 1882, há vinte e cinco anos. Eduardo Chapot já era nesse tempo um trabalhador infatigável. Não estudava medicina, como eu, por ser forçado a isso ou por não se ter lembrado de estudar outra cousa, – por obrigação ou desfastio. Era um convencido e um apaixonado. Era um moço-velho, agarrado aos livros, ávido de saber, confiando cegamente no valor da ciência, que estudava.

Em 1883, ainda estudante, fez concurso para lugar de ajudante de preparador do curso de Histologia, e, conquistando o lugar, passou a viver no laboratório, aferrado ao microscópio. Data de então a sua paixão pelos estudos de bacteriologia e anatomia patológica. E, de 1883 até hoje, aquele laboratório da Faculdade de Medicina foi sempre o seu retiro, o seu santuário, o seu recatado e plácido cenóbio. As suas vitórias de cirurgião nunca lhe tiraram o amor da microscopia. E creio que foi nesse longo e consciencioso estudo dos infinitamente pequenos e nessa paciente e infatigável investigação das cousas secretas da miséria física opressora da espécie humana, que ele hauriu e adquiriu a vasta e admirável tolerância, a extraordinária bondade, a infinita compaixão que eram os distintivos do seu espírito.

Começou na Faculdade de Medicina a nossa amizade. Separavam-nos freqüentemente os acasos da vida; mas, de quando em quando, um encontro fortuito nos aproximava de novo; cada vez maior era a minha admiração por aquela coragem, por aquela alegria, por aquela robustez de investigador e de sábio. Sempre que Eduardo Chapot iniciava algum estudo novo, ia eu, com a minha inquieta e insaciável curiosidade de escritor, interrogá-lo sobre a marcha das suas pesquisas. Ainda tenho bem presente à memória uma noite de 1897, que passei ao lado dele, na sua casa das Laranjeiras, a examinar as suas preparações do bacilo de Yersin. Eduardo Chapot estava então, em comissão do governo, estudando a peste bubônica. Instalara em casa um pequeno laboratório de bacteriologia, e, quando voltava dos trabalhos do magistério e da clínica, ali se fechava, e ali passava as noites em claro, e ali mesmo tomava as suas refeições de asceta.

Porque esse homem alto, robusto, espadaúdo, que acaba de falecer vitimado por uma moléstia que comumente ataca os intemperantes, era sóbrio como um passarinho. Uma xícara de caldo, uma asa de frango, seis bagos de uva, bastavam para nutri-lo durante vinte e quatro horas. A verdadeira nutrição desse trabalhador era espiritual: vivia consumindo a própria energia, e alimentado pela sua fé inabalável de investigador e pelas suas constantes preocupações de sábio.

Morrer assim, estupidamente, miseravelmente, depauperado pelo sofrimento, roído pela ulceração intestinal, – o homem que salvou tantas vidas, que a tantas vidas sofredoras deu alívio, e que tão apaixonadamente dedicou a sua própria vida ao estudo e ao amor da Vida! Haveria motivo par amaldiçoarmos tal injustiça, – se já não estivéssemos todos fartos e cansados de saber que esse poder misterioso que rege o universo, Providência ou Acaso, nunca é justo nem injusto, segundo a nossa idéia de Justiça...

Olavo Bilac

24 out. 1907 — Flaubert [Cia]

Leio hoje nos jornais este telegrama, que me vem a evocar saudades velhas: "Paris, 21 – Telegrama de Rouen que se inaugurou ali o monumento a Gustavo Flaubert, com a assistência de vários membros da Associação dos Homens de Letras desta capital e de vários representantes da literatura e do jornalismo".

É o primeiro "monumento" que do grande Flaubert se levanta na sua cidade natal. Até agora, a única homenagem pública, prestada ao autor de *Madame Bovary* pela cidade de Rouen, consistia num pequeno medalhão, com o seu busto, aposto a uma das paredes da Biblioteca, ao lado do Hotel de Ville, – e a cuja inauguração assisti, em 1890.

Já lá se vão 17 anos! E, lendo agora nos jornais este telegrama, vivamente se me apresentam à memória todos os episódios daquela manhã de inverno em que se fez a inauguração do busto, e em que, tremendo de frio, cheguei à velha cidade das margens do Sena, em companhia de alguns companheiros cujos nomes todo o Brasil conhece.

Éramos quatro: Eduardo Prado, Paulo Prado, Domício da Gama, e eu. Em Paris, alojamo-nos num vagão de primeira classe, de oito lugares, ocupando os quatro lugares do lado direito. Chovia torrencialmente. O trem expresso ia já partir, quando se abriu a portinhola do vagão, e vieram ocupar os quatro lugares do lado esquerdo quatro sujeitos encapotados e encharcados, nos quais reconhecemos logo quatro figuras das mais notáveis no movimento naturalista da França: Émile Zola, Edmond de Goncourt, Guy de Maupassant, e o editor Charpentier. Partiu o trem...

Nós, os quatro brasileiros, entreolhávamo-nos, e aguçávamos os ouvidos, ansiosos por ouvir a conversa interessantíssima, que certamente se ia travar entre aqueles homens ilustres. Viajar duas horas, ao lado de Goncourt, de Maupassant e de Zola! que inesperada *chance*, que milagrosa *aubaine*!

Foi uma decepção tremenda! Maupassant, Zola e Goncourt estavam endefluxadíssimos: tossiam e espirravam de três em três minutos, – enquanto o editor Charpentier, encolhido a um canto do vagão, dormia e roncava. De quando em quando, um dos três grandes romancistas olhava através da vidraça a paisagem, alva de neve e vergastada de chuva, e dizia melancolicamente, entre os dentes cerrados "*Sale temps!...*" Os outros sacudiam a cabeça com desconsolo, e repetiam "*Sale Temps!...*"

E assim foi até Rouen... "*Sale temps!... Sale temps!...*" – foram as únicas frases notáveis, que saíram da boca daqueles homens notáveis...

Em Rouen, vimos Maupassant descerrar a cortina que cobria o medalhão, e ouvimos um curto e lindo discurso de Goncourt; almoçamos largamente no melhor restaurante da cidade, rindo muito da conversa "literária" do autor de *Charles Demailly*, do autor de *Une Vie* e do autor de *Germinal*; fomos depois visitar, com um religioso respeito, a coleção dos manuscritos de Flaubert na Biblioteca; fomos admirar as várias estátuas de Jeanne d'Arc de que se orgulha Rouen; e passamos o resto do dia a vagar pela cidade, e a perguntar aos populares, que encontrávamos, quem fora aquele Flaubert, cujo busto em baixo relevo acabava de ser inaugurado.

E ninguém prestava atenção ao que perguntávamos. Só um *épicier*, já velho, que cochilava, à porta da sua loja, defronte da Catedral, mostrou conhecer o nome e a glória do festejado. Disse-nos que Flaubert era "um escritor muito conhecido". Mas acrescentou logo que "o grande Flaubert não era aquele: era o outro, o pai do escritor, um médico *très savant*, que várias vezes fora *maire* da cidade e deixara uma boa e sólida reputação de clínico sisudo e de cidadão prestimoso..."

Grande Gustave Flaubert! a sua glória e o seu valor nunca estiveram, nem estão, nem nunca estarão ao alcance da inteligência de toda a gente.

Somente agora a cidade de Rouen lhe levanta um monumento... E é provável que hoje, em 1907, a opinião da cidade ainda seja a mesma que era em 1890:

– Um bom escritor, sim, um bom escritor, muito conhecido... Mas não foi este o grande Flaubert: o grande Flaubert foi outro, o pai deste, o *maire*, o médico, que dirigia as eleições com uma grande prudência, e tinha umas receitas infalíveis para o alívio das reumatismos e para a cura das bronquites rebeldes...

OLAVO BILAC

27 OUT. 1907

O PAU FURADO

O "pau furado" é, na gíria carioca, e suponho que no calão de todo o Brasil, a espingarda; e, por extensão, é tudo quanto se refere ao serviço militar obrigatório. Ter medo do "pau furado" é ter medo do recrutamento (a que também se dá, por um eufemismo gracioso, o nome de *voluntariado*), e é ter medo do serviço forçado nas fileiras do exército, da marinha e da guarda nacional, pois o "pau furado" está hoje na ordem do dia...

É fato incontestável que todo o brasileiro, de certa cultura, prefere morrer a ser soldado. Todos nós gostamos muito de uma bonita farda, cheia de galões e de alamares, e de uma bonita espada, e de um bonito título de coronel, major, capitão ou tenente. Mas, quando se trata de ser, não um oficial, mas um simples soldado, sujeito ao jugo feroz da disciplina, e obrigado ao duro trabalho da faxina, do exercício, das paradas, – o caso muda de figura, e todos nós achamos que essa ocupação não é digna da nossa inteligência, das nossas letras e da nossa educação.

O atual ministro da guerra, porém, julga, e com razão, que o serviço militar obrigatório é uma necessidade. E, por isso, quer obter das câmaras uma lei que os obrigue, a todos, ao cumprimento desse dever patriótico.

Tal iniciativa só merecia os mais vivos aplausos, se realmente a lei, que se prepara, tornasse extensiva *a todos* a obrigação do serviço militar. Mas, nessa lei, que já venceu na Câmara dos Deputados os trâmites da segunda discussão, há exceções e isenções odiosas, que a tornam positivamente inconstitucional, inexequível e absurda.

Sem cuidar de outros muitos defeitos do projeto, basta, para julgá-lo e condená-lo, que pensemos nisto: ele isenta do serviço obrigatório os padres e frades, os homens diplomados, e os funcionários públicos.

Postas de lado essas três classes, que classes ficam sujeitas à sujeição do "pau furado"? Somente duas: a dos capitalistas e a dos operários...

Mas a classe dos capitalistas, para se eximir do dever militar e de qualquer outro dever, não precisa de exceções fixadas em lei: para iludir todas leis, para torcê-las, para burlá-las, para anulá-las, os capitalistas têm isto, que abala montanhas, seca oceanos, invade céus, e conquista homens e deuses: o dinheiro!...

De modo que a classe única, que vai empunhar o "pau furado", e fazer faxina, e apanhar soalheiras e chuvaradas, e "aprender a morrer", é a classe dos humildes, dos pobres, dos trabalhadores que penam muito e ganham pouco, – a classe das eternas bestas de carga. Também, esses pobres diabos não devem estranhar muito esta nova injustiça que sobre eles desaba: nasceram sofrendo, têm vivido sofrendo e sofrendo hão de morrer: parece que só nasceram para isso.

Mas não é verdade que isso revolta e indigna?

Com que direito, em virtude de que consideração filosófica, ou moral, ou científica, ou positiva, ou abstrata, os padres e frades e os bacharéis e doutores hão de ser peremptoriamente, absolutamente, terminantemente dispensados de todo e qualquer serviço militar obrigatório? Há decerto muitos padres e muitos doutores que trabalham muito; mas, ao lado desses, é lícito dizer que os frades mandriões, os padres vadios, os bacharéis ociosos, os doutores malandros são legião.

Então uma simples coroa aberta a navalha na cabeça de um homem, e um simples anel de pedra cara aposto ao dedo de outro homem, pode fazer desses dois homens duas criaturas indispensáveis à boa marcha das cousas da vida civil, de modo que nenhum deles, em caso algum, possa, como os não tonsurados e os não diplomados, manejar o "pau furado" e morrer num campo de batalha?

Essas exceções são simplesmente odiosas e ridículas. E, desse modo, a organização das nossas forças militares continuará a ser uma vã esperança e um irrealizável projeto.

OLAVO BILAC

29 OUT. 1907

O PÃO DE AÇÚCAR

Como S. Paulo já deve estar farto de saber, a nossa Exposição Nacional desenvolverá as suas vastas linhas de palácios, de pavilhões e de jardins na Praia Vermelha, junto do Pão de Açúcar. E o Pão de Açúcar, morro selvagem, vai ser incorporado agora à civilização, porque justamente o *clou* da Exposição será um elevador elétrico que galgará o dorso do penedo bruto, para distração e delícia dos visitantes.

Ontem, na Praia de Botafogo, à tarde, encontrei um velho amigo, que encostado à amurada do cais, contemplava embevecidamente o monte escuro, cujo vulto pesava, monstruoso, sobre as águas adormecidas da baía. Esse velho amigo é um poeta que nunca fez versos, um sonhador, um remanescente das tradições líricas da cidade carioca, um homem de outro tempo que ainda recita Gonçalves Dias e lê Alencar... Arranquei-o de repente à contemplação em que se absorvia:

– Que é isso? porque está você a namorar com tanto amor o Pão de Açúcar?

Ele teve um suspiro aflito, e disse-me:

– Estou a mirá-lo e a admirá-lo, enquanto o não profanam! O meu Pão de Açúcar! vão injuriá-lo, infamá-lo, sujá-lo, colando-lhe ao dorso duas serpentes de trilhos de aço, e entregando a sua virgindade selvagem, até hoje respeitada, à irreverência dos *pic-nics*! É ainda o Pão de Açúcar a única relíquia que nos resta do Passado rústico da nossa terra: e vão *civilizar* aquele monte sagrados dos Tamoios, pregando-lhe ao lombo titânico uma estrada de ferro! O outro monte sagrado dos nossos avós selvagens, – o Corcovado, de onde brotava outrora a linfa pura do Carioca, e onde nasceram o bravo Ambiré e o prudente Pindobuçu, do poema de Gonçalves de Magalhães – esse já é hoje um horror, com as suas florestas devastadas, a copa verde das suas árvores maculada pelo fumo da locomotiva, e o seio aromático das suas matas conspurcado pelos papéis gordurosos e pelos cacos de garrafas dos convescotes de caixeiros... E a Tijuca? A Tijuca é hoje uma colina infecta, tão desprezível como o morro de Santo Antônio ou o morro do Pinto! Tem chalés, cocheiros, estalagens! Todo o Silvestre é uma desolação! E toda a linda serra que vai dos Dois Irmãos à Tijuca, passando pelo Sumaré, já está também cortada por uma linha de bondes! O único recanto virgem que ainda temos é o Pão de Açúcar... A sua situação parecia dever resguardá-lo de qualquer profanação... Mas a brutalidade dos homens não conhece obstáculos! Ah! meu amigo! se Gonçalves Dias ressuscitasse...

– Que faria Gonçalves Dias, se ressuscitasse? – interrompi.

– Gonçalves Dias, se ressuscitasse hoje, tornaria a morrer, de pura indignação e vergonha, ao saber que vão construir uma estrada de ferro para o alto do Pão de Açúcar! Aquele morro é o pé do Gigante de Pedra, do "gigante orgulhoso de fero semblante" que o poeta dos *Timbiras* amorosamente cantou...

– Meu pobre amigo, – atalhei – se Gonçalves Dias ressuscitasse, ressuscitaria com uma alma de hoje, com uma alma de homem moderno, e seria o primeiro a abençoar o elevador elétrico que lhe permitisse ir contemplar do alto do Pão de Açúcar a beleza do Rio de Janeiro...

– Pode ser! – suspirou o romântico. Mas eu, que não tenho o talento dele, eu que seria incapaz de escrever os versos do *Gigante de Pedra*, – eu não me resigno, nem me consolo! É um crime o que se vai fazer! E o meu desejo, o meu único e ardente desejo, é que o Pão de Açúcar, no dia em que começarem a desvirginá-lo com o assentamento dos primeiros trilhos, realize a profecia com que o poeta maranhense terminou o seu canto:

> Arroja-te às ondas, ó duro gigante!
> Inunda estes montes, desloca este mar!

E voltando as costas, o meu velho amigo, sonhador remanescente das tradições líricas da cidade carioca, ficou de novo a mirar e admirar o vulto monstruoso do Pão de Açúcar, cuja sombra se estendia pela face das águas tranqüilas da baía, enquanto, acima dele, as primeiras estrelas se acendiam no céu...

Olavo Bilac

08 nov. 1907 — O Ensino Público

Discute-se na Câmara há um mês, (e até quando se discutirá, ó deuses imortais?!) o projeto da reforma da instrução pública.

Ontem, pela primeira vez, houve lá um deputado que teve a coragem e o bom senso de colocar a questão no seu verdadeiro terreno, declarando que "a reforma dos cursos secundário e superior é uma questão de simples orientação didática", e que "só há em matéria de ensino, no Brasil, uma questão capital, absoluta, urgente, vital: a do ensino primário". Esse deputado foi o Dr. Manuel Bonfim, que, como professor de Pedagogia na Escola Normal, como diretor do Pedagogium, como membro do Conselho Superior de Instrução, e como diretor geral da Instrução Pública Municipal, estudando há mais de quinze anos o problema do ensino primário, e tendo sucessivamente ocupado os mais altos cargos na administração desse serviço público, conhece a fundo o assunto.

Não me parece que a Câmara, desta vez, haja compreendido os salutares conselhos do discurso do Dr. Manuel Bonfim; porque, logo depois desse discurso, vários deputados desviaram a discussão para o terreno dos chavões e das banalidades, recomeçando a tratar das fábricas de bacharéis, que se condecoram com o título de "faculdades", e dos ginásios, e dos colégios equiparados...

Decididamente, não se quer compreender que o Estado só tem um dever, em matéria de instrução: o dever de sustentar e disseminar o ensino primário. Fora disso, tudo mais é "luta pela vida" ou é "luxo". Que importa ao Estado que o cidadão X., para ganhar o seu pão, ou para satisfazer a sua vaidade, seja carpinteiro ou bacharel? O que importa à salvação pública, ao decoro do país, à dignidade nacional e ao futuro da nacionalidade, é que, no Brasil, todos os cidadãos saibam ler.

E a verdade é que o número dos analfabetos aumenta de dia para dia, – porque a imigração, que recebemos, provém das partes da Europa em que mais terrível é o analfabetismo, e porque não tratamos de dar aqui instrução primária aos ádvenas nem aos filhos do país.

Para que se veja o pouco caso, o ignominioso relaxamento, a vergonhosíssima indiferença com que tratamos esse assunto, basta citar este horror: na última mensagem (1907) do governador de certo Estado do Brasil, há esta declaração espantosa: "Nada posso dizer sobre o estado da instrução pública primária, porque não tenho dados que me habilitem a saber qual o número dos alunos matriculados nas escolas!" Parece mentira, não? Pois é a mais dura, a mais legítima, a mais escandalosa das verdades...

Não só por dever profissional, como por inclinação individual para essa espécie de trabalho, estou procurando há mais de cinco anos organizar uma estatística, senão completa e perfeita, ao menos aproximadamente verdadeira, da população escolar do Brasil. E ainda nada pude fazer, e creio (ai! de mim!) que nada farei, porque não há meio de obter, dos governos de certos Estados, a mais sucinta, a mais ligeira, a mais incompleta informação sobre o assunto.

O deputado Manuel Bonfim disse ontem, com razão, que "o ensino primário no Brasil não está decadente: porque não se pode dizer que esteja decadente o que sempre foi ruim..."

Olavo Bilac

13 nov. 1907 — No Fim do Mundo...

A cidade está hoje alarmada comentando as notícias vagas, e por isso mesmo assustadoras, que o *Jornal do Comércio* divulgou esta manhã sobre um conflito entre brasileiros e peruanos, em Tabatinga.

Tabatinga é uma localidade brasileira, mas, para todos nós, fica situada no fim do mundo, mais distante ainda do que a China, porque da China podemos ter notícias todos os dias, – e de Tabatinga nada sabemos, às vezes, durante semanas e meses.

Este conflito começou no dia 27 de outubro, e dele só temos notícias até o dia 5 de novembro, – e isso mesmo porque houve um navio que, partindo de Tabatinga nesse dia, chegou agora a Manaus. Que terá havido de 5 até hoje? Ninguém o sabe, e provavelmente ninguém o saberá tão cedo. Para esperar notícias de Tabatinga ou de qualquer outro ponto dessas nossas apartadíssimas e misteriosas fronteiras do Norte, do Noroeste e do Oeste, é preciso ter uma esperança infinita e paciente; menos espera quem espera notícias do céu ou do inferno...

Em quase todos os nossos compêndios de geografia, escrevem os autores, com grande orgulho e imenso desvanecimento, que o Brasil é um dos maiores países do mundo, equivalendo, sozinho, à décima quinta parte da Terra, à quinta parte do continente americano, e a três sétimas partes da América do Sul; e é com a mais enfunada vaidade que costumamos dizer: "Só o Amazonas é maior do que a França, a Suécia, a Noruega e Áustria-Hungria reunidas!"

Tola vaidade, essa!

Mais feliz do que o grande proprietário, que não pode governar as suas terras porque nem ao menos pode conhecê-las, é o caseiro modesto, que, da porta da sua choupana, pode abranger e medir com um rápido volver de olhos toda a extensão do seu pequeno campo... Soulary, em um soneto célebre, malsinando os grandes sonhos da ambição humana, disse bem que

> tout bonheur que la main n'atteint pas
> n'est qu'un rêve.

Não sei porque nos há de encher de tamanho orgulho a vastidão prodigiosa do nosso território; é ela a causa do temor contínuo e dos constantes sobressaltos em que vivemos; e, por mais sagrada e veneranda que seja esta imensa herança que nos deixaram os antepassados, há momentos em que a achamos pesada demais para as nossas forças.

Já das fronteiras do Norte e do Oeste nos têm vindo os maiores sustos e os mais acerbos desgostos. E não se pode prever que susto e desgostos nos reserva agora este conflito de Tabatinga. Daquele lugar e daquela gente, é lícito esperar tudo quanto se possa imaginar de mau. Basta reparar nos poucos episódios narrados pelo telegrama do *Jornal do Comércio*, para ver que Tabatinga, estando no fim do mundo, ainda não está no começo da civilização. Dois juízes brasileiros – um juiz municipal e um juiz de direito – foram presos, "em território brasileiro", por um tenente peruano, "que os algemou e conduziu para Letícia, onde os meteu a ferros numa imunda enxovia, na qual pela magra alimentação tinham de pagar uma libra esterlina por dia". E ainda houve maior violência: um vice-cônsul do Brasil foi reclamar a libertação dos presos, – e quase teve a mesma sorte deles!

O telegrama fala ainda de assaltos, de combates, de tomada e devastação de Tabatinga pelos soldados peruanos. Mas basta a citação daquele episódio do conflito, para mostrar que gente é aquela...

E, diante destas notícias incompletas e vagas, que nos deixam na incerteza e na angústia, todos nós pensamos, com ansiedade: – "quando seremos realmente senhores, pelo conhecimento e pelo governo eficaz, das terras que são nossas? quando conseguiremos saber o que se passa em Tabatinga, em S. Joaquim, em Vila Bela, em todos esses povoados brasileiros que ficam no fim do mundo, ao menos com a mesma brevidade com que sabemos o que se passa nos confins da Ásia e da África?..."

OLAVO BILAC

15 NOV. 1907

15 DE NOVEMBRO

Pela primeira vez será festejada, no Rio, com algum entusiasmo, a data da proclamação da República. Já aqui temos a embaixada do Uruguai, – e durante três dias haverá festas oficiais e populares.

Lendo hoje o programa dessas festas, deixei-me ficar algum tempo a reconstruir, na memória, todas as horas vibrantes daquele ardente dia 15 de novembro de 1889. Dia ardentíssimo! fazia um calor... revolucionário! Não houve muito sangue derramado: apenas algumas gotas, caídas do corpo de um futuro senador da República. Mas, em compensação, houve muito suor.

Nunca esquecerei, em cem anos que viva, os colarinhos empastados, os lenços ensopados, as faces inundadas, com que Trovão, Silva Jardim, Aníbal Falcão, Mallet e cem outros invadiram o salão nobre da Intendência Municipal, ao meio-dia...

A essa hora, ainda não estava proclamada a República: nem a essa hora, nem a qualquer outra hora do dia 15... À noite, quando o povo se aglomerou à porta da casinha modesta, em que morava Deodoro, na Praça da Aclamação, ainda o Governo Provisório pensava em "consultar a Nação sobre a forma de governo". A República Federativa só começou a existir na madrugada de 16. Lembro-me bem que quando, da janela da casa de Deodoro, Benjamin Constant falou à multidão, dizendo que "o povo escolheria a nova forma de governo", – Aníbal Falcão gritou de baixo: "Já escolheu!" E, durante cinco minutos, os "vivas" à República retumbaram no ar...

Nunca esquecerei tampouco a expressão da face de Deodoro nessa noite, na sacada de sua casa. Deodoro apareceu ao povo, ao lado de Benjamin. O velho soldado ansiava, ofegava, arquejava, numa crise da moléstia que o devia matar. Não podia falar: respondia às aclamações com a mão espalmada, batendo o ar. E o seu olhar brilhava lá em cima, na meia escuridão da janela, brilhava de febre, de orgulho, de entusiasmo... e de sofrimento. O nobre leão já tinha os seus dias contados: espreitava-o a Morte, naquela noite decisiva da sua vida gloriosa.

Quando saímos dali, passamos pelo Corpo de Bombeiros. O Corpo estava formado, em linha estendida, em frente ao quartel. E um oficial, cujo nome esqueci, teve, à passagem da multidão, um belo gesto e um belo grito: mandou a força apresentar armas ao povo. Isto contado assim, depois de tantos anos, pode parecer frio e incolor... Mas naquele momento de excitação, foi uma cousa épica! a massa popular delirou, e seguiu a acordar toda a cidade, numa vozeria ensurdecedora...

Grande dia, dia de extremo entusiasmo e de ardente loucura!

Quase às onze horas da noite, Pardal Mallet e eu separamo-nos da multidão delirante, que continuava a percorrer as ruas, e fomos almoçar, jantar e cear ao mesmo tempo. Achamos todos os hotéis fechados. O comércio, até ver em que paravam as modas, tinha medo dos exaltados...

Enfim, depois de muito procurar, sempre encontramos comida em uma casa de pasto da rua da Constituição.

E lá descobrimos um conhecido, cujo nome não quero citar. Estava indignado! Achava a revolução uma "bernarda indigna". E disse-nos: – "Felizmente, isto é fogo de palha! Amanhã, assim que o Imperador descer de Petrópolis, estes soldados insubordinados serão punidos, a canalha será corrida a pata de cavalo, e terá fim esta farsa abominável!..."

Pois, meus amigos, um mês depois, esse monarquista estava funcionário da República, e era um republicano feroz...

Olavo Bilac

24 nov. 1907 — A Propósito de um Congresso [cia]

Acabava eu de ler, esta manhã, em vários jornais, a longa notícia das maroteiras de um curandeiro-feiticeiro, cujo antro sibilino, no Estácio de Sá, foi ontem descoberto e varejado pela polícia, quando, passando à leitura dos telegramas, encontrei este, de Buenos Aires: "O Congresso Jornalístico aprovou 'que não fossem aceitos os anúncios de adivinhas e curandeiros', aprovou as caixas de pensões em favor dos jornalistas, e 'condenou as subvenções dispensadas pelos governos para propaganda de caráter político'".

Aí está um Congresso que ainda acredita ser possível restituir à Imprensa o seu antigo e sagrado caráter de Sacerdócio e de Apostolado... É uma ilusão da ingenuidade dos Congressistas, ou é um recurso da sua hipocrisia.

A Imprensa não poderia deixar de ser industrializada, num século de tão espalhado e profundo industrialismo. Ainda é possível, graças a todos os deuses, a existência de "jornalistas" apóstolos e sacerdotes, pregando as boas idéias, e batalhando as boas batalhas, em favor da Verdade e da Justiça; mas o "jornal" não pode ser feito, sustentado, e imposto ao público, somente pelos "jornalistas". É preciso distinguir. Um jornal é um organismo extraordinário e até absurdo, formado de vários órgãos diferentes, que se conjugam mas se contradizem. Na primeira coluna de um jornal moderno, há o artigo de fundo, em que o diretor sustenta as suas idéias, ou as idéias do seu partido. Mais adiante, há o terreno neutro da colaboração literária, crítica ou política. Mais adiante ainda, há o noticiário, em que impera o repórter, cuja principal obrigação é manter sempre acordada e excitada, com escândalo ou sem ele, a curiosidade do público. E, enfim, há o vasto domínio do anúncio, que é independente e soberano, e onde o Dinheiro é rei. Todos esses órgãos funcionam juntos, uma aliança em que não é preciso que haja coerência. Assim é que muitas vezes o colaborador é ateu e anarquista, quando o redator-chefe é católico e conservador: o que constitui até um excelente meio de vida para o jornal, porque não há nada mais prático e rendoso no mundo do que acender uma vela a Deus e outra ao Diabo... Mas onde a incoerência e a contradição, num bom jornal moderno, se mostram mais claramente, é na comparação do domínio da redação com o domínio dos anúncios. Não há, por exemplo, no Rio de Janeiro, um só jornal, que, no seu artigo de fundo, nas suas crônicas e nas suas notícias, se atreva a dizer que o jogo do bicho não é uma chaga social; todos os jornais declaram que essa jogatina ignóbil é um vício desmoralizador e funesto... Entretanto, todos eles (com exceção apenas do grave *Jornal do Comércio*) publicam anúncios e "palpites" dessa genial invenção do barão de Drummond...

Ainda agora, a propósito da prisão do curandeiro malandro do Estácio de Sá, todas as folhas fulminam a criminosa esperteza desses meliantes, e dizem que a polícia deve perseguir, sem piedade, os exploradores da crendice e da ignorância da gente do povo. Pois bem! só em um jornal de hoje, tive eu a pachorra de contar vinte e três anúncios de curandeiros, quiromantes, sonâmbulos, médiuns, videntes, hipnotizadores, e profetas!

Sem esse industrialismo, o jornal não poderia viver. Pode existir ainda hoje o tipo antigo e clássico do "jornalista-apóstolo". Pode existir, e existe. Mas a impressa não é um apostolado. No meio do noticiário de escândalo e dos anúncios, o artigo do doutrinador é como um púlpito sacro, plantado no meio de uma feira...

Assim a primeira daquelas deliberações do Congresso Jornalístico de Buenos Aires, a que se refere o telegrama transcrito, é uma prova de ingenuidade, se não é uma pilhéria.

Mas é muito duvidoso que seja uma prova de ingenuidade. Não há no mundo muitos jornalistas ingênuos. Nesta profissão, os tolos nunca se demoram muito...

Aquela primeira deliberação deve ser uma pilhéria. Mas a última deliberação ainda deve ser uma pilhéria melhor...

"O Congresso condenou as subvenções dispensadas pelos governos para propagandas de caráter político."

Imaginai o que seria dos governos, se todos os jornais, obedecendo a essa virtuosa e austera doutrina do Congresso de Buenos Aires, lhes fechasse as suas colunas... e as gavetas dos seus balcões! E imaginai também, e principalmente, o que seria dos jornais!

Inefável pilhéria do Congresso Jornalístico.

Uma de duas: ou naquele Congresso, havia proprietários e diretores de jornais, ou nele havia apenas repórteres e redatores desempregados. Neste último caso, a última deliberação, além de ser uma chalaça, foi um desses movimentos de natural despeito, tão comum em quem quer comprar, e por isso desdenha... E no primeiro caso, não creio que, no momento da votação, os congressistas, proprietários e diretores de jornais ousassem encarar-se mutuamente: dizem os cronistas da velha Roma que os "augures", quando estavam exercendo de súcia a sua missão sacerdotal, nunca se arriscavam a olhar uns para os outros, – porque tinham medo de não poder conter o riso...

OLAVO BILAC

25 nov. 1907

Um Alívio

Sua Alteza o príncipe D. Luís de Bragança e Orléans não passará pelo Rio de Janeiro. Sua Alteza embarcou em Montevidéu, em um paquete alemão, que a conduzirá diretamente à Europa. E mandou dizer, pelo telegrama, que "esperou até o último momento o aviso do Sr. visconde de Ouro Preto, comunicando-lhe a suspensão do banimento, sentindo de coração que persistam em negar-lhe o direito de pisar a sua terra natal, da qual guarda as mais caras recordações de infância".

Esta resolução de Sua Alteza foi um alívio, um desafogo, um descanso. Para quem? para o governo, para a polícia, para os republicanos? Não! Foi um descanso, um desafogo, um alívio, para os monarquistas. Dizia-se que estes entregariam a Sua Alteza, a bordo, uma mensagem política. E diz-se agora que essa mensagem não conseguiu reunir cem assinaturas... A manifestação seria "um fiasco"; e, por isso, muita gente suspirou, com satisfação, quando soube que Sua Alteza, afastando-se das costas do Brasil, afastava consigo a possibilidade desse "fiasco".

Não sei bem o que é o partido monarquista em S. Paulo e nos outros Estados da União. Mas sei bem o que é ele no Rio de Janeiro. Temos aqui, no máximo, vinte monarquistas sinceros, seguros, declarados, intransigentes e irredutíveis. À frente desses estão os Srs. visconde de Ouro Preto, conselheiro João Alfredo, conde Afonso Celso e Carlos de Laet. Os dois primeiros, homens de Estado, que nunca foram polemistas, conservam, há dezoito anos, diante da República e dos aconteci-mentos, uma nobre e admirável atitude de orgulhosa reserva; nunca a República procurou convencê-los ou seduzi-los, porque sabe que isso seria inútil. Os dois últimos, homens de letras e jornalistas, – e muito principalmente o sr. Carlos de Laet – vivem combatendo todos os dias, implacavelmente, incansavelmente, corajosamente, o regime republicano, com uma convicção, uma independência e uma nobreza, que os seus mais ferozes adversários reconhecem e louvam. São esses os verdadeiros monarquistas: esses, e mais alguns outros, que não serão mais de quinze ou dezesseis. Afora esses, os monarquistas do Rio de Janeiro são de um oportunismo comodíssimo. São monarquistas, mas são também funcionários republicanos, são coronéis-comandantes da Guarda Nacional, são diretores ou funcionários de repartições mantidas ou subvencionadas pelo governo da República, e vão a Palácio cumprimentar o chefe do Estado, e dão-se bem com os ministros, e arranjam empregos para os parentes e afilhados, e assinam contratos com a administração pública, – e, apoiando e aplaudindo na intimidade a coragem dos poucos monarquistas sinceros e corajosos, nunca dão a esse apoio e a esse aplauso uma publicidade que possa comprometer a sua posição social ou os seus negócios. Esses, no dia em que se proclamasse a restauração da Monarquia, assinariam de bom grado a sentença de morte de algumas dúzias de republicanos; mas enquanto não chega esse dia, vão trabalhando na sombra, e não se arriscam a perder a amizade do governo republicano, que os tolera e sustenta.

A segunda passagem de Sua Alteza o príncipe D. Luís de Bragança e Orléans pelo Rio de Janeiro colocaria toda essa gente numa situação de embaraço e hesitação. Cada um desses monarquistas-republicanos parodiaria, em mente, o começo do monólogo de Hamlet: "Ir a bordo ou não ir a bordo?..." Acabariam, certamente, por não ir a bordo... Mas a melhor solução, para todos eles, é a que Sua Alteza dá à sua vacilação: Sua Alteza segue diretamente para a Europa.

Sua Alteza segue diretamente para a Europa, – a esperar melhores épocas. Sua Alteza vai continuar, mundo em fora, as suas viagens de estudo e exploração científica.

A exploração científica é muito mais nobre, e dá muito maior glória, muito maior proveito moral do que a exploração política. E Sua Alteza honrará, como cientista, o nome do Brasil.

Dou os meus parabéns a Sua Alteza. E dou também os meus parabéns aos monarquistas encapotados, que receavam o desencapotamento, e aos quais o perigo de uma nova passagem de Sua Alteza pelas águas de Guanabara estava roubando o apetite e o sono.

É possível que esses comodistas, nas reduzidas rodas dos seus correligionários, estejam dizendo, com um fingido descontentamento: "E pena que o príncipe não volte?..." Mas, sorrindo interiormente dessa opinião, estarão pensando: "É bem bom que não volte! Se tem de voltar algum dia, volte para tomar o país de assalto, vindo recompensar o devotamento com que estamos servindo a Monarquia, por amor dos princípios, sem deixar de servir a República, por amor do estômago..."

OLAVO BILAC

27 NOV. 1907 — ULTRAJE INÚTIL

A propósito da escandalosa e inútil profanação de vários cadáveres, que houve há dias no Rio, não posso deixar de pensar que a cremação, se fosse adotada, viria tornar impossíveis essas horrorosas exumações, de que a polícia tão sacrilegamente usa e abusa.

O interesse da medicina legal é justamente o argumento mais sério que ainda se opõe à prática da cremação. Todos os outros argumentos, incluindo os de caráter religioso, não têm valor algum. Receiam porventura os católicos que, no dia do Juízo Final, o dogma da ressurreição da carne não possa beneficiar os cremados? Mas esse dogma tanto deve aproveitar aos corpos comidos pela sânie como aos corpos devorados pelo fogo; – a não ser assim, seria preciso admitir que a graça da vida eterna houvesse de ser negado a S. Lourenço, a Joana d'Arc, e a tantos santos e santas que morreram na grelha ou na fogueira...

O argumento mais sério é o dos médicos legistas. "O fogo (dizem eles) destruindo tudo, consome os vestígios de todos os crimes. E a sociedade, uma vez adotada a prática da cremação, ficaria na impossibilidade de vingar a memória de muitas vítimas e de punir a perversidade de muitos assassinos".

Mas é preciso não esquecer que é raro, raríssimo, que uma autópsia dê um resultado que satisfaça a Justiça.

Há um caso histórico, que é famoso nos anais do direito criminal: é o caso Lafarge, em França. Os médicos legistas encontraram arsênico, em boa dose, no corpo autopsiado. Mas, no correr da sessão do Júri, o grande Orfila demonstrou que todo o organismo humano possui arsênico, e mais ainda: que o arsênico existe em todas as criaturas e em todos os objetos que há na terra. "Se duvidais, – exclamava aos jurados o célebre químico – eu me comprometo a achar arsênico até nas cadeiras em que vos sentais!...."

Ainda ultimamente, no Rio, quando se julgou o caso Gomes Neto, também a autópsia foi inútil. Os peritos acharam mercúrio no corpo exumado, mas não souberam dizer se esse mercúrio já não existia no corpo, muito tempo antes da época em que se supunha ter havido o crime...

E, neste caso da pobre Sefina, que acaba de comover e indignar toda a população carioca, a inutilidade da autópsia ainda se revelou com mais clareza. Para que se fez essa exumação espetaculosa e profanadora? Para saber se a infeliz morrera vítima de pancadas ou por falta de alimentação suficiente... Como se, doze ou quinze dias depois da inumação, ainda um cadáver pudesse conservar vestígios de pancadas! E como se, por outro lado, com essa autópsia se pudesse de algum modo verificar que a tutora da pobre criatura a condenara em vida a um jejum forçado!

Em cem exumações e autópsias executadas pelos médicos da polícia, nem cinco chegam a fornecer à Justiça alguma prova de crime. E, quando se pensa no horror dessas cerimônias macabras, que os jornais descrevem com tanto luxo de hediondos pormenores, não se pode deixar de reconhecer que seria bom privar a polícia da possibilidade de realizar tão escandalosas violações da sagrada majestade da Morte.

O poeta Rollinat, numa ode magnífica ao Fogo, exclamava:

> Oh! qu'il te soit donné, Flamme, soeur de l'Éclair,
> D'épargner, au cadavre, avec ton baiser d'air,
> La pourriture lente et l'horreur du squelette!

Mas nem só isso a cremação poupa aos cadáveres; poupa-lhes também o ultraje das exumações inúteis, a que tão freqüentemente recorrem as autoridades policiais, quando precisam de *réclame*...

Olavo Bilac

29 nov. 1907 — Os Térmitas

Há no mundo alguns homens, aos quais se pode dar o nome de "térmitas de Lendas".

O térmita é um bichinho voraz que rói tudo quanto encontra, num lento, invisível, incansável e implacável trabalho de destruição; e não róe para comer: róe pelo prazer de roer. Assim também, alguns historiadores e cronistas se metem dentro das mais belas e nobres lendas da humanidade, e inexoravelmente as vão roendo, até que as reduzem a poeira e a nada. Não pretendem com isso prestar alguns serviços à humanidade: destroem pelo prazer de destruir; e ficam impando de orgulho, quando conseguem demonstrar por a + b que tal herói, admirado e venerado por incontáveis gerações de homens, nunca existiu, ou que, se existiu, não passou de um poltrão vulgar.

Uma das mais recentes e estúpidas proezas desses sábios térmitas foi a destruição da lenda de Guilherme Tell. Está hoje provado, com documentos incontestáveis, que toda a história de Guilherme Tell é uma fábula. Nunca existiu a Beatriz do Dante, como nunca existiu Homero, como nunca existiu Ossian...

Triste glória, a de demonstrar todas essas não-existências! Ainda não apareceu um térmita moral que se empenhasse em provar a não-existência de Eróstrato, e a de Calígula, e a de Torquemada. Não! os destruidores de lendas escolhem justamente, para pasto de sua voracidade, as lendas heróicas e poéticas: ficam jubilosos quando atacam uma grande e bela reputação. Mais imparciais do que eles são os cupins, que tanto comem as madeiras de lei como o pinho ordinário, e as traças, que tanto devoram um volume da *Divina Comédia* como um volume do *Almanaque de Lembranças*...

Acaba agora de aparecer um novo destruidor, um inglês, que dá pelo nome de Wyllesorth d'Arcis. Esse sujeito, segundo um telegrama que encontro na *Notícia* de hoje, acaba de descobrir que toda a história de Jeanne d'Arc é uma balela. Diz ele que, efetivamente, os ingleses queimaram, em 1431, em Rouen, uma mulher; mas afirma que quem subiu à fogueira não foi Jeanne d'Arc: foi a duquesa de Worcester. E afirma isso, apoiado em documentos que existem na famosa torre de Rouen, onde tanto tempo penou, algemada e injuriada pelos algozes, a donzela-guerreira.

Por mim, não duvido que os documentos sejam autênticos. A História é feita pelos homens, – e, em cem homens, apenas se poderão achar alguns dois ou três absolutamente incapazes de mentir. Nós todos mentimos, ou por prazer, ou por interesse, ou por vício, ou por maldade, ou por piedade.

Mas, quando uma mentira é bela ou poética, que vantagem moral pode resultar da sua destruição? Jeanne d'Arc é uma figura de estranha e rara beleza. Tudo é formoso e comovedor, na história dessa criatura, – desde a sua infância pobre e sofredora, exaltada por visões de um misticismo ardente, até a sua morte na apoteose da fogueira, depois da existência gloriosa nas batalhas. Toda essa existência foi um poema maravilhoso, – que viverá, enquanto sobre a terra viverem homens. E que vem agora fazer, no meio de tal poema, essa intrusa e desenxabida duquesa de Worcester, trazida pela mão desse importuno e desengraçado Wyllesorth?

O que vale é que o trabalho desses sapadores e exterminadores de lendas é sempre vão. A Poesia inconsciente da humanidade tem processos misteriosos e milagrosos de construção: os edifícios que ela arquiteta e edifica são inabaláveis e eternos; as suas invenções ficam sendo verdades imortais; não há térmita que extermine o bronze duro e o mármore rijo em que ela vaza e talha as suas criações.

Não existiu Jeanne d'Arc? não existiu Guilherme Tell? não existiu Beatriz? Ossian é MacPherson? Shakespeare é Bacon? Por mais documentos irrecusáveis que se desenterrem para provar isso, a França continuará a adorar Jeanne d'Arc, a Suíça continuará a venerar Guilherme Tell, os poetas continuarão a colocar no mesmo altar Beatriz e Dante, e todos nós continuaremos a dizer que *Fingal* é de Ossian e que *Hamlet* é de Shakespeare.

Olavo Bilac

01 dez. 1907 — A Escola do Horror

Há um *Dictionnaire Universel des Idées*, de Ernst, publicado em França em 1850, que é um engraçado repositório de velharias: a sua leitura, neste começo do século vinte, serve para mostrar quanto, no curto espaço de menos de sessenta anos, progrediu a sociedade humana, em arte, ciência, em filosofia.

Mas, às vezes, folheando esse ementário de idéias arcaicas, fica o leitor espantado, verificando como, em outras cousas, em certos defeitos e em certas manias, a humanidade ficou estacionária.

Ainda há pouco, abrindo esse alfarrábio, no capítulo "Crime", encontrei estas linhas que parecem escritas por um homem de agora: "A imensa publicidade, dada hoje (em 1850!) a todos os crimes, é criadora de grandes perigos, porque causa a desmoralização social, familiarizando o povo com os atos de banditismo e crueldade; daí nascem o contágio e as epidemias de crimes; os processos deveriam ser julgados em segredo..."

Que diria o pobre Ernst se ressuscitasse agora no Rio de Janeiro, e visse o escândalo de informações e de notas de reportagem com que a imprensa está há longos meses celebrizando o hediondo Rocca e o medonho Carletto! Uma grande descoberta científica e uma invenção humanitária são noticiadas em três linhas: mas a um assassinato covarde, a um crime imundo que só revela a bestialidade dos criminosos, a uma façanha de bandidos vulgares que matam para roubar, a imprensa dedica, em edições repetidas, artigos de dez colunas, em que a literatura sinistra dos noticiaristas colabora com a fantasia horripilante dos desenhistas.

Ainda ontem e hoje, os retratos de Carletto e Rocca, estampados nos jornais, foram a preocupação dominante da vida carioca: tivemos de contemplar as duas faces horríveis assim que acordamos, tivemos de vê-las ao almoço, no trabalho, no passeio, vivemos com elas e dormimos com elas; longamente as fitaram as crianças que iam para escola ou de lá vinham; e os namorados, quando iam ver e beijar as suas namoradas, levavam na retina e na memória a impressão daquelas duas caras abomináveis...

E a multidão, que se abalou para ver a chegada dos criminosos ao Tribunal! se toda a gente, que ontem, em um só dia, se atropelou na rua dos Inválidos para contemplar as duas feras humanas, visitasse durante uma semana as feras com que a casa Herman Stoltz povoou o Jardim Zoológico, os bilhetes de entrada seriam esgotados e os cofres do bilheteiro transbordariam.

Já disse uma folha que Rocca tem recebido na prisão muitas cartas de namoro. Não duvido. A popularidade é um chamariz para as mulheres desequilibradas; e pouco importa que essa popularidade seja gloriosa ou ignóbil: é popularidade, e basta. Um advogado, que é aqui uma celebridade na advocacia criminal, contou-me há tempos, que, depois de ter defendido no júri um assassino famoso, recebeu no escritório a visita de uma linda mulher, que lhe ia levar calorosos parabéns: – "Que defesa! – disse-lhe ela, com a face corada e os olhos úmidos de entusiasmo – que discurso! eu passeava os meus olhos d'"Ele" para o senhor, e do senhor para "Ele": e não sei qual dos dois me parecia mais bonito!"

Mas ainda não é esse o inconveniente pior desta destemperada e alucinada publicidade que a imprensa continua a dar às mais simples palavras e aos gestos mais insignificantes destes dois homicidas-ladrões. Disse-me hoje um amigo, e disse-mo com horror, que, numa casa de família de suas relações, a dona da casa indo ver o que faziam no jardim os filhos, uns pirralhos de seis a oito anos, foi encontrá-los "brincando de Rocca": um pequeno se debatia contra os dois, que o subjugavam, passando-lhe uma corda em torno do pescoço... É a lição que as crianças bebem nos jornais, nesta época em que as crianças lêem jornais e em que os jornais capricham em cultivar a literatura do escândalo!

Já em 1850, o grave e acaciano Ernst protestava contra essa perniciosa publicidade "que familiariza o povo com os atos de banditismo e crueldade". E, naquele tempo, os jornais tinham tiragens reduzidas; e ainda o atraso dos processos de gravuras não permitia ilustrar abundantemente a crônica criminal; e as crianças, ocupadas com a peteca e os soldadinhos de chumbo, não eram freguesas das folhas diárias. Hoje, há as Marinoni; há a fototipia; e as folhas diárias são assinadas, compradas e lidas pelas crianças, porque todas elas, ou quase todas, ao lado dos artigos ilustrados em que exploram todos os escândalos de homicídio, roubo e devassidão, mantêm seções atraentes, destinadas à infância: tudo vem no mesmo retângulo de papel, e os pequeninos leitores passam naturalmente da leitura dos contos ingênuos e das historietas jocosas à leitura das epopéias da patifaria...

É uma escola... É a Escola do Horror!

OLAVO BILAC

04 DEZ. 1907

O JÚRI

O assunto é de *atualidade*. Durante dois dias, sem interrupção, acaba de funcionar aqui o Júri, – e a cidade, ansiosa, devorava as edições sucessivas dos jornais, à espera da deliberação que iam tomar os doze homens fortes e bravos que, durante mais de trinta horas, ouviram a acusação e a defesa de Rocca, acabando por condená-lo, por onze votos, a trinta anos de prisão.

É bom o momento para mostrar, mais uma vez, quanto é defeituosa a organização do Júri em quase todo o Brasil. Digo em quase todo, e não em todo o Brasil, porque no Rio Grande do Sul a instituição do Júri foi profundamente modificada, e modificada para melhor.

No Rio Grande do Sul não há doze jurados; há apenas seis. Lá, a acusação e a defesa podem, como no Rio de Janeiro e em S. Paulo, recusar um certo número de jurados, – mas devem declarar o motivo da recusa. E, finalmente, lá não há, como aqui, a famosa *sala secreta* dos jurados: os juízes de fato respondem aos quesitos em público, e podem, querendo, motivar a sua resposta, dizendo porque respondem *sim*, ou porque respondem *não*.

Já a redução do número dos jurados é uma vantagem considerável. Todas as assembléias são perigosas: e tanto mais perigosas, quanto mais numerosas. O ideal seria a instituição do juízo singular em todos os processos... Já um velho filósofo pessimista (o pessimismo, nesta vida tão mal feita, é quase sempre sinônimo de sabedoria) dizia que um maluco sozinho tem mais bom senso do que vinte ajuizados juntos... Mas nem sempre os ideais são realizáveis. E, já que é necessário o juízo de mais de um, – é preferível o Júri de seis jurados ao Júri de doze; quanto menor é o número dos membros de uma assembléia, menor é o número das vaidades em jogo e das teimas em concurso.

A obrigação em que se vêem no Rio Grande do Sul a acusação e a defesa de declarar a razão pela qual recusam este ou aquele jurado, tem uma grande moralidade. Não há figura mais triste, mais desajeitada, mais vexada do que a de um jurado que, chamado pelo presidente do Tribunal, e pondo-se a caminho do seu posto, é detido no meio da sala por um seco e insultuoso *recuso!*, proferido pelo promotor público ou pelo defensor do réu. Por que me não aceita como jurado o defensor de uma acusado? porque sou um homem sério e verdadeiro, incapaz de dizer que é um anjo um patife que tem as mãos sujas de sangue humano? mas é de seriedade e de sinceridade que mais se precisa ali!... E por que recusa o meu auxílio o acusador desse mesmo acusado? por que sou um homem justo e tolerante, incapaz de condenar um inocente, ou de, pelo simples prazer de fazer mal, carregar a mão no julgamento de um pobre diabo, que muitas vezes só foi preso e só é julgado porque é pobre e humilde? Mas o papel de jurado não é um papel de algoz, e o sentimento de justiça não é incompatível com o sentimento de humanidade!.... Em qualquer dos casos, devo ter o direito de saber porque é que sou recusado.

Quanto ao voto a descoberto, é inútil encarecer a sua moralidade. O voto secreto, quando se trata da liberdade, e, às vezes, da vida de um homem, é uma miséria. Nos Júris constituídos como o nosso, a sentença é sempre irresponsável e anônima. O presidente limita-se a aplicar o Código. Quem declara se o réu é inocente ou culpado é o corpo dos jurados. Mas esse corpo tem uma responsabilidade coletiva e impessoal; e toda a responsabilidade impessoal e coletiva é tirânica, estúpida e covarde; só é respeitável o juiz que tem a coragem de dar, em voz alta e com a face descoberta, a sua sentença: a máscara do anonimato fica bem na cara de um salteador, mas fica muito mal na face de um árbitro...

OLAVO BILAC

09 DEZ. 1907

BARTH

Venho da inauguração da Escola Barth, na Avenida de Ligação, entre o Flamengo e o Botafogo. É o primeiro prédio para escola pública que no Rio de Janeiro se edifica com a importância de um donativo particular, – e o fato merece registro e comentário.

Conheci bem o patrono da nova escola.

Era um suíço amável e jovial, que envelheceu no Rio de Janeiro, trabalhando e praticando o bem. Aqui passou Alberto Barth quase cinqüenta anos de sua existência, e aqui enriqueceu. Só saiu do Rio para morrer: partiu para a sua pátria em março de 1906 e lá faleceu sete meses depois, a 27 de outubro.

O seu testamento foi o de um homem de idéias modernas e liberais. Não deixou legados para missas, nem designou propinas para irmandades e devoções. Grande parte da sua fortuna foi distribuída por estabelecimento de ensino, da Suíça e do Brasil; oitocentos mil francos couberam à Universidade e à Escola Politécnica de Zurique, e trezentos e vinte e cinco mil francos a institutos do Rio de Janeiro; cento e cinqüenta mil ao Liceu de Artes e Ofícios, vinte e cinco mil à Escola Alemã, e cento e cinqüenta mil à Prefeitura do Distrito Federal, para construção de um edifício escolar.

Esse edifício inaugurou-se hoje. O nome de Barth fulgura na sua fachada. E assim a memória do homem, que aqui trabalhou e prosperou, fica indissoluvelmente ligada à civilização da cidade, que lhe foi segunda pátria.

Ah! se houvesse muitos homens como este!...

No Rio de Janeiro, o comerciante rico, quando faz testamento, pensa em tudo, menos na causa da instrução popular; todos os seus legados se canalizam para os cofres da Mitra e das irmandades religiosas. O seu ideal, na vida e na morte, é este: ter, enquanto vivo, uma bela opa com o cordão do provedor, – e, depois de morto, exéquias solenes, missa de *libera-me* e retrato na sacristia da igreja. Na Europa e na América do Norte, é raro o milionário que não funda uma escola; nos Estados Unidos, quase todas as universidades foram fundadas e são mantidas pelos reis do petróleo, do trigo, das estradas de ferro e da navegação.

Se todo o dinheiro que se gasta no Rio de Janeiro em missas, mandadas rezar por disposição testamentária de comendadores ricos, fosse empregado na construção de edifícios para escolas, já a Instrução Pública teria palácios em todas as ruas da cidade. Ainda há poucos meses, o *Jornal do Comércio* publicou o testamento de um desses ricaços: havia um legado de cem contos para uma irmandade, de cinqüenta para outra, – e uma *deixa* avultada, destinada a missas. O argentário queria à fina força conquistar o reino do céu, e determinou que fossem rezadas, em sufrágio da sua alma, seis missas por semana, durante trinta anos. Já é medo de ir para o inferno!

Barth, que sempre foi um homem honesto e bom, não tinha medo das chamas infernais. O que lhe fazia medo, em vida, era a ignorância, que é mãe de todos os crimes e de todas as misérias; por isso, ao preparar-se para a grande viagem da morte, quis que uma parte da sua riqueza servisse para auxiliar o combate contra essa grande inimiga da felicidade e da dignidade dos homens.

É de esperar que o exemplo dado por esse homem seja fecundo. Nem todas as boas lições se perdem. Talvez, daqui por diante, os comendadores dinheirudos, considerando que deixar o nome em letras de ouro na fachada de uma escola sempre é glória maior do que deixar um banal retrato a óleo na escura sacristia de uma igreja, comecem a legar, em favor da instrução do povo, uma parte da fortuna que até aqui destinavam à cera dos altares e à ceva dos padres...

Olavo Bilac

11 dez. 1907

Na Academia

Foi uma admirável sessão, a da Academia, na noite de 5. Acabo de reler hoje, com vagar e delícia, os dois discursos da noite, – o de Augusto de Lima e o de Medeiros e Albuquerque – e fico que nunca houve naquela casa uma sessão de tanta e tão boa literatura.

A Academia Brasileira devia aos *habitués* das suas sessões solenes essa compensação. A sessão precedente fora deplorável: não pelo discurso do acadêmico Afonso Arinos, que é um fino artista, sempre encantador, – mas pelo discurso do recipiendário, um ilustre e bravo almirante, que não sei por que carga d'água foi ancorar naquela corporação de homens de letras. O almirante-acadêmico devia fazer o elogio de Teixeira de Melo, a quem substituiu. Mas o morto ficou sem elogio, porque o seu sucessor confessou que nada lera do que ele escreveu, e que por isso nem ao menos lhe podia dedicar uma *ordem do dia* comovida e necrológica...

Mas a impressão... extravagante dessa sessão foi destruída agora pela impressão desta outra, em que brilharam Augusto de Lima, o recipiendário, e Medeiros, encarregado de receber e saudar em nome de toda a companhia o ilustre poeta dos *Símbolos*.

Foi uma delícia ouvir e é uma delícia ler, no discurso de Augusto, os trechos em que esse poeta de fisionomia severa e carrancuda faz a apologia do Riso. E foi também uma delícia ouvir e é uma delícia ler, no discurso de Medeiros, o longo trecho em que esse brilhante amigo dos paradoxos lavra a sentença de morte da Poesia, – em estilo de poeta – cultivando e praticando a Arte que pretende matar. Contradições... Toda a vida humana é feita de contradições!

E esse trecho do discurso de Medeiros merece um comentário especial.

A sentença de morte da Poesia já foi lavrada, há muito tempo, e por muitos juízes. Mas parece que ainda não se achou força em que ela pudesse ser cumprida, nem pelotão que quisesse fuzilar a mísera. Pronunciar uma sentença é fácil: o difícil é executá-la. É sempre mais fácil achar um juiz do que achar um carrasco.

Medeiros não diz propriamente que há de morrer a Poesia: diz que há de morrer a *forma metrificada da expressão*.

Mas, afinal, a prosa, se não é uma forma *metrificada*, é uma forma *ritmada*. A diferença é pequena... Já se tem inventado e se estão inventando novos metros, assim como se estão revivendo e restaurando alguns metros velhos e caídos em desuso. Talvez, daqui a cem ou duzentos anos, já não haja a rima em poesia nenhuma, e talvez não haja poeta que exprima a sua comoção poética em alexandrinos nem decassílabos. O ritmo será outro: mas sempre haverá um ritmo.

O próprio Guyot, que foi um dos primeiros a anunciar a morte próxima da Poesia, diz que o ritmo, na vida, é uma conseqüência fatal da lei da difusão nervosa. Toda a comoção tende a ritmar-se: "Um orador qualquer, quando ganha entusiasmo, vai insensivelmente e progressivamente introduzindo no seu discurso o *número* e a *medida*, que a princípio lhe faltavam: e quanto mais comovido fica, tanto mais ritmada e musical se torna a sua palavra". E Flaubert, *que nunca fez versos*, escrevia a George Sand: "Il y a un rapport nécessaire entre le mot juste et le mot musical; quand on resserre trop sa pensée, on arrive toujours à faire un vers".

É possível que a Poesia futura não tenha metro nem rima. Há de, porém, sempre ter música. E quem sabe? talvez os poetas do século 30 ou 40 da nossa era ainda venham a inventar alguma cousa mais complicada e mais artificial do que o metro e do que a rima. Muito tolo é quem se mete a querer devassar o futuro.

Em todo o caso, o metro e a rima ainda hão de viver muito tempo.

Alguns retóricos e professores de arte literária dizem que a rima nasceu na Idade Média. É um erro. As mais antigas literaturas orientais, árabes, turcas e persas, se não tinham rimas, tinham assonâncias ou homofonias. E que é uma rima senão uma assonância ou uma homofonia aperfeiçoada?

Um artifício, que vive há quarenta séculos, e ainda hoje é tão amado, não pode morrer de repente...

Medeiros, que tanto agoirou a Poesia, fez ao seu discurso uma peroração de um *allegro* musical radiante: é uma ode triunfal à palmeira, que é, "o símbolo das almas que não transigem". Relendo hoje essa peroração, nela encontrei uma porção de versos, – redondilhas, heróicos, de arte maior, alexandrinos...

É que não há poeta que deixe de ser poeta. Medeiros, dizendo mal da Poesia em estilo poético é como aquele ateu que dizia: "Juro por Deus que sou ateu!..."

OLAVO BILAC

14 DEZ. 1907

JORNAIS SEM LEITORES [CIA]

– "Mas há jornais demais no Rio de Janeiro" – é o que mais se ouve, em todos os grupos, a propósito do reaparecimento de *A Imprensa*, fundada há alguns anos pelo Dr. Rui Barbosa, e agora ressuscitada sob a direção do Alcindo Guanabara, que é, sem dúvida, o mais completo, o mais brilhante e o mais popular dos jornalistas cariocas da atualidade.

Parece, efetivamente, que já temos folhas diárias demais, – porque todas as nossa folhas diárias, reunidas, não chegam a tirar cento e vinte mil exemplares, por dia.

E é bom notar que uma parte considerável dessa tiragem geral vai para os Estados...

Mas, se nos lembrarmos que o Rio tem uma população de, no mínimo, oitocentos mil habitantes, facilmente reconheceremos que aqui poderiam folgadamente viver e prosperar alguns cinqüenta jornais; – o que se opõe a essa prosperidade de imprensa diária, como à prosperidade dos editores de livros, é o analfabetismo da população adulta. No Rio de Janeiro, a grande massa dos trabalhadores braçais é composta de homens que não sabem ler: se toda essa gente estivesse iniciada nos mistérios da letra de forma, os jornais teriam uma clientela vastíssima.

Em dez anos, conseguimos aqui remediar, até certo ponto, o analfabetismo infantil. As estatísticas, que a Diretoria de Instrução está preparando para a grande Exposição Nacional de 1908, hão de deixar claramente demonstrada essa conquista. Mas contra o analfabetismo dos adultos, o governo é quase impotente. A imigração que recebemos para as fábricas, para a pequena lavoura, para o comércio, e para os serviços urbanos do Distrito Federal, vem quase toda, para não dizer toda, de países europeus, em que mais profunda e alastrada é a ignorância das classes populares.

Dos carregadores ou *homens do ganho*, que se postam em todas as esquinas das nossas ruas à espera de *carretos*, raros, raríssimos são os que sabem ler...

Há um ano, a Prefeitura instalou, em algumas escolas, cursos noturnos de primeiras letras para adultos. Mas a freqüência ainda é muito aquém da que se esperava: não há em todos esses cursos mil alunos!

E o mais triste é que, por mais que se dê tratos à imaginação, não se consegue achar um remédio para esse mal.

Vivemos em um país que tem horror invencível ao substantivo *obrigatoriedade* e ao adjetivo *obrigatório*. Quando aqui se fala em *ensino obrigatório*, os positivistas bradam, os constitucionalistas se arrepelam, os sentimentalistas choram: todos vêem nessa medida um atentado à liberdade individual... Como se fosse digno de ter liberdade, e como se ao menos pudesse compreender o que é a liberdade, um homem que não sabe ler!

Por outro lado, precisamos tanto de imigração, que não podemos escolhê-la, e não temos o direito de exigir, em cada porto, ao imigrante, uma certidão de instrução primária.

É um problema terrível, que só o tempo há de resolver.

E aí está porque é que, tendo uma imprensa reduzidíssima, temos imprensa demais.

Não nos faltam jornalistas: faltam-nos leitores.

E já alguém disse um dia, com certa graça, que fazemos os nossos jornais para nós mesmos: vivemos a ler-nos uns aos outros, platonicamente....

Olavo Bilac

16 DEZ. 1907 TRABALHO DE ÚLTIMA HORA

Há atualmente, no Brasil, duas multidões, alarmadas, assustadas, apavoradas: a multidão dos vadios filhos de homens ricos, e a multidão dos agiotas. Os agiotas, procurados pelos herdeiros gastadores, fecham o ouvido às suas súplicas ardentes; e os herdeiros assistem todos os dias às sessões da Câmara, acompanhando com uma ansiedade angustiosa os debates sobre o projeto que estabelece a liberdade de testar.

É de fato a essas duas classes que mais assusta o projeto revolucionário, apresentado, discutido e votado às pressas neste fim de sessão, quando já quase todos os orçamentos estão prontos, e já quase todos os deputados sertanejos marcaram lugares nos navios que vão em breve levá-los à paz dos seus amados sertões.

O rapazelho filho de pai velho e rico é o melhor freguês do onzeneiro, que lhe dá um conto de réis à vista, em troca de uma letra de cinco, pagável depois do recebimento da herança. O onzeneiro é um descontador de esperanças... E como, sendo aprovado o projeto, essas esperanças correm o risco de desmanchar-se em fumo, já não há prestamista que as desconte, empatando nelas o seu rico dinheiro.

Mas o assunto é tão sério e tão grave, que só por brincadeira se poderia dizer que apenas se alarmam com ele os meninos gastadores de riquezas futuras e os tratantes gananciosos que animam e exploram essa dissipação de bens ainda não herdados. Até os que, como eu, nunca herdaram cousa nenhuma e não têm a esperança de poder deixar cousa nenhuma aos herdeiros, – até esses sentem um sobressalto diante dessa lei, que vem deitar abaixo tradições seculares, e destruir uma ordem de cousas que estão assentadas de pedra e cal, na vida da família e da sociedade.

Não há dúvida que a liberdade de testar, como a de adotar, devem ser incorporadas ao número de todas estas liberdades de cujo uso e gozo tanto se orgulham os homens da idade moderna. É justo que um homem, tendo ajuntado uma fortuna, tenha o direito de dela dispor como julgar mais acertado, entregando-a ao mais digno de recebê-la, e não sendo coagido por lei a deixá-la a herdeiros forçados, que o tenham desamado ou desonrado. É essa uma liberdade que deve ser tão sagrada como a de pensamento, como a de locomoção, como a de reunião, como qualquer outra.

Mas o que não posso compreender é que se queira arrancar essa lei, de afogadilho, a um parlamento que vai entrar em férias. Apresentado há cinco ou seis meses, o projeto seria discutido, examinado, pesado com vagar, com seriedade, com consciência. Não é decente que o Congresso discuta e vote uma tal lei atabalhoadamente, entre um discurso retórico e um discurso irônico, entre uma dúzia de metáforas e uma dúzia de pilhérias, – como discutiria e votaria a concessão de uma licença a qualquer funcionário público ou a subvenção de alguns pares de contos de réis a uma casa de caridade. A Constituinte estudou longamente um projeto igual a este, – e não teve a coragem de adotá-lo sem maior estudo; e era a Constituinte uma assembléia que saía do seio de uma revolução, disposta a tudo reformar e metamorfosear!

Que atenção, que estudo, que ponderação se pode agora esperar de senadores e deputados que já têm as malas feitas, e só com imensa dificuldade ainda se podem reunir em número bastante para a votação inadiável dos orçamentos? E não é natural que, votando e mandando cumprir uma lei tão revolucionária, os legisladores procurem acautelar de algum modo o interesse da família e da sociedade, evitando que, pelas facilidades da nova legislação, a boa fé, a ingenuidade, a estupidez, ou a demência de muitos testadores possam ser exploradas pelos caçadores de fortunas fáceis? E como exigir esse trabalho de cautela e critério dos legisladores, quando estes já estão com o pé no estribo, enfarados do trabalho, mal disfarçando o mau humor que lhes causa a derradeira tarefa?

Há quem diga que o melhor trabalho é sempre o que se faz à última hora, na urgência do momento, sob o acicate da necessidade... São idéias de boêmio. Ainda não vi cousa boa que se tenha feito com a mesma facilidade e a mesma rapidez com que se dá um espirro. Todo o trabalhador apressado é um trabalhador distraído. E nem me venham dizer que até Deus trabalha depressa fabricando o mundo em seis dias! Foi por isso que o mundo saiu tão mal feito, – que andamos a querer concertá-lo há um ror de dezenas de mil anos, e cada vez o achamos mais torto...

Olavo Bilac

21 dez. 1907 Pedido aos Pretos de Guiné...

O País tem em Lisboa um correspondente, que manifesta, a respeito de pretos e de crianças, idéias de uma ferocidade exemplar. Na sua carta-correspondência, publicada ontem, encontrei esta pérola: "Está se preparando a expedição para combater o gentio rebelde da Guiné, e dar-lhe um castigo que o submeterá de vez; *é preciso dar no preto, como quem dá nas crianças; isto é: a doer...*" Seja tudo pelo amor de Deus! ainda há, no século vinte, quem pense e escreva tal cousa!

Não sei qual é, em Lisboa, a profissão desse missivista, que, nas horas vagas, escreve cartas-noticiários para *O País*, no Rio de Janeiro. Se é militar, e também vai seguir para a África, a submeter o gentio da Guiné, – tanto melhor... O meu medo é que ele seja mestre-escola! Imagine-se a sorte de pobres crianças, confiadas à guarda de um homem, que professa tais doutrinas!

Dessas duas entidades que o correspondente de *O País* junta na mesma necessidade de pancada e submete ao mesmo método de ensino, – a criança e o preto – só a criança me inspira compaixão.

Porque o preto da África pode e sabe defender-se, e não precisa de compaixões... Os brancos conquistadores dizem: "É preciso dar no preto como quem dá nas crianças, isto é, a doer". E os pretos, que também raciocinam, e têm a mesma ferocidade dos brancos, dizem a mesma cousa, e quase pelas mesmas palavras: "É preciso dar no branco, como quem dá nos bichos; isto é: a matar". E muitas vezes, nessas lutas tremendas que se travam na África entre o preto e o branco, não é o preto quem mais apanha: é o branco. Ainda agora, na campanha contra os cuamatas, os portugueses deixaram ficar enterrados no solo africano cento e oito dos seus...

O que me indigna, nesse abominável trecho da carta do correspondente de *O País*, é a orientação pedagógica do escriba. E a minha indignação nasce principalmente disto: essa opinião não é uma opinião isolada, – é ainda o modo de pensar de muita e muita gente, na Europa e na América.

Felizmente, eu poderia encher toda a primeira página deste jornal, com a citação dos nomes dos cientistas, dos filósofos, dos poetas, dos educadores modernos, que estudam e analisam com atenção e carinho a alma das crianças, assentando as leis da verdadeira psicologia infantil e substituindo a velha pedagogia da pancada e do terror pela pedagogia da persuasão e da meiguice: Binet, James Sully, Balewin, Swinburne, Mosso, Paola Lombroso, Rudyard Kipling, Preyer, Ruskin, Taine, Corrado Ricci, etc., etc...

Mas, ao lado dessa legião de amigos das crianças, há uma outra legião de *neofobistas* – que tal é o horrendo nome que se criou para designar os inimigos dos pequerruchos. Essa aversão pelas crianças, essa crença na sua maldade inata, essa falsa teoria da sua instintiva crueldade, são ainda o resultado das tolices teológicas, e a conseqüência da velha e estúpida doutrina do pecado original. Até Santo Agostinho, que era uma alma nobilíssima e puríssima, não duvidou escrever esta barbaridade, que dói nos olhos de quem a lê e no ouvido de quem a escuta: "A observação da infância demonstra que o homem nasce mau e malfeitor: é preciso por isso educar bem a criança, com o auxílio das varas, das férulas, dos castigos de toda a espécie..."

Aí está a pedagogia católica, que ainda é a deste extraordinário correspondente de *O País*, tão inimigo de crianças e de pretos! Para muita gente, ainda o mestre-escola de hoje deve ser exatamente como aquela hedionda personagem do famosíssimo quadro de Van Ostade: – um sujeito velho e feio, com cara de algoz, tendo na mão direita uma palmatória e à esquerda um chicote de vinte pernas, e aterrando com o seu duro olhar colérico as crianças, que, estarrecidas de medo, ficam magnetizadas, paralisadas, quase mortas, – como um bando de cordeiros diante de um leão...

Ai! quando penso que este correspondente de *O País* é capaz de ser mestre-escola...

A minha esperança e o meu desejo é que ele, em vez disso, seja soldado, e esteja a esta hora caminhando para a África, a combater o gentio de Guiné... Ó pretos de Guiné; se o apanhardes por aí, batei-o sem piedade, que fareis obra de grande justiça.

OLAVO BILAC

23 DEZ. 1907

A CANGA

Dizem que há no Brasil, e especialmente no Rio de Janeiro, muita, muitíssima gente que não trabalha. Dizem até que o número dos que não trabalham é aqui incomparavelmente maior do que o número dos que trabalham. Não sei. Como trabalho muito, não me sobra tempo para andar somando o número dos ociosos. O que sei é que conheço muitos trabalhadores, – muita gente que vive exclusivamente para trabalhar, e morre trabalhando, sem um dia de descanso.

Aqui, os homens que trabalham, – médicos, advogados, industriais, professores, jornalistas, banqueiros, – trabalham tanto, como os maiores trabalhadores da Europa; e, se cansam mais depressa, e se produzem menos, é porque trabalham sem método, e vivem num país ainda em formação, onde o emprego do capital (de músculo ou de inteligência), ainda não pode dar um resultado compensador.

Trabalhamos muito, mas sem método. E uma das condições essenciais do método no trabalho é o repouso periódico.

Não há na Europa um só trabalhador que não tenha férias. Até os ministros de Estado fogem uma vez por ano, durante duas ou três semanas, das suas secretarias, e vão viver vida animada no campo ou à beira do mar, dando descanso ao corpo e ao espírito. E, além desse período anual de férias, todos têm, na Europa, em cada dia, uma ou duas horas em que suspendem o trabalho, – sobretudo nos dias de verão. Em Paris, por exemplo, quem for procurar o seu médico, ou o seu dentista, ou o seu advogado, – ou ainda o seu alfaiate ou o seu pedicuro – do meio-dia às duas horas da tarde, terá de montar guarda a uma porta fechada; a essa hora, em Paris, toda a gente está almoçando: e o almoço é ali uma ocupação sagrada, tão sagrada como a do trabalho.

No Brasil, e principalmente no Rio de Janeiro, nem a hora do almoço é respeitada! Almoçamos aqui, sem ver o que comemos, e sem achar gosto à comida, trabalhando ou pensando no trabalho, vendo provas impressas, assinando cartas ou faturas, estudando as cotações da Bolsa, dando ordens, fazendo ou recebendo encomendas, e até dando consultas médicas e receitando!

E, quando chega o verão, quando se fecham as aulas dos colégios e das escolas, a gente do comércio, da indústria, das letras, da imprensa, continua a trabalhar, sem férias. Na administração pública, o caso é ainda mais interessante: os diretores das repartições, que são sempre os funcionários que mais trabalham e às vezes os únicos que trabalham durante todo o ano, fazem em dezembro uma escala de férias para os amanuenses, contínuos e serventes; mas não estendem a si mesmos o gozo dessa felicidade, e ficam trabalhando. É o delírio, é a moléstia, é a mania do trabalho.

Habitualmente, quando um trabalhador daqui vai passar um verão em Petrópolis, dizemos: "Foi descansar!". Admirável descanso! Acordar às cinco horas da manhã, vestir-se às pressas, passar hora e meia no trem e hora e meia na barca, atropelar o trabalho no Rio durante cinco horas agoniadas, tornar a passar hora e meia na barca e hora e meia no trem, e chegar a Petrópolis com o corpo derreado, e dormir num sobressalto, para no dia seguinte recomeçar a mesma vida de galé! Mais vale não arredar pé do Rio, – e ficar aqui suando e penando, à espera da morte libertadora.

Não é preciso gastar muitas palavras para provar que uma tal vida de trabalho sem repouso tem de ser fatalmente uma vida curta e pouco aproveitável. Um mês, por ano, de descanso, na vida de um trabalhador, é mais um ano de trabalho assegurado.

Aparelho de acumulação, a máquina humana precisa, como nenhuma outra, de períodos de inação, em que possa armazenar e concentrar energia vital.

É o que não compreendemos. Ou, melhor: é o que compreendemos, mas não podemos ou não queremos praticar e executar, – por amor da tradição. Ensinaram-nos os nossos avós que o trabalho é uma canga, que só devemos deixar à hora da morte: e carregamos essa canga ao pescoço até que morremos, – e morremos cedo demais, e sem ter produzido o que poderíamos produzir, se trabalhássemos com mais inteligência, mais de acordo com o método e o cuidado que a dureza deste clima assassino nos aconselha.

OLAVO BILAC

25 DEZ. 1907

UMA RÉVANCHE...

Diz a sabedoria popular que "não há nada como um dia depois do outro". A frase não será um modelo de estilo português; mas tem um fundo filosófico, que compensa a vulgaridade da expressão. "Um dia depois do outro" é o consolo e a vingança de todos os homens e de todas as instituições, que a tolice e a maldade constantemente caluniam e cobrem de ridículo ou de opróbrio: já a velha de Siracusa, temendo mais o tirano futuro do que o tirano contemporâneo, consagrava a verdade desse brocardo, que é corrente em todas as línguas, e faz parte da literatura popular de todas as nações.

Atualmente, há no Brasil uma instituição que estaria dizendo e repetindo com grande gáudio esse rifão, se as instituições pudessem, como os homens, desabafar em palavras a sua cólera e a sua vingança.

Essa instituição é a Guarda Nacional.

Desde que me entendo, vejo coberta de ridículo essa malfadada milícia cívica.

Era eu pequenino, – e quando, em casa de meus pais, em certos dias de gala, entrava fardado de capitão da Guarda Nacional o meu tio-avô – nós todos rompíamos a rir, atacados de um acesso convulsivo de hilaridade: riam até as mucamas e os molecotes; e meu pai, franzindo o sobrolho, tinha necessidade de apelar para toda a sua energia de chefe de família, a fim de pôr um dique àquele generalizado frouxo de riso irreverente.

Essa irreverência sempre foi um hábito da população. O "guarda nacional" sempre foi para nós este tipo clássico; um bom burguês pacato e inofensivo, incapaz de fazer mal a uma mosca e incapaz de fazer frente a um gatuno que lhe invadisse a casa, e militarizado por vaidade, carregando à ilharga uma espada virgem e inútil, e arrastando pelas calçadas umas esporas que nunca travaram conhecimento com a ilharga de nenhum cavalo de guerra.

Até a literatura e a caricatura se encarregaram de tristemente celebrizar esses guerreiros de fancaria. Nunca houve, aqui, revista de ano nem jornal ilustrado que não explorasse tão inesgotável e deliciosa *vis comica*...

Mas... não há nada como uma dia depois do outro!

Hoje, – *c'est lè triste retour des choses d'ici bas!*... – todos querem pertencer à Guarda Nacional!

Por quê? – porque o fato de pertencer à Guarda Nacional, como coronel, como major, como capitão, como tenente, ou como simples alferes ou sargento, já será uma isenção para o serviço militar obrigatório, que vai ser posto em prática com a lei do sorteio.

E é inacreditável, é assombroso, é espantosa a concorrência que tem havido à ante-sala do ministério do Interior...

É uma multidão compacta, frenética, ansiosa, delirante, pedindo patentes!... E há nessa multidão meninos e velhos, homens graves e *moços bonitos*, fidalgos e plebeus, capitalistas e pés-no-chão, solteiros e casados, válidos e inválidos, ricos e pobres... Nessa romaria, que pede a graça de uma *patente*, há todas as classes, todas as idades, todas as condições, todos os credos, todas as hierarquias, todas as opiniões: o medo do *pau furado* iguala e irmana ali todos os cariocas...

A Guarda Nacional está vingada! Não há nada como um dia depois do outro... Extraordinária *revanche*!

Olavo Bilac

27 dez. 1907

Dinheiro Não Tem Cheiro

O Senado aprovou ontem, depois de uma barulhenta discussão, uma emenda ao orçamento geral da receita, apresentada e assinada por 24 senadores, e dispensando do desconto do imposto o subsídio dos representantes da Nação. O barulho foi provocado pela apresentação de uma subemenda, que, em vez de abolir o imposto, apenas o reduzia de 10 a 5 por cento. Os 24 signatários sustentaram com heróica energia a sua proposta, que foi aprovada contra o voto de 13 senadores.

Nunca houve talvez tanta animação, naquela fria casa: e não admira, – porque, desde que o mundo é mundo, sempre o dinheiro e o amor foram as duas cousas mais capazes de exaltar e exacerbar o espírito do homem...

Enfim, foi adotada a emenda; – e não será esse acréscimo de 300$000 mensais no subsídio líquido de cada pai da pátria que há de levar a nação à bancarrota. A nação é rica, – e a supressão de tal imposto apenas dá ao Tesouro um prejuízo de quatrocentos e noventa e cinco contos por ano. Nunca se viu um país falir por tão pouco...

Não sou dos que acham que o presidente da República, os ministros de Estado, os senadores, os deputados ganham dinheiro demais. Penso, ao contrário, – e escrevo-o sem a menor intenção de ironia, e com absoluta sinceridade, – que o que eles ganham é pouco. Não têm razão os que alegam, como argumento contra isto, que em certos países, como a Alemanha e Portugal, os representantes da nação nada recebem, e que em outros como a França, o subsídio de um deputado não é superior à soma de quinze mil francos por ano. O argumento é fraco. Nós vivemos aqui numa terra de pobretões; os nossos políticos (felizmente!) nunca enriquecem com a política; e o deputado ou senador, que seriamente quisesse cuidar dos interesses do país sem ganhar subsídio, ficaria arriscado a almoçar ou jantar pão seco, e a usar sapatos esburacados, – ou, o que ainda seria mais indecente, andaria pela rua do Ouvidor e pela Avenida a fazer concorrência aos *mordedores* de profissão. Um deputado e um senador não podem viver como qualquer operário ou como qualquer modesto funcionário. E se o subsídio de cada um dos pais da pátria fosse aumentado de setenta e cinco para cem mil réis por dia, eu ainda ficaria pensando que o aumento poderia e deveria ser maior... Não nasci para fazer economia: nem do meu dinheiro, nem do dinheiro que é administrado pelo Dr. David Campista!

O que me desgosta e aborrece na deliberação tomada ontem pelo Senado é o caráter odioso de exceção que ela manifesta. Se o Senado decretasse: "fica abolido o imposto sobre todos os vencimentos de todos os servidores públicos", o seu ato, sem deixar de atender ao interesse individual de cada pai da pátria, teria uma alta significação de justiça.

Não há imposto mais absurdo nem mais iníquo do que esse. Ninguém ignora a sua origem. Essa dedução de uns tantos por cento dos vencimentos dos funcionários públicos foi uma medida de economia, que ao governo imperial, no começo da guerra com o Paraguai, foi aconselhada e imposta pelos apuros financeiros da época. Cessou a causa, mas o efeito ainda perdura. E o grande absurdo disto consiste justamente, como ainda hoje escreve Henrique Chaves na *Gazeta de Notícias*, neste fato: de ano em ano, aparecem leis votando o aumento dos ordenados de funcionalismo: e "ou a nação precisa desse imposto, e nesse caso não tem meios nem recursos para aumentar os vencimentos dos seus funcionários, ou aumenta esses vencimentos e, nessa hipótese, aliás realizada um milhão de vezes, põe em evidência não carecer da verba de deduções feitas nesses vencimentos".

Mas, enfim, até agora o absurdo prejudicava a todos os servidores do Estado, sem exceção. E, agora, o caso é diferente. O Congresso da República, legislando exclusivamente em proveito próprio, esqueceu o interesse de todos os servidores públicos que não trabalham no Senado nem na Câmara... Creio bem que trezentos mil réis de imposto por mês devem fazer bastante falta a um senador que recebe setenta e cinco mil réis por dia, mas, incontestavelmente, maior, mais pesado, mais esmagador é o desconto de cinco mil réis mensais, para um pobre servente de repartição, que apenas tem a diária de quatro mil réis...

A compostura do Senado teria saído dignamente deste caso, – se ele tivesse pedido para todos os funcionários o que pediu e obteve para senadores e deputados, ou se, sem propor a supressão do imposto, tivesse corajosamente legislado, sem considerandos, sem explicações, sem subterfúgios: "Fica elevado à soma de cem, ou de duzentos, ou de quinhentos mil réis por dia, o subsídio de cada representante da Nação..."

Isso seria menos injusto, – e principalmente, mais limpo.

Mas, enfim, já dizia o imperador Vespasiano que "dinheiro não tem cheiro..."

Olavo Bilac

09 jan. 1908

Mulheres Demais

Indo ontem ao escritório de uma grande companhia industrial, tive a surpresa de verificar que quase todo o trabalho de estenografia comercial e de datilografia é ali feito por mulheres. Das quatorze máquinas de escrever, que na ocasião da minha visita funcionavam, apenas duas estavam confiadas a homens. A profissão de *typewriter*, como a do telegrafista e a de telefonista, será em breve monopólio das mulheres; e o mesmo acontecerá com a profissão de tipógrafo, quando se tiver generalizado o emprego da linotipia.

Essa expansão do trabalho feminino, competindo com o trabalho dos homens, e retirando das mãos destes muitos ofícios de que até hoje eles tinham privilégio, é uma solução magnífica para certa crise perigosa assinalada pelos quadros demográficos do Brasil.

Um amador de estatísticas, tendo consultado vários documentos, escreveu há dias uma interessante carta à *Gazeta de Notícias*, para mostrar que o sorteio militar, dificultando a realização de casamentos, agravará a sorte das mulheres, cujo número no Brasil já é consideravelmente maior do que o dos homens.

Este excesso da população feminina sobre a masculina é um fato incontestável. Todos os recenseamentos o demonstram. Já o provava o recenseamento de 1890; e o de 1900 veio confirmar a existência da crise. Segundo os dados desta última operação censitária, há no Brasil mais 42.674 mulheres do que homens. O excesso não conserva a mesma proporção em todos os Estados da República: é quase nulo na Bahia, notável em Sergipe e extraordinário no Ceará. Este último Estado possui 413.994 homens e 425.433 mulheres. É devido a isso que se costuma dizer, na terra de Iracema: "É preciso que um rapaz tenha coração de pedra e nervos de corda de viola para viver um ano no Ceará sem casar". Efetivamente, em uma região tão desproporcionadamente abastecida dos dois sexos, a caça do marido deve ser um *sport* praticado com ardor...

Mas o que agrava a situação é que o brasileiro não é amigo do matrimônio.

O número de casamentos vai diminuindo progressivamente de ano em ano. Carestia de vida, falta de trabalho remunerador, comodismo, egoísmo, – tudo concorre para afastar da pretoria e da igreja os rapazes. E isso é uma calamidade pública, – e é especialmente uma desgraça para o sexo feminino em um país como o nosso, em que o culto das tradições estúpidas tem conservado as mulheres em uma condição passiva e dependente, criando-as e educando-as exclusivamente para este destino e esta função: o casamento.

Naturalmente, a execução da lei do sorteio contribuirá para ainda mais aumentar o número das mulheres que *ficam para tias.*

Determina a lei que não poderão contrair casamento os sorteados, enquanto pertencerem ao serviço ativo, isto é: durante nove anos...

Nove anos! um rapaz casadoiro, que passa todo esse tempo sem poder casar, acaba por habituar-se à falta de casamento, e passa a engrossar o exército egoísta dos celibatários...

Mas, daí, quem sabe? O homem é um animal caprichoso e incoerente, que só acha sabor nos frutos proibidos e só gosta de fazer o que não pode fazer sem crime ou pecado. É possível que a lei do sorteio venha aumentar o trabalho dos pretores e dos padres; talvez os rapazes, sorteados ou não sorteados, fiquem subitamente possuídos da mania matrimonial: – é tão bom contrariar as Leis!...

Em todo o caso, o meio mais seguro de solver a crise é a expansão do trabalho feminino. Até hoje (absurdo máximo! absurdo dos absurdos!) o casamento tem sido para as mulheres, não uma questão de amor e de inclinação, mas uma questão de vida ou de morte, uma imposição da luta pela existência. As meninas do Brasil nascem, criam-se e educam-se, contando com o casamento; ou casam, ou morrem para a vida social: ficam sendo zeros colocados à esquerda de algarismos, entidades inúteis, que não concorrem de modo algum para aumentar o valor da comunhão. Haverá condição mais degradante?

Abençoada seja a nova corrente de educação, que liberta as mulheres desse cativeiro ignominioso. Há um número considerável de profissões que os homens injustamente monopolizam, e que, pela sua suavidade e até pela sua responsabilidade, devem ser confiadas ao espírito meticuloso, moderado e paciente das mulheres. Nunca um homem será, por exemplo, tão bom guarda-livros ou tão bom *caixa*, como uma mulher...

E no dia em que todas as mulheres pusessem ao serviço da política, das finanças e de todas as ambições, a mesma inteligência, a mesma pertinácia, a mesma astúcia, o mesmo tino que costumam pôr ao serviço da sua preocupação de arranjar maridos, nesse dia seria completa a falência do sexo masculino, e nós teríamos que ceder ao outro sexo todas as posições que ocupamos e todas as prerrogativas que avaramente guardamos.

OLAVO BILAC

11 JAN. 1908

ALDEIA CHIC

A língua, que atualmente se escreve e fala nos jornais do Rio e na rua do Ouvidor, é uma espessa floresta de exotismos, que ninguém pode atravessar sem estar apercebido de um exemplar do *Dicionário de Seis Línguas*, que é a bússola de que se socorrem os exploradores das matas virgens do poliglotismo. Não se dá um passo aí dentro sem topar com um francesismo, um inglesismo, um castelhanismo, um italianismo, ou um germanismo: são brenhas, são cipoais, são emaranhamentos absurdos de termos estrangeiros, – *chic, up-to-date, smart, dernier bateau, petrolette, salero,* – que sei mais? A velha Babel, onde se realizou o milagre da confusão das línguas, ressuscitou à beira da baía de Guanabara!

O fato, em si mesmo, não me indigna exageradamente; porque, enfim, não dou razão aos puristas, que querem as línguas imobilizadas, numa anquilose completa, organismos definitivamente desenvolvidos e incapazes de alteração e progresso. Assim como as nações não podem viver e prosperar sem intercâmbio de produtos naturais e artefatos, também as línguas têm de manter entre si um constante comércio de vocábulos. Não é a adoção de estrangeirismos de vocabulário o que corrompe as línguas: a sua corrupção vem unicamente da adoção criminosa de estrangeirismos de construção gramatical.

Mas não é disso que quero tratar.

O que desejo lembrar é que essa espantosa florescência de estrangeirismos de gíria elegante, na linguagem dos jornais, indica apenas o propósito em que estão os jornalistas, de inventar no Rio de Janeiro uma vida de refinada elegância e apurada civilização. Quem, não conhecendo o Rio, ler em todos os nossos jornais as seções em que os mais atilados repórteres comentam a supercivilização da existência carioca, acreditará que estamos realmente vivendo em uma *cidade grande*, em uma vasta metrópole, de onde foram banidas, pela abundância e pelo cosmopolitismo da população, todas as mesquinharias, e todas as estreitezas e baixezas da vida de aldeia...

Entretanto, o Rio de Janeiro é ainda uma aldeia... em ponto grande.

Quantos habitantes tem a cidade? tem uns oitocentos ou novecentos mil. Isso ainda não é população de grande cidade. E é preciso notar que, desses oitocentos ou novecentos mil habitantes, há apenas alguns mil (bem poucos!) que podem ter vida inteligente e elegante. São sempre as mesmas pessoas que vão ao *Corso*, que freqüentam hotéis, que ouvem óperas no *Lírico*, e tomam chá na *Cavé* e cerveja na *Franziskaner*: são sempre as mesmas poucas pessoas, que todas se conhecem umas às outras, e mutuamente vivem a espiar-se e a imitar-se.

Ainda agora, um fato interessante veio demonstrar o nosso *aldeísmo*.

Um senador foi à Inspetoria de Veículos, e requereu que lhe fosse dada carta de *chauffeur* de automóvel. Foi um escândalo! Os repórteres correram à Inspetoria, e tomaram nota do número, da forma, da cor do automóvel. E, no dia seguinte, todos os jornais, – todos! – uns com ironia, outros a sério, uns com louvor, outros com censura, noticiavam e exploravam vastamente este caso nunca visto: um senador com carta de *chauffeur*. Depois das notícias, apareceram as crônicas; e até em artigos de fundo se tratou do espantoso e maravilhoso caso! E ainda hoje se está tratando dele e ainda dele se há de tratar por todo o mês de janeiro!

O Rio é uma aldeia. Será uma aldeia *smart, up-to-date e dernier bateau*... Mas é uma aldeia, em que um homem limpo ainda não pode estrear uma roupa nova sem atrair e prender a atenção de toda a gente.

Olavo Bilac

12 JAN. 1908

BOCAGE

Há poucos minutos, no improvisado balcão de um vendedor de jornais, no largo da Carioca, li este cartaz: "Coleção das melhores anedotas de Bocage; vende-se aqui a 100 réis".

Li o cartaz, segui o meu caminho, imaginando as sandices, as imundícies, as baboseiras que devem estar colecionadas no parvo folheto, atribuído ao grande poeta. E vim pensando na desgraça desse pobre cantor, tão infeliz na vida, e tão infeliz depois da morte...

Em torno do nome de Bocage chegou a formar-se uma como atmosfera de depravação moral. As expressões *versos bocageanos* e *anedotas bocageanas* querem dizer, na boca do povo: rapsódia de obscenidade, folclore pornográfico, literatura poética de alcouce. Como se não bastassem, para oprimir a memória de Bocage, as rimas obscenas que ele deixou, suas, bem suas, autenticadas pelo cunho inconfundível do seu estilo, – ainda todas as gerações, que têm vivido depois da sua, se têm comprazido em inventar imundas trovas, sonetos cambaios, quadras imbecis, que são pela ignorância alvar e sacrílega do povo atribuídas ao mais correto metrificador que jamais praticou a nossa língua. Porque o povo não se contenta com imputar a Bocage versos de uma brejeirice idiota, indigna do seu talento e do seu bom gosto: até lhe imputa versos errados, – como se o cantor de Márcia e Anália algum dia houvesse escrito um verso errado!

E nem sei qual dessas duas profanações, qual desses dois desrespeitos, qual dessas duas calúnias seria mais desagradável ao desventurado Elmano, se ele ainda na outra vida se pudesse preocupar com o que neste mundo se pensa e escreve a seu respeito: se a injúria feita à sua correção de homem, se a injúria assacada contra a sua correção de metrificador!

Tem sido tão cruel para Bocage o desrespeito dos homens, que até o seu principal biógrafo, o próprio Teófilo Braga, que deve saber o que é um verso errado, – até esse quebra miseravelmente os versos do desditoso poeta. Teófilo conta (*Bocage, sua vida e época literária*, pág. 264) que, certa noite, saindo do famoso botequim do *Nicola*, no Rocio de Lisboa, o poeta foi detido por uma patrulha da Guarda Real da Polícia, que lhe perguntou quem era, de onde vinha, e para onde ia, ao que Elmano respondeu:

Eu sou o Bocage,
Venho do Nicola,
Vou para o outro mundo,
Se disparar a pistola!

Citar essa sensaboria, essa frioleira, essa parvoíce sem graça e sem metrificação, como uma prova do talento e da veia cômica de Bocage, chega a ser um crime de lesa-literatura, e um atentado contra o bom senso...

Enfim, isso é o menos. O que mais importa é o infinito número das anedotas obscenas e estúpidas que se atribuem ao infeliz Elmano. Algumas delas, as mais picarescas e as mais idiotas, devem estar colecionadas no fascículo pornográfico que acabo de ver anunciado...

Infeliz, infelicíssimo Elmano!, conserva depois da morte, a triste celebridade que lhe valeram em vida as suas noitadas em ruas e botequins. A popularidade em vida nunca é um grande bem para os homens, e principalmente para os poetas. Ser popular em vida é perder a propriedade de si mesmo, e ficar escravo da pior das tiranias, que é a tirania de muitos, o despotismo da curiosidade pública. O homem popular é como o ouro amoedado, que corre de mão em mão, sujando-se a todos os contatos; e mais vale para um homem qualquer, e sobretudo para um artista, ser como o ouro que se afeiçoa em custódias e se guarda na velada paz dos santuários...

Olavo Bilac

18 jan. 1908 "...E Os Argentinos?..."

Alguns dos meus leitores de S. Paulo, estranhando o tom de um destes artigos, *Aldeia chic*, perguntam-me se não é falta de patriotismo escrever a verdade sobre certas cousas da nossa vida. E, esclarecendo e justificando a estranheza, aparece, em todas as reclamações que recebo, a frase inevitável: "Isso só serve para dar prazer aos argentinos..."

Creio que não nos libertaremos tão cedo desta preocupação, que já é uma mórbida mania, um desequilíbrio doentio, quase um delírio de perseguição. Sempre que fazemos ou pretendemos fazer alguma cousa, perguntamos logo uns aos outros, com um sobressalto assustado: "Que dirão os argentinos?"

Vivemos assim sob uma tutela, inventada e criada por nós mesmos. A opinião da República Argentina preocupa mais a nossa alma do que a opinião [*****] Europa, de todo o planeta [*****] que é da Argentina que esperamos dinheiros, imigração, arte, comércio, indústria, progresso, civilização, e que o presente e o futuro da nossa nacionalidade dependem exclusivamente da boa ou da má vontade, do amor ou do desamor desse povo rival e vizinho. Não damos um passo acertado ou um mau passo, não experimentamos uma vitória ou um revés, não temos um minuto de felicidade ou de desgosto, – que não pensemos: "Que dirão disto os argentinos?..."

E os argentinos, por sua vez também, nada fazem, sem que uma interrogação idêntica lhes acuda: "Que pensarão disto os brasileiros?..." É o regime da mútua desconfiança e da mútua suspeita.

O conselheiro Acácio, se fosse consultado sobre essa singularíssima vigilância internacional, não deixaria de dizer: "É uma rivalidade fecunda, como a que existe entre Lisboa e Porto!..." Mas o conselheiro Acácio era um idiota. E o que o verdadeiro bom senso deve aconselhar às duas nações rivais é que cada uma delas pense mais em si mesma do que na outra, e não perca em ressentimentos fúteis e mexericos estéreis um tempo que pode ser aproveitado em estudo e trabalho.

Como sei bem que existe essa mania, não me espanta a pergunta que me é feita. Quando escrevi o artigo incriminado, já contava com a pergunta fatal: "Que dirão os argentinos?"

Pois bem! os argentinos dirão o que quiserem dizer! Não há de ser por medo deles que eu deixarei algum dia de elogiar ou censurar o meu país.

O meu dever, o dever de nós todos, que temos às nossas ordens uma pena e um jornal, é escrever sempre a verdade, unicamente a verdade.

Não foi com o auxílio da mentira, da hipocrisia, da lisonja estúpida, da condescendência criminosa, que conseguimos transformar o Rio de Janeiro, da empestada marema que era, na formosa e saneada cidade que é hoje. Por mim, tenho o orgulho de poder dizer que nunca menti a respeito disso.

Durante quinze anos de vida de imprensa, não poupei injúrias à velha e mal amanhada Sebastianópolis. Lancei-lhe em face, duramente, a sua imundície, o seu relaxamento, a sua falta de banhos, o desleixo do seu vestuário, o seu despenteamento, a sua inércia, a sua apatia. E se tanto e tão acerbamente a invectivava, era porque a amava ardentemente, e ardentemente queria vê-la redimida de tão feias culpas.

O regime da mentira não salva doente nenhum... Durante quase um século, mandávamos dizer aos países estrangeiros que o Rio de Janeiro não tinha febre amarela. Mas a febre amarela se encarregava de nos dar um desmentido solene, dizimando todos os anos a população da cidade. E ninguém deva mais crédito à nossa palavra do que à palavra dos obituários!... Chegou, finalmente, o dia, em que, em vez de mentir passivamente, resolvemos confessar a dolorosa verdade e dar combate ao mal. E o resultado aí está: a febre amarela desapareceu, e a cidade já não tem detratores...

Nunca é falta de patriotismo dizer a verdade. O que é falta de patriotismo é ter a consciência do mal, e não tratar de curá-lo. E isso é mais ainda do que falta de patriotismo: é rematada tolice.

OLAVO BILAC

19 JAN. 1908 — NOVA CARTA DE ABC [CIA]

A *Gazeta de Notícias* conta hoje o caso de um menino de seis anos que, por um prodígio de atenção e de vontade, aprendeu a ler, por si mesmo, só com o estudo pertinaz e constante dos programas dos cinematógrafos. O pequeno sabia que tal ou qual fita tinha o título de *Casamento do Diabo*, ou de *História de um Avarento*, ou de *Apuros de um Barbeiro*. Mostravam-lhe no programa as linhas em que vinham publicados esses títulos; e a forma especial de cada palavra se lhe gravava imediatamente no cérebro. No fim de um mês, já ele estava senhor de alguns cem ou cento e cinqüenta vocábulos; e, por um trabalho de análise, começou a conhecer especialmente cada uma das letras de que se compunham as palavras já conhecidas. Todos nós aprendemos a ler indo da parte para o todo, começando pelas letras, passando às sílabas, e acabando pelas palavras e pelas frases. Este petiz inverteu o processo, e veio do maior para o menor, do todo para a parte, das frases para as letras.

O caso é digno de registro e comentário, mas não é espantoso nem fenomenal.

A paixão sempre opera milagres. Se fosse já um rapaz adolescente, esta criatura aprenderia a ler por si mesma, só para poder compreender as cartas de uma namorada; e na idade de seis anos, o entusiasmo pelos espetáculos cinematográficos lhe deu a mesma inteligência e a mesma força de vontade, que mais tarde lhe daria uma paixão amorosa.

Outra paixão, que é capaz de produzir igual prodígio, é a cobiça do dinheiro. Conheço, aqui no Rio, um *carregador*, que, sendo analfabeto, e reconhecendo com desespero que esse defeito o prejudicava grandemente no exercício da profissão, começou a fixar na memória a configuração das palavras que via escritas nas placas das esquinas, indicando os nomes das ruas: em pouco tempo, já reconhecia, nos *envelopes* das cartas que lhe confiavam, as palavras iguais às que vira escrita nas placas; continuou a educar desse modo a atenção, e conseguiu, pelo mesmo processo, o mesmo resultado conseguido pelo menino de que trata a *Gazeta*.

A propósito do caso deste *carregador*, há uma consideração que imediatamente se impõe ao espírito, e vem a ser que esse pobre diabo, matriculando-se numa escola noturna para adultos, teria aprendido a ler em menos tempo e com muito menos trabalho... Mas nem todos gostam dos caminhos retos e dos processos simples: há criaturas que nascem complicadas, e passam a vida numa contínua complicação, complicando tudo, e não podendo absolutamente compreender o que não é complicado. Lembra-me agora um exemplo disso. Não há aí em S. Paulo, quem não conheça ou não tenha conhecido a pessoa que me fornece o exemplo. É um homem (francês, creio eu) que é banqueiro, ou sócio de banqueiro, ou *croupier* de clube de jogo. É um velho, muito amável, muito alegre, muito estimado pela gente que freqüenta os banhos e as batotas de Poços de Caldas... Esse homem não sabe ler nem escrever, – e entretanto, traz sempre consigo um livro de notas, em que toma todos os apontamentos da sua vida! Não sabe ler nem escrever – é um modo de dizer... Lê e escreve, – mas lê e escreve uma língua sua, exclusivamente sua, inventada só para o seu uso, uma língua que só ele entende; os seus caracteres não são pictográficos, nem ideográficos, nem chineses, nem cuneiformes, nem fenícios, nem árabes, nem góticos, nem romanos: a sua escrita é uma mistura complicadíssima de estenografia e de criptografia, – mas de estenografia que nenhum estenógrafo pode entender, e de criptografia que nem Scott, nem Gronsfeld, nem Bacon, criptógrafos famosos, seriam capazes de decifrar...

Indubitavelmente, a outro qualquer homem seria muito mais fácil aprender a escrita comum, pelos processos comuns: mas há gente que só é capaz de fazer o que é difícil.

Voltemos, porém, ao caso do menino. Abençoados sejam os cinematógrafos, já que a sua paixão pode substituir o mestre-escola! Em um país como o nosso, que conta na sua população (horror inconfessável) setenta por cento de analfabetos, tudo quanto possa concorrer para remediar essa desgraça deve ser acolhido com entusiasmo.

Esperemos que haja muitos casos como o deste menino! E já que os governos não se decidem a gastar com a instrução do povo ao menos metade do dinheiro que gastam em outras cousas, apelemos para os cinematógrafos, transformados em escolas de ensino intuitivo! Todos os caminhos levam a Roma...

OLAVO BILAC

10 MAR. 1908 DIÁRIO DO RIO

Triste domingo este, chuvoso e carrancudo... Atravesso a cidade, às cinco da tarde, e vejo-a vazia, molhada, sinistra. E insensivelmente começo a pensar na tristeza que deve estar pesando sobre a alma dos caixeiros das casas comerciais, gente humilde, que só nos domingos pode ter um pouco de distração e de prazer.

Como se não bastasse a esses pobres rapazes calcetas do trabalho o mal que lhes fez a quebra do *União*!

Porque foi principalmente aos caixeiros das casas comerciais do Rio que mais prejudicou a falência dessa casa bancária, cuja prosperidade era todos os dias trombeteada charlataneamente nos anúncios dos jornais, e cujos diretores ninguém sabe hoje em que toca se alapardam, temendo os perigos da cólera popular.

Os não sei quantos mil contos, engolidos criminosamente pelos falidos, ou por eles levianamente dissipados em operações imprudentes, eram, na sua quase totalidade, a reunião das pequenas economias dos pequenos empregados do comércio carioca.

Casas há por aqui, das quais todos os caixeiros haviam confiado ao banco estourado todos os seus parcos haveres em dinheiro. Só de uma dessas casas uma grande casa de bebidas e lanche, sei que os banqueiros receberam quinze contos de réis, o que representa, dado o número de vinte e poucos caixeiros que há no estabelecimento, a média de setecentos ou oitocentos mil réis para cada um.

Imagine-se o que esse pecúlio significava para cada um deles; calculem-se os sacrifícios e as privações de que se formara cada uma dessas minguadas fortunas: ontem um divertimento de menos, hoje a dispensa de um conforto ou de um prazer, amanhã a supressão de um gozo físico ou intelectual, depois a abstenção cautelosa diante de uma tentação, depois a imolação de uma vaidade inocente ao desejo de poupar e ajuntar...

Quantos sonhos lá se vão, perdidos num desengano cruel, açoutados, dispersados, aniquilados pelo tufão desta catástrofe! Este prejudicado queria talvez realizar uma curta viagem à pátria distante, onde o esperava uma velha mãe querida; aquele projetava o seu pequeno capital num negócio modesto, que o libertaria da servidão; aquele outro era noivo, e já se imaginava senhor da mobília singela com que formaria o seu ninho...

Todas essas esperanças naufragaram no desastre inesperado; do crime ou da leviandade de dois ou três espertalhões ou de dois ou três desastrados, nasceu a desgraça de um número considerável de trabalhadores obscuros, que já nada esperam salvar do que pouparam.

Que podem eles esperar das leis? As leis são apenas pretexto para o malabarismo palavroso dos advogados inteligentes; e já se foi o tempo (se é que jamais houve esse tempo!) em que os banqueiros falidos se despojavam dos seus útimos vinténs, e até da roupa do corpo, para indenizar os clientes prejudicados...

E, ainda que haja rateio, que soma caberá a cada um dos logrados, quando a massa total do acervo do banco tiver sido espremida e coada pelas peneiras sucessivas do processo da liquidação, e quando nela já se houver cevado a gula insaciável dos vorazes animais onívoros que povoam a *ménagerie* do Fórum?...

Olavo Bilac

12 mar. 1908

Diário do Rio

Em agosto deste ano, no salão nobre do Pavilhão do Distrito Federal, na Exposição, deve reunir-se um Congresso Nacional de Assistência Pública e Privada, convocado pelo prefeito do Rio de Janeiro.

É hábito, hoje, dizer mal dos Congressos, negando a sua utilidade, e mofando do seu platonismo. Mas ainda não se inventou, e suponho que nunca se inventará, um processo mais útil ou menos platônico a fim de congregar, para o estudo de certas questões, os homens mais competentes, cotejando e apurando as suas opiniões, e delas extraindo, em proveito da administração pública, um sistema de princípios e uma norma de conduta.

No Rio de Janeiro e em quase todo o Brasil, a assistência privada realiza verdadeiros milagres. Doumer e Ferrero, para unicamente citar dois estrangeiros ilustres, dos que ultimamente nos têm visitado, declararam que não há em toda a Europa um só país que tão brilhantemente se exercite, como no Brasil, o sentimento da caridade privada, em associações hospitalares, de beneficência, de socorros mútuos, de montepio etc.

Mas a esse desenvolvimento de um dos ramos da Assistência não corresponde o do outro ramo, o mais importante. A nossa assistência pública tem ainda uma organização rudimentar, que está longe de abonar o nosso crédito de país civilizado.

E é preciso não somente aperfeiçoar esse ramo, como ainda harmonizá-lo com o outro, fundindo-os na mesma regulamentação geral, sem abolir ou diminuir, bem entendido, a autonomia das associações já existentes.

A Comissão Organizadora do Congresso já formulou as quatro questões sobre as quais se receberão relatórios e teses: I. Assistência metódica; meios práticos para obter uma aliança entre a assistência pública e a privada; o problema no Brasil; II. Assistência gratuita ao doente; III. Assistência à infância, e particularmente o que se refere às medidas a adotar contra a mortalidade infantil; educação das crianças deficientes; IV. Assistência à infância moralmente abandonada; modificações que se devem fazer na legislação atual.

Como se vê, foi reservada grande parte do programa do Congresso para o estudo do mais sério problema da Assistência, o da proteção devida à infância.

Poucas pessoas imaginarão o que é nesta grande cidade o sofrimento das crianças desvalidas. Os orfanatos públicos são poucos e acanhados; dos particulares, alguns são apenas instituições de criminosa indústria, de que se servem os espertalhões em proveito próprio, explorando a orfandade, e comendo as subvenções que conseguem extorquir da generosidade dos governos e dos particulares. Para avaliar o que é hoje a miséria no Rio, basta saber que para os dois asilos profissionais mantidos pela Prefeitura, e que rigorosamente só podem acolher, no máximo, quatrocentas crianças, houve este ano mais de três mil pedidos de admissão!

Ninguém espera que da reunião do Congresso de Assistência, convocado pela Prefeitura do Distrito Federal, nasçam medidas prontas, completas e imediatas. Mas, ainda que a reunião desse Congresso devesse ter como único resultado chamar a atenção do público para o magno problema da Assistência, já a sua utilidade seria inegável. Mas o Poder Executivo Municipal tratará de aplicar praticamente as conclusões a que chegar essa assembléia de notáveis. E, sendo o Congresso *nacional*, e devendo a ele comparecer representantes de todos os Estados da União, é fora de dúvida que a repercussão dos seus trabalhos se propagará por todo o Brasil, incitando todos os governos a uma ação combinada em favor da sorte dos infelizes de toda a espécie, crianças abandonadas, enfermos privados de recursos, velhos desamparados, e verdadeiros mendigos.

Quem escreve estas linhas é o Secretário Geral do Congresso, que aproveita a circulação do *Correio Paulistano* para pedir aos médicos, aos cientistas, aos filantropos, e a todos os homens de inteligência e de coração de S. Paulo que auxiliem esta tentativa da Prefeitura do Rio, concorrendo ao Congresso, ou, ao menos, animando-o com a sua simpatia e o seu prestígio.

OLAVO BILAC

13 MAR. 1908

DIÁRIO DO RIO

O Carnaval, por aqui, parece que se vai prolongar pelo ano em fora, até o dia de S. Silvestre.

O prolongamento do folguedo começou em Niterói, onde há complicações políticas, e onde o governo sente a necessidade de divertir o povo com os *circenses* de que já se serviam, como derivativo de procelas, os imperadores romanos. Como tivesse chovido nos três dias clássicos do pagode, a polícia niteroiense permitiu que, no domingo seguinte, saíssem à rua, já em plena quaresma, com grande escândalo da gente carola, os préstitos carnavalescos. Animados por esse exemplo, os foliões daqui vão pedir licença para celebrar a *mi-carême* no dia 20 de março;

e já se projeta, para o sábado de Aleluia, uma grande batalha de *confetti* na praia de Botafogo.

Estabelecidos esses precedentes, nada impede que passemos a ter um carnaval por mês ou por semana: ficaremos sendo a Saturnópolis ou a Bacópolis da América.

Não me indigna nem me desagrada essa perspectiva. Os deuses compassivos deram-me um gênio alegre e bem humorado. Não sou inimigo de festas, e não gosto dos que o são. Se dependesse isso de mim, ninguém seria triste na terra, e todos viveriam dançando e rindo.

Assim, não reprovo o prolongamento do carnaval. Mas quisera que, uma vez desenvolvido e generalizado esse divertimento, ele perdesse o grosseiro distintivo de festa bárbara que ainda conserva.

Li ontem, nos jornais daqui, um telegrama de S. Paulo, anunciando que o *Club Internacional* já se prepara com grande antecedência para realizar, em 1909, aí, grandes festas carnavalescas externas, com arte e luxo, contando para isso com o concurso de muitas famílias. Essa mesma regeneração do carnaval quisera eu ver praticada no Rio, cuja civilização já se não compadece com certos aspectos de bacanal e delírio furioso de que se reveste o folguedo tradicional.

Já nem me refiro à franca apoteose da prostituição, em que se empenham os clubes, passeando em triunfo mulheres quase nuas, e publicando e distribuindo avulsos de um erotismo descabelado e cru. Não quero insistir nesse ponto, porque receio ser acusado de exagero de *prudérie*, e não tenho jeito para assumir no Brasil o papel que desempenhou na França o senador Berenger, querendo impor o uso de um *cinto de castidade* à moral pública...

Mas não é esse o único aspecto condenável do nosso carnaval. Há ainda os *cordões*, os famosos *cordões* de índios, cuja barbaridade ofende os olhos e a alma do mais tolerante dos homens. Ainda este ano o espetáculo foi horrendo! De pés nus, patinhando na lama, com saiotes, cocares e perneiras de velhas penas de galo, empunhando arcos e tocando maracás, rugindo como animais ferozes, recrutados nas alfurjas da Gamboa e da Saúde, sujavam com a sua presença a Avenida. Alguns deles traziam enormes serpentes vivas (!) enroladas no corpo. Um vi eu, que trazia consigo um grande e asqueroso lagarto vivo, e beijava-o, e mordia-o, fingindo querer comê-lo. Era horrível!

Os defensores dos *cordões* alegam que cada um deve ter o direito de se divertir como pode e como sabe. Talvez! Mas não proponho que se proíba, com qualquer ameaça ou pena, a saída desses bandos de selvagens, que não são apenas selvagens pela *fantasia* que adotam. A minha idéia é outra. Se as famílias do Rio tomassem conta do carnaval, fazendo dele uma festa civilizada e decente, não só os sujos farranchos dos índios descalços, como as luxuosas procissões de hetairas triunfantes se iriam de moto próprio retraindo e eliminando. Em toda a parte e em todos os tempos, sempre a Beleza tem repelido e vencido, e há de repelir e vencer a Fealdade. Depois de um ano ou dois de carnaval elegante e fino, a população nunca mais toleraria um carnaval indecoroso e grosseiro.

E, desse modo, não haveria mal em que a folia carnavalesca se prolongasse, de domingo em domingo, pelo ano inteiro...

Olavo Bilac

14 mar. 1908

Diário do Rio

O volume, em que a Comissão Central do Recenseamento do Rio de Janeiro em 1906 reuniu os resultados dos seus trabalhos, fornece uma leitura de inesgotáveis atrativos. Sempre que o folheio, encontro nele um novo ponto interessante, em que ainda se não fixara a minha atenção.

A comissão discriminou a população por sexos, idades, estado civil, profissões, grau de instrução, e nacionalidades. E cada uma dessas estatísticas parciais pode dar assunto para grande número de artigos.

Vêde, para exemplo, esta nota: segundo o cálculo da comissão, o número dos "inativos" do Rio de Janeiro, isto é, o número das pessoas que vivem sem profissão eleva-se à quantidade de 395 699, ou pouco menos de quarenta e oito por cento da população total.

Claro está que nem todos esses 395 699 habitantes se poderão considerar propriamente "vadios". Em geral, as mulheres do Rio trabalham pouco; muitas, as senhoras da alta sociedade, não trabalham nunca. Mas, ainda atendendo a essa razão, e descontando daquela soma geral as prováveis somas parciais das senhoras, desocupadas em virtude da sua posição social, e das crianças, que não trabalham por incapacidade física, é força confessar que a estatística é alarmante.

A que atribuir essa vadiação excepcional?

A nossa preguiça de "meridionais", de *pays-chauds*? Certamente não. Somos tão aptos para o trabalho, e tão capazes de atividade, de energia, e de resistência, como os filhos dos países mais frios da Europa. Conheço cariocas (e prezo-me de ser um deles) que trabalham dez e doze horas por dia, sem férias, sem repouso, sem distração, e nem por isso têm menos saúde do que os que vadiam. A nossa moleza irremediável é uma invenção que já não merece crédito.

A verdade é que a vida é hoje, no Rio, dificílima. Não há trabalho certo e seguro para toda a gente que aqui vive.

Não nego que seja grande o número dos malandros, dos boêmios irredutíveis, que vivem no culto do ócio e no horror ao trabalho. A Avenida Central e a rua do Ouvidor enchem-se de dia e à noite de "mordedores" vorazes, que acham menos fácil e menos cômodo trabalhar do que viver à custa dos restos dos que trabalham. O tipo dessa classe é um certo sujeito, aqui muito conhecido a quem perguntei um dia: "Por que não procura você uma colocação?", e que me respondeu serenamente: "Por falta de tempo! Das seis da manhã ao meio-dia, ando a procurar um almoço; do meio dia às seis da tarde, vivo a buscar um jantar; das seis da tarde à meia noite, canso-me a caçar uma cama; como quer o senhor que me sobre tempo para arranjar uma colocação?"

Mas ao lado desse e de outros madraços impenitentes, estragados pela calaçaria da rua e endurecidos na "dentada", quanta gente, de coragem e de boa vontade, que quer trabalhar e não consegue trabalho!

E ainda há quem se envergonhe e lastime, por ser forçado a confessar que o Rio de Janeiro não possui o ambicionado e invejado milhão de habitantes, de que se ufana, com razão ou sem razão, Buenos Aires!

O grande aumento de população de uma cidade só é desejável quando tal cidade, pelas suas condições de grande indústria, de dilatado comércio, de vida intensa, pode dar exercício folgado a grande número de capacidades e de atividades individuais. Não é esse, por ora, o estado do Rio de Janeiro. E, se a miséria aqui aumenta de dia para dia, é porque há uma grande multidão de homens válidos, que teimam em querer ganhar dificilmente a vida na capital, quando o campo lhes oferece generosamente o seu seio, sempre fecundo e remunerador.

Mas, que se lhe há de fazer? Há muitas pessoas que vivem parodiando e adulterando a ambição de César, preferindo ser as últimas na cidade a ser as primeiras na roça.

Olavo Bilac

15 mar. 1908

Diário do Rio

Não fica mal a este mês de março, no Rio, a vermelha túnica, ensopada em sangue, com que ele vai percorrendo as trinta e uma estações da sua vida sinistra. Foi o rubro deus da Guerra, o terrível Marte, quem lhe deu o nome; e o mês sanguinário está justificando o batismo onomástico.

Um dos melhores caricaturistas nossos, o jovial Raul Pederneiras, já estereotipou há dias o *momento atual*, mostrando os delegados de polícia e os repórteres, ansiosos, com o nariz empinado, cheirando os ares, e perguntando: "Onde será o assassinato de hoje?!"...

É realmente essa, agora, a preocupação geral. Não há dia que não nos dê um crime hediondo, e já começamos a ficar com a sensibilidade embotada.

O último desses crimes foi especialmente horrendo. Foi um assassinato, que, além do horror comum a todos os assassinatos, teve o particular horror de ser o resultado de uma contenda entre crianças. O assassinado tinha quatorze anos; o assassino tem dezessete. O primeiro já está apodrecendo fisicamente no fundo da cova; o segundo vai apodrecer moralmente na Casa de Correção, de onde sairá ainda pior do que é hoje, inutilizado para o trabalho e para a vida.

Pormenor significativo: era analfabeto o sacrificado, e é analfabeto o criminoso. Dois animais entregues aos seus instintos, soltos sem freio na vida, sem responsabilidade moral, sem luz no espírito, sem compreensão dos fins nobres da existência, duas criaturas condenadas pela ignorância à sujeição tirânica das mais funestas paixões...

Há quem afirme que a instrução não dá moralidade. Talvez nem sempre a dê... Mas, ao menos, dá sempre responsabilidade. Nenhuma simpatia, ou sequer compaixão, nos pode inspirar o malvado que sabe o que é o bem e o mal, se prefere praticar o segundo a amar o primeiro. Mas deve sempre merecer o nosso dó o inconsciente que, por ter sido privado de instrução, é um verdadeiro cego moral, tateando às tontas, não compreendendo a significação da existência humana, nem podendo conceber a soma dos deveres e direitos que lhe deu o simples e involuntário ato de haver nascido.

Os inimigos da instrução obrigatória dizem que mais do que ela vale a religião. Pois sim! estou quase a afirmar que esse assassino de dezessete anos há de ter sobre o peito, entre a pele e a camisa, um *bentinho*, ou uma medalhinha azinhavrada, com a efígie de um santo... Há assassinos profissionais, que, antes da execução de um assassinato, por vingança ou por dinheiro, pedem o auxílio do céu, e prometem ao santo de sua devoção uma vela de libra em paga do bom êxito do crime e da impunidade!

OLAVO BILAC

16 MAR. 1908 DIÁRIO DO RIO

Os caricaturistas do Rio estão empenhados na discussão de um problema, que é ao mesmo tempo de grande interesse artístico e de grande importância patriótica. Se se tratasse de um problema interessando apenas a classe de caricaturistas, já não seria ele merecedor de pouca atenção; porque essa classe é hoje a mais temida e a mais respeitadas de toda a imprensa: os nossos dois ou três jornais ilustrados, manejando o ridículo pelo traço humorístico, influem muito mais do que os outros jornais na formação e na direção da opinião pública. Mas a tese, como já escrevi, é também patriótica, nacional.

Trata-se de escolher um *tipo*, que fixe no desenho e na caricatura, o *brasileiro de hoje*.

O norte-americano é o *Tio Sam*; o inglês é *John Bull*; o francês é a esperta e pimpona *Marianne*. E quando uma criança analfabeta, mas habituada a ver jornais ilustrados encontra numa caricatura o magro *Tio Sam*, alto e anguloso, com a sua casaca estrelada, ou o gordo *John Bull* com as suas botas de montar e a sua barriga proeminente, ou a faceira *Marianne* com o seu saiote curto e o seu gorro frígio, imediatamente diz: "Aqui está a América do Norte, ou aqui está a Inglaterra, ou aqui está a França!"

Até agora qual tem sido o *tipo*, encarregado de simbolizar o Brasil? Tem sido um índio, seminu, com uma tanga em torno dos rins e um cocar em torno do crânio; um índio apalermado, tonto, de olhos esbugalhados, sempre a se queixar dos impostos... Não pode haver mais falsa representação artística do tipo nacional. Pouco ou quase nada devemos ao índio, que quase não entrou como elemento decisivo, na constituição da nossa raça. E, ainda que ao índio devêssemos muito ou tudo, a sua escolha para simbolizar o Brasil deveria ser evitada por antiestética.

Ultimamente, *O Malho* tem procurado impor um outro tipo: uma espécie de capadócio, de jaleco largo, bombachas e chapéu de palha equilibrado sobre a gaforinha rebelde. Também não me agrada esse boneco simbólico. O Brasil não é o Rio de Janeiro, e o Rio de Janeiro não é o Saco do Alferes...

Agora, no calor do debate, cada caricaturista propõe a sua criação. Já se aventou a idéia de um concurso. Mas que juízes se escolherão para tal concurso? Os próprios artistas, votando em escrutínio secreto? O povo, votando em plebiscito? Os artistas seriam suspeitos; e, quanto ao plebiscito, as eleições políticas já desmoralizaram de tal modo o nosso povo, que para ele toda a eleição não passa de *blague*.

Assim, só um meio parece bom e eficaz: a adoção, por parte de cada caricaturista, de um tipo seu, inalterável; o Tempo, que é o único juiz sincero, e incorruptível, se encarregará do trabalho de crítica, de seleção, e de designação definitiva.

Pode apenas suceder que sendo o Brasil constituído por muitos Estados, alguns dos quais não se compreendem, e até mesmo nem se conhecem, resultasse desse processo a adoção de vários tipos regionais...

Não haveria nisso grande mal. De fato, o carioca é muito diferente do cearense, e o paulista é muito diferente do rio-grandense do sul; e ainda não temos uma Arte bastante forte e bastante nacional, que possa conseguir aquilo que ainda não conseguiram o comércio, a indústria e a política.

Mas, seja qual for o processo adotado, e adotem-se um ou muitos *tipos*, o essencial é que o índio, como símbolo coletivo da nacionalidade, seja proscrito. O índio desapareceu, ou está quase desaparecendo. E conservá-lo como legítimo representante figurado do nosso país é um absurdo. Um absurdo quase tão grande como o que poriam em prática os italianos, adotando, para representar a Itália moderna, um dos feios, membrudos e cabeludos Pelasgos ou Etrúrios que primitivamente povoavam a península...

Olavo Bilac

17 mar. 1908 — Diário do Rio

Não sei se é informação verdadeira, ou invenção de repórter jovial, ou chamariz das cervejarias de Copacabana, esta curiosa local, que encontro na *Gazeta de Notícias* desta manhã: "Hoje, às 7 horas, bater-se-ão em exercícios de corpo, na praia de Copacabana, dois adestrados de capoeira, Rafael da Lapa e Tibúrcio Gonçalves. A luta durará 40 minutos. O vencedor ganhará 200 garrafas de cerveja".

Se a informação é verdadeira, o duelo de Rafael e Tibúrcio vem demonstrar que ainda vive, e apaixona alguns fiéis, esse nosso desgraçado *sport* nacional, que todos supunham morto.

Porque, enfim, ninguém pode negar ao exercício da capoeiragem esta honra: é um *sport*, tão legítimo como a esgrima, o *box*, a *savate*, o jogo do pau, a luta romana, o jiu-jitsu. Como jogo de destreza e força, a capoeiragem é tão *sport* como a luta romana; e como jogo de armas, é tão *sport* como a esgrima: lutar à espada ou à navalha, sempre é lutar; e a luta, quer se trave na rua ou nas salas, entre capadócios ou cavalheiros finos, sempre é a mesma brutalidade antiga, que o homem, escravo das heranças ancestrais, não pode deixar de amar.

Por mim, confesso que não amo nem aplaudo esses exercícios violentos, cuja prática, endeusada pelos fanáticos da força bruta, atrasa o progresso moral dos homens, amarrando-os à tradição da barbárie primitiva. Para desenvolver os músculos, enrijar o corpo e manter a saúde, não é preciso lutar. A ginástica, a natação, a equitação, o ciclismo, a pelota, o futebol, e tantos outros exercícios corporais que a higiene e a moral aprovam e recomendam, são bastantes para a educação física dos homens. Não compreendo que, para conservar e desenvolver a nossa força e a nossa saúde, tenhamos necessidade de exercitar-nos na arte de matar.

A capoeiragem, sob a capa do *sport*, é uma escola de vício e crime. E o Rio de Janeiro seria uma cidade sem civilização, se pudesse recordar-se sem horror do que eram antigamente os seus bandos de capoeiras, matulas de animais ferozes que retalhavam serenamente o ventre de um transeunte pacífico, quando queriam verificar se a *sardinha* estava bem amolada. São Paulo não pode saber o que era isso, no Rio de Janeiro de há vinte anos. Os capoeiras eram aqui os senhores absolutos da cidade. Os desafios entre *guaiamus* e *nagoas* faziam-se às claras, publicamente. No dia do encontro, a polícia, prudentemente se abstinha de ir impedir a luta; e quando esta terminava, as mesas do necrotério e as camas das enfermarias de cirurgia da Misericórdia ficavam todas ocupadas. Fui, em rapaz, aos dezessete anos, interno da Misericórdia. Quando havia eleições ou festas populares, o serviço dos internos, naquele tempo, era penosíssimo. Passávamos a noite em claro, cosendo lábios de feridas hediondas. De cinco em cinco minutos, as ambulâncias despejavam no vestíbulo do Hospital as vítimas da pugna eleitoral ou do folguedo sanguinário. E, em cada grupo de dez ferimentos, verificávamos sempre que nove eram feitos de navalha...

A navalha! a arma mais traiçoeira, mais torpe, mais perversa, de que se pode servir um matador de profissão... Escondida no côncavo da mão do assassino, ninguém a vê, ninguém a adivinha: o seu *bote* é invisível, instantâneo, inevitável: quem é ferido por ela, sente apenas uma sensação de frio na parte do corpo golpeada, e cai esvaído em sangue, e morre, sem chegar a compreender o que lhe aconteceu...

Dir-me-ão que ao exercício da capoeiragem não é indispensável a navalha, e que um homem pode ser capoeira sem ser assassino. Duvido muito disso! toda a luta por brincadeira predispõe a luta por ódio; jogando com a vaidade dos brigadores, a briga os incita ao furor e ao desejo de vingança; e no que particularmente diz respeito à capoeiragem, as tradições desse jogo de destreza, no Rio de Janeiro, não podem ser destruídas: a rasteira chama a navalhada, e em todo o capoeira há a alma de um assassino.

Se é verdadeira a informação da *Gazeta*, há de encher-se hoje a praia de Copacabana, e os lutadores hão de ser vitoriados: a baixa classe de todos os povos ama o espetáculo da força, da brutalidade e da crueldade...

Mas não creio que a Polícia permita o espetáculo: eu, por mim, se fosse delegado de polícia, mandaria amarrar os dois campeões, e deixá-los-ia por alguns dias na prisão, para que cada um deles, no sossego da enxovia, *jogando capoeira* com a sua própria alma, se penitenciasse do mau gosto das suas abomináveis predileções artísticas e esportivas.

Olavo Bilac

20 mar. 1908

Diário do Rio

A festa projetada para a *mi-carême*, e que, suponho, não se realizará por falta do tempo necessário para a sua organização, veio pôr em foco uma figura ignorada e humilde: – a operária carioca. Até ontem, ninguém pensava nela. Mas bastou que a imprensa, a propósito da *mi-carême*, começasse a exaltar essa figura, para que ela imediatamente *ficasse na moda*. E já estamos falando *das nossas operárias*, com um enternecimento comovido e comovedor... Foi uma revelação, e é um *emballement*!

É bem verdade que, por mais apagada e pobre que seja uma criatura, lá vem um dia em que lhe cabe um pouco de glória e um bocadinho de consideração. Chegou agora, para as operárias, essa maré de orgulho. Ei-las em plena celebridade, ei-las *populares*, ei-las gozando essa hora de fama que resgata séculos de anonimato.

Não se fará talvez, este ano, a sua festa glorificadora. Mas a idéia está vitoriosa, e o seu bom êxito está assegurado para o ano vindouro.

A operária carioca será um *tipo* definido, preciso, único? Certamente não. Ela é, segundo a raça e a nacionalidade, branca, parda, preta, brasileira, portuguesa, italiana, espanhola, francesa, e turca. Antigamente, era difícil encontrá-la, vê-la, estudá-la: a população era toda retraída e triste; e a classe operária, sendo a mais pobre e a mais obscura, era a mais esquiva, a mais escondida, a mais envergonhada de todas. Mas a abertura da Avenida Central veio revolucionar os nossos hábitos. E o nosso povo já pode, aos domingos, em movimento de passeio pelo grande *boulevard*, ser observado e analisado.

A Avenida, nos domingos, à noite, pertence aos caixeiros e aos operários que tomam conta das calçadas, dos botequins, das cervejarias, e dos cinematógrafos. E é aí que encontramos a operária carioca, – ou velha, devastada pelo trabalho e pelos trabalhos que lhe deram os filhos – ou moça, casada ou solteira, em pleno viço da saúde – ou ainda menina, de saia curta e alma inocente, mas com as mãos já calejadas pelo trabalho duro.

Não é uma criatura alegre, a nossa pobre e modesta operária. Não ri: apenas sorri, com um ar de fadiga. É que o trabalho braçal é especialmente ingrato e penoso neste clima. Aqui os trabalhadores envelhecem e morrem cedo. E além disso, as nossas fábricas, em geral, não são modelos de conforto e higiene.

Para essa criatura, moída de canseira, o cinematógrafo, nos domingos à noite, é o palácio encantado da Ilusão e da Ventura. Abençoado seja o cinematógrafo! nunca deixo de bendizer essa invenção, quando vejo, apinhadas às portas fulgurantes em que se anunciam maravilhas em cartazes iluminados, as famílias de operários, disputando a entrada, correndo a comprar por quinhentos réis, alguns minutos de divertimento e de sonho...

Quantas são as operárias cariocas? são milhares e milhares. Em muitas fábricas de tecidos todo o trabalho é feito exclusivamente por mulheres. Se todas elas se reunissem um dia, os sessenta mil metros quadrados da Avenida Central ficariam alagados de um compacto mar humano.

Entre elas, quantas dignas da eleição para rainhas da *mi-carême*! Sobra-lhes em graça natural o que lhes falta em beleza elegante. Em S. Paulo, onde quase todo o pessoal das fábricas é italiano, todas as rainhas teriam o mesmo porte, o mesmo ar, o mesmo tipo. Mas, aqui, a diversidade é considerável. Quando desfilar o préstito da *mi-carême*, veremos rainhas coradas como maçãs maduras, alvas como açucenas, morenas como jambos, escuras como sapotis. Uma vasta escala cromática!

Boas e tristes operárias... Chegou a sua hora! Os jornais vão destacar argutos repórteres para entrevistá-las, já os cronistas lhes dedicam artigos laudatórios, – e, daqui a pouco, todos os poetas do Rio (são cem ou duzentos mil!) hão de consagrar-lhes odes ardentes e sonetos líricos...

OLAVO BILAC

21 MAR. 1908

DIÁRIO DO RIO

Não quis o destino cego que pudéssemos ter no Rio de Janeiro um Rei. Não acho que seja essa uma desgraça irremediável: com um Rei ou sem ele, a Exposição se há de realizar com animação e brilho. Já ninguém acha impossível a terminação das obras no prazo fixado; estive ontem na Praia Vermelha, e verifiquei que ali se está executando um trabalho heróico: dois mil operários formigam na vasta oficina, e os edifícios começam a surgir do caos poeirento e rumoroso.

Aparece agora uma notícia, cuja confirmação seria motivo para ardente regozijo nacional: a notícia da vinda do ministro do comércio da França ao Rio, em visita à Exposição, e com caráter oficial.

A visita do rei D. Carlos teria uma alta significação moral, e seria uma comemoração histórica de grande valor: seria realmente belo que, cem anos depois da abertura dos portos do Brasil ao comércio e à civilização, um herdeiro do sangue e da coroa de D. João VI viesse celebrar aqui o grande benefício que este monarca nos fez. Além disso, é inegável que a visita real seria para o comércio do Rio de Janeiro uma fonte de rendas abundantes.

Mas, sob o ponto de vista *nacional*, e se atendermos não só aos nossos interesses atuais como aos nossos interesses futuros, é indiscutível que a visita do ministro do comércio da França nos será muito mais útil do que seria a do rei de Portugal.

Todas as nações, ainda as mais ricas, precisam de dinheiro. Mas, de todas as nações do mundo, estou em dizer, e creio que ninguém mo contestará, que a mais carecedora de pecúnia é o Brasil. Esta frase "não há dinheiro!" não é no Brasil um simples desafogo, nem uma vã lamúria, nem uma desarrazoada queixa de descontentes incontentáveis. A pobreza nacional é patente, inegável, escandalosa.

De onde nos pode vir o dinheiro indispensável? Naturalmente da França, que é a terra do *pé de meia*, o imenso e maravilhoso celeiro onde todos os mercados se vão abastecer de moeda. Já acalentamos, parece, o sonho de obter dinheiro dos Estados Unidos da América. Sonho irrealizável! toda a imensa fortuna desse país está empregada em casa; e quando há crise financeira em Nova York ou em Chicago, é em Paris que os *yankees* vão procurar salvação.

A amizade comercial e financeira da França será para o Brasil uma ventura imensa.

Somos, porventura, indignos dessa amizade? Ninguém o dirá. A França já conhece a nossa probidade de nação. O que ela ainda não conhece é o campo vasto que este imenso país pode oferecer ao seu comércio e à sua indústria, fazendo frutificar prodigiosamente o dinheiro que ela aqui empregar.

Tudo isto é tão claro e tão verdadeiro, que nada perde da sua verdade e da sua clareza, sendo escrito por quem nada sabe de finanças... As cousas evidentes tanto são entendidas pelos sábios como pelos ignorantes.

Esperemos todos que efetivamente venha ao Brasil o ministro do gabinete francês. Não será essa uma visita de espavento como a de um Rei; mas será uma visita muito honrosa, e sobretudo muito proveitosa.

Olavo Bilac

22 mar. 1908

Diário do Rio

O Sr. padre Júlio Maria, que todo o Brasil conhece e admira como pregador excelente, parece que foi, em tempo, um grande pecador. É uma simples suposição, que me é sugerida pela violência implacável com que esse ilustre sacerdote ataca o Pecado. Os homens, em geral, só atacam com violência aquilo que amam ou já amaram.

Na brilhante série de conferências que está realizando na Catedral do Rio, o Sr. padre Júlio Maria já chegou ao extremo de declarar que o Patriotismo é um Demônio, e um dos piores Demônios, porque resume em si todas as más qualidades dos gênios infernais, que simbolizam a ambição, o egoísmo e a soberba. O governo proibiu a realização de *meetings* e a distribuição de avulsos contra o sorteio militar, declarando que a oposição a essa medida é um crime de lesa-patriotismo. Entretanto, do alto do púlpito da Catedral, em presença do Sr. Cardeal e de mil e duzentos ouvintes, um sacerdote católico ataca, já não o culto do Patriotismo, mas o próprio Patriotismo, pintando-o como uma espécie de Diabo corruptor. Se um de nós dissesse isso em público, seria preso como anarquista...

Na segunda das suas conferências, o ilustre orador verberou contra a caterva de homens de ciência, pecadores, e semeadores e propagandistas do Pecado. E na conferência de ontem, que foi a terceira, estiveram na ordem do dia e da maldição os poetas, os romancistas, os cronistas, os jornalistas, – todos os homens de letras.

Nunca jamais ninguém nos disse cousas tão duras! Todos nós somos luxuriosos voluptuosos, ateus, malvados, egoístas, e não sei o que mais. Cantamos a beleza de uma mulher? pecado! Celebramos a formosura da Natureza, o encanto de um pôr do sol, a harmonia do canto das aves? pecado! Extasiamo-nos diante da maravilha de uma noite de luar? pecado! Para que tudo isso deixasse de ser pecado, seria preciso que admirássemos a mulher, a Natureza, o luar, benzendo-nos, e rezando ladainhas. E quem sabe? ainda assim estaríamos talvez comprando um passaporte para o Inferno...

A conferência de ontem foi uma catilinária tremenda. Até os pobres poetas parnasianos, que, em geral, são verdadeiros beneditinos, absorvidos no culto da Forma, sem tempo, sem inclinação, sem alma para adorar qualquer outra cousa, são, na opinião do Sr. padre Júlio Maria, abomináveis pecadores. Ai! de nós! se isso é verdade, e se há Inferno, o nosso amado José Maria de Heredia dever estar sendo, esta hora, consumido pelo calor e picado pelo tridente do Satanás, numa caldeira transbordante de pez ardente!

Mas não! Deus não pode deixar de amar os poetas, – os bons poetas, que têm o amor e o respeito da sua arte. Lendo os *Troféus* de Heredia, o Senhor certamente já lhe perdoou o pecado de luxúria, – se é que há luxúria em rimar um soneto perfeito. Um verso lindo, harmonioso, impecável, não pode ser um pecado. Pecado é o verso cambaio, mole, frouxo, cacofônico. E o verdadeiro pecador é o Sr. padre Júlio Maria, que, em uma de suas conferências, querendo citar em português alguns versos de Victor Hugo, perpetrou quatro alexandrinos hediondos, que nenhum poeta de décima ordem se atreveria a assinar.

Mas, ainda sem levar isso em linha de conta, é força reconhecer que o eloqüente sacerdote, vergastando sem piedade os pecadores, comete um pecado grande que é o do Orgulho. Em sua própria opinião, ele é o único homem justo e puro que floresce em terras de Santa Cruz... Sugestões do Demônio do Orgulho!

Por causa disso, e de mais nada, Lúcifer, que era anjo, foi precipitado no Inferno...

OLAVO BILAC

23 MAR. 1908

DIÁRIO DO RIO

Eis chegada, para o Norte do Brasil, a época triste e dolorosa, em que o sol implacável devasta os sertões.

Todos os anos, na mesma data, começam a chegar ao Rio, transmitidos pelos fios telegráficos, os primeiros queixumes. São lamentos vagos, que chegam apenas de um ponto, quase sempre do Ceará, que é a vítima habitual das grandes secas. Daí a pouco é o Rio Grande do Norte que levanta a voz ansiosa. Depois, a Bahia, a Paraíba, Pernambuco... E um vasto e angustioso clamor vem descendo, durante meses e meses, da região setentrional, – a mais bela e a mais infeliz, porque nela a infelicidade vem do excesso da própria beleza, que lhe é dada pelo excesso do calor do sol.

Este ano, já tardavam as primeiras queixas, denunciando a volta inevitável da calamidade periódica. Aqui as temos, em todos os jornais, essas núncias malditas da assolação e da sede. Já os campos, torrados, anseiam pela chuva que não cai; o gado, sedento, muge, prevendo, com o seu instinto que é quase inteligência, a morte que se avizinha; as árvores, mirradas deixam pender os ramos, carregados de folhas murchas, – nessa desesperada atitude com que plantas e homens esperam o extermínio irremediável, com os braços pendidos, impotentes, inertes, ao longo do corpo. E homens e animais contemplam o céu, – o céu azul – implacavelmente azul, terrivelmente azul, abominavelmente azul, onde nem um fiapo de nuvem encerra uma promessa de salvação, uma esperança de chuva...

E pensar que, diante de uma desgraça como essa, o país é fraco, sem recursos, sem energia, sem vontade, – como o médico, que é forçado a cruzar os braços diante de uma doença incurável!

E ainda há quem diga que, de todos os grandes países da terra, o Brasil é o único inalteravelmente, providencialmente, milagrosamente posto a coberto das grandes catástrofes que periodicamente devastam o planeta!...

Não temos vulcões, que nos torrem e reduzam a cinza implacável povoações inteiras; não temos terremotos, que, em três minutos, arrasem as nossas cidades, frutos de três séculos de trabalho e coragem; não temos inundações, que em três dias nos alaguem e destruam trezentas léguas de terras e de culturas... Tudo isso é verdade! Mas não menos verdade que temos as secas do Norte, todos os anos, com uma constância que desespera...

Pobre Brasil! És grande demais, para a gente pequena que te povoa e governa!

Olavo Bilac

25 mar. 1908 — Diário do Rio

Não é possível evitar a contenda religiosa. Enquanto houver homens, haverá religiões, e enquanto houver religiões, haverá controvérsias e disputas. Muito feliz é a humanidade, por ser apenas de palavras, atualmente, o conflito. Antigamente, as diversas Crenças, quando se entrechocavam, faziam correr abundantes rios de sangue humano. E não falta quem anseie por ver de novo instaurado esse processo de catequese. Muita gente conheço eu que daria pulos de contentamento, desmaiaria de prazer, se visse restauradas as fogueiras da Inquisição!

No Rio, agora, ferve bate-barbas religioso. Não por causa das conferências do ilustre padre Júlio Maria, que todos apreciam mas ninguém discute, – porém, por causa do aviso do ministro do Interior, mandando suprimir do programa letivo de um colégio equiparado ao Ginásio Nacional o curso de catecismo.

Todos os católicos extremados vêem nesse aviso um ataque às suas crenças (às crenças da Nação, dizem eles), e uma demonstração do ateísmo da administração republicana. Em vão se lhes diz que, estando a Igreja separada do Estado, este não pode, sem flagrante violação dos preceitos constitucionais, adotar ou defender oficialmente *qualquer religião*. Os colégios equiparados ao Ginásio são estabelecimentos oficiais, porque têm favores do governo, e são fiscalizados por ele.

Os acusadores do ministro não aceitam essa razão, e respondem (delicioso sofisma!) que, suprimindo o ensino do catecismo cristão, o governo demonstra possuir espírito sectário, e agride e viola o princípio da liberdade de crenças.

Muito bem! mas no dia em que o ministro do Interior permitisse, em qualquer colégio equiparado, o funcionamento de um curso de religião budista, ou fetichista, ou ainda metodista, ou heterodoxa, a grita dos católicos seria a mesma: eles não querem que se respeite a *Religião*, isto *é todas as religiões*; querem, sim, que só seja respeitada, defendida, e até imposta *a sua religião*.

Quanto à acusação de ateísmo assacada contra o atual governo da República, é uma calúnia. O ministro do Interior não tem ação própria: atua em nome e por ordem do presidente da República, que, longe de ser ateu, é um deísta irredutível e até um fervorosíssimo católico. Sua excelência ouve missa todos os domingos, confessa-se e comunga freqüentemente, e não esconde o seu catolicismo: antes o proclama e assoalha com toda a franqueza e toda a nobreza.

Se o presidente aprovou o ato do ministro (e não é possível admitir a hipótese contrária), foi por ter considerado, com toda a razão, que um homem pode ser, ao mesmo tempo, um bom católico e um bom funcionário público, temendo a Deus e respeitando as leis.

O tribunal divino é decerto muito respeitável e muito venerável; mas os tribunais da terra também valem alguma cousa: e a gente enquanto vive neste vale de lágrimas, é obrigado a saber que eles existem e têm força.

Secundando a ação da imprensa católica, o padre Júlio Maria disfarçadamente aludiu ao caso do colégio equiparado, na oração que proferiu sobre "O pecado e os estadistas". Nessa oração, o nome do ministro e o do presidente da República não foram pronunciados. Mas poderá haver, para o padre Júlio Maria, pecado maior do que um presidente da República que sustenta um ministro inimigo do catecismo?

Enfim, como, segundo a ameaça do eloqüente sacerdote, nós todos, artistas, poetas, jornalistas e cientistas do Brasil, estamos votados às penas do inferno, sempre é um consolo imaginar que para essa tremenda região também há de ir o chefe do Estado, apesar de todas as missas que tem ouvido... Antes bem acompanhado do que sós!

OLAVO BILAC

26 MAR. 1908 — DIÁRIO DO RIO

Não compreendo que se ache exagerado e excessivo o sacrifício de dinheiro que o Brasil está fazendo para conseguir o povoamento do seu imenso território.

Chega a ser absurdo que, com quatro séculos de existência total e quase um século de vida autônoma, ainda este país seja, a poucas léguas do litoral, um enorme deserto. A herança territorial que recebemos tem um peso que nos esmaga. E, se passamos tanto tempo sem procurar dar um remédio qualquer a esse mal, não é demais que busquemos agora recuperar o tempo perdido, não medindo trabalho nem contando dinheiro para isso. Todo esse dinheiro, agora gasto, há de frutificar em riqueza, em felicidade e em glória pra a nação.

Mas é interessante verificar como deixamos que se contrarie e desmanche o que estamos fazendo. Ainda esta manhã, precisando de uma informação, li a seção dos anúncios das companhias de navegação nos jornais, e fiz uma descoberta preciosa.

Duas das mais importantes dessas companhias acabam de reduzir de modo extraordinário os preços de suas passagens de terceira classe, do Rio a Vigo e Lisboa. A Mala Real Inglesa anuncia hoje, para o *Nile*: "Recebe passageiros de 3ª classe para Vigo, excepcionalmente, pelo preço de 30$000, incluindo vinho de mesa e o imposto do governo". E idêntico anúncio faz a Hamburgo-Amerika-Line, para o *Belgrano*: "Recebe passageiros de 3ª classe para Lisboa e Leixões, excepcionalmente, pelo preço de 25$000, incluindo o imposto do governo".

Trinta mil réis e vinte e cinco mil réis, para transportar, alojar e alimentar (incluindo vinho) um passageiro do Brasil à Europa! É espantosamente barato! Por um bilhete de 2ª classe, entre S. Paulo e Rio, ou entre Rio e S. Paulo, doze horas de viagem, sem alimentação, paga um homem 19$400. Com mais quatro mil réis de despesa vai esse mesmo homem por esses vastos mares em fora, durante quinze dias, tendo casa, roupa de cama, comida, vinho, médico e botica...

Não é exagero chamar a isto um serviço de *despovoamento do solo*...

O nosso grande empenho deve ser o de reduzir cada vez mais o preço das viagens da Europa para o Brasil: até Calino, Mr. de Lapalisse, o farmacêutico Homais e o conselheiro Acácio escreveriam e assinariam essa cousa. Mas as companhias de navegação, que não se interessam pelo nosso povoamento, fazem justamente o contrário. Não facilitam a vinda da gente de que precisamos: facilitam a sua volta, seduzindo-o com o irresistível chamariz de uma quase gratuidade da viagem.

Dir-se-á que as companhias são independentes, e podem fazer o que lhes aprouver. Não são tão independentes assim... E haverá no mundo quem seja independente? O dever principal de todo o negociante é conservar a amizade dos seus fregueses: os fregueses deixam-se esfolar, quando são bem tratados, mas recalcitram, quando vêem que o seu dinheiro é recebido com ingratidão. E o Brasil é um excelente freguês das companhias de transporte marítimo...

Olavo Bilac

29 mar. 1908 — Diário do Rio

As nossas relações políticas com a República Argentina cifram-se atualmente nisto: mentiras e desmentidos.

Ainda hoje, a *Tribuna*, daqui, insere um desses desmentidos, destruindo uma dessas mentiras:

"Carece absolutamente de fundamento a notícia dizendo terem o Sr. senador Rui Barbosa e o nosso diretor Antônio Azeredo expedido um telegrama ao Sr. Estanislau Zeballos, ministro do Exterior argentino. No gênero invenção, essa é das mais descabeladas".

Quase não há dia em que não apareça nos jornais do Rio uma declaração como esta. E o que parece, a princípio, a quem não conhece bem o caso, é que os jornais de Buenos Aires possuem, no Rio de Janeiro, correspondentes, que, ao contrário do famoso Epaminondas, mentem, não só por brincadeira, como também por irresistível vocação.

Não há tal. Esses carapetões, envolvendo o nome do barão do Rio Branco, e os de todos os outros políticos brasileiros em evidência, nas intrigas políticas entre o governo e a oposição da Argentina, são forjados em Buenos Aires. Os pobres correspondentes dos jornais argentinos no Rio ficam boquiabertos de pasmo, quando, recebendo os jornais portenhos, lá encontram publicados telegramas que nunca daqui expediram.

A crise política da Argentina chegou agora a uma fase de terrível exacerbação. O Dr. Figueiroa Alcorta e o seu ministro das Relações Exteriores são tratados por alguns jornais de Buenos Aires com uma violência e um desrespeito, que até à desabusadíssima imprensa do Rio causam espanto.

Naturalmente, nada temos com isso. E, tendo o inegável direito de combater o governo do seu país, os jornalistas argentinos bem poderiam dispensar-nos de entrar em cena. Já nos bastam as próprias complicações... Para liquidar o nosso *caso da Bahia*, o nosso *caso do Estado do Rio*, e todos esses complicados *casos* da nossa política hodierna, não obrigamos o Sr. Figueiroa Alcorta a dançar no tablado da política brasileira. Arranjamo-nos com a prata da casa, e não deixamos a descompostura ultrapassar as nossas fronteiras territoriais.

A nossa triste situação no Rio da Prata é esta: o Sr. Zeballos, para conquistar a simpatia do seu povo assoalha que o Brasil fomenta o ódio entre a Argentina e o Uruguai; e os inimigos do Sr. Zeballos, para deitá-lo abaixo, inventam que os políticos do Brasil vivem a incensá-lo, expedindo-lhe telegramas carinhosos, cartinhas de namoro, perfumados *billets doux*. Assim, entre os dois partidos, o Brasil é o prego entre a parede e o martelo...

Sempre fui dos que mais pregaram a necessidade de um estreita e afetuosa aliança moral entre a Argentina e o Brasil. E continuo a pensar que, para prosperarmos ambos, não precisamos de viver como cão e gato, aos uivos e aos arranhões, escandalizando toda a América e todo o mundo. Sempre fui, e ainda sou, entre argentinófobos e brasileirófobos, um elemento de conciliação. Mas, francamente, já começo a desconfiar que nada arranjarei; e suponho que terei de resignar às minhas funções de redentor, para não ser crucificado.

Entretanto, como seria fácil uma vida de harmonia e paz entre os dois países!

Sempre me lembrarei uma frase do estadista chinês Li-Hung-Chang, que, há cerca de dez anos, andou visitando várias cortes européias. O astuto chin, em conferências, em bailes, em banquetes, em recepções, ouvia tudo e quase nada falava. Mas, um dia, muito instado, muito apertado, muito intimado a pronunciar-se sobre cousas da política internacional européia, sacudiu o rabicho, e disse estas palavras de simbólica sabedoria: "Quando cada morador de uma rua trata de tirar o lixo da sua porta, sem se importar com o lixo das outras portas, bem depressa toda a rua fica limpa..."

Os chins costumam dizer cousas profundas...

Olavo Bilac

30 mar. 1908

Diário do Rio

Não se pode deixar de, a propósito de uma grande festa que amanhã se realiza no Rio, estranhar quanto foi lento, e quase nulo, o nosso progresso durante mais de três séculos. Há cinqüenta anos, os nossos pais, quando queriam ir daqui a Queimados, ainda eram obrigados a servir-se, como meio de transporte, das tardas azêmolas... Devia ser uma viagem pitoresca: mas quem tem pressa só acha verdadeiramente pitoresca a velocidade.

Foi no dia 29 de março de 1858 que se inaugurou o primeiro trecho da Estrada Central do Brasil, – apenas quarenta e oito mil e duzentos e dez metros, – do nosso Campo de Santana até Queimados. Esta pequena estação vai ser amanhã solenemente crismada. Passará a chamar-se Otoni, condecorando-se com o nome do primeiro diretor que teve a Estrada; e não sei qual das duas homenagens será mais digna dos grandes serviços de Otoni: se essa, se a de sua estátua, que também amanhã será inaugurada na Praça da República.

Ainda hoje, no bonde, em viagem de casa para o trabalho, conversei com um velho amigo sobre a data festiva. Havia bastante saudade e bastante melancolia (os velhos, por menos retrógrados que sejam sempre conservam a latria do passado) na voz com que ele me falava das suas viagens a cavalo, pelas baixadas pantanosas e pela assombrosa paisagem das montanhas do Estado do Rio, até Rodeio, antes da inauguração do primeiro trecho da via férrea.

A viagem pela estrada de ferro (dizia-me ele) é muito cômoda, é muito rápida. Mas deixe lá! as boas paisagens são como os bons bocados e os bons vinhos velhos: devem ser saboreados devagar. Muita vez, perto de Palmeiras, onde naquele tempo não havia um só choupana, detive o passo da minha égua, e fiquei em êxtase diante daquela maravilha. Agora, quando vou a Minas ou a S. Paulo, passo por ali com indiferença, – e, às vezes, dormindo.

Tive o desejo de observar ao meu velho amigo que a culpa da sua indiferença de agora não cabe à estrada de ferro, – mas à sua velhice. À medida que vamos envelhecendo, tudo em nós vai ficando cansado e indiferente, – olhos, estômago, coração... Pensei esta cousa, mas não a disse. Preferi deixar ao bom velho a sua ilusão. E quem sabe se é ilusão? talvez seja excesso de romantismo. Théophile Gautier ainda não era velho, quando, em um livro de viagens, escreveu uma página adorável, amaldiçoando o caminho de ferro, "que emporcalha a paisagem com os seus penachos de fumaça negra".

Por mim, confesso que sempre fui, ainda sou, e sempre serei bastante romântico. Mas o meu romantismo não vai a tais extremos. Justamente porque amo as belas paisagens, é que agradeço a todos os deuses o terem permitido que eu nascesse na idade dos caminhos de ferro e dos automóveis. Se para viajar daqui a Minas ou a S. Paulo, eu fosse obrigado a equilibrar-me durante semanas sobre o lombo de uma alimária vagarosa, as belas paisagens da minha terra acabariam por enfarar-me horrendamente, e eu, ao cabo de seis dias de tédio, já as olharia com ódio...

Amo ardentemente o passado, – como tradição veneranda. Mas confesso que, se não estou muito satisfeito por ter nascido quando nasci, é simplesmente porque muito mais venturoso seria se nascesse muito mais tarde, daqui a cinqüenta ou cem anos. Pode ser que os meus avós tenham sido muito felizes, vivendo numa terra semi-bárbara: mas tenho a certeza de ser mais feliz do que eles, e invejo a felicidade dos homens que hão de nascer depois da minha morte...

Olavo Bilac

01 abr. 1908 — Diário do Rio

Elogiar as cousas das instrução primária e profissional do Rio de Janeiro em artigo que se destina a ser lido pela gente paulista, é talvez provocar um sorriso de desdém. S. Paulo, muito antes do Rio de Janeiro, cuidou do problema da educação do povo, e realizou progressos que precederam os nossos e os de todo o Brasil. Mas, depois de um largo letargo, também acordamos, e estamos tratando de recuperar o tempo perdido. E é bom que se saiba aí que não continuamos a dormir. Tudo quanto se refere à causa da instrução popular interessa, não a este ou aquele Estado, isoladamente, mas a toda a comunhão brasileira.

A Escola, que inauguramos ontem, no centro da cidade, em um dos quarteirões de maior movimento, é o primeiro Externato Profissional Municipal que o Rio possui. No andar térreo, durante algumas horas da manhã, as crianças aprendem a carpintejar, a limar, a tornear, a forjar; depois, subindo alguns degraus, vão adquirir no andar superior o ensino primário. Daqui a dois anos, começarão a sair dali operários, sabendo ler e escrever, e podendo ganhar a vida com independência.

O que se chama no Rio um aprendiz de carpinteiro ou de pedreiro é uma espécie de menino desgraçado e quase escravo, que realmente só é aprendiz de sofrimento físico e moral. Cada mestre-de-obras engaja alguns desses infelizes, – cujo aprendizado, único e inútil, consiste em carregar pedras ou tábuas, curtir fome, e apanhar pancada. Depois de três ou quatro anos dessa iniciação no ofício, o menino sai dali homem feito, mas incapaz de qualquer trabalho, revoltado contra toda a sociedade, carregado de vícios, e não sabendo aplainar um toro de pinho nem construir um palmo de muro.

Nas grandes fábricas e usinas, o aprendizado é mais real, mas é ainda positivamente inútil. Os pequenos aprendizes são divididos em turmas. Se se trata, por exemplo, de uma fábrica de calçado, uma turma é encarregada do corte do couro, outra do fabrico das solas, outra da costura etc. Os industriais não querem formar operários: querem aproveitar, na mais completa medida, o trabalho dos aspirantes a operários. Não se faz um revezamento de turmas, de modo que todas elas se exercitem sucessivamente nas várias fases e especialidades da indústria. O que sucede é que dessa fábrica não pode sair um sapateiro: dela saem apenas operários *manqués*, dos quais cada um só entende de uma parte do ofício.

É claro que o Estado deve intervir neste caso, fundando centros em que se ministre às crianças um ensino profissional especializado, mas completo em cada especialidade. A idéia dos internatos é de realização difícil, – e nociva. Por maior que seja o escrúpulo da administração, sempre há pais e tutores gananciosos, que, por meio de empenhos e choradeiras, conseguem meter nesses institutos crianças que rigorosamente não estão necessitadas de asilo. Além disso, não há Estado, por mais rico, que possa arcar com as despesas do alojamento e da alimentação de todas as crianças que carecem de ensino primário ou profissional.

A idéia que se impõe é a dos Externatos, muitos, e disseminados pela cidade, principalmente pelos bairros pobres, que é onde a miséria, a ignorância e a ociosidade incessantemente estão criando facínoras e ladrões.

Tal é a idéia que a Prefeitura do Rio começa agora a realizar. O seu primeiro Externato Profissional inaugurou-se ontem; já hoje, antes do meio-dia, havia vinte crianças matriculadas. Daqui a dois ou três dias, a casa estará cheia. Será necessário criar outras. Criar-se-ão. Felizmente, os dinheiros do Municípios já não desapareceram, como há dez anos atrás, chupados pelo areal insaciável da estéril politicagem...

Olavo Bilac

05 abr. 1908 — Diário do Rio

Tenho para mim que o *clou* da Exposição de 1908 será o pequeno jornal *Correio da Exposição*, redigido, composto e impresso à vista do público.

O concessionário desse *atrativo* não vai ganhar dinheiro. Naturalmente, os partidos políticos não mandarão transcrever nessa pequena folha os artigos violentos em que se discutem os *casos* da Bahia, do Estado do Rio, do Piauí – transcrições que representam hoje para a imprensa uma renda abundante, porque cada Estado tem o seu *caso*, e a indignação partidária é de uma prolixidade que se alastra diariamente por muitas colunas das seções ineditoriais. Também muitas outras fontes da receita faltarão ao original jornalzinho. Mas o público há de aplaudir essa iniciativa, que lhe permitirá estudar *in anima* este complicado maquinismo que se chama *um jornal*, – maquinismo que todos supõem conhecer, e que realmente poucos conhecem.

Um pavilhão de vidro abrigará as oficinas e o escritório do Correio da Exposição, – que bem poderá adotar como divisa o lema positivista: *viver às claras*. Os visitantes contemplarão à vontade todo o trabalho: a lufa-lufa dos repórteres, entrando e saindo, depositando as suas notas sobre as mesas dos redatores; os redatores febrilmente rabiscando as tiras do papel; os cronistas mundanos alinhando nomes de senhoras e descrições de *toilettes*; e os *linotypes* fundindo tipos e devorando originais; e a máquina imprimindo a folha, que o leitor há de receber ainda úmida da impressão...

O *linotype* ainda é, para a grande maioria do público, um progresso inteiramente desconhecido. Somente o conhecem os que vivem, por dever de ofício, nas tipografias, como compositores, ou como escritores, ou como revisores, iniciados nos mistérios do esfalfante ofício de *cozinheiros de jornal*. E não é de espantar que ainda quase toda a gente não possa fazer idéia do que é um *linotype*, invenção de ontem, – quando são raras, fora das rodas de imprensa, as pessoas que sabem o que é a estereotipia, adotada há mais de vinte anos pelos nossos jornais.

O jornalzinho, escrito, composto, e impresso no recinto da Exposição à vista do público, vai ser uma ótima *lição de cousas*.

E há de ser essa, em geral, a utilidade desta Exposição, que vai ser, no que se refere ao caráter prático das exibições, a primeira que no Rio se realiza. É positivamente inútil a exposição de máquinas, de aparelhos, de instalações, que não funcionam.

Uma Exposição Nacional não pode ser apenas uma ostentação de riquezas públicas ou particulares. Nem vale a pena gastar tanto dinheiro só para que o fabricante A e o comerciante B exponham, por trás das vidraças, ou dentro de cercas de madeira e arame, maquinismos e artigos, cujo modo de funcionar e cuja excelência o visitante não pode estudar.

Essas grandes feiras devem ser elementos de educação popular. Um povo somente se pode orgulhar daquilo que compreende: podeis acenar-lhe com um milhão de progressos reais e incontestáveis do país; mas, se lhe não mostram, de modo claro e positivo, a realidade desses progressos, não conseguireis libertá-lo da desconfiança natural, que é a defesa de quem tem sido muito enganado, e ganhou, com o tempo e com o sofrimento, a experiência das cousas da vida.

É de esperar e de desejar que, na Exposição de julho, todas as indústrias adotem o processo de propaganda, cujo modelo lhes é fornecido pelo *Correio da Exposição*. O povo é um São Tomé em ponto grande; quer ver para crer, e, ainda depois de ver, quer apalpar e cheirar. E faz muito bem. A dúvida é mãe da sabedoria.

OLAVO BILAC

06 ABR. 1908 — DIÁRIO DO RIO

Um caso triste, noticiado pelas folhas de hoje, e que tanto interessa aos jornalistas daqui como aos jornalistas de S. Paulo e de todos os Estados...

Trata-se de um pobre rapaz, que, por isto ou por aquilo (a causa pouco importa), depois de ter prestado os seus serviços como *reporter*, a alguns jornais, foi despedido do serviço, procurou em vão empregar-se de novo, e, não tendo quem o protegesse, foi sendo lentamente desmoralizado pela miséria, pelo abandono moral, pela calaçaria forçada, até que caiu no alcoolismo, no relaxamento completo, e na quase demência.

Ontem, esse infeliz, alucinado, tentou matar uma mulher a quem amara e que o amara, nos seus dias de homem sério: foi preso, e lá está no fundo da prisão, sem ter quem o defenda, sem achar quem procure reabilitá-lo, e salvá-lo do seu mau demônio...

O Rio, São Paulo, todas as cidades principais do Brasil possuem sociedades de assistência e beneficência para cada classe de trabalhadores. Não há estivador, nem sapateiro, nem pedreiro, nem alfaiate, nem operário de qualquer especialidade, que não tenham, em caso de moléstia passageira, ou de invalidez irremediável, a sua caixa de pensões, o seu hospital, o seu amparo de mutualidade. Só não tem isso o rabiscador de notícias e de artigos. É este o proletariado mais infeliz, mais privado de socorro na moléstia e na velhice.

No caso, que dá assunto a este artigo, ainda se pode dizer que esse pobre rapaz, hoje encarcerado como réu do crime de tentativa de assassinato, é uma vítima de si mesmo, da sua insubordinação e do seu desregramento. Mas não são mais felizes do que ele os que têm a religião do trabalho, os que se submetem sem revolta e sem desfalecimento à golilha e à calceta do ofício mal remunerado de auxiliar da imprensa, durante largos anos, até a velhice e a incapacidade completa. Ainda há pouco tempo, vivia no Rio um desses mártires do jornalismo; adoeceu, ficou imprestável, foi atirado à rua como um trapo, e começou a viver de favores, passou a viver de esmolas, e amanheceu morto, um dia, deitado no banco de jardim público, que era a sua cama, sob o céu amplo, que era o teto da sua casa. De outro sei que anda por aí, esfarrapado, faminto, quase cego, incapaz de qualquer trabalho: e foi um trabalhador tenaz e corajoso...

Ao cabo de cinco, ou dez, ou quinze anos de trabalho, um empregado de casa comercial tem um interesse nos lucros da loja, passa a ser sócio do patrão, prospera, torna-se independente, assegura contra a fome e a cova rasa a sua velhice e o seu cadáver.

Bem vejo que seria desarrazoado exigir o mesmo fruto opulento dessa árvore mirrada, que ainda é a imprensa brasileira, – imprensa milagrosa, porque consegue sustentar-se em um país cuja população conta em seu seio quarenta e oito e meio por cento de analfabetos...

Mas de nós mesmos é que podemos exigir alguma cousa: alguma previdência, algum cuidado, alguma compreensão da virtude e das vantagens do sistema da mutualidade.

Em toda a Europa, e especialmente na França, que é hoje o país das caixas de mutualidade, não há um só trabalhador previdente que esteja arriscado a morrer à míngua de recursos: nos desastres morais há para ele assistência: cego, ou paralítico, ou encarcerado, tem sempre remédio, sustento, defesa, possibilidade de cura ou de regeneração. Não creio, entretanto, que a previdência seja um monopólio, um exclusivo apanágio dos franceses. Nós também podemos ser previdentes: mas que vantagens tiraremos disso, enquanto não tivermos uma organização de ajuda mútua?

Olavo Bilac

07 abr. 1908 Diário do Rio

Já duas ou três vezes, nesses escaldados artigos, em que se discute a complicação política da Bahia, foi escrita a palavra "revolução". Escrita certamente por único e exclusivo amor da retórica. Mas, em todo o caso, escrita imprudentemente, porque há idéias que são como o fogo: ninguém pode impunemente brincar com elas.

Há vinte anos, ainda podíamos, no Brasil, entregar-nos a inofensivos exercícios retóricos sobre esses temas de revolução e de guerra civil. A nossa geração veio ao mundo em uma era de estagnação política: os motins, que ensangüentaram toda a história do primeiro Império e o começo do segundo, estavam esquecidos; e a guerra com o Paraguai veio esgotar a energia da nação, aplacando-lhe o ardor belicoso. Tivemos assim vinte anos de vida tranqüila e pacata, sem rebeliões. E quando então, inchando as bochechas e afuzilando os olhos, os nossos tribunos, com trovoadas na voz, apelavam para a Revolução, nem eles nem os seus ouvintes tomavam a sério essa fúria guerreira, essa sede de sangue, esse desejo de carnificina. Tudo era brilho oratório, tudo era tropo e fantasia.

Mas, depois da proclamação da República, vimos bem o que é uma revolução e o que é uma guerra civil. E ainda devemos todos conservar o horror e a náusea desses tempos, em que o ódio e a delação imperavam, e em que uma série de atrocidades abomináveis veio desmentir a mentirosa tradição da nossa brandura natural.

Por mim, bem quero esquecer o que foi essa época. Mas é raro o dia em que um incidente qualquer não mo vem lembrar, e sinto de novo, ardente e viva, a vergonha de ter visto o que vi.

Ainda hoje, a leitura de um telegrama de Montevidéu me veio despertar essa recordação amargurada.

O telegrama descreve a cerimônia da verificação da identidade dos restos mortais do almirante Saldanha da Gama em Rivera. O féretro foi aberto em presença dos oficiais brasileiros e das autoridades da cidade; e o correspondente do *Jornal do Comércio* mandar dizer: "O cadáver, apesar da ação do tempo, deixa ver treze ferimentos; falta-lhe a orelha esquerda, e tem a dentadura despedaçada". É lacônico, e é horrível!

Quando se noticiou a morte de Saldanha, em 1895, no extremo combate de Campo Osório, o boato da mutilação do cadáver foi desmentido com indignação. Agora, o reconhecimento do corpo do chefe rebelde, treze anos depois, vem mostrar que o boato era verdadeiro.

E que espanto há nisso? Nessa guerra civil, como em todas, a atrocidade não foi monopólio de um dos dois partidos em luta. Em ambos, o furor partidário se desafogou em crueldades sem nomes, – degolas em massa, martírio de prisioneiros, suplícios longos procedendo a execução das sentenças, todo o inevitável cortejo das desumanidades que distinguem as campanhas entre filhos da mesma terra. Nas guerras com estrangeiros, ainda os homens, por orgulho nacional, se mostram civilizados e brandos. Mas nas lutas domésticas, "como tudo fica em casa", toda a civilização desaparece, e o ódio exuma do fundo de cada homem a besta primitiva que nele dorme.

Sinto, por isso, um calafrio, quando leio agora essa palavra "revolução", que qualquer político despeitado insere nos períodos com que fustiga o adversário.

Os supersticiosos nunca dizem nem escrevem a palavra "caiporismo", ou a palavra "jettatura", porque pensam que, quando as dizem ou escrevem, estão atraindo e provocando a calamidade que elas exprimem.

Não sou supersticioso; considero que palavras são apenas palavras; e não creio que as desgraças sejam entidades reais e invisíveis, voando sempre em torno de nós, e sempre prontas a acudir ao apelo cabalístico de um feiticeiro ou ao involuntário chamado de um imprudente.

Mas como pode hoje, ainda que por simples preocupação retórica, pensar na possibilidade de uma revolução e de uma guerra civil quem já viu e sentiu de perto todo o horror dessas cousas?

Olavo Bilac

09 abr. 1908 — Diário do Rio

Inhomirim é um modesto lugarejo do Estado do Rio, situado não muito longe do afamado Suruí, onde, nos tempos áureos da prosperidade fluminense, se fabricava uma deliciosa farinha de mandioca, talvez a melhor de quantas vinham ao mercado da capital.

Esses áureos tempos acabaram há muito. Suruí e Inhomirim, que conheci prósperos e alegres, nada valem hoje. Já nada produzem, – nem farinha, nem café, nem aguardente; só se fabricam aí, atualmente, atas eleitorais e tricas políticas.

Essa decadência explica esta "vária", que encontrei hoje no *Jornal do Comércio*: "Alguns caçadores que deixaram ontem esta cidade, em direção à Raiz da Serra, ao chegar ao lugar denominado Inhomirim, mataram a tiros uma onça que media metro e meio de comprimento".

Uma onça! A onça é como a tiririca e a gameleira, que só se dão bem nos lugares desertos e incultos. O uivo desse felino endemoninhado só domina as solidões silvestres: não se casa nunca ao silvo da locomotiva, ao chiar do carro de bois, ao rangido do arado. A onça é amiga da selvageria, e tem medo da civilização. Afugenta-a o trabalho humano. Ela e a cascavel, filhas do mato sujo, não vivem nunca nos lugares animados pelo labor dos homens.

Pobre Estado do Rio! Foi ele, não há ainda um quarto de século, uma das mais ricas, senão a mais rica das regiões do Brasil.

Que fazendas! que estradas! que fartura! que luxo!

Vassouras, Valença, Campos, Macaé, S. João da Barra eram metrópoles opulentas.

Cada fazendeiro fluminense, com os celeiros abarrotados, com as terras povoadas de escravos, com as terras fecundas, numa opima gestação de dinheiro, era um nababo.

Fazendas conheci eu, onde era de prata toda a baixela em que se servia a ceia aos hóspedes, como era de prata a bacia em que as mucamas, com arrecadas de ouro nas orelhas, lhes lavavam os pés empoeirados da viagem.

E os hóspedes não eram raros: do romper do dia até alta noite, o pátio estrondava e ressoava, cheio de pajens, camaradas, e muares. E lá dentro, às vezes, até madrugada, nos salões vastos e carregados de alfaias de preço, o jogo reunia, em torno das largas mesas, verdadeiros senhores feudais, que perdiam em três horas a terça parte da colheita de um ano...

Tudo isso passou como um sonho fugitivo, como uma figuração de mágica. Todas essas fortunas se dissiparam em cinza e fumo. As fazendas hipotecadas cobrem-se de mataria brava; os palácios converteram-se em taperas mal assombradas; libertaram-se os escravos e as mucamas de estimação; as culturas foram abandonadas; a indústria minguou e morreu; o desânimo e a melancolia caíram sobre as antigas metrópoles...

Viajar hoje através de qualquer trecho do Estado do Rio é uma tristeza.

A viagem de Petrópolis a Mauá é uma amargura: campos pantanosos em abandono, uma baixada que lembra as amaldiçoadas Maremas.

E até as onças já chegam até Inhomirim, assaltando os caçadores que se aventuram por essas desertas paragens...

Ali só vive agora uma cousa, – que é tão inútil, tão perigosa, tão perversa, e tão repugnante como as onças, as cascavéis e a tiririca: a Política.

Olavo Bilac

10 abr. 1908 — Diário do Rio

Por causa da vacina de Jenner, já esta boa cidade de Mem de Sá ficou às escuras e ensangüentada, durante quase uma semana; houve uma tentativa de deposição do presidente da República; revoltou-se a Escola Militar; morreu um general; e a Companhia do Gás teve, em lampiões quebrados, um prejuízo superior a quatrocentos contos de réis...

Vede agora o outro lado do quadro. A vacinação é moda. Vacinam-se duzentas pessoas por dia. O Instituto Vacínico e os postos sanitários municipais esgotam quotidianamente provisões consideráveis de linfa.

Já quatro jornais instalaram postos de vacinação gratuita em seus escritórios. O presidente da República, arregaçando a manga da camisa, ofereceu o seu braço à picada preventiva. Vacinam-se em massa, desde os diretores até os serventes, todos os funcionários das repartições públicas. É a moda, é a preocupação geral, é a mania da atualidade.

Não se encontra na rua um conhecido, que se não queixe de uma ligeira febre:

– Febre? está doente?

– Não! vacinei-me ontem...

Não se pode abraçar um amigo:

– Alto lá! nada de abraços! estou com a vacina ainda fresca...

E as senhoras já não dão à gente a mão a apertar ou a beijar:

– Tenho todo o braço doído... vacinei-me...

Ora, viva Deus!, nesta época, em que há a epidemia de *smartismo*, não há o perigo de uma séria epidemia de varíola, uma vez que toda a gente considera *smart* a vacinação. É preciso render graças ao *chic*! O *chic* pôde fazer aquilo que em vão foi tentado pelo bom senso e pelos conselhos dos médicos. Também, para alguma cousa boa havia de servir esta desvairada preocupação de elegância que avassalou o Rio de Janeiro!

Naturalmente, ainda há díscolos: o Centro Positivista, dois ou três médicos que se querem celebrizar, e alguns vinte ou trinta cidadãos que se considerariam desonrados e morreriam de tristeza no dia em que se vissem obrigados a pensar de acordo com o comum dos homens.

Mas ninguém se pode opor a essas correntes de opinião, boas ou más, que se formam inconscientemente no seio do povo, e não se sabe como vai de minuto em minuto aumentando a sua força e avassalando cidades e países. Há menos de quatros anos, a vacina de Jenner era o pior dos venenos e a vacinação era o maior dos crimes; disse-se da linfa preventiva o que o Mafona nunca disse do toucinho: transmitia a tuberculose, a sífilis, a lepra; era preparada com sangue de ratos pestosos; era uma sânie infecta que apodrecia o organismo do inoculado; e quem se atrevia a contrariar essa opinião, arriscava-se a ser linchado em praça pública. Hoje, quem não se vacina, é imbecil e não é homem *chic*; e quem duvida da glória de Jenner é olhado como um pobre diabo, incapaz de compreender o que é a glória.

É assim o nosso povo, e são assim todos os povos. Qualquer povo vai para o bem, tão facilmente como para o mal. É preciso saber levá-lo. Mas quem há que se possa gabar de saber levá-lo? Esse ofício de "condutor dos povos" está ficando cada vez mais difícil. Quase sempre, os homens, que se vangloriam de conduzir multidões, são realmente conduzidos por elas!...

Olavo Bilac

12 ABR. 1908

DIÁRIO DO RIO

Anexa ao Congresso Nacional de Assistência, que celebrará as suas sessões em agosto deste ano, haverá uma Exposição de Higiene.

É preciso que São Paulo se prepare desde já para concorrer a essa Exposição. Digo somente "para concorrer", e não "para concorrer e brilhar", porque este último verbo me parece supérfluo: São Paulo sempre brilha onde aparece.

O Rio de Janeiro, há poucos anos, não poderia concorrer a esse interessante certame: se concorresse, faria uma figura miserável. Agora, porém, depois do radiante triunfo que Oswaldo Cruz conquistou no Congresso de Berlim, e depois dos admiráveis resultados que tem dado o nosso primeiro Posto Municipal de Assistência, já podemos gabar-nos de ter um serviço de higiene que só não é perfeito porque não pode ser perfeito um serviço que apenas está iniciado.

Na sua mensagem última ao Conselho Municipal, o Prefeito, que é naturalmente avesso a exageros de palavras, escreveu que "é com a mais viva e espontânea simpatia que a população acolhe, nas ruas, a passagem das ambulâncias-automóveis, em sua incessante peregrinação benfazeja".

Não há nisso louvor, há simplesmente justiça. O pessoal do Corpo de Bombeiros, que até agora monopolizava no Rio essas carinhosas manifestações do entusiasmo popular, tem agora um concorrente poderoso. Na Avenida, quando passa uma ambulância do Posto, numa velocidade de raio, queimando o asfalto, todos os transeuntes a acompanham com um olhar enternecido. É que todos sabem que ali vai o socorro a um ferido, a um enfermo, a uma vítima de síncope ou desastre. A qualquer hora do dia ou da noite, nenhum apelo dirigido ao posto fica sem resposta. Quando a campainha do telefone retine, já um médico, um enfermeiro e um *chauffeur* ocupam os lugares na ambulância: ouvido o endereço, a máquina dispara, voa, devora quilômetros, chega em poucos minutos aos mais longínquos pontos da cidade.

O segredo dessa atividade quase milagrosa reside na mocidade dos médicos que ali trabalham. São quase todos moços, entusiastas, com vontade de brilhar, e têm o orgulho de estar secundando um serviço que recebe louvores quotidianos e unânimes.

Fui visitar, uma desta noites, o Posto. Foi quando compreendi o milagre. Não há possibilidade de bom serviço onde não há mocidade, e saúde, e ambição. Cada vez amo e prezo mais os que são moços, e cada vez tenho mais raiva de mim mesmo, ao verificar que envelheço.

Mas não quero fazer deste artigo uma ode à Mocidade.

O meu intuito é pedir ao corpo médico, aos engenheiros, aos industriais de São Paulo que contribuam para o êxito da Exposição de Higiene e Assistência. O delegado do Congresso aí é o ilustre Dr. Vítor Godinho, cuja atividade e competência estão acima de toda a lisonja. Ele poderá fornecer sobre os trabalhos projetados todas as informações.

Destes dois problemas sérios e máximos – higiene e instrução – está dependendo todo o futuro do Brasil. O povoamento será impossível, enquanto não alcançarmos, nesses dois serviços de saneamento e educação, um progresso real que nos honre e glorifique.

Olavo Bilac

13 abr. 1908 Diário do Rio [Cia]

Já se descobriram, no uso e abuso da concorrência do povo aos cinematógrafos, alguns inconvenientes. Os médicos, que inventam tão poucos remédios eficazes, são em compensação de um gênio inventivo, quando tratam de descobrir moléstias. Deus de misericórdia! tudo faz mal à gente neste mundo, – até o aperto de mão, até o beijo, até o cinematógrafo! Daqui a pouco, só haverá um meio de não ficar doente: morrer...

Descobriu-se agora que o cinematógrafo produz moléstias de olhos e moléstias de coração. Só? É provável que ainda se declarem, por causa desse divertimento, epidemias de dança de São Güido, de epilepsia e de loucura furiosa!

Mas tudo isso é balela. A única e formidável acusação que se pode fazer a esta mania moderna é outra: é a de estar contribuindo poderosamente para viciar e apodrecer a pobre língua portuguesa, tão digna de melhor sorte.

Os empresários mandam fazer na Europa os dísticos em português (?) que, entre uma e outra vista, explicam as fitas cômicas ou trágicas. E esses dísticos vêm escritos numa língua fantástica, que é uma mistura de todas as línguas que se falam no mundo.

Ainda ontem, como a cidade estivesse às escuras, por causa da greve dos operários do Gás, entrei num cinematógrafo, para fugir à tortura das trevas que amortalhavam a cidade.

O programa anunciava, com grandes gabos, uma fita extraordinária. Era a velha história da "Bela adormecida no bosque", que tem encantado a infância de muitas gerações de homens. História que, como todas as mentiras e todas as ficções, sempre há de interessar as crianças e os homens maduros ou velhos, porque não há homem que não goste de sonhar e de ser enganado...

Mas, na exibição da fita, a que martírios e a que profanação é submetida a língua portuguesa! O sacrilégio começa logo no título da história, que assim aparece escrito na tela branca, em letras de fogo: "A bela ao bosque dormiente!" Outra cena chama-se: "Cento anos dormiendo!" E, para explicar uma outra, há este comentário espantoso: "Quão tenhais demorado, meu príncipe!"

Deuses imortais! como se não bastasse, para assassinar a nossa língua, a mania da Elegância, que impõe o uso dos mil vocábulos estrangeiros que nas línguas da Europa servem para exprimir as cousas elegantes!

É esse o inconveniente e é esse o crime dos cinematógrafos. E antes as moléstias dos olhos e do coração, antes as epidemias de loucura furiosa, da dança de São Güido e de epilepsia!

Olavo Bilac

15 ABR. 1908 DIÁRIO DO RIO

Escrevo à hora em que deveriam estar correndo a cidade as turmas de "profetas", com as suas altas varas, acendendo os bicos de gás. Mas ainda hoje não haverá gás. Vamos passar a nossa quarta noite de trevas...

Fora da Avenida Central e da Avenida Beira-mar, a escuridão é senhora absoluta da *urbs*. E não se pode dar idéia precisa e real do singular terror que avassala as ruas e as casas. A impressão que se tem é a de uma cidade desertada pela guerra ou pela peste.

Dizem que nem amanhã, nem depois de amanhã a luz reaparecerá. Talvez só reapareça, teatralmente, no sábado de aleluia!

É por ocasião de uma crise como esta que se reconhece e admira, com certo espanto e muita alegria, a índole pacata da população desta imensa cidade.

Os registros policiais não acusam movimento extraordinário. Não foi ainda preciso reforçar a guarda das cadeias. Em três noites de trevas não houve número maior de assaltos, nem de arrombamentos, nem de atos de rapinagem. O crime não se aproveitou da cumplicidade da escuridão.

É preciso ainda notar a resignação evangélica com que suportamos esta calamidade. Não há protestos, não há indignação. Há apenas riso e chacota. Magotes de estudantes percorrem as ruas, em marchas *aux flambeaux*. E parece que facilmente nos habituaríamos a ficar assim, para todo o sempre, vivendo como toupeiras cegas, arrastando-nos dentro de túneis lúgubres com as ruas transformadas em galerias subterrâneas e as casas convertidas em catacumbas.

A "Light", toda-poderosa, não quer ceder. Quer vencer os seus operários pelo cansaço e pela fome. Pouco se lhe dá que a cidade sofra, que o comércio perca rios de dinheiros, que toda a vida urbana se paralise. Tudo, – menos dar o braço a torcer! E quem pode forçar esse braço a torcer-se, se ele é o braço formidável do capital, e se tem, a secundá-lo, outro braço igualmente formidável, o do Estado!

O serviço dos operários do gás é tão pesado, tão exaustivo, tão assassino, que já derreou e prostrou dezenas e dezenas de bombeiros, de marinheiros e de foguistas da armada, emprestados (!) pelo governo à companhia para substituir os gasistas em parede...

Apesar desse auxílio, que se não compreende bem, o gás fabricado é insuficiente. E, como o povo não protesta, os pobres operários hão de ver perdido o seu tempo, e a companhia onipotente há de impor-lhes de novo a canga de ferro. Pobre de quem trabalha!

Pobre dos operários, – e pobre de mim, que também sou operário, e aqui estou, com a minha miopia, entre duas velas de luz trêmula e escassa, fazendo milagres com estes pobres olhos que a Natureza me deu...

OLAVO BILAC

17 abr. 1908 Diário do Rio

Fui ontem à noite levar ao expresso de S. Paulo o bravo Rotellini, e fiquei com pena dele, quando o deixei instalado no trem. Não foi esse em mim um sentimento novo. Fico sempre com compaixão dos amigos de que me vou despedir na Central: a lembrança das treze ou quatorze horas, que eles vão passar ali, enche a minha alma de mágoa e terror...

Depois de abraçar o Rotellini, não tendo pressa de voltar à cidade, ainda às escuras, fui fazer uma segunda visita à Exposição Retrospectiva da Central.

E ali, ao lado da plataforma de onde acabava de partir o expresso de S. Paulo, mais uma vez pude verificar quanto tem sido notável o progresso da nossa primeira via férrea, no que se refere unicamente à construção do material, ao preparo das linhas, à conservação do leito da estrada, e à disciplina do pessoal.

Mas, pensando na tortura em que já iam, por ali fora os viajantes do expresso, dentro de carros abomináveis, sem o menor conforto, e condenado a realizar em mais de metade de um dia uma viagem, que, em qualquer outro país civilizado, se faria em seis ou sete horas no máximo, considerei que muito mais útil e honroso para os créditos da Central seria que ela pudesse mostrar, em vez de exposições retrospectivas com cinematógrafos e mapas bem trabalhados, um horário e uma velocidade, que não a envergonhassem a ela, e não nos envergonhassem a todos nós.

Não há suplício comparável ao de quem viaja no Brasil, neste caminho de ferro. O serviço da Central é especialmente moroso e martirizante. E não é preciso que me digam que a culpa não é da administração: já estou farto de o saber; mas de alguém deve ser a culpa, – e o fato é inegável e vexatório. Chega a parecer impossível que, no século vinte, ainda a mais importante estrada de ferro de um país como o Brasil seja esta horrível conjugação de carroções preguiçosos, que se arrastam num tédio mole, através dos nossos campos, com uma lentidão de paquidermes. E não há carros-restaurantes; e os carros dormitórios são insuportáveis; – e nas estações, onde durante os dias de ardente verão os carros param ao sol, sem o abrigo de um telheiro, não há gelo, não há comida, não há nada!

E a demora, a medonha demora! O "atraso" é uma condição normal, essencial, inevitável e fatal do funcionamento dos expressos e dos rápidos, que de expressos e de rápidos só têm o nome...

Fui a S. Paulo, pela primeira vez, em 1886, – há vinte e três anos. A viagem consumia então o mesmo tempo que consome hoje. Vinte e três anos de vida nacional, de revolução, de progresso, de profundas e radicais transformações de regime político, e de amplíssimas reformas sociais, não conseguiram desanquilosar a Central!

Para que se veja o estupendo contraste, que há entre a Central, estrada de ferro "nacional" e as estradas de ferro "estrangeiras", basta comparar, aí mesmo em S. Paulo, – já não digo as velocidades, os horários, a disciplina, a pontualidade – mas o aspecto material das duas estações da Luz e do Brás: a da Luz é um palácio, um monumento, um deslumbramento; a do Brás é a mesma feia e inominável construção, que conheci pela vez primeira em 1885 [sic]...

E há mais ainda: a Central não dá lucro ao Estado! é até uma fonte de perenes e enormes prejuízos e sacrifícios. Não presta, e custa-nos os olhos da cara!

E sempre que se fala de vender ou de arrendar essas estrada, logo se levanta uma indignada e furiosa grita de cólera patriótica... parece que seria um crime de lesa-soberania nacional melhorar essa abominação; e parece que o que é patriótico e belo é conservá-la como ela está, – vagarosa como uma tartaruga, incômoda como um pesadelo, e cara como um vício!

[*****] e extravagantes aspectos [*****] às vezes o sentimento do patriotismo...

OLAVO BILAC

19 ABR. 1908

DIÁRIO DO RIO

Todos acham, geralmente, que a diplomacia é uma grande *blague*. O diplomata é, segundo a opinião vulgar, um homem bem educado, feliz, bem vestido, tendo sobre o comum dos homens as vantagens de falar várias línguas, de saber valsar e conversar, e de possuir um estômago capaz de resistir a trinta banquetes por mês, – e, fora disso, perfeitamente fútil, e completamente inútil.

É esse o juízo mais espalhado sobre diplomacia e diplomatas, – porque dessa profissão e desses profissionais nós só chegamos a conhecer os casos de desastre, de fracasso, de imprudência e de tolice. A natureza melindrosa das negociações diplomáticas impõe uma reserva, que raras vezes pode dar a um ministro a ocasião de brilhar. Chegam sempre ao conhecimento do público as negociações que não conseguem evitar uma guerra ou um escândalo; mas todos ficam ignorando o trabalho de certas pendências internacionais, em que a habilidade, a prudência, o talento dos mediadores logram conjurar deploráveis conflitos e afastar a possibilidade de formidáveis encontros armados.

Pensei nisto ontem, encontrando à tarde na Avenida, na mesma carruagem, lado a lado, em passeio tranqüilo, trocando sorrisos e palavras amáveis, o barão do Rio Branco e o general Pando, que foi presidente da Bolívia.

Esse homem político jantará amanhã no Itamarati com o nosso ministro das Relações Exteriores, almoçará depois de amanhã com o presidente da República, elogiará o nosso progresso, afirmar-nos-á a sua amizade em *toasts* calorosos, e sairá daqui muito cativo da nossa gentileza. Entretanto, ainda não há quatro anos, esse mesmo homem levantava e equipava um exército contra o Brasil, e, "à frente desse exército, como general, e como presidente da Bolívia, se preparava para invadir ofensivamente o nosso território".

O fato é de ontem, e ninguém o ignora em suas linhas gerais. Foi talvez a mais séria e a mais difícil das muitas complicações que perturbaram o brilhante governo do presidente Rodrigues Alves. Todos leram os telegramas em que se noticiava, já não a organização do exército que devia invadir o Brasil, mas a sua partida, em direção ao Amazonas, sob o comando do general Pando. Apesar de estarem desviadas todas as causas de hostilidade entre o Brasil e a Bolívia, e apesar de ser hoje o general nosso hóspede simpático, – ainda assim não me atrevo a contar o pouco que sei de todo esse negócio... Direi apenas que, em certo momento, a guerra foi uma cousa assentada, deliberada, e que parecia inevitável.

Pois bem. A diplomacia, que quase todos consideram uma grande *blague*, conseguiu afastar da América a ameaça desse morticínio e desse horror. Em vez de passear, como inimigo, vencedor ou vencido, as regiões inóspitas do Amazonas, o general Pando está passeando, como amigo, nem vencedor nem vencido, as regiões civilizadas da Avenida; e em vez de comer fígados crus de brasileiros no mato virgem com ferocidade selvagem, vai comer fígados gordos de ganso com tubaras e champagne no palácio Itamarati e no palácio Rio Negro...

A calma, a inteligência, o tipo de Rio Branco fizeram de um inimigo um amigo. E, aqui temos, como "visita", o homem que quase tivemos como invasor.

Abomino de tal modo a Guerra, acho que ela é sempre, sejam quais forem os seus móveis e os seus intuitos, tão estupidamente perversa e selvagem, – que, quando verifico uma vitória diplomática como esta, abençôo com ternura a Diplomacia, e tenho pena dos diplomatas, que a ignorância e a leviandade dos homens consideram simples comedores de banquetes, valsadores e janotas, sacerdotes do namoro e da futilidade...

Olavo Bilac

20 abr. 1908

Diário do Rio

O Teatro e o Cinematógrafo estão fazendo à Igreja uma concorrência tremenda. Em um teatro do Rio, e em todos os nossos cinematógrafos (são cinqüenta ou sessenta!) se está exibindo o Drama da Paixão, há seis dias, perante multidões silenciosas, reverentes e cheias de religioso respeito. Hoje, sexta-feira santa, acabo de atravessar a cidade, ao cair da noite, e à porta de cada cinematógrafo vi formada uma cauda de gente enlutada e ansiosa, esperando a vez de entrar.

Talvez se queixe a Igreja desta concorrência desleal.

Mas o povo, crente ou não crente, ama a extraordinária poesia que há no Drama da Paixão, – e só o cinematógrafo, invenção milagrosa, com o seu movimento, com as suas mutações rápidas de cenário e de ação, com a intensidade da sua vida palpitante, pode dar a impressão integral e perfeita dessa poesia.

Em vinte minutos [*****] vive na tela cinematográfica, toda a vida de Jesus, – o seu nascimento na estrebaria humilde, a adoração dos Magos, a degolação dos inocentes, a fuga para o Egito, o retiro no deserto, o batismo no Jordão, os milagres, a entrada festiva em Jerusalém, a ceia, a oração no jardim das Oliveiras, o julgamento no pretório, a marcha angustiosa para o Calvário, o martírio, a morte, a ressurreição...

Uma dessas sessões cinematográficas vale mais, para as almas simples e amigas da poesia, do que um ano de estudo e meditação do catecismo. O ensino intuitivo, pela lição das cousas, não o inventou Madame Pape-Carpentier e não o desenvolveu e propagou Froebel, unicamente para o uso das crianças pequenas, senão também para o das crianças grandes, que somos todos nós. Em geral, só compreendemos bem e só bem o que vemos, e o que nos entra pelos olhos sempre é mais facilmente apreendido do que o que nos entra pelos ouvidos.

Compreendeu isso a Igreja, quando criou o culto externo, – a pompa das missas, dos ofícios e das procissões, a encenação das cerimônias religiosas, o fausto ora mirabolante, ora trágico, do ritual católico. Mas o Cinematógrafo condensa tudo isso em séries de quadros que se sucedem com rapidez febricitante; e, por isso, desbancou a Igreja, a qual, para atrair os fiéis, durante a semana santa, só possui hoje um chamariz, de que o seu concorrente não se pode servir: o sermão.

O sermão... Mas até o sermão já perdeu o encanto que tinha outrora. A raça dos grandes pregadores extinguiu-se. Ainda conheci alguns, aqui, no Rio, que tinham uma eloqüência admirável de sobriedade e de clareza, simples, inocente, ingênua, e mesmo por isso encantadora. Porém, os pregadores de hoje dividem-se em dois grupos: os pedantes, que vão para o púlpito filosofar sobre a fé, como se a fé e a filosofia pudessem andar juntas, e como se o povo que freqüenta as igrejas pudesse compreender sutilezas sofísticas, – e os ignorantes, os incapazes, os padres quase analfabetos, importados das regiões mais iletradas da Europa, falando dialetos ininteligíveis, e exprimindo-se por meio de imagens de uma imbecilidade revoltante. O povo não compreende os primeiros, e acha graça nos segundos. Entretanto, o Rio já possuiu oradores sacros de alto mérito: não eram filósofos nem idiotas: eram inteligentes, eram simples, tinham fé, e sabiam comunicar a sua fé, a sua comoção, o seu ardor aos ouvintes. Hoje, a nossa penúria é tão grande nesse gênero, que a Comissão Portuguesa, organizadora das exéquias de D. Carlos, querendo ter um bom sermão, foi obrigada a mandar buscar em Pernambuco, o Sr. bispo de Olinda, – que está muito longe de ser um Montalverne ou um Sampaio...

Não se queixe a Igreja do Cinematógrafo: é ele quem a está auxiliando e salvando. De onde se conclui que a Eletricidade, sendo filha de Satanás, não é tão herege como o pai...

OLAVO BILAC

21 ABR. 1908

DIÁRIO DO RIO

Houve na imprensa carioca, durante esta semana santa, um fenômeno digno de nota. Não houve jornal, de domingo a domingo, que não imprimisse o nome de Judas, que não contasse a história de Judas, que não relatasse a traição de Judas, que não comentasse o beijo de Judas.

Já no domingo de Ramos, Judas figurava nas folhas como o herói da semana; e ainda hoje, domingo da Páscoa, acabo de encontrá-lo em todas elas, maltratado em umas, lastimado em outras. Apoderaram-se dele todas as seções: o noticiário, a crônica literária, a crônica política, as resenhas da vida elegante, – e até os artigos de fundo.

A Tribuna, jornal político, deu ao mau discípulo de Jesus as honras do seu primeiro editorial de ontem; e, se é verdade, como o quer a lenda, que Judas ainda vive, deve ele estar sumamente satisfeito e orgulhoso, por saber que, na opinião da *Tribuna*, o seu reinado sobre os homens é hoje absoluto e incontestado...

Merece transcrição integral o último trecho desse estranho artigo:

"Judas está vitorioso. Apedrejam-lhe a figura, mas reproduzem-lhe a infâmia. É a traição que governa. Aprenda a mentir, a abraçar golpeando, quem pela política pretenda hoje abrir caminho. O sacrifício de Cristo não desperta imitação. O Iscariote é que ensinou a ser grande e a ser forte. Glória ao mestre! Glória a Judas reinante..."

Escrevi que o artigo é "estranho". É estranho e assombroso, porque é o artigo de fundo de um jornal político, – e de um jornal político que apóia o presidente da República, o ministério, o senador Pinheiro Machado, o deputado Carlos Peixoto, e, em geral, e sem distinção, todo o partido republicano, que, até hoje, parece, ainda não experimentou uma cisão franca, declarada e pública.

Compreende-se bem que eu, – pobre cronista fútil, que nunca fui político, e espero morrer sem jamais o ter sido – possa escrever que só mentindo e traindo se pode abrir caminho no terreno político. Sempre foi essa a minha opinião: e nunca limitei esse meu modo de pensar às cousas deste país e deste tempo, mas sempre o dilatei a todos os tempos e a todos os países. Justamente por isso, muita gente sensata me tem dito que nunca hei de ser cousa alguma neste mundo: perspectiva e ameaça que não me intimidam nem me desagradam, porque nunca descobri a necessidade e a vantagem de "ser alguma cousa", no sentido que o calão político liga a essa expressão... Que eu, e os não-políticos como eu, e que o Sr. Carlos de Laet, último abencerragem do monarquismo, digamos e escrevamos: "Judas está vitorioso!", – cousa é que facilmente se compreende e explica. Um não-político pode dizer isso, referindo-se à Política geral; e um monarquista pode também dizê-lo, malsinando a política republicana.

Mas o que não se compreende nem se explica, o que parece estranho e espantoso, o que causa pasmo e estupefação, é que tais cousas sejam escritas e impressas em um jornal político, republicano e governista.

Onde Judas está vitorioso, não pode haver nobreza de idéias ou de atos, nem independência de caráter, nem coragem, nem beleza moral, nem lealdade, nem sinceridade, nem amor, nem compaixão, nem "humanidade". É pelo menos essa a opinião que a Igreja espalhou sobre o reinado de Judas. Se considerarmos que Judas é, de acordo com a versão Católica, já não um simples traidor, mas a própria Traição abominável, perversíssima e ignóbil, fatalmente deveremos admitir que um país, em que esse homem simbólico "está vitorioso", é uma cova de Caco, uma nação podre, um pântano social...

Será isso realmente o Brasil? estaremos realmente vivendo na República da Traição? Todos os nossos homens públicos serão realmente edições reproduzidas e multiplicadas do Iscariote?

Confesso que tudo isto me aterroriza e acabrunha. Escrito por um literato paradoxal ou por um sebastianista rabugento, tal artigo me faria sorrir; mas escrito por um político...

É como se um médico me dissesse: "A Medicina é uma burla!"; ou como se um advogado me confessasse: "A justiça é uma chalaça!"; ou como se o Papa me segredasse: "Deus é uma balela!"...

Não sei o que pensar. Perco-me em conjecturas, e desisto de compreender, para não perder totalmente o juízo!

OLAVO BILAC

22 ABR. 1908

DIÁRIO DO RIO

É quase sempre um crime, – o mais imperdoável e inútil dos crimes – a publicação das cartas íntimas dos grandes homens. Quase sempre eles saem diminuídos dessa tremenda prova, a que é a sua reputação submetida pela indiscrição dos que lhes sobrevivem. Os grandes homens, afinal, são homens como os outros: a sua grandeza intelectual não os liberta das paixões, das vaidades, das puerilidades, dos mil defeitos que são o triste apanágio da condição humana. E para que havemos de querer saber se Vitor Hugo era avarento, se Shakespeare emprestava dinheiro a prêmio, e se Goethe era um poço de orgulho? É monstruoso e iníquo, – já Carlyle o escreveu –, julgar os heróis pelos seus vícios...

Por isso, tive um recuo de desagrado, quando, abrindo ontem o *Jornal do Comércio*, lá encontrei uma longa carta inédita de Gonçalves Dias, – carta dolorosa, em que o poeta contou a um amigo querido as suas desventuras conjugais. Imaginei logo que havia ali cousas tristes, que reduziriam ou perturbariam a grande estima carinhosa que sempre misturei à minha admiração literária pelo admirável cantor do *I-Juca Pirama*. Gonçalves Dias contando as suas desavenças domésticas, as suas brigas com a mulher! o meu poeta, o meu amado poeta, em ceroulas e chinelos, resingando e praguejando na alcova! O meu primeiro movimento foi não ler o artigo; mas a curiosidade não me deixou obedecer a esse impulso, – e não me arrependo de não ter evitado a leitura.

Esta carta não diminui a figura de Gonçalves Dias. Aumenta-a, enobrece-a, mostra-a santificada por um longo martírio. E que martírio! o pior de todos: o do casamento sem amor, o do cativeiro moral, o dessa inominável escravidão que torna o beijo obrigatório entre bocas que só desejam injuriar-se e morder-se!

Gonçalves Dias suportou essa longa tortura com uma bondade de santo. Só uma vez, – quando escreveu esta carta – o poeta se queixou; e é de rara eloqüência este pequeno trecho em que ele descreve a sua angústia: "É misericórdia uma boa punhalada logo de uma vez, profunda, direita ao coração, em vez do martírio lento de uma carta de alfinetes, que se sentem por todo o corpo, constantemente, ainda que arranhem só, sem fazer sangue..."

Foi uma vida agoniada, a desse pobre lírico: o nascimento triste, a cor de mestiço, o primeiro amor contrariado, o casamento infeliz, tudo concorreu para envenenar essa existência, que acabou tragicamente, num naufrágio, à noite, no alto-mar, numa horrível sufocação, no beliche inundado...

Mas que foi toda a vida desse pobre, senão uma longa e lenta sufocação? O amor, que ele tão belamente cantou, somente lhe deu aflições, e desgostos. Todo o drama do seu viver está naquelas duas admiráveis poesias que o imortalizaram: "Enfim, te vejo, posso...", – poema da grande paixão não correspondida, que começou a arruinar-lhe a saúde e a felicidade, – e a *Palinódia*, poema do cativeiro conjugal, que completou a obra da devastação do seu corpo e do seu espírito...

Olavo Bilac

23 abr. 1908 — Diário do Rio

Um jornalista, abrindo ontem o *Almanaque de Gotha para 1908*, e lendo o curto prefácio que há no volume, fez aí uma descoberta, que está causando grande barulho nas rodas da imprensa. Para explicar a deficiência das informações prestadas pelo almanaque sobre vários países, o editor escreveu estas linhas, que devem ser transcritas textualmente: "Certains pays, tels que la Chine et le Portugal, ont pu, grace à la complaisance de nos correspondants, faire l'objet de remaniements detaillés; et il n'y a en qu'un petit nombre d'Etats, le Brésil, le Congo et la Corée, – qui nous ont laissés cette année sans renseignements..."

Como se vê, estamos muito bem acompanhados na glória... da preguiça e do relaxamento. Ficamos entre o Congo e a Coréia, – dois Estados cuja independência é apenas nominal, vivendo o primeiro sob a tutela da Bélgica e o segundo sob o protetorado do Japão.

Mas ainda que outros fossem os companheiros do Brasil nessa desmoralizadora exceção, não seria menor a vergonha que daí nos vem. Os grandes anuários não podem adivinhar ou investigar por si mesmos, todos os anos, as modificações que se produzem no regime político, econômico, industrial, social, de todos os países da terra. Naturalmente, esses países, sendo os únicos interessados na sua própria propaganda, fornecem com prontidão e solicitude aos redatores dos anuários todas as informações que podem ser úteis e de proveito ao bom nome nacional. E quando um país novo, e ainda despovoado e pobre, como o Brasil, deixa, por preguiça, de prestar a si mesmo esse serviço de propaganda, já não lhe fica mais assegurado o direito de se queixar de ser desconhecido e caluniado. "Ajuda-te, que eu te ajudarei!" é um prolóquio ainda mais aplicável aos países do que aos indivíduos. Que ajuda se pode dar a quem nasceu para dormir!

A mim não me espanta a revelação do editor do *Almanaque do Gotha*. Sei, por dolorosa experiência própria, que todos temos no Brasil, individual e coletivamente, um idiossincrásico horror às estatísticas. Obter de qualquer brasileiro uma informação de interesse particular ou geral, é uma das mais fatigantes empresas a quem um investigador se pode abalançar.

Por dever de ofício, e com um intuito patriótico, estou há quase dois anos organizando um recenseamento dos alunos matriculados nas escolas públicas primárias de todo o Brasil. E ainda me vejo longe da conclusão do trabalho, e nem sei se chegarei jamais a concluí-lo: ainda de cinco Estados não recebi uma só informação, – e já não sei com que palavras de súplica humilde ainda hei de continuar a pedir aos governos desses Estados que me respondam.

A ojeriza, que votamos a tudo quanto é estatística, pode talvez ser explicada por outros motivos que não a preguiça. Temos medo do recenseamento, porque imaginamos que ele será a base do recrutamento; falsificamos as listas em que declaramos a nossa profissão e a nossa renda, porque receamos que da declaração da verdade nos possa advir uma sobrecarga de impostos; e, outras vezes, se nos recusamos a dar informações sobre o nosso trabalho, sobre a nossa indústria, sobre a nossa lavoura, é porque não temos a consciência do que valemos, e tememos "fazer figura feia". Seja como for, e explique-se a cousa por qualquer desses motivos, ou unicamente pelo motivo muito mais natural e plausível de um irremediável relaxamento, – o fato é que odiamos as estatísticas, – e sujeitamo-nos à vergonha dessa humilhante classificação de país desidioso e indiferente, colocado, em matéria de indiferença e desídia, entre a Coréia e o Congo, – abaixo da China e da Turquia!

Aquelas curtas linhas do prefácio do *Almanaque do Gotha* vêm desmanchar o efeito e o resultado prático de todo o sacrifício de tempo, de trabalho e de dinheiro, que nos custa o serviço de propaganda. E chega a ser monstruoso e inconcebível que nos arruinemos numa propaganda paga e muito bem paga, quando assim desprezamos uma propaganda útil e gratuita, que nos é oferecida de mão beijada!

OLAVO BILAC

26 ABR. 1908 — DIÁRIO DO RIO

Partiu há dias da Praça da República um trem especial, empavesado e chibante, conduzindo altos funcionários, jornalistas, artistas, e convidados de toda a espécie. A viagem durou três dias, – e todos os que nela tiveram parte acabam de voltar encantados com o que viram.

Onde foi e o que foi fazer essa gente? Foi inaugurar o primeiro trecho da primeira estrada de ferro de Goiás.

Aí está uma viagem que Paula Ney, se fosse vivo, não deixaria de fazer...

Paula Ney, que acreditava em muitas cousas absurdas e impossíveis, não acreditava na existência de Goiás. Goiás, para ele, sempre foi um mito...

– Goiás – disse-me ele um dia – é uma invenção do Bulhões e do Capistrano de Abreu! Nunca houve Goiás, nunca ninguém esteve em Goiás, nunca ninguém viu Goiás!

– Porém, Ney, – objetava eu – as cartas geográficas, os mapas...

– As cartas geográficas, os mapas mentem como o barão de Münchhausen! Também, muito antes de Marco Polo, havia cartas geográficas que assinalavam os contornos, os rios, as montanhas, todos os aspectos físicos de continentes que ninguém vira, nem explorara!

– Mas, ouve, demônio! os compêndios de geografia...

– Os compêndios de geografia são escritos por homens sedentários, que nunca viajaram, que nunca saíram de casa, e que, portanto, nada conhecem do planeta!

– Mas, atende, Satanás! Goiás tem senadores, tem deputados...

– Ora, nós todos sabemos como se fazem senadores e deputados... Os senadores e deputados de Goiás são eleitos em São Paulo, ou em Minas, ou em Niterói, ou aqui mesmo, em qualquer casa, ou qualquer botequim!

– Mas, desgraçado! há uma porção de gente que conhece Goiás, e que já esteve em Goiás!

– É mentira! Você já lá esteve?

– Não!

– Nem eu! E é inútil estarmos aqui a perder palavras e tempo. Goiás é uma invenção do Capistrano e do Bulhões!

Pobre Ney! se fosse ainda vivo não deixaria, certamente, de acompanhar a gente que foi inaugurar o primeiro trecho da primeira estrada de ferro de Goiás. Talvez só assim ele se convencesse da realidade da existência dessa região misteriosa...

Goiás fica tão longe, e tão pouca gente o conhece! Somente agora, quatrocentos e oito anos depois do ano do descobrimento do Brasil, o silvo da locomotiva vai soar naquelas zonas, que só conheciam até hoje o estrupido das patas dos cavalos e o longo chiar monótono dos carros de bois...

E pensar que uma imensa porção da nossa terra ainda está assim selvagem e bruta! E pensar que aqui, e em São Paulo, e nas outras cidades nossas, os homens vivem a guerrear-se, a atropelar-se, a entredevorar-se pelo pão, pelo trabalho, pela paz, pela felicidade, não podendo todos caber nestes pequenos centros de civilização!

Afinal, Paula Ney tinha razão. Goiás existe, e sempre existiu; mas é como se nunca tivesse existido, – assim entregue à bruteza primitiva, e quase tão desconhecida como as altiplanícies do Tibé e as regiões geladas dos pólos...

Olavo Bilac

27 abr. 1908

Diário do Rio

O desabamento de uma porção da pedreira da Candelária, destruindo grande parte do edifício de uma casa de saúde, ainda constitui o assunto de todas as conversas.

A sobrevivência dessa preocupação, numa cidade em que todas as preocupações costumam durar vinte e quatro horas no máximo, é facilmente explicável. Muita gente se julga ameaçada de igual catástrofe: e já não há quem durma em paz na vizinhança de qualquer das muitas pedreiras que eriçam o solo do Rio de Janeiro.

A lei em vigor permite que se explorem as pedreiras "que estejam cinqüenta metros afastadas das casas mais próximas". É uma lei absurda. A menor carga de pólvora ou de dinamite, rachando o seio de uma pedreira, é capaz de atirar grandes blocos a muitos mais de cinqüenta metros de distância... E como não há um só bairro do Rio de Janeiro que não possua pelo menos uma dessas formidáveis moles de rocha em exploração, é fácil compreender o sobressalto em que vive toda a gente.

O Rio merece, muito mais do que Lisboa, aquela célebre e clássica denominação de "cidade de mármore e granito". Não teremos muito mármore, – mas temos pedra para dar, vender e deitar fora.

Sebastianópolis é uma metrópole de pedra. E, para mim, esse sempre foi o seu grande defeito.

Já escrevi um dia, com grave escândalo de muita gente, que a abundância da pedra nesta cidade é a causa mais importante, e talvez única, de não possuírem os nossos prédios, ainda os maiores e mais ricos, uma arquitetura decente. A cousa, dita assim, sem maior explicação, parece um paradoxo. Mas não é. A pedra é realmente o material mais sólido para a construção, e é um material que, no Rio, é relativamente barato. Daí vem que quase todas as fachadas dos nossos prédios são de cantaria. Mas, se o material é barato, o seu lavor artístico é caríssimo. Para fazer arte, arte linda e verdadeira, em fachadas de cantaria, é preciso ter muito dinheiro e dispor de artífices canteiros dotados de bom gosto e de educação estética. Ao passo que com o cimento, com o barro, com o estuque é possível e fácil conseguir, com pouco dinheiro, efeitos arquitetônicos admiráveis. As fachadas dos nossos melhores prédios eram até agora de pedra, mas de pedra quase bruta, quase tosca, de um aspecto sólido, mas desagradável. Bastou que, na construção da Avenida, se começasse a adotar o cimento, para que imediatamente começassem a aparecer prédios admiráveis...

Por tudo isso, odeio a pedra, – e ainda mais a odeio, quando ela, além de me afeiar a arquitetura da cidade, ainda me ensurdece com o estampido das minas de dinamite que a exploram, e ainda se põe a arrasar casas e matar gente, como um terremoto.

OLAVO BILAC

01 MAIO 1908 DIÁRIO DO RIO [RLL]

Passei ontem o dia numa cidade que pouca gente conhece.

É a cidade do Bangu, a uma hora de viagem do Rio de Janeiro. Verdadeira cidade, pela sua extensão, pela sua população, pela sua vida intensa e vibrante. O Bangu tem duas escolas, um cassino, um teatro, um parque, um campo de futebol, – e, para tudo dizer, dois automóveis! Há por aí muitas cidades que não possuem tanta cousa...

Dos seis mil habitantes do Bangu, três mil são operários. A grande fábrica de tecidos, talvez a maior do Brasil, foi a criadora de todo aquele progresso.

Tenho ainda os ouvidos atordoados, numa vaga zoada importuna, guardando a ensurdecedora impressão do estridor daquelas máquinas e do confuso zumbir daquela colméia humana. Só numa sala há mil e quinhentos teares em movimento: e ao barulho dessas gritadoras tecedeiras casa-se o dos grossos pilões de madeira que batem as peças de morim, e o das pás de ferro que despolpam o algodão, e o dos cilindros que afinam os fios, e o dos carreteiros que enrolam os cordões... Se há inferno, – o inferno deve ser assim!

Mas não é da prosperidade do Bangu e das suas fábricas que desejo tratar.

O que mais me impressionou naquela cidade operária foi uma descoberta que lá fiz, – uma descoberta que me enterneceu.

Visitada a fábrica, disse-me um dos diretores, apontando ao longe um trecho de mato:

– Por ali passa o riacho em que se despejam os resíduos da fábrica. É preciso estar sempre a limpá-lo, e esse serviço seria impossível se não fossem as *reúnas*. Só as *reúnas* podem viver ali sem enfermar de paludismo...

– Mas que vêm a ser as *reúnas*? – indaguei, espantado.

– Não sabe? Vamos até lá, que terá uma surpresa.

Em poucos minutos, um automóvel nos transportou para junto do ribeiro de águas escassas e sujas. E vi que, com as pernas nuas metidas na água, e rudimentarmente vestidas da cintura para cima, algumas mulheres pretas, velhas, – algumas velhíssimas, faziam a limpeza da corrente.

– Aí tem o senhor as nossas *reúnas*! – disse-me o cicerone. – Sabe quem são? São as antigas escravas da fazenda de Santa Cruz. Forraram-se do cativeiro, mas ficaram por estas zonas trabalhando. Por aqui envelheceram, e por aqui vão morrendo. Têm uma saúde de ferro. Estão vacinadas, revacinadas, completamente imunizadas contra o paludismo. Não há terção nem sezão que as vitimem...

O sol da tarde punha faiscações de prata clara nas carapinhas brancas das *reúnas*. Algumas cantavam, num sussurro vago, melopéias tristes, em que se reconhecia a toada melancólica dos jongos africanos. Outras, caladas e sérias, patinhando na vasa, ruminavam em seco, com esse constante mover de queixos desdentados, que é um dos sinais característicos da extrema velhice.

Estive ali longo tempo a olhá-las, com uma comoção que não procurava disfarçar. Relíquias da escravidão, relíquias do Império, relíquias de uma idade morta, que já nos parece tão distante, tão apagada no tempo... Entre essas mulheres de pele negra e cabeleira alva, ainda trabalhando, com os pés na lama e as cabeças ao sol, algumas devem ter noventa ou cem anos. E não têm ainda descanso; e, amarradas à canga do trabalho, sobrevivem ao Império que as explorou, e ao Cativeiro que as embruteceu, – últimas remanescentes das duas instituições que se conjugavam e equilibravam, tão intimamente, que a morte de uma foi a morte da outra...

Olavo Bilac

02 maio 1908 — Diário do Rio

Certa vez, percorrendo distraidamente um livro de efemérides nacionais, encontrei uma data memorável: não me lembra que dia nem que mês do ano de 1870, em que foi preso no sertão do Rio Grande do Norte um facínora famoso. A história desse bandido era tão inverossímil, que me fez sorrir. Era um verdadeiro romance de aventura, à maneira de Ponson du Terrail, com todos os *matadores* do gênero, assassinatos, raptos, roubos, assaltos, combates, máscaras, subterrâneos, violações de mulheres etc. Um horror! e uma nota especialmente me interessou; dizia o cronista que, em volta do pescoço, o facínora, quando foi subjugado e aprisionado, tinha um colar feito de orelhas humanas secas: quarenta e duas orelhas mumificadas, cada uma das quais pertencia ao corpo de um dos quarenta e dois inimigos que o sicário matara em combate singular...

Repito que essa história me fez sorrir.

Achei-a tétrica demais para ser real. Mas, depois disso, tenho ouvido tanta cousa acerca das façanhas desses salteadores dos sertões do Norte, que já não posso atribuir tantos horrores à imaginação exaltada dos nossos nortistas que são os Tartarins do Brasil.

E, agora, os telegramas que chegam todos os dias, relatando as proezas do famigerado Silvino na Paraíba, vêm demonstrar que realmente se passam naquelas quentes e fecundas regiões alguns romances e alguns dramas que Montepin e Dennery não poderiam inventar.

Este Silvino parece uma daquelas estranhas figuras de salteadores que devastavam o sul da Itália nos meados do século passado. É, pelo terror que inspira, o verdadeiro senhor absoluto do sertão. Rouba cavalos, incendeia roças, devasta culturas, aprisiona e mata quem se opõe ao seu despotismo, – e é invisível, intangível, e todo-poderoso.

A sua fama é tão grande, que o seu nome anda impresso em todos os jornais, e até em mensagens de governadores!

Anteontem chegou ao Rio este telegrama: "Paraíba, 28. – Antônio Silvino atacou Sapé, saqueando o povoado em mais de cinco contos, levando jóias e fazendas. Ao retirar, passou telegrama a Monsenhor Walfrido, governador do Estado, dizendo ter comprado um oficial de polícia de confiança por seiscentos mil réis". E, ontem, um novo telegrama veio completar essas alarmantes informações: "Paraíba, 29. – A capital está ameaçada de ser atacada por Antônio Silvino. Consta que o governo, à vista da notícia, tem comprado os rifles que se encontra no comércio".

Como se vê, Silvino anda pela Paraíba como um conquistador. Corre o Estado, serve-se do telégrafo, corrompe oficiais de polícia, corresponde-se com o governador, e prepara-se para assediar e assaltar a capital! Parece cousa da Idade Média!

E não é tudo. Ainda não há um mês, foi celebrada a paz, em Pernambuco, entre duas famílias que passaram anos a guerrear-se ferozmente, – mantendo cada uma delas um numeroso exército de capangas armados. A guerra foi longa e cruenta. Em cada encontro, corria o sangue em riachos. A ressurreição da luta dos Capuletti e dos Montecchi, no século vinte!...

Todas essas cousas mostram como o nosso imenso país é ainda uma nação que não está formada. Aqui, dentro do mesmo território, e dentro da mesma época, temos vários países e várias eras históricas. A vida, em certos pontos do Brasil, é de 1908. Mas, em outros, é ainda de 1700 ou 1600. O sertão é ainda um zona brava, onde a organização social é perfeitamente primitiva. A possibilidade da existência de um homem como Silvino seria absurda, se todo o Brasil já tivesse civilização homogênea.

Quanto já temos progredido, em dez ou vinte anos! Mas quanto ainda é preciso fazer para que isto seja, do norte ao sul, no litoral e no centro, uma nação organizada e completa!...

Olavo Bilac

03 maio 1908 — Diário do Rio

Artur de Oliveira, o boêmio quase genial, que tão grande fama deixou nas rodas intelectuais do Rio, costumava contar a impressão que lhe tinham deixado o fórum e a gente do fórum, numa época amargurada em que fora obrigado a sustentar um processo: "Aquilo – dizia ele – é uma alucinação. Imaginem vocês uma caixinha cheia de alfinetes, e imaginem todos esses alfinetes, dentro da caixinha, tomados de loucura furiosa, dançando, brigando, pinoteando, urrando... É o fórum!"

Pois essa caixinha de alfinetes está atualmente numa crise de exacerbação de bulício e loucura. A sucessão do ministro Piza no Supremo Tribunal desencadeou no fórum, e entre os habitantes do fórum, uma tempestade de ambições, de comentários e de intrigas. E essa tempestade transbordou de lá, e veio espraiar-se cá fora, avassalando os jornais, os ministérios, os botequins, as ruas. Não se discute outra cousa. Os *bem informados*, que são os que sabem tudo, porque, quando não sabem, inventam, já conseguiram ler no cérebro do presidente da República todas as cogitações de S. Exa. acerca dos dezoito candidatos ao alto posto que a morte de Piza deixou vago...

Porque são nada menos de dezoito os candidatos ao lugar de ministro do Supremo Tribunal. Nunca ninguém imaginou que houvesse por aqui tantos ilustres jurisconsultos, *de reconhecido saber*, capazes e dignos de receber essa terrível e sagrada investidura!

Dos candidatos, o mais discutido é o conselheiro Cândido de Oliveira, ex-ministro do Império, e monarquista convencido e irredutível.

Não se sabe bem se esse conselheiro é ou não candidato. Alguns jornais (e entre eles o *Jornal do Brasil*, que, sendo monarquista, deve conhecer bem o que vai pelos arraiais do monarquismo) dizem que sim.

Outros jornais dizem que não. E o conselheiro, numa reserva prudente, não diz que sim nem que não: limita-se a afirmar, sibilinamente, "que não foi convidado, e que *não solicitaria* a nomeação". O que ele absolutamente ainda não disse é se aceitaria o convite, no caso de ser convidado, e em que condições, e de que modo o aceitaria: aderindo à República, ou ficando monarquista dentro do mais alto Tribunal da República. Todo o bom político tem esperteza de macaco; e o macaco, quando envelhece, só se pendura de um galho quando sabe que ele é o mais sólido da árvore...

Este caso está sendo discutido com alguma desordem. Não se compreende bem se os que atacam a candidatura do conselheiro apenas a atacam por ser a candidatura de um monarquista, ou se a atacam também, e principalmente, por ser a de um velho político matreiro, [*****] e vezeiro nas tricas da patifaria eleitoral, e merecedor do título de *pai da fraude*, com que o condecoraram em tempo os seus próprios correligionários.

Se o ataque se origina desta última consideração, acho-o perfeitamente justo. Ministros políticos, já temos alguns no Supremo Tribunal, – e bastam: ainda que lá somente houvesse um – esse mesmo já seria demais.

Mas, se o conselheiro só tivesse contra si a sua qualidade de sebastianista confesso, eu perfeitamente aceitaria a sua candidatura e a sua nomeação... Em todo o Brasil, apenas haverá atualmente uns vinte ou trinta, no máximo, sebastianistas declarados e francos. Precisamos colocar essa gente bem em evidência, nos tribunais, nas câmaras, no professorado, na administração. São tão poucos, que nenhum mal poderiam fazer; e teríamos ao menos o consolo de poder dizer ao resto do mundo: "Vejam todas as nações! é mentira que no Brasil todos os monarquistas hajam aderido à República: aqui estão estes, que não aderiram; não aderiram, e não foram enforcados, nem morreram à míngua; estão bem colocados, e não necessitam, para viver bem, de recorrer à hipocrisia dos que usam o gorro frígio, na rua, e as condecorações do império em casa, a portas fechadas!"

OLAVO BILAC

05 MAIO 1908

DIÁRIO DO RIO

Estão abertos quase todos os teatros do Rio.

A ópera, o drama, a opereta, a comédia, a revista estão à disposição do público, que só tem a dificuldade da escolha. E vamos ter ainda uma porção de cousas novas e um punhado de celebridades, da França, da Itália e de Portugal.

Vários cronistas, Artur de Azevedo à frente, lamentam a sorte tristíssima dos artistas nacionais, expulsos dos palcos pela invasão dos artistas estrangeiros, e condenados às torturas da vadiação forçada, ou às amarguras das incertas peregrinações do *mambembe* pelas cidadezinhas do interior.

É realmente dolorosa a situação dessa gente. Mas seria um erro atribuí-la exclusivamente à invasão das companhias forasteiras, porque, na ausência destas, já as companhias nacionais estavam representando para salas vazias. Não transformemos este caso num caso de patriotismo: até porque ninguém aqui pode dar um sentido preciso a esta expressão: *companhias nacionais*, em se tratando de *troupes* que falam uma algaravia quase incompreensível, em que confusamente se distinguem, numa contradança louca, todos os sotaques imagináveis: o português, o espanhol, o francês, o italiano, o alemão e até o árabe!

Ninguém mais do que eu estima os nossos artistas, e ninguém mais do que eu folgaria em vê-los todos contratados, trabalhando e felizes. Mas justamente por isso é que me dói o reconhecer que a sua infelicidade, é em grande parte, na máxima parte, devida à sua própria culpa.

O teatro brasileiro não teria descido tanto, se empresários e atores tivessem procurado com inteligência atrair e reter o público. Parece, porém, que uns e outros sempre tiveram o propósito deliberado de conseguir justamente o contrário, – os empresários não sabendo escolher peças e os atores não querendo estudar os seus papéis.

Ainda há poucos dias, o próprio Artur Azevedo, que é o mais generoso e devotado protetor dos atores nacionais (?), dando notícia da primeira representação de uma peça dramática em um ato, escrita por um escritor estreante, queixava-se de não ter podido prestar atenção ao enredo do episódio, por verificar que não havia ali um só ator que tivesse decorado o seu papel...

Essa queixa aparece todos os dias nos artigos de Artur, e nos de todos os outros cronistas teatrais.

Como há de o público freqüentar teatros que só lhe dão velharias como o "Pedro Sem" e os "Milagres de Santo Antônio", e cujos atores, além de falarem línguas atrapalhadas e baralhadas, ainda sacrificam as peças, gaguejando em cena, e obrigando o *ponto* a atordoar a sala com os seus berros subterrâneos?

É preciso ter pena dos artistas que se vêem sem trabalho; mas é preciso também ter pena do público, que não pode, apenas por sentimento patriótico (?), preferir as companhias daqui, mal organizadas, sem preparo, sem cenários, sem peças novas, sem estudo, e sem preocupação artística, às companhias estrangeiras, que lhe dão novidades, e são constituídas por atores, que, se não têm gênio, falam ao menos uma só língua inteligível, e nunca se arriscam a ir tartamudear em cena papéis que nunca estudaram.

É tolice transformar uma simples questão de conveniência e de arte em irritante questão de *chauvinismo.*

O povo não está disposto a gastar o seu dinheiro, sem prazer, unicamente para afirmar patriotismo. E nem é patriotismo aturar o *barogouin* insuportável de atrizes *nacionais,* que nasceram e cresceram em Toulon, no Porto, em Gênova, em Cádiz, e chegaram à perfeição de falar um idioma que nem é o português, nem o francês, nem o italiano, nem o espanhol, nem o esperanto, nem o cassange...

Olavo Bilac

06 maio 1908 — Diário do Rio

Quando nasci, havia três meses que o imperador Pedro II, com o general Mitre, entrara na cidade de Uruguaiana, ocupada por Estigarribia. A campanha do

Paraguai estava no seu período mais sério. Havia ódio feroz entre os dois povos; e muita vez ouvi contar, nos serões domésticos, o que foi a partida do Imperador para Uruguaiana: toda a população do Rio a aclamá-lo, e a vociferar imprecações de ira e maldição contra os paraguaios invasores...

Quando a guerra terminou, estava eu com os meus quatro anos e três meses. E cresci ainda na atmosfera do rancor que subsistia contra os vencidos, numa cidade que não podia esquecer o luto e a orfandade que a longa campanha lhe trouxera.

Só muito depois, passada a adolescência, pude ouvir falar do Paraguai sem repulsão e sem cólera. E, com a idade do raciocínio calmo e do conhecimento pleno das cousas da vida, toda essa repulsão e essa cólera se transformaram em simpatia. Não sou hoje dos que dizem que a campanha do Império contra o Paraguai, – campanha de extermínio e de abuso de força – foi um crime. Mas digo que foi um erro, – e não há nisso injúria aos que a efetuaram, porque, afinal, a vida política de todas as nações é sempre uma série de erros mais ou menos graves, estando todos os homens, ainda os mais ponderados e ajuizados, muito mais expostos à tristeza do erro do que à glória do acerto...

Hoje, já não há no Brasil quem odeie o Paraguai. Lá, é que talvez ainda perdure algum ressentimento: mas não será um ressentimento profundo, como o que a França, por exemplo, ainda nutre, e ainda por muito tempo nutrirá contra a Alemanha. Quarenta anos bastam para deixar que a justiça esclareça muita cousa; e toda a gente sensata do Paraguai há de reconhecer hoje que a guerra, que lhe movemos, foi cruel, mas teve ao menos a virtude de não ser uma guerra de conquista; e há de reconhecer ainda que durante o curto tempo em que o Brasil, como vencedor, influiu na direção política da nação vencida, essa influência foi benéfica e amistosa.

Dizem que hoje a grande influência que se exerce sobre a vida paraguaia é a da República Argentina; e há ainda quem diga que Alcorta e Zeballos, e alguns outros políticos argentinos têm como necessária e segura a conquista daquela pequena nação...

Tudo é possível. Mas não é este o momento mais próprio para apurar a verdade de tais afirmações e a razão de tais sustos. A presença da missão paraguaia no Rio de Janeiro é uma gentileza que devemos prezar na justa medida, e agradecer com efusão. A menor demonstração de estima se reveste de excepcional valor e de alta significação, quando é dada por um vencido ao seu vencedor. Há nisso uma prova de grandeza de alma, – que não é muito vulgar...

Infelizmente, não querem atender a essa consideração alguns jornais, que escolhem justamente esta ocasião para a análise do que chamam "a argentinização da política paraguaia".

Exagero de patriotismo, desejo de originalidade, ou deliberado propósito de turvar águas calmas, esse procedimento é condenável. Para que tenhamos o direito de dizer que o Sr. Zeballos e os jornalistas brasileirófobos que o sustentam são um bando de loucos, é mister que demos um atestado da nossa integridade mental. Se também nos mostramos loucos, ficaremos no triste caso do roto que se ri do esfarrapado.

Eu, por mim, estou convencido da loucura do trêfego chanceler da Casa Rosada. Por isso mesmo, acho que devemos por todos os meios demonstrar que conservamos o nosso juízo perfeito. E atacar a política, argentinófila ou não, do Paraguai, não ocasião em que recebemos a visita oficial do ministro das Relações Exteriores desse país, não é positivamente uma manifestação de bom senso...

Olavo Bilac

08 maio 1908 Diário do Rio

As falcatruas são como as desgraças: nunca andam sós; vêm sempre aos pares, aos ternos, às dúzias, saindo umas das outras.

Foi o que aconteceu à marosca do Banco União do Comércio. Algumas outras medravam à sua sombra. Uma Companhia de Seguros, que era filha do Banco, estava tão podre como ele, e acaba de cair do galho, de súcia com o pai.

A polícia está interrogando os diretores dessa Companhia; e um deles já prestou um depoimento interessantíssimo, do qual desejo apenas destacar um trecho singular, transcrevendo-o integralmente de um dos jornais de hoje: "Disse mais que o vigário da Candelária recebia mensalmente a quantia de 50$000 para a celebração de duas missas, nos dois principais sábados de cada mês, atos religiosos esses que tinham por fim recomendar à misericórdia divina a prosperidade da companhia".

Mal sabia o vigário da Candelária o triste e pecaminoso papel que estava representando... Era ele nada mais, nada menos do que o intermediário de uma tentativa de corrupção da misericórdia divina. Era um simoníaco inconsciente e involuntário. Era o instrumento inocente de uma tramóia sacrílega. Porque, quando, a troco de cinqüenta mil réis mensais, esse bom padre pedia à misericórdia divina a prosperidade da companhia, – o que ele estava realmente pedindo era o bom êxito das irregularidades que os diretores cometiam...

Esse caso não é novo. Há, e sempre houve, sempre haverá quem seja capaz de amar, ao mesmo tempo, e com igual fervor, a Deus e ao dinheiro alheio. A devoção não é incompatível com a trampolinice. Ao contrário: quase todos os grandes trampolineiros são devotos fervorosos, porque, não esperando nem merecendo perdão da justiça da terra, esperam ao menos recebê-la da justiça divina.

Singular idéia, a que muita gente faz de Deus e dos Santos! Dizem que, nos países da Europa em que ainda floresce o banditismo à antiga, os salteadores das serras, antes de qualquer assalto aos viajantes, fazem orações à Virgem, prometendo repartir com ela o produto da rapina. E não é preciso ir à Europa: o nosso Antônio Conselheiro era uma ardente carola; e carola ardentíssimo é esse famoso Silvino, que está devastando a ferro e fogo a Paraíba.

Os homens sempre imaginaram os deuses de acordo com a sua própria imagem. Os bons acreditam que Deus é supremamente bom; os fracos admitem um Deus todo humildade, fraqueza, tolerância e compaixão; os fortes e os violentos só podem conceber um Deus truculento e vingativo, amando os sacrifícios de sangue humano; e os gananciosos supõem que Deus gosta também do Dinheiro, e por amor do Dinheiro perdoa todos os crimes.

Que são, afinal, todas as "promessas", senão tentativas de corrupção da Divindade? Quem faz uma "promessa" ao Santo da sua devoção tacitamente declara não acreditar muito na justiça desse Santo. Só se dão presentes aos juízes que transigem com a sua consciência.

Em todo este caso da Companhia de Seguros, quem deve estar indignado é o pobre vigário, que, sem querer e sem saber, desempenhou o papel de agente corruptor. Porque os diretores da Companhia não quiseram comprometer-se diretamente com a misericórdia divina, temendo que ela se revoltasse contra o desaforo da corrupção; empurraram para a frente o padre, – e foi este quem cometeu o pecado, pedindo duas vezes por mês a Deus que favorecesse o depenamento, o esbulho e a exploração criminosa dos ingênuos segurados...

OLAVO BILAC

10 MAIO 1908 — DIÁRIO DO RIO

Amo o cantor de modinhas... na roça. O trovador campesino é poeta rude, espontâneo e original, que se serve apenas da prata da casa. Os seus versos podem ser mal feitos, podem atentar contra a métrica, contra a gramática e contra o bom senso; mas são próprios, são filhos da inteligência inculta e do primitivo sentimento do vate selvagem.

Mas o trovador da cidade é quase sempre um surrupiador dos versos alheios. Apanha aqui um verso, acolá outro, outro mais adiante, ata tudo isso com um fio de estilo presumido, adapta à moxinifada uma velha melodia popular, e começa a brilhar nas serenatas e a ganhar dinheiro nas cervejarias à custa do trabalho alheio.

Entretanto, o maior crime do trovador urbano não é esse; é o de estragar os versos de que se apropria: o surrupiador é também um assassino. E que assassino! o mais cruel e o menos perdoável dos assassinos! porque não há bom poeta que não prefira morrer a ver adulterados e prostituídos os seus versos; um poeta conheço eu, que ouvindo uma noite os seus versos sacrificados e desconjuntados por uma recitadora assassina, caiu de joelhos em plena sala, e clamou, arrancando os cabelos aos punhados: "Minha senhora, quebre-me a cara, mas não me quebre os versos!"

Tudo isto vem a propósito de um livro de modinhas que já está na sua décima edição, e onde um cantor popular colecionou e *corrigiu* quantas composições alheias lhe deram no goto. Já Artur Azevedo protestou indignado contra uma das correções; – onde havia o verso

Ai! adeus! acabaram-se os dias...

o compilador, que tem idéias originais sobre a colocação de pronomes, emendou:

Ai! adeus! já findaram-se os dias!

É horrível! mas o volume contém uma quantidade inumerável de barbaridades da mesma natureza... E não há no código um artigo que sirva para a punição de tal crime! Uma forca de dois braços poderia à larga, e com justiça, castigar o compilador e o editor dessa coletânea, que não é um florilégio, mas... um sacrilégio.

Montaigne, que prezava, acima de tudo no mundo, a Idéia e o Estilo, escreveu uma vez que preferiria ter um filho aleijado a publicar um livro mau. Que diria ele do sujeito que se atrevesse a *corrigir-lhe* um livro já publicado?

Mas as leis, que cuidam de tantas futilidades, não cogitam destes atentados contra os filhos da nossa inteligência e do nosso amor de artistas. A pirataria literária campeia impune, e ninguém tem pena dos poeta que têm a desgraça de ficar populares.

A popularidade! triste cousa... Por mim, confesso que, quando, em qualquer sala, me dizem que alguém vai recitar versos meus, sinto um frio de morte correr-me a coluna vertebral, e tenho vontade de afundar-me cem léguas pelo chão...

Olavo Bilac

14 maio 1908

Diário do Rio

Tive, uma destas manhãs, um encontro que me surpreendeu. Um bonde elétrico, especial, rodava pelo Catete, conduzindo algumas vinte pessoas, das quais oito iam casar: os noivos, de certo operários, iam desajeitados nas suas farpelas domingueiras; e as noivas, muito coradas sob o véu de escumilha barata, tinham buquês enormes nas mãos vermelhas e grossas. A cena era alegre e linda, na sua simplicidade.

– Casam assim, ao mesmo tempo, por economia; sai-lhes mais em conta a condução; – disse eu a alguém que estava comigo.

– Está você enganado! – respondeu meu companheiro. – Quem obriga essa boa gente a ir casar-se de roldão, é o pretor.

E revelou-me então o processo dos casamentos "por atacado".

Somente os noivos ricos ou remediados podem receber em casa a visita do pretor, ou dele obter, na pretoria, uma audiência especial, em que é pronunciado o *conjugo* civil. Os noivos pobres são obrigados a esperar monção favorável. Os vários pares são todos introduzidos na sala, e ouvem ao mesmo tempo as perguntas da pragmática, prestam ao mesmo tempo o compromisso legal, – e vão de mistura para o céu do matrimônio – para o céu, ou para o inferno.

É uma prática realmente condenável; há certas cousas que a gente não gosta de fazer "de súcia": casamento não é pagode. A felicidade é egoísta e discreta. Quando muitos pares de noivos assim mergulham juntamente na aventura do matrimônio, parece que há entre eles uma aposta; e a união de dois seres para a vida e para a morte é cousa séria, muito diferente de jogo.

Se não há protesto contra este hábito, é porque a gente pobre sabe perfeitamente que, protestando, perderia o seu tempo. Gravam-se em bronze os protestos dos poderosos, ao passo que os dos humildes se escrevem em areia...

E como se há de exigir para a gente desprotegida e maltratada da Fortuna o favor do casamento "a varejo", se ainda para ela nem ao menos se pôde obter a esmola do enterramento isolado?

Já não há propriamente, em nossos cemitérios, o que se chama a *vala comum*, imenso fosso, amplo e profundo, a que se vão atirando os cadáveres dos indigentes, dez, cem, mil. Mas temos ainda as covas destinadas a receber quatro ou seis cadáveres, cada uma. Essa limitação do máximo de ocupantes da mesma sepultura é o favor maior que podem permitir a carestia do terreno, e a necessidade de poupá-lo, para poder cedê-lo por bom preço aos defuntos ricos. Ainda ultimamente, em um cemitério daqui, para procurar e reconhecer um cadáver de uma mulher, que se supunha vítima de um crime, foi preciso violar também os corpos de quatro outras, que compartiam com ela a última morada...

Pobre dos pobres! Vivem de cambulhada, casam de cambulhada, e são enterrados de cambulhada!

OLAVO BILAC

15 MAIO 1908

DIÁRIO DO RIO

Passei hoje a manhã a pensar, não no centenário da imprensa, que é o centenário de uma escravidão, mas no vigésimo aniversário da lei áurea, que foi uma redenção.

Escravos voluntários, nós, os que trabalhamos na imprensa, somos mais ou menos como uma certa mulher cafusa, a que se refere uma interessantíssima publicação do *Jornal do Comércio*, de hoje, "escritura da venda que, na cidade do Pará, em 1780, fez de si própria a mulher livre Joana Batista a Pedro da Costa, pelo preço e quantia de oitenta mil réis". Também nós nos vendemos a esta arbitrária e devoradora senhora, que é a imprensa diária, e não há Patrocínio nem João Alfredo que possam libertar-nos, porque somos escravos de qualidade especialíssima, ao mesmo tempo amaldiçoando e amando o nosso cativeiro, e cada dia apertando mais as correntes que nos prendem...

Não estive pensando no centenário da imprensa, mas no entusiasmo, na febre, na loucura daqueles dias de 1888, que precederam o 13 de maio. E tive uma saudade pungente daquela última fase da campanha, em que combati como soldado moço e indisciplinado, mais como franco-atirador do que como miliciano regular, mas com uma paixão que nunca mais consegui pôr ao serviço de outra idéia.

Nunca mais haverá campanha como a do abolicionismo no Brasil. Feita a abolição, e feita a República, que era a sua conseqüência lógica e fatal, – que outra causa, tão bela e tão nobre, ainda pode tentar as almas jovens?

Tinha razão há dias, um rapaz de vinte anos, coração de fogo, que se me queixava do prosaísmo do tempo em que está florescendo a sua mocidade: "Vocês fizeram tudo, e nada nos deixaram..."

De fato, o período épico da história do Brasil está encerrado; nem mesmo uma qualquer guerra, em que fôssemos agora forçados a empenhar-nos, nos poderia trazer uma ressurreição da fase heróica e romântica: as guerras modernas, em que a astúcia substitui a bravura, e em que o cálculo frio vale mais do que o heroísmo arrebatado, já não têm poesia nem brilho. Os moços de agora podem todos repetir o melancólico verso de Musset:

Je suis venu trop tard dans un monde trop vieux..

Quem me dera outra vez aquela fé, aquele delírio, com que eu insultava há vinte anos os senhores de escravos, metendo-me alta noite em arriscadas aventuras de roubo de cativos, enganando a polícia, pelejando a murros contra os *secretas* nos teatros em que a palavra inflamada de Patrocínio tinha violências e fulgores de raio! E quem me dera poder chorar outra vez as lágrimas de suprema ventura, que chorei no dia em que a princesa Isabel assinou a lei piedosa!

Como tudo isso está longe! e quanta gente morta, da que naquele tempo combatia o bom combate, sem pensar no dinheiro, nem na glória, dando tudo sem nada pedir, lutando por amor da luta!

Olavo Bilac

17 maio 1908

Diário do Rio

O prefeito do Distrito Federal sancionou há dez dias uma resolução do Conselho Municipal, proibindo as touradas a partir de 1 de janeiro de 1909. Em pequeno grupo, os amigos desse bárbaro divertimento, – os *aficionados*, como eles se chamam, – estão protestando contra a proibição, que lhes parece uma demonstração de sentimentalismo piegas.

Nesse caso, sentimentalismo piegas é também a ação de todos os homens de alma boa, que se reúnem em sociedades protetoras dos animais, reclamando bondade e amparo para todos os entes vivos que povoam a terra. Não se compreende que somente os touros fiquem excluídos da campanha de misericórdia que se trava em todo o mundo civilizado em favor dos viventes inferiores, que, com serem menos inteligentes do que nós, não deixam de ser nossos irmãos, dotados como nós de nervos sensíveis. Desses *aficionados* dos combates de touros, muitos são especialmente amigos de cães, outros de gatos, outros de pássaros, – e ficariam coléricos se vissem qualquer malvado pisar um cão, esbordoar um gato, ou matar um pássaro. Essa bondade, que eles reservam para certa classe de animais, só é negada por eles ao touro, – talvez o mais belo, o mais útil e o mais trabalhador dos bichos. Por quê? onde soube essa gente que o sistema nervoso de um boi é menos sensível do que o de um cachorro, ou do que o de um bichano, ou do que o de um tico-tico?

Apenas duas alegações empregam os *aficionados* contra a proibição das touradas: dizem, em primeiro lugar, que a sua prática é um excelente *sport*, que robustece os músculos e apura a coragem e o sangue frio dos homens; e afirmam depois que, sendo a tourada portuguesa muito menos cruel do que a espanhola, somente contra esta se devem rebelar as almas sensíveis.

A primeira alegação é estúpida. Já não estamos no tempo em que era preciso antes de tudo cuidar da força física dos homens; o mundo já não é governado pelos machacazes de bíceps de ferro e cérebro de pedra. Além disso, não faltam *sports* que, muito mais eficazmente do que o da tourada, sirvam para desenvolver músculos, bravura e sangue frio: a esgrima, o automobilismo, o futebol, e até o *looping-the-loop* aí estão às ordens dos que quiserem arriscar a vida para adquirir força e coragem.

E a segunda alegação é odiosa. Em matéria de crueldade, não há cousa que seja mais cruel ou menos cruel. Tudo quanto é cruel é abominável. Matar um touro às estocadas é tão perverso como torturá-lo com bandarilhas e farpas. E, ainda mais: ao contrário do que pensam os *aficionados*, eu, se fosse terminantemente obrigado a admitir touradas, mais facilmente admitiria as espanholas do que as portuguesas. Porque estas são mais covardes do que aquelas. O touro embolado pode apenas ser torturado, sem poder torturar. Ao passo que o desembolado às vezes se vinga de quem o tortura, mostrando-lhe se é agradável receber pontaços...

Mas é ocioso defender e justificar a proibição das touradas. É uma medida que por si mesma se justifica e defende.

Remanescente da barbárie antiga, esse *sport* é vergonhoso demais para ser tolerado num século em que a inteligência, irmã gêmea da bondade, está cada vez dominando mais a força bruta. Se os espanhóis e os portugueses não podem ou não querem despojar-se dessa tradição de violência e brutalidade, não há motivo para que a adotemos nós, que não fomos criados e educados no amor do sangue e da ferocidade.

OLAVO BILAC

20 MAIO 1908 — DIÁRIO DO RIO

O artigo que Guglielmo Ferrero escreveu no *Figaro* de Paris sobre a literatura brasileira e sobre a Academia, agradou a poucos e desagradou a muitos. Era inevitável. E, se não fosse o contentamento que enche a alma de todos os literatos quando se vêem citados e louvados, ainda nos casos em que a citação e o louvor são apenas banais expressões de banalíssima cortesia, o artigo teria desagradado a todos, porque não há nele cousa alguma que prove haver o crítico estudado, lido, ou ao menos folheado qualquer dos livros cujos títulos enumerou.

Por mim, nunca esperei que, em quinze dias de residência no Brasil, o ilustre historiador italiano pudesse compreender alguma cousa da nossa vida social, política e literária.

Por maior que seja o talento do cronista da *Grandeza e Decadência de Roma*, ninguém pode exigir desse talento um milagre. A era dos milagres passou. Eles são hoje tão impossíveis em crítica e em literatura como em religião.

Já alguém disse que todo o homem, – ainda o mais falador e indiscreto de todos – tem sempre segredos que não revela a ninguém, e leva consigo para o fundo da cova; cada homem é um mistério; a mulher que cada um de nós mais adora e o amigo em que cada um de nós mais confia, não conseguem nunca conhecer completamente o nosso temperamento, o nosso gênio, algumas das nossas virtudes, e alguns dos nossos defeitos; cada um de nós tem idéias que nem a si mesmo revela...

Se é assim tão difícil conhecer um homem, em anos e anos de convivência íntima, como admitir a possibilidade de vir um crítico a compreender todo um país, em quinze dias de passeios, de banquetes e de lisonjas?

Tudo neste país era novo para Ferrero: a natureza, a história, a raça, o clima, a língua. Ele, como quase todos os europeus poucos amigos de viagens, ignorava absolutamente a nossa civilização. Não podia imaginar que tivéssemos literatura. Quando soube que tínhamos até uma Academia de Letras, criada à imitação da francesa, ficou boquiaberto. Conversou com alguns dos nossos homens de letras, e foi por meio dessas conversas que formou uma idéia geral do nosso movimento literário; porque não creio que ele tenha conseguido até hoje ler os nossos livros: a língua portuguesa, mesmo para um latino erudito como Ferrero, tem sutilezas e segredos de apreensão dificílima; e só pode ler e compreender Machado de Assis quem conhece a fundo o vocabulário opulento e a construção complicada do idioma em que são escritas as *Memórias Póstumas de Brás Cubas*.

O artigo de Ferrero é simplesmente uma gentileza do homem eminente e amável que foi nosso hóspede.

Esse artigo não há de abrir aos produtos da inteligência brasileira o mercado intelectual da Europa.

A Europa continuará por largo tempo – e talvez para sempre! – a ignorar a nossa literatura, porque não é de esperar que a língua em que escrevemos, tão rica mas tão pouco espalhada, tão bela mas de tão difícil expansão, possa desafiar a curiosidade do público europeu.

Para a nossa literatura, a solução do problema é outra. Não podendo conseguir público lá fora, podemos consegui-lo aqui dentro. No dia em que o Brasil tiver cinqüenta milhões de habitantes, e no dia em que toda essa gente souber ler, – nós não precisaremos de que a Europa nos conheça os prosadores e os poetas.

Assim, o que devemos fazer é trabalhar para o nosso próprio proveito, espalhando a instrução, criando o nosso público, – sem esperar platonicamente e tolamente que os estrangeiros se decidam a conhecer-nos e admirar-nos.

Olavo Bilac

21 MAIO 1908

DIÁRIO DO RIO

S. Paulo. Diário do Rio... em S. Paulo. Seria tolo mudar o título da seção, só porque o jornalista, afastado do Rio por quarenta horas, está aqui respirando o mesmo ar que respiram os seus leitores habituais.

S. Paulo já me habituou às surpresas do seu progresso. Venho aqui de ano em ano, – e já sei, ao saltar no Brás, que virei encontrar cousa nova, ou o aperfeiçoamento de uma cousa antiga, – uma afirmação admirável da energia paulista.

Uma cousa, que não é nova, mas que cada vez me deslumbra mais, é a organização da força policial. Já a vi, no ano passado, em manobras no campo, – e ainda conservo a impressão, que ela me deu, de disciplina, de elegância, de correção, de garbo.

Agora, tenho encontrado nas ruas pequenos destacamentos em marcha, – e fico encantado, ao vê-los, tão firmes, tão unidos, acertando de tal modo os passos, que dão a impressão de autômatos miraculosos, miraculosamente conjugados pelo gênio de um engenheiro fantasista, criador de prodígios mecânicos.

Ainda ontem, visitando o radiante pavilhão em que se está instalando a Exposição de S. Paulo, vi, em um dos torreões terminais, os bonecos fardados, e o cavalo de madeira, em que se exibem o equipamento e o fardamento da força policial. Na rua, à pequena distância da porta de entrada do torreão, estava parado um soldado dessa mesma força, que se perfilara e fizera continência, ao ver passar um oficial. Em um relance de olhos, cotejei o soldado *de verdade* com os *de mentira*. Eram tão iguais, e estavam tão identificados na postura e na firmeza, tão escorreitos, tão sérios, tão nítidos no fardamento, tão apurados na atitude militar, que não daria nenhuma prova de imbecilidade quem os confundisse, sem poder dizer qual era o soldado de pau e qual era o de carne e osso.

S. Paulo, com a organização da sua força policial, está dando a todo o Brasil uma lição. Não é a primeira, – e não será a última. É preciso dizer estas cousas com a máxima franqueza, – e sem melindres de vaidade bairrista – porque, afinal, S. Paulo é um pedaço do Brasil, e a sua glória e o seu progresso ficam incorporados no patrimônio comum, formando parte integrante do progresso e da glória de toda a nação.

Só se compreende que um país possua força militar, quando essa força tem a educação física e disciplinar que a Missão francesa deu a S. Paulo. A não ser assim, para que consumir a maior parte das rendas do país em sustentar um exército que, no momento necessário, não possa cumprir a única missão para a qual foi criado?

Já se falou ultimamente, no Rio, em contratar uma missão estrangeira para a instrução das forças federais. Falou-se nisso, e imediatamente começaram a aparecer os protestos velados, as insinuações capciosas, as queixas abafadas, os sussurros do melindre magoado.

Mas é preciso que todos os que se preparam para fazer oposição a esse projeto venham estudar e admirar em S. Paulo os resultados a que já chegou a Missão francesa.

Depois de verificar esses resultados, só os cegos de espírito não mudarão de opinião, e só os sem-pátria deixarão de sufocar o seu melindre.

Olavo Bilac

22 maio 1908

Diário do Rio

Vai desaparecer, parece uma tradição da elegância carioca: o velho e adorável Cassino Fluminense, onde brilhou a sociedade culta do Segundo Império, e onde se fizeram as mais belas festas da República.

Diz-se que o governo pretende adquirir o belo edifício da rua do Passeio, para nele instalar não sei que repartição pública.

No vasto salão, em que fulguraram tantos lindos olhos de mulher, e onde tantos colos formosos arfaram no ofego voluptuoso das valsas, vão alinhar-se as mesas negras, sobre as quais os escriturários e os amanuenses se consumirão no árduo e inútil mister de construir as altas montanhas de papelório indispensáveis ao bom andamento do serviço ou do desserviço público. E o ranger monótono das penas de aço encherá aquele recinto, tantas vezes cheio do suave sussurro das curtas e apaixonadas confidências de amor, trocadas baixinho, por trás dos leques e dos chapéus de mola, ao langoroso compasso das músicas...

Dizem-me que o Clube dos Diários já não pode continuar a dar ali as suas festas, porque o número dos seus sócios diminui de ano para ano.

Em 1906, o Clube manteve no edifício do Cassino um restaurante: o cozinheiro era admirável, os vinhos eram de primeira ordem, os preços eram modestíssimos; houve dias, porém, em que por lá apareciam apenas duas pessoas; e um dia houve em que nem um só homem de bom gosto foi fazer honra à perícia do *cordon-bleu*.

O restaurante deu ao Clube um prejuízo de mais de dez contos de réis, – e o *cordon-bleu* foi exercer a sua sabedoria culinária em uma casa de pasto da rua da Carioca.

A vida de clube é impossível no Rio de Janeiro. Ou porque sejam confortáveis demais as nossas residências particulares, ou porque os nossos homens ricos e remediados sejam irredutivelmente dados ao culto apaixonado e exclusivo do chinelo e da *robe-de-chambre*, – não há clube que possa viver e prosperar nesta cidade, em que tanto se fala de smartismo e uptodatismo. Só podem viver e prosperar aqui os pseudoclubes carnavalescos, templos de Citera e do Azar, em que se cultivam o amor e o jogo baratos, e onde vivem em conúbio pouco limpo o erotismo e a batota.

O edifício do Cassino é propriedade de uma sociedade em comandita: paga impostos altos, e a sua conservação custa um dinheirão. A sociedade não pode mais sustentar esse luxo inútil de possuir um palácio sempre desocupado, e quer ver-se livre dele por qualquer preço e de qualquer maneira. A burocracia vai tomar conta do Cassino; as manchas de tinta se alastrarão pelo assoalho tantas vezes pisado por tantos pés adoráveis e tantas vezes coberto de flores; na linda galeria, que circula o salão de baile, amontoar-se-ão os arquivos poeirentos, pasto das traças vorazes; e no recatado *boudoir*, cujos espelhos refletiram tantas espáduas de fulgurante carnação, os contínuos e os serventes, chupando cigarros, cochilarão à larga, e contarão uns aos outros os *potins* da secretaria e as últimas anedotas da rua.

Enfim, podia ser pior... Podiam transformar o Cassino em uma casa de cômodos, em uma dessas cabeças-de-porco que são o terror constante e o contínuo tormento do chefe de polícia e do diretor da saúde pública. Ou podiam dar-lhe destino ainda mais afrontoso, destinando o seu andar térreo à instalação de uma cocheira e o andar superior à de uma fábrica de arreios.

Fique ao menos aposentado em repartição pública o palácio em que viçou e floriu a escassa galanteria da nossa pacata civilização...

OLAVO BILAC

23 MAIO 1908

DIÁRIO DO RIO

Se o aparecimento de um bom jornal é motivo de grande júbilo para quantos se interessam pelo movimento intelectual do país, o seu desaparecimento causa um desgosto, cuja intensidade é duas vezes maior do que a do prazer primitivo. Que mais um bom jornal não possa viver no Rio é sinal claríssimo de que o nosso progresso moral ainda não corresponde ao material. Os jornais, que temos, são poucos, e a sua tiragem total é insignificante. É vergonhoso que uma cidade de mais de oitocentos mil habitantes não dê vazão a cem mil exemplares de jornais por dia. Cem mil? Mas toda a tiragem da imprensa diária do Rio ainda não atingiu tal cifra; e ainda é preciso notar que grande parte da edição quotidiana das nossas folhas vai para os Estados...

Hoje, desapareceu uma folha, *O Diário*, cujo nascimento ainda há poucos dias era saudado como o advento de uma era nova para a imprensa. Era o jornal moderno, palpitante, interessante, e luxuoso, por excelência: oito páginas ilustradas, cheias de fotografias da mais flagrante atualidade, impressas em magnífico papel *couché*, e escritas por um bando de magníficos colaboradores.

Por que morreu esse jornal?

Enxameiam as opiniões contraditórias sobre o caso. Dizem uns que houve, contra *O Diário*, um movimento de *boycottage* planejado e executado pelo sindicato que explora a venda avulsa dos grandes quotidianos. Dizem outros que a empresa reconheceu a absoluta impossibilidade de fornecer ao público, por cem réis, oito páginas diárias ilustradas e impressas em papel de luxo. Dizem outros ainda que o fracasso foi devido à impaciência dos proprietários, que desanimaram logo à primeira contrariedade, e não quiseram perseverar, remando contra a maré, esperando melhor monção...

São explicações especiosas. A verdadeira, a única razão é que o nosso meio ainda não pode permitir a existência e a prosperidade de uma folha como *O Diário*.

O pequeno público, que temos, é mais amigo dos velhos moldes da imprensa, pesadões e carranças, do que desse molde revolucionário, formoso, original, que a folha tão cedo morta procurou criar. *O Diário* apareceu com uma certa feição boêmia, literária, artística e alegre, que espantou o grosso público. E aquele papel de luxo!... Os habituais compradores de jornal ficaram desconfiados: tanta cousa por um tostão!... Houve até quem duvidasse da autenticidade do serviço telegráfico do lindo quotidiano: e, entretanto, *O Diário* tinha telegramas tão completos, tão autênticos e tão caros como os de qualquer outra folha...

Foi uma tentativa prematura. A criação veio à luz antes do tempo propício. O nosso *smartismo*, e a nossa grande cultura artística, e o nosso grande amor das cousas da inteligência ainda são invenções de meia dúzia de espíritos otimistas. Invenções muito louváveis, sem dúvida, porque é assim, a golpes de generosas mentiras e de caridosas *blagues*, que se civilizam os povos: à força de ouvir dizer que somos *dernier-bateau*, acabaremos realmente por adquirir elegância...

Mas, antes do bom êxito da campanha, muitas tentativas têm de falhar tristemente.

Por mim, confesso que, quando hoje me deram a notícia da morte d'*O Diário*, tive um abalo no coração. *O Diário* era belo, – e nada mais doloroso do que ver a morte contrariar a beleza...

Olavo Bilac

29 maio 1908 — Diário do Rio

O *Financial News*, jornal londrino que nos distingue com a sua especial inimizade, descobriu agora um novo "perigo", desses que há certo tempo alarmam periodicamente a imprensa européia. É o *Perigo Brasileiro*. Que honra para a Pátria, – que honra e que reclame!

Este caso dos "perigos", que preocupam a imprensa da Europa, chega a parecer um caso de mania de perseguição.

Primeiro, foi o perigo amarelo, – o vaticínio de uma invasão de homens de pele jalde, chins, japões, e manchus, alastrando-se pela civilizada Europa, à feição de uma nova e mais temerosa incursão dos bárbaros de Átila. Depois, foi o perigo alemão, – o susto de uma exagerada influência imperialista, comercial e política dos germanos, dominando o Mediterrâneo, avassalando todo o norte da África, e estendendo-se até a Turquia e a Palestina. Depois, foi o perigo ianque, – o medo da preponderância, no velho continente, do imperialismo dos Estados Unidos da América, o pavor alucinado do mundo antigo diante da força e da ambição do mundo novo...

E, agora, o *Financial News* descobre, em Londres, o perigo brasileiro, e já um jornal francês começa a comentar a descoberta.

Claro está que o perigo inventado pelo jornal londrino não é idêntico, ou sequer análogo, aos outros citados. O *Financial News* não quer dizer, com aquela expressão, que o Brasil esteja disposto ou tentado a tomar conta da América, da Europa, da Ásia, da África e da Oceania. O que ele quer dizer é que os nossos empréstimos ameaçam engolir os capitais europeus.

E compreende-se bem o que é que motiva essa invenção da esperta gazeta da City: o *Financial* não está atualmente com as suas finanças muito equilibradas, e quer ver se o governo brasileiro, intimidado pelos seus artigos, lhe atira à goela faminta um punhado de libras esterlinas.

Mas, enfim, seja qual for a significação do ataque e da frase, é força reconhecer que esta última é bastante honrosa.

Cá está a cousa, fielmente reproduzida do telegrama da Havas: "O *Financier*, de Paris, reedita o artigo do *Financial*, de Londres, com o título – o perigo brasileiro. A transcrição causou grande emoção à colônia brasileira".

O perigo brasileiro! o simples fato de haver quem se lembre de inventar um perigo brasileiro, sucedâneo do perigo amarelo, do alemão e do ianque, já é motivo para muito orgulho.

Só pode ser perigoso quem existe, quem vive, quem atua, quem se agita, quem "é". Somos perigosos? logo, existimos. Até que, enfim, depois de 1500, fomos descobertos outra vez, – e descobertos definitivamente para a glória!

Estamos em maré de felicidade. Não tarda muito que se possa repetir, nos botequins, e dessa vez com razão, o famoso verso de pé quebrado com que os trovadores das cervejarias saudaram as glórias de Santos Dumont, – ou "Dumão", como eles diziam:

A Europa curvou-se ante o Brasil!

Francamente, o *Financial* merece uma subvenção, não pelo medo que nos inspira, mas pelo bem que nos faz. As suas injúrias são fortes, – mas a sua reclame é ótima.

OLAVO BILAC

30 MAIO 1908 — DIÁRIO DO RIO

A Imprensa, o novo jornal de Alcindo Guanabara, está publicando uma espécie de romance, – "jornal ou diário de uma moderna" – fantasia de atualidade, em que se supõe que uma rapariga pobre da sociedade carioca descreve dia a dia as suas idéias, os seus sentimentos, as suas impressões de mulher.

É uma rapariga pobre, mas *smart*, – desse fingido e triste *smartismo*, que as seções elegantes e mundanas dos nossos jornais vieram por em moda.

É esta a "atualidade" do romance ou fantasia literária d'*A Imprensa*, – atualidade dolorosa e verdadeira, pedaço palpitante da vida real. A heroína vive mal em casa, não tem conforto no lar, – e passa as noites em claro, cosendo os vestidos com que no dia seguinte há de aparecer na rua do Ouvidor, na Avenida, ou no *Corso* de Botafogo. É esse hoje um tipo tão comum, na sociedade do Rio, que a invenção literária do colaborador d'*A Imprensa* tem um ar de soberana verdade.

O Rio, incontestavelmente, progrediu demais, sob o ponto de vista material, em tempo muito escasso: temos avenidas, automóveis e elegâncias; mas não temos ainda muita gente que possa gozar dessas sublimidades da civilização. Os jornais inventaram uma vida elegante artificial, que só existe nas suas seções de mundanismo e moda.

A gente rica e elegante de hoje é a mesma que existia há sete anos; e essa, para gozar as boas cousas da vida, não esperou que os jornais começassem a legislar sobre toaletes e divertimentos, mostrando o que é *chic* e o que é *shocking*, e dizendo o que é de bom tom e o que não é *dernier-bateau*. Sobre essa gente, naturalmente, não tem influência a nossa moderna mania de supercivilização.

Há, porém, a gente pobre, que se deixa alucinar por essas miragens de gozo, e vai ficando cada vez mais desgraçada, adquirindo desejos, ambições e caprichos que não podem ter satisfação, e alimentando idéias que se não podem realizar.

Antigamente, as nossas meninas pobres, filhas de operários ou de modestos funcionários, contentavam-se com a sua existência de trabalho, e eram felizes: os seus vestidos de chita, as suas botinas de couro ordinário, as suas jóias de *plaqué*, e o seu casamento com homens da sua igualha, eram para elas o cúmulo do luxo e da ventura.

É que nesse tempo, não havia *O Binóculo*, perversa criação do meu amigo Figueiredo Pimentel...

Hoje, depois da criação d'*O Binóculo da Gazeta*, e depois da criação das inúmeras seções que, à imitação dele, surgiram na imprensa do Rio, não há rapariga bonita e pobre que não queira ver descritas em letra de forma a esbelteza do seu talhe, a cor dos seus olhos, e a bizarria da sua toalete. E todas elas lêem romances e versos, e sonham casamentos ricos, e anseiam por fabulosas reviravoltas da Fortuna, e esperam seduzir moços ricos que as reintegrem na posição social que lhes compete. Infelizes! como se ainda houvesse moços ricos no Rio de Janeiro, – e como se a Fortuna costumasse dar reviravoltas em favor dos tristes!

A rapariga, heroína do folhetim d'*A Imprensa*, é um símbolo, – é o tipo de uma época: inteligente, pobre, desorientada pelo desejo do luxo, alucinada pela leitura de poesias e de seções de elegância – e condenada a envelhecer sem felicidade, no descontentamento e na desilusão.

É força confessar que as meninas pobres de outro tempo eram muito mais ditosas: não sabiam o que era *chic* nem *smartismo*, mas sabiam cozinhar, e casavam com homens que também não eram *dernier-bateau*, e tinham muitos filhos, – e não escreviam as suas memórias desconsoladas...

Olavo Bilac

31 MAIO 1908

DIÁRIO DO RIO

Alguns jornalistas, a propósito da recente chegada ao Rio de uma escritora estrangeira, baronesa dada às viagens e às letras, abriram uma campanha de ironia contra a nuvem de turistas, mais ou menos letrados, e mais ou menos interesseiros que ora nos visitam.

Os argumentos da campanha resumem-se nisto: toda essa gente aqui vem com o fito no nosso dinheiro, e, não sendo paga, vinga-se de nós, caluniando a nossa civilização.

Jesus! somos incontentáveis! Até agora, só nos queixávamos, porque o mundo ignorava ou fingia ignorar a nossa existência; e agora só nos queixamos do contrário...

Que os escritores estrangeiros queiram ganhar dinheiro com a propaganda do nosso país, nada mais justo. Ninguém tem o dever de trabalhar de graça, quando o seu trabalho aproveita a outrem; e é razoável que o favorecido por uma propaganda dê uma recompensa a quem o favorece com ela.

Mas, admitindo que tenhamos o direito de não pagar esses serviços, e admitindo que os não paguemos, nada mais justo também que os descontentes saiam por esses mundos velhos e civilizados a dizer cobras e lagartos da nossa selvageria e da nossa avareza. A vingança é um direito sagrado, como a gratidão.

E que mal nos pode fazer essa propaganda de calúnias e de injúrias?

O interesse máximo do Brasil, atualmente, é este: Ser conhecido, ser falado, ser discutido. Bem discutido ou mal discutido, bem falado ou mal falado, elogiado ou malsinado, – pouco importa. O que importa, e muito, é que o mundo saiba que existimos.

Aí está bem vivo o exemplo dos Estados Unidos da América. Desde que me conheço, e desde que leio jornais da Europa, só encontro nesses jornais publicações malevolentes contra a grande nação americana. Segundo a imprensa européia, o povo americano é profundamente egoísta, plutocrata, açambarcador e amoral; a sua preocupação única e absorvente é ganhar dinheiro; o seu único ideal é o gozo das baixas satisfações da vida; as suas mulheres são sacerdotisas do deus *Flirt*; os seus políticos são de uma venalidade inexcedível; os seus casamentos são negócios; os seus negócios são ladroeiras... É isso o que se lê em artigos de jornais, em crônicas, em revistas, em livros franceses, ingleses, alemães, italianos, portugueses, espanhóis. E tudo isso não impede que a nação assim julgada seja hoje a mais rica da terra, – nação nascida ontem, e já fazendo sombra e inveja às mais velhas e opulentas!

Quando os *yankees* lêem as barbaridades que se escrevem sobre o seu país, não se zangam: limitam-se a rir, com esse bom riso franco que é a vingança dos fortes.

O caso, para nós, não é rigorosamente o mesmo. Há, porém, nele uma certeza, que nos deve ser grata: um país pode ser muito mal afamado, e, ao mesmo tempo, muito nobre e muito próspero...

Que venham os estrangeiros! venham, – e elogiem-nos ou caluniem-nos à vontade! O que nos convém, é, antes de tudo, isto: que se deite abaixo o resto da alta e impenetrável muralha chinesa que até há pouco tempo nos isolava do resto do mundo.

Olavo Bilac

04 jun. 1908 Diário do Rio

Há muito tempo, tinha eu vinte anos, escrevi um dos meus primeiros artigos, na *Cidade do Rio*, sobre uma leva de turcos chegados à cidade e vagando pelas ruas sem destino. Vaiava-os a garotada, perseguia-os a polícia, – e eles erravam, tontos, abrindo espantadamente os grandes olhos negros, com uma magreza de fome e tristeza nas faces de um moreno de ouro. Foram, afinal, reembarcados à força, não sei para onde. E essa expulsão me doeu fundamente: eu não podia compreender que o Brasil fechasse as suas terras despovoadas a criaturas que lhe pediam asilo e trabalho.

Hoje, depois de vinte e tantos anos, a situação é outra.

Os sírios, – ou turcos, como se habituou a chamá-los o povo – assenhorearam-se, por uma invasão lenta e sistemática, de uma grande zona central do Rio: é uma larga faixa urbana, que se estende da rua Primeiro de Março à praça Onze de Junho, abrangendo as ruas da Alfândega, do Hospício, do Núncio, Itaúna e Senador Eusébio. Colônia unida, operosa, pacífica, adaptando-se aos hábitos da população indígena, cruzando-se com ela.

Discute-se agora, entre alguns jornais, não sei bem porquê, o valor dessa gente como elemento colonizador. Já ninguém a expulsa nem vaia. Ela faz parte integrante da população. E o recenseamento de 1906, cujas conclusões são deficientes, achou, numa massa total de 210 515 estrangeiros residentes no Rio, um total de 2 827 turco-árabes. É essa, portanto, uma colônia que tem voto positivo nos destinos da cidade. E como o seu comércio e a sua atividade tomam incremento cada vez maior, já parece ocioso discutir o seu valor.

Mas, em tese geral, é preciso lembrar que não temos o direito de escolher colonização. Temos, sim, o dever de repelir daqui os inválidos, os madraços, os assassinos, os réprobos que as outras nações expelem do seu seio, como inservíveis ou nocivos. Mas, entre os válidos, os capazes e os bons, não podemos estar fazendo seleção de raças ou de nacionalidades. Deixemos essa preocupação para quando já nos sentirmos ameaçados pelo *trop-plein*. Isso ainda vem longe, muito longe, – tão longe que duas ou três gerações hão de passar sem o ver. Não temos ainda vinte milhões de habitantes!

Uma de duas: ou temos vitalidade própria bastante para absorver e incorporar ao nosso gênio e à nossa raça todos os elementos estrangeiros que nos procurem, – ou não a temos. No primeiro caso, havemos de absorver igualmente os morenos e os claros, os pretos e os amarelos, os europeus e os asiáticos. E, no segundo caso, não será a escolha da colonização que nos há de manter uma independência e uma preponderância impossíveis.

A primeira hipótese é a certa. Já nenhuma invasão de colonos, de qualquer origem, nos pode conquistar a pátria, a língua e os costumes.

Estamos no ano em que se comemora o centenário da abertura dos portos do Brasil aos navios de todas as nações... É incompreensível que ainda estejamos a discutir se devemos fechar esses mesmos portos à entrada de tal ou qual raça de colonos.

Olavo Bilac

08 jun. 1908 Diário do Rio

A Câmara dos Deputados recebeu ontem uma petição, cujo texto é singularmente doloroso. Assina-a um velho titular, de 83 anos de idade, que "pede ao Congresso uma pensão, para não estender a mão à caridade pública".

Foi rico, riquíssimo. Auxiliou a construção da matriz de Juiz de Fora com o donativo de vinte e cinco contos, e doou à Estrada de Ferro Central o terreno e o edifício da estação de Cedofeita, que lhe custaram cento e vinte contos... Teve casas, apólices, fazendas, e escravos. Os escravos eram, em 13 de maio de 1888, duzentos e quarenta e sete!

Foram eles, os escravos, a ruína do infeliz. A lei redentora veio transformar em homens livres esses duzentos e quarenta e sete animais de carga. O fazendeiro, que à custa do trabalho deles enriquecera, ficou tonto. Habituado a ter trabalhadores de graça, tendo até então vivido como parasita da escravidão, e incapaz de compreender as vantagens do trabalho livre, o grande senhor feudal perdeu a cabeça: foi deixando as terras sem cultivo, foi hipotecando as fazendas e as casas, foi vendendo as apólices, – e acabou na extrema penúria, vítima desse infame regime do cativeiro que tão profundamente desmoralizou e degradou o Brasil.

O caso é típico, e explica muita cousa. Explica principalmente a incontestável pobreza da nossa terra e da nossa gente.

O regime de cativeiro tinha em si mesmo uma maldição que se estendia a todos e a tudo. O crime da exploração foi duramente expiado pelos exploradores. Os escravos vingaram-se inconscientemente da injustiça que os oprimiu.

Habituando os senhores ao lucro fácil, ao gozo da propriedade humana, e à ociosidade baseada na certeza do ganho, os cativos tornaram-se absolutamente indispensáveis: no dia em que faltaram, tudo veio abaixo.

Os senhores não sabiam trabalhar, não sabiam lutar, não sabiam resistir à adversidade. Do suor dos negros saía facilmente o ouro para todos os regabofes, para a vida regalada, para as viagens à Europa, para as loucuras da jogatina. Os negros eram uma propriedade que rendia muitíssimo, dando pequeníssima despesa: com um pouco de farinha, um pouco de feijão e algumas vergalhadas, *aquilo* produzia ouro em barda. Mas a lei de 13 de maio veio aluir esse palácio encantado. A felicidade longa embrutecera os proprietários do gado humano. Perdendo-o, ficaram cegos e paralíticos, incapazes de ver o caminho digno e de enveredar por ele. Foi a vingança da raça oprimida.

No Brasil não há fortunas, não há grande lavoura, não há grande indústria, porque não há trabalho organizado. Os vinte anos que correram depois da abolição, não bastaram para sanar a fraqueza moral, a falta de coragem, o desânimo e a desmoralização, que o hábito do lucro fácil, à custa do trabalho servil, deu à nossa gente.

Para que a prosperidade comece é preciso que desapareça de todo a geração que explorou os escravos ou que apenas os conheceu. Se o uso do cachimbo faz a boca torta, o uso do relho faz a mão impotente e mirrada. Nós estamos ainda pagando o crime, que não foi nosso, mas dos nossos maiores. Há heranças que esmagam o herdeiro...

Olavo Bilac

10 jun. 1908

Diário do Rio

Osório continua a ocupar a ordem do dia do entusiasmo. Hoje, na joalheria Luís de Resende, foi inaugurada a exposição de alguns objetos que lhe pertenceram, e serão confiados à guarda do Orfanato que terá o seu nome. Passei por lá, há poucos minutos, e estive contemplando a espada de combate do herói, uma outra espada de honra, que lhe foi oferecida pelo exército, – e o poncho-pala, esburacado, de gaúcho com que ele entrou no combate de Humaitá.

É uma exposição que merece comentário, por isto: são raros os objetos históricos, tendo pertencido a grandes homens, e que se conservam no Brasil, como os que pertenceram a Osório.

Neste país novo, quase sem tradições, não há comumente o verdadeiro sentimento de família. As famílias dispersam-se facilmente, quando não se extinguem. E raras são as que resistem, unidas pelo amor da tradição, ao dissolvente poder do tempo que passa.

E, às vezes, nem é preciso contar com a ação do tempo. Morre o chefe da casa, tudo quanto foi seu é logo no dia seguinte espalhado. Isso não indica desamor. Indica pobreza. Vivemos a dizer que há por aqui Panamás, – e, entretanto, não há alto funcionário público que não morra pobre. Que há de fazer a família de um grande homem, que, ao falecer, a deixa na miséria? Há de morrer de fome, para não se desfazer das lembranças do morto? Seria exigir demais do sacrifício conjugal e da piedade filial.

Assim, a verificação do fato não é deprimente para o mérito moral da nossa gente: indica apenas que somos um país de pobres, onde o luxo e o conforto não se podem continuar, na mesma família, de geração em geração.

Nem por isso o fato é menos triste...

Para citar um exemplo: são raras, raríssimas as bibliotecas que não são entregues aos leiloeiros, poucos dias depois da morte daquele que as ajuntou e formou. E que as ajuntou e formou, muitas vezes, com um extremado carinho, um sacrifício ilimitado, uma absorvente paixão, que só podem bem compreender os que têm o culto verdadeiro do livro!

Mas ainda há exemplos mais entristecedores. Já vi uma vez, em um *ferro velho* da rua da Carioca, um retrato a óleo, um fardão de gala, e um chapéu armado, que haviam pertencido a um estadista do Império. Quando encontrei no *belchior* esses despojos de uma glória parlamentar do Brasil, havia apenas dois meses que falecera o seu proprietário. Apenas dois meses! E nunca esquecerei, em cem anos que viva, a dolorosa expressão com que ele, de dentro da moldura desdourada do quadro, parecia olhar o seu fardão de gala e o seu chapéu armado, colocados entre calças velhas, móveis estropiados, e bugigangas torpes, na imunda loja do revendão.

Nem todas as famílias podem, como a de Osório, prezar as relíquias dos antepassados. Muitas nem lhes podem prezar os nomes; – e, envergonhadas pela miséria, fogem, desaparecem, vão acolher-se ao seio da vida anônima, na roça.

País novo, país pobre... As tradições de família só podem medrar com bastante viço em terreno fértil e rico.

OLAVO BILAC

11 JUN. 1908

DIÁRIO DO RIO

No Rio, em S. Paulo, na Bahia, no Recife, apresentam-se aos chefes do exército, nos quartéis, os voluntários especiais, – quase todos moços estudantes, dispostos a dedicar um pouco do seu tempo aos manejos das armas, e à disciplina militar prestante, como dizia Camões,

> Não se aprende, Senhor, na fantasia,
> senão vendo, tratando e praticando...

O gesto é belo e digno. E já aqui no Rio o povo aplaudiu esses bravos rapazes, quando os viu, à frente de um batalhão, e ainda vestidos à paisana, desfilando com garbo e entusiasmo.

A expressão *voluntários especiais* é que tem dado origem a algum espanto.

– Que diabo vem a ser um voluntário especial? – perguntava ontem um dos conversadores da Colombo, à hora do vermute. O termo *voluntário* é absoluto. Um ato não pode ser mais ou menos voluntário: ou é voluntário ou não é.

– É um engano! – declarou então um outro conversador, homem velho, que já era mancebo no ano em que começou a guerra do Paraguai. É um engano! No Brasil, em matéria de serviço militar, o termo *voluntário* nunca foi absoluto; foi sempre vago, impreciso, elástico. Vocês todos ouvem ainda hoje falar dos famosos voluntários do Paraguai, que tanto brilharam na guerra. Pois fiquem sabendo que quase todos eles eram tão voluntários como os bois que marcham para o matadouro. Eu assisti ao grande engajamento de voluntários que se fez aqui, quando houve a invasão e tomada de Uruguaiana. O imperador declarou que também partiria para a guerra, – como de fato partiu. E os agentes do recrutamento espalharam-se por todo o país, pegando caipiras a laço. Além desses, houve outra espécie de voluntários: os pretos cativos, que os senhores ricos, ambicionando um baronato ou uma comenda, ofereciam ao imperador. Imaginem: voluntários caçados no mato, e voluntários escravos obedecendo à vontade dos donos! Toda essa gente embarcou com D. Pedro II, e foi defender a Pátria no Sul, e andou por lá praticando belas façanhas... Aí têm vocês o motivo que torna necessário o emprego do adjetivo *especial* anexado ao *voluntário*. Um voluntário *especial* é um voluntário que é mesmo voluntário; os outros são voluntários... forçados.

E, logo a seguir, um outro conversador contou um caso de que fora testemunha, em certa época de recrutamento:

– Iam dois soldados conduzindo aos trancos um homem, que se debatia, furiosamente, já com a camisa em frangalhos. O preso protestava, chorava, rugia, suplicava, blasfemava. E os soldados iam a arrastá-lo e a esbordoá-lo. Eu, que nesse tempo era tenente, intervim: "Que é isso, camaradas?". E um dos soldados, levando a mão à barretina: "Saberá vossa senhoria que é este voluntário que não quer ser *recrutado*!"

Uma risada encerrou a conversa, e todos saíram, compreendendo a expressão *voluntários especiais*...

São voluntários especiais, voluntários espontâneos, voluntários de verdade esses rapazes, que são os primeiros a prestar obediência à lei do serviço militar obrigatório. O gesto é belo, e há de servir de bom exemplo. O que a lei do sorteio, no seu primitivo esboço, tinha de mau, era o seu exclusivismo, ou melhor, a sua parcialidade em favor de certos privilegiados e contra os fracos e desprotegidos. Afastada essa injustiça, todos hão de ser voluntários, – não como os que foram a Uruguaiana – mas *especiais*, caminhando para o quartel pelo seu próprio pé...

Olavo Bilac

12 jun. 1908

Diário do Rio

Escrevo ao cair da tarde, vindo de assistir à primeira grande regata do ano, na praia de Botafogo. As regatas são as festas prediletas da população carioca. Não tanto pelo interesse que desperta o esporte náutico, como pelo aspecto maravilhoso da Avenida Beira-mar, nas tardes em que os clubes disputam os campeonatos: o espetáculo mais belo não é o do mar, coalhado de embarcações, mas o das alamedas da Avenida, cheias de carruagens e automóveis.

Mas isso não quer dizer que o esporte náutico não seja realmente hoje, para muita gente, uma verdadeira religião, um culto fanático. Muitos dos sócios dos clubes são empregados no comércio, que trabalham dez e mais horas por dia. Assim que se libertam do trabalho, vão remar, passam a remar grande parte da noite, dormem poucas horas, acordam antes do romper do dia, e ainda consagram a madrugada ao exercício da canoagem. Dizia-me há dias um sócio da Federação que já no Rio de Janeiro se contam mais de mil fanáticos do remo. É um exército.

É extraordinário o benefício que esse fanatismo traz à educação da mocidade. Se esses rapazes não perdessem grande parte da noite no mar, perdê-la-iam nos cafés-cantantes e nos bares. O prejuízo seria incalculavelmente maior... O exercício violento, quando disciplinado e regular, chega a ser uma necessidade para os que a ele se habituam. E não me constou ainda que a mania do esporte náutico tenha assassinado qualquer rapaz. O que sei, e o que ainda hoje verifiquei, é que os sócios dos clubes são todos homens, na mais rigorosa acepção da palavra, sadios, corados, musculosos, vendendo saúde e alegria.

E sempre me lembra, num dia destes, com grande tristeza, o tempo da minha meninice... No meu tempo, os meninos eram criados e tratados como alfenins. A ginástica era o terror dos pais e das mães. Quando um diretor de colégio perguntava a um pai, no ato da matrícula do filho: "Quer que lhe dê também o ensino da ginástica"? – o homem dizia, franzindo a cara, com ar de nojo: "Não, senhor! Não o estou criando para palhaço de circo!" E as mães também temiam grandemente os perigos do trapézio e da barra fixa: era como se as crianças fossem de vidro ou de cera.

Assim se preparou uma geração de molengas. Essa pobre rapaziada, que não teve na meninice a mais superficial educação física, entregou-se depois, sem precaução, aos prazeres da vida, – e ficou derreada antes do tempo: da minha geração, poucos são os homens que não sentiram antes dos quarenta anos (os que lá chegaram), os primeiros assaltos do reumatismo. Do reumatismo, – e da tristeza, que ainda é moléstia pior.

Felizmente, os tempos mudaram. Agora todas as crianças saltam, correm, patinam, desengonçam-se nos trapézios, pedalam e nadam. Talvez a geração que se prepara, não venha a ser tão lírica nem tão refinada como a minha... Mas antes assim. O excesso do lirismo em almas que habitam corpos frágeis é um passaporte para a neurastenia prematura. Os homens que comem bem, dormem bem, e vivem com saúde e alegria também podem ser bastante líricos.

OLAVO BILAC

13 JUN. 1908 DIÁRIO DO RIO [CIA]

Esse extraordinário Emílio Rouède, que acaba de morrer em Santos, teve uma das vidas mais acidentadas que jamais conheci.

Era francês do Sul, viveu longo tempo na Espanha e em Marrocos, e correu grande porção do planeta, antes de vir fixar residência no Brasil; e, no Brasil como na Europa e na África, exerceu um sem número de profissões: montou fábricas, fundou colégios, explorou todos os ramos do comércio e da indústria, foi artista, cientista, professor, – o diabo!

Como Rouède tinha jeito para tudo, o governo, em 1893, achou que ele devia ter jeito para conspirador político. Fugindo do Rio, para não ser preso, fora Emílio estabelecer-se no Rodeio, onde começou a ensaiar-se numa nova profissão: a de galinocultor. Constou no Rio que alguns conspiradores projetavam fazer voar, pela dinamite, o túnel grande da Central. E, como era preciso atribuir a alguém a concepção do atentado, ela foi logo atribuída ao pacato criador de galinhas. Rouède teve a casa cercada pela polícia, evadiu-se a custo, andou léguas a pé, e, depois de várias peripécias de romance, chegou a Ouro Preto, onde o fui encontrar estabelecido como pintor e fotógrafo, trabalhando de graça, e deliciando a gente ouro-pretana com o seu bom humor inesgotável e as *blagues* descabeladas.

Este caso do túnel grande teve um desfecho horrível. A força encarregada de vigiar as imediações do túnel ouvira falar de um certo Rouède dinamiteiro, e andava a buscá-lo pelos matos, e no interior dos trens que passavam, e nas pequenas fazendas de em torno. Certa vez, apareceu por lá um rapaz alto, corado, louro, com ares de estrangeiro. O sargento chamou-o à fala:

– É você o Rouède?

– Não.

– Mas conhece o Rouède?

– Conheço.

– Onde está ele?

– Não sei!

– É você mesmo! diga!

O rapaz protestou. Esbordoaram-no. E como ele reagisse contra as bordoadas, fuzilaram-no barbaramente, deixando-o no meio da estrada, numa poça de sangue.

Esse rapaz, de quem fui amigo, chamava-se Fernando de Sá Viana, e era secretário do industrial Cota. Andava por ali em cobranças. E era florianista exaltado, jacobino intransigente.

À hora em que assim morria o falso Rouède, o verdadeiro estava talvez, ao sol de Ouro Preto, fumando regaladamente o seu cachimbo, e pintando a casa de Marília ou o Itacolomi.

Este caso entristeceu o pobre Rouède, até os últimos dias de sua vida. Ainda há alguns anos, quando o vi em S. Paulo, doente, velho, alquebrado, minado pelas moléstias e pelos desgostos, disse-me ele, com melancolia:

– Vê tu! não valeu a pena que alguém morresse por mim, para que eu ainda esteja a arrastar-me neste estado pelo mundo...

O Rouède dinamitista! o Rouède arrebentador de túneis! Tanto ele, como o desventurado Fernado de Sá Viana, tinham duas almas de criança, – boas e misericordiosas, incapazes da menor violência. O Fernando chorava, quando via alguém espancar um animal... O Rouède ficava sem almoço e sem jantar para socorrer o primeiro pobre que lhe pedia esmola...

Olavo Bilac

14 JUN. 1908 DIÁRIO DO RIO

Os correspondentes telegráficos são habitualmente tão mentirosos, que não sei se deve merecer crédito o que nos contam acerca da projetada viagem de uma das filhas do presidente Roosevelt a Chicago.

Diz-se nos telegramas que essa formosa senhorita vai à cidade-empório das salsichas com o fim de tomar parte ativa na propaganda eleitoral em favor da candidatura do Sr. Taft à presidência da República.

Talvez a notícia seja um carapetão. Mas, se é exata, não sei porque há de causar a indignação e a reprovação que já a seu respeito começaram a manifestar os jornais europeus.

Em todas as nações civilizadas da terra, as mulheres se exercitam hoje na atividade política, – não às escâncaras, como a filha do presidente Roosevelt, mas sorrateiramente, com a cautela e a malícia que costumam pôr ao serviço de todos os seus caprichos.

O Brasil é ainda uma das nações mais tímidas do mundo, sempre que se trata de romper com as tradições do recato e da modéstia em que antigamente se educavam as mulheres. Ainda compreendemos e mantemos a educação feminina "à antiga", destinada a dar à mulher, como diz um estafado chavão, "a soberania no lar, e o sacerdócio da maternidade". Pois, apesar disso, as senhoras brasileiras são, em grande número, ativas e esforçadas "politiqueiras".

Há por aí muito homem político, admirado pelo seu tato e pela sua habilidade, e que só deve o que é à mulher que o aconselha e dirige. Há muito deputado que deve o seu diploma exclusivamente à influência de certas salas, onde as senhoras, fingindo conversar sobre modas e elegâncias, estão, por trás do leque, fazendo propaganda eleitoral e discutindo os negócios públicos. Já tenho encontrado meninas solteiras que, em conversa, me têm espantado pelo conhecimento profundo que revelam das complicações políticas da atualidade. Quando ultimamente chegou à sua mais aguda crise o conflito Pinheiro Machado-Carlos Peixoto, vários homens políticos gastaram em vão o seu tempo e as suas palavras em querer mostrar-me a natureza, a origem e os resultados possíveis desse conflito; eu ouvia, e não compreendia; entretanto, dias depois, como o acaso me colocasse, durante um banquete, ao lado de uma senhora elegante, ela, sorrindo da minha ignorância, me explicou com tal clareza a situação, que eu senti o véu do mistério rasgar-se subitamente ante os meus olhos, e entre o assado e a sobremesa fiquei sabendo cousas que não chegaria a saber depois de um ano de intimidade com senadores e deputados.

Quais são as qualidades essenciais e fundamentais que deve possuir um político, para vencer? São a malícia, a astúcia, o disfarce, a ousadia e a tenacidade. E alguém poderá negar que essas qualidades se encontram mais freqüentemente em mulheres do que em homens? Já um grande ironista disse que a mulher, que empregasse em tudo o poder de convicção que emprega para obter do marido um vestido ou um chapéu, seria capaz de converter o próprio Deus ao ateísmo...

Assim, não é condenável o procedimento de miss Roosevelt, – se é que realmente essa menina vai defender em Chicago a candidatura do Sr. Taft.

O seu gesto é belo e nobre. Faz às claras, com muita luz e muito barulho, o que as outras mulheres fazem com hipocrisia. Acha que tem o direito de intervir na política do seu país, e intervém francamente, corajosamente, escandalosamente...

Se a notícia não é mentirosa, o ato de miss Roosevelt é uma vitória para o feminismo. E esse ato será certamente coroado do êxito mais radiante. Se, ultimamente, já ela guiou, como maquinista, um trem expresso, por que não há de com igual perícia guiar o carro do Estado?

Olavo Bilac

21 jun. 1908

Diário do Rio

Nós, latinos, temos o vício de acusar de egoísmo os homens das outras raças, e fazemos grande cabedal da nossa generosidade, do nosso desinteresse e dos nossos sentimentos afetivos. Acreditamos que o altruísmo é um monopólio nosso; e, quando principalmente falamos dos anglo-saxões, sempre nos referimos com desdém ou indignação à sua frieza de alma, ao seu temperamento exageradamente prático, à sua plutolatria e à sua escravização aos interesses exclusivos do negócio.

É um preconceito ridículo.

Ainda agora, a Inglaterra vai dar ao mundo inteiro uma admirável lição de altruísmo e bondade. Trata-se da instituição das aposentadorias para a velhice, proposta à Câmara dos Comuns pelo primeiro ministro inglês, sir Asquith.

A idéia é de uma beleza moral que comove.

Não se vão instituir na Inglaterra pensões para os funcionários ou os trabalhadores que envelhecem no exercício de suas funções ou no trabalho. Não se trata tampouco de um montepio voluntário ou obrigatório, nem de uma criação de seguros de vida, em que as pensões sejam asseguradas pelas contribuições dos candidatos à aposentadoria. A idéia é muito mais vasta, muito mais radical e muito mais nobre. As pensões serão concedidas pelo Estado a todas as pessoas que atingirem a idade de 70 anos, privadas de toda e qualquer renda. Para ter direito ao socorro, bastará que essas pessoas sejam velhas e pobres, tenham ou não trabalhado para o Estado, tenham ou não prestado serviços à comunidade.

É o reconhecimento pleno e integral do direito da velhice ao amor, ao respeito e ao amparo do Estado. É uma revolução moral de extraordinário alcance. É a glória do povo inglês.

As pensões serão modestas: uma libra esterlina por mês. Parece pouco, e é muito. Com uma libra por mês, já não morrerá de fome ou de frio o velho sem amparo. E, se considerarmos que, segundo os cálculos de sir Asquith, há na Grã-Bretanha quinhentos mil septuagenários com direito às pensões (porque somente serão contemplados os que ainda não gozam das vantagens de outras *poor-laws*) veremos que o Estado vai gastar por ano, com essa medida humanitária, a soma de seis milhões de francos, cerca de cem mil contos de réis. Por mais rico que seja um país, por mais fortes que sejam as suas fontes de renda, o dispêndio de uma tal soma, sem o mínimo proveito material, representa sempre um sacrifício cuja nobreza é digna de universal admiração.

Nem uma só das nações latinas, tão orgulhosas do seu altruísmo e da sua generosidade, se lembrara ainda de afirmar de modo tão positivo e tão belo o seu respeito à velhice. Todos nós, latinos, amamos e glorificamos os velhos, em verso e prosa. Mas nunca saímos do terreno da literatura. Foram os frios ingleses, os homens de caráter prático, os proclamadores do *time is money*, os ávidos *businessmen*, os insaciáveis conquistadores de terras, os ambiciosos açambarcadores do comércio universal, os primeiros a declarar que todas as criaturas velhas e pobres do seu país, pelo simples fato de serem pobres e velhas, devem merecer a proteção do Estado providente.

Sim! os ingleses são homens práticos. E, desta vez, essa boa qualidade sua, que nos parece um defeito, se afirmou de um modo que aos latinos só deve causar vergonha e enquanto nós damos à velhice hinos e lágrimas, eles, que não crêem na virtude nutritiva das lágrimas nem dos hinos, vão dar a cada velho miserável doze libras esterlinas por ano...

A medida é prática. Mas, por isso mesmo, é mais bela do que todos os lirismos e todos os platonismos. A velhice infeliz não precisa de poemas: precisa de pão.

OLAVO BILAC

22 JUN. 1908

DIÁRIO DO RIO

Tudo tinha valor pecuniário, até agora, no Rio de Janeiro; tudo, – menos a vida, e a integridade do corpo humano.

Valiam sempre alguma cousa, mais ou menos, as casas, as chácaras, os móveis, as roupas, os veículos, os cavalos dos carros, os muares das carroças. Mas a nossa vida e o nosso corpo nada valiam. Contra a nossa vida e o nosso corpo atentavam impunemente (além dos médicos, que têm direitos assegurados pelo seu diploma) os motorneiros dos elétricos, os cocheiros de praça, os condutores de caminhões.

Mas entramos agora em vida nova...

Há poucos meses, uma Companhia de viação urbana foi condenada a pagar uma certa soma, como indenização, à família de um pobre homem vitimado por um bonde. Tal sentença alarmou todos os empreiteiros da morte, disfarçados sob o título de empreiteiros de veículos. E todos os cocheiros, motorneiros e condutores receberam ordens expressas, no sentido de acalmarem a sua fúria de velocidade. Foi o reconhecimento do direito de viver, enfim outorgado aos pobres peões. Foi o início de uma nova era de segurança para os míseros corpos dos que são míopes, ou surdos, ou distraídos, e nem sempre se podem desviar, a tempo, das máquinas assassinas que correm, galopam, voam pelas ruas da cidade, deixando atrás de si criaturas mutiladas.

Mas a sentença, proferida há dois dias pelo Supremo Tribunal, veio agora completar a boa doutrina, e dar-lhe plena força, – incluindo o Estado no número dos que são responsáveis pelos desastres que as suas empresas podem causar.

O Estado, entidade abstrata e tirânica, já está no gozo de muitas regalias absurdas, de que ninguém se anima a despojá-lo. Seria horrível que os tribunais também lhe dessem a regalia, mais odiosa do que todas as outras, de poder criar, manter, administrar e explorar a indústria da mutilação e do assassinato por meio das guilhotinas e dos amassadores dos veículos.

É o caso que um professor de música foi vítima de um choque entre um bonde e um trem da Central em marcha, saindo desse desastre com uma perna de menos.

Não se resignou o maestro à desgraça. A perda de uma perna não lhe tirara propriamente a faculdade de ensinar solfejo às meninas que se quisessem iniciar nos segredos de Euterpe, mas sempre lhe dificultava o trabalho, impedindo-o de caminhar à pressa, de casa em casa, a ministrar as suas lições. Abriu-se um inquérito sobre o desastre; e ficou provado que o causador dele fora um vigia da Estrada, que se esquecera de abrir ou fechar em tempo um freio de desvio. O professor mutilado, não podendo processar o vigia, processou o patrão dele, que é o Governo Federal, dono da Estrada. E o Supremo Tribunal, em sua sabedoria, considerando que o Governo Federal, com toda a sua soberania e todo o seu poder, não poderia jamais dar uma nova perna, tão boa como a antiga, ao professor, condenou o mutilador a pagar ao mutilado a soma de cem contos de réis.

Sobre este assunto, já a fantasia, às vezes macabra, dos noticiaristas e dos cronistas, bordou uma vasta série de facécias. "Cem contos de réis por uma perna! quanto não valerá então uma cabeça ou um corpo inteiro?!" – perguntavam jocosamente.

Tenho para mim que qualquer das minhas pernas vale muito mais do que isso. E como não considero que as pernas dos outros valham menos do que as minhas, acredito que a estimativa do Supremo Tribunal foi ainda muito baixa...

Mas, em casos como este, a questão de preço é a que menor importância deve merecer; a questão máxima, única, é do reconhecimento de um direito sagrado. Sabe-se agora que as empresas de viação já não podem impunemente retalhar-nos o corpo; e sabe-se, ainda mais: que o Estado, quando empresário de sistemas de viação, é tão responsável como qualquer particular.

É uma conquista.

Já o corpo humano vale tanto, pelo menos, como as vidraças de uma loja. Era odioso que as carroças não tivessem o direito de arrebentar livremente as amostras de qualquer armazém, e que os bondes e os comboios da Central pudessem, com a maior liberdade e sem a menor punição, chacinar as criaturas que andam pelas ruas a ganhar a sua vida.

Olavo Bilac

23 JUN. 1908 DIÁRIO DO RIO

A representação d'*O Dote* de Artur Azevedo, ontem, em italiano, por Tina di Lorenzo e seus companheiros, foi uma linda festa de arte; o patriotismo da platéia secundou fortemente, para o efeitos dos aplausos e das chamadas à cena, o entusiasmo despertado pelo talento da grande artista. A iniciativa de Tina, mandando traduzir e representando a excelente comédia de Artur, lisonjeou-o muito justamente, porque foi uma demonstração de carinho à nossa terra, à nossa gente, à nossa literatura. A noitada foi calorosa e vibrante: palmas, aclamações, flores, delírio. Tina deve estar contente; e o nosso querido Artur deve ter dormido uma noite regalada e suave.

Um certo Sr. Nariz Torcido (dou habitualmente o nome genérico de Narizes Torcidos a uns cavalheiros eternamente descontentes e queixosos, nunca satisfeitos, achando em todo o ramo de flores um caramujo, uma nódoa em todo o astro, uma jaça em toda a pedra preciosa...) – um certo Sr. Nariz Torcido me havia dito na véspera: "Há de ser *fiasco*, por força!". Tina pode muito bem interpretar o papel de Henriqueta; Falconi pode ser muito feliz na interpretação do médico Rodrigo... Mas como quer o senhor que o ator italiano Cassini se possa meter na pele do velho preto "João", que é um tipo exclusivamente, fundamentalmente, essencialmente brasileiro? Vai ser *fiasco*, por força!"

Pois não foi fiasco! O preto "João" interpretado pelo ator italiano foi um admirável preto...

À saída do teatro, depois da ovação final, encontrei o Sr. Nariz Torcido:

– Então? Que tal o preto italiano?

Ele torceu ainda mais o nariz, e, sem poder deixar de confessar a sua derrota, procurou refúgio em outra manifestação do seu irremediável descontentamento.:

– Foi bem, não digo que não! Mas tenho uma dúvida: acredita o senhor que a Tina vá representar na Europa esta peça?

– Por que não? e ficar-lhe-emos devendo esse grande favor.

– Hum! não sei! – murmurou o Nariz Torcido – não sei se será serviço... Ir mostrar à Europa que temos pretos!...

Dei uma risada, livrei-me do eterno descontente e fui dormir...

É esta uma das nossas manias: esconder o preto, disfarçar o preto, ter vergonha do preto, querer convencer a Europa da não existência do preto. Queremos tirar o preto das nossas fotografias, das nossas peças de teatro, dos nossos romances, da nossa história, da nossa raça e da nossa vida...

Absurda e tola pretensão! Néscia e irritante mania!

Nenhum povo altera, nem anula, nem precipita a sua história. O preto é inseparável, na constituição da nossa raça, dos outros elementos que têm contribuído e ainda hão de contribuir para formá-la.

A mania não é apenas absurda e tola: é também injusta, e reveladora de muita ingratidão. Foi o preto, afinal, quem verdadeiramente criou este país: lavrou a terra, regou-a com o seu suor, com o seu sangue e com as suas lágrimas; fecundou-a com o seu trabalho e com o seu sofrimento; preparou-a, com o seu obscuro sacrifício, para o radiante presente, de que ela já está gozando, e para o futuro, mais radiante ainda, que a espera...

Não há motivo para que reneguemos o preto, – nem no teatro, nem na vida real.

O preto "João" de Artur Azevedo não nos desmoralizará na Itália. Já temos para lá mandado muitos brancos de verdade, – muito piores do que esse pobre e generoso preto de ficção.

Olavo Bilac

24 jun. 1908 — Diário do Rio

Está terminado (enfim!) o grande escândalo que produziu o "caso da rua Guanabara", caso que deveria ter sido tratado com reserva, e foi vergonhosamente explorado.

Em toda essa vergonha, é preciso principalmente lastimar a mulher infeliz, que foi duas vezes desonrada, – pelos sátiros asquerosos que a violentaram, e pela imprensa que impiedosamente a difamou.

Parece que somente as mulheres virgens, ou regularmente casadas na pretoria e na igreja, devem merecer a proteção das leis e o respeito dos homens. Desde que uma mulher tem um amante, – podem os mais baixos e sórdidos indivíduos brutalizá-la e manchá-la...

Singular teoria, que revolta e indigna. Até as mais ignóbeis meretrizes devem ter direito à compaixão, e, mais do que à compaixão, à justiça que se não pode negar aos piores criminosos. É esse o modo de pensar de todos os homens dignos de ser homens. Conta-se que um grande de Espanha, certa vez, encontrou na rua uma mulher que o saudou. O fidalgo, que tinha o direito de conservar-se coberto diante do rei, tirou o seu chapéu, correspondendo à cortesia da mulher; e como lhe dissessem: "Senhor! É uma marafona!", – ele respondeu com altivez: "Não saudei a marafona; saudei a mulher!" Esta anedota não era naturalmente conhecida dos jornalistas que se referiram em termos tão feios à pobre moça violentada pelos três imundos brutamontes da rua Guanabara...

Apoderarem-se três homens de uma mulher, e forçarem-na à prática do amor, é sempre um crime hediondo, – quer se trate de uma virgem, quer se trate de uma mulher perdida. A violência é sempre a mesma, abjeta e abominável, quando se exerce sobre o corpo da mais pura das donzelas ou sobre o corpo da mais baixa hetaira.

No caso da rua Guanabara, tratava-se de uma mulher, que tinha amantes. Quantos? Só faltou que a imprensa esmiuçasse este pormenor, e publicasse em letra de forma a fé de ofício da infeliz... Tinha amantes; mas isso não lhe impunha o dever de ter violentadores. Era uma mulher; o seu corpo devia ser sagrado, e mais sagrado ainda devia ser o seu pudor, do qual escarneceram afrontosamente os jornalistas, com uma fúria inexplicável. Tudo foi publicado: o nome da infeliz, a sua nacionalidade, a sua idade, a sua profissão, e até os nomes de seus pais... Parecia que a verdadeira criminosa era ela, – e que as verdadeiras vítimas eram o seus três algozes. Houve até quem brejeiramente achasse graça na proeza desses três meliantes: e a frase de um deles, frase de baixo calão, já anda por aí repetida com certa admiração enternecida...

Tenho vivido bastante; mas nunca vi, em toda a minha vida, cousa que tanto me entristecesse. Não posso ainda pensar, sem dó profundo, nessa desgraçada metida quase à força a bordo de um navio, quase deportada como caftina, – quando o seu crime único foi o de ter acreditado que podia livremente viver, sem escândalo, em uma cidade policiada e civilizada. Teve essa ingenuidade, e pagou-a bem caro: foi manchada pela sanha bestial de três facínoras, e insultada pelas pilhérias grosseiras dos comentadores do fato. Só lhe faltou ser apupada e apedrejada nas ruas, – ou submetida ao vexame que na Idade Média se infligia às adúlteras: o passeio ignominioso, em completa nudez, sobre o lombo de um jumento, entre as surriadas das Lucrécias e as injúrias dos Catões...

OLAVO BILAC

25 JUN. 1908 — DIÁRIO DO RIO

Conheço quase toda a Europa, e quase nada conheço do Brasil; e no meu caso estão quase todos os brasileiros. Ir daqui ao mais remoto confim do velho continente é um passeio; e ir a certos pontos do Brasil é um empreendimento heróico, em que se arrisca a vida. Já uma companhia de transatlânticos vem buscar o viajante ao porto do Rio, leva-o através do Atlântico até a Europa, através do Mediterrâneo até a Grécia, o Egito e a Terra Santa, através do mar Vermelho, do Oceano Índico, e do Pacífico ao Japão, aos Estados Unidos, ao Chile, e torna com ele ao Rio, depois de alguns meses de fácil, cômoda e serena viagem: entretanto, para chegar ao coração do Brasil, é preciso afrontar pavores inúmeros e indescritíveis!

Raros são os homens capazes de realizar esses prodígios. O homem moderno é comodista.

Por mim, confesso que só à força, e depois de muito protesto, iria ao alto Amazonas ou ao alto São Francisco. Mas isso não me impede de admirar os que, em bem da civilização, fazem o sacrifício que sou incapaz de fazer.

É um bravo esse major Rondon, que se vai embrenhando nos sertões de Mato Grosso, para construir uma linha telegráfica. Passam-se às vezes dois, três, quatro meses, sem que tenhamos notícias dessa arrojada expedição, tão arrojada como a dos bandeirantes do século XVI. E é uma alegria, para quantos se interessam pelo futuro da civilização brasileira, ler de tempos a tempos nos jornais um dos telegramas em que o chefe da moderna "bandeira" comunica ao ministério da Viação os progressos da sua incursão pelos matos bravos.

Os jornais publicam hoje o último desses telegramas.

A expedição está agora em marcha para Santo Antônio, no Rio Madeira, região infestada de índios ferozes. E é interessante verificar, nas informações do major Rondon, como toda uma imensa região do Brasil ainda está, quatrocentos e oito anos depois do descobrimento, no mesmo estado em que os descobridores vieram encontrar o litoral.

As precauções tomadas pelo chefe da "bandeira" para engambelar os índios são ainda as mesmas citadas pelo cronista ancestral Pero Vaz de Caminha, – a música e presentes vistosos.

A expedição leva para atrair a simpatia e atenção dos selvagens dois clarins, uma corneta, um homem que toca flauta, um gramofone, fogos de artifício, diversos balões com formas de bichos, e vários outros mimos.

A única novidade é o gramofone, que no tempo dos descobridores era mimo que (felizmente para eles!) ainda não existia. Mas os mimos são do mesmo gênero dos que Pedrálvares ofereceu aos selvagens de Porto Seguro: carapuças vermelhas, campainhas e rosários de contas de osso. E o gramofone, a flauta, a corneta, e os clarins hão de dar o mesmo bom resultado daquela gaita de que fala Pero Vaz de Caminha: "Passou-se então além do rio Diego Dias, almoxarife que foi de Sacavém, que é homem gracioso e de prazer, e levou consigo um gaiteiro nosso com a sua gaita, e meteu-se com eles a dançar, tomando-os pelas mãos, e eles folgavam e riam com ele mui bem ao som da gaita". Quem sabe? talvez a esta hora já o major Rondon esteja dançando o *cake-walk* com os Tapirapés, os Tapaonas e os Bororós, ao som do gramofone...

É um bravo, esse major Rondon, e um homem inteligente e bom, que compreende bem a sua tarefa de paz e de civilização: "Não pretendemos (diz ele no telegrama) de forma alguma atacar as diversas nações de índios pelos territórios pelos quais havemos de passar; ao contrário, levamos-lhes muitos brindes que, com a música, serão os melhores elementos com que contamos poder abrandar-lhes os ânimos, transformando-os em nossos aliados e protegidos".

O que espanta é que, quatrocentos e oito anos depois do descobrimento da nossa terra, ainda sejam necessárias tais expedições. Índios, feras, sertões misteriosos, florestas virgens... Tudo isto no século vinte!

É força confessar que temos dormido demais.

Olavo Bilac

28 jun. 1908

Diário do Rio

Quem vai agora a bordo de qualquer dos transatlânticos, que entram e saem o porto do Rio de Janeiro, nota sempre a presença de latagões corados, fortes, bem vestidos, com um ar de cinismo, – e vigiados de perto por alguns indivíduos, nos quais o bom observador logo reconhece representantes da polícia secreta. Os machacazes, cujo aspecto de plena saúde e de regalada satisfação denuncia hábitos de boa alimentação e vida ociosa e fácil, – são cáftens. Vigia-os atualmente a polícia com redobrada atenção, embarcando à força os que são apanhados aqui no exercício da sua ignóbil profissão, e impedindo o desembarque dos que Buenos Aires nos recambia.

O Rio de Janeiro estava ficando o Paraíso dos cáftens. Esses mercadores de carne humana atravancavam as confeitarias, os cafés, os teatros, as ruas da cidade. Toda a cidade era deles!

Agora, o seu êxodo dá origem a cenas de que um romancista, amador das *tranches de vie*, tiraria grande partido. Cenas atrozes, que revoltam, porque mostram até que ponto as mulheres se podem escravizar a esses malandrins, e até que ponto eles exploram a imbecilidade amorosa dessas desgraçadas.

A tragédia começa no ato da prisão do cáften. Quando ele é preso em casa da explorada – esta, num acesso de choro, cai aos pés da autoridade, jurando que o homem é inocente, que é uma injustiça acusá-lo de crime de lenocínio... Alguma diz: "Ele é o meu protetor, o meu pai, o meu Deus!" Outra, exasperada pelo reconhecimento da ineficiência das lágrimas, vocifera: "E o dinheiro não é meu? não o ganho com o meu corpo? não posso dispor dele à minha vontade?". Outras injuriam, insultam, amaldiçoam a polícia. E uma já houve, que se atirou às unhadas e às dentadas sobre o comissário, deixando-o em sangue.

O outro ato da tragédia passa-se na Polícia. Lá vão todas elas, humildes, chorosas, com as tranças rojando o chão, esperando ainda comover e abrandar a polícia, e levando aos seus senhores comidas, bebidas, charutos e bombons.

Chega, enfim, o dia da partida dos "Alphonses"... É o último ato. Passa-se no cais Pharoux. Por um acaso, indo tomar uma lancha que me devia conduzir a bordo do *Asturias*, assisti à cena dolorosa. As desgraçadas vão abraçar os seus senhores deportados. Algumas, apaixonadas, agarram-se a eles, aos brados; outras humildes, beijam-lhes as mãos. E todas, – mas todas! – lhes entregam ali as suas últimas economias, o último dinheiro que ganharam no comércio vergonhoso...

É horrível! – horrível, pela significação moral do fato. Essas infelizes não são mulheres: são cousas, são objetos, são títeres, nas mãos dos seus proprietários. Não se pode conceber mais completa escravização, mais inteira abolição da vontade.

Escreveu uma frase eterna, exprimiu uma idéia imortal, quem disse ser mais fácil conhecer todos os segredos e todos os mistérios do céu do que compreender uma só alma de criatura humana. As criaturas humanas são, ao mesmo tempo, capazes de todas as santidades e de todas as baixezas.

OLAVO BILAC

02 JUL. 1908

DIÁRIO DO RIO

Dizem os jornais que daqui a um ano, um ano e meio no máximo, estará no porto do Rio de Janeiro a nova esquadra do Brasil, – couraçados, *scouts e destroyers*, – cada um deles batizado com um dos nomes dos nossos Estados.

Essa esquadra continua a preocupar extraordinariamente os nossos bons amigos do Prata. O último boato, assoalhado por eles, diz que já estamos procurando vender ao Japão quase todos os navios encomendados.

Não seria vergonha. Também já a Argentina se desfez uma vez de navios de guerra, que, com grandes reclames, mandara construir, – e nem por isso ficou desonrada. Na vida das nações, como na vida dos homens, há crises de dinheiro, imprevistas e terríveis. De um dia para o outro, desanda a roda da Fortuna: Jó, que era o homem mais rico da Terra de Hus, possuindo campos fertilíssimos, quinhentos camelos, duzentas juntas de bois, e fartos rebanhos de ovelhas, ficou entre sol e sol mais pobre do que o mais pobre dos viventes.... E, para que isso aconteça, não é preciso que Deus se queira vingar da gente: bastar qualquer contratempo, qualquer crise de produção ou de câmbio monetário.

Assim, se reconhecêssemos a impossibilidade de pagar aos estaleiros europeus os navios em construção, devíamos cedê-los, sem a menor hesitação, a qualquer outro país mais rico. Isso não nos cobriria de opróbrio: serviria, ao contrário, para demonstrar a nossa probidade.

Mas o boato é balela. Os navios são nossos, os navios aí vêm, os navios serão pagos. Para pagá-los, não precisaremos de ir pedir à opulenta Argentina os restos da sua farta mesa orçamentária.

Sou o homem menos belicoso da terra. Odeio a guerra, como se pode odiar o mais injusto, o mais negro, o mais abominável dos crimes. Por isso, não é o instinto guerreiro que me leva a aplaudir a aquisição desses formidáveis *Minas Gerais, S. Paulo, Bahia, Rio Grande, Amazonas,* e *Mato Grosso,* e a desejar com verdadeira ansiedade o dia da sua entrada triunfal no porto do Rio. Não os quero como aparelhos de morte: quero-os como instrumentos de civilização, como elementos de representação nacional, como demonstrações visíveis e palpáveis da nossa grandeza e da nossa força.

Recebemos, há pouco, a visita da maior esquadra de guerra que jamais cruzou o Atlântico; diante desse cardume de navios norte-americanos, a nossa marinha fez uma figura nula...

Um navio de guerra é uma embaixada ambulante, – muito mais valiosa e útil do que as fixas. Uma bandeira, que, a bordo de um cruzador, vai de porto em porto, pelo vasto mundo, mostrando a civilização do país a que pertence, faz muito mais, em favor desse país, do que muitas das figuras emproadas e empertigadas, mais ou menos acacianas, que vivem no ócio brilhante das grandes capitais, exercendo uma ação mais gastronômica e decorativa do que diplomática.

Olavo Bilac

03 JUL. 1908

DIÁRIO DO RIO

Não fosse eu funcionário público, e talvez também vociferasse contra a grande quantidade de feriados "extra", concedidos pelo governo, por ocasião das festas da igreja católica. Mas sendo funcionário público, e dos que mais trabalham, não posso, sem condenável hipocrisia, dizer que não aprecio essas folgas suplementares que me dão por ano mais alguns dias de repouso. Além disso, já provei uma vez, em artigo bem fundamentado, que o Brasil é um dos países em que há menor número de dias feriados, – número menor do que os da França, da Espanha, de Portugal, da Itália – e até da Inglaterra, apesar de gozar o povo inglês da fama de ser o mais ativo, o mais prático, e o menos contemplativo de todos. Basta dizer que, na Europa, em agosto, na época dos mais ásperos calores, há sempre uma quinzena ou um mês de férias para todos os servidores do Estado: e esse período de descanso nunca foi concedido no Brasil à gente da burocracia.

Mas tudo isto não quer dizer que não seja perfeitamente razoável a dúvida levantada na tribuna da Câmara dos Deputados pelo Sr. Barbosa Lima.

Trata-se dos salários dos jornaleiros das diversas oficinas do Estado.

Nos dias feriados legais, e também naqueles em que a folga se mascara sob o eufemismo do "ponto facultativo", os funcionários públicos recebem integralmente os seus vencimentos. Mas o mesmo não se dá com os operários jornaleiros, que sendo pagos "por dia", e pelo "trabalho executado", sofrem um grave prejuízo pecuniário, com essa abundância de dias de inatividade.

Sujeitando-se a não trabalhar e a não ganhar dinheiro nos domingos, os operários submetem-se à tirania de um hábito tradicional; e, em obediência às leis do país, também suportam sem queixa o mesmo prejuízo nos dias que o Governo Provisório declarou de gala nacional, e que são apenas dez por ano. Mas com que direito lhes nega o Estado o pagamento do salário correspondente aos dias santos da Igreja Católica, que a Constituição da República não reconhece?

Em um jornal desta manhã, um carola encapotado ataca a reclamação do deputado Barbosa Lima, dizendo que seria odioso que o governo obrigasse ao trabalho, em dias santos da Igreja, os funcionários católicos. Mais odioso, porém, é privar do salário operários que o governo não sabe se são católicos ou não.

Haveria um meio de conciliação. O Estado adotaria também para os seus jornaleiros a fórmula consagrada "do ponto facultativo". Para os empregados das secretarias, essa fórmula sempre foi e não pode deixar de ser um eufemismo, uma expressão falaz: os empregados, tendo a certeza absoluta de não perder o seu ordenado, deixam-se ficar em casa, a saborear o dia de ócio. Mas se se tornasse extensiva essa fórmula aos jornaleiros, – já não como um rodeio, mas como uma rigorosa expressão da verdade – todos eles iriam trabalhar. Nenhum deles, por amor de Santo Antônio, ou do Corpus Christi, ou de Nossa Senhora da Glória, perderia o seu salário, que é o seu pão, o seu teto, a sua roupa, e o pão, o teto e a roupa da mulher e dos filhos. Guardar os dias santos da Igreja, por meio da ociosidade e da falta de salário, é luxo que só podem praticar os católicos ricos.

Agora, se o Estado quer à força declarar-se católico praticante, obrigando os seus jornaleiros ao repouso que a Igreja impõe aos fiéis nos dias da comemoração dos Bem-aventurados, – o dever dele, Estado, é estender a esses pobres operários a mesma generosidade com que trata os funcionários públicos.

Tem toda a razão o deputado Barbosa Lima.

Gosto muito dos feriados "extra", porque sou funcionário público. Mas confesso que, na situação atual das cousas, não gostaria absolutamente dessas folgas católicas, se fosse operário jornaleiro.

Olavo Bilac

09 jul. 1908 — Diário do Rio

Os comentários sobre a peça de Mirbeau, *Les affaires sont les affaires*, eram ontem, nos corredores do *Lírico*, de uma interessante unanimidade. Todos diziam: "É uma crueldade e uma falsidade esta peça. O homem que a escreveu pode ser um escritor de gênio, mas não é um homem bom".

É profundamente humana essa crítica. Todos achamos que a Verdade é cruel. E comodamente preferimos deixá-la no fundo do seu clássico poço, com água até acima da cabeça.

O Rio é uma cidade intensamente e quase exclusivamente mercantil. Dos homens encasacados que ontem estavam no *Lírico*, a sétima parte, pelo menos, era constituída por negociantes.

E toda essa gente não pôde contemplar sem horror aquela hedionda figura de Isidore Lechat, homem de aço, alma de um cinismo atroz, coração metalizado pelo egoísmo, tipo misto de tirano e *parvenu*, achando um prazer delicioso em ganhar dinheiro, e ainda um maior e mais delicioso prazer em ganhá-lo enganando, espoliando e desgraçando os outros...

Cada um dos negociantes que ali estavam achava sinceramente que aquilo era horrível, e consoladamente pensava de si para si: "Graças a Deus, não sou feito dessa massa; gosto muito de ganhar dinheiro, sou esperto, tiro dos negócios o mais que eles me podem dar, mas amo a minha família, creio em Deus, ouço missa, e sou incapaz de dizer que no mundo só há uma cousa boa, e santa, e poderosa, e virtuosa, que é o dinheiro... Essa peça é de um exagero criminoso e absurdo!" E, depois dessa reflexão aliviadora, cada um dos príncipes do nosso comércio foi tranqüilamente dormir, depois do chá com torradas, e está a esta hora comerciando, com o cérebro sereno e o coração sem remorsos.

Isso acontece sempre que se vê, no livro ou no teatro, um trabalho de generalização como o de Mirbeau. Isidore Lechat, sendo um símbolo, um homem-multidão, tem de ser forçosamente uma figura exagerada e monstruosa. Também o mundo está cheio de ciumentos; mas nenhum deles é tão extraordinariamente ciumento como "Otelo", porque "Otelo" é a multidão reunida de todos os ciumentos, é o próprio Ciúme... Está claro que nem todos os homens de negócio são malvados e cínicos como Isidore Lechat. Conheço até muitos argentários que são generosos, meigos e altruístas. Mas, afinal, que é o "Negócio"? É uma combinação em que cada uma das partes procura sempre ficar com o melhor quinhão. Não há no mundo negociante nenhum que venda voluntariamente por cinco mil réis um objeto que pode vender por seis...

E por que não havemos de confessar toda a verdade? Não é só no comércio que se observa isso: é em todos os ramos da atividade humana. A luta pela vida é feroz. A Terra é um grande campo de batalha. A Terra só? Todo o Universo.

A peça de Mirbeau é cruel, mas não é falsa. Crueldade e falsidade são cousas que raramente andam juntas. A Verdade é quase sempre cruel; e só é verdadeiramente bom e consolador o que é ilusão e sonho.

OLAVO BILAC

10 JUL. 1908

DIÁRIO DO RIO

Há um só caso em que a desgraça íntima, doméstica, pode ser, sem indiscrição, comentada pela imprensa: é quando ela vem revelar ou acentuar a existência de um mal social, que interessa toda a comunhão.

Tal é o caso que a imprensa daqui tem discutido, com o título de "A tragédia da rua do Ouvidor". Das três pessoas que nela tiveram os principais papéis, uma está em prisão à espera de julgamento, outra está em tratamento no Hospício de Alienados, a terceira está no cemitério. Desgraça completa e terrível, que só deve inspirar comiseração respeitosa. Mas como se trata de uma "tragédia de amor", e como essa desventura vem provar quanto é estúpida a nossa legislação, que, para os casos de desavenças conjugais, só dá à criatura ofendida a alternativa da resignação ou do assassinato, é justo que se aproveite a ocasião para mostrar ainda uma vez a necessidade, a justiça e a moralidade da adoção da medida do divórcio.

Na "tragédia da rua do Ouvidor", está provado que não houve adultério. Houve um engano, um equívoco, uma aparência de falta, tudo dependendo do desequilíbrio nervoso de uma senhora declaradamente enferma. Mas, ainda que a falta existisse, ainda que a esposa fosse culpada, claro é que tudo se poderia decidir sem morte de homem, se as leis facultassem ao marido realmente ofendido ou apenas enganado pelas aparências, o direito de se separar definitivamente e completamente da criatura histérica que lhe houvesse infligido a ofensa real ou aparente.

Sem o divórcio, todas essas desventuras domésticas só se podem resolver ou pela resignação, que a muita gente pode parecer falta de brio, ou pelo assassinato, que é sempre uma violência estúpida e imperdoável.

Não pode haver consideração moral, social ou religiosa, que possa ter valor contra a necessidade do divórcio, em casos como este. É profundamente injusto, revoltante e insuportável que uma criatura, honesta e sã, seja obrigada a ficar por toda a existência unida a uma outra criatura, viciosa ou louca. A simples separação de corpos e de bens não pode bastar. A justiça, e, além da justiça, a piedade impõem que a separação seja completa, de corpos como de almas, de bens como de deveres, de nomes como de destinos.

É a Igreja quem mais se insurge contra o divórcio. Como se não nos bastassem, para desgraça, as penas eternas com que ela ameaça as nossas almas depois da morte, ainda nos oprime este seu desejo de nos escravizar durante a vida, defendendo a tirania do casamento indissolúvel, e condenando os esposos que se odeiam ou não se entendem à perpetuidade de uma união intolerável.

As penas eternas do inferno, – vê-las-emos a seu tempo... Mas, enquanto vivemos, não é justo que nos imponham neste mundo, por antecipação, um inferno muito pior do que o vindouro.

Dir-se-á que, sendo o homem, quase sempre, um animal feroz, sempre haverá no mundo assassinatos por amor e ciúme... Não há de ser tanto assim. Os crimes passionais, em sua grande maioria, não são provocados por sugestões de amor, mas por sugestões de orgulho. O marido ofendido nem sempre mata por ciúme: mata também, e principalmente, para praticar um ato que o ponha a coberto de risinhos de mofa com que o povo injusta e cruelmente ultraja os "coitados".

Havendo o divórcio, e recuperando o ofendido o seu nome e a sua liberdade completa, o número de Otelos diminuirá. E diminuirá também o número dos George Dandin, – porque muitos destes, não tendo instintos sanguinários, apenas se resignam à desgraça porque não têm um meio de fugir do cativeiro.

Olavo Bilac

11 jul. 1908

Diário do Rio

Houve há poucos dias concurso para provimento de meia dúzia de lugares vagos na administração dos Correios. Lugares modestos, rendendo cada um apenas noventa mil réis por mês... Os candidatos foram mais de trezentos!

A preferência dos nossos homens, em idade de trabalhar, pela carreira do funcionalismo público toma cada vez maior incremento. O comércio e a indústria continuam a contar quase exclusivamente com o trabalho dos estrangeiros. O que os nacionais preferem é o trabalhinho curto e seguro na repartição pública, com as vantagens da promoção, da aposentadoria e do montepio.

Um pouco de estatística: em 1870, o recenseamento do Rio acusava uma população de 235 381 pessoas, das quais 3 066 ocupavam empregos públicos; em 1890, recensearam-se 515 559 habitantes, e encontraram-se entre eles 5 967 burocratas; e em 1906, dos 811 443 cariocas existentes, 12 437 pertenciam a essa classe de homens a que os franceses dão o nome expressivo de *ronds-de-cuirs*.

O número deve ter aumentado, de 1906 até hoje. Criaram-se novos serviços, instalaram-se novas repartições, e não nos arriscaremos a erro grave, se fixarmos em 14.000 o total dos que lidam com o papelório administrativo.

É bom notar que todos os algarismos citados se referem exclusivamente aos funcionários civis da União, do Município, dos Estados (com exercício na Capital da República), e das repartições anexas. Esta estatística, que é tirada do *Livro do Recenseamento*, não cogita dos funcionários militares. Estes, incluindo militares de terra e mar, de polícia, e bombeiros, são 78.546...

Consideremos ainda que há no Rio de Janeiro deputados, senadores e conselheiros municipais...

Mas, somando apenas os funcionários civis e militares, acharemos a linda soma de 92.546 criaturas, que se dedicam ao serviço público, e vivem à custa dessa dedicação. Em curtas e expressivas palavras: os empregados públicos formam a oitava parte da população total do Rio de Janeiro!

Não nos espantemos com o caso... Ele não é único. Em todas as grandes nações da terra, os economistas registram com terror o aumento progressivo dos pensionistas dos erários nacionais. Em França, o mal é tão grande, que já um presidente do Conselho de Ministros declarou inevitável e próxima a bancarrota do Estado, se não for sufocada em tempo a vocação burocrática do povo francês...

E o mal não tem remédio, nem em França, nem aqui, nem em qualquer outra nação. Pelo menos, se há remédio, ainda nenhum economista o indicou com precisão, e ainda nenhum país o experimentou com eficácia.

O remédio único seria... a supressão de todos os cargos públicos. Mas só em uma sociedade ideal, em que tudo fosse de todos, e em que a suprema perfeição intelectual e moral dos homens tornasse dispensável qualquer forma de administração, se poderia pôr em prática essa medida radical. Só então poderia deixar de existir a grande vaca do Tesouro Público, a generosa Ísis sempre esgotada e sempre inesgotável, em cujos seios mamam as legiões da burocracia universal...

OLAVO BILAC

13 JUL. 1908 DIÁRIO DO RIO

Dizem-me os jornais que dois senadores da República, discutindo a epidemia da varíola, trocaram ontem palavras duras em pleno Senado: e das palavras passaram às ameaças, emprazando-se mutuamente para desabafos mais violentos "fora dali". Tive saudades dos meus tempos de colégio; na aula, ao alcance da vista do mestre, injuriávamo-nos baixinho, e a disputa acaba sempre pelo desafio clássico: "Espero-te lá fora!". Felizmente, entre o desafio e o momento da saída, havia sempre algumas horas ou alguns minutos de reflexão: em dez casos, sobre cem, o conflito era adiado... Nos colégios, como nos Senados, o medo do mestre, e o respeito inspirado pelo recinto evitam muita desgraça!

Mas não é para estranhar a briga dos dois senadores que escrevo este artigo: já vai longe o tempo em que o Senado era a Sibéria Parlamentar; a República injetou sangue novo e forte no corpo da velha instituição; e aquela casa está cheia de gente brigona, que, em mocidade e arremesso, nada pode invejar à gente da Câmara.

O que merece comentário é o assunto que deu causa à briga de ontem.

Tratava-se de epidemia de varíola e da vacinação.

Estava em foco a figura do Dr. Oswaldo Cruz, – e um dos senadores, responsabilizando o diretor da Saúde Pública pela recrudescência da epidemia, lançou contra ele acusações terríveis: 1°, esse tirano sanitário não trata de jugular a varíola, unicamente para mostrar a necessidade absoluta da odiosa vacinação obrigatória; 2°, esse déspota gabolas vangloria-se de ter dado cabo da febre amarela, quando a verdade é que está morrendo muitíssima gente, vitimada pelo tifo icteróide!

Já tardava, para o diretor da Saúde Pública, esta campanha de difamação. No Brasil não há glorificações que durem muito. Temos medo dos grandes homens, e tratamos de diminuí-los, assim que eles se põem a crescer demais. Ainda não vi nesta terra um só homem que não recebesse qualquer pecha infamante...

Por isso, já me estava parecendo inatural o unânime louvor que apoteosava o Dr. Oswaldo Cruz. Era monstruosa essa unanimidade!

Agora, começou a demolição. Todos os despeitos, todas as invejas, todos os pequeninos rancores se congregarão contra o atrevido, contra o insolente, contra o ousado que se arriscou a ter talento, amor do trabalho, merecimento científico e energia, para libertar o Brasil do seu maior flagelo...

Vai ser um arrasamento completo. Vai ser um regabofe. Vai ser a *curée*...

Daqui a pouco, quando já estiver vazio o saco das injúrias, alguém há de provar que foi o Dr. Oswaldo Cruz quem introduziu a febre amarela no Brasil. Foi ele! E introduziu-a para quê? Para ter a glória de fingir exterminá-la!

Pouco importa que esse homem nefasto tenha apenas trinta ou quarenta anos e que a febre amarela seja contemporânea dos homens do século atrasado. Pouco importa! Não é difícil responder a essa objeção, dizendo que o diretor da Saúde Pública, meio século ou mais antes de nascer, ainda no seio do Mistério e do Incriado, já estava tratando de arremessar contra o Brasil a febre amarela, a varíola, o cólera, o crupe, o mormo, e todas as pestes existentes e não existentes...

Olavo Bilac

18 jul. 1908 — Diário do Rio [Cia]

Muitos velhos leitores do *Jornal do Comércio*, amigos fiéis da tradição, escravos dos seus hábitos, tiveram há dias um movimento de surpresa e desgosto, quando viram a folha transformada, menor, mais bem paginada, de leitura mais fácil. A reforma não foi tão radical como poderia e deveria ter sido; mas, ainda que incompleta, bastou para surpreender os sexagenários e septuagenários que encaram com horror toda a novidade.

O *Jornal do Comércio*, entretanto, está sendo há bastantes anos trabalhado por uma revolução íntima, que, sendo dirigida com muito tato e muita prudência pelo atilado espírito do dr. José Carlos Rodrigues, tem passado quase despercebida.

Ainda tenho bem presente à memória o que era essa folha na minha adolescência, quando o meu espírito se ensaiava na vida das letras e da imprensa diária. Nós todos, rapazes daquele tempo, dávamos ao *Jornal* o apelido de "mastodonte". E bem o merecia a grave, pesada, seríssima e formidável folha, em cujas colunas nunca aparecia um sorriso. O grande órgão era, ao mesmo tempo, um conselheiro Acácio e um gato pingado. Nele, a gravidade e a tristeza se confundiam de modo íntimo. O seu bom senso chegava às raias da tolice; e a melancolia do estilo dos seus redatores dava à gente idéias de suicídio. Não era um jornal: era uma máquina de moer notícias. Não tinha idéias: tinha movimentos instintivos. Nunca se via na sua enorme face impassível de paquiderme monstruoso o relampejar de um pensamento alegre, de uma aspiração de amor, ou de uma revolta de ódio. O papão abominava os versos, toda a literatura, as anedotas, a arte livre, o teatro leve. Era horrível!

Mas, há cerca de dez anos, tudo nele começou a transformar-se pouco a pouco, imperceptivelmente. Primeiro, uma pequenina flor no peito; depois, uma gravata clara, contrastando com o negror da sobrecasaca abotoada; depois, a cartola substituída por um chapéu de palha... A graça e o bom humor, achando ali uma porta entreaberta, penetraram na casa, e instalaram-se nela.

Mas como o *Jornal* conservava sempre o seu imenso formato, os velhos leitores não percebiam que debaixo daquela antiga pele corria um sangue novo. Não viam como se renovavam os colaboradores da folha, nem como já o "mastodonte" se arriscava a sorrir, a ter idéias e opiniões, a discutir com calor as questões da política e da literatura, nem como a Polêmica se instalara naquelas colunas outrora dominadas exclusivamente pela Notícia incolor e seca. Houve até ali uma revolução escandalosa, que passou sem reparo: foi a velha grafia dos passados dos verbos: "formarão, "forão", "escreverão", que, em toda a imprensa do Rio, o *Jornal* era o único a manter. De repente, da noite para o dia, o *Jornal* começou a grafar "formaram", "foram", "escreveram"; e os leitores tradicionalistas, sempre fascinados e dominados pelo prestígio do formato, não viram que, despindo-se dessa última usança do seu passado, o grande órgão acaba de dar o salto decisivo por cima do fosso da tradição.

Agora, mudado o formato, é que os fiéis dos hábitos adquiridos percebem a revolução...

E esta ainda está longe de se ter completado. Ainda hei de ver o *Jornal* com as colunas cheias de gravuras, e com uma seção de *smartismo*, como *O Binóculo*.

O "mastodonte" é hoje criatura da sua época. O carro de bois transformou-se em automóvel...

OLAVO BILAC

Correio do Povo 1890

21 fev. 1890

Crônica Livre

Afinal, Pierrô desenfarinhou a cara, Chicard foi tomar água de Seltzers e Arlequim desembaraçou-se dos guizos. E, quando se despediram, antes de ir cada um tratar da vida, olharam-se envergonhados da sua falta de graça, e perguntaram a si mesmos que diabos haviam andado a fazer nos três dias da loucura convencional...

Porque, enfim, os mascarados que por aí andaram, suando as roupas reles de metim, celebraram as exéquias do carnaval. O carnaval recolheu-se desta vez aos bastidores, acompanhado pelas lamúrias da imprensa. E não sei porque motivo há de a imprensa, em verso triste e prosa melancólica, chorar a morte deste vulgar divertimento, que, sendo o divertimento da multidão, há de ser por força o aborrecimento dos homens de espírito...

* * *

A imprensa abandona o seu papel de principal representante da civilização, chorando o desaparecimento do carnaval. O carnaval desaparece? civilizamo-nos...

Antigamente, na vida pacata e séria que os nossos avós viveram, – era uma necessidade este parêntese de riso e folia. O carnaval é nem mais nem menos que isto: a apoteose da prostituição, da embriaguez e do descaramento. Os nossos avós tinham o pudor dos seus vícios: amavam, bebiam e dançavam dentro de cortinados, intramuros, com todas as janelas cautelosamente fechadas à curiosidade pública. Na rua, quando, num grande espalhafato de sedas, uma horizontal passava, as calvas coravam pudicamente e abaixavam-se os olhos com prudência. Nada! na rua, não! tudo dentro de casa, tudo, o champagne e o beijo, o requinte devasso do gozo, as gordas funçanatas em que se espoja a bestialidade humana: amava-se, bebia-se e folgava-se no mistério e no segredo; – cuidado! não visse o vício andar pela rua, em ceroulas e camisa de meia, sem a circunspecção da calça e a gravidade da sobrecasaca... Querias amar, beber e folgar? muito bem. Mas... abotoasses-te antes de sair...

Assim pensavam os nossos castos avós, naquelas afastadas épocas em que ainda a civilização fluminense vagia criança no berço.

* * *

Mas, como enfim a sem-vergonhice está no fundo da natureza humana e como não há lodo que não goste de aparecer ao sol, inventou-se o carnaval, – três dias libérrimos, setenta e duas horas descaradas em que ficou estabelecido que todos os vícios podem andar à solta, cabriolando na praça pública, de garrafa desarrolhada na mão e perna leve no pincho do can-can. E nesses dias, os nossos castos avós desforravam-se da castidade de todo o ano. Nesses dias, as mães e as filhas, das janelas enfeitadas, cobriam de flores e de aplausos os filhos e os pais que passavam, muito à vontade, nos carros descobertos, com uma *cocotte* quase nua ao lado coberta de sedas e de jóias, pompeando sem embaraço, na glorificação anual do impudor.

E, à noite, as meninas honestas, de vestidinho afogado no peito e mangas compridas velando a polpa carnuda dos braços, saíam de casa e iam para os camarotes dos teatros, admirar na desenvoltura das polcas lascivas as pernas desnudas das meretrizes e dos foliões... Permitiam-se todas as loucuras, dava-se carta de livre trânsito a todas as extravagâncias.

A voz do carnaval, naquele tempo, desde o sábado à noite, pelo tinir dos guizos, pelo ronco das trombetas, pelo atroar dos bombos, bradava:

– Seios, descobri-vos! desenferrujai-vos, pernas! podes sem receio, pai de família, mostrar com vaidade o viciozinho querido, que guardas num canto da alma! podeis todos pinotear à vontade nestes três dias deliciosos e breves: aí tendes o fruto proibido, ao alcance de todos os dentes!...

E, aberta essa válvula providencial, o homem sério enfarinhava-se, borrava a cara, fantasiava-se, dava três pulos e caía gostosamente, delirantemente, nessa grande liberdade com tanta ânsia esperada.

Ah! pensavam os senhores que eu era sério por gosto? vejam-me esta perna! pensavam que era por gosto que eu tomava chá às oito horas e às nove ia para a cama roncar? julgavam-me então incapaz de comer camarão e bebericar champagne às três da manhã, entre mulherinhas cheirosas? Ora, pois! admirem-me este requinte de devassidão: eu também tenho a *besta* dentro de mim; eu também conservo religiosamente um bocadinho de podridão moderna dentro da alma!

* * *

E, assim considerado, o carnaval era uma necessidade. Agora, porém, na última agonia do século da torre Eiffel e do Álbum Espírita, – agora que a civilização já nos devassou as brenhas americanas, – agora, tenham paciência os jornais que andam a lastimar a morte do carnaval: nós já não precisamos do carnaval.

Em primeiro lugar, deboche por deboche, o deboche de casaca preta e gravata branca é muito mais *chic* e muito mais limpo: não se suja o rosto de alvaia de carvão, nem se mancha o corpo com a tinta dos metins baratos. De todas essas sociedades carnavalescas a única que compreende e pratica o carnaval é a dos Cucumbis: os Cucumbis vestem-se de índios, – e o que é o carnaval senão uma volta temporária aos tempos dos costumes bárbaros?

Depois, já se foram a caminho do eterno olvido os dias puros em que os vícios se ocultavam durante todo o ano, para explodir vitoriosamente durante três dias.

Os tempos são outros. Agora, a prostituição cresce livremente, ao ar pleno, ao sol claro, como uma grande flor rutilante. Quem há por aí, tão primitivo e tão simples, que tenha vergonha de dar o braço a uma meretriz de teatro? Elas não precisam agora dos três dias do carnaval para a rua no oito molas brilhante: nem nós precisamos deles, para cumprimentá-las, na rua do Ouvidor, às 3 da tarde, quando as mulheres equívocas acotovelam as mulheres honestas, confundindo-se com elas, na mesma forma de *toilettes*, com as mesmas jóias, cercadas da mesma consideração, tratadas do mesmo modo nos jornais, sentando-se às mesmas mesas do Pascoal, tomando os mesmos refrescos.

Não! tenham paciência os jornais: nós já não precisamos da válvula clássica do carnaval. Já desafogamos os nossos instintos, partindo-lhes as focinheiras contensivas, e deixando de cortar-lhes as garras todas as manhãs, por precaução.

A grande nevrose do progresso que convulsiona o velho mundo teve a mesma louvável gentileza da *influenza*: não deixou de se apoderar de nós.

Estamos civilizados. Entramos também no regime da alimentação *faisandée*. Paris invadiu-nos. Temos hipnotismo, literatura decadente, jogatina, batalhas de flores, rua do Ouvidor de Souvenir: e se ainda não temos torre Eiffel, vamo-nos contentando em matéria de altura vertiginosa com o modesto *Corcovado* e o obscuro carpinteiro da rua Sete, até que a engenharia nacional se resolva a modelar em ferro o nariz do Sr. Rosendo Moniz ou o elevado estilo dos *Foguetes*.

* * *

Não choremos o carnaval. Cobrir o rosto com uma máscara é afetar um pudor que já não temos e querer fazer durante três dias, anonimamente, aquilo que fazemos às claras durante todo o ano, com toda a responsabilidade dos nossos narizes, dos nossos nomes e da nossa posição social.

A máscara, inventada pelo teatro antigo para ocultar o rosto do ator, é uma velharia sem utilidade: imaginem agora o nosso velho Areas dando-se ao luxo de entrar em cena com uma faceira meia máscara de veludo no rosto!

Não choremos o emagrecimento dos três dias gordos! Morre o carnaval? Ora, graças a Deus que já nos sentamos à mesa da civilização!

O. B.

28 fev. 1890 — Crônica Livre

Antes de soltar as asas livres da *Crônica*, diante da brancura exigente das tiras de papel, o cronista, com um saco cheio de assuntos do lado da mesa, sente-se impossibilitado de aproveitar esses assuntos, e tem de abandonar essa caça esquiva e caprichosa... Quantas vezes, de sol a sol, com a espingarda inativa ao ombro, tenho eu batido a semana, sem que através dos sete dias cerrados aponte a cabeça inquieta de um veado...

Hoje, tenho cheio o saco: e os assuntos aí têm de ficar, dormindo serenamente o seu sono imperturbável.

Durma a Academia de Letras, contra a qual começa a espirrar a aljava de cada cronista uma saraivada de flechas. Durma a Academia de Belas Artes, com a sua exposição e a sua reforma. Durma o iminente *Salon des refusés*, que se vai organizar, dizem, por iniciativa dos pintores Eugênio Teixeira e Américo Lopes. Durma a *Regulamentação da prostituição*, durma a pobreza do imperador, durma o carnaval de junho.

O que o cronista agora sente, antes de soltar as asas livres da crônica, impossibilitado de aproveitar os assuntos, é um calafrio de medo, vendo-se cercado de um turbilhão de fantasmas.

* * *

Sob a capa escura, vagamente distinto na penumbra misteriosa do anonimato, andam eles por aí, rodando no ar, pisando o chão com pés de lã, passando e repassando, numa procissão de sombras, como num sonho de criança medrosa, como numa das evaporações da caduquice do Dr. Castro Lopes. São boatos, boatos, boatos...

De todos os tamanhos, de todos os feitios, brejeiros e sinistros, sérios e cômicos. Há boatos que andam pulando, há boatos que andam de rastros.

Mas, o que mais prende a atenção é esse que aqui vem, de capa mais negra, punhal à cinta, olhos afuzilados e passo medido.

É o boato conspirador, que veio da banda do sul, como um Blondin sinistro, de maromba em punho, equilibrando-se cautelosamente no fio do telégrafo.

Veio da banda do sul, e procurou antes de tudo um lugar sério para pousar. Na repartição dos telégrafos, desconfiaram do seu ar misterioso e quiseram prendê-lo, sufocado na pasta do Sr. capitão Nepomuceno. Escapou, meteu-se pela rua do Ouvidor, e foi acampar nas graves colunas de circunspecção do *Jornal do Comércio*. Daí revestido de um certo prestígio, embarafustou pela cidade alarmando burgueses e boêmios, pondo uma pulga atrás da orelha de cada político, sacudindo violentamente os nervos entorpecidos da população.

E aí o temos, o belo boato conspirador.

Quando ele passa, tremem os alicerces das instituições; esboçam-se nas trevas perfis da guilhotina, rodam carretas no silêncio da noite, sente-se no ar um cheiro de pólvora, e julga-se entrever a Pátria, a pobre mãe em perigo, já com um pé meio metido dentro do abismo.

Conspira-se contra a República, e é uma conspiração de pernas tão longas, que tem o pé direito em Cannes e o pé esquerdo em Montevidéu.

Conspira-se, não há dúvida: citam-se os nomes dos emissários europeus, citam-se os nomes dos cabeças do plano, afirma-se que há dous jornais fluminenses envolvidos na maquinação, – e chega-se até a afirmar que os conspiradores mais comprometidos são o Souvenir, o padre Scaligero, D. Baldomero Fuentes (amigo do *su corresponsal*) e o poeta Ornellas.

E quando, ao cabo de tudo, o boato, na sua qualidade de fantasma, dissipa-se no ar como a fumaça de um charuto, uma gritaria indignada se levanta contra quem levantou o boato, e pede-se em altos brados a forca para castigar o celerado que quis perturbar a ordem e o progresso da República...

* * *

Mas – a forca, por quê? Por que, – se, afinal de contas, esse boato, longe de ser uma perversidade, foi uma simples quixotada, um simples desejo que tivemos nós, republicanos, de nos cercarmos de uma aureolazinha gloriosa de mártires – vítimas de uma conspiração?

A República veio calma e pacífica demais, para o nosso fogoso temperamento de nação escaldada. Nenhum de nós perdeu sangue, nenhum de nós caiu estrebuchando vitoriosamente no meio da rua, com uma bala na cabeça ou uma cutilada no peito.

Ora, pois! que diabo de figura estamos nós a fazer diante do mundo civilizado, – súcia de fracalhões que não temos sangue a perder e que passamos do império à República como quem passa do vermute ao jantar?

* * *

Antigamente, houve no norte da Europa uma nação bárbara e simples, que não usava plastrom, não tomava absinto, não sabia valsar e acreditava em Deus. E como para os filhos dessa nação de fortes, Deus era a suprema encarnação da Força, nenhum deles temia as batalhas, porque nenhum deles queria comparecer diante de Deus, depois de morto, sem lhe poder provar que fora em vida um dos mais fortes da terra. Para eles, morrer dentro de casa, pacatamente, de uma febre qualquer, entre as lamentações da família, era morte indigna de um varão, morte de mulher ou de criança.

E quando, por acaso, salvo milagrosamente dos perigos da guerra, tendo atravessado cem anos de batalhas sem receber a condecoração de um ferimento, o varão via aproximar-se a sua última hora, segurava intrepidamente um punhal, e retalhava sem um grito o corpo, para não comparecer, diante do Forte Supremo, virgem de cicatrizes honradas que pudessem atestar o seu valor.

* * *

Nós também não queremos comparecer diante da História, sem cicatrizes democráticas.

Fizemos a República sem sangue: não houve nem meio monarquista que quisesse morrer. Tudo aderiu, tudo ficou republicano. Em dezembro, tivemos uma esperança: um homem alto, barbado, de calças brancas e chapéu de chile, andou incitando a tropa à revolta... Bravo! temos um conspirador! Mas, o homem do chapéu de chile vaporizou-se e sumiu-se – o patife – deixando-nos sem o querido, sem o ambicionado, sem o ardentemente esperado defensor fiel da musa de D. Pedro de Alcântara e da pera do Motta Maia...

Agora, o *Jornal do Comércio* acena-nos de novo com uma nova esperança: e quando as nossas almas já deliram e exultam, o *Jornal* tem a crueldade de nos vir dizer que o boato é falso e que quem lhe passou o telegrama não foi *su corresponsal*!

Pois bem: inventemos mais conspirações, semeemos boatos sobre boatos, e vamos correr perigos de mentira, já que os não há de verdade, fazendo como os anciãos invulnerados da nação antiga, que vendo improfícua a coragem empregada para merecer os golpes inimigos, empregavam a coragem maior e mais nobre de afrontarem sem temor os próprios golpes.

A forca – por quê? Deixem-nos à vontade inventar perigos e mais perigos, e arranjar para a nossa pacatez a bravura mentirosa de afrontar inimigos que não existem.

O. B.

07 mar. 1890

Crônica Livre

O público, de olhos áridos como dous areais para as maiores desgraças, tem os olhos prenhes de água como dous chafarizes para as maiores futilidades.

Suponhamos que, trabalhador e honrado, vejo a felicidade fugir de mim teimosamente, pertinazmente. Vão-me os negócios por água abaixo, caem-me no seio da família a fome e a desonra, vejo um filho morrer à míngua de pão, vejo uma filha prostituir-se: num momento de desespero supremo, com um tiro de revólver ponho os miolos ao sol. No dia seguinte, aparece em todos os jornais uma seca local: suicidou-se o Sr. Fulano, por motivos particulares.

Ninguém se comove.

Mas, comerciante leviano, tomo compromisso que não posso satisfazer. Desespero-me. E que faço? não vou francamente aos meus credores, dizer-lhes que sou honrado mas que não lhes posso pagar: pego uma pena, falsifico uma firma, e vou iludir a boa fé de um pagador de banco. Prendem-me, levam-me à polícia. Perdido. Nem o dinheiro, nem a honra, nem a liberdade. Incompatibilizado com a vida. A tratantada que quis fazer foi a minha última cartada. Fiz como o jogador, que, antes de sair completamente arruinado da batota, põe sobre um número qualquer a sua última cédula. Perdi. Sem dinheiro, sem honra, sem liberdade – para que viver? Engulo uns pós venenosos e apareço morto na prisão, com uma carta ao lado, patética, com muita retórica e muito pouca ortografia.

E o público sai para a rua, e abre os dous chafarizes, e chora como o Jeremias. E a imprensa não fala do meu crime, para só falar do meu suicídio. E desço ao túmulo, amortalhado num lençol de lágrimas, sem uma palavra de condenação, como se em toda a minha vida uma honestidade exemplar tivesse guiado os meus atos.

Foi um caso como esse o que abalou a alma do público, há dous dias.

E quando se soube que o bilontra, vendo todos os seus planos frustrados, resolvera, como quem despe uma camisa suada, deixar a vida que infamara com o seu ato, a imprensa que o chamara falsário passou a chamá-lo desgraçado, nuns compassivos períodos abeberados de pranto.

Morreu para salvar-se... Para salvar-se, como se salvar-se o criminoso da vida equivalesse a salvar a sua memória da mancha do crime.

Desgraçado... E os outros então, os outros que não se matam, os outros que vivem a trabalhar, como bois espicaçados, sob a dupla canga da honra e da miséria, serão esses felizes?

* * *

Ao que parece, sempre será regulamentada a prostituição. Lábios, seios! preparai-vos para a minuciosa visita da polícia sanitária...

Já no lamentável intuito de moralizar esta Gomorra da América, têm sido tomadas providências enérgicas.

Por exemplo. As charutarias onde se fuma o *narghilé* voluptuoso do amor, apareceram há dias com cortinas verdes à porta. É uma espécie de taboleta de bonde ou de placa de advogado. Muito útil a medida. Antigamente, quem passava na rua via uma loja pequenina e asseada, com uns doze maços de cigarros, doze caixas de charutos que, de fora ninguém podia saber se estavam vazias ou cheias, e a charuteira, de *peignoir* branco e carmim na face, pompeando no meio da sua casa de negócio.

Agora, a cortina verde esconde completamente a loja. Corre-se a cortina, e a charuteira fica do lado de fora, do lado da rua. E o que se vê apenas, graças à moralizadora medida, é o reposteiro cor de esperança, e o próprio *narghilé*, que outrora ficava lá dentro, sorrindo à porta, como uma tentação.

Mas isso não basta: é o primeiro passo. Vamos ter a regulamentação – quer dizer: para evitar a prostituição, começamos por tornar impossível a regeneração de uma prostituta. Vamos aplicar às mulheres as mesmas penas que aplicávamos aos homens.

Um homem comete um delito qualquer. Um delito? não é preciso. Um desgraçado não acha trabalho, não tem o que comer, não tem onde dormir. Uma noite, cai, prostrado de fome e de sono, nos degraus de uma igreja. O rondante prende-o. No dia seguinte, a imprensa põe-lhe na espádua o ferro em brasa de uma notícia infamante, qualifica-o de vagabundo, emporcalha-lhe o nome. Sai da prisão tão miserável como entrou: não lhe dão trabalho, não lhe dão a esteira caridosa de um albergue. Reincide – quer dizer: torna a cair, meio morto de sono, de encontro a um portal. Preso de novo, termo de bem viver. E anos depois, se o *vagabundo* consegue trabalhar e prosperar, a sociedade tem o direito de lhe trancar as portas: lá está o seu nome nos jornais, lá está o termo de bem viver, lá está o seu retrato na galeria policial, lá está o inspetor de quarteirão, inflexível e grave, recusando-lhe uma folha corrida...

A *regulamentação* vai ser isso para as mulheres de vida airada. Impossível o arrependimento, minhas formosas pecadoras! a academia nacional de medicina não admite Madalenas.

E enquanto se tomam essas medidas providenciais que hão de fazer do Rio de Janeiro um ninho virginal, todo afestoado de flores de laranjeiras, o *Diário de Notícias* comunica o seguinte aos seus leitores; em editorial de primeira página:

Uma senhora portuguesa foi visitar o *Diário*. Levava pela mão uma *bambina* que parecia ter 6 anos: – "Seis anos, meus senhores?! Qual! tem perto de vinte... Vejam: já tem seios. Perfeitinho! Peço-lhes que chamem a atenção para este prodígio. E noticiem que ela está à rua tal número tal, esperando a esmola de pessoas que queiram auxiliar-lhe a subsistência".

Afinal, ou eu não entendo o que leio ou isto de fazer da puberdade de uma mulher engodo à caridade pública, é uma cousa que também precisava ser... regulamentada.

Mas, não! basta, para que o Rio de Janeiro se regenere, que a curiosidade profissional dos médicos da polícia inspecione semanalmente as casas de dar prazer.

* * *

O Mulato de Aluísio, reeditado pela casa Garnier, – esse comovedor trabalho da mocidade do autor, esse livro sincero e atrevido que é um formidável libelo contra a escravidão e contra a invasão portuguesa – chegou-me às mãos justamente quando eu ainda meditava os artigos de Ramalho sobre a revolução brasileira.

Quando Raimundo, perseguido no seu amor e na sua felicidade pelo desprezo dos brancos, sente todo o peso da sua desgraça de ser mulato, brada-lhe uma voz interior: "A natureza não criou cativos! tu não tens a menor culpa do que fizeram os outros, e, no entanto, és castigado e amaldiçoado justamente pelos irmãos daqueles que inventaram a escravidão no Brasil..."

Não se poderia oferecer isto em resposta às belas informações que deu do Brasil à Europa o Alphonse Karr português?

Ramalho tem razão. No Brasil não há ordem, não há respeito, não há nada; o copeiro janta com o amo e o aguadeiro aperta a mão da dona de casa. E ainda Ramalho não viu nada. Imagine Ramalho que não é só isso: imagine que eu vou todas as manhãs ao quarto do meu criado levar-lhe o café e engraxar-lhe as botinas; imagine que, nas secretarias do Estado, os ministros, curvos e respeitosos, erguem os reposteiros para dar passagem aos contínuos; imagine que as cozinheiras esbordoam os patrões quando eles não acham o bife bem feito.

Imagine tudo isso. Tudo isso é verdade, aí de nós! tudo isso é assim mesmo...

Mas, também para que diabos o Sr. Álvares Cabral não cumpriu fielmente em 1500 as ordens do seu amo D. Manuel, e não se limitou a ir tranqüilamente assegurar o comércio da Índias com as suas dez caravelas e os seus três navios reinóis?

O. B.

23 MAR. 1890 CRÔNICA LIVRE

Grávidos de promessas risonhas, deixando entrever livres e largos horizontes de justiça e de prosperidade, os projetos de constituição abarrotam os jornais. Todos vêm trazer a sua pedra, operários fiéis, para o pedestal em que se há de levantar a soberania do povo. E daqui a poucos meses, o povo soberano, pelos seus representantes legítimos, escolherá de todos o que lhe parecer melhor, e começará a governar-se por si, muito orgulhoso dos seus direitos, como um rapaz que, alcançada a maioridade, entra na vida, de cabeça erguida, com as *suas* apólices no bolso, as *suas* convicções e o *seu* nariz em liberdade.

Eu, se fosse candidato à constituinte, se pretendesse de alguma forma encarregar-me um dia da direção da pátria e empunhar um dos remos da barca da República, terminaria o artigo aqui e iria esperar tranqüilamente a hora de entrar em funções.

Mas, como na assembléia em que se vai assinar a convenção fraternal dos vinte estados, a minha palavra não fuzilará, convencida e fogosa, em grandes deslumbramentos de frases patrióticas, não posso terminar o artigo. Sou também cioso dos meus direitos: quero saber por quem vou ser governado. Pelo povo. Bem. Vejamos o que é o povo.

Oito horas da manhã. Abro a janela. Aqui está o povo diante de mim.

Um quitandeiro. Preto. Tem talvez cinqüenta anos, tem frutas de todas as espécies, e na opinião do Sr. Ramalho não tem o direito de engraxar as botas. Chegou, encostou à parede o tabuleiro, sentou-se, acendeu o cachimbo e começou a fumar e a cochilar: devo perguntar-lhe qual a sua opinião sobre o direito público federal?

Um operário. Encanecido no trabalho e na miséria, de ferramenta ao ombro, na alegria matinal do sol, quando os legisladores ainda estão tomando café no doce conchego dos lençóis, lá vai, miserável e triste, para a oficina sem ar, para as longas horas suadas e medonhas do seu trabalho mal pago. Logo de manhã, ao abrir os olhos, esta pergunta diabólica lhe bailou na cabeça: – Como pagar a conta do padeiro? – E vai para a canga.

Logo mais, um propagandista procurá-lo-á. Oh! a formação do partido operário! oh! a incorporação do proletariado! a reivindicação do trabalho! a elevação do salário! Outro propagandista. Deves escolher fulano para chefe. Deves escolher sicrano. Deves escolher beltrano. Tu és o alicerce mais importante do edifício social, que diabo! as tuas opiniões devem ter curso, deves ter os teus representantes, deves ter o teu ideal político! é tempo de opor o valor do braço ao valor do capital...

E ele hesitará entre chefes, entre partidos, entre ideais, tonto, sem compreender bem o que lhe dizem, e irá votar inconscientemente no candidato que mais lábia tiver. E fechada a constituinte, declarados os direitos do povo, afirmada a liberdade dos cidadãos, reorganizada a nação, ele passará de novo por aqui, sem saber o que fez, de ferramenta ao ombro, na alegria matinal do sol, triste e miserável, enquanto os seus representantes ainda estarão, no conchego doce dos lençóis, tomando café e imaginando, com volúpia, como deve estar deliciosa a costeleta do almoço...

Uma costureira. Muito leve, muito risonha, no vestidinho claro de verão. Levanta a cabeça, ao passar por diante da minha janela: dous olhos chineses, em feição de amêndoa, muito negros e muito buliçosos. Não vota: portanto, não é povo. Que pena! como seria bem ser governado por um povo de olhos tão bonitos!

Um empregado público, naturalmente.

Rutilam-lhe as calças brancas sobre as botas bem engraxadas.

Acordou, leu carinhosamente os jornais, e, já almoçado, muito feliz e muito tranqüilo, com a família confortavelmente alojada na casinha modesta e limpa, e com a consciência calma, cheia da consoladora certeza da sua honestidade, vai cumprir o dever de todos os dias. Quando chegar o dia da eleição, votará, atendendo a uma série infinita de conveniências. Mas, ao chegar à casa, como homem sério, que tem a vida arranjada e pouco se importa com teorias, resumirá deste modo as suas impressões, englobadamente, sobre todos os candidatos: – São todos os mesmos, homem! Então, vamos a esse jantar?...

Um menino que vai para o colégio. Bem vestido. Um criado leva-lhe os livros. Menino rico. Será povo, mas não votará. Com a sua educação e a sua fortuna e o seu diploma, pertencerá naturalmente à primeira metade do povo: a metade que é votada.

Um homem prático. Vestuário severo, gestos medidos. Pisa a calçada solidamente, seguramente como o Sr. Ramalho Ortigão queria que os brasileiros pisassem: parece afirmar desse modo, com todo o peso e com toda a convicção das suas Clark 40, o direito que tem, como forte que é, de dominar a terra.

Um conhecido quer fazê-lo parar. Não pára. Vai andando e ouvindo: não tem tempo a perder. Quando chegar o grande dia do povo soberano, este cidadão votará, se não tiver negócio a tratar. Se o tiver, encolherá os ombros. E se insistirem com ele, dirá fleugmaticamente: – "Não posso, senhor, não posso! Eu não vivo de eleições". "Mas, meu caro... Quanto paga?"

Um boêmio. Vai procurar almoço. Já delineou em mente um projeto de constituição. Artigo primeiro: o governo dará, diariamente e gratuitamente, um bife e um maço de cigarros a cada cidadão.

O povo continua a passear, e eu continuo a olhar o povo e a considerar-me o mais feliz dos mortais, por não ter de ser eleito pelo povo nem de fazer explodir, em plena assembléia popular, o meu verbo fogoso, cheio de relâmpagos de entusiasmo...

* * *

A *Crônica* deve meia dúzia [*****] piedosas ao pobre galé [*****] polícia acaba de apreender [*****].

Este caso veio agora, [*****] escravidão, lembrar na hora da liberdade todo o horror do passado.

Da agonia do monstro ficaram [*****] para memória as últimas podridões [*****] vômito final. Os presídios do Brasil estão cheios de sentenciados, cujo crime único foi terem nascido com a pele tisnada pela origem africana e com a liberdade tolhida pela ganância dos brancos.

Romualdo assassinou o feitor da fazenda, em que servia. Assassinou-o em circunstâncias que têm sido mil vezes consideradas atenuantes para os livres, e que para o mulato escravizado foram consideradas as mais agravantes do mundo.

O homem livre, ao ver o seu leito desonrado pela mulher que ama, vai ao homem que o desonrou e mata-o. Mata-o, e desculpa-se diante da sociedade: – roubou-me o amor e a honra – matei-o! Romualdo viu o feitor violentar-lhe a mulher, escrava como ele, como ele despojada da plena posse do seu corpo e do seu amor. Assistiu ao sacrifício de sua felicidade, inexoravelmente, friamente praticado por quem tinha tudo por si: a superioridade da cor, as garantias da lei, a prepotência da força, a armadura das convenções sociais.

Matou-o. Se fosse livre, seria um homem digno. Era escravo; foi um criminoso. Não lhe puseram o retrato nos jornais, não lhe vestiram a alva romântica dos mártires: puseram-lhe ao pé uma calceta, vestiram-lhe a blusa numerada dos exilados da comunhão social.

Mas, Romualdo, afrontando todos os perigos, galgando serras e serras de obstáculos, readquiriu a liberdade; fugiu, asilou-se, honrado e nobre, no trabalho. Agora, passados anos, espostejada a escravidão, renascido o país, Romualdo não pode ser de novo privado de sua liberdade.

Temos o dever imprescritível de reabilitá-lo: a sociedade que o vitimou deve ser a primeira a estender-lhe a mão. Reveja-se o processo, e perdoe-se-lhe.

Mais do que isso: reabilitemo-lo, porque só se perdoam os criminosos e não pode ser um crime defender a honra.

O. B.

O Estado de S. Paulo 1897-1898

03 out. 1897 Diário do Rio

Diariamente agora, ao se abrir de manhã o *Estado de S. Paulo*, o leitor paulista há de achar aqui esta pequena crônica do Rio, canto humilde de coluna, em que o cronista registrará as suas impressões, em prosa simples, hoje vestida da leve roupagem da Fantasia amável, amanhã sangrando ironia, depois desmanchada em lágrimas sobre um desgraçado, depois aberta em sorrisos celebrando a alegria de viver e de amar.

Não nego que, neste mesmo momento, ao dispor no papel as primeiras linhas desta primeira página do meu *Diário*, uma dúvida me assalta. Acodem-me à lembrança aquelas duras palavras de Jules Lemaître, na coleção de *Les Contemporains*, quando se dispõe a estudar os cronistas do seu tempo: "J'ai senti amèrement que d'écrire des chroniques dans un journal c'est une des besognes les plus vaines auxquelles un homme puisse consacrer ses jours périssables"... E a mim mesmo pergunto se ainda haverá quem, nestes dias de luta e febre, queira demorar os olhos e a alma na leitura destas futilidades. Mas reflito logo que o próprio Lemaître, arrependido de haver tão cruelmente maltratado os cronistas, reconhece que a crônica é a poeira da História, da grave História soberana, cujo testemunho vasto e seguro se faz com os pequeninos testemunhos isolados: – cada um de nós, cronistas, é como o humilde mação que moureja no trabalho das construções, arfando com o peso das pedras que carrega, molhando com o suor o barro que amassa, – e desaparece, desprezado e desconhecido, quando acabado irradia o edifício, em cuja fachada fica apenas fulgurando o nome do arquiteto.

À crônica, pois! estes comentários leves, que duram menos ainda do que as estafadíssimas rosas de Malherbe, não deitam abaixo as instituições, não fundam na terra o império da justiça, não levantam nem abaixam o câmbio, não depravam nem regeneram os homens: escrevem-se, lêem-se, esquecem-se, tendo apenas servido para encher cinco minutos da monótona existência de todos os dias. Mas, quem sabe? talvez muito tarde, um investigador curioso, remexendo esta poeira tênue da história, venha achar dentro dela alguma coisa...

O. B.

08 out. 1897 Diário do Rio

Vai aqui reunir-se, brevemente, o quarto congresso de medicina e cirurgia. Deus me livre de reeditar, no *Diário*, toda a bolorenta série dos epigramas com que tem sido crivada a classe dos médicos e dos cirurgiões, – desde a prosa implacável de Molière até as desaforadas redondilhas de Bocage. Também eu sou quase médico; também tenho quatro anos de curso, e sei que os estudos que se fazem naquele casarão do largo da Misericórdia são sérios, rigorosos, completos; sei que há no Brasil médicos que são verdadeiras glórias; sei que... sei muitas coisas. Mas, sei também que, entre os médicos do Rio de Janeiro, há, desde tempos imemoriais, uma rivalidade terrível, uma guerra feroz, uma luta sem tréguas. Passam-se meses sem que venham ao público quaisquer manifestações desse desacordo: mas, de repente, o alarido cresce nos ares, os olhos dos contendores se afuzilam, e, pelas colunas pagas, dos jornais, começa a ferver os escândalos, começam a chocar-se as injúrias, começam a estrondar os doestos, – e é um nunca mais acabar de acusações, de denúncias, de revelações escabrosas, – e é especulador para aqui, e assassino para lá, e arrebentador de bexigas para ali.

Ainda agora mesmo, estamos assistindo a uma dessas batalhas edificantes: a galeria baba-se de gosto, e as empresas dos jornais metem nas gavetas o melhor dos combates, que é o dinheiro dos combatentes...

Talvez para acabar pouco a pouco com esse velho hábito de briga, sejam úteis os congressos. Não, meus amigos, que eu acredite na utilidade das assembléias... porque bem sei que o melhor meio de deixar sem solução um caso qualquer, é fazê-lo discutido por muita gente junta: se, à cabeceira de um doente, raramente chegam a um acordo dois médicos sobre a natureza de uma doença, mais raramente ainda chegarão a acordo com os duzentos, na assembléia do congresso, sobre o mais simples dos problemas da moderna medicina; e, se, por causa de uma talha mal feita ou de um tifo mal combatido, se injuriam eles de modo tão áspero, certamente se esganarão ou se esfaquearão, reunidos em Concílio, por causa da teoria microbiana ou por causa do saneamento da cidade.

Mas há uma coisa admirável, uma coisa divina, que espero da celebração regular dos congressos. É esta: havendo congressos, os médicos brigarão periodicamente dentro de casa, já que não podem deixar de brigar, e, calando a imprensa essas brigas, deixaremos de ter em público o triste espetáculo de médicos que se descompõem como... alveitares.

* * *

Não sei por que capricho, entrei hoje no Necrotério.

A luz, coada por vidros espessos, é discreta, naquele pequeno recinto, sorte de porto sinistro, a que vão ter os náufragos da miséria humana. Do mármore do chão, sobe um frio que enregela a alma: e o silêncio que ali há, de respeito e espanto, amedronta e repele. Entra a gente, de cabeça descoberta, andando devagar, abafando o barulho dos passos: e parece que a luz, o ar, a vida ficaram definitivamente lá fora, para lá daquela cadeia de ciprestes perfilados e escuros que rodeiam a casa, montando guarda à Morte...

Hoje, quando entrei, sobre uma das mesas, vestido e inteiriçado, com a nuca sobre a chanfradura em meia-lua do cepo de pau, estava um cadáver de homem, os braços esticados ao longo do tronco, os punhos cerrados e roxos, um lenço branco sobre a face.

Errava no ar um cheiro acre de ácido fênico. Rodei sobre os calcanhares, e ia abalar dali, quando um visitante chegou, parou um momento à porta, adiantou-se, roçou o meu ombro com o seu, sem me ver, deu uma volta pela sala, deteve-se um momento perto do cadáver, e caminhou para a porta, como um autômato, de olhos baixos, arrastando no lajedo os passos distraídos.

Era quase velho: uma barba maltratada e suja lhe ensombrava a face chupada e amarela.

O bigode caía sobre a boca, tapando-a; mas via-se que os lábios se agitavam, trêmulos.

Com as mãos metidas nas algibeiras do casaco puído, passou de novo por mim, e, de novo ficou, hesitante, na moldura da porta envidraçada. E, visto assim de costas, dava pena o misterioso visitante: sobre os seus grossos sapatos, já quase sem saltos, caíam as fímbrias esfiapadas das calças; o dorso curvado estava sacudido de uma respiração ofegante; e os cotovelos, num tremor contínuo, batiam o corpo, de quando em quando, de leve.

Saiu. Saí também.

Lá fora, no fulgor da tarde, não me detive a saborear o gozo de estar fora daquela sala medonha: segui o homem que se encaminhou para uma taverna de marinheiros. E vi-o sentar-se, pedir qualquer coisa, entornar na garganta de um borco um grande copo de bebida, e ficar imóvel, com os cotovelos fincados na tábua da mesa.

Pobre!... fora talvez, sem saber o que fazia, visitar a casa fúnebre, para onde qualquer dia será levado, com o crânio partido por uma bala, ou com o ventre inchado e verde, já meio comido dos peixes vorazes...

O. B.

09 out. 1897 — Diário do Rio [Cia]

Enfim, arrasada a cidadela maldita! enfim, dominado o antro negro, cavado no centro do adusto sertão, onde o Profeta das longas barbas sujas concentrava a sua força diabólica, feita de fé e de patifaria, alimentada pela superstição e pela rapinagem!

Cinco horas da madrugada, hoje. Num sobressalto, acordo, ouvindo um clamor de clarins e um rufo acelerado de caixas de guerra. Corro à janela, que defronta o palácio do governo.

Uma escura massa de gente, na escuridão da ante-manhã, está agrupada na rua. Calam-se os clarins e as caixas de guerra. Há um curto silêncio. E, logo, dos instrumentos de metal, estrompam, e dos tambores que se esfalfam rufando, como corações atacados de hipercinesia, rompe, alto e vibrante, o hino nacional. É uma banda militar, que toca à alvorada, em frente do palácio, para celebrar ainda uma vez a grande nova, transmitida ontem à nossa ansiedade pelo telégrafo.

Todos os galos da vizinhança acordam, juntando o estridor de seu canto ao estridor das trompas da banda. Longe, um pedaço de céu, tocado de rosa e pérola, anuncia o dia.

Como é bom despertar assim, em pleno júbilo, já com o coração livre daqueles sustos dos dias passados, quando a gente abrindo os jornais, sentia o coração pressago, cheio de medo, temendo o horror de novas catástrofes, de novos morticínios, de novas derrotas!

Enfim, assaltada e vencida a furna lôbrega, onde a ignorância, ao mando da ambição, se alapardava perversa! Enfim, desmantelada a cidadela-igreja, onde o Bom Jesus facínora, como um cura Santa Cruz de nova espécie, oficiava, tendo sobre o espesso burel a coronha da pistola assassina!...

O. B.

20 OUT. 1897 DIÁRIO DO RIO

Hoje, às 2 horas da tarde, – ó áspero! ó bruto! ó sufocante calor! – conversávamos alguns amigos, na rua do Ouvidor, quando ouvimos um estalo seco, e, logo, sobre os nossos chapéus, caiu uma chuva de caliça esboroada. Levantamos as cabeças, e vimos que a platibanda do prédio, à cuja sombra nos acolhêramos, tinha uma larga racha transversal. Uma nuvem tênue de poeira bailava, na fulguração ofuscante do sol. E, antes que a casa viesse toda abaixo, abalamos dali, com a alma em frêmitos, apavorados.

Porque é isto agora a rua do Ouvidor, ó meus amigos de S. Paulo: uma rua que desaba! Todas aquelas casas, contemporâneas de D. João VI, estão roídas na base pelo dente forte do Tempo: de quando em quando, a piedade do proprietário (a piedade?... digamos antes a ganância!) submete uma daquelas pobres velhas ao processo sumário de uma reparação rápida, brocha-lhe a cara com carmim e alvaiade, arreia-a de arrebiques e afeitos, e deixa-a assim ficar, ridícula e espalhafatosa, sorrindo ao sol como uma Górgona gaiteira, moça por fora e velha por dentro.

Quem vê a matrona, assim recoberta de alfaias, cuida que a vê na sua primeira mocidade, naqueles tempos em que a corte beata e malandra do rei tabaquento enchia a cidade. Ai! pobres casas! é em vão que o sol se delicia, esfregando-se voluptuosamente pelas suas muralhas caiadas de novo... em vão! os pés estão trôpegos, as paredes estão bambas, as articulações estão desfeitas, todo o seu corpo gasto está cambaleando e caindo.

As autoridades (é inútil dizer) conhecem tudo isso e muito mais do que eu...

Mas que hão de as autoridades fazer? Elas, as zeladoras da segurança pública, não querem nem devem fechar o ouvido aos pedidos ou às exigências dos que podem, num momento dado, fornecer messe abundante de votos para a salvação desse ou daquele candidato do Triângulo em perigo. E permitem que as inválidas fiquem de pé, dando dinheiro, e equilibrando-se miraculosamente sobre os alicerces podres. Num belo dia, desaba uma delas, e mata cinco ou seis sujeitos... Que mal, nisso? há tanta gente apertada na urbe carioca, que, enfim, não é mau desapareçam alguns pares deles por dia, debaixo do desterroamento dos prédios velhos...

O que sei é que a Municipalidade fez mal em dar à rua do Ouvidor, a valetudinária gamenha, o nome de rua Moreira César. O nome que lhe ficaria bem, o nome que lhe ficaria como uma luva, seria, atendendo à iminência dos perigos que a viela da moda hoje guarda no seu seio, este nome expressivo e histórico: rua de Dâmocles...

O. B.

30 out. 1897 Diário do Rio [CF]

Ontem, um caso trágico, que bem merece quatro linhas de comentário.

Chegara de longa viagem, atulhado de cargas, o *Harrox*, navio inglês. A maruja folgava, prelibando o repouso, o regabofe, a mona regalada em terra, sem o medo dos ventos ásperos, sem a fadiga da faina do mar alto. E, quando se abriram as escotilhas do porão, para começar o serviço da descarga, os marinheiros recuaram, tomados de espanto, achando lá dentro duas estranhas cargas que não constavam do manifesto do vapor: dois corpos humanos, inchados e podres, empestando o pouco ar do escuro depósito. A conclusão do inquérito, logo aberto, foi esta: Em Liverpool, os dois desgraçados, não tendo com que pagar a passagem, esconderam-se ali. Fechou-se o porão, o navio levantou ferro, ninguém deu por eles. Não tiveram passagem gratuita só para a América; tiveram-na para uma viagem mais longa, para a viagem à *undiscouvered* [sic] *country*...

Certo, haviam penado longo tempo na pátria, sem trabalho, sem casa, sem pão, sem amor. Não se lembraram de arrojar dinamite sobre a burguesia feliz: lembraram-se de que longe, além dos mares largos, havia uma terra imensa, onde se dizia que ouro andava aos pontapés...

Por que ficar sofrendo no nevoeiro e na miséria da pátria? Por que não procurar a terra do sol e da riqueza? E, às escondidas, meteram-se no porão do navio: já longe da costa apareceriam, contariam o seu caso à gente de bordo, e com certeza a gente de bordo não os arrojaria ao mar, nem os deixaria morrer de fome, como cães...

Pobres! quando no primeiro dia de viagem o ar começou a faltar naquela furna lôbrega, quando a sede cruel começou a requeimar-lhes as entranhas, gritaram, chamaram, choraram, rugiram. Quem poderia ouvi-los? no navio, as máquinas trabalhavam com fragor; fora do navio, as ondas estardalhaçavam; os ventos zuniam. E todo mundo na tolda, trabalhava, ria, conversava, – vivia... e ninguém poderia imaginar que ali em baixo estavam duas criaturas que se estorciam, que lentamente agonizavam, no mais cruel, no mais trágico, no mais espantoso dos martírios!

E a América que sonhavam maravilhosa, esplendente de ouro, pletórica de riquezas, apoplética de felicidades, – pátria de todos os órfãos – vieram achá-la, mortos, mortos de fome, de sede, de asfixia, na treva absoluta e na absoluta solidão...

O. B.

15 nov. 1897 **Diário do Rio**

Aqui temos o novo estado de sítio! chamou-o de novo a nossa loucura, trouxe-o de novo a imprudência com que vivemos sofregamente a desmanchar com os pés o que fazemos com as mãos. Povo... eterna criança...

* * *

Há dias, estava eu à janela de uma casa, olhando distraidamente a rua. E, como perto havia uma casa em construção, a rua estava atravancada de madeiras e tijolos. E vi que dois meninos, cansados de cabriolar na esquina, vieram para junto dos tijolos, resolvidos a construir uma casa. Primeiro um tijolo, depois outro. Suavam as duas crianças, extenuavam-se. Paravam, descansavam, tornavam ao trabalho, ansiosos por vê-lo concluído. Prontas as paredes laterais, começou a levantar-se a do fundo. Depois, outros tijolos se equilibraram entre elas, outras paredes subiram, dividindo compartimentos. E, por fim, uma grande tábua serviu de teto. Estava a casa acabada.

E as duas crianças se entreolharam, com uma expressão indizível de júbilo, com a satisfação vitoriosa do artista, que ao ver a sua obra completa, sente a alma invadida e dilatada pelo orgulho supremo do Criador. Entraram a bater palmas, a dançar, a gritar, à roda do seu palácio. Depois, um dos meninos fez de banda de música, trombeteando; o outro improvisou uma bandeira; e a passeata festiva dos dois contornou a casa.

Mas, daí a pouco, pararam, entreolharam-se de novo, já enfarados daquela alegria. A música emudeceu, a bandeira caiu. Um aproximou-se da casa, começou vagarosamente a puxar um dos tijolos de baixo. O outro inclinava-se, atento, de olhos fixos. E sorriam os dois, prolongando voluptuosamente a expectativa do gozo inefável que iam ter, quando a casa se desmoronasse toda.

Um último puxão... Rompeu-se o equilíbrio, abriram-se as paredes, desabou o teto, e um monte de tijolos cresceu, desordenadamente, no lugar em que, havia pouco, se levantava o palácio improvisado.

E, logo, sem transição, sofregamente, alucinados de novo pela febre do trabalho, recomeçaram a construção da casa, provavelmente para que em breve pudessem ter o prazer de demoli-la de novo...

* * *

Povo! eterna criança... Não queremos tomar juízo... quando a obra fica acabada, estragamos tudo... Decididamente, parece que o Brasil não quer ser governado pela tolerância e pela moderação...

O. B.

20 nov. 1897 Diário do Rio

Sonhei esta noite que era prefeito municipal. Um gênio bom me enchera de importância política, apontando-me ao governo como o único possível salvador do distrito federal. E sonhei que aceitara a nomeação, e que, instalado na curul de Edil-mor, começara a trabalhar...

Logo, numa chusma inumerável, vieram os pretendentes, em número maior que o das estrelas do céu e o das areias do mar. E a todos os que chegavam, sem distinção, perguntava eu: "Sabe o senhor empunhar uma vassoura? sabe o senhor varrer uma rua?" Porque toda a minha preocupação era esta: varrer a cidade. E, assim que tive organizado o meu exército de varredores, disseminei-os pela vastíssima extensão da urbe de Mem de Sá, e o formidável trabalho começou. E o pó que as vassouras levantavam era tanto que enchia o céu e empanava o brilho das estrelas na altura. Nem todo o lixo de Xangai e todo o cisco de Fez, reunidos, poderiam dar idéia pálida do que era o cisco e o lixo de Sebastianópolis; gastavam-se as vassouras, morriam esfalfados os varredores, vinham vassouras novas, novos trabalhadores chegavam, e cada vez mais lixo! e cada vez aparecia mais cisco! e era um nunca mais acabar de imundícies remexidas! No mar, começou a crescer o aterro. A borra da incúria municipal enchia o seio imenso da baía. A sujidade repelia as águas. A cidade crescia. Houve um momento em que o aterro ganhou a ilha do Governador, a ilha das Cobras, Villegaignon, Santa Cruz, Lage, S. João... desaparecera a baía do Rio de Janeiro... e cada vez havia mais cisco! e cada vez aparecia mais lixo! e, passando a barra, a imundície começou a entulhar o largo Oceano... Então, as potências reunidas intimaram a suspender um trabalho que assim ameaçava impedir a navegação universal.

E, convencido de que não havia forças humanas que acabassem com o lixo e o cisco que a passada administração municipal deixou acumulados na cidade, pedi a minha exoneração e... acordei.

O. B.

26 nov. 1897 Diário do Rio [Cia]

Um jornal da Bahia, registrando a entrevista que teve um redator seu com certo oficial recém-vindo de Canudos, narra interessantes episódios posteriores à ultimação da guerra. Este é particularmente trágico na sua simplicidade:

Havia, no arraial, um grande número de cães. Cada jagunço tinha o seu cão, companheiro fiel que o acompanhava às caçadas, às batidas do mato, às caminhadas longas pelo sertão velho. Quando o sítio começou, os animais ficaram, como os homens, encurralados no arraial, de orelhas a fito, farejando o perigo, latindo ao luar, alta noite, vigiando as entradas dos desfiladeiros, guardando a toca negra em que o Conselheiro residia com os seus exércitos de jagunços. Mas quando, feroz, o bombardeio principiou a derrubar as casas, os cães abalaram, desvairadamente, fugindo da metralha: não podiam ter a inabalável fé, a crença ardente dos jagunços, nem sobre a alma deles podia ter influência a palavra ardente do Messias sertanejo...

Não viram arderem as casas, varadas de balas, comidas pelas chamas do querosene; não viram a chacina última, não assistiram ao trágico horror da derrota, não ouviram o fragor vitorioso das bandas de música invadindo o reduto conquistado: andavam pelo mato, famintos e aturdidos, vagabundos, chorando os donos ausentes.

Depois, quando cessou o clamor da artilharia, quando os batalhões recolheram a Monte Santo, quando apenas um punhado de soldados ficou guardando Canudos, ei-los de volta, magros, descarnados, ansiosos, de focinho no chão, pelas ruas desertas da cidadela, cheirando o sangue empoçado, uivando melancolicamente na solidão e no silêncio das ruínas. E o oficial que narrou o caso ao jornal baiano conta que viu muitos deles empenhados em cavar a terra, em descobrir os cadáveres podres, em farejá-los longamente, procurando descobrir os donos, os antigos companheiros das caçadas, das batidas de mato, das caminhadas longas pelo sertão velho...

O. B.

17 DEZ. 1897 — DIÁRIO DO RIO

Já deveis saber que estão encerrados os trabalhos do primeiro ano da Academia de Letras.

E, sabido isso, tendes o direito de me perguntar o que fizemos durante esse primeiro ano, porque (ó nunca sonhada glória!) eu sou um dos quarenta imortais... E em verdade vos direi que a Academia nada fez, porque os acadêmicos não apareceram: eu, pelo menos, acadêmico e imortal, nem uma só vez apareci *sous la coupole*, com os nobres fins de levantar o nível intelectual da nação, fixar as regras da língua portuguesa, e discutir se o Brasil se deve escrever com *s* ou com *z*. Nos dias de sessão, o presidente, entre os seus dois secretários, ficava inutilmente abancado, à espera da presença da Imortalidade: a Imortalidade ficava em casa trabalhando, ou na rua do Ouvidor namorando, ou na *Colombo* tomando um *chopp* do Stupakoff.

Porque não apareciam os acadêmicos? Por preguiça? por desdém? – não! por modéstia...

Por modéstia, sim! Conheci um bom homem, sério e simples, dado ao trabalho, praticando a caridade espontaneamente, espontaneamente fazendo o bem, sem pretender a menor recompensa. Um dia, tendo dado não sei quantos contos de réis a um hospital português, El-Rei D. Luís assinou um diploma, embrulhou nele uma comenda, e o meu homem teve o grande espanto de receber tudo isso, de surpresa, de supetão, de cilada, como quem, na volta de uma esquina, alta noite, recebe uma facada nos fígados. E o desgraçado, daí por diante, teve naquela comenda o seu terror, a sua agonia, o seu pesadelo. Deixou de sair, para não receber na rua o cumprimento dos amigos: e entrou a minguar, de puro desgosto, até que morreu. Dizem que morreu de uma endocardite: é falso! foi a comenda que o matou!

Imagine agora que, sobre esse homem simples e sério, desabasse a calamidade, não de uma simples comenda, mas de uma pesada auréola de Imortalidade!... Oh! ser imortal em vida! há razão que resista a esse abalo? há alma que não vacile ao receber esse choque?

Os Imortais, apavorados, não ousam ostentar a sua auréola. Porque, realmente, quando os nossos livros não se vendem, quando não podemos viver da nossa literatura, quando valemos menos, na consideração social, que os sapateiros e os *book-makers*, fazemos uma bem triste figura, arrastando pela lama das ruas os nossos esburacados mantos de deuses arrebentados... Ficamos semelhantes a velhos fidalgos sem pão, condenados a almoçar, a jantar e a cear unicamente nacos duros e mofados de brasões e escudos...

Ai! de nós!... até chego a achar razão naquele perverso sujeito que, na rua do Ouvidor, como lhe perguntassem porque eram imortais os acadêmicos, respondeu simplesmente:

– Porque não têm onde cair mortos!

O. B.

24 dez. 1897 — Diário do Rio

Hoje, na rua do Ouvidor, não sei porquê, atacado de um acesso de filosofia barata, deixei-me ficar a seguir com os olhos uma mocinha que passava num grupo de outras moças, – magrinha, insignificante, nem bela nem feia, mas animada de uma graça e beleza sem fim... Um narizinho petulante, levantado para o ar, num assomo contínuo de desafio; olhos movendo-se constantemente nas órbitas; e passava por entre as ondas do povo, com o desembaraço de um rapaz, sorrindo aos janotas, mirando-os face a face, namorando-os, a todos, mostrando no sorriso os pequeninos dentes de carnívora sensual... E fiquei a pensar que assim como a gente o vê, aquele frágil corpinho tem mais força de resistência que o corpanzil de um soldado alemão. Aquela menina é pobre, alimenta-se mal, não tem higiene, mora em qualquer casinha de S. Cristóvão, salta logo de madrugada para varrer as salas, espanar os móveis, lavar, cozinhar, engomar, e às duas horas vem para a rua do Ouvidor, e aqui fica, rolando e namorando, e à noite, ainda vai dançar polcas sem fim e valsas sem conta em um Clube qualquer: e, na madrugada seguinte, recomeça a mesma vida estafante, essa mesma existência de febre e rodopio, à qual nem o próprio Hércules poderia resistir...

Viva Deus! aquela menina é um símbolo! aquela menina simboliza admiravelmente esta cidade do Rio de Janeiro, – doente, febril, sem higiene, sem comida, trabalhando como uma moura, mal sabendo como há de pagar os seus vestidos de chita – mas fazendo da vida um perpétuo passeio, uma perpétua polca, uma perpétua loucura.

Aquela rapariga é a nossa boa cidade, que tem o câmbio a 7, a carne a peso de ouro, as ruas sujas, um clima que mata, um pseudo-serviço sanitário, que a enterra, e fome, e lazeira, e febres, e lixo, e dívidas, – mas que, tendo tudo isso, tem alegria para dar e vender... Dêem-lhe um pouco de música, algumas bandeiras, uma procissão, um fogo de artifício, um pouco de sol, um punhado de *confetti*, uma boa carga de *blague* – e vê-la-ão divertir-se loucamente com esse pouco, e com esse pouco ser intensamente feliz.

Boa e brava cidade! que sendo assim leviana, ainda descobre tempo para praticar a política! E dela se pode dizer o que Musset dizia da sua trêfega e famosa Mimi Pinson:

Mimi Pinson n'a pas l'âme vulgaire,
Mais son coeur est republicain:
Aux trois jours, elle a fait la guerre,
Landerirette,
En casaquin...
A' défaut d'une hallebarde,
On l'a vue, avec son poinçon,
Monter la garde!

O. B.

12 JAN. 1898 DIÁRIO DO RIO

Aqui tenho o número especial da *Revista Moderna*, dedicado a Eça de Queirós. Trinta e um escritores portugueses e brasileiros colaboram nessa poliantéia.

Ai! uma poliantéia! Se essa coisa fosse feita aqui, não me espantaria: nós ainda temos ridículas manias de que não nos livraremos tão cedo. Mas a *Revista Moderna* é publicada em Paris, é redigida e dirigida por gente que lá vive, no foco da civilização moderna, na luminosa Paris, na Paris da arte e do bom gosto! e é essa Revista que se lembra de despejar sobre a cabeça de Eça, para celebrar a publicação do primeiro capítulo da sua *Ilustre Casa de Ramires*, a calamidade de uma poliantéia!

Para ver que uma poliantéia é sempre um horror de banalidades, um amontoado de tolices, um acervo de lugares comuns, basta passar os olhos pelas páginas deste fascículo da bela *magazine* de M. Botelho. Os colaboradores são poetas e prosadores de mérito real; o assunto é magnífico; e não se pode absolutamente compreender como da exploração de tão magnífico assunto saiu obra tão banal, tão fútil, tão mole.

Um dá como último progresso de Eça a sua conversão à fé. Outro termina o seu artigo, saudando "nesse nome tão glorioso e querido, mais um irmão de armas na obra três vezes santa da demolição de todos os preconceitos de casta e um precursor da humanidade feliz e *libertária* de amanhã". Outro escreve textualmente isto: "Folgo de ter uma ocasião de tributar ao extraordinário artista o meu reconhecimento pelos muitos momentos de gozo literário que encontrei em sua leitura"! Este, enfaticamente, declara amar o romancista porque ele "conserva a cabeça erguida no meio da derrocada geral das individualidades". Aquele, desapiedadamente, vitima Queirós com um soneto que acaba assim:

E, sem a pena a besuntar de Himeto
Deito, em honra de São José Maria,
Em guisa de foguete este soneto.

Aqui temos um que achou esta grande novidade: "O autor do *Primo Basílio*, quando escreve, tem o condão de fazer da sua prosa de artista o espelho onde se reproduz nitidamente a *élite* da sociedade". Mas, ainda há melhor... O Sr. Luís de Magalhães diz que Eça "é *visceralmente*, um poeta". O Dr. Abel Botelho diz que "o *Primo Basílio* é uma Bíblia". O Sr. Câmara Lima, que parece ter o segredo de escrever grandes coisas em pequenos artigos, diz: "Do fundo da minha humildade, como um mendigo no fundo do seu casebre, eu levanto-me e tiro o meu chapéu àquele que passa, e que, como o velho Herien, ao desvalido dava o seu pão, me matou uma velha sede e fome de Ideal..." E um outro cavalheiro, num estilo que faz lembrar os *a pedidos* de felicitação do *Jornal do Comércio*, escreve: "Se a voz da gratidão é – como diz o poeta – uma das mais raras e das mais belas, que não falte a este concerto de saudações ao Mestre!"

Santo Deus! Com que íntima e profunda amargura, Eça de Queirós, – tão fino, tão sombrio, tão artista, tão comedido – deve ter visto o seu nome embrulhado nessa história! E que gente esta, que não sabe amar um grande escritor em silêncio, sem o sepultar debaixo das avalanches de uma retórica ridícula!

O. B.

15 jan. 1898 — Diário do Rio

Se vos désseis ao trabalho de ler nas folhas a lista das patentes de invenção que o governo concede, teríeis lido notícia do privilégio, obtido por um compatriota nosso, para fabricação de um agente esterilizador e desinfetante, que se destina "a destruir a vegetação nas ruas e praças públicas, impedindo o seu desenvolvimento". Naturalmente, a vegetação a que se refere o inventor é esta verde e admirável vegetação rasteira que luxuosamente atapeta a nossa via pública. Mas, conhecido o rancor com que os poderes municipais parecem odiar as árvores, deixando que elas sejam implacavelmente destruídas, nada impede que, para maior facilidade da destruição, o agente esterilizador, uma vez provada a sua eficácia, seja também aplicado a esses grandes e incômodos troncos, que atrapalham o trânsito dos carroções, e viciam o ar atmosférico, saturando-o de oxigênio.

O Rio de Janeiro (sempre na opinião dos poderes municipais, e na minha) precisa ver-se livre desta abominável fama, que tem, de possuir a mais rica natureza do mundo. Em matéria de natureza rica, já nos basta a das margens do Amazonas. E, lá, naquelas brenhas feracíssimas, fica a natureza muito bem, muito à vontade. Que vem ela fazer numa cidade: "Tem uma bela natureza"? É como se dissesse de uma selva cerrada: "Tem esplêndidos edifícios"!

Depois, repito, as árvores (sempre segundo a minha opinião e a opinião dos poderes municipais) viciam o ar atmosférico, porque o carregam de oxigênio. O oxigênio dá uma vida exagerada aos pulmões, acelera a marcha do sangue, enche o corpo de uma saúde inconveniente e a alma de uma alegria escandalosa. É às árvores do Rio de Janeiro que devemos toda a nossa futilidade, toda a nossa perene criancice. Para destruí-las, trabalham há muito tempo em vão os poderes municipais, já deixando-as sem trato, já permitindo que a *Botanical Garden* as elimine para dar lugar ao assentamento dos seus postes elétricos, já consentindo que os moradores dos subúrbios as decepem e talhem para convertê-las em lenha. Tudo isso não tem bastado. Já lembrei um dia ao conselho municipal a conveniência de ser criado um imposto pesado sobre a vegetação das chácaras: o proprietário pagaria tanto por mangueira, tanto por *flamboyant*, tanto por jabuticabeira; e, aumentando progressivamente o imposto, o conselho municipal acabaria por obrigar os amantes da natureza a se desfazerem dos seus trambolhos verdes... Agora, felizmente, o invento do nosso compatriota vem auxiliar poderosamente a ação exterminadora. Molhada a terra com irrigações abundantes do *esterilizador-desinfetante*, ficará ela seca e improdutiva como um útero de noventa anos. E o inventor, – Abel Parente da Terra, esterilizador de Cibele, matador de todos os germes da Criadora dos Seres – merecerá uma estátua, em cujo sopé se leia a inscrição gloriosa: "A urbe desoxigenada ao seu desoxigenador".

Abaixo as árvores! E que, nos últimos troncos, que sobreviverem à hecatombe, sejam enforcados os últimos higienistas retrógrados!

O. B.

17 JAN. 1898

DIÁRIO DO RIO

Pouca gente, em S. Paulo, não se lembrará do belo poeta e do belo moço que foi Severiano de Rezende, que ontem abracei aqui, revestido da batina severa, transformado, outro homem, outra fisionomia, outra face, outra alma... A esta hora, vai ele a caminho da triste e deserta Mariana. E, agora, começo a lembrar-me daquele Severiano de outrora, turbulento, transbordante de talento e de alegria, dado aos escândalos da vida boêmia, vivendo para o Sonho e para a Blague, sacerdote do Paradoxo, achando que a glória de ser Papa não valia a glória de ter composto um soneto perfeito...

Quando me disseram que o poeta, repentinamente, mudando de vida, contrariando a família e amigos, abalara para um Seminário, decidido a fazer-se padre, confesso que, como todos, supus que isso fosse um novo capricho, uma nova originalidade, uma nova blague. E, com o correr dos meses e dos anos, esqueci-me dele. Ontem, abraçando-o, fiquei abalado. Já não estava ali o rapaz petulante, de gestos desmanchados, de olhar atrevido, de palavra faiscante, em quem tudo denunciava a preocupação *d'épater le bourgeois*. Modesto e sereno, simples de maneiras e de palavras, sendo padre sem o desejo de mostrar que o é, não entrando em explicações sobre as suas novas idéias, encarando a vida sob um novo aspecto de resignação e de calma, como eu lhe perguntasse se era feliz, respondeu apenas: "Tenho paz, e não preciso de mais nada..."

Que profunda revolução, que animamoto radical, se podem dar assim dentro de um cérebro e dentro de um coração? Há aí um mistério, que ninguém pode sondar... Por mim, declaro que a impressão que me deixou o novo padre foi a de um grande consolo. Achei-o calmo e repousado, contente com a sua sorte, tendo definitivamente assentado a sua vida, "tendo paz, e não precisando de mais nada". Não é uma felicidade invejável? E sendo sacerdote, não pode este moço de talento (por mais enganadora que seja a Fé) trabalhar para o bem comum com mais proveito do que se ficasse como eu a cultivar a retórica banal?...

O. B.

20 JAN. 1898

DIÁRIO DO RIO

Há bastante tempo, quando, a propósito de não sei que incandescente questão política, os estudantes do Rio de Janeiro andaram a vaiar jornais e jornalistas, encontrei um francês que caiu sobre mim a fundo, aproveitando esse caso para dizer do Brasil aquilo que nem mesmo da Alemanha seria capaz de dizer. Eu, acabrunhado, concordava: sim! era revoltante que uma multidão de moços se aproveitasse da sua mocidade e da sua superioridade numérica para injuriar à luz do sol homens, cujo crime único era dizer claramente o que pensavam. Mas, ao mesmo tempo, dizia eu, nem só no Brasil se davam esses excessos e esses desmandos. "Em toda a parte, a multidão é irresponsável! Cem homens que, separadamente, são ajuizados, tolerantes, justos, uma vez reunidos são capazes de chegar aos últimos exageros da injustiça, da intolerância e da loucura. E, se essas manifestações de *delírio das multidões* se dão freqüentemente em assembléias de homens velhos e experientes, que grande espanto é que se dêem em reuniões de moços, cujo exaltamento é fácil, cuja experiência é curta, cujo critério é naturalmente apaixonado?..." O meu interlocutor, porém, sacudia a cabeça. E eu via bem, no olhar que ele me lançava, o seu profundo desdém de homem civilizado pela minha terra bárbara.

Ora, alguns anos correram. E, em Paris, como o grande Zola se tenha metido a acreditar na inocência de Dreyfus, a mocidade parisiense vive há dois meses a cobri-lo de tantas injúrias, de tantos insultos, de tantos horrores, que ninguém pode conter a indignação diante dessas agressões diárias e terríveis feitas a um homem que se elevou pelo trabalho e pelo talento, e cuja honestidade nem mesmo os inimigos literários (que são os mais rancorosos de todos os inimigos!) se atreveram jamais a pôr em dúvida. Agora, os agressores não se limitam a gritar: segundo os últimos telegramas, as oficinas do *Journal* estão ameaçadas de assalto, e Zola, se ousasse sair à rua, seria linchado... Uma ameaça de *lynchamento* na Europa! E assim a civilizada, a disciplinada, a admirável Europa se vê forçada a imitar a bárbara América, cujos costumes tanta sátira lhe tem inspirado e tanta chacota acerba tem merecido da verve desocupada do seus cronistas.

Não sei por onde anda agora quem me afirmava, há anos, que somente em Fez, ou em Tombuctu, ou nas povoações do centro da África se poderiam ver as vergonhas que se vêem no Rio de Janeiro...

O. B.

28 JAN. 1898 DIÁRIO DO RIO

Bastante razão têm os padres de Cristo, quando atribuem todas as conquistas da ciência a manifestações do grande poder do Rebelado. É ele, de fato, quem dá força ao braço sacrílego, com que a ciência empunha a picareta destruidora.

Mas, até agora, um natural pudor impedia as indústrias e as artes de altamente confessarem a sua origem negra: e, hipocritamente, adoravam em público ao Senhor, enquanto no íntimo adoravam o Diabo, seu avô e seu criador. E eis agora a máscara caída por terra! o povo *yankee* não ama a hipocrisia, e quer adorar o Diabo às escâncaras, sem véus, tendo a nobre coragem da sua danação.

Diz uma *vária* do *Jornal* de anteontem:

"Projeta-se elevar nos arredores de Pittsburgo, o grande centro metalúrgico da Pennsylvania, uma estátua colossal de Tubalcaim, filho de Lamech e de Zilla, neto de Caim que, segundo o Gênesis, inventou a arte de forjar os metais."

Já, no porto de Nova York, aquele povo sacrílego levantara a estátua colossal da Liberdade, furando o céu com o seu imenso facho elétrico. E já, naturalmente, no fundo da sua residência estrelada, o Senhor deve ter arrepiado as barbas, de pura indignação, vendo assim glorificada uma aspiração humana, tão contrária aos interesses do seu velho e ferrenho despotismo. Agora, porém, a injúria é direta e feroz! levantar uma estátua ao neto do matador de Abel! glorificar o neto, daquele que, primeiro, se revoltou contra o criador! adorar em efígie a raça do Traidor! perpetuar no bronze a estirpe negra do Expulso!

Tubal-Caim é o Trabalho. E Deus não ama o trabalho, porque o Trabalho é orgulhoso e arrogante. Quando, em Pittsburgo, a figura vitoriosa do Ferreiro se levantar, brutal, com o avental de couro amarrado aos rins e o braço erguido empunhando o malho Onipotente, a rebeldia daquele povo será patente aos olhos do Senhor. E o Senhor compreenderá então a significação dos versos de certo Poeta, cuja alma possuída do demônio deve estar atualmente rejubilando entre as chamas infernais; o Senhor compreenderá a profecia de Baudelaire:

Ah! race d'Abel, ta charogne
Engraissera le sol fumant!
Race de Caïn, ta besogne
N'est pas faite suffisamment:

Race d'Abel, voici ta honte!
Le fer est vaincu par l'épieu!
- Race de Caïn, au ciel monte,
Et sur la terre jette Dieu!...

O. B.

01 fev. 1898

Diário do Rio

Ainda há pouco, lendo a notícia da morte de Émile Richebourg, pus-me a pensar no incalculável número de almas que esse grande fabricante de livros divertiu... Nem Balzac, nem Flaubert, nem Zola puderam nunca ter a centésima parte do público que teve este mestre-fanqueiro!

Quando eu era menino, já os jornais do Rio publicavam em folhetins os romances de Richebourg, – dramas pantafaçudos, recheados de episódios trágicos, povoados de heróis, de patifes, de assassinos, de duquesas apaixonadas, – mundo singular que se agitava diante da nossa imaginação, no colégio, quando, enganando a vigilância dos bedéis, íamos avidamente, sofregamente devorar a narração daquelas aventuras espantosas. E com fervor admirávamos quem remexia todo esse mundo, como um criador, amassando-o nas mãos, bafejando-o, animando-o, dando-lhe vida!

Com o correr do tempo a admiração acabou... nunca mais li Richebourg: mas nunca deixei de ver o nome dele assinando folhetins nos jornais, continuando a exaltar outras imaginações como exaltara a minha, seguindo a sua missão na terra, a sua missão de perturbador de almas.

Certo, quando a gente pensa na inanidade, na inutilidade da obra de um Émile Richebourg, encolhe os ombros com desdém, e lastima que um fanqueiro desses possa alcançar a popularidade, a glória e a riqueza, que nunca um artista, como o criador da *Bovary* ou como o criador do *Père Goriot*, poderia ter. Mas, quando esquecendo os seus gostos e os seus sentimentos individuais, um homem pensa na multidão de almas simples que os romances de um Richebourg qualquer têm encantado, não pode deixar de reconhecer que esse Richebourg atravessou a vida praticando o Bem. Nos quatro cantos da terra, a leitura dos livros dos Boisgobey, dos Ponson du Terrail, dos Gaboriau, faz adormecer o Desespero, faz dissipar-se o Tédio, faz atenuar-se a dureza da realidade, feia e triste da vida. Aquela existência extra-humana das criaturas do romancista, posta ao lado da existência real, é o sonho que embala, é o bálsamo que acalma, é a fantasia que dá a ilusão.

Direis que essa leitura deixa as almas envenenadas... Mas que importa que o ópio, uma vez passada a sua ação benéfica, tenha deixado enfermo o cérebro de um doente? que importa que, acabado o sonho, venha o despertar, mostrando mais feia e mais dura a realidade? Ah! neste mesmo momento em que escrevo deve haver, na vasta face da terra, muitas almas embebidas na leitura dos livros desses grandes apóstolos da Mentira. E essas almas, esquecendo as suas próprias preocupações, vivem a vida daquele caleidoscópio mágico, em que passam e repassam heróis, patifes, assassinos, fidalgas amorosas, duelos, raptos, suicídios, noivados, catástrofes, assombros!

E aí está como um ganhador das letras, um forjador de livros maus, um profanador da pureza divina da Arte, fica, quando a gente pensa bem na sua infância, transformado num benemérito distribuidor de esmolas espirituais!

O. B.

10 FEV. 1898 DIÁRIO DO RIO

Decididamente a Decadência, na Europa, não se manifesta apenas na literatura, na prosa esverdeada e crispada de Huysmans, nos versos deliqüescentes de Mallarmé. Agora, a decomposição dos costumes acompanha passo a passo a decomposição das letras, – justamente como em Roma, nos últimos tempos da sua grandeza, quando o *Satiricon* de Petrônio, escrito numa língua diabólica que era a prostituição da serena língua de Cícero e de Horácio, refletia os vícios requintados e o mole feminismo daquela civilização cansada.

Assim, as senhoras européias, se ainda (graças a Deus!) não chegaram a vestir-se com a pompa desabrida e a incomparável sensualidade com que, importando as modas da Ásia, se vestiam as contemporâneas de Petrônio e de Áulo Gélio, já começam a inventar extraordinários requintes de toalete. Já deveis saber aí o que é a última jóia da moda, em Paris: uma tartaruga viva, ou antes, um pequeno cágado vivo, com a carapaça toda incrustrada de pedras preciosas, retida por uma leve cadeia de ouro que as rainhas de elegância parisiense atam ao colo, de modo que o animalzinho rutilante pode, num círculo restrito, mover-se sobre a seda do corpete.

Para fazer-se uma idéia do sucesso dessa invenção, basta ver a seriedade, a convicção, o interesse com que todos os jornais a descrevem, estudam e exaltam. Em um dos últimos números de *L'Illustration*, vem um estudo minucioso sobre ela. E várias gravuras mostram as complicadas combinações de ornatos que a fantasia dos joalheiros tem achado para a nova jóia viva. Aqui, sobre a casca deste animal, abre-se uma flor de rubis no alto de um galho de esmeraldas; ali, sobre o dorso de outro cágado, os berilos, e as safiras, e os topázios se combinam, formando perfis de dragões, de quimeras aladas, de escorpiões. A coisa é inacreditável!

E, insensivelmente, pensa a gente em certa página do *À Rebours* de Huysmans, esse profeta da deliqüescência... O herói desse romance perturbador, o complicado e desequilibrado Des Esseintes, também sonhou mandar chapear de ouro e constelar de pedrarias o casco de uma grande tartaruga, para que essa jóia monstruosa e fulgurante, lentamente passeando pelo seu gabinete de estudo, lhe regalasse a vista... Vê-se agora que não há imaginação macabra de romancista que não possa ser igualada, e mesmo excedida pela realidade. Aquilo que Huysmans imaginava como aberração de um cérebro doente, é hoje friamente realizado e praticado pelas senhoras de Paris: e ainda o maluco Des Esseintes queria ver o animal no chão, sobre o tapete da sala, e as senhoras de Paris querem senti-lo no próprio peito, sobre a seda do próprio vestido!

Que quereis? a verdadeira aspiração da Decadência é a fome de ter originalidade, haja o que houver; e a sua divisa é realmente aquele período de *Ruysbrock l'Admirable*, que vem na primeira página do *À Rebours*: "Il faut que je me rejoisse au-dessus de mon temps... quoique le monde ait horreur de ma joie".

O. B.

13 fev. 1898 Diário do Rio

Uma vez, no *Collège de France*, quando Brown Séguard praticava a vivisecção em um coelho, uma velha senhora francesa, membro influente da Sociedade Protetora dos Animais, tão indignada ficou, que, vibrando o guarda-sol, esbordoou rijamente o eminente professor.

Por aí se vê o interesse que merece na Europa a sorte dos animais. Fundam-se sociedades, organizam-se propagandas, convocam-se *meetings*. E já não somente contra os fisiologistas que fazem experiências *in anima vili* se revoltam os propagandistas: revoltam-se também contra todos aqueles que se alimentam com a carne dos animais, e proclamam alto a excelência do vegetarismo, não já como medida de higiene, mas como uma medida de piedade.

Ora, tudo isso é francamente absurdo: em primeiro lugar, a viviisceração presta serviços incalculáveis à ciência, e tem sido graças ao sacrifício dos coelhos, das rãs e dos cães, que a fisiologia moderna tem progredido; em segundo lugar, aqueles que, renovando os dogmas de Pitágoras, assim querem que o homem se abstenha de toda a alimentação animal. Vivendo unicamente à custa dos vegetais que não sofrem quando são mutilados, esquecem-se de que as células vegetais são dotadas de sensibilidade como as células animais, de modo que tão bárbaro é quem mata um pé de alface como quem mata um boi, e tão cruel é quem come uma salada como quem come um *ragout*.

Mas... (vede bem como, de todo este exórdio de ciência barata, vou descer eu a coisas que intimamente se ligam à nossa vida carioca!) – mas, essa propaganda contra os hábitos da alimentação animal deve ser mantida e desenvolvida no Rio de Janeiro. Por quê? Porque, se conseguíssemos obrigar a população carioca a dispensar o bife quotidiano, ver-nos-íamos todos livres do Matadouro, e destas intermináveis questões sobre abastecimento de carne verde, que são as mais descaradas patifarias que se agitam sob o olhar impassível do sol...

Não sei o que é em S. Paulo a questão do abastecimento de carnes verdes: mas sei o que ela é no Rio de Janeiro. No Rio de Janeiro, ela é um vergonhoso *steeple-chase* de maroteiras. Sucedem-se contratos a contratos: e não há contrato que não seja vivamente atacado por uns e defendido por outros, porque quem está de dentro quer continuar a encher a barriga e quem está de fora quer desalojar do queijo as ratazanas rivais. Em cada um dos campos opostos, a grita é a mesma: "O povo sofre! querem explorar o povo! o povo tem fome! abaixo os que sacrificam o povo!" E o povo, com a sua eterna cara de asno resignado, vai pagando, a uns como a outros, por preços fabulosos, a mais infame carne que jamais se deu a estômago de cão...

Francamente, de cada vez que começa a ser posto em execução um contrato, é tão escandaloso o espetáculo destas brigas por causa do boi, - que um homem, ao sentar-se à mesa do almoço, já tem o estômago levantado em náuseas, quando olha o seu bife: não só porque o bife é hediondo, como porque esse pedaço de carne abjeta já deu lugar a discussões ainda mais abjetas!

Assim, seria de grande vantagem que a vitória de uma boa propaganda vegetarista nos libertasse para sempre do boi. Os nossos estômagos sofreriam, vendo-se privados da carne, mas as nossas almas exultariam, vendo-se livres de tamanhas vergonhas e de tão repugnantes misérias.

O. B.

25 FEV. 1898 — DIÁRIO DO RIO [CIA]

Dessa amável cidade de S. Paulo, chegou-me há dias uma carta anônima, em que se me faz esta pergunta: "Por quê, vivendo o senhor num momento político de tanta gravidade, prefere encher o seu *Diário* com assuntos frívolos a enchê-los com assuntos políticos?"

A resposta é simples. Eu não sou político, e nem me sinto com vocação para o ofício de salvador da pátria. Sou um fantasista, – mais nada. E um fantasista serve apenas para enfeitar as colunas de um jornal, como a barra de seda que enfeita a saia de uma mulher. Quando a seda fica suja, atira-se ao lixo a barra da saia; quando o fantasista aborrece, atira-se o jornal ao chão. Ninguém morre por causa disso, e a terra continua a girar no espaço, como se nada houvesse acontecido...

Para ser político é preciso antes de tudo ter força de saber mentir e transigir. Diante do eleitorado, que poderia eu dizer? A verdade? mas o eleitorado, aceso em justa cólera, me correria à pedrada. A mentira? mas, por mais habilmente que eu tivesse preparado a minha mentira, por mais longamente que eu a houvesse ensaiado, o menos astucioso político de profissão me venceria, tanto é verdade que aquilo que a natureza dá, ninguém o pode tirar...

Não nasci para a política, nem a política foi inventada para mim. Bem sei que ela me receberia, como receberia um boticário, ou um taverneiro, ou um cambista; mas eu entraria nela com a minha febre, com o meu entusiasmo, com a minha fé, com a minha sinceridade: – e essa bagagem faria escândalo lá dentro.

Quando um sujeito se mete sinceramente a querer salvar a pátria, perde-se ele e perde a pátria. Se o meu amável correspondente paulista ama a poesia, deve ter em casa o seu La Fontaine... Pois, se o tem, abra-o, e releia a fábula *L'âne et les voleurs:* ficará sabendo o que é a política, e ficará convencido de que eu não tenho necessidade nenhuma de brigar por causa de um jumento que não é meu.

O. B.

28 fev. 1898 — Diário do Rio

Com a publicação do regulamento dos jejuns quaresmais, coincidiu a publicação das instruções para o bom governo do próximo pleito eleitoral. Veremos se, ainda desta vez, o eleitor, obrigado a escolher entre a terrina de canja e a urna eleitoral, opta pela primeira, e deixa-se ficar em casa, de perna alçada, sem ir dar expansão ao mais aborrecido e ao mais sagrado dos seus direitos. Deixar a urna às moscas, é cômodo, mas não é prudente. Porque, enfim, se as moscas é que tivessem que ser governadas depois, pelo candidato triunfante, tudo estaria bem. As mesmas, porém, para felicidade sua, estão livres da política. Elas votam, e nós pagamos.

Já ficou dito, neste *Diário*, que não se compreende bem a indiferença em matéria de religião, quando hoje é tão fácil e tão pouco desagradável ficar de bem com a Igreja. Também não se compreende bem a indiferença em matéria eleitoral, quando o exercício do voto é hoje uma coisa tão simples e tão pouco arriscada.

Ah! antigamente, sim! Antigamente, o votar era uma coisa tão complicada e tão séria, como são hoje, por exemplo, o casar ou o viajar pela Estrada Central...

Por longos dias antes da eleição, o diploma do chefe da casa ficava debaixo da peanha da imagem de São José. E toda a família, em preces ardentes que iam chorosamente encher os ouvidos do santo, pedia ao céu que o seu chefe pudesse, naquele dia fatal, deixar na urna apenas o seu voto, sem nela deixar a própria pele. Com medo das correrias dos *Nagoas* e dos *Guaiamus*, fechavam-se as casas. E a cidade, no seu ansioso silêncio, no seu mudo terror, na sua completa consternação, parecia estar à espera de uma invasão de inimigos bárbaros. E, entretanto, nesse tempo, todo o mundo votava!

Hoje, os mesários cabeceiam, à espera de votantes que não chegam... Por quê?

Decididamente, no dia em que a minha Pátria, cansada de sofrer, me pusesse nas mãos o poder ditatorial e supremo, eu saberia obrigar o povo carioca a exercer a soberania do voto: soltaria, pelas ruas, nos dias de eleição, algumas dezenas de capoeiras de navalha aberta, e ressuscitaria os belos tempos do famigerado Duque Estrada Teixeira. Talvez a idéia do perigo espertasse nas almas dos cidadãos o zelo eleitoral...

O. B.

03 mar. 1898 — Diário do Rio

Neste momento, acabo de fechar, sobre a última página, o volume novo de J. K. Huysmans, *La cathédrale*, chegado há poucos dias.

Confesso que não conheço, na moderna literatura francesa, obra nenhuma que me interesse e perturbe tanto como a deste torturado escritor. Já não falo daquele velho romance *À Rebours*, onde, entre outros capítulos, há um, sobre os poetas latinos da Decadência, que é uma verdadeira obra-prima. Falo da obra recente, dessa curiosíssima história da conversão católica de Durtal – história que já conta três partes: *Là-Bas, En Route, La Cathédrale.*

Durtal, o místico, aparece em *Là-Bas* como um possuído da curiosidade demoníaca, entregue ao estudo do ocultismo, praticando o satanismo, ouvindo e servindo a missa negra, restaurando, mesmo no seio da Paris de hoje, os ritos sacrílegos da Idade Média. *En route,* é o começo da conversão: freqüentador das igrejas solitárias, Durtal, que sente o coração transbordando do desejo de crer, vai viver num mosteiro de trapistas, e, nesse plácido e austero retiro da prece e da penitência, recebe a visita do Tentador, e inicia o seu plano de Sofrimento e Renúncia. Em *La Cathédrale,* o torturado está em Chartres, dia e noite assentado à sombra da velha Catedral Gótica. E essa terceira época da vida do místico, termina com a sua partida para o monastério beneditino de Solesmes, onde vai receber a investidura de *oblato.*

Um crítico francês dava nitidamente a entender que Durtal é nem mais nem menos que o próprio Huysmans. Não sei. Sei que Durtal, é, antes de tudo, um artista e um erudito. Foi o lado artístico da liturgia católica que lhe seduziu a alma: em *Là-Bas,* o que dá começo à sedução é a poesia grave e profunda da voz dos sinos, poesia que vive, admirável e serena, em um dos mais perturbadores capítulos do livro; em *En Route,* a alma do artista está cativa do encanto da música religiosa, dessa divina harmonia do cantochão, que possui "des élans d'ame et des haltes tragiques, des murmures attendris et des cris de passion". E em *La Cathédrale,* o que acaba de converter o artista, é a majestade da vasta morada da Virgem, o seu simbolismo misterioso e complicado, o pensamento que vive nas pedras, a alma das formas e das linhas, a encarnação do número e da força dos apóstolos na força e no número dos pilares da nave, o sossego da vida contemplativa representado pela paz, pelo silêncio, pela escuridão, pelo frio da cripta subterrânea.

A religião apoderou-se do coração do erudito, pela beleza do culto externo. O herói da magnífica história de Huysmans perdoaria de bom grado a um padre uma vida pecaminosa, mas não lhe perdoaria o erro de uma nota no entoar do salmo, a menor infração do ritual litúrgico, o menor descuido no escandir das sílabas de um versículo. Depois, Durtal discute, de página em página, a sua fé. Se a própria Virgem lhe aparecesse sem os mantos de que a sua imaginação a vestiu, o convertido ousaria talvez censurá-la por esse desalinho...

Mas, o que importa na obra de Huysmans não é isso: é a religião com que nela a Arte é servida: a Arte é que é a verdadeira Virgem, para a qual se voltam as preces de Durtal. E há, nestes três livros de um erudito e de um poeta, páginas que não hão de morrer nunca, porque são a expressão cabal, completa, definitiva da eterna verdade sobre a Beleza eterna.

Ai! de mim! se algum dos meus leitores, aconselhado por essa página de *Diário,* se meter a ler de, princípio a fim, os três livros sem repouso, sem calma, como se lêem romances frívolos, há de, sem dúvida, encolher os ombros com desdém, achando que Huysmans é um maçante e que eu sou mistificador.

É que os melhores livros são quase sempre os mais difíceis de ler...

O. B.

23 mar. 1898 Diário do Rio [Cia]

Amarrado à cama por tremendo ataque de *grippe*, pus em dia a minha leitura de revistas estrangeiras. Em uma delas, achei um artigo interessantíssimo, de um russófilo decidido, (claro está que se trata de um escritor francês) – artigo em que o desejo de elevar, de glorificar a Rússia e o tzar toca as raias do frenesi. Entre outras coisas, diz o escritor que para o grande imperador passar à Imortalidade, bastava o fato de haver abolido o uso dos castigos corporais em todos os quartéis e presídios dos seus vastos impérios...

Pois, sim! se isso é verdade (o que é difícil provar) a Rússia perdeu o seu maior encanto. A única Rússia que compreendo é a Rússia que se revolve nas páginas de Dostoiévsky, a Rússia trágica do Niilismo, das *Memórias da Casa dos Mortos*, do sofrimento, do martírio, dos condenados que arrastam sobre o gelo uma vida infernal, votada aos ferros e às chicotadas. Único país da Europa em que a tirania aparece e reina sem máscara que lhe disfarce a rigidez da face, sem fingimentos de bondade que lhe adocem o furor da alma, – a Rússia é mais nobre do que todos esses países que uma democracia mentirosa invadiu. O despotismo que amo e admiro é o que proclama alto a sua ferocidade, sem carecer de subterfúgios para se exercer.

Na Rússia o tirano diz: "A lei sou eu. Eu julgo e castigo. E como a minha essência é a própria essência de Deus, todo aquele que atenta contra mim comete um sacrilégio. Quem atira ao meu coche de gala uma bomba de dinamite, é tão sacrílego como o soldado que, no Calvário, embebeu no peito de Cristo a sua lança deicida!"

Nos outros países, o tirano aparece como pai carinhoso. Quando fala ao povo, seus lábios estilam mel como dois favos do Himeto. Mas das palmas das suas mãos, de onde só parece que caem bençãos, caem bofetadas, tantas quantas as que chovem das mãos do tzar. Há apenas uma diferença: é que um, para julgar, usa e abusa ostensivamente do seu soberano e exclusivo arbítrio; e o outro, fingindo pôr de parte a sua vontade, usa e abusa hipocritamente, torcendo-as, das leis que são feitas para provar quanto se lhes pede.

Nos países em que o despotismo é franco, a gente tem ao menos a certeza de que é oprimida por um só déspota. Nos outros, os opressores não têm número; a opressão vem das assembléias cuja imbecilidade facilmente se transforma em crueldade. Confessai, amigos, que a tirania de um só homem, que tem a convicção de ser o filho legítimo de Deus, sempre é preferível à tirania de muitos homens que não sabem se são filhos legítimos ou ilegítimos de Deus nem do Diabo!

Pobre Rússia, também vais ficando hipócrita! Que mágoa e que desilusão! saber que também ela, a selvagem nação em que a Crueldade tinha o admirabilíssimo topete de caminhar pelas ruas com a cabeça levantada, vai fazer o que as outras fazem: declarar publicamente que os homens devem merecer o amor daqueles que os governam, continuando, contudo, às escondidas a lhes retalhar as carnes com o *knout*, que, ao menos, até agora, tinha o mérito de ser francamente brutal, sem laços de fitas e sem guizos!

O. B.

25 MAR. 1898

DIÁRIO DO RIO

Não conheci muito intimamente o poeta de *Broquéis*, a quem a morte, tantas vezes cantada por ele, acaba de dar o repouso. Cruz e Sousa era um tímido, de uma timidez que facilmente se mudava numa desconfiança selvagem. Não freqüentava a rua do Ouvidor: raros amigos o conheceram na vida íntima.

Um correspondente, cujas letras Artur Azevedo publicou ontem, na sua *Palestra*, disse, mais ou menos, que Cruz e Sousa era um banido da sociedade por ser preto. Não era tanto assim. Melhor seria dizer que a sociedade o bania porque ele era... artista. A sociedade (a que Hoffman dava o nome de *tribo de Filisteus*) não tem grande confiança nos sonhadores, sejam eles brancos, amarelos ou pretos. E ainda assim, – quem sabe? – não é a sociedade que repele os artistas: geralmente, são eles que se afastam dela, por timidez, imaginando uma hostilidade que nem sempre existe.

Ora, para fazer a viagem da vida, não há companheira mais prejudicial do que a timidez.

O mesmo Hoffman diz: "Nós estamos sempre nos lugares em que não devíamos estar, e vice-versa; nós falamos quando nos devemos calar, e calamo-nos quando devemos falar; nós estamos sempre revoltados contra os mais queridos, os mais enraizados hábitos dos outros; e aprender a conquistar o mundo não é coisa que se aprenda na solidão do gabinete de trabalho..."

Mas, pensando bem, um artista não ganha grande coisa, quando consegue vencer a sua timidez. Todos sofrem, ricos e pobres, odiados e amados: que importa o sofrimento, quando um homem pode morrer deixando perpetuada na terra alguma coisa de si mesmo, um pedaço da própria alma, em alguns versos belos, em alguns períodos sinceros?

Cruz e Sousa foi um sofredor que teve essa felicidade: não engoliu desesperadamente as suas lágrimas – cristalizou-as em rimas, cheias da sua paixão e do seu martírio.

O. B.

07 ABR. 1898

DIÁRIO DO RIO

Graças à amabilidade de um amigo, acabo de ler o primeiro exemplar aqui chegado d'*O Brasil Mental*; esboço crítico, de *Bruno*. *Bruno* é o pseudônimo conhecidíssimo de J. Pereira de Sampaio, um polemista atrevido e brilhante, em quem o ideal republicano de Portugal tem hoje, talvez, o seu mais fogoso defensor.

Nem tudo é blandícia para o Brasil, nas quinhentas páginas deste livro forte: muita dura verdade há por elas, – principalmente na parte em que o crítico desanca o nosso positivismo de importação.

Mas, como *Bruno* vê as nossas coisas de longe, e através de uma prevenção natural, nem sempre a sua crítica é justa. Assim é que o autor d'*O Brasil Mental* está convencido de que "o Brasil não quer saber de Portugal, a antipatiza com ele, e o odeia, e o repele..."

Santo Deus! – porque quatro malucos arremessaram dentro da carruagem do Sr. Tomás Ribeiro panfletos insultuosos; porque o ignóbil, que ninguém lia e cujo redator acabou na cadeia como assassino, injuriava os portugueses; porque um Paranhos escreveu em 1879 um folheto em que pretendeu provar que o português que o povo fala no Brasil é mais puro do que o português que o povo fala em Portugal; porque o Sr. José Veríssimo não gostou d'*A Pátria* de Junqueiro; porque o Sr. J. Nabuco, secretário da nossa arquigloriosa Academia de Letras, declarou que a Academia deve proclamar a independência literária do Brasil – por isso (por nada mais!) *Bruno* afirma que nós odiamos Portugal!

Dessa convicção, as suas injustiças. E a que mais me dói (porque me arranha a própria pele) é esta: "Em sua ojeriza pelos portugueses, os literatos brasileiros têm larga culpa no estropiamento da linguagem que macula os livros *di lá*". Ah! São Tomás! Ah! São Tomás!

Eu, se quisesse, poderia dizer a *Bruno*: "É verdade! há no Brasil escritores que escrevem o português como eu escrevo... o hebraico. Mas, certamente, não é o amigo *Bruno* quem pode jogar a primeira pedra!" Porque, enfim, neste mesmo volume d'*O Brasil Mental* encontro frases como estas: "Portugal e Brasil não possuem confiança *neles mesmos...*" e "sob este critério *se pinta os filósofos* a caírem em poços..." e "ele era preciso que (*il fallait*)" etc. etc. – frases que um bom escritor *di cá* não escreveria.

Bruno devia, para ser verdadeiro, escrever que nós todos (tanto os *di cá* como os *di lá*) não soubemos prezar a formosíssima língua que os nossos avós nos deixaram. Nós hoje escrevemos cassange, – não porque odiemos Portugal – mas porque o imitamos.

Isto de Portugal odiado pelo Brasil é coisa que o Sr. Tomás Ribeiro inventou. Nós não somos loucos, e é um crime fazer todo o Brasil responsável pela loucura de Deocleciano Mártir – o assassino.

O. B.

12 ABR. 1898 DIÁRIO DO RIO

Agora mesmo, passando pela velha rua de S. Pedro, viram os meus olhos o mais repugnante espetáculo.

Fez-se ali, há algum tempo, a experiência de um novo sistema de calçamento, que trazia o amável e sedutor qualificativo de *sanitário*. Houve música e flores, e o Prefeito da cidade, quebrando, no meio da rua, sobre o cimento ainda úmido, uma garrafa de champanhe, pronunciou um pequeno discurso comovido, que os *repórteres* logo avidamente apanharam, para que ele logo chegasse ao conhecimento de todos os munícipes.

Um mês depois da inauguração, gretou-se o pavimento, e, um ano depois, já não havia carroça que passasse por ali sem ficar com as rodas enterradas em fundos, sujos, e hediondos buracos. E ainda ali está o horror, sem que uma alma caridosa apareça, que tome a iniciativa de consertá-lo.

Talvez isto pareça um paradoxo, mas não é: o caráter da população de uma cidade depende diretamente do aspecto das suas ruas.

Quem mora no beco do Fisco não pode ter as mesmas idéias de quem mora na praia de Botafogo.

De manhã, sai um homem de casa, depois da ducha, corajosamente disposto a ganhar a vida, a caminho da grande batalha diária. O câmbio vai mal, os negócios vão mal, a política vai mal, tudo vai mal. Mas é preciso comer, beber, morar e vestir: e lá se vai o batalhador, fazendo das fraquezas força. Ora, a caminho, o batalhador vai olhando para o chão, – porque o tereis notado que, no Rio de Janeiro, todos olham para baixo: já se disse mesmo que o carioca parece estar sempre procurando a sepultura com os olhos... Fatalmente, o curso das idéias do homem que vai à conquista do pão tem de ser regulado pelo aspecto do calçamento de paralelepípedos, malfeitos, pesados, de arestas duras, e que dá idéias também pesadas e duras. Quem, ao longo de uma rua, vai contemplando esses blocos de pedra suja e feia, fica absolutamente incapaz de ter uma idéia fina, sutil, engenhosa. Em Paris, nos grandes *boulevards*, o aspecto das ruas, calçadas a asfalto e betume, lisas, planas, brilhantes, alegra a alma, dilata o pensamento, alarga o espírito, dá origem a uma florescência de idéias claras, nítidas, brilhantes.

Imaginai agora o que serão as idéias do negociante que, todas as manhãs, a caminho do escritório, vai contemplando apenas aqueles insondáveis buracos que há no calçamento da velha rua de S. Pedro! Em cada um deles, o mísero vê a imagem do abismo clássico para o qual a Pátria caminha, – sem dinheiro, sem crédito, condenada a vender todos os seus navios e a arrendar todas as suas estradas de ferro, condenada a pedir moratória aos credores.

Por ali transita todo o alto comércio... É possível que o alto comércio, contemplando aquele descalabro, tenha fé, tenha coragem, tenha força para a luta?

O. B.

16 ABR. 1898 — DIÁRIO DO RIO

Quando Zola, contando demais com a sua popularidade, se empenhou na campanha em favor de Dreyfus, já *Paris*, o seu novo romance estava acabado, entregue aos compositores do *Journal* e da casa Charpentier. O artista vibrava ainda, estava ainda cheio do calor, da febre, da agitação do trabalho: a obra vivia nele, inflamava-lhe a alma, dominava-lhe o pensamento. E é fácil agora ver, no volume publicado, até que ponto o procedimento do homem dependeu da exaltação do romancista.

Paris é da primeira à derradeira página um grito de revolta contra a injustiça, um brado de apelo à justiça. Na primeira página, os quarteirões pobres da cidade aparecem amortalhados no nevoeiro, "disparus dans la souffrance et dans la honte". Na última, a cidade fulgura, "ensemencée de lumière, roulant dans sa gloire la moisson future de verité et de justice".

Quando o livro ficou acabado, o romancista, tornando à vida real, achou-se diante da questão Dreyfus, e trouxe para os jornais, para o tribunal, para a tribuna a mesma paixão que o sacudia no gabinete de trabalho, quando revolvia com a pena o monturo das vergonhas e dos horrores da vida atual. Apenas...

Apenas, cometeu um erro grave: o mesmo erro que fora o primeiro a reconhecer e a acusar no seu Pierre Froment, – no seu padre torturado de dúvidas, desesperado de conquistar a Fé, revoltado contra a dureza do Capital, contra a mentira da Caridade espetaculosa, contra a inanidade das palavras ocas, e acabando por arrancar do corpo a batina, de reconquistar a paz com o trabalho e com o amor; e o mesmo erro que fora o primeiro a reconhecer e a acusar em Maria, a admirável companheira de Guilhaume: "Voyez ce que c'est que d'être dans l'absolu! On perd tout la sagesse et tout l'equilibre quand on tombe à cet absolu qu'on se fait de l'idée de justice".

Zola não soube evitar esse perigo. Possuído do ideal de justiça absoluta, entrou no debate sem prudência, sem cautelas, sem malícia: via no condenado um inocente, e dominado pela idéia *absoluta* de que condenar um homem que pode ser inocente é um crime, foi por diante ofendendo todas as susceptibilidades, magoando todas as vaidades, irritando todos os melindres, exigindo em vez de aconselhar, insultando em vez de convencer, e perdendo, enfim, todo o seu equilíbrio e todo o seu bom senso.

O defensor de Dreyfus esqueceu que para a França, como para todo o mundo, ainda não chegou a hora da *moisson de verité et de justice*; e, para aniquilar toda a força da sua idéia de justiça absoluta, bastou que se levantasse uma Convenção, um Preconceito, um Fantasma: a Razão de Estado.

O. B.

21 abr. 1898

Diário do Rio

De um jornal de hoje:

"Denunciam-nos a existência de duas feiticeiras no lugar denominado Mangaratiba. A respectiva autoridade policial não deve consentir que essas duas perigosas mulheres continuem no exercício de tão indigna quanto rendosa profissão."

A profissão de feiticeira merece a condenação do jornal, não somente porque é *indigna*, como também porque é *rendosa*.

Vêde daí o caso... Dez, cinqüenta, cem doentes por dia, encaminhando-se para os lados de Mangaratiba, e indo depositar nas mãos das duas megeras as suas cédulas de cinqüenta ou cem mil réis, em troca de rezas, de encantamentos, de tisanas preparadas com infusão de sapos vivos ou de galinhas pretas. Aí tendes a fé, a fé verdadeira, a fé que abala montanhas.

Bem! no mesmo jornal em que acho essa declaração de guerra às duas feiticeiras de Mangaratiba, encontro diariamente uma coluna compacta gabando os altos méritos do Dr. Eduardo Silva, e narrando fartamente os seus milagres, as suas assombrosas curas, a sua maravilhosa taumaturgia. Mais ainda: temos aqui o Dr. Rossas Torres, que afirma cotidianamente ter descoberto o processo de cura radical do cancro. Os mais célebres médicos do Brasil, a Academia Nacional de Medicina em peso, declaram que o Dr. Rossas Torres é um charlatão. E não há quem peça à polícia de S. Paulo a prisão do Dr. Eduardo Silva, como não há quem peça à polícia do Rio a prisão do Dr. Rossas Torres.

Por quê? porque ambos têm adiante do nome as duas letras da investidura sagrada, esse prestigioso Dr., que dá o direito de matar ou salvar os doentes à vontade, sem o perigo da intervenção policial. As duas feiticeiras de Mangaratiba, não! essas, não possuindo um diploma, verdadeiro ou falso, não podem exercer a indigna e rendosa profissão, que (valha a verdade!) é a mesma profissão do taumaturgo de S. Paulo e do carioca exterminador de cancros.

A fé, a fé verdadeira, a fé que abala montanhas, só tem o direito de procurar os curandeiros que têm diploma. O diploma é tudo!

O. B.

N. da R.: Olavo Bilac está enganado a respeito de Eduardo Silva. O curandeiro de S. Paulo não é médico, diz-se engenheiro não sabemos por que escola. O que parece certo é que Silva é coronel marroquino... Talvez seja doutor por isso, como ficavam conselheiros, no império, as pessoas nomeadas para dados cargos.

24 ABR. 1898 DIÁRIO DO RIO

Pedem-nos os editores do livro *A Terra Fluminense*, de Coelho Neto e Olavo Bilac, que publique no *Diário* um capítulo inédito da obra, hoje aprovada pelo Conselho de Instrução do Estado do Rio. Como não custa muito satisfazer esse desejo, aqui vai o sétimo capítulo, *O Colono*:

"Era dia de descanso no grande engenho. Todas as máquinas estavam paradas, todos os instrumentos de trabalho guardados. A missa findara. Da capela, em bandos alegres, vestindo as suas melhores roupas, saíam as famílias, para o passeio e o folguedo.

Sozinho, fincando os cotovelos aos joelhos e repousando a cabeça nas mãos, um colono quase velho, homem robusto ainda, em cuja cabeleira ruiva começavam a aparecer os primeiros cabelos brancos, cismava, alheiado, de tudo, insensível ao barulho de festa que ia pelas casas da colônia.

Formosa, aquela manhã! No fundo azul do céu, recortavam-se as montanhas de um verde quente, e à beira do riacho, que cantava, sobre ervas rasteiras esmaltadas de flores silvestres, voavam pássaros, tontos de tanta luz. O sol dava um brilho novo às vidraças das casas, batia em chapa sobre as ardósias dos telhados, e animava toda a paisagem de uma alegria comunicativa que se apoderava de todas as almas. Era domingo. As últimas pancadas festivas do sino morriam docemente na paz risonha do arredor. Mas, o colono continuava a cismar, sozinho, afastado da gente que se divertia...

É que por um dia como aquele (havia justamente dez anos!) saíra ele da sua aldeia natal, sob o céu napolitano, em busca de terras que com menos avareza recompensassem a fadiga do seu trabalho. De certo, não se arrependia daquela resolução. Novas terras, nova Natureza, gente nova, dias de febre e esperança primeiro, dias de conforto e de fartura depois, não lhe permitiram nem lhe permitiam o desejo de voltar a sofrer em vão, sem proveito, sobre a terra ingrata que não tinha pão para dar a tanta gente que lho pedia... Mas, ninguém esquece a sua terra, por mais pobre, por mais triste que ela seja. E, agora, o colono recordava-se do dia em que saiu de lá, e das crianças nuas e espertas que se arrastavam ao pó, e dos velhos que ficavam à porta, apoiados aos bordões, e dos rapazes que o sol queimava, e das raparigas robustas que iam com eles para o penoso ofício das lavouras. E uma grande tristeza lhe pesava sobre o coração, cheio de saudades...

Mas alguém se aproximava. Era uma forte mulher, ainda no verdor da idade, trazendo ao colo uma criança. Chegou, pousou a mão sobre o ombro do colono que se absorvia na meditação, e chamou:

Que é isso, pai? já o procuramos por toda a parte... que tem? por que foge de nós, num dia como este, e vem para aqui com a sua tristeza?...

É por causa justamente do dia de hoje que me vês triste, filha! é possível que não tenhas lembrado que foi neste dia, há dez anos, que saíamos da nossa terra?

Uma nuvem de melancolia sombreou a face da rapariga. Esteve, durante alguns segundos, calada, ajeitando a ponta do xale, para livrar dos raios do sol o rosto do pequenino que dormia. Depois, olhando com amor a face triste do pai, respondeu:

Como havia de me lembrar, pai?! Logo de madrugada, comecei a pensar nisso... Estive revivendo o dia em que saí de lá, solteira ainda, deixando as companheiras dos meus brinquedos de criança... Estive contemplando, na imaginação, o cemitério pequeno, todo branco em que está a sepultura de minha mãe. Como é que eu poderia não ter saudades?! Mas, calei-me e disfarcei, para não lhe dar essa mágoa, pai... pensei que não se lembrasse...

Lembro-me, filha, lembro-me bem! quem esquece a sua terra não tem coração...

Ficaram calados ambos. Depois a filha continuou:

Mas, escute, pai! porque há de ficar triste? mais vale esquecer, e viver feliz, gozando a fartura que Deus e o seu trabalho lhe estão dando aqui. Olhe! eu, por mim, estou disposta a não pensar mais nisso: foi aqui que vi felizes todos os meus, foi aqui que nasceu o meu filho, o seu neto... porque é que não hei de amar esta terra, como se ela fosse a minha?

O colono olhou fixamente a filha:

Como? Pois tu és capaz de esquecer a tua terra?

Ela hesitou; mas logo em seguida, com a voz firme, disse:

Não! esquecer não posso... não posso... Mas, diga-me: a terra de lá é que é a sua e que é a minha... mas qual é a desta criança que aqui está, que nasceu aqui, que vai crescer, ignorando a língua que nós mesmos já vamos nos esquecendo, vendo unicamente, todos os dias, da infância à idade madura, esta pátria da liberdade e da riqueza? Olhe! veja como ele bate palmas, contente, a este sol que o viu nascer!

A criança acordara. Piscava os olhinhos, entre as pálpebras gordas, e agitava-se, rindo, no colo da rapariga. O homem sentiu os olhos úmidos, e, tomando a criança nos braços, disse:

Tens razão, filha! esta é a terra do teu filho, esta é a pátria do meu neto... porque é que não há de ser também a nossa terra?

E, alegre, levantando e abaixando a criança, fazendo-a sacudir no ar as perninhas papudas, começou a brincar com ela, e a dizer-lhe, com seu acento napolitano:

Bravo, brasileirinho! bravo, brasileirinho!..."

O. B.

26 ABR. 1898 DIÁRIO DO RIO [CF]

Não creio que haja, neste ano da graça de 1898, em toda a vasta cristandade, um padre mais digno de estudo do que este admirável salesiano João Balzola, diretor da colônia Teresa Cristina, em Mato Grosso.

Anteontem, um cidadão, indo a bordo do vapor *NordAmerican*, pasmou, achando aí, acocorados a um canto, abrindo os olhos espantados, três legítimos índios Bororós Coroados. Soube então o cidadão que o doce e admirável padre João Balzola conduzia os três bugres a Turim, a fim de exibi-los aos olhos curiosos e maravilhados da Europa, na Exposição que brevemente vai inaugurar aquela cidade italiana.

Interrogado, o inefável Balzola explicou-se: "Senhores! eu dirijo as catequeses de Mato Grosso. Achei que devia, em proveito dos estudos etnográficos, levar a Turim alguns objetos de arte indígena, como arcos, flechas, igaçabas, inúbias; e achei também, que, em proveito da fé, não seria mau mostrar aos curiosos de Turim alguns exemplares da raça bruta que evangelicamente ando convertendo ao catolicismo... Assim deitei a mão a estes três miseráveis, empacotei-os, despachei-os, acondicionei-os a bordo do *NordAmerican*, e aqui me vou com eles, para mostrar ao mundo civilizado o que é a raça humana quando privada dos benefícios da religião católica... Índio não é gente: é coisa. Portanto, tenho o direito de levar, entre as minhas coisas, estes três objetos..."

Não pensou assim o supracitado cidadão que descobriu a bordo os três Bororós, e levou-os, de súcia com o amigo salesiano Balzola, à polícia. A polícia, interessada, olhou os três Bororós como olharia três animais curiosos, – três girafas ou três tamanduás – e perguntou ao amantíssimo Balzola se os bugres já estavam batizados. Balzola sorriu, com finura e malícia, e respondeu: "Não! a Fé carece de exemplos estrondosos... A Impiedade avassala o mundo, e é preciso que a religião mostre ao mundo o seu poder. Por isso, reservei-me para batizar estes três brutos solenemente, espetaculosamente, com rufos de tambor e fogos de Bengala, em plena Exposição de Turim, diante de um milhão de espectadores embasbacados!..."

Sabeis o que fez a polícia? curvou-se, admirada, ante a piedade e caridade do *cabotin* Balzola, e pediu-lhe desculpas, e deixou-o partir com os seus três Bororós, com as suas três *coisas*.

Assim, um missionário vem ao Brasil, agarra três entes humanos, põe-lhes por cima uma etiqueta, e carrega-os consigo para explorá-los em favor da Fé Industrial, da mesma maneira por que o diretor de uma *ménagerie* chega à África, aprisiona algumas feras, e carrega-as consigo para explorá-las nas feiras e nos circos...

Mas, não percamos tempo em analisar o admirável procedimento da polícia. Analisemos, sim, admiremos, e exaltemos este novo aspecto que toma o Apostolado Católico: os apóstolos já não são mártires: são *barnums*; já não são barateadores da própria vida: são caixeiros viajantes das Exposições Industriais; já não são os propagandistas da revelação divina: são os pesquisadores da Etnografia e da Antropologia. A Igreja capitula: e submetendo-se ao Industrialismo do século, submete-se também às leis da *cabotinagem* moderna.

Com todos os diabos! isto é que é progresso!

O. B.

15 maio 1898 — Diário do Rio

Ontem, no Catete, um moço atravessou a rua correndo e veio agarrar-se à balaustrada do bonde elétrico, em que pacificamente lia eu os meus jornais. O bonde caminhava com velocidade: as pernas do cavalheiro atrapalharam-se no estribo, e vi-o ficar com um pé esmigalhado pelas rodas. Houve um grito de horror: veio a polícia; e o pobre motorneiro foi preso.

Esta mania de mostrar agilidade galgando bondes em movimento está tão derramada em todo o Brasil, que vale a pena registrá-la aqui, nesta coluna de impressões miúdas.

Os rapazes, querendo deslumbrar as namoradas, – à hora em que elas, muito penteadas e muito melancólicas, digerem à janela o seu jantar – entregam-se todas as tardes a esses perigosos exercícios de acrobacia. Degeneradas através dos séculos, chegaram a isso as nobres usanças da cortesia medieval. Antigamente, os namorados, quando queriam crescer em fama aos olhos de suas belas, embraçavam o escudo, empunhavam o montante, e saíam, mundo em fora, a vencer os reis e a conquistar os reinos. Hoje, como já não há reis que se deixem vencer, nem reinos que se deixem conquistar, os cavaleiros corteses brilham aos olhos das damas com um tostão de despesa, um pulo ágil... e o risco de perder as suas pernas ou a cabeça debaixo das rodas dos elétricos. Mesmo, porém, não havendo mulheres, os acrobatas resignam-se a deslumbrar os homens. Ainda não vi um homem rude, de trabalho, do povo, arriscar-se a esses saltos elegantes: todos os saltadores são rapazes árdegos ou velhos gamenhos, que querem *fazer bonito*.

Se a cada um desses desastres, um diretor da companhia de bondes fosse sumariamente processado e castigado tudo iria bem, porque não seria mau ver punido, embora sem culpa direta, quem tão mal serve o público. Mas quem paga sempre o que não comeu nem bebeu é o pobre motorneiro que tem filhos a sustentar, e vem a perder a liberdade e o emprego.

De certo, é bonito ver um cavalheiro atrevido descer de um bonde em disparada, dando ao corpo um impulso estudado, caindo elegantemente sobre a calçada com a espinha vertebral dura, a cabeça empinada, os calcanhares juntos, e um grande ar de intrepidez e de triunfo na face... Mas, também, é muito feio ficar espaçado na lama, com o nariz em sangue, – e é mais feio ainda fazer a desgraça de um pobre diabo, que, quando aceitou o lugar de condutor de bonde elétrico, nunca imaginou estar aceitando o lugar de diretor de uma *troupe* de ginastas...

O. B.

20 MAIO 1898

DIÁRIO DO RIO

Enfim, já podemos viver em paz, sem grandes abalos de alma que nos embrulhem a digestão e nos privem do sono! Não haverá mais suicídios! ninguém mais, com a mão trêmula, encostará na testa o cano de uma pistola nem despejará na garganta um copo de ácido fênico... Assim o quis, para ventura nossa, a imprensa, deliberando calar de ora avante todos os casos de suicídio, deixando-os sepultados na treva inglória do silêncio.

Ela, a onipotente imprensa, está convencida de que nada de bom ou de mau se faz no mundo, que não dependa da sua soberana incontestável influência: é ela quem compromete ou salva as instituições, ela quem determina as marés revolucionárias ou pacíficas da opinião, ela quem abre ou fecha o dique às correntes políticas e sociais. Ela fez a república, ela libertou os escravos, ela atirou ao chão o primeiro império, ela despachou para a Europa o gibão surrado de D. João VI, – e quem sabe? – ainda há de ficar demonstrado que foi ela quem impeliu Pedro Álvares Cabral a descobrir o Brasil. Agora, a imprensa descobriu (a descoberta é velha: esta propaganda já tem sido feita umas boas duzentas vezes) que os cariocas só se suicidam porque lêem notícias de suicídios: e, para dar cabo da mania, – zás! silêncio sobre os suicídios!

Mas o que esta admirável imprensa não quer ver é que nós estamos atravessando uma crise tremenda: ninguém é feliz, ninguém pode contar com o dia de amanhã, ninguém tem idéias assentadas sobre política nem sobre coisa alguma, ninguém tem um ideal que ampare e fortifique a alma: daí o desequilíbrio moral, daí a tendência a transformar a mais insignificante contrariedade da vida em irreparável catástrofe, daí a facilidade de achar que um arrufo galante da namorada ou uma ameaça *pro forma* do credor são desgraças que somente a morte pode remediar. Sim! é possível que a imprensa, com sua vasta e perniciosa mania da publicidade, seja a causadora dos suicídios: mas apenas porque a imprensa é a causadora, talvez, de toda a maluquice de que estamos atacados. A imprensa quer apenas tomar a responsabilidade do sintoma, procurando fugir à responsabilidade da moléstia.

Para que o nosso procedimento fosse correto e louvável, seria preciso que publicamente nos penitenciássemos de toda a culpa, em vez de escolher apenas uma pequena parte dela. Seria preciso que, de joelhos e batendo no peito, clamássemos: "Nós, com a nossa paixão partidária ou com a nossa *blague*, mantemos uma agitação estéril; nós somos o choque elétrico aplicado cada manhã à nuca de cada pobre cidadão; nós mantemos as almas numa febre contínua de boatos, de intrigas, de mentiras, de ambições, de esperanças, de desesperos... E, assim, é verdade que propagamos a mania do suicídio, porque é verdade que toda a população anda maluca por culpa nossa... E, querendo dar um remédio ao mal que provocamos, vamos fazer uma coisa: vamos desaparecer, vamos morrer, não há mais imprensa!"

Mas... sossegai, almas inquietas! nós não faremos isso! E, mesmo quanto a este particular propósito de, por comum acordo, não dar notícias de suicídios, podeis ficar certas de que daqui a quinze dias já ninguém se lembrará do acordo!...

O. B.

23 maio 1898 — Luís Guimarães

Logo ao amanhecer, hoje, abrindo o primeiro jornal, tive o coração estremecido numa angústia dolorosa: morrera Luís Guimarães, em Lisboa.

Morto já o sabia eu, para a felicidade e para o amor, paralítico, deformado pela enfermidade longa, penando entre os seus, velho e inválido!... mas sabia também que o coração, que lhe pulsava dificilmente dentro do peito, era ainda capaz de se abrir em versos – como uma terra cansada é ainda capaz, quando beijada por um raio de sol, de se abrir em rosas.

Aquela mesma divina mulher, de olhos cheios de céus, que vinha velar ao lado de Musset, quando ele escrevia os versos incomparáveis das *Noites*, – vinha aliviar o sofrimento de Luís Guimarães, pálida e risonha, docemente postada junto de sua cadeira de paralítico, ameigando com a mão carinhosa os cabelos brancos do poeta. Assim, enquanto a carne se estorcia, apuada pela dor, torturada pela miséria física, tendo em cada minuto da existência [*****] trato [*****] galé, – a alma, livre, bracejando num firmamento que sempre foi seu, conservava o fulgor da sua primavera, a frescura da sua madrugada. E era um consolo, para mim, o saber que o Poeta estava ainda vivo no cadáver do homem, como a lua misteriosa e vaga que às vezes dança sobre a brancura das lápides de um cemitério.

Ultimamente, algumas cartas breves e carinhosas do cantor de *Cecília* me chegavam da Europa. A letra pequenina e trêmula, quase ininteligível, estava mostrando a agonia do Poeta: "Estou morto, meu amigo! Tenho metade do corpo entregue à Morte, e é com a mão esquerda que te escrevo estas linhas que sou o primeiro a não poder ler..." Mas, logo depois, intercalando entre dois queixumes um soneto novo, a mão ficava firme, animada com a febre do talento, e a letra, nervosa e clara, se estendia no jato sereno dos hendecassílabos... Hão-de lembrar-se os leitores do *Estado de S. Paulo* de que, ainda há bem pouco tempo, o *Diário do Rio* transcrevia um desses sonetos (quase escrevi *póstumos...*) do poeta dos *Sonetos e Rimas*. Recolhi da última carta que tive de Luís Guimarães, – carta em que me vinha a notícia da próxima publicação da *Lira Final*. Havia ali a mesma suavidade, a mesma doçura dos seus primeiros versos, – e aquele mesmo amor da forma, aquela religião do estilo, que lhe valeram o título de fundador de uma nova escola poética no Brasil.

Escrita secamente assim, essa afirmação de que Luís Guimarães foi o fundador da nova escola poética do Brasil pode parecer um elogio banal...

Mas, lembro-me bem da revolução que o volume *Sonetos e Rimas* veio fazer. Tínhamos aqui uma poesia mole e desleixada: – os poetas pregavam totalmente a supremacia absoluta do sentimento: havia uma idéia no verso? que importava que o verso fosse trôpego e lambuzão como um mendigo de porta de igreja? O turíbulo que tantas vezes, às mãos de Gonçalves Dias, serenamente se desfizera em rolos de incenso puro diante do altar do Estilo, estava atirado para um canto do Templo, sem achar novo sacerdote que o levantasse. O poeta, ou continuava a esmoer aquelas lamurientas quadras não rimadas de Casimiro de Abreu, de uma vulgaridade desesperadora, ou continuava a urrar as estrofes descabeladas de Castro Alves, cheias de ventanias proféticas, de trapos de bandeiras na amplidão, de punhos de titãs esmurrando montanhas, de deuses sopesando infinitos nas palmas das mãos, – tudo isso numa língua eriçada de solecismos, d'uma pobreza franciscana de vocabulário. Ah! durante muito tempo, antes de Luís Guimarães, o grande sacerdote da poesia brasileira foi o conselheiro Francisco Otaviano, um rimador que, tendo passado trinta anos a fazer versos, não conseguiu jamais compor um alexandrino certo...

Luís Guimarães veio escandalizar esse reinado da Pieguice e da Bombarda sem estilo.

Todo o mundo (é a moda!) injuria o Parnasianismo, "que mata a idéia, que suprime o sentimento, que sufoca a inspiração". Não sei bem onde estavam a inspiração, o sentimento e a idéia, do *Amor e Medo* ou do *Quem passou pela vida em branca nuvem...* O que sei é que o amor da Forma, que o parnasianismo veio pregar, se chegou, pelo abuso, a ser uma mania abominável, nem por isso deixou de prestar à poesia brasileira um grande e inolvidável serviço: lembrar aos escritores que o primeiro dever de quem escreve é saber escrever. Se é permitido a um poeta vazar a sua inspiração em versos quebrados, porque não há de esse poeta dizer o que sente em prosa simples, descaradamente simples, positivamente simples? E, francamente: para que há de um poeta gastar o seu tempo em escrever versos sem gramática e sem rimas, quando a gente tem, aí em cada canto do Brasil, a poesia ingênua dos tropeiros?

O primeiro poeta que, no Brasil, preferiu mostrar ao público a sua inspiração vestida de uma forma perfeita, a mostrá-la indigente e desalinhada, foi este. Depois, dele, com menos poder de concepção e menos riqueza de idéias, Teófilo Dias.

Para a glória de Luís Guimarães, bastava bem o seu propósito de restaurar o soneto, – não o soneto incolor e pesado da *Arcádia Mineira*, de Cláudio Manoel da Costa, de Alvarenga, e, ultimamente de José Maria do Amaral – mas o antigo formosíssimo soneto de Camões e Petrarca, – leve a um tempo e vasto – toda uma paixão cristalizada em quatorze versos, ardendo, palpitando, sorrindo, chorando no âmbito estreito desse círculo de ferro. Que graça nova, que novo poder de comoção adquiriu ele, quando Luís Guimarães lhe comunicou a força nova do seu temperamento de brasileiro, o seu lirismo vibrante, o fogo dos seus amores de meridional, a melancolia da sua musa... Deixará alguém de se lembrar da revelação que foi a publicação daquela obra-prima, que, nos *Sonetos e Rimas*, tem o título de "Visita à casa paterna"?

Como uma ave que volta ao ninho antigo,
Depois de um longo e proceloso inverno,
Eu quis também rever o lar paterno,
O meu primeiro e virginal abrigo.

Entrei. Um gênio carinhoso e amigo,
(O fantasma, talvez, do amor materno)
Tomou-me as mãos, olhou-me grave e terno,
E passo a passo caminhou comigo.

Era esta a sala... oh! se me lembro, e quanto!..
Da lampa noturna à claridade,
Minhas irmãs e minha mãe... O pranto

Jorrou-me em ondas... Resistir quem há de?
Uma ilusão chorava em cada canto!
Gemia em cada canto uma saudade!

* * *

Que diferença entre isso e o que se fazia!... Não é em cinco minutos que se escrevem esses quatorze versos: e o trabalho difícil e paciente do buril não aparece, tão simples ficou a obra depois de acabada, tão espontânea se conservou a paixão do poeta. Assim, contemplando aquelas famosas miniaturas de Celini, que eram o encanto e delírio de Paulo II e de Cosme de Médicis, ninguém se lembrava de que ali penara a mão do artista e se cansara a sua vista, por dias longos e longas noites de trabalho terrível...

* * *

Leconte de Lisle, o grande mestre, fez o elogio da Morte, em versos imperecíveis:

Divine mort, où tout rentre et s'efface,
Affranchis-moi du temps, du nombre, et de l'espace
Et rends-mois le repos que la vie a troublé!...

Não creio que, como Leconte, Luís Guimarães tenha chamado a morte com essa ansiedade... Mesmo atado ao poste do martírio, aquele homem amava a vida mesmo no que ela tinha de mau: era daqueles que acariciam a própria mágoa, quando ela se pode converter em uma obra perfeita. Certo, alguém o chamava para longe da terra: aquela meiga e adorada Cecília que a morte arrancou dos seus braços, e a quem ele, no dia do enterro, dizia:

Meu amor! meu amor! hirta, gelada,
Dormes o sono que amedronta e aterra...
Ó meu franzino bogari da serra!
Ó minha rosa pálida e magoada!

Mas, aqui mesmo, no exílio da terra, amando a doce desaparecida, tinha-a o Poeta perto de si, na figura daquela divina Musa, de olhos cheios de céus, que vinha velar ao seu lado, pálida e risonha, junto à sua cadeira de paralítico, acariciando com a mão carregada de bênçãos, os seus cabelos brancos.

Uma das suas cartas últimas dizia: "Quem me dera poder ainda beber esse ar do Brasil, e dizer a vocês com minha voz de moribundo alguns versos!..."

Não quis Deus. Em terra estranha caiu a lira meiga. E uma angústia sem nome me aperta o coração, quando me lembro de que, realmente, a sua coleção inédita de versos vai merecer o triste título de *Lira Final.*

Rio, 21 maio 98.

OLAVO BILAC

05 JUN. 1898 DIÁRIO DO RIO

Já dez dias decorreram sobre a deliberação que a imprensa tomou de fazer silêncio sobre os suicídios, e (oh espanto!) ainda nenhum jornal rompeu o ajuste.

Mas, quereis saber qual tem sido o resultado prático dessa deliberação? – os suicídios sucedem-se, e, agora que a Imprensa os oculta, fala-se mais deles, do que quando, com grande luxo de pormenores e de comentários, os derramava ela aos quatro ventos da publicidade.

Anteontem, um comerciante da rua do Ouvidor, meteu uma bala na cabeça. Meia hora depois, toda a cidade conhecia o caso. Os jornais laconicamente escreveram: "Faleceu repentinamente o sr. XXX". E, ontem, às 2 da tarde, na rua do Ouvidor, defronte da casa em que se dera a desgraça, era tamanha a aglomeração do povo, que, para que saísse o féretro, foi necessário que uma patrulha interviesse.

Isso prova, ainda uma vez, que a Imprensa, com uma vaidade notável, exagera a sua própria importância, quando pensa que o público, para estar informado do que se passa, não pode dispensar os seus bons ofícios. Uma notícia, para ir em cinco minutos do cais Pharoux à floresta da Tijuca, dispensa Marinonis e repórteres: vai por si mesma, com uma velocidade de telegrama, por esse telégrafo sem fios que é o zum-zum do populacho.

Papus, o ocultista, prova, pela citação de vários textos de escritores latinos, que, quando César invadiu as Gálias, a notícia da invasão correu todo o país, desde os Pirineus até os confins da Armórica, em menos de quatro dias. *Papus* explica o fato, dizendo que a telepatia já era conhecida dos Druidas, que assim podiam, por uma transmissão mental de notícias, alarmar toda a região gaulesa. Ah! se no tempo de César houvesse jornais nas Gálias, um belo estado de sítio os teria suprimido, para evitar que as novas alarmantes circulassem: e as novas alarmantes circulariam de mesmo modo, porque não há publicidade que valha, como rapidez e eficácia, aquela que se origina do boato trocado de ouvido a ouvido...

O. B.

17 jul. 1898 — Diário do Rio [Cia]

Merecem alguma atenção as declarações que o nosso Prefeito fez a um jornalista: "Pedi demissão porque o cargo de Prefeito não pode deixar de ser político, e, sem saber porque, tenho criado inimigos em todos os partidos e em todos os grupos. Mas insistiram tanto, que me resignei a levar a cruz ao Calvário". Esta declaração de que não há meio de fazer administração municipal sem política é preciosa: ela só, mais do que tudo quanto se pudesse escrever em quinhentos volumes, define a situação curiosíssima em que nos vemos todos, nesta cidade gloriosa. Para calçar a cidade, para a varrer, para fazer passar um jorro de água purificadora pelos seus esgotos, para não consentir que as suas ruas sejam vastas estrumeiras, é necessário, é indispensável que haja política.

É o que se pode depreender das declarações do nosso Prefeito. Pois sim! a mim não me convencem essas altas razões. Porque a verdade é que se houvesse limpeza não haveria política...

Já se disse que a política é um cogumelo podre, uma esponja que absorve tudo, um pântano que tudo infecciona. Mas a melhor comparação é esta: a política é um *tiflomolgo*. O nome é feio: mas o animal que dá por ele ainda deve ser mais feio.

O *tiflomolgo*, até agora desconhecido, acaba, segundo uma Revista Científica do *Jornal do Comércio* de ontem, de ser descoberto num poço artesiano de S. Marcos, no Texas.

É uma "espécie de salamandra, completamente cega, de cor branca, viscosa e mole, amando o lodo e a treva, dotada de pernas longas e delgadas, que não são próprias para a locomoção mas servem para reconhecer o terreno no escuro". É possível que a descoberta deste singular animalejo nos poços do Texas seja um novo *canard* dos inventivos *yankees*; mas que o *tiflomolgo* exista no Rio de Janeiro, isso não pode padecer dúvida: o *tiflomolgo* é a política, e se este Prefeito (como todos os que já tivemos) não limpa a cidade, é porque, amando apaixonadamente o feio bicharoco, não quer privá-lo da lama em que tão regaladamente se agitam as suas longas e delgadas pernas gosmentas.

Dizer que é impossível ser Prefeito sem fazer política, é uma verdade: mas também é uma verdade, ainda mais absoluta, que não é possível fazer política sem ser mau Prefeito. Porque para manter a política é preciso manter a porcaria, coisa que é muito boa para o *tiflomolgo*, mas que só pode ser muito má para mim e para meus comunícipes, que não temos, como aquela admirável criatura, o amor entranhado do lodo.

O. B.

23 JUL. 1898

DIÁRIO DO RIO

A propósito da eleição de Edmundo de Amicis para deputado às câmaras de Roma, um colaborador d'*A Notícia* combatia ontem a idéia geralmente aceita de que um homem de letras deve fugir da política militante. E havia ali tamanha cópia de argumentos, e tanta vontade de convencer a gente, mostrava o artigo, que logo se via estar o escritor agindo *pro domo sua*, tratado de arranjar desculpa para as próprias faltas, antes mesmo de lhe serem elas lançadas em rosto... O argumento principal era este: o trabalho literário morre facilmente, quase sempre sem deixar proveito real à humanidade, porque só de século em século uma obra verdadeiramente bela e civilizadora se salva de entre o turbilhão das que se escrevem; ao passo que o menor projeto de lei criteriosa e justa que um político apresenta e sustenta é sempre um passo dado para a civilização e o bem-estar da sociedade. Pois, sim! Há pouco tempo, quando toda a Inglaterra prestava homenagens brilhantes ao cadáver de Gladstone, um dos seus biógrafos, talvez o seu mais entusiasta biógrafo, tristemente confessava que "de toda a carreira política do *great old man* não nasceu um único ato a bem da humanidade". Certo, ninguém deu à humanidade exemplos mais belos de amor da liberdade e da justiça, do que aquele extraordinário sonhador. Mas, uma vez elevado ao poder, o homem era outro: "De todas as suas cóleras contra a Turquia nunca resultou uma só medida diplomática em favor dos povos massacrados; o amor que constantemente manifestava pela França não o levou a intervir em 1870 contra as espoliações da Alemanha; a Irlanda nada ganhou com as suas simpatias; nenhum dos seus ministérios concorreu para a expansão colonial da Inglaterra ou para o seu engrandecimento marítimo..."

E quando a gente pensa nisso, não pode deixar de reconhecer que aquele claro espírito, dotado de uma das mais brilhantes inteligências e de uma das mais vastas erudições do século, teria feito muito mais pela Humanidade, se, em vez de se dedicar à política, tivesse unicamente amado e servido as letras. Os livros não matam a fome, não suprimem a miséria, não acabam com as desigualdades e com as injustiças do mundo, mas consolam as almas, e fazem-nas sonhar.

[*****].

[*****] incapaz de melhorar a vida, ainda tem o defeito de ser profundamente feia e desesperadoramente nauseante.

O. B.

8 ago. 1898 — Diário do Rio

A notícia é tirada da *Tribuna*, que parece não estar disposta a manter o célebre acordo da não divulgação dos casos de suicídio: "O inspetor da 14ª circunscrição policial remeteu para o Hospital da Misericórdia Fulano de tal, empregado público, que bebeu verde-paris e ácido fênico, declarando que o fizera por querer ver-se livre da miséria". No fecho da notícia, há ainda algumas linhas de espanto e piedade: – miséria no Brasil!?... miséria no Brasil!?...

Sim! miséria no Brasil! por que não? A nossa velha qualificação de *terra onde ninguém morre de fome* já foi embrulhada, classificada, e definitivamente recolhida ao armário venerando em que se guardam os chavões inúteis. A ilusão acabou. Já todo o mundo está convencido de que não há, na terra toda, um ponto só, em que não se sofram sede e fome, e em que se não possa morrer de miséria. Esse Paraíso Terreal não existe. As terras da Promissão dissiparam-se em névoa e fumo. E o frio conhecimento da fria realidade deu cabo da miragem dos Eldorados.

Há poucos dias, encontrei o Torterolli, o Ângelo, atarefado, rabiscando bilhetes. Eram vales do *Pão de Jesus*. E só então pude ver, mas claramente ver, irrecusavelmente desdobrado e provado aos meus olhos, a extensão da miséria que já temos aqui.

Em S. Paulo, naturalmente, muita gente conhece o Torterolli e conhece o *Pão de Jesus*. O Torterolli é um homem extraordinário, que passa por maluco, – porque é um místico, um exaltado, um crente, um visionário – e principalmente porque tem a mania de fazer o Bem, e isso deve bastar para lhe conferir o diploma de maluquice; o *Pão de Jesus* é um instituto de caridade, que obtém das padarias fornecimentos gratuitos de pão, e, guardando segredo sobre o destino das esmolas, mata a fome de um sem número de pobres. E é preciso ver a quantidade de vales que o instituto expede diariamente para sem grande espanto admitir que um homem engula ácido fênico e verde-paris por não poder sustentar a família. Esses, os aquinhoados pelo Pão de Jesus, são os verdadeiros pobres. Os outros, os que andam pela rua, não pedem pão:

pedem níqueis. E parece que tantos níqueis lhes caem às mãos, que alguns deles têm prédios e dotam as filhas.

O. B.

9 AGO. 1898 DIÁRIO DO RIO

Ontem, – na eterna lamúria a que já andamos tão habituados – um negociante lamentava o estado da praça, e os embaraços em que o governo põe o comércio criando-lhe dificuldades de toda a sorte.

Entre as queixas exaladas, uma havia interessante. Um homem mandara vir da Europa algumas grosas de milheiros de folhas de papel para embrulho, e recomendara ao correspondente que nelas fizesse imprimir o nome da firma, o seu endereço, e algumas palavras de elogio à excelência dos seus produtos. A Alfândega, sempre alerta, meteu o seu olho perspícuo nos fardos, e carregou a mão no imposto, declarando que aquilo devia ser taxado como – *obras impressas*, pagando tanto como os volumes de Charpentier e Lemerre que o Garnier e o Laemmert recebem.

E nada pode dar idéia da indignação do negociante, quando positivamente lhe afirmei que aplaudia o procedimento da Alfândega, achando patriótico e digno de encher de orgulho o mundo pensante brasileiro...

O procedimento da Alfândega, de fato, revela tendências protecionistas, que merecem todo o aplauso. Tudo carece de bafejo e proteção. Plantas que se não regam mirram e morrem. Para que se veja a que excessos perniciosos chega a mania de mandar fazer tudo na Europa, basta dizer que aquelas quadrinhas quebradas que são o encanto das balas de estalo nas festas de casamento e batizado, são hoje ideadas, medidas, rimadas, compostas e impressas em Portugal, de onde chegam aos quilos, em fardos. Concebe-se maior desaforo? Pois nós temos aqui uma literatura pujante, uma literatura valente e original, em que há tanto talento como tiririca no mato, – poetas de todas as escolas, prosadores de todos os estilos – e, não contentes com mandar vir da Europa os versos das nossas balas, ainda havemos de consentir que a Fábrica Nacional de Biscoitos, e a Companhia do Apilacuru, e a Sociedade Anônima das Manteigas encarreguem a Europa de dar literatura aos seus rótulos?

Caramba! então para que é que temos a mais rica literatura do globo terráqueo?

O. B.

28 AGO. 1898 DIÁRIO DO RIO

Ontem, lendo o anúncio de um espetáculo em homenagem a João Caetano, vi que haveria a primeira representação de uma comédia brasileira, em verso. Fui ouvi-la, e não perdi a minha noite. *Um ninho na floresta* é um belo ato, animado e alegre, de concepção simples e fresca.

Poder-se-á talvez pedir ao Sr. Pereira da Silva que para outra vez cuide mais da elegância da sua metrificação, e abandone a pretensão de pôr o teatro ao serviço de suas idéias de livre-pensador... mas não vale à pena: assim mesmo, escrita em versos que nem sempre são bem feitos e cheia de um anti-clericalismo que mais folgadamente acharia lugar num discurso do meu amigo Érico Coelho, – a comédia é bonita e não deslustra o nome de quem escreveu o poema *Riachuelo*. Eu, por mim, deixei logo de parte a péssima impressão que me fez a longa tirada em que uma velha roceira explica as vantagens do casamento civil em redondilhas, – e guardei apenas a impressão deliciosa das outras cenas, simples e idílicas, em que um casal de adolescentes, no meio da natureza protetora, vivem a arrulhar e a trocar beijos, celebrando em quadras perfumadas os encantos do seu ninho na floresta.

Também não é para criticar a peça que acrescento esta página ao meu *Diário*. Quero registrar aqui as extravagâncias que teve o desempenho, – extravagâncias que não me querem sair da cabeça...

Imaginai: A ação de *Um ninho na floresta* passa-se no interior de Minas. Há uma cena em que um padre tabaquento discute com o adolescente enamorado: e como o papel de padre era desempenhado pelo Sr. Matos, que é português e fala como português da lei, e como o papel do adolescente *pernóstico* fôra entregue à Sra. Rosa Villiot, que é francesa e fala como boa francesa que é, houve ontem momentos para mim, de um singular embaraço.

Quando o Sr. Matos, vestido como um prior da aldeia, com sapatos de fivela, meias pretas, calções, e larga sobrecasaca, dizia os seus versos, com a sua pronúncia acentuadamente européia, eu seria capaz de jurar que a comédia era portuguesa e que o idílio se desenrolava na Beira ou no Minho. Mas começava a falar a Sra. Rosa Villiot, e, vendo-a loira e lépida, e ouvindo-lhe a pronúncia de *rr* carregados, já me parecia a mim que a comédia era francesa, e que ali me desvendavam aos olhos os amores de um *paysan* e de uma *paysanne* de França, ornados de música, como esses que os libretos das operetas de Chivot e Audran vulgarizaram.

Ai! amigos! e isto é o teatro nacional! E notai bem que não é tudo... Já ouvi uma comédia *brasileira* desempenhada por uma francesa, um português, uma espanhola e um italiano: e fiquei fazendo uma idéia do que teria sido um teatro instalado no alto da Torre de Babel...

O. B.

13 nov. 1898 — Diário do Rio

Caem as últimas chuvas, rebentam as cigarras a cantar, chega o verão implacável: e já, às quatro da tarde, a barca de Petrópolis, quando larga da ponte da Prainha, vai atulhada de gente. Oh! este espetáculo da partida da barca de Petrópolis! Estas fisionomias dos mártires do Chique, – estas fisionomias dos supliciados da Moda.

Quem não terá visto, pelo menos uma vez na vida, um homem rústico, do trabalho, em dia de cerimônia nupcial? O desgraçado, para levar a noiva à igreja, enfarpelou-se de novo, e meteu os pés grossos e calosos em botins de verniz que lhes apertam os artelhos, que lhes incendeiam os calos, que lhes trituram as unhas, que lhes raspam os joanetes. Bem poderia ele ir de tamancos, para não sofrer esses tormentos... mas a Moda tirana exigia esse martírio; e o infeliz, no horror do sofrimento, não quer confessar que sofre, e esboça um sorriso amarelo na lividez da face angustiada...

Eu, sempre que contemplo um *diário* de Petrópolis, cuido estar contemplando uma cena dessas. Um *diário* é um mártir mais digno de comiseração do que Santo Estêvão apedrejado, do que São Lourenço grelhado, do que Santo Inácio comido pelas feras. Seria tão fácil alugar cômodos no Corcovado ou na Tijuca, e poder comer e dormir em sossego! mas a Moda quer que o condenado não coma nem durma, e que passe cinco meses subindo e descendo a serra, transpirando e resfriando-se, comendo a galope, dormindo com um olho só, numa agitação capaz de escangalhar o organismo de um Hércules.

Ainda a madrugada não ensangüenta o céu, e já a vítima acordou, num sobressalto, ao clamor maldito do despertador, e já passou pela água do banho como um gato pelo braseiro, e já retalhou o queixo barbeando-se à pressa, e já queimou a garganta com o café fervendo, e já disparou pelas ruas ajoujado ao peso da *valise*, em busca do trem. Depois, o carvão da máquina, a poeira da estrada, os solavancos dos carros desengonçados, a barca morosa, o calor hediondo das dez horas na Prainha atravancada de carroções, o almoço que amarga, – o trabalho atabalhoado, feito a correr com a cabeça perdida... Depois, às 3, o vôo desvairado para a barca, a Prainha de novo cheirando a café em grão e a suor de pretos, e outra vez a barca, e a conquista de um lugar no trem a murro e à dentada, e um calor do inferno sob os tetos que o sol combure, e o resfriamento na serra, e a chegada ansiosa... Oh! como seria bom tomar um banho e descansar! mas a sopa já está na mesa, a senhora já está decotada, os convidados esperam... E, acabado o jantar, é preciso sair, ouvir música clássica, dançar duas valsas, jogar o pôquer até às 2 horas da manhã... E o desgraçado, quando cai na cama, moído como se saísse de um espremedor de cana, pensa aterrado que só pode dormir três horas, e que daí a pouco é preciso recomeçar esse dia de angústia, recomeçá-lo cem vezes, por meses e meses de tortura e de chique!

Em toda a parte do mundo, a vilegiatura é um repouso, um consolo, uma higiene, uma delícia. Aqui, a vilegiatura é uma penitência, uma mortificação do corpo e da alma, um meio de ganhar o céu pelas provações. E é preciso notar que os jejuns, as vigílias, os cilícios são penitências mais suaves que a vida de um *diário* de Petrópolis: pelo menos, são infinitamente mais baratas.

O. B.

25 NOV. 1898 — DIÁRIO DO RIO

Meus amigos! esse José do Patrocínio que está aí fazendo discursos sobre discursos e recebendo ovações, é um homem extraordinário! Agora, justamente quando acaba a tremenda campanha que esse terrível polemista acaba de sustentar na *Cidade do Rio* (oh! campo glorioso, abalado dia a dia pelo rigor da batalha!), o editor Magalhães põe à venda uma edição popular de *Mota Coqueiro*, romance que Patrocínio escreveu há duas dezenas de anos. Porque ele é romancista, o diabo do homem! como é jornalista, como é tribuno, como é poeta, como é tudo quanto quer ser!

Li, nestes últimos dois dias, *Mota Coqueiro*, quase de um fôlego, com uma curiosidade vivíssima. Quando a *Gazeta* publicou o romance, escrito expressamente para o seu rodapé, eu, dado ao estudo da anatomia e da química, era um pacato menino que tinha medo da literatura como de uma fonte de perdição e miséria: não li os folhetins da *Gazeta*, e até agora só conhecia de fama a história do enforcado inocente.

Não é bem um romance, essa história. Obra de propaganda contra a pena de morte, composta à *la diable*, no fogo e na precipitação da campanha, *Mota Coqueiro* é um libelo contra a justiça do tempo. O escritor, de página em página, esquece os personagens, e mete-se na ação, com as suas idéias, com a sua violência, com o seu temperamento. E há nas trezentas páginas do livro o mesmo calor de imagens, a mesma fulguração inopinada de epítetos, o mesmo arrebatador estilo, que todas as tardes vai a gente achar na primeira coluna da *Cidade do Rio*.

Às vezes, porém, uma descrição feita por pena de mestre vem mostrar que grande romancista seria o apóstolo da Abolição, se tivesse preferido o manso trato das letras ao duro trabalho da política militante. Assim, as três belas páginas em que se pinta a marcha do condenado para a forca, – "alto, magro, com as faces escaveiradas, ictéricas, marcadas por uma grande mancha arroxeada, as pálpebras entrecerradas, completamente brancos os compridos cabelos, as sobrancelhas salientes e espontadas, as barbas longas de sob as quais lhe pendia do pescoço à cinta o baraço infamante...". Assim também toda a cena do morticínio, em casa de Benedito, – um capítulo de sangue e horror, de um movimento e de um colorido inexcedíveis.

Esse José do Patrocínio é um homem extraordinário, meus amigos! esse diabo mete-se em tudo e sai de tudo coberto de glória.

O. B.

29 nov. 1898 — Diário do Rio

Stendhal, ou Henri Beyle, o esquisitão, escreveu: *Les vers furent inventés pour aider la mémoire. Plus tard, on les conserva pour augmenter le plaisir, par la vue, de la difficulté vaincue. Les garder aujourd'hui dans l'art dramatique, c'est un reste de barbarie.* Beyle, com toda a sua grande mania de ser, antes de tudo, sincero e simples, tinha pose como qualquer mortal. Não era ele quem dizia que antes de escrever lia sempre algumas páginas do código, para enrijar o estilo? Essa aversão e essa condenação do verso no teatro nada podem ter de sinceras em quem confessava só admirar e amar verdadeiramente três homens: Cimarosa, Mozart e... Shakespeare.

Vem de longe esta guerra feita à rima. De quando em quando, aparece um profeta, vaticinando a morte do verso: e, logo, depois do vaticínio, uma obra forte, rimada, surge, para encafifar o profeta. Agora mesmo, o sucesso surpreendente de *Cyrano* acaba de mostrar que em parte nenhuma pode a poesia, com tanto brilho e tanta vida como no palco, dar palpitação e relevo à Idéia. Achar que a forma do drama de Rostand é um resto de barbaria, – é uma blasfêmia.

Porque o verso é uma convenção, porque na vida real ninguém fala em verso, – é que o havemos de banir do teatro? Mas que é todo o teatro senão a mais escandalosa das convenções? O holandês Dowes Dekker, humorista com tanto entusiasmo citado por Ortigão, já dizia:

> A mentira fervilha em cada cena. Quando o herói se resolve a ir salvar a pátria e sai majestático pelo fundo, hão de notar que há sempre ao fundo uma porta que se abre sem ninguém lhe bater...

A arte é toda convencional. E tão convencional é a prosa como o verso, – porque, se ninguém fala em verso, também em nenhuma obra literária os personagens falam a mesma prosa que falamos todos na terra-a-terra da vida cotidiana.

Tudo isto vem a propósito do episódio *As Estações*, que Coelho Neto escreveu para o Centro Artístico. Essa pequenina e encantadora peça, toda escrita em verso, em qualquer outro meio literário seria recebida como um verdadeiro sucesso. Neto (e com isto se prova que em todo bom prosador há um bom poeta, como em todo bom poeta há um bom prosador) teria estragado a sua formosa idéia se, lendo pela cartilha de Stendhal, houvesse desprezado a rima. Aquela deliciosa *bluette*, – uma breve cena em que se agitam as quatro idades, com as suas paixões – estava pedindo o encanto sóbrio e comovedor do verso lírico.

Que pena que não haja aí em S. Paulo um grupo que estude e represente *As Estações*! que pena! – porque esse episódio é o mais eloqüente protesto contra o esnobismo dos que vivem a predizer a morte da poesia...

O. B.

Jornal da Exposição 1908

14 set. 1908

Crônica

O fogo diurno de ontem seria um encanto completo, se não fosse a intervenção bem pouco brilhante de alguns "marmanjos", que competiram com as crianças no afã de apanhar os bonecos de papel que os morteiros da casa Brocks espalhavam pelo ar.

Há aí, no período que acabo de escrever, dois verbos mal empregados.

Em primeiro lugar, os "marmanjos" não *competiram* com as crianças. Estas, coitadinhas, não lograram conquistar um só brinquedo. A horda dos visitantes barbados tomou conta de todo o campo e monopolizou todo o divertimento. Que criança se atreveria a meter-se naquele torvelinho de gente graúda, arriscando-se a ser esmagada por aquele tropel desvairado.

Em segundo lugar, nenhum dos "marmanjos" queria *apanhar* os bonecos. O que todos queriam e faziam era rasgá-los. Assim que um boneco ou um bicho pairava no ar perto do solo, logo uma floresta de bengalas alçadas avançava para ele, batendo-o, estripando-o, estraçalhando-o, reduzindo-o a nada. Era uma batalha medonha! E as crianças, espantadas, abriam para aquela cena os seus olhos inocentes, talvez perguntando a si mesmas se aqueles carneiros de papel seriam animais ferozes e se aqueles bonecos seriam criaturas malfazejas, para que assim merecessem e justificassem a fúria agressiva e destruidora de tantos homens armados de bengalas...

Felizmente, as crianças tiveram a prudência e o bom senso de se não arriscar a disputar os brinquedos aos grandalhões: se assim não fosse, haveria talvez na Exposição, ontem, uma reedição da famosa matança dos inocentes de Herodes. O chão ficaria juncado, não só de destroços de mandarins e bois de papel, como de restos de crianças de carne e osso. Repito que, felizmente, as crianças tiveram prudência e bom senso, contrastando com a imprudência e a loucura dos machacazes...

Se os homens feitos, com barba na cara, monopolizam deste modo para si os divertimentos destinados às crianças, não sei bem em que é que estas hão de ocupar o seu tempo no recinto da Exposição: em beber *chopps* no *bar*? em namorar nas alamedas? em ter entrevistas no Bosque dos Amores? em discutir protecionismo e livre-cambismo no Palácio da Indústria?...

O que sei é que as cenas de ontem vieram inaugurar na Exposição uma seção nova: a seção dos que expõem a sua própria brutalidade.

Olavo Bilac

JORNAL DA EXPOSIÇÃO – 02 CRÔNICA

O *Jornal da Exposição* publica hoje um interessante *cliché* fotográfico, reproduzindo um retrato tecido em seda no tear do Sr. E. Capitani, instalado no Palácio da Indústria.

Estive ontem quase uma hora diante dessa máquina extraordinária, de uma simplicidade notável, e parecendo entretanto, pela certeza matemática do seu funcionamento, dotada de uma inteligência própria, de uma vontade autônoma. O modo por que se fazem os retratos tecidos em seda é talvez o mais impressionador espetáculo que se pode presenciar nesta Exposição. Todos se demoram ali, como eu me demorei ontem, a admirar a maravilhada precisão com que os fios de seda, separando-se, unindo-se, tornando a separar-se, conjugando-se, combinando-se, vão pouco a pouco formando a tela nítida, em que se traçam todas as linhas, todos os contornos, todas as nuances do motivo do desenho, com uma absoluta perfeição nas combinações do claro-escuro. O retrato surge lentamente, como por milagre, como se uma invisível mão o fosse pintando misteriosamente na trama da seda. O mais perito miniaturista não excederia (permita-me a expressão) a inteligência e a consciência com que essa máquina reúne, casa e apura os "valores" da seda, correndo uma escala completa de "tons", passando do negro absoluto, de um brilho aveludado, ao *gris* escuro e ao *gris* desmaiado, e chegando por uma gradação suave ao branco mais límpido...

É a primeira vez, suponho, que se encontra no Brasil, e na América, este processo artístico, que é uma especialidade de poucos centros europeus da indústria [*****], Berlim, Roma e [*****]. O processo é análogo ao da fabricação dos *Gobelins* que saem da afamada fábrica francesa. Mas a máquina é muito mais simples e muito mais interessante.

Quando me arranquei a custo à contemplação e ao estudo do tear maravilhoso, saí dali reconhecendo que o Sr. E. Capitani resolveu um problema que estava pedindo solução urgente: o da "lembrança da Exposição".

Cada grande Exposição tem a sua "lembrança" especial, um pequeno objeto, uma novidade industrial ou artística, que os visitantes conservam em memória da visita.

A nossa Exposição ainda não tinha isso. Os cartões postais, as medalhas, as fotografias são "lembranças" vulgares e cediças. Mas os retratos em seda do Sr. E. Capitani são uma verdadeira novidade, e constituem o *clou* deste certame. As matrizes dos quadros são vazias, e cada visitante pode escolher a que mais o seduza. Os devotos escolherão o retrato do Cardeal Arcoverde; os monarquistas adquirirão a efígie do [*****].

[Crônica sem final. Aparentemente, desapareceu a página 4 do autógrafo. A. D.]

S. A.

Chronica

O *Jornal da Exposição* publica hoje um interessante cli-
chê photographico, reproduzindo um retrato tecido em seda
no tear do Sr. E. Capitani, installado no Palacio da
Industria.

Estive hontem quasi uma hora diante dessa machina
extraordinaria, de uma simplicidade notavel, e parecen-
do entretanto, pela certeza mathematica do seu
funccionamento, dotada de uma intelligencia pro-
pria, de uma vontade autonoma. [O modo por
que se fasem os retratos tecidos em seda é tal-
vez o mais impressionador espectaculo que se
pode presenciar nesta Exposição. [Todos se demo-
ram alli, como eu me demorei hontem, a
admirar a maravilhosa precisão com que os
fios de seda, separando-se, unindo-se, tornando
a separar-se, conjugando-se, combinando-se,
vão pouco a pouco formando a tela ni-
tida, em que se traçam todas as linhas, todos
os contornos, todas as nuances do motivo do
desenho, com uma absoluta perfeição nas com-
binações do claro-escuro. [O retrato surge
lentamente, como por milagre, como se

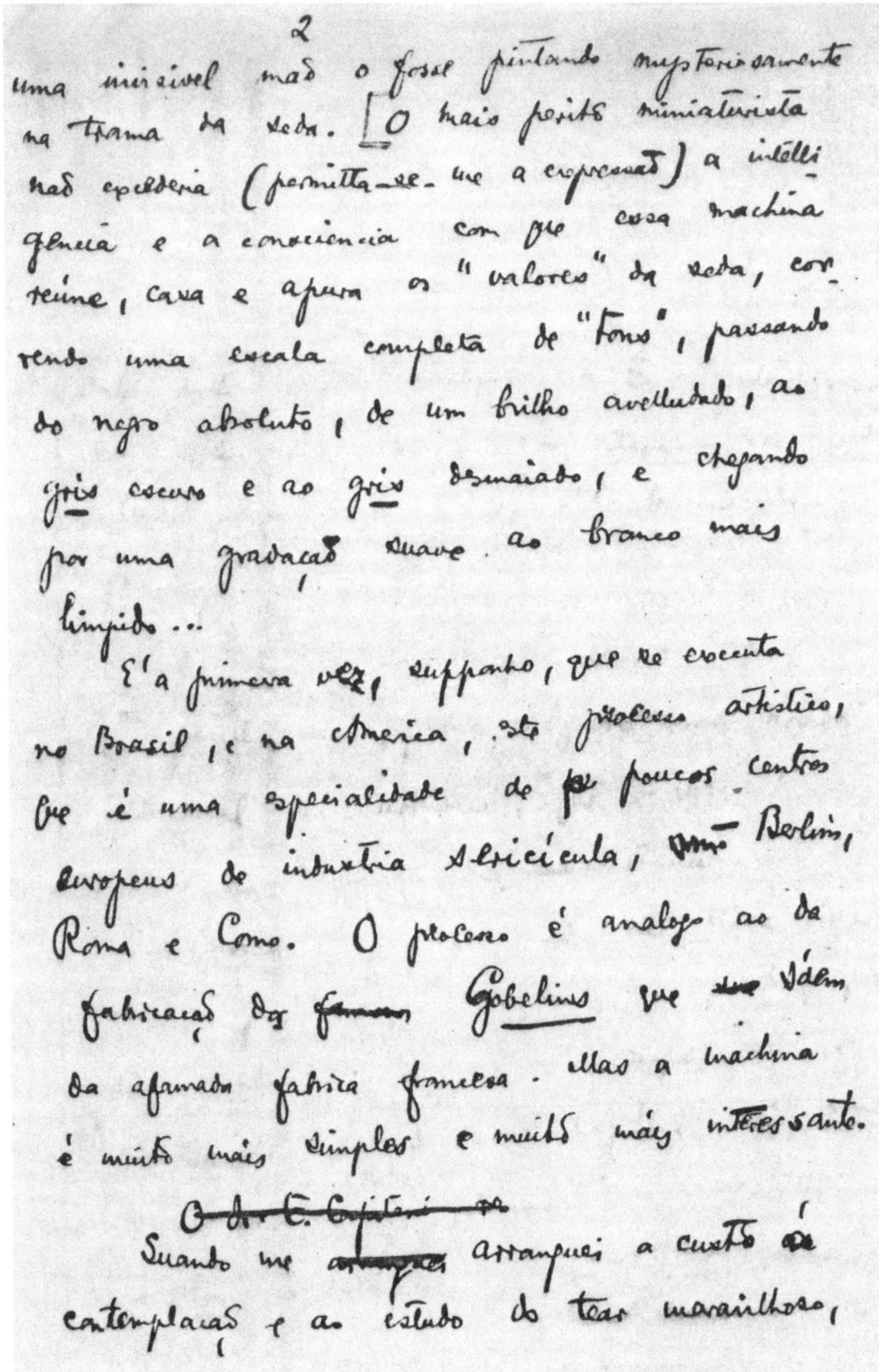
2

uma invisivel mão o fosse pintando mysteriosamente
na trama da seda. [O mais perito miniaturista
não excederia (permitta-se-me a expressão) a intelli-
gencia e a consciencia com que essa machina
reune, cava e apura os "valores" da seda, cor-
rendo uma escala completa de "tons", passando
do negro absoluto, de um brilho avellutado, ao
gris escuro e ao gris desmaiado, e chegando
por uma gradação suave ao branco mais
limpido...

É a primeira vez, supponho, que se executa
no Brasil, e na America, este processo artistico,
que é uma specialidade de ~~pe~~ poucos centros
europeus de industria sericicula, ~~como~~ Berlim,
Roma e Como. O processo é analogo ao da
fabricação dos ~~famosos~~ Gobelins que ~~...~~ idem
da afamada fabrica franceza. Mas a machina
é muito mais simples e muito mais interessante.

~~O dr. E. Capitani ...~~

Quando me ~~arranquei~~ arranquei a custo da
contemplação e ao estudo do tear maravilhoso,

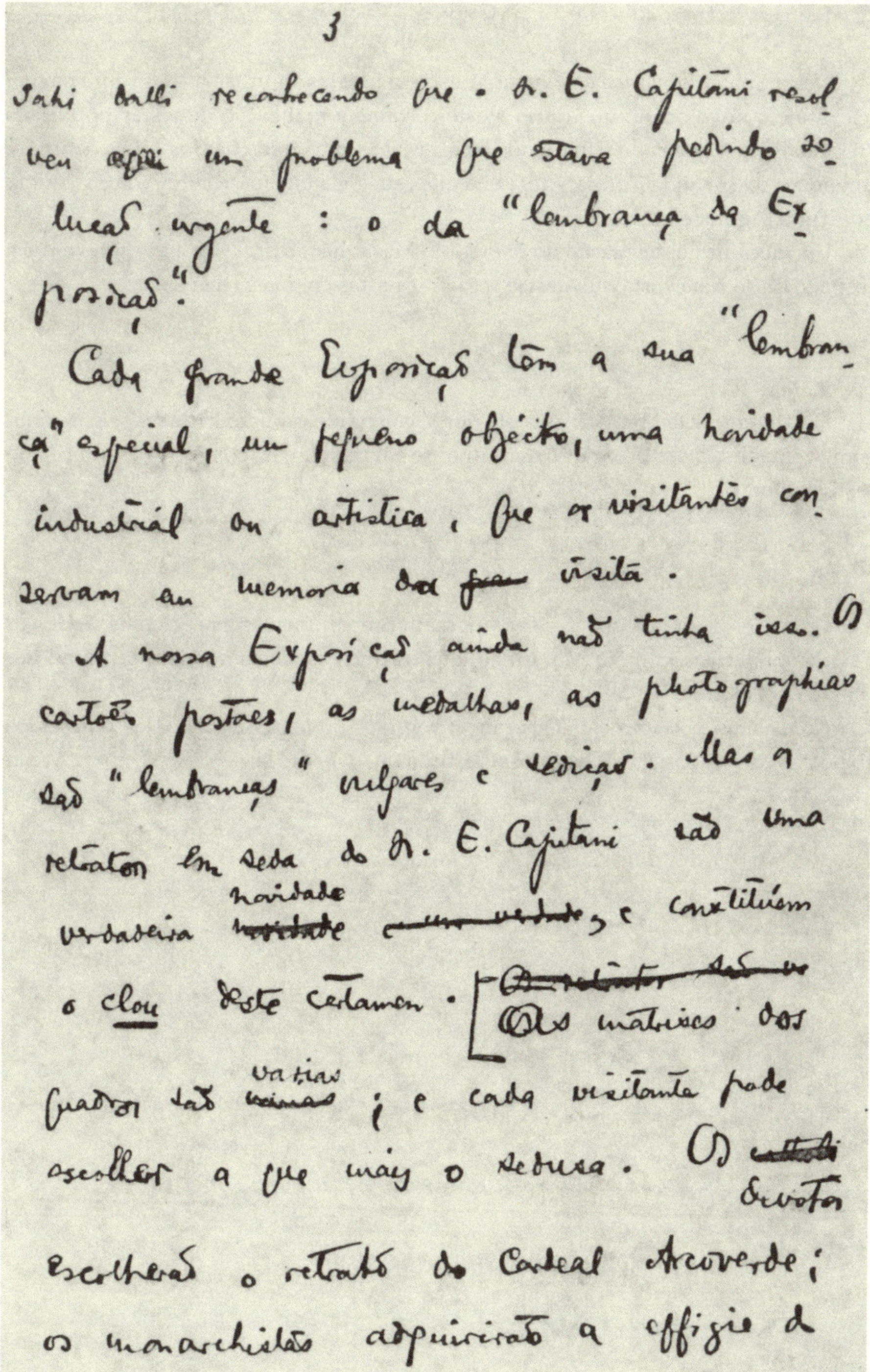

3

Sahi dalli reconhecendo que o Sr. E. Capitani resol-
veu assim um problema que estava pedindo so-
lução urgente: o da "lembrança da Ex-
posição".

Cada grande Exposição tem a sua "lembran-
ça" especial, um pequeno objecto, uma novidade
industrial ou artistica, que os visitantes con-
servam em memoria da ~~sua~~ visita.

A nossa Exposição ainda não tinha isso. Os
cartões postaes, as medalhas, as photographias
são "lembranças" vulgares e sediças. Mas a
retratos em seda do Sr. E. Capitani são uma
verdadeira novidade ~~novidade~~ ~~e um verdade~~, e constituem
o clou deste certamen. [~~Os retratos são os~~ Os matrices dos
quadros são varias ~~[illegible]~~; e cada visitante pode
escolher a que mais o seduza. Os ~~catholi~~ devotos
escolherão o retrato do Cardeal Arcoverde;
os monarchistas adquirirão a effigie d

JORNAL DA EXPOSIÇÃO – 03 CRÔNICA[3]

Nesta *Crônica* do *Jornal da Exposição*, escrevi há dias algumas linhas sobre o novo encanto e o novo brilho que daria a este certame a realização de festas populares "regionais", em que cada Estado nos mostrasse as suas tradições, os seus costumes, um pouco da sua vida íntima, – foi pena que esta idéia não fosse lembrada em tempo oportuno. Agora, é tarde.

Um auxiliar da delegação do Estado do Maranhão, o Sr. Z. Pastor, escreve-me a respeito disso uma carta que desejo registrar nestas colunas. Diz ele:

- X -

"Realmente, a lembrança, exposta por V. com tanto cabimento de realizar-se aqui como compensação, a delegação maranhense vai realizar, no começo de outubro, um festival literário."

- X -

Como se vê, é pena que já se não possam preparar as festas regionais. Todos os Estados poderiam, como o Maranhão, mostrar-nos aspectos novos e encantadores da vida brasileira...

Consolemo-nos com esta esperança: veremos talvez essas festas na anunciada Exposição de 1822 [sic], se tivermos a fortuna de viver até lá.

OLAVO BILAC

3. Bastante truncada. Aparentemente, sumiram as páginas intermediárias desta crônica.

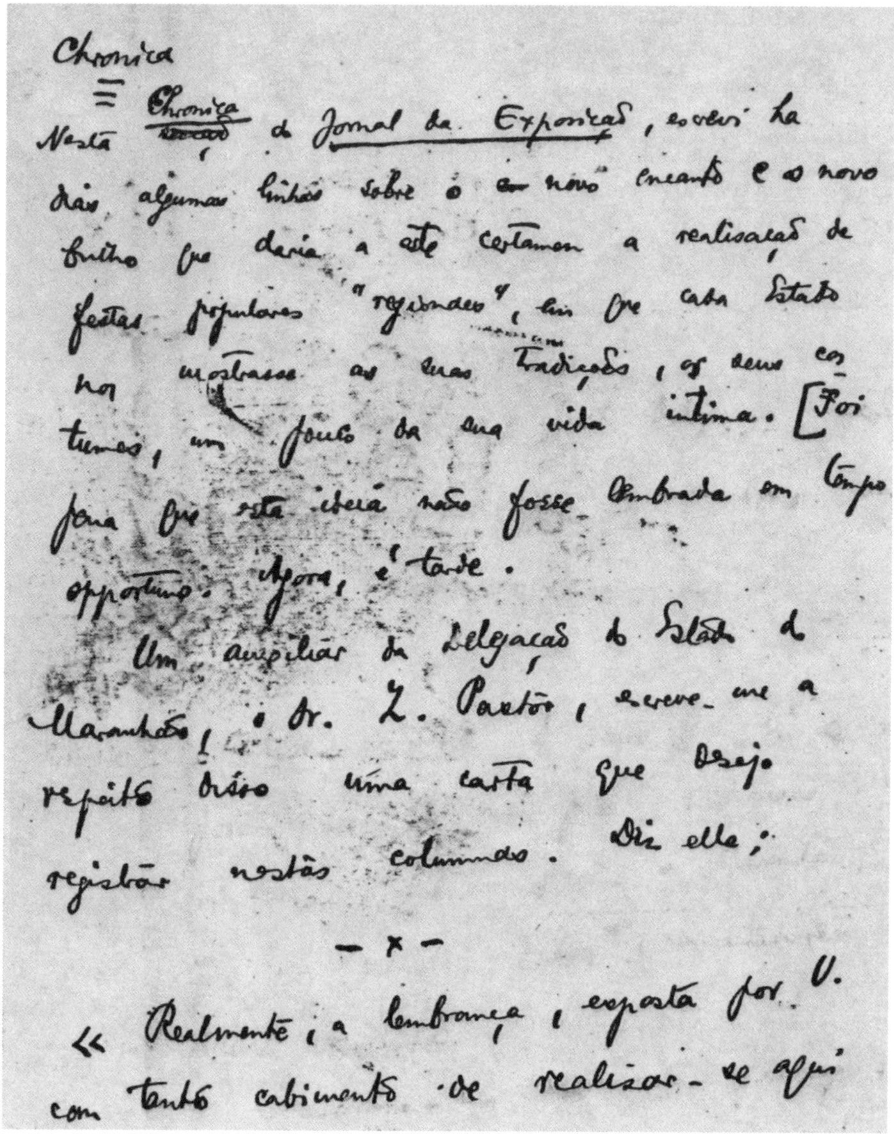

Chronica

Nesta Chronica do Jornal da Exposição, escrevi ha dias algumas linhas sobre o novo encanto e o novo brilho que daria a este certamen a realisação de festas populares "regionaes", em que cada Estado nos mostrasse as suas tradições, os seus costumes, um pouco da sua vida intima. [Foi pena que esta idéa não fosse lembrada em tempo opportuno. Agora, é tarde.

Um auxiliar da Delegação do Estado do Maranhão, o Sr. Z. Pastôr, escreve-me a respeito disso uma carta que desejo registrar nestas columnas. Diz elle:

— x —

« Realmente, a lembrança, exposta por V. com tanto cabimento de realisar-se aqui

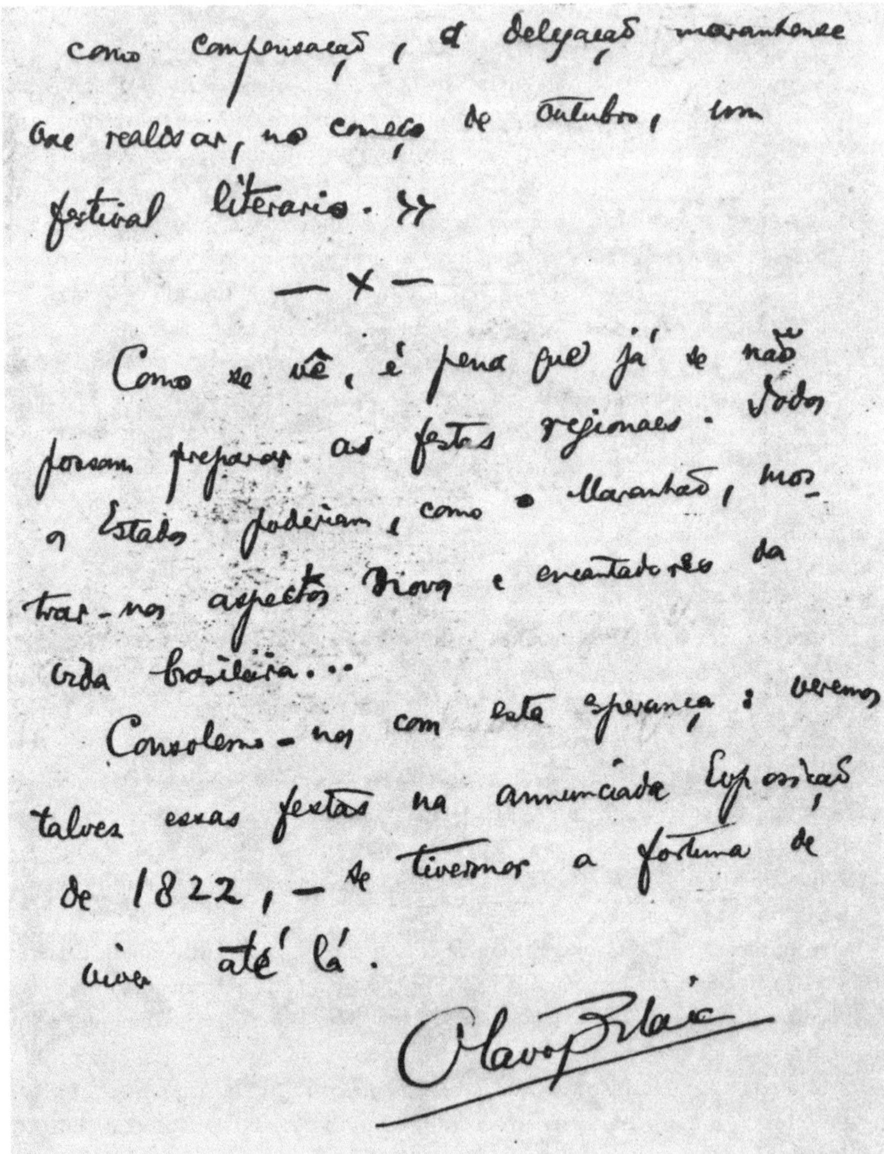

como compensação, a delegação maranhense
que realizar, no começo de outubro, um
festival literario."

— x —

Como se vê, é pena que já se não
fossem preparar as festas regionaes. Todos
os Estados poderiam, como o Maranhão, mos-
trar-nos aspectos novos e encantadores da
vida brasileira...

Consolemo-nos com esta esperança: veremos
talvez essas festas na annunciada Exposição
de 1822, — se tivermos a fortuna de
viver até lá.

Olavo Bilac

Jornal da Exposição – 04 Crônica

Os bororós tiveram uma passagem fugaz pela Exposição. Estiveram aqui duas ou três vezes, realizaram dous ou três concertos, olharam com espanto e gozo este cenário de mágica, e vão regressar à sua aldeia, em companhia do padre que os domesticou.

Deixam-nos saudades os pequenos índios. [Confesso que não gostaria de ver aqui, neste recinto civilizado, uma maloca de índios selvagens, ainda na boniteza nativa, não compreendendo o nosso falar, idiotamente contemplando tudo isto sem comoção, e expostos aqui como animais ferozes. Haveria nessa exibição um mau gosto deplorável; e os pobres íncolas fariam aqui a mesma triste figura dos prisioneiros bárbaros, que os vencedores romanos traziam das terras conquistadas, amarrados aos seus carros de triunfo. Tenho para mim que os selvagens, ainda existentes em tão grande número nos sertões do Brasil, não podem ser para nós um motivo de orgulho: devem ser, ao contrário, um motivo de quase vergonha, porque a sua permanência no estado bárbaro demonstra a nossa fraqueza e a impossibilidade em que ainda nos achamos de dominar e civilizar toda a imensa porção da terra que nos coube de herança.

Mas não é esse o caso dos bororós do padre Malan. Estes já são brasileiros, já são homens, já são irmãos nossos, arrancados pelo nosso esforço à noite da barbárie, e honrando com a sua civilização a nossa capacidade civilizadora. Esses não nos envergonharam com a sua presença: antes nos alegraram e nos glorificaram.

Em visita de despedida ao presidente da Câmara dos Deputados, os pequenos índios foram assediados de perguntas pelos legisladores. Estes queriam conhecer a idéia que os selvagens faziam da Exposição, e perguntavam: "Então? gostaram? que lhes pareceu tudo aquilo?" Por fim, um bororó resumiu em uma só palavra a impressão sua e de seus companheiros, e exclamou, dilatando os olhos com assombro: "Luz!"

De tudo isto, foi a iluminação fantástica o que mais os impressionou. E, neste ponto, parece que os cariocas, que já nasceram civilizados, têm a mesma impressão dos bororós do padre Malan: só há concorrência à Exposição nas noites em que se iluminam todos os pavilhões; nas outras noites, é raro encontrar um passeante perdido na vastidão da cidade industrial. Já se tem dito que é esta a Exposição mais iluminada, de quantas ultimamente se têm realizado no mundo. Acabo de receber da Europa um álbum contendo todas as vistas da Exposição franco-inglesa de Londres. Entre essas vistas, há uma, representando, à noite, o conjunto dos palácios iluminados: e, sendo o recinto dessa Exposição quatro ou cinco vezes maior do que a da nossa, é fácil verificar que temos aqui, pelo menos, o dobro do número de lâmpadas elétricas que lá clareiam as alamedas e as fachadas dos Palácios.

"Luz!" – exclamou o pequeno bororó. Foi esse o monossílabo em que se condensou toda a sua admiração.

Mas não é essa a única impressão definitiva que ele e os seus companheiros hão de conservar no cérebro durante o resto da vida.

Vendo tudo isto, os bororós compreenderam bem o valor e a glória do trabalho humano, e saíram daqui fazendo idéia perfeita da grandeza da sua pátria. O laconismo daquela resposta indica apenas timidez e inocência. Não indica estupidez. Os pequenos índios já deixaram de ser simplesmente animais, e já são homens, definitivamente incorporados à comunhão brasileira.

OLAVO BILAC

Chronica 1.

Os bororós tiveram uma passagem fugaz pela Exposição. Estiveram aqui duas ou três vezes, realisaram dous ou três concertos, olharam com espanto e gozo este scenario de magica, e ~~partiram~~ vão regressar para á sua aldeia, em companhia do padre que os domestica.

Deixam-nos saudades os pequenos indios. [Confesso que nos gostaria de ver aqui, neste recinto civilisado, uma maloca de indios selvagens, ainda na brutesa nativa, não comprehendendo o nosso falar, idiotamente contemplando tudo isto sem commoção, e expostos aqui como animaes ferozes, ~~chorando~~ ~~mal e~~ Haveria nessa exhibição um máu gosto deploravel]e os pobres incolas fariam aqui a mesma triste figura dos prisioneiros barbaros, que os vencedores romanos traziam das terras conquistadas, amarrados aos seus carros de triumpho. Tenho para mim que ~~não~~ os selvagens, ainda existentes em tão grande numero, nos sertões do Brasil, não podem ser para nós um motivo de orgulho: devem ser, ao contrario, um motivo de quasi vergonha, porque a sua permanencia no estado barbaro demonstra a nossa fraqueza e a impossibilidade em que ainda nos achamos de dominar e civilisar toda a immensa ~~região~~ porção da terra que nos coube em herança.

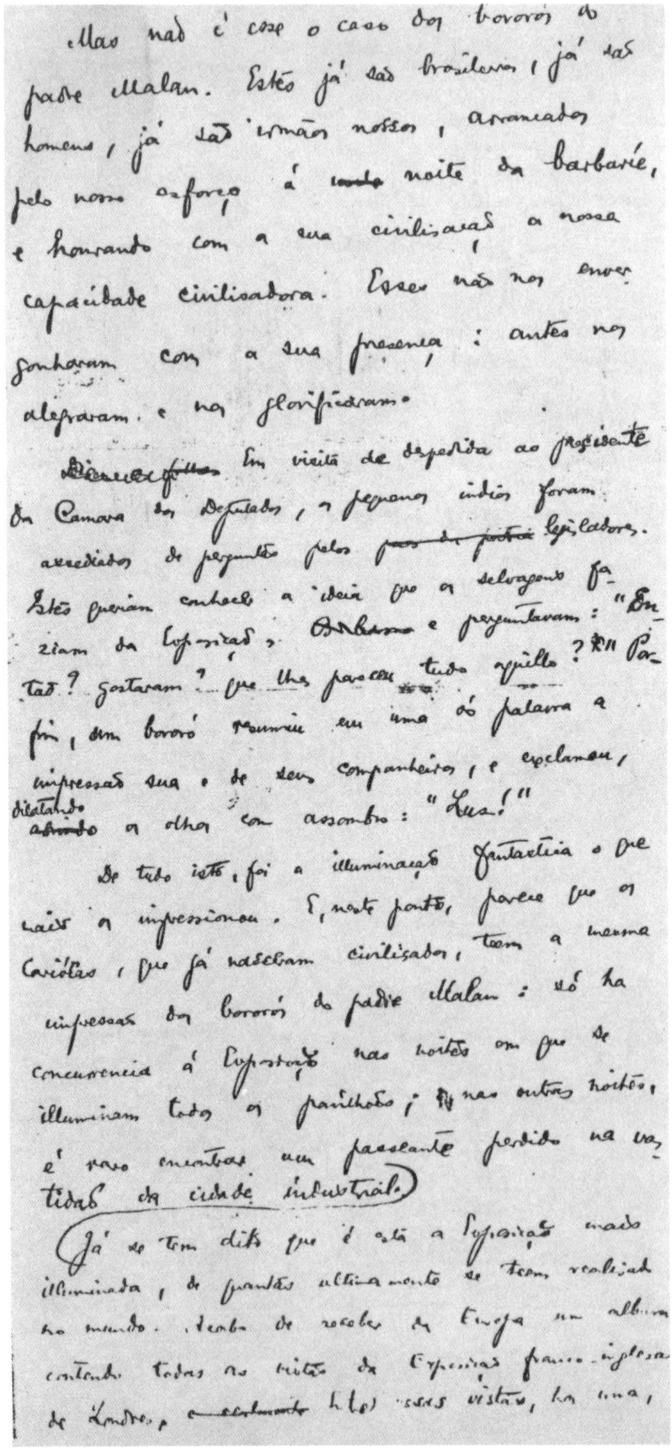
Mas não é esse o caso dos bororós do padre Malan. Estes já são brasileiros, já são homens, já são irmãos nossos, arrancados pelo nosso esforço á ~~[illegible]~~ noite da barbarie, e honrando com a sua civilisação a nossa capacidade civilisadora. Esses não nos envergonharam com a sua presença: antes nos alegraram e nos glorificaram.

~~[illegible]~~ Em visita de despedida ao presidente da Camara dos Deputados, os pequenos indios foram assediados de perguntas pelos ~~paes da patria~~ legisladores. Estes queriam conhecer a idéia que os selvagens faziam da Exposição, ~~[illegible]~~ e perguntavam: "Então? gostaram? que lhes pareceu tudo aquillo?" Por fim, um bororó resumiu em uma só palavra a impressão sua e de seus companheiros, e exclamou, dilatando ~~abrindo~~ os olhos com assombro: "Luz!"

De tudo isto, foi a illuminação phantastica o que mais os impressionou. E, neste ponto, parece que os Cariócas, que já nasceram civilisados, teem a mesma impressão dos bororós do padre Malan: só ha concurrencia á Exposição nas noites em que se illuminam todos os pavilhões; nas outras noites, é raro encontrar um passante perdido nas ruas tidas da cidade industrial.

Já se tem dito que é esta a Exposição mais illuminada, de quantas ultimamente se teem realisado no mundo. Acabo de receber da Europa um album contendo todas as vistas da Exposição franco-ingleza de Londres, ~~exactamente~~ [illegible] essas vistas, ha uma,

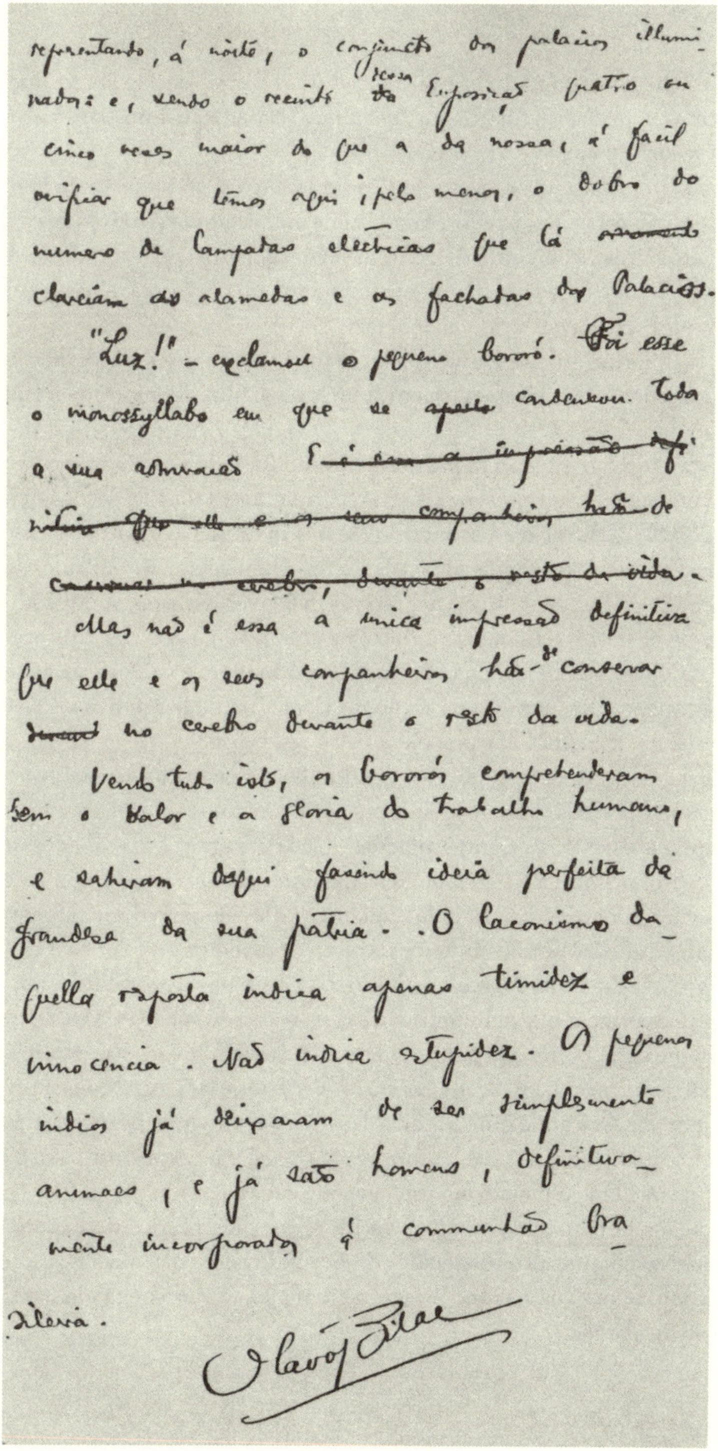

representando, á noite, o conjuncto dos palacios illuminados: e, sendo o recinto dessa Exposição quatro ou cinco vezes maior do que a da nossa, é facil verificar que temos aqui, pelo menos, o dobro do numero de lampadas electricas que lá clareiam as alamedas e as fachadas dos Palacios.

"Luz!" – exclamou o pequeno bororó. Foi esse o monossyllabo em que se condensou toda a sua admiração.

Mas não é essa a unica impressão definitiva que elle e os seus companheiros hão de conservar no cerebro durante o resto da vida.

Vendo tudo isto, os bororós comprehenderam bem o valor e a gloria do trabalho humano, e sahiram daqui fazendo idéa perfeita da grandeza da sua patria. O laconismo daquella resposta indica apenas timidez e innocencia. Não indica estupidez. Os pequenos indios já deixaram de ser simplesmente animaes, e já são homens, definitivamente incorporados á communhão brazileira.

Olavo Bilac

JORNAL DA EXPOSIÇÃO – 05 CRÔNICA

Estão a chegar os cantadores e os dançadores caipiras de São Paulo, que vêm dar à Exposição a nota de arte rústica que lhe faltava. Uma Exposição Nacional, no Brasil, sem uma tocata de violão é um contra-senso...

O violão foi quase desterrado do Rio de Janeiro, e só na festa da Penha, e em algumas outras festas dos arredores da grande cidade ainda se ouve hoje a voz plangente dos troveiros, acompanhada pelo sussurro choroso das cordas do "pinho". Não pode dar-se bem o singelo instrumento, companheiro inseparável do roceiro, neste cenário suntuoso de aventuras e de palácios.

Mas, no interior, ainda é ele quem alegra todas as reuniões, quem interpreta todo o sentimento das almas simples, quem traduz na sua harmonia rude a rude poesia do sertão.

Para ver como o violão faz parte integrante da vida brasileira, basta verificar, como já verifiquei, a sua presença em todas ou quase todas as seções dos Estados nesta Exposição.[4] [Haveis de encontrá-lo até nas luxuosas instalações das mais opulentas fábricas de instrumentos musicais do Distrito Federal, de S. Paulo, de Minas e do Rio Grande do Sul. Mas, aí, ele aparece, como envergonhado, sumido, disfarçado, quase invisível, entre os fidalgos violinos, os aristocráticos pianos, e os pretensiosos bandolins. Onde a sua presença se faz notar, dominadora e vaidosa, é nas seções dos Estados pequenos. Encontrei-o na seção do Ceará, na de Sergipe, na do Maranhão, na da Bahia, na de Santa Catarina, na de Alagoas, na de Piauí...

Alguns desses exemplares do nosso instrumento de música nacional por excelência são ricamente trabalhados em madeiras preciosas, em finos lavores, com incrustrações de madrepérola e tartaruga. Outros, porém, – e são para mim os mais interessantes – são de uma feitura primitiva e ingênua, mal acabados, conservando ainda na caixa mal talhada a rudeza natural da casca da madeira que serviu para o seu fabrico.

Assim, aqui está um produto da indústria brasileira que floresce em todos os Estados.[4] [Quando andei à cata dos violões pelas salas do Grande Palácio, fiquei espantado ao verificar que nem um só havia na seção de Alagoas. Mas o empregado, a quem comuniquei o meu espanto, tranqüilizou-me logo, mostrando-me na parte mais baixa de um armário, escondido entre bordados e tecidos, o que eu procurava... Até a cadeia de Aracaju expõe alguns desses instrumentos fabricados pelos seus presos; e há um Estado, não me lembra agora qual é, que expõe um violão para cuja caixa foi aproveitada a metade de uma grande cabaça...

Não basta, porém, que possamos verificar nos mostruários da Exposição a presença desse companheiro e consolador da humilde gente das aldeias. É preciso que ouçamos aqui a sua voz melancólica; e, felizmente, aí nos chega ela, trazida pelos cantadores de São Paulo.

OLAVO BILAC

4. Estes colchetes iniciais não têm seus correspondentes finais.

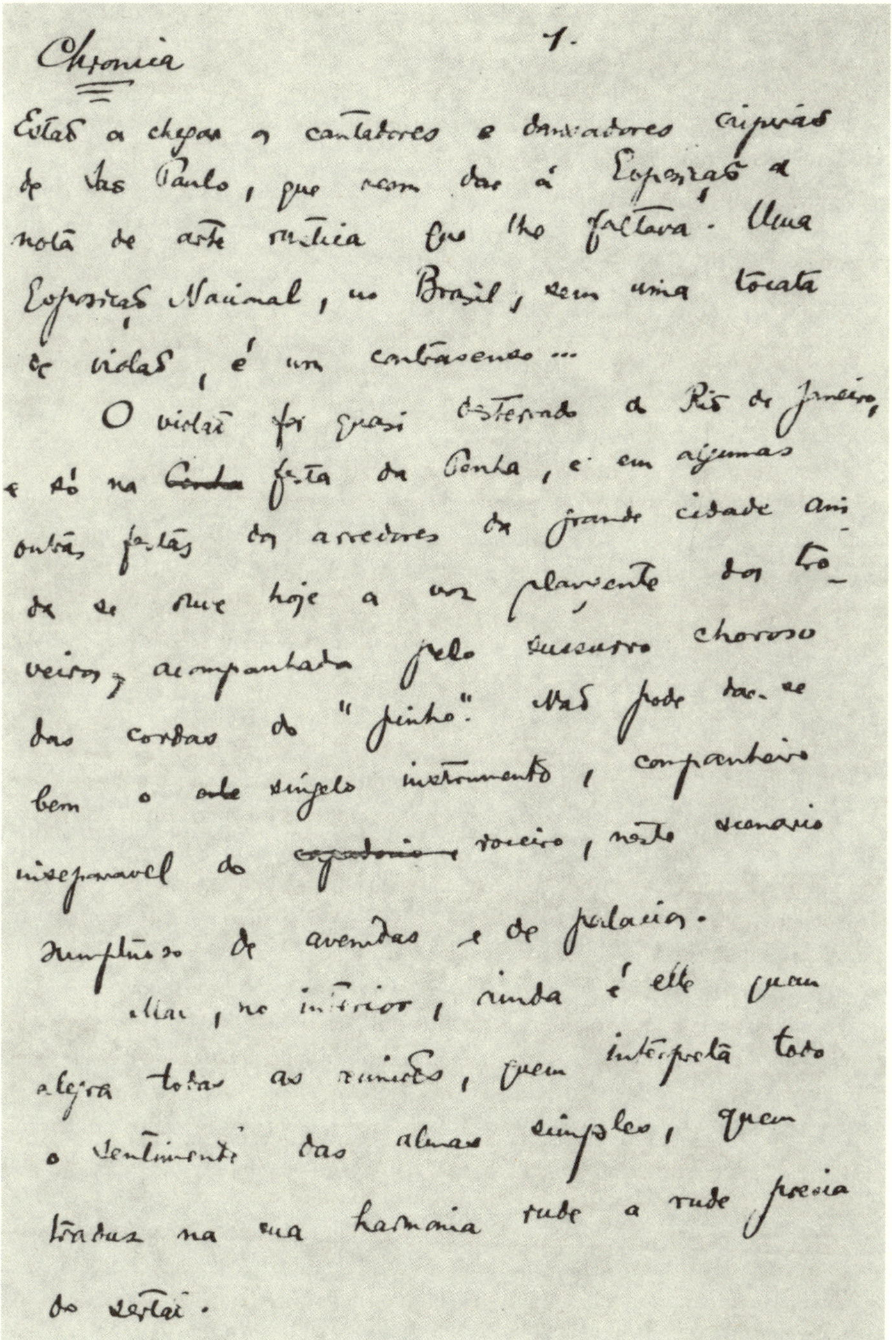

Chronica

1.

Estão a chegar os cantadores e dançadores caipiras de São Paulo, que vem dar á Exposição a nota de arte rustica que lhe faltava. Uma Exposição Nacional, no Brazil, sem uma tocata de violas, é um contrasenso...

O violão foi quasi desterrado do Rio de Janeiro, e só na ~~Cerca~~ festa da Penha, e em algumas outras festas dos arredores da grande cidade ainda se ouve hoje a voz plangente dos trovadores, acompanhada pelo sussurro choroso das cordas do "pinho". Não pode dar-se bem o velho singelo instrumento, companheiro inseparavel do ~~capadocio~~ roceiro, neste scenario sumptuoso de avenidas e de palacios.

Mas, no interior, ainda é elle quem alegra todas as reuniões, quem interpreta todo o sentimento das almas simples, quem traduz na sua harmonia rude a rude poesia do sertão.

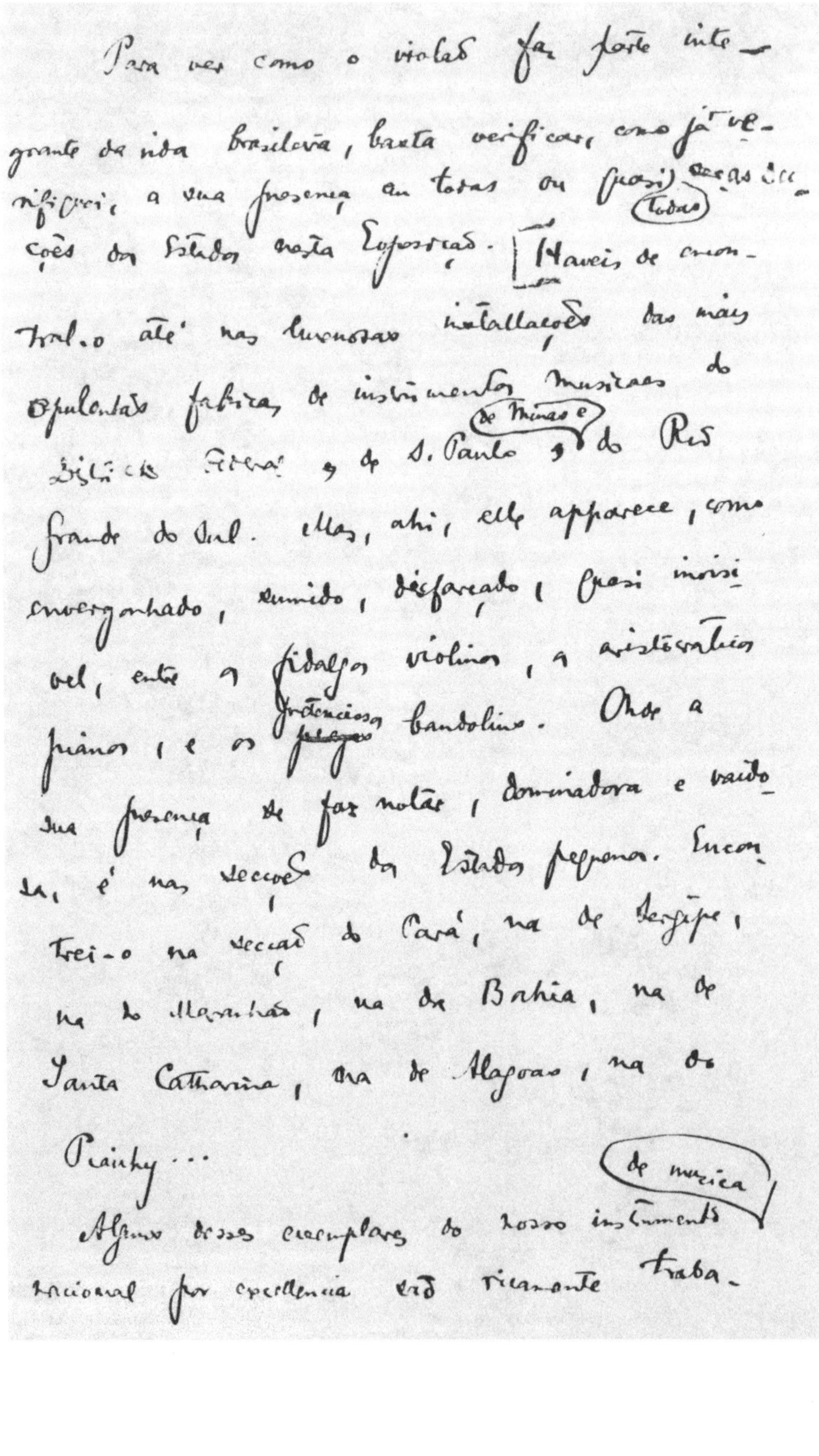

Para ver como o violão faz parte integrante da vida brasileira, basta verificar, como já verifiquei, a sua presença em todas ou quasi todas as secções dos Estados nesta Exposição. Haveis de encontral-o até nas luxuosas installações das mais opulentas fabricas de instrumentos musicaes do Districto Federal, de S. Paulo, de Minas e do Rio Grande do Sul. Mas, ahi, elle apparece, como envergonhado, sumido, disfarçado, quasi invisivel, entre os fidalgos violinos, os aristocraticos pianos, e os pretenciosos bandolins. Onde a sua presença se faz notar, dominadora e vaidosa, é nas secções dos Estados pequenos. Encontrei-o na secção do Ceará, na de Sergipe, na do Maranhão, na da Bahia, na de Santa Catharina, na de Alagoas, na do Piauhy...

Alguns desses exemplares do nosso instrumento de musica nacional por excellencia são ricamente trabalhados em madeiras preciosas, em finos lavores, com incrustações de madreperola e tartaruga. Outros, porém, — e são para mim os mais interessantes, — são de uma feitura primitiva e ingenua, mal acabados, conservando ainda na caixa mal talhada a rudeza natural da casca da madeira que serviu para o seu fabrico.

Assim, aqui está um producto da industria brasileira que floresce em todos os Estados. Quando andei á cata dos violões pelas salas do Grande Palacio, fiquei espantado ao verificar que nem um só havia na secção de Alagoas. Mas o empregado, a quem communiquei o meu espanto, tranquillisou-me logo, mostrando-me na parte mais baixa de um armario, escondido entre bordados e

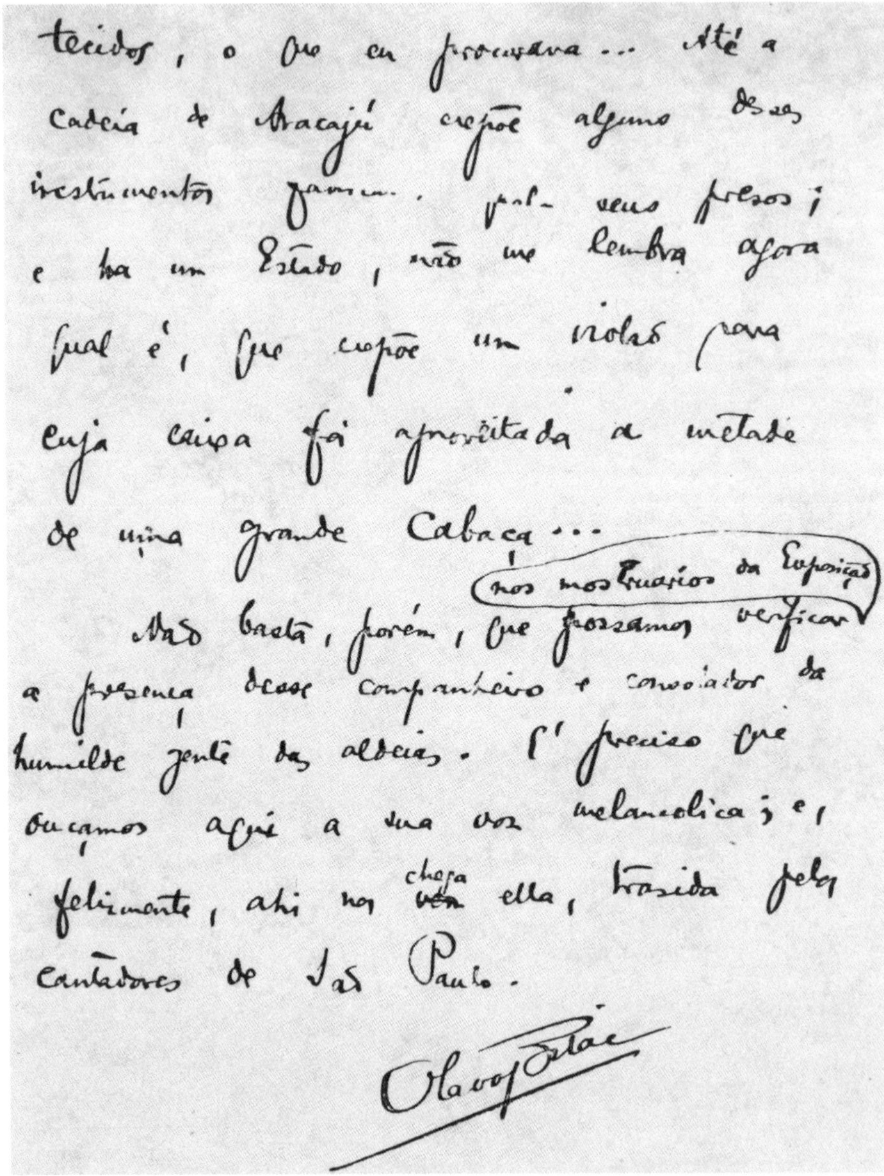
tecidos, o que eu procurava... Até a cadeia de Aracajú expõe alguns desses instrumentos famosos. [illegible] vemos presos; e ha um Estado, não me lembra agora qual é, que expõe um violão para cuja caixa foi aproveitada a metade de uma grande cabaça...

Não basta, porém, que possamos verificar nos mostruarios da Exposição a presença desse companheiro e consolador da humilde gente das aldeias. É preciso que ouçamos aqui a sua voz melancolica; e, felizmente, ahi nos chega ella, trazida pelos cantadores de São Paulo.

Olavo Bilac

Jornal da Exposição – 06 Crônica

Foi uma alegre reunião a festa simples e afetuosa que os "repórters da Exposição" ofereceram ontem à delegação de Santa Catarina. Alojados no lindo pavilhão de madeira que esse Estado fez construir, os rapazes da imprensa quiseram agradecer essa graciosa hospedagem, e agradeceram-na fidalgamente, organizando uma das festas mais lindas que já se realizaram aqui.

Os "repórters da Exposição"... A eles é que o Diretório Executivo, o Governo, todas as delegações e todo o povo devem oferecer uma grande festa radiante! Porque enfim foram eles verdadeiramente os criadores da vida deste recinto e são ainda eles que estão mantendo a concorrência e o brilho destes dias e destas noites de encanto e folguedo. [As notícias que eles escrevem, as novidades que eles revelam, os projetos que eles anunciam, as supresas que eles comentam, mantêm a população num estado de excitação febril, que a impede de cair no cansaço e no enfaro. [O primeiro pensamento que acode atualmente, ao romper da manhã, ao cérebro do carioca que desperta, é este: "que haverá hoje na Exposição?" – E depressa! à leitura dos jornais! e, com a leitura dos jornais, reaviva-se a curiosidade, reanima-se o entusiasmo, reacende-se o desejo de sustentar esta brilhante manifestação da nossa força nacional.

Se houvesse aqui (o Diabo seja surdo!) uma *grève* de repórters, e se a imprensa unanimemente banisse das colunas do noticiário toda e qualquer referência à Exposição, a Exposição estaria morta, irremediavelmente perdida, amortalhada neste fulgurante lençol de luz elétrica!

E todos se divertem, neste recinto que os repórters animam. Todos, menos eles... São eles os criadores deste prazer, e são os que menos o gozam. O divertimento deles é o trabalho contínuo, é a sujeição ao cativeiro dessa profissão esfalfante, que é a mais dura e a mais inglória de todas. Quando todos estão rindo, folgando, comendo, bebendo, admirando os fogos de artifício, as comédias e os concertos sinfônicos, os desafios das bandas de música, eles, de lápis em punho, estão preparando as notas com que no dia seguinte hão de atirar mais lenha à fogueira do entusiasmo popular. E quando termina a festa, quando se apagam todas as luzes, quando todos vão descansar, quanto o recinto da Exposição fica mergulhado nas trevas e na inconsciência do sono, eles ainda vão penar e trabalhar lá em baixo, curvados sobre a mesa da redação, junto da trepidação dos linotipos e do resfolego dos prelos.

São uns heróis esses rapazes, alma da Exposição, seus servidores e seus historiadores, alimentadores deste fogo, e guias da multidão que aqui vem espraiar-se como um largo mar tumultuoso.

Ainda hão de ter a sua festa, a sua grande festa, os "repórters da Exposição". Mas ainda essa festa será... para os outros: eles terão de noticiá-la e comentá-la, e não a gozarão.

A festa deles, constante e eterna, é o trabalho: o ouvido afiado, o olhar aberto, o lápis em punho, a inteligência pronta, no moto-contínuo da atenção e da atividade...

Olavo Bilac

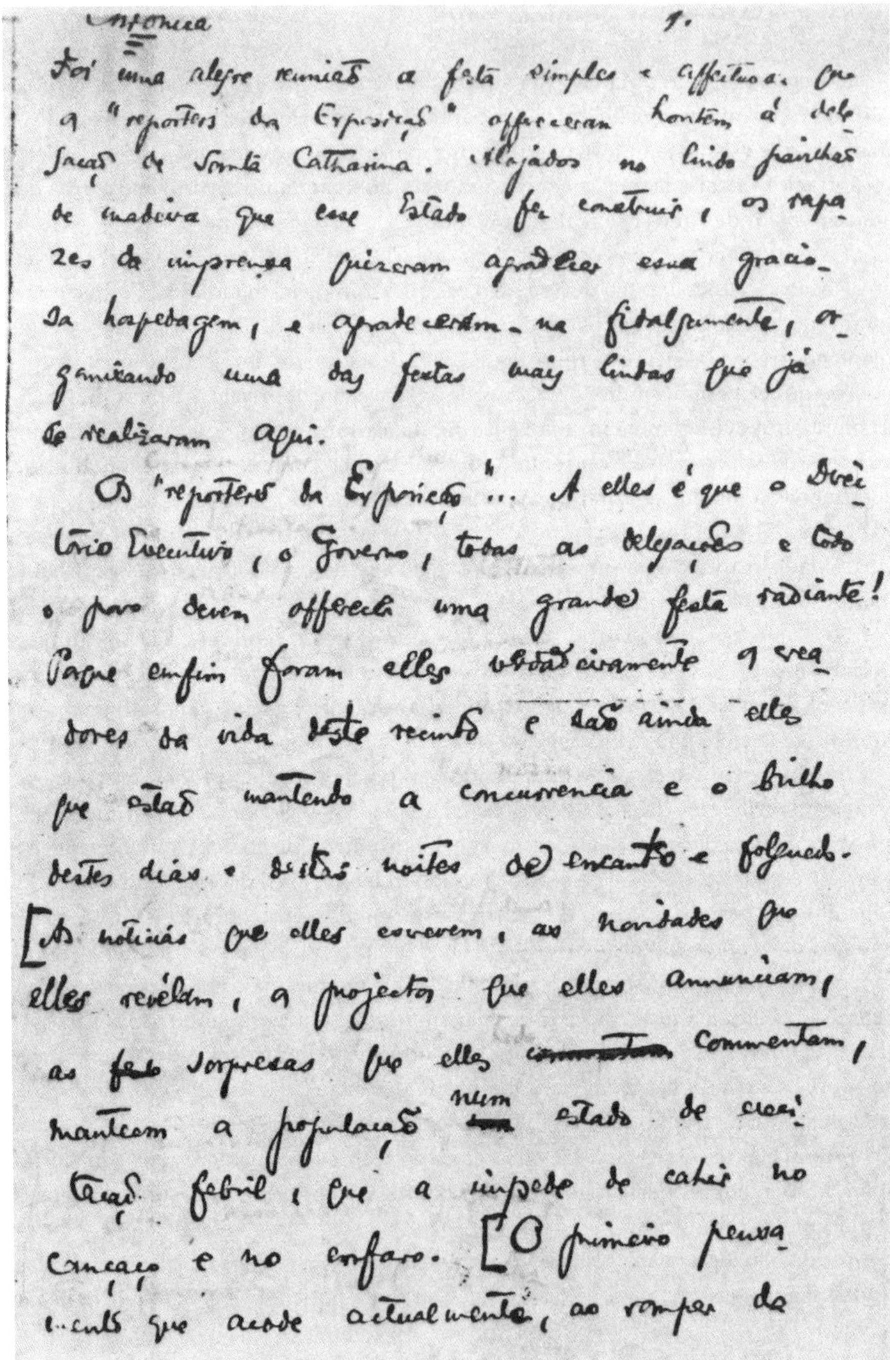
Chronica 1.

Foi uma alegre reunião a festa simples e affectuosa que os "reporters da Exposição" offereceram hontem á delegação de Santa Catharina. Alojados no lindo pavilhão de madeira que esse Estado fez construir, os rapazes da imprensa quizeram agradecer essa graciosa hospedagem, e agradeceram-na fidalgamente, organizando uma das festas mais lindas que já se realizaram aqui.

Os "reporters da Exposição"... A elles é que o Directorio Executivo, o Governo, todas as delegações e todo o povo devem offerecer uma grande festa radiante! Porque enfim foram elles verdadeiramente os creadores da vida deste recinto e são ainda elles que estão mantendo a concurrencia e o brilho destes dias e destas noites de encanto e folguedo. [As noticias que elles escrevem, as novidades que elles revelam, os projectos que elles annunciam, as surpresas que elles commentam, manteem a população num estado de excitação febril, que a impede de cahir no cansaço e no enfaro. [O primeiro pensamento que acode actualmente, ao romper da

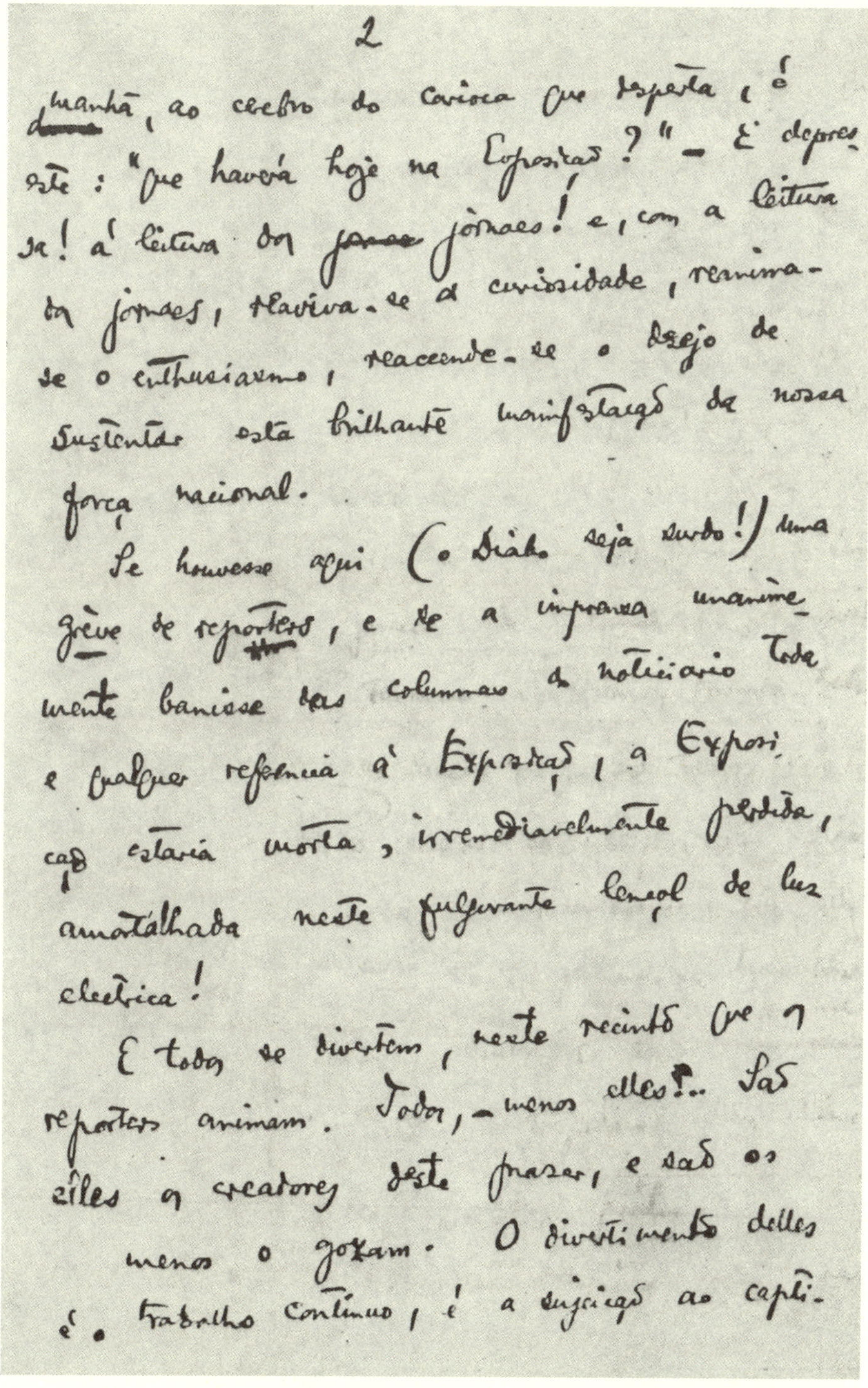

2

manhã, ao cerebro do carioca que desperta, é este: "que haverá hoje na Exposição?" — É depressa! á leitura dos jornaes! e, com a leitura dos jornaes, reaviva-se a curiosidade, reanima-se o enthusiasmo, reacende-se o desejo de sustentar esta brilhante manifestação da nossa força nacional.

Se houvesse aqui (o Diabo seja surdo!) uma grève de reporters, e se a imprensa unanimemente banisse das columnas do noticiario toda e qualquer referencia á Exposição, a Exposição estaria morta, irremediavelmente perdida, amortalhada neste fulgurante lençol de luz electrica!

E todos se divertem, neste recinto que os reporters animam. Todos, — menos elles!.. São elles os creadores deste prazer, e são os que menos o gozam. O divertimento delles é o trabalho continuo, é a sujeição ao capti-

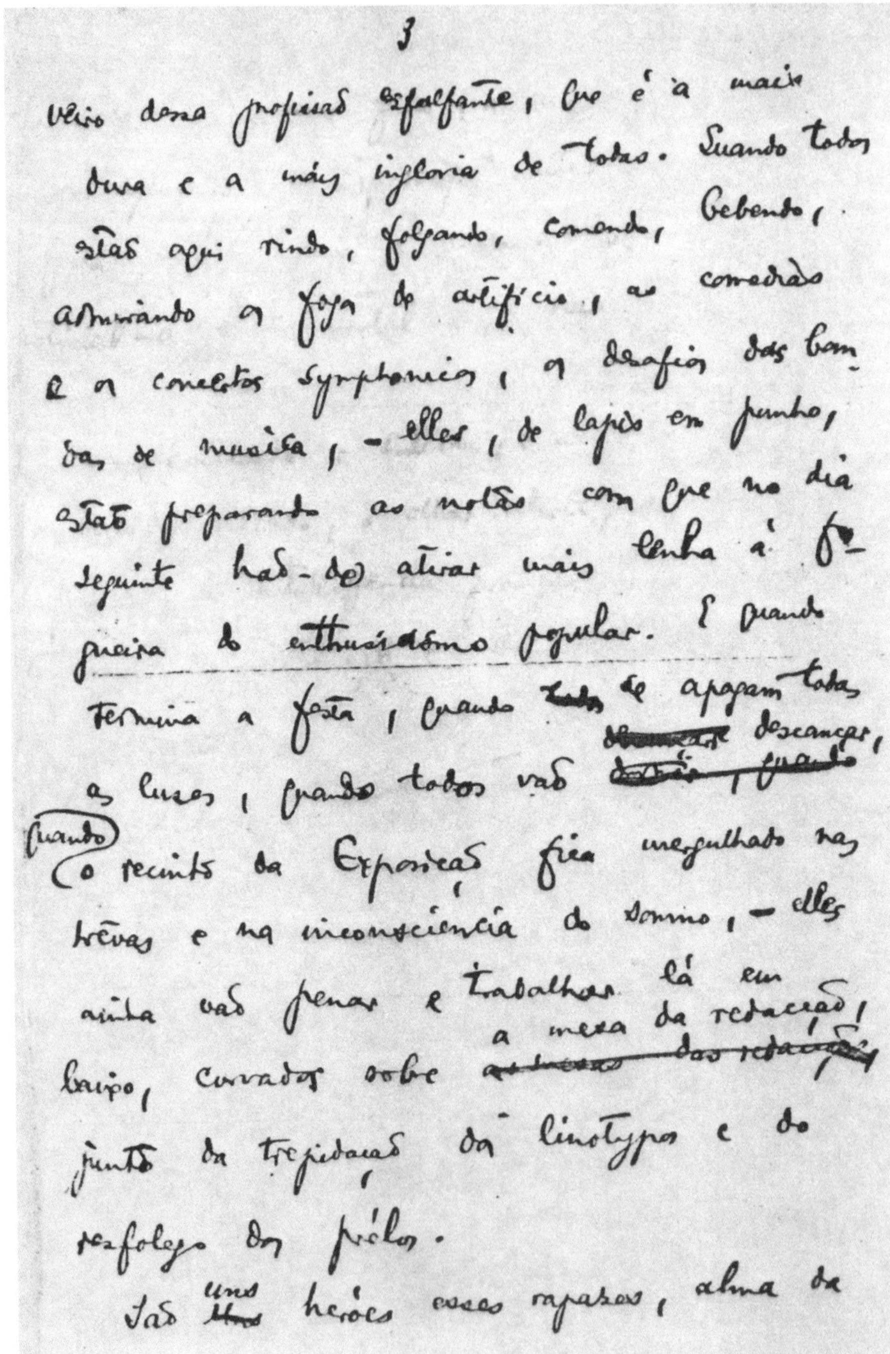

3

velho dessa profissão esfalfante, que é a mais
dura e a mais inglória de todas. Quando todos
estão aqui rindo, folgando, comendo, bebendo,
admirando o fogo de artifício, as comédias
e os concertos symphonicos, os desafios das ban-
das de musica, — elles, de lapis em punho,
estão preparando as notas com que no dia
seguinte hão-de atiçar mais lenha á fo-
gueira do enthusiasmo popular. E quando
termina a festa, quando se apagam todas
as luzes, quando todos vão descançar,
quando o recinto da Exposição fica mergulhado nas
trevas e na inconsciencia do somno, — elles
ainda vão penar e trabalhar lá em
baixo, curvados sobre a mesa da redacção!,
junto da trepidação das linotypos e do
resfolego dos prélos.
São uns heróes esses rapazes, alma da

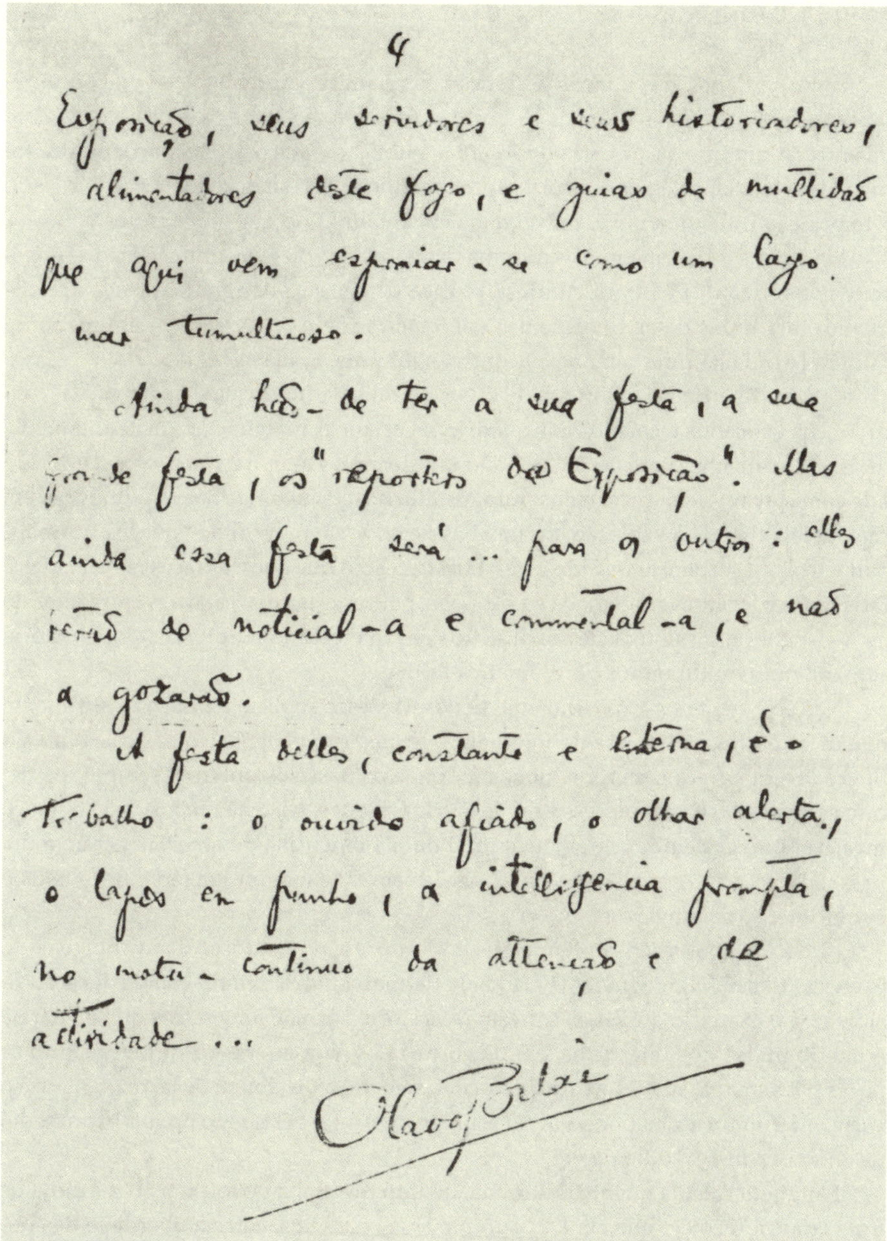

4

Exposição, seus servidores e seus historiadores, alimentadores deste fogo, e guias da multidão que aqui vem espraiar-se como um lago. mar tumultuoso.

Ainda há-de ter a sua festa, a sua grande festa, os "reporters da Exposição". Mas ainda essa festa será... para os outros: elles terão de noticial-a e commental-a, e não a gozarão.

A festa delles, constante e interna, é o trabalho: o ouvido afiado, o olhar alerta, o lapis em punho, a intelligencia prompta, no moto-continuo da attenção e da actividade...

Olavo Bilac

JORNAL DA EXPOSIÇÃO – 07 CRÔNICA

Hoje, na Exposição, a tarde pertenceu às crianças. [A deliberação do Diretório, fazendo queimar fogos diurnos às quintas-feiras, que são os dias em que aqui se dá entrada gratuita às crianças das escolas públicas e dos colégios particulares, foi uma idéia feliz. E colégios e escolas, aproveitando essa resolução louvável, têm dado à Exposição uma vida nova, muito mais encantadora do que a dos *corsos*.

Mas não sei por que motivo alguns diretores de colégios ainda se não resolveram a abandonar a bárbara e odiosa prática de serem as crianças, nestes divertimentos, mantidas disciplinarmente "em forma", como se estivessem em manobra militar. [Ainda há uma semana, encontrei aqui uma escola *que se divertia*...

Que se divertia... é um modo de dizer. [A dois de fundo [?], empertigadas, com os braços esticados e colados aos quadris, as crianças marchavam taciturnamente, melancolicamente, como autômatos. Depois de muito marchar, paravam, à hora em que começavam a ser queimados os fogos diurnos. Paravam, e ficavam imóveis, em fila dupla, olhando a explosão das bombas de onde saíam voando bonecos, animais, bandeirolas e serpentinas. Era de ver a tristeza com que aquelas faces aborrecidas e fatigadas se levantavam para o céu. Aquelas pobres criaturas estavam aproveitando os fogos com o mesmo ar de sofrimento com que estariam aprendendo a história sagrada ou os rudimentos da gramática latina...

Não é somente na Exposição que se observa esse suplício do falso divertimento que os diretores e diretoras de internatos religiosos ou leigos dão aos colegiais. Os internatos que freqüentam de longe em longe os passeios públicos sempre me deram essa mesma triste impressão de levas de forçados, tristemente gozando o pouco invejável prazer de um passeio maquinal no pátio de uma penitenciária. Não é um passeio, isso: parece mais uma procissão fúnebre. Não é um prazer: parece mais o cumprimento de um dever penoso.

[Ridícula compreensão têm esses educadores-inquisidores das vantagens do exercício físico! [Ninguém nega utilidade da marcha disciplinar, como educação física. Mas o exercício que mais convém às crianças, principalmente às que vivem na reclusão malsã dos internatos, é o da correria livre, pelo menos durante algumas horas por semana, sem a tortura da "forma", sem essa disciplina de ferro que cansa o corpo e a alma, e acaba por gerar no espírito infantil o desespero prematuro, o tédio desmoralizador, e o ódio da vida.

Ninguém calcula quanto desanima, quanto revolta, quanto amargura a alma de uma criança o cotejo que ela faz, durante esses passeios, entre a liberdade das outras crianças correndo, saltando, folgando, e a sua própria escravidão, a sua própria sujeição a um despotismo injusto. [É assim que se preparam as almas descontentes, os espíritos revoltados, as quais nunca mais a vida consegue dar um só prazer real, e que atravessam a existência sem uma hora de alegria e de bondade. Os internatos, com a sua disciplina abominável, são viveiros de terroristas, de dinamitistas e de ideólogos sanguinários...

OLAVO BILAC

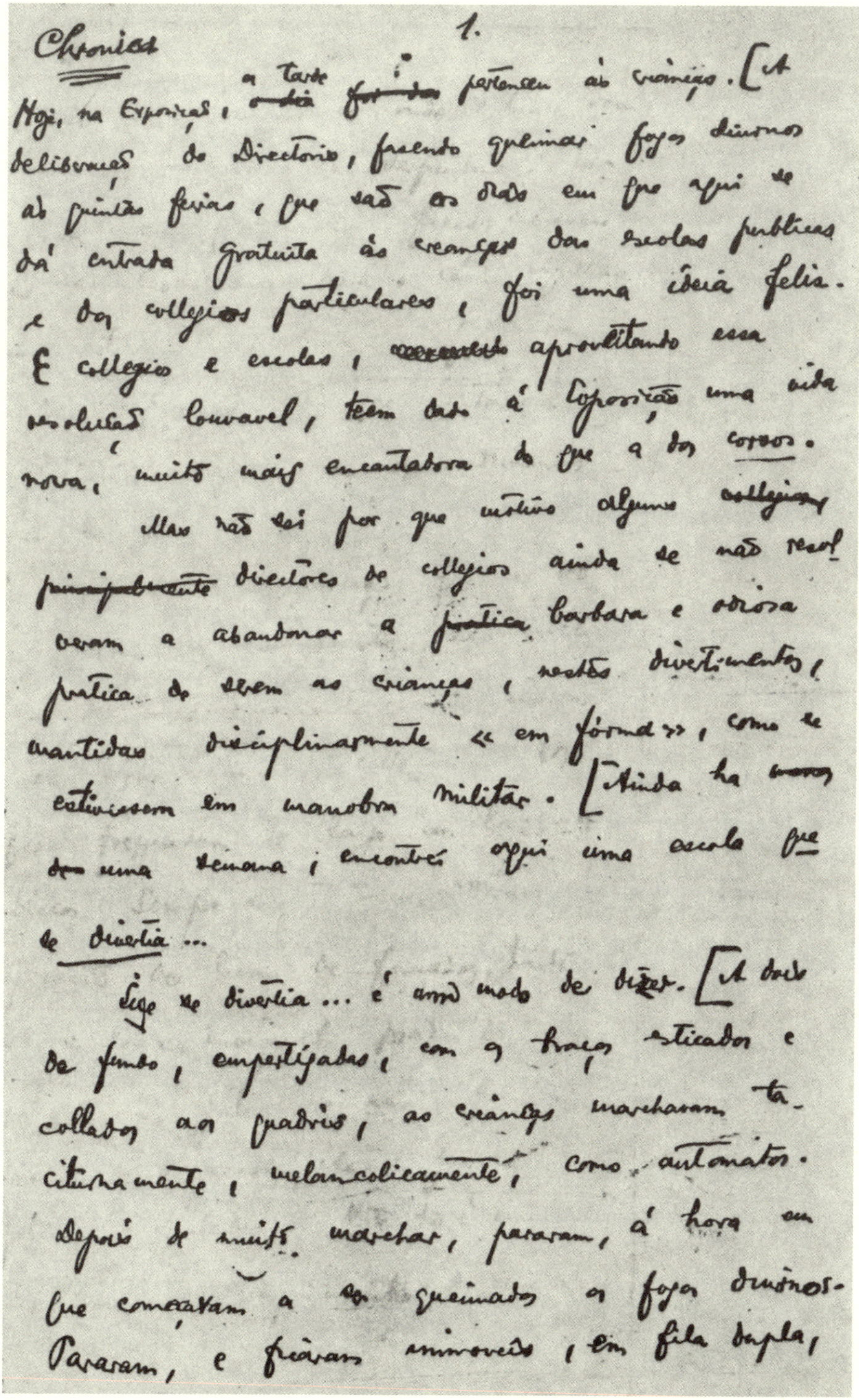
Chronica 1.

Hoje, na Exposição, a tarde pertenceu ás creanças. [A deliberação do Directorio, fazendo queimar fogos diurnos ás quintas feiras, que são os dias em que aqui se dá entrada gratuita ás creanças das escolas publicas e dos collegios particulares, foi uma idéa feliz. [E collegios e escolas, aproveitando essa resolução louvavel, teem dado á Exposição uma vida nova, muito mais encantadora do que a dos corsos.

Mas não sei por que motivo alguns directores de collegios ainda se não resolveram a abandonar a barbara e odiosa pratica de serem as creanças, nestes divertimentos, mantidas disciplinarmente «em fórma», como se estivessem em manobra militar. [Ainda ha uma semana, encontrei aqui uma escola que se divertia...

Se se divertia... é um modo de dizer. [A dois de fundo, empertigadas, com os braços esticados e collados aos quadris, as creanças marcharam taciturnamente, melancolicamente, como automatos. Depois de muito marchar, pararam, á hora em que começavam a ser queimados os fogos diurnos. Pararam, e ficavam immoveis, em fila dupla,

2

Olhando a explosão das bombas de onde sahiam voando bonecos, animaes, bandeirolas e serpentinas. Era de ver a tristeza com que aquellas faces aborrecidas e fatigadas se levantavam para o céo. Aquellas pobres creaturas estavam apreciando os fogos com o mesmo ar de soffrimento com que estariam aprendendo a historia sagrada ou os rudimentos de grammatica latina...

Não é somente na Exposição que se observa esse supplicio do ~~um divertim~~ falso divertimento que os directores e directoras de internatos religiosos ou leigos dão aos collegiaes. Os internatos que frequentam de longe em longe os passeios publicos sempre ~~me dão~~ me déram essa mesma triste impressão de levas de forçados, tristemente gozando o pouco invejavel prazer de um passeio machinal no pateo de uma penitenciaria. Não é um passeio, isso: parece mais uma procissão funebre. Não ~~há~~ é um prazer: parece mais o cumprimento de um dever penoso.

3

[Ridicula comprehensão teem esses educadores – inquisidores das vantagens do exercicio physico! [Ninguem nega a utilidade da marcha disciplinar, como educação physica. Mas o exercicio que mais convém ás crianças, principalmente ás que vivem na reclusão malsan dos internatos, é o da correria livre, pelo menos durante algumas horas por semana, sem a tortura da "fórma", sem essa disciplina de ferro que cansa o corpo e a alma, e acaba por gerar no espirito infantil o desespero prematuro, o tedio desmoralisador, e o odio da vida.

Ninguem calcula quanto desanima, quanto revolta, quanto amargura a alma de uma creança, o collegio que ella faz, durante esses passeios, entre a liberdade das outras creanças correndo, saltando, folgando, e a sua propria escravidão, a sua propria sujeição a um despotismo injusto.

[É assim que se preparam as almas descontentes, os espiritos revoltados, aos quaes nunca mais a vida consegue dar um só pra-

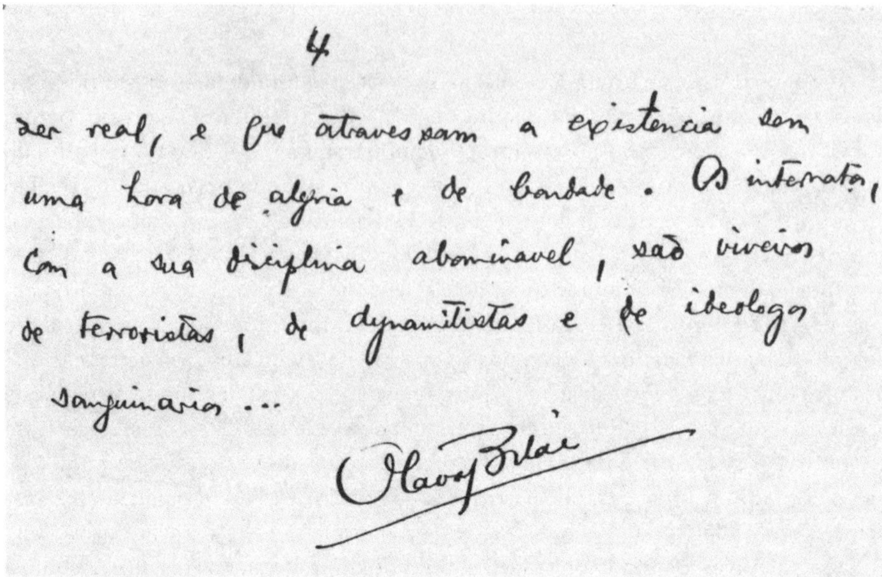
4

ser real, e que atravessam a existencia sem
uma hora de alegria e de bondade. Os internatos,
com a sua disciplina abominavel, são viveiros
de terroristas, de dynamitistas e de ideologos
sanguinarios...

Olavo Bilac

Jornal da Exposição – 08 Crônica

A nota culminante do dia de hoje, na Exposição, e fora dela, é a festa rio-grandense. Festa que, por uma feliz inspiração dos seus promotores, se reveste de um duplo aspecto, mostrando-nos ao mesmo tempo a força e o brilho do trabalho do Rio Grande do Sul e o encanto pitoresco dos costumes do seu povo: aqui, no recinto da Exposição, a inauguração das seções do Estado; e, no Leme, o ágape gaúcho, o churrasco com couro. Que é a refeição predileta dos dominadores das "cochilhas".

Tudo isso me vem lembrar uma idéia que já me ocorreu aqui, numa tarde em que, visitando várias seções da Exposição, fiquei impressionado pela diversidade dos produtos dos Estados, – diversidade que reflete e reproduz as diferenças que há entre todos eles e entre as gentes que os povoam. E pensei: "Não seria bom que houvesse aqui uma série de festas *regionais*, em que cada Estado do Brasil mostrasse aos outros os seus folguedos, as suas tradições, as suas usanças características?"

A verdade é que esta grande pátria é uma reunião de pequenas pátrias. A constituição política de todas é a mesma, como é a mesma a sua civilização básica. Mas no modo de viver, no modo de manifestar júbilo ou tristeza, nas festas e nos lutos, nas crenças e nos costumes, na alimentação e no vestuário, as várias pequenas populações de que se compõe a grande população brasileira têm divergências profundas, cujo contraste impressiona e seduz. Um rio-grandense do Sul, por exemplo, não fala, não come, não se veste, não se diverte como um mineiro, nem como um paulista, nem como um baiano, nem como um cearense. Cada Estado tem os seus costumes distintivos. E seria magnífico e proveitoso pôr todos esses costumes em confronto aqui, neste recinto em que se estreitam e comungam os interesses de todo o Brasil.

O Rio Grande do Sul já deu o exemplo. A Bahia vai seguir esse exemplo, dando-nos algumas festas da sua terra, com cantadas de violão e modinhas. Por que não há de São Paulo dar-nos o encanto dos seus trovadores caipiras? E por que não vemos aqui as famosas "cavalhadas" do Norte, em que se conserva a tradição dos torneios da Idade Média? E por que não se representará na linda enseada da Urca uma dessas alegres festas que, nos Estados banhados por imensos rios, celebram as partidas das monções?

Para nós, cariocas, esses espetáculos seriam especialmente interessantes. Como em geral os parisienses só conhecem Paris, nós em geral só conhecemos, de todo o Brasil, o Rio de Janeiro. Conhecemos a vida da França, da Itália, da Alemanha, da Inglaterra, e até do Egito e do Japão, muito mais do que a vida do Pará, do Amazonas, de Pernambuco, do Rio Grande do Sul, do sertão mineiro.

Por mim, não me envergonho com essa ignorância. O Brasil é tão vasto, que uma vida longuíssima não me bastaria para conhecê-lo todo, ainda que magníficas condições de fortuna ou o acaso de uma profissão errante me dessem a facilidade ou a obrigação de visitar todo este imenso mundo de mais de oito milhões de quilômetros quadrados.

Mas, para conhecer qualquer região da terra, não é absolutamente indispensável visitá-la. E cada um de nós ficaria conhecendo um pouco da vida de cada um dos Estados Brasileiros, se cada um deles nos mostrasse aqui alguma cousa dos seus usos e costumes, das suas festas e tradições.

É uma idéia cuja realização acrescentaria um proveito extraordinário aos muitos proveitos desta Exposição Nacional.

OLAVO BILAC

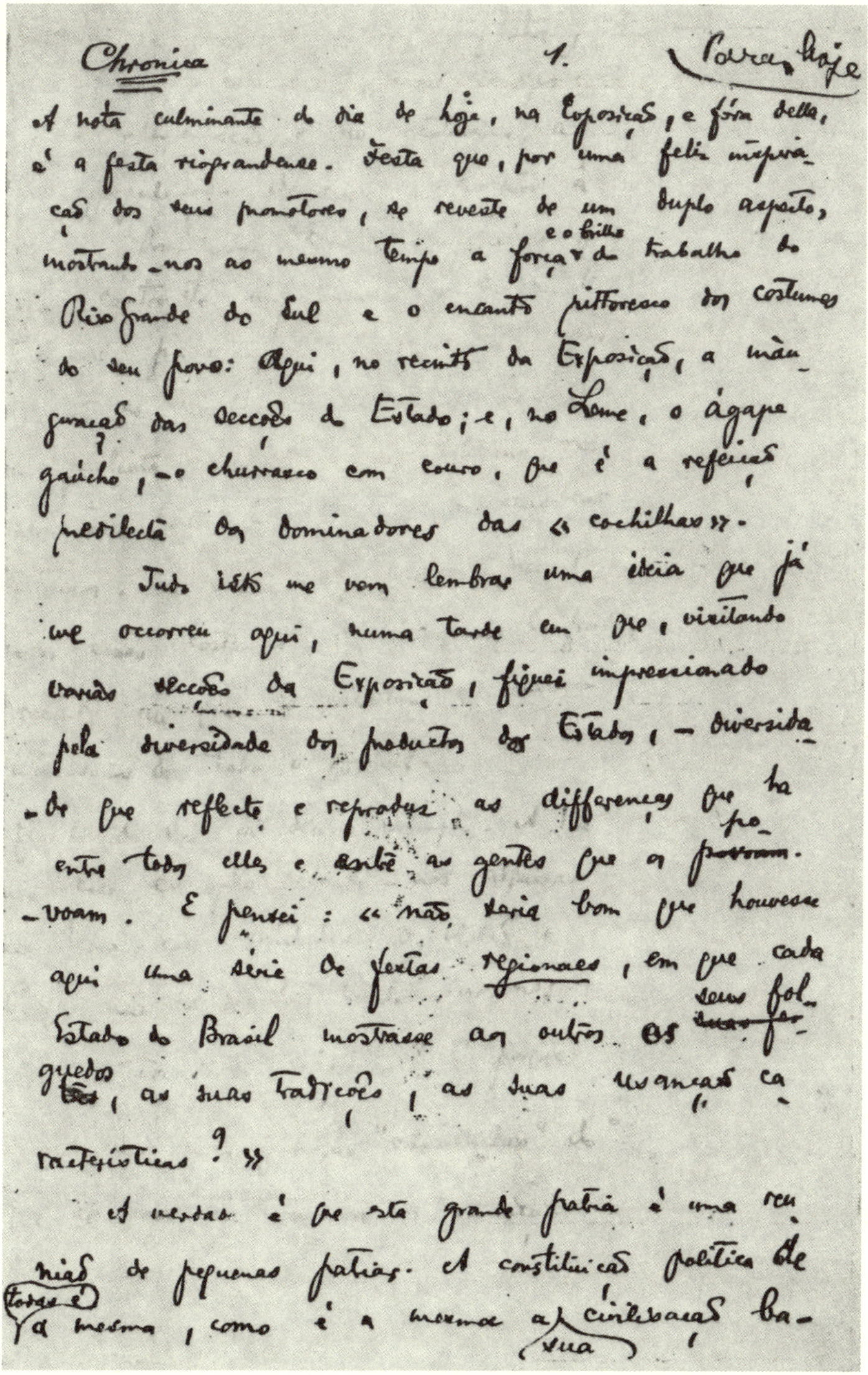
Chronica 1. Para hoje

A nota culminante do dia de hoje, na Exposição, e fóra della, é a festa riograndense. Festa que, por uma feliz inspiração dos seus promotores, se reveste de um duplo aspecto, mostrando-nos ao mesmo tempo a força e o brilho do trabalho do Rio Grande do Sul e o encanto pittoresco dos costumes do seu povo: Aqui, no recinto da Exposição, a inauguração das secções do Estado; e, no Leme, o ágape gaúcho, — o churrasco com couro, que é a refeição predilecta dos dominadores das «cochilhas».

Tudo isto me vem lembrar uma idéia que já me occorreu aqui, numa tarde em que, visitando varias secções da Exposição, fiquei impressionado pela diversidade dos productos dos Estados, — diversidade que reflecte e reproduz as differenças que ha entre todos elles e ainda as gentes que os povoam. E pensei: «não seria bom que houvesse aqui uma série de festas regionaes, em que cada Estado do Brasil mostrasse aos outros os seus folguedos, as suas tradições, as suas usanças caracteristicas?»

A verdade é que esta grande patria é uma reunião de pequenas patrias. A constituição politica de todas é a mesma, como é a mesma a sua civilisação ba-

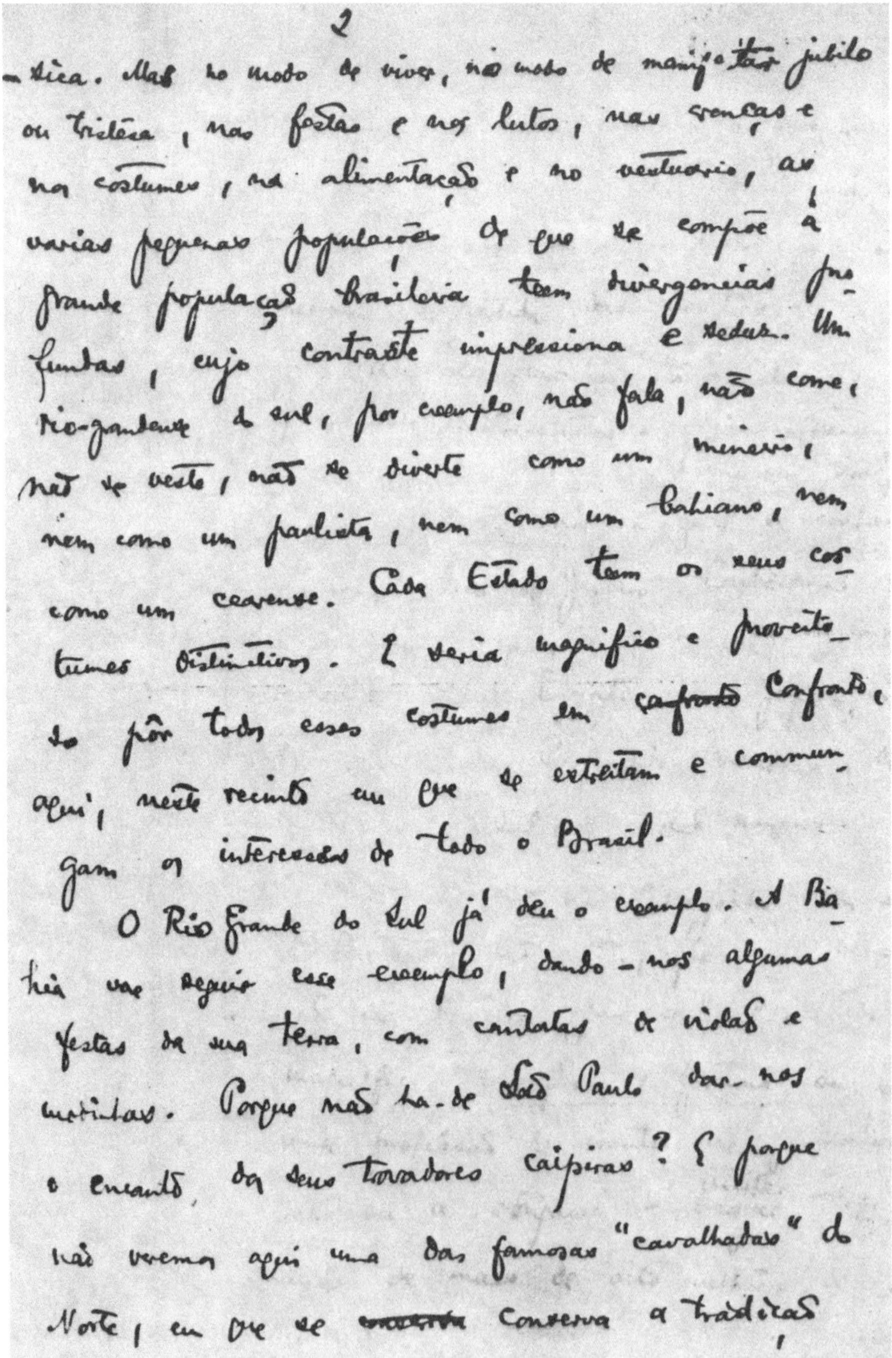

2

-tica. Mas no modo de viver, no modo de manifestar jubilo ou tristeza, nas festas e nos lutos, nas crenças e nos costumes, na alimentação e no vestuario, as varias pequenas populações de que se compõe a grande população brazileira teem divergencias profundas, cujo contraste impressiona e seduz. Um rio-grandense do sul, por exemplo, não fala, não come, não se veste, não se diverte como um mineiro, nem como um paulista, nem como um bahiano, nem como um cearense. Cada Estado tem os seus costumes distinctivos. E seria magnifico e proveitoso pôr todos esses costumes em ~~confronto~~ Confronto, aqui, neste recinto em que se estreitam e commungam os interesses de todo o Brasil.

O Rio Grande do Sul já deu o exemplo. A Bahia vae seguir esse exemplo, dando-nos algumas festas da sua terra, com cantatas de violão e modinhas. Porque não ha-de São Paulo dar-nos o encanto dos seus trovadores caipiras? E porque não veremos aqui uma das famosas "cavalhadas" do Norte, em que se ~~[illegible]~~ conserva a tradição

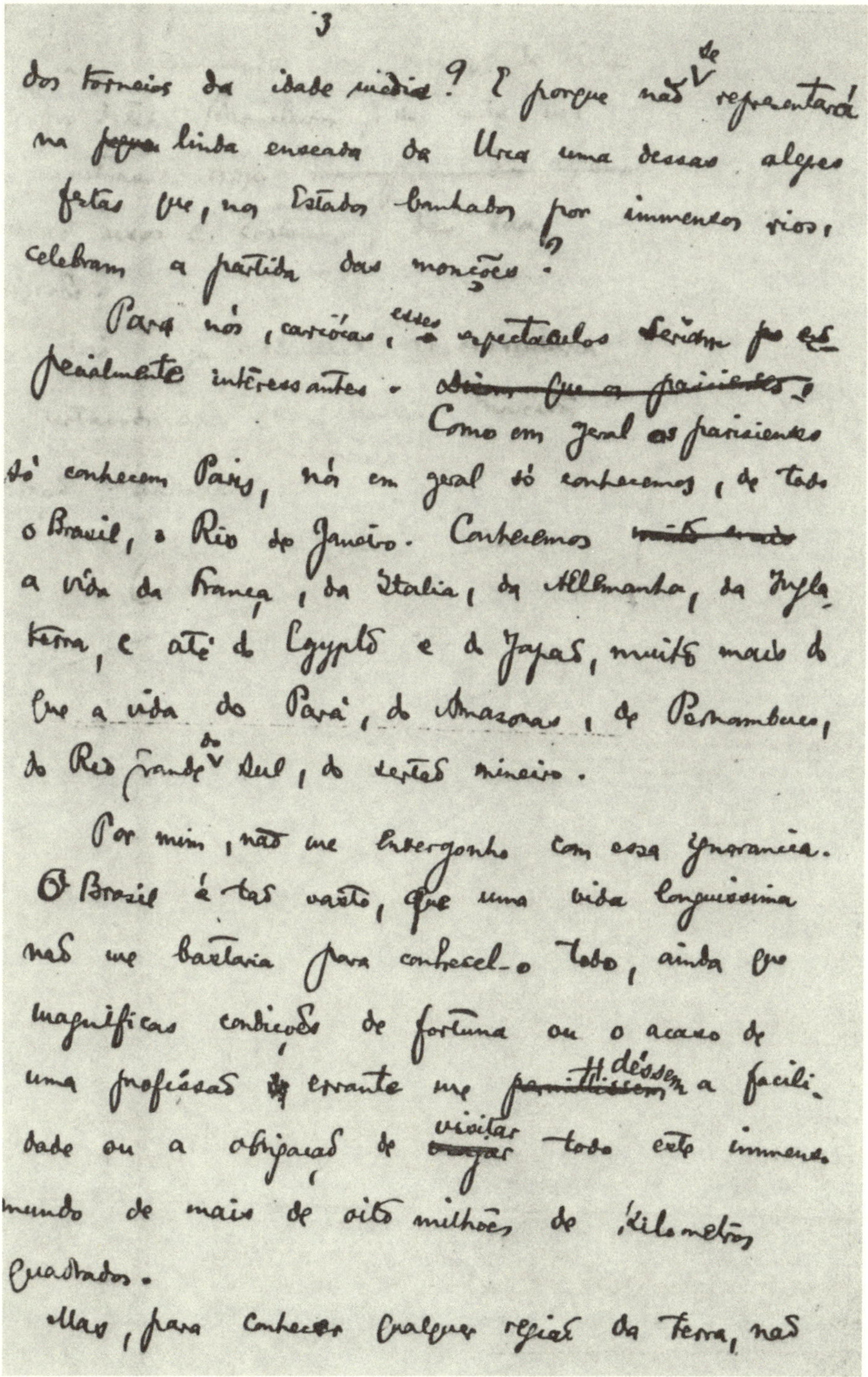

3

dos torneios da idade média? E porque não de representará na ~~pequena~~ linda enseada da Urca uma dessas alegres festas que, nos Estados banhados por immensos rios, celebram a partida das monções?

Para nós, cariocas, esses ~~os~~ espectaculos seriam especialmente interessantes. ~~Dizem que os parisienses~~ Como em geral os parisienses só conhecem Paris, nós em geral só conhecemos, de todo o Brasil, o Rio de Janeiro. Conhecemos ~~muito mais~~ a vida da França, da Italia, da Allemanha, da Inglaterra, e até do Egypto e do Japão, muito mais do que a vida do Pará, do Amazonas, de Pernambuco, do Rio Grande do Sul, do sertão mineiro.

Por mim, não me envergonho com essa ignorancia. O Brasil é tão vasto, que uma vida longuissima não me bastaria para conhecel-o todo, ainda que magnificas condições de fortuna ou o acaso de uma profissão errante me ~~permittissem~~ déssem a facilidade ou a obrigação de ~~viajar~~ visitar todo este immenso mundo de mais de oito milhões de kilometros quadrados.

Mas, para conhecer qualquer região da Terra, não

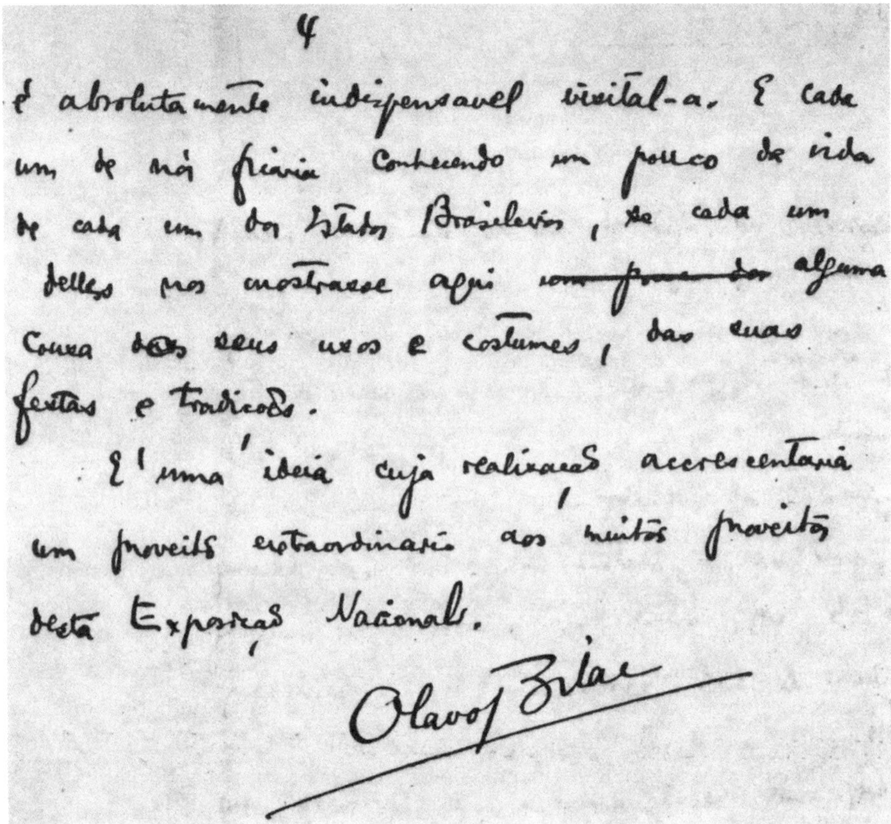

4

é absolutamente indispensavel visital-a. E cada
um de nós ficaria conhecendo um pouco da vida
de cada um dos Estados Brasileiros, se cada um
delles nos mostrasse aqui ~~com pouco dos~~ alguma
cousa dos seus usos e costumes, das suas
festas e tradições.

É uma ideia cuja realização accrescentará
um proveito extraordinario aos muitos proveitos
desta Exposição Nacional.

Olavo Bilac

Jornal da Exposição – 09 Crônica

Os *Pequenos Ecos* da *Notícia* não gostaram da idéia do concurso de beleza instituído por esta folha. Tanto pior para a idéia, que seria imensamente feliz se merecesse o apoio daquela seção tão linda e tão apreciada.

Não é possível discutir o caso. Nem este jornal foi criado para centro de polêmicas, nem eu tenho jeito para discutidor.

Apenas, em rápido comentário, quero dizer que não vejo que semelhança pode haver entre o concurso inventado por esta folha e os concursos a que se referem os *Pequenos Ecos*, nos quais "os prêmios são dados na avenida das Acácias ora a Liane du Pongy, ora à bela Otero, ora à lindíssima Emiliane d'Alençon". O *Jornal da Exposição* não ofereceu prêmios a criaturas do gênero das Otero e das Liane. Vir lembrar tais nomes, quando se tratava de um inocente concurso destinado a interessar famílias, foi uma inconveniência irrefletida dos *Pequenos Ecos*...

Digo isto um pouco indiretamente, porque não me cabe, nesta coluna assinada por mim, o papel de defensor do *Jornal da Exposição*. Mas, francamente, não posso compreender que se envenene uma idéia inofensiva, só pelo prazer de envenená-la.

Em alguns outros jornais se diz hoje que foi o concurso o causador da pouca animação que houve no corso. Seria muito mais natural atribuir essa pouca animação à incerteza do tempo, ao mau aspecto do céu toldado ameaçando chuva... Mas, enfim, este pobre concurso nasceu dotado de má sorte: ainda lhe hão de atribuir também as vazantes do Teatro João Caetano, o crime da "Mala Sinistra", a depreciação do café, o assassinato de Plácido de Castro, e a greve de Santos.

O *Jornal da Exposição* deve meter a viola no saco. Aplauda os concursos dos outros, as idéias dos outros, as opiniões dos outros, – e não se arrisque a merecer a má vontade dos jornais que gratificam em matéria de elegância e de civilização.

Olavo Bilac

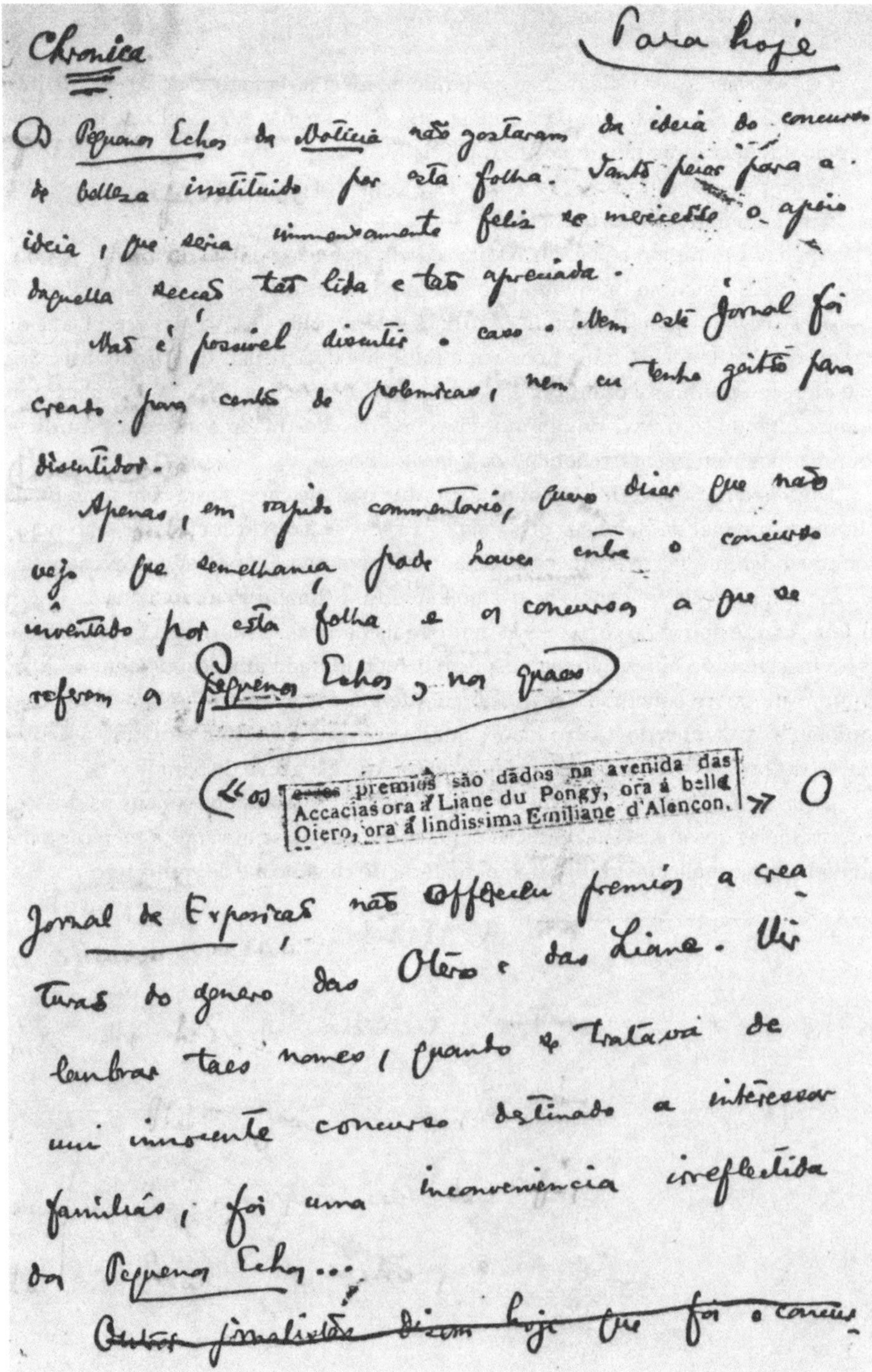

Chronica — Para hoje

Os Pequenos Echos da Noticia não gostaram da idéa do concurso de belleza instituido por esta folha. Tanto peior para a idéa, que seria immensamente feliz se merecesse o apoio daquella secção tão lida e tão apreciada.

Não é possivel discutir o caso. Nem este jornal foi creado para centro de polemicas, nem eu tenho geito para discutidor.

Apenas, em rapido commentario, quero dizer que não vejo que semelhança pode haver entre o concurso inventado por esta folha e os concursos a que se referem os Pequenos Echos, nos quaes «os ~~cruos~~ premios são dados na avenida das Accacias ora á Liane du Pongy, ora á belle Otero, ora á lindissima Emiliane d'Alençon.» O Jornal da Exposição não offereceu premios a creaturas do genero das Otero e das Liane. Vir lembrar taes nomes, quando se tratava de um innocente concurso destinado a interessar familias, foi uma inconveniencia irreflectida dos Pequenos Echos...

~~Outros jornalistas dizem hoje que foi o concur-~~

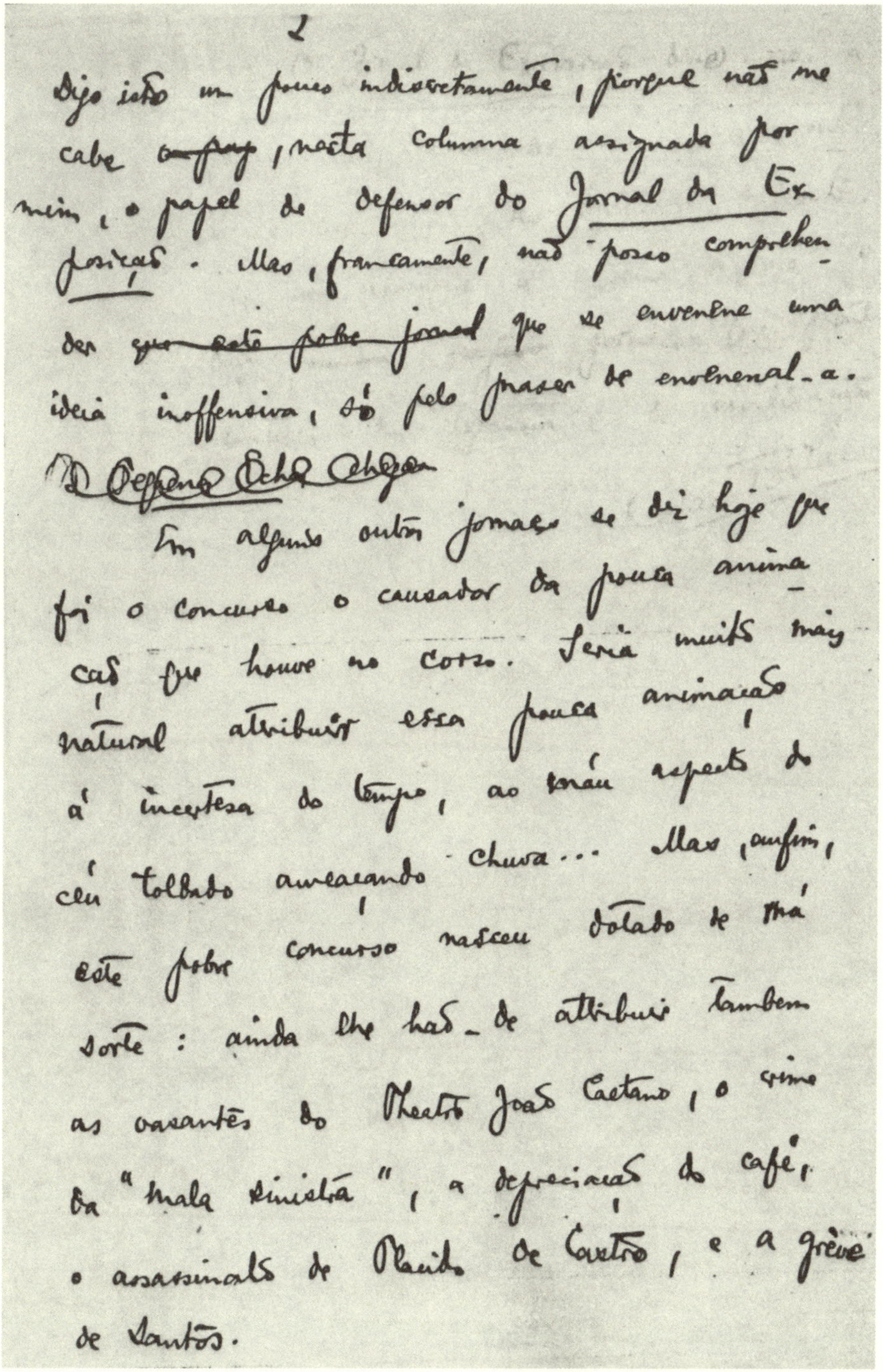

2

Digo isso um pouco indiscretamente, porque não me cabe ~~o pap~~, nesta columna assignada por mim, o papel de defensor do Jornal da Exposição. Mas, francamente, não posso comprehender ~~que este pobre jornal~~ que se envenene uma idéa inoffensiva, só pelo praser de envenenal-a.

O Pequeno Echo Alegre

Em alguns outros jornaes se diz hoje que foi o concurso o causador da pouca animação que houve no corso. Seria muito mais natural attribuir essa pouca animação á incertesa do tempo, ao máu aspecto do céu toldado ameaçando chuva... Mas, emfim, este pobre concurso nasceu dotado de má sorte: ainda lhe hão-de attribuir tambem as vasantes do Theatro João Caetano, o crime da "Mala sinistra", a depreciação do café, o assassinato de Placido de Castro, e a grève de Santos.

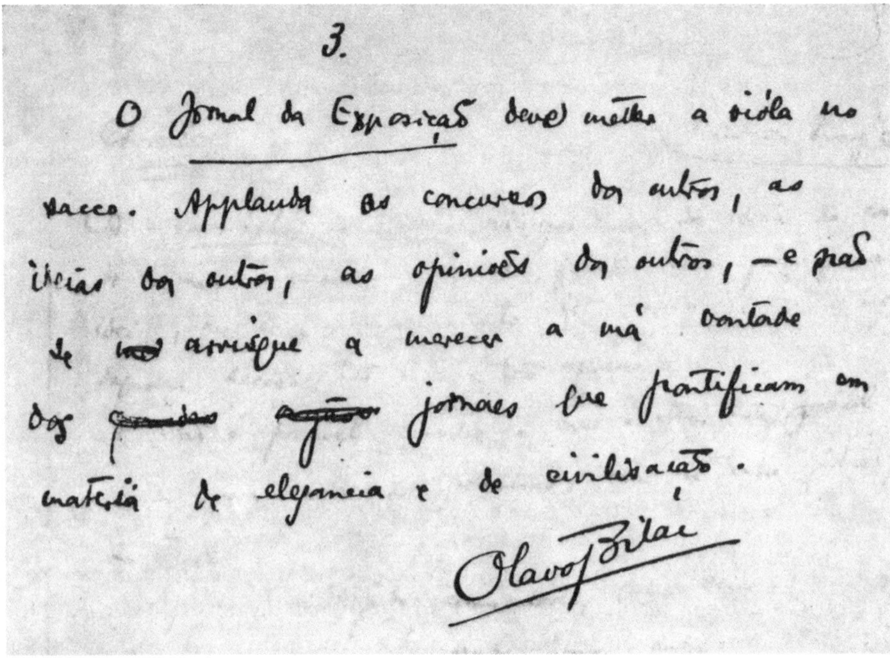

3.

O Jornal da Exposição deve metter a viola no sacco. Applauda os concursos dos outros, as ideias dos outros, as opiniões dos outros, — e não se arrisque a merecer a má vontade dos jornaes que pontificam em materia de elegancia e de civilização.

Olavo Bilac

Jornal da Exposição – 10 Crônica

Foi uma excelente idéia a do *Jornal do Comércio*, inventando o "Concurso dos pavilhões".

Não creio que a maioria dos votantes se exprima com absoluta imparcialidade; é natural que os paulistas votem pelo pavilhão de São Paulo, que os mineiros prefiram o de Minas, que os baianos opinem pela supremacia do da Bahia, e que os cariocas se manifestem em favor do do Distrito Federal. Acho perfeitamente justas e louváveis todas as demonstrações de bairrismo, porque o bairrismo é uma forma de patriotismo, e não é possível separar a idéia de pátria da idéia de campanário. É absolutamente razoável que cada grupo de brasileiros proclame a superioridade do pavilhão do seu Estado, ainda que realmente não tenha essa opinião.

Tudo isso pouco importa. E pouco importa também que tal pavilhão consiga reunir, contra os outros, uma maioria esmagadora de votos. Não haverá por isso uma guerra civil, nem se quebrará a harmonia da federação.

O concurso é uma boa idéia porque chama a atenção de todos para altas questões de estética e de limpeza, muito mais nobres do que as questõezinhas de política e de intriga. Todos os pavilhões, cada qual no seu gênero, demonstram que já no Rio de Janeiro, que era há pouco tempo uma cidade de pardieiros e de taperas, a arquitetura está sendo amada, estudada e praticada como merece. Por mim, confesso que se tivesse de dar o meu voto, sentiria um grande embaraço. Não sei bem o que mais me agrada: se a majestade do pavilhão paulista, se a graça caprichosa do baiano, se a formosura esbelta do mineiro, se a sóbria elegância do carioca. Até o pequeno chalet de Santa Catarina, tão gracioso na sua simplicidade, merece o voto de um homem de educação artística: a sua rústica beleza, destituída de toda pretensão, não faz má figura ao lado dos Palácios. Santa Catarina pode mesmo dizer com orgulho aos outros Estados: "Vocês têm cousas muito mais suntuosas do que a minha; mas o ferro, o cimento, o vidro desses Palácios vieram do estrangeiro, ao passo que, em minha casa modesta, tudo é meu, tudo saiu do meu próprio seio, tudo é filho da minha pouca fortuna e do meu honrado trabalho!"

Há dez anos, o concurso, agora inventado pelo *Jornal do Comércio*, seria impossível. Porque, se há dez anos tivéssemos uma Exposição como esta, nela figurariam apenas hediondos barracões de pinho ordinário pintado a vermelhão e a ocre, e ignóbeis coretos de sarrafos e panino ralo.

Em dez anos, nasceu, viçou e prosperou no Rio de Janeiro uma planta rara e preciosa: o Bom Gosto, que só se aclima em terra muito cultivada e muito fina...

Olavo Bilac

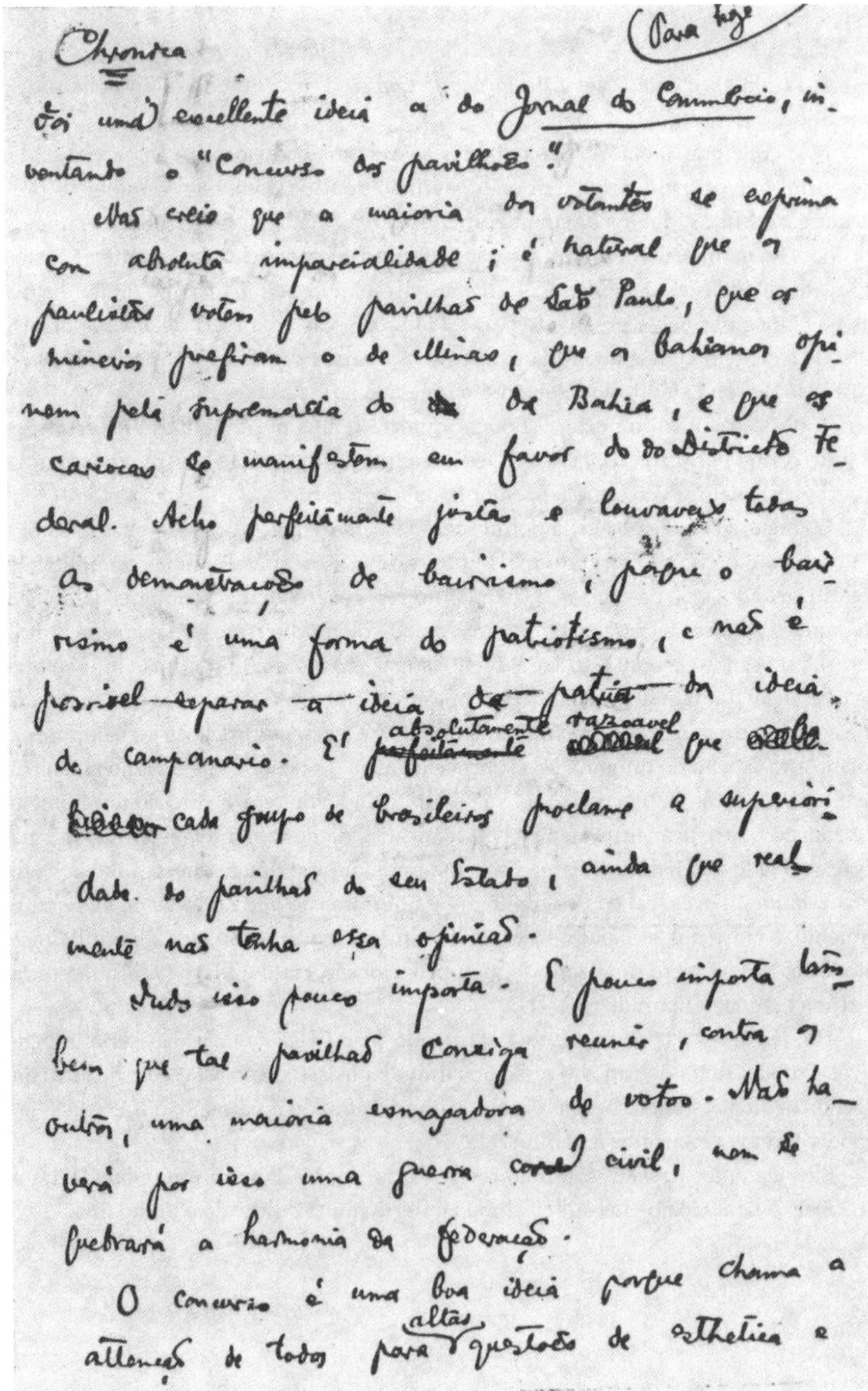

Chronica (Para hoje)

Foi uma excellente idéia a do Jornal do Commercio, inventando o "Concurso dos pavilhões".

Mas creio que a maioria dos votantes se exprima com absoluta imparcialidade; é natural que os paulistas votem pelo pavilhão de São Paulo, que os mineiros prefiram o de Minas, que os bahianos opinem pela supremacia do da Bahia, e que os cariocas se manifestem em favor do do Districto Federal. Acho perfeitamente justas e louvaveis todas as demonstrações de bairrismo, porque o bairrismo é uma forma do patriotismo, e não é ~~possivel separar a idéia da patria~~ da idéia de campanario. E' ~~perfeitamente~~ absolutamente razoavel que cada grupo de brasileiros proclame a superioridade do pavilhão do seu Estado, ainda que realmente não tenha essa opinião.

Tudo isso pouco importa. E pouco importa tambem que tal pavilhão consiga reunir, contra os outros, uma maioria esmagadora de votos. Não haverá por isso uma guerra civil, nem se quebrará a harmonia da federação.

O concurso é uma boa idéia porque chama a attenção de todos para altas questões de esthetica e

2

de limpeza, ~~bom gosto~~ muito mais nobres do que as pretenciosinhas de politica e de intriga. [Todos os pavilhões, cada qual no seu genero, demonstram que já no Rio de Janeiro, que era ~~antig~~ ainda ha pouco tempo uma cidade de pardieiros e de taperas, a architectura ~~começa a ser~~ está sendo amada, estudada e praticada como merece. [Por mim, confesso que se tivesse de dar o meu voto, sentiria um grande embaraço. Não sei bem o que mais me agrada: se a majestade do pavilhão paulista, se a graça caprichosa do bahiano, se a sobria formosura esbelta do mineiro, se a elegancia do carioca. [Até o pequeno chalet de Santa Catharina, tão gracioso na sua simplicidade, merece o voto de um homem de educação artistica ~~de bom gosto~~: a sua rustica belleza, destituida de toda a pretenção, não faz má figura ao lado dos Palacios. Santa Catharina pode mesmo dizer com orgulho aos outros Estados: « vocês teem casas muito mais sumptuosas do que a minha; mas o ferro, o cimento, o vidro ~~desses~~ desses Palacios vieram do

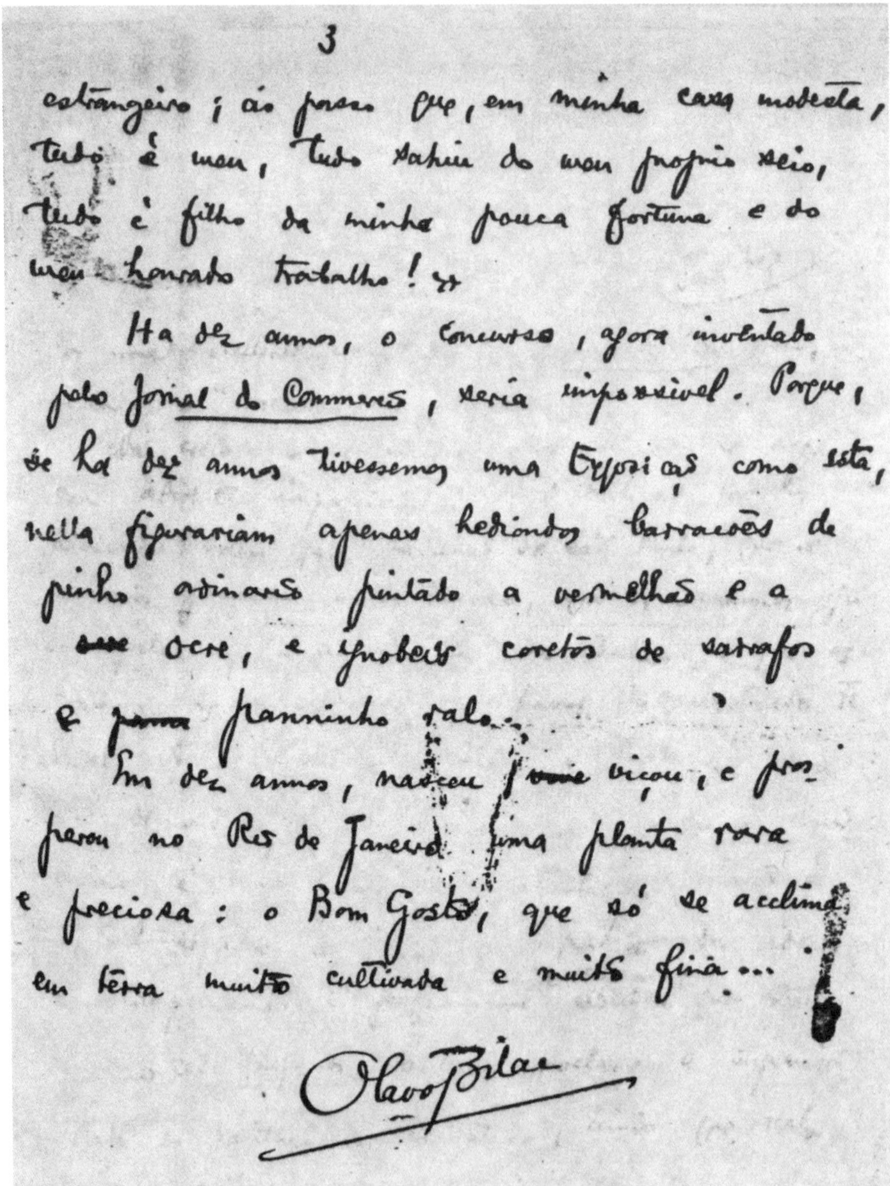

3

estrangeiro; ás posso que, em minha casa modesta, tudo é meu, tudo sahiu do meu proprio seio, tudo é filho da minha pouca fortuna e do meu honrado trabalho!"

Ha dez annos, o Concurso, agora inventado pelo <u>Jornal do Commercio</u>, seria impossivel. Porque, se ha dez annos tivessemos uma Exposição como esta, nella figurariam apenas hediondos barracões de pinho ordinario pintado a vermelhão e a ocre, e pobres coretos de sarrafos e panninho ralo...

Em dez annos, nasceu, viçou, e prosperou no Rio de Janeiro uma planta rara e preciosa: o Bom Gosto, que só se acclima em terra muito cultivada e muito fina...

Olavo Bilac

Jornal da Exposição – 11 Crônica

Ontem, ao cair da tarde, encontrei em plena Exposição, no meio da agitação e do burburinho do povo, alheado de tudo, um velho amigo que contemplava embevecidamente o Pão de Açúcar, cujo escuro vulto pesava, monstruoso, sobre as águas da baía. Esse meu amigo é um poeta que nunca fez versos, um sonhador, um conservador das tradições líricas da cidade, um homem dos outros tempos, que ainda lê Alencar e recita Gonçalves Dias. Arranquei-o à contemplação em que se absorvia:

– Que é isto? Por que está você a namorar com tanto amor o Pão de Açúcar?

Teve um suspiro consolado, e disse-me:

– Estou a namorá-lo, e a admirá-lo, por vê-lo livre da profanação com que o ameaçavam!

– Que profanação?

– Pois não sabe que queriam injuriá-lo e sujá-lo, colando-lhe ao dorso duas serpentes de trilhos de aço, e entregando a sua virgindade à irreverência dos *pic-nics*? O Pão de Açúcar! é a única relíquia que ainda nos resta do passado rústico desta terra! e queriam *civilizar* o monte sagrados dos Tamoios, pregando-lhe ao lombo titânico uma estrada de ferro! O outro monte sagrado dos nossos avós selvagens, – o Corcovado, de onde brotava outrora a linfa pura do Carioca, e onde nasceram o bravo *Ambiré* e o prudente *Pindobuçu* do poema de Gonçalves de Magalhães, – esse já é hoje um horror, com as suas florestas devastadas, com a copa verde das suas árvores maculada pela fumaça da locomotiva, e com o seio aromático das suas matas conspurcado pelos papéis gordurosos e pelos cacos de garrafas dos convescotes... E a Tijuca? a Tijuca é hoje uma colina infecta, tão desprezível como o morro de Santo Antônio ou o morro do Pinto: tem chalés, estalagens, e cocheiras... O único recanto virgem que ainda temos é o Pão de Açúcar; e queriam estragá-lo também!

– A sua indignação é justa! – atalhei. – Mas note que, se ainda não há estrada de ferro para o Pão de Açúcar, ao menos já lhe fincaram na grimpa orgulhosa um mastro de bandeira...

– Ah! isso é outra cousa! Para fincar aquele mastro, os excursionistas tiveram de subir o monte a pé, afrontando mil perigos, como subiam outrora os Tamoios. O que eu não admito ali é uma estrada de ferro. Que dirá Gonçalves Dias, se ressuscitasse, e visse ali uma estrada de ferro? Tornará a morrer, de pura indignação e vergonha! Aquele monte é o pé do Gigante de Pedra, do "gigante orgulhoso de fero semblante", que o poeta dos *Timbiras* apaixonadamente cantou...

– Meu pobre amigo! – disse eu – se Gonçalves Dias ressuscitasse, ressuscitaria com uma alma de hoje, com uma alma de homem moderno, e seria o primeiro a abençoar o elevador elétrico que lhe permitisse ir contemplar do alto do Pão de Açúcar a beleza do Rio de Janeiro!

– Pode ser! – suspirou o romântico. – Mas eu, que não tenho o talento dele, e que seria incapaz de escrever os versos do *Gigante de Pedra*, eu não me resignaria nem me consolaria. E, no dia em que visse ali uma estrada de ferro, o meu desejo, o meu único e ardente desejo seria que o Pão de Açúcar realizasse a profecia e atendesse ao pedido com que o poeta maranhense terminou o seu canto:

> Arroja-te às ondas, ó duro gigante!
> Inunda esses montes! desloca este mar!

E, sem dar mais palavra, o meu velho amigo, sonhador remanescente do passado lírico da cidade, ficou de novo a mirar e a admirar o vulto monstruoso do Pão de Açúcar, cuja sombra tranqüila se estendia sobre as águas do mar...

OLAVO BILAC

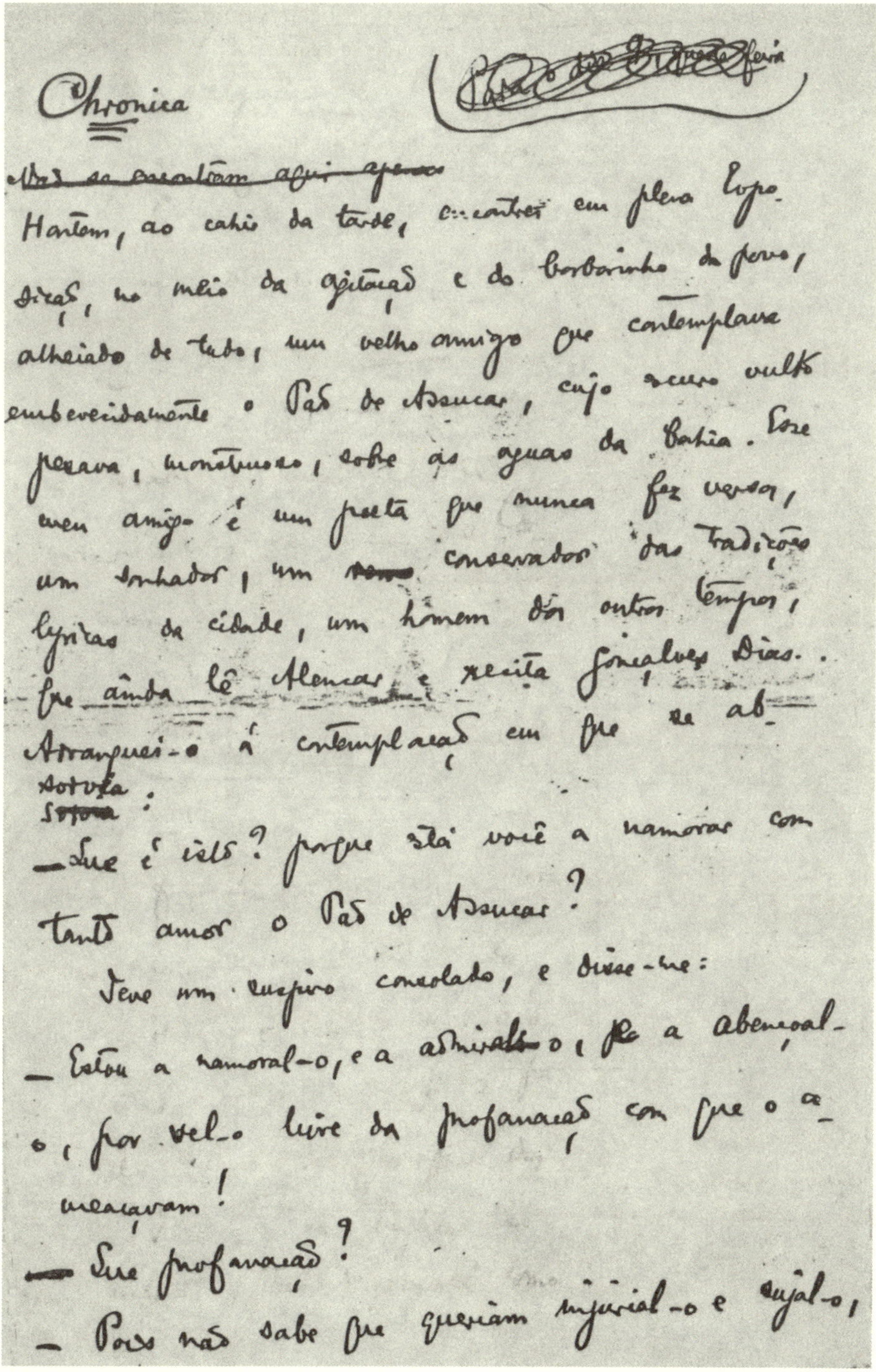

Chronica

Hontem, ao cahir da tarde, encontrei em plena Exposição, no meio da agitação e do borborinho do povo, alheiado de tudo, um velho amigo que contemplava embevecidamente o Pão de Assucar, cujo escuro vulto pesava, monstruoso, sobre as aguas da Bahia. Esse meu amigo é um poeta que nunca fez versos, um sonhador, um conservador das tradições lyricas da cidade, um homem dos outros tempos, que ainda lê Alencar e recita Gonçalves Dias.

Arranquei-o á contemplação em que se absorvia:

— Que é isto? porque está você a namorar com tanto amor o Pão de Assucar?

Teve um suspiro consolado, e disse-me:

— Estou a namoral-o, e a admiral-o, e a abençoal-o, por vel-o livre da profanação com que o ameaçavam!

— Que profanação?

— Pois não sabe que queriam injurial-o e sujal-o,

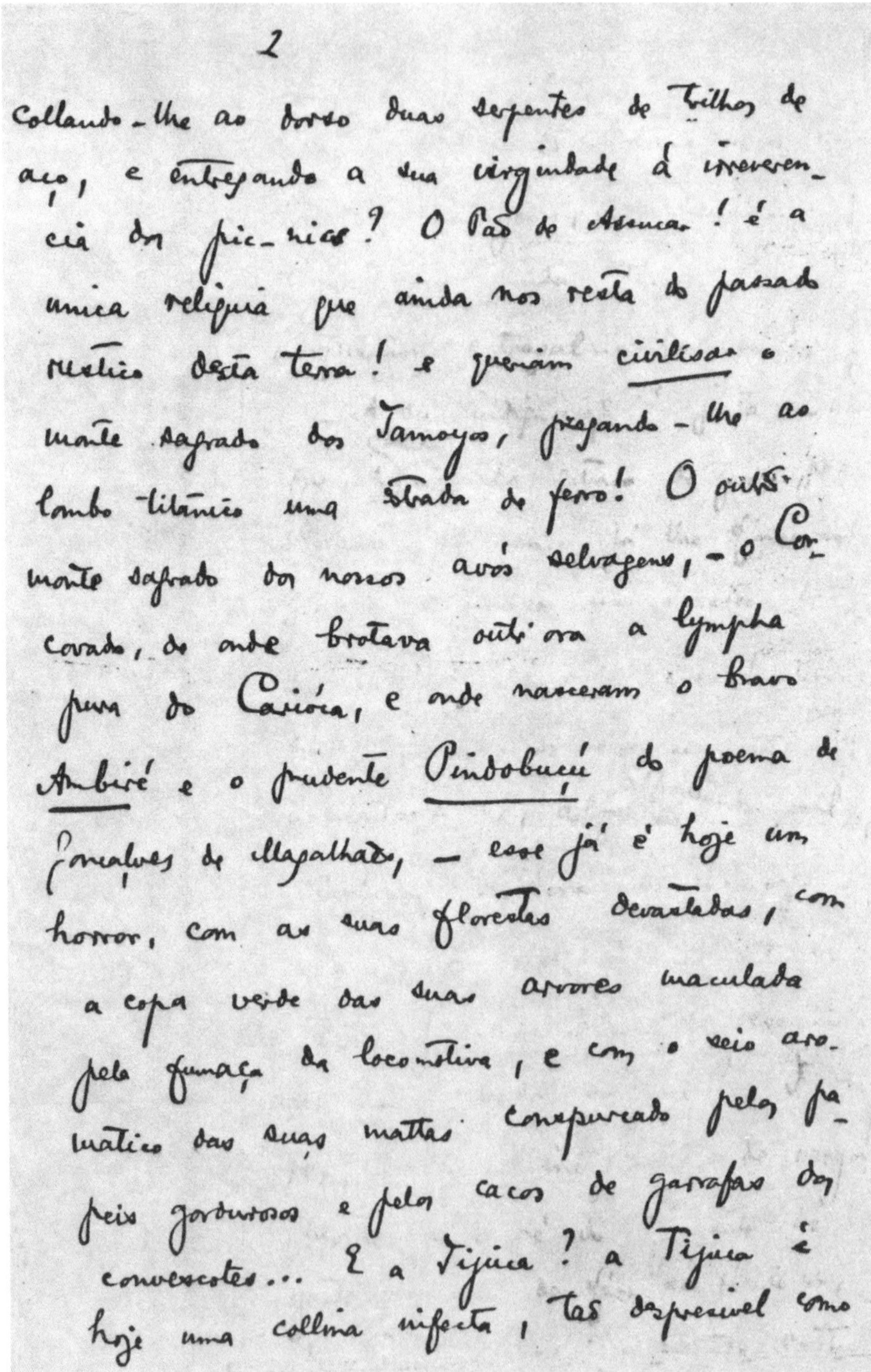
2

collando-lhe ao dorso duas serpentes de trilhos de
aço, e entregando a sua virgindade á irreveren-
cia dos pic-nics? O Pão de Assucar! é a
unica reliquia que ainda nos resta do passado
rustico desta terra! e queriam civilisar o
monte sagrado dos Tamoyos, pregando-lhe ao
lombo titanico uma estrada de ferro! O outro
monte sagrado dos nossos avós selvagens, – o Cor-
covado, de onde brotava outr'ora a lympha
pura do Carióca, e onde nasceram o bravo
Ambiré e o prudente Pindobuçú do poema de
Gonçalves de Magalhães, – esse já é hoje um
horror, com as suas florestas devastadas, com
a copa verde das suas arvores maculada
pela fumaça da locomotiva, e com o seio aro-
matico das suas mattas conspurcado pelos pa-
peis gordurosos e pelos cacos de garrafas dos
convescotes... E a Tijuca? a Tijuca é
hoje uma collina infecta, tão desprezivel como

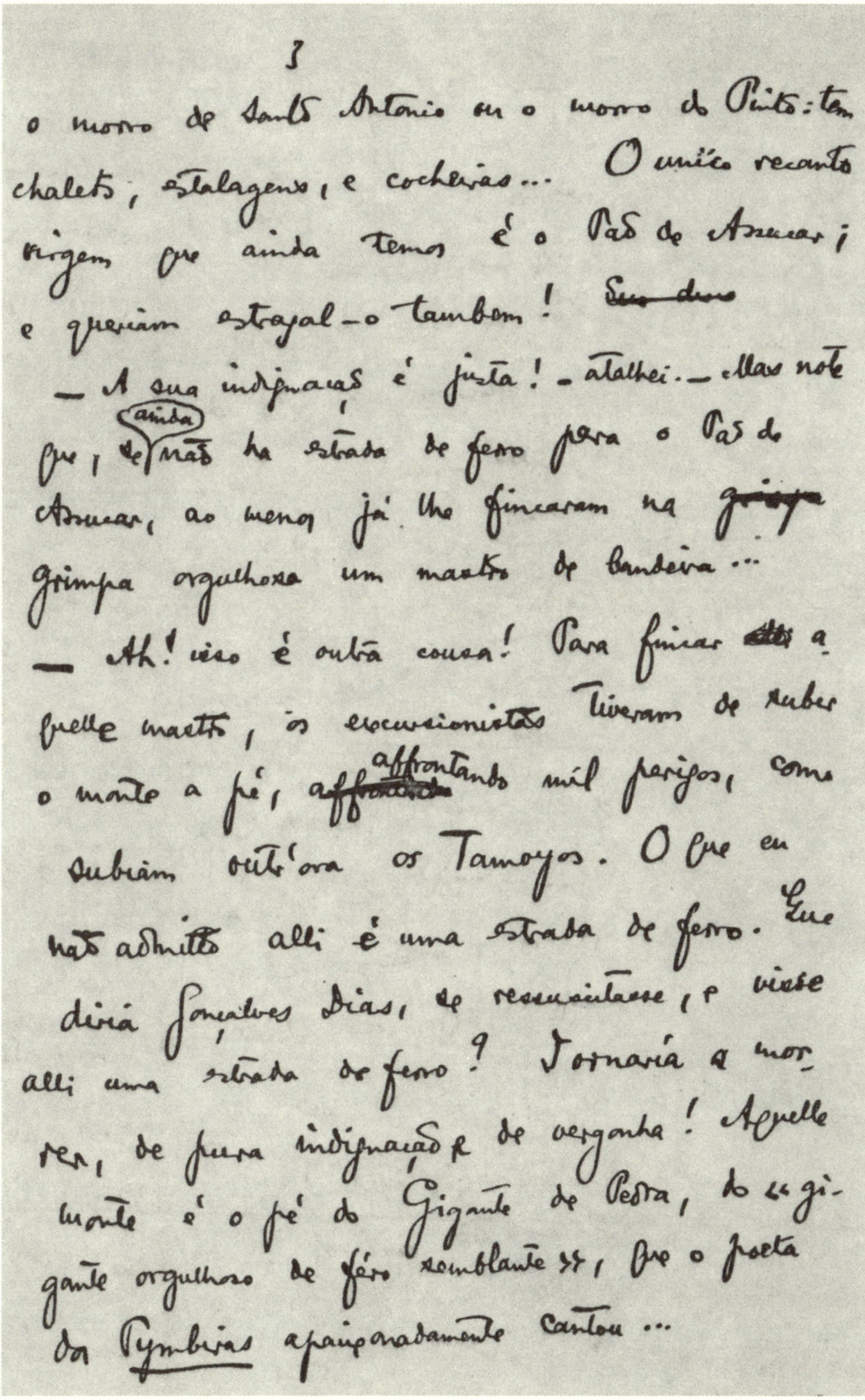

3

o morro de Santo Antonio ou o morro do Pinto: tem chalets, estalagens, e cocheiras... O unico recanto virgem que ainda temos é o Pão de Assucar; e queriam estragal-o tambem! ~~Seu diria~~

— A sua indignação é justa! — atalhei. — Mas note que, ~~se~~ ainda não ha estrada de ferro para o Pão de Assucar, ao menos já lhe fincaram na ~~grimpa~~ grimpa orgulhosa um mastro de bandeira...

— Ah! isso é outra cousa! Para fincar ~~alli~~ aquelle mastro, os excursionistas tiveram de subir o monte a pé, ~~affrontando~~ affrontando mil perigos, como subiam outr'ora os Tamoyos. O que eu não admitto alli é uma estrada de ferro. Que diria Gonçalves Dias, se ressuscitasse, e visse alli uma estrada de ferro? Tornaria a morrer, de pura indignação e de vergonha! Aquelle monte é o pé do Gigante de Pedra, do «gigante orgulhoso de fero semblante», que o poeta dos Tymbiras apaixonadamente cantou...

4

— Meu pobre amigo! — disse eu — si Gonçalves Dias resuscitasse, ressuscitaria com uma alma de hoje, com uma alma de homem moderno, e seria o primeiro a abençoar o elevador electrico que lhe permittisse ir contemplar do alto do Pão de Assucar a belleza do Rio de Janeiro!

— Pode ser! — suspirou o ~~D~~ romantico. — Mas eu, que não tenho o talento delle, e que seria incapaz de escrever os versos do Gigante de Pedra, eu não me resignaria nem me consolaria. E, no dia em que visse alli uma estrada de ferro, o meu desejo, o meu unico e ardente desejo seria que o Pão de Assucar realisasse ~~o pedido que com~~ a prophecia e attendesse ao pedido com que o poeta maranhense terminou o seu canto:

"Arroja-te ás ondas, ó duro gigante!
Inunda estes montes! desloca este mar!"

~~E cada vez~~ E, sem dar mais pa-

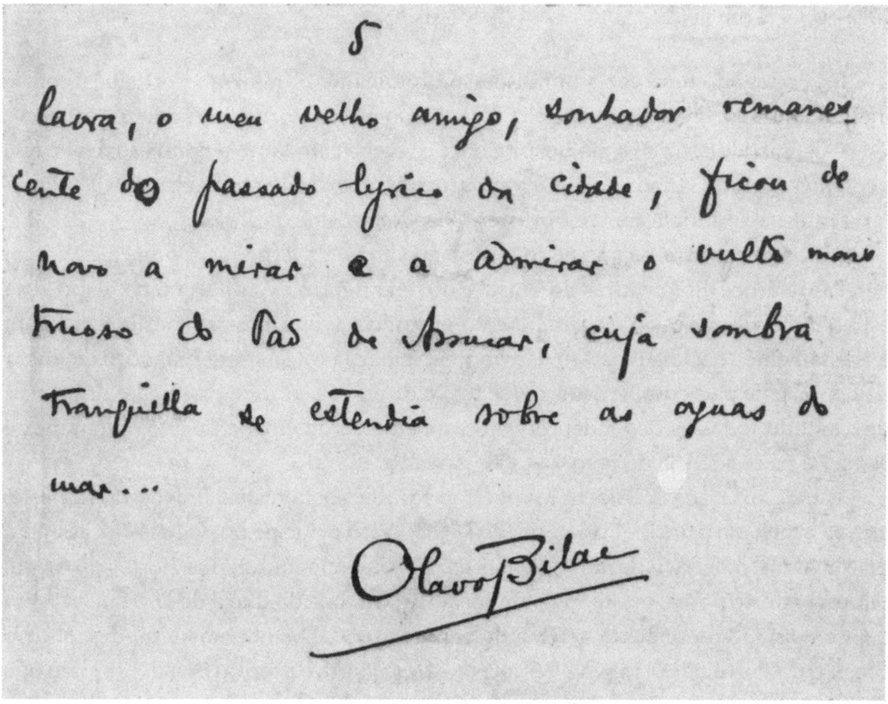

5

lavra, o meu velho amigo, sonhador remanes-
cente do passado lyrico da cidade, ficou de
novo a mirar e a admirar o vulto mons-
truoso do Paço de Assucar, cuja sombra
tranquilla se estendia sobre as aguas do
mar...

Olavo Bilac

JORNAL DA EXPOSIÇÃO – 12 CRÔNICA

Respondendo uma vez a um discurso diplomático, o ministro português, conselheiro Lampreia, teve uma frase feliz, que foi, no momento, um verdadeiro "achado".

– O Brasil (disse ele) é tão hospitaleiro, e recebe com tanto amor os ádvenas, que nem quer possuir, como os outros países, um Ministro de Estrangeiros: a sua chacelaria intitula-se simplesmente Ministério das Relações Exteriores...

A frase é gentil; e, se não pode ser tomada ao pé da letra quando se encaram em geral as relações diplomáticas do Brasil, é de uma rigorosa verdade, no ponto de vista especial das nossas relações com a nação portuguesa. Esta nossa Exposição de agora é estritamente "nacional": e isso não impede que nela esteja representado, e em lugar de honra, esse país europeu, único que tem o direito de entrar aqui sem pedir licença, devassando todas as dependências da casa, em sua qualidade de avô, que nunca é estranho na residência do neto.

A inauguração do Palácio Manuelino foi uma bela festa... brasileira. [Lá está, aposta à fachada principal, a estátua de D. João VI, o príncipe português que assinou, há cem anos, o decreto declarando abertos ao comércio mundial os portos do Brasil. Figura histórica, essa, muito mais importante para nós do que a de D. Manuel I, em cujo reinado foi descoberta a Terra de Santa Cruz. D. Manuel mandou descobrir o Brasil para Portugal; D. João VI descobriu o Brasil para o próprio Brasil. Era justo que a estátua do *nosso* Príncipe-Regente ali ficasse, dominando a construção magnífica de um palácio português em território brasileiro.

Já todos os jornais disseram o que é a exposição que a comissão portuguesa inaugurou nesse Palácio. Mas, para admirar o gênio de Portugal, não precisávamos esperar essa inauguração. [O *Anexo*, contra o qual tanta celeuma se ergueu, e que afinal é uma das construções mais admiradas da Exposição, graças à arte deliciosa com que Colaço o decorou, já bastaria para dignamente representar neste recinto de maravilhas o país bem-aventurado, que hoje se revê na glória do descendente. De Colaço, e de um grande número de outros artistas portugueses, há ali dentro trabalhos que longamente cativam os olhos e a alma do visitante.

Foi providencial que Portugal inaugurasse aqui a sua exposição de arte antes da sua exposição de indústria. Não sou tão poeta, que despreze indústria, comércio e lavoura; e já se foi o tempo em que a poesia era apenas sonho inativo e estéril extravagar: Não há poesia maior nem mais bela do que a que reside na glória do trabalho humano, brilhante ou obscuro, delicado ou rude, exclusivamente útil ou exclusivamente agradável. Mas já todos estamos fartos de conhecer os produtos do trabalho industrial, agrícola e comercial de Portugal; a exibição da sua arte interessa-nos muito mais, porque vem dar-nos o espetáculo de um renascimento moral esplêndido.

PUCK

OLAVO BILAC

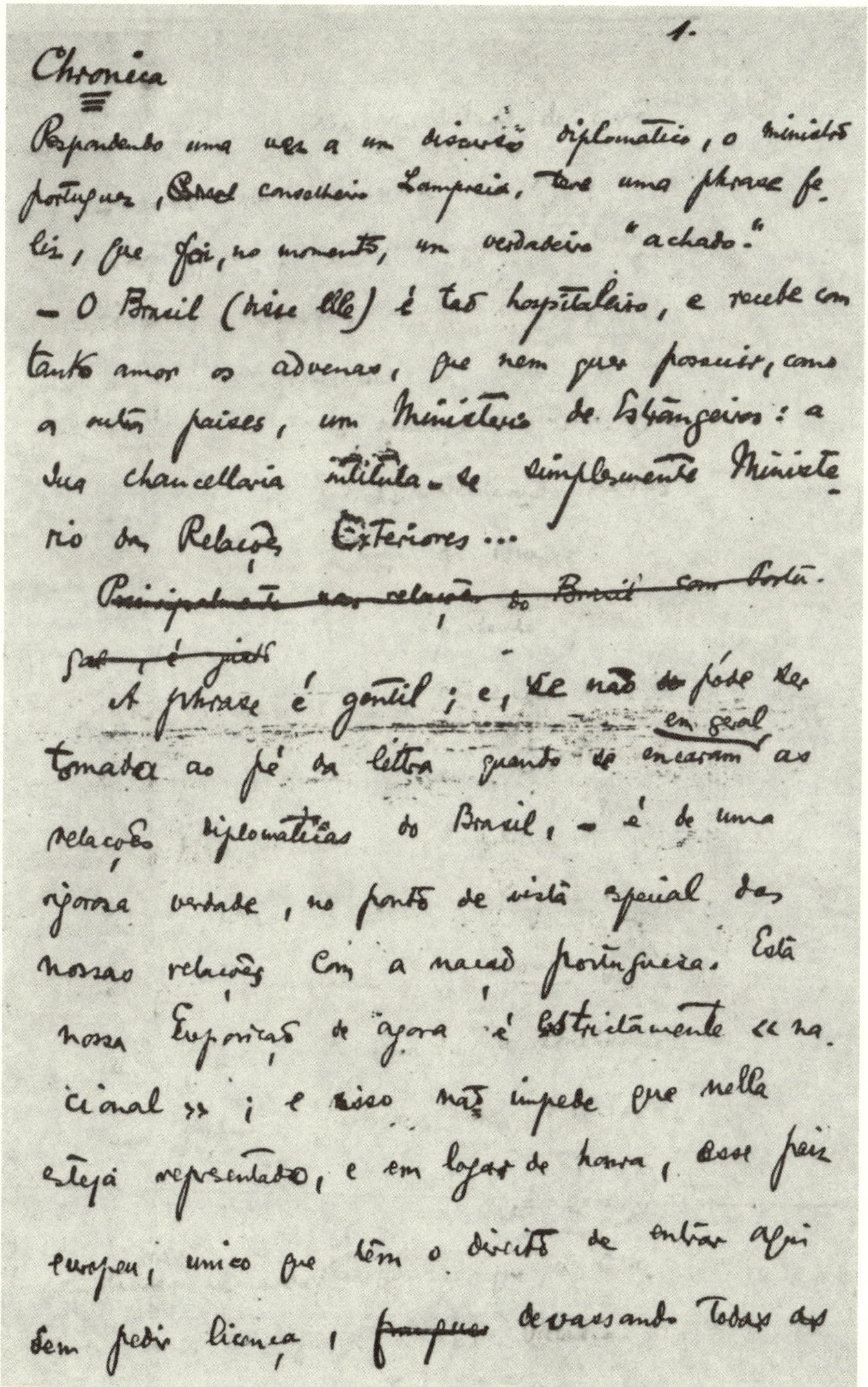

1.

Chronica

Respondendo uma vez a um discurso diplomatico, o ministro portuguez, Sr. conselheiro Lampreia, teve uma phrase feliz, que foi, no momento, um verdadeiro "achado."

— O Brazil (disse elle) é tão hospitaleiro, e recebe com tanto amor os advenas, que nem quer possuir, como os outros paizes, um Ministerio de Estrangeiros: a sua chancellaria intitula-se simplesmente Ministerio das Relações Exteriores...

~~Principalmente nas relações~~ do ~~Brazil com Portugal, é justo~~

A phrase é gentil; e, se não ~~se~~ póde ser tomada ao pé da letra quando se encaram em geral as relações diplomaticas do Brazil, — é de uma rigorosa verdade, no ponto de vista special das nossas relações com a nação portugueza. Esta nossa Exposição de agora é estrictamente « nacional »; e isso não impede que nella esteja representado, e em logar de honra, esse paiz europeu, unico que tem o direito de entrar aqui sem pedir licença, ~~franqueando~~ devassando todas as

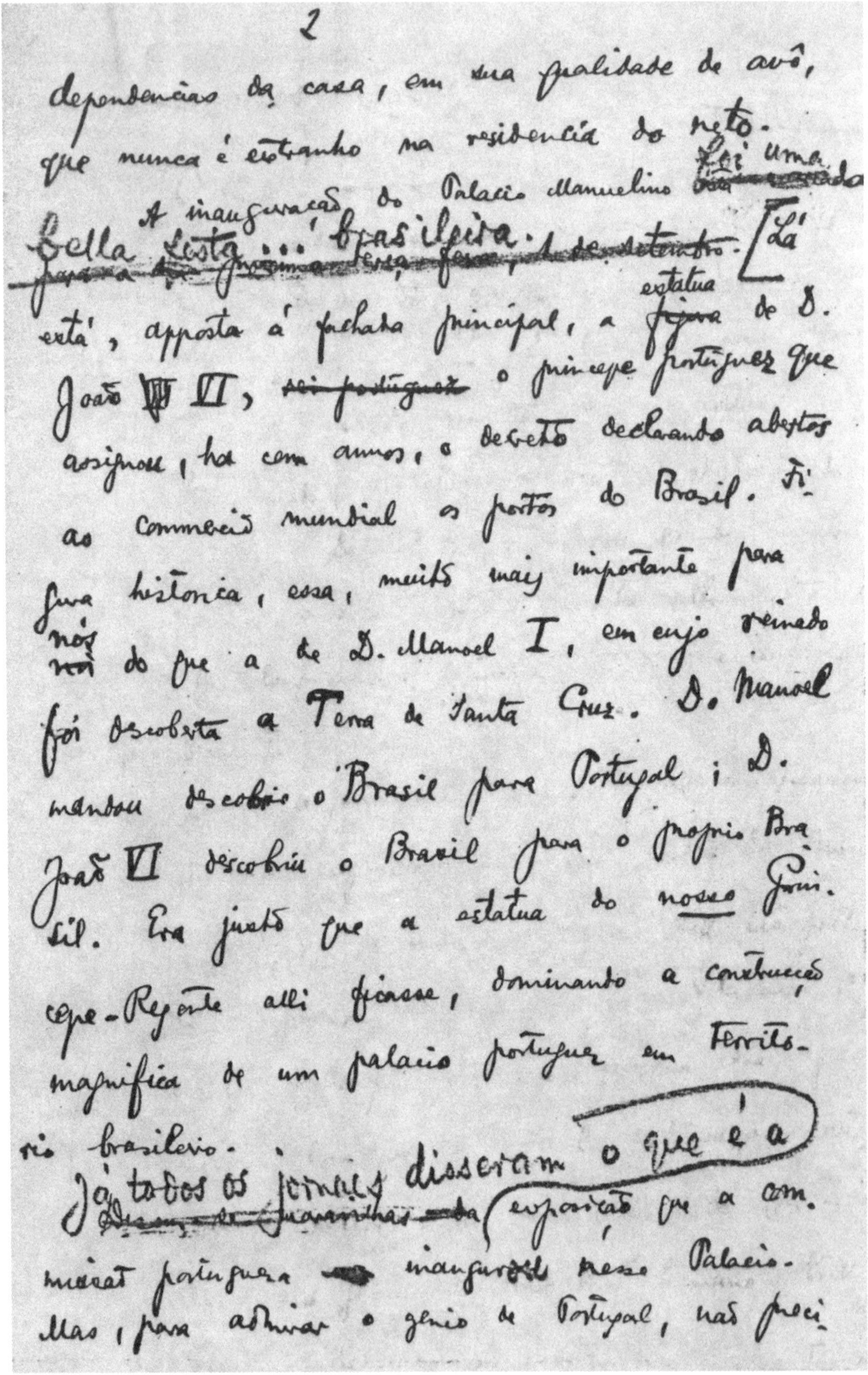

2

dependencias da casa, em sua qualidade de avô, que nunca é estranho na residencia do neto. A inauguração do Palacio Manuelino foi uma bella festa... brasileira. Lá está, apposta á fachada principal, a estatua de D. João VI, o principe portuguez que assignou, ha cem annos, o decreto declarando abertos ao commercio mundial os portos do Brasil. Figura historica, essa, muito mais importante para nós do que a de D. Manoel I, em cujo reinado foi descoberta a Terra de Santa Cruz. D. Manoel mandou descobrir o Brasil para Portugal; D. João VI descobriu o Brasil para o proprio Brasil. Era justo que a estatua do <u>nosso</u> Principe-Regente alli ficasse, dominando a construcção magnifica de um palacio portuguez em territorio brasileiro.

Já todos os jornaes disseram o que é a exposição que a commissão portugueza inaugurou nesse Palacio. Mas, para admirar o genio de Portugal, não preci-

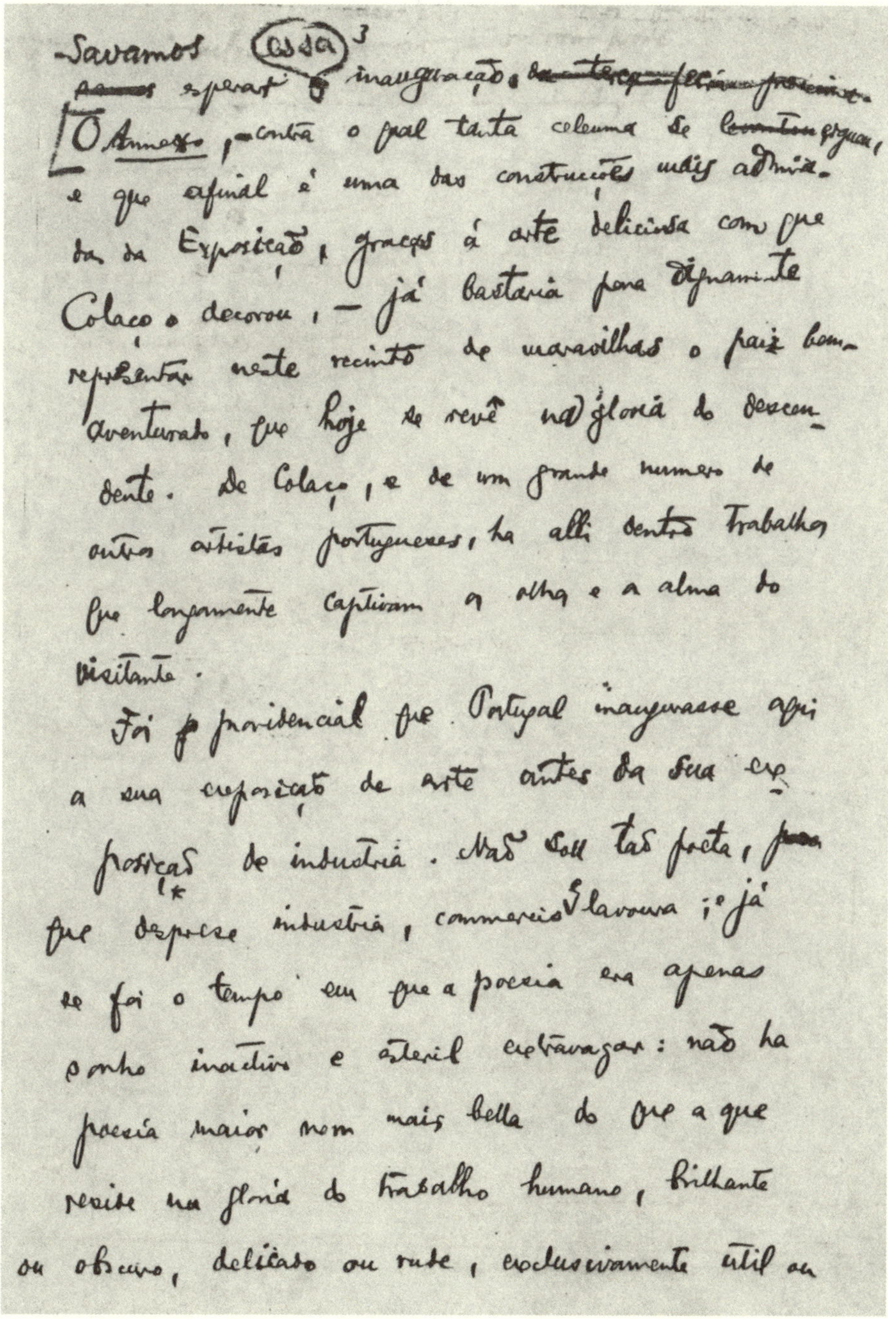

Savamos (essa)[3]
~~...~~ esperar a inauguração. ~~...~~
O Annexo, contra o qual tanta celeuma se ~~...~~ ergueu,
e que afinal é uma das construcções mais admira-
das da Exposição, graças á arte delicada com que
Colaço o decorou, — já bastaria para dignamente
representar neste recinto de maravilhas o paiz bem-
aventurado, que hoje se revê na gloria do descen-
dente. De Colaço, e de um grande numero de
outros artistas portuguezes, ha alli dentro trabalhos
que longamente captivam a vista e a alma do
visitante.

Foi providencial que Portugal inaugurasse aqui
a sua exposição de arte antes da sua ex-
posição de industria. Não sou tão poeta, ~~...~~
que despreze industria, commercio e lavoura; e já
se foi o tempo em que a poesia era apenas
sonho inactivo e esteril extravagancia: não ha
poesia maior nem mais bella do que a que
reside na gloria do trabalho humano, brilhante
ou obscuro, delicado ou rude, exclusivamente util ou

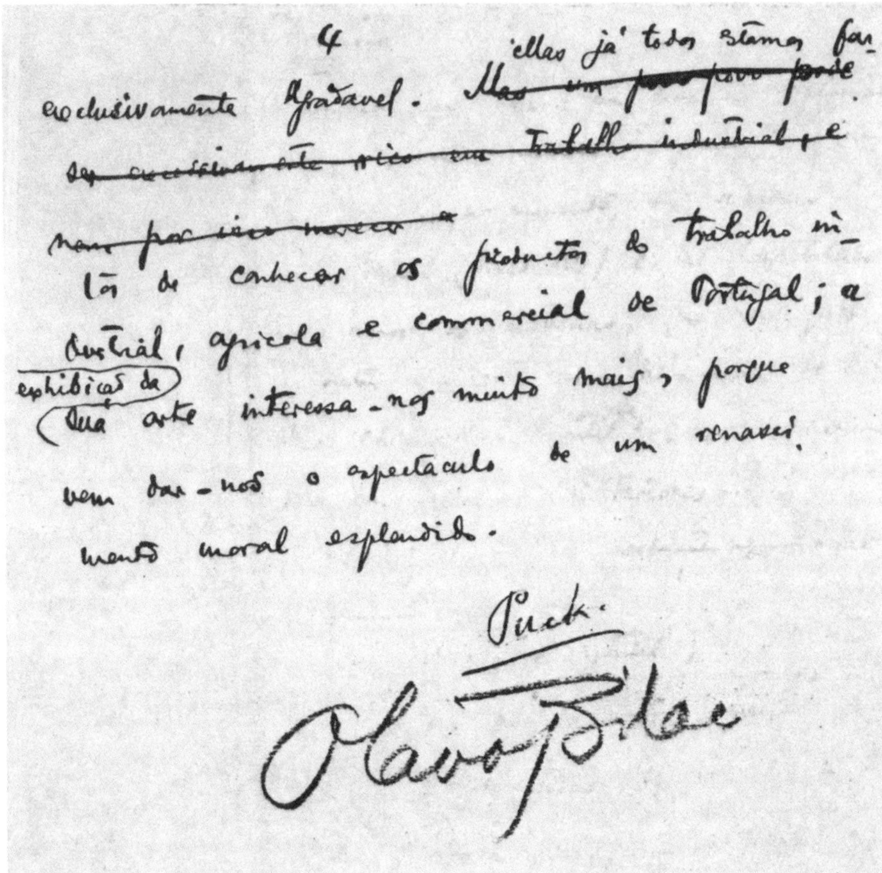

4

exclusivamente agradavel. ~~Mas um paiz pode~~ ellas já todos stamos far-
~~ser excessivamente rico em trabalho industrial, e~~
~~nem por isso merecer~~
tos de conhecer os productos do trabalho in-
dustrial, agricola e commercial de Portugal; a
exhibição da sua arte interessa-nos muito mais, porque
vem dar-nos o espectaculo de um renasci-
mento moral esplendido.

Puck.

Olavo Bilac

Jornal da Exposição – 13 Crônica

Última batalha de *confetti*, hoje...

Este vocábulo "última" tem sempre um aspecto sinistro, e dá sempre um tremor à pena que o escreve e um travor à boca que o pronuncia. Nem creio até que alguém ficasse contente, no dia em que lhe dissessem: "Vai ser esta a tua última dor ou a tua última decepção!"; porque, enfim, a última dor e a última decepção só podem vir com a morte...

A última batalha de *confetti*!... Tudo está sendo "último" na Exposição; a Exposição agoniza; os seus dias de vida estão contados: agora, são apenas quinze... E os seus cronistas já perderam o ar alegre com que celebravam o seu esplendor e os seus triunfos: cada um deles parece estar desde já pronunciando um elogio fúnebre, rezando um responso, e dando à agonizante uma aspersão de água benta.

Depois do dia 15 de novembro, começará o arrependimento dos que tão esquivos se mostraram, desdenhando o recinto desta cidade magnífica; e nas ardentes noites de estio, suando na Avenida Central, buscando em vão um pouco de ar fresco e puro no abafado seio da cidade, muita gente dirá com tristeza: "Ah! se ainda estivesse aberta a Exposição!..."

É bem verdade que só amamos com verdadeiro fervor o bem que ainda não temos e o bem que já perdemos. A mágoa, que nos dará o encerramento desta grande feira luminosa, só será comparável, em extensão, à ansiedade com que esperávamos a sua abertura...

A última batalha de *confetti*!... Já houve também o último concerto sinfônico, o último espetáculo da Companhia Artur Azevedo, o último turno da exposição pecuária; daqui a quinze dias haverá o último fogo de artifício, e a Exposição não será mais do que uma lembrança, uma tradição, uma saudade.

Creio que, nos últimos oito dias, o Diretório faria bem, abrindo a Porta Monumental à entrada livre da multidão. Se houve muita gente que aqui não veio por indiferença e preguiça, também há muita gente que aqui não vem por pobreza e vergonha. Não vivemos em uma cidade rica, e o número dos que hoje não podem no Rio de Janeiro gastar mil réis para se divertir é muito mais considerável do que parece... Já que a Exposição vai morrer, seria justo permitir que todos, – ainda os mais humildes dos habitantes da cidade – pudessem admirar de perto as suas últimas horas de esplendor...

Olavo Bilac

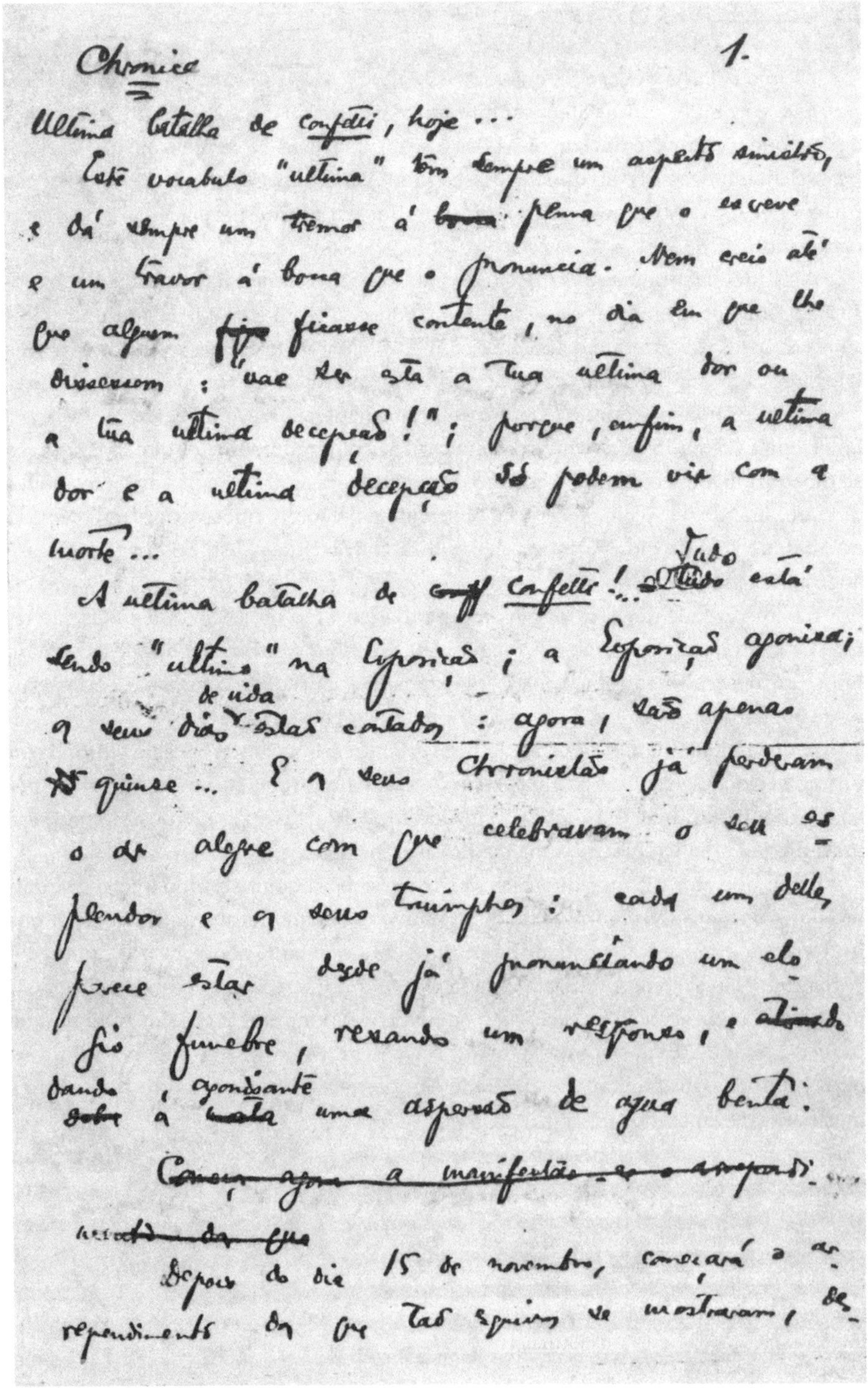

Chronica 1.

Ultima batalha de confetti, hoje...

Este vocabulo "ultima" tem sempre um aspecto sinistro, e dá sempre um tremor á ~~bocca~~ penna que o escreve e um travor á bocca que o pronuncia. Nem creio até que alguem ~~fique~~ ficasse contente, no dia em que lhe dissessem: "vae ser esta a tua ultima dor ou a tua ultima decepção!"; porque, enfim, a ultima dor e a ultima decepção só podem vir com a morte...

A ultima batalha de ~~conf~~ confetti!... ~~Ultimo~~ Tudo está sendo "ultimo" na Exposição; a Exposição agonisa; os seus dias de vida estão contados: agora, são apenas ~~os~~ quinze... E os seus chronistas já perderam o ar alegre com que celebravam o seu esplendor e os seus triumphos: cada um delles parece estar desde já pronunciando um elogio funebre, rezando um responso, e ~~atirando~~ dando ~~sobre~~ á ~~morta~~ agonisante uma asperção de agua benta.

~~Começa agora a manifestação e o arrependi-mento dos que~~

Depois do dia 15 de novembro, começará o arrependimento dos que tão esquivos se mostraram, de-

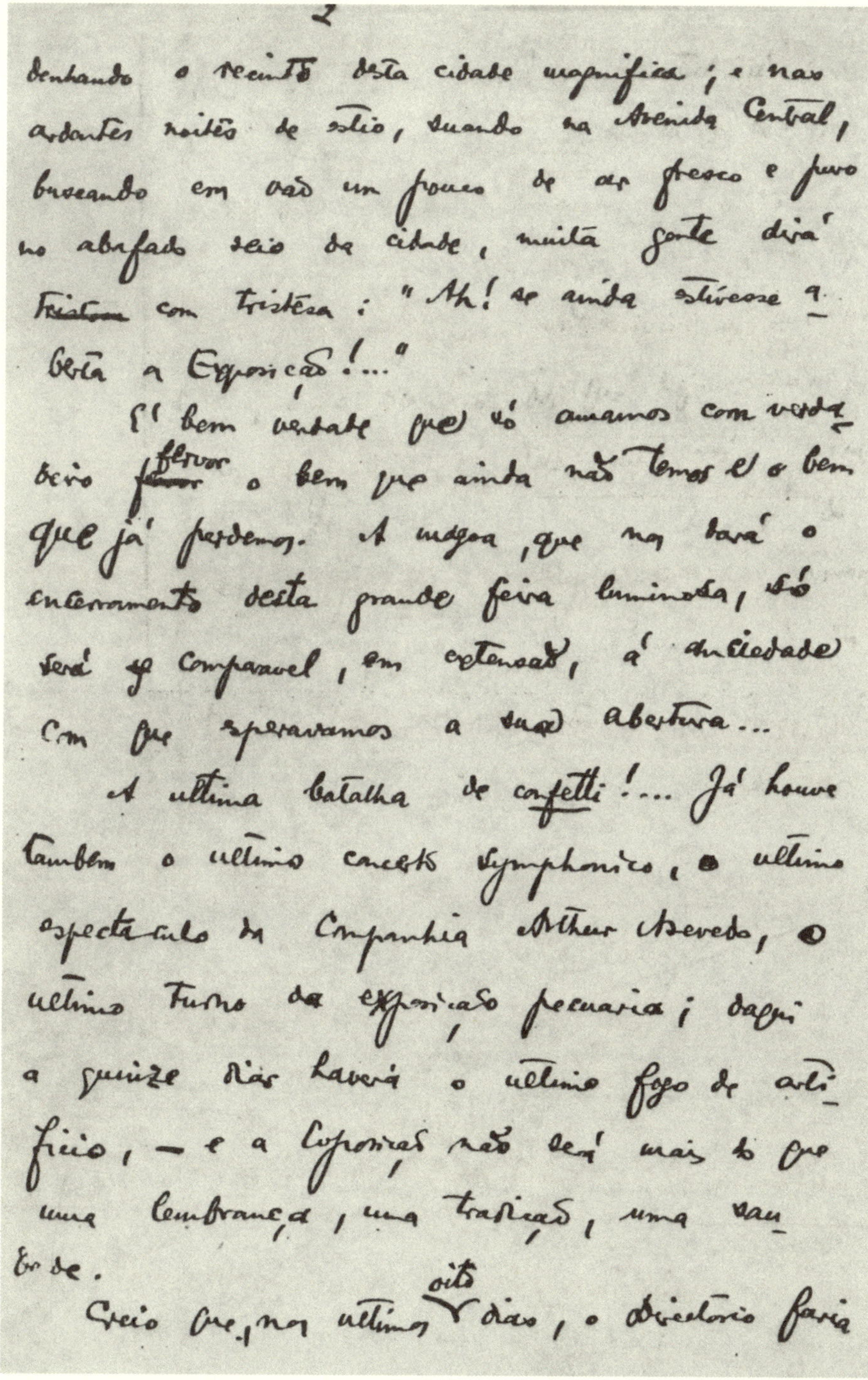
2

deslumbrando o recinto desta cidade magnifica; e nas ardentes noites de estio, quando na Avenida Central, buscando em vão um pouco de ar fresco e puro no abafado seio da cidade, muita gente dirá ~~Tristemente~~ com tristeza: "Ah! se ainda estivesse aberta a Exposição!..."

É bem verdade que só amamos com verdadeiro ~~fervor~~ fervor o bem que ainda não temos e o bem que já perdemos. A magoa, que nos dará o encerramento desta grande feira luminosa, só será comparavel, em extensão, á anciedade com que esperavamos a sua abertura...

A ultima batalha de confetti!... Já houve tambem o ultimo concerto symphonico, o ultimo espectaculo da Companhia Arthur Azevedo, o ultimo turno da exposição pecuaria; daqui a quinze dias haverá o ultimo fogo de artificio, — e a Exposição não será mais do que uma lembrança, uma tradição, uma saudade.

Creio que, nos ultimos oito dias, o Directorio faria

bem, abrindo a Porta Monumental á entrada livre
da multidão. Se houve muita gente que aqui
não veio por indifferença e preguiça, tambem
fica muita gente que aqui não vem por po-
breza e vergonha. Não vivemos em uma cidade
rica, e o numero dos que hoje não podem no
Rio de Janeiro gastar mil reis para se di-
vertir é muito mais consideravel do que pa-
rece... Já que a Exposição vae morrer, seria
justo permittir que todos, — ainda os mais
humildes dos habitantes da cidade, — pudessem
admirar de perto as suas ultimas horas
de esplendor...

Olavo Bilac

Jornal da Exposição – 14 Crônica

Seria mais razoável que não houvesse hoje *Crônica*, e até que não se publicasse o *Jornal da Exposição*... O dia, sendo dos mortos, é aqui, como em toda a cidade, um dia morto. Contrastando com a brilhante animação e a extraordinária concorrência de ontem, há hoje um silêncio fúnebre nestas alamedas: nem bandas de música, nem espetáculos, nem diversões. Uma nota oficial diz que "apenas estarão franqueadas ao público os pavilhões, com os seus mostruários"; para quê? todas as visitas são hoje para os cemitérios.

Assim, seria melhor que se não imprimisse hoje o *Jornal da Exposição*... Mas um jornal é um maquinismo que não pode parar. Já alguém disse que os jornais, uma vez criados, fazem-se por si mesmos, imprimem-se por si mesmos, distribuem-se por si mesmos. Se hoje ninguém viesse ao pavilhão da Imprensa, – nem tipógrafos, nem redatores, nem paginadores, nem revisores, nem impressores – nem por isso a folha deixaria de ser publicada: a [sic] linotipo trabalharia sozinha, os blocos de chumbo se reuniriam espontaneamente, a máquina de imprimir se poria em movimento sem influência estranha, – e, à hora habitual, o *Jornal da Exposição*, atravessando milagrosamente estas paredes de vidro, começaria a circular pelas alamedas desertas, a fim de ser lido... pelas mariposas.

Mas há uma razão poderosa que justifica a publicação, hoje, do *Jornal*, e deste artigo. A Exposição também tem os seus mortos. Em três meses de vida, já ela viu morrer bastante gente. Não foi João Pinheiro que ideou e desenhou o Pavilhão de Minas? Não foi Artur Azevedo que criou o Teatro João Caetano?

E além desses dois homens ilustres, quantos outros, anônimos e humildes, que aqui trabalharam, também já desapareceram de entre os vivos! Houve aqui desastres que enlutaram pobres lares de operários... E muita gente, que contribuiu para a criação desta cidade encantada, e assistiu às primeiras manifestações do seu esplendor, já não a verá morrer, porque morreu antes dela...

Também a Exposição vai morrer, daqui a treze dias; com ela, morrerá também o *Jornal da Exposição*; tudo morre neste mundo... Mas, enquanto vivemos, rendamos um preito de saudade carinhosa aos que se foram antes de nós; e, neste Dia de Finados, pensemos, com respeito e ternura, nos trabalhadores que deram a este grande mostruário da nossa civilização o seu último esforço e a sua derradeira atividade...

Olavo Bilac

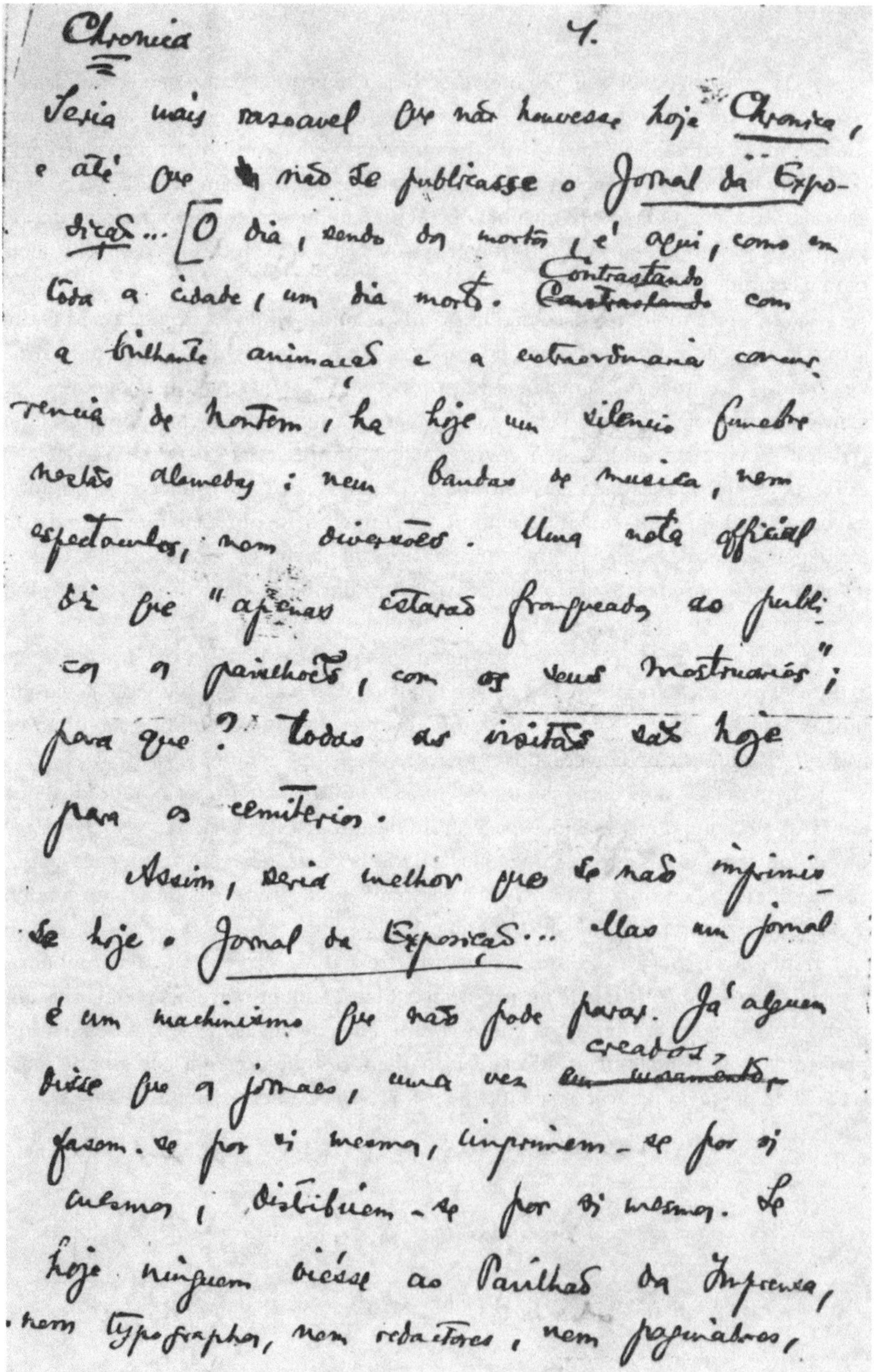

Chronica 1.

Seria mais razoavel que não houvesse hoje Chronica, e até que não se publicasse o Jornal da Exposição... [O dia, sendo dos mortos, é aqui, como em toda a cidade, um dia morto. Contrastando com a brilhante animação e a extraordinaria concurrencia de hontem, ha hoje um silencio funebre nestas alamedas: nem bandas de musica, nem espectaculos, nem diversões. Uma nota official diz que "apenas estarão franqueados ao publico os pavilhões, com os seus mostruarios"; para que? todos os visitantes vão hoje para os cemiterios.

Assim, seria melhor que se não imprimisse hoje o Jornal da Exposição... Mas um jornal é um machinismo que não pode parar. Já alguem disse que os jornaes, uma vez creados, fazem-se por si mesmos, imprimem-se por si mesmos, distribuem-se por si mesmos. Se hoje ninguem viesse ao Pavilhão da Imprensa, nem typographos, nem redactores, nem paginadores,

nem revisores, nem impressores, — nem por isso a
folha deixaria de ser publicada: a linotypo
trabalharia sòzinha, os blocos de chumbo
se reuniriam espontaneamente, a machina de
imprimir se poria em movimento sem influen-
cia estranha, — e, á hora habitual, o *Jornal
da Exposição*, atravessando milagrosamente
estas paredes de vidro, começaria a circular
pelas alamedas desertas, afim de ser
lido... pelas mariposas.

Mas ha uma razão poderosa que justifica
a publicação, hoje, do *Jornal*, e deste artigo.
A Exposição tambem tem os seus mortos.
Em tres mezes de vida, já ella viu mor-
rer bastante gente. Não foi João Pinheiro
quem ideou e desenhou o Pavilhão de
Minas? Não foi Arthur Azevedo
quem creou o Theatro João Caetano?

E além desses dois homens illustres, quantos

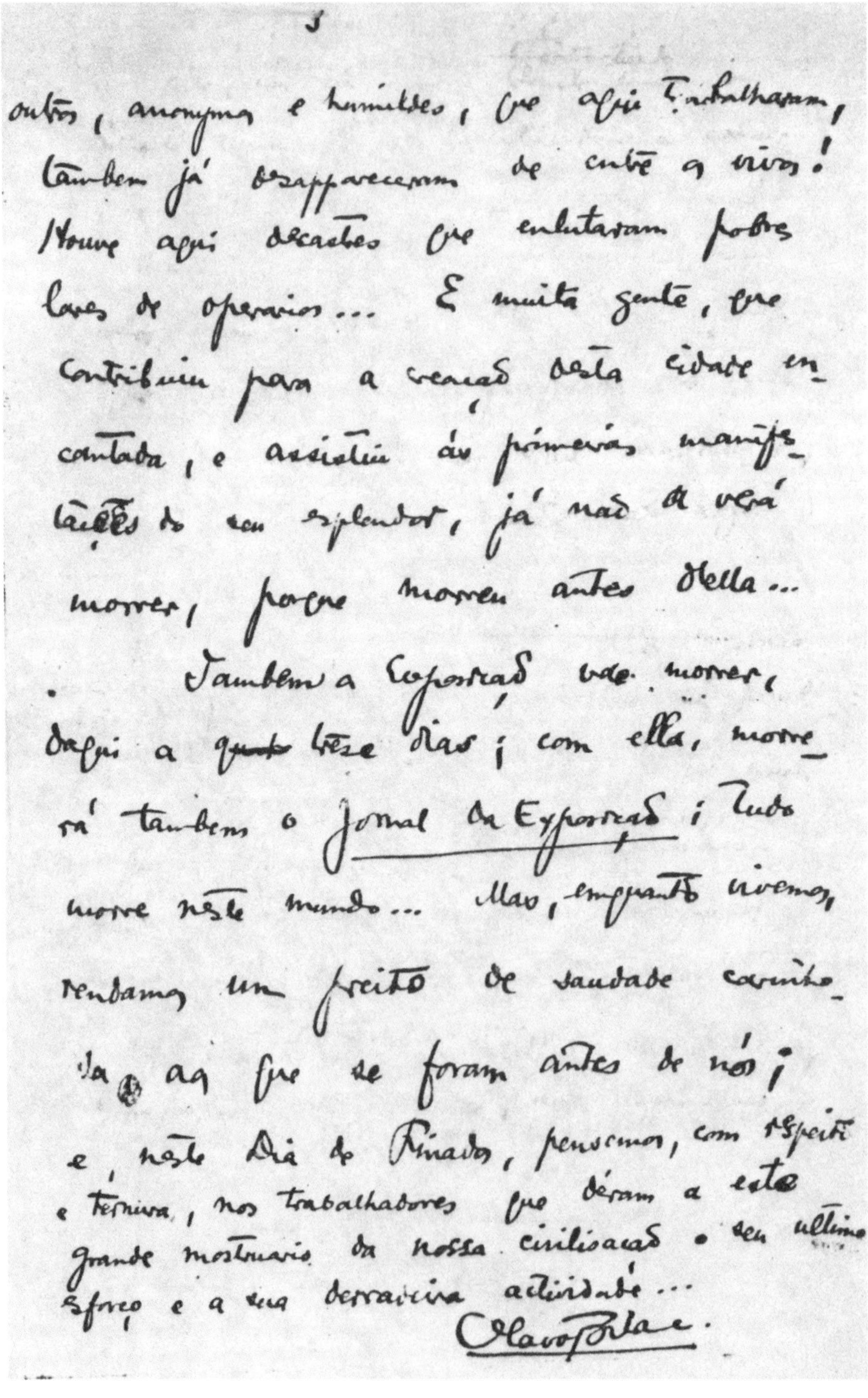

5

outros, anonymos e humildes, que aqui trabalharam,
tambem já desappareceram de entre os vivos!
Houve aqui desastres que enlutaram pobres
lares de operarios... E muita gente, que
contribuiu para a creação desta cidade en-
cantada, e assistiu ás primeiras manifes-
tações do seu esplendor, já não a verá
morrer, porque morreu antes della...

Tambem a Exposição vae morrer,
daqui a ~~quat~~ treze dias; com ella, morre-
rá tambem o Jornal da Exposição; tudo
morre neste mundo... Mas, emquanto vivemos,
rendamos um preito de saudade carinho-
sa aos que se foram antes de nós;
e, neste Dia de Finados, pensemos, com respeito
e ternura, nos trabalhadores que deram a este
grande mostruario da nossa civilisação o seu ultimo
esforço e a sua derradeira actividade...

Olavo Bilac.

Kosmos 1904-1908

MAR. 1904

Crônica

Quando apareceu o segundo número de *Kosmos*, há um mês, ainda havia nas ruas, como remanescentes do folguedo carnavalesco, alguns *confetti*, esquecidos pelas vassouras da limpeza pública. A cidade tinha um aspecto fatigado e triste, um ar de quem passou a noite na orgia. E a gente, que conversava, nos bondes, ou nas esquinas, confessava altamente o seu espanto: "Como foi isto? bastou então um edital da prefeitura, para matar o Entrudo, que todos supunham imortal e invencível?!..."

Realmente, houve motivo para esse espanto... Nós estávamos tão habituados à indisciplina e à desobediência do povo carioca, que este simples fato de ter sido religiosamente obedecida e cumprida uma lei sem protestos e sem conflitos, despertou uma vasta admiração e um profundo pasmo.

Não houve entrudo. Houve o clássico e já fatigante carnaval, com as suas nuvens de *confetti*, com os seus abomináveis *cordões*, e com os grandes préstitos luxuosos, que são, afinal, como bem disse Artur Azevedo, revoltantes apoteoses do vício...

Já é tempo de inventar qualquer coisa nova. Chega a parecer absurdo que ainda se mantenha essa antiga usança de procissões báquicas, escandalosamente ostentando pela cidade, com aplausos de todos, o triunfo insolente das hetairas. Creio que, de todas as cidades civilizadas, o Rio de Janeiro é a única que tolera essa vergonhosa exibição. Em todas as outras capitais, o vício é cultivado e adorado portas adentro. Nada impede que, nos teatros e nos bailes, haja saturnais carnavalescas, em que a folia se exaspere até invadir o domínio da alucinação furiosa. Mas é revoltante que essas orgias transbordem para as ruas, em cortejos eróticos, aos quais, por uma incrível e criminosa tolerância, concorrem as bandas de música da polícia e do exército, com os soldados fantasiados, abrindo o préstito glorificador da indecência e da prostituição.

Artur Azevedo lembrou, com bom senso, que os cortejos carnavalescos poderiam ser aproveitados em bem da arte e da civilização.

Paris passa por ser a metrópole do vício. Mas a sua população não toleraria jamais essa deificação pública da lascívia.

Em Paris, os séquitos festivos do *Boeuf gras* e da *Mi-Carême* são pretextos para espetáculos artísticos, dignos da admiração e do aplauso de um povo civilizado. Na festa da *Mi-Carême*, sobretudo, há, além de um intuito artístico, um intuito moral. Todas as operárias da grande cidade – gente humilde e pobre, para quem a Vida só tem trabalho e desgostos – elegem uma rainha, representante legítima da corporação: no dia da festa, essa operária feliz, precedida e seguida por um longo acompanhamento faustoso de equipagens de luxo, de carros de arte, e de cavalgatas luzentes, recebe as homenagens da Cidade-Luz, gozando todas as honras e prerrogativas da sua realeza momentânea e fugaz; e há um raro e comovedor encanto nessa apoteose do Trabalho, da Honestidade e da humilde Beleza... Não sei se no Rio de Janeiro seria possível organizar um festa como essa. Mas sei que as nossas festas carnavalescas são indecorosas, na sua parte pública. Seria bem melhor que essas exibições se fizessem a portas fechadas. O entrudo era uma brincadeira funesta e selvagem: mas era mais inocente do que a bacanal nas ruas.

* * *

O que espanta é que, sendo tão dados à tolerância no tocante a certas manifestações da imoralidade, sejamos de uma tão ingênua inocência diante de outros casos igualmente imorais.

Alguém, que, não nos conhecendo bem, assistisse ao espanto, à comoção, à turbulenta ansiedade, ao interesse, com que acompanhamos, nos últimos dias de fevereiro, os episódios da fuga e da prisão de um indivíduo processado por crime de estelionato, diria talvez: "Aqui está um povo feliz, um povo em cuja comunhão são raros os criminosos, um povo que não sabe o que são grandes falcatruas e grandes maroteiras, – pois que tão profundamente se deixa comover por este vulgaríssimo desvio de quatrocentos contos de réis..."

Parecia, de fato, que se tratava de uma dessas colossais trapaças, em que rolam milhões e milhões, e que, de vez em quando, se descobrem no velho mundo, como o caso do Panamá ou o caso da família Humbert. Se qualquer celebridade pode ser honrosa, o nosso herói, preso, acusado, julgado, evadido e caçado no sertão de Minas, deve considerar-se feliz: o seu retrato correu de mão em mão, como o de um grande homem, e não houve jornal que não publicasse a sua biografia...

Oh! a celebridade! é singular que tanta gente se esfalfe e pene para conquistá-la, quando essa dama caprichosa tão facilmente concede os seus favores... Tenho conhecido um sem número de pessoas possuídas dessa ardente ambição de ter o nome escrito e falado: agitam-se, trabalham, festejam-se, publicam livros, fazem conferências, estudam, inventam, pesquisam todos os assuntos, importunam toda a gente, e passam, apesar disso, pela vida, dentro da treva do anonimato, e morrem, sem que duas linhas lançadas à pressa num jornal assinalem a data do seu desaparecimento e do seu descanso. Entretanto, é tão fácil ser célebre! Basta que se diga: "Aquele indivíduo fugiu da cadeia", para que a Celebridade sorria a esse indivíduo.

Aí tendes o que é a Celebridade, a cuja conquista tantas cousas sacrificais, ó homens ambiciosos!

* * *

Que dizer sobre a guerra entre o Japão e a Rússia? Já tudo se tem dito contra a irremediável e diabólica vesânia, que impele homens contra homens, manchando e profanando o seio da Terra criadora com sangrias abomináveis. Mas que hão de poder as boas palavras e as boas idéias contra um ódio e uma loucura que são inseparáveis da própria essência humana?

O instinto da briga parece indomável.

Há poucos dias, um telegrama da Europa noticiava que Pini e San Malato, dois esgrimistas famosos, iam bater-se em duelo de morte, em virtude de uma acalorada discussão, em que entraram em jogo a vaidade de um e a vaidade do outro, excitadas pela rivalidade profissional. Não é monstruoso que dois homens, entre os quais nunca houve um conflito sério motivado por escrúpulos da honra, procurem matar-se um ao outro, unicamente por amor da arte de matar?

Se a vaidade individual e a ambição da celebridade podem levar dois homens a esse ato de loucura, não é estranhável que o orgulho nacional e a ambição do domínio levem dois povos à prática de carnificinas hediondas...

Sim! esse instinto bestial parece indomável! Mas o dever de todas as almas boas e de todos os cérebros bem formados é continuar a maldizer essa barbaridade criminosa. Se é impossível evitar as guerras, é porque a sociedade humana ainda não se libertou de todo da selvageria, é porque a nossa civilização é ainda apenas aparente, é porque ainda estamos longe da perfeição moral. Essa perfeição há de ser atingida, amanhã, ou daqui a um século, ou daqui a dez séculos. As palavras dos que combatem a guerra não se perdem. Há no mundo moral trabalhos lentos, insensíveis, longos, misteriosos, mas seguros, análogos ao trabalho madrepórico que levanta recifes imensos. A parte mais bela do verdadeiro programa socialista está contida nas palavras recentemente ditas por Jaurès a um repórter, que o interrogava sobre o conflito russo-japonês: "Nous faisons la guerrre à la Guerre!"

E a guerra, a guerra santa, a guerra abençoada movida contra a Guerra, há de ser vitoriosa, no dia em que a civilização tiver dado mais um passo largo, e decisivo, para o seu verdadeiro e único intuito, que é a felicidade humana.

* * *

Fechemos a crônica com algumas linhas de alegria e de esperança.

Há poucos dias, as picaretas, entoando um hino jubiloso, iniciaram os trabalhos da construção da Avenida Central, pondo abaixo as primeiras casas condenadas. Bem andou o governo, dando um caráter solene e festivo à inauguração desses trabalhos. Nem se compreendia que não fosse um dia de regozijo o dia em que começamos a caminhar para a reabilitação.

No aluir das paredes, no ruir das pedras, no esfarelar do barro, havia um longo gemido. Era o gemido soturno e lamentoso do Passado, do Atraso, do Opróbrio. A cidade colonial, imunda, retrógrada, emperrada nas suas velhas tradições, estava soluçando no soluçar daqueles apodrecidos materiais que desabavam. Mas o hino claro das picaretas abafava esse protesto impotente.

Com que alegria cantavam elas, as picaretas regeneradoras! E como as almas dos que ali estavam compreendiam bem o que elas diziam, no seu clamor incessante e rítmico, celebrando a vitória da higiene, do bom gosto e da arte!

O. B.

JAN. 1905

CRÔNICA [CIA]

As cousas tristes ou horripilantes, que houve durante o mês, não podem ter o seu comentário nas páginas de *Kosmos*. O mês foi uma vasta fermentação de escândalos, de desfalques, de denúncias, de exumações, de crimes, de desastres e de horrores. Nesse mar limoso e negro, ficou afogada toda a alegria das festas do fim do ano. E é melhor que a notícia de tais cousas fique apenas confiada às colunas de imprensa diária – colunas de vida fugaz, lidas à pressa e logo esquecidas. Nestas páginas calmas, de arte e brandura, guardemos somente assuntos consoladores e nobres.

* * *

Em Paris, nos belos jardins do Luxemburgo, os poetas e os artistas franceses têm o seu lindo e modesto Panteon. Dos meados do século XVI (época em que o duque de Piney-Luxembourg fez construir o palácio que ficou com o seu nome) até há bem pouco tempo, aqueles jardins eram apenas o lugar amável dos *rendez-vous* galantes, o plácido retiro, em que à roda da "gruta da rainha", ou à roda das estátuas de Margarida de Navarra, de Maria de Medicis, de Luísa de Sabóia, do "Gladiador" de Agasias, do "Fauno" de Lequesne, da "Velleda" de Maindron, se combinavam aventuras, encontros e amores jurados entre suspiros e beijos.

Ultimamente, começaram os bustos dos poetas e dos artistas a aprumar-se ali, sobre colunas de pedra, à sombra dos castanheiros meigos; de maneira que aqueles que cantaram a natureza e o amor, continuam a dormir embalados, em efígie, pelo ramalhar das árvores amigas e pelo murmúrio dos beijos dos namorados. Para apenas citar um nome - é no Luxemburgo, que está o busto de Banville, o refinado artista das "Cariátides".

* * *

Livre-me Deus da pretensão de querer comparar o Rio de Janeiro a Paris... Paris é Paris: e não sei se existe atualmente ou se haverá ainda, na face da Terra, alguma cidade que se lhe compare ou que se lhe possa algum dia comparar.

Mas, apesar de tudo, o Rio de Janeiro é a capital de uma nação, que sobre todas as outras do continente, sempre teve a primazia em cousas de Inteligência. Todas as outras a têm excedido, até hoje, em higiene e em conforto material. Mas, de todas, é ela a que possui a literatura mais vibrante, mais original, e mais forte. Uma só cousa tem prejudicado essa literatura: é o círculo restrito, em que se expande acanhadamente a língua que falamos e escrevemos...

Se os nossos escritores ainda não têm trabalho fácil e vida folgada, é porque ainda não existe no país uma grande massa de leitores. Ao analfabetismo já existente, vem dia a dia juntar-se o analfabetismo de uma grande parte das correntes imigratórias. Se, cuidando mais da instrução popular, nós começássemos desde já a dilatar por todo o país a esfera de ação da palavra escrita, os escritores que viessem depois de nós já não poderiam dizer que a língua portuguesa é um túmulo: teriam vinte milhões de leitores, e não haveria então literatura de mais fácil e profícua expansão.

É forçoso reconhecer que só nos falta isso: expansão literária. A matéria-prima já a possuímos: temos literatura nossa, como temos arte nossa, – e esta supremacia intelectual e artística, ainda não a perdemos (graças a todos os deuses!) no continente sul-americano.

* * *

Por tudo isso, não é muito difícil desejar que também tenhamos o nosso Luxemburgo, o nosso Panteon de artistas e poetas. O local já foi inventado e inaugurado, e já um grande poeta o anima com a sua figura: já Gonçalves Dias sorri, no Passeio Público, sobre a sua formosa herma; e daqui a pouco, irá fazer-lhe companhia Ferreira de Araújo.

Aí está um, que não foi propriamente um poeta ou um artista, no sentido restrito e usual da expressão, mas que viveu servindo à Arte e à Poesia, e alimentando com o seu talento e a sua dedicação esta atmosfera moral de sentimento e de inteligência, que é o nosso maior orgulho de povo.

Não é somente poeta ou artista quem versifica e rima ficções, quem combina harmonia ou cores, quem cria poemas, estatuetas, óperas, ou telas; o jornalismo, quando compreendido como o compreendeu Ferreira de Araújo, é arte, e é poesia.

Se já temos, – nós, os que escrevemos – um público, pequeno, mas inteligente, devemo-lo, em grande parte, a esse mestre exemplar, que, num tempo em que a imprensa diária ainda era um luxo caro, decidiu colocá-la ao alcance de todos, barateando-a, e popularizando-a.

Foi ele quem chamou ao jornal a gente moça, que se ensaiava nas letras. Na *Gazeta de Notícias*, que possuía a colaboração preciosa de Machado de Assis, de Eça de Queirós e de Ramalho Ortigão, começaram a aparecer os rapazes cheios de talento, mas ainda sem nome, que daquelas colunas se impuseram ao público; as "Canções Românticas" e as "Meridionais" de Alberto de Oliveira foram reveladas pela *Gazeta*; na *Gazeta*, apareceu Valentim Magalhães, da Gazeta nasceu a corrente, que canalizada depois na *Semana* e na *Vida Moderna*, se espraiou num movimento de franca renascença literária, talvez o mais belo e fecundo de quantos já houve no Brasil, depois do período do "indianismo" de Alencar e Gonçalves Dias; e foi dali que se revelou ao público, em folhetins de uma fulguração genial, o espírito radiante de José do Patrocínio, alma de chamas e perfumes, de raios e rosas.

Foi também na *Gazeta* que os pintores, os escultores, os músicos encontraram sempre defesa, amparo, propaganda. Ferreira de Araújo adorava todas as artes: e não esqueçamos que foi principalmente nas páginas do seu jornal que se travou a grande batalha da reconstituição da velha Academia de Belas Artes, transformada em Escola Nacional, e entregue à direção dos artistas mortos, que a salvaram da caturrice acadêmica, e do marasmo senil em que ela jazia.

Esses dois serviços prestados por Ferreira de Araújo: a *democratização* da imprensa diária e o apoio dado a uma geração literária e artística, cujo talento não tinha campo em que se pudesse exercitar, já bastariam para tornar inesquecível o seu nome, na história da Inteligência brasileira.

Mas o fundador da *Gazeta de Notícias* não foi somente um chefe: foi também um soldado combatente, e dos mais brilhantes. A sua maneira de escrever criou escola. Aliavam-se no seu estilo a força e a graça, a impetuosidade e a leveza, a solidez e a malícia. Ele, sozinho, era capaz de escrever todo um jornal, da primeira página à última, desde o artigo de fundo até o folhetim humorístico, passando pela crônica política, pela crítica, pelo conto, e pelo *mot de la fin*.

Bernardelli vai executar em mármore o busto desse grande mestre, desse grande amigo das letras e das artes, desse grande educador de cérebros e corações.

Sobre o fundo verde-negro das árvores do Passeio, o singelo monumento, levantado por iniciativa de toda a imprensa, servirá para avivar a gratidão que o Rio de Janeiro deve a quem lhe deu o jornal leve e barato, verdadeiro espelho da alma popular, síntese e análise das suas opiniões, das suas aspirações, das suas conquistas, do seu progresso.

Em trinta anos, a imprensa no Brasil ganhou um adiantamento espantoso. A prova disso, é esta mesma *Kosmos*: uma tentativa como esta seria uma loucura no tempo em que o povo parecia ter mais medo de letra de forma do que do diabo...

Não esqueçamos, na hora da vitória, aqueles que desbravaram o caminho, aqueles que, com a sua coragem, tornaram possível este triunfo.

* * *

Depois de Gonçalves Dias, Ferreira de Araújo; depois de Ferreira de Araújo, Castro Alves; depois de Castro Alves...

Pouco a pouco, iremos povoando de bustos aquelas alamedas, onde os grandes mortos reviverão, entre aromas e ruflos de asas. E o Passeio Público será o templo umbroso e perfumado dos numes tutelares da nossa Inteligência.

O. B.

FEV. 1905 — CRÔNICA

Houve, durante o mês, um acontecimento de interesse universal, que apaixonou e comoveu todas as almas. Foi a revolução do proletariado russo, revolução afogada em sangue, reprimida e jugulada a chicote e bala.

Alguma cousa lucrou o povo russo com esse desesperado esforço para conquistar a liberdade: em todas as nações da terra, todos os homens de bons sentimentos aplaudiram a coragem heróica dos revolucionários, e amaldiçoaram mais uma vez aquele governo, que só se sustenta pelo apoio cego e irracional de hordas de cossacos ignorantes e sanguinários. Até em França, onde toda a imprensa, por conveniências de várias espécies, é russófila, – até ali a causa dos revolucionários reuniu a unanimidade das simpatias; e não houve jornal francês, que não manifestasse claramente a sua indignação e o seu asco pelas brutalidades da violência vencedora.

Dir-se-ia que tudo isso é platônico, e que, para os revoltosos russos, uma só pequenina vitória real e prática valeria mais do que toda essa explosão de simpatias ineficazes. Não é tanto assim... A verdade é que, quando uma causa social consegue apaixonar desse modo a totalidade dos homens civilizados, o seu definitivo triunfo está próximo: o governo russo vai entrar pelo terreno das concessões, e, em breve, os pobres filhos daquela imensa terra receberão a única esmola que pedem: o direito de ser tratados como homens, e não como uma bestiagem miserável...

A revolução, além de ser uma nobre revolta dos escravos contra os senhores, foi também um protesto contra a estúpida crueza das guerras. E foi essa talvez a razão que mais contribuiu para a tornar simpática. Na Europa, a tortura causada pelas guerras já é insuportável. Em 1600, já um grande amigo da paz, o eloqüente Cruce, pedia aos príncipes europeus "piedade para o gênero humano, fatigado das misérias da guerra"; e agora todos os filantropos aterrados bradam que "todas as lutas da Idade Média eram menos prejudiciais e menos depauperadoras do que esta sinistra paz armada, que é a fonte de todas as tristezas e de todas as fomes atuais".

O mal não pode continuar; porque os povos, conhecedores da origem e das causas da moléstia, reagem pelos meios ao seu alcance: nos países civilizados, enchendo os parlamentos de deputados socialistas, e, na Rússia semi-bárbara, apelando para a bomba explosiva, para o punhal, para o veneno, e para os levantes em massa.

Assim se realiza a bela profecia de Jean-Jacques Rousseau: "La chair à canon va se mettre à penser, et à perdre l'admiration d'être canonnée..."

Também já é tempo! Porque, se o mal fosse irremediável, e se, depois de dezenove séculos de civilização cristã, os homens ainda tivessem de continuar a devorar-se uns aos outros como os seus avós chimpanzés se devoraram no início das eras, seria força descrer do progresso, e seria justo esperar e pedir que um cometa descabelado e feroz viesse reduzir a poeira este estúpido planeta, cheio de uma vérmina incapaz de amar a paz e a justiça...

* * *

Assunto bem nosso, bem local, foi a grita que se levantou contra a facilidade com que o júri, ou por outras razões menos confessáveis, declara limpos de toda a culpa os criminosos, que a justiça pública lhe confia.

Pobres jurados!... pagam bem caro o orgulho daquela investidura sagrada!

De certo, ser jurado é cousa que lisonjeia e orgulha. Imaginemos um homem pacato, merceeiro ou industrial, metido consigo e com os seus negócios, calmamente vivendo afastado das honras públicas, das refregas políticas, de todas as complicações sociais. Chamam-no um dia, e oferecem-lhe uma cadeira, dizendo-lhe: "Vai aqui ficar sentado e atento, ouvindo a exposição do crime que Fulano cometeu; ouvirá também a acusação, ouvirá também a defesa, e, depois, consultando a sua consciência, dirá se Fulano é culpado ou inocente, e se a justiça deve aferrolhá-lo na prisão ou mandá-lo em paz!"

Isso deslumbra e comove... Porque, afinal, ser jurado é, para esse homem, ser quase igual a Deus: Deus é quem sonda as almas, quem debaixo da aluvião das mentiras e dos enganos descobre a fugitiva e apagada verdade, quem avalia e pesa o móvel e a razão dos atos humanos, e quem, sem medo de errar, pode traçar a linha precisa que separa a culpa da inocência...

Dar a um homem pacato e simples a investidura de juiz é, pois, investi-lo de uma certa porção de Divindade; e, quando esse homem se convence de que com o seu voto pode servir o Bem, e decidir do destino da vida de outro homem, é natural que um nobre orgulho o anime...

Mas, ai! também a Divindade tem os seus inconvenientes, os seus aborrecimentos... Nem todos os homens são capazes de suportar sem cansaço algumas dúzias de horas de atenção e imobilidade. Ainda o processo vai em meio, e já o desgraçado amaldiçoa a sua investidura quase divina... E as horas correndo, correndo, e ele, com a cabeça atordoada, com um zum-zum nos ouvidos, morto de fadiga, desesperado, furioso, maldizendo a hora em que fez a rematada tolice de aceitar aquela missão... E o processo continuando, continuando, sem fim, como um deserto longo e amarelo, sem a sombra de um oásis...

Chega por fim a hora do julgamento... E o jurado julga o processo, e dá o seu voto, com a inteligência que a Natureza lhe deu; e não tem culpa de dar um voto errado: porque, enfim, a Justiça, antes de lhe confiar aquele difícil e espinhoso encargo, não lhe perguntou se ele era inteligente ou estúpido, honesto ou desonesto... E, quando o julgamento não satisfaz o público, é o pobre jurado quem paga as custas morais (ou imorais) do processo, sendo acoimado de idiota... ou de venal!

E aí está o que ele lucra com toda aquela estopada!

Bem pesadas e medidas as cousas, mais vale não se meter a gente a competir com Deus, no ofício de jogador...

* * *

Já houve, na Avenida Central, a festa do levantamento de cinco ou seis cumeeiras de novos prédios. Ao longo da imensa artéria, rasgada no coração da cidade, vão pouco a pouco apontando, saindo do solo, crescendo, subindo, pompeando à luz, os palácios formosos. Aquilo que apenas parecia um sonho absurdo de megalomania, pouco a pouco se transforma numa radiante realidade...

Acabo de reler o que aqui se escreveu, no primeiro número da *Kosmos*, há pouco mais de um ano. Dizia o cronista que a *Kosmos* acompanharia, de passo em passo, a transformação da cidade, assinalando todos os seus progressos, seguindo com interesse o seu lento evoluir para a regeneração higiênica.

Esse propósito não pôde ser de todo cumprido, porque o progresso foi muito mais rápido e muito mais completo do que era lícito esperar. Quando apareceu o primeiro número da *Kosmos*, as obras do porto e as da avenida ainda eram um simples projeto: não havia um só prédio demolido, e muita gente acreditava que tudo ficaria em sonho, e que nem em vinte anos tomaria corpo um só dos planos do governo.

Mas, em um ano, a coragem e a inteligência operaram milagres. A avenida está cheia de prédios; e, felizmente, não se justificou o único receio, que ainda me afligia: os prédios novos, ao contrário do que era para temer, não são casarões formidáveis e terríveis, sem gosto e sem arte, mas palácios modernos, capazes de honrar qualquer cidade civilizada.

A *Kosmos*, que nasceu com a nova era da vida urbana, e que, por isso, queria ser um espelho fiél, onde de traço em traço se viesse refletir a história dessa era, já não pode cumprir o seu programa: em cada mês, a cidade progride um ano, e seria preciso, para que aquele programa fosse respeitado, que as páginas da revista fossem da primeira à última dedicadas exclusivamente ao registro desse progresso.

Antes assim...

* * *

Patrocínio, – consagremos a esse grande morto as últimas linhas da *Crônica*! recebeu, depois de morto, a mais bela consagração de quantas já nesta terra glorificaram o nome de um homem. O povo quis conduzir ao cemitério, numa apoteose, o corpo do Libertador; e, quando o cortejo fúnebre atravessou a cidade, parecia que o féretro ia boiando sobre as palpitações de um imenso oceano. Todos quiseram ter a honra de se aproximar durante alguns segundos daquele caixão, em que jazia o apóstolo...

Agora, para que a consagração seja completa, falta apenas a estátua: e essa, em breve, há de surgir numa praça pública, para atestar a gratidão de todos nós.

Em 1888, logo depois da vitória do Abolicionismo, quando já as injúrias e os doestos choviam sobre Patrocínio, um poeta, que sempre foi tratado como filho por esse homem extraordinário, e que, mais do que ninguém, em longos anos de intimidade, pôde saber quanto era nobre e puro o seu grande coração, e quanto eram infames as calúnias que o feriam, escreveu estes versos, agora reeditados como uma derradeira homenagem:

Quando, ao braço o broquel, combatias, sozinho,
Calmo, o gládio imortal vibrando às mãos, certeiro,
– De que bênçãos de mãe era feito o carinho,
Que ungia a tua voz, glorioso Justiceiro?

Treva, em cuja espessura os sóis fizeram ninho!
Foi de dentro de ti que, para o cativeiro,
Saiu, como um doirado e alegre passarinho,
Num gorjeio de luz, o consolo primeiro...

Hoje, do mar da inveja, em vão, para o teu rosto
Sobe o lodo... Sorris: e injúrias e ironias
Vão de novo cair no podre sorvedouro...

E, eterno, à eterna luz dos séculos exposto,
Ficas, – tu, que, ao nascer, já na pele trazias
A imorredoura cor do bronze imorredouro!

Patrocínio sobreviveu dezesseis anos à sua grande vitória; durante esse longo tempo, muita ingratidão o feriu, e muito desgosto lhe amargurou a existência. Agora, porém, não tarda que o Brasil lhe pague o que lhe deve, dando-lhe a estátua vaticinada naqueles versos...

O. B.

ABR. 1905

CRÔNICA [TE]

Quando este número da *Kosmos* aparecer, abril estará agonizando, e maio, o mês das rosas e dos poetas, estará preparando a sua entrada festiva. Por todas as igrejas, os sinos cantarão, num barulho de vozes claras, a formosura e a candura de Maria; e nos altares, entre os festões de luzes fulgentes, a Senhora sorrirá, coroada de flores, radiante no seu manto azul salpicado de estrelas.

Para os anos europeus, é que a chegada de maio é a chegada do amor, da alegria e da felicidade. Lá, quando entra maio, já se derreteu a neve dos caminhos, ao primeiro beijo do sol. Já o céu, todo azul, desfeitas as longas neblinas tristes do inverno, se recurva amorosamente sobre a rejuvenescida terra, que desperta do seu melancólico sono; pelas galhadas ainda nuas das árvores, já aparecem, pequeninos e tenros, os gomos carnudos da folhagem, como uma nuvem de inúmeros besouros verdes. E, então, o ano começa a correr, a florescer, a cantar, iluminado e calmo...

Mas, para os anos brasileiros, maio chega sem surpresas e sem novidades. Aqui, de janeiro a dezembro, a terra é sempre a mesma, toda aberta em flores, e o mesmo é o céu, inalteravelmente azul, e o mesmo é o sol, perpetuamente claro. Bela terra da primavera eterna! por que não saem os teus filhos do teu ventre fecundo, armados, como tu, dessa inalterável mocidade? por que temos nós o desgosto de ver os nossos primeiros cabelos brancos, e de chorar os nossos primeiros reumatismos, e de suportar os nossos primeiros desesperos, vendo-te, a ti, nessa incomparável e imutável juventude, tão velha e sempre tão moça, ó mãe de todos nós, Cibele de peitos que nunca se esgotam e de entranhas que não se fatigam nunca?

* * *

O Rio de Janeiro só dá pela chegada de maio, quando, lá para os lados da Cadeia Velha, ouve o primeiro palrar dos deputados. Nós só temos olfato para as flores... de retórica!

Não sei bem se, neste último ano da atual legislatura, os deputados poderão pensar nas cousas sérias de que dependem a nossa segurança de nação e o nosso futuro de povo. Talvez não possam: os oito meses de seção, de maio a dezembro, talvez sejam poucos e curtos para a liquidação dos compromissos da política interna e para os preparativos da renovação do mandato...

Ah! se os deputados tivessem tempo para tratar, ainda este ano, de assunto urgente e sagrado, seria lícito pedir-lhes que atentassem na necessidade de organizar a defesa das nossas fronteiras. Eu, por mim, sou amigo da Paz, mas também sou amigo da Desconfiança. E acho que aquela divisa – *si vis pacem, para bellum* – ainda é a que mais convém aos povos pacíficos, mais precavidos. Já não é segredo para ninguém que temos vizinhos em armas, apercebidos de formidáveis recursos de guerra que num dado momento podem ser empregados contra nós. Nós, que temos? – temos somente uma confiança ilimitada na Providência Divina...

E não se diga que os nossos vizinhos apenas possuem armamentos: o que eles possuem de melhor (de mais perigoso para nós) é uma perfeita organização moral dos seus exércitos: nos países que cercam o nosso, o serviço militar é obrigatório; e neles o serviço nas fronteiras não é tido, como aqui, na significação de um castigo disciplinar, de uma pena imposta às rebeldias e à indisciplina.

O brasileiro tem uma repugnância notável pelo dever militar: é esse um vício, velho e enraizado. E é um vício que depende de um abominável preconceito.

Lembro-me bem que, já no meu tempo de menino, um pai qualquer, quando queria intimidar um filho peralta e vadio, ameaçava-o sumariamente com estas poucas palavras expressivas: "Olha que, se facilitas, ponho-te uma farda às costas!" E essa ameaça era a mais tremenda de todas: raras vezes o menino deixava de se corrigir. Vede, para exemplo, a guarda nacional: não falta quem queira ser coronel, capitão ou até alferes da milícia cívica; mas ide dizer a qualquer cidadão que o seu dever é ser soldado raso: ele, indignado, vos dirá que a farda de soldado raso da guarda nacional só foi feita para as costas dos capadócios...

Num caso de afronta, nós só poderemos contar com o exército regular. Mas, entre o exército regular e os governos, se tem estabelecido um perigoso *mal entendu*: o serviço militar das fronteiras, – o mais importante, num país que tem mais de oito milhões de quilômetros quadrados de território e sete países limítrofes – ainda não foi bem compreendido, segundo parece, nem pelos governos, nem pelos militares. Ainda há poucos dias, um oficial foi mandado para a fronteira de Mato Grosso, depois de alguns dias de prisão: o que daí se conclui é que essa viagem foi uma pena disciplinar, complementar da primeira; assim, esse serviço que deveria ser um sacrifício nobre e glorioso, uma demonstração de patriotismo e de desinteressada dedicação, fica sendo um castigo. As fronteiras são o terror dos militares: e, como nas fronteiras é que pode um dia residir o perigo, não se sabe bem a que desastres nos poderá conduzir a inexperiência que resulta desse terror.

O que a diplomacia brasileira conquistou nestes últimos dois anos já é uma vitória: mas é bom assegurar a conquista de modo eficaz, salvando-a de assaltos futuros. Ai de nós! ainda não é tempo de esperar o desarmamento universal: não queiramos ser cordeiros entre lobos...

Mas como pedir tão largo serviço a um Congresso que vai fazer o seu testamento? Apelemos para o Congresso futuro, e esperemos que o trabalho da organização da defesa das nossas fronteiras venha, dentro de poucos anos, completar os três trabalhos que já quase se concluíram: o da reorganização das finanças pela seriedade da administração econômica, o da reabilitação do clima pelo saneamento, e o do restabelecimento da hegemonia moral pela inteligência da interdiplomática. Não devemos desejar marinha forte e exército poderoso para aterrar e ameaçar os nossos vizinhos, mas devemos desejá-los para não sermos ameaçados e aterrados por eles.

E agora reparo que, das rosas de maio e das belezas do nosso outono, resvalei, nem sei como, para cousas de guerra... Ai! nem tudo é poesia na vida!

O. B.

MAIO 1905

CRÔNICA

Maio não é somente para o Brasil um mês de lindo céu, de lindas flores, de temperatura suave e de belas festas religiosas e mundanas: é também um mês de comemorações cívicas, – o mês sagrado em que, se não fôssemos um povo sem entusiasmo, celebraríamos com exaltado júbilo as duas maiores datas da nossa história. 3 de maio é o natalício da Nação; 13 de maio é a sua emancipação moral, o seu batismo de civilização.

7 de setembro e 15 de novembro assinalam apenas duas evoluções políticas, a transformação da colônia em metrópole e a mudança do governo hereditário em governo eletivo.

Mas as duas datas de maio têm uma significação especial e santa: a primeira recorda o desabrochar da Terra, cuja grandeza adormecida nem era suspeitada pelos que a vinham descobrir; a segunda lembra o desabrochar da Alma Brasileira, lavada num banho lustral de Justiça, formada pela fusão fraternizadora de todas as raças. Em 7 de setembro, o Brasil ganhou apenas a confirmação da sua existência política; mas a nossa existência moral só começou em 13 de maio, quando destruímos o erro secular que nos infamava, e fazia da nossa ridícula civilização de país escravizador um disparate cronológico, um anacronismo social; até 13 de maio de 1888, nós estávamos moralmente revivendo uma civilização da Idade Média.

* * *

Infelizmente, não temos, entre os nossos hábitos, o de festejar com alegria as grandes datas da nossa história. Não há uma comemoração nacional, – uma só! – que consiga despertar no ânimo deste povo um movimento de júbilo patriótico.

Dir-se-ia que não temos consciência do valor da nossa nacionalidade, nem do progresso que conquistamos em quatro séculos de vida. Parece que nos envergonhamos do que somos, e que não temos orgulho do passado nem esperança no futuro.

Essa vergonha, essa desesperança, essa falta de consciência, se realmente as sentíssemos, seriam absurdas.

Houve, é certo, no Brasil, um longo período de estagnação. Mas os últimos anos têm sido de um trabalho fecundo, de um progresso real, de uma decidida e vitoriosa marcha para o Bem e para a perfeita civilização.

Em 1820, há menos de um século, o Brasil era um vasto deserto físico e moral.

Quem quiser fazer idéia do que eram, nesse tempo, os nossos costumes, leia estas linhas, que são, ao mesmo tempo, cômicas e dolorosas:

"O Brasileiro levanta-se da cama as nascer do sol; não gasta tempo em vestir-se, porque não se havia despido; em ceroulas, demora-se fumando à porta, que só abandona para ir repousar na rede; se alguém lhe pergunta onde mora um seu vizinho, é cousa que ele ignora: falar, fatiga-o tanto como pensar. O luxo é sólido e grosseiro. Uma senhora vai à missa acompanhada por numerosos escravos adornados com riqueza, e, muitas vezes, voltando à casa, assenta-se numa esteira, onde come, com a mão, peixe salgado e mandioca..."

Isso era escrito, em 1818, por um certo Mr. de Tollenare, que andou passeando por todo o Brasil. Ferdinand Denis apreciava muito as narrativas desse viajante, admirando sobretudo "a verdade com que eram escritas". Ainda descontado o que essa descrição possa ter de exagerado, grande motivo há nela para grande consolo: de 1818 até hoje correu menos de um século; e nesse curto espaço de tempo, foi tão sério o nosso progresso, que aquele quadro já nos faz rir...

E querem ler o que Ferdinand Denis escrevia em 1840 acerca da sorte dos escravos no Brasil? Aqui está:

"Nas roças, é o feitor quem ordena os castigos. Nesta circunstância, é o desditoso escravo atado a um mourão; ou, sendo no meio do campo, amarram-no de modo mais singular e mais cruel ao mesmo tempo: um pau curto, passado por entre as pernas, e ao qual se atam ligaduras, entrega o paciente ao seu algoz. No Rio de Janeiro, há certos regulamentos, relativos à espécie de castigos que podem ser impostos aos cativos. Se o delito parece exceder o grau de culpabilidade tolerado nas relações habituais do senhor com o escravo, é este incontinente enviado ao calabouço, onde os açoutes lhe são administrados pela mão do verdugo, em presença de um inspetor. As culpas leves são sem demora punidas para que este gênero de correção seja um verdadeiro suplício. Nada é mais doloroso, para um estrangeiro, do que ver sem cessar repetir este castigo doméstico, que até as próprias mulheres não se abstêm de aplicar aos seus escravos dos dois sexos..."

Não é verdade que a leitura dessas linhas causa horror e espanto? Esse horror e esse espanto mostram quanto progredimos social e moralmente em tão pouco tempo. São cenas, por assim dizer, de nossa vida de ontem: e parece-nos que já estamos a dois ou três séculos dessa vida!

Seria, portanto, absurdo, que a nossa frieza nas comemorações cívicas proviesse de uma falta de consciência do nosso valor e do nosso progresso. Somos hoje um povo forte e livre. Já temos arte e comércio, indústria e civilização: os nossos sertões hão de ser, dentro de cinqüenta anos, uma imensa colméia humana, ressonante dos hinos de paz e do trabalho: e a nossa capital, daqui a um lustro, será a mais bela da América do Sul.

* * *

O que nos falta é entusiasmo. As colônias estrangeiras que aqui vivem conosco, – a italiana, a portuguesa, a francesa, a alemã, a inglesa, – gastam rios de dinheiro em festejar as suas grandes datas. Isso contrasta singularmente com a nossa frieza e com a nossa indiferença...

O Brasil está cheio de gente preta ou mestiça, que a grande lei de 13 de maio veio redimir e integrar na comunhão brasileira. Mas quantos libertos foram visitar nesse dia os túmulos dos seus libertadores? quantos deles foram beijar a sepultura de José do Patrocínio, o Cristo da raça negra, crucificado pela ingratidão e pela calúnia? quantos deles saíram à rua, em bandos jubilosos, para festejar o grande dia do Amor e da Igualdade?

Ai de nós! a festa de 13 de maio passou, como a de 3 de maio, sem uma só vibração de alegria popular... Bandeiras nas repartições públicas, retumbar de salvas chochas, e ridículas reticências de gás nas gambiarras dos ministérios: mais nada!

Que é que assim nos faz tão tristes, tão desanimados, tão parados? Será o clima? será a falta de educação cívica?

Seja o que for, é uma desgraça!

O. B.

OUT. 1905

CRÔNICA

Com as mais belas rosas da Primavera, em Outubro, apareceu um novo livro de Alberto de Oliveira.

Um novo livro de versos...

Quantos se publicam por aí, neste vastíssimo Brasil tão cheio de sabiás e de poetas! Não há semana em que o correio me não traga dois ou três volumes, quase todos muito mal impressos, quase todos diferentes apenas na policromia das capas e na polionímia dos títulos, e iguais na futilidade ou na insignificância do texto... Suponho que é o Brasil, de todo o planeta, o país em que mais volumes de versos se imprimem: não há estudante que não almeje ver o seu nome fulgurando à frente de uma coleção de poesias; e só Deus sabe, às vezes, que soma de sacrifícios dolorosos representa a publicação desses folhetos que ninguém lê...

Mas um novo livro de versos de Alberto de Oliveira! que inesperada fortuna e que encantado regalo!

Para ler as *Novas Poesias* desse amado Poeta, escolhi um repousado e claro domingo, de vivo sol e de céu escampo: meti o volume debaixo do braço, e, fugindo à poeira das demolições, ao alarido da cidade, aos apertões da gente endomingada, abalei para o alto das Paineiras. E foi à sombra de uma árvore anciã, em cuja copa chilravam aves, ao pé do velho aqueoduto em que a água límpida cantava e sobre o qual bailavam as borboletas, que percorri, com uma delícia crescente, o livro suave.

Em torno de mim, a Vida das árvores, das águas, da luz, das aves, dos insetos burburinhava e fulgia: e, como o livro me falava justamente de tudo isso, – de cursos de água cantante, de árvores cheias de ninhos, de gorjeios de pássaros, de luz e de amores – eu tinha a ilusão de estar vendo, compendiada e fixada por milagre, nas trezentas páginas do volume que lia, toda a força e toda a meiguice da Natureza que me cercava.

* * *

Alberto de Oliveira não é somente o maior dos nossos poetas vivos: é também, depois da publicação desta segunda série das suas *Poesias*, o mais *brasileiro* de todos os poetas do Brasil.

É verdade que o volume abre com um soneto de assunto clássico, "Taça de Coral", um soneto que me dá a impressão de estar ali envergonhado e tímido, achando-se com razão *deslocado* entre companheiros de outra raça, de outra índole e de outra idade. É uma composição em que se admira a antiga *maneira* do poeta, o seu amor do exotismo, e o seu brilhante e raro talento de evocação... Mas, logo ao volver da primeira página, como estamos longe da Grécia, das deusas do Olimpo, dos pastores da Arcádia, das paisagens, dos homens e das cousas da Hélade!

Ninguém, como Alberto de Oliveira, soube jamais compreender e amar o esplendor desta abençoada terra: no seu novo livro, o amor do Brasil palpita em cada verso, estremece em cada sílaba, cintila em cada rima.

Várias mulheres e vários amores povoam e animam estes versos: mas sente-se bem que todas elas se confundem e resumem na grande Mulher, entre todas amada, que é a Terra, e que todos eles se reduzem e apuram no grande Amor, entre todos sincero, que é o da Terra.

Em Alberto de Oliveira, o lirismo é inseparável da geolatria. Todas as suas imagens, todas as suas comparações, todas as suas metáforas, hipérboles e ampliações relacionam-se com esse culto, com esse "naturismo" que é, por assim dizer, a forma apurada e exagerada do seu panteísmo. Alberto é, antes de tudo, um apaixonado cantor da Terra Brasileira.

Vêde-o, aqui celebrando os amores de uma flor e de um inseto, ali exalçando a beleza da capa verde de um gigante da mata, além o túmulo de afetos e de carícias que há dentro de um ninho de musgo, adiante entoando um hino ao luar...

Ide folheando o livro. Aqui o tendes tomando para confidente dos seus amores uma montanha:

Assim eu falo... Eis que um soluço amigo
Subterrâneo ao meu responde, – cousa estranha!
Pulsava em ânsias, a chorar comigo,
O coração de pedra da montanha!

Vede-o agora, lamentando a sorte de uma pobre "árvore seca":

Sobre o despenhadeiro debruçada,
Retorcida, convulsa, imensa,
Com as raízes já frouxas, e mirrada,
Está uma árvore anosa, e pensa...

Agora, notai como o poeta compreende a misteriosa linguagem das cousas:

A mata virgem, desgrenhada aos ventos,
Eleva à noite a alma complexa e vária;
Do musgo humilde às grimpas da araucária,
Há talvez gritos, há talvez lamentos...

E que lindas, que harmoniosas paisagens sabe ele pintar!

Sobre a serra erguida,
Em frente, esplêndido, aparece e brilha
O sol. Loureja o ipê com as áureas flores.
Late nos grotões fundos, indo ao faro
Da caça, ao buzinar dos caçadores,
Da fazenda a matilha.
E, no ar que sopra dos capões escuros,
Sente-se, de mistura a essências finas
E ao cheiro das resinas,
Um sabor acre de cajás maduros...

E este outro:

Um chão de folhas, sob um céu de flores,
Eis a mata. Recebe-nos à porta
Do templo da verdura

Azul, trêfega, leve borboleta,
Que, volateando inquieta,
Vai pelo atalho, o espaço corta,
E nos guia na selva espessa e escura.
Outras, alada chusma de mil cores
Vêm-lhe ao encontro, farfalhando... Agora,
Vê onde mais surpreso
O olhar se te demora:
Olha estes ramos, a vergar com o peso
Das begônias em flor; olha o disforme
Entrelaçado de cipós, que os fios
Lembram suspensos de uma aranha enorme;
Olha estes hartos troncos, luzidios
Uns, rofos [sic] outros, uns desempenados,
Outros recurvos, tortos, semelhando,
Em contorsões [sic], vultos de condenados...

Mas a composição, na qual mais ardentemente se avulta o temperamento deste poeta, é o poema "O Paraíba".

O grande rio encontrou o seu Poeta! Estes alexandrinos, de uma nobreza sem par, cheios de intensa e estonteante poesia da nossa terra hão de ficar na língua portuguesa como um monumento imperecível: só um grande artista da palavra, senhor de todos os segredos da linguagem e da métrica, poderia compor estes versos de uma sonoridade incomparável, em que há inauditas combinações de vogais, e estupendas parafonias de ritmos. Estas estrofes são, na poesia, o que a partitura dos *Mestres Cantores* é na Música: uma obra-prima, uma maravilha de orquestração.

Lendo o poema, ouve-se o estrondo, vê-se o rebrilhar das águas do rio gigante, sente-se o perfume das selvas que se abobadam sobre ele, escuta-se-lhe o reboar nos grotões e nas furnas, e tem-se toda a alma levada no seu curso triunfal, despenhada em cascatas, espraiada pelos sertões, estrangulada em socavões de montes, caída afinal no mar, onde ele entra,

Saudando os céus azuis num formidável canto
Na divina embriaguez da sua força eterna!

* * *

O talento de Alberto de Oliveira está hoje em plena maturidade. Passou, para ele, a época brilhante, mas indecisa e ligeira, da primavera: chegou agora o outono, sazão bendita, em que as árvores se arreiam de frutos que amadurecem, e em que as almas realizam, sob uma forma esplêndida e definitiva, os seus melhores sonhos.

Aqui está um Poeta, que deve ser mostrado como exemplo. E não só pela segura e radiante rota da sua evolução artística, como ainda pela rara firmeza, com que soube conservar-se fiel à sua vocação e ao seu ideal.

Alberto sentiu-se Poeta, na idade em que lhe alvorecia a inteligência, e Poeta ficou sendo, alheio às seduções do jornalismo e da literatura fácil que o chamavam, sem trair uma só vez a sua nobre Musa. Quis ser apenas o que devia ser: um lírico, um apaixonado, um enternecido cantor das cousas belas da Vida. Toda a evolução do seu espírito se foi fazendo dentro desse ideal.

A Arte recompensa os que sabem amá-la e servi-la. Para a fidelidade deste Artista, achou ela este prêmio sublime: a glória de ter completado a sua missão, chegando a ser, não um Poeta de inspiração meramente subjetiva e egoísta, mas um Poeta da sua terra e da sua gente, aliando à pureza nobre da concepção a perfeição suprema da forma, e afirmando-se, entre os do seu tempo, como o maior de todos, e de todos os mais *brasileiro*.

O. B.

NOV. 1905 CRÔNICA [TE]

Os romanos consagravam o mês de Novembro à deusa Diana: e pintavam-no com a figura de um velho sacerdote de Ísis, de alva túnica e alvas barbas.

No Brasil, a tradição das revoluções e das revoltas de Novembro parece ter consagrado esse mês ao deus Marte; e, por coerência, devíamos modificar a sua representação iconográfica, dando-lhe a figura simbólica de um soldado, de mochila às costas e carabina em punho.

O Novembro deste ano teria procedido como um Novembro desnaturado e indigno, se decorresse manso e monótono, sem uma dessas violentas explosões sediciosas, que, pela sua constante repetição, já não conseguem comover-nos... Mas não! este, como os dos outros anos, não quis passar sem um retintim de armas, sem um vociferar de canhões, sem os horrores de um levante; e a cousa, desta vez, durou pouco, mas foi completa: aparato de guerra em terra e no mar, assalto e tomada de uma fortaleza, alguns mortos, bastantes feridos...

Quando se realizou há pouco a série das grandes manobras militares no Curato de Santa Cruz, dizia eu a um amigo: "Chega a parecer monstruoso de inépcia que se tenha privado o nosso exército de grandes manobras durante mais de vinte anos! que vale um exército sem exercício?..." Ao que o meu amigo, com tristeza e ironia, observou: "Sem exercício? mas há quinze anos o nosso exército não tem feito outra cousa senão exercitar-se, ora promovendo, ora reprimindo revoltas... Que melhor exercício que esse?..."

Se os meses pudessem ser exorcizados como as criaturas, seria bom que, todos os anos, logo no dia de Todos os Santos, se praticasse sobre o mês de novembro essa misteriosa operação, com que se expulsa o Demônio do corpo dos energúmenos.

Deu-nos Roma um Cardeal... Peçamos-lhe mais alguma cousa: que ela nos desendemoninhe este mês de novembro, sempre tão possuído do maligno espírito da Revolta!

* * *

Felizmente, nem tudo foi susto e desgosto nestes trinta dias. Se a Guerra e a tristeza tiveram, neles, o seu quinhão de homenagens, as homenagens mais calorosas e duradouras foram para a Civilização e para a Paz. Inaugurou-se a Avenida Central: e do Rio de Janeiro, deslumbrado e glorificado por tal acontecimento, é lícito dizer o que disse Gonçalves Dias do pai de *I-Juca Pirama*:

Este momento só vale apagar-lhe
Os tão compridos trances, as angústias,
Que o frio coração lhe atormentaram...

Inaugurou-se a Avenida! Parece um sonho... Onde estás tu metido, Carrancismo ignóbil, que por tanto tempo nos oprimiste e desonraste? Em que furna lôbrega, em que socavão escuro te foste esconder envergonhado? Em vão te procurei, nestes últimos dias e nestas últimas noites de Novembro, pela radiante extensão da Avenida formosa: não vi, em parte alguma, o teu olhar sinistro em que a má vontade reluz perpétua, a tua boca franzida num eterno sorriso de sarcasmo, a tua fronte envergada numa perene contenção de birra e malevolência... Andas, com certeza, homiziado nos becos sujos, em que se mantém ainda a tradição do mau gosto e da imundície: afugentou-se a luz da Avenida, horrorizou-te a alegria do povo, fulminou-te o despeito!

Há menos de dois anos, no terceiro número da *Kosmos*, esta "crônica" registrava o começo dos trabalhos grandiosos, agora coroados, num triunfo consolador, do mais completo êxito:

"Há poucos dias, as picaretas, entoando um hino jubiloso, iniciaram os trabalhos da Avenida Central, pondo abaixo as primeiras casas condenadas. No aluir das paredes, no ruir das pedras, no esfarelar do barro, havia um longo gemido. Era o gemido soturno e lamentoso do Passado, do Atraso, do Opróbrio. A cidade colonial, imunda, retrógrada, emperrada nas suas velhas tradições, estava soluçando no soluçar daqueles materiais apodrecidos que desabavam. Mas o hino claro das picaretas abafava esse protesto impotente..."

Isso era escrito em março de 1904. Há vinte meses apenas!

Onde se vai perdida a nossa fama de povo preguiçoso, amolentado pelo clima e pela educação, incapaz de longo esforço e de tenaz trabalho? Em que outro país do mundo se realizou jamais um igual prodígio de decisão e execução, uma igual maravilha da coragem e da rapidez?

Essa nossa inveterada e incurável preguiça era uma lenda, uma invenção, uma torpe mentira.

No começo do século 18º, é possível que Ferdinand Denis tivesse razão, quando escreveu: "O brasileiro é preguiçoso: levanta-se muito depois de nado o sol; não gasta tempo a vestir-se, porque não se havia despido; *em ceroulas*, se demora à sua porta, que só abandona paa ir repousar na rede; com dificuldade estende a mão para receber a mesquinha ração de mandioca; e, se alguém lhe pergunta onde mora um seu vizinho, não responde: falar fatiga-o tanto como pensar..."

Todo o viajante é mais ou menos mentiroso: não foi à toa que ao velho Fernão Mendes Pinto, autor das *Peregrinações*, os maliciosos trocaram o nome, escrevendo-o assim: *Fernão, Mentes? Minto!*

Por isso, creio que aquele retrato do "brasileiro do começo do século XVIII", traçado por Ferdinand Denis, não passa de uma caricatura, exagerada como todas as caricaturas... Mas suponhamos que não haja exagero na pintura: cotejemos o brasileiro de então com o brasileiro de hoje, e reconheçamos que já é tempo de recolher ao gavetão, em que se guardam os chavões inúteis, essa lenda tola da nossa incurável preguiça.

* * *

A propósito da citação de Ferdinand Denis: não deixemos sem comentário a propaganda, iniciada pelo *Club Médico*, em favor do vestuário habitual dos homens no Rio de Janeiro.

F. Denis diz que os brasileiros daquele tempo, deixavam-se ficar, às portas das casas, "em ceroulas". Entre essa sem-cerimônia de outrora e o formalismo de agora, que diferença! Agora, não se compreende um brasileiro sério, grave, digno de respeito, sem pesada sobrecasaca negra e severa cartola também negra, – ainda quando o termômetro marca 33º acima de zero, e o céu despeja sobre a terra uma soalheira de matar passarinhos.

É contra esta moda absurda, e anti-higiênica que protesta o *Club Médico*.

E não se estranhe que de tal clube parta a iniciativa de uma tal propaganda.

Os médicos são as maiores e as mais sofredoras vítimas dessa moda nefasta. A população habituou-se por tal forma ao traje austero e solene dos esculápios, que já os não pode compreender sem sobrecasaca e cartola: não há quase quem admita a ciência e a moralidade de um médico, quando o não vê trajado desse modo. Parece que basta um paletó de casimira clara para transformar um *pater familias* num galopim, e que basta um chapéu de palha para mudar um Catão num marau. Com sobrecasaca e cartola, o clínico é um sacerdote, a quem se abrem todas as portas de todas as alcovas, e a quem se confiam todos os segredos do corpo e da alma; esse mesmo clínico, porém, quando veste calças de brim branco e jaqueta de alpaca cor de cinza, passa logo a ser um magano, um volatim, um pachola.

Felizmente, a propaganda vai fazendo o seu caminho.

Um dos jornais mais sérios do Rio (o mais sisudo de todos eles!) já chegou a aconselhar que imitemos os *yankees* práticos e comodistas, os quais, nos dias de canícula, perambulam pelas ruas de New York e Chicago, em mangas de camisa, com o colete desabotoado, e trazendo o paletó dobrado, ao braço, à guisa de sobretudo...

Jesus! Não vamos tão longe! Para fugir de um extremo absurdo, não é preciso ir cair no extremo oposto, igualmente absurdo. Não nos vistamos como se vestem os Lapões, nas suas terras perpetuamente geladas, mas também não nos vistamos, ou antes: não nos dispamos como se despem os Cafres, na sua pátria perpetuamente abrasada.

Atravessar esta cidade, num dia de verão, sob o peso de uma opalanda e de um chapéu alto, é uma loucura; mas por outro lado, ir percorrer a Avenida em mangas de camisa, é uma indecência.

Prestigiemos os fatos claros, os sapatos amarelos, os leves chapéus de palha: mas não preguemos a sem-cerimônia exagerada, – porque, em tal caminho, poderíamos ir até ao ponto de aconselhar... a nudez!

O. B.

maio 1906

Crônica [te]

No momento em que principio, com bom humor e descanso (graças a todos os deuses!), a traçar esta crônica de maio, só se fala, em toda a cidade, da viagem do futuro Presidente do Brasil, – viagem preparatória para o exercício do alto cargo, excursão de estudo pela imensa extensão da pátria.

É o assunto magno, é o assunto máximo e único. Os jornais descreveram minuciosamente, por dentro e por fora, o navio em que S. Excia. viaja, biografaram a comitiva de S. Excia., perpetuaram em fotogravura as fisionomias de todos os tripulantes e serviçais (sem olvidar as dos cozinheiros e as dos criados), não se esqueceram de dedicar algumas linhas ao fígaro encarregado de zelar pelo cabelo e pela barba de S. Excia., e chegaram a inventariar as vitualhas e as bebidas que entulham as despensas do *Maranhão*, – duas mil e quinhentas latas de conservas, cento e cinqüenta quilos de lombo de porco, quinhentos de biscoutos, outros quinhentos de queijos, quatrocentas garrafas de champagne, oitocentas de cerveja, quinze barris de vinhos – tão grande *stock* de alimentos, que, como escreveu a *Gazeta*, "Pantagruel, o famoso comilão, teria uma delícia inédita ao examinar a sua lista..."

Haverá, talvez, quem pergunte: "Que interesse podem ter todas essas informações?!"

Têm todo o interesse! O Jornal foi inventado para "informar". "Informar" é o seu destino, é a sua função social, é a sua razão de ser.

E, a esta hora, a bordo do *Maranhão*, já o Sr. Afonso Pena deve saber quão vasto e profundo é o poder do Jornal, quão tirânico é o seu império, e quão implacável é o seu despotismo...

* * *

Na Roma antiga, quando um Triunfador entrava solenemente na Cidade Poderosa, nem tudo, no cortejo triunfal, era apoteose e louvor. À frente dele, marchavam:

o Senado Romano, na plena pompa da sua majestade; as hordas dos bucinadores, proclamando ao som das trombetas a glória do Grande Homem; as carruagens atulhadas dos despojos da guerra e das riquezas do saque; os escravos e prisioneiros, arquejando ao peso dos ferros; os estandartes de seda, em que vinham inscritas em letras de prata as façanhas do Herói; o touro branco do sacrifício, entre as filas dos *tibicines*, tocadores de flauta; depois, os lictores precediam o carro do triunfo; e, dentro dele, vinha o Triunfador, esplendendo na sua *toga palmata*, de púrpura preciosa broslada a ouro... Mas, ao seu lado, um escravo lhe repetia ao ouvido, de quando em quando, a frase sacramental: "Respiciens post te, hominem memento te!" E, além disso, o Herói, naquelas horas de triunfo, era obrigado a trazer em um dos dedos da mão direita um anel de ferro, símbolo da servidão... Isso servia para lembrar-lhe que se não devia orgulhar demais: era o aviso da Prudência e da Modéstia, segredado ao ouvido da Vitória...

Rememorei essa antiga cerimônia, quando li a notícia da partida do futuro presidente da República para o Norte do Brasil. Triunfador de combates incruentos, o Sr. Afonso Pena teve também quem lhe segredasse ao ouvido aquele *memento* inoportuno, e também foi obrigado, figuradamente, no dia do triunfo, a submeter-se ao uso daquele simbólico anel de ferro, emblema da humildade e da escravidão. E o *memento* vai soar ao seu ouvido durante toda a viagem, e durante toda a viagem aquele aro de tosco metal lhe há de oprimir o dedo...

* * *

A empresa do Lloyd, satisfazendo o pedido dos jornalistas da comitiva, instalou, a bordo do *Maranhão*, um prelo, de onde sairá todas as manhãs, cheirando a tinta de impressão, um jornalzinho, *Brasil*. Tal será o *memento* diário, tal será o anel de ferro!

Há idéias perversas, que somente ocorrem a jornalistas... Nós somos uma raça de algozes, uma casta de verdugos, um *clan* de carrascos! A criação do jornalzinho *Brasil* é uma idéia cruel...

Nas democracias modernas, o Jornal é o Quarto Poder, um poder tão forte como os outros e mais temível e tirânico do que eles. O Estadista é escravo do Jornal. O Jornal pode meter-se dentro da vida e da alma do Estadista, a qualquer hora do dia e da noite, pesquisando, indagando, devassando, perlustrando, desvendando toda a sua existência particular. Quando o estadista é um Presidente da República, então a sua escravidão é completa e absoluta. O Jornal tem o direito de dizer que S. Excia. acordou a tal hora e que a tal hora tornou a adormecer, e que S. Excia. repetiu ao almoço o frango assado, e que S. Excia. prefere o bife sangrento ao bife passado, e que S. Excia., ao sair do banho espirrou três vezes por ter apanhado um golpe de vento. "És presidente da República? deixas de ser um homem livre: és minha propriedade!" – diz a S. Excia. o Jornal...

* * *

Dizia-se, a princípio, que o Sr. Afonso Pena viajaria sem a companhia dos jornalistas. Parece, porém, que S. Excia. finalmente se convenceu da impossibilidade de conseguir essa deliciosa ventura. Por mais rigorosa que fosse a vigilância exercida a bordo, por ocasião do embarque, sempre alguns seis ou doze *reporters* (gente maliciosa, que parece ter comércio íntimo com Satanás) haviam de subrepticiamente introduzir-se no navio presidencial, escondendo-se no porão das cargas, ou nas carvoeiras, até o momento, em que, já no alto mar, pudessem surgir, como diabos de mágica, ante os olhos atônitos do ilustre viajante.

O verdadeiro *reporter*, essa entidade fabulosa, possuidora de duzentos olhos para ver, de duzentas ventas para cheirar, de duzentos ouvidos pra ouvir, de duzentas mãos para apalpar, não é um simples portador das notícias que lhe dão, um simples mensageiro entre as secretarias públicas e a redação, um simples "leva recados", um simples "rápido auxiliar de remessas". O verdadeiro *reporter*, quando é digno do Deus que o criou e do nome que tem, é um demônio capaz de atravessar, sem ser visto, e impunemente, oito filas de sentinelas dobradas; capaz de, incorpóreo como uma bruxa, passar pelo buraco da mais apertada fechadura; capaz de, arguto como o mais privilegiado feiticeiro, ler toda uma carta, através do envelope fechado e lacrado; capaz de, como o Ariel da *Tempestade*, de Shakespeare, estar em toda a parte, no clarão do luar, no rumor do vento, no aroma de uma flor, na fumaça de um charuto, no diamante de um pingo de chuva, num grão de poeira...

Ainda que a administração do *Lloyd* e os homens de confiança e companheiros de viagem do Sr. Afonso Pena conseguissem impedir a entrada dos *reporters* no *Maranhão*, eles iriam, pelo ar ou pela água, como aves ou como peixes, disfarçados na fumaça da chaminé ou na espumarada fosforescente da popa, acompanhando o navio presidencial. De manhã, quando S. Excia., ao despertar, abrisse o *sabord* de seu camarote, um *reporter*, entrando por ali, equilibrado num raio ardente do sol, cairia em pleno reduto do segredo; e, à noite, quando S. Excia., encostada à amurada do navio, se pusesse a mirar meditabundamente o esplendor do céu estrelado e a negrura misteriosa do oceano, outro *reporter*, cavalgando a flecha de ouro da luz de uma estrela viria esvoaçar, invisível e impalpável, em torno de S. Excia., para lhe surpreender no vinco da testa a preocupação do momento, ou para lhe adivinhar no brilho desusado dos olhos a reforma já concebida...

Decididamente, não haveria meio de impedir que os jornalistas acompanhassem o Sr. Afonso Pena. Foi o que todos compreenderam: e os jornalistas, ao lado de S. Excia., hospedados e alimentados pelo *Lloyd*, lá se foram, mar em fora, vitoriosos, de lápis aparados e *kodaks* armados, exercendo o seu tirânico e ditatorial mister de esmerilhadores da vida pública e particular da sua eminente vítima.

* * *

Isso, porém, não bastava.

Os jornalistas não são o Jornal. E, sem o Jornal, que valem os jornalistas? valem tão pouco como os oradores sem a Voz, ou como os fotógrafos sem a Máquina Fotográfica.

Sem um veículo, sem um modo de expressão, sem a fixidez da letra de forma, os jornalistas do *Maranhão* seriam peixes fora da água, seriam andarilhos sem pernas, seriam marinheiros sem bússola, seriam pássaros sem asas.

Se, a bordo do *Maranhão,* não existisse o Jornal, o Sr. Afonso Pena acabaria por esquecer a função desses amáveis cavalheiros que o acompanham... Mas o Jornal, aparecendo todas as manhãs, dizendo a hora em que S. Excia. acordou e a hora em que S. Excia. adormeceu, o que S. Excia. almoçou e jantou, o que S.Excia. sonhou e o que S. Excia. disse, os ternos que S. Excia. vestiu, as opiniões que S. Excia. externou, e os sorrisos enigmáticos com que S. Excia. sublinhou certas palavras, o Jornal, impresso a bordo, prolongando e mantendo, no alto-mar, a sua função informativa, estará ali parodiando o antigo "Respiciens post te, hominem memento te!" Somente haverá duas pequenas alterações: "Olha em torno de ti, e lembra-te que és Presidente da República!"

* * *

O Jornal será ali como o *memento* terrível, será como o anel de ferro simbólico, que a velha Roma impunha aos seus Triunfadores.

"És Presidente da República? deixas de ser um homem livre: és minha propriedade" – dirá a S. Excia. o Jornal...

O. B.

JUN. 1906

CRÔNICA

Junho é um doce mês de alegria. Ainda sem fogueiras, sem balões, sem bombas, sem rodinhas de fogo, – a festa de S. João é um encanto!

Estes dias, frescos e belos, convidam a passeio; estas noites, frias e longas, favorecem os saraus alegres, onde não raros se trocam, entre rapazes e raparigas, os primeiros olhares apaixonados e os primeiros furtivos apertos de mão, que levam à igreja e à pretoria. Não é Santo Antônio o único santo casamenteiro deste mês: todos os santos de junho são protetores do namoro, – e até o severo São Pedro, com as suas longas e veneráveis barbas brancas, é um condescendente intermediário entre os corações ansiosos.

Há quem diga que as festas de junho não têm atualmente o mesmo encanto de outrora... Geralmente, quem isso diz é a gente velha, que vê tudo com os olhos da saudade. Como se alguma cousa fosse suscetível de mudança neste velho mundo, que não faz outra cousa senão se repetir até a consumação dos séculos dos séculos!

Nós, sim, mudamos: ficamos velhos e perdemos a compreensão e o amor das cousas que na mocidade nos encantavam. Machado de Assis exprimiu bem essa triste verdade num lindo soneto dedicado ao Natal:

Um homem, – era aquela noite amiga,
Noite cristã, berço do Nazareno, –
Ao relembrar os dias de pequeno,
E a viva dança, e a lépida cantiga,

Quis transportar ao verso doce e ameno
As sensações da sua idade antiga,
Naquela mesma velha noite amiga,
Noite cristã, berço do Nazareno.

Escolheu o soneto... A folha branca
Pede-lhe a inspiração; mas frouxa e manca,
a pena não acode ao gesto seu...

E, em vão lutando contra o metro adverso,
Só lhe saiu este pequeno verso:
Mudaria o Natal? ou mudei eu?

Não! Não mudou o Natal, como não mudam as folganças de Santo Antônio, de S. João e de S. Pedro, como não muda uma só dessas lindas festas, que nos encantaram na infância e na adolescência, e nas quais, já velhos, ou apenas maduros, não podemos mais encontrar o mesmo encanto. Nós, sim, mudamos, – e ainda que tivéssemos hoje fogueiras de S. João, não poderíamos, à beira delas, sentir o que sentiu um outro poeta nosso, o lírico Luís Guimarães:

Noite de São João! Quantas legendas
Na terra espalhas! Noite imensa e bela!
Quereis senti-la bem, e compreendê-la?
Ide aos campos do sul, ide às fazendas!

Do céu nas alvas e orvalhadas rendas,
Favorita de Deus, nua, revela
A lua cheia... É sua noite aquela!
E das bruxas também, – dizem as lendas...

Eu, livre pensador de grave siso,
Eu, que me ria dessas frioleiras,
– Depois que vi, ó flor do Paraíso,

Brilhar à luz vermelha das fogueiras
Teu divino semblante num sorriso,
Creio em feitiços, creio em feiticeiras!...

Ah! com fogueiras ou sem fogueiras, sempre a noite de S. João há de operar milagres como esse.

Amai-vos, rapazes e raparigas! os santos de junho são meigos e condescendentes, e gostam de proteger os amores... que acabam bem.

* * *

Junho, porém, não é somente o mês dos namoros e dos casamentos. É o mês das partidas elegantes, dos espetáculos, das Exposições de Arte.

Já tivemos a inauguração das Conferências literárias, vamos ter a exposição Malhoa, temos todos os teatros ocupados por meia dúzia de companhias estrangeiras, e todos cheios.

Todos, não. O *Lírico*, enquanto nele trabalhou a formosa e admirável Tina di Lorenzo, esteve quase sempre criminosamente e imperdoavelmente vazio.

Por quê? é uma pergunta que tem de ficar sem resposta. Ninguém explica o que é naturalmente inexplicável. Como explicar que fique sem espectadores e sem admiradores uma atriz que é uma das mais completas e cativantes que nos têm visitado?

Francamente, não sei o que faz do seu tempo e do seu dinheiro a gente, que, nesta cidade, se jacta de possuir inteligência e bom gosto, a gente culta, a gente dessa casta privilegiada, que a si mesma se condecora com o pomposo título de "alta sociedade".

É absurdo e injusto dizer que o povo não gosta de se divertir. O *povo* enche os seus teatros, freqüenta os espetáculos que lhe agradam, e enriquece os empresários: ainda este mês, uma "revista" nem melhor nem pior do que as outras, com todas as qualidades e todos os defeitos do gênero, – gênero única e exclusivamente explorado pelos autores e pelas empresas para agradar o povo – completou cem representações, conquistando enchentes sucessivas. E cheios têm estado os outros teatros: cheio o *Recreio*, onde uma companhia do Porto representa operetas e revistas; cheios o *S. José* e o *Apolo*, onde duas companhias, também portuguesas, representam dramalhões pantafaçudos e vaudevilles de sal grosso; e cheio o *Palace Theatre*, onde cantoras timbram em mostrar ao público fiorituras de canto e alvuras de colo nu... Não é, pois, o povo quem revela indiferença pelas cousas da Arte: ele aprecia e aplaude *a sua arte*, a arte que está ao alcance da sua inteligência e da sua cultura.

E não é propriamente ao povo que estão destinados os espetáculos como os de Tina di Lorenzo; não é para o povo propriamente que uma atriz de real e superior talento vem aqui representar peças de Shakespeare, de Sudermann, de Donnay, de Bernestein, de Barrès, de d'Annunzio. É, sim, para a burguesia endinheirada e instruída... Onde se mete essa burguesia? e que faz ela do seu dinheiro e da sua instrução? Que fazem, à noite, esses banqueiros, esses senadores, esses deputados, esses diplomatas, esses doutores, esses bacharéis, que formam a nata, o creme, a flor do nosso organismo social? Das duas uma: ou essa gente não vai absolutamente ao teatro, e prova com isso que não tem gosto, nem inteligência, nem educação artística, nem civilização; ou vai aos teatros populares, preferindo aos espetáculos de verdadeira arte as bambochatas que divertem o povo, e nesse caso, deve despojar-se da sua filáucia, e deixar de fingir uma superioridade intelectual que não possui...

A verdade é que grande parte dessa gente apenas conhece e apenas cultiva, da vida civilizada, a sua manifestação menos inteligente, e mais tola, que é o amor do luxo e da ostentação. Se, desde o começo da temporada de Tina di Lorenzo, se houvesse estabelecido esta regra "é *chic* ir ouvir a Tina! é *smart* ir aplaudi-la! é *dernier bateau* dizer que ela é um gênio!" – todos esses representantes da nossa alta burguesia lá estariam, encasacados e solenes, batendo palmas e desmanchando-se em *ohs!* e *ahs!* de embasbacada admiração.

Esses *snobs* são os escravos do *chic*, – e da França. E só gostam das boas cousas da França, quando saboreadas lá. Quando esteve aqui, há três anos, a cintilante e encantadora Réjane (convém notar que os espetáculos da Réjane foram concorridíssimos unicamente porque desde o começo ficou estabelecido que era profundamente *chic* freqüentá-los), encontrei um desses *snobs* no *buffet* do *Lírico*, num intervalo de *Ma Cousine*, e interroguei-o:

– Então? Admirável, não?

Ele torceu o nariz, e disse:

– Sim! admirável... Mas eu já ouvi a Réjane em Paris, e, francamente, lá... ela é uma atriz muito melhor!

– Como? muito melhor? – perguntei, espantado. – Mas se a atriz é a mesma, se o repertório é o mesmo, se a *troupe* é, mais ou menos a mesma...

– Sim! – murmurou ele – mas, aqui, falta a Réjane alguma cousa: falta-lhe a atmosfera de Paris, falta-lhe o espírito de Paris, falta-lhe a civilização de Paris, falta-lhe o *chic* de Paris! Ah! meu amigo! Paris é tudo! em Paris, tudo é bom! em Paris, até a lama das ruas tem bom cheiro!... Creia que a Réjane só deve ser ouvida em Paris...

Aí está, bem claro e bem definido, o senso artístico de muita gente...

* * *

Mas deixemos esse assunto desagradável, e para fechar a *Crônica*, demos a Malhoa, grande artista, um abraço de boas-vindas, atirando-lhe uma braçada de flores.

Malhoa é um pintor de extraordinário talento, que o Rio de Janeiro deve receber e hospedar com especial carinho.

Os primeiro trabalhos seus, que vi, foram dois quadros que ele mandou, de Lisboa, em 1895, à Exposição de nossa Escola Nacional de Belas Artes. Eram duas telas deliciosas. Uma delas, *Caça aos taralhões*, era uma linda paisagem, no meio da qual, entre árvores raras e esguias, havia uma criança ajoelhada sobre a relva: uma figura admirável de graça, de expressão, de ingenuidade. Na outra, *Ouriços*, havia também uma criança, um pequenino, louro e corado, camisinha desabotoada, pés nus, face muito séria, olhando com medo os frutos espinhosos: em torno desse pequenino, alongava-se a estrada, amarela e triste...

Eram dois quadros, de uma suavidade enternecedora, que não sei onde param hoje, mas que nunca mais esqueci.

Depois disso, conheci Malhoa na Europa, vi muitos outros quadros seus, – e, se fiquei a admirá-lo ainda mais como artista, fiquei também a estimá-lo como homem, – homem de admirável educação e de fino espírito...

À hora, em que escrevo estas linhas, ainda não está inaugurada a sua Exposição. Mas é uma delícia que teremos por todo este fim de junho.

Preparemo-nos para ela, e festejemos com entusiasmo este artista, que é um servidor da verdadeira Arte...

Só nos falta agora, como última vergonha, que deixemos às moscas os seus quadros!

O. B.

JUL. 1906

CRÔNICA

Foi apresentado às Câmaras um projeto de lei, autorizando o poder executivo a mandar a Portugal um navio de guerra, que conduza ao Brasil os restos mortais do Imperador D. Pedro e da Imperatriz D. Teresa Cristina. E diz-se que outro projeto de lei vai ser apresentado, revogando a lei do banimento da família imperial.

Não sei, e ninguém pode prever, qual a sorte reservada a essas duas propostas. Todos os anos são apresentados à consideração das Câmaras mais de duzentos projetos, dos quais apenas dez ou vinte conseguem atravessar os passos difíceis e perigosos das três discussões. Pouquíssimos chegam à 3ª discussão; raros vão até a segunda: e a imensa maioria fica no limbo da primeira. Destes últimos, alguns são considerados objeto de deliberação, apenas por uma condescendente tolerância, como uma demonstração de apreço pessoal ou uma platônica satisfação dada aos seus autores; são os projetos extravagantes, ou perigosos, e que não passam de tolices de deputados ingênuos, ou de *boutades* de deputados *frondeurs*...

Os projetos, mandando reintegrar no seio da terra brasileira os corpos de D. Pedro II e de D. Teresa Cristina, e revogando o banimento da família imperial, não são tolices nem *boutades*. Acho-os perfeitamente lógicos e justos, e não sei porque motivo haviam as Câmaras de desprezá-los.

Mas, em todo o vasto e timorato Brasil, ainda lavra um certo medo da Restauração. Em tudo os desconfiados e medrosos vêem uma veleidade sebastianista... E os fabricantes de boatos já andam por aí, cochichando de ouvido em ouvido que tudo está combinado para o levante monarquista, e que, se os despojos mortais de D. Pedro II viessem para o Rio de Janeiro, no dia da sua chegada haveria uma bernarda monstro, e no mesmo momento em que o corpo do monarca morto fosse colocado no seio da terra, o corpo do seu neto vivo seria colocado no trono...

Esses boatos talvez encontrem crédito nas almas tímidas e assustadas, que enchem a Câmara e o Senado, e talvez por isso os dois projetos tenham a sorte de tantos outros, que nunca passaram de projetos, como flores de retórica que nunca se transformam em frutos de realidade.

Não faltam no Brasil, nas Câmaras e fora delas, essas almas tímidas, que têm medo de tudo, e vivem a temer diante de fantasmas: almas-ventoinhas, que oscilam perenemente entre opiniões extremas, ao sabor da ventania dos acontecimentos, almas-pêndulas, almas-girassóis, almas-camaleões, que vivem oscilando, girando, mudando de cor, e às quais a Natureza deu o suplício da hesitação perpétua...

Para essas almas hesitantes e medrosas, tudo é ameaça, tudo é barulho de guerra, tudo clamor de morticínio, tudo é cheiro de sangue, tudo é ranger de guilhotinas, tudo é tumulto de espanto e de terror. Basta que um monarquista dê um espirro, para que eles cuidem que esse espirro é o anúncio da restauração!

Dera-lhes o acaso a República, que nem todas elas haviam pedido, mas que todas elas haviam aceitado, caladas e recolhidas, como convém a almas que não amam os riscos da resistência, nem da adesão entusiástica. Essas pobres almas, uma vez proclamada a República, ficaram dois dias trancadas a sete chaves dentro de uma prudente reserva. Ao terceiro dia, levantaram um cantinho da persiana, e espiaram medrosamente as ruas. Não havia motins... O sangue não rolava, em ondas vivas e rubras, pelos regos das calçadas; não passavam carroções, atulhados de condenados à morte, a caminho do patíbulo; não avermelhavam o horizonte os fogaréus da reação... Os burgueses trabalhavam; os políticos especulavam; os jornalistas pediam empregos públicos; os poetas sonhavam; e o conde d'Eu, sabendo que as instituições nascentes lhe garantiam fortuna, declarava que não esperava outra cousa da gentileza dos vencedores... Então, desafogadas do medo pânico, saíram a aderir, não com grandes gestos de entusiasmo, nem com retumbantes frases campanudas, mas com aquele calmo silêncio sorridente, que ainda é e sempre será o melhor meio de aderir a tudo... E foram vivendo e sorrindo, vendo que dos abusos velhos nasciam abusos novos, que, sob formas várias, as paixões eram as mesmas, e que, se o regime havia mudado, não havia mudado a essência da política...

Com o correr dos tempos, essas almas timoratas foram assaltadas por outros terrores. Desencadearam-se revoltas sobre revoltas, ferveram ambições, entrechocaram-se partidos, fez-se do estado de sítio um Estado no Estado, puseram-se rebeliões sobre anistias e anistias sobre rebeliões, – e tudo ficou sendo o que era no tempo do Império, e as almas tímidas descansaram...

Esse descanso, porém, nunca foi e nunca será absoluto. Agora, o medo que tira o sono e perturba a digestão dos medrosos é a Restauração, com a violência das vinganças, uma forca em cada esquina e uma guilhotina em cada praça, os cárceres cheios de gente, e as ruas cheias de sangue... E essa gente até tem medo de um cadáver! até tem medo do corpo embalsamado do último imperador, – como se dentro do esquife de carvalho e chumbo, que o há de trazer, possa vir, traiçoeiramente escondido, o corpo vivo do Restaurador!

Que profunda tolice, e que susto ridículo, ó almas desmoralizadas pelo medo!

A verdade é que o partido monarquista já deu tudo quanto tinha de dar: alguns banquetes e alguns manifestos. A restauração é um sonho, uma ilusão, um fantasma, uma esperança que já ninguém alimenta, uma casualidade com que já ninguém conta.

Mas quem pode dar firmeza e confiança às ventoinhas, aos pêndulos, aos girassóis, aos camaleões?

Por isso, é bem possível que as Câmaras, aterradas, ou simplesmente precavidas, tratem de abafar os dois projetos de lei, não querendo tomar a responsabilidade dessas duas medidas generosas e nobres.

É um erro. É mais do que um erro: é uma estultice.

Em primeiro lugar, não seria de esperar que a família imperial, aproveitando-se da revogação do banimento, viesse de novo habitar o Brasil. A família imperial é gente ajuizada e cauta, que já se habituou a viver na Europa, e passa muito bem por lá, em santa paz e santo ócio, desfrutando a sua gorda fortuna, e pouco disposta a vir meterse em complicações aqui... Em segundo lugar, para que a lei da transladação dos restos mortais de D. Pedro II e sua esposa pudesse ter execução, seria preciso que a família autorizasse a transladação, o que, ao menos já e já, não é muito provável.

Assim, as Câmaras, sem arriscar a sua responsabilidade, podiam aprovar os dois projetos, cujo alcance é apenas moral, e cuja aprovação agora seria positivamente platônica e inócua.

Mas as Câmaras têm medo...

Medo ridículo! Medo de um cadáver!

Pouco importa! mais ano menos ano, esses dois projetos serão convertidos em lei; mais ano menos ano, acalmados os vãos temores, e acalmado também o ressentimento da família do nosso último imperador, o corpo de D. Pedro II e o de sua esposa virão repousar na terra do Brasil. É fatal, é inevitável, é iniludível, – porque é supremamente justo.

Na sua famosa ode *Le Retour de L'Empereur*, Victor Hugo dizia ao cadáver de Napoleão:

Sire, vous reviendrez dans votre capitale,
Sans tocsin, sans combat, sans lutte et sans fureur,
Traîné par huit chevaux sous l'arche triomphale,
en habit d'empereur!

En vous voyant passer, ô chef du grand empire!
Le peuple et les soldats tomberont à genoux.
Mais vous ne pourrez pas vous pencher pour leur dire:
Je suis content de vous!

Car, ô géant! couché dans une ombre profonde,
Pendant qu'autour de vous, comme d'un ami,
S'eveilleront Paris, et la France, et le monde,
Vous serez endormi!

e realizou-se a profecia do poeta: Napoleão reentrou em Paris, e dorme o seu último sono, no Panteão, no seio da terra francesa.

Também D. Pedro II reentrará no Rio de Janeiro. Não se lhe poderão aplicar aqueles belos versos de Hugo a Napoleão, porque D. Pedro II não foi um Napoleão. Não chegou a ser um grande monarca: foi, porém, um homem bom e justo, um brasileiro que sinceramente amou o Brasil, um nobre espírito tolerante e esclarecido, um nobre servidor da Pátria.

A Pátria reclama o seu corpo, – e há de tê-lo. Quando ele voltar ao Rio de Janeiro, não haverá talvez aquele triunfo, que Hugo previa para a chegada de Napoleão: mas haverá o afeto, o contentamento, o respeito comovido de toda a Pátria, recebendo o cadáver de um filho amado.

Se os camaradas abafarem os projetos, praticarão uma tolice. Mas a tolice será reparada, porque há de afinal chegar um dia em que deixemos de ter medo de fantasmas.

O. B.

ago. 1906

Crônica

"Veneza num chinelo!" – gritava um homem, no bonde, em uma dessas frias e deliciosas manhãs, com que nos tem favorecido o meigo e perfumado Agosto.

Eu, que vinha pacificamente lendo os meus jornais, levantei os olhos, com espanto, sem compreender aquela exclamação absurda. – "Veneza num chinelo!" – que queria dizer aquele grito extravagante?

O homem, que soltara o brado singular, compreendeu o meu assombro e respondeu logo à muda pergunta ansiosa do meu olhar. E, apesar de não me conhecer, pousou familiarmente a mão no meu ombro, e disse-me:

"Veneza num chinelo, sim senhor! É à festa veneziana de Botafogo que me estou referindo! Com aquelas montanhas, com aquele céu, com aquelas estrelas, com aqueles jardins, não há Veneza nenhuma que se possa comparar ao Rio de Janeiro!"

E havia tão grande comoção, tão vibrante patriotismo, – ou, melhor, tão entusiasmado "bairrismo", na ardente exclamação daquele carioca, que eu, apesar de conhecer e amar Veneza, não pude deixar de lhe dar razão.

Porque a verdade é que a festa veneziana da Prefeitura, na praia de Botafogo, foi simplesmente... uma maravilha! E não poderíamos dar aos nossos hóspedes uma festa mais linda.

* * *

Mais linda, entenda-se bem, como demonstração da incomparável formosura da nossa Natureza, – desta estupenda "natureza", que felizmente não hão de jamais desmoralizar os que somente lhe apregoam a beleza, para poder dizer que ela é a única boa cousa, e a única cousa verdadeiramente bela que temos.

Entenda-se bem que essa foi a festa mais linda – pelo seu lado pitoresco.

Porque a verdade é que a nossa grande festa deste ano tem sido uma festa moral: primeiro, pelo orgulho de hospedar toda a América dentro da nossa linda cidade, e, depois, pela civilização perfeita sem orgulhos e sem espaventos, sóbria, modesta e generosa, que temos mostrado aos que nos visitam.

Os supersticiosos, os que nada sabem explicar sem o recurso do Sobrenatural, dirão talvez que houve uma intervenção da Providência Divina no sentido de facilitar-nos este triunfo, a reunião de todas as nações americanas na capital do Brasil, justamente na ocasião em que um alento novo nos anima, quando afirmamos energicamente, com uma coragem rara e uma convicção invencível, o nosso nobre desejo de progredir material e moralmente, saneando todo o nosso país, povoando-o, e procurando extrair do seu seio fecundo todos os tesouros que ele encerra...

Mas para que recorrer à ação duvidosa de uma hipotética, e em todo caso irresponsável Providência de qualquer Deus, para explicar aquilo que tão facilmente e tão humanamente se explica pela sensatez e pela inteligência com que estamos sendo governados?

A reunião da Terceira Conferência Americana no Rio, a visita do Secretário de Estado Elihu Root, e o êxito admirável de todas essas festas de fraternização americana, que atraíram para o nosso país e nele concentraram a atenção de todo o mundo civilizado, são apenas o resultado esperado, inevitável, fatal, da sábia política diplomática, de previsão e de expansão, iniciada e mantida pelo glorioso brasileiro, ao qual, para orgulho e felicidade do Brasil, foi confiada a pasta das Relações Exteriores.

O Brasil chegara quase a perder de todo a situação que lhe criara o Império; preocupados apenas com as nossas pequeninas ambições e com os nossos fúteis interesses partidários, metidos em revoluções sem ideal, cuja única explicação, bem pouco honrosa, era o abominável intento do *ôte-toi de là que je m'y mette*, nós chegamos quase a acreditar que podíamos viver e prosperar num isolamento absoluto, separados do resto do mundo por uma alta e espessa muralha de tolo desdém, de ridícula vaidade, e de preguiça torpe. Íamos perdendo a consciência daquela grande verdade, que o estadista Root tão claramente lembrou no admirável discurso com que agradeceu as homenagens da Conferência: "Às nações acontece o mesmo que aos indivíduos: as relações de amizade, a associação, a correção do egoísmo pela influência da opinião alheia, o ampliar das idéias pela experiência e pelo pensar dos nossos semelhantes, a aceitação das normas morais de uma comunidade, cujo bom conceito presta uma sanção às leis da boa conduta àqueles que o desejam: tais são as condições do desenvolvimento da civilização..."

Foi dessa indiferença pelo conceito alheio, foi dessa criminosa insensibilidade diante do louvor ou da censura das outras nações, que nos veio libertar a política externa inaugurada pelo atual governo.

Hoje, a situação é outra e consoladora. Não somente readquirimos a importância política, que tínhamos durante o império, como ganhamos nova força e nova consideração, pelo brilho das vitórias diplomáticas que nos facilitou o talento de

Rio Branco. E já não é somente na América que o nosso nome brilha, respeitado e amado: toda a Europa compreende que uma nova nação, de incalculável energia, se levanta agora aqui, animada do invencível desejo de progredir, disposta a aproveitar os opulentos recursos que até agora mantinha inaproveitados e desprezados.

* * *

Decididamente, é esta a mais bela das festas, que oferecemos aos nossos hóspedes.

Banquetes e bailes, espetáculos e convescotes, fogos de vistas e discursos, – tudo isso se há de dentro em pouco apagar da lembrança daqueles que nos visitam; mas há uma cousa que eles não esquecerão facilmente: é o espetáculo deste renascimento moral, material, e cívico de uma nação, que reconstrói a sua capital em quatro anos, que em quatro anos se liberta da fama de terra malsã que a oprimia, que em quatro anos recupera o valor político antigo, – e que nem por isso se deixa exaltar pela vaidade tola, e conserva-se moderada, modesta, sóbria, sem arreganhos para os fracos, sem humilhação diante dos fortes, e a fortes e fracos tratando como a iguais e irmãos...

O. B.

set. 1906

Crônica

O conselheiro Acácio e o conde de Gouvarinho, esses dois tipos simbólicos em que Eça de Queirós amalgamou e fundiu as almas de Calino, de Homais, e de La Pallisse, dizem várias vezes nas páginas d'*O Primo Basílio* e d'*Os Maias*, que "nada é mais fecundo e salutar que a rivalidade que há entre Lisboa e Porto".

Se ainda fosse preciso demonstrar a afirmação acaciana e gouvarinhesca, teríamos aqui agora um belo argumento. Mas não é preciso. Só faltava, realmente, que ainda alguém perdesse tempo em querer provar a justeza e a exatidão de uma qualquer cousa que a alma estreita e obtusa de Calino já tenha compreendido!

Não façamos, portanto, uma demonstração, mas uma simples aplicação do calinesco princípio, segundo o qual toda a emulação é fecunda e benéfica.

O Rio de Janeiro e Buenos Aires prosperam e viçam à custa da rivalidade que, de quando em quando, as atira uma contra a outra, em ímpetos de zanga, e arreganhos de desafio. Zanga e desafio que têm a periodicidade das sezões, sem ter os seus perigos. São desafio e zanga sem conseqüência má, e que servem apenas para manter a emulação; a guerra que Buenos Aires nos move é perversa, insidiosa, traiçoeira; a que nós lhe movemos é leal, e revela sempre uma certa desdenhosa brandura; mas pouco importa: essa guerra de palavras é inofensiva, e, mais do que inofensiva, salutar.

* * *

Este mês de setembro há de ficar célebre, no Rio de Janeiro, não pelas suas festas nem pelos seus desastres como tantos outros, mas, unicamente, pelo fato espantoso, surpreendente, maravilhoso, quase incrível de nele se ter visto a população carioca submeter-se de boa vontade a um Recenseamento.

A irritação do nosso patriotismo conseguiu o que até agora não tinham conseguido os conselhos, os pedidos, as exigências, as multas.

Porque, não nos iludamos: se todos os cariocas auxiliaram a Prefeitura no nobre propósito de realizar o primeiro recenseamento sério e completo da população da capital da República, não foi pelos bonitos olhos do Prefeito, nem por um sentimento de dever cívico, nem em virtude das declarações tranqüilizadoras com que o chefe do governo municipal adoçou os seus editais, tirando-lhes tudo quanto à massa pudesse parecer alarmante ou caviloso...

Não! a nossa boa vontade, o nosso auxílio, a nossa colaboração eficaz e entusiástica, nasceram única e exclusivamente disto: do desejo, que todos nutríamos, de dar um quinau a Buenos Aires, e de pregar uma boa peça ao nosso, já agora famoso, amigo Carrasco, Estatístico-Mor da cidade portenha, e contador milagroso, que trata os algarismos do Censo como Jesus tratava os peixes na Judéia, multiplicando-os prodigiosamente.

* * *

Bom amigo, esse Carrasco! e mal empregado nome, o seu!

Imagina ele talvez que lhe queremos mal, pelas maldades que contra nós assaca. Engano! Carrasco ainda há de ter no Rio de Janeiro, – não digo uma estátua – mas uma coluna glorificadora. Porque, mal comparando, Carrasco, como excitante do nosso patriotismo, é uma espécie de vermute higiênico e salutar, que nos abre o apetite moral. Quanto mais ele nos ataca, mais nós nos unimos, e mais desejamos prosperar e brilhar. Dizem que foi o Prefeito quem nos deu o Recenseamento. Não foi tal! quem nos deu o Recenseamento foi Carrasco!

* * *

Por mim, confesso que nunca me interessei muito pela verificação desse milhão de habitantes que o Rio de Janeiro tem, ou deve ter. Nem sei em que é que pode haver glória, para um país, no fato de possuir na sua capital um milhão ou mais de um milhão de almas.

O que faz a grandeza, e a importância material, social e moral de um país, é justamente a disseminação da população. E já vai longe o tempo em que as nações poderosas e ricas se contentavam com uma só grande cidade, um só grande empório de comércio, de indústria, de arte, de civilização. Para somente citar um exemplo, lembremos que, atualmente, Roma não é a cidade mais populosa da Itália.

Buenos Aires tem um milhão de habitantes? Bom proveito lhe faça! Em compensação, Buenos Aires é a única cidade vasta e populosa da Argentina. À pequena distância da capital argentina, a cidade de La Plata é um deserto...

O Rio de Janeiro, ao contrário, é apenas uma das muitas colméias humanas em que enxameia o nosso povo. O Norte, o Centro, o Sul do país estão cobertos de *urbs* povoadíssimas, que formam, através dessa prodigiosa extensão de terras, os núcleos geradores, as células matrizes do nosso radiante futuro.

* * *

Mas não discutamos. O amigo Carrasco, para nos amesquinhar, encheu as bochechas com o milhão de habitantes de Buenos Aires, e nós, excitados, também verificamos, ou vamos verificar o nosso milhão.

Pouco me importa o valor do fato que se verificou ou vai se verificar. O que me importa é o valor do movimento coletivo de civismo, de consciência patriótica, de nobre ardor com que a tentativa da Prefeitura foi recebida e auxiliada.

Todos quiseram encher e assinar a "lista de família".

A "lista de família"! O terror que até agora inspiravam estas três palavras! Por trás delas via a gente ignorante levantar-se, temerosa e apavorante, a avantesma do recrutamento, – a farda às costas, o *pau-furado* ao ombro, o rancho, o exército, a guerra... Mas desta vez, a avantesma que nós víamos não era essa: era a figura do amigo Carrasco, com o seu riso zombeteiro, mofando de nós... E, para contrariar Carrasco, atiramo-nos com coragem ao Recenseamento. Bom Carrasco! excelente Carrasco! amigo Carrasco!

* * *

Graças a esse admirável Carrasco, assistimos no Rio de Janeiro a cousas assombrosas.

Como as indicações do Recenseamento diziam que era preciso mencionar na lista de cada casa "as pessoas que houvessem passado no domicílio a noite de 19 para 20 de Setembro", não houve notívago, não houve *viveur*, não houve pândego, não houve *vieux-marcheurs* que quisessem passar a noite fora de casa!

Um sujeito, que conheço, notívago impenitente e incorrigível, dizia-me na manhã do dia 20: "Veja você o que é a consciência do dever cívico! passei a noite em casa, cousa que não me sucedia há vinte anos?! só o patriotismo era capaz de me forçar a um tal sacrifício!"

A cousa foi tão extraordinária, que várias senhoras casadas, que não se resignam com a vida desregrada dos maridos, verificando que todos eles ficaram firmes no domicílio durante aquela memorável noite, chegam a pedir aos céus que inventem um recenseamento por semana!

* * *

Admirável Carrasco! que bem nos fizestes, querendo fazer-nos mal...

O. B.

OUT. 1906

CRÔNICA

Sei bem que atacar as tradições (e principalmente as tradições religiosas) é um ato de ousadia. Essas tradições são para quase toda a gente tão invioláveis e sagradas como aquele prestigioso Zaïmph, manto da deusa Tanit, e palácio de Cartago, no qual ninguém podia tocar sem cair fulminado...

Pouco importa. Há tradições grosseiras, irritantes, bestiais, que devem ser impiedosa e inexoravelmente demolidas, porque envergonham a Civilização.

Uma delas é a ignóbil festa da Penha, que todos os anos, neste mês de outubro, reproduz no Rio de Janeiro as cenas mais tristes das velhas saturnais romanas, transbordamentos tumultuosos e alucinados dos instintos da gentalha. Ainda este ano, a festa foi tão brutal, tão desordenada, e assinalada por tantas vergonhas e por tantos crimes, que não parecia um folguedo da idade moderna, no seio de uma cidade civilizada, mas uma daquelas orgias da idade antiga ou da idade média, em que triunfavam as mais baixas paixões da plebe e dos escravos.

E devo confessar que nunca a Festa da Penha me pareceu tão bárbara como este ano. É que esses carros e carroções, enfeitados com colchas de chita, puxados por muares ajaezados de festões, e cheios de gente ébria e vociferante, passeando pela cidade a sua escandalosa bruega; esses bandos de romeiros cambaleantes, com o chapéu esmagado ao peso das roscas, e o peito cheio de medalhas de papel, e beijando a efígie da Senhora da Penha com os beiços besuntados de zurrapa; esse alarido, esse tropel de povo desregrado; todo esse espetáculo de desvairada e bruta desordem ainda se podia compreender no velho Rio de Janeiro de ruas tortas, de betesgas escuras, de becos sórdidos. Mas no Rio de Janeiro de hoje, o espetáculo choca e revolta como um disparate... Num dos últimos domingos, vi passar pela Avenida Central um carroção atulhado de romeiros da Penha: e naquele amplo *boulevard* esplêndido, sobre o asfalto polido, entre as fachadas ricas dos prédios altos, entre as carruagens e os automóveis que desfilavam, o encontro do velho veículo, em que os devotos bêbados urravam, me deu a impressão de um monstruoso anacronismo: era a ressurreição da barbárie, – era a idade selvagem que voltava, como uma alma do outro mundo, vindo perturbar e envergonhar a vida da idade civilizada...

Ainda se a orgia desbragada se confinasse no arraial da Penha! Mas, não! acabada a festa, a multidão desvairada transborda, como uma enxurrada vitoriosa para o centro da *urbs*, – e as facas, as navalhas, os cacetes, e os revólveres, que não acharam exercício lá em cima, vêm exercitar-se cá em baixo...

* * *

Porque o mais grave é que a festa não é somente escandalosa: é também feroz.

Julião Machado, caricaturista que sabe admiravelmente apanhar em flagrante e fixar com o seu lápis irônico os aspectos mais expressivos da vida humana, dedicou, há dias, no *País*, uma bela página à festa da Penha; a página intitula-se "Trajo Preventivo para os devotos", e representa os romeiros, como os guerreiros da idade média, envergando pesadas armaduras de aço, couraças, capacetes e elmos. Não há exagero nisso! tantos assassinatos se praticam todos os anos naquela malfadada romaria, que toda a gente que lá vai se arrisca a uma trágica morte, – e sempre é bom levar para lá, além do violão, do embornal cheio de vitualhas e do chifre cheio de vinho, uma boa cota de malha como precaução contra as navalhas e os tiros.

Este ano, os assassinatos foram dois ou três: e além dos romeiros que deixaram a vida no oiteiro, ainda houve muitos, muitíssimos, que de lá voltaram estropiados e pisados, com as costelas amassadas e a cabeça partida...

Ir à Penha é caminhar para o Martírio! Antigamente, os pecadores devotos se penitenciavam subindo de joelhos os não sei quantos degraus da imensa escadaria de pedra que conduz ao templo. Escorchavam e ensangüentavam as carnes e esborrachavam as rótulas nesse fatigante e árduo exercício, – mas não arriscavam a vida. Hoje, a penitência é maior, e o martírio é completo. Ir à Penha é afrontar mil vezes a morte, – porque todos os desordeiros da cidade se encontram ali, nos quatro domingos da clássica festa, e transformam o arraial numa arena, em que se travam batalhas sangrentas.

Para muita cousa sórdida ou horrível serve de capa e de pretexto a Religião! A Virgem Maria presidindo assassinatos!... o menino Jesus, no colo d'Ela, recebendo sacrifícios de sangue!... e chama-se a isso uma festa religiosa!

Verdade é que, desde as mais antigas civilizações, sempre o fanatismo religioso viveu de braço dado com a orgia e a alucinação sanguinária... Mas é realmente espantoso que ainda se conservem, no Rio de Janeiro, em pleno século XX, tais reproduções das festas báquicas da Grécia e dos jogos de circo de Roma, apoteoses da intemperança e da fúria, da bebedeira e da sanha assassina.

* * *

Em grande parte, a culpa da conservação dessa usança bárbara cabe aos jornais, que inconscientemente animam e encorajam a orgia, dando-lhe adjetivos pomposos, e continuando, não se sabe porque, a atribuir um caráter religioso a uma festa que é apenas um Carnaval disfarçado, muito pior do que o outro.

Na imprensa diária, há adjetivos de uso e emprego obrigatório. Tal é o adjetivo *poético*, que sempre se une a tudo quanto se refere à Penha: poético arraial, poética festa, romaria poética. Tudo ali é poético: a igreja, a colina em que ela assenta, o culto da Virgem, a lenda da criação daquele templo... E, quando chega a época da festa da Penha, em todos os jornais só se encontra o adjetivo *poético*, tão profusamente empregado, que é de crer que, para compô-lo tantas vezes, os tipógrafos sejam obrigados a esvaziar todos os caixotins em que moram o *p*, o *o*, o *e*, o *t*, o *i*, e o *c*...

Entretanto, toda essa poesia acaba todos os anos em bebedeira e sangue: o idílio dá em moafa, a écloga degenera em pancadaria, a pastoral bucólica finda em conflito bestialmente feroz.

Os jornais têm o cuidado de não misturar esses dois aspectos da romaria tradicional: o *te-deum*, as *promessas*, o sermão e as loas à Virgem aparecem em uma coluna do noticiário; e em outra coluna figuram as facadas, as cachamorradas, os tiros, os devotos com as tripas ou os miolos ao sol, e toda a encenação da orgia horripilante em que a indigestão dança ao lado da ferocidade e em que a sede de vinho se casa à sede de sangue, no sopé da colina poética, perto da poética igreja, em que poeticamente se venera a poética imagem de Nossa Senhora... As notícias aparecem separadas, em colunas distintas; mas, instintivamente, o leitor, depois de percorrer com a vista a notícia suave, procura logo a notícia feroz, e, ao terminar a leitura, exclama espantado: "Caramba! nunca se viu tanta devoção ao lado de tanta carraspana, nem tanta poesia ao lado de tanto crime!"

* * *

Infelizmente, se vejo e fustigo o mal, não posso achar o remédio.

Já não é possível compreender a festa da Penha sem bebedeiras e facadas. De modo que o único meio de evitar tamanha vergonha seria proibir essa escandalosa e selvagem romaria. Mas todos os católicos se levantariam, berrando e escumando de cólera, contra essa *intolerância*...

Assim, só há um remédio: é dar tempo ao Tempo, que é um grande médico. Talvez daqui a alguns anos a orgia da Penha desapareça, como desapareceu o entrudo, e como desapareceram tantas outras festas bárbaras que se escudavam na implacável e insuportável Tradição.

E, enquanto isso não acontece, o Rio de Janeiro continuará a ser desonrado pelo escândalo periódico dessa bacanal católica, em que os devotos misturam a hóstia com o peixe frito, o vinho das galhetas com o vinho dos chifres, a oração com a blasfêmia, o êxtase com a indigestão, a genuflexão com a *rasteira*, a ave-maria com a navalhada, e o fervor religioso com o furor carniceiro.

O. B.

FEV. 1907

CRÔNICA

Não pode haver outro assunto para esta crônica da *Kosmos*. Só um assunto, a um tempo doloroso e poético, trágico e suave me preocupa: a agonia das palmeiras da Avenida do Mangue.

Não me seduz o Carnaval que passou, bulhento e desvairado como todos os Carnavais; não quero saber do "caso Urbino", nem da Quaresma que vai correndo, nem das conferências do padre Júlio Maria, nem das festas com que vai ser recebido o general Roca; nada me interessa o que se passa no terreno político; e pouco se me dá que um monsenhor, um dignitário da Igreja tenha, com uma nobre independência, atirado a batina às urtigas... Que valem todos esses assuntos, diante do assunto que me preocupa? Só penso na agonia das palmeiras do Mangue, – e vivo agonizando com elas, tão grande é o amor que lhes tenho...

Conheço-as há trinta anos... Há trinta anos! toda uma vida... Nunca passei por ali que não as mirasse longamente, apaixonadamente: e vejo-as agora, moribundas, envelhecidas de repente, minadas por um mal que ninguém conhece!

* * *

Há quem diga que, de todas as árvores que possuímos, são as palmeiras reais as mais inúteis. Não dão sombra, elevam a dezenas de metros acima do solo as suas copas triunfais, com um orgulho de rainhas insensíveis, que nasceram apenas para reinar...

Tolices! Isso é opinião de gente prática, – dessa gente abominável que só é capaz de admirar o que é útil, e prefere uma horta de couves a um roseiral.

Eu amo as palmeiras justamente pelo seu orgulho e pela sua nobreza, pela ânsia com que elas procuram fugir da terra e ganhar o céu, pelo desprezo que têm das cousas feias e rasteiras, pela majestade com que afirmam de lá de cima a sua superioridade quase divina. Parece-me que no caule de cada palmeira mora uma alma ansiosa e cativa, que desesperadamente se agita para fugir do solo; a seiva de cada uma dessas árvores orgulhosas tem aspirações e sofrimentos como o espírito de um artista.

Não foi sem razão que Alberto de Oliveira, o nosso Grande Poeta, escreveu um dia que desejava, depois de morto, ter a sua alma guardada na seiva de uma dessas plantas altivas:

Ser palmeira! existir num píncaro azulado
Vendo as nuvens mais perto, e as estrelas em bando;
Dar ao sopro do mar o seio perfumado.
Ora os leques abrindo, ora os leques fechando!

Ser palmeira, depois de homem ter sido! est'alma,
Que vibra em mim, sentir que novamente vibra,
E eu a espalho, a tremer, nas folhas, palma a palma,
E a distendo, a subir, no caule, fibra a fibra!

E, esfolhando-me ao vento, indômita e selvagem,
Quando aos arrancos vem, bufando, o temporal.
– Poeta, bramir então à noturna bafagem
Meu canto triunfal!...

* * *

Imagino e calculo, pela minha própria mágoa, a mágoa com que esse apaixonado Poeta, de alma tão exaltadamente panteísta e tão dada ao amor da Natureza, estará assistindo à agonia das palmeiras da Avenida do Mangue!

Porque já não há quem não conheça a dolorosa notícia; estão agonizando, estão morrendo aquelas palmeiras, que são a glória da cidade, e o seu orgulho maior!

E é em vão que se pergunta aos botanistas, aos horticultores, aos naturalistas, a todos os sábios, – o que é preciso fazer para salvar as majestosas *Oreodoxas oleraceas*, que se estendem em filas admiráveis ao longo do canal. Os sábios deitam abaixo as suas livrarias, consultam livros antigos e modernos, dizem cousas abstrusas em linguagem incompreensível, – mas não as salvam...

Ah! são sempre os mesmos os médicos, – tanto os que se encarregam de tratar os homens como os que se encarregam de tratar as plantas. Todos eles reproduzem diariamente a petulância com que Sgaranello, no *Médecin malgré lui*, explica ao velho Geronte a causa da mudez de Lucinda: "Ossabandus nequeis nequer potarim quipse milus... voila justement ce qui fait que votre fille est muette!" Não de outro modo têm os naturalistas do Rio explicado à imprensa e à comissão das obras do Canal do Mangue a causa da morte das palmeiras; ninguém lhes entende o diagnóstico, e nenhum deles indica o remédio salvador.

E, enquanto isso, as palmeiras vão morrrendo, na sua lenta e dolorosa agonia; amarelece hoje uma palma, outra amanhã, outra depois de amanhã, e já algumas das majestosas rainhas vegetais não passam de espectros do que eram, – cadáveres, de pé, sacudindo ao sol o seu amplo penacho de folhas secas...

Nos passageiros de bondes, que viajam a um e outro lado do Canal, há, de manhã à noite, a mesma expressão de infinita mágoa e de desolada tristeza. Todos os olhos, abandonando a leitura dos jornais, se levantam para o alto, e contemplam com melancolia a devastação progressiva que nos leques, outrora tão verdes e belos, vai fazendo a implacável moléstia...

Explica-se bem a tristeza de toda a cidade. Não há no mundo inteiro uma alameda de palmeiras como aquela. A do Jardim Botânico, que é objeto de universal admiração, tem setecentos e quarenta metros de comprimento. Mas a do Mangue tem mil e duzentos! É a mais extensa que se conhece, – e qualquer cidade da América ou da Europa não hesitaria em gastar milhões para possuir uma tal maravilha. E vamos talvez perder aquele tesouro! – haverá desgraça maior?...

* * *

A história dessas árvores é curta e gloriosa. Todas as palmeiras do Mangue, como todas as palmeiras reais do Rio de Janeiro, descendem da *Oreodoxa oleracea*, que o chefe de divisão Luís Abreu trouxe em 1810 da Ilha de França. Era tão linda a *Areca*, ainda jovem, que D. João VI, o fundador do *Jardim Botânico*, quis plantá-la por suas próprias mãos. Daí veio à palmeira o nome de Real. A formosa *Areca* foi crescendo, sempre cercada de carinhosos cuidados, e chegou enfim à idade da florescência: abriu a espata, e deixou cair o cacho pejado de sementes... O diretor do jardim, Serpa Brandão, ciumento e avaro, não quis que aquela maravilha se reproduzisse, e mandava todos os anos queimar as sementes preciosas. Mas os escravos, que trabalhavam no Real Horto Botânico, começaram a furtá-las e a vendê-las; e, em breve, principiaram a aparecer as primeiras filhas da palmeira de D. João VI, – que ainda hoje, no Jardim Botânico, é admirada pelos visitantes, na sua velhice sagrada, com quase cem anos de idade, ostentando em plena pujança o seu espique de 35 metros de altura.

Dessa veneranda anciã descendem as palmeiras do Mangue, a cuja lenta agonia assiste agora a cidade com desespero...

* * *

Mas será realmente impossível salvá-las? Não haverá uma providência capaz de libertá-las do secreto mal que as está minando? não haverá meio de evitar essa desgraça?

Não sei... O que sei é que o depauperamento é visível: cada dia que passa leva consigo uma folha e um pouco de vida de cada uma das rainhas condenadas.

Ontem, passando por aquela imensa Avenida que já me parece um cemitério, vi-as, ao crepúsculo, à hora indecisa e misteriosa em que uma alma nova parece palpitar no céu e na terra. Na meia luz da tarde, os leques estremeciam e farfalhavam lá em cima, já quase mergulhados na treva, sob o pálio do céu em que se acendiam coruscando as primeiras estrelas. E pareceu-me ver naquele ansioso movimento das palmas secas o bracejar doloroso, a súplica desvairada, a imprecação desesperada de quem quer viver e sente que está morrendo, de quem pede socorro e perde a esperança de ser socorrido.

Ah! pudesse eu, ainda que a troco de alguns anos da minha própria vida, assegurar a vossa eternidade, – ó palmeiras reais que conheço e amo há trinta anos! ó palmeiras reais que ides morrer antes de mim!...

O. B.

mar. 1907

Crônica

As festas roquinas (aceitemos o neologismo) deveriam fornecer exclusivamente o assunto a esta crônica. Mas já tanta cousa se escreveu sobre isso, ó deuses imortais! Os noticiaristas já esgotaram todos os adjetivos, todas as hipérboles, todos os *ahs!* e todos os *ohs!* – encontro os celeiros vazios, e não sei o que possa dizer de cousa já tão dita, tão narrada, tão gabada.

Nós, os cronistas, somos como aquela meiga e desventurada Rute, de que fala a Bíblia, e que todas as tardes seguia os segadores, apanhando as espigas que eles deixavam cair no chão. Somos como ela: quando chegamos ao campo, já os segadores, que são os noticiaristas da imprensa diária, o devastaram e despojaram de tal modo, que somos obrigados a contentar-nos, quando muito, com as espigas murchas que eles desprezam...

Não! não tratemos das festas com que o Rio de Janeiro e S. Paulo receberam o general Roca. Apagaram-se as luminárias, recolheu-se ao seu ancoradouro habitual o galeão histórico de D. João VI, desarvoraram-se as bandeiras, calaram-se as aclamações; o que lá vai, lá vai... Tratemos de cousas que ficam, que continuam sendo nossas, e que reclamam atenção imediata.

* * *

Março não teve apenas um acontecimento político, – essa tão celebrada visita do estadista argentino. Teve também um acontecimento artístico: a representação em um dos teatros da cidade, de duas peças originais. Dizer que isso foi um "acontecimento" não basta. Para bem mostrar qual foi a repercussão do fato, é mister recorrer a um estrangeirismo, e dizer que ele foi um *sucesso*. Noticiaristas, cronistas, críticos, repórteres, autores e atores, – todos, *una voce*, declaram que viam no aplauso, com que o público vitoriou as duas peças, um sinal seguro e infalível do renascimento do teatro. E todos, também *una voce*, afirmaram que se o poder público quisesse proteger o nosso teatro, já há muito tempo ele seria o que deve ser...

E não faltou quem visse na presença do Sr. Presidente da República, que assistiu à primeira representação de "O Dote" de Artur Azevedo, e da "Última Noite", de Paulo Barreto, uma como promessa tácita feita por S. Excia., um como compromisso assumido no sentido de proteger a arte dramática...

É verdade que o Sr. Presidente da República esteve no teatro na noite da primeira representação dessas peças. Esteve; e por sinal que os empresários enfeitaram o camarote presidencial com umas cortinas tão velhas, de tão reles e desbotada chita, que aquilo realmente não parecia o camarote de um chefe de Estado, mas o coreto de um Imperador do Divino...

S. Excia. foi ao teatro, e gostou das peças e aplaudiu os autores, – e não fez com isso favor às peças nem aos autores, porque as peças são excelentes, e os autores têm muito talento. Não creio que, se as peças fossem más, o público as tivesse aplaudido unicamente para ter o gosto de concordar com S. Excia. E não creio também que, sendo elas boas, como efetivamente são, o público as tivesse achado abomináveis, no caso de lhes ter negado o seu aplauso ao Chefe de Estado... Assim, não vejo bem em que, nem como, nem porque o comparecimento do Sr. Presidente da República pode ter significado uma vitória, ou uma promessa de vitória, para a tenaz e louvabilíssima propaganda em que se empenha Artur Azevedo, com todo o seu brilhante talento e toda a sua reconhecidíssima competência, em favor do Teatro Nacional.

Imaginemos que o Sr. Presidente da República dê agora para ir todas as noites ao teatro: haverá alguém tão ingênuo que acredite ser isso o bastante para que o Teatro Nacional se regenere e progrida? Seria o cúmulo da ingenuidade!

* * *

De certo, há alguma razão poderosa e séria, capaz de explicar o abandono em que o público tem deixado os teatros do Rio de Janeiro. E essa razão não é, não pode ser a falta de proteção dos poderes públicos.

Já não estamos na idade média, nem no começo da idade moderna! A Arte, neste século, faz-se, desenvolve-se, afirma-se, sem precisar do apoio dos Grandes e dos Senhores, – até porque já não há Senhores nem Grandes.

Um governo pode e deve dar hoje, a uma cidade ou a um país, água, luz, esgotos, calçamentos, assistência pública: mas não lhe pode dar Arte, porque o distintivo mais claro da Arte moderna é justamente a sua completa autonomia, a sua absoluta e gloriosa independência!

Qual será, então, a razão da decadência do nosso teatro?

Será a falta de peças e de autores? Não pode ser! "O Dote" de Artur Azevedo, e a "Última Noite" de Paulo Barreto, com o seu radiante *sucesso*, aí estão para eliminar essa hipótese.

Será a falta de atores? Também não! "O Dote" e a "Última Noite" foram otimamente representados: todos os espectadores acharam a sua representação bem razoável. E, ainda não há muitos dias, Artur Azevedo, que conhece as cousas do teatro como conhece a palma da sua própria mão, e sabe muito mais do que eu, o que é um bom ator, escrevia em *O País* que "para melhorar as condições do nosso teatro, não é pessoal que nos falta..."

Uma última hipótese se apresenta: será a falta de gosto do público? Mas, há quinze ou vinte anos, o público enchia os teatros! E é impossível que esse público tenha perdido o gosto artístico, a ponto de desprezar hoje completamente aquilo que com tanto entusiasmo apreciava há quinze ou vinte anos...

* * *

Tenho uma idéia, que já me valeu muitos doestos anônimos, mas que cada vez me parece mais justa. Creio que o que nos falta, para que tenhamos Teatro, é... teatro. Teatro-casa, teatro-edifício, entenda-se bem. Porque, positivamente, não se pode dar o nome de *teatro* a qualquer desses pardieiros a que somos obrigados a ir, quando queremos ouvir uma peça. O *Lírico* e o *S. Pedro* estão sempre fechados; o *Palace* e o *Moulin*, que estão limpos e têm comodidade, nunca representam cousa séria. E os teatros(?) em que se representam peças que nos interessam, como "O Dote" e a "Última Noite", são modelos de incomodidade, de falta de limpeza e de fealdade.

Estive no teatro em que se representaram as peças de Artur Azevedo e Paulo Barreto; estive lá justamente na mesma noite em que lá esteve o Sr. Presidente da República; e lá estive (ai de mim!) em companhia de três estrangeiros, homens de imprensa, homens de fina educação, que haviam chegado na véspera ao Rio de Janeiro. Como eram homens de fina educação, nada me disseram do espanto que experimentavam, vendo-se naquele galpão hediondo, velho, feio, sujo, incômodo, a que nós chamamos pomposamente – um teatro! Nada me disseram, mas o seu espanto claramente se lia nos olhos assombrados com que eles miravam tudo aquilo.

Já não me quero referir de novo à estupefativa e inacreditável decoração daquele camarote presidencial, que parecia enfeitado com colchas velhas de hospedarias baratas... Mas aquelas cadeiras pequeninas trepadas umas sobre as outras, obrigando cada espectador a sentar-se no colo do espectador da esquerda e a carregar no seu próprio colo o espectador da direita! mas aquele reles aspecto de teatrinho da roça, construído e pintado por arquitetos e pintores de meia tigela! mas aqueles corredores medonhos! mas aquele botequim ignóbil! mas aquele jardim indecente!...

Ah! decididamente, é preciso ter coragem heróica para ir perder uma noite em tal lugar! E ninguém me tira da cabeça esta idéia: o público deixa de ir ao teatro, unicamente porque não está disposto a sair de lá com os rins moídos por aqueles assentos incômodos, e com as pernas devoradas por pulgas ferozes!

* * *

Hão de descobrir talvez uma contradição no que escrevo. Dirão talvez: "Mas há quinze anos tal teatro era tão mau e tão sujo com é hoje, – e você diz que há quinze anos o público o freqüentava..."

Não há contradição. Disse e repito que, em matéria de educação e cultura artística, o povo carioca não pode ter retrocedido: ao contrário, progrediu. Mas não progrediu somente nisso. Progrediu também no modo de entender o asseio, a higiene, o conforto. E é por isso que ele já não tolera a falta de asseio, de higiene e de conforto que tolerava outrora. O público sabe hoje o que é limpeza, porque vê a cidade mais limpa do que antigamente: e é justo que não suporte os teatros (?) abomináveis que antigamente suportava...

O. B.

ABR. 1907

CRÔNICA

...das cervejas envenenadas que não continham veneno?

Não! O assunto não diz com a índole de *Kosmos*... Prefiro tratar da primeira viagem que a famosa *Agência Cook* está organizando para o Brasil.

Cook, – o homem que realmente corporificou a lenda do Judeu Errante – morreu em 1897, com sessenta e cinco anos de idade. Seria talvez mais justo dizer com sessenta e cinco anos de... viagem; porque, enfim, a vida desse homem extraordinário nada mais foi do que uma longa e contínua jornada. Dizem que, durante toda a existência, percorreu aproximadamene oitenta mil quilômetros por ano. Já foi andar!

Cook morreu, mas a sua célebre *Agência* está viva. Não há capital da Europa que não tenha uma sucursal dessa empresa de viagens, com o nome de Cook em colossais letras de ouro na fachada, tentando e seduzindo os que gostam de viajar com comodidade e economia. De todas essas sucursais partem, em todas as estações do ano, imensas caravanas de peregrinos que percorrem o mundo inteiro, – indo admirar a formidável agitação de Londres, de Paris e New York, os museus da Itália, as pirâmides do Egito, as nascentes do Nilo, as minas do Transvaal, a solidão dos desertos da Arábia, as florestas da Nova Zelândia, as ruínas da velha Grécia, os vales poéticos da Judéia, a cascata do Niágara, o penacho de fumo do Vesúvio, as águas do Bósforo, os minaretes das mesquitas orientais, os quiosques da China, os templos do Japão, as estepes geladas da Rússia, as margens selvagens do Ganges – todas as belezas, todas as maravilhas, todas as singularidades famosas da terra.

Esses viajantes da *Agência Cook*, que se divertem e passeiam com as horas contadas, submetendo-se a horários implacáveis, sujeitando-se à tirania dura dos guias e dos cicerones, que os conduzem como autômatos, não lhes dando uma hora de repouso, têm sido sempre troçados pelo humor de todos os cronistas alegres. Há realmente um aspecto cômico em cada uma dessas levas de criaturas de sexos, idades e nacionalidades diferentes, atravessando o mundo numa comunhão de curiosidade e interesse, regulando o seu prazer pela vontade e pelo relógio do "cornaca" que os dirige, não se separando com medo da dispersão, como um rebanho tímido que não ousa afastar-se do pegureiro, e dormindo, comendo e divertindo-se de súcia...

É na Itália, durante o verão, que mais perfeitamente se pode estudar o mecanismo dessas caravanas de homens-bonecos, que não confiam nunca no que lhes diz o guia. Em grupos cerrados, num passo calculado e certo, em marcha militar, os turistas da *Agência Cook* atravessam as salas dos museus, inseparáveis, mudos, impenetráveis, graves, sem uma contração na face, parando quando o guia prossegue. Parece que estão cumprindo um dever, uma obrigação, uma pena, uma penitência...

É uma escravidão, é um cativeiro voluntário. Nenhum dos "agenciados" da *Cook* pode, de moto-próprio, descansar em tal ou qual cidade das que estão inscritas no itinerário, para satisfazer um capricho, ou para curar uma doença, ou para dar às pernas um pouco de repouso, ou para saciar um desejo de amor... Quem pára, perde a viagem, porque os outros não podem esperar: a Agência comprometeu-se a mostrar-lhes tantas mil léguas em tantos meses, tantos dias, tantas horas e tantos minutos, – e não lhes concede um só dia de quebra como não lhes poupa uma só das léguas prometidas. Não é uma viagem: é um fadário; não é um passeio: é uma lida!

Mas, enfim, nem todos viajam e divertem-se como querem, e cada um viaja e diverte-se como pode. Quem não é rico tem de se resignar a distrair-se com pouco dinheiro: e isso explica a espantosa e sempre renovada freguesia da *Agência Cook*. Quando acaba um desses giros econômicos pelo mundo, cada um dos *touristes* tem ao menos o consolo de poder dizer que fartou os olhos na contemplação de quase todo o planeta, e o consolo ainda maior de poder espantar os sedentários com a narração das cousas vistas... ou inventadas, porque, enfim, nem todos podem verificar a exatidão do que contam os viajantes: *a beau mentir qui vient de loin*...

Não trocemos os fregueses da *Agência Cook*! São eles os melhores agentes de propaganda com que podem contar os países novos e desconhecidos. Quando chegam a um porto qualquer, correm logo, apenas desembarcam, a saquear e esvaziar as lojas em que se vendem cartões postais ilustrados. Esses retângulos em que a fotografia fixa os aspectos lindos, ou imponentes, ou somente pitorescos das cidades, vão por seu turno correr mundo; e se muitos deles não chegam a excitar outras curiosidades, alguns sempre conseguem despertar no espírito de outros homens o desejo de vir pessoalmente comparar a gravura com a realidade, a reprodução com o original. É, para cada país visitado, uma propaganda eficaz e barata. E, atendendo a isso, confessemos que a *Agência Cook* é um benemérita, credora de gratidão dos países que carecem de chamariz.

Nós, incontestavelmente, carecemos de chamariz... E é, por isso, natural que a notícia da próxima primeira viagem de uma leva de *touristes* da *Cook* ao Brasil tenha despertado o interesse que despertou.

Será nos primeiros dias de julho a partida do *Byron*, em que vêm os forasteiros da Agência. Saltarão em Pernambuco, visitarão a Veneza da América; descerão na Bahia, fartar-se-ão de vatapá e de mangas; no Rio de Janeiro pasmarão diante do Corcovado, atravessarão em automóveis a Tijuca entrando pelo Andaraí e saindo pelo Jardim Botânico, irão ao Sumaré admirar a maravilhosa criação de Casemiro Costa, percorrerão a Avenida; depois irão ver as docas de Santos, gozarão as paisagens grandiosas da *Inglesa* entre Santos e São Paulo, irão contemplar o monumento do Ipiranga, e seguirão para outras terras da América do Sul, queixando-se talvez da sujeira dos carros da nossa medonha Estrada de Ferro Central, da ladroagem dos cocheiros dos nossos carros de praça, da incomodidade dos quartos dos nossos hotéis, da ferocidade dos empregados das nossas alfândegas, da inópia dos *menus* das nossas casas de pasto, mas confessando ao menos que viram algumas coisas originais, e refletindo que o Brasil será um dia um grande e belo país quando tiver achado quem o administre com um pouco mais de inteligência e um pouco menos de politiquice.

E atrás desses forasteiros, virão outros...

Ainda não somos conhecidos, mas já começamos a excitar a curiosidade do mundo. Ainda não é o bastante, mas já é alguma cousa. O que é preciso, – e isto já se disse e já se escreveu que farte a propósito da próxima viagem do *Byron*, – é que compreendamos que não devemos espantar a gente forasteira com as exigências revoltantes das nossas alfândegas sempre desconfiadas, farejando um contrabandista em cada viajante e um carregamento de artigos de contrabando em cada saco de roupa servida...

O. B.

maio 1907

Crônica

Chegou a estação elegante do Rio, que começa em Maio e vai até Outubro. Estamos em plena *season*... E a prova disso é que já os jornais anunciam um concerto por dia...

O Rio de Janeiro é, de todas as grandes cidades do mundo, a cidade melômana por excelência. Aqui tudo se faz por música ou com a música. Nós vivemos da, pela, e para a música. A música, arte admirável, foi inventada para ser um dos encantos da vida, uma porta aberta para o sono, uma janela rasgada sobre o páramo do ideal, um repouso e um gozo para o espírito; nós porém, fizemos da música o próprio fim, o próprio fundo, a própria essência da vida: há cariocas que só comem solfas, que só bebem sustenidos, que só respiram claves.

Por isso, é pela extraordinária abundância e pela prodigiosa sucessão dos concertos que se caracteriza a nossa estação elegante. Além dos músicos indígenas, temos no inverno os músicos ádvenos; e a nossa vida, durante estes seis meses, é uma série ininterrupta de sinfonias, de cantatas, de romanzas, de árias, de barcarolas, de duetos, de solos, de coros, de valsas...

Este ano, o inverno carioca parece que se vai distinguir dos outros pela maravilhosa e nunca vista profusão dos pianistas. Chegam-nos pianistas da Europa, da América, da Ásia, da África, da Oceania, do Céu, do Purgatório, e do Inferno. Não se pode passar os olhos por um jornal, sem encontrar estas linhas: "Chegou ontem o notável pianista F..." É uma nuvem de pianistas!

* * *

Como se no Rio de Janeiro houvesse falta de pianistas!

Uma cidade, em que as crianças já nascem sabendo martelar no piano a gama natural dos sete sons!

Dó - ré - mi - fá - sol - lá - si... Si - lá - sol - fá - mi - ré - dó...

Jesus! onde me esconderei eu, – em que apartado subúrbio, em que esconso arredor, em que alpestre recanto desta cidade me poderei enlapar, para não ouvir, de sol a sol, do amanhecer ao entardecer, e do anoitecer ao alvorecer, esta medonha escala tocada da direita para a esquerda, e da esquerda para a direita, do *dó* ao *si* e do *si* ao *dó*, em dez pianos, em mil pianos, em um milhão de pianos assassinos?

O Rio de Janeiro é a cidade dos pianos. O seu padroeiro, dizem, é São Sebastião... Foi mal escolhido. O Rio de Janeiro deveria ter, não um padroeiro, mas uma padroeira: a melodiosa Santa Cecília, bem-aventurada tocadora de cravo e de órgão.

Saí por aí afora, ide de bairro em bairro, de rua em rua, de casa em casa, – e não encontrareis uma só casa em que não haja um piano, pelo menos. Porque há casas que têm dois: um, de cauda, para as pessoas grandes, e outro, de meio armário, para as crianças principiantes.

E há casas, que têm três: um para a dona da casa e as filhas mais velhas, outro para a pirralhada, e outro para as criadas!

No lar mais pobre, sempre achareis um desses "monstros negros de dentes brancos", como já os denominou um poeta. Talvez não vejais na mais humilde habitação carioca, panelas no fogão, nem comida nos pratos, nem louça no armário, nem roupa na cômoda, nem lençóis na cama, nem munições de boca na despensa, nem agulhas e carretéis de linha na caixinha de costura: mas haveis de ver, por força, um piano. O piano é a última cousa que entra e sai das casas, quando há mudança, porque é o traste mais prezado, mais respeitado, mais cercado de amor e desvelo. É também a última cousa de que o pobre se desfaz. Quando se diz de um chefe de família: "vendeu o piano", está dito tudo: nessa frase se resumem e definem a miséria suprema e o supremo sacrifício; depois disso... o suicídio!

Bem sei que a mania do piano não é exclusivamente carioca: é brasileira.

Em 1894 (*ça ne nous rajeunit pas!*) visitei, em Minas, o local em que esplende hoje a opulenta e formosa cidade de Belo Horizonte. Chamava-se aquilo o Curral del Rei. Era menos do que uma vila, menos do que uma povoação; era apenas um arraial; tinha uma igreja, e dezoito casas. Pois bem! nesse modesto e apagado cafundó de dezoito casas, havia nove pianos! Quantos pianos haverá atualmente na esplêndida Belo Horizonte? sei lá! talvez cem mil, talvez um milhão...

Mas em ponto nenhum do Brasil, ou do mundo, o império do piano é tão absoluto e tirânico como no Rio de Janeiro. Aqui, as meninas ainda engatinham, e já sabem o dó-ré-mi.

Trecho de conversa que se ouve em todas as casas:

– Então, como vão as suas meninas, nos estudos?

– Ah! muito bem! têm todas muito gosto para o piano!

Ninguém pergunta a uma mãe de família se as suas filhas sabem temperar um guizado, ou pespontar uma bainha, ou futicar uma meia velha, ou engomar uma saia, ou marcar um lenço. O que se pergunta é se elas já adquiriram o *doigté* indispensável para a execução de uma sonata de Lizt.

E não nos espanta ver, em qualquer família, um galopim de dez anos ainda analfabeto, passando os dias na rua a soltar papagaios de papel, em vez de ir aprender na escola pública do bairro a soletrar o nome e a conhecer a filiação zoológica de um papagaio de verdade: não nos espanta o analfabetismo do petiz, porque consideramos que cada idade tem a sua ocupação, e que isto de saber ler é cousa que tem causado a desgraça de muita gente. Mas se nos dizem que uma irmã dele, contando já oito anos, ainda não sabe sacar do teclado a melosidade da "Prière d'une vierge" ou os repiniques do "Vem cá mulata", esbugalhamos os olhos com assombro, como se estivéssemos diante de um caso teratológico. Uma menina de oito anos, que ainda não toca piano! que monstruosidade!

* * *

Admitida essa pianolatria carioca, não admira que o Rio de Janeiro seja o melhor mercado do mundo para os fabricantes de pianos, e para os compositores de música fácil.

De música fácil, – porque poucas, muito poucas dessas meninas chegam a poder executar música difícil, música séria, verdadeira música. Quase todas param nas polcas, nas quadrilhas, nas valsas, que os compositores indígenas e estrangeiros fabricam às fornadas, com títulos de um lirismo babão, ou de um heroísmo estapafúrdio: "Lágrimas de Sinhá", "Glória a Santos Dumont", "Pingos de Orvalho", "Morrer pela Pátria", ou "Mata-me, ingrata!" E algumas dessas pianistas falhadas nem chegam a tocar a mais fácil das polcas; envelhecem na escala, e vão até a sepultura atormentando os ouvidos da vizinhança com o eterno dó-ré-mi-fá-sol-lá-si...

Quanto aos fabricantes de pianos, esses têm no Rio de Janeiro um mercado seguro, amplo, eterno, inabalável. Já contastes as casas de vender e alugar pianos, que há no Rio de Janeiro? Só na Avenida Central há três. E já encontrei uma no Encantado, que fica perto do lugar em que Judas perdeu as botas!

Li há pouco uma estatística que me impressionou.

Sabeis quantos pianos se fabricam anualmente no mundo? Trezentos e noventa e cinco mil: quinze mil na França, cinqüenta mil na Inglaterra, oitenta mil na Alemanha, e duzentos e cinqüenta mil nos Estados Unidos! É alucinante!

Chego a acreditar que tudo isso vem para o Brasil. E pensar que todo o Brasil conta apenas vinte milhões de habitantes!...

Como acabais de ver, os países que mais pianos fabricam são a Alemanha e os Estados Unidos... Esse é que é o verdadeiro perigo alemão! esse é que é o verdadeiro perigo *yankee*! E é lícito dizer que esse é também o verdadeiro perigo amarelo, porque amarelo é a cor do Desespero...

* * *

Neste mesmo momento, uma das minhas vizinhas começa a dedilhar o teclado do seu piano: dó-ré-mi-fá-sol-lá-si...si-lá-sol-fá-mi-ré-dó... E, à hora em que os trinta mil assinantes da *Kosmos* estiverem lendo esta crônica, trinta mil pianos lhes estarão provando que não exagero: si-lá-sol-fá-mi-ré-dó...dó-ré-mi-fá-sol-lá-si...

É a escala infernal das torturas, é a gama demoníaca dos martírios. Os chins, que refinaram e apuraram de modo maravilhoso a arte dos suplícios, – a canga, os anjinhos, a polé, as aspas, a braga, o ecúleo, o estremalho, o estrepe, a ferropéia, o borzeguim de ferro, o esquartejamento, a roda, a fogueira, a tábua de pregos – nunca se lembraram deste supremo requinte do tormento: um piano perto do padecente, e uma pianista, debruçada sobre o teclado, deixando pingar dentro do ouvido e do cérebro do mísero, durante um dia, uma semana, um mês, um ano, um século, uma eternidade, a chuva hedionda das notas da escala: dó-ré-mi-fá-sol-lá-si...si-lá-sol-fa-mi-ré-dó...

Deuses imortais! e ainda nos chegam pianistas da Oceania, da África, da América, da Europa, do Inferno, do Purgatório e do Céu!

O. B.

JUL. 1907

CRÔNICA

Dizia-me há dias um amigo depois de ler os telegramas de Haia:

Ando preocupado, há uma semana, com um pensamento triste: receio que esteja iminente alguma grande desgraça sobre o Brasil...

Uma grande desgraça? Exclamei eu, espantado. Como? Por quê?

Não sei. É um pressentimento que deve ser tolo, como todos os pressentimentos... Mas não acha você que o Brtasil esta com uma *chance* extraordinária, com uma *veine* escandalosa, com uma felicidade rara. O pobre, quando vê muita esmola, desconfia. O acaso é caprichoso e inconstante: não é muito fiel no amor nem no desamor e dia de grande ventura é quase sempre véspera de grande desventura!

E, dizendo isso, separou-se de mim o meu amigo, que é um esquisitão, um tímido, que, por já ter vivido muito, tem muito medo da vida, e caminha para a morte cercado de fantasmas e de temores.

Se o dia em que se passou isto fosse um dia chuvoso e escuro, ou se naquela manhã o meu reumatismo me estivesse apurando os ossos com exagerada violência, ou se alguma notícia triste de ingratidão ou perfídia tivesse vindo amargurar-me a alma, eu de certo ficaria mal impressionado por tais palavras. Mas o dia era lindíssimo; era um destes dias incomparáveis do nosso inverno, – dias que abrem, na vida da gente, oásis de sonho e de êxtase. E a minha saúde era boa, e a minha alma estava tranqüila, cheia dessa doce e indefinível *eutimia*, que os velhos gregos diziam ser o mais valioso presente dos deuses. Por isso, as palavras do meu amigo não me molestavam, e continuei a gozar o meu formoso dia de inverno suave, dizendo de mim para mim: "Histórias! não há *mascottes* nem *chances*, como não há *jettaturas*, nem *guignes*. Cada homem e cada povo colhem, no campo da vida, o que plantaram: quem plantou trigo colhe trigo, e quem plantou ventos colhe tempestades..."

* * *

Ainda hoje, ao escrever esta *crônica* estou na mesma boa disposição de espírito, e não acredito que os dias da vida humana sejam alternativamente governados por Eudemônia, deusa da Felicidade, e por Pênia, deusa da Desventura, – duas divindades filhas do cego, fatal e irresponsável Destino, e cegas, fatais e irresponsáveis como o seu duro Pai.

Mas...

Mas sou forçado a reconhecer que o Brasil, há um lustro, está atravessando uma fase de estupenda e raríssima felicidade.

Não é isto, certamente, o que dizem os eternos descontentes, os "narizes torcidos", os que vêem sempre o seu próprio descontentamento e o seu próprio pesar refletidos em tudo quanto os rodeia, e que, quando têm uma grande dor de cabeça ou uma grande falta de dinheiro, começam logo a bradar que a terra é uma imundície, que a humanidade é uma manada de bestas-feras, e que não há salvação possível para o mundo nem para o gênero humano...

A verdade, porém, é que, coletivamente, estamos sendo prodigiosamente felizes. É possível que as condições de cada um não tenham melhorado; porque, seguramente, a este grande progresso material, que tem havido, não correspondeu um aumento de trabalho e de salário, e, porque, positivamente, a vida individual está ficando cada vez mais dura, mais difícil e mais cara. Mas a vida coletiva da nação melhorou extraordinariamente. Desabou, desmoronou-se, ruiu por terra a muralha chinesa dentro da qual vivíamos emparedados, desconhecidos do mundo. Deixamos de ser um zero na tabela humana. Somos hoje um valor positivo, com o qual já é preciso contar.

As vitórias diplomáticas que o gênio de Rio Branco deu ao Brasil; a reunião do Pan-Americano; a visita de Root; as viagens de Turot e de Doumer; e agora o nobre papel, sóbrio mas enérgico, modesto mas brilhante, calmo mas imponente, que o Brasil está representando na Conferência de Haia, tudo isso nos parece um sonho, tão acostumados já estávamos a fazer figura triste em toda a parte – ou a não fazer figura nenhuma, o que ainda era pior.

* * *

É preciso que, no seu regresso ao Rio de Janeiro, o Sr. Rui Barbosa seja recebido com gratidão e entusiasmo. Podemos medir a extensão e o valor do serviço que o seu talento nos está prestando, pela veemência e pelo mal contido despeito que a repercussão dos seus atos e das suas palavras provoca entre os vizinhos e rivais. Dizia um sábio fabricante de máximas morais: "Nunca avalies o teu mérito pelos louvores que te dirigem os bons, aos quais favoreces, mas pelas injúrias que te assacam os maus aos quais contrarias". São palavras de um conselheiro Acácio pessimista... Mas o conselheiro Acácio diz sempre a verdade e sempre acerta, porque tem a inteligência certa, – e só as grandes inteligências são capazes de errar, levadas ao erro pela sua audácia.

* * *

Como se não bastase tudo isso, tivemos no Rio de Janeiro, a honra de receber a visita da primeira leva dos *touristes* da *Agência Cook*.

Não provoque essa expressão – *tivemos a honra* – um sorriso de mofa! Foi positivamente uma honra, – e uma boa honra, porque foi daquelas que trazem consigo proveito.

A honra não veio da qualidade das pessoas que nos visitaram, comboiada por um *barnum* da Cook. Não vi os *touristes* no *Byron*, não sei se são bonitos ou feios, inteligentes ou tolos, ignorantes ou cultos; sei que são *touristes*, que são curiosos, – e isso me basta.

Que quer dizer a chegada dessa primeira leva de excursionistas? Quer dizer que essa gente já ouviu falar com entusiasmo da nossa terra, e teve a curiosidade despertada, e quis confiar no testemunho dos seus próprios olhos. Cada um desses visitantes, será, por sua vez, um porta-voz; um anunciador gratuito da beleza e da civilização do Rio de Janeiro e do Brasil. Há aí honra e proveito.

Ainda muita cousa feia terão visto por aí os viajantes do *Byron*: muitas ruas mal calçadas, muita gente descalça e suja pelas ruas, muitas casinhas novas atarracadas e desgraciosas, e muitas lojas servidas por caixeiros em mangas de camisa...

Mas terão dito a si mesmos, ou terão achado quem lhes dissesse, que o Rio de Janeiro não podia, mais feliz do que Roma, fazer-se em um só dia. O que é certo é que a cidade já nos não envergonha, como nos envergonhava. Nunca esquecerei, em mais cem anos que viva, o vexame que me assaltou em certa manhã de 1891, quando, ao voltar da Europa, desembarquei em companhia de alguns estrangeiros, no cais Pharoux. Caiu-me a cara ao chão. Esquivei-me, como um criminoso, e nem me despedi dos hóspedes: deixei-os entregues a si mesmos, e abalei dali a ocultar o meu desgosto e a minha vergonha.

Tudo isso, hoje, é pesadelo dissipado...

* * *

Não! não há *veine* nem *déveine*, não há *mascotte* nem *jettatura*! Mas é bom que tenhamos certo cuidado. Só há um meio de conservar a felicidade: é ser digno dela. A deusa Pênia, que distribui as desgraças, tem um outro nome: chama-se Moleza. E a deusa Eudemônia distribuidora de venturas, dá também pelo nome de Energia.

O dia da ventura só é a véspera da desventura, quando o venturoso se deixa amolecer pela sua felicidade atual, e não prepara felicidades futuras...

O. B.

SET. 1907

CRÔNICA

Minha terra tem palmeiras
Onde canta o sabiá,

gemia saudoso o nosso Gonçalves Dias, ainda mancebo, em Coimbra, em 1843.

Esses versos ingênuos, que apesar do longo uso, ainda nos encantam pela sua frescura, ficaram sendo a divisa da nossa terra. A Poesia tem o milagroso poder de fixar como absolutas verdades as mais extravagantes mentiras, nunca jamais ninguém viu nem ouviu um sabiá cantando na copa de uma palmeira. Às copas em leque movediço das palmeiras os sabiás preferem, como tablado, os galhos mais fortes das mangueiras e das laranjeiras. Mas, pouco importa; a *Canção do exílio* deu foros de realidade a essa ficção, e as duas famosas redondilhas ficaram sendo de tal modo a nossa divisa, que até deveriam figurar na bandeira, em lugar de *Ordem e Progresso*, podendo mesmo a esfera e as estrelas ser substituídas, no centro do retângulo amarelo, pela imagem de uma *Oreodoxa oleracea*, em cuja copa se visse, com o bico aberto, um destes nossos canoros dentirrostos de cujas árias tanta saudade sentia Gonçalves Dias.

Ora, se Gonçalves Dias vivesse atualmente, é certo que não escreveria esses versos. Considerando o número espantoso de conferências literárias, artísticas, industriais, científicas, geográficas, históricas, comerciais e humorísticas que se realizam quotidianamente no Rio de Janeiro, o poeta acharia outra fórmula para exprimir as suas saudades do Brasil; e, dedilhando a lira meiga, exclamaria, nas margens do rio Mondego, com o pensamento nas margens do rio das Caboclas:

Minha terra tem tribunas
Onde falam conferentes!...

Jesus! Em setembro – informa-me um amigo das estatísticas – houve, só no Rio de Janeiro, quarenta e oito conferências! E, se considerarmos que não há atualmente, no Brasil, uma só cidade, ou vila, ou freguesia que não tenha os seus conferentes e as suas conferências, reconheceremos que não haverá exagero em computar em mil, ou dois mil, ou cinco mil o número das "palestras" que ilustraram este primaveril e chuvoso setembro.

A princípio, havia apenas conferências, às quais, apesar da presença do infalível copo de água colocado sobre a mesa, poderíamos chamar conferências a "seco"; havia apenas a prosa do conferente, sem música ou outro qualquer apêndice ou ornato. Mas, como a variedade deleita, os oradores começaram a introduzir variantes e novidades na moda. Tivemos conferência com música, conferências com música e canto, conferências com dança, conferências com projeções de lanterna mágica, conferências com ilustrações a *crayon*. E parecia que nenhuma outra novidade poderia ser inventada, quando se espalhou uma comovedora notícia: o Sr. X. ia fazer uma conferência em verso, uma conferência toda em verso, toda ritmada e toda rimada do princípio ao fim, sem uma linha de prosa!

Falar em verso durante uma hora, sem descanso, é positivamente o *record* da facúndia poética. Pois o conferente levou ao cabo essa proeza!

Que se inventará ainda de novo, em matéria de conferências?

Como se trata agora de bater *records* e de vencer dificuldades cada vez maiores, é possível que, em breve, leiamos nos jornais anúncios como este: "O conferente falará uma hora sobre um pé só ou com a cabeça para baixo, sem mudar de posição"; ou como este: "O conferente falará uma hora fumando um charuto, sem o tirar da boca e não deixando que ele se apague durante todo o tempo da palestra".

E de *record* em *record* chegaremos a extremos inconcebíveis. Por exemplo: o conferente A anunciará, que, no fim da sua conferência, comerá à vista da assistência um boi inteiro e beberá quatro tonéis de cerveja; e o conferente B prometerá dar um relógio Patek Philipe e mais uma nota de quinhentos mil réis a todos os curiosos que tiverem a coragem de ouvi-lo do princípio ao fim sem tossir, sem espirrar e sem bocejar.

Guglielmo Ferrero disse-nos, há dias, no Palácio de Monroe, que as qualidades essenciais e distintivas do gênio latino são "a harmonia e a medida". Pois parece que isso não é uma verdade absoluta, ou então que o gênio latino degenerou nesta parte da América Latina... Porque, em nada primamos pela harmonia nem pela medida: antes nos deixamos governar em tudo pelo exagero, que é a negação do prazer. Quando elogiamos, chegamos até a insensatez; quando criticamos, vamos até a calúnia; no amor e no ódio, caímos dentro do domínio da alucinação e do delírio; e abusamos de tudo, do gozo e do sofrimento, da doença e da cura, da intemperança e da abstinência.

Sirva para exemplo, além do caso das conferências o caso dos cinematógrafos. Já há na Avenida Central quatro ou cinco cinematógrafos; e além das casas especialmente destinadas para esses espetáculos, já a mania cinematográfica invadiu todos os teatros e tomou conta de todas as paredes e de todos os andaimes em que é possível estirar um vasto quadrado de pano branco.

Há alguns anos, aconteceu o mesmo na rua do Ouvidor com os fonógrafos. De cada porta irrompia a voz esganiçada de uma máquina falante ou cantante; eram urros, gemidos, garganteios frenéticos, imprecações, ganidos, carcarejos, miados, latidos, mugidos, arrulhos, guinchos, berros, grunhidos! E a mísera rua do Ouvidor parecia uma galeria do Inferno cheia de condenados e réprobos, prisioneiros em caldeiras de pez fervente, vociferando maldições e pedindo misericórdia!

Agora, depois dos fonógrafos da rua do Ouvidor, os cinematógrafos da Avenida Central... E, daqui a pouco, não poderemos dar um passo pela cidade, sem encontrar diante dos olhos um desses lençóis alvos em que as cenas da vida humana aparecem deformadas pelo tremor convulsivo da fita, e onde as figuras de homens e mulheres aparecem atacadas de *delirium tremens* ou de coréia, numa trepidação epilética... Como se a vida humana real já não fosse um espetáculo aborrecido e abominável e ainda tivéssemos a necessidade de vê-la infinitamente reproduzida pelas paredes!

Agora reflito que não valeria a pena substituir a divisa que nos criaram as duas redondilhas de Gonçalves Dias. Cada ano traz ao Rio de Janeiro e ao Brasil uma nova mania predominante. Depois das conferências e dos cinematógrafos, há de aparecer outra cousa, que talvez seja melhor, mas que sempre havemos de estragar pelo abuso.

Qual será a mania predominante de 1908?

Talvez seja a dança do ventre, ou o faquirismo, ou os balões cativos, ou os duelos, ou os divórcios, ou suicídios em massa...

Será uma nova mania qualquer; mas não será certamente a desejável, a ambicionável mania do comedimento e da justa medida: contra essa estamos vacinados pelo seu grande preventivo, que é o amor ao exagero...

O. B.

out. 1907 Crônica [te] [Cia]

Desde que há homens na face da Terra, as três grandes causas de todos os sofrimentos, de todos os conflitos, de todas as guerras, de todos os crimes, têm sido: a casa, a comida e o amor.

Dessas três cousas, há uma que não tem a força das outras: a comida; estômago faminto sempre se arranja bem ou mal, com fartura ou penúria, com indigestão ou jejum.

Mas a casa!... Mas o amor!... Essas são as duas molas reais da existência humana, as duas necessidades terríveis da nossa vida. É raro, raríssimo, que a fome seja a origem de crimes, ao passo que por causa da propriedade de terras ou de casas, e por causa do amor, os tribunais nunca têm mãos a medir, quer estejam ocupados em decidir as pendências e os litígios entre proprietários ou entre amantes, quer estejam ocupados em processar os réus de assassinatos causados pelo delírio da posse material ou da posse amorosa. O teto e o beijo! – eis aí os dois inimigos da tranqüilidade humana!

Já os trogloditas, os homens-chimpanzés, e os primeiros lapões, e os primeiros esquimós, e os primeiros celtas, eram governados exclusivamente por essas duas necessidades. Para o homem primitivo, comer era um problema de solução fácil: a caça era abundante, era farta a pesca, – e havia na face da terra inculta e no seio das águas bravias, carne demais para aplacar a exigência do mais válido estômago. Mas o teto e a mulher! O que o homem primitivo, como o homem de hoje, defendia e prezava acima de tudo era o seu lar: a casa e a companheira. A casa era uma rude grota natural, ou uma caverna artificial cava na rocha, ou uma construção megalítica de penedos sobrepostos, ou uma cabana lacustre levantada à flor da água sobre espeques de madeira tosca, ou um ninho aéreo equilibrado no cimo da alta árvore frondosa: dentro dessa casa, vivia a Mulher, que devia ser nesse tempo uma grande macaca muito feia e muito cabeluda – mas que já era uma das preocupações máximas, um dos maiores cuidados, uma das paixões supremas do homem.

Ainda assim, a mulher era mais fácil de arranjar do que a casa: para conquistar uma mulher, bastava ao homem bárbaro aprisioná-la no meio do bosque, subjugando e matando em poucos minutos o seu legítimo dono; mas para construir uma casa, que luta e que labor! Os machados cortavam mal, as madeiras eram duras, não havia pregos, nem serrotes, nem plainas, nem parafusos...

De modo que naquele tempo (como ainda hoje) o amor era uma preocupação mais séria do que a comida; e a casa era uma preocupação mais séria do que o amor...

O que aí fica escrito não é a divagação de cronista sem assunto. É, sim, o comentário inicial de um assunto grave, que está atualmente preocupando o Rio de Janeiro, e já fez correr sangue em Buenos Aires.

À imitação do que faz em Buenos Aires, também aqui se fundou uma "Liga dos Inquilinos". Dada a rivalidade que sempre houve e sempre haverá entre as duas grandes cidades, seria absurdo que houvesse em uma delas alguma cousa que não existisse na outra...

À nossa "Liga", como à de Buenos Aires, não pertencem os inquilinos que pagam seiscentos, setecentos, oitocentos mil réis mensais pelos palacetes em que residem. Esses também são proprietários e pertencem à classe feliz, que não conta o dinheiro que despende.

Os membros da "Liga" são os operários, os pequenos empregados, os funcionários de baixa categoria, muitos dos quais ganham apenas cem mil réis por mês, e são obrigados a pagar cinqüenta ou sessenta mil réis por um quarto sem luz numa "avenida" infecta.

Não há quem ignore que, com as demolições e reconstruções que o aformoseamento da cidade exigiu, houve no Rio uma verdadeira "crise de habitação". O número de casas habitáveis diminuiu em geral, porque a reconstrução é morosa. Além disso, diminuiu especialmente, e de modo notável, o número de casas modestas, destinadas à moradia da gente pobre, porque, substituindo as ruas estreitas e humildes em que havia prédios pequenos e baratos, rasgaram-se ruas largas e suntuosas, em que se edificaram palacetes elegantes e caros. E que fizeram os proprietários dos casebres e dos cochicholos que as picaretas demolidoras pouparam? viram na agonia da gente pobre uma boa fonte de renda, e aumentaram o preço dos seus prédios. É uma crise completa e terrível: há poucas casas para os humildes, e essas mesmas poucas casas alugam-se por um preço que não é acessível ao que possuem os poucos desfavorecidos de fortuna, os que apenas podem ganhar ordenado exíguo ou minguado salário.

Tudo isso justifica a fundação da Liga dos Inquilinos. Unem-se os inquilinos infelizes contra os proprietários cruéis. Nada mais justo. Todos os fracos recorrem a esse meio de defesa, que é o único eficaz: a união das suas fraquezas, constituindo uma força respeitável. A gritaria de cem ou de mil oprimidos sempre é mais facilmente escutada do que o grito de um só...

Em Buenos Aires, por causa da Liga dos Inquilinos já correu sangue. Os moradores coligados declararam que não pagariam os aluguéis dos seus pardieiros e mansardas, enquanto no preço desses aluguéis não fosse feita a redução de uns tantos por cento. A essa imposição os proprietários responderam com estas duas armas terríveis, que a lei implacável dá aos ricos contra os pobres: o mandato de despejo e a penhora. Os inquilinos resistiram; a força pública, que, sendo por si mesma uma Opressão organizada, sempre intervém em favor dos opressores contra os oprimidos, veio postar-se, com as suas carabinas embaladas, ao lado dos oficiais de justiça, encarregados de fazer cumprir a Lei; houve assuadas, pedradas, tiros, – e um operário caiu, baleado e morto.

No dia seguinte disseram-nos os telegramas que toda a cidade platina ficou consternada, assistindo ao préstito imenso, que levou ao cemitério o corpo do infeliz. Quatro mil operários acompanharam à cova o cadáver. A multidão, contristada enchia as ruas, descobrindo-se à passagem do féretro. E algumas mulheres, vociferando à frente da trágica procissão, levavam bandeiras vermelhas envoltas em crepe. Parecia uma cena do drama da Comuna, em Paris, em 1871...

No Rio de Janeiro, ainda o protesto não foi levado a tal extremo, e a situação ainda não se revestiu de tamanha gravidade. Disseram há dias os jornais que a nossa "Liga dos Inquilinos" resolvera iniciar sua ação por meio de conferências públicas...

Tudo aqui se resolve atualmente, por meio de conferências e de cinematógrafos. São esses, neste momento, os grandes remédios para todos os males, as panacéias infalíveis para todos os sofrimentos. Haveis de ver que o caso do Estado do Rio, e a teratologia política das oligarquias estaduais, e a crise do café, e o povoamento do solo, e a organização da Exposição Nacional de 1908, e todos os problemas gerais, que nos preocupam e assoberbam, ainda se hão de resolver com o auxílio desses dois paus-para-toda-a-obra: as conferências e os cinematógrafos...

Mas deixemos de parte a ironia! A ironia é descabida, quando há sofrimento real dos que se queixam. A crise existe, e os que tudo podem, os que mandam e governam, os que têm dinheiro e força nada querem fazer em favor dos que não acham onde morar. As que já estão todas ocupadas. As que se esvaziam, por morte ou despejo dos locatários, são logo alugadas por preços altos...

Que há de fazer a gente pobre?

Se ao menos essa gente pudesse morar ao ar livre, sob o teto piedoso do céu, sob o pálio misericordioso das estrelas!... Transformar-se-iam a Avenida Central, a Avenida Beira-mar, o Campo de S. Cristóvão, o Parque da República, os terrenos acrescidos do Mangue, o largo do Paço, a Copacabana, a Tijuca, em imensos caravançarás descobertos, em vastos acampamentos, onde os que não pudessem pagar um conto de réis mensalmente por uma casa, ficassem dormindo ao sereno...

Mas a polícia é feroz: a Lei manda considerar vagabundo todo o indivíduo que não tem domicílio certo, – e não quer saber se esse indivíduo tem ou não tem a probabilidade de arranjar qualquer domicílio. Conheceis porventura pessoa ou cousa mais estupidamente atroz e mais atrozmente estúpida do que essa abominável entidade que se chama A Lei?

O problema da casa, da habitação, do teto! Esse é decididamente, ainda hoje, como primitivas eras, o mais terrível dos problemas que agoniam o homem; mais sério do que o problema da comida, e mais temeroso que o problema do amor.

Bem mais feliz que o homem é o caramujo, que já nasce com a sua casa às costas, e que a leva consigo por onde quer que vá, sem pagar um vintém pelo aluguel por essa habitação confortável que a Natureza lhe deu!

O. B.

MAR. 1908

CRÔNICA

Risonha e amável quaresma têm os cariocas este ano! quaresma de penitências nulas e de regalados prazeres, quaresma que é um prolongamento do Carnaval...

Não trovejasse no púlpito da catedral a voz iracunda do Sr. Padre Júlio Maria, lançando os raios da ira divina sobre esta Babilônia sul-americana, – e ninguém acreditaria estar nesta época das mortificações da carne e do espírito, com que a Igreja pretende preparar-nos para as delícias do céu.

As conferências do Sr. Padre Júlio Maria são o único sinal revelador da quaresma. Naquele púlpito, Sua Reverendíssima é, ao mesmo tempo, Isaías e Ezequiel. As maldições chovem dali sobre a cidade pecadora, que cometeu o grande crime, o crime sem perdão de sanear-se, de dignificar-se, de civilizar-se. E a voz iracunda e tremenda brada às quintas-feiras e domingos: "Cidade abominável, cidade *smart* e *up-to-date*! o dia vem perto, em que o Senhor te há de tirar as avenidas, os automóveis, os corsos, os colares, as gargantilhas, os braceletes, os garavins, as arrecadas, as ligas das pernas, os coletes Pompadour, os anéis, os pingentes de pedras preciosas, as charpas de seda, os volantes de brocado, e os espelhos! E em lugar de suave cheiro, terás hediondez! e em lugar de cinta, – corda! e em lugar do corpinho de cetim, – cilício! E os teus mais galhardos varões cairão mortos à espada, e se entristecerão e enlutarão as tuas portas; e desolada te assentarás em terra com a cabeça coberta de cinzas!"

Pois sim! Os freqüentadores e as freqüentadoras das conferências da catedral ouvem essas cousas com espanto e medo, – mas com espanto e medo que duram pouco. Ouvidas as últimas palavras da imprecação do novo Isaías, os fiéis, ainda enxugando os olhos, saem do templo pensando no próximo corso ou na próxima batalha de confete, e vão regalar-se nos cinematógrafos com a contemplação de cenas profanas. Já ninguém tem medo do inferno...

Risonha e amável quaresma! Se houvesse por aí lojas unicamente destinadas a vender cinzas de penitência e cilícios de mortificação, os donos dessas lojas ficariam arruinados este ano. A cinza hoje preferida é o pó-de-arroz; e o cilício, atualmente predileto, é o colete *devant-droit*.

E quem há que jejue? Não me consta que a matança do gado em Santa Cruz tenha diminuído depois de terça-feira gorda...

Também, é verdade que essa prescrição do jejum quaresmal nunca foi rigorosamente cumprida em tempo algum e em parte alguma do mundo.

Na "Vida de São Godofredo, bispo de Amiens" há uma interessante narração, na qual se vê que os homens do século 10º eram tão inimigos do jejum como os do século 20. No dia das cinzas, o Santo Bispo, descalço e coberto de cilícios, exortou os fiéis ao cumprimento do jejum, proibindo-lhes o consumo de carne. Mas os fiéis protestaram, e ali mesmo, à vista do Santo, comeram carne. E o Santo, diz o panegirista, "fechou os olhos, esperando, para se mostrar rigoroso, que as circunstâncias fossem mais favoráveis..."

Essa tolerância da Igreja não foi desmentida até hoje. Em troca de algumas missas, de algumas rezas, e de algumas esmolas, a Igreja sempre concedeu, ainda concede, e sempre há de conceder dispensa da abstinência.

Já houve tempo, no Rio de Janeiro, em que todas as famílias jejuavam. Mas que jejum! Não apareciam nas mesas as carnes proibidas. Em compensação, que bacalhoadas! que peixadas! que fritadas de camarões e lulas! e que infinita quantidade de travessas, de terrinas e de compoteiras, cheias de bolos, de doces, de compotas, de beijus, de pudins, de pastéis, e de biscoutos! O nosso bom povo, querendo compensar a falta das carnes de boi e de porco, empanturrava-se com todas as outras boas cousas permitidas. E a quaresma acabava sendo, não uma quadra de abstinência, mas uma quadra de formidáveis indigestões. Que modificação, hein?!

As carnes de boi e de porco, e algumas outras, que, como aquelas, pertencem à classe das carnes "escuras" têm hoje inimigos mais temerosos do que os padres: são os higienistas. O medo da moléstia e da morte é mais sério do que o medo do inferno. A condenação ao artritismo, à neurastenia e à arteriosclerose atemoriza mais do que a condenação às chamas eternas. A abstenção de carnes escuras não é hoje uma imposição da fé: é uma imposição da medicina.

Dos fastos da Igreja constam inúmeros exemplos de ascetas e cenobitas, que, em sinal de humildade, viviam de rastros pelos campos, comendo as ervas rasteiras, como os animais inferiores. Foram esses os precursores dos atuais "vegetarianos". Antigamente, o consumo exclusivo dos vegetais visava impedir o acúmulo dos pecados na alma; hoje, visa impedir o excesso de uratos nos tecidos.

Mas, agora, como então, o sabor do fruto proibido tenta as almas e os corpos: de quando em quando, um asceta, tentado pelo Demônio, devorava no deserto uma avestruz pegada a laço, – como atualmente, não podendo resistir às exigências da sensualidade, os artríticos devoram criminosamente perdizes com tubaras e pastéis de fígado hipertrofiado de ganso.

Ai! a carne é fraca, e todos nós viemos ao mundo para pecar!

Mas, deixai lá! Não posso crer que seja pecado o não guardar a prescrição do jejum, nem o de intercalar um carnavalzinho suplementar entre a terça-feira de entrudo e o sábado de aleluia.

O jejum! Mas lá está escrito, em São Mateus, que Jesus consultado sobre se era lícito comer aos sábados, disse: "Misericórdia quero, e não sacrifício!" E lá está também atestado, em São Marcos, que o mesmo Jesus, falando dos judeus jejuadores, exclamou: "Este povo, honra-me com a boca, mas o seu coração está longe de mim!"

E o Divino Mestre gostava de ver a gente humilde divertir-se e folgar. Nem sempre a tristeza anda aliada à bondade. São mais inocentes os pássaros e as borboletas, que passam a vida ao sol, entre ramagens e sobre flores cantando e revoando, do que os ratos, que vivem nas trevas, infestando os porões das casas, e armazenando no corpo os germes assassinos da peste.

Esse pequeno carnaval complementar não há de levar uma só alma ao Inferno. Que pecado cometeu essa multidão de criaturas pobres e modestas, indo amontoar-se nas alamedas da Avenida Beira-mar, a ouvir música, e a regalar-se com o espetáculo inócuo dos fogos de Bengala e dos foguetes de lágrimas, e a festejar, ao seu modo, sem velha e sem serra, a clássica cerimônia da serração da velha.

Tenho para mim que o pecado maior é o de estar, pela imprensa e pelo púlpito, a clamar que tudo vai mal, que a República é um regime de falcatrueiros, e que a revolução contra os que governam é um direito e um dever.

Criminosos e maus não são os que dizem a um povo sofredor: "Todos os povos sofrem, porque o sofrimento é uma condição essencial da vida; tu não és mais infeliz do que os outros; toda a terra está cheia de descontentes, porque a perfeição é um ideal inatingível; consola-te, e contenta-te com o que tens; e diverte-te!" Criminosos e maus são os que dizem: "Tudo está podre, e irremediavelmente perdido: todos os homens hão de ir depois da morte para o Inferno, porque não basta, como castigo, o inferno em que todos eles vivem neste mundo; entristece-te, ó povo, e chora, e revolta-te, e procura ser mais infeliz do que és hoje!"

Isso é que é crime, isso é que é maldade, isso é que é pecado.

O. B.

MAIO 1908

CRÔNICA

A varíola...

A varíola? Pois neste lindo e suave começo de inverno, quando o ar é tão brando e o céu é tão azul, quando tantas flores enfeitam a terra, quando há tantas festas e tanto riso, – há quem venha lembrar de tal cousa?

A varíola? Já estou vendo o espanto dos leitores habituais de *Kosmos*... Parece-lhes, sem dúvida, que o assunto é impróprio e descabido, nesta revista de arte e elegância. Hão de achar, a princípio, que as sete letras feias e sinistras dessa medonha palavra vêm profanar e poluir a alvura deste papel acetinado, em que habitualmente se estampam finas gravuras, versos líricos e trechos de prosa fidalga.

Mas o espanto não tem razão de ser.

Em primeiro lugar, *Kosmos* sempre quis ser e sempre tem sido um registro de toda a vida nacional: foi para isso que ela foi criada, e é graças a isso que ela se tem mantido; seria imperdoável que a revista, por um mal compreendido de melindre e elegância, agora se colocasse fora da vida, calando o horror do perigo que a todos ameaça neste momento.

Depois, é preciso considerar que a varíola não é moléstia plebéia, que fira apenas a gente baixa, e apenas invada e enlute pardieiros e estalagens: essa epidemia cruel também se dá bem entre as sedas e as alfaias dos paços. As suas dentadas assassinas, que deixam estigmas indeléveis, não escolhe apenas a pele rude dos trabalhadores, tostada, enegrecida e gretada pelo sol: também se comprazem em picar as faces de pele de rosa e lírio, – e é nessas que os seus estragos se exercem com maior brutalidade e se gravam com maior fereza.

Tanto basta para mostrar que o assunto não é impróprio destas páginas. Nem só nas habitações humildes se deve fazer a propaganda contra o mal hediondo: é preciso levá-la até os palácios.

Nem se diga que é de mau gosto e denunciadora de falta de patriotismo a idéia de vir lembrar a existência de uma epidemia, quando o Rio de Janeiro se prepara para receber a visita de todo o Brasil, por ocasião da sua grande e esplêndida Feira Nacional. Não se trata de uma epidemia como as de febre amarela, que outrora (tempos abomináveis!) dizimavam periodicamente a população do Rio. Esta epidemia não desmoraliza a cidade, – por ora. Mas, tratando-se de uma calamidade que volta todos os anos, – com a mesma pontualidade feroz com que o senhorio nos vem cobrar todos os meses o aluguel da casa – é fácil prever que ela se irá de ano em ano agravando, enquanto toda a população não se vacinar. O adiamento deste é um crime.

Os adversários sinceros e convencidos da vacinação jenneriana são hoje em número reduzidíssimo: alguns médicos céticos ou pirrônicos, – e o escasso batalhão dos positivistas ortodoxos. O nome de Jenner é hoje universalmente conhecido e amado. A gratidão dos homens a esse homem está perpetuada em monumentos que se levantam em todas as cidades cultas.

O que impede a vacinação em massa do povo do Rio de Janeiro não é a descrença na eficácia da vacina. É uma preguiça moral, e, ao mesmo tempo, este irônico ceticismo, este sereno desprezo do perigo, esta despreocupação das cousas amedrontadoras que formam o fundo e a essência do nosso caráter nacional. Até certo ponto, isso não é vício: é virtude. Não somos um povo de medrosos nem de supersticiosos... Mas é preciso não exagerar essas qualidades, que facilmente podem degenerar em defeitos gravíssimos. Desprezar a morte é belo. Muito mais belo, porém, é amar a vida.

E, aqui, não se trata somente de amar a vida. Trata-se também, para as criaturas belas, de conservar a beleza. E a beleza humana é um presente divino, uma rara dádiva de valor inestimável, que deve ser prezada como o maior dos tesouros, – tesouro maior do que a riqueza e maior do que a glória.

Afinal, pouco importa que uma criatura feia fique mais feia ainda, depois de picada por uma varíola benigna.

Mas a varíola não faz seleção de vítimas. Tanto ataca Adônis, como ataca Quasímodo. Tanto fere Vênus, como fere Atropos ou Laquésis.

É horrível pensar que qualquer destas lindas mulheres (tantas e tão lindas!) que são o orgulho e o encanto do Rio de Janeiro, está exposta, por falta de vacina, a ficar com as faces devastadas pelas bexigas que se transformam depois da seca em buracos arroxeados; e não é tudo: o exantema feroz rói os lábios, come as asas do nariz, fura e devora os olhos... É horrível!

A melhor propaganda a favor da vacina seria esta:

Colocar, em todas as praças e em todas as ruas, cartazes duplos, em que se representasse, de um lado, uma formosa mulher, em pleno viço da mocidade, da saúde e da beleza, e, do outro lado, a mesma mulher afeiada e maltratada pelas bexigas, com a beleza destruída.

O efeito seria fulminante e decisivo. Todas as mulheres correriam a vacinar-se; e, como as mulheres sempre impõem aos homens a sua vontade, passariam elas a ser uma propaganda viva do método jenneriano, – e em pouco tempo toda a população estaria a coberto do assalto dessa pérfida e perversa epidemia...

O. B.

Índice de Assuntos

Explicação Necessária

Este "Índice de Assuntos" foi elaborado com o intuito de compensar a ausência de elucidação individualizada das crônicas escolhidas para esta antologia. Além de se mostrar tarefa quase interminável, a elucidação prejudica o fluxo da leitura e pode alterar o seu sentido. Por esse motivo e também porque os verbetes abreviam a consulta de material com temática tão diversificada foi que optamos por este recurso.

Vale lembrar que nem sempre a totalidade da crônica é dedicada ao assunto em pauta. Muitas vezes, o cronista dedica-lhe um ou dois parágrafos apenas, extensos ou não. No entanto, preferimos esse método, porque em repertório tão heterogêneo, lemos estas crônicas como se fosse um texto único, capaz, um dia, de fornecer subsídios importantes sobre Olavo Bilac e o período em que viveu. Vejam-se como exemplo dessa escolha metodológica as crônicas de 25 dez. 1907 e de 17 mar. 1908 do *Correio Paulistano*, a primeira dedicada à Guarda Nacional e a segunda, à capoeiragem. Nelas, Bilac enxerta lembranças curtas de sua infância e de sua juventude, algumas das quais bastante expressivas como dado de época mais que de pessoa.

Neste índice, os periódicos – jornais e revistas – estão sempre dispostos em ordem alfabética, pospostos os artigos definidos que integram seus títulos.

Em itálico, nos verbetes, aparecem os nomes próprios de periódicos, obras, personagens, eventos, firmas comerciais e de embarcações.

A autoria das obras e dos personagens aparece logo em seguida ao nome.

Resta ainda mencionar que estão aqui verbetados apenas os periódicos que entraram diretamente na pesquisa e que são:

Álbum (O)	1893-1895
Bruxa (A)	1896-1897
Cigarra (A)	1895
Combate (O)	1892
Correio Paulistano	1907-1908
Correio do Povo	1890
Estado de S. Paulo (O)	1897-1898
Gazeta de Notícias	1890-1908
Jornal da Exposição	1908
Kosmos	1904-1908

Os demais, compulsados de forma indireta e mais aleatória, constam do "Índice Topográfico".

A

B

C

D

E

F

G

H

I

J

M

N

O

P

Q

R

S

U

V

W

X

Z

Índice Onomástico

Explicação Necessária

Este "Índice Onomástico" foi elaborado com o mesmo intuito de suprir a ausência de elucidação das crônicas escolhidas para esta antologia. Com ele, acreditamos ser mais funcional e mais ágil a consulta a material de temática deliberadamente variada.

Incluímos neste índice os nomes de pessoas de existência histórica e/ou real, os de personagens literárias ou artísticas, os de instituições e os títulos de obras artísticas reiteradamente citadas. Os nomes de personagens e das obras artísticas aparecem em itálico.

Algumas datas aparecem sublinhadas. Com esse recurso quisemos assinalar que o assunto referente àquela data é o próprio título do verbete.

Os nomes de pessoas reais entram pelo sobrenome. Exemplo: ABREU, Casimiro de.

Os nomes de personagens literárias ou artísticas entram de forma direta. Exemplo: *Afonso da Maia*. Sempre que possível, colocamos sob esta indicação o nome do autor que criou a personagem.

Os pseudônimos, nem sempre esclarecidos, foram assim mesmo preservados e arrolados.

Os nomes precedidos de algum título (Barão, Conde, General, Padre etc.) entram com o título posposto. Exemplo: RIO BRANCO, Barão do.

Em caso de nome fixado historicamente vale a tradição onomástica e não o nome civil. Exemplo: o General Frederico Sólon de Sampaio Ribeiro entra como SOLON, General.

Tal como no "Índice de Assuntos", os jornais e revistas deste elenco estão sempre listados em ordem alfabética, pospostos os artigos definidos ou indefinidos que integram seus títulos.

Vale ainda lembrar que estão aqui verbetados apenas os periódicos que entraram diretamente na pesquisa e que são:

Álbum (O)	1893-1895
Bruxa (A)	1896-1897
Cigarra (A)	1895
Combate (O)	1892
Correio Paulistano	1907-1908
Correio do Povo	1890
Estado de S. Paulo (O)	1897-1898
Gazeta de Notícias	1890-1908
Jornal da Exposição	1908
Kosmos	1904-1908

A

B

C

D

E

F

G

H

I

L

M

N

O

P

Q

R

S

T

U

V

Índice de Sumários

Explicação Necessária

Da leitura exaustiva das crônicas de Olavo Bilac, espalhadas por periódicos entre Rio e São Paulo, mas não percorridos em sua totalidade, resultou seleção considerável delas, miolo deste antologia. As que foram lidas, foram sumariadas, tenham ou não sido usadas de modo direto nos ensaios que preparamos sobre o cronista. São estes sumários que compõem este índice.

Como é natural neste caso, parte significativa dessas crônicas ficou de fora no momento da seleção final, etapa sempre angustiante. Cerca de 1600 crônicas foram lidas e resumidas. Por razões as mais diversas, apenas 555 tiveram o direito de ingresso nesta antologia.

Veja-se a tabela:

Periódico	**Período**	**Crônicas lidas**	**Crônicas selecionadas**
Álbum (*O*)	jul. 1893 – jan. 1895	7	2
Bruxa (*A*)	21 fev. 1896 – 14 maio 1897	200	14
Cigarra (*A*)	13 jun. 1895 – 24 out. 1895	58	5
Combate (*O*)	08 mar. 1892	72	1
Correio Paulistano	10 set. 1907 – 18 jul. 1908	162	108
Correio do Povo	21 fev. 1890 – 23 mar. 1890	11	4
Estado de S. Paulo (*O*)	03 out. 1897 – 29 nov. 1898	184	41
Gazeta de Notícias	28 abr. 1890 – 25 out. 1908	900	344
Jornal da Exposição	14 set. 1908 – ?? nov. 1908	14	14
Kosmos	mar. 1904 – maio 1908	46	22
Total		1654	555

Para não desperdiçar o material, decidimos elaborar este "Índice de Sumários", no qual estão arroladas as crônicas lidas, aproveitadas ou não. Com isso, supomos que o pesquisador possa informar-se sobre outros assuntos que não vêm à baila nesta seleção.

Com um asterisco (*), assinalamos as crônicas deste "Índice de Sumários" que integram os dois volumes desta antologia bilaqueana.

Por outro lado, assinalamos também as crônicas que já foram publicadas por O.B. ou por nós, em outras edições, assim convencionadas:

[CIA] as crônicas de *Vossa Insolência*
(São Paulo, Companhia das Letras, 1996, Coleção Retratos do Brasil, 6);

[CN] as crônicas de *Crônicas e Novelas*
(Rio de Janeiro, Cunha & Irmão, 1894);

[CF] as crônicas de *Crítica e Fantasia*
(Lisboa, Livraria Clássica Editora de A. M. Teixeira, 1904);

[IP] as crônicas de *Ironia e Piedade*
(Rio de Janeiro, Francisco Alves, 1916);

[RLL] as crônicas publicadas pela revista *Língua e Literatura*
(FFLCH-USP, n. 25, 1999);

[TE] as crônicas escolhidas para *Tempos Eufóricos*
(São Paulo, Ática, 1983, Coleção Ensaios, 88).

Álbum (O)[1]

nº 01 – jan. 1893
Campo santo (Poema), O. B.

nº 03 – jan. 1893
Primavera (Poema), O. B.

nº 27 – jul. 1893
*Perfil de Luís Murat**, Olavo Bilac
Luís Murat *é o poeta, cuja obra ficará na literatura brasileira, fixando uma época e definindo uma nacionalidade.*

nº 28 – jul. 1893
Paródia do Hamleto, O. B.
Paródia da 1ª cena do 3º ato do *Hamlet*. [Transcrito do jornal *Cidade do Rio*, 23 jun. 1893.]

nº 41 – out. 1893
Le Brav'Amiral, O. B.
Poema satírico sobre Custódio José de Melo.[Transcrito do jornal *O Combate*, s. d.]

nº 48 – maio 1894
Crônica livre, O. B.
Apreciação sobre *Contos Fora de Moda* de Artur Azevedo. [Transcrito da *Gazeta de Notícias*, 09 maio 1894.]

nº 54 – jan. 1895
*Aluísio Azevedo**, Olavo Bilac
Perfil biográfico e profissional de Aluísio Azevedo, pintor de talento, jornalista anticlerical e escritor responsável pelo lançamento do naturalismo no Brasil.

Bruxa (A) 1896

07 fev. nº 1
Crônica, O. B.
O. B. alerta contra prática de certos institutos cariocas de saúde: o uso de pobres como cobaias em experiências de seroterapia e a esterilização de mulheres pobres.

A Política, Belzebuth
O verdadeiro motivo que leva o europeu a invadir a África não é o desejo de civilizá-la, mas o de torná-la simples mercado consumidor e abrigo para a população européia excedente.

O Carrilhão da Bruxa, Astaroth
As chuvas de verão provocam desmoronamentos nos morros do Rio.

14 fev. nº 2
Crônica, O. B.
A propósito do suicídio de uma cidadã, suspeita de lesbianismo, O. B. critica duramente a polícia que não respeita a privacidade das envolvidas no *affair*.

O Carrilhão da Bruxa, Astaroth
Ainda tendo como mote o suicídio de uma lésbica, o cronista enaltece *os amores violentos e incendiários*, capazes de *matar ou morrer*, em oposição ao tranqüilo amor burguês.
Pátria de Guerra Junqueiro é livro de *abomináveis versos*.

Política, Belzebuth
O litígio entre Brasil e França por causa do Amapá.
A atitude firme de nosso defensor Veiga Cabral.

21 fev. nº 3
Crônica, O. B.
Ironias do Carnaval carioca: a foliã que se apressa em confessar, mal termina a festa; o funeral de uma virgem, coberto de confetes.

O Carrilhão da Bruxa, Astaroth
Astaroth transcreve prefácio ao livro *Ondas* de Luís Murat, recém-lançado.

A Política, Lúcifer
Boatos de sedição contra o governo republicano.
Chega ao Rio Veiga Cabral, que se opôs às pretensões francesas relativas ao Amapá.

*Teatro**, Lúcifer
A decadência do teatro brasileiro se deve, sobretudo, à imaturidade e à generalizada falta de instrução do povo brasileiro.

28 fev. nº 4
Crônica, O. B.
Do naufrágio de uma barca na Baía de Guanabara, meses antes, O. B. retira dois relatos episódicos e conclui que *o homem é incontentável*.

O Carrilhão da Bruxa, O. B. – Astaroth
Observando escavações arqueológicas em andamento no Largo da Carioca, O. B. constata que os arqueólogos fazem levantamento dos males que assolam o Rio: miasmas, febres, insolações etc.

Descobertas, Diabinho
Em tom irônico, Diabinho desfila as virtualidades implícitas na descoberta do raio X.

Política, Lúcifer
Segundo um interlocutor de Lúcifer, as instituições políticas só se fortalecem por intermédio

1. Publicado entre 1893 e 1895, *O Álbum* tinha o formato de tablóide, foi dirigido por Artur Azevedo e secretariado por Paula Ney, primeiro, e por Emílio de Menezes, depois. Era semanal, a princípio, e teve 55 números no total. O editorial, em seu primeiro número, declarava: *"O Álbum" publicará crônicas teatrais e do "sport", contos, fantasias, versos, etc., além de ligeiros artigos comentando os fatos mais salientes do dia, com exclusão dos políticos, a que será completamente alheio.*

de lutas, sedições, confrontos e revoltas.

06 mar. nº 5
Crônica, O. B.
A instituição do divórcio é necessidade urgente.

O Carrilhão da Bruxa, O. B. – Astaroth
É preciso renovar o calçamento do Rio de Janeiro.

A Morte, Diabinho
Os perigos do Rio, *galante cemitério*, são o álcool, a febre amarela, a varíola, a tuberculose etc.

Pó das Praças, Belzebuth
O ofício dos que trabalham na limpeza pública.

Política, Belzebuth
Inglaterra e Brasil disputam a Ilha de Trindade.

Teatro, Lúcifer
A atuação de Ismênia dos Santos no palco carioca.

13 mar. nº 6
Crônica, O. B.
O cronista surpreende Rodrigues Alves, Ministro da Fazenda, a bordo de uma "vitória". A partir desse encontro inesperado, O. B. disserta sobre o câmbio baixo.

*Política**, Belzebuth
As péssimas condições higiênicas da Ilha das Flores, local onde desembarcam e são alojados os imigrantes recém-chegados.

O Carrilhão da Bruxa, O. B.
Surto de boatos políticos no Rio.
Fuga da Casa de Detenção.
Inauguração de uma indústria no Rio.
As péssimas condições higiênicas do Tribunal de Júri do Rio.
Aparecimento de *A Nova Revista* de Adolfo Caminha.

20 mar. nº 7
Crônica, O. B.
O rigor com que são educadas as crianças brasileiras leva-as à tristeza permanente.

O Carrilhão da Bruxa, O. B. – Astaroth
Que direito tem a polícia de prender cartomantes e deixar livre os jogos, ambos proibidos pelo código penal?
De São Paulo a notícia de que já há vinho nacional.
Falta água no Rio.
A Bruxa polemiza com *O País* a propósito de uma caricatura de Serzedelo Correia.

27 mar. nº 8
O Carrilhão da Bruxa, O. B. – Astaroth
A sonolência administrativa da Presidência da República.
A Bruxa recebe *Os Diamantes* de Rodolfo Teófilo, publicado pela "Padaria Espiritual" do Ceará.

Política, Belzebuth
O governo republicano mantém-se indiferente às perigosas movimentações restauracionistas.
O cronista faz profissão de fé republicana.

03 abr. nº 9
Crônica, O. B.
A fim de manterem sua pureza, às moças virgens e pobres deveria ser destinada uma cova especial quando de seu enterro, para que não se misturassem, eventualmente, com outros homens.

O Carrilhão da Bruxa, O. B. – Astaroth
Em tom de blague, O. B. narra uma viagem Rio-São Paulo pela Central, denunciando-lhe a má qualidade dos serviços.

Política, O Diabo Coxo
Os sebastianistas cariocas caracterizam-se pela inércia e pelo comodismo físico.

Teatro, Lúcifer
Lúcifer critica com azedume a idéia de um "empresário" que arregimentou crianças para a representação de uma opereta, *A Conquista de um Trono* de Brito Fernandes.

10 abr. nº 10
Crônica, O. B.
Em discussão, a lei de imprensa portuguesa e a brasileira, especialmente a que vigora em Pernambuco.

O Carrilhão da Bruxa, O. B. – Astaroth
Nova invenção de Cunha Sales: o Panteão Ceroplástico, cujo objetivo é o de cultivar nossa memória histórica.
Sugestão de novo tipo de calçamento para o Rio de Janeiro.

*Livros novos**, Belfegor
Crítica rigorosa à suposta contribuição da Casa Laemmert ao leitor brasileiro. Segundo o cronista, a editora não paga os autores e os tradutores; dá preferência a autores estrangeiros, e empastela as traduções.

17 abr. nº 11
Política, Belzebuth
Pernambuco livra-se do governo de Barbosa Lima, positivista confesso e prepotente.

O Carrilhão da Bruxa, O. B. – Astaroth
Inauguração da Escola Prática de Agricultura em Piracicaba, SP.
Demolido o teto da Igreja do Colégio em São Paulo.
Surto de febre amarela em Campinas, SP.
Fuga de presos em cadeia de São Paulo, capital.
Aberta concorrência, em São

Paulo, para a construção de um teatro lírico e dramático.
Chicoteado em plena rua o responsável pela edição de um pasquim carioca.
Novas revistas: *A Revista Brasileira* de José Veríssimo e a *Nova Revista* de Adolfo Caminha.
Campanha pelo divórcio.

Teatro, Lúcifer
O teatro carioca é uma *borracheira*.

24 abr. nº 12
O Carrilhão da Bruxa, O. B. – Astaroth
O editor Quaresma anuncia *romance de fogo... leitura escaldante* e a polícia não toma nenhuma providência.
Enquanto a peça *Rio Nu* de Moreira Sampaio faz imerecido sucesso, a prefeitura carioca afasta companhias teatrais estrangeiras, cobrando-lhes altos impostos.

Livros Novos, Belfegor
Bric-à-Brac de Valentim de Magalhães é *o museu de um analista e o museu de um poeta*, porque é livro de *impressões* [...] *dignas de conservação.*
A Casa Fauchon *é a livraria que ultimamente mais trabalhos nacionais edita.*

01 maio nº 13
O Carrilhão da Bruxa, O. B. – Astaroth
Celebração do mês de maio.
Andou mal o Ministro da Viação ao nomear um cidadão para o cargo de advogado da Central do Brasil. Segundo o cronista, isso não era necessário, pois a função cabia a um dos advogados do governo, já nomeado.
Mais uma vez Rui Barbosa mostra-se *inimigo feroz de todas as violências políticas* em seu recém-editado *Anistia Inversa, Caso de Teratologia Jurídica.*

08 maio nº 14
Crônica, O. B.
O cronista narra visita que fizera a um consultório de eletroterapia sob os cuidados do Dr. Simões Correia.

Política, Belzebuth
Declarando-se pan-americanista, Belzebu noticia que a Câmara dos Deputados vai tratar da autonomia de Cuba, mas não cuida de dotar nosso país de uma esquadra respeitável, atualmente em *triste penúria.*

O Carrilhão da Bruxa, O. B. – Astaroth
O governo nada faz para assistir Carlos Gomes em sua doença.
Anuncia-se novo tratamento americano para embelezamento da mulher.
Novo surto de repressão policial às prostitutas cariocas.
O cronista protesta contra a prepotência de um cidadão que teria aprisionado dois indiozinhos jovens no sertão do Mato Grosso.

15 maio nº 15
Crônica, Belial
Diminui a natalidade e aumenta a mortalidade no Brasil.

Política, Mefisto
A importância política de Francisco Glicério.
A falta de quórum na Câmara dos Deputados.

O Carrilhão da Bruxa, O. B. – Asmodeu
Alteram-se os pseudônimos dos colaboradores d'*A Bruxa*.
As prostitutas cariocas da rua do Senhor dos Passos homenageiam Evaristo de Morais, o advogado que as defende.
Disputa em torno da vaga de diretor da Secretaria do Conselho Municipal.
A doença de Carlos Gomes.

22 maio nº 16
Crônica, Fantasio
Com a morte do carrasco oficial de Madri, apresenta-se um padre para a função.

O Carrilhão da Bruxa, O. B. – Asmodeu
Disputa entre dois jornais cariocas, *A Notícia* e *Liberdade*, sobre *suposta surrupiação do* [...] *serviço telegráfico.*
Aumenta o consumo de álcool no Rio de Janeiro.
Homenagem a Pasteur na Academia Nacional de Medicina.

*Livros Novos**, Lilith
Lilith responde a Valentim Magalhães, que saíra em defesa da Casa Laemmert, criticada por Belfegor n'*A Bruxa* de 10 abr. passado.
O escritor brasileiro é lesado em seus direitos autorais, reafirma Lilith.

29 maio nº 17
Crônica, Fantasio
"Vida de Bronze" é o nome que Fantasio dá ao hábito de se erigir estátuas em homenagem a figuras importantes.

Política, Mefisto
Discutem republicanos e monarquistas a liquidação do Artigo 61 da Constituição.
A bancada de São Paulo *quer que a Central [Do Brasil] passe a pertencer àquele estado.*
Morreu Cristiano Otoni.

O Carrilhão da Bruxa, O. B. – Asmodeu
Em momento de tédio profundo, Asmodeu prega o individualismo e anonimato absolutos.

05 jun. nº 18
Crônica, O. B.
Onde acaba o juízo, onde começa a loucura?

Política, Mefisto
Contradições dentro da política fazendária: o Estado perdulário prega a austeridade financeira.

Selene, Fantasio
Com as tentativas de trazer a Lua mais perto da Terra, através de lentes aperfeiçoadas, o astrônomo Flammarion despoetiza nosso satélite, motivo de milenar tradição poética.

O Carrilhão da Bruxa, O. B. – Asmodeu
Asmodeu troca o barulho do Rio pelo sossego de Jacareí, pequena cidade paulista sem presos na cadeia, sem enfermos no hospital e nem álcool.

12 jun. nº 19
*Crônica**, O. B.
Dando a voz, carregada de ironia, a um negro africano, o cronista especula sobre as vantagens e desvantagens da civilização branca e ocidental, tendo como pano de fundo a invasão italiana da Abissínia, atual Etiópia.

O Carrilhão da Bruxa, O. B. – Asmodeu
O *melhor intérprete do "Rio Nu"*, peça teatral de enorme sucesso no momento, recebe elogios irônicos e não é nomeado.
Considerações irônicas sobre a instituição do duelo.
Versos de Belial, um dos pseudônimos de O. B. em *A Bruxa*, a uma atriz.
Está doente Coelho Neto.

Política, Mefisto
Mudança da sede do governo central: do Palácio do Itamarati para o Palacete Friburgo, atual Palácio do Catete.

Narrenschiff, O. B.
O. B. comenta o poema "Narrenschiff" de Sebastião Brandt.

19 jun. nº 20
O Carrilhão da Bruxa, O. B. – Asmodeu
A polícia usa os mesmos instrumentos utilizados pelos malfeitores – escadas de corda e gazuas – para invadir uma casa suspeita em São Paulo.

Teatro, Lilith
No Rio, Giovanni Emmanuel, o grande intérprete de Shakespeare.
A próxima "revista do ano" de Artur Azevedo chama-se *Fantasia* e é de extraordinária qualidade.
Empresários inescrupulosos exploram crianças que participam de peças teatrais no Rio.

26 jun. nº 21
Crônica, O. B.
O. B. comenta, entusiasmado, *Afrodite* de Pierre Louys.

O Carrilhão da Bruxa, O. B. – Asmodeu
Onde estão as festas juninas d'antanho?
O. B. presencia melancólica procissão de Corpus Christi.

Política, Belial
Os critérios pouco ortodoxos do Mal. Floriano em suas nomeações ministeriais.

Teatro, Lilith
Mais elogios à interpretação de Giovanni Emmanuel, insuperável em seus papéis de Shakespeare.
O trabalho respeitável de Dias Braga, ator e empresário.

03 jul. nº 22
Crônica, Fantasio
O cronista especula sobre a morte, a partir do caso de uma moça que ficara 22 meses "dormindo" no Hospício dos Alienados, depois que se soube traída pelo namorado.

Política, Belfegor
Duas homenagens recentes no Rio: uma cerimônia católica para Saldanha da Gama e um culto *acentuadamente positivista* para Floriano Peixoto, cuja *resistência desesperada*, já se reconhece então, *foi uma felicidade para o Brasil.*

O Carrilhão da Bruxa, O. B.- Asmodeu
O cronista relata longo concerto a que assistiu no *Teatro Lírico*.
Um deputado faz campanha pela *abolição completa das loterias nos Estados*.
Notícias de Emílio Rouède, atualmente vivendo no interior de Minas Gerais.

10 jul. nº 23
Crônica, O Diabo Coxo
Diabo Coxo diz ter-se infiltrado num almoço para embaixadores, oferecido pelo Ministério das Relações Exteriores.

Política, Mefisto
Pesar pelo suicídio de Leandro Alem, importante político argentino.

O Carrilhão da Bruxa, O. B. – Asmodeu
Um *livro adorável*, um *volume celestial*: *Livro das Noivas* de Júlia Lopes de Almeida.
Uma visita à Empresa de Refinação de Petróleo, sediado na Ilha de Brocoió.
O Rio vive intensa atividade musical no momento.
Poemas da Carne, de Cunha Mendes, é *um volume quente, sensual*.
Em serão doméstico, Valentim Magalhães lê dois capítulos de seu romance *Flor de Sangue*.
Atentado a bomba contra uma casa de jogo clandestino.

Teatro, Lilith
Versos bastante circunstanciais

celebram a *renovação* do teatro brasileiro: do romântico João Caetano à licenciosidade de o *Rio Nu*.

17 jul. nº 24
Crônica, O Diabo Coxo
Sobre um respeitável senhor negro, com mais de cem anos, que foi esfaqueado à porta de um botequim por um jovem valentão.

O Carrilhão da Bruxa, O. B. – Asmodeu
Os *Contos da Minha Terra* de João Luso, pseudônimo de Armando Erse, são contos em que se respira *a paisagem da aldeia portuguesa*.
Realiza-se logo, no Rio, um Festival Carlos Gomes.
Publicado *Quermesses* de Artur Lobo, livro de poemas sob influência excessiva dos parnasianos do momento.

Bastilha e Amapá, Lúcifer
Apesar da devoção extraordinária que demonstramos pela França, o Amapá é nosso!

Política, Mefisto
Sebastianistas cariocas acusam a República, ora porque tolera o jogo, ora porque o reprime.

Teatro, Belial
Paródia, em versos, sobre repressão policial ao jogo do bicho.

24 jul. nº 25
*Crônica**, O Diabo Coxo
Estudantes de Medicina do Rio queimam efígie de charlatão francês, o "médico" Dr. Fort, autor de *Les récits de ma vie*, no qual seu autor insultava a classe médica brasileira.
O espírito colonizado do brasileiro que se dobra fácil ao estrangeiro, sobretudo o francês.

A Rua – II, O. B.
O. B. divaga sobre as ruínas de um casarão em Botafogo, em especial sobre uma estátua de Vênus.

Política, Mefisto
Um incidente galhofeiro na Câmara enquanto se discutia a questão do divórcio.

Teatro, Lilith
Convocados por um empresário de teatro, reúne-se um grupo de jornalistas cariocas para se pronunciar sobre a qualidade moral de uma companhia argentina de zarzuelas, que representara, tempos antes,
em Buenos Aires, uma *moxinifada ignóbil, recheada de torpes ofensas ao Brasil e aos Brasileiros*. O veredicto final condena-a. Lilith contesta o veredicto. Para ele, nesses casos, quem emite o juízo final é o público e não o jornalista.

31 jul. nº 26
Crônica, Fantasio
Nova arbitrariedade policial, desta vez na rua do Ouvidor: escorraçados os vendedores de flores, apesar de estarem quites com os impostos municipais.

Política, Mefisto
As "quartas-feiras" *do Itamarati* são reuniões habituais absolutamente inócuas, apesar de pretenderem a discussão política.

O Carrilhão da Bruxa, O. B. – Asmodeu
No Senado, o projeto de lei sobre o divórcio foi derrotado.
Continua proibitivo o preço da carne.
Homenagem a dois músicos portugueses: Viana da Mota e Moreira de Sá.
Estabelecido o imposto em ouro.
Ameaça de nova elevação de preços.

07 ago. nº 27
Crônica, O Diabo Coxo
Em visita ao Hospício Nacional dos Alienados, o presidente Prudente de Morais é abordado por um paciente que, num diálogo imaginário, conta-lhe porque estava ali: tinha sido, tempos antes, governador de um país e fora rodeado de servidores inescrupulosos e corruptos.

Política, Mefisto
Ao contrário do hábito tradicional de se brindar o ex-governador com cadeira no Senado, o ex-Governador de Pernambuco, Barbosa Lima, foi eleito para a Câmara.

O Carrilhão da Bruxa, O. B. – Asmodeu
Em tramitação na Câmara um documento que obriga o Brasil a tomar a *sério reclamações diplomáticas*.
A *Gazeta de Notícias* abre seção nova: *O Filhote*.
Versos circunstanciais de Aluísio Azevedo, nosso cônsul em Vigo, Espanha.
Saiu o nº 1 de *Galáxia*, revista de arte.
Lançamento de nova marca de cerveja.
De nada adianta a eficiência do Corpo de Bombeiros se os hidrantes estão sempre secos.

14 ago. nº 28
Crônica, O. B.
Muito frágil a diplomacia brasileira, incapaz de reagir diante de afronta da Inglaterra e da Itália.

O Carrilhão da Bruxa, O. B. – Asmodeu
O cronista confessa nada entender das confusas finanças

públicas e dos repetitivos planos econômicos.

O Chabé, Fantasio
Mais uma utopia de língua universal.

Política, Mefisto
O Presidente da República mostra-se submisso ao partido que o elegeu.

21 ago. nº 29
Crônica, Fantasio
A partir de experiências aéreas realizadas por Otto Lilienthal na Alemanha, o cronista contrapõe o Norte criativo, por causa do frio permanente, ao Sul tolerante, por causa do calor.

O Carrilhão da Bruxa, O. B. – Asmodeu
Nova moda no Rio, da qual participa o cronista com entusiasmo: as corridas de touro.

Política, Belial
O governo em conflito com a colônia italiana de São Paulo.

Teatro, Lúcifer
Em cena, no Rio, *A Fantasia*, *linda comédia de costumes* da autoria de Artur Azevedo.

28 ago. nº 30
Crônica, O. B.
Uma parábola: num país rico, o povo era pobre. Como suas florestas eram de ouro, entendeu-se que era preciso *enriquecer o povo com o ouro*. Resultado: o país foi devastado e ficou tão pobre quanto seu povo.

Política, Mefisto
A indiferença política do Presidente Prudente de Morais.

Fantasia, Fantasio
Morreu por falta de amor a leoa do Zoológico.

Teatro, Belial
Transcrição de um trecho de *Fantasia*, a mais nova peça de Artur Azevedo, que é *um primor de sátira contra a poesia melosa dos recitativos*.

04 set. nº 31
Crônica, Mefisto
São ainda tensas as relações entre Brasil e Itália.

O Carrilhão da Bruxa, O. B. – Asmodeu
Triste exumação do cadáver de uma ex-atriz, Isabel Porto.
Sessão de pugilato na Câmara Federal.
A redação d'*A Bruxa* recebe livros novos.
O Rio não tem condições de hospedar visitantes estrangeiros, porque é cidade *suja*, [...] *descalçada*, [...] *mal cheirosa* [... e] *feia!*
Desavenças no alto escalão federal.
Homenagem ao último número de *D. Quixote*.
Aberto o *Salon* da Escola Nacional de Belas Artes.
Reparece *A Nova Revista* de Adolfo Caminha.

Teatro, Belial
Por causa da tensão entre Brasil e Itália, o povo carioca não foi prestigiar o retorno de Giovanni Emmanuel aos palcos do Rio.

11 set. nº 32
Crônica, O Diabo Coxo
Apesar de conhecer detalhes sobre inúmeros malfeitores cariocas, a polícia não pode prendê-los, porque *só se pode prender o gatuno quando se tem a certeza jurídica da sua gatunice*.

Política, Mefisto
Em momento de renovação do Legislativo, o cronista deseja a muitos *que não voltem* e que *leve lhes seja a terra, e profundo e perpétuo o esquecimento!*

18 set. nº 33
Crônica, Mefisto
Por ocasião da visita da Marinha argentina, o Presidente Prudente de Morais demonstra *um desdém soberano pela imprensa do seu país*.

O Cão de Fila, Fantasio
No Morro da Conceição ainda jaz um canhão enorme que ali fora instalado anos antes, durante a fase difícil da implantação da República.

O Carrilhão da Bruxa, O. B. – Asmodeu
Despede-se do Rio a Marinha argentina, deixando muitas saudades, sobretudo, entre as moças.
O brasileiro tem a faculdade de se identificar fácil com os problemas de outros países, até mesmo distantes, e se esquece do que se passa ao seu redor.
Inaugura-se um novo consultório odontológico no centro do Rio, no qual *todos os aparelhos são movidos pela eletricidade*.

Teatro,Lilith
Despede-se Giovanni Emmanuel dos palcos cariocas.

25 set. nº 34
Crônica, O Diabo Coxo
Em Piracicaba, SP, um clube social demonstra confraternização étnica porque seus dirigentes são um italiano, um alemão e um negro.

Política, Mefisto
Em decorrência das relações tensas entre Brasil e Itália, nosso governo decidiu colocar guardas à porta da legação italiana no Rio.

Espiritismo, Fantasio
Jacques, *alterego* de Fantasio para *crônicas fantásticas*, narra uma experiência em centro espírita.

02 out. nº 35
Carlos Gomes, O Diabo Vesgo
Necrológio para Carlos Gomes, desaparecido em meio à indiferença do poder público.

O Carrilhão da Bruxa, O. B. – Belfegor
O cronista confessa seu horror diante de uma exposição, supostamente educativa, montada com objetos teratológicos de cera.

A rua – III, O. B.
Andando de bonde pela cidade, o cronista depara com uma mendiga andrajosa que oferece bilhetes de loteria, tendo uma *criança amarela e suja*, dependurada em seus ombros.

Política, Mefisto
Mefisto contesta política orçamentária do governo que cancela verbas para a Escola de Belas Artes. Segundo ele, o responsável por isso é Alcindo Guanabara, o encarregado oficial do orçamento.

09 out. nº 36
*Crônica – O Divórcio**, Lusbel
A Igreja, composta de *charlatães de sotaina*, é a grande adversária da instituição do divórcio.

Teatro, Fantasio
Em versos, Fantasio satiriza a sonolência do governo federal.

Política, Mefisto
Caricaturas veiculadas pela imprensa atacam Júlio de Castilhos, *esse ditador de meia tijela, que governa o Rio Grande do Sul em nome de Augusto Comte e Clotilde de Vaux.*

16 out. nº 37
O Carrilhão da Bruxa, O. B. – Asmodeu
Uma visita à exposição de pintura de Parlagrecco. Reclamação generalizada sobre a falta de dinheiro.
Uma atração extra na Praça de Touros: um animal carregando uma caixinha com dinheiro desafia toureiros amadores.
Inauguração do *Clube dos Repórteres.*

Política, Mefisto[2]
Mefisto responde, de modo duro, a um deputado gaúcho que saíra em defesa de Júlio de Castilhos, esse *ditador de fancaria.*

30 out. nº 38
Crônica, Belfegor
A frágil vigilância do Hospício Nacional de Alienados e a conivência da direção quanto às fugas dos internos.

Política, Mefisto
O *Rio News*, jornal de propriedade de um norte-americano, especializa-se em difamar o Brasil e cobri-lo de ridículo.

Cooper, Fantasio
Fantasio celebra, com ironia, nova invenção do Dr. Cooper: em vez de cremar ou enterrar os cadáveres, esse médico de Pittsburgh sugere submetê-los a *uma formidável pressão hidráulica*, convertendo-os, pois, em *um tijolo de mármore.*

06 nov. nº 39
Crônica, Fantasio
Sobre a deposição de Lilinokalani, Rainha de Honolulu, em risco de ser exibida, comercialmente, por um empresário de espetáculos norte-americano.

Política, Mefisto
Cruzes pretas apreendidas no Centro Monarquista de São Paulo podem servir de pretexto ao governo, receoso da restauração monárquica, para o endurecimento do regime. [...] *já se fala vagamente em matar gente para consolidar as instituições...*

O Carrilhão da Bruxa, O. B. – Belfegor
Para Belfegor, o funeral de Carlos Gomes converteu-se em verdadeiro carnaval, pois que passearam seu corpo por todo o país.

13 nov. nº 40
*Crônica**, Fantasio
Fantasio apóia medida legislativa que extinguiu cursos de Economia Doméstica em escolas do Estado do Rio.

A Pedra, O Diabo Vesgo
Prudente de Morais, o Presidente, foi operado de cálculo na bexiga. Enquanto isso, Rodrigues Alves, Ministro da Fazenda, continua estorvando como uma pedra.

Declaração solene, Fantasio e Mefisto
Fantasio e Mefisto transcrevem matéria do jornal *Liberdade* em que são duramente atacados por um jornalista de nome Basson. A polêmica é sobre supostos movimentos de restauração monárquica, surpreendidos em São Paulo e que tinham sido objeto de comentário em *A Bruxa* de 06 nov. passado.

Política, Diabo Coxo
Os candidatos às próximas eleições não são senão indivíduos em busca de uma profissão. *Tudo é ambição, tudo é fome, tudo é vaidade!*

2. A frase inicial da crônica desvela o pseudônimo: *Quem escreve estas linhas é um certo Olavo Bilac...*

20 nov. nº 41
Crônica – A Protetora dos Animais, Fantasio
É auspiciosa a criação de uma Sociedade Protetora dos Animais. No entanto, mais útil seria o saneamento do Rio e a criação de um órgão que fiscalizasse os asilos onde se recolhem crianças.

Política, Mefisto
Bahia e São Paulo disputam espaço de influência junto ao poder federal.

O Carrilhão da Bruxa, O. B. – Asmodeu
A inoperância e a sonolência do Ministro da Fazenda Rodrigues Alves.

Livros Novos, Belfegor
Na Europa Latina de Gustavo Pena; *Cartas do Imperador Pedro I a Domitila de Castro; Os Ditadores da América na História e na Legenda* do Conselheiro Pereira da Silva.

27 nov. nº 42
A Bruxa – Pardal Mallet, O. B.
Necrológio para Pardal Mallet, morto aos 28 anos. O. B. ressalta-lhe o espírito quixotesco, sempre empenhado em campanhas como a que empreendeu a favor do divórcio e a favor dos direitos autorais.

Crônica, Mefisto
Nomeado para o Ministério da Fazenda o Sr. Bernardino de Campos, *um homem que é da mesma terra e tem a mesma proverbial moleza do Sr. Rodrigues Alves,* demissionário do cargo.

O Carrilhão da Bruxa, O. B. – Asmodeu
Inaugurada exposição de Antônio Parreiras.
Inaugurada uma academia de ginástica no Rio, o Ginásio Lauret.
A indumentária feminina é incompatível com o verão carioca. Convém que ela seja mais sóbria e menos pesada.
Têm melhorado os serviços da E. F. Central do Brasil.

04 dez. nº 43
Crônica, O. B.
O. B. comete a imprudência de rever, 15 anos depois, uma peça de teatro – *Estátua de Carne* – e chega à conclusão de que *nunca se deve querer reviver os dias que se foram...*

Pão em Pílulas, Fantasio
Os padeiros cariocas reduzem cada vez mais o tamanho dos pães.

*O Carrilhão da Bruxa**, O. B.- O Diabo Vesgo
Aplausos ao discurso de Lopes Trovão no Senado em favor de uma legislação sobre o trabalho das crianças.

Política, Mefisto
Conflitos políticos entre gaúchos e uruguaios terminam com a invasão do país vizinho.

Teatro, Puck
Continua a campanha, desta vez em versos, contra a má qualidade da revista *Rio Nu* de autoria de Moreira Sampaio.

11 dez. nº 44
*Crônica**[CIA], O Diabo Vesgo
Segundo o cronista, Antônio Conselheiro é *fanático, salteador, um maluco acabado e um refinadíssimo patife.*

Política, Mefisto
Depois de um ano de indolência e de disputas de caráter pessoal, *os senhores Legisladores houveram por bem,* finalmente, aprovar o orçamento.

O Carrilhão da Bruxa, O. B. – Asmodeu
Publicada a correspondência de George Sand, revelando detalhes de sua vida particular, Asmodeu se pergunta: qual a utilidade desse tipo de informação, senão o sensacionalismo?

Teatro, Puck
Artur Azevedo está escrevendo *A Capital Federal.*
Em vias de ser posta em cena a peça *Cristo,* de autor não mencionado.

18 dez. nº 45
Crônica, Fantasio
Apesar da presença de alguns funcionários públicos, Petrópolis, onde descansa Fantasio por alguns dias, é cidade bem mais agradável que o Rio.

Teatro, O Diabo Vesgo
Versos circunstanciais e zombeteiros dão conta de alguém, cujo nome não se menciona, que teria perdido o poder político.

Política, Mefisto
Mefisto sugere que, em vez de eleições, quase sempre fraudulentas, deveríamos fazer o sorteio puro e simples dos candidatos.

O Carrilhão da Bruxa, O. B. – Asmodeu
Morreu Mareo, *o grande caudilho da liberdade cubana.*
Fala-se em arrendar a E. F. Central do Brasil como forma de se impedir sua total derrocada e sua péssima administração.

O Jogo, Astaroth
O jogo com objetivo assistencial e beneficente deveria ser tolerado.

25 dez. nº 46-47
Crônica do Ano Novo, O Diabo Vesgo
Votos habituais de boas-festas a todos.

O Carrilhão da Bruxa, O. B.
– Asmodeu
Acusado o diretor de um seminário, em Rio Comprido (RJ), de ter seviciado uma criança.

Política, Mefisto
A política, em si, é a negação da sinceridade e da boa fé.

Bruxa (A) 1897

jan. nº 48[3]
Crônica, Fantasio
O Palácio do Itamarati, sede do governo federal, tem sido testemunha de presidências cruéis, misóginas, vingativas, tacanhas, retóricas ou sonolentas. É por esse motivo que um de seus espelhos despencou das paredes e partiu-se.

Política, Mefisto
Turbulência política no Estado do Rio de Janeiro.

O Carrilhão da Bruxa, O. B.
– Asmodeu
Na reforma que se fez no novo palácio do governo, foi criticada a instalação de uma sala de reuniões ministeriais em plena capela.
"Saudações" ao retorno da febre amarela.

jan. nº 49
*Crônica**, Fantasio
As festas em homenagem a José de Alencar servirão para atrair a atenção da população para os homens de letras deste país, classe desprotegida e espoliada por editores e donos de jornal.

3. Os números 48, 49, 50, 51 e 52 de *A Bruxa* não trazem data de publicação.

O Carrilhão da Bruxa, O. B.
– Asmodeu
O chefe de Polícia do Rio, Dr. André Cavalcanti, é homem liberal e tolerante; o de São Paulo, Dr. Xavier de Toledo, *tem sangue na guelra* e quer *reformar os costumes da cidade.*

Política, Mefisto
Ao se despedirem do Conselho Municipal, os vereadores ganharam uma lapiseira de presente. Segundo Mefisto, é para que eles anotassem todos os itens sobre os quais deixaram de legislar.

jan. nº 50
Crônica, Fantasio
Fantasio celebra, em versos, a inauguração de nova linha circular da E. F. Central do Brasil, que vai de Madureira a Cascadura.

Política, Mefisto
A simples viagem de um alto funcionário do governo federal, que desceu incógnito de Teresópolis, dá margem a uma série de boatos e de especulações.

O Carrilhão da Bruxa, O. B.
– Asmodeu
Anuncia-se a extinção, por medida de economia, da Colônia Correcional de Dois Córregos (SP?), instituição que recolhe criminosos de baixa periculosidade.
Asmodeu pronuncia-se contra a concessão de *habeas corpus* ao Dr. João Mendes de São Paulo.
As reclamações italianas (?) foram satisfeitas pelo governo brasileiro. No entanto, engalfinham-se agora os que têm direito à indenização.

Teatro, Lilith
Crítica favorável a uma exibição de fantoches em teatro carioca.

jan. nº 51
Crônica, Fantasio
Nesta crônica, Fantasio atua como conselheiro sentimental.

Política, Mefisto
Mefisto estranha que tantos juízes andem se abstendo de julgar, alegando suspeição.

O Carrilhão da Bruxa, O. B.
– Asmodeu
Caiu em desgraça política o Dr. Francisco de Castro, porque *ousou criticar idéias e planos do Partido Republicano Federal.*

Sauve qui peut!, Puck
Versos satirizam a formatura de médicos cariocas.

05 fev. nº 52
O Carrilhão da Bruxa, Asmodeu
O Rio, a *cidade mais suja do mundo*, deveria mudar de padroeiro, porque as flechas de São Sebastião não são simbólicas: são setas *que picam também as carnes da cidade.*

*Política**[CIA], Mefisto
A guerra civil de Canudos é muito mais grave que a do Rio Grande do Sul e a da revolta naval, – porque é uma guerra feita por fanáticos, por malucos furiosos que o delírio religioso exalta...
Antônio Conselheiro engrossou as suas fileiras com os sebastianistas e com os republicanos descontentes...

Teatro, Lilith
Versos humorados exigem a apresentação urgente de *A Capital Federal* de Artur Azevedo como forma de *desbanalizar* o teatro nacional.

12 fev. nº 53
Crônica, Lúcifer
Uma casa assombrada no centro do Rio mostra ser apenas um

pardieiro cheio de ratazanas famintas.

Política, Mefisto
Mefisto censura a ausência do Presidente Prudente de Morais, descansando em Teresópolis.

Teatro, Fulmen [?]
A estréia de *A Capital Federal* de Artur Azevedo foi um sucesso, demonstrando que é possível um teatro popular sem as obscenidades de o *Rio Nu*.

19 fev. nº 54
[Inexiste na coleção de José Mindlin e de Erich Gemeinder.]

26 fev. nº 55
Crônica, Lúcifer
Cristãos da França, Itália, Inglaterra, Alemanha e Rússia unem-se aos turcos muçulmanos para atacar a Grécia.
Lúcifer não se conforma que França e Itália participem da agressão ao país grego que *lhes deu o ser!*

Política, Mefisto
De um lado, Canudos; de outro, a inauguração do Palácio do Catete, cuja decoração não contou com os préstimos da Escola Nacional de Belas Artes, mas sim com a do Engº Aarão Reis, especialista em açudes e obras viárias.

Sonho, O Diabo Vesgo
No calor de fevereiro, Diabo Vesgo sonha em tornar-se sorvete, transformando-se num *pezzo duro*.

O Carrilhão da Bruxa, O. B.- Asmodeu
Expande-se o espiritismo de origem kardecista no Rio. Asmodeu lembra que conhecera o Prof. Ângelo Torterolli, um de seus divulgadores, quando ambos foram presos em 10 abr. 1892 no *Aquidabã*.

05 mar. nº 56
Crônica, O Diabo Vesgo
Diabo Vesgo festeja o fim do Carnaval.

O Carrilhão da Bruxa, O. B. – Asmodeu
Atrasou-se *A Bruxa* esta semana por causa do Carnaval.
Os preços altos modificam os hábitos carnavalescos e impedem o desfile de carros luxuosos com mulheres semidespidas.
Prudente de Morais retoma suas funções de presidente omisso, para continuar *a mesma vida de caramujo, de tatu, de preguiça*.
Na prisão, um explorador de asilos infantis, o Dr. Basílio de Morais, que se dá por educador.

Política, Mefisto
Câmaras sem lutas estéreis, sem bate-barbas, sem atropelos, sem descomposturas, não podem existir.

Romeu e Julieta, Olavo Bilac
Tradução do ato 3, cena 7, aquela em que Romeu despede-se de Julieta, ao amanhecer.

12 mar. nº 57
Crônica, O Diabo Vesgo
Coelho Neto é romancista *com imaginação de fogo*, observador rigoroso *das coisas da vida*, dono de *vocabulário* [...] *opulentíssimo* e exímio cultor da língua.

Política, Mefisto
A inércia da Presidência da República é a grande responsável pelo recrudescimento sebastianista que se observa em Canudos.

Teatro, Lúcifer
Em forma de diálogo teatral, vários hóspedes de um hotel no interior de Minas lamentam a pasmaceira local e, logo em seguida, são surpreendidos com a chegada de novo grupo de exilados, vindos do Rio. E um deles se pergunta: *Que seria dos hotéis de Minas, se não houvesse revoluções no Rio?*

19 mar. nº 58
O Carrilhão da Bruxa, O. B. – O Diabo Vesgo
Uma disputa amorosa em taberna carioca termina em assassinato.
Atenua-se o verão *carioca*.

*Política**[CIA], Mefisto
Os preparativos militares em torno de Canudos devem ser mantidos no mais absoluto segredo. Se for necessário, deve-se recorrer ao estado de sítio, previsto pela Constituição, pois que *é preciso cercar a desforra que se prepara de todas as garantias de sucesso.*

Em Paris, Asmodeu
Asmodeu comenta uma notícia da *Révue Encyclopédique Larousse* que dá o México como sede do conflito de Canudos.

Teatro, Lúcifer
Dias Braga, empresário responsável pela montagem, no Rio de Janeiro, de Martins Pena, José de Alencar, França Júnior, Artur e Aluísio Azevedo vê-se forçado a viajar para o Norte em busca de novas platéias.

02 abr. nº 59
Crônica, O Diabo Vesgo
Mais um homicídio passional no Rio de Janeiro.

Política, Mefisto
Seriedade e política são instâncias incompatíveis.

O Carrilhão da Bruxa, O. B. – Asmodeu
Os últimos aniversários fartamente comemorados: de Figueiredo Coimbra, de Henrique Lisboa, de Simões Correia,

de Dermeval da Fonseca e de Guimarães Passos.

09 abr. nº 60
Crônica, O. B.
Segundo notícias de jornal, uma aldeia inteira, dos arredores de Nápoles, emigrou da Itália para São Paulo.

A Alvorada da Carne, Olavo Bilac
Fragmento do poema "A Alvorada da Carne" de O. B.

O Carrilhão da Bruxa, O. B. – Asmodeu
Em julgamento, o novo escândalo que envolve asilos infantis. Desta vez, o grande implicado chama-se Dr. Basílio de Morais.

Política, Mefisto
Modificações na cúpula policial da rua do Lavradio não são garantia necessária de maior eficiência dos serviços policiais.

23 abr. nº 61
Exemplar não localizado.

14 maio nº 62
*Crônica**, Otávio Bivar
O Brasil não comemora o Dia do Trabalho no 1º de maio como os europeus. Talvez fosse o caso de os imitarmos.
Em compensação, comemoramos o nascimento de Alencar, que *soube lançar o alicerce de uma literatura positivamente nacional.*
E ao lembrar ambas as comemorações, O. B. aproxima-as, porque *nesse dia, na Europa celebra* [sic] *a festa dos operários da oficina, do laboratório e do campo. Esses são lá os que não têm amparo; aqui, os que não têm amparo são os operários do Pensamento...*

Política, Mefisto
Quem nasce fazendeiro deve se tornar governador e político?

Teatro, Puck
Diálogo teatral: o mordomo lamenta que o dinheiro público, gasto em festas e banquetes, não esteja em seu bolso.

nº 63
Exemplar não localizado.

30 jun. nº 64[4]
Exemplar não localizado.

Cigarra (A) 1895

09 maio 1895 nº 1[5]
Crônica, Fantasio
Maio é o mês das flores... e das mulheres. E o cronista afirma que, aconteça o que acontecer no Brasil e no mundo, seu âmbito é a rua do Ouvidor, *radiante viela por onde passa, em ondas que cantam, o rio da beleza mundana!*

16 maio 1895 nº 2
Crônica, Fantasio
[...] *no Brasil já não há "batuques", como já não há escravos*, hoje substituídos por *alemães rubros,* [...] *italianos cabeludos e* [...] *chins amarelados.*
Um *casamento escandaloso* agita os jornais cariocas: 21 anos depois ainda não se consumara.

Teatros, Puck
Chegando ao Rio o grupo de Freitas Brito.
Em cena, e com sucesso, *O Major*, a mais nova revista de Artur Azevedo.

23 maio 1895 nº 3
Crônica, Fantasio
O cronista apregoa a ignorância dos simples. A do camponês chinês, por exemplo, que não sabia ter sido seu país invadido e dominado pelo Japão; ou a do capiau mineiro que, em plena Revolta da Armada, não sabia que Pedro II já não era mais o Imperador brasileiro.

Teatros, Puck
O gênero "revista do ano" peca pela excessiva circunstancialidade histórica e social. É inevitável que seu autor tome partido político, uma vez que, em sua grande maioria, seu ofício é o jornalismo, onde essa opinião é necessária.
O teatro, além disso, foi feito para relaxar e não para exacerbar paixões políticas. Portanto, *abaixo a política no teatro!*

30 maio 1895 nº 4
Crônica, Fantasio
Entre os gregos antigos e os tempos atuais, modificou-se a natureza do esporte. Antes, era ele praticado como forma de aperfeiçoamento físico. Hoje, profissionalizou-se e serve de espetáculo a quem disponha de tempo para

---

4. Em abr. 1898 surge a 2ª série de *A Bruxa*, também semanal.
Na redação: Alfredo Santiago; na administração: Leopoldo Cabral; na seção artística: Celso Hermínio.
O número 2 dessa segunda série é de 30 abr. 1898.
O. B. colabora esporadicamente, com poemas, nos primeiros números.
5. Em espécie de editorial, não assinado, *A Cigarra* proclama: *Amigos! o tempo dos romantismos passou. Pode-se amar, ao mesmo tempo, o calembourg e o paté de foie gras, as facécias de Gil Blas de Santilhana e as apólices da dívida pública, os belos olhos de uma mulher e o seu dote. Nós estimamos a propriedade: no dia em que tivermos casa própria e uma tiragem de 200.000 exemplares, nem por isso nos consideraremos incompatibilizados com a Graça e a Alegria, fontes perpétuas do rejuvenescimento.*
Compunham a revista: na redação, Olavo Bilac; na ilustração, Julião Machado; na administração, Manuel Ribeiro Jr.

praticá-lo ou de dinheiro para apreciá-lo.

Ode ao frio, B.
O frio favorece a prática do amor.

Teatros, Puck
É preciso que o poder público ofereça assistência e carreira burocrática para os atores. Isso consistiria em ponto, promoção, aposentadoria etc.
Estréia de Novelli no *Teatro Lírico*.
Estréia de *O Aquidabã*, a terceira revista do ano.

06 jun. 1895 nº 5
Crônica, Fantasio
As festas juninas favorecem os sonhos e os desejos, pois seus três patronos – Santo Antônio, São João e São Pedro são santos de boa índole.

Vedada, B.
O amor tem-se mostrado ao A. como uma cidadela inatingível e inexpugnável.

Teatros, Puck
Estréia outra revista: *A Bicharia* de Vicente Reis.
O talento do ator Ermette Novelli.

13 jun. 1895 nº 6
*Crônica**[CF], Fantasio
O cronista escandaliza-se com a abertura de uma Faculdade Livre de Direito. A seu ver, é mais que provável a queda da qualidade do ensino.

Terza Rima, Olavo Bilac
O amado resiste em partir, seja porque a noite se aproxima, seja porque se aproxima o dia.

Teatros, Puck
Novelli em *Família Pont Biquet*, em *O Mercador de Veneza* e em *The Taming of the Shrew*.

20 jun. 1895 nº 7
Crônica, Fantasio
Que nome se deve dar à projetada capital nova do país? Cabrália? Brasília? Goiás? Vera Cruz? Pinsônia?
Não importa. Fantasio não arreda pé do Rio e de suas *ruas finas, torcidas e sujas como intestinos*.

Quiromante, Fantasio
Fingindo-se conhecedor da quiromancia, Fantasio acusa Ema de não amá-lo. Ela protesta e entrega-se.

Teatros, Puck
Novelli em *Os Espectros* de Ibsen, representado pela primeira vez no Brasil. Puck recomenda a peça e o ator.
Novelli em *Nero* de Pietro Cossa: Um *dramalhão mal-feito*.
Ermette em *Um Drama Novo*, de autor não mencionado.
Nos demais teatros, *revistas, revistas, revistas...*

27 jun. 1895 nº 8
Crônica, Fantasio
Fantasio incentiva as mulheres a se vestirem bem e a se enfeitarem, desobedecendo a seus maridos e pais. Afinal, argumenta ele, *os homens se fizeram para viver derreados ao peso da canga e as mulheres derreadas ao peso do luxo*.

Teatros, Puck
Quem não gosta de Novelli, sobretudo em sua interpretação do *Hamlet, é burro!*
Diante dessa opinião generalizada, Puck admite: *Sou burro? paciência...*

04 jul. 1895 nº 9
Crônica, Fantasio
Decresce no Rio o prestígio dos prestidigitadores e dos ilusionistas.

Reincarnação, B.
B. corteja Laura, jovem viúva do Comendador Mendonça.
Convidado por ela para um jantar, B. fica sabendo, durante a refeição, que aquele dia era aniversário de casamento de Laura.
Inquieto, B. mal termina de comer.
Em seguida, B. e Laura confundem-se em beijos e carícias. O que incomodava B., um pouco, era ser chamado de Mendonça.

Teatros, O.
O. aplaude Novelli em *Pão Alheio* de Turgueniev, mas não recomenda o ator em *Otelo*.
A platéia brasileira identificou-se rápido com a peça do dramaturgo russo.
Apoio à idéia de Ferreira de Araújo: trazer Novelli anualmente ao Brasil com o objetivo de *dar o concurso do seu talento e do seu saber à formação do nosso Teatro Nacional*.

11 jul. 1895 nº 10
Crônica, Fantasio
As mulheres deveriam abolir o negro do luto.
Mármores de Francisca Júlia contém versos sem *o falso pudor e a monótona lamúria, que, em geral, se encontram nos versos de mulheres que por aí aparecem*.

Os gramáticos, B.
Em Lisboa, B. fora convidado para assistir a uma assembléia de fundação da Sociedade Propagadora da Instrução.
Eis que irrompe feroz discussão durante a leitura do projeto dos estatutos: um dos presentes queria saber onde ficara o verbo de determinada oração.
Ao fim e ao cabo, não se fundou a Sociedade.

Tristezas..., O.
O. recebe a visita de um funcionário municipal que vem contar-lhe que seu salário (de fome) só sai quando a Prefeitura recolhe o imposto predial.

Teatros, Puck
Em vez de uma companhia lírica, o Rio tem uma companhia de *pelotiqueiros, contorcionistas, equilibristas* etc.
O que compensa é a presença da Cia. Imperial Japonesa.

18 jul. 1895 nº 11
Crônica, Fantasio
Na faixa dos 30 anos, Fantasio invoca "velhos" companheiros de geração como Coelho Neto, Aluísio Azevedo, Luís Murat, Guimarães Passos e Pardal Mallet, lamentando os sonhos perdidos, as responsabilidades que cresceram e a *infecção da política*.

Teatros, Puck
O cantor Leopoldo Fregoli estréia no *Teatro Lírico*.

25 jul. 1895 nº 12
Crônica, Fantasio
Ao mesmo tempo em que aumenta o número de gatunos no Rio, aumenta também a ineficiência policial.

Stambouloff, X.
X. lamenta o ódio político que vitimou Stambouloff, ex-Primeiro-ministro búlgaro, assassinado de modo impiedoso.

Teatros, Puck
Puck não aceita que tenham reinaugurado o *Teatro Fênix Dramática* sob novo nome, o de *Teatro Nacional*. Para Puck, um teatro que exibe companhias estrangeiras e cujo diretor é português, o Sr. Ludgero Viana, não pode se chamar *Nacional*.

Anunciado o retorno de Novelli aos palcos cariocas.

01 ago. 1895 nº 13
*Crônica**, Fantasio
A Inglaterra empresta seis milhões de libras ao Brasil. E Fantasio alerta: *quanto mais empréstimos se fazem, mais cara fica a vida, mais impostos para quem trabalha, mais continuamos a exultar*.
Os ingleses ocuparam a Ilha de Trindade.
O brasileiro educado conhece mais Baudelaire que Gonçalves Dias e Basílio da Gama, cujo centenário se aproxima.
Em qualquer país civilizado, Aluísio Azevedo, autor já conhecido, não teria tido necessidade de prestar concurso para a carreira consular, com o objetivo de alcançar estabilidade profissional, negada pela carreira de escritor.

Reportagem Fluminense, X.
X. descreve uma cena que presenciara à noite, num jardim doméstico: duas sombras que se atracavam em meio a ruídos de beijos.

Teatro, Puck
No Rio, o homem de teatro Silva Pereira.
No *Apolo*, o ator cômico português José Ricardo interpreta *Sinos de Corneville*, um *verdadeiro triunfo*.

08 ago. 1895 nº 14
Crônica, Fantasio
Voltando da inauguração do Instituto Benjamin Constant, Fantasio encontra uma mulher maltrapilha, um indivíduo leproso e uma outra mulher doente, deles ouvindo um diálogo em que um dos interlocutores defendia a degola generalizada dos federalistas do Sul.

Diante disso tudo, Fantasio se pergunta qual a vantagem de ter bons olhos e bons ouvidos.
No entanto, logo em seguida, diante de uma mulher bonita que lhe atravessa o caminho na Ouvidor, Fantasio reconsidera o seu pessimismo.

Reportagem Fluminense, X.
X. ouve o lamento de uma amiga que se indignara com o respeito exagerado que lhe devotava um pretendente.

Teatros, Puck
Novelli despede-se do Rio.
Concerto de Alberto Nepomuceno no Instituto Nacional de Música.

15 ago. 1895 nº 15
Crônica, Fantasio
Derrame de dinheiro falso no Rio.

Teatros, Puck
Puck indignado porque o Teatro São Pedro, onde outrora se exibia João Caetano, tornou-se teatro de variedades.
Augusta Cordeiro fez um benefício no Teatro Apolo, encenando a *Grã-Duquesa de Geralstein* de Offenbach.

22 ago. 1895 nº 16
Crônica, Fantasio
As festas de Nossa Senhora da Glória.

Teatros, Puck
Nenhuma novidade nos teatros cariocas.

29 ago. 1895 nº 17
*Crônica**, Fantasio
Diante de um júri popular que julga um marido traído que assassinara a esposa, Fantasio é claro: o júri popular é uma farsa e o homem traído *não tem o direito de tirar a vida de ninguém*.

Teatros, Puck
No *Teatro Éden*, *Zizinha Maxixe*, uma *ignomínia brasileira*.
O *Coliseu Lavradio* é uma sala limpa e arejada.

05 set. 1895 nº 18
Crônica, Fantasio
Fantasio visita uma *vernissage*, novo hábito social, na Escola de Belas Artes. Presentes grandes figuras da intelectualidade do momento: Artur e Aluísio Azevedo, Coelho Neto, Machado de Assis, José Veríssimo, Belmiro de Almeida, Rodolfo e Henrique Bernardelli, Amoedo, Parlagrecco, Valentim Magalhães, Filinto de Almeida etc.

Teatros, Puck
Artur Azevedo em plena campanha para se construir *um teatro igual ao de D. Amélia, em Lisboa*. Só assim o espectador carioca se veria livre *dessas hediondas estrebarias*.

12 set. 1895 nº 19
Crônica, Fantasio
Fantasio recorda antigas festas de 7 de Setembro, especialmente aquelas em que havia combates entre Nagoas e Guaiamuns, tradicionais bandos rivais na capoeira.

Teatros, Puck
Loïe Füller e Zaira Tiazzo no Rio.
Ismênia Santos representando *Morgadinha de Val Flor* no *Teatro Lucinda*.
Emília Adelaide retorna com *Padeira* no *Variedades*.

19 set. 1895 nº 20
*Crônica**, Fantasio
Com *Livro de uma Sogra*, Aluísio dedica-se ao estudo de *uma alma de mulher, uma alma só, grande e meiga*, redimindo a imagem negativa que dela, habitualmente, se faz.

Teatros, Puck
Puck impressiona-se com a interpretação *nefelibata* de Ida Füller em A *Dança Serpentina*.

26 set. 1895 nº 21
Crônica, Fantasio
Fantasio, impressionado com o suicídio de Isaltina, uma órfã negra de sete anos, que preferiu a morte aos maus-tratos.

Vida Noturna, Puck
Confessando-se notívago, Puck muda a orientação de sua coluna, deixando de cobrir os espetáculos teatrais apenas.
Palmira Bastos, atriz de prestígio, oferecerá um benefício, em breve, no *Teatro Apolo*. A peça chama-se *A Cigarra*.

03 out. 1895 nº 22
Crônica, Fantasio
Fantasio elogia *o abençoado espírito de ordem e disciplina* da Argentina que, segundo notícias de jornal, está empenhada em fazer um recenseamento de seus cavalos.

Teatros, Puck
Artur Azevedo escreve *Revelação de um Segredo*, um monólogo em 21 quadras, especialmente para Silva Pereira, ator veterano e de prestígio que merecera, há pouco, as honras de um benefício.

10 out. 1895 nº 23
Crônica, Fantasio
Visitando uma exposição industrial, Fantasio "encontra-se" com Erasmo de Roterdã.

Os Velhinhos, Puck
Em versos, Puck aconselha o beijo, o amor, o sono e a cama em vez dos teatros vazios e entediantes.

17 out. 1895 nº 24
Crônica, Fantasio
É cruel e inaceitável o pretenso esporte de tiro-aos-pombos.

Em circulação pelo Rio um gatuno elegante, o Dr. Antonio.

24 out. 1895 nº 25
Crônica, Fantasio
As vantagens e desvantagens do casamento *é a questão do dia*.

Livros Novos, O.
Grande gala para as letras brasileiras: o lançamento de *Várias Histórias* de Machado de Assis. Lançado também *A Alma Alheia* de Pedro Rabelo.

*Vida Noturna**, Puck
Pode-se admitir o monólogo e o aparte na comédia? O que se deve entender por *verdade no palco*?

31 out. 1895 nº 26[6]
Faceira, OB
A faceirice feminina é atributo inato.

Combate (O) 1892

19 jan.[7]
Vida fluminense, Pierrot
A inclemência do calor, a falta de água, o perigo das febres, a indiferença do governo e a resignação da população, *tão paciente e tão boa, tão prudente e tão meiga, que se deixa morrer de sede, sem se rebelar contra quem a trata com tão pouco caso*.
A morte do velho ator Areas.

6. Em nota editorial, a revista anuncia que O. B. despede-se do cargo de redator-chefe, sendo substituído por Pedro Rabelo.
O. B. sai *por motivos alheios à vontade dos que ficam, mas mantendo íntegra a solidariedade de imprensa que a estes o ligava...*
7. *O Combate* era secretariado por Pardal Mallet. Seu redator-chefe era Lopes Trovão e seu gerente era Plácido de Abreu.

"Os Mistérios do Povo", romance realista de Eugène Sue, que veio contar as *tristezas e os sofreres, e os gemidos, e as misérias e as fomes da raça trabalhadora, da sempre vitimada gente proletária...*
Aviso aos estrangeiros para que se inoculem, preventivamente, contra a febre amarela.
Contra a polícia que reprime o jogo.

Crônica livre, Flamínio
Sobre o ano que se inicia.
O que importa e o que é positivo é que somos homens, e chegamos tão depressa a emparelhar com os velhos países mais velhos da Europa, que já estamos quase a chegar antes deles ao fim de século dissolvente e chic. Civilizamo-nos. Metemos as mãos ambas no saco amplo da civilização, e tudo o que lá havia, tudo, vícios e progressos, bondades e maldades, purezas e depravações, aprendemos tudo, enchemo-nos de tudo.

20 jan.
Vida fluminense, Pierrot
Rumores de combate.
Na rua do Ouvidor *é o exército que passa... E de todas as bocas irrompe, unânime e espontâneo, um viva o exército! – que leva em si a convicção, de que todo o povo está possuído, de que ele é e será sempre a última esperança das liberdades oprimidas e das crenças republicanas desenganadas...*

21 jan.
Vida fluminense, Pierrot
Conflito entre republicanos e "sebastianistas" em São Paulo.
O cronista estende-se em protestos veementes (e irônicos...) de fidelidade à causa republicana.

22 jan.
Vida fluminense, Pierrot
Sobre um sargento ferido (Silvino) e em coma que, durante a Revolta de Santa Cruz, foi atravessado por uma bala que *entrando-lhe pela nuca, saiu-lhe pela boca, esmagando-lhe os maxilares.*
Embora sem condições físicas, o governo afirma que o sargento teria feito revelações comprometedoras sobre conspirações contra Floriano.

23 jan.
Vida fluminense, Pierrot
Ainda sobre o Sargento Silvino: *Eu, como repórter ativo, – desculpem a imodéstia – tive a ocasião de interrogar sobre o caso raro, vários médicos, e todos eles são concordes em declarar que o sargento Silvino,* no estado em que o descrevem os jornais, *não pode ter feito declarações.* (Grifo do cronista.)

24 jan.
Vida fluminense, Pierrot
Como cronista cabe a Pierrot *dizer que o governo comete quase um crime, gastando todas as suas energias em conquistar popularidades, e deixando que a população morra à sede, vitimada por uma epidemia terrível* de febre amarela. *O Rio de Janeiro está assolado por uma peste horrorosa; e, tudo isso, junto à falta de água e à má qualidade dos gêneros expostos, por preços exorbitantes, ao mercado, faz com que esta hedionda cidade mereça mais do que nunca a denominação de PESTÓPOLIS, que já alguém lhe outorgou.*
Sobre a alta de preços. Nos bordéis, inclusive.

25 jan.
Vida fluminense, Pierrot
As prisões arbitrárias e inexplicáveis do governo.

26 jan.
Vida fluminense, Pierrot
Vive a população a procurar alucinadamente, todas as manhãs, um quilo de carne que não esteja podre. Vive o governo, também, todas as manhãs, a procurar, no grande açougue da população, carne boa para dar de comer ao minotauro da legalidade.

27 jan.
Vida fluminense, Pierrot
Ironias contra o Chefe de Polícia que emitira documento público solicitando que a população carioca se convertesse em delatora de boateiros.
Alerta à polícia sobre meninas muito novas que penetram *em restaurantes equívocos* com o pretexto de vender flores.

28 jan.
Vida fluminense, Pierrot
Ainda sobre o convite à delação institucionalizada, emitido pelo chefe de Polícia.

29 jan.
Vida fluminense, Pierrot
Pierrot denuncia a existência de um virtual estado de sítio no Rio. A atitude de um delegado que não quer respeitar ordem do Ministro da Justiça no sentido de não se permitirem prisões arbitrárias.

30 jan.
Vida fluminense, Pierrot
Sobre a *exibição escandalosa e repugnante da moléstia e da miséria* em vias públicas.
Sobre a inoportunidade de um livrinho que discute, de forma acirrada, a idade de dois cavalos.
Sobre o livre exercício do voto em Niterói.

31 jan.
Vida fluminense, Pierrot
O *agente secreto* que acompanha o cronista a um jantar e que não pode participar da mesa.
Sobre a mulher de vestido muito decotado que foi presa, porque parecia um boato: alarmava a população.

01 fev.
Vida fluminense, Pierrot
O gradual açambarcamento dos ministérios por parte de Custódio de Melo: *à proporção que forem adoecendo os ministros, o sr. Custódio de Melo irá ocupando as pastas. E por fim deixará de ser ministro para ser ministério.*
A necessidade de se reformar as calçadas.

02 fev.
Vida fluminense, Pierrot
Sobre a influência nefasta do Positivismo.
Sobre os cadáveres que aparecem boiando na Baía de Guanabara: *São os cadáveres dos desgraçados que a sede de popularidade do governo mandou assassinar em Santa Cruz.*
O aniversário de Paula Ney.

03 fev.
Vida fluminense, Pierrot
Sobre os boatos e a proclamação policial que os proíbe.
A violência instituída pelo Estado.
Contra o desconto em folha dos funcionários públicos com o objetivo de pagar dívidas nacionais.

04 fev.
Vida fluminense, Pierrot
A prepotência e a voracidade ministerial de Custódio de Melo.
A sujeira na praia do Russel.
Sobre um roubo de jóias que vitimou uma atriz.

05 fev.
Vida fluminense, Pierrot
Diálogo sarcástico com uma senhora que se rebela contra a prepotência do governo.

06 fev.
Vida fluminense, Pierrot
Dá-se o atual governo ao luxo de violar correspondência dos cidadãos.
Uma nova forma de suicídio: viajar pela Central do Brasil.
Sugestões para um funeral positivista.

07 fev.
Vida fluminense, Pierrot
Sobre boatos de assassinatos políticos cometidos com a cumplicidade do governo.
Uma conversa imaginária na Confeitaria Pascoal sobre a procissão de São Sebastião contém alusões ao sebastianismo e à situação política.

08 fev.
Vida fluminense, Pierrot
O cronista sonhou que era um general chinês que subira ao poder à custa de muitos assassinatos políticos e de muita arbitrariedade.

09 fev.
Vida fluminense, Pierrot
O alto preço do pão.
Contra os positivistas que se apossam do governo e hostilizam a religião católica.

10 fev.
Vida fluminense, Pierrot
Em vez de se aprontarem para debelar rebeliões virtuais e futuras, a Marinha e o Exército deveriam preparar-se *para as descargas tristes do funeral* que haverá de assaltá-las em breve.
Sobre um inspetor de higiene que destruiu todos os ovos que encontrou no mercado, durante uma inspeção.

11 fev.
Vida fluminense, Pierrot
Apoio a jornais que criticam o governo florianista e repúdio ao *Figaro* que o apóia.
Floriano muda de residência.
A inoperância dos Correios.

12 fev.
Vida fluminense, Pierrot
Entrevista (imaginária) com Custódio que, diante de perguntas delicadas, sempre se desvia do assunto.

13 fev.
Vida fluminense, Pierrot
O Brasil é governado pelo espírito de Pedro II: *é a mesma política* [...] *de torna viagem, através das nuvens e do meio fluido.*
Custódio sonhara que dava ordens a Floriano, seu ajudante-de-ordens.
Estupradores de crianças devem ser empalados.
Não é justo que nossos diplomatas, em férias no Brasil, recebam como se estivessem no estrangeiro.

14 fev.
Vida fluminense, Pierrot
[Extraviado]

15 fev.
Vida fluminense, Pierrot
Alarma a falta de segurança diante do Tesouro Nacional.
Contra o delegado que não permite que se tome banho nu em Botafogo.
A morte do filho de Paula Ney.
A deposição dos governadores do Piauí e do Mato Grosso.
A alta dos preços de frutas e de alimentos.
A política de apadrinhamento do Governador de Niterói.

16 fev.
Vida fluminense, Pierrot
Suspeita-se que o Governador do Amazonas será deposto em breve.
O invasionismo e a arbitrariedade do Intendente Municipal Tasso Fragoso, positivista ortodoxo.

17 fev.
Vida fluminense, Pierrot
Uma charutaria na rua do Ouvidor que funciona como

ponto de encontro dos detentores do poder.
Os "tics", discretos ou não, de Floriano e de Custódio de Melo.

18 fev.
Vida fluminense, Pierrot
Polêmica contra *O Fígaro*, jornal situacionista de Medeiros e Albuquerque, que prega a prisão de jornalistas oposicionistas.
Sobre a prisão de oficiais que se negaram a depor o Governador do Amazonas.
O novo ocupante do governo de Santa Catarina.
Que os comerciantes se reúnam e digam "não" à carestia e aos preços altos.

19 fev.
Vida fluminense, Pierrot
Em defesa de um curandeiro de Niterói, uma vez que a Constituição permite o exercício livre da profissão.
Os incômodos intestinais de Custódio de Melo.
As lutas pela deposição no Ceará.
Sobre um telegrama de Londres, onde o representante brasileiro desmentia notícias de perturbação pública.
Sobre *O Fígaro* que pedia a cabeça dos conspiradores.

20 fev.
Vida fluminense, Pierrot
Sobre uma suposta visita de Floriano Peixoto ao Hospital dos Alienados. Entrevista com altos funcionários.

21 fev.
Vida fluminense, Pierrot
Pierrot acusa o governo de roubo, porque determinou a apreensão arbitrária de *A Capital*, jornal carioca.

22 fev.
Vida fluminense, Pierrot
A indiferença governamental perante a carestia de vida e a falta de água nas torneiras.
Contra o sensacionalismo da imprensa que faz estardalhaço sobre o rapto de uma mulher.

23 fev.
Vida fluminense, Pierrot
Sobre a loucura e o recolhimento ao hospício de Romão José de Lima, *editor responsável de todos os "a pedidos"* em alguns jornais cariocas.

25 fev.
Vida fluminense, Pierrot
[Extraviado]

26 fev.
Vida fluminense, Pierrot
Ironias sobre uma festa política em Niterói.
Será inócua a consulta de um delegado de polícia aos redatores-chefes de jornais cariocas sobre a moralidade de espetáculos públicos.
Explica-se a ausência de Custódio de Melo nesta coluna porque o general *está há quarenta e oito horas tomando banhos adstringentes de grelo de goiabeira.*
O cronista põe em dúvida a homenagem religiosa que fizeram aos mortos da Fortaleza de Santa Cruz, porque só a receberam os que morreram do lado de fora e não os que a defenderam e foram, posteriormente, *assassinados a pranchadas e atirados ao mar...*

27 fev.
Vida fluminense, Pierrot
As medidas inócuas da Intendência Municipal para organizar o Carnaval.
A febre amarela continua matando.
Ironias sobre a revolução de Floriano e de Custódio.
Sobre um provável processo (injusto, segundo o cronista) contra a *Gazeta de Notícias*.
A presença inútil de Rodrigues Alves no Ministério da Fazenda.

28 fev.
Vida fluminense, Pierrot
Segundo o cronista, o Brasil tem as mais belas rosas graças à incontinência intestinal de Custódio de Melo que as estruma sistematicamente.

29 fev.
Vida fluminense, Pierrot
Quando retoma suas funções de Ministro da Fazenda, Rodrigues Alves permite-se o desplante de auxiliar os bancos.
Sobre um irmão de Custódio de Melo que publica defesas do Ministro nos jornais, pagas pelo Tesouro Nacional.
Sobre um jornalista d'*O Fígaro* que é contra as eleições presidenciais.

01 mar.
Vida fluminense, Pierrot
Em vez de transferir o Carnaval para julho, como medida de higiene pública, o governo deveria sanear a cidade.
Sobre uma jovem e bela mulher que já arruinara vários corretores, provocara o ciúme de outras tantas mulheres e fora agredida em plena Ouvidor por um rapaz desconhecido. Interrogado sobre seu procedimento estranho, o jovem alega que era mais florianista que Floriano e que, por esse motivo, não gostava de alegria, Carnaval, amor, religião, bordéis etc.

02 mar.
Vida fluminense, Pierrot
Emissões do Tesouro Nacional.
Boatos sobre o ingresso em convento de Lucinda Simões, atriz portuguesa.
Comentários irônicos sobre medidas de um delegado que pretendia moralizar o teatro.

03 mar.
Vida fluminense, Pierrot
[Extraviado]

04 mar.
Vida fluminense, Pierrot
Segundo os jornais, prepara-se grande manifestação de apoio a Floriano.
Pierrot alerta os manifestantes para o dificuldade de se encontrar o homenageado, uma vez que seu domicílio é incerto e inconstante, pois anda *cheio de remorsos e de medo, a mudar todas as noites de casa.*

05 mar.
Vida fluminense, Pierrot
Para saldar a conta de um jantar ministerial, o Ministro enviou uma nota de 100$ ao proprietário do hotel. Como a importância era maior, a nota foi recusada. Diante disso, o assunto do jantar foi a *carestia dos gêneros.*
A falta de critérios para remanejamento de pessoal diplomático no exterior acarreta despesas adicionais.
Floriano está enredado em seu governo, assim como aquele conde russo que se vira preso dentro de um cofre que encomendara.

06 mar.
Vida fluminense, Pierrot
Os sonhos napoleônicos de Floriano.

07 mar.
Vida fluminense, Pierrot
[Extraviado].

08 mar.
*Vida fluminense**, Pierrot
Floriano despede funcionários da Quinta da Boa Vista.
Arbitrariedades de Floriano em Paraíba do Sul (RJ).
O Fígaro, jornal florianista, manifesta-se contra eleições.
Grave acusação nominal a Raul Pompéia: a de adulador do governo florianista[8].

09 mar.
Vida fluminense, Pierrot
Sobre um discurso sebastianista pronunciado no Instituto Histórico: o governo permite *que os monarquistas sebastianistas chorem o desaparecimento do Império, [mas] não admite que os republicanos oposicionistas prezem e queiram bem a [Deodoro, que] fundou a República.*

10 mar.
Vida fluminense, Pierrot
Conselhos a José do Patrocínio para que não responda aos ataques florianistas.
Que, pelo menos, o governo pague a condução dos acusados até a delegacia: *...uma vez que me obriguem a servir de ator nesta comédia florianesca* [...] *natural será que me paguem, já não ordenado, mas, ao menos, condução...*

11 mar.
Vida fluminense, Pierrot
O novo regime acaba com a especulação da Bolsa e, por conseguinte, com a movimentação da rua do Ouvidor. Mas o interlocutor de Pierrot pergunta-lhe se o governo também acabou com *a carestia dos gêneros, com a degringolada do câmbio, com a fome dos operários?*

12 mar.
Não colabora.

13 mar.
Não colabora.

14 mar.
Vida fluminense, Pierrot
Estão certos os navios norte-americanos que se recusam a atracar em Santos, temendo a febre amarela.
Os jovens que exigiram do proprietário de um bar que baixasse o preço do café deveriam ter-se dirigido ao Ministro da Fazenda Rodrigues Alves.

15 mar.
Vida fluminense, Pierrot
Pierrot acusa o governo e o jornal *O Fígaro* de temerem notícias dando conta de eventual reunião de operários que iriam promover comício e posterior saque ao comércio.

16 mar.
Vida fluminense, Pierrot
Em passeio à noite, iluminado pelo luar, Pierrot assiste a uma cerimônia em frente ao Itamarati: em cenário medieval a Legalidade casa-se com a Ordem, sob bênção positivista.

17 mar.
Vida fluminense, Pierrot
O governo não toma providências contra a febre amarela.
Sobre a união da "Paulinada" (?) em Niterói.

18 mar.
Vida fluminense, Pierrot
Sobre enorme cão de fila que perturba o sossego público nas imediações da residência de Floriano em Piedade.
Pierrot culpa a Legalidade pela morte de um operário em desastre na Central do Brasil, quando explodiu uma máquina do trem de subúrbio.

21 mar.
Vida fluminense, Pierrot
Necrológio para Romão José de Lima, jornalista anônimo encarregado dos "apedidos" em vários jornais cariocas.

8. Esta seria a famosa crônica que teria provocado o suicídio de Raul Pompéia em 25 dez. 1895.

Sobre a eterna ausência do Ministro da Fazenda Rodrigues Alves, sempre em viagem a São Paulo. Segundo Pierrot, suas viagens coincidiam sempre com perguntas inoportunas da imprensa a respeito da fazenda nacional.

22 mar.
Não colabora.

23 mar.
Vida fluminense, Pierrot
A acefalia do governo florianista. O presidente em Piedade e os ministros cada qual num canto, deixando o país à deriva.
A presidência da ferrovia responsabiliza-se pelos acidentados do último desastre da Central. O cronista aplaude a atitude, mas culpa o Sr. Antão de Faria pela desorganização da estrada de ferro.
Pierrot critica a Secretaria de Higiene que mandou jogar água nas ruas do Rio para evitar a poeira.

24 mar.
Vida fluminense, Pierrot
Aproveitando-se de mais um desastre na Central do Brasil, Pierrot compara o governo a uma locomotiva desgovernada, dirigida por um maquinista imprudente.
Crítica severa ao Ministro das Relações Exteriores, Serzedelo Correia, que enviou dinheiro a flagelados de inundação em Portugal, mas não socorreu brasileiros desprotegidos.
Sugestão de Pierrot: enviar à Exposição de Chicago o governo com todo seu ministério.

25 mar.
Vida fluminense, Pierrot
[Extraviado]

26 mar.
Vida fluminense, Pierrot
O estímulo dissimulado do governo às arbitrariedades positivistas contra a crença católica. Em defesa da liberdade de culto religioso.
Crítica à Intendência Municipal, chefiada por um positivista, que determinou a suspensão de autópsias em indigentes.

27 mar.
Vida fluminense, Pierrot
Repúdio aos que invadiram a Sala do Júri e destruíram as imagens sagradas que adornavam o ambiente. Pierrot acusa o governo, indiretamente.
Encerrado o inquérito sobre a sedição de Santa Cruz, o governo ameaça prender os culpados.

28 mar.
Vida fluminense, Pierrot
A alegria do passado não deve ser quebrada pela visão de um funeral, nem pela lembrança da existência de um Floriano ou de um Miguel Lemos.
O governo não pode obrigar os articulistas de jornal a colocarem seu verdadeiro nome sob os artigos, porque isso obrigaria o irmão de Custódio de Melo a se declarar.
A determinação municipal de se impedir autópsias provocou desconcerto geral na Escola de Medicina.

29 mar.
Vida fluminense, Pierrot
[Extraviado]

30 mar.
Vida fluminense, Pierrot
Resumo de *Os Cegos* de Maeterlinck. Alusão óbvia ao governo florianista.

31 mar.
Não colabora.

01 abr.
Não colabora.

02 abr.
Não colabora.

03 abr.
Vida fluminense, Pierrot
A procissão de desagravo à Igreja católica, pelo que aconteceu na Sala do Júri [v. *Vida Fluminense* 27 mar. 1892], não contou com a presença do Conselheiro Ferreira Viana.

05 abr.
Não colabora.

08 abr.
Vida fluminense, Pierrot
Uma visita de Custódio de Melo aos navios de guerra fundeados na Baía de Guanabara.
Ironias contra Tasso Fragoso.

09 abr.
Não colabora.

10 abr.
Não colabora.

11 abr.
Vida fluminense, Pierrot
Como cumprir medida moralista do governo que determina prisão em flagrante de embriagados? Como medir a carga etílica? A medida não poderia ter efeito bumerangue, isto é, voltar-se contra os próprios policiais?
O Rei de Daomé inicia o ano novo banhando seus pés em sangue de dez súditos degolados. Floriano poderia imitá-lo não fosse a falta de espaço no pátio do Palácio do Itamarati.

12 abr.
Vida fluminense, Pierrot
Ironia leve contra o estado de sítio[9].

9. O. B. foi preso em 11 abr. Saiu da prisão em 5 ago. do mesmo ano.

***Correio Paulistano* 1907**

03 set.
Vem cá, mulata..., Olavo Bilac
Contra o hábito de as bandas militares executarem obras populares (lundus, jongos, chorados, fandangos, caxuxas, catupés, fados e gaturdas), em situações que requerem outro tipo de música. Trata-se de *profanação*, pois que esse é um repertório de *músicas lascivas e cacofônicas*. É preciso que se pense na *reabilitação das nossas bandas militares*.

05 set.
Um precoce, Olavo Bilac
Sobre um recém-nascido de Salinas (MG), que teria pronunciado sua primeira fala horas depois do nascimento.

08 set.
Megalomania, Olavo Bilac
O Brasil balança entre a depressão e a euforia.
No momento, vive a euforia, acreditando que originais autênticos de pintores europeus de renome foram descobertos no país. [...] *o orgulho patriótico sufoca em todas aquelas almas a desconfiança!*

10 set.
*A chibata**, Olavo Bilac
Protesto contra a morte de um marinheiro que fora açoitado: *o crime que se cometeu desonra a nossa civilização e desonra toda a humanidade*.
É inútil a apresentação de projetos de lei, pois que as existentes não são cumpridas.

13 set.
*O que se diz de nós**, Olavo Bilac
Sobre uma notícia veiculada na França de que Coquelin teria sido condecorado, no Rio de Janeiro e em cena aberta, por um negro. O. B. afirma que foi José do Patrocínio o autor da homenagem e que não deve causar escândalo a atitude do abolicionista, pois que a cor de sua pele não é motivo de demérito.

15 set.
*As crianças**, Olavo Bilac
Em defesa de crianças cariocas exploradas no trabalho.
É preciso atentar para o que se esconde *sob as obras de saneamento e aformoseamento da cidade: uma terrível crise de trabalho*.

18 set.
*Na batalha das flores**, Olavo Bilac
O carioca, educado dentro de padrões extremamente rigorosos, não consegue manifestar descontração e alegria, exceto na ocasião do Carnaval. Vive-se ainda com *alma colonial*. A cartola coroa a respeitabilidade, o carrancismo, a bezerrice.

20 set.
*O modernismo**, Olavo Bilac
O espírito conservador do atual Papa Pio X, que se opõe à conciliação entre Ciência e Dogma.

22 set.
*O anti-Cristo**, Olavo Bilac
Apoio irrestrito às atitudes de João Pinheiro, presidente de Minas Gerais, que se opõe à cobrança de emolumentos na Justiça e defende a separação entre Igreja e Estado.
Segundo o cronista, certas pessoas poderiam ver no Presidente do Estado a figura do Anti-Cristo.

25 set.
*Fora da vida...**, Olavo Bilac
A alienação e o desamparo em que vive o lúmpen carioca que *se alastra pelos morros da zona ocidental e onde vive a nossa gente mais pobre, denso formigueiro humano, onde habitualmente se recruta o pessoal barulhento das bernardas, de motins contra a vacinação obrigatória, contra o aumento das passagens dos bondes, contra a fixação do peso máximo das carroças*.

27 set.
*Ou bacharel ou ferreiro**, Olavo Bilac
O país não deve se preocupar em formar bacharéis, nem ferreiros. Deve cuidar, antes de mais nada, do ensino primário.

30 set.
Gramáticos, Olavo Bilac
O. B. zomba de dois jornalistas paraenses que entraram em conflito por questões gramaticais.

03 out.
Ferrero e o luxo, Olavo Bilac
Sobre uma conferência que Ferrero pronunciou no Rio na qual discorria sobre o luxo da Roma antiga em comparação com o das sociedades contemporâneas.

06 out.
Espertos e tolos, Olavo Bilac
Sobre um brasileiro, Sebastião Magali, que estaria arregimentando outros aventureiros em Nova York para invadirem e conquistarem Minas Gerais.

08 out.
*Álvares de Azevedo**, Olavo Bilac
A inauguração de uma herma para Álvares de Azevedo motiva uma crônica em que se misturam recordações pessoais de um tempo vivido em São Paulo junto com a homenagem do cronista à figura do Barão do Rio Branco.

10 out.
Um suicida, Olavo Bilac
Um suicídio recente provoca no cronista indagações acerca da

possibilidade de se conhecer a intimidade das pessoas, mesmo com ajuda da Psicologia.

13 out.
*Um mendigo**, Olavo Bilac
Contra o absurdo de um sistema social que processa um indivíduo como *mendigo contumaz*.

15 out.
*Nevrose de sangue**, Olavo Bilac
Manifesto horror aos espetáculos sádicos das brigas de galo.

17 out.
*Os clubs**, Olavo Bilac
O. B. receia que a proliferação dos clubes ("consórcios", na linguagem de hoje) dê ensejo à criação de sorteios para cadeiras no Senado e na Câmara, tendo-se em vista *a profunda desmoralização dos costumes políticos*.

20 out.
*Os pés no chão...**, Olavo Bilac
A celeuma que provocou um projeto da Câmara exigindo que o cidadão andasse calçado pelas ruas centrais da cidade.

22 out.
*Eduardo Chapot**, Olavo Bilac
Necrológio para Eduardo Chapot. O cronista se lembra de seus tempos de estudante de Medicina quando, então, conheceu o cientista.

24 out.
*Flaubert**[CIA], Olavo Bilac
Por ocasião da inauguração de um monumento a Flaubert em Rouen, O. B. lembra-se de visita que fizera à cidade, na companhia de Eduardo Prado, Paulo Prado e Domício da Gama, em 1890. Por coincidência, Zola, Guy de Maupassant, Edmond de Goncourt e o editor Charpentier viajavam na mesma cabine do trem e em direção a Rouen também.

25 out.
Na Haya, Olavo Bilac
O. B. ironiza a descortesia com que foram tratados os representantes do Marrocos e da Coréia na Conferência de Haia.

27 out.
*O pau furado**, Olavo Bilac
Apoio a iniciativas que visem à constituição do serviço militar obrigatório, desde que sejam afastadas exceções *odiosas e ridículas* como as que dele isentam os *padres, os frades, os homens diplomados, e os funcionários públicos*.

29 out.
*O Pão de Açúcar**, Olavo Bilac
Um poeta, *que nunca fez versos*, lamenta que se queira dotar o Pão de Açúcar de um sistema de bondinho. *Vão injuriá-lo, infamá-lo, colando-lhe ao dorso duas serpentes de trilho de aço...*

05 nov.
Jus sepulchris, Olavo Bilac
Segundo o cronista, é tolice humana o desejo de se manter sepultura permanente. Mas, contra-argumenta seu interlocutor, *o homem é um animal "proprietário"*.

06 nov.
Zoolatria aguda, Olavo Bilac
A mais recente mania carioca: os novos animais que chegaram para o zoológico de Vila Isabel.

08 nov.
*O ensino público**, Olavo Bilac
Cabe ao Estado *o dever de sustentar e disseminar o ensino primário* do qual dependem a *salvação pública*, o *decoro do país*, a *dignidade nacional* e o *futuro da nacionalidade*. Sobretudo em momento de farta imigração proveniente de *partes da Europa em que mais terrível é o analfabetismo*.

11 nov.
A Exposição, Olavo Bilac
Preocupado, o cronista demonstra receio quanto ao possível cancelamento ou transferência de uma projetada Exposição Nacional a ser plantada próxima à Praia Vermelha no Rio, no ano de 1908. Seu cancelamento, lê-se de modo implícito, significaria o adiamento ou suspensão de projetos urbanos modernizantes para a cidade.

13 nov.
*No fim do mundo...**, Olavo Bilac
A partir de notícias referentes a conflitos entre brasileiros e peruanos em Tabatinga, na Amazônia brasileira, O. B. se pergunta sobre a vantagem de sermos proprietários de terras tão vastas, mas longe de nosso alcance. Trata-se, diz ele, de *herança pesada demais para nossas forças*.

15 nov.
*15 de Novembro**, Olavo Bilac
Depoimento pessoal, não sem uma ponta de ironia, relembrando o 15 de novembro de 1889. O. B. salienta o cansaço de Deodoro e o entusiasmo da multidão.

19 nov.
Os moços bonitos, Olavo Bilac
Um grupo de ladrões elegantes aterroriza a população carioca. Mas o cronista apressa-se em desfazer-lhes a imagem de elegância, atribuindo à imprensa essa invencionice.

24 nov.
*A propósito de um congresso**[CIA], Olavo Bilac
A Imprensa contemporânea não pode ignorar sua característica industrial [e de massa...]. Portanto, tem que conhecer uma ética flexível e

não pode recusar, de antemão, determinado tipo de noticiário ou de publicidade, como a dos curandeiros, feiticeiros, videntes, cartomantes etc. *Sem esse industrialismo, o jornal não poderia viver.*

25 nov.
*Um alívio**, Olavo Bilac
Diante da possibilidade de D. Luís de Bragança e Orléans tocar no Rio de Janeiro, quando de seu retorno do Uruguai a caminho da Europa, agitam-se monarquistas e republicanos.
Segundo o cronista, a decisão de passar reto foi um alívio, sobretudo para os monarquistas que corriam o risco de não contar com mais de uns poucos simpatizantes no porto.
No Rio, segundo O. B., há os monarquistas autênticos e os de fachada, que não se envergonham de ocupar posições na máquina administrativa republicana.

27 nov.
*Ultraje inútil**, Olavo Bilac
A despeito dos argumentos contrários, mesmo os de ordem religiosa ou jurídica, a cremação é expediente higiênico e seguro.

29 nov.
*Os térmitas**, Olavo Bilac
Apesar do trabalho dos historiadores e dos pesquisadores, que insistem em destruir mitos, como o de Joana D'Arc, a Poesia resiste, porque *ela vasa e talha as suas criações* no *bronze duro* e no *mármore rijo.*

01 dez.
*A escola do horror**, Olavo Bilac
Restrições à publicidade excessiva que a imprensa concede aos casos de homicídio. *É uma escola... É a Escola do Horror!.*

04 dez.
*O júri**, Olavo Bilac
O júri, tal como é constituído no Brasil, precisa ser modificado, porque suas decisões são anônimas e oriundas de um coletivo grande demais. O grupo precisa ser menor e o voto a descoberto. [...] *toda a responsabilidade impessoal e coletiva é tirânica, estúpida e covarde.*

05 dez.
Os aventureiros, Olavo Bilac
Não se deve dar o nome de aventureiros àqueles indivíduos sempre dispostos a lograr a fé pública, como Sebastião Magali. Aventureiros foram os descobridores, os bandeirantes, os exploradores...

09 dez.
*Barth**, Olavo Bilac
Alberto Barth, comerciante suíço radicado no Rio, deixou parte de sua fortuna para a construção de uma escola na cidade onde enriquecera. Eis um exemplo a ser copiado pelos milionários brasileiros que, ao morrerem, em geral, deixam suas fortunas para a Igreja. *Se todo o dinheiro que se gasta no Rio de Janeiro em missas, mandadas rezar por disposição testamentária de comendadores ricos, fosse empregado na construção de edifícios para escolas, já a Instrução Pública teria palácios em todas as ruas da cidade.*

11 dez.
*Na Academia**, Olavo Bilac
Na recepção da Academia Brasileira de Letras, Medeiros e Albuquerque faz discurso de boas-vindas para Augusto de Lima. Segundo O. B., Medeiros e Albuquerque prega o fim da poesia ou a *forma metrificada da expressão.*
O cronista discorda, lembrando que o ritmo é inerente à atividade humana: *o metro e a rima ainda hão de viver muito tempo,* mesmo que *a Poesia futura não tenha metro nem rima.*

14 dez.
*Jornais sem leitores**[CIA], Olavo Bilac
A imprensa carioca não prospera, porque não temos leitores.
Não temos leitores, porque nossa população é analfabeta.
Nosso analfabetismo cresce, porque recebemos grandes contingentes imigratórios da Europa. Não podemos exigir instrução obrigatória, porque os positivistas, os constitucionalistas e os sentimentalistas se arrepiam diante da obrigatoriedade.

16 dez.
*Trabalho de última hora**, Olavo Bilac
O. B. manifesta estranheza diante da pressa da Câmara em querer votar, às vésperas do encerramento do ano legislativo, um projeto de lei muito sério que concede liberdade de testamento.
O. B. estranha não o projeto em si, ainda que tenha um conteúdo inquietante, mas o açodamento com que se processa a votação, isto é, dias antes das férias parlamentares. A seu ver, trata-se de matéria que exige reflexão e ponderação.

18 dez.
Enterros e missas, Olavo Bilac
Contra a persistência dos rituais funerários que ampliam a dor dos parentes. *Contra a usança bárbara dessas estúpidas cerimônias fúnebres, costume digno dos cafres e dos botocudos.*

21 dez.
*Pedido aos pretos de Guiné**, Olavo Bilac
Indignação diante de um

despacho de Lisboa que declara haver saído uma expedição com destino à África, tendo por objetivo dar combate aos negros de Guiné. A expedição dispunha-se a *corrigir* os negros com castigos físicos.
O. B. repele a idéia de se tratar negros e crianças como se fossem animais selvagens, cujo comportamento devesse ser corrigido a pancadas.

23 dez.
*A canga**, Olavo Bilac
O carioca esfalfa-se no trabalho, sem atender a nenhum método e sem tirar férias anuais.

25 dez.
*Uma revanche...**, Olavo Bilac
Lembrando a infância, o cronista conta do ridículo em que eram tidos os ex-integrantes da Guarda Nacional.
No momento, acontece nova corrida às patentes da Guarda, porque elas isentam seu portador do serviço militar obrigatório.

27 dez.
*Dinheiro não tem cheiro...**, Olavo Bilac
O. B. critica os deputados que, legislando em causa própria, decidiram extinguir sua contribuição para o imposto de renda. O. B. argumenta contra a parcialidade da medida que, a seu ver, deveria, então, beneficiar a todos os funcionários públicos.

29 dez.
Vítor Hugo, Olavo Bilac
O cronista observa que o pacifismo de Vítor Hugo não condiz com a homenagem que a Marinha francesa lhe prestou, dando a um cruzador da sua esquadra do Mediterrâneo o nome do poeta.

Correio Paulistano 1908

01 jan.
Crises políticas, Olavo Bilac
Uma disputa entre a Câmara e o Senado, a propósito do orçamento do Ministério da Viação, atrai as atenções do cidadão carioca.

05 jan.
Juízo!..., Olavo Bilac
Alerta contra um boato que dava o Ministro da Guerra como vítima de um atentado.
O cronista pondera sobre o perigo de boatos políticos, pois que nesse, especificamente, sentia marcas dos que se opunham ao sorteio para o serviço militar obrigatório.

09 jan.
*Mulheres demais**, Olavo Bilac
A expansão do mercado de trabalho favorece a absorção da mulher, até agora educada apenas para o casamento.

11 jan.
*Aldeia chic...**, Olavo Bilac
O Rio conhece transformações de seus hábitos urbanos, mas ainda conserva muito de seu provincianismo.

12 jan.
*Bocage**, Olavo Bilac
O. B. considera desprestígio para Bocage sua popularização decorrente dos versos licenciosos e da vida boêmia.

14 jan.
Morte cara, Olavo Bilac
O cronista fantasia a vida, alienada e usurária, de um comerciante de galinhas recém-falecido, cujos parentes receberam uma exorbitante conta dos médicos que o atenderam.

18 jan.
*...e os argentinos?...**, Olavo Bilac
O. B. responde aos seus leitores que o interpelaram por ter dito que o Rio era provinciano em "Aldeia chic".
Segundo o cronista, a função do jornalista é a de dizer a verdade. Além disso, ao cronista pouco lhe importa o que possam dizer os argentinos a respeito de nossa condição cultural e urbana.

19 jan.
*Nova carta de ABC**[CIA], Olavo Bilac
O cinema como forma alternativa de alfabetizar e educar a criança, num país em que o governo faz vistas grossas diante do analfabetismo.

22 jan.
Os basbaques, Olavo Bilac
A evidência do provincianismo carioca é a quantidade de basbaques que andam pela rua e se detêm a qualquer momento para olhar qualquer evento.
No entanto, O. B. não vê nada de mal nisso e ainda afirma que isso é fenômeno comum em Paris ou Londres, cidades ditas civilizadas.

24 jan.
São Sebastião, Olavo Bilac
O cronista recorda-se das festas de São Sebastião na sua infância e aguarda, ansioso, que a esquadra norte-americana, surta no Rio, engalane-se para comemorar o feriado.

10 mar.
*Diário do Rio**, Olavo Bilac
O. B. lamenta a sorte dos caixeiros cariocas prejudicados com a companhia financeira A União, cuja falência (fraudulenta, sugere o cronista...) consumiu as economias de centenas de pequenos funcionários. E o

que mais espanta o cronista é a impunidade da situação.

11 mar.
Diário do Rio, Olavo Bilac
O trabalho glorioso do Barão do Rio Branco e a *responsabilidade oriunda da grandeza do nome que herdara.*

12 mar.
*Diário do Rio**, Olavo Bilac
A realização próxima de um Congresso Nacional de Assistência Pública e Privada no Rio de Janeiro dá oportunidade ao cronista para que encareça a prioridade de se prestar assistência à criança órfã.

13 mar.
*Diário do Rio**, Olavo Bilac
A dignificação e a moralização do Carnaval carioca, farto de promiscuidade, prostituição e índios nus, viriam por meio da participação da família carioca que faria dele uma *festa civilizada e decente.*

14 mar.
*Diário do Rio**, Olavo Bilac
Ao aumento da população carioca não corresponde o aumento da força de trabalho. Vadia-se muito ainda no Rio.

15 mar.
*Diário do Rio**, Olavo Bilac
Uma contenda entre adolescentes cariocas termina em assassinato. Para O. B., o motivo básico dessa tragédia é o analfabetismo do agressor.

16 mar.
*Diário do Rio**, Olavo Bilac
Diante da dificuldade dos caricaturistas em escolher um tipo que represente o Brasil, O. B. sugere que o Tempo se encarregue dessa tarefa, porque somos múltiplos em nossa extensão territorial e porque ainda não contamos com *uma Arte bastante forte e bastante nacional, que possa conseguir aquilo que ainda não conseguiram o comércio, a indústria, e a política.* De qualquer forma, alerta o cronista, o índio brasileiro não serve, deve ser *proscrito*, porque *pouco ou quase nada devemos [a ele], que quase não entrou como elemento decisivo, na constituição de nossa raça. E, ainda que ao índio devêssemos muito ou tudo, a sua escolha para simbolizar o Brasil deveria ser evitada por anti-estética.*

17 mar.
*Diário do Rio**, Olavo Bilac
Uma convocação não muito sutil à polícia para que impeça uma disputa de capoeira em Copacabana, anunciada pelos jornais. Segundo o cronista, testemunha desse hábito quando estudante de Medicina, vinte anos atrás, trata-se de *tradição da barbárie primitiva*, porque, armados de navalhas escondidas, *os capoeiras eram aqui os senhores absolutos da cidade.*

18 mar.
Diário do Rio, Olavo Bilac
Um habitante agradecido da Ilha de Paquetá beija a mão do Presidente Afonso Pena.
O cronista brinca com o gesto monarquista e afirma que o Presidente *é um velho democrata, homem simples, sem ambições, e incapaz de se pretender uma coroa.*

19 mar.
Diário do Rio, Olavo Bilac
A administração do Hospício Nacional de Alienados acaba de descobrir-se proprietária de inúmeros imóveis e bens líquidos que nunca foram contabilizados.

20 mar.
*Diário do Rio**, Olavo Bilac
Considerações sobre a condição de trabalho, o lazer e as origens da operária carioca a partir da festa de Carnaval desse ano que pretende homenageá-la.

21 mar.
*Diário do Rio**, Olavo Bilac
A presença do Ministro do Comércio francês, por ocasião da abertura próxima de uma Exposição, trará benefícios ao Brasil porque significa investimentos futuros. *A amizade comercial e financeira da França será para o Brasil uma ventura imensa.*

22 mar.
*Diário do Rio**, Olavo Bilac
Crônica que zomba da pregação pública do Pe. Júlio Maria que, numa série de conferências no Rio, condena o patriotismo, *a caterva de homens da ciência, os poetas, os romancistas, os cronistas, os jornalistas* etc.
Para O. B., *pecado é o verso cambaio, mole, frouxo, cacofônico.*

23 mar.
*Diário do Rio**, Olavo Bilac
Diante de mais uma temporada de secas no Nordeste, o cronista reconhece que não somos sujeitos a grandes catástrofes naturais, mas que somos um país *grande demais* [...] *para a gente pequena que* [o] *povoa e* [o] *governa!.*

25 mar.
*Diário do Rio**, Olavo Bilac
Ato do Ministro do Interior cancela ensino de catecismo numa escola carioca, o que provoca forte reação de católicos. O cronista defende a medida, argumentando com a separação entre Estado e Igreja e afirma que o contrário disso é inconstitucional.

26 mar.
*Diário do Rio**, Olavo Bilac
O. B. protesta contra os preços baixos dos bilhetes marítimos

para a Europa. Segundo ele, o preço da terceira classe, comparando-o com o do trecho ferroviário Rio-São Paulo, é um convite ao despovoamento do país. Tais companhias, argumenta o cronista, *não facilitam a vinda da gente de que precisamos* [...] *facilitam a sua volta, seduzindo-a com o irresistível chamariz de uma quase gratuidade da viagem.*

28 mar.
Diário do Rio, Olavo Bilac
Visitando a Praia Vermelha onde estão sendo construídos os pavilhões da Exposição Nacional, o cronista sugere que no lugar de um fortim abandonado se instalem um café-concerto, um tablado para danças e um cinematógrafo, com o objetivo de *transformar em sede de vida e de prazer o que foi sede de terror e de morte.* E em torno de um canhão abandonado e enferrujado, O. B. sugere a construção de um carrossel de onde as crianças açoitariam o *corpo do velho criminoso.*

29 mar.
*Diário do Rio**, Olavo Bilac
As intrigas políticas entre Brasil e Argentina, alimentadas pela imprensa portenha, segundo o cronista, exigem do autor da crônica uma intervenção pacificadora, ele que se confessa um elemento de conciliação entre *argentinófobos e brasileirófobos.*

30 mar.
*Diário do Rio**, Olavo Bilac
Decidida profissão de fé modernizante: o cronista prefere o conforto e a velocidade modernas ao desconforto e à modorra das comunicações de antes, em que pese a seu confessado romantismo.

31 mar.
Diário do Rio, Olavo Bilac
Depois de ironizar a condição *provisória* da estátua inaugurada para Cristiano Otoni, primeiro presidente da E. F. Central do Brasil, O. B. descreve, de modo sentimental e humanizante, a homenagem feita à primeira locomotiva da estrada de ferro: a velha "Conselheiro Paula e Sousa".

01 abr.
*Diário do Rio**, Olavo Bilac
Auspiciosa inauguração de uma escola profissionalizante mantida pelo município do Rio, pois que se trata de núcleo de formação. A criança carioca não conta com fontes de aprendizado profissional, exceto através de empreiteiros oportunistas, aproveitadores e gananciosos.

02 abr.
Diário do Rio, Olavo Bilac
O governo português vive momentos de instabilidade, incerteza e vacilação. Os republicanos têm-se mostrado mais audazes do que os monarquistas.

03 abr.
Diário do Rio, Olavo Bilac
Com o pretexto do retorno ao Brasil dos despojos mortais dos Almirantes Saldanha da Gama e Barroso, até então em solo uruguaio, o cronista faz considerações sobre a noção de patriotismo e critica os que pretendem deter o seu monopólio.

04 abr.
Diário do Rio, Olavo Bilac
Ao contrário do que supõem os pobretões despeitados, os ricaços e milionários também amam. Haja vista que, nos Estados Unidos, segundo telegrama recente, a esposa de um dos Vanderbilt acaba de pedir divórcio por infidelidade do marido.

05 abr.
*Diário do Rio**, Olavo Bilac
O ponto alto da Exposição Nacional, garante o cronista, será a exibição permanente de como se escreve e se compõe um jornal, no caso, o jornal *Correio da Exposição.*
Ao tornar o processo acessível ao público, a Exposição cumpre um de seus objetivos: *essas feiras devem ser elementos de educação popular.*

06 abr.
*Diário do Rio**, Olavo Bilac
Já é tempo de se organizar um sistema previdenciário para aqueles que militam na imprensa.

07 abr.
*Diário do Rio**, Olavo Bilac
A exumação do corpo do Almirante Saldanha da Gama, em Rivera no Uruguai, traz à memória do cronista os horrores do período florianista. Então, pergunta-se ele: [...] *como pode hoje, ainda que por simples preocupação retórica, pensar na possibilidade de uma revolução e de uma guerra civil quem já viu e sentiu de perto todo o horror dessas coisas?*

08 abr.
Diário do Rio, Olavo Bilac
Com o assassinato do Rei e do Príncipe herdeiro de Portugal, o cronista faz conjecturas sobre o *marriage d'État* a que estará sujeito o varão sobrevivente. Para o cronista, a vida futura de gozo permanente desapareceu para dar lugar às obrigações do trono.

09 abr.
*Diário do Rio**, Olavo Bilac
O. B. compara os tempos de fausto agrícola do Rio, durante a

escravidão, com os tempos atuais de decadência.

10 abr.
*Diário do Rio**, Olavo Bilac
Bem ao contrário do que acontecera anos antes no Rio de Janeiro, a população atual corre afoita para os postos de vacinação em massa. *Hoje, quem não se vacina, é imbecil e não é homem chic.*
Ser vacinado é ser moderno.

11 abr.
Diário do Rio, Olavo Bilac
O. B. lembra a figura do Inspetor Geral de Polícia de seus tempos de menino: o *famoso Ludgero* ou o Ludugero, porque *era assim que o povo lhe pronunciava o nome.*

12 abr.
*Diário do Rio**, Olavo Bilac
Pedido claro e explícito *ao corpo médico, aos engenheiros, aos industriais de São Paulo* para que contribuam no sentido de conferir sucesso à Exposição de Higiene e Assistência, a ser realizada em agosto no Rio. Segundo o cronista, *destes dois problemas sérios e máximos – higiene e instrução – está dependendo todo o futuro do Brasil.*

13 abr.
*Diário do Rio**[CIA], Olavo Bilac
Documentando sua zanga, o cronista acusa o cinematógrafo do risco de corromper a língua portuguesa, mal maior que o propalado pelos médicos que vêem esse divertimento como um perigo para o coração e para os olhos.

15 abr.
*Diário do Rio**, Olavo Bilac
A Light e o governo mantêm-se absolutamente indiferentes à greve dos operários da companhia de gás, que tem deixado a cidade às escuras há dias.

17 abr.
*Diário do Rio**, Olavo Bilac
Pesada crítica à E. F. Central do Brasil com seus *carroções preguiçosos, que se arrastam num tédio mole, através dos nossos campos, com uma lentidão de paquidermes.*
O cronista critica também aqueles que se opõem à privatização da estrada de ferro em nome de um patriotismo equivocado.

19 abr.
*Diário do Rio**, Olavo Bilac
O encontro entre o Barão do Rio Branco e o Gal. Pando da Bolívia suscita no cronista a lembrança de que aquele militar, poucos anos antes, estivera à frente de um exército pronto para invadir o Brasil. E se não houve a invasão, isso se deveu à diplomacia, cuja ação pacificadora é objeto desta crônica, na qual o cronista, mais uma vez, declara seu horror à guerra.

20 abr.
*Diário do Rio**, Olavo Bilac
A exibição do drama da Paixão no cinema, há seis dias, faz com que o cronista desenvolva comentários sobre a concorrência *perigosa* que o cinema faz à religião, que já *possuiu oradores sacros de alto mérito.*

21 abr.
*Diário do Rio**, Olavo Bilac
O. B. estranha que um jornal governista e republicano afirme que a política esteja sob o signo de Judas, sinônimo de traição, pusilanimidade, falta de caráter, perversidade etc.
Segundo o cronista, identificar política com Judas significa que o governo atual contém todas essas características negativas.

22 abr.
*Diário do Rio**, Olavo Bilac
O. B. manifesta repulsa ao *Jornal do Comércio* por ter publicado carta inédita e íntima de Gonçalves Dias, na qual o poeta confessa sua amargura por um casamento sem amor. *É quase sempre um crime* [...] *a publicação das cartas íntimas dos grandes homens.*

23 abr.
*Diário do Rio**, Olavo Bilac
O país alimenta *um idiossincrásico horror às estatísticas*. Portanto é inútil o serviço de propaganda nacional, já que não dispomos de dados numéricos para avaliar e revelar nosso progresso.

24 abr.
Diário do Rio, Olavo Bilac
Assusta-se o cronista com enorme pedra que rolara da pedreira da Candelária e soterrara parte de uma casa onde residiam dois amigos. Mas assusta-se mais ainda com a indiferença de uns loucos recolhidos na casa de saúde atingida pela pedra. Segundo o cronista, *a razão é um fardo pesadíssimo.*

25 abr.
Diário do Rio, Olavo Bilac
Segundo O. B., 23 passageiros do *Aragon*, navio proveniente de um porto hispano-americano, encantaram-se com o Rio remodelado e reurbanizado, interrompendo sua viagem a caminho da Europa. Encantaram-se os cariocas e o cronista com esse gesto.

26 abr.
*Diário do Rio**, Olavo Bilac
Finalmente inaugura-se *o primeiro trecho da primeira estrada de ferro de Goiás* (apesar dos protestos de Paula Ney que, segundo o cronista, negava terminantemente a existência desse Estado...).

27 abr.
*Diário do Rio**, Olavo Bilac
A abundância de pedra no Rio de Janeiro é fator para o empobrecimento da arquitetura local, porque – afirma o cronista – seu alcance e emprego fáceis são prejudicados pela mão-de-obra, muito desqualificada. Daí que o acabamento dos imóveis cariocas deixe muito a desejar, exceção feita aos imóveis novos que adornam a nova Avenida Central, nos quais se empregou muito o cimento, substituindo a pedra.

28 abr.
Diário do Rio, Olavo Bilac
A morte do Juiz Piza e Almeida provoca comentário nostálgico: o cronista lembra que os juízes de agora já não exercem mais o dever da discrição e do recato públicos.

29 abr.
Diário do Rio, Olavo Bilac
A *doce e inofensiva mania* daqueles que não perdem as sessões da Câmara dos Deputados e que são apaixonados pelos jogos retóricos que lá se cumprem.

01 maio
*Diário do Rio**, Olavo Bilac
Em visita a uma fábrica de tecidos no Bangu, o cronista trava conhecimento com uma realidade insuspeita: o trabalho das *reúnas*, ex-escravas que limpam o riacho próximo onde são despejados os detritos da fábrica. Mulheres *amarradas à canga do trabalho [e que] sobrevivem ao Império que as explorou, e ao Cativeiro que as embruteceu.*

02 maio
*Diário do Rio**, Olavo Bilac
Despachos telegráficos, vindos da Paraíba, informam sobre as tropelias de Antônio Silvino e fazem com que o cronista conclua, depois de longa exposição, que o Brasil ainda não conta com uma *civilização homogênea* e que somos uma *nação que ainda não está formada.*

03 maio
*Diário do Rio**, Olavo Bilac
A existência de uma vaga no Supremo Tribunal provoca diz-que-diz, porque consta que um monarquista, o ex-Ministro do Império Cândido de Oliveira, poderá conquistá-la.
O. B. não se opõe à candidatura desse *sebastianista confesso* e *velho político matreiro, useiro e vezeiro nas tricas da patifaria eleitoral, e merecedor do título de "pai da fraude".*
Sua ascensão ao cargo, antes pelo contrário, seria ótima oportunidade para expor esse monarquista oportunista, mais um entre os poucos que ainda restam.

05 maio
*Diário do Rio**, Olavo Bilac
Anda mal o teatro brasileiro. Falta-lhe profissionalismo. Nossas companhias são *mal organizadas, sem preparo, sem cenários, sem peças novas, sem estudo, e sem preocupação artística...*
Não se pode acusar o público de falta de patriotismo, porque *o povo não está disposto a gastar o seu dinheiro, sem prazer, unicamente para afirmar patriotismo.*

06 maio
*Diário do Rio**, Olavo Bilac
Por ocasião da visita ao Rio de Janeiro do Ministro das Relações Exteriores do Paraguai devem ser superadas as mágoas ainda decorrentes da guerra contra aquele país, no século passado. Devem ser postas de lado também as acusações que dão aquele país como em processo de *argentinização.*
O. B. admite que a Guerra do Paraguai foi cruel, mas que não se tratou de guerra de conquista. Além disso, nossa vitória trouxe ao adversário uma influência *benéfica e amistosa.*

07 maio
Diário do Rio, Olavo Bilac
Segundo o cronista, a ausência de grande número de admiradores de Pinheiro Machado no cais Pharoux não deve impressionar o político, nem deve ser tomado como falta de prestígio. Para O. B., trata-se de situação provisória, semelhante à dos ratos que fogem do inverno. [...] *os trânsfugas voltam...*

08 maio
*Diário do Rio**, Olavo Bilac
A falência de um grupo financeiro carioca revelou que seus diretores pagavam uma quantia mensal ao vigário da Candelária para abençoar seus negócios.
Segundo o cronista, essa era uma forma de alcançar o beneplácito da Igreja, porque *a devoção não é incompatível com a trampolinice e só se dão presentes aos juízes que transigem com a sua consciência.*

09 maio
Diário do Rio, Olavo Bilac
A violência da retórica parlamentar é benéfica, segundo o cronista, porque isso funciona como válvula de escape e evita, por conseguinte, que um senador provoque convulsões no Estado que representa.

10 maio
*Diário do Rio**, Olavo Bilac
O cronista não suporta o mau hábito dos declamadores de estropiarem os versos alheios. *A pirataria literária campeia impune...*

13 maio
Diário do Rio, Olavo Bilac
O cronista zomba de um livro

que faz previsões sobre o fim do mundo e da profecia que prevê o retorno breve de Cristo à terra. Para ele, *Cristo não poderia escolher pior momento para a sua viagem...*

14 maio
*Diário do Rio**, Olavo Bilac
Contra os casamentos e enterros coletivos, porque é ocorrência que se dá apenas com os pobres e desfavorecidos. *Pobres dos pobres! Vivem de cambulhada, casam de cambulhada e são enterrados de cambulhada!*

15 maio
*Diário do Rio**, Olavo Bilac
[...] *o período épico da história do Brasil está encerrado.* Por esse motivo, O. B. já não vê como empenhar-se tanto em causas como a da Abolição, que arrebatou tanta gente, inclusive o cronista.

16 maio
Diário do Rio, Olavo Bilac
Apesar de faltarem dois anos para as eleições presidenciais, já começam a surgir nomes, um dos quais é o do Barão do Rio Branco. No entanto, segundo o cronista, o Barão não tem interesse, porque *não há espírito mais avesso do que o seu à política e às suas tricas...*

17 maio
*Diário do Rio**, Olavo Bilac
Em defesa de recente postura municipal que proíbe touradas: *É uma medida que por si mesma se justifica e se defende.*

19 maio
Diário do Rio, Olavo Bilac
A inclusão de um *quase* na mensagem presidencial do ano, que dizia estar o Brasil em boas relações internacionais *com "quase" todas as nações da terra,* foi o suficiente para despertar em alguns tipos mais apressados e alarmistas a idéia de que estávamos na iminência de um conflito armado com a Argentina. Felizmente, diz o cronista, *só em cabeça de louco pode caber tal idéia.*

20 maio
*Diário do Rio**, Olavo Bilac
Depois de uma permanência de quinze dias no Rio, Guglielmo Ferrero escreveu artigo extremamente leviano sobre a literatura brasileira e sobre a Academia Brasileira de Letras para o *Figaro* de Paris.
No entanto, não se pode esperar que um artigo como esse venha a *abrir aos produtos da inteligência brasileira o mercado intelectual da Europa.*
É preciso bem mais que isso.
É preciso alfabetizar e criar nosso mercado interno, *espalhando a instrução.*

21 maio
*Diário do Rio**, Olavo Bilac
A força policial de São Paulo, treinada pela Missão Francesa, *está dando a todo o Brasil uma lição,* graças a sua disciplina e a sua organização.

22 maio
*Diário do Rio**, Olavo Bilac
O cronista noticia o desaparecimento, em breve, do *Cassino Fluminense*, cuja sede dará lugar a uma repartição pública. Com isso, desaparece também a possibilidade de vida elegante no Rio, porque os clubes que restam *cultivam o amor e o jogo baratos* e o *conúbio pouco limpo* do erotismo com a batota.

23 maio
*Diário do Rio**, Olavo Bilac
O. B. lamenta a morte prematura do jornal carioca *O Diário*. Segundo o cronista, o mercado não estava preparado para absorvê-lo e tudo indica que *o nosso progresso moral ainda não corresponde ao material.*

24 maio
Diário do Rio, Olavo Bilac
O. B. lamenta proposta legislativa infeliz, de autoria do Deputado Jurumenha, que sugere a doação de *mil contos de réis em apólices* para Rui Barbosa, a título de retribuição por seus serviços na Corte Internacional de Haia.
O estardalhaço da questão coloca-nos em má situação perante as nações civilizadas.

28 maio
Diário do Rio, Olavo Bilac
A imprensa deveria ser mais cautelosa com seu noticiário para não difundir o pânico entre a população. Veja-se o caso, por exemplo, de uma notícia que dava como certo e verdadeiro o reaparecimento do espírito do Mal. Floriano em um subúrbio carioca.

29 maio
*Diário do Rio**, Olavo Bilac
O cronista zomba de notícia do *Financial News* de Londres que nos dá como o *perigo brasileiro.* Depois do *perigo alemão*, do *perigo amarelo* e do *perigo ianque* somos nós a ameaçar agora a Europa, porque *nossos empréstimos ameaçam engolir os capitais europeus.*

30 maio
*Diário do Rio**, Olavo Bilac
Informa o cronista que Alcindo Guanabara está escrevendo um folhetim em *A Imprensa*, no qual se retrata o cotidiano de uma garota simples e modesta que se priva de tudo em casa para poder brilhar na Avenida e naquele mundanismo tão exaltado por Figueiredo Pimentel em sua coluna *O Binóculo.*

31 maio
*Diário do Rio**, Olavo Bilac
Alguns jornalistas cariocas

atacam uma escritora (quem?) estrangeira, em visita ao Rio, porque presumem que suas impressões sobre o Brasil serão desfavoráveis.
Para O. B., ninguém pode fazer propaganda favorável, gratuitamente. Portanto, nada mais justo que essa senhora seja paga.
No entanto, mais importante que isso, é *que se deite abaixo o resto da alta e impenetrável muralha chinesa que até há pouco tempo nos isolara do resto do mundo*. Ver, por exemplo, os Estados Unidos, sempre indiferentes à propaganda que deles se faz.

01 jun.
Diário do Rio, Olavo Bilac
O. B. teme que o retorno de um juiz às atividades, licenciado por desequilíbrio mental, venha alterar o teor de suas sentenças. E, a propósito, lembra-se de um caso de injustiça que sofrera em sua infância.

03 jun.
Diário do Rio, Olavo Bilac
O cronista faz considerações sobre o exílio e sobre a noção de afastamento da pátria, a partir da notícia a respeito de um indivíduo que, depois de trinta anos ausente do Rio de Janeiro, falecera a bordo de um navio à entrada do porto carioca.

04 jun.
*Diário do Rio**, Olavo Bilac
Lembrando que, vinte anos atrás, uma grande *leva de turcos* fora hostilizada e expulsa do Rio, o cronista comenta que a situação atual dessa colônia é diferente, pois que até já tomaram posse de certo trecho central da cidade para desenvolver seu comércio. Segundo o cronista, não nos cabe escolher nacionalidades, mas apenas repelir indivíduos nocivos à sociedade.

06 jun.
Diário do Rio, Olavo Bilac
O atentado contra Dreyfus durante os funerais de Zola, em Paris, dá ensejo ao cronista para tecer comentários a respeito de velhas e inextinguíveis mágoas políticas, como a que até então atinge o militar francês por *ter sido revoltoso* em anos passados.

07 jun.
Diário do Rio, Olavo Bilac
Aplausos ao juiz que delimitou em vinte minutos a intervenção de cada parte num júri famoso: o de Rocca-Carleto.
Segundo o cronista, isso é forma de se abreviar o exibicionismo retórico.

08 jun.
*Diário do Rio**, Olavo Bilac
Considerações sobre a ruína provocada pela Abolição, em um país que se ressente da falta de *trabalho organizado.*

10 jun.
*Diário do Rio**, Olavo Bilac
Exposição pública dos pertences do Mal. Osório suscita comentários sobre nossos hábitos de dispersão rápida, seja de objetos pessoais, seja de bibliotecas. A razão desse comportamento, segundo o cronista, é o fato de sermos *um país de pobres.*

11 jun.
*Diário do Rio**, Olavo Bilac
Entusiasmo diante dos primeiros voluntários que se apresentam para o serviço militar obrigatório.

12 jun.
*Diário do Rio**, Olavo Bilac
Duas crônicas:
1. A prática do esporte desenvolve a saúde da juventude e afasta-a da boêmia;
2. Por causa da supressão do lanche na inauguração de uma estátua pública, deverão comparecer apenas os que estiverem realmente interessados na homenagem. Além disso, a supressão acaba com o fenômeno desagradável do *avança*, em que se empenham todos, pobres ou ricos.

13 jun.
*Diário do Rio**[CIA], Olavo Bilac
Necrológio para Émile Rouède, comerciante, industrial, professor, fotógrafo, avicultor, pintor etc., e com quem O. B. conviveu em Ouro Preto, em 1893.

14 jun.
*Diário do Rio**, Olavo Bilac
O cronista posiciona-se perante notícia, veiculada pela imprensa, de que a filha do Presidente Roosevelt iria a Chicago para apoiar a candidatura de Taft: [...] *não é condenável o procedimento de miss Roosevelt...* As mulheres têm todo o direito de intervir na política, espaço supostamente masculino.

16 jun.
Diário do Rio, Olavo Bilac
Em vez de se ocupar de assunto relevante, em país pobre e de economia precária, nossa Câmara discute futilidades como a modificação da bandeira nacional ou uma letra nova para o hino nacional.

17 jun.
Diário do Rio, Olavo Bilac
A deficiência dos serviços do Correio e a má remuneração de seus funcionários em oposição aos altos salários dos *trabalhadores encasacados*.

18 jun.
Diário do Rio, Olavo Bilac
Na expectativa de se confirmar ou não a renúncia de Zeballos, como ministro argentino, O. B. reconhece-lhe méritos, mas

acusa-o de obcecado com a idéia de *eclipsar e exceder o brilho pessoal do barão do Rio Branco.*

21 jun.
*Diário do Rio**, Olavo Bilac
A Inglaterra, sempre tida como fria, pragmática e gananciosa, acaba de instituir aposentadoria para aqueles que ultrapassarem os 70 anos.

22 jun.
*Diário do Rio**, Olavo Bilac
O Estado ou as companhias particulares de transporte têm de ressarcir os prejuízos de todos aqueles que forem vítimas da condução imprudente de veículos públicos. Nesse sentido, merece todo apoio a decisão do Supremo Tribunal que obrigou o Estado a indenizar uma vítima da Estrada de Ferro Central do Brasil.

23 jun.
*Diário do Rio**, Olavo Bilac
O que mais encabulava o interlocutor do cronista, por ocasião da representação de *O Dote* de Artur Azevedo, era a personagem negra do João. Porque, argumentava esse interlocutor, caso a peça fosse representada na Europa, teríamos que admitir a existência de negros em nossa sociedade. Negá-los, por outro lado, parece ao cronista uma tola, *néscia e irritante mania.*

24 jun.
*Diário do Rio**, Olavo Bilac
Revolta-se o cronista diante do comportamento da imprensa que explorou de modo sensacionalista e invasivo o caso de uma mulher atacada por três estupradores em pleno centro do Rio. Da condição de vítima passou ela, por causa do tratamento jornalístico, à condição de criminosa.

25 jun.
*Diário do Rio**, Olavo Bilac
Ao reconhecer o mérito do trabalho do Major Rondon, cuja façanha se iguala à dos bandeirantes, o cronista lamenta que ainda tenhamos *índios, feras, sertões misteriosos, florestas virgens...* em pleno século XX. *É força confessar que temos dormido demais!*

26 jun.
Diário do Rio, Olavo Bilac
Apesar das inevitáveis opiniões contrárias, O. B. acha justa a proposta de um deputado que sugere a criação de asilos para tratamento de beberrões crônicos. *O projeto é humanitário. Suprime prisões, e abre sanatórios. Suspende punições absurdas, e cria assistência providencial.*

28 jun.
*Diário do Rio**, Olavo Bilac
A polícia dá combate feroz aos cáftens que infestam o Rio de Janeiro.

01 jul.
Diário do Rio, Olavo Bilac
O Tesouro Nacional comemora seu primeiro centenário. Cem anos em *terra de empregados públicos e de candidatos a empregos públicos.*

02 jul.
*Diário do Rio**, Olavo Bilac
A incorporação de novos navios de guerra à nossa Armada funcionará como: 1º) demonstração de nosso poderio e representação *da nossa grandeza e da nossa força*; 2º) elemento mais ativo que nossa diplomacia, que exerce *ação mais gastronômica e decorativa.*

03 jul.
*Diário do Rio**, Olavo Bilac
Diante de feriados religiosos, o cronista estranha que os empregados *jornaleiros*, isto é, aqueles que são pagos por dia, sejam descontados em seus salários por causa de um dia ocioso que lhes é imposto, apesar da suposta separação entre Estado e Igreja.
A injustiça parece maior a O. B. quando ele lembra que o funcionário público regular não sofre nenhum desconto nesses feriados.

06 jul.
Diário do Rio, Olavo Bilac
As discussões inócuas no Senado e na Câmara.

08 jul.
Diário do Rio, Olavo Bilac
O governo indeciso entre confirmar ou adiar a data de abertura da Exposição Nacional, dado o atraso das obras.

09 jul.
*Diário do Rio**, Olavo Bilac
Tomando como pretexto a representação recente da peça *Les affaires sont les affaires* de Mirbeau, O. B. observa que personagens-tipos, hipertrofiados, como o ciumento Otelo ou o cínico e voraz Isidore Lechat, mal sensibilizam o espectador que reconhece os seus vícios, mas com eles não se identifica, porque se acha sempre diferente daquela caricatura ficcional.

10 jul.
*Diário do Rio**, Olavo Bilac
O papel da imprensa é o de comentar o individual desde que aproveite ao coletivo.
A favor do divórcio e contra o casamento indissolúvel, tão defendido pela Igreja.

11 jul.
*Diário do Rio**, Olavo Bilac
A vocação do brasileiro para o

empreguismo público: *o que os nacionais preferem é o trabalhinho curto e seguro na repartição pública, com as vantagens da promoção, da aposentadoria e do montepio.*

12 jul.
Diário do Rio, Olavo Bilac
Em ano que finaliza período legislativo, quando deputados se omitem para não se comprometerem em público e, portanto, não correrem o risco da não-reeleição, dificilmente a Câmara aprovaria *projeto de lei ampliando a reduzida e ridícula legislação que possuímos sobre o divórcio.*

13 jul.
*Diário do Rio**, Olavo Bilac
Ataques injustos ao Diretor da Saúde Pública, Oswaldo Cruz, acusado no Senado por não conseguir debelar o recrudescimento do surto de varíola.

17 jul.
Diário do Rio, Olavo Bilac
Brasileiros foram derrotados pelos argentinos em partida de futebol, porque não dispunham de disciplina.
No entanto, apesar da mágoa pessoal pela derrota, o cronista reconhece que, ao aplaudirmos os vencedores, demos prova mais que satisfatória *do grande progresso moral da cidade e do país.*

18 jul.
*Diário do Rio**[Cia], Olavo Bilac
O. B. comenta as transformações modernizantes pelas quais passa o *Jornal do Comércio* que, antes, era seco, uma verdadeira *máquina de moer notícias.* Hoje, mais leve e menos sisudo, ganha feição nova, *mais bem paginada, de leitura mais fácil. O carro de bois transformou-se em automóvel...*

Correio do Povo 1890

22 jan.[10]
Crônica livre, O. B.

23 jan.
Crônica livre, O. B.

30 jan.
Crônica livre, O. B.
Saudades (irônicas, é claro) dos capoeiras, extintos pela polícia, e do *Teatro Alcazar*. [...] *saudades de um tempo que* [o cronista não quer] *que volte...*

06 fev.
Crônica livre, O. B.
É preciso moralizar os costumes públicos, fazendo-se campanha contra o rapto amoroso, porque *não há sociedade séria sem pureza de costumes.*

21 fev.
*Crônica livre**, O. B.
Texto fortemente moralista contra o Carnaval, momento de manifestação devassa e *uma volta temporária aos tempos e aos costumes bárbaros.*

28 fev.
*Crônica livre**, O. B.
Boatos insistentes sobre o perigo de uma restauração monárquica.
A transição pacífica do regime monárquico para o republicano.

07 mar.
*Crônica livre**, O. B.
A prostituição em vias de ser regulamentada.

10. No Expediente do jornal, em 21 jan. 1890, lê-se o seguinte: *Temos o prazer de noticiar que o "Correio do Povo" conta desde agora com a preciosa colaboração de Olavo Bilac.* [...] *Bilac escreverá para o "Correio do Povo", uma vez por semana, a "Crônica livre", que será firmada pelas suas iniciais.*

Publicada nova edição de *"O Mulato", formidável libelo contra a escravidão e a invasão portuguesa.*

23 mar.
*Crônica livre**, O. B.
No início dos trabalhos da Constituinte, o cronista descreve a entidade denominada *povo*: um quitandeiro; um operário; uma costureira; um funcionário público; um estudante; um boêmio etc.
Pela reabilitação de um ex-escravo, condenado porque assassinara o antigo patrão que lhe violentara a esposa.

07 abr.
Crônica livre, O. B.
Abertura de uma exposição na Academia de Belas Artes.

30 abr.
Crônica livre, O. B.
Sobre uma adolescente que se suicidou por não ter conseguido entrar na Escola Normal.
Dois indivíduos a serem reabilitados pela História: Tiradentes e Mota Coqueiro.
Ceticismo do cronista quanto a expectativas disseminadas de paz, na América e no mundo.
Em favor de Bernardelli, cuja obra foi duramente avaliada por um crítico carioca.

08 maio[11]
Crônica livre, O. B.
A nova forma republicana tende a eliminar as distinções sociais.
Apoio à *bela propaganda que se*

11. Consultados os meses de jul., ago. e set. 1890, verificou-se que não houve colaboração. Os meses de out., nov. e dez. desse mesmo ano estavam em péssimas condições para consulta, quase desintegrados.
Quanto a jan., fev. e mar. 1891, verificou-se também que neles O. B. não colaborou.

começa a fazer em favor dos filhos dos libertos de 13 de maio, bem como à revisão sistemática de processos criminais em que figurem os ex-escravos como indiciados ou réus.

Estado de S. Paulo (O) 1897

03 out.
*Diário do Rio**, O. B.
Apresenta-se o cronista, lembrando a efemeridade e a futilidade do gênero que cultiva.

04 out.
Diário do Rio, O. B.
A sociedade brasileira, no geral, é pacata e avessa ao escândalo. Somos um *povo brando e meigo.*

07 out.
Diário do Rio, O. B.
Na festa da Penha, no Rio, confundem-se devoção e bebedeira.
Encontrada uma igaçaba na praia de São Cristóvão no Rio.

08 out.
*Diário do Rio**, O. B.
Em breve, um congresso de médicos no Rio, classe profissional muito briguenta.
Em visita a um necrotério, o cronista faz considerações sobre a morte.

09 out.
*Diário do Rio**[CIA], O. B.
Enfim, arrasada a cidadela maldita de Antônio Conselheiro.

10 out.
Diário do Rio, O. B.
É inútil a perseguição policial às cartomantes.

11 out.
Diário do Rio, O. B.
O verão aproxima-se, excitando as paixões.

12 out.
Diário do Rio, O. B.
Uma visita à sonolenta Exposição de 1897, na Escola Nacional de Belas Artes.

14 out.
Diário do Rio, O. B.
Em meio às comemorações públicas da descoberta da América, o cronista vê um caixão de defunto sendo conduzido através de uma praça e isso desperta-lhe reflexões.

15 out.
Diário do Rio, O. B.
Diante da notícia de crime sádico ocorrido em Lyon, na França, o cronista estranha que, nessas ocasiões, a justiça atenue o caso, qualificando de louco ao criminoso.

16 out.
Diário do Rio, O. B.
Necrológio para Paula Ney.

17 out.
Diário do Rio, O. B.
Jantar no Centro Artístico, agrupamento que reúne músicos, pintores e escritores.

18 out.
Diário do Rio, O. B.
Em discussão, na Câmara, um tratado com a França, cujo teor o cronista desconhece, pois que se trata de sessão secreta.

20 out.
*Diário do Rio**, O. B.
Pouco se importam as autoridades com o estado precário da maioria das casas da rua do Ouvidor.

22 out.
Diário do Rio, O. B.
Permissão da Prefeitura do Rio para que se coloque no Passeio Público uma estátua de Gonçalves Dias.
Reflexões sobre o suicídio.

24 out.
Diário do Rio, O. B.
Algazarras e arruaças na rua do Ouvidor, aparentemente sem motivo.

28 out.
Diário do Rio, O. B.
Em companhia de José do Patrocínio e de Coelho Neto, o cronista visita o navio *Bélgica,* que leva o explorador Gerlache ao Pólo Sul.

30 out.
*Diário do Rio**, O. B.
Descobertos dois cadáveres de clandestinos a bordo do *Harrox,* navio inglês ancorado no Rio.

31 out.
Diário do Rio, O. B.
Da janela de seu escritório, o cronista vê cena que se repete: em meio ao trabalho dos que arrancam as ervas do calçamento do Catete, cochila um vagabundo.
Não está ali o exemplo vivo do contraste que há, no Brasil, entre a força da terra e a moleza do homem?...

01 nov.
Diário do Rio (p. 2), O. B.
Na Biblioteca Fluminense, inauguração da exposição anual da *Escola ao Ar Livre,* grupo dissidente, chefiado por Antônio Parreiras, que se separou do grupo da *Escola de Belas Artes,* chefiado por Rodolfo Bernardelli.

02 nov.
Diário do Rio, O. B.
Movida pela curiosidade, multidão de cariocas tem-se dirigido toda noite à ladeira de Ascurra, nas Laranjeiras,

para ver um fantasma que fora noticiado por um jornal do Rio.

04 nov.
Diário do Rio, O. B.
Além de caro, o pão diminuiu de tamanho. Ficou do tamanho de pílulas.

05 nov.
Diário do Rio, O. B.
A poesia de Alberto Silva.

07 nov.
Diário do Rio, O. B.
A leitura dos jornais só traz decepções.
Sobre um fazendeiro, antigo companheiro de Giuseppe Garibaldi, que cultivava e apregoava a liberdade, mas que chicoteava seus escravos.

10 nov.
Diário do Rio, O. B.
O café é estimulante. Muitas das arruaças populares originam-se das grandes ingestões desse líquido.

11 nov.
Diário do Rio, O. B.
Descansando no Alto das Paineiras, o cronista menospreza o barulho, a sujeira e a corrupção da cidade lá embaixo.

15 nov.
*Diário do Rio**, O. B.
Novo estado de sítio. O povo brasileiro é infantil.

16 nov.
Diário do Rio, O. B.
O retorno de Rui Barbosa à tribuna, discursando sobre o atentado que, dias antes, vitimara o Ministro da Guerra, Mal. Carlos Bittencourt.

17 nov.
Diário do Rio, O. B.
A República comemora oito anos e o cronista garante que é árvore que não há de morrer.

19 nov.
Diário do Rio, O. B.
O grande vício do funcionalismo público: cabide de empregos.

20 nov.
*Diário do Rio**, O. B.
O lixo que se acumula no Rio é tanto que até ameaça *impedir a navegação universal*.

22 nov.
Diário do Rio, O. B.
Na guerra entre Espanha e EUA por causa de Cuba, o general espanhol Weyler se parece com Pangloss, o personagem otimista de Voltaire.

23 nov.
Diário do Rio, O. B.
No Catete, a polícia fecha um gabinete onde se praticava faquirismo, levitação, hipnotismo e telepatia.

25 nov.
Diário do Rio, O. B.
Dois dias de aguaceiro contínuo sobre o Rio.

26 nov.
*Diário do Rio**[CIA], O. B.
Os cães abandonados de Canudos.

28 nov.
Diário do Rio, O. B.
[...] *mais vale* [mulher] *feia casada que bonita solteirona.*

29 nov.
Diário do Rio, O. B.
Na companhia de Coelho Neto, o cronista visita o ateliê dos Bernardelli.

30 nov.
Diário do Rio, O. B.
O cronista presencia, no centro da cidade, a agonia de um cavalo de carga.

01 dez.
Diário do Rio, O. B.
A função perniciosa do boato.

03 dez.
Diário do Rio, O. B.
Impressiona ao cronista a solidariedade que demonstram os marginais, ao se visitarem na cadeia em fins de semana.

05 dez.
Diário do Rio, O. B.
Reflexões sobre o dinheiro, a partir da notícia de que o magnata norte-americano Pullmann teria deserdado os filhos em favor das filhas e da viúva.

07 dez.
Diário do Rio, O. B.
Na saída de uma igreja de Petrópolis, O. B. avista a figura anciã e respeitável do Conde de ***, *o mais fiel amigo de Pedro II.*

08 dez.
Diário do Rio, O. B.
Ao reencontrar o marido tido como morto em Canudos, suicida-se uma mulher que se acreditava viúva. Para o cronista, o suposto defunto deveria ter desaparecido de circulação, já que fora dado como morto.

10 dez.
Diário do Rio, O. B.
Espanta-se o cronista diante da declaração de uma loja maçônica de que *não é uma sociedade secreta* mas, sim, *um simples grêmio beneficiente*.

11 dez.
Diário do Rio, O. B.
Até os carrilhões das igrejas adotaram a moda da música profana.

12 dez.
Diário do Rio, O. B.
Os internos do Hospício Nacional dos Alienados no Rio são todos loucos mesmo? [...] *não será nunca trabalho perdido nem leviana imprudência tratar de saber positivamente o que vai lá por dentro*, especula o cronista.

13 dez.
Diário do Rio, O. B.
Conflito entre cristãos e "turcos" numa igreja no interior do Estado do Espírito Santo.

17 dez.
*Diário do Rio**, O. B.
O peso da imortalidade para quem pertence à Academia Brasileira de Letras.

18 dez.
Diário do Rio, O. B.
O funcionalismo do município morre de fome, mas não se demite: "la garde meurt, mais ne se rend pas!".

24 dez.
*Diário do Rio**, O. B.
A mocinha frágil e magrinha que ali vai é bem o símbolo da cidade do Rio: trabalha como moura e ainda tem forças para se divertir.

25 dez.
Diário do Rio, O. B.
O Natal é ocasião de festas, de comilança e de muita briga.

27 dez.
Diário do Rio, O. B.
A filantropia e a caridade cariocas chocam-se com aqueles que se aproveitam da miséria alheia, industrializando-a e promovendo-se.

30 dez.
Diário do Rio, O. B.
Em Paris, vítima de acidente fortuito, morreu de fome e sem casa, o astrônomo Jaubet. *Tanto mirou as estrelas que acabou por cair num buraco*, lamenta o cronista.

Estado de S. Paulo (O) 1898

04 jan.
Diário do Rio, O. B.
O que se pode esperar do ano novo que se inicia? Somente os votos tradicionais de fim de ano. O calor carioca.

07 jan.
Diário do Rio, O. B.
O hábito tradicional da troca de cartões nas festas de fim de ano.

09 jan.
Diário do Rio, O. B.
Uma disputa entre o Legislativo e o Executivo carioca: o Prefeito veta iniciativa do Conselho Municipal, que pretendia atribuir a um cidadão local o monopólio dos serviços funerários.

10 jan.
Diário do Rio, O. B.
A favor do divórcio.

12 jan.
*Diário do Rio**, O. B.
O. B. desanca um número especial da *Revista Moderna*, publicado em Paris e dedicado a Eça de Queirós, por ocasião da publicação do primeiro capítulo de *A Ilustre Casa de Ramires*. Segundo ele, trata-se de uma avalanche de bobagens, de uma *retórica ridícula*, de uma obra *tão banal, tão fútil, tão mole*.

14 jan.
Diário do Rio, O. B.
Na iminência de ser homenageado publicamente, com um busto no Jardim do Luxemburgo em Paris, Verlaine é repudiado, porque dele descobriram um livro inédito, denominado *Les invectives*, em que o poeta fala mal de muitos de seus contemporâneos.

15 jan.
*Diário do Rio**, O. B.
A cidade do Rio não comporta espaço para a vegetação. Mato é coisa da selva. Na cidade não cabem *trambolhos verdes. Abaixo as árvores! E que, nos últimos troncos* [...] *sejam enforcados os últimos higienistas retrógrados.*
É preciso higienizar e desinfetar a cidade.

17 jan.
*Diário do Rio**, O. B.
A súbita entrada do poeta Severiano de Rezende num seminário de Mariana, MG, incomoda e intriga o cronista.

20 jan.
*Diário do Rio**, O. B.
A Europa não é tão civilizada quanto se apregoa e, portanto, não está muito adiante da América. Haja vista que estudantes franceses insultaram Zola publicamente, porque o escritor saiu-se em defesa de Dreyfus.

21 jan.
Diário do Rio, O. B.
O que podemos e devemos enviar para a Exposição Universal de Paris em 1900? Nosso sistema eleitoral corrupto? Nossos bombeiros que fracassam porque não dispõem de água? Nossas ruas esburacadas e cheias de lama?
Não! Vamos mandar as fotos de nossas belas mulheres.

22 jan.
Diário do Rio, O. B.
O cronista acha que não chegamos ao fim do século XX.

23 jan.
Diário do Rio, O. B.
Homenagem a São Sebastião.

26 jan.
Diário do Rio, O. B.
Uma nova antologia de poesia brasileira. Vem de Buenos Aires, é da autoria de Carlos Romagosa, intitula-se *Joyas Poéticas Americanas* e reflete muito mal nossa produção.

27 jan.
Diário do Rio, O. B.
A posse territorial da Ilha de Trindade é puro orgulho nacional. Pouca serventia tem a ilha.

28 jan.
*Diário do Rio**, O. B.
Em Pittsburgh, EUA, vão levantar uma estátua para Tubalcaim, que *inventou a arte de formar os metais* e, portanto, a arte do trabalho.

01 fev.
*Diário do Rio**, O. B.
Necrológio carinhoso para Émile Richebourg, folhetinista francês.

08 fev.
Diário do Rio, O. B.
Sobem os preços cobrados pelos serviços religiosos de Montevidéu.

10 fev.
*Diário do Rio**, O. B.
A sociedade parisiense copia o decadentismo de Huysmans de *À rebours*: senhoras ociosas e elegantes passeiam delicadas tartarugas vivas e cravejadas de pedras sobre suas toaletes de seda.

11 fev.
Diário do Rio, O. B.
Com a perseguição policial ao jogo do bicho, fugiram os *bookmakers* da rua do Ouvidor, escondendo-se nas travessas dos bairros.

12 fev.
Diário do Rio, O. B.
Além de refrescarem a cidade, as chuvas de verão têm a vantagem de acalmar a rua do Ouvidor, *vasto formigueiro de boatos.*

13 fev.
*Diário do Rio**, O. B.
O fornecimento de carne verde à população do Rio dá margem a muito contrato patife.

14 fev.
Diário do Rio, O. B.
A derrubada de um *flamboyant* na praia do Botafogo amargura o cronista.

18 fev.
Diário do Rio, O. B.
De Lisboa, o cronista recebe um soneto que faz parte de *Lira Final*, livro inédito de Luís Guimarães.

19 fev.
Diário do Rio, O. B.
A palmeira não pode simbolizar a mulher, como quer uma lenda árabe, porque a palmeira é símbolo de paz e a mulher significa a discórdia e o ciúme.

20 fev.
Diário do Rio, O. B.
Blancos e colorados se engalfinham no Uruguai, sob o governo de Cuestas.

24 fev.
Diário do Rio, O. B.
Em plena folia de Carnaval no Catete, o cronista vê passar um discreto e solitário funeral.

25 fev.
*Diário do Rio**[CIA], O. B.
Cobrado por um leitor, O. B. confessa por que prefere a crônica à política.

26 fev.
Diário do Rio, O. B.
Depois de um estado-de-sítio sem violências, uma quaresma sem jejuns: nada mais natural. O governo deu o exemplo: o sr. arcebispo seguiu-o.

27 fev.
Diário do Rio, O. B.
O estado de sítio, em vigor, funciona como a rolha: reprime o *doutrinarismo oco dos artigos inúteis* [dos jornais], substituindo-os pela *reflexão silenciosa.*

28 fev.
*Diário do Rio**, O. B.
Nas eleições hoje em dia já não há mais o perigo de a cidade ser assaltada por bandos de capoeiras.

02 mar.
Diário do Rio, O. B.
Arcebispo carioca nomeia comissão que vai estudar *execução de partituras profanas nos templos*, questão que tem dividido a população do Rio.

03 mar.
*Diário do Rio**, O. B.
Longa crônica sobre *La cathédrale* de J. K. Huysmans.

04 mar.
Diário do Rio, O. B.
Em tom ficcional, o cronista narra uma discussão entre um juiz de direito e um jornalista, que, invocando o direito sagrado de informar o leitor, defendia o direito de publicar o depoimento de testemunhas em qualquer caso sob julgamento.

10 mar.
Diário do Rio, O. B.
Reiniciadas as conferências públicas do Apostolado Positivista, suspensas há pouco (por causa da prisão injusta de Marcelino Bispo, suspeita o cronista, em tom meio brincalhão.)

13 mar.
Diário do Rio, O. B.

Boatos de que um aventureiro inglês teria invadido e tomado conta do Território do Rio Branco.

14 mar.
Diário do Rio, O. B.
Necrológio para o Barão de Harden-Hickey, autoproclamado Senhor da Ilha de Trindade, motivo de litígio recente entre Brasil e Inglaterra.

16 mar.
Diário do Rio, O. B.
Vitimado pela febre amarela, morre, no Rio, o Embaixador chileno, Isidoro Errazuriz.

23 mar.
*Diário do Rio**[CIA], O. B.
O despotismo ilimitado do governo russo.

25 mar.
*Diário do Rio**, O. B.
Necrológio para Cruz e Sousa.

28 mar.
Diário do Rio, O. B.
Diante da notícia de que o Almirante Custódio de Melo vai mandar erguer um monumento aos seus comandados mortos, o cronista sugere os seguintes versos de *D. Juan Tenorio* de Zorilla:
Si buena vida os quité,
Mejor sepultura os dí!...

29 mar.
Diário do Rio, O. B.
Assim como roubaram o cavalo ao cocheiro que cochilava, muita gente pode perder o posto se continuar cochilando...

30 mar.
Diário do Rio, O. B.
No Brasil, ser soldado é ameaça de punição, ao contrário da Europa. Daí nosso Exército ser constituído de gente sem qualificação, em seus graus inferiores.

31 mar.
Diário do Rio, O. B.
No Hospício Nacional, o caso de uma paciente cataléptica de 17 anos, que dormiu durante 22 meses, depois de forte desilusão amorosa.

01 abr.
Diário do Rio, O. B.
No Rio, o enorme sucesso profissional de um médico paulista, o Dr. Eduardo Silva.

02 abr.
Diário do Rio, O. B.
Há nove anos morria Teófilo Dias, o *primeiro a introduzir no verso brasileiro o apuro parnasiano, o trato apaixonado da linguagem poética.*

04 abr.
Diário do Rio, O. B.
A imprensa fluminense reserva o 1º de abril para *divulgação das notícias verdadeiras.*

07 abr.
*Diário do Rio**, O. B.
Ao contrário do que afirma Bruno, pseudônimo de J. Pereira Sampaio, em o *Brasil Mental*, não é verdade que o Brasil odeie Portugal.

10 abr.
Diário do Rio, O. B.
A Guerra Espanha-Estados Unidos provoca escandalosa e violenta briga entre dois cidadãos cariocas, em plena rua do Ouvidor.

11 abr.
Diário do Rio, O. B.
As instituições políticas das nações só se fortalecem à custa de lutas, combates e disputas. Do contrário, é a *caquexia moral.*

12 abr.
*Diário do Rio**, O. B.
O miserável calçamento carioca. Segundo o cronista, o *caráter da população de uma cidade depende diretamente do aspecto das suas ruas.*

16 abr.
*Diário do Rio**, O. B.
O único equívoco de Zola: acreditar na justiça absoluta.

17 abr.
Diário do Rio, O. B.
A imprensa não tem o direito de explorar segredos pessoais, com o pretexto da informação pública.

18 abr.
Diário do Rio, O. B.
Considerações simpáticas sobre a sentença de um juiz francês que absolveu mulher acusada de furtar pão para o filho faminto.

21 abr.
*Diário do Rio**, O. B.
Quais os limites entre o charlatanismo e a medicina?

22 abr.
Diário do Rio, O. B.
Invejoso do brilho da luz do gás, o Diabo tem incendiado igrejas cariocas que abandonaram a iluminação a vela.

24 abr.
*Diário do Rio**, O. B.
A pedidos, o cronista publica capítulo retirado de sua *A Terra Fluminense*, obra escrita em parceria com Coelho Neto. O capítulo chama-se "O Colono" e trata de um velho imigrante napolitano que reconhece o Brasil como sua terra a partir do nascimento do neto.

25 abr.
Diário do Rio, O. B.
Sobre *Curso de História do Brasil* de Aníbal Mascarenhas: livro

escrito com método e clareza, sem arrebiques.

26 abr.
*Diário do Rio**, O. B.
Sobre um missionário italiano que foi surpreendido tentando levar três bororos para serem expostos na Exposição Industrial de Turim.

29 abr.
Diário do Rio, O. B.
A mania dos bustos que enfeitam tanto as salas elegantes, como as casas mais simples.

30 abr.
Diário do Rio, O. B.
Forte disputa pela presidência da Sociedade Nacional de Agricultura.

02 maio
Diário do Rio, O. B.
Diante da falta do trigo, a Sociedade Nacional de Agricultura aconselha o uso do milho.
Nesta crônica, versos humorísticos satirizam a sugestão.

04 maio
Diário do Rio, O. B.
As agências de emprego no Rio são autênticas arapucas.

07 maio
Diário do Rio, O. B.
O mês de maio, o calor, a febre amarela.

12 maio
Diário do Rio, O. B.
Junto com a sensualidade, o beijo carrega perigos bacteriológicos, segundo um cientista alemão.

14 maio
Diário do Rio, O. B.
Os limites entre o jornalismo sério e a boataria são muito estreitos na imprensa carioca.

15 maio
*Diário do Rio**, O. B.
O mau hábito dos jovens cariocas que pegam o bonde andando para impressionar as moças.

16 maio
Diário do Rio, O. B.
Lembrando-se das festas de 13 de maio de 1888, o cronista afirma que foi o *primeiro prato de liberdade que comíamos.*

17 maio
Diário do Rio, O. B.
De que adiantam campanhas moralistas contra o jogo se o próprio Estado se encarrega de explorá-lo, através de múltiplas e variadas loterias?

18 maio
Diário do Rio, O. B.
Em voga, o ácido fênico como forma eficaz de suicídio.

19 maio
Diário do Rio, O. B.
Bravatas pessoais e patriotadas não levam a nada.

20 maio
*Diário do Rio**, O. B.
Que papel desempenha a imprensa no cotidiano do cidadão?

23 maio
*Luís Guimarães**, Olavo Bilac
Necrológio para Luís Guimarães.

26 maio
Diário do Rio, O. B.
Além da febre amarela e do atraso generalizado, o Rio ainda é vítima de extraordinária gatunagem.

28 maio
Diário do Rio, O. B.
Somos fáceis para condenar ou para elogiar.
O Brasil precisa parar de se preocupar com a opinião dos povos vizinhos. Segundo o cronista, *um país não vale pela opinião que os outros têm a respeito dele, mas pela opinião que ele tem a respeito de si mesmo.*

30 maio
Diário do Rio, O. B.
Espalha-se pelo Rio a mania de incêndios criminosos.

31 maio
Diário do Rio, O. B.
É injusto para com os animais chamar de *feras* a certos cidadãos que cometem crimes bárbaros.

02 jun.
Diário do Rio, O. B.
O Centro Artístico do Rio de Janeiro organiza uma *Exposição Retrospectiva da Arte no Brasil*. O cronista pede a colaboração de São Paulo.

05 jun.
*Diário do Rio**, O. B.
A imprensa [...] *exagera sua própria importância*. Mesmo que ela se silencie, as notícias circulam com espantosa rapidez.

08 jun.
Diário do Rio, O. B.
O jogo do bicho invadiu até as escolas!

10 jun.
Diário do Rio, O. B.
Versos psicografados de Vítor Hugo. Banais e tolos.

12 jun.
Diário do Rio, O. B.
O prazer da solidão.

15 jun.
Diário do Rio, O. B.
Aos poucos, o país começa a cultivar suas tradições.

17 jun.
Diário do Rio, O. B.
A morte de Gladstone.

18 jun.
Diário do Rio, O. B.
A ingenuidade do norte-americano: a propósito de um telegrama que a comunidade presbiteriana de Indianapolis (Indiana) teria dirigido ao Presidente MacKinley, no sentido de que não se permitissem combates navais entre norte-americanos e espanhóis no domingo, dia do Senhor.

20 jun.
Diário do Rio, O. B.
Segundo o cronista, rezar missa apenas uma vez por dia é tarefa muito modesta para os padres.

21 jun.
Diário do Rio, O. B.
A política de imposto no Brasil é indiscriminada e seu aproveitamento público é nulo.

25 jun.
Diário do Rio, O. B.
Apesar das zombarias, a Academia Brasileira de Letras vê-se assediada por gente ávida de honrarias, quando morre algum acadêmico.

26 jun.
Diário do Rio, O. B.
A platéia moça do *Teatro Lírico* reserva-se o direito de vaiar os maus intérpretes e as mulheres de chapéus enormes.

28 jun.
Diário do Rio, O. B.
Graças ao frontão, ao boliche e ao jogo do bicho, os animais do Zoológico carioca têm o que comer.

30 jun.
Diário do Rio, O. B.
Sobre a sugestão de um agricultor de projeção nacional, que aconselhou a inclusão de capim no regime alimentar dos cidadãos.

01 jul.
Diário do Rio, O. B.
Ao divulgar notícias não confirmadas, a imprensa corre sempre o risco de dar crédito a boatos.
A elasticidade com que se concede *habeas corpus* no Brasil.
A impunidade no Brasil.

04 jul.
Diário do Rio, s.a.
A seca assola o Ceará; a Política, o Brasil.

09 jul.
Diário do Rio, O. B.
Apesar de ser um sentimento nocivo e estreito, o patriotismo irrompe nas situações as mais inesperadas. Por exemplo, por ocasião da apresentação de uma cantora lírica brasileira, Clotilde Maragliano, num setor tradicionalmente dominado pelas italianas.

11 jul.
Diário do Rio, O. B.
Andam ganhando muito mal os funcionários públicos da Prefeitura do Rio de Janeiro.

13 jul.
Diário do Rio, O. B.
O tédio conjugal é inevitável.

15 jul.
Diário do Rio, O. B.
O jornalista – *bode expiatório das loucuras de todo o mundo* – funciona como caixa de ressonância de tudo o que acontece na sociedade e, por esse motivo, corre o risco fácil da insanidade. É preciso que ele alcance maior distanciamento profissional.

16 jul.
Diário do Rio, O. B.
Ao contrário do que apregoavam os cronistas da Descoberta, carecemos de higiene pessoal. O Brasil anda infestado de febres e a água no Rio é escassa.

17 jul.
*Diário do Rio**[CIA], O. B.
A Política impede o saneamento do Rio.
A cidade continua suja e os políticos cariocas parecem-se com o *typhlomolgo, espécie de salamandra cega, completamente cega, de cor branca, viscosa e mole*, que ama *o lodo e a treva...*

18 jul.
Diário do Rio, O. B.
Um ex-escravo gaúcho, de Livramento (RS), que morreu com cerca de 150 anos, segundo os jornais, deve sua longevidade à vida simples que viveu.

21 jul.
Diário do Rio, O. B.
A caridade não é mais discreta e anônima como antigamente. Hoje, ela é espetaculosa e se veste de *panos mirabolantes*.

22 jul.
Diário do Rio, O. B.
Descansando no Alto da Tijuca, o cronista delicia-se com Vítor Hugo, poeta enorme, apesar da opinião daqueles que detêm a *imbecilidade profunda...*

23 jul.
*Diário do Rio**, O. B.
O homem de Letras não deve ocupar-se de Política, porque ela é *nauseante*.

25 jul.
Diário do Rio, O. B.
Uma exposição de arte no Rio atenua o ar mercantil e comercial da cidade, ajudando a *desembezerrar a velha cidade*.

26 jul.
Diário do Rio, O. B.
A falência de uma companhia de telefones no Rio, *a cidade-*

capital do Vagar, demonstra que a cidade não tem simpatia pelo progresso e que prefere continuar na modorra e na morosidade.

28 jul.
Diário do Rio, O. B.
O comércio de escravos chineses na Califórnia comprova que os americanos não são tão amantes da liberdade... dos outros.

29 jul.
Diário do Rio, O. B.
No convento do Carmo, no Rio, celebrou-se o 50º ano de investidura clerical de Frei Manuel de Assunção Franco, prior do convento.

30 jul.
Diário do Rio, O. B.
Até os burocratas cometem poesias e, o que é pior, publicam-nas pelos jornais.

31 jul.
Diário do Rio, O. B.
O jogo do bicho no Rio dispõe até de jornal próprio.

02 ago.
Diário do Rio, O. B.
A morte de Bismarck, o Chanceler de Ferro.

04 ago.
Diário do Rio, O. B.
A ingratidão e o egoísmo que rondam a Presidência da República.

08 ago.
*Diário do Rio**, O. B.
A ilusão acabou: no Brasil, há quem morra de fome. *Esse Paraíso Terreal não existe.*

09 ago.
*Diário do Rio**, O. B.
É preciso proteger o produto nacional.

11 ago.
Diário do Rio, O. B.
Dos dois degredados que, segundo a História do Brasil, ficaram na primeira viagem de Cabral ao Brasil, um deles deveria ter sido poeta, tal é a quantidade deles desde nossas origens.

15 ago.
Diário do Rio, O. B.
Dizer ou escrever tolices é risco generalizado. Dele, nem Flaubert escapou.

17 ago.
Diário do Rio, O. B.
O cronista ironiza um estrangeiro que, no Rio, protestou, pelos jornais, contra um ambulante que carregava galinhas de cabeça para baixo.

18 ago.
Diário do Rio, O. B.
O carioca é povo bonachão e fácil de se contentar.

19 ago.
Diário do Rio, O. B.
O comportamento *teatral* das platéias cariocas.

24 ago.
Diário do Rio, O. B.
Tansk, cidade russa, devora prisioneiros, matando-os de frio.

27 ago.
Diário do Rio, O. B.
O tratamento cruel a que são submetidos os loucos no Rio.

28 ago.
*Diário do Rio**, O. B.
Crítica à encenação de *Um Ninho na Floresta* de Pereira da Silva. As más representações do teatro brasileiro contemporâneo.

11 nov.
Diário do Rio, O. B.
Para reabrir o "Diário", depois de dois meses de silêncio...: crimes, impunidade, boatos...

13 nov.
*Diário do Rio**, O. B.
O martírio dos *diários*, pessoas que, no verão, passam o dia no Rio e a noite em Petrópolis, para estar junto com a família.

14 nov.
Diário do Rio, O. B.
A posse do próximo presidente, Campos Sales, no Palácio do Catete.

16 nov.
Diário do Rio (pp. 3-4), O. B.
A decadência e a penúria do *Teatro São Pedro.*

17 nov.
Diário do Rio, O. B.
O. B. lembra-se da figura de Deodoro, nove anos antes, proclamando a República.

18 nov.
Diário do Rio, O. B.
O papel incansável (e inútil...) da burocracia.

22 nov.
Diário do Rio, O. B.
O. B. fantasia a solidão de Dreyfus no cárcere.

25 nov.
*Diário do Rio**, O. B.
Mota Coqueiro, romance de José do Patrocínio.

29 nov.
*Diário do Rio**, O. B.
A arte é convenção.
Sobre *As Estações* de Coelho Neto.

30 nov.
Diário do Rio, O. B.
Política e corrupção no Conselho Municipal do Rio de Janeiro.

06 dez.
Diário do Rio, O. B.

A falta de critérios para designação de ruas no Rio de Janeiro.

Gazeta de Notícias 1890

24 abr.[12]
Fortes..., O. B.
A força do amor é capaz de vergar os homens.
Por mais brutos que sejam, os animais são domáveis pelo homem.

27 abr.
Bernardelli, O. B.
Visita ao ateliê de Rodolfo Bernardelli, escultor que *tem talento e trabalha.*

28 abr.
*O crime**, O. B.
Em defesa de *O Crime do Padre Amaro* de Eça de Queirós, cuja adaptação teatral, realizada pelo Sr. Fabregas, foi mutilada e suavizada.

12. Em *Ironia e Piedade* (1916), O. B. depõe:
Entramos dois [na "Gazeta de Notícias"] no mesmo dia, 24 de abril de 1890. Aquele que entrou comigo, morreu poucos anos depois, em 1895; era Pardal Mallet. Juntos fundáramos "A Rua", um jornal vermelho que morreu do "mal de sete... números"... (Cf. *Ironia e Piedade*, Rio de Janeiro, Francisco Alves, 1916, p. 10.)
Nesse mesmo número de 24 abr. 1890, uma nota editorial avisa: *O escritor de talento, o primoroso cronista, o valente poeta Olavo Bilac prometeu-nos colaborar diariamente na "Gazeta de Notícias", e hoje começa a cumprir a sua promessa. Não precisamos recomendar a quem sabe tão bem recomendar-se por si: como não precisamos recomendar Pardal Mallet, o extraordinário e originalíssimo "frondeur", que também nos promete, não a colaboração diária, mas tão freqüente quanto o permitirem as circunstâncias.*

29 abr.
Desertor, O. B.
À saída de um teatro, Carlos e Jorge discutem sobre o destino de uma cédula de dinheiro que encontraram na rua, decidindo-se, finalmente, por gastá-la em um jantar.

01 maio
Maio, O. B.
Maio enche a terra de alegria, prenuncia o *suavíssimo inverno fluminense* e é graças a ele *que já se pode amar sem suar.*

02 maio
*Sofrer...**, O. B.
Operários europeus rebelam-se contra as condições de trabalho. *E as fábricas paralisam-se, abandonadas pelos trabalhadores...*

03 maio
O sabiá, O. B.
O primeiro sabiá brasileiro que, em 3 maio 1500, saudou a esquadra de Cabral em Porto Seguro.

05 maio
O Capital, O. B.
Sobre artigo do Dr. Cunha Sales, em jornal carioca não mencionado, no qual *o articulista chamava cousas feias ao capital.*

06 maio
Pelas crianças, Olavo Bilac
Incentivo à iniciativa de Alberto Brandão que faz campanha de auxílio à criança desamparada.

07 maio
Vampiro, O. B.
Sobre as mulheres sedutoras e atraentes que freqüentam a sala do teatro *Variedades.*

08 maio
Ondas, Olavo Bilac
Sobre *Ondas,* livro de poemas de Luís Murat.

10 maio
Mulher!, Olavo Bilac
A mulher como motivo de desavenças amorosas.

11 maio
Revoluções, O. B.
Ironizando artigo em jornal de 10 maio 1890, no qual o articulista fazia uma leitura mística e apocalíptica do céu em 15 nov. 1889.

14 maio
Depois, O. B.
Pergunta-se o cronista: *Que hão de eles agora fazer, os que nasceram para a vida rude da guerra, os que fizeram a abolição e os que fizeram a república?*

15 maio
Quatorze pérolas, Olavo Bilac
O cronista apresenta "Fantástico", um soneto da Baronesa de Mamanguape, a *maioral das poetisas brasileiras.*

16 maio
*Ratos entre gatos**[CIA], Olavo Bilac
Nas disputas colonialistas entre países europeus, a África perde. Sua sorte será *sempre a mesma sorte do rato, ferido de morte, à espera de que um dos gatos vença para devorá-lo depois...*

17 maio
Armas, O. B.
Sobre a revolta da população de Vitória (ES), cuja *capela nacional fora convertida em depósito de artigos bélicos.*

19 maio
*Fim do século**, O. B.
Especulações assustadoras sobre o progresso e o desenvolvimento científico.

20 maio
Manifestação, O. B.
De todas as greves operárias em curso na Europa, a que

mais apreensão causa é a dos cervejeiros da Alemanha e da Inglaterra, a quem se deve enviar a seguinte mensagem: *Aos bons corações dos cervejeiros, as gargantas brasileiras agradecidas.*

21 maio
Hugo, Olavo Bilac
Merece apoio a iniciativa de se levantar uma estátua a Vítor Hugo em Paris.

22 maio
Tomsk, O. B.
Incêndio em Tomsk, cidade siberiana.

23 maio
Petrópolis, O. B.
Considerando-se *romântico incorrigível*, o cronista "aflige-se" com os planos de dotar Petrópolis de rede de esgotos.

24 maio
A sublime porta, Olavo Bilac
Louvor ao porteiro da Academia de Belas Artes. Sem ele, não há escola; sem escola, *o país caminha para o abismo...*

27 maio
Na parada, O. B.
Presenciando uma parada militar, esforça-se o cronista para atrair a atenção de uma mulher entusiasmada com a exibição da força.

28 maio
*O nome**, O. B.
Considerações sobre o esforço para se alcançar um nome famoso ou para não ser asfixiado pela herança de um nome de prestígio.
A ascensão nos meios literários.

30 maio
Lavoura, O. B.
Protestos contra uma notícia: segundo o *Correio do Povo*, um médico italiano teria descoberto um meio para se evitar a concepção.
O cronista protesta em nome dos lavradores, que querem *ver o produto do seu trabalho.*

31 maio
*Chefe político**, Olavo Bilac
Contra o aparecimento de um partido político católico-apostólico-romano.

02 jun.
*Varela**, O. B.
Solicitação para que Deodoro da Fonseca conceda pensão às cinco irmãs de Fagundes Varela.
Necessária a regulamentação dos direitos do escritor.

03 jun.
*Comendador**, O. B.
Protesto irônico de quem se viu prejudicado, porque a República aboliu honrarias honoríficas.

05 jun.
Os vícios, O. B.
As campanhas moralizantes da polícia carioca contra o jogo, as hospedarias suspeitas, a quiromancia etc. A invasão do direito privado.

06 jun.
Primeiro beijo, O. B.
Sensações imaginárias provocadas pelo primeiro beijo.

07 jun.
Cobra, O. B.
Retomada do mito bíblico da serpente a partir de uma notícia estampada na *Gazeta de Piracicaba*: uma lavrador atacado por duas cascavéis.

08 jun.
*Parreiras**, Olavo Bilac
Crônica elogiosa a uma exposição de Antônio Parreiras: o artista do presente sacrificando-se pelo do futuro.

10 jun.
Cartomante, O. B.
A cartomante profetizara uma coisa boa e outra má. A boa: a cartomante oferecendo-se ao cronista, que a repele. A má: na rua, o cronista encontra-se com um credor.

11 jun.
Vedada..., O. B.
Divaga o cronista em torno de uma cidade/mulher inexpugnável.

12 jun.
*Liberdade!**, O. B.
O cronista exige liberdade religiosa para a população: *Com que direito se quer privar um cidadão honesto de escolher à vontade a sua crença?*

15 jun.
?..., O. B.
Em Kaing-Fung o povo aclama Tsin-Li como guardião supremo. E o aclamado revela-se opressor.

16 jun.
Pólvora, O. B.
O perigo que emana da beleza dos olhos.

17 jun.
*Creches**, Olavo Bilac
Endosso à campanha que angaria dinheiro para a criação de creches que beneficiem a criança desamparada.

18 jun.
*Feliz!**, O. B.
Conjecturas sobre o exílio dourado de Pedro II em Paris, sorte que não coube ao cronista.

20 jun.
A ossada, O. B.
Sobre uma ossada humana encontrada, dentro de uma talha, na praia de São Cristóvão.

21 jun.
Fábula, O. B.
Na iminência da outorga da Constituição, o cronista conta a estória de duas crianças que construíram uma casa para derrubá-la logo em seguida.

24 jun.
Na Tijuca, O. B.
O entusiasmo do cronista perante a natureza do Alto da Tijuca desaparece quando vê, lá em cima, uma porção de ruas com a designação de republicanos históricos.

25 jun.
?...(Contos chineses) - II, O. B.
Ao receberem a visita de uma esquadra estrangeira, os habitantes de Kaing-Fung planejam um baile, no que são impedidos por Ouro-Fu, um ex-mandarim, que lhes lembra que caíra ele mesmo em desgraça quando oferecera um baile a uma outra esquadra estrangeira.

29 jun.
?...(Contos chineses) - III, O. B.
Entediado por não ter mais onde exercer a sua autoridade, Tsin-Li resolve reprimir os engraxates.

01 jul.
Livra!, O. B.
Necrológio para o violinista Pereira da Costa.

10 jul.
Um que parte, Pardal Mallet
Sobre O. B. que parte em 10 jul. para a Europa, como correspondente da *Cidade do Rio*[13].

13. Consultados os meses de out. nov. e dez. verificou-se nenhuma colaboração. *Idem* quanto ao ano de 1891 e 1892.

Gazeta de Notícias 1893

22 ago.[14]
Crônica livre, O. B.
É ineficaz a medida policial que pretende fechar os frontões para proteger a infância e a juventude.

24 ago.
Crônica livre, O. B.
A ameaça do cólera.

25 ago.
Crônica livre, O. B.
A sociedade norte-americana pratica injustiça quando se cotiza para salvar da ruína financeira um descendente de Colombo. Segundo o cronista, *os descendentes do descobridor da América é que deveriam* [...] *indenizar-nos dos prejuízos que nos acarreta o fato casual de havermos nascido aqui...*

27 ago.
*Crônica livre**, O. B.
Os maus-tratos dispensados às crianças recolhidas em asilos de menores.

28 ago.
Crônica livre, O. B.
Diante das eventuais crises políticas do Brasil, pode-se assumir a combatividade do Cid ou a fanfarronice do Falstaff. Mas o melhor é cantar a *ária da indiferença, e está tudo acabado.*

31 ago.
Crônica livre, O. B.
Para um caixeiro que não despertara do sono durante um assalto, seguido de homicídio, na casa comercial em que trabalhava, o cronista acredita que se deve oferecer a ele uma delegacia de polícia, uma cadeira na Câmara dos Deputados ou no Senado, ou ainda a Presidência da República.

14. Nota editorial: *De hoje em diante abrilhantará as páginas de nossa folha a pena do festejado escritor Olavo Bilac, que se encarregou da seção intitulada – "Crônica Livre". Estamos certos de que os nossos leitores receberão com prazer a notícia desta preciosa colaboração.*

01 set.
Crônica livre, O. B.
O cronista garante que está livre de aborrecimentos um cadáver que veio dar às praias de Copacabana.

03 set.
Crônica livre, O. B.
O Brasil nunca se entregou à prática abominável da economia. Os homens neste pródigo país esbanjam dinheiro, saúde e talento...

05 set.
Crônica livre, O. B.
Sobre uma velha ex-escrava que se encarregara de enterrar seu ex-companheiro, sem avisar de sua morte a ninguém, porque não queria trazer preocupação às pessoas.

07 set.
Crônica livre, O. B.
O cesarismo dos primeiros mandatários da República.

12 set.
*Crônica livre**, O. B.
Elogios para *A Capital Federal* de Coelho Neto.

13 set.
Crônica livre, O. B.
A atual censura da imprensa tem a vantagem de substituir o *doutrinarismo oco dos artigos inúteis pela reflexão silenciosa.*

15 set.
Crônica livre, O. B.
Durante os bombardeios da Revolta da Esquadra, o

cronista surpreende um tipo despreocupado que toca flauta para sua namorada no bonde.

16 set.
Crônica livre, O. B.
Sobre o suicídio de Manuel José de Soares, um *grande do Império*, que não suportou a morte do filho.

20 set.
Crônica livre, O. B.
Profissão de fé antipolítica: [...] *nem nós entendemos a política, nem a política nos entende.*

21 set.
Crônica livre, O. B.
Diante da falta de informações oficiais sobre o que ocorre entre políticos e militares, a única informação de que se alimenta o povo é o boato.

23 set.
Crônica livre, O. B.
Um diálogo sobre as formas da morte, entre uma elegante bala de Mannlicher e uma rude e grosseira bala de Comblain.

24 set.
Crônica livre, O. B.
Como reação à crônica de 16 set. último, o cronista recebe carta do Dr. Cesário Alvim, vinda de Ouro Preto, expressando seu ponto de vista favorável à figura do suicida Manuel José Soares.

25 set.
Crônica livre, O. B.
Consultado por uma noiva apreensiva, o cronista não sabe dizer a ela quando terão fim as hostilidades da Revolta da Armada.

02 out.
Crônica livre, O. B.
Homenagem fúnebre a Guignol, *inventor e proprietário dos teatrinhos de bonecos dos Campos Elísios* em Paris.
O teatro de bonecos no Rio. No Jardim do Politeama, o teatrinho do João Minhoca.

03 out.
Crônica livre, O. B.
As dificuldades de um empresário de teatro.

07 out.
Crônica livre, O. B.
A vida feliz de um camelo no Zôo, indiferente às peripécias do cotidiano.

09 out.
Crônica livre, O. B.
Segundo os jornais, o Czar pretende abolir, *em toda a extensão dos seus impérios, os castigos corporais.*

10 out.
Crônica livre, O. B.
Na porta de uma confeitaria na rua do Ouvidor, o cronista bisbilhota uma conversa entre dois cavalheiros, na qual se discutem as preferências pelo pé feminino: grande ou pequeno.

12 out.
Crônica livre, O. B.
O. B. lembra-se de uma sessão pública a que estivera presente, anos antes em Lisboa, onde se discutiam os estatutos de uma sociedade de propagação da instrução.
A sessão acabou em balbúrdia, porque os seus participantes se engalfinharam num só item: a suposta falta do sujeito numa oração.

17 out.
*Crônica livre**[CIA], O. B.
Ao saudar o aparecimento de *A Mortalha de Alzira* de Vítor Leal, pseudônimo de Aluísio Azevedo, O. B. desfaz dois mistérios: o da autoria de *A Mortalha de Alzira* e o da autoria de *O Esqueleto*. Segundo o cronista, *O Esqueleto* fora escrito por ele, Pardal Mallet, Coelho Neto e Aluísio Azevedo, assinando todos sob o pseudônimo comum de Vítor Leal.

19 out.
Crônica livre, O. B.
O estado de sítio, o bloqueio, o bombardeio, a guerra, já são para o fluminense cousas tão vulgares e pouco curiosas, como o almoço, o jantar, a ceia e o amor. Todas as tardes enchem-se as praias para se assistir aos bombardeios vindos dos vasos ancorados na baía.

21 out.
*Crônica livre**, O. B.
O. B. indignado contra a situação em que se encontra Xisto Bahia: *o criador das comédias nacionais de Artur Azevedo*, obrigado a representar personagens em peças de baixa categoria.

24 out.
Crônica livre, O. B.
À saída de um teatro, o cronista toma uma cerveja na companhia de velho freqüentador de espetáculos que se permite lembrar os bons tempos boêmios do *Alcazar Lyrique*.

07 nov.[15]
*Crônica livre**[CN], O. B.
Primeira crônica datada de Ouro Preto: *Vir a Minas é vir ao coração do Brasil.*

09 nov.
*Crônica livre**[CN] [CF], O. B.
Os amores, ideais e/ou reais, entre Gonzaga e Maria Dorotéia.

10 nov.
Crônica livre, O. B.

15. As próximas crônicas, até 27 nov. inclusive, são enviadas de Ouro Preto, para onde O. B. fora despachado por motivos políticos.

Casas, ruas, igrejas, pedras, janelas e memórias de Ouro Preto.

13 nov.
Crônica livre, O. B.
Igrejas, ruínas e relíquias de Ouro Preto.

14 nov.
Crônica livre, O. B.
Riqueza material e histórica das Minas Gerais.

21 nov.
Crônica livre, O. B.
O. B. reconstrói, pela imaginação, *um dia de festa no bairro do padre Faria* em Ouro Preto.

22 nov.
Crônica livre, O. B.
As ruínas da rua da Água Doce, esta rua do Ouvidor dos bandeirantes.
Casamento numa família simples em Ouro Preto.

23 nov.
Crônica livre, O. B.
A miséria da segregação a que estão sujeitos os leprosos.

27 nov.
Crônica livre, O. B.
Dos arquivos de Ouro Preto o cronista transcreve um documento oficial, datado de 15 mar. 1720 e assinado pelo Conde de Assumar, em que se proíbe a existência de rifa.

Dez.: fora de condições para consulta.

Gazeta de Notícias 1894

06 jan.
Crônica livre, O. B.
A lenda dos Reis Magos.
A tradição do bolo com uma só amêndoa: quem encontrá-la será rei por algumas horas.

07 jan.
Crônica livre, O. B.
Sobre uma fanática norte-americana em campanha pelo mundo contra o uso do álcool.

09 jan.
Crônica livre, O. B.
Sobre *Coração*, livro de versos de Zalina Rolim.

10 jan.
A estátua de Tiradentes em Ouro Preto, O. B.
Comentários sobre a estátua de Tiradentes, da autoria de Virgílio Cestari, a ser inaugurada brevemente em Ouro Preto.

13 jan.
*Crônica livre**, Olavo Bilac
Divagação sobre o amor idealizado e o realizado.

14 jan.
V. Cestari, Olavo Bilac
Virgílio Cestari – autor de uma estátua de Tiradentes a ser inaugurada em Ouro Preto – como indivíduo e como artista.

15 jan.
Crônica livre, O. B.
O valor relativo da mentira.
Digressões a partir de uma notícia de jornal em que um engenheiro municipal acusa um cidadão de mentiroso.

26 jan.
*Belo Horizonte – A Nova Capital de Minas – I**, Olavo Bilac
Visita ao local escolhido para a nova capital mineira. O percurso de Ouro Preto ao Curral del Rei, passando por cidades menores.

27 jan.
*Belo Horizonte – A Nova Capital de Minas – II**, O. B.
Descrição do local escolhido: topografia, proteção natural, fertilidade da terra, abundância de água.

28 jan.
*Belo Horizonte – A Nova Capital de Minas – III**, O. B.
Defesa do local escolhido para a nova capital.
Contra aqueles que o vêem como favorável ao bócio.

30 jan.
*Belo Horizonte – A Nova Capital de Minas – IV**, Olavo Bilac
As origens do nome Curral del Rei e de Contagem; a vegetação; o solo, as rochas; a natureza; a comida.

11 fev.
Crônica livre, O. B.
Entre os papéis de um poeta, o cronista encontra um relato (descabelado) de desilusão amorosa.

14 fev.
Crônica livre, O. B.
Motivado pela Quaresma, o cronista discorre sobre a necessidade de uma crença metafísica. A necessidade da ilusão religiosa.

15 fev.
*Crônica livre**, Olavo Bilac
Novos tempos para a literatura graças à segunda fase de *A Semana* de Valentim Magalhães e Max Fleiuss e graças também à *Gazeta de Notícias*.

17 fev.
*Crônica livre**, Olavo Bilac
Rebela-se o cronista contra o hábito de jornais cariocas estamparem, por extenso, o nome de infratores menores.

20 fev.
Crônica livre, Olavo Bilac
A partir de notícia sobre uma experiência aérea na Alemanha, O. B. discorre acerca da diferença

entre o Norte, propício ao trabalho e à investigação, e o Sul, favorável ao ócio.

23 fev.
Crônica livre, Olavo Bilac
Sobre atentados a dinamite, o modelo político anarquista do fim do século.

24 fev.
*Palhada imperial**, Fantasio
Durante uma de suas viagens pelo interior, D. Pedro II escapole, à noite, para amar.

26 fev.
Laus veneris, Fantasio
Fogosa declaração de amor a uma Vênus desconhecida, *flor morena de carne*.

10 mar.
*Crônica livre**, Olavo Bilac
Lembra-se o cronista de uma experiência pessoal ocorrida uns dez anos antes, quando ainda estudante de Medicina: assistir à ablação do maxilar inferior de um sertanejo.

12 mar.
Crônica livre, Olavo Bilac
Necrológio para Sante Bucciarelli, professor italiano da Escola (ex-Academia) Nacional de Belas Artes.

13 mar.
*Crônica livre**, Olavo Bilac
O. B. opõe-se à pena de morte dada aos anarquistas e critica deputados franceses que saudaram a Comuna.

17 mar.
*Crônica livre**, Olavo Bilac
Recorda-se o cronista de, quando adolescente, ter sido procurado por um dramaturgo amador para que lhe esticasse uma peça.

19 mar.
Crônica livre, Olavo Bilac
O cronista imagina o desassossego de D. Sebastião, em Alcácer-Quibir, diante da iminência da proclamação da República portuguesa.

21 mar.
*Crônica livre**, Olavo Bilac
O cronista reivindica o resgate de Felipe dos Santos, herói mineiro de 1720.

27 mar.
*Crônica livre**, Olavo Bilac
O cronista anuncia a existência da "Padaria Espiritual" do Ceará e comenta *Flocos*, livro de poemas de Sabino Filho.

01 abr.
Anúncios, Fantasio
Fantasio diverte-se com os *apedidos* e anúncios dos jornais. Segundo ele, os *apedidos* instruem mais que os artigos de fundo, porque por meio deles pode-se estudar *a orientação da grande massa do povo*.

02 abr.
*Crônica livre** [CN] [CIA], Olavo Bilac
O cronista narra o depoimento de Jacques, que havia experimentado o *cannabis indica*.

12 abr.
*Crônica livre**, Olavo Bilac
O. B. manifesta-se contra o hábito de a imprensa publicar detalhes sobre casos de defloramento.

13 abr.
Cobras e... cobras, Fantasio
A partir de uma notícia de jornal sobre um homem que matara uma jararacuçu grávida, o cronista diz que preferia enfrentar os filhotes da cobra a ter que enfrentar número igual de mulheres.

24 abr.
*Crônica livre**, Olavo Bilac
Narração de uma visita a São José del Rei, hoje Tiradentes.

28 abr.
*Crônica livre** [CN] [CIA], Olavo Bilac
Mais uma narrativa de Jacques: sonhara que era um leitão assado a ser servido no banquete de casamento da ex-noiva.

01 maio
*Crônica livre**, Olavo Bilac
Revolta-se o cronista contra castigos físicos infligidos a crianças e animais.

09 maio
*Crônica livre**, Olavo Bilac
Embora não se reconheça *crítico literário*, o cronista elogia *Contos Fora de Moda* de Artur Azevedo, cuja marca característica é a simplicidade.

15 maio
Maio, Fantasio
Considerações poéticas sobre o sentido rejuvenescedor do mês de maio, em oposição à velhice do cronista Fantasio.

19 maio
O carrasco de Madrid, Fantasio
O cronista ironiza a candidatura de um padre espanhol ao cargo de carrasco em Madri.

23 maio
*O chabé**, Fantasio
Ironias sobre o *chabé*, nova língua universal que pretende substituir o volapuque.

31 maio
*Jesus incendiário**, Fantasio
Satiriza o cronista o ímpeto censório de alguns jesuítas de Campanha, MG.

05 jun.
Ode ao frio, Fantasio
Ode ao frio.

11 jun.
Buda-Fantasio, Fantasio
Tendo como pretexto um matuto

que não lhe dera a mínima atenção, Fantasio promete que se tornará um meditativo.

14 jun.
Joana D'Arc, Fantasio
No momento em que se dá a canonização de Joana d'Arc, o cronista recebe carta de um leitor que teme que as mulheres de sua família também queiram se tornar famosas.

15 jun.
Carta de bichas, Fantasio
Em louvor de Santo Antônio, paciente guardador de crianças e protetor das moças solteiras.

23 jun.
E Arton?,* Fantasio
A corrupção e o jeitinho brasileiros.

30 jun.
Quiromante, eu!, Fantasio
Diante da difícil resistência da namorada, Fantasio lê-lhe a mão e diz que ela não o ama. Para provar o contrário, a namorada se entrega.

18 jul.
Crônica livre, Olavo Bilac
Depois de festejar o incêndio do Politeama, que livrou *o Rio de Janeiro daquele hediondo barracão,* o cronista comenta a audácia de um espectador que, em meio às chamas, tentou beijar à força uma espectadora.

20 jul.
Crônica livre, Olavo Bilac
Lamentando o assassinato de Sadi Carnot, O. B. comenta um desdobramento do atentado: um professor secundário, dramatizando em classe o evento, acabou ferindo de morte a um de seus alunos.

22 jul.
Crônica livre,* Olavo Bilac
Necrológio para Lecomte de Lisle, *o velho Zeus da poesia francesa.*

24 jul.
Crônica livre, Olavo Bilac
O. B. endossa projeto de parlamentar francês que desqualifica o adultério como crime.

26 jul.
Crônica livre,* Olavo Bilac
O cronista exalta a administração da Mogúncia, Alemanha, que mandou erigir uma estátua para Heine.

28 jul.
Crônica livre,* Olavo Bilac
A declaração de guerra entre China e Japão.

31 jul.
Crônica livre, Olavo Bilac
Enfermo, *pequenino e mole,* o infante D. Afonso XIII de Espanha visita San Sebastián, onde é recebido por crianças sadias.

03 ago.
*Crônica livre**,* Olavo Bilac
A mania da polca. A divulgação e a popularização de qualquer evento (viagens, funerais, atentados etc.) por meio da polca, dança do momento.

07 ago.
Crônica livre, Olavo Bilac
Qual a utilidade de se expor em público a fotografia de malfeitores?

11 ago.
Crônica livre, Olavo Bilac
Sobre um maníaco carioca que sente prazer em vaticinar a morte de transeuntes.

14 ago.
*Crônica livre**,* Olavo Bilac
As meninas que vendem flores à porta dos teatros; as sevícias domésticas a que estão sujeitas; o risco da prostituição infantil.

16 ago.
Hamlet,* Fantasio
No intervalo de apresentação de *Hamlet,* o cronista ouve uma discussão sobre a melhor interpretação da peça.

19 ago.
Crônica livre,* Olavo Bilac
Sobre o amor de uma prostituta assassinada.

22 ago.
Vanitas, Fantasio
Sobre uma epidemia de gripe que castiga o Rio.

26 ago.
Calamidades, Fantasio
O cronista zomba de um vereador carioca que se indignou por ter sido multado.

31 ago.
Crônica livre, Olavo Bilac
Jacques narra ao cronista uma experiência em centro espírita.

06 set.
Mônaco,* Fantasio
A favor da legalização do jogo em benefício de obras públicas.

09 set.
Crônica livre,* Olavo Bilac
Contra um arcebispo carioca que recriminou, em público, um padre que recomendava um suicida.

11 set.
Faceira,* Fantasio
[...] *a faceirice nasce com a mulher.*

13 set.
Sejamos francos!,* Fantasio
O cronista lamenta o suicídio do maestro e empresário Mancinelli, que deixou seus atores em dificuldades.

15 set.
*Divorciemo-nos**, Fantasio
Fantasio posiciona-se a favor do divórcio, em pauta na Câmara, alegando o tédio conjugal.

04 out.
*Carne**, Fantasio
Fantasio ironiza a ineficiência da Câmara Municipal, insensível às reclamações populares que exigem melhor abastecimento de carne.

07 out.
*Decência**, Fantasio
Comentários irônicos sobre uma suposta regeneração moral no teatro e na literatura.

09 out.
*Diana Cid**, Fantasio
Entusiasmo diante da pintura de Diana Cid.

13 out.
*Interview**, Fantasio
Fantasio "entrevista" uma amiga que combate o divórcio.

19 out.
*Crônica espantada**, Fantasio
Recordações do Encilhamento. Projeto de trazer imigrantes japoneses para o Brasil. A Guerra China-Japão.

23 out.
*Narrenschiff**, Fantasio
O cronista comenta poema alemão do século XV, a *Nau dos Insensatos.*

26 out.
Em camisa, Fantasio
Sobre uma atriz que, inesperadamente, se viu em trajes sumários diante do público que a aplaudia em delírio.

29 out.
Alta reportagem, Fantasio
Com o intuito de "auxiliar" a polícia no combate aos garotos que apregoam seus jornais em voz alta, o cronista sugere que seja utilizado um aparelho elétrico – o tonômetro – que haverá de medir a altura do pregão.
E contra as meretrizes que se anunciam com vastos decotes nas janelas, a polícia deveria usar uma fita métrica e, depois, marcar na carteira profissional as medidas *do decote com que se apresentou.*

30 out.
Os dedos, Fantasio
Sobre um achado macabro: trouxeram à redação da *Gazeta de Notícias* um dedo mínimo encontrado na rua.

14 nov.
A passagem de Mercúrio, Fantasio
Sobre um eclipse.

18 nov.
*O monstro de ferro**, Fantasio
Fantasio aplaude a iniciativa da municipalidade de Baltimore (USA) que deseja comprar a Torre Eiffel, *aquele mole de metal feio como a arte da Norte-América.*

19 nov.
Pierrô, Fantasio
Fantasio encontra-se com um Pierrô no centro do Rio. Trava-se um diálogo irônico, aparentemente sobre denúncias políticas publicadas em jornal.

04 dez.
Post-gaudium, Fantasio
Fantasio comenta as festas em homenagem aos visitantes uruguaios e se pergunta sobre a reação dos paraguaios.

09 dez.
Árvore morta, Fantasio
Fantasio insurge-se contra a derrubada de um *flamboyant* no Botafogo.

16 dez.
Circular, Fantasio
Fantasio, em tom irônico, pleiteia a Prefeitura.

17 dez.
Kinetoscópio, Fantasio
Espanta-se o cronista com a invenção próxima do cinema.

24 dez.
Romeu e Julieta, Fantasio
Paródia em que se representa a possível mudança de Prefeito.

29 dez.
O coreto de Monroe, Fantasio
Em versos, Fantasio celebra a demolição de um coreto.

Gazeta de Notícias 1895

04 jan.
1895, Fantasio
Em versos, os desejos de ano-novo de um genro, de um político, de um boêmio, de um médico e de um *bookmaker.*

28 jan.
Psicologia do suor, Fantasio
O calor inflama a população e pode tornar-se agente de perturbação pública.

29 jan.
*Sonho africano**, Fantasio
Imaginando-se um negro africano, o cronista pondera sobre as des/vantagens da civilização branca.

30 jan.
Os dentes de Eva, Fantasio
Uma mulher traída emascula o marido a dentadas.

10 fev.
*O ciúme**, Fantasio
Em Pernambuco, uma jovem enciumada ataca uma amiga, apunhalando-a e mordendo-lhe o útero.

12 fev.
Selene, Fantasio
O cronista lamenta que Flammarion (1842-1925) desenvolva pesquisas para observar a Lua de perto.

15 fev.
Cibele, Fantasio
Diante da notícia de que uma senhora brasileira deu à luz 21 crianças, o cronista exalta a fecundidade e garante que temos terra para povoar.

24 fev.
*A amarela**, Fantasio
Espanta-se o cronista porque neste verão não há notícia da febre amarela.

10 mar.
*Os xerentes**, Fantasio
Quatro xerentes do Alto Tocantins vêm ao Rio pedir ferramentas agrícolas.

12 mar.
Um documento, Fantasio
Uma blague: a troca do nome de Desterro para Florianópolis.

20 mar.
Ocultismo utilitário, Fantasio
O cronista opõe-se à polícia que desbaratou um grupo ocultista que pretendia "adivinhar", antecipadamente, os resultados do jogo do bicho.

21 mar.
Patriotismo fulminante, Fantasio
A forte onda de calor causa mortes por insolação.

23 mar.
No mosteiro, Fantasio
Em festa no Mosteiro de São Bento do Rio de Janeiro, confraternizam-se duas posições adversas, representadas por Ferreira Viana, um católico, e por Serzedelo Correia, um positivista.

25 mar.
Coitados!, Fantasio
Forte ironia contra júris que, remotamente inspirados por Lombroso, absolvem assassinos.

26 mar.
*O decote**, Fantasio
Apoio a medidas policiais que coíbem a auto-exposição das prostitutas.

30 mar.
*Drummondologia**, Fantasio
Defesa do jogo do bicho como forma de arrecadar fundos para alimentar os animais do Jardim Zoológico.

03 abr.
O relógio, Fantasio
O cronista comemora a instalação de um novo relógio na torre da Igreja de São Francisco de Paula, no Rio de Janeiro.

05 abr.
*Um poema**, Fantasio
Transcrição de poema "alheio", no qual se parodia o Simbolismo e se comenta o jogo do bicho.

13 abr.
Aleluia!, Fantasio
Por um descuido do Barão de Drummond, alguns apostadores espertos ganharam dinheiro à custa dos *bookmakers*.

18 abr.
Em Barcelona, Fantasio
A partir da notícia de um acidente de tourada em Barcelona, o cronista brinca e aponta aquela cidade como centro anarquista.

23 abr.
*Fruto proibido**, Fantasio
O efeito afrodisíaco do mais novo livro de Coelho Neto: *Fruto Proibido*.

27 abr.
Luís Murat, Fantasio
Fantasio estampa poema de Luís Murat, "Longe", afirmando que vale *mais que todas as crônicas*.

30 abr.
Os 59.000, Fantasio
Segundo estatísticas recentes, há mais homens – 59 mil exatamente – que mulheres no Distrito Federal.

02 maio
Natal de maio, Fantasio
Fantasio tenta fugir à obrigação da crônica, pretextando o feriado de 1º de Maio.

06 maio
Cuidado!, Fantasio
A partir do anúncio de um cidadão que se dispõe a abreviar os trâmites para o casamento de divorciados, Fantasio alerta sobre os perigos de um segundo casamento.

10 maio
Cambuquira, Fantasio
Versos de humor em homenagem a Cambuquira, MG.

17 maio
*À guerra**, Fantasio
Sobre a proposta inconseqüente de um deputado que deseja que o Brasil entre em guerra contra... (não diz o cronista).

19 maio
Um caso, Fantasio
Uma parteira oferece-se como delatora da polícia.
Fantasio recorda o estado policial dos primeiros anos da República.

22 maio
Finanças, Fantasio
A situação inflacionária do país.

23 maio
Tudo dança, Fantasio
O entusiasmo popular pela dança.

27 maio
O farelo, Fantasio
Satisfaz-se o cronista com a notícia de que já existe o farelo nacional.

29 maio
Às horas tristes..., Fantasio
O cronista imagina o desenrolar da vida de duas mulheres e de um homem que entrevira em uma janela aberta.

31 maio
Sir John, Fantasio
Sabendo que uma garrafa gigante de vinho estava em exposição no Rio, Fantasio convida Sir John Falstaff para visitá-la.

09 jun.
Moços e velhos, Fantasio
Num restaurante, Fantasio ouve dois grupos separados: o dos jovens declama poemas de tom melancólico, em português; o dos velhos diz poemas boêmios, em francês.

11 jun.
*Sem nervos**[CIA], Fantasio
O jornalista como caixa de ressonância de todos os eventos.

21 jun.
Kean, Fantasio
Como proceder em casos de atropelamento por bondes elétricos e de tração animal?

27 jun.
*Uma conversa**, Fantasio
Fantasio ouve uma conversa de bonde em que um interlocutor culpa a arte contemporânea pela devassidão dos tempos. Oscar Wilde como pivô do diálogo.

03 jul.
Na Central, Fantasio
Sobre um bilheteiro da Central do Brasil, que, ao vender-lhes passagens, passava bilhetinhos de amor às mulheres.

08 jul.
*Similia similibus**, Fantasio
Diante da notícia de que houve lutas religiosas nas ruas de Boston, Fantasio entende que o Rio é cidade calma.

10 jul.
*Em Veneza**, Fantasio
Medidas arbitrárias do Governador de Pernambuco, exigindo assinatura em todas as matérias de jornais locais, provocam a ironia de Fantasio.

14 jul.
O cão de fila, Fantasio
O cronista imagina que um canhão, assentado sobre um morro carioca, esteja apaixonado pela Ilha das Cobras.

17 jul.
Polífono, Fantasio
A variedade existencial como antídoto para a monotonia.

20 jul.
Consolação, Fantasio
Fantasio alegra-se por não ter ganhado na loteria. Se tivesse, não teria resistido aos pedidos de empréstimo vindos da Prefeitura carioca.

29 jul.
*Crônica**, Fantasio
Reprovação ao hábito popular de se descer ou subir dos bondes elétricos em movimento.

06 ago.
*Dormientibus**, Fantasio
Paralelo entre um cocheiro de quem roubaram o cavalo enquanto dormia e o Brasil que corre o risco de perder a Ilha de Trindade para a Inglaterra.

14 ago.
*Cartas anônimas**, Fantasio
O Imperador da Áustria, Francisco José, e o cronista têm um ponto comum: ambos são ameaçados por cartas anônimas.

16 ago.
*Miragem**, O. B.
Entusiasmo perante a publicação de *Miragem* de Coelho Neto.

20 ago.
*Vida fluminense**, Fantasio
Em atenção a uma senhora que reclama de ser sempre molestada na rua por galanteadores, Fantasio reconhece o assédio como mau hábito brasileiro, mas lembra também que é hábito da mulher brasileira permitir intimidades com funcionários do comércio.

04 set.
Fantasio na Exposição – I – Moema, Fantasio
Sobre *Moema*, quadro de Rodolfo Bernardelli.

05 set.
Fantasio na Exposição – II – A Redenção de Cã, Fantasio
Sobre um quadro de Brocos, que retrata duas mulheres negras e um branco.

06 set.
Fantasio na Exposição – III – A Aurora de 15 de Novembro, Fantasio
Sobre quadro homônimo de Belmiro de Almeida.

08 set.
Fantasio na Exposição – IV – Arcádia, Fantasio
Sobre quadro homônimo de Henrique Bernardelli.

10 set.
Fantasio na Exposição – V – Os panneaux, Fantasio
Entusiasmo diante de alguns *panneaux* de Aurélio de Figueiredo.

12 set.
Fantasio na Exposição – VI – Almeida Júnior, Fantasio

Sobre a pintura de Almeida Júnior.

16 set.
Fantasio na Exposição – VII – (Parêntesis), Fantasio
Em visita à Exposição, Fantasio cochila e sonha.
No sonho, uma mulher desafia-o a confrontá-la com as mulheres dos quadros.

20 set.
Fantasio na Exposição – VIII – Malhoa, Fantasio
Os quadros com motivos infantis do português Malhoa.

21 set.
Fantasio na Exposição – IX – Oráculo, Fantasio
Sobre um quadro de Weingartner.

22 set.
Fantasio na Exposição – X – Um Quadro de Félix, Fantasio
Sobre um quadro de Félix Bernardelli.

26 set.
A primeira cigarra, O. B.
Exaltação à chegada do verão.

06 out.
A mudança da Hidra, Fantasio
Fantasio comenta a ocorrência de reuniões políticas clandestinas em cemitérios cariocas.

07 out.
João e Manuel, Fantasio
As relações, pouco amistosas, entre a Imprensa e o Poder.

09 out.
Domênico, mártir, Fantasio
Sobre a prisão de um emigrado italiano recém-chegado, que ousou cavalgar a estátua eqüestre de Pedro I no Rio.

17 out.
Música sacra, Fantasio
Fantasio opõe-se ao novo hábito de se executar música profana em ofícios religiosos.

21 out.
*Crônica**, Fantasio
Defesa apaixonada de crianças seviciadas por adultos.

25 out.
Anistia conjugal, Fantasio
Aproveitando-se de anistia recém-decretada, uma jovem esposa perdoa seu marido infiel.

29 out.
*Eu!**, Fantasio
Fantasio ironiza a preocupação brasileira com a desarmonia mundial e que se esquece dos nossos problemas internos.

30 out.
Sobre o divórcio, Fantasio
Fantasio opina mais sobre o casamento que sobre o divórcio.

02 nov.
No dia dos mortos, Fantasio
Em Finados, Fantasio exige a visita da mulher amada para quem o cronista está morto.

05 nov.
Grave problema, Fantasio
O *grave problema* é saber quando começa o século XX: 1900 ou 1901?

06 nov.
O Dr. Antonio, Fantasio
No recinto da próxima exposição industrial, o cronista surpreende um nicho onde ficará aprisionado o Dr. Antonio, cuja inteligência, educação e espantosas *habilidades de prestímano* poderão provocar a cobiça de países vizinhos.

08 nov.
Ante-ontem, Fantasio
À noite, pouco antes de dormir, o cidadão dialoga com seu fantasma pessoal sobre as ilusões da vida.

17 nov.
Backhaus, Fantasio
De Berlim a notícia de que foi inventado o leite artificial pelo Dr. Backhaus.

21 nov.
É demais!, Fantasio
Fantasio "protesta" contra um projeto na Câmara que institui um prêmio para o combate à febre amarela.

23 nov.
*A cólica imperial**, Fantasio
Contra Anapurus, cronista de *A Notícia*, que mitifica a figura de Pedro I.

24 nov.
A queixa da Torre, Fantasio
Fantasio ouve a Torre da Candelária queixar-se, em versos, de que fora vítima de um canhonaço quatro anos atrás.

28 nov.
A aldeia, O. B.
O. B. imagina o que estarão fazendo 569 italianos que abandonaram sua aldeia natal e emigraram para São Paulo.

05 dez.
Abdul-Hamid, Fantasio
O conflito entre Abdul Hamid, sultão turco, e as potências ocidentais será resolvido por um farmacêutico brasileiro que inventou remédio para a embriaguez.

07 dez.
A escamoteação, Fantasio
Fantasio "defende" o Instituto Sanitário, acusado de dar sumiço em seus doentes: *só tem o direito de ocupar um lugar na vida quem é belo e forte.*

10 dez.
*Um livro**, Fantasio
Fantasio declara sua paixão pelo Rio, empolgado com a leitura de *História do Distrito Federal* de Alberto Brandão.

11 dez.
Mãe, Fantasio
Irrita-se Fantasio contra uma mãe que abandonou uma filha recém-nascida.
Para o cronista, os animais são melhores que os seres humanos.

14 dez.
O Sâr, Fantasio
Notícias do casamento de Sâr Peladan em Paris.

18 dez.
Tesoura e vara, Fantasio
Fantasio brinca com uma notícia vinda de Aracaju, SE: um alfaiate foi nomeado juiz local.

27 dez.
À fé!, Fantasio
Sobre a invasão de um templo católico em Resende (RJ), de que resultaram duas mortes.
O poder belicoso da fé religiosa.

Gazeta de Notícias 1896

04 jan.
Revista do ano de 1895, Olavo Bilac
Brasil e Argentina pleiteiam o Território das Missões junto ao Presidente Cleveland.

05 jan.
Revista do ano de 1895, Olavo Bilac
Atritos com estudantes positivistas no Rio.
Guerra China-Japão.
Alargamento das ruas centrais do Rio.

06 jan.
Revista no ano de 1895, Olavo Bilac
Os trabalhos legislativos.
Tomás Ribeiro, o ator, chegou de Portugal.
A morte de Saldanha da Gama e de Floriano Peixoto.
França e Brasil disputam o Amapá.

07 jan.
Revista do ano de 1895, Olavo Bilac
Coelho Neto publicou *Miragem*.
A Estrada de Ferro Central do Brasil, *antecâmara da morte*.
Os péssimos serviços de bonde da Cia. Botanical Garden.
A pacificação do Rio Grande do Sul.

08 jan.
Revista do ano de 1895, Olavo Bilac
A obra de pacificação política de Prudente de Morais.
Litígio com a Inglaterra que quis surrupiar-nos a Ilha de Trindade.
Cuba e Espanha em confronto.

09 jan.
Revista do ano de 1895, Olavo Bilac
Junto à estátua de José Bonifácio, no Largo de São Francisco, o local para comícios de protesto no Rio de Janeiro.
Primeiras iniciativas no sentido de se conceder anistia aos que estiveram envolvidos nos tumultos de 1893.
Os maus-tratos a que estão sujeitas as crianças no Rio.

10 jan.
Revista do ano de 1895, Olavo Bilac
A fragilidade de nossa classe política.
Fundação do Partido Monarquista.
Deus dorme, entediado, diante do Arcanjo Gabriel que lhe fora levar reivindicação do Brasil, *país de muitos poetas e pouco dinheiro*.
Discussões sobre o divórcio na Câmara agradam, sobretudo, às mulheres que, eventualmente, poderão livrar-se dos maus-tratos de seus maridos.

22 jan.
*No museu**, Fantasio
Em visita ao Museu da Quinta da Boa Vista, Fantasio expõe seu acentuado antimonarquismo.

23 jan.
Pecador, Olavo Bilac
Soneto, datado 6 dez. 1895, sobre um *pecador sereno* que aceita seu castigo *com a mesma face com que, antigamente, aceitava a delícia do pecado*.

24 jan.
*Palavras**, Fantasio
Fantasio pondera sobre a importância das palavras a partir de uma comunicação do clero de Montevidéu.

07 fev.
*Suas Excelências**, Fantasio
Irritado com a ineficiência da polícia urbana, Fantasio propõe que suas funções sejam atribuídas a um triunvirato de malfeitores eficientes.

23 fev.
*A grande descoberta**, Fantasio
Fantasio sugere aplicação rápida e imediata para o recém-descoberto raio X: a polícia compraria e alugaria alguns aparelhos para os ladrões que, assim, evitariam esforços inúteis em seus arrombamentos.

29 fev.
*Entre a febre e o teatro**[CIA], Fantasio
Fantasio discorda do poder municipal que pretende *regenerar o teatro, quando não trata de sanear a cidade*.

02 mar.
Ondas – II, O. B.
Sobre a poesia de Luís Murat, *inimigo declarado do parnasianismo*.

05 mar.
Ode [à] tromba, O. B.

Fantasio celebra uma tromba d'água que limpou a cidade.

14 mar.
O tédio e a Central, Fantasio
Para combater o tédio, Fantasio aconselha seu leitor a viajar pela Central do Brasil, cuja administração, em nota recente pelos jornais, alertara para os pontos críticos da ferrovia.

19 mar.
A naturalização de Baco, Fantasio
Fantasio celebra o que parece ser a fabricação do vinho brasileiro, em terras paulistas.

04 abr.
Judas (Poema simbolista), Fantasio
Diante de tantas incoerências deste país, *outro seria este Judas, / se nascesse no Brasil!*

07 abr.
Eu, Menelik e Ele, Fantasio
Em carta secreta, Menelik da Etiópia pede os conselhos políticos do cronista, que decide socorrer-se dos préstimos e da experiência do Governador de Pernambuco, Barbosa Lima.

12 abr.
Quarens..., Olavo Bilac
Poema (10 quadras; 8 sílabas), datado de 10 abr. 1896, sobre uma noiva misteriosa e fugidia que rondava a porta do poeta, em noites frias e brumosas.

19 abr.
*O Poeta**, Fantasio
Tendo como pretexto a morte de Martins Guimarães em São Paulo, Fantasio afirma que, *no Brasil, todo o mundo quer ser escritor.*

22 abr.
Memórias, Fantasio
Fantasio ameaça escrever suas *Memórias*, inspirado pelo segundo volume das *Mémoires de ma vie* de Rochefort, amigo de Vítor Hugo.

24 abr.
Bigodes, Fantasio
Risco de conflito entre Brasil e França porque os garçons dos barcos da *Méssagerie Maritime* insistem em usar bigodes.
Um deputado socialista francês, segundo *A Notícia*, defende os garçons, porque os que habitam a China, a Austrália e a América do Sul não têm o direito de exigir que eles raspem o bigode.

27 abr.
*Gramaticalismo**[CIA], Fantasio
A nossa imprensa parece estar atacada de "gramaticalismo agudo", [...] *uma das moléstias intelectuais do século...*

30 abr.
Símbolos, Fantasio
Fantasio lembra-se de que, um ano antes, recebera de uns garçons cariocas um presente, por terem eles, então, servido de objeto da crônica: dois pares de ferradura.

02 maio
As primeiras camélias, Fantasio
Com as primeiras camélias, a aproximação do inverno.

05 maio
Cleópatra (Ode moderna), Fantasio
Uma Cleópatra decadente, moradora na zona de prostituição do Rio, provoca um chefe de polícia arbitrário, que quer removê-la do local.

07 maio
As Câmaras (Ode política), Fantasio
Sete de maio! e as Câmaras fechadas!....

10 maio
A antropofagia, Fantasio
Além da falta de assistência à infância, em geral, notícias vindas de Frutal e de Itajubá (MG) dão conta de uma criança que fora apanhada por *dous turcos* que queriam assá-la. Felizmente, o pai salvou-a.

13 maio
Caçarola e Protocolo (Ode municipal), Fantasio
Em verso heróico, a história interessante
Daquele que, liberto do avental,
Passou da direção de um restaurante,
Para uma direção municipal.
(No entanto, por ser muito circunstancial, o poema não deixa claro de quem se trata.)

18 maio
Um suicida, Fantasio
A imprensa e a polícia devem respeitar o direito ao suicídio.

20 maio
Fantasia, Fantasio
A morte de Léon Say, economista francês.

22 maio
Os dous ministros (Canção antiga), Fantasio
Em versos, *discutem dous ministros da Fazenda*. Enquanto isso, *cresce a despesa, diminui a renda.*

27 maio
*Fantasia**, Fantasio
Diante de uma família de imigrantes, recém-desembarcados, Fantasio dá asas à imaginação e se pergunta sobre o *drama simples e terrível daquela gente que abandonou sua terra européia para vir ao Brasil.*

05 jun.
Em Moscou, Fantasio
Em Moscou, depois de sua coroação, Nicolau II ordenara distribuir comida à plebe faminta, o que provocou distúrbios, controlados pela cavalaria.

Saldo: 1138 cadáveres, *estendidos na terra*.

07 jun.
*O Gato Preto**, Fantasio
Sobre a pretensão de uma *cantora excêntrica* que quer criar no Rio uma casa noturna equivalente ao *Le Chat Noir* de Paris, onde se exibem artistas, com o respeito do público, o que não ocorre no Brasil.

14 jun.
Os loucos, Fantasio
No enterro de dois loucos do Hospício, deu-se troca de cadáveres.

20 jun.
Emanuel, Fantasio
Giovanni Emanuel, *o melhor intérprete* de Shakespeare, de volta ao Brasil.
Diante dele, *conserva a tua alma de joelhos*.

22 jun.
Fantasia sobre o Otelo, Fantasio
No teatro, vendo Giovanni Emanuel representar o *Otelo*, o cronista é atraído por um grupo formado por uma mulher e dois homens. Sem dúvida, imagina ele, ali está um caso de *ménage à trois* que se projeta na ação da peça.

03 jul.
No cabaré, Fantasio
Fantasio regozija-se com o cabaré de Ivone, *um lugar em que se pode confortavelmente rir da morte!*

06 jul.
Cléo, Fantasio
Sobre a beleza da bailarina francesa Cléo de Mérode.

14 jul.
*Redenção**, Fantasio
Fantasio alegra-se com uma notícia do *Jornal do Comércio*: um carro ferroviário, o 136 V, vai ser transformado em vagão de socorro, redimindo-se da sua função anterior. Sob o governo de Floriano Peixoto esse vagão servira de câmara de tortura.

18 jul.
Sepé, Fantasio
Sobre uns índios que, no Rio, foram assistir ao *Rio Nu* no *Recreio Dramático*.

30 jul.
Fantasia, Fantasio
Segundo Fantasio, o indivíduo dispéptico pode ser tomado de fantasias aterradoras.

31 jul.
O chá presidencial – I, Fantasio
Em versos, um louvor ao chá que destronou o café brasileiro.

05 ago.
Fantasia, Fantasio
Sobre um preso que foi encontrado morto por enforcamento na cadeia de São Paulo.

09 ago.
Carta aberta, Fantasio
À maneira de um consultório sentimental, Fantasio dá conselhos a uma mulher que se queixara da indiferença do marido.

14 ago.
Interview, Fantasio
Entrevista fictícia com um gatuno famoso: as dificuldades atuais da profissão.

18 set.
O sono d'Ele, Fantasio
Versos que ironizam a sonolência administrativa de Rodrigues Alves.

30 set.
Canção do dia – O tha-ma-ra-boum-di-hé do divórcio**, Fantasio
Fantasio põe-se a favor do divórcio e contra a ingerência da Igreja em assuntos civis.

11 out.
Canção do dia – O tha-ma-ra-boum-di-hé do divórcio, Fantasio
Versos de humor que fingem ser contra o divórcio.

15 out.
Canção do dia – En revenant de la chambre, Fantasio
Sobre a ausência dos deputados à Câmara, empenhados que estão em campanhas eleitorais nos seus Estados.

01 dez.
Rodapé, Fantasio
Segundo a voz de Deus, um homem que em si resumirá todas as perfeições e todas as venturas [...] *chamar-se-á Fantasio, e escreverá artigos para a "Gazeta de Notícias" do Rio de Janeiro.*

05 dez.
*Rodapé**, Fantasio
Fantasio dirige-se ao Prefeito denunciando a sujeira das ruas cariocas.

12 dez.
Rodapé, Fantasio
As estórias em torno das palmeiras imperiais do Jardim Botânico.

19 dez.
Rodapé, Fantasio
Sobre a jogatina desvairada no Rio.

26 dez.
Rodapé, Fantasio
Às vésperas do Natal e diante do que presencia no Rio, o cronista acha que ainda são atuais e pertinentes as páginas de *Os Irmãos Karamazov*.

Gazeta de Notícias 1897

02 jan.
Rodapé, Fantasio

Sonhos, desejos, fantasias e aspirações do agricultor, do político, da moça virgem e do moço solteiro, na passagem do ano.

09 jan.
*Rodapé**, Fantasio
Fantasio apela às mulheres para que colaborem nos festejos de inauguração da estátua de Alencar. E lança a idéia de se festejar Gonçalves Dias também.

16 jan.
[Página mutilada]

23 jan.
[Página mutilada]

31 jan.
Rodapé, Fantasio
O escândalo causado por um banhista nu.
Considerações sobre os costumes e o papel da imprensa.

06 fev.
Rodapé, Fantasio
Sertão de Coelho Neto: a desmitificação do campo.
As obras interrompidas e malcheirosas do novo cais do Botafogo.

13 fev.
*Rodapé**[CIA], Fantasio
Fantasio celebra Petrópolis como centro urbano refinado.

20 fev.
Rodapé, Fantasio
Fantasio defende a Grécia atacada por Abdul-Hamid.

27 fev.[16]

16. Em 28 fev. 1897, Machado de Assis afirma em sua crônica na *Gazeta de Notícias*:
Se Deus descansou um dia, depois de seis dias de trabalho, força é que eu descanse algum tempo depois de uma obra de anos.

Rodapé, Fantasio
Como a Oposição sairá fantasiada no Carnaval de 1897.

06 mar.
*Rodapé**, Fantasio
Fantasio celebra a glória da nau de guerra *Amazonas*, heroína do Paraguai, agora posta a pique por determinação superior.

07 mar.[17]
Crônica, s.a.
Num país asiático, um governante se notabiliza pela administração sonolenta, brevemente despertada pela assunção do vice-governante.

14 mar.
*Crônica**[CIA], s.a.
O cronista lamenta a derrota da 3ª Expedição a Canudos, em março de 1897.

21 mar.
*Crônica**, s.a.
Homenagem ao Cabo Roque, que protegeu o corpo de Moreira César, Comandante da 3ª Expedição a Canudos.
O poder público não tem o direito de dispensar, sumariamente, seus servidores, sobretudo os que há anos a ele se dedicaram.

28 mar.
Crônica, s.a.

Há cerca de cinco anos que vos digo aqui ao domingo o que me passa pela cabeça, a propósito da semana finda, e até sem nenhum propósito. Parece tempo de repousar o meu tanto. (Cf. Machado de Assis, *Obra Completa*, RJ, Aguilar, 1962, vol. III, p. 768.)

17. A partir de 07 mar. 1897, O. B. assume as crônicas da *Gazeta de Notícias*, no lugar de Machado de Assis, mas não as assina, o que só vem a fazer, de modo sistemático, a partir de 07 jun. 1903.
Quando não assinadas explicitamente, preferimos a sigla s.a., isto é, sem assinatura.

Preocupa-se o cronista com os crimes violentos motivados por paixões frustradas.

04 abr.
Crônica, s.a.
Fantasio saúda a próxima chegada de uma delegação chilena.
O processo de Basílio de Morais. A crônica sugere que se trata de um estuprador de menores.

11 abr.
Crônica, s.a.
No Japão ou na China, Pru-Ho consulta seu ministro sobre o disponível em caixa para a homenagem a alguns visitantes estrangeiros que chegam.

18 abr.
*Crônica**, s.a.
Em conversa com o Diabo, o cronista ouve a ameaça de ter que escrever para os jornais o resto da vida.

25 abr.
Crônica, s.a.
A chegada dos chilenos; a popularidade do maxixe; o conflito Grécia-Turquia.

02 maio
*Crônica**, s.a.
A inauguração da estátua de Alencar, *verdadeiro fundador de nossa literatura*, com a presença de Machado.
As festas para a Armada chilena.

09 maio
Crônica, s.a.
As festas para a Armada chilena.
O gosto brasileiro pelo discurso.

16 maio
Crônica, s.a.
Em linguagem bíblica, o cronista narra uma enchente que castigou o Rio de Janeiro.

30 maio
Crônica, s.a.
A calmaria política do país.
A fuga de um estelionatário.
A campanha de algumas senhoras para catequizar curumins do Araguaia.

06 jun.
Crônica, s.a.
O oportunismo político e a dança dos partidos.
O suicídio de um cidadão.

13 jun.
Crônica, s.a.
Balanço da semana: o descanso do chefe de família; o combate ao jogo; a reabertura da temporada lírica; a caça policial a um político desonesto.

20 jun.
Crônica, s.a.
Nas pesquisas para se descobrir a origem da febre amarela, move-se campanha de descrédito contra o Dr. Domingos Freire.

27 jun.
Crônica, s.a.
A morte, por afogamento, de um jovem casal; o interesse popular pela política; o desinteresse por Canudos; a montagem de *Vem cá, Bitu*, no teatro.

04 jul.
Crônica, s.a.
O *enfeitiçamento* da Central do Brasil; notícias de uma reforma monetária próxima; a falta de decoro dos parlamentares; o julgamento do Prof. Serrão da Escola de Medicina.

11 jul.
*Crônica**[Cia], s.a.
A falta de decoro entre os parlamentares.

18 jul.
*Crônica**, s.a.
O surgimento de um partido católico em Goiás.
A desgraça de Canudos se deve ao caciquismo político.

25 jul.
*Crônica**, s.a.
O desabamento do *Café Cascata* no Rio; o desaparecimento do Conservatório Dramático; em Canudos, *o sangue continua a correr*; contra um projeto que veda o uso do pseudônimo.

01 ago.
Crônica, s.a.
Descoberta uma casa em que se alugavam quartos para encontros fortuitos entre mulheres casadas e seus amantes.

08 ago.
*Crônica**, s.a.
Alastram-se os casos de fanatismo religioso. Além de Antônio Conselheiro, um outro caso no Estado do Rio e outro em Santa Catarina.

15 ago.
Crônica, Fantasio
Festa no Outeiro da Glória.

29 ago.
Crônica, s.a.
A representação de *Pelo Amor* de Coelho Neto.

05 set.
Crônica, s.a.
A falta de críticos de arte; uma exposição na Academia Nacional de Belas Artes; o assassinato de um gatuno; a inoperância da polícia; a ação dos anarquistas.

12 set.
Crônica, s.a.
As conferências do Pe. Júlio Maria; a expectativa diante dos telegramas vindos de Londres sobre o arrendamento ou não de nossas ferrovias federais; campanha da polícia contra o jogo; a publicação de *Pelo Amor* de Coelho Neto; Brasil associa-se a Portugal nas comemorações do Centenário da Índia.

19 set.
Crônica, s.a.
A euforia popular diante de um grande prêmio de loteria.

26 set.
Crônica, s.a.
A inoperância da polícia; a reação do brasileiro diante das opiniões da imprensa européia; o caso de um suicida arrependido.

03 out.
*Crônica**, s.a.
O cronista lamenta o descaso da Diretoria de Obras Públicas da Prefeitura do Distrito Federal que não cuida da ameaça à segurança que representam certos imóveis, públicos e particulares.

10 out.
*Crônica**[Cia], s.a.
O cronista apela a um médium que, em contacto com um espírito, descreve o cérebro de Antônio Conselheiro.

17 out.
*Crônica**, s.a.
A agonia de Paula Ney foi longa.
Requereu-se à Prefeitura carioca licença para se construir monumento a Gonçalves Dias no Passeio Público, local que, aliás, poderia converter-se na *morada perpétua dos poetas e dos artistas*, à semelhança do Luxemburgo de Paris.

24 out.
Crônica, s.a.
Agita-se o carioca diante da pretensão francesa de conquistar o Amapá.
O tédio do cotidiano.

31 out.
Crônica, s.a.

Diálogo entre uma andorinha e o capitão de um navio científico que se apronta para viajar ao Pólo Sul. O passarinho prefere o frio antártico à sujeira do Rio.

07 nov.
*Crônica**, s.a.
No atentado a Prudente de Morais, que acabou por vitimar o Mal. Bittencourt, o cronista vê um sintoma de nossa falta de rumo.

14 nov.
Crônica, s.a.
A declaração do estado de sítio; expectativa diante de uma anunciada chuva de estrelas; uma quermesse beneficente no Passeio Público; uma exposição de artes plásticas.

21 nov.
Crônica, s.a.
O martírio da falta de assunto; o sucesso financeiro de uma quermesse beneficente; a inauguração de uma praça de touros no Rio.

28 nov.
Crônica, s.a.
Um novo prefeito para o Distrito Federal; a Câmara aprova um novo tratado franco-brasileiro; denunciada a existência de um inglês antropófago no Rio Grande do Sul; ainda Canudos e seus cães esfomeados.

05 dez.
*Crônica**, s.a.
A reabilitação do Capitão Dreyfus.
A falta de público nos teatros se deve à falta de dinheiro. Portanto, não adianta mover campanha policial contra o jogo, falso adversário do teatro.
O novo livro de Sílvio Romero sobre Machado: um mestre julgado por outro.

12 dez.
*Crônica**, s.a.
A onda de calor; o recesso parlamentar; a multidão parisiense e o caso Dreyfus.

19 dez.
*Crônica**, s.a.
A inauguração de Belo Horizonte; o novo pavilhão do Amazonas; a morte de Daudet.

26 dez.
Crônica, s.a.
Versos circunstanciais de Natal.

Gazeta de Notícias 1898

09 jan.
Crônica, s.a.
Com a palavra, Fantasio vaticina para o ano que se abre: o câmbio continuará flutuando; *a política será sempre um vasto atoleiro*; as ruas continuarão sujas; haverá incêndios urbanos; o jogo e a polícia simularão antagonismo. E, diante dessa mesmice, sonha o cronista com uma vingança *post-mortem*: insultar Pedro Álvares Cabral, responsável pela nossa descoberta.

16 jan.
*Crônica**, s.a.
A ordenação de um ex-poeta e ex-jornalista: Severiano de Rezende.
A função do jornalista.

23 jan.
*Crônica**, s.a.
A falta generalizada de dinheiro e a degradação do funcionalismo público municipal.

13 fev.
Crônica, Fantasio
Fantasio narra uma história: um homem é despedido de uma firma. Como não encontra outro emprego, torna-se um corrupto cabo eleitoral e manipula os resultados de uma eleição. Como retribuição, ganha a chefia de uma secretaria municipal. A partir disso, todos os seus credores perseguem-no, porque sabiam falida a prefeitura.

20 fev.
Crônica de Carnaval, Fantasio
Fantasio encontra-se com o Estado de Sítio fantasiado e meio desmoralizado.

27 fev.
Crônica, s.a.
O preço da carne; a suspensão do estado de sítio; o caso Zola-Dreyfus.

06 mar.
Crônica, s.a.
O cronista exalta os primeiros exemplos de nossa produção de uvas, em exposição no Rio.

13 mar.
Crônica, s.a.
O estado de sítio; a queda do câmbio; o fechamento do Apostolado Positivista; o aparecimento de *A Honra de Vasco da Gama* de Zeferino Cândido; necrológio para D. Isidoro Errazuriz, Ministro chileno no Rio.

20 mar.
Crônica, s.a.
A greve dos Carris Urbanos; a venda de dois vasos de guerra brasileiros aos Estados Unidos; preso um ladrão que carregava uma orelha humana como lembrança de Canudos.

27 mar.
Crônica, s.a.
A falta d'água no Rio; boatos sobre uma sublevação da Armada; ameaça de greve dos condutores de bonde; um armador italiano cumpre promessa, erguendo uma capela

em Buenos Aires; a missa de sétimo dia por Cruz e Sousa.

03 abr.
Crônica, s.a.
O domingo de Ramos; o caráter do brasileiro; o aparecimento de um médico milagreiro em São Paulo.

10 abr.
Crônica, s.a.
Depois que Igreja e Estado se separaram, decaíram os cultos externos. Exceção é a procissão dos Passos em Petrópolis.

15 abr.
*O direito de ser feia**, Fantasio
Beleza não é fundamental.

17 abr.
*Crônica**, s.a.
O Brasil deveria estar representado *nas festas do centenário indiano*, a serem realizadas em Lisboa.

18 abr.
Ode consoladora, Fantasio
Uma ode ironiza a queda constante do câmbio.

24 abr.
*Crônica**, s.a.
Um acidente ferroviário da São Paulo Railway tira a invencibilidade da Central do Brasil.
Concedido o *habeas corpus* para os desterrados (?).
Americanos e espanhóis enfrentam-se no Caribe.
A venda de um navio de guerra aos Estados Unidos.

01 maio
Crônica, s.a.
A violência urbana; a reabertura das Câmaras; *concessão de mais algumas loterias*.

08 maio
Crônica, s.a.
Mania de suicídio no Rio; ameaça à tranqüilidade da Tijuca com a possibilidade de ligá-la por bonde ao centro.

15 maio
*Crônica**, s.a.
A falta de assunto para a crônica gera a crônica.

17 maio
*Ácido fênico**, Puck
Situação embaraçosa entre o narrador e um farmacêutico que não queria vender-lhe o veneno.

22 maio
Crônica, s.a.
As festas para Vasco da Gama; o cidadão que perdeu um pé; as chuvas que limpam a cidade; a morte de Luís Guimarães.

27 maio
Os relógios, Fantasio
A partir do roubo de dois relógios de uma repartição pública, Fantasio ironiza o descaso do serviço público para com o contribuinte. Para o cronista, os objetos roubados são *perfeitamente inúteis em um estabelecimento do Estado*.

29 maio
Crônica, s.a.
Em versos, os últimos desastres financeiros da cidade.

30 maio
Uma nova faculdade, Fantasio
Sobre os ladrões e marginais que conhecem as nossas leis.

03 jun.
As anedotas, Fantasio
Fantasio acredita que se pode delinear o perfil de um governante a partir de seus *mots d'esprit*.

05 jun.
Crônica, s.a.
O hábito dos empréstimos pessoais; o tratamento de presos da Detenção é bom demais; a declaração de guerra do Chile à Argentina.

17 jun.
*Carta aberta**, Puck
Puck dirige-se ao Prefeito, com feroz ironia, porque a Prefeitura pretende taxar as exposições artísticas em *20% ao dia*.

19 jun.
Crônica, s.a.
Em puro exercício de imaginação, o cronista fantasia a vida atribulada de alguém que ganhe uma fortuna na loteria.

26 jun.
Crônica, s.a.
As festas juninas; o debate sobre o uso de chapéus femininos no teatro; a inabilidade política do Prefeito.

03 jul.
*Crônica**, s.a.
O poder da imprensa; a necessidade de se erradicar a febre amarela.

10 jul.
*Crônica**, s.a.
A vantagem dos motins populares urbanos é a de lavar com sangue a sujeira carioca e a de afugentar os mendigos.

13 jul.
O homem que pede demissão, Fantasio
Fantasio faz considerações sobre o demissionário.

17 jul.
Crônica, s.a.
O cronista opõe-se àqueles que combatem o cigarro.

19 jul.
*Casos & Cousas**, Tic-Tac
Tic-Tac escreve a Fantasio

reclamando da falta de liberdade de imprensa.

20 jul.
Casos & Cousas, Puck
Fantasio dirige-se a Tic-Tac; Puck a Tic-Tac. Em ambas as cartas comenta-se a coação política do momento.

24 jul.
Crônica, s.a.
Uma exposição de arte utilitária no Centro Artístico.

26 jul.
*Casos & Cousas**, Puck
Puck escreve a Tic-Tac reclamando da demagogia do Prefeito que se diz amante das artes, mas que não dá atenção aos reclamos da imprensa.

31 jul.
Crônica, s.a.
A satisfação do indivíduo escolhido para o júri; a falta d'água; banida a febre amarela com um relatório.

07 ago.
Crônica, s.a.
Sobre Fileto Pires, pivô de uma crise em Manaus; a violência urbana no Rio; os preparativos para se comemorar o 4º Centenário do Brasil.

14 ago.
Crônica, s.a.
A presença do Diabo no cotidiano carioca.

21 ago.
Crônica, s.a.
No centro da cidade aparece um garoto espancado. A impunidade de quem sevicia crianças.

28 ago.
Crônica, s.a.
A presença de Campos Sales, em campanha presidencial no Rio.

Um choque entre marinheiros e a polícia no Rio.
A estréia de *Um Ninho na Floresta*, peça de Pereira da Silva.

04 set.
Crônica, s.a.
Campos Sales recebido com muitas festas e discursos no Rio.
A 5ª Exposição Nacional de Belas Artes.
Um alfaiate em apuros.

11 set.
Crônica, s.a.
Inauguração de Belo Horizonte.
Festas da Semana da Pátria no Rio.
O cronista recrimina o sacrifício imposto às crianças em festas cívicas.
A precariedade das ruas cariocas.

18 set.
*Crônica**, s.a.
O cronista em apuros para escrever uma crônica crítica sobre a 5ª Exposição Nacional de Belas Artes.

25 set.
Crônica, s.a.
A partir de casos de assombração, o cronista comenta os problemas da cidade.

02 out.
Crônica, s.a.
Alegra-se o cronista com a criação de uma companhia municipal de limpeza.

09 out.
*Crônica**, s.a.
Citando *A Fome* de Knut Hamsum, o cronista contrasta a política cearense com a fome do povo.

16 out.
Crônica, s.a.
Suspeita-se de que haja lances de proxenetismo em casa de uma médium no centro da cidade.

A necessidade urgente de reformas urbanas.
A estréia de *O Badejo*, opereta de Artur Azevedo, e de *Artemis, episódio lírico de Coelho Neto.*

23 out.
*Crônica**, s.a.
No encerramento do mandato de Prudente de Morais, a bílis do cronista contra os políticos.
O. B. defende Artur Azevedo, Coelho Neto, Nepomuceno e Valentim Magalhães contra a crítica perfeccionista.
Elogios à *Revue Franco-Brésilienne*, dirigida por Duncan Wagner, publicada em francês e português, e que, segundo o cronista, está em seu quinto número.

30 out.
*Crônica**, s.a.
O cronista vê o Rio como cidade fútil, como *uma grande boneca espetaculosa...*

06 nov.
Crônica, s.a.
Elogios à peça *Ironia* de Coelho Neto.
Indiferente o público diante do julgamento do assassino do Mal. Bittencourt. O suplício do júri.
Mais elogios a Coelho Neto.

13 nov.
Crônica, s.a.
A Marinha americana e brasileira preparadas para as festas de posse de Campos Sales.
Expectativas do cronista quanto ao novo governo.

20 nov.
Crônica, s.a.
Novas medidas do novo governo: abolição das audiências ministeriais coletivas; informação à imprensa das resoluções tomadas; supressão de audiências públicas.

27 nov.
Crônica, s.a.
O cronista recebe uma carta do Alto Amazonas na qual o remetente lhe comunica que fugira do Rio a bordo de uma arca cheia de animais e que tentava implantar o jogo do bicho entre os índios.

04 dez.
Crônica, s.a.
O que consola é que, assim como se esquecem as cousas da semana, também se esquecem as crônicas. Os fatos do cotidiano perdem logo o seu interesse.
Nova peça – *Estações* – e novo livro – *Romanceiro* – de Coelho Neto.
Procelárias, novo livro de poemas de Magalhães de Azeredo.

11 dez.
Crônica, s.a.
Ladrões cavam um túnel sob a loja de um ourives.
Gatunagem; insuficiência policial, uso indevido do *habeas corpus*.

18 dez.
Crônica, s.a.
Já que se pensa em dotar a cidade de novo e confortável presídio, nada mais justo que se forneça também todo conforto àqueles que forem sorteados como jurados.

25 dez.
Crônica, s.a.
Papá Noel prefere o frio ao calor. Mas, caso viesse ao Rio, poderia, eventualmente, ajudar no combate à gatunagem, *se não fosse confundido com um ladrão, ao descer pela chaminé.*

Gazeta de Notícias 1899

01 jan.
Crônica, s.a.
Encarando com pessimismo o ano que nasce, esse *pequenino celerado.*

08 jan.
Crônica, s.a.
Uma crise no comércio de sapatos do Rio faz o cronista pregar, de forma irônica, a abolição dessa peça do vestuário.

15 jan.
*Crônica**, s.a.
A ausência temporária do Presidente da República, que subiu para Petrópolis, leva o cronista a falar mal da sujeira urbana. Para ele, a ausência dos políticos torna limpa a cidade.

22 jan.
Crônica, s.a.
São Sebastião lamenta, em verso e prosa, a falta de sorte que lhe coube como protetor do Rio.

29 jan.
Crônica, s.a.
A morte do Visconde de Taunay; as plataformas eleitorais; a situação precária do funcionalismo público municipal; a seca na Bahia.

05 fev.
Crônica, s.a.
Eleições; Carnaval; derrame de dinheiro falso; centenário de nascimento de Almeida Garrett.

12 fev.[18]
Crônica, s.a.

19 fev.
Crônica, s.a.
Sobre um folião que morreu em pleno Carnaval.

26 fev.
Crônica, s.a.
Com a aproximação do fim do século, aumenta a apreensão sobre o fim do mundo e, segundo o cronista, cresce a *erotomania* ou a busca do amor.

05 mar.
Crônica, s.a.
Espanta-se o cronista com a notícia de que o governo haverá de incinerar 18 mil contos de réis.

12 mar.
Crônica, s.a.
A beleza do Rio exige um poeta que a cante; a partida de Cabral de Lisboa; a queima do dinheiro.

19 mar.
*Crônica**, s.a.
O Presidente da República visita Minas; um incendiário põe fogo em uma casa e mata cem pessoas por causa de um seguro; necessidade de se comemorar os próximos quatrocentos anos do país; a presença de três índios no Rio.

26 mar.
Crônica, s.a.
A sedução do jogo.
O Relicário, peça de Coelho Neto.

02 abr.
Crônica, s.a.
Na procissão do Senhor Morto, o aparato policial era grande por causa de gatunos evadidos da Detenção e de outros mais, à solta.

09 abr.
*Crônica**, s.a.
Fantasio pede o espaço do cronista para contar que fora visitado por Erasmo de Roterdã.

18. Na ausência do titular da coluna, um outro cronista, que não assina seu nome, comenta:
Faltam hoje aqui as louçanias daquele dizer imaginoso e brilhante com que o cronista habitual dos domingos encanta os muitos milhares de leitores da "Gazeta", – e faltam porque o poeta, que tanta cousa tem de celestial e divino, nem por isso deixa de pagar o tributo da dor física, que o prende à humanidade frágil e contingente.
Chamado à pressa para substituir o valente paladino enfermo, que hei de dizer...?

Na visita, o filósofo exigia melhor tratamento para os loucos do Rio, que haveriam de ser os futuros governantes do país, já que os sãos...

16 abr.
Crônica, s.a.
Os solecismos dos comunicados oriundos da Polícia; o cronista solicita contribuições para a campanha do Dr. Moncorvo Filho em favor da infância; a atenção popular volta-se para os conflitos no exterior e ignora o que se passa aqui.

23 abr.
Crônica, s.a.
Sobre um detento evadido e encontrado morto; sobre a ineficiência policial; sobre Tiradentes e a controvérsia acerca do local exato onde teria sido enforcado no Rio.

30 abr.
Crônica, s.a.
Na iminência de um concílio em Roma, catorze bispos latino-americanos passam pelo porto do Rio. O cronista pede que eles rezem pela América Latina e por *proteção à gente que vive aqui*.
A temeridade de se fazer crítica ao sistema.

07 maio
*Crônica**, s.a.
O incêndio – proposital ou não? – do Mercado; as primeiras comemorações pelo 4º Centenário do país; cumprimentos a Aluísio Azevedo que volta do Japão, onde ficou dois anos e de onde traz livro pronto.

14 maio
Crônica, s.a.
As festas comemorativas do 13 de Maio; a ausência de público na exposição de Belmiro de Almeida; a viagem de Rodolfo Bernardelli à Europa, onde vai fundir a cabeça de Gonçalves Dias em bronze.

21 maio
*Crônica**, s.a.
O centenário de nascimento de Balzac e de Evaristo da Veiga.
As virtudes do jornalismo e os males da política.

28 maio
Crônica, s.a.
Apelando a Pierrô para que o ajude a fazer a crônica, o cronista ouve uma recusa: Pierrô está cansado da sujeira do Rio.

04 jun.
Crônica, s.a.
A construção de um telescópio no Rio para a Exposição de 1900.
Um caso de fraude por uma professora aposentada.
A estréia de *Casa de Bonecas* de Ibsen.
A não-exoneração do chefe de Polícia.

11 jun.
Crônica, s.a.
Repercussões negativas do acordo Bryan-Paraviccini.
Tumultos em Paris.
Início da temporada lírica.
Chegada de Saint-Saëns ao Rio.

18 jun.
Crônica, s.a.
Diante da próxima visita do Presidente argentino Julio Roca, o cronista prevê as festas, ao mesmo tempo em que lamenta a falta de acomodações dignas e de asseio urbano.

25 jun.
*Crônica**, s.a.
Diante das incertezas e descaminhos contemporâneos, resta o recurso de tomar Pangloss como modelo.

02 jul.
Crônica, s.a.
As qualidades do ilusionista Cunha Sales.
As impressões de um jornalista norte-americano sobre o Rio.
A atuação do ator Chaby.

09 jul.
*Crônica**, s.a.
Sobre as reformas urbanas, de última hora, para receber o Gal. Julio Roca.
Sobre protesto norte-americano por causa de três cidadãos americanos e três ingleses que teriam sido assassinados por índios no Pará.

16 jul.
Crônica, s.a.
Os eventos trágicos da semana: o incêndio do Mercado; o assassínio de um marido traído e de um velho solitário; o suicídio de um ladrão.
A exposição de cerâmica de Bordalo Pinheiro.

23 jul.
Crônica, s.a.
O cronista louva a restauração da galeota *D. João VI* que haverá de servir para o transporte de Julio Roca.

30 jul.
*Crônica**[CIA], s.a.
O cronista lamenta a sujeira do Rio e a interminável disputa entre os médicos que impede o saneamento urbano.

06 ago.
*Crônica**, s.a.
Ironias sobre uma nova companhia que faz seguros de burro.

13 ago.
Crônica, s.a.
O cronista enaltece a beleza singular da mulher carioca que se enfeita para receber Julio Roca, numa cidade *tão pouco limpa*.

20 ago.
Crônica, s.a.
O rescaldo das festas para Julio Roca: a morte do jovem Torelly; o medo da peste bubônica.

27 ago.
*Crônica**, s.a.
Projeto em tramitação na Câmara reabilita a outorga de condecorações, adorno que tanto envaidece o brasileiro.

03 set.
Crônica, s.a.
O Rio ainda não foi visitado por nenhuma febre.
No Acre, Galvez tenta fundar um governo independente.
Caiu o projeto Pires Ferreira sobre condecorações.
Na Escola Nacional de Belas Artes abriu-se uma exposição para a qual faltam críticos qualificados.

10 set.
Crônica, s.a.
Um lobisomem inquieta o Rio.
Expectativa quanto ao desfecho do caso Dreyfus.
Machado de Assis publica *Páginas Recolhidas*.

17 set.
Crônica, s.a.
A "feiúra" dos modelos da Exposição Nacional.
A mudança de clima no Rio.
O suicídio do Conde de Herzberg.

24 set.
Crônica, s.a.
A chegada da primavera.
A ameaça dos ratos.
As polêmicas, pelos jornais, entre os padres.

01 out.
Crônica, s.a.
A festa da Penha lembra homenagens a Baco.
A presença, pela primeira vez, de uma advogada no tribunal do júri.

08 out.
*Crônica**[IP] [CIA], s.a.
Crítica à voracidade do imperialismo inglês que ameaça os bôeres da África do Sul.

15 out.
*Crônica**, s.a.
Na chuva, molhado, nu e doente caminha um pobre sujeito, o Brasil, em busca de dinheiro. Então, uma voz misteriosa aconselha-o a trabalhar em vez de pedir.

22 out.
Crônica, s.a.
Novo surto de peste ameaça a população de Santos, SP.

29 out.
Crônica, s.a.
A Guerra dos bôeres; a peste bubônica em Santos como flagelo divino.

05 nov.
*Crônica**, s.a.
Arruaças populares contra os horários do comércio carioca.

12 nov.
*Crônica**, s.a.
A apreensão popular diante do século que termina e ante um cometa que se aproxima.
Boatos sobre o assassínio de uma menina em Botafogo.
A queda da natalidade no Rio.

19 nov.
Crônica, s.a.
Decepção por uma chuva de estrelas que não houve.
Novo surto sebastianista no Rio.
O assassínio de Almeida Júnior.

26 nov.
Crônica, s.a.
Solidariza-se o cronista com um mendigo que atacou um cidadão, ao lhe ser negada uma esmola, e que, por isso, foi preso.

03 dez.
Crônica, s.a.
Aquilo que o cronista imaginava ser patrulhamento noturno da polícia era a atividade de uma quadrilha organizada de ladrões.

10 dez.
Crônica, s.a.
O preço das covas no cemitério desencadeia reflexões brincalhonas sobre a morte.

17 dez.
Crônica, s.a.
A proximidade de novas eleições.
Os roubos sistemáticos às igrejas.

24 dez.
Crônica, s.a.
Um crime em Madureira.
A alegria pela proximidade do Natal.

31 dez.
Crônica, s.a.
Eleições: *não era melhor que tudo ficasse como dantes, – os mortos votando, os vivos com vida, e as urnas às moscas?*
Crítica à corrupção eleitoral anterior.

Gazeta de Notícias 1900

07 jan.
*Crônica**, s.a.
A surpresa das urnas eleitorais.
A boa qualidade da poesia de Alberto de Oliveira.

14 jan.
Crônica, s.a.
O calor forte e o poder de sugestão dos termômetros.

21 jan.
*Crônica**, s.a.

A greve dos bondes e os incômodos decorrentes.

28 jan.
*Crônica**[CIA], s.a.
A imprensa deve abster-se de noticiário que exponha ao público a conduta particular do cidadão.
A polícia como *zeladora da moral.*

04 fev.
Crônica, s.a.
O Poder Legislativo sem remuneração. A cordialidade das eleições.
Cuidados pessoais necessários para debelar a propagação de epidemias.
Despedida de Cesário Alvim, Prefeito do Rio, que deixa o cargo.

11 fev.
Crônica, s.a.
O hábito difundido de se sonegar estampilhas de circulação de mercadorias.
O calor forte que castiga Buenos Aires e ameaça o Rio.

18 fev.
*Crônica**, s.a.
O concurso de beleza como forma de desviar a atenção pública de problemas graves, como as intrigas políticas e a sujeira do Rio.

25 fev.
Crônica, O. B.
O cronista admite que a *vida normal está suspensa*, por causa do Carnaval.

04 mar.
Crônica, s.a.
Difícil haver conspiração no Rio, porque o carioca não sabe guardar segredo.
Os tempos atuais dispensam Quaresma rigorosa.

11 mar.
*Crônica**, s.a.
O carioca distrai-se com várias modalidades de esporte e de jogo de azar. Outra distração sua é a dos cafés onde se exibem músicos populares.

18 mar.
Crônica, s.a.
A loquacidade compromete a conspiração.

25 mar.
*Crônica**, s.a.
A luta pelo poder no Acre e no Amazonas. A corrupção política.

01 abr.
*Crônica**, s.a.
A Mentira da qual descendem a Arte e a Religião. O lado positivo da Mentira: a Fantasia.

08 abr.
Crônica, s.a.
O atentado ao Príncipe de Gales, *representante direto de Deus na terra*, choca o cronista.

15 abr.
Crônica, s.a.
A festa da Ressurreição. Jesus, o subversivo. Pilatos, o chefe de Polícia.

22 abr.
*Crônica**, s.a.
Elogios ao *Livro do Centenário* e à função de Pero Vaz de Caminha, *nosso primeiro historiador*.

29 abr.
Crônica, s.a.
Um menino, descendente remoto de Cabral, escolhido para representá-lo nas festas do 4º Centenário da Descoberta do Brasil. O peso da herança heráldica.

06 maio
Crônica, s.a.
Quando o Brasil prestará homenagem, em forma de escultura, aos ex-escravos que *arrancaram do seio [da terra] o ouro abundante das colheitas?*

13 maio
*Crônica**, s.a.
As festas do 4º Centenário da Descoberta do Brasil.
Reurbanização carioca: derrubar o Mercado da Glória e, no local, construir a Escola Nacional de Belas Artes.

20 maio
*Crônica**, s.a.
Animização do relógio da Catedral, que lembra os últimos dias do Segundo Império.

27 maio
*Crônica**, s.a.
Crítica mordaz à inoperância do governo e à disputa retórica entre médicos no combate à peste bubônica.

03 jun.
Crônica, s.a.
O sucesso da cirurgia realizada por Chapot-Prévost, que separou gêmeas xifópagas, *vale tanto para o Brasil quanto a batalha mais encarniçada ganha... nos campos do Paraguai.*

10 jun.
Crônica, s.a.
A Peste e a Morte.
Necrológio para Silva Araújo, o cientista, e para Aníbal Falcão, o escritor.

17 jun.
Crônica, s.a.
Para que serve o Corpo de Bombeiros se não corre água nos hidrantes?

24 jun.
Crônica, s.a.
A sagração da Catedral do Sagrado Coração de Jesus provoca o retorno das luminárias urbanas que tanto agradam ao cronista.

01 jul.
Crônica, s.a.
Homenagem a João da Câmara e a Henri Bannemain, pseudônimo de Duncan Wagner.
Menção à homenagem que Domício da Gama prestou a Raul Pompéia, na Academia Brasileira de Letras.

08 jul.
Crônica, s.a.
Necrológio para Orozimbo Muniz Barreto.
O perigo da tuberculose.

15 jul.
*Crônica**, s.a.
Porque uma das xifópagas operadas por Chapot-Prévost não resistiu à cirurgia de separação, a polícia abriu inquérito. E o cronista desanca a polícia pela meticulosidade burocrática.

22 jul.
*Crônica**, s.a.
As sangrentas rebeliões chinesas e o lado perigoso da diplomacia.

29 jul.
*Crônica**, s.a.
O cronista ironiza e lastima que não se dê a devida atenção à peste bubônica.

05 ago.
*Crônica**, s.a.
A instrução do ignorante, aquela que o conscientiza das coisas, é um mal.

12 ago.
Crônica, s.a.
A temporada lírica.
Malversação do dinheiro público no Amazonas.

19 ago.
*Crônica**[CIA], s.a.
Necrológio para Eça.

26 ago.
*Crônica**[CF], s.a.
Necrológio para Ferreira de Araújo.

02 set.
*Crônica**, s.a.
A propósito de uma exposição de artes plásticas e de arquitetura, o cronista critica os que não sabem valorizar o pouco que podemos apresentar e critica também o talento mal usado dos arquitetos, preteridos pelos mestres-de-obra.

09 set.
*Crônica**, s.a.
Ironias contra a Câmara.
Recriminações pelo descaso oficial diante do 7 de Setembro.
A seca do Ceará.

16 set.
*Crônica**, s.a.
A ultraliberal instituição do júri é uma antigualha prejudicial.

23 set.
Crônica, s.a.
Sobre ato municipal que proíbe a instalação de academias de bilhar no Rio de Janeiro.

30 set.
Crônica, s.a.
Setembro foi melancólico e pesado.
Foram encontradas duas urnas eleitorais *atiradas para a sarjeta como duas imundícies...*
A rivalidade entre Brasil e Argentina.

07 out.
*Crônica**, s.a.
Crítica feroz à ausência de leis municipais que regulamentem o desenvolvimento urbano do Rio.

14 out.[19]
Crônica, s.a.
A estréia desastrosa de *Jupira*, a primeira ópera de Francisco Braga.
Sobre uma moça da periferia atacada de estranha doença: fome compulsiva.

21 out.
*Crônica**, s.a.
A vida a bordo do *Thames*, barco que transportou a comitiva presidencial de Campos Sales à Argentina. O jornalismo de bordo.

28 out.
*Crônica**, s.a.
Impressões portenhas.
Entusiasmo diante da iluminação pública. Dos melhoramentos urbanos. Da receptividade a Campos Sales.

18 nov.
*Crônica**, s.a.
O Rio devia ser tão limpo e tão bonito quanto Buenos Aires.

25 nov.
Crônica, s.a.
No verão, o carioca não tem lazer noturno.
Campanha de arrecadação de fundos para a Liga de Tuberculose.
Os custos de um corpo de jurados.

02 dez.
Crônica, s.a.
Diante da passagem do século, o cronista pede à nação que saia da indiferença e da apatia.

19. Nota da redação de 16 out.: *A bordo do "Thames" parte hoje para Buenos Aires o nosso colega Olavo Bilac que vai à capital argentina representar a "Gazeta de Notícias", nas festas oferecidas ao Sr. presidente da República.*
O retorno dá-se em 11 nov.
Na ausência do titular da coluna, substitui-o Machado de Assis com duas "Crônica" que tratam de:
04 nov. – A morte do sineiro da Glória; a quebra do Banco Rural; o terremoto da Venezuela.
11 nov. – O leilão de uma espada.

09 dez.
*Crônica**, s.a.
O brasileiro indiferente e perdulário que não agradeceu devidamente ao Barão do Rio Branco pela incorporação territorial do Amapá.

16 dez.
Crônica, s.a.
Louvores ao sol de verão.
A seca no Ceará.

23 dez.
*Crônica**, s.a.
A desconfiança e o medo inspirados pela polícia. Os maus-tratos dispensados às prostitutas.

30 dez.
Crônica, s.a.
Exortação à música dos sinos que tocarão na passagem do ano.

Gazeta de Notícias 1901

06 jan.
Crônica, s.a.
Divagações sobre a passagem do século.
A expectativa frustrada do cronista e da população perante a passagem do ano: nenhum sobressalto, nem sobrenatural.

13 jan.
*Crônica**[CIA], s.a.
A progressiva invasão da ilustração fotográfica na imprensa ameaça os jornalistas.

20 jan.
Crônica, s.a.
Haverá vida em outros planetas?

27 jan.
Crônica, s.a.
Morreu a Rainha Vitória. Sobe seu sucessor.
Morreu Giuseppe Verdi.
Derrame de notas falsas no Rio.

03 fev.
Crônica, s.a.
Comentários sobre o recenseamento de 1900, segundo o qual o Rio teria perdido 100 mil habitantes em dez anos.

10 fev.
*Crônica**, s.a.
Deplorável a destruição de nossa documentação histórica; aplausos à ação da polícia durante o Carnaval; elogio póstumo a Mata Machado, em cuja fazenda mineira o cronista hospedou-se em janeiro de 1893, por ocasião de seu exílio.

17 fev.
*Crônica**, s.a.
Necrológio para o poeta espanhol Campoamor, que conciliava uma *política tão conservadora e uma poesia tão revolucionária*.

24 fev.
Crônica, s.a.
O Carnaval como forma popular de extravasamento.

03 mar.
*Crônica**[CIA], s.a.
A caminho de Poços de Caldas (MG), o cronista deteve-se em São Paulo, cujo crescimento serve-lhe de motivo para rememorar seus tempos de estudante na Faculdade de Direito.

10 mar.
Crônica, s.a.
Origens e situação atual de Poços de Caldas.

17 mar.
*Crônica**, s.a
As enchentes causam menos mal que a política e os boatos.
Os supostos tesouros jesuíticos, enterrados no Morro do Castelo, Rio de Janeiro, têm agora alguém interessado em escavá-los. E o cronista acha que se lhe deve permitir a empresa, porque, assim, o morro, todo perfurado, virá abaixo e eliminará o cortiço ali existente, remodelando o espaço urbano.

24 mar.
Crônica, s.a.
O cronista despede-se da peste bubônica que invadiu o Rio e comenta o misterioso aparecimento de um jacaré nas águas da Guanabara.

31 mar.
Crônica, s.a.
Apesar de desprezada pelo povo e pelo governo, Poços de Caldas compara-se, se não supera, às melhores cidades termais européias.

07 abr.
Crônica, s.a.
Rápida interpretação política do drama da Paixão.

14 abr.
*Crônica**, s.a.
A favor da tolerância religiosa e contra o anticlericalismo.

21 abr.[20]
*Crônica**, s.a.
Não se deve esmiuçar a figura de Tiradentes, a fim de não se passar por decepções. Amá-lo, simplesmente.

28 abr.
Crônica, s.a.
O aparecimento do cometa

20. Em nota editorial de 19 abr., lê-se o seguinte:
Está outra vez conosco o Bilac, depois de uma ausência prolongada, necessária ao revigoramento de sua saúde. De Poços de Caldas onde esteve, nunca deixou de nos enviar as suas crônicas, tão apreciadas de nossos leitores, mas naturalmente a sua presença tornará mais ativa a sua preciosa colaboração.

Halley. Expectativas, crenças e superstições.

05 maio
Crônica, s.a.
Primavera na Europa. As *flores de retórica* da sessão parlamentar que se inicia. A história do edifício do Senado.
Duas novas exposições de pintura. A arte compensa a política.
Inauguração do busto de Gonçalves Dias[21].

12 maio
*Crônica**[CF], s.a.
Depoimento sobre a escravidão.

19 maio
*Crônica**, s.a.
A *Passarola*, aeronave malograda do Pe. Bartolomeu de Gusmão, e a tentativa de José do Patrocínio, com a aeronave *Santa Cruz*.

26 maio
Crônica, s.a.
Um aparente pacto de morte de um casal sem filhos.
Recordações da Guerra do Paraguai.

02 jun.
Crônica, s.a.
A favor do casamento civil.
A falta d'água na cidade.
Aparecimento de um fantasma no bairro do Encantado.

09 jun.
*Crônica**, s.a.
A favor do serviço militar obrigatório e do duelo.

16 jun.
*Crônica**, s.a.
O sonho bucólico.

21. O discurso de O. B. em homenagem a Gonçalves Dias, proferido nessa ocasião e, mais tarde, publicado em *Conferências Literárias* (1906), sai estampado na *Gazeta de Notícias* em 03 jun. 1901.

O suicídio de uma adolescente.
Sobre um ancião de 150 anos.
Sobre uma competição de remo.

23 jun.
*Crônica**, s.a.
Apoio à iniciativa de se fundarem orfanatos.

30 jun.
Crônica, s.a.
Sobre um fenômeno de refração no Ártico: a *Cidade dos Sonhos,* como diz seu próprio nome, é uma *cidade de sonho e mistério.*

07 jul.
*Crônica**, s.a.
Recrudescimento da peste bubônica.
Contra a participação de bandas militares em festas públicas.
A favor da separação sexual nos cultos católicos.
Faquirismo.

14 jul.
*Crônica**, s.a.
A inflação de patentes militares na Guarda Nacional. A incompetência dos agraciados.

21 jul.
*Crônica**, s.a.
Entusiasmo diante do sucesso de Santos Dumont em Paris.

28 jul.
Crônica, s.a.
Apologia do pacifismo suíço.
Agradecimento a um laudo suíço que nos favoreceu.

04 ago.
Crônica, s.a.
Paráfrase da *Vie des abeilles* de Maeterlinck e comentários sobre as *Horas Mortas* de Guimarães Passos.

11 ago.
Crônica, s.a.
Velhinhos divertem-se com uma opereta, *La fille de Mme Angot.*

Sobre a pretensão de um tal de D. Augusto que reivindicava, $1.500.000 do governo como indenização pela abdicação ao trono brasileiro.
Sobre *Poemas da Morte* de Emílio de Menezes.

18 ago.
*Crônica**[CIA], s.a.
A favor do ingresso de mulheres no funcionalismo público.

25 ago.
Crônica, s.a.
Paradoxo: a língua universal gera desentendimento.

01 set.
*Crônica**, s.a.
O vandalismo popular; o horror ao passado e à história; o desrespeito àquilo que é velho.

08 set.
Crônica, s.a.
Espanto e condenação ao assassinato de MacKinley, Presidente norte-americano.

15 set.
Crônica, s.a.
A morte de um fraudulento que queria enganar o seguro; o suicídio de um cônego em São Paulo.

22 set.
Crônica, s.a.
A Convenção escolhe Rodrigues Alves e Silviano Brandão para candidatos à Presidência da República; o assassinato de MacKinley; a viagem do Czar; incêndio na Escola de Medicina; estréia de *Saldunes*, de Coelho Neto e L. Miguez.

29 set.
Crônica, s.a.
O Rio diante de duas ameaças sérias: a peste bubônica e o desembarque de alguns anarquistas.

06 out.
Crônica, s.a.
Brasil e Itália em conflito diplomático.

13 out.
Crônica, s.a.
Arruaças populares por causa da carne de boi. Glorificação do animal.

20 out.
*Crônica**, s.a.
Apoio à extinção da vala comum para indigentes, nos cemitérios cariocas.

27 out.
Crônica, s.a.
Um banquete de políticos; uma febre de limpeza ataca o Rio; um congresso de estadistas no México; saudação a Santos Dumont e ao ex-Presidente Prudente de Morais.

03 nov.
Crônica, s.a.
Os santos exercem, no céu, as mesmas funções que os advogados, na terra.
A demorada canonização de Anchieta.

10 nov.[22]

01 dez.
Crônica, s.a.
A doença do cronista, agora em fase de recuperação.
A sujeira do Rio.

08 dez.
*Crônica**, s.a.
Chuvas incessantes sobre o Rio.

22. Nota editorial: *Está doente o nosso cronista domingueiro. Este fato explica a falta da "Crônica" de hoje.*
As crônicas de 17 e 24 nov. não são de O. B., porque, em crônica de 01 dez., o titular da coluna afirma que *outra pena luminosa* [...] *andou por aqui historiando essas três semanas...*

O rigor excessivo do formalismo social.

15 dez.
*Crônica**, s.a.
Congresso de Paz no México.
Ameaça de conflito entre Chile e Argentina.
A ferocidade da guerra atual contrapõe-se à *majestade estética* das guerras passadas.

22 dez.
Crônica, s.a.
Proximidade do Natal.
Ameaça de guerra entre Chile e Argentina.
Inglaterra envia presentes de Natal para a África do Sul.

29 dez.
Crônica, s.a.
Eleições para vereador no Rio. O processo antigo.
A falta d'água no Rio.
Despedidas do ano findo.

Gazeta de Notícias 1902

05 jan.
Crônica, s.a.
O calor forte do verão carioca.
A iminente reforma do cais Pharoux recebe aplausos do cronista.

12 jan.
Crônica, s.a.
A renovação do Conselho Municipal. A corrupção, eleitoral inclusive, de braços dados com a civilização.
Golpe de Estado no Paraguai.
O suicídio de Mousinho de Albuquerque.

19 jan.
*Crônica**, s.a.
Os preconceitos sociais que inibem o desenvolvimento da mulher.
Comentário sobre *A Falência*, romance de Júlia Lopes de Almeida.

26 jan.
*Crônica**, s.a.
O cronista visita um asilo de velhos no Rio.

02 fev.
*Crônica**, s.a.
O hábito (exaustivo) de se veranear em Petrópolis.
Nova façanha de Santos Dumont na França.
Arbitrariedade da polícia argentina.

09 fev.
Crônica, s.a.
O Carnaval.
O depoimento de Ferdinand Denis sobre essa festa popular.

16 fev.
Crônica, s.a.
Carnaval e morte: o confronto entre dois bandos rivais em Botafogo. Dois mortos em um dos lados.
Curto necrológio para Urbano Duarte.

23 fev.
*Crônica**, s.a.
Em São Paulo, a caminho de Poços de Caldas (MG), o cronista louva a civilidade da cidade em oposição à selvageria carioca.

02 mar.
*Crônica**, s.a.
Longa e eloqüente homenagem a Vítor Hugo no centenário de seu nascimento.

09 mar.
Crônica, s.a.
O calor escaldante do Rio.
A loquacidade dos parlamentares que logo retornam aos trabalhos.

16 mar.
Crônica, s.a.
Ainda em Poços, o cronista

faz considerações sobre a vida simples e sobre o amortecimento emotivo que as notícias distantes provocam.

23 mar.
*Crônica**, s.a.
É preciso sanear o Rio e impedir o desmatamento das áreas em torno da cidade.
Necrológio para Custódio de Melo.

30 mar.
*Crônica**, s.a.
A partir da leitura de *Le conflict* de Félix Dantec, o cronista comenta os embates entre Fé e Ciência, para concluir que *o mistério não se há de nunca desvendar aos olhos humanos...*

06 abr.
*Crônica**, s.a.
O cronista tem um sonho no qual lhe prometem a ambicionada vida simples daqueles que não sabem ler, nem escrever.

20 abr.
Crônica, s.a.
De que adianta cobrir a cidade com estátuas de brasileiros notáveis se o Rio é sujo, maltratado e fedorento?

27 abr.
*Crônica**, s.a.
Em conversa imaginária, Maquiavel, Colbert e Cromwell comentam suas idéias e sua eventual adequação e/ou aplicação à nossa realidade.

04 maio
*Crônica**, s.a.
A propósito do Dia do Trabalho, o cronista faz distinção entre o esforçado trabalhador e a vida ociosa dos políticos.

11 maio
*Crônica**, s.a.
Inquietação social em Portugal; *cóleras patrióticas*, de última hora, nas assembléias cariocas; embelezamento da estátua de Rio Branco; publicação de *Canaã* de Graça Aranha.

18 maio
*Crônica**, s.a.
Necrológio para Augusto Severo, vítima de suas experiências aéreas em Paris, em 12 de maio.

25 maio
*Crônica**, s.a.
O terror provocado por novo surto de febre amarela; novo livro de Ernesto Senna sobre Ferreira Viana; o bom humor histórico e a ação administrativa e empreendedora de Ferreira Viana; a necessidade de um serviço de salva-vidas na Baía de Guanabara.

01 jun.
*Crônica**, s.a.
Já lá se vão mais de dez anos sem sossego nem esperança, pois que o Rio continua presa de contínuos motins populares, desde que se proclamou a República.

08 jun.
Crônica, s.a.
O armistício entre a Inglaterra e o Transvaal dos bôeres dá margem a especulações sobre a origem mitológica da Paz, deusa de quem o cronista desconfia.
Motins populares no Rio por causa da carne.
O cronista sonhou ser prefeito de um Rio sujo.

15 jun.
Crônica, s.a.
Já não se comemoram as festas juninas como antigamente.
O aparecimento de um recém-nascido nas águas do Flamengo e o abandono de um velho doente suscitam comentários sobre o egoísmo humano.
O longo sono de São João.
O escravo que só trabalhava sob pancada.

22 jun.
*Crônica**, s.a.
No funeral de Augusto Severo, o cronista surpreende um velhinho que não aceita o novo calçamento e a limpeza da rua do Ouvidor.

29 jun.
*Crônica**, s.a.
A chegada do inverno.
A doença de Eduardo VII e a missão civilizatória da Inglaterra.
A temporada do *Lírico*.

06 jul.
Crônica, s.a.
Pugilismo nas Assembléias.
Luta política pela provedoria da Santa Casa.
Entusiasmo pela apresentação de Réjane.

13 jul.
Crônica, s.a.
O eterno coro dos descontentes; celeuma sobre o arrendamento da Central do Brasil; o falecimento de Leopoldo Miguez; nova visita dos chilenos; a apresentação de Réjane.

20 jul.
*Crônica**, s.a.
A suposta febre amarela de Réjane; a ação dos boateiros cariocas.
A atual Exposição de Arte Portuguesa atesta a vitalidade cultural do país europeu.

27 jul.
Crônica, s.a.
A propósito de um concurso de robustez infantil, o cronista discute eugenia, condições materiais favoráveis e adversas à educação e ao desenvolvimento físico, o papel da ironia e do destino na vida de cada um (casa rica – criança doente; casa pobre – criança forte; etc.); comenta o inconformismo

perante o suposto destino e conclui que *toda a iniciativa tendente a melhorar a raça humana deve ser louvada e animada.*

03 ago.
Crônica, s.a.
Os políticos são como árvores frutíferas, cujos frutos só ocorrem nos três primeiros anos. No quarto mês, minguam e, então, começam a atirar-lhes pedras.

05 ago.
*Café com leite**, Puck
O motivo da desvalorização do preço do café é... o uso indiscriminado do leite.

07 ago.
*A Pródiga e a Prodigalizadora**, Puck
Em tom irônico, Puck propõe-se a fundar duas companhias que estimulem o gasto e não a poupança: *"A Pródiga" é uma companhia fundada "para gastar"; e "A Prodigalizadora" é uma companhia fundada "para fazer gastar".*

10 ago.
*Crônica**, s.a.
Denúncias de abusos e de arbitrariedades em um asilo infantil.
Quintino Bocaiúva propõe a mudança da capital do Estado para Niterói.

17 ago.
*Crônica**, s.a.
A importância da rua do Ouvidor: *a rua do Ouvidor é o Brasil.*
A visita da Marinha chilena.
A necessidade premente de se anistiar os marinheiros revoltosos de 1893, a fim de se pacificar a Marinha.

24 ago.
Crônica, s.a.
A ação dos boatos relativos à presença da Marinha chilena.
Em São Paulo, a Estrada de Ferro Sorocabana provoca protestos dos lavradores – *pescadores de águas turvas* – contra seus maus serviços.

31 ago.
Crônica, s.a.
O descontentamento popular contra a Estrada de Ferro Sorocabana assume grandes proporções na imaginação alheia graças ao auxílio do telégrafo, este *organizador e desorganizador das revoluções.*

07 set.
Crônica, s.a.
Recuperemos o esplendor da nossa mocidade e basta *dessa mania de fingir decrepitude.*
A imprensa glorifica um espertalhão.
Louvor à Exposição de Belas Artes.

14 set.
*Crônica**, s.a.
O Progresso é inevitável: a população carioca já não reconhece mais o meirinho; os índios apelam à autoridade branca.

21 set.
*Crônica**, s.a.
Calor precoce e forte no Rio.
Os índios apinajés preferem a cidade à selva.
Elogios à artista Darclée e ao poeta Luís Murat, por seu novo livro: *Sarah.*

28 set.
Crônica, s.a.
O início da primavera.
A morte de um alto funcionário do governo, a quem o cronista não nomeia.
O suicídio de uma sexagenária.
As festas para a cantora lírica Darclée.

05 out.
*Crônica**[CIA], s.a.
Necrológio para Zola, cujo método de trabalho, senso de justiça e visão inovadora são fartamente exaltados pelo cronista.

12 out.
Crônica, s.a.
O tempo bom do Rio contrasta com os distúrbios naturais do Caribe, onde, em Saint-Pierre, morreram cerca de quarenta mil pessoas sob um vulcão.

19 out.
*Crônica**, s.a.
O 12º aniversário do *Jornal do Comércio*. Sua modernização.
A demorada obra de calçamento da rua do Ouvidor.
A descoberta de um cemitério indígena no Largo de Santa Rita.

26 out.
Crônica, s.a.
Com a aproximação do verão, ocorre o perigo da febre amarela.
Com a mudança da Presidência, a disputa dos ministérios.
Falsas notícias sobre o Brasil em Paris.
O fim da Exposição de Flores.

02 nov.
Crônica, s.a.
Na Europa, o Finados tem o outono como cenário. No Brasil, o verão.
Notícia de um médico americano que teria fotografado, durante sete anos consecutivos, o espírito do filho morto.

09 nov.
Crônica, s.a.
O calor e as convenções sociais.
A dança: do prazer ao sacrifício.
A corrida ministerial.

16 nov.
*Crônica**, s.a.
O aniversário da República; as

promessas de saneamento do Rio de Janeiro.

23 nov.
Crônica, s.a.
As primeiras medidas saneadoras no Rio.
O infortúnio de ser escolhido chefe da Polícia, cujo vício institucional, reflete o cronista, viria *da [sua] subordinação [...] a interesses políticos, do seu duplo e absurdo caráter de entidade ao mesmo tempo civil e militar.*

30 nov.
Crônica, s.a.
Retorna ao Brasil o Barão do Rio Branco.
Uma brincadeira de mau gosto em Copacabana: alguns meninos encenaram um assassinato com o sangue de um bacorinho.
Continuam os desabamentos de casas no centro do Rio.

07 dez.
*Crônica**, s.a.
Necrológio para Prudente de Morais.

14 dez.
Crônica, s.a.
Novos projetos para combater a corrupção eleitoral.
A possível instalação de hidrômetros domésticos poderá impedir a falta de higiene.
Ameaças à Venezuela e falência da Doutrina Monroe.
A morte de João Clapp, o abolicionista.

21 dez.
*Crônica**, s.a.
A função do sistema carcerário é a de recuperar, *educar e evangelizar* e não a de punir.

28 dez.
Crônica, s.a.
Em forma de entrevista, o ano de 1902 queixa-se de que seu único mal fora a falta permanente de dinheiro.

Gazeta de Notícias 1903

04 jan.
*Crônica**, s.a.
Queda brusca de temperatura no Rio.
Uma falsa notícia de planos de reurbanização carioca faz o cronista enaltecer a figura destemida de D. Quixote.

11 jan.
*Crônica**, s.a.
O esforço (injusto, segundo o cronista) do Estado para manter a população carcerária. O desamparo do cidadão honesto.
A tentativa de se erguer um monumento a Pedro II; de anistiar a Família Real; de se trazer os despojos do Imperador.

18 jan.
*Crônica**, s.a.
Texto a favor da campanha contra a tuberculose. A França como exemplo.

25 jan.
*Crônica**, s.a.
O cronista sugere calma quanto à Questão do Acre e elogia a figura do Barão do Rio Branco.
Entusiasmo diante das primeiras medidas do Prefeito contra os casebres do centro da cidade.

01 fev.
*Crônica**, s.a.
A formação dos batalhões patrióticos para defesa do Acre não deve provocar risos, mesmo que neles haja crianças, pois *é dessa massa que se fazem heróis.*
As novas fortificações militares devem ser tratadas como segredo de segurança nacional e por isso seus detalhes técnicos não devem ser transmitidos à imprensa.
Defesa de enérgica nota diplomática brasileira.

08 fev.
*Crônica**, s.a.
A firmeza brasileira na condução da Questão do Acre. Nossa docilidade; nossa consistência. A estória do elefante pacífico, mas enérgico.

15 fev.
*Crônica**, s.a.
A apatia popular diante do novo alistamento eleitoral.
Uma estória para contar como se davam as (corruptas) eleições anteriores.

22 fev.
Crônica, s.a.
O cronista despeja sua aversão contra uma fraude, aparentemente eleitoral, que não fica muito clara.

01 mar.
*Crônica**, s.a.
De São Paulo vem o exemplo no combate à febre amarela, na medida em que se confirmou o mosquito como transmissor. Medidas a serem tomadas.

08 mar.
*Crônica**[CIA], s.a.
Os esforços de José do Patrocínio para a construção da aeronave *Santa Cruz.*

15 mar.
*Crônica**, s.a.
O cronista recebe com agrado a designação, oriunda da Alliance Latine, que lhe atribui a tarefa de representar o Brasil nas festas a Renan, em setembro, em Paris.
A importância de Renan.

22 mar.
Crônica, s.a.
A vergonhosa necessidade de forças policiais em dias de eleição.

A política, que tudo corrompe, sujou a bela Petrópolis.
Protestos contra as autoridades sanitárias, tidas como violadoras de domicílios
A mendicidade nas ruas.

29 mar.
*Crônica**, s.a.
O perigo da febre amarela.
Nuno de Andrade destituído da Saúde Pública. Oswaldo Cruz em seu lugar.

05 abr.
*Crônica**, s.a.
Sobre a ilusão generalizada de sermos um país feliz.
Canudos; problemas no RGS; as secas; as febres; *o Brasil* [...] *é uma nação paupérrima, que não pode ainda viver dos seus recursos e importa tudo quanto consome. Não há países ou povos felizes ou infelizes: só o trabalho e o sacrifício podem dar um pouco de felicidade.*
A busca infrutífera dos ossos de Cabral em cemitérios portugueses. A tolice de se querer transladá-los para o Brasil.

12 abr.
Crônica, s.a.
Sobre a violência da semana: o assassínio de um avarento e a morte acidental de uma criança.

19 abr.
*Crônica**, s.a.
Os preparativos para a reabertura do ano político. A figura de Pinheiro Machado e de Júlio de Castilhos.
A reurbanização carioca. Necessidade urgente de obras infra-estruturais. Aplausos ao governo municipal.

26 abr.
Crônica, s.a.
Sobre uma rua carioca do subúrbio onde se reuniam cães de várias qualidades, um verdadeiro *falanstério de cachorros.*
O desaparecimento dos animais diante da repressão municipal.
A possibilidade de contacto telepático entre eles.

03 maio
*Crônica**, s.a.
Sobre o progresso do país, mas reconhecendo nele grande porção territorial ainda inexplorada. A comparação com os EUA.
A nossa medida de progresso dada pelo brilho oratório dos parlamentares.
O trabalho operário anônimo que aumenta a riqueza, ao lado da retórica parlamentar vazia.

10 maio
Crônica, s.a.
Sobre o conflito de interesses que entremeia a substituição do Frei João das Mercês, abade do Mosteiro de São Bento do Rio de Janeiro. Sugestão para que sua permanência se prolongue, uma vez que o abade já está no fim da vida.

17 maio
Crônica, s.a.
A reurbanização carioca.
Convulsões operárias no Chile durante visita de caravana brasileira. Redução do problema a uma briga interna e doméstica.
A disputa no Mosteiro de São Bento.
Expectativa quanto à abertura da temporada teatral, *noites de regalo intelectual.*

24 maio
Crônica, s.a.
Relato de uma visita feita ao Curral del Rei, realizada em 1894.
A iniciativa brasileira de se construir Belo Horizonte compara-se à de americanos e de ingleses em África e Austrália. O progresso deve expandir-se por todo o Brasil.

31 maio
Crônica, s.a.
As concentrações populares para discursos e discussões *aliviam o espírito da multidão.*
Um movimento de protesto das alunas da Escola de Música.
Os novos métodos terapêuticos do Dr. Álvaro Alvim em seu laboratório. A dinamoterapia.

07 jun.
*Crônica**[CF], Olavo Bilac
A visita do Gal. Khan, Embaixador persa, a Buenos Aires e ao Rio.
Crítica à falsa modéstia dos brasileiros e ao seu desejo de honrarias, medalhas, títulos e anéis de grau.

14 jun.
Crônica, Olavo Bilac
Sobre o amor.
A partir da morte trágica da Rainha sérvia Drago, esposa de Alexandre, considerações sobre o amor calculista e ambicioso.

21 jun.
*Crônica**[CIA], O. B.
A reforma urbana carioca propicia trabalho a muitos, diminuindo a ociosidade e a taxa criminal.

28 jun.
Crônica, O. B.
Soberania política. Eleições.
A aparência de legalidade das eleições cariocas para o Conselho Municipal. *Qual a utilidade dessa comédia?*
A inocuidade da autonomia política para o Distrito Federal. *Ser soberano para quê?*
Paralelo com o Rei do Senegal.
A imagem desfavorável do rei africano.

05 jul.
*Crônica**, O. B.
Antoine, reformulador da

interpretação teatral francesa, é modelo de atuação naturalista. Quanto à interpretação, aplausos; quanto à poética, restrições: *para que sintamos quanto é baixa nossa natureza, não é necessário que o teatro no-lo diga...*

12 jul.
Crônica, O. B.
A longa e interminável agonia de Leão XIII.

19 jul.
Crônica, O. B.
Expectativa diante da próxima batalha de flores.
É absurdo que se comemore, oficialmente, o 14 de julho no Brasil.
O assentamento do busto de Castro Alves no Passeio Público.

26 jul.
*Crônica**, O. B.
O teatro atual desagrada, porque é duro e cru.
O masoquismo de um faquir; o sadismo de quem o vê.
A morte de Leão XIII.

02 ago.
*Crônica**[IP] [CIA], O. B.
Excelente crônica de recordação pessoal em que O. B. trata de suas origens na *Gazeta de Notícias*, como poeta e como cronista.

09 ago.
Crônica, O. B.
A nova temporada lírica.
A Lei das Desapropriações.
A eleição do Papa. Conjecturas sobre a alegria da mãe do papa eleito.

16 ago.
Crônica, O. B.
A próxima batalha de flores e a ansiedade geral quanto ao tempo.

23 ago.
*Crônica**, O. B.
Greves operárias.
Centenário de Caxias, o "Pacificador".
Notícias de que Antoine, o ator francês, teria falado mal do Rio.
Viva às demolições que continuarão.

30 ago.[23]

06 set.
*Crônica**[CF], O. B.
Diálogo entre o cronista e o mosquito da febre amarela.

13 set.
*Crônica**[CF], O. B.
As homenagens, mais que merecidas, a Santos Dumont ultrapassam-no, uma vez que demonstram também gratidão ao lado incansável da curiosidade humana.

20 set.
*Crônica**[CF], O. B.
Em forma de fábula, o cronista converte o Rio em Brás Bocó, o eterno descontente.

27 set.
*Crônica**, O. B.
Santos Dumont retorna à Europa.
Espera-se a realização de um torneio aéreo, em 1904, no Brasil.
A necessidade de aplicação prática da conquista aérea.
Finalmente!, o saneamento do porto.

04 out.
*Crônica**[CF], O. B.
A festa da Penha não deve ser condenada por ser ruidosa e quase pagã. É preciso lembrar-se de que a religião grega admitia as fraquezas e a alegria. *São as religiões modernas* [que] *vieram entristecer a terra...*

11 out.
*Crônica**[CF] [CIA], O. B.
Além do progresso, o bonde é *veículo da democracia*, pois que iguala a todos.

18 out.
Crônica, O. B.
Descobertos quadros falsos de Castagneto.
Descobertas estampilhas falsas.

25 out.
Crônica, O. B.
Além de festejar a cidade, enfeitando-a, a Exposição de Flores tem o dom de educar o povo, de um ponto de vista estético.

01 nov.
Crônica, O. B.
A proximidade do verão e a ameaça das pestilências.
A autonomia do Distrito Federal
A presença de uma falsa princesa no Rio.

08 nov.
*Crônica**[CF], O. B.
A falta de decoro e de urbanidade entre os parlamentares.

15 nov.
*Crônica**[CF], O. B.
Ao comemorar catorze anos, a República ainda não é a dos sonhos de muitos.
Festejos pela criação do Panamá.
Necrológio para Ferreira Viana.

22 nov.
Crônica, O. B.
Com o retorno da Capital a Niterói, livra-se Petrópolis dos políticos e dos desordeiros.
O calor favorece crimes de amor.
Repercussões de um artigo

23. Nota editorial: *Os leitores da "Gazeta" são privados de uma das mais estimadas seções da folha – a "Crônica" do domingo, por estar doente o cronista. Uma crônica para preencher a coluna vazia poderíamos dar; Olavo Bilac é que não se pode substituir e, por isso, preferimos pedir desculpa da falta.*

sobre a proclamação da República, estampado no *Jornal do Comércio*.

29 nov.
*Crônica**, O. B.
Protesto delicado contra os que ironizam o cultivo do patriotismo e dos emblemas nacionais.

06 dez.
*Crônica**, O. B.
A destruição do último casebre que obstruía as obras da Avenida.
Eleição para a Câmara.
Julião Machado parte para a Europa.
Necrológio para Cesário Alvim.

13 dez.
*Crônica**, O. B.
Os trabalhos da Avenida; leilão de terrenos na Av. Passos.
Prorrogação dos trabalhos legislativos.

20 dez.
*Crônica**, O. B.
Enchentes no Rio.
Questões inúteis e fúteis emperram o Legislativo que deve cuidar da reforma sanitária.
A má vontade generalizada contra a reurbanização.

27 dez.
Crônica, O. B.
Diálogo entre um mocho descrente e a multidão que se aglomerava para assistir ao nascimento de Jesus.

Gazeta de Notícias 1904

03 jan.
Crônica, O. B.
Planos de urbanização para o Morro do Castelo.

10 jan.
Crônica, O. B.
Festas populares de Reis.
Na entrada do ano, ameaças de guerra.
As antigas dificuldades dos funcionários municipais.
No governo do Estado do Rio, Nilo Peçanha age friamente como um cirurgião.

14 jan.
Crônica, O. B.
Para o repórter, sigilo parlamentar e dever profissional são coisas antagônicas.
A Questão do Acre desencadeia a prolixidade parlamentar, que deve ser substituída pela sobriedade.

17 jan.
*Crônica**, O. B.
O peso insuportável da pressão atmosférica transtorna o comportamento das pessoas.
Uma revolução no Uruguai, *estes vizinhos tão amáveis... mas tão brigões!*
O lançamento da revista *Kosmos*.

31 jan.
*Crônica**, O. B.
A viagem do Presidente Rodrigues Alves a Guaratinguetá (SP) não provocou a curiosidade da imprensa.
A eleição municipal é para ser levada a sério?
A fuga de um espertalhão provoca comentários sobre a dualidade do mundo.

07 fev.
*Crônica**, O. B.
Lutas intestinas no Uruguai. A indústria bélica norte-americana.
Necessidade bélica da sociedade.
Vazamento de sigilo no Legislativo carioca.
Carnaval; falta d'água; desaparecimento do Entrudo; esporte no lugar de Carnaval.

14 fev.
*Crônica**, O. B.
A Guerra Russo-japonesa provoca os sentimentos pacifistas de O. B., que glosa a narrativa de uma expedição científica norte-americana à ilha virgem de Laysan no Pacífico.
Depois de vasculharem a ilha, os cientistas Gilbert e Fischer mataram alguns exemplares das aves locais com o objetivo de empalhá-las.
O Homem traz a Morte.

21 fev.
Crônica, O. B.
Morreu o Entrudo, graças a um ato do Prefeito, a quem a população demonstra o maior respeito e gratidão pela ação dinâmica e saneadora.

28 fev.
Crônica, O. B.
Obed (um criminoso comum, aparentemente) recapturado.
Estréia a Guarda Civil.
Férias legislativas e encerramento da Questão do Acre.
A instituição do júri popular está desmoralizada.

06 mar.
*Crônica**[CIA], O. B.
A propósito do inquérito sobre religiões no Rio, conduzido por João do Rio e publicado pela *Gazeta de Notícias*, O. B. discorre sobre religiosidade popular.

13 mar.
*Crônica**[CF], O. B.
Nas festas da inauguração da Avenida, o cronista persegue um vulto que descobre chamar-se Tradição, Passado, Prudência e que é adversário do Progresso.

20 mar.
Crônica, O. B.
Inquérito policial para acabar com o jogo.

03 abr.
Crônica, O. B.

Considerações em torno da Vida, do Amor e da Morte, tendo como pretexto a Ressurreição.

10 abr.[24]
*Crônica**[CIA], O. B.
As novas condições sanitárias da cidade fizeram baixar os índices mortais da febre amarela. Irrita-se o cronista quando ouve que o povo atribui isso à sorte e não ao trabalho.
Despede-se o cronista que vai para a Europa.

01 jun.
*Bahia**, Olavo Bilac
A caminho da Europa, o cronista faz escala em Salvador, cidade que cultiva o patriotismo.

08 jun.
*Lisboa**, Olavo Bilac
Visitando-a anos depois, entusiasma-se o cronista com a Avenida da Liberdade e o porto novo. Só o dinheiro não basta. É preciso coragem também.

12 jun.
*Eça de Queirós**, Olavo Bilac
Em Lisboa, O. B. faz uma visita à estátua do escritor português no Largo do Barão de Quintela.

17 jun.
*Lutécia**[IP] [CIA], Olavo Bilac
Em Paris, o cronista aponta a diferença entre as duas margens do Sena. Na direita, a modernidade e a agitação; na esquerda, o recolhimento e a tranqüilidade.

23 jun.
*Uma semana em Paris**, Olavo Bilac
No Louvre, visitando a *Vênus*.
Em Sèvres, visitando o Museu da Cerâmica. Indignado, o cronista constata que a cerâmica que representa o Brasil é uma igaçaba, presente de D. Pedro II.
Um sucesso teatral: *Les oiseaux de passage* de Donnay e Descaves.
Espanto diante do nível de luxo de uma exposição de cães nas Tulherias.
Admiração diante do *Pensador* de Rodin.
O cronista discorda da admiração unânime da crítica em relação ao ator Monet-Sully.
Em Saint-Cloud, no parque, todos se divertem como podem.

30 jun.
Os pássaros de Paris, Olavo Bilac
Encantado com os pardais de Paris, O. B. lastima a atitude predatória do carioca.

28 jul.
A loba latina, Olavo Bilac
Relato das belezas italianas e do progresso intelectual da Itália.

04 ago.
Guilherme Tell, Olavo Bilac
Na Suíça, o cronista visita os lugares onde Guilherme Tell teria vivido e relembra sua origem mítica.

07 ago.
No Rigi-Kulm, Olavo Bilac
No topo do Rigi-Kulm, montanha próxima a Lucerna, o cronista encanta-se com a paisagem a seu redor.

21 ago.[25]
Entre bonecas, Olavo Bilac

29 ago.
Montmartre, Olavo Bilac

05 set.
As U. P., Olavo Bilac

25 set.
Henri Dunant, Olavo Bilac

23 out.
Crônica, O. B.

30 out.
*Crônica**, O. B.
Há dois anos o cronista votou e se frustrou porque seu candidato renunciou.
Contrário àqueles que se opõem à vacinação obrigatória, com o argumento de que ela invade a liberdade individual.
A Avenida como fonte de empregos.

06 nov.
*Crônica**, O. B.
Indiferença popular pelas eleições.
Contra Platão e Napoleão que desejavam a expulsão dos poetas, por inúteis.
As homenagens a Gonçalves Dias.
O sucesso brasileiro na Feira de Saint Louis, EUA.

13 nov.
*Crônica**, O. B.
No último motim urbano os populares quiseram servir-se dos paralelepípedos da Avenida.

---

24. Nota do jornal assinada por Olavo Bilac:
Esta crônica é a última da série: um cronista mais digno da "Gazeta" e dos seus leitores virá substituir vantajosamente o escritor que aqui esteve hospedado por largos anos, numa interinidade honrosa, ocupando o lugar outrora ocupado pelo grande mestre Machado de Assis.
Agora, os meus artigos se não serão uma resenha da vida carioca, refletirão aspetos da vida estrangeira, e virão pontualmente da Europa, por todos os paquetes, trazendo, durante algum tempo, impressões de outros climas e de outras gentes.
Traçadas à pressa, no atropelo da partida, estas linhas ficam aqui como um agradecimento à bondade, que o cronista sempre mereceu do público. Não nos despedimos, – o público e eu separamo-nos por pouco tempo, por poucos dias. Até breve.
O. B.

25. Infelizmente, as próximas cinco crônicas estavam mutiladíssimas, em várias ocasiões desta pesquisa.

Nova lei eleitoral. Vícios eleitorais condenáveis.

20 nov.
*Crônica**[CIA], O. B.
O populacho – movido pela Ambição, pela Ferocidade e pelo Analfabetismo – amotina-se e destrói a Avenida.

27 nov.
*Crônica**, O. B.
O cronista sugere que se faça uma história do estado de sítio no Brasil e aproveita a oportunidade para relembrar alguns.

04 dez.
*Crônica**, O. B.
Os conflitos bélicos na América do Sul desmentem as profecias edênicas de Vespúcio e de Humboldt.
Se dos primeiros colonos degradados saiu o povo brasileiro, nada demais *exportar* arruaceiros para o Acre, onde poderá cumprir-se a *profecia radiosa* de Humboldt.

11 dez.
Crônica, O. B.
O. B. cede seu espaço a Fantasio que lhe enviara do Olimpo uns versos brancos e livres, descrevendo uma assembléia olímpica, na qual Mercúrio discorrera sobre convulsões políticas, estados de sítio, desfalques, cheias etc.

18 dez.
Crônica, O. B.
Dezembro chuvoso.
Epidemia contagiosa de desfalques.
Imprensa noticia (devia?, pergunta-se O. B.) novo instrumento de arrombar portas.

25 dez.
Crônica, O. B.
38 quadras de versos frouxos, com métrica 6-6-6-2, cantam o sol inclemente, a má distribuição de riqueza e o desejo de paz universal.

Gazeta de Notícias 1905

01 jan.
Crônica, O. B.
Balanço do (tranqüilo) ano de 1904.

08 jan.[26]
*Crônica**, O. B.
Desapropriação da casa particular do Mal. Deodoro.
Relembrando a noite de 15 nov. 1889.

15 jan.
*Crônica**, O. B.
Comparando São Paulo com o Rio, o cronista aponta os defeitos e desvantagens da Capital Federal:
1. insubmissão política do povo;
2. extensão (territorial ?);
3. má urbanização;
4. clima adverso;
5. renda escassa;
6. má administração.

22 jan.
*Crônica**, O. B.
Enquete promovida por *Les annales politiques et littéraires* de Paris dá o Rio como uma das cem maravilhas do mundo.

29 jan.
*Crônica**[CIA], O. B.
O povo russo levantou-se contra o Czar.
Gorki, Tólstoi e Dostoiévski elogiados pelo cronista.

05 fev.
*Crônica**, O. B.
Necrológio para José do Patrocínio, morto em 30 de janeiro último.

12 fev.
Crônica, O. B.
Forte calor no Rio.
A equivocada instituição do júri popular.
Rebelião popular na Argentina.

19 fev.
*Crônica**, O. B.
O Redivivo de Canudos, romance imaginário, conta a estória de mulher "surpreendida" pela bigamia, pois descobrira que seu primeiro marido não morrera em Canudos.

26 fev.
*Crônica**, O. B.
Em visita a Baependi (MG), *um dos núcleos de formação de nossa nacionalidade*, O. B. destaca:
1. a igreja com entalhes em madeira, baseados em motivos brasileiros;
2. o túmulo de Nhá Chica, santa local;
3. a fazenda do Marquês de Baependi.

05 mar.
Crônica, O. B.
O Carnaval é tempo adequado à propagação de doenças contagiosas, como a tuberculose.

12 mar.
Crônica, O. B.
O Carnaval de 1905 não foi violento.
Reflexões sobre o suicídio.

19 mar.
*Crônica**, O. B.
Em forma ficcional, diálogo entre o narrador e um conselheiro no qual se discutem a riqueza e a pobreza brasileiras.

26 mar.
*Crônica**[IP], O. B.
Júlio Verne fecundou a

26. Esta crônica e as posteriores começam na p. 1 e continuam na p. 2.

imaginação do cronista quando adolescente.

02 abr.
Crônica, O. B.
A tuberculose continua seu *trabalho assassino*. Mas, deixando pudores de lado, é preciso atentar também para a sífilis, porque, além de contagiante, é hereditária.
O trabalho profilático do Dr. Werneck Machado, a quem o cronista entrevistou.

09 abr.
*Crônica**, O. B.
A inauguração do Hospício dos Alienados, sob a direção de Afrânio Peixoto e de Juliano Moreira.

16 abr.
Crônica, O. B.
A alta do câmbio.
O tempo bom.
Os novos candidatos à Presidência.

23 abr.
*Crônica**, OB.
A mulher simples que, no Rio, teve trigêmeas é motivo de exaltação para o cronista.

30 abr.
*Crônica**, O. B.
Fantasio sonha que descobriu um tesouro jesuítico no Morro do Castelo.

07 maio
Crônica, O. B.
S. Pedro, S. Tadeu, S. Tomé, S. Tiago, S. Filipe, S. Bartolomeu, S. João e S. Simão dialogam sobre o poder irresistível do ouro.
[Continuação da crônica anterior].

14 maio
Crônica, O. B.
Centenário de Antônio José, o Judeu.
Roubo na Casa da Moeda.

21 maio
Crônica, O. B.
Ventania no Rio.
Nova galeria no Castelo.
Novo balão; novo aeronauta.
Incêndios urbanos.
Início dos trabalhos para construção do Teatro Municipal.

28 maio
Crônica, O. B.
A inútil ciência da meteorologia.
Homenagem à memória de Rafael Bordalo Pinheiro.
Demolição do Mercado da Lapa.
Morte de Alphonse Rotschild.

04 jun.
*Crônica**, O. B.
Libelo contra a guerra, que deixará de existir quando não houver governantes e governados.
Esforço (norte-americano) para a criação da União Interparlamentar.

11 jun.
Crônica, O. B.
Em conversa bem-humorada, S. Pedro, Sto. Antônio e S. João discutem a usura.

18 jun.
*Crônica**, O. B.
É preciso suportar a poeira por causa dos melhoramentos urbanos.
O governo atual cuida do saneamento urbano. O anterior cuidou do financeiro. O futuro precisa cuidar da educação.
Armistício Rússia-Japão.

25 jun.
*Crônica**, O. B.
A poeira asfixia o Rio e carrega ameaças de morte.

02 jul.
*Crônica**[Cia], O. B.
Com a posse provisória das cartas de Carlos Gomes, O. B. comenta os dissabores pessoais do maestro brasileiro.

09 jul.
Crônica, O. B.
A vitalidade e a permanência de tipos como Tartufo, que simboliza a hipocrisia, e Cirano, que encarna a lealdade.
Comentários a partir das peças encenadas por Coquelin no Rio.

16 jul.
*Crônica**, O. B.
A fotografia deve ser encarada como Arte.
Exposição de canários no Rio.

23 jul.
Crônica, O. B.
Ao fim de uma festa a bordo do *Riachuelo* os convidados são engolidos pelo mar.
Incompetência da polícia carioca, *entidade irresponsável*, que envolveu duas senhoras inocentes em um caso de assassinato.
Em Goiás, a população divide-se entre dois governadores.

30 jul.
*Crônica**, O. B.
Abertura dos trabalhos do Congresso Latino-Americano.
A cidade em reforma; o cronista orgulhoso.
Final da temporada de Coquelin.
Um processo infindo que se arrasta e a impunidade como vício brasileiro.

06 ago.
Crônica, O. B.
Considerações sobre o suicídio.
Entusiasmado com a apresentação (?) dos Mestres Cantores de Nüremberg de Wagner.

13 ago.
*Crônica**, O. B.
É preciso agilizar recursos

financeiros para atenuar a sorte dos operários prejudicados com a reurbanização do Rio.

20 ago.
Crônica, O. B.
Festa das Flores no Jardim Botânico.
Em breve, a construção de um Mercado de Flores.
Encerramento do Congresso Latino-Americano.

27 ago.
*Crônica**, O. B.
Guignol; revistas de arte; conferências literárias... O Rio civiliza-se!

03 set.
*Crônica**, O. B.
Glosando Virgílio, o cronista compõe poema que satiriza a política do café-com-leite.

10 set.
*Crônica**, O. B.
Texto minucioso que relata visita à Casa Lage, colônia de trabalho para menores, numa das ilhas da Baía de Guanabara.

17 set.
*Crônica**, O. B.
O perigo das casas em ruínas.
A necessidade de casas com pátios superiores, dado o clima carioca.

24 set.
Crônica, O. B.
O. B. recrimina o público que vaiou um espetáculo lírico.
Recriminação à luta romana.
O remo e a canoagem como esportes salutares.

01 out.
*Crônica**, O. B.
Entusiasma-se o cronista diante da resposta do público ao alistamento eleitoral, bem como diante das manobras militares.

08 out.
Crônica, O. B.
Morreu Heredia.
A reconstrução de uma cidade calabresa, destruída por um terremoto.
Ao aniversário da morte de José do Patrocínio.

15 out.
*Crônica**, O. B.
Na plataforma presidencial de Afonso Pena, O. B. critica a inconsistência do item referente à instrução pública.

22 out.
Crônica, O. B.
Indignação diante de crime político na Bahia.
Sobre um motim na Casa de Correção em que está implicada uma irmã de caridade.
O plantio do primeiro pau-brasil na Avenida.

29 out.
Crônica, O. B.
A morosidade, a precariedade e o desconforto da Central do Brasil no trecho Rio-São Paulo.

05 nov.
*Crônica**, O. B.
Em Finados, O. B. visita os cortiços do Morro do Castelo, prestes a serem arrasados.

12 nov.
Crônica, O. B.
Uma mulher monarquista e supersticiosa atribui à República os agouros e sedições de novembro.

19 nov.
*Crônica**[CIA], O. B.
Entusiasmo desmedido frente à inauguração da Avenida.

26 nov.
Crônica, O. B.
Fantasio escreve para O. B., porque está assustado com notícias sobre:
1. a suspensão de verbas para conclusão do Teatro Municipal;
2. os problemas financeiros da Estrada de Ferro Sorocabana;
3. o assassinato do rei D. Carlos de Portugal;
4. a ocorrência de missa negra no Rio.

03 dez.
*Crônica**, O. B.
A desvalorização da moeda brasileira.
Contra a invenção irresponsável de neologismos.

10 dez.
*Crônica**, O. B.
Apesar do calor infernal, trabalha-se no Rio, o que desmente o mito de nossa indolência.
Arruaça de marujos alemães estacionados no Rio.

17 dez.
*Crônica**, O. B.
Necessidade de proteger do sol os trabalhadores municipais, suspendendo-se seu trabalho entre 11 e 15 horas. O sol forte só é bom na imaginação dos poetas.
A arruaça dos marujos alemães.

24 dez.
*Crônica**, O. B.
No centenário de Bocage, O. B. lembra sua qualidade, suas desventuras pessoais e seu *talento de metrificador*.

Gazeta de Notícias 1906

07 jan.
Crônica, O. B.
Fraude na Alfândega e no Tesouro Nacional.
A identificação pessoal por meio da datiloscopia.

A invenção de uma senhora norte-americana: a osculoscopia.

14 jan.
Crônica, O. B.
Chuvas incessantes sobre o Rio.
Arruaça de marujos alemães: o caso Panther.
Conflito França-Marrocos.
Acusação de suborno a um júri popular.

21 jan.
*Crônica**, O. B.
Falta d'água no Rio.
Discriminação racial na polícia paulista.
Euclides da Cunha denuncia escravidão nos seringais.
Morreu Bartolomeu Mitre.

28 jan.
Crônica, O. B.
Tempestades e desabamentos no centro do Rio, além do naufrágio do *Aquidabã*, tornaram a *semana amaldiçoada*.

04 fev.
Crônica, O. B.
Descobertos treze caixotes no Tesouro Nacional, contendo as jóias da Coroa imperial.

11 fev.
Crônica, O. B.
Um eclipse lunar já não provoca sentimentos supersticiosos.
Contra a presunçosa antropomorfização de Deus.
Indiferença perante a morte de Pedro Américo.

18 fev.
*Crônica**, O. B.
Transbordam os rios cariocas, cada vez mais atulhados de sujeira, verdadeiros esgotos a céu aberto.

25 fev.
Crônica, O. B.
Versinhos de Carnaval.
Exemplo a ser imitado: dois industriais portugueses, radicados no Rio, oferecem uma fonte à cidade.
O brasileiro precisa freqüentar mais os jardins públicos.

04 mar.
Crônica, O. B.
Chuvas torrenciais no Carnaval.
O Rio compara-se a uma cidade lacustre, cuja maquete O. B. vira num museu suíço em 1904.

11 mar.
*Crônica**, O. B.
O Convênio de Taubaté.
O café como força da economia brasileira e como traço de confraternização social.

18 mar.
Crônica, O. B.
O. B. lamenta a decadência de Petrópolis.

25 mar.
*Crônica**, O. B.
Chuva e umidade.
A ação nefasta dos boateiros.
É preciso combater o preconceito que desqualifica o português como língua artística, sobretudo na música lírica.

08 abr.
*Crônica**, O. B.
Um político francês alerta o Brasil sobre o perigo alemão. No ar, o perigo norte-americano por causa da Conferência Pan-americana.
O cronista desfaz os dois perigos e aplaude a Conferência.

15 abr.
Crônica, O. B.
Caxambu é uma beleza!
Seus periquitos também.

22 abr.
Crônica, O. B.
Assusta-se o cronista com a notícia de terremoto em San Francisco e lamenta a provável perda da biblioteca da Universidade e de quadros no Museu.
Notícias de abalos sísmicos no Brasil.

29 abr.
Crônica, O. B.
Ressaca na Baía de Guanabara.
Um caso polêmico: retiraram a imagem de Cristo da sala do júri.
Um caso de amor: impossibilitado de adquirir uma casa determinada, o cidadão que a pretendia, ateou-lhe fogo.

06 maio
Crônica, O. B.
A partir de estatísticas criminais de 1905, O. B. comenta: 1. a mudança de hábitos do carioca; 2. a impunidade dos crimes passionais; 3. a inadequação dos júris populares para julgá-los.

13 maio
*Crônica**[IP], O. B.
Pouco antes da viagem de Afonso Pena, presidente recém-eleito, O. B. aconselha-o a zelar pela educação primária, lembrando-lhe que a língua é fator de unificação nacional.

20 maio
*Crônica**[CIA], O. B.
Entusiasmado com a *convalescença* do Rio, o cronista apóia medidas municipais que proíbem exposição pública de roupas pessoais e recrimina os que andam sem paletó.

27 maio
*Crônica**, O. B.
O cronista relembra sua infância durante a guerra contra o Paraguai.
O desprestígio da Guarda Nacional.

03 jun.
Crônica, O. B.
A nova temporada lírica com Tina de Lorenzo.

Morreu o Visconde de Barbacena. A restauração despropositada do Convento da Ajuda no Rio.

10 jun.
Crônica, O. B.
Agiliza-se e encanta a urbanização carioca.
O novo papel da imprensa nos tempos modernos.

17 jun.
*Crônica**[CIA], O. B.
Nova medida municipal digna de aplauso: o recenseamento.
Trabalho e Método são as forças que movem a sociedade.
A ignorância popular decorre do analfabetismo.

24 jun.
Crônica, O. B.
Apesar das proibições municipais, o carioca ainda solta balões.
O fardo da Presidência da República.

08 jul.
Crônica, O. B.
Complicações políticas no Mato Grosso.
São Paulo indisposto com o país por causa do Convênio do Café.

15 jul.
Crônica, O. B.
O Presidente eleito Afonso Pena faz segredos de seu futuro ministério, porque teme a tagarelice das esposas dos ministros em potencial.
A França reabilita Dreyfus, Picquart e Zola.

22 jul.
Crônica, O. B.
Em meio aos preparativos para a Conferência Pan-americana, estoura um conflito armado entre Guatemala, Salvador e Honduras.
Pesar do cronista. Intervenção norte-americana e mexicana.
Banquete para Nabuco.

Sua importância. A figura extraordinária do Embaixador norte-americano, Mr Griscon.

29 jul.
*Crônica**, O. B.
O povo diverte-se com as festas no Rio. O cronista orgulhoso da cidade. O progresso, *sem precipitações*, fascina-o.

05 ago.
*Crônica**, O. B.
Aplausos ao discurso de Elihu Root, delegado norte-americano na 3ª Conferência Pan-americana.

12 ago.
*Crônica**, O. B.
O. B., aborrecido, ironiza o Sergipe, onde houve uma bernarda que pode comprometer o brilho da Conferência Pan-americana.

19 ago.
Crônica, O. B.
A *Gazeta de Notícias* torna-se órgão oficial da divulgação do esperanto.
A necessidade comercial e intelectual do poliglotismo. A Europa e a América do Norte poliglotizando-se.

02 set.
*Crônica**, O. B.
Ao fim da Conferência Pan-americana, os sonhos e desejos de fraternidade universal de O. B., que exalta a retórica política e condena o lado tecnicista da reunião.

09 set.
Crônica, O. B.
O Medo como meio terapêutico.

16 set.
Crônica, O. B.
Expectativa quanto ao novo Ministério.
Novas experiências de Santos Dumont.

23 set.
Crônica, O. B.
O. B. lamenta e condena a caça às borboletas.

07 out.
Crônica, O. B.
Manobras e combates simulados do Exército.
[...] *não há sociedade que possa viver sem o amparo de um bom exército: o "si vis pacem para bellum" é ainda uma dessas verdades que entram pelos olhos dos cegos e pelo cérebro dos estúpidos.*

14 out.
Crônica, O. B.
O. B. lamenta não poder visitar uma Exposição de Animais em São Paulo.
Novo surto de rivalidade com a Argentina. O motivo agora é a suposta canonização de Sóror Maria da Paz.

21 out.
Crônica, O. B.
O latrocínio de que foram vítimas os irmãos Paulino e Carluccio Fuoco.

28 out.
Crônica, O. B.
Não tem culpa a imprensa de *fabricar* notícias sobre o crime que vitimou Paulino e Carluccio Fuoco.
Isso ocorre porque a Polícia não cumpre seu dever de emitir informações a respeito.

04 nov.
Crônica, O. B.
Graças a recursos grafológicos foi possível saber as qualidades de Afonso Pena, o futuro Presidente.

11 nov.
Crônica, O. B.
Morte (acidental?, pergunta-se o cronista) do Dr. Fajardo, que se injetou um soro.

Político, não nomeado, foi assassinado por dois rapazes.
Posse de Afonso Pena na Presidência e a corte de áulicos.

18 nov.
Crônica, O. B.
O. B. aplaude nova disposição municipal que dá novos nomes às ruas e praças do Rio.

25 nov.
Crônica, O. B.
Novas medidas presidenciais: audiência coletiva do ministério e combate ao jogo.
Nova *troca de telegramas aterradores* entre Brasil e Argentina.
Manifestação, mais que merecida, à figura do ex-Prefeito Pereira Passos.

02 dez.
Crônica, O. B.
Denúncia de manteiga falsificada no mercado.
Não há controle de qualidade sobre o alimento que se vende e se serve no Rio: *entra mês e sai mês, – e nós nos vamos envenenando cada vez mais.*

09 dez.
Crônica, O. B.
[...] *se eu não fosse cronista! Desta profissão e deste dever é que vem o meu tédio...*

16 dez.
Crônica, O. B.
A Câmara vota medidas protecionistas com o fim de beneficiar o café e o charque.

23 dez.
Crônica, O. B.
A greve dos carroceiros é justa, mas priva a cidade de um certo movimento, mergulhando-a na tristeza.

30 dez.
Crônica, O. B.
1906 foi positivo, porque: 1. não houve casos de febre amarela; 2. inaugurou-se o primeiro trecho do porto da cidade; 3. houve um congresso internacional no Rio.
Foi como um remoçamento geral, uma ressurreição.

Gazeta de Notícias 1907

06 jan.
Crônica, O. B.
É fútil a questão sobre formas de tratamento em relação às moças solteiras:
Senhorita? mademoiselle? yayá? ou menina?.
Não são essas adoções de vocábulos que estragam os idiomas. As línguas se enriquecem por intercâmbio de termos, como os países por intercâmbio de produtos. O que as estraga é a adulteração da sua estrutura básica.
Novas notas de dinheiro em circulação.

13 jan.
Crônica, O. B.
Já é tempo de se glorificarem algumas mulheres brasileiras. Desde as lendárias Moema, Paraguaçu e Lindóia, até as históricas como Marília, Bárbara Heliodora, Marquesa de Santos, Anita Garibaldi e outras. Bem que se poderia escrever uma história do Brasil através da figura feminina e que se chamaria *A Brasileira através dos Tempos.*

20 jan.
Crônica, O. B.
Terremotos na Jamaica, Chile, Japão, Estados Unidos. Erupção do Vesúvio.
Um caso de matricídio no Rio.
A morte do Visconde de Cabo Frio.

27 jan.
Crônica, O. B.
As diferentes fases de civilização encontráveis no Brasil.
O Acre como território a ser lentamente incorporado ao Brasil, graças à existência de jornais, escolas e comércio.
A língua como fator *básico de nacionalidade* e o jornal como *selo do progresso e carimbo inconfundível de civilização.*

03 fev.
Crônica, O. B.
A intensidade do frio na Europa e do calor em Buenos Aires.

10 fev.
*Crônica**[IP], O. B.
Descrição de tipos carnavalescos autênticos. São aqueles que esperam ansiosamente pelos quatro dias de folia.

17 fev.
Crônica, O. B.
O grande sucesso do Carnaval de 1907 foi a batalha de confete promovida pela *Gazeta de Notícias* e que inaugurou, do ponto de vista social, a Avenida Beira-Mar. Segundo O. B., de agora em diante, a Avenida será o novo centro da *flânerie* carioca.
Perguntam-se a imprensa e a população: [...] *como hão de os delegados de polícia usar a faixa ou fitão, que a reforma policial lhes vai dar como distintivo...?*
Necrológio para Giosuè Carducci, o poeta italiano.

24 fev.
Crônica, O. B.
Contra a projetada criação de uma sociedade de tiro-aos-pombos, *gozo perverso e malsão.*
Gosto crescente do carioca pelo esporte.
A realização dos Jogos Olímpicos em Montevidéu, em breve, provoca a imaginação do cronista, que reconstrói os cenários de tais competições na Grécia antiga.

A prática esportiva é necessária ao homem moderno.

03 mar.
Crônica, O. B.
É prática estúpida e bárbara o embalsamamento, porque atenta contra a higiene pública. A solução é cremar.
Zombarias sobre notícias que alertam sobre a proximidade do fim do mundo.

10 mar.
Crônica, O. B.
Ironias contra uma carrocinha de apanhar crianças, sempre mencionada, mas nunca vista pela população.
O Rio precisa de produtores de frutas, porque os preços desse produto estão nas alturas.
O celibato clerical é tolice, porque pressupõe a imutabilidade do ser humano.

17 mar.[27]
Crônica, O. B.
Calorosa recepção ao presidente argentino Gal. Julio Roca.

24 mar.
*Crônica**, O. B.
Ao contrário da opinião pública generalizada, o cronista não se envergonha do incidente com Roca em viagem do Rio a São Paulo: em Resende (RJ), numa das paradas do trem, um ancião negro gritou "*Viva o Imperador!*" e ofereceu um cacho de bananas ao visitante argentino, o que provocou pasmo e horror em muitos, temerosos de que os argentinos nos confundissem com macacos.

31 mar.
*Crônica**, O. B.
Por ter alguma capacidade moral; por não ser inteiramente louco; por nunca haver cometido crimes; por não ser cego, nem mudo, nem surdo; por ter profissão conhecida e honrada; por saber ler e escrever, o cronista *não* se acha qualificado para votar nas próximas eleições municipais do Rio.

07 abr.
Crônica, O. B.
O cronista lembra-se de velho mineiro, perdido nos sertões muito além de Vila Rica, que em 1893, *ainda não ouvira falar de República* e, por conseguinte, do exílio de D. Pedro II.
Reformas administrativas na Polícia.
A presença, no Rio, de duas companhias líricas em pleno calor de abril. Sinal de que a cidade civiliza-se, porque não assusta mais os estrangeiros.
Entusiasmo diante de projetada visita do rei português D. Carlos ao Brasil, nos cem anos da abertura de nossos portos.

14 abr.
Crônica, O. B.
Aos poucos, a cerveja derrota o vinho e o café nas mesas cariocas.
Os excelentes serviços do Laboratório Municipal na fiscalização de alimentos, muitas vezes deteriorados, mas, mesmo assim, oferecidos ao público pela ganância do fabricante.
O absurdo de se sortear um grupo de jurados por meio de uma criança, geralmente órfã, que, desse modo, fica exposta à curiosidade de alguns criminosos, verdadeiras *feras humanas, cruéis assassinos* ou *abomináveis ladrões*.
Apoio à iniciativa da Polícia de se criar um Depósito de Achados e Perdidos.

21 abr.
Crônica, O. B.
Forte ressaca no Rio.
A antiga rodovia *União e Indústria* já foi motivo de orgulho nacional, assim como de progresso. Hoje está em ruínas. É preciso restaurá-la, porque *um país sem boas estradas é como um corpo sem artérias nem veias...*

28 abr.
Crônica, O. B.
Resolve-se o litígio de fronteiras entre o Brasil e a Colômbia.
Devem-se se preparar os jornalistas para festejar o centenário da imprensa no Brasil.
O caso das cervejas falsificadas.

05 maio
Crônica, O. B.
Festejar o mês de maio é *mania importada da Europa*.
Os freqüentadores dos debates políticos da Câmara, do Senado e do Conselho Municipal. A freqüência a esses recintos como hábito social. A deserção das mulheres por causa do tom áspero dos debates: discussões violentas que *afeiam a face e quebram a compostura dos contendores*.

12 maio
Crônica, O. B.
O. B. desmente boatos, inquietantes para alguns, sobre o eventual desembarque no Rio do neto de D. Pedro II, D. Luís de Orléans, que viajava para o sul do continente.
A visita próxima do rei D. Carlos de Portugal permite que se sugira a construção de mais uma avenida imponente no centro carioca.
A eleição de um jovem parlamentar para presidente da Câmara dos Deputados é ótima oportunidade para se renovar a nossa política.

27. Nota da redação avisa que *a "Crônica" de Olavo Bilac sai hoje, em rodapé, nesta página*. Isto é, na página 01. Desde jan. 1907 ela vinha saindo na p. 5.

19 maio
*Crônica**, O. B.
Ao contrário do que defendem muitos, o cronista não vê por que os negros devessem fazer festa no 12 de maio. Por que, pergunta-se O. B., agradecer ao branco aquilo que era obrigação sua? *Que gratidão deve o roubado ao roubador...?*
Um ligeiro incidente a bordo do navio que transportava D. Luís de Orleans ao sul, provocado por um republicano afoito.
Mais um crime sem solução.
Novas divergências sobre uma projetada reforma ortográfica.

26 maio
Crônica, O. B.
Dom Caturra, um imaginário e bilioso desmancha-prazeres, provoca o cronista ao demonstrar satisfação pelo malogro da cirurgia que pretendia separar duas siamesas e que fora empreendida, no Rio, por Chapot-Prévost.
Dom Caturra também considera a recepção de que foi alvo D. Luís de Orléans, em Buenos Aires, como provocação à República brasileira.

02 jun.
*Crônica**, O. B.
Expectativas quanto à publicação próxima de documentos existentes no arquivo do Mal. Floriano.
O. B. acredita que sejam *documentos insignificantes*, mas apóia sua publicação.

09 jun.
Crônica, O. B.
Sobre a mudança da Capital Federal para Goiás, local distante que traria o esvaziamento de pretendentes ao cargo público.
O progresso através da criação de ferrovias. O sossego diante de possíveis revoluções.
Sobre a substituição das águias de bronze do Catete, matéria inócua que não merece discussão.
Sobre um faquir que faz germinação imediata do trigo: aproveitá-lo no Ministério da Agricultura.

16 jun.
Crônica, O. B.
Dom Caturra alegra-se com os boatos sobre o fracasso do Convênio do Café; demonstra alegria com o ritmo moroso das obras de reurbanização do Rio; e desqualifica a Conferência de Haia.

23 jun.
Crônica, O. B.
É inútil o trabalho da polícia ao dar combate à quiromancia e suas variantes, porque essas práticas divinatórias respondem a desejos atávicos do ser humano.

30 jun.
Crônica, O. B.
Guillermo Terrero não se *deixa embriagar pela celebridade*.
O monumento a Teixeira de Freitas é desrespeitado, diariamente, pelos carroceiros que fazem ponto em seu entorno.

07 jul.
Crônica, O. B.
O cronista zomba de dois telegramas vindos do Pará. Num deles, afirma-se que a Câmara Municipal de Cametá propunha impostos sobre a maternidade. Noutro, que um cidadão local oferecia-se para pagar, *sem a menor esperança de lucro, todas as dívidas públicas, "com o abatimento de cincoenta por cento"*.
Aplausos às comemorações do centenário de Garibaldi.
A apresentação de *Heda Gabler* de Ibsen, no Rio.

14 jul.
Crônica, O. B.
A ocorrência de um eclipse do Sol.
Apoio à reforma ortográfica, votada pela Academia.
Apoio à lei municipal que regulamenta *o corte e o replantio de árvores nas montanhas e nos vales do Distrito Federal.*

21 jul.
*Crônica**, O. B.
Uma série de crimes passionais abala o Rio e o cronista, aproveitando a oportunidade, alerta para que o júri não seja tolerante com homens ultrajados e severo com mulheres enganadas.
A mania das conferências.
Os inúmeros pedidos de patentes atendidos pelo Ministério da Indústria comprovam que somos um povo inventivo, mas desassistido pelo poder público no que toca ao setor da criação industrial.

28 jul.
Crônica, O. B.
As magníficas interpretações teatrais de Salvini.
Os crimes passionais no Rio.
Novo eclipse, agora da Lua.
Apoio à criação de um *Lady's Club*.

04 ago.
Crônica, O. B.
O. B. descreve manobras militares a que assistiu em São Paulo, executadas pela polícia local e orientadas pela Missão Francesa. Palavras de entusiasmo diante da disciplina da tropa.

11 ago.
*Crônica**, O. B.
Civilização. Guerra. Progresso. Barbárie.

18 ago.
Crônica, O. B.
Derrame de apólices falsas.

25 ago.
Crônica, O. B.
O desempenho brilhante da delegação brasileira em Haia.
O heroísmo dos marroquinos na resistência aos franceses.
Um espetáculo de luta romana.
Coquelin brilha nos palcos do Rio com Molière e Musset.

01 set.
Crônica, O. B.
Homenagem a Artur Napoleão.
Inauguração do Pavilhão Mourisco no Rio.
Conferência de Coquelin sobre Molière e Shakespeare. Infelizmente, afirma O. B., Coquelin insistiu em comparar os dois dramaturgos, *pernicioso hábito.*

08 set.
*Crônica**, O. B.
O desinteresse popular pelo 7 de Setembro.
A presença de Paul Doumer no Rio. Nossos laços intelectuais com a França. A tentativa (fracassada) de germanofilia em fins do século XIX.
A nova temporada lírica. Estréia de *Madame Butterfly* que confirma estereótipos sobre o Japão, recentemente despertos com a vitória deste sobre a Rússia.

15 set.
Crônica, O. B.
Necrológio para Sully Prudhomme.
Contra o hábito carioca de *patear, vaiar e assobiar atores e cantores* que não agradam ao público.

22 set.
Crônica, O. B.
Tendo como pretexto as discussões parlamentares sobre a aftosa que ataca o rebanho brasileiro, O. B. enaltece o pacifismo e a utilidade do boi, além de recuperar sua função e sua sacralidade nas mitologias, nas cosmogonias e nas literaturas.

29 set.
*Crônica**, O. B.
Folheando antigo número de a *Semana Ilustrada*, de dez. 1868, o cronista lembra-se da Guerra do Paraguai, menciona o teatro de então, faz comentários sobre a política da época e conclui que *transformou-se a cidade, mas a nossa alma é a mesma.*

06 out.
Crônica, O. B.
Em crônica ficcionalizada, O. B. explica por que se estende a chuva impertinente e tarda a Primavera: um poeta de seu conhecimento aprisionou a primavera em casa, onde ambos eram felizes.

13 out.
Crônica, O. B.
Se o 12 de Outubro, dia da América, passou em branco, o mesmo não acontecerá com o 15 de Novembro. Mas, lembra o cronista, seria conveniente que se pensasse num baile infantil, para o próximo feriado, no qual fossem contempladas as crianças pobres também, e não apenas as remediadas como está sendo planejado.
Forma-se a próxima turma de professoras da Escola Normal, em sua grande maioria moças *pobres, paupérrimas.*
Causou surpresa a tranqüilidade em que transcorreu a festa da Penha deste ano.

20 out.
*Crônica**, O. B.
Se antes se morria de tédio no Rio isso já não ocorre mais, porque a cidade vive se preparando para eventos.
No momento, é a visita da esquadra chilena; depois, os primeiros preparativos para a Exposição Nacional. E para esta exposição, o cronista sugere uma *exibição comparativa* que mostre o carioca antigo ao lado do carioca moderno.

27 out.
Crônica, O. B.
Entusiasmado com as festas no convés do barco de guerra chileno ancorado no Rio, o cronista especula sobre aqueles canhões provisoriamente cobertos de flores.
Escolheu-se, por fim, a Praia Vermelha como local da próxima Exposição Nacional. Com isso, acredita O. B., está-se perto da construção de *um elevador elétrico para o cume do Pão de Açúcar.*
Nos tempos de estudante de Medicina o cronista deliciava-se com as aulas de Nuno de Andrade, seu ex-professor que acaba de lançar o livro *Imagens.*

03 nov.
*Crônica**[CIA], O. B.
O cronista é iniciado na *mania do cinematógrafo* por um conhecido seu, desocupado emérito que vive de rendas.

10 nov.
*Crônica**, O. B.
Moderniza-se a polícia carioca, adquirindo até ônibus!, ao mesmo tempo em que se refinam os métodos de gatunagem.

17 nov.
Crônica, O. B.
É absurda a facilidade com que a polícia se vale do expediente da exumação.
A desorganização de nossa Justiça permite que as adoções de criança sejam feitas sem critério.
Onde fica e para quê serve Tabatinga?, canto perdido na fronteira com o Peru.

24 nov.
*Crônica**, O. B.

Censura à Polícia e à Imprensa que se fartam, sem nenhum pudor, em exumações que se convertem em verdadeiros espetáculos públicos de necrofilia.

01 dez.
*Crônica**[IP], O. B.
Na companhia de sete outros aventureiros, Sebastião Magali tenta tomar Ilhéus na Bahia, sem que nenhuma resistência lhe fosse preparada, apesar dos reiterados telegramas internacionais de alerta, publicados pela imprensa carioca.

08 dez.
*Crônica**, O. B.
O. B. comenta os primeiros anos de repressão republicana com base numa obra recém-editada: *Atas do Governo Provisório*.
A repressão que atingiu, sobretudo, a imprensa, entidade que criou a República, segundo o cronista.

15 dez.
Crônica, O. B.
Em pauta, na Câmara, projetos de lei que dispõem sobre o serviço militar obrigatório e sobre a liberdade de legação testamentária.
Exposição da tela *A Conquista da Amazônia* de Antônio Parreiras.
As instalações novas do Mercado Público.

22 dez.
Crônica, O. B.
Seria muito útil que o cronista, no fim do ano, elaborasse um resumo dos acontecimentos do ano. Mas isso provocaria um desfilar inevitável de contradições, sobretudo pessoais. *Se houvesse uma lei* nesse sentido, *preferiríamos a morte ao cumprimento dessa lei*.

29 dez.
Crônica, O. B.
A comilança nas festas de Natal.

Gazeta de Notícias 1908

05 jan.
*Crônica**, O. B.
A profusão de jornais e de livros não serve para disfarçar o grande mal brasileiro: o analfabetismo.

12 jan.
Crônica, O. B.
Quinze mil marujos norte-americanos prestes a desembarcar no Rio para uma visita de cortesia.

19 jan.
Crônica, O. B.
O assunto do momento é a visita da esquadra norte-americana ao Rio. A descontração dos marujos ianques diante da casmurrice do povo brasileiro.
O Rio livre da febre amarela graças ao trabalho de Oswaldo Cruz.

26 jan.
Crônica, O. B.
A próxima Exposição Nacional deverá contar com um setor dedicado à Pesca. A piscosidade do litoral brasileiro.

02 fev.
Crônica, O. B.
Vez ou outra, cumpre comemorar o passado, resgatando e celebrando figuras históricas nacionais.

09 fev.
Crônica, O. B.
O assassinato do rei português D. Carlos I e de seu filho, o Príncipe D. Luís Filipe.

16 fev.
*Crônica**[CIA], O. B.
A mudança do Mercado Municipal, local onde os escritores da geração do cronista iam documentar-se para compor romances com *tranches de vie*.
As metamorfoses urbanas do Rio nos últimos dez anos.

23 fev.
Crônica, O. B.
A Comissão de Recenseamento carioca publica o *resultado dos seus trabalhos*.
Os macróbios cariocas.

01 mar.
Crônica, O. B.
Carnaval. Morte de dignitários. Atentados contra presidentes e imperadores.

08 mar.
Crônica, O. B.
A falência do Banco União do Comércio.

15 mar.
Crônica, O. B.
Homicídios passionais durante a semana que passou.
A beleza de Paquetá.

22 mar.
Crônica, O. B.
O destino dos capitais do Banco União.
Um descarrilamento na Estrada de Ferro Central do Brasil.
O casamento de um nobre italiano com uma milionária norte-americana.

29 mar.
Crônica, O. B.
Disputa eleitoral na Bahia acaba no Supremo Tribunal.
A forte concorrência entre as companhias de navegação que mantêm linha para a Europa tem determinado reduções enormes no preço das passagens.
As conferências do Pe. Júlio Maria.

12 abr.
Crônica[IP], O. B.
A Eletricidade, *fada Pagã,* mata a Fé, enche *de povo as ruas e os cinematógrafos,* esvazia as igrejas e faz com que percam o brilho as festas da Semana Santa.
O Rio antes e depois da instalação da rede elétrica.

19 abr.
Crônica, O. B.
Em noite de febre, o cronista conversa com um interlocutor imaginário que tenta convencê-lo de que a figura de Judas, o suposto modelo de traidor, é bem menos daninho do que as ações do homem comum. Segundo esse interlocutor, *há certas ações que só podem ser praticadas pelos homens.*

26 abr.
*Crônica**, O. B.
Tudo o que se faz nos Estados Unidos é monumental: os edifícios, as fortunas, as falências, os desastres... *Os enormes hotéis norte-americanos, por exemplo, provocam a despersonalização das relações humanas. Decididamente,* diz o cronista, *mais valem as nossas modestas pensões de caracará, pequeninas e térreas, onde todos se conhecem, onde todos se tratam por "você"...*
No Rio fica-se *num meio termo razoável, – entre os "yankees" megalômanos e os bugres ingênuos...*
O provincianismo carioca.
Alguns indígenas em visita ao Rio deveriam ser entrevistados pelos jornais.

03 maio
Crônica, O. B.
Inauguram-se os trabalhos da Câmara.
Apoio às medidas governamentais que visam atenuar a burocracia.
O aperfeiçoamento da Polícia é paralelo ao aperfeiçoamento da gatunagem.
Saudações à Missão Paraguaia em visita ao Rio.

10 maio
Crônica, O. B.
Não se deve pensar nas festas que comemoram o centenário do Mal. Osório como a *glorificação da guerra,* mas sim como a *glorificação de um grande brasileiro.* Somente os tolos glorificam a guerra.

17 maio
Crônica, O. B.
Contra os supersticiosos que acreditam ser nefasto o dia 13.
O crescimento e o progresso dos subúrbios cariocas.
A morte do poeta Pereira da Silva.

24 maio
Crônica, O. B.
Causa decepção o adiamento da abertura da Exposição Nacional que deveria ser inaugurada em junho. O inconveniente maior de tal adiamento será a frustração de um grupo de índios bororos recém-aculturados, que já estavam a caminho do Rio para serem exibidos ao público.
A morte de um militar em exercício de ascensão com balão.
A recente inauguração de uma estação de bombeiros.

31 maio
*Crônica**[CIA], O. B.
A República não conseguiu erradicar as oligarquias que se espalham pelo Norte-Nordeste brasileiro.

07 jun.
Crônica, O. B.
O barco *Benjamin Constant* resgata um grupo de vinte náufragos em ilha do Pacífico.

14 jun.
Crônica, O. B.
O centenário das palmeiras reais do Jardim Botânico carioca. Sua beleza contrapõe-se à figura desengonçada de quem criou o Jardim, o Príncipe D. João VI.

21 jun.
*Crônica**, O. B.
Em nome da saúde pública, os cemitérios devem ser banidos e substituídos por crematórios, bem mais higiênicos.
Contra o comércio de flores às portas dos cemitérios.

28 jun.
*Crônica**, O. B.
Apoio ao projeto Melo Matos que visa dar assistência médica ao alcoólatra que, até então, era sempre punido pelo poder público.

05 jul.
Crônica, O. B.
Intrigas de jornais portenhos dão conta de que se preparam, no Brasil, movimentos sediciosos contra o Paraguai.
No Rio, jogadores de futebol argentinos preparam-se para enfrentar jogadores brasileiros.
Está próxima a abertura da Exposição Nacional.

12 jul.
*Crônica**, O. B.
Boatos sem fundamento afirmam que a França ressentiu-se com o convite que a Alemanha fez ao Ministro da Guerra do Brasil para que assistisse às manobras militares alemãs na região da Alsácia-Lorena. Segundo o cronista, o Brasil continua fiel à França.
O teatro francês no Brasil.
Num leilão público, não alcançou preço significativo um serviço de porcelana com 81 peças que havia pertencido aos monarcas brasileiros.

19 jul.
Crônica, O. B.
É imperiosa a vacinação obrigatória contra a varíola. Um cidadão francês teria ofendido a bandeira nacional em Salvador, Bahia.

26 jul.
*Crônica**, O. B.
O Estado não tem o direito de proibir o jogo. Cabe-lhe apenas regulamentá-lo.

09 ago.
Crônica, O. B.
Extasiado, o cronista comenta as instalações feéricas e majestosas da Exposição Nacional, a ser inaugurada em breve na Praia Vermelha do Rio de Janeiro.

23 ago.
Crônica, O. B.
A inauguração da Exposição Nacional e a representação de *Quebranto* de Coelho Neto no teatro ali construído.

30 ago.
*Crônica**[Cia], O. B.
O sucesso da Exposição Nacional merece apenas um reparo: nela não se percebe algazarra do povo e nem se vêem produtos da cultura popular como os *cantadores de modinhas brasileiras, os saltimbancos alegres, o engolidor de espadas, o teatrinho do João Minhoca* etc.

06 set.
*Crônica**, O. B.
A Exposição Nacional tem demonstrado que a industrialização do Brasil é uma necessidade e que a hegemonia do café precisa chegar a um fim, assim como chegou a do ouro.

13 set.
Crônica, O. B.
Contra o preconceito generalizado que sempre busca a presença da mulher como motivação de crimes. Contra o *cherchez la femme*.

20 set.
Crônica, O. B.
A *solidariedade* popular que se mobiliza no sentido de auxiliar a polícia na procura de criminosos.

27 set.
*Crônica**[Cia], O. B.
Ao contrário da descontração e da exuberância da juventude de agora, o cronista lamenta que sua geração tenha sido criada de forma rígida, sob a marca do *embezerramento* e da falta de espontaneidade. Segundo ele, *aos 16 anos, éramos sábios! Não brincávamos: "pensávamos", tínhamos clubes literários, e declarávamos, com asco, que a Vida era uma "podridão"!*

04 out.
Crônica, O. B.
Nos concursos promovidos pelos jornais cariocas, a respeito das representações estaduais presentes à Exposição Nacional, têm saído vitoriosos os Estados de São Paulo, Minas e Bahia.

11 out.
Crônica, O. B.
Sobre uma comissão exploradora que, no momento, está fundeada na Guanabara e que deverá partir em breve para o Pólo Sul. Aparentemente, trata-se de missão francesa chefiada por Charcot e embarcada no *Pourquoi-pas*?

25 out.
*Crônica**[Cia], O. B.
Necrológio para Artur Azevedo, o *príncipe da crônica*.

01 nov.
Crônica, O. B.
O assunto preferencial do brasileiro é a política.
A morte de João Pinheiro[28].

Jornal da Exposição 1908

14 set.
*Crônica**, Olavo BILAC
O cronista recrimina a atitude de certos adultos que se comportavam de forma selvagem no recinto da Exposição, assustando as crianças e dando-lhes mau exemplo.

Jornal da Exposição 02*, s. a.
O que chama a atenção do cronista na Exposição é a existência de um novo tear capaz de elaborar retratos de seda e que parece dotado de *inteligência própria*.

Jornal da Exposição 03*, Olavo Bilac
O cronista sugerira, dias antes, a realização de *festas populares regionais* no recinto da Exposição. Em resposta, a delegação do Estado do Maranhão promete que vai realizar um *festival literário* no começo de outubro.

Jornal da Exposição 04*, Olavo Bilac
Em visita ao recinto da Exposição, o que mais chamou a atenção dos bororos foi a luz elétrica.
Além disso, afirma o cronista, *os bororós compreenderam bem o valor e a glória do trabalho humano, e saíram daqui fazendo idéia perfeita da grandeza da sua pátria.*

28. Aparentemente, encerra-se aqui a colaboração de O. B. na *Gazeta de Notícias*.
Consultados os números seguintes, de novembro e de dezembro, nenhuma colaboração foi localizada.

Jornal da Exposição 05*, Olavo Bilac
A delegação de São Paulo apresenta dançadores e violeiros caipiras. A importância do violão na música rural brasileira.

Jornal da Exposição 06*, Olavo Bilac
Enquanto o público se diverte na Exposição, os repórteres e jornalistas trabalham para alimentar a festa popular.

Jornal da Exposição 07*, Olavo Bilac
Os escolares que visitam a Exposição não podem se divertir por causa da disciplina ferrenha a que estão submetidos.

Jornal da Exposição 08*, Olavo Bilac
As apresentações regionais na Exposição fornecem ao público retratos parciais deste país, que, na opinião do cronista, é *uma reunião de pequenas pátrias.*

Jornal da Exposição 09*, Olavo Bilac
O. B. responde ao jornal *A Notícia* que deturpara a idéia de um concurso de beleza, sugerido pelo cronista.

Jornal da Exposição 10*, Olavo Bilac
O. B. aplaude a idéia de um concurso de pavilhões estaduais.

Jornal da Exposição 11*, Olavo Bilac
O cronista encontra um amigo imaginário que está revoltado diante da idéia de se construir um caminho férreo subindo pelas costas do Pão de Açúcar.

Jornal da Exposição 12*, Puck / Olavo Bilac
Muito boa a exposição de arte enviada pela delegação de Portugal.

Jornal da Exposição 13*, Olavo Bilac
Aproxima-se o fim da Exposição. A última batalha de confete.

Jornal da Exposição 14*, Olavo Bilac
Por ocasião de Finados, o cronista lembra João Pinheiro, Artur Azevedo e os demais operários anônimos que ajudaram a Exposição a se tornar realidade.

Kosmos 1904

Janeiro
Crônica, O. B.
O progresso da imprensa. A revista como ameaça ao jornal. O desenvolvimento, na França, do *cronógrafo: engenhosa combinação do fonógrafo e do cinematógrafo.* O progresso das artes gráficas no Rio, *demonstração viva do nosso progresso geral. Kosmos* como veículo que registre boas notícias apenas.

Fevereiro
Crônica, O. B.
O carioca pobre inveja quem pode subir a Petrópolis no verão, mas despreza as vantagens gratuitas das montanhas próximas.
Muitos Estados brasileiros não podem apresentar-se nas exposições preparatórias à Exposição Internacional de Saint Louis (Missouri), porque estão afundados em incompetência, mazelas e incapacidade. Excetuam-se Minas, São Paulo, Rio Grande do Sul, Paraná e a cidade do Rio.
Jangadeiros que pretendem atingir a Exposição Internacional de Saint Louis em jangada não são corajosos. Demonstram apenas *intuito perfeitamente ridículo.*
Na Questão do Acre, o Barão do Rio Branco faz jus à sua herança paterna. Seu pai, o Visconde, liberou os escravos; o filho, o Barão, reconquistou parte do território brasileiro.

Março
*Crônica**, O. B.
O Carnaval carioca é absurdo, lascivo e imoral.
Em Paris, festas populares como o *Boeuf gras* e a *Mi-carême* têm um sentido moral e construtivo: é a época em que uma operária é eleita rainha e pode gozar de privilégios momentâneos.
A repercussão jornalística da fuga de um estelionatário.
A Guerra Russo-japonesa e o instinto bélico do ser humano.
Picaretas regeneradoras dão início aos trabalhos de construção da Avenida Central.

Abril
Crônica, O. B.
Graças à intervenção do governo, que abriu um *concurso de fachadas* para a nova Avenida Central, estamos perto de nos livrarmos da falta de personalidade de nossa arquitetura, até então entregue às mãos de mestres-de-obra incompetentes que só fizeram copiar construções inadequadas para nosso clima.

Novembro
Crônica [TE], O. B.
Revoltas populares e levantes militares ocorrem apenas onde a educação primária é carente, como no Brasil.
[...] *quando chegará o dia em que possamos ter menos academias e mais escolas primárias, – menos aparência e mais fundo, menos retórica e mais cartas de "abc"!*

Dezembro
Crônica, O. B.
Dois amigos conversam sobre o tempo que passa e um deles,

inconformado, associa dezembro com o envelhecimento, fase que lhe causa repugnância.

Kosmos 1905

Janeiro
*Crônica**[Cia], O. B.
Falta-nos uma *grande massa de leitores* que permita a expansão e a consolidação do nosso sistema literário.
A Ferreira de Araújo se deve a *democratização* da imprensa carioca. A ele se deve o *jornal leve e barato.*

Fevereiro
*Crônica**, O. B.
Levantamento popular na Rússia provoca o apoio do cronista, porque *quando uma causa social consegue apaixonar desse modo a totalidade dos homens civilizados, o seu definitivo triunfo está próximo...*
É equivocada a instituição do júri popular.
Kosmos aplaude o visível esforço de reurbanização carioca.
Necrológio para José do Patrocínio.

Março
Crônica, O. B.
Nosso progresso moral não acompanha o progresso material.

Abril
*Crônica**[TE], O. B.
A necessidade imperiosa de se formar uma mentalidade defensiva *num país que tem mais de oito milhões de quilômetros quadrados de território e sete países limítrofes...*

Maio
*Crônica**, O. B.
O descaso popular pelas festas cívicas, sobretudo a do 13 de Maio. *Será falta de educação cívica?*

Junho
Crônica, O. B.
As festas juninas e os jogos de tirar a sorte para prever o futuro.
A incompatibilidade entre ingenuidade e civilização.

Julho
Crônica, O. B.
Sucesso da temporada teatral de Coquelin no Rio.
O eterno conflito, que nos teatros se estabelece, entre as espectadoras que usam chapéus enormes e os espectadores que por causa desses chapéus não podem ver o que em cena se passa...

Agosto
Crônica, O. B.
O. B. propõe o 15 de agosto – Assunção da Virgem – como o Dia de Glorificação da Mulher.

Setembro
Crônica, O. B.
As qualidades e as virtudes das flores.

Outubro
*Crônica**, O. B.
Novas Poesias, último livro de poemas de Alberto Oliveira, *o maior dos nossos poetas vivos, o mais "brasileiro" de todos os poetas do Brasil.*

Novembro
*Crônica**[TE], O. B.
O cronista, entusiasmado, comemora a inauguração da Avenida Central e apóia a campanha do Clube Médico a favor de um vestuário mais consentâneo com o clima carioca.

Dezembro
Crônica, O. B.
Balanço pessoal em fim de ano.
O aproveitamento da Tijuca como região de veraneio, em substituição a Petrópolis.
Apoio ao decreto municipal que institui a saudação diária à bandeira na escola pública.
As habituais felicitações de fim de ano.

Kosmos 1906

Janeiro
Crônica, O. B.
As enchentes de verão.
A campanha para mudar o vestuário masculino esbarra nas fortes chuvas.
A idéia de fundar um *Women Club* não passa de mania de imitação, que deve ser desencorajada.

Fevereiro
Crônica, O. B.
Apesar das enchentes, dos desmoronamentos, das nuvens de gafanhotos e da explosão do navio de guerra *Aquidabã* na Baía de Jacuacanga, o carioca, movido por um *instinto baixo e grosseiro*, dedica-se ao Carnaval, essa *folia sensual e desordenada.*

Março
Crônica, O. B.
Associando um espetáculo de fantoches, a que assistira no Botafogo, às catástrofes que se abateram sobre o Rio, O. B. desenvolve considerações sobre a mecânica do universo e seus eventuais desarranjos, de causas desconhecidas.

Abril
Crônica, O. B.
Apesar das enchentes no Rio e em Minas, do terremoto no Japão e na Califórnia e da erupção do Vesúvio, o homem *não se deixa abater pelos golpes que recebe.*

Maio
*Crônica**[TE], O. B.
A importância e a função do jornal: *"informar" é o seu destino,*

é a sua função social, é a sua razão de ser.

Junho
*Crônica**, O. B.
A burguesia carioca desdenha o teatro.
O. B. saúda a abertura da exposição de pintura de Malhoa.

Julho
*Crônica**, O. B.
Apoio a projeto, em tramitação na Câmara, que prevê a recondução dos corpos de D. Pedro II e da Imperatriz Teresa Cristina de volta ao Brasil. Crítica àqueles que interpretam o projeto como maneira encoberta de restauração monárquica.

Agosto
*Crônica**, O. B.
A realização da 3ª Conferência Internacional Americana no Rio atesta o *renascimento moral, material, e cívico de uma nação, que reconstrói a sua capital em quatro anos, que em quatro anos se liberta da fama de terra malsã que a oprimia, que em quatro anos recupera o valor político antigo* e rompe seu isolacionismo.

Setembro
*Crônica**, O. B.
A rivalidade do Rio com Buenos Aires produziu um efeito benéfico: o apoio da população carioca ao recenseamento urbano tem muito que ver com iniciativa semelhante levada a termo na capital argentina.

Outubro
*Crônica**, O. B.
A festa da Penha é uma *bacanal católica*, incentivada pela imprensa e incompatível com os ares civilizados de uma cidade, que orgulhosamente ostenta sua Avenida Central. Cumpre *evitar tamanha vergonha e proibir essa escandalosa e selvagem romaria.*

Novembro
Crônica, O. B.
Saudação a Rodrigues Alves que deixa o governo e a Afonso Pena que o substitui.
As adulterações que sofre o Hino Nacional nas execuções públicas.

Dezembro
Crônica, O. B.
Passar o verão em Petrópolis é cansativo; nas Paineiras é inviável. Cansativo por causa do esforço diário de subir e descer a serra; inviável, porque nas Paineiras não há nenhum lazer depois do jantar.

Kosmos 1907

Janeiro
Crônica, O. B.
[...] *o nosso clima não é mais destruidor do que qualquer outro.* Portanto, é possível a longevidade no Brasil, onde se pode *viver e envelhecer como se vive e envelhece nos mais salutares climas.*

Fevereiro
*Crônica**, O. B.
Aflige-se o cronista com misteriosa doença que ataca as palmeiras do Mangue, cuja cura os botânicos não conseguem descobrir.

Março
*Crônica**, O. B.
A falta de público nos teatros cariocas deve-se única e exclusivamente à falta de higiene e de asseio nas casas de espetáculo.

Abril
*Crônica**, O. B.
O turismo empresarial moderno, segundo padrão norte-americano, e nossas possibilidades de oferta no setor, apesar da desconfiança alfandegária e do desconforto de nossos hotéis.

Maio
*Crônica**, O. B.
O *império* [...] *absoluto e tirânico* do piano nos lares cariocas.

Junho
Crônica, O. B.
As barulhentas festas juninas. Rápida menção à presença da Duse no Rio.

Julho
*Crônica**, O. B.
[...] *o Brasil, há um lustro, está atravessando uma fase de estupenda e raríssima felicidade.* [...] *a vida coletiva da nação melhorou extraordinariamente.* Comprovam-no a atuação de Rio Branco no Congresso Pan-americano; de Rui Barbosa em Haia; e o desembarque de turistas norte-americanos no Rio, cidade que *já não nos envergonha, como nos envergonhava.*

Agosto
Crônica, O. B.
A intensa vida social carioca nos meses de agosto e setembro, segundo um diálogo imaginário entre o narrador e um amigo.

Setembro
*Crônica**, O. B.
As modas urbanas do Rio: conferências, cinema, o fonógrafo.

Outubro
*Crônica**[TE] [CIA], O. B.
Uma conseqüência penosa da reurbanização carioca: a crise de habitações entre a baixa classe média e o proletariado.

Novembro
Crônica, O. B.
A partir de algumas profecias apocalípticas publicadas por um jornal carioca, o cronista comenta

a falta de higiene da periferia urbana e o pânico popular diante do alistamento militar obrigatório.

Dezembro
Crônica, O. B.
As festas de Natal ensejam as recordações pessoais do cronista.

Kosmos 1908

Janeiro
Crônica, O. B.
A presença da esquadra norte-americana no porto carioca provoca uma constatação do cronista satisfeito: *temos policiamento, e não temos febre amarela.*

Fevereiro
Crônica, O. B.
É lamentável o assassinato do monarca português D. Carlos I e de seu primogênito, D. Luís Filipe. No entanto, ninguém é insubstituível, nem mesmo os reis.

Março
*Crônica**, O. B.
Crônica contra os apocalípticos, sobretudo os que se escondem sob a proteção da Igreja católica.

Maio
*Crônica**, O. B.
A favor da vacinação obrigatória, contra *alguns médicos céticos ou pirrônicos, – e o escasso batalhão dos positivistas ortodoxos.*

Índice Topográfico

Explicação Necessária

Este "Índice Topográfico" contém periódicos que foram apenas compulsados, mas que, por exaustão do pesquisador ou por precariedade do material, não puderam ser lidos e aproveitados, exceto de forma muito superficial.

Dada a fecundidade de O. B., não quisemos deixar de lado a localização destas crônicas e de alguns poemas, produção de eventual utilidade para o próximo pesquisador.

Enquadram-se neste caso, sobretudo, as curtas crônicas que foram localizadas – e algumas delas lidas – em *A Notícia*, jornal que contou com a colaboração de O. B. entre 1895 e 1908. Infelizmente, esse periódico não pôde ser manuseado a partir de um determinado momento, por causa de suas frágeis condições físicas.

Entre o risco da perda total da informação e a possibilidade de sua conservação fragmentária, preferimos a segunda hipótese. Agimos dessa forma, porque acreditamos que o pesquisador futuro possa, graças a essa mera indicação, complementar as inúmeras lacunas desta pesquisa.

No caso específico de a *Cidade do Rio*, *A Notícia*, *A Rua* e *A Semana*, a colaboração foi apenas localizada e não sumariada, seja porque era de interesse menor para esta pesquisa, seja porque, depois de localizada, o periódico tornou-se inacessível, por razões técnicas, caso flagrante de *A Notícia*.

Álvaro Simões Jr. aproveitou bastante *A Notícia* em tese de doutorado, defendida em maio de 2001, na Unesp-Assis. As curtas transcrições das crônicas de *A Notícia* inseridas em sua tese comprovam que se trata de material indispensável para avaliação mais abrangente e mais consistente da figura de Olavo Bilac.

Careta 1908

10 out. 1908, nº 19
"Correspondência de Hang-Theu", Puck

17 out. 1908, nº 20
"Presente de Gregos", Puck

31 out. 1908, nº 22
"Um Trambolho", Puck

07 nov. 1908, nº 23
Correspondência de Hang-Theu I – 'A Gorda de O Xan Tuan', Hang-Theu

21 nov. 1908, nº 25
Correspondência de Hang-Theu II – 'A Gorda de O Xan Tuan', Hang-Theu

Cidade do Rio 1888

27 fev. *Lazeres*, Puck
28 fev. *Lazeres*, Puck
29 fev. *Lazeres*, Puck
02 mar. *Lazeres*, Puck
06 mar. *Lazeres*, Puck
07 mar. *Lazeres*, Puck
10 mar. *Lazeres*, Puck
27 mar. *Relicário*, Puck
17 jul. *Prosa*, Puck
21 jul. *Horror póstumo*, Puck
23 jul. *Prosa*, s. a.
24 jul. *Prosa*, Puck

Cidade do Rio 1889

31 jul. *Pantomima*, Pulcinello[29]
07 ago. *Pantomima*, Pulcinello
14 ago. *Pantomima*, Pulcinello
21 ago. *Pantomima*, Pulcinello
04 set. *Pantomima*, Pulcinello
11 set. *Pantomima*, Pulcinello
18 set. *Pantomima*, Pulcinello
25 set. *Pantomima*, Pulcinello
02 out. *Pantomima*, Pulcinello
08 out. *Pantomima*, Pulcinello
16 out. *Pantomima*, Pulcinello
23 out. *Pantomima*, Pulcinello
30 out. *Pantomima*, Pulcinello
06 nov. *Pantomima*, Pulcinello
13 nov. *Pantomima*, Pulcinello
27 nov. *Pantomima*, Pulcinello
04 dez. *Pantomima*, Pulcinello
11 dez. *Pantomima*, Pulcinello
16 dez. *Pantomima*, Pulcinello
18 dez. *Pantomima*, Pulcinello

Cidade do Rio 1890

03 jan. *Pantomima*, Pulcinello
10 jan. *Pantomima*, Pulcinello

Cidade do Rio 1893

04 fev. *Crônica*, Fantasio
05 fev. *Os 7 dias de fogo*, O. B.
07 fev. *Crônica*, Fantasio
09 fev. *Crônica*, Fantasio
10 fev. *Crônica*, Fantasio
12 fev. *Os 7 dias de água...*, O. B.
15 fev. *Crônica*, Fantasio
16 fev. *Crônica*, Fantasio
18 fev. *Crônica*, Fantasio
19 fev. *Os 7 dias*, O. B.
21 fev. *Crônica*, X
22 fev. *Crônica*, X
24 fev. *Crônica*, Puck
26 fev. *Os 7 dias*, O. B.
27 fev. *Crônica*, Fantasio
28 fev. *Crônica*, Fantasio
01 mar. *Crônica*, Puck
02 mar. *Crônica*, Fantasio
04 mar. *Crônica*, Puck
05 mar. *Os 7 dias vermelhos*, O. B.
07 mar. *Crônica*, Puck
10 mar. *Crônica*, Fantasio
11 mar. *Crônica*, Puck
14 mar. *Crônica*, Fantasio
18 mar. *Crônica*, Fantasio
19 mar. *Os 7 dias mágicos*, O. B.
21 mar. *Crônica*, Puck
22 mar. *Crônica*, Fantasio
26 mar. *Os 7 dias...*, O. B.
27 mar. *Crônica*, Fantasio
28 mar. *Crônica*, Puck
01-02 abr. *Os 7 dias santos*, O. B.
03 abr. *Crônica*, Fantasio
05 abr. *Crônica*, Fantasio
06 abr. *Crônica*, Puck
07 abr. *Crônica*, Fantasio
09 abr. *Os 7 dias tristes*, O. B.
11 abr. *Crônica*, Puck
13 abr. *Crônica*, Fantasio
15 abr. *Crônica*, Puck
17 abr. *Os 7 dias*, O. B.
19 abr. *Crônica*, Puck
21 abr. *Crônica*, Puck
22 abr. *Crônica*, Fantasio
23 abr. *Os 7 dias zoológicos*, O. B.
24 abr. *Crônica chinesa*, Fantasio
13 maio *Crônica*, Fantasio
14 maio *Os 7 dias*, O. B.
15 maio *Crônica*, Puck
18 maio *Crônica*, Fantasio

29. Neste dia, lê-se no "Expediente" do jornal: "As 'Pantomimas' são da pena de Olavo Bilac, que nos mimoseia com a sua esplendorosa colaboração sob o pseudônimo Pulcinello. Com certeza o leitor há de confessar hoje que o estamos tratando com prodigalidades de nababo. Um dia Juvenal, outro o Dr. Pele e agora este Pulcinello".

21 maio	*Os 7 dias de corrupção,* O. B.
22 maio	*Crônica,* Fantasio
23 maio	*Crônica de ontem,* s.a.
02 jun.	*Crônica do frio,* Fantasio
03 jun.	*Crônica,* Puck
04 jun.	*Os 7 dias,* Fantasio
07 jun.	*Crônica – A dívida de Cassiano,* Puck
08 jun.	*Crônica – As urnas e o missionário,* Fantasio
10 jun.	*Crônica postal,* Fantasio
12 jun.	*Os 7 dias da morte,* O. B.
14 jun.	*Crônica,* Puck
15 jun.	*Crônica,* Fantasio
16 jun.	*Crônica,* Fantasio
23 jun.	*Crônica – Tradução inédita do Hamlet*[30], Fantasio
25 jun.	*Crônica de S. João,* Fantasio
27 jun.	*Crônica – A espada de Breno,* Puck
28 jun.	*Crônica – O assassinato de Timóteo,* Fantasio
30 jun.	*Crônica – A ária das jóias,* Fantasio
20 ago.	*O dia,* O. B.
09 set.	*Tipologia – Os fâmulos,* Gil
11 set.	*Tipologia – Os fâmulos,* Gil
12 set.	*Tipologia – Os fâmulos,* Gil
13 set.	*Tipologia – Os fâmulos,* Gil
18 set.	*Tipologia – Os fâmulos,* Gil

30. *O Álbum* transcreve este poema em seu número de 28 jul. 1893.

Notícia (A) 1895

07-08 ago.[31]	*Fantasia,* O. B.
13-14 ago.	*Fantasia,* O. B.
15-16 ago.	*Fantasia,* O. B.
20-21 ago.	*Fantasia,* O. B.
22-23 ago.	*Fantasia,* O. B.
24-25 ago.	*Fantasia,* O. B.
27-28 ago.	*Fantasia,* O. B.
29-30 ago.	*Fantasia,* O. B.
31-01 set.	*Fantasia,* O. B.
03-04 set.	*Fantasia,* O. B.
05-06 set.	*Fantasia,* O. B.
10-11 set.	*Fantasia,* O. B.
12-13 set.	*Fantasia,* O. B.
14-15 set.	*Fantasia,* O. B.
17-18 set.	*Fantasia,* O. B.
19-20 set.	*Fantasia,* O. B.
21-22 set.	*Fantasia,* O. B.
24-25 set.	*Fantasia,* O. B.
27-28 set.	*Fantasia,* O. B.
10-11 out.	*Fantasia,* O. B.
14-15 out.	*Fantasia,* O. B.
15-16 out.	*Fantasia,* O. B.
17-18 out.	*Fantasia,* O. B.
24-25 out.	*Fantasia,* O. B.
29-30 out.	*Fantasia,* O. B.
30-31 out.	*Fantasia,* O. B.
05-06 nov.	*Fantasia,* O. B.
08-09 nov.	*Fantasia,* O. B.
12-13 nov.	*Fantasia,* O. B.
13-14 nov.	*Fantasia,* O. B.
14-15 nov.	*Fantasia,* O. B.
28-29 nov.	*Fantasia,* O. B.
04-05 dez.	*Fantasia,* O. B.
05-06 dez.	*Fantasia,* O. B.
12-13 dez.	*Fantasia,* O. B.
13-14 dez.	*Fantasia,* O. B.
14-15 dez.	*Fantasia,* O. B.

31. Dificilmente este jornal poderia ter sido aproveitado, de forma integral, na pesquisa. Em duas oportunidades – setembro de 1980 e setembro de 1989 – estivemos na Biblioteca Nacional do Rio de Janeiro e pudemos, então, constatar as precaríssimas condições da coleção de *A Notícia.*

Notícia (A) 1896

09-10 jan.	*Fantasia,* O. B.
11-12 jan.	*Fantasia,* O. B.
20-21 abr.	*Fantasia,* O. B.

Notícia (A) 1897

14 fev.	*Fantasia,* O. B.
17 fev.	*Fantasia,* O. B.
19 fev.	*Fantasia,* O. B.
10 jun.	*Crônica,* Flamínio
16-17 jun.	*Crônica,* Flamínio
25-26 jun.	*Crônica,* Flamínio
03-01 jul.	*Crônica,* Flamínio
07-08 jul.	*Crônica,* Flamínio
14-15 jul.	*Crônica,* Flamínio
21-22 jul.	*Crônica,* Flamínio
28-29 jul.	*Crônica,* Flamínio
04-05 ago.	*Crônica,* Flamínio
11-12 ago.	*Crônica,* O. B.
18-19 ago.	*Crônica,* O. B.
01-02 set.	*Crônica,* Flamínio
08-09 set.	*Crônica,* Flamínio
22-23 set.	*Crônica,* Flamínio
29-30 set.	*Crônica,* Flamínio
06-07 out.	*Crônica,* Flamínio
13-14 out.	*Crônica,* Flamínio
21-28 out.	*Crônica,* Flamínio
03-04 nov.	*Crônica,* Flamínio
10-11 nov.	*Crônica,* Flamínio
17-18 nov.	*Crônica,* Flamínio
24-25 nov.	*Crônica,* Flamínio
01-02 dez.	*Crônica,* Flamínio
08-09 dez.	*Crônica,* Flamínio
15-16 dez.	*Crônica,* Flamínio
22-23 dez.	*Crônica,* Flamínio

Notícia (A) 1898

19-10 jan.	*Crônica,* O. B.
26-27 jan.	*Crônica,* Flamínio
02-03 fev.	*Crônica,* Flamínio
09-10 fev.	*Crônica,* Flamínio
16-17-fev.	*Crônica,* Flamínio
02-03 mar.	*Crônica,* O. B.
09-10 mar.	*Crônica,* Flamínio
16-17 mar.	*Crônica,* Flamínio
23-24 mar.	*Crônica,* Flamínio
11-12 maio	*Crônica,* Flamínio
20-21 maio	*Crônica,* Flamínio
25-16 maio	*Crônica,* Flamínio

01-02 jun. *Crônica*, Flamínio
08-09 jun. *Crônica*, Flamínio
15-16 jun. *Crônica*, Flamínio
29-30 jun. *Crônica*, Flamínio
27-28 jul. *Crônica*, Flamínio
03-04 ago. *Crônica*, Flamínio
10-11 ago. *Crônica*, Flamínio
17-18 ago. *D. Inês de Castro*, O. B.
07-08 set. *7 de Setembro*, Flamínio
19-20 out. *Centro Artístico*, B.

Notícia (A) 1899

14-15 jan. *De manhã*, Flamínio
17-18 jan. *Alta noite*, Flamínio
07-08 abr. *Uma evocação*, Flamínio
10-11 abr. *O formol*, Flamínio
13-14 abr. *Cook*, Flamínio
17-18 abr. *A múmia*, Flamínio
19-20 abr. *Os descobridores*, Flamínio
26-27 abr. *Gratidão!*, Flamínio
05-06 jun.[32] *A Data*, B.
06-07 jun. *A Data*, B.
07-08 jun. *A Data*, B.
08-09 jun. *A Data*, B.
10-11 jun. *A Data*, B.
11-12 jun. *A Data*, B.
13-14 jun. *A Data*, B.
14-15 jun. *A Data*, B.
15-16 jun. *A Data*, B.
16-17 jun. *A Data*, B.
17-18 jun. *A Data*, B.
19-20 jun. *A Data*, B.
20-21 jun. *A Data*, B.
21-22 jun. *A Data*, B.
22-23 jun. *A Data*, B.
23-24 jun. *A Data*, B.
24-25 jun. *A Data*, B.
26-27 jun. *A Data*, B.
27 28 jun. *A Data*, B.
28-29 jun. *A Data*, B.
29-30 jun. *A Data*, B.
30-01 jul. *A Data*, B.
01-02 jul. *A Data*, B.
02-03 jul. *A Data*, B.
04-05 jul. *A Data*, B.
05-06 jul. *A Data*, B.
06-07 jul. *A Data*, B.
07-08 jul. *A Data*, B.
08-09 jul. *A Data*, B.
10-11 jul. *A Data*, B.
11-12 jul. *A Data*, B.
12-13 jul. *A Data*, B.
13-14 jul. *A Data*, B.
14-15 jul. *A Data*, B.
15-16 jul. *A Data*, B.
17-18 jul. *A Data*, B.
18-19 jul. *A Data*, B.
19-20 jul. *A Data*, B.
20-21 jul. *A Data*, B.
21-22 jul. *A Data*, B.
22-23 jul. *A Data*, B.
24-25 jul. *A Data*, B.
25-26 jul. *A Data*, B.
26-27 jul. *A Data*, B.
27-28 jul. *A Data*, B.
28-29 jul. *A Data*, B.
29-30 jul. *A Data*, B.
31-01 ago. *A Data*, B.
01-02 ago. *A Data*, B.
02-03 ago. *A Data*, B.
03-04 ago. *A Data*, B.
04-05 ago. *A Data*, B.
05-06 ago. *A Data*, B.
07-08 ago. *A Data*, B.
08-09 ago. *A Data*, B.
09-10 ago. *A Data*, B.
10-11 ago. *A Data*, B.
11-12 ago. *A Data*, B.
12-13 ago. *A Data*, B.
14-15 ago. *A Data*, B.
15-16 ago. *A Data*, B.
16-17 ago. *A Data*, B.
17-18 ago. *A Data*, B.
18-19 ago. *A Data*, B.
19-20 ago. *A Data*, B.
21-22 ago. *A Data*, B.
22-23 ago. *A Data*, B.
23-24 ago. *A Data*, B.
24-25 ago. *A Data*, B.
25-26 ago. *A Data*, B.
26-27 ago. *A Data*, B.
28-29 ago. *A Data*, B.
29-30 ago. *A Data*, B.
30-31 ago. *A Data*, B.
31-01 set. *A Data*, B.
01-02 set. *A Data*, B.
02-03 set. *A Data*, B.
04-05 set. *A Data*, B.
05-06 set. *A Data*, B.
06-07 set. *A Data*, B.
07-08 set. *A Data*, B.
08-09 set. *A Data*, B.
09-10 set. *A Data*, B.
11-12 set. *A Data*, B.
12-13 set. *A Data*, B.
13-14 set. *A Data*, B.
14-15 set. *A Data*, B.
15-16 set. *A Data*, B.
16-17 set. *A Data*, B.
18-19 set. *A Data*, B.
19-20 set. *A Data*, B.
20-21 set. *A Data*, B.
21-22 set. *A Data*, B.
22-23 set. *A Data*, B.
23-24 set. *A Data*, B.
25-26 set. *A Data*, B.
26-27 set. *A Data*, B.
27-28 set. *A Data*, B.
28-29 set. *A Data*, B.
30-01 out. *A Data*, B.
02-03 out. *A Data*, B.
03-04 out. *A Data*, B.
04-05 out. *A Data*, B.
05-06 out. *A Data*, B.
06-07 out. *A Data*, B.
07-08 out. *A Data*, B.
09-10 out. *A Data*, B.
10-11 out. *A Data*, B.
11-12 out. *A Data*, B.
12-13 out. *A Data*, B.
13-14 out. *A Data*, B.
14-15 out. *A Data*, B.
16-17 out. *A Data*, B.
17-18 out. *A Data*, B.
18-19 out. *A Data*, B.
19-20 out. *A Data*, B.
20-21 out. *A Data*, B.
21-22 out. *A Data*, B.
23-24 out. *A Data*, B.
24-25 out. *A Data*, B.
25-26 out. *A Data*, B.
26-27 out. *A Data*, B.
27-28 out. *A Data*, B.
28-29 out. *A Data*, B.
30-31 out. *A Data*, B.

32. Entre 5 e 6 de jun. 1899 e 5 e 6 de jun. 1900, O. B. escreve curta coluna, geralmente na p. 2, na qual comemora a efeméride do dia. São cerca de trezentas, inteiramente irrelevantes.

31-01 nov. *A Data*, B.
01-02 nov. *A Data*, B.
02-03 nov. *A Data*, B.
03-04 nov. *A Data*, B.
04-05 nov. *A Data*, B.
06-07 nov. *A Data*, B.
07-08 nov. *A Data*, B.
08-09 nov. *A Data*, B.
09-10 nov. *A Data*, B.
10-11 nov. *A Data*, B.
11-12 nov. *A Data*, B.
13-14 nov. *A Data*, B.
14-15 nov. *A Data*, B.
15-16 nov. *A Data*, B.
16-17 nov. *A Data*, B.
17-18 nov. *A Data*, B.
18-19 nov. *A Data*, B.
20-21 nov. *A Data*, B.
21-22 nov. *A Data*, B.
22-23 nov. *A Data*, B.
23-24 nov. *A Data*, B.
24-25 nov. *A Data*, B.
25-26 nov. *A Data*, B.
27-28 nov. *A Data*, B.
28-29 nov. *A Data*, B.
29-30 nov. *A Data*, B.
30-01 nov. *A Data*, B.
01-02 dez. *A Data*, B.
02-03 dez. *A Data*, B.
04-05 dez. *A Data*, B.
05-06 dez. *A Data*, B.
07-08 dez. *A Data*, B.
08-09 dez. *A Data*, B.
09-10 dez. *A Data*, B.
11-12 dez. *A Data*, B.
12-13 dez. *A Data*, B.
13-14 dez. *A Data*, B.
14-15 dez. *A Data*, B.
15-16 dez. *A Data*, B.
16-17 dez. *A Data*, B.
18-19 dez. *A Data*, B.
19-20 dez. *A Data*, B.
20-21 dez. *A Data*, B.
21-22 dez. *A Data*, B.
22-23 dez. *A Data*, B.
23-24 dez. *A Data*, B.
25-26 dez. *A Data*, B.
26-27 dez. *A Data*, B.
27-28 dez. *A Data*, B.
28-29 dez. *A Data*, B.
29-30 dez. *A Data*, B.
30-31 dez.[33] A Data, B.

Notícia (A) 1900

07-08 ago. *Registro*, B.
08-09 ago. *Registro*, B.
09-10 ago. *Registro*, B.
10-11 ago. *Registro*, B.
11-12 ago. *Registro*, B.
13-14 ago. *Registro*, B.
14-15 ago. *Registro*, B.
15-16 ago. *Registro*, B.
16-17 ago. *Registro*, B.
17-18 ago. *Registro*, B.
18-19 ago. *Registro*, B.
20-21 ago. *Registro*, B.
21-22 ago. *Registro*, B.
22-23 ago. *Registro*, B.
23-24 ago. *Registro*, B.
24-25 ago. *Registro*, B.
25-26 ago. *Registro*, B.
27-28 ago. *Registro*, B.
28-29 ago. *Registro*, B.
29-30 ago. *Registro*, B.
30-31 ago. *Registro*, B.
31-01 set. *Registro*, B.
01-02 set. *Registro*, B.
03-04 set. *Registro*, B.
04-05 set. *Registro*, B.
05-06 set. *Registro*, B.
06-07 set. *Registro*, B.
07-08 set. *Registro*, B.
08-09 set. *Registro*, B.
10-11 set. *Registro*, B.
11-12 set. *Registro*, B.
12-13 set. *Registro*, B.
13-14 set. *Registro*, B.
14-15 set. *Registro*, B.
15-16 set. *Registro*, B.
17-18 set. *Registro*, B.
18-19 set. *Registro*, B.
19-20 set. *Registro*, B.

33. Foi-se tornando cada vez mais difícil o manuseio do jornal a partir dessa data, até jun. 1900. Por esse motivo, deixamos de consignar aqui a colaboração de O. B., mas podemos afirmar, com tranqüilidade, que ela se deu nesse período, porque pudemos folhear com extrema cautela as páginas de *A Notícia* referentes ao primeiro semestre de 1900.

20-21 set. *Registro*, B.
21-22 set. *Registro*, B.
22-23 set. *Registro*, B.
24-25 set. *Registro*, B.
25-26 set. *Registro*, B.
26-27 set. *Registro*, B.
27-28 set. *Registro*, B.
28-29 set. *Registro*, B.
29-30 set. *Registro*, B.
01-02 out. *Registro*, B.
02-03 out. *Registro*, B.
03-04 out. *Registro*, B.
04-05 out. *Registro*, B.
05-06 out. *Registro*, B.
06-07 out. *Registro*, B.
08-09 out. *Registro*, B.
09-10 out. *Registro*, B.
10-11 out. *Registro*, B.
11-12 out. *Registro*, B.
12-13 out. *Registro*, B.
13-14 out. *Registro*, B.
15-16 out. *Registro*, B.
16-17 out.[34] *Registro*, B.
03-04 dez. *Registro*, B.
04-05 dez. *Registro*, B.
05-06 dez. *Registro*, B.
06-07 dez. *Registro*, B.
07-08 dez. *Registro*, B.
08-09 dez. *Registro*, B.
10-11 dez. *Registro*, B.
11-12 dez. *Registro*, B.
12-13 dez. *Registro*, B.
13-14 dez. *Registro*, B.
14-15 dez. *Registro*, B.
15-16 dez. *Registro*, B.
17-18 dez. *Registro*, B.
18-19 dez. *Registro*, B.
19-20 dez. *Registro*, B.
20-21 dez. *Registro*, B.
21-22 dez. *Registro*, B.
22-23 dez. *Registro*, B.
24-25 dez. *Registro*, B.
25-26 dez. *Registro*, B.
26-27 dez. *Registro*, B.
27-28 dez. *Registro*, B.
28-29 dez. *Registro*, B.
29-30 dez. *Registro*, B.
31-01 jan. *Registro*, B.

34. Nota do jornal: "Com a partida de Olavo Bilac para o Rio da Prata fica interrompida por alguns dias a seção Registro". Olavo Bilac retorna em dezembro.

Notícia (A) 1901

12-13 jan. *Registro*, B.
14-15 jan. *Registro*, B.
15-16 jan. *Registro*, B.
16-17 jan. *Registro*, B.
17-18 jan. *Registro*, B.
18-19 jan. *Registro*, B.
19-20 jan. *Registro*, B.
21-22 jan. *Registro*, B.
22-23 jan. *Registro*, B.
23-24 jan. *Registro*, B.
24-25 jan. *Registro*, B.
25-26 jan. *Registro*, B.
26-27 jan. *Registro*, B.
28-29 jan. *Registro*, B.
29-30 jan. *Registro*, B.
30-31 jan. *Registro*, B.
31-01 fev. *Registro*, B.
01-02 fev. *Registro*, B.
02-03 fev. *Registro*, B.
04-05 fev. *Registro*, B.
05-06 fev. *Registro*, B.
06-07 fev. *Registro*, B.
07-08 fev. *Registro*, B.
08-09 fev. *Registro*, B.
09-10 fev. *Registro*, B.
11-12 fev. *Registro*, B.
12-13 fev. *Registro*, B.
13-14 fev. *Registro*, B.
14-15 fev. *Registro*, B.
15-16 fev. *Registro*, B.
16-17 fev. *Registro*, B.
18-19 fev. *Registro*, B.
20-21 fev. *Registro*, B.
21-22 fev. *Registro*, B.
22-23 fev. *Registro*, B.
23-24 fev. *Registro*, B.
25-26 fev. *Registro*, B.
26-27 fev. *Registro*, B.
05-06 mar. *Registro*, B.
06-07 mar. *Registro*, B.
07-08 mar. *Registro*, B.
08-09 mar. *Registro*, B.
09-10 mar. *Registro*, B.
12-13 mar. *Registro*, B.
13-14 mar. *Registro*, B.
16-17 mar. *Registro*, B.
19-20 mar. *Registro*, B.
20-21 mar. *Registro*, B.
21-22 mar. *Registro*, B.
25-26 mar. *Registro*, B.
26-27 mar. *Registro*, B.
29-30 mar. *Registro*, B.
30-31 mar. *Registro*, B.
22-23 abr. *Registro*, B.
23-24 abr. *Registro*, B.
24-25 abr. *Registro*, B.
25-26 abr. *Registro*, B.
26-27 abr. *Registro*, B.
27-28 abr. *Registro*, B.
29-30 abr. *Registro*, B.
30-01 maio *Registro*, B.
01-02 maio *Registro*, B.
02-03 maio *Registro*, B.
03-04 maio *Registro*, B.
04-05 maio *Registro*, B.
06-07 maio *Registro*, B.
08-09 maio *Registro*, B.
09-10 maio *Registro*, B.
10-11 maio *Registro*, B.
11-12 maio *Registro*, B.
13-14 maio *Registro*, B.
15-16 maio *Registro*, B.
16-17 maio *Registro*, B.
17-18 maio *Registro*, B.
18-19 maio *Registro*, B.
20-21 maio *Registro*, B.
21-22 maio *Registro*, B.
22-23 maio *Registro*, B.
23-24 maio *Registro*, B.
24-25 maio *Registro*, B.
25-26 maio *Registro*, B.
27-28 maio *Registro*, B.
28-29 maio *Registro*, B.
29-30 maio *Registro*, B.
30-31 maio *Registro*, B.
31-01 jun. *Registro*, B.
01-02 jun. *Registro*, B.
03-04 jun. *Registro*, B.
04-05 jun. *Registro*, B.
05-06 jun. *Registro*, B.
06-07 jun. *Registro*, B.
07-08 jun. *Registro*, B.
08-09 jun. *Registro*, B.
10-11 jun. *Registro*, B.
11-12 jun. *Registro*, B.
12-13 jun. *Registro*, B.
13-14 jun. *Registro*, B.
14-15 jun. *Registro*, B.
15-16 jun. *Registro*, B.
17-18 jun. *Registro*, B.
18-19 jun. *Registro*, B.
21-22 jun. *Registro*, B.
22-23 jun. *Registro*, B.
24-25 jun. *Registro*, B.
25-26 jun. *Registro*, B.
26-27 jun. *Registro*, B.
28-29 jun. *Registro*, B.
03-04 jul. *Registro*, B.
04-05 jul. *Registro*, B.
05-06 jul. *Registro*, B.
06-07 jul. *Registro*, B.
08-09 jul. *Registro*, B.
09-10 jul. *Registro*, B.
10-11 jul. *Registro*, B.
11-12 jul. *Registro*, B.
12-13 jul. *Registro*, B.
13-14 jul. *Registro*, B.
16-17 jul. *Registro*, B.
17-18 jul. *Registro*, B.
18-19 jul. *Registro*, B.
19-20 jul. *Registro*, B.
20-21 jul. *Registro*, B.
22-23 jul. *Registro*, B.
23-24 jul. *Registro*, B.
24-25 jul. *Registro*, B.
25-26 jul. *Registro*, B.
26-27 jul. *Registro*, B.
27-28 jul. *Registro*, B.
29-30 jul. *Registro*, B.
30-31 jul. *Registro*, B.
01-02 ago. *Registro*, B.
02-03 ago. *Registro*, B.
03-04 ago. *Registro*, B.
05-06 ago. *Registro*, B.
06-07 ago. *Registro*, B.
07-08 ago. *Registro*, B.
09-10 ago. *Registro*, B.
10-11 ago. *Registro*, B.
13-14 ago. *Registro*, B.
14-15 ago. *Registro*, B.
15-16 ago. *Registro*, B.
17-18 ago. *Registro*, B.
19-20 ago. *Registro*, B.
20-21 ago. *Registro*, B.
22-23 ago. *Registro*, B.
23-24 ago. *Registro*, B.
24-25 ago. *Registro*, B.
26-27 ago. *Registro*, B.
27-28 ago. *Registro*, B.
28-29 ago. *Registro*, B.
29-30 ago. *Registro*, B.
30-31 ago. *Registro*, B.
31-01 set. *Registro*, B.
02-03 set. *Registro*, B.
03-04 set. *Registro*, B.
06-07 set. *Registro*, B.
07-08 set. *Registro*, B.
10-11 set. *Registro*, B.
12-13 set. *Registro*, B.
13-14 set. *Registro*, B.

14-15 set. *Registro*, B.
17-18 set. *Registro*, B.
18-19 set. *Registro*, B.
19-20 set. *Registro*, B.
20-21 set. *Registro*, B.
21-22 set. *Registro*, B.
23-24 set. *Registro*, B.
24-25 set. *Registro*, B.
25-26 set. *Registro*, B.
26-27 set. *Registro*, B.
28-29 set. *Registro*, B.
30-01 out. *Registro*, B.
01-02 out. *Registro*, B.
02-03 out. *Registro*, B.
03-04 out. *Registro*, B.
04-05 out. *Registro*, B.
05-06 out. *Registro*, B.
07-08 out. *Registro*, B.
08-09 out. *Registro*, B.
09-10 out. *Registro*, B.
11-12 out. *Registro*, B.
12-13 out. *Registro*, B.
14-15 out. *Registro*, B.
15-16 out. *Registro*, B.
16-17 out. *Registro*, B.
17-18 out. *Registro*, B.
18-19 out. *Registro*, B.
19-20 out. *Registro*, B.
21-22 out. *Registro*, B.
22-23 out. *Registro*, B.
24-25 out. *Registro*, B.
25-26 out. *Registro*, B.
26-27 out. *Registro*, B.
28-29 out. *Registro*, B.
29-30 out. *Registro*, B.
30-31 out. *Registro*, B.
31-01 nov. *Registro*, B.
01-02 nov. *Registro*, B.
02-03 nov. *Registro*, B.
04-05 nov. *Registro*, B.
29-30 nov. *Registro*, B.
30-01 dez. *Registro*, B.
02-03 dez. *Registro*, B.
03-04 dez. *Registro*, B.
04-05 dez. *Registro*, B.
05-06 dez. *Registro*, B.
06-07 dez. *Registro*, B.
07-08 dez. *Registro*, B.
09-10 dez. *Registro*, B.
10-11 dez. *Registro*, B.
11-12 dez. *Registro*, B.
12-13 dez. *Registro*, B.
13-14 dez. *Registro*, B.
14-15 dez. *Registro*, B.
16-17 dez. *Registro*, B.
19-20 dez. *Registro*, B.
20-21 dez. *Registro*, B.
21-22 dez. *Registro*, B.
23-24 dez. *Registro*, B.
24-25 dez. *Registro*, B.
26-27 dez. *Registro*, B.
27-28 dez. *Registro*, B.
28-29 dez. *Registro*, B.
30-31 dez. *Registro*, B.
31-01 jan. *Registro*, B.

Notícia (A) 1902

02-03 jan. *Registro*, B.
03-04 jan. *Registro*, B.
04-05 jan. *Registro*, B.
06-07 jan. *Registro*, B.
07-08 jan. *Registro*, B.
09-10 jan. *Registro*, B.
10-11 jan. *Registro*, B.
11-12 jan. *Registro*, B.
13-14 jan. *Registro*, B.
14-15 jan. *Registro*, B.
15-16 jan. *Registro*, B.
16-17 jan. *Registro*, B.
17-18 jan. *Registro*, B.
18-19 jan. *Registro*, B.
20-21 jan. *Registro*, B.
21-22 jan. *Registro*, B.
22-23 jan. *Registro*, B.
23-24 jan. *Registro*, B.
25-26 jan. *Registro*, B.
27-28 jan. *Registro*, B.
28-29 jan. *Registro*, B.
29-30 jan. *Registro*, B.
30-31 jan. *Registro*, B.
31-01 fev. *Registro*, B.
01-02 fev. *Registro*, B.
03-04 fev. *Registro*, B.
04-05 fev. *Registro*, B.
05-06 fev. *Registro*, B.
06-07 fev. *Registro*, B.
07-08 fev. *Registro*, B.
08-09 fev. *Registro*, B.
10-11 fev. *Registro*, B.
12-13 fev. *Registro*, B.
13-14 fev. *Registro*, B.
14-15 fev. *Registro*, B.
15-16 fev. *Registro*, B.
17-18 fev. *Registro*, B.
18-19 fev. *Registro*, B.
19-20 fev. *Registro*, B.
20-21 fev. *Registro*, B.
26-27 fev. *Registro*, B.
27-28 fev. *Registro*, B.
28-01 mar. *Registro*, B.
03-04 mar. *Registro*, B.
04-05 mar. *Registro*, B.
07-08 mar. *Registro*, B.
10-11 mar. *Registro*, B.
11-12 mar. *Registro*, B.
12-13 mar. *Registro*, B.
13-14 mar. *Registro*, B.
14-15 mar. *Registro*, B.
17-18 mar. *Registro*, B.
18-19 mar. *Registro*, B.
19-20 mar. *Registro*, B.
20-21 mar. *Registro*, B.
21-22 mar. *Registro*, B.
22-23 mar. *Registro*, B.
24-25 mar. *Registro*, B.
25-26 mar. *Registro*, B.
26-27 mar. *Registro*, B.
01-02 abr. *Registro*, B.
03-04 abr. *Registro*, B.
07-08 abr. *Registro*, B.
10-11 abr. *Registro*, B.
21-22 abr. *Registro*, B.
22-23 abr. *Registro*, B.
23-24 abr. *Registro*, B.
24-25 abr. *Registro*, B.
25-26 abr. *Registro*, B.
26-27 abr. *Registro*, B.
30-01 maio *Registro*, B.
01-02 maio *Registro*, B.
02-03 maio *Registro*, B.
03-04 maio *Registro*, B.
06-07 maio *Registro*, B.
07-08 maio *Registro*, B.
08-09 maio *Registro*, B.
09-10 maio *Registro*, B.
10-11 maio *Registro*, B.
12-13 maio *Registro*, B.
13-14 maio *Registro*, B.
14-15 maio *Registro*, B.
15-16 maio *Registro*, B.
16-17 maio *Registro*, B.
17-18 maio *Registro*, B.
19-20 maio *Registro*, B.
20-21 maio *Registro*, B.
21-22 maio *Registro*, B.
23-24 maio *Registro*, B.
24-25 maio *Registro*, B.
26-27 maio *Registro*, B.
28-29 maio *Registro*, B.
29-30 maio *Registro*, B.

30-31 maio	*Registro*, B.	26-27 jul.	*Registro*, B.	15-16 out.	*Registro*, B.
31-01 jun.	*Registro*, B.	28-29 jul.	*Registro*, B.	16-17 out.	*Registro*, B.
02-03 jun.	*Registro*, B.		*Rejane*, O. B.	18-19 out.	*Registro*, B.
03-04 jun.	*Registro*, B.	29-30 jul.	*Registro*, B.	20-21 out.	*Registro*, B.
04-05 jun.	*Registro*, B.	30-31 jul.	*Registro*, B.	21-22 out.	*Registro*, B.
06-07 jun.	*Registro*, B.	31-01 ago.	*Registro*, B.	24-25 out.	*Registro*, B.
07-08 jun.	*Registro*, B.	01-02 ago.	*Registro*, B.	25-26 out.	*Registro*, B.
09-10 jun.	*Registro*, B.	02-03 ago.	*Registro*, B.	27-28 out.	*Registro*, B.
10-11 jun.	*Registro*, B.	04-05 ago.	*Registro*, B.	29-30 out.	*Registro*, B.
11-12 jun.	*Registro*, B.	05-06 ago.	*Registro*, B.	30-31 out.	*Registro*, B.
12-13 jun.	*Registro*, B.	07-08 ago.	*Registro*, B.	31-01 nov.	*Registro*, B.
14-15 jun.	*Registro*, B.	08-09 ago.	*Registro*, B.	01-02 nov.	*Registro*, B.
16-17 jun.	*Registro*, B.	09-10 ago.	*Registro*, B.	03-04 nov.	*Registro*, B.
17-18 jun.	*Registro*, B.	11-12 ago.	*Registro*, B.	04-05 nov.	*Registro*, B.
19-20 jun.	*Registro*, B.	13-14 ago.	*Registro*, B.	05-06 nov.	*Registro*, B.
20-21 jun.	*Registro*, B.	14-15 ago.	*Registro*, B.	08-09 nov.	*Registro*, B.
21-22 jun.	*Registro*, B.	15-16 ago.	*Registro*, B.	10-11 nov.	*Registro*, B.
23-24 jun.	*Registro*, B.	16-17 ago.	*Registro*, B.	11-12 nov.	*Registro*, B.
25-26 jun.	*Registro*, B.	18-19 ago.	*Registro*, B.	12-13 nov.	*Registro*, B.
26-27 jun.	*Registro*, B.	20-21 ago.	*Registro*, B.	13-14 nov.	*Registro*, B.
27-28 jun.	*Registro*, B.	21-22 ago.	*Registro*, B.	16-17 nov.	*Registro*, B.
28-29 jun.	*Registro*, B.	22-23 ago.	*Registro*, B.	19-20 nov.	*Registro*, B.
30-31 jun.	*Registro*, B.	25-26 ago.	*Registro*, B.	22-23 nov.	*Registro*, B.
02-03 jul.	*Registro*, B.	26-27 ago.	*Registro*, B.	24-25 nov.	*Registro*, B.
	Rejane, O. B.	28-29 ago.	*Registro*, B.	25-26 nov.	*Registro*, B.
03-04 jul.	*Registro*, B.	30-31 ago.	*Registro*, B.	27-28 nov.	*Registro*, B.
	Rejane, O. B.	31-01 set.	*Registro*, B.	28-29 nov.	*Registro*, B.
04-05 jul.	*Registro*, B.	02-03 set.	*Registro*, B.	29-30 nov.	*Registro*, B.
	Rejane, O. B.	03-04 set.	*Registro*, B.	03-04 dez.	*Registro*, B.
07-08 jul.	*Registro*, B.	04-05 set.	*Registro*, B.	05-06 dez.	*Registro*, B.
	Rejane, O. B.	06-07 set.	*Registro*, B.	08-09 dez.	*Registro*, B.
08-09, jul.	*Registro*, O. B.	08-09 set.	*Registro*, B.	09-10 dez.	*Registro*, B.
09-10 jul.	*Registro*, B.	09-10 set.	*Registro*, B.	10-11 dez.	*Registro*, B.
	Rejane, O. B.	12-13 set.	*Registro*, B.	11-12 dez.	*Registro*, B.
10-11 jul.	*Registro*, B.	13-14 set.	*Registro*, B.	12-13 dez.	*Registro*, B.
	Rejane, O. B.	15-16 set.	*Registro*, B.	15-16 dez.	*Registro*, B.
11-12 jul.	*Registro*, B.	16-17 set.	*Registro*, B.	17-18 dez.	*Registro*, B.
	Rejane, s.a.	17-18 set.	*Registro*, B.	18-19 dez.	*Registro*, B.
12-13 jul.	*Registro*, B.	19-20 set.	*Registro*, B.	23-24 dez.	*Registro*, B.
	Rejane, O. B.	20-21 set.	*Registro*, B.	25-26 dez.	*Registro*, B.
14-15 jul.	*Registro*, B.	23-24 set.	*Registro*, B.	26-27 dez.	*Registro*, B.
	Rejane, s.a.	24-25 set.	*Registro*, B.	30-31 dez.	*Registro*, B.
15-16 jul.	*Registro*, B.	25-26 set.	*Registro*, B.		
16-17 jul.	*Registro*, B.	26-27 set.	*Registro*, B.		
18-19 jul.	*Registro*, B.	29-30 set.	*Registro*, B.	***Notícia (A) 1903***	
19-20 jul.	*Registro*, B.		*Rejane*, O. B.		
	Rejane, O. B.	30-01 out.	*Registro*, B.	03-04 jan.	*Registro*, B.
21-22 jul.	*Registro*, B.	03-04 out.	*Registro*, B.	07-08 jan.	*Registro*, B.
	Rejane, O. B.	06-07 out.	*Registro*, B.	08-09 jan.	*Registro*, B.
23-24 jul.	*Registro*, B.	07-08 out.	*Registro*, B.	09-10 jan.	*Registro*, B.
	Rejane, O. B.	09-10 out.	*Registro*, B.	10-11 jan.	*Registro*, B.
24-25 jul.	*Registro*, B.	10-11 out.	*Registro*, B.	12-13 jan.	*Registro*, B.
25-26 jul.	*Registro*, B.	13-14 out.	*Registro*, B.	14-15 jan.	*Registro*, B.
	Rejane, O. B.	14-15 out.	*Registro*, B.	15-16 jan.	*Registro*, B.

16-17 jan. *Registro*, B.
19-20 jan. *Registro*, B.
20-21 jan. *Registro*, B.
21-22 jan. *Registro*, B.
22-23 jan. *Registro*, B.
24-25 jan. *Registro*, B.
27-28 jan. *Registro*, B.
28-29 jan. *Registro*, B.
30-31 jan. *Registro*, B.
31-01 fev. *Registro*, B.
03-04 mar. *Registro*, B.
04-05 mar. *Registro*, B.
06-07 mar. *Registro*, B.
07-08 mar. *Registro*, B.
09-10 mar. *Registro*, B.
11-12 mar. *Registro*, B.
12-13 mar. *Registro*, B.
17-18 mar. *Registro*, B.
18-19 mar. *Registro*, B.
24-25 mar. *Registro*, B.
25-26 mar. *Registro*, B.
26-27 mar. *Registro*, B.
27-28 mar. *Registro*, B.
30-31 mar. *Registro*, B.
31-01 abr. *Registro*, B.
02-03 abr. *Registro*, B.
03-04 abr. *Registro*, B.
04-05 abr. *Registro*, B.
05-06 abr. *Registro*, B.
08-09 abr. *Registro*, B.
11-12 abr. *Registro*, B.
13-14 abr. *Registro*, B.
15-16 abr. *Registro*, B.
17-18 abr. *Registro*, B.
18-19 abr. *Registro*, B.
20-21 abr. *Registro*, B.
21-22 abr. *Registro*, B.
23-24 abr. *Registro*, B.
25-26 abr. *Registro*, B.
28-29 abr. *Registro*, B.
30-01 maio *Registro*, B.
01-02 maio *Registro*, B.
04-05 maio *Registro*, B.
06-07 maio *Registro*, B.
07-08 maio *Registro*, B.
11-12 maio *Registro*, B.
12-13 maio *Registro*, B.
14-15 maio *Registro*, B.
15-16 maio *Registro*, B.
16-17 maio *Registro*, B.
17-18 maio *Registro*, B.
21-22 maio *Registro*, B.
22-23 maio *Registro*, B.
23-24 maio *Registro*, B.
27-28 maio *Registro*, B.
28-29 maio *Registro*, B.
29-30 maio *Registro*, B.
30-31 maio *Registro*, B.
01-02 jun. *Registro*, B.
02-03 jun. *Registro*, B.
04-05 jun. *Registro*, B.
05-06 jun. *Registro*, B.
06-07 jun. *Registro*, B.
08-09 jun. *Registro*, B.
09-10 jun. *Registro*, B.
11-12 jun. *Registro*, B.
13-14 jun. *Registro*, B.
12-13 jun. *Registro*, B.
15-16 jun. *Registro*, B.
16-17 jun. *Registro*, B.
19-20 jun. *Registro*, B.
20-21 jun. *Registro*, B.
22-23 jun. *Registro*, B.
23-24 jun. *Registro*, B.
24-25 jun. *Registro*, B.
26-27 jun. *Registro*, B.
27-28 jun. *Registro*, B.
29-30 jun. *Registro*, B.
30-01 jul. *Registro*, B.
01-02 jul. *Registro*, B.
08-09 jul. *Registro*, B.
09-10 jul. *Registro*, B.
10-11 jul. *Registro*, B.
11-12 jul. *Registro*, B.
13-14 jul. *Registro*, B.
14-15 jul. *Registro*, B.
15-16 jul. *Registro*, B.
18-19 jul. *Registro*, B.
20-21 jul. *Registro*, B.
22-23 jul. *Registro*, B.
24-25 jul. *Registro*, B.
25-26 jul. *Registro*, B.
27-28 jul. *Registro*, B.
30-31 jul. *Registro*, B.
31-01 ago. *Registro*, B.
04-05 set. *Registro*, B.
05-06 set. *Registro*, B.
07-08 set. *Registro*, B.
08-09 set. *Registro*, B.
09-10 set. *Registro*, B.
10-11 set. *Registro*, B.
11-12 set. *Registro*, B.
15-16 set. *Registro*, B.
16-17 set. *Registro*, B.
17-18 set. *Registro*, B.
18-19 set. *Registro*, B.
19-20 set. *Registro*, B.
21-22 set. *Registro*, B.
22-23 set. *Registro*, B.
23-24 set. *Registro*, B.
24-25 set. *Registro*, B.
25-26 set. *Registro*, B.
26-27 set. *Registro*, B.
28-29 set. *Registro*, B.
29-30 set. *Registro*, B.
01-02 out. *Registro*, B.
02-03 out. *Registro*, B.
03-04 out. *Registro*, B.
05-06 out. *Registro*, B.
06-07 out. *Registro*, B.
07-08 out. *Registro*, B.
08-09 out. *Registro*, B.
09-10 out. *Registro*, B.
10-11 out. *Registro*, B.
12-13 out. *Registro*, B.
13-14 out. *Registro*, B.
14-15 out. *Registro*, B.
15-16 out. *Registro*, B.
17-18 out. *Registro*, B.
19-20 out. *Registro*, B.
20-21 out. *Registro*, B.
22-23 out. *Registro*, B.
23-24 out. *Registro*, B.
24-25 out. *Registro*, B.
26-27 out. *Registro*, B.
27-28 out. *Registro*, B.
29-30 out. *Registro*, B.
30-31 out. *Registro*, B.
31-01 nov. *Registro*, B.
03-04 nov. *Registro*, B.
04-05 nov. *Registro*, B.
05-06 nov. *Registro*, B.
06-07 nov. *Registro*, B.
09-10 nov. *Registro*, B.
10-11 nov. *Registro*, B.
11-12 nov. *Registro*, B.
12-13 nov. *Registro*, B.
13-14 nov. *Registro*, B.
14-15 nov. *Registro*, B.
16-17 nov. *Registro*, B.
17-18 nov. *Registro*, B.
18-19 nov. *Registro*, B.
19-20 nov. *Registro*, B.
20-21 nov. *Registro*, B.
21-22 nov. *Registro*, B.
23-24 nov. *Registro*, B.
24-25 nov. *Registro*, B.
26-27 nov. *Registro*, B.
27-28 nov. *Registro*, B.
30-01 dez. *Registro*, B.
01-02 dez. *Registro*, B.
02-03 dez. *Registro*, B.

03-04 dez. *Registro*, B.
04-05 dez. *Registro*, B.
05-06 dez. *Registro*, B.
08-09 dez. *Registro*, B.
09-10 dez. *Registro*, B.
10-11 dez. *Registro*, B.
11-12 dez. *Registro*, B.
12-13 dez. *Registro*, B.
14-15 dez. *Registro*, B.
15-16 dez. *Registro*, B.
17-18 dez. *Registro*, B.
18-19 dez. *Registro*, B.
19-20 dez. *Registro*, B.
21-22 dez. *Registro*, B.
22-23 dez. *Registro*, B.
23-24 dez. *Registro*, B.
24-25 dez. *Registro*, B.
25-26 dez. *Registro*, B.

Notícia (A) 1904

Este ano de 1904 estava inteiramente fora de condições para pesquisa nas duas oportunidades em que estivemos na Biblioteca Nacional do Rio: setembro de 1980 e setembro de 1989.

Notícia (A) 1905

04-05 jan. *Registro*, B.
05-06 jan. *Registro*, B.
06-07 jan. *Registro*, B.
09-10 jan. *Registro*, B.
10-11 jan. *Registro*, B.
11-12 jan. *Registro*, B.
12-13 jan. *Registro*, B.
16-17 jan. *Registro*, B.
18-19 jan. *Registro*, B.
19-20 jan. *Registro*, B.
20-21 jan. *Registro*, B.
21-22 jan. *Registro*, B.
23-24 jan. *Registro*, B.
24-25 jan. *Registro*, B.
26-27 jan. *Registro*, B.
27-28 jan. *Registro*, B.
28-29 jan. *Registro*, B.
30-31 jan. *Registro*, B.
01-02 fev. *Registro*, B.
02-03 fev. *Registro*, B.
03-04 fev. *Registro*, B.
06-07 fev. *Registro*, B.
07-08 fev. *Registro*, B.
08-09 fev. *Registro*, B.
09-10 fev. *Registro*, B.
10-11 fev. *Registro*, B.
13-14 fev. *Registro*, B.
14-15 fev. *Registro*, B.
15-16 fev. *Registro*, B.
17-18 fev. *Registro*, B.
18-19 fev. *Registro*, B.
22-23 fev. *Registro*, B.
23-24 fev. *Registro*, B.
24-25 fev. *Registro*, B.
25-26 fev. *Registro*, B.
27-28 fev. *Registro*, B.
28-01 mar. *Registro*, B.
03-04 mar. *Registro*, B.
04-05 mar. *Registro*, B.
06-07 mar. *Registro*, B.
09-10 mar. *Registro*, B.
10-11 mar. *Registro*, B.
11-12 mar. *Registro*, B.
13-14 mar.[35] *Registro*, B.
14-15 mar. *Registro*, B.
16-17 mar. *Registro*, B.
17-18 mar. *Registro*, B.
18-19 mar. *Registro*, B.
20-21 mar. *Registro*[36], B.
21-22 mar. *Registro*, B.
23-24 mar. *Registro*, B.
24-25 mar. *Registro*, B.
25-26 mar. *Registro*, B.
27-28 mar. *Registro*, B.
29-30 mar. *Registro*, B.
30-31 mar. *Registro*, B.
31-01 abr. *Registro*, B.
05-06 abr. *Registro*, B.
06-07 abr. *Registro*, B.
07-08 abr. *Registro*, B.
08-09 abr. *Registro*, B.
10-11 abr. *Registro*, B.
11-12 abr. *Registro*, B.
13-14 abr. *Registro*, B.
14-15 abr. *Registro*, B.
15-16 abr. *Registro*, B.
17-18 abr. *Registro*, B.
18-19 abr. *Registro*, B.
20-21 abr. *Registro*, B.
22-23 abr. *Registro*, B.
24-25 abr. *Registro*, B.
25-26 abr. *Registro*, B.
26-27 abr. *Registro*, B.
28-29 abr. *Registro*, B.
29-30 abr. *Registro*, B.
01-02 maio *Registro*, B.
03-04 maio *Registro*, B.
05-06 maio *Registro*, B.
08-09 maio *Registro*, B.
09-10 maio *Registro*, B.
11-12 maio *Registro*, B.
12-13 maio *Registro*, B.
15-16 maio *Registro*, B.
16-17 maio *Registro*, B.
17-18 maio *Registro*, B.
18-19 maio *Registro*, B.
19-20 maio *Registro*, B.
22-23 maio *Registro*, B.
23-24 maio *Registro*, B.
24-25 maio *Registro*, B.
25-26 maio *Registro*, B.
26-27 maio *Registro*, B.
27-28 maio *Registro*, B.
30-31 maio *Registro*, B.
31-01 jun. *Registro*, B.
01-02 jun. *Registro*, B.
02-03 jun. *Registro*, B.
05-06 jun. *Registro*, B.
06-07 jun. *Registro*, B.
07-08 jun. *Registro*, B.
09-10 jun. *Registro*, B.
12-13 jun. *Registro*, B.
13-14 jun. *Registro*, B.
14-15 jun. *Registro*, B.
16-17 jun. *Registro*, B.
17-18 jun. *Registro*, B.
19-20 jun. *Registro*, B.
20-21 jun. *Registro*, B.
22-23 jun. *Registro*, B.
23-24 jun. *Registro*, B.
24-25 jun. *Registro*, B.
27-28 jun. *Registro*, B.
29-30 jun. *Registro*, B.
30-31 jun. *Registro*, B.
01-02 jul. *Registro*, B.
03-04 jul. *Registro*, B.
04-05 jul. *Registro*, B.
05-06 jul. *Registro*, B.
06-07 jul. *Registro*, B.
07-08 jul. *Registro*, B.
08-09 jul. *Registro*, B.

35. Neste número, um artigo de P. B. (?) sobre a coleção de cartões postais de O. B..
36. O. B. comenta resposta de João Ribeiro à enquete de João do Rio, mais tarde conhecida como 'O Momento Literário'.

10-11 jul. *Registro*, B.
11-12 jul. *Registro*, B.
13-14 jul. *Registro*, B.
15-16 jul. *Registro*, B.
17-18 jul. *Registro*, B.
19-20 jul. *Registro*, B.
20-21 jul. *Registro*, B.
21-22 jul. *Registro*, B.
22-23 jul. *Registro*, B.
24-25 jul. *Registro*, B.
25-26 jul. *Registro*, B.
27-28 jul. *Registro*, B.
28-29 jul. *Registro*, B.
29-30 jul. *Registro*, B.
31-01 ago. *Registro*, B.
01-02 ago. *Registro*, B.
03-04 ago. *Registro*, B.
04-05 ago. *Registro*, B.
07-08 ago. *Registro*, B.
09-10 ago. *Registro*, B.
10-11 ago. *Registro*, B.
11-12 ago. *Registro*, B.
12-13 ago. *Registro*, B.
14-15 ago. *Registro*, B.
15-16 ago. *Registro*, B.
16-17 ago. *Registro*, B.
17-18 ago. *Registro*, B.
18-19 ago. *Registro*, B.
21-22 ago. *Registro*, B.
23-24 ago. *Registro*, B.
24-25 ago. *Registro*, B.
25-26 ago. *Registro*, B.
26-27 ago. *Registro*, B.
28-29 ago. *Registro*, B.
29-30 ago. *Registro*, B.
30-31 ago. *Registro*, B.
01-02 set. *Registro*, B.
02-03 set. *Registro*, B.
05-06 set. *Registro*, B.
06-07 set. *Registro*, B.
07-08 set. *Registro*, B.
08-09 set. *Registro*, B.
09-10 set. *Registro*, B.
11-12 set. *Registro*, B.
13-14 set. *Registro*, B.
14-15 set. *Registro*, B.
15-16 set. *Registro*, B.
18-19 set. *Registro*, B.
19-20 set. *Registro*, B.
20-21 set. *Registro*, B.
23-24 set. *Registro*, B.
25-26 set. *Registro*, B.
26-27 set. *Registro*, B.
28-29 set. *Registro*, B.
29-30 set. *Registro*, B.
30-01 out. *Registro*, B.
03-04 out. *Registro*, B.
04-05 out. *Registro*, B.
06-07 out. *Registro*, B.
10-11 out. *Registro*, B.
11-12 out. *Registro*, B.
13-14 out. *Registro*, B.
14-15 out. *Registro*, B.
16-17 out. *Registro*, B.
17-18 out. *Registro*, B.
18-19 out. *Registro*, B.
19-20 out. *Registro*, B.
21-22 out. *Registro*, B.
23-24 out. *Registro*, B.
24-25 out. *Registro*, B.
25-26 out. *Registro*, B.
26-27 out. *Registro*, B.
31-01 nov. *Registro*, B.
01-02 nov. *Registro*, B.
02-03 nov. *Registro*, B.
03-04 nov. *Registro*, B.
04-05 nov. *Registro*, B.
06-07 nov. *Registro*, B.
07-08 nov. *Registro*, B.
10-11 nov. *Registro*, B.
13-14 nov. *Registro*, B.
14-15 nov. *Registro*, B.
15-16 nov. *Registro*, B.
16-17 nov. *Registro*, B.
17-18 nov. *Registro*, B.
18-19 nov. *Registro*, B.
20-21 nov. *Registro*, B.
22-23 nov. *Registro*, B.
23-24 nov. *Registro*, B.
24-25 nov. *Registro*, B.
25-26 nov. *Registro*, B.
27-28 nov. *Registro*, B.
28-29 nov. *Registro*, B.
29-30 nov. *Registro*, B.
30-01 dez. *Registro*, B.
01-02 dez. *Registro*, B.
02-03 dez. *Registro*, B.
05-06 dez. *Registro*, B.
06-07 dez. *Registro*, B.
07-08 dez. *Registro*, B.
09-10 dez. *Registro*, B.
11-12 dez. *Registro*, B.
13-14 dez. *Registro*, B.
14-15 dez. *Registro*, B.
15-16 dez. *Registro*, B.
16-17 dez. *Registro*, B.
18-19 dez. *Registro*, B.
19-20 dez. *Registro*, B.
21-22 dez. *Registro*, B.
22-23 dez. *Registro*, B.
25-26 dez. *Registro*, B.
26-27 dez. *Registro*, B.
28-29 dez. *Registro*, B.
30-31 dez. *Registro*, B.

Notícia (A) 1906

02-03 jan. *Registro*, B.
03-04 jan. *Registro*, B.
04-05 jan. *Registro*, B.
05-06 jan. *Registro*, B.
06-07 jan. *Registro*, B.
08-09 jan. *Registro*, B.
09-10 jan. *Registro*, B.
10-11 jan. *Registro*, B.
12-13 jan. *Registro*, B.
13-14 jan. *Registro*, B.
15-16 jan. *Registro*, B.
18-19 jan. *Registro*, B.
19-20 jan. *Registro*, B.
20-21 jan. *Registro*, B.
24-25 jan. *Registro*, B.
25-26 jan. *Registro*, B.
26-27 jan. *Registro*, B.
27-28 jan. *Registro*, B.
31-01 fev. *Registro*, B.
01-02 fev. *Registro*, B.
02-03 fev. *Registro*, B.
03-04 fev. *Registro*, B.
05-06 fev. *Registro*, B.
09-10 fev. *Registro*, B.
10-11 fev. *Registro*, B.
12-13 fev. *Registro*, B.
14-15 fev. *Registro*, B.
15-16 fev. *Registro*, B.
16-17 fev. *Registro*, B.
17-18 fev. *Registro*, B.
19-20 fev. *Registro*, B.
20-21 fev. *Registro*, B.
22-23 fev. *Registro*, B.
23-24 fev. *Registro*, B.
24-25 fev. *Registro*, B.
26-27 fev. *Registro*, B.
28-01 mar. *Registro*, B.
02-03 mar. *Registro*, B.
03-04 mar. *Registro*, B.
05-06 mar. *Registro*, B.
08-09 mar. *Registro*, B.
09-10 mar. *Registro*, B.
12-13 mar. *Registro*, B.
14-15 mar. *Registro*, B.

15-16 mar. *Registro*, B.
16-17 mar. *Registro*, B.
17-18 mar. *Registro*, B.
20-21 mar. *Registro*, B.
23-24 mar. *Registro*, B.
24-25 mar. *Registro*, B.
26-27 mar. *Registro*, B.
27-28 mar. *Registro*, B.
28-29 mar. *Registro*, B.
31-01 abr. *Registro*, B.
04-05 abr. *Registro*, B.
05-06 abr. *Registro*, B.
06-07 abr. *Registro*, B.
07-08 abr. *Registro*, B.
09-10 abr. *Registro*, B.
11-12 abr. *Registro*, B.
12-13 abr. *Registro*, B.
14-15 abr. *Registro*, B.
16-17 abr. *Registro*, B.
17-18 abr. *Registro*, B.
18-19 abr. *Registro*, B.
20-21 abr. *Registro*, B.
21-22 abr. *Registro*, B.
23-24 abr. *Registro*, B.
24-25 abr. *Registro*, B.
27-28 abr. *Registro*, B.
30-01 maio *Registro*, B.
01-02 maio *Registro*, B.
02-03 maio *Registro*, B.
03-04 maio *Registro*, B.
04-05 maio *Registro*, B.
05-06 maio *Registro*, B.
07-08 maio *Registro*, B.
08-09 maio *Registro*, B.
09-10 maio *Registro*, B.
10-11 maio *Registro*, B.
11-12 maio *Registro*, B.
15-16 maio *Registro*, B.
16-17 maio *Registro*, B.
17-18 maio *Registro*, B.
18-19 maio *Registro*, B.
19-20 maio *Registro*, B.
21-22 maio *Registro*, B.
24-25 maio *Registro*, B.
25-26 maio *Registro*, B.
26-27 maio *Registro*, B.
28-29 maio *Registro*, B.
30-31 maio *Registro*, B.
31-01 jun. *Registro*, B.
01-02 jun. *Registro*, B.
02-03 jun. *Registro*, B.
04-05 jun. *Registro*, B.
06-07 jun. *Registro*, B.
07-08 jun. *Registro*, B.
08-09 jun. *Registro*, B.
09-10 jun. *Registro*, B.
12-13 jun. *Registro*, B.
13-14 jun. *Registro*, B.
14-15 jun. *Registro*, B.
15-16 jun. *Registro*, B.
16-17 jun. *Registro*, B.
18-19 jun. *Registro*, B.
19-20 jun. *Registro*, B.
20-21 jun. *Registro*, B.
22-23 jun. *Registro*, B.
23-24 jun. *Registro*, B.
25-26 jun. *Registro*, B.
27-28 jun. *Registro*, B.
28-29 jun. *Registro*, B.
29-30 jun. *Registro*, B.
30-01 jul. *Registro*, B.

Jul., ago. e set.: fora de condições de pesquisa em setembro de 1980 e de 1989.

01-02 out. *Registro*, B.
02-03 out. *Registro*, B.
03-04 out. *Registro*, B.
04-05 out. *Registro*, B.
06-07 out. *Registro*, B.
08-09 out. *Registro*, B.
09-10 out. *Registro*, B.
10-11 out. *Registro*, B.
12-13 out. *Registro*, B.
13-14 out. *Registro*, B.
16-17 out. *Registro*, B.
20-21 out. *Registro*, B.
22-23 out. *Registro*, B.
24-25 out. *Registro*, B.
25-26 out. *Registro*, B.
26-27 out. *Registro*, B.
31-01 nov. *Registro*, B.
01-02 nov. *Registro*, B.
03-04 nov. *Registro*, B.
05-06 nov. *Registro*, B.
06-07 nov. *Registro*, B.
07-08 nov. *Registro*, B.
08-09 nov. *Registro*, B.
10-11 nov. *Registro*, B.
12-13 nov. *Registro*, B.
13-14 nov. *Registro*, B.
14-15 nov. *Registro*, B.
16-17 nov. *Registro*, B.
17-18 nov. *Registro*, B.
19-20 nov. *Registro*, B.
21-22 nov. *Registro*, B.
22-23 nov. *Registro*, B.
23-24 nov. *Registro*, B.
27-28 nov. *Registro*, B.
28-29 nov. *Registro*, B.
29-30 nov. *Registro*, B.
30-01 dez. *Registro*, B.
03-04 dez. *Registro*, B.
04-05 dez. *Registro*, B.
06-07 dez. *Registro*, B.
08-09 dez. *Registro*, B.
11-12 dez. *Registro*, B.
12-13 dez. *Registro*, B.
13-14 dez. *Registro*, B.
18-19 dez. *Registro*, B.
19-20 dez. *Registro*, B.
20-21 dez. *Registro*, B.
21-22 dez. *Registro*, B.
22-23 dez. *Registro*, B.
24-25 dez *Registro*, B.
26-27 dez. *Registro*, B.
27-28 dez. *Registro*, B.
28-29 dez. *Registro*, B.
29-30 dez. *Registro*, B.

Notícia (A) 1907

02-03 jan. *Registro*, B.
03-04 jan. *Registro*, B.
05-06 jan. *Registro*, B.
07-08 jan. *Registro*[37], B.
08-09 jan. *Registro*, B.
09-10 jan. *Registro*, B.
10-11 jan. *Registro*, B.
11-12 jan. *Registro*, B.
14-15 jan. *Registro*, B.
15-16 jan. *Registro*, B.
16-17 jan. *Registro*, B.
18-19 jan. *Registro*, B.
19-20 jan. *Registro*, B.
21-22 jan. *Registro*, B.
24-25 jan. *Registro*, B.
26-27 jan. *Registro*, B.
28-29 jan. *Registro*, B.
29-30 jan. *Registro*, B.
30-31 jan. *Registro*, B.
02-03 fev. *Registro*, B.
04-05 fev. *Registro*, B.
05-06 fev. *Registro*, B.
06-07 fev. *Registro*, B.
08-09 fev. *Registro*, B.

37. Sobre a revista *Kosmos* em seu terceiro aniversário.

09-10 fev. *Registro*, B.
13-14 fev. *Registro*, B.
14-15 fev. *Registro*, B.
15-16 fev. *Registro*, B.
16-17 fev. *Registro*, B.
18-19 fev. *Registro*, B.
19-20 fev. *Registro*, B.
20-21 fev. *Registro*, B.
25-26 fev. *Registro*, B.
26-27 fev. *Registro*, B.
27-28 fev. *Registro*, B.
28-01 mar. *Registro*, B.
01-02 mar. *Registro*, B.
04-05 mar. *Registro*, B.
05-06 mar. *Registro*, B.
08-09 mar. *Registro*, B.
09-10 mar. *Registro*, B.
12-13 mar. *Registro*, B.
15-16 mar. *Registro*, B.
16-17 mar. *Registro*, B.
19-20 mar. *Registro*, B.
20-21 mar. *Registro*, B.
21-22 mar. *Registro*, B.
22-23 mar. *Registro*, B.
25-26 mar. *Registro*, B.
26-27 mar. *Registro*, B.
03-04 abr. *Registro*, B.
04-05 abr. *Registro*, B.
06-07 abr. *Registro*, B.
09-10 abr. *Registro*, B.
11-12 abr. *Registro*, B.
13-14 abr. *Registro*, B.
15-16 abr. *Registro*, B.
17-18 abr. *Registro*, B.
18-19 abr. *Registro*, B.
19-20 abr. *Registro*, B.
20-21 abr. *Registro*, B.
22-23 abr. *Registro*, B.
23-24 abr. *Registro*, B.
24-25 abr. *Registro*, B.
26-27 abr. *Registro*, B.
29-30 abr. *Registro*, B.
30-01 maio *Registro*, B.
01-02 maio *Registro*, B.
02-03 maio *Registro*, B.
04-05 maio *Registro*, B.
07-08 maio *Registro*, B.
08-09 maio *Registro*, B.
09-10 maio *Registro*, B.
10-11 maio *Registro*, B.
11-12 maio *Registro*, B.
13-14 maio *Registro*, B.
15-16 maio *Registro*, B.
16-17 maio *Registro*, B.
20-21 maio *Registro*, B.
22-23 maio *Registro*, B.
23-24 maio *Registro*, B.
24-25 maio *Registro*, B.
25-26 maio *Registro*, B.
28-29 maio *Registro*, B.
30-31 maio *Registro*, B.
01-02 jun. *Registro*, B.
04-05 jun. *Registro*, B.
05-06 jun. *Registro*, B.
06-07 jun. *Registro*, B.
07-08 jun. *Registro*, B.
08-09 jun. *Registro*, B.
10-11 jun. *Registro*, B.
13-14 jun. *Registro*, B.
14-15 jun. *Registro*, B.
15-16 jun. *Registro*, B.
17-18 jun. *Registro*, B.
18-19 jun. *Registro*, B.
20-21 jun. *Registro*, B.
22-23 jun. *Registro*, B.
26-27 jun. *Registro*, B.
27-28 jun. *Registro*, B.
03-04 jul. *Registro*, B.
04-05 jul. *Registro*, B.
05-06 jul. *Registro*, B.
09-10 jul. *Registro*, B.
10-11 jul. *Registro*, B.
11-12 jul. *Registro*[38], B.
12-13 jul. *Registro*, B.
13-14 jul. *Registro*, B.
15-16 jul. *Registro*, B.
16-17 jul. *Registro*, B.
17-18 jul. *Registro*, B.
18-19 jul. *Registro*, B.
20-21 jul. *Registro*, B.
24-25 jul. *Registro*, B.
25-26 jul. *Registro*, B.
26-27 jul. *Registro*, B.
29-30 jul. *Registro*[39], B.
30-31 jul. *Registro*, B.
05-06 ago. *Registro*, B.
06-07 ago. *Registro*, B.
07-08 ago. *Registro*, B.
08-09 ago. *Registro*, B.
09-10 ago. *Registro*, B.
10-11 ago. *Registro*, B.
12-13 ago. *Registro*, B.
13-14 ago. *Registro*, B.
14-15 ago. *Registro*, B.

38. Sobre reforma ortográfica.
39. O cronista em São Paulo.

15-16 ago. *Registro*, B.
19-20 ago. *Registro*, B.
20-21 ago. *Registro*, B.
21-22 ago. *Registro*, B.
22-23 ago. *Registro*, B.
23-24 ago. *Registro*, B.
27-28 ago. *Registro*, B.
28-29 ago. *Registro*, B.
30-31 ago. *Registro*, B.
02-03 set. *Registro*, B.
03-04 set. *Registro*, B.
04-05 set. *Registro*, B.
05-06 set. *Registro*, B.
06-07 set. *Registro*, B.
09-10 set. *Registro*, B.
10-11 set. *Registro*, B.
11-12 set. *Registro*, B.
13-14 set. *Registro*, B.
14-15 set. *Registro*, B.
16-17 set. *Registro*, B.
17-18 set. *Registro*, B.
19-20 set. *Registro*, B.
20-21 set. *Registro*, B.
21-22 set. *Registro*, B.
23-24 set. *Registro*, B.
24-25 set. *Registro*, B.
26-27 set. *Registro*, B.
27-28 set. *Registro*, B.
28-29 set. *Registro*, B.
01-02 out. *Registro*, B.
02-03 out. *Registro*, B.
03-04 out.[40] *Registro*, B.
04-05 out. *Registro*, B.
05-06 out. *Registro*, B.
08-09 out. *Registro*, B.
10-11 out. *Registro*, B.
11-12 out. *Registro*, B.
14-15 out. *Registro*, B.
15-16 out. *Registro*, B.
16-17 out. *Registro*, B.
17-18 out. *Registro*, B.

40. Nesse número do jornal, ampla notícia sobre o banquete em homenagem a O. B., na p. 1, realizado no *Palace Théâtre*. Toalete a rigor: "casaca para os cavalheiros, decote para as senhoras". A orquestra era formada por cinqüenta professores e atuava junto com outra "orquestra do corpo de marinheiros nacionais". Decoração sob a responsabilidade da Casa Flora e bufê sob os cuidados da Confeitaria Colombo.

18-19 out. *Registro*, B.
19-20 out. *Registro*, B.
21-22 out. *Registro*, B.
22-23 out. *Registro*, B.
23-24 out. *Registro*, B.
24-25 out. *Registro*, B.
25-26 out. *Registro*, B.
26-27 out. *Registro*, B.
28-29 out. *Registro*, B.
29-30 out. *Registro*, B.
30-31 out. *Registro*, B.
01-02 nov. *Registro*, B.
04-05 nov. *Registro*, B.
06-07 nov. *Registro*, B.
08-09 nov. *Registro*, B.
09-10 nov. *Registro*, B.
11-12 nov. *Registro*, B.
12-13 nov. *Registro*, B.
15-16 nov. *Registro*, B.
16-17 nov. *Registro*, B.
18-19 nov. *Registro*, B.
19-20 nov. *Registro*, B.
20-21 nov. *Registro*, B.
21-22 nov. *Registro*, B.
22-23 nov. *Registro*, B.
23-24 nov. *Registro*, B.
25-26 nov. *Registro*, B.
26-27 nov. *Registro*, B.
28-29 nov. *Registro*, B.
29-30 nov. *Registro*, B.
30-01 dez. *Registro*, B.
02-03 dez. *Registro*, B.
03-04 dez. *Registro*, B.
04-05 dez. *Registro*, B.
05-06 dez. *Registro*, B.
07-08 dez. *Registro*, B.
09-10 dez. *Registro*, B.
11-12 dez. *Registro*, B.
12-13 dez. *Registro*, B.
14-15 dez. *Registro*, B.
16-17 dez. *Registro*, B.
17-18 dez. *Registro*, B.
18-19 dez. *Registro*, B.
19-20 dez. *Registro*, B.
21-22 dez. *Registro*, B.
23-24 dez. *Registro*, B.
24-25 dez. *Registro*, B.
26-27 dez. *Registro*, B.
27-28 dez. *Registro*, B.
28-29 dez. *Registro*, B.

Notícia (A) 1908

03-04 jan. *Registro*, B.
04-05 jan. *Registro*, B.
07-08 jan. *Registro*, B.
08-09 jan. *Registro*, B.
09-10 jan. *Registro*, B.
11-12 jan. *Registro*, B.
13-14 jan. *Registro*, B.
14-15 jan. *Registro*, B.
15-16 jan. *Registro*, B.
16-17 jan. *Registro*, B.
20-21 jan. *Registro*, B.
21-22 jan. *Registro*, B.
23-24 jan. *Registro*, B.
24-25 jan. *Registro*, B.
25-26 jan. *Registro*, B.
27-28 jan. *Registro*, B.
28-29 jan. *Registro*, B.
30-31 jan. *Registro*, B.
31-01 fev. *Registro*, B.
01-02 fev. *Registro*, B.
03-04 fev. *Registro*, B.
05-06 fev. *Registro*, B.
06-07 fev. *Registro*, B.
07-08 fev. *Registro*, B.
10-11 fev. *Registro*, B.
11-12 fev. *Registro*, B.
12-13 fev. *Registro*, B.
13-14 fev. *Registro*, B.
14-15 fev. *Registro*, B.
15-16 fev. *Registro*, B.
17-18 fev. *Registro*, B.
18-19 fev. *Registro*, B.
18-19 fev. *Registro*, B.
20-21 fev. *Registro*, B.
21-22 fev. *Registro*, B.
26-27 fev. *Registro*, B.
27-28 fev. *Registro*, B.
28-29 fev. *Registro*, B.
29-01 mar. *Registro*, B.
04-05 mar. *Registro*, B.
05-06 mar. *Registro*, B.
06-07 mar. *Registro*, B.
07-08 mar. *Registro*, B.
09-10 mar. *Registro*, B.
10-11 mar. *Registro*, B.
11-12 mar. *Registro*, B.
12-13 mar. *Registro*, B.
13-14 mar. *Registro*, B.
16-17 mar. *Registro*, B.
17-18 mar. *Registro*, B.
18-19 mar. *Registro*, B.
19-20 mar. *Registro*, B.
20-21 mar. *Registro*, B.
23-24 mar. *Registro*, B.
24-25 mar. *Registro*, B.
25-26 mar. *Registro*, B.
26-27 mar. *Registro*, B.
27-28 mar. *Registro*, B.
30-31 mar. *Registro*, B.
01-02 abr. *Registro*, B.
02-03 abr. *Registro*, B.
03-04 abr. *Registro*, B.
04-05 abr. *Registro*, B.
07-08 abr. *Registro*, B.
08-09 abr. *Registro*, B.
09-10 abr. *Registro*, B.
10-11 abr. *Registro*, B.
13-14 abr. *Registro*, B.
15-16 abr. *Registro*, B.
18-19 abr. *Registro*, B.
21-22 abr. *Registro*, B.
22-23 abr. *Registro*, B.
23-24 abr. *Registro*, B.
24-25 abr. *Registro*, B.
27-28 abr. *Registro*, B.
29-30 abr. *Registro*, B.
30-01 maio *Registro*, B.
01-02 maio *Registro*, B.
02-03 maio *Registro*, B.
04-05 maio *Registro*, B.
06-07 maio *Registro*, B.
07-08 maio *Registro*, B.
08-09 maio *Registro*, B.
09-10 maio *Registro*, B.
11-12 maio *Registro*, B.
12-13 maio *Registro*, B.
13-14 maio *Registro*, B.
14-15 maio *Registro*, B.
15-16 maio *Registro*, B.
16-17 maio *Registro*, B.
21-22 maio *Registro*, B.
22-23 maio *Registro*, B.
23-24 maio *Registro*, B.
26-27 maio *Registro*, B.
27-28 maio *Registro*, B.
28-29 maio *Registro*, B.
29-30 maio *Registro*, B.
30-31 maio *Registro*, B.
01-02 jun. *Registro*, B.
02-03 jun. *Registro*, B.
03-04 jun. *Registro*, B.
04-05 jun. *Registro*, B.
05-06 jun. *Registro*, B.
06-07 jun. *Registro*, B.
08-09 jun. *Registro*, B.
09-10 jun. *Registro*, B.

10-11 jun. *Registro*, B.
11-12 jun. *Registro*, B.
12-13 jun. *Registro*, B.
15-16 jun. *Registro*, B.
17-18 jun. *Registro*, B.
18-19 jun. *Registro*, B.
19-20 jun. *Registro*, B.
20-21 jun. *Registro*, B.
22-23 jun. *Registro*, B.
24-25 jun. *Registro*, B.
26-27 jun. *Registro*, B.
27-28 jun. *Registro*, B.
29-30 jun. *Registro*, B.
30-31 jun. *Registro*, B.

Jul., ago. e set. fora de condições para pesquisa em setembro de 1980 e de 1989.

02-03 out. *Registro*, B.
06-07 out. *Registro*[41], B.
09-10 out. *Registro*, B.
10-11 out. *Registro*, B.
12-13 out. *Registro*, B.
14-15 out. *Registro*, B.
15-16 out. *Registro*, B.
16-17 out. *Registro*, B.
17-18 out. *Registro*, B.
22-23 out. *Registro*[42], B.
23-24 out. *Registro*, B.
24-25 out. *Registro*, B.
26-27 out. *Registro*, B.
27-28 out. *Registro*, B.
28-29 out. *Registro*, B.
29-30 out. *Registro*, B.
31-01 nov. *Registro*, B.
02-03 nov. *Registro*, B.
03-04 nov. *Registro*, B.
04-05 nov. *Registro*, B.
05-06 nov. *Registro*, B.
06-07 nov. *Registro*, B.
07-08 nov. *Registro*, B.
10-11 nov. *Registro*, B.
11-12 nov. *Registro*, B.
12-13 nov.[43] *Registro*, B.

41. O. B. discorre sobre Machado de Assis e Eça de Queirós.
42. Nessa data, um necrológio de quatro colunas para Artur Azevedo, mas não da autoria de O. B..
43. Interrompe-se aqui a colaboração. Folheamos o jornal até 31 de dez. Em nota na edição de 14-15 de nov. lê-se: "Hoje, como ontem, deixa de sair o 'Registro' do nosso colaborador Olavo Bilac, que se acha adoentado, devendo por prescrição do seu médico abster-se durante alguns dias de trabalho intelectual".

Rua (A) 1889

13 abr.[44]
20 abr.
27 abr.
04 maio
11 maio
18 maio
25 maio
01 jun.
08 jun.
19 jun.
22 jun.
26 jun.
03 jul.
06 jul.
10 jul.
13 jul.
18 jul.
26 jul.

Semana (A)

1ª Fase: 3 jan. 1885 – 21 abr. 1888 (171 números)

1885

14 nov., 1 (46) *Fiat Lux* (Soneto), O. Bilac
19 dez., 1 (51) *Noturno* (Soneto), O. Bilac

44. Nesse jornal não se deteve a pesquisa por causa de sua efemeridade, precocidade, imaturidade e dispersão de autorias.

1886

09 jan., 2 (54) *Lendo a Ilíada* (Soneto), O. Bilac
23 jan., 2 (56) *Messalina* (Soneto), O. Bilac
27 fev., 2 (61) *Sahara Vitae* (Soneto), O. Bilac
17 abr., 2 (68) *Deserto de Gelo* (Soneto), O. Bilac
01 maio, 2 (70) *Pequenos e Grandes*, (Quintilhas), Olavo Bilac
19 jun., 2 (77) *Canções* (10 quartetos), O. Bilac
10 jul., 2 (80) *Fédora* (Soneto em francês), O. Bilac
31 jul., 2 (83) *Ouvir Estrelas...* (Soneto), O. Bilac
16 out., 2 (94) *Beijo Eterno* (9 oitavas), O. Bilac
06 nov., 2 (97) *Galeria do Elogio Mútuo – III – Alberto de Oliveira – Perfil Humorístico Biobibliográfico*, O. Bilac
27 nov., 2 (100) *Penas de Amor* (Soneto), O. Bilac

1887

08 jan., 3 (106) *Cartas do Olimpo – I*, (23 quadras), Febo-Apolo
15 jan., 3 (107) *Cartas do Olimpo – II*, (24 quadras), Febo-Apolo
29 jan., 3 (109) *Cartas do Olimpo – III* (16 quadras), Febo-Apolo
05 fev., 3 (110) *Mães* (Soneto), O. Bilac
05 fev., 3 (110) *Cartas do Olimpo – IV*, (16 quadras), Febo-Apolo
12 mar., 3 (115) *Cartas do Olimpo – VI*, (23 quadras), Febo-Apolo
19 mar., 3 (112) *Cartas do Olimpo – V*, (13 quadras), Febo-Apolo

26 mar., 3 (117) *Conselhos... Conselhos* (Soneto), Olavo Bilac
02 abr., 3 (118) *A uma Viajante – I* (12 quadras), Olavo Oliveira
09 abr., 3 (119) *Cartas do Olimpo – VII*, (16 quintilhas), Febo-Apolo
09 abr., 3 (119) *A uma Viajante – II*, (12 quadras), Olavo Oliveira
30 abr., 3 (122) *Antônio Parreiras* (Soneto), Olavo Bilac
21 maio, 3 (125) *Castro Alves e G. Dias* (Estudo), Olavo Bilac
18 jun., 3 (129) *Da 'Via-Láctea'* – Soneto XXI, Olavo Bilac
25 jun., 3 (130) *Da 'Via-Láctea' – Soneto LXV*, Olavo Bilac
25 jun., 3 (130) *Poemas e Idílios* (Resenha), Olavo Bilac
23 jul., 3 (134) *Na Gruta* (Soneto), Olavo Bilac
13 ago., 3 (137) Soneto sem título, Olavo Bilac
13 ago., 3 (137) *Cartas Paulistas*, Olavo Bilac
20 ago., 3 (138) *Versos e Versões* (Estudo sobre Raimundo Correia), Olavo Bilac
27 ago., 3 (139) *Cartas paulistas – III*, O. Bilac

1888

10 mar., 4 (164) *Da 'Via-Láctea'* (Soneto), O. Bilac
17 mar., 4 (165) *Da 'Via-Láctea'* (Soneto), O. Bilac
08 abr., 4 (167-8) *Da 'Via-Láctea'* (Soneto), O. Bilac

A Semana

2ª Fase: 5 ago. 1893 – 29 jun. 1895 (89 números)

24 fev., 5 (30) *Gazetilha Literária* (Comentário literário), O. Bilac
07 abr., 5 (36) *A Missão de Purma* (Poema), O. Bilac
02 jun., 5 (44) *A Alvorada do Amor* (Poema), O. Bilac
09 jun., 5 (45) *Surdina* (9 quartetos), O. Bilac
28 jul., 5 (52) *Medalha Antiga* (5 quintilhas), O. Bilac

Mapa da Colaboração

Com este Mapa da Colaboração, pretende-se fornecer uma visão panorâmica do trabalho jornalístico contínuo de O. Bilac, dividido, basicamente, entre Rio e São Paulo. Trata-se de colaboração iniciada em 1883 e voltada de preferência para a poesia, segundo seus biógrafos. Até onde esta pesquisa pôde conferir, a colaboração começa a minguar em 1908, dez anos antes da morte do cronista. Entre 1908 e 1918, mudaram de rumo os interesses de Bilac.

Para rápida visualização dessa produção, convencionou-se que:

1) as células cheias indicam colaboração pesquisada ou informada;

2) os títulos em romano são aqueles de periódicos efetivamente utilizados nesta pesquisa;

3) as células com interrogação indicam colaboração não confirmada pela pesquisa, mas informada pelos biógrafos de O. B.;

4) as células recheadas com "poesia" indicam o gênero preferencial da colaboração.

	1900	1901	1902	1903	1904	1905	1906	1907	1908
									Poesia
			???						

Mapa da Colaboração

	1883	1884	1885	1886	1887	1888	1889	1890	1891	1892	1893	1894	1895	1896	1897	1898	1899
Álbum (O)											Poesia	■	■				
Bruxa (A)														■	■		
Careta																	
Cidade do Rio						■	■	■			■						
Cigarra (A)													■				
Combate (O)										■							
Correio Paulistano																	
Correio do Povo								■								■	
Diário Mercantil (SP)					???	■											
Diário de Notícias			???														
Estação (A)			???														
Estado de S. Paulo (O)															■	■	
Gazeta Acadêmica	Poesia																
Gazeta de Notícias								■			■	■	■	■	■	■	■
Gazeta de Sapucaia	???		???														
Jornal da Exposição																	
Kosmos																	
Malho (O)																	
Mequetrefe (O)									???								
Notícia (A)													■	■	■	■	■
Novidades						???	■										
Opinião Mineira											???						
Quinzena (A)				???													
Rua (A)							■										
Semana (A)			Poesia	■	■	■						Poesia					
Vassourense (O)	???																
Vida Semanária (SP)					???												

Título	*Bilac, o Jornalista: Crônicas – volume 2*
Organizador	Antonio Dimas
Produção Editorial	Marcelo Masuchi Neto
	Tereza Kikuchi
Projeto Gráfico da Capa e do Box	Marcelo Masuchi Neto
Projeto Gráfico do Miolo	Andrea Yanaguita
Caricatura de Olavo Bilac da Página 1	Loredano
Editoração Eletrônica	Tereza Kikuchi
Editoração de Texto	Alice Kyoko Miyashiro
Revisão de Texto e de Provas	Antonio Dimas
	Alice Kyoko Miyashiro
	Fabiane Rodrigues Zorn
	Fábio Duarte Joly
	Maurício Katayama
	William Alex Braz
Divulgação	Regina Brandão
	Bárbara Borges
	Jamila Venturini
Secretaria Editorial	Eliane dos Santos
Formato	16 x 23 cm
Tipologia	Palatino
Papel	Cartão Supremo 250 g/m^2 (capa)
	Offset linha d'água 75 g/m^2 (miolo)
Número de Páginas	576
Tiragem	3000
CTP, Impressão e Acabamento	imprensaoficial

ctp, impressão e acabamento

imprensaoficial

Rua da Mooca, 1921 São Paulo SP
Fones: 6099-9800 - 0800 123401
www.imprensaoficial.com.br

Na página anterior, caricatura de Olavo Bilac feita por Loredano.

Bilac, o Jornalista

Antonio Dimas

BILAC, O JORNALISTA

Ensaios

edusp imprensaoficial EDITORA UNICAMP

Ficha Catalográfica Elaborada pelo Departamento
Técnico do Sistema Integrado de Bibliotecas da USP

Dimas, Antonio, 1942-
Bilac, o Jornalista: Ensaios / Antonio Dimas. – São Paulo: Imprensa
Diretor-presidente

Diretor Vice-presidente
Diretor Industrial
Diretora Financeira e Administrativa
Chefe de Gabinete.

200 p.; 16 x 23 cm.

Inclui Bibliografia.
ISBN: 85-314-0924-1 – ISBN: 85-314-0923-3 (caixa) (Edusp)
ISBN: 85-268-0736-6 – ISBN: 85-268-0735-8 (caixa) (Editora da Unicamp)
ISBN: 85-7060-440-8 – ISBN: 85-7060-443-2 (caixa) (Imprensa Oficial do Estado de São Paulo)

1. Bilac, Olavo, 1865-1918. 2. Crônica jornalística. I. Título. II. Título: Ensaios.

CDD 869

Edusp – Editora da Universidade de São Paulo
Av. Prof. Luciano Gualberto, Travessa J, 374
6º andar – Ed. da Antiga Reitoria – Cidade Universitária
05508-900 – São Paulo – SP – Brasil
Divisão Comercial: tel. (0xx11) 3091-4008 / 3091-4150
SAC (0xx11) 3091-2911 – Fax (0xx11) 3091-4151
www.usp.br/edusp – e-mail: edusp@edu.usp.br

Editora da Universidade Estadual de Campinas
Rua Caio Graco Prado, 50 – Cidade Universitária Zeferino Vaz
Barão Geraldo – Caixa Postal 6074
13083-892 – Campinas – SP – Brasil
Tel./Fax (0xx19) 3788-7786 / 3788-7728
www.editora.unicamp.br
e-mail: vendas@editora.unicamp.br

Imprensa Oficial do Estado de São Paulo
Rua da Mooca, 1921 – Mooca
03103-902 – São Paulo – SP – Brasil
Tel. (0xx11) 6099-9800 – Fax (0xx11) 6099-9674
www.imprensaoficial.com.br
e-mail: livros@imprensaoficial.com.br
SAC 0800-123 401

Printed in Brazil 2006
Foi feito o depósito legal

Para Antonio Candido:

orientação que ultrapassa, de longe, o âmbito da literatura.

Qual de vós, irmãos, não escreve todos os dias quatro ou cinco tolices, que desejariam ver apagadas ou extintas? Mas, ai! de todos nós! Não há morte para as nossas tolices! nas bibliotecas e nos escritórios dos jornais, elas ficam – as pérfidas! – catalogadas; e lá vem um dia em que um perverso qualquer, abrindo um daqueles abomináveis cartapácios, exuma as malditas e arroja-as à face apalermada de quem as escreveu...

O. B., *Gazeta de Notícias*, 13 jan. 1901

Sumário

A Revelação de um Cronista

Estamos tão habituados a associar o nome de Olavo Bilac à poesia parnasiana e a seu título de "príncipe dos poetas brasileiros", que a atual publicação em livro de suas crônicas traz o efeito de uma revelação.

Antonio Dimas é o responsável por trazer aos leitores deste início do século XXI o que terá sido o prazer da *Belle Époque* carioca há cerca de cem anos. O que parece mais um paradoxo da história literária: a crônica, definida poeticamente pelo próprio Bilac como "poeira da História", acabou chegando aos nossos olhos curiosos, divertindo como outrora e mostrando que o tempo é um senhor caprichoso. Tanto pode dispersar para sempre a palavra efêmera do jornalista, *vana verba*, como pode atrair o historiador para algum recanto escondido do passado onde reconhecerá paixões e idéias que ainda nos inquietam. O pesquisador sacode a poesia dos arquivos, das bibliotecas e hemerotecas e nos dá, limpos e íntegros, os sinais com que aquelas paixões e idéias se comunicavam aos contemporâneos. A garrafa lançada ao mar pode ser recolhida, muito tempo depois, por olhos e mentes capazes de entender a sua mensagem. E a palavra de Croce volta, indefectível: o historiador é sempre, de algum modo, contemporâneo do objeto do seu estudo.

No caso das crônicas de Bilac há muita coisa que interessa ao brasileiro culto de hoje. Os fatos que ele comenta, ora jocoso, ora indignado, são momentos de um longo e sinuoso processo de modernização da cidade brasileira por excelência, o Rio de Janeiro, então capital da nova República Velha. O Rio de Machado de Assis (que cedeu a Bilac, em 1897, o seu posto de cronista semanal da *Gazeta de Notícias*) se ia transformando no que seria a cidade de João do Rio e a de seu inimigo figadal, Lima Barreto. É fascinante ver, cruzando as leituras destes vários jornalistas-escritores (e não meros repórteres de ocasião) o quanto a nossa capital era complexa e surpreendente. Um jornal da qualidade da *Gazeta* refletia o calidoscópio de um centro urbano onde ecoava toda a vida pública da nação na Câmara e no Senado. A diversidade de assuntos tratados por Bilac em quase vinte anos de jornal é desnorteante, e agradecemos à garra de pesquisador de Antonio Dimas ter levantado, ordenado e transcrito esse vasto material que, de outro modo, poderia jazer no esquecimento. Como sabem os vasculhadores de sebos, os três volumes em que Bilac enfeixou parte da sua produção jornalística tornaram-se raridades, sobretudo o primeiro deles, *Crônicas e Novelas*, que é de 1894.

A fim de traçar uma orientação inicial, dado que o acervo é grande, Antonio Dimas compôs um capítulo que oferece "a pauta do jornalista". O seu assunto relevante e ainda hoje oportuno é a valorização do trabalhador intelectual, tecla que Bilac não cessaria de ferir ao longo dos anos, e que o levou a denunciar editores europeus estabelecidos no Rio, o francês Garnier e o alemão Laemmert, supostamente beneméritos do nosso incipiente mercado editorial. Salta dessas páginas de reivindicação de uma justa paga ao ofício do escritor uma atitude de militante que contrasta com a imagem do poeta fechado na torre de marfim, "longe do estéril turbilhão da rua", burilando alexandrinos – imagem que, para os modernistas de 22, se colaria ao parnasiano da "Profissão de fé". E convém lembrar que o empenho de Bilac não se restringiu às crônicas veementes de juventude: integrando a delegação brasileira junto à 4ª Conferência Pan-americana, em 1910, atuou eficazmente na comissão encarregada de legislar sobre a propriedade literária e artística.

Nem sempre, é verdade, o cronista se terá havido com o mesmo senso de justiça. Se, ao tratar dos intelectuais explorados por editores estrangeiros, teve a clarividência de detectar a origem do mal e a coragem de acusá-la, não soube (ou não pôde) perceber no massacre de Canudos o conflito entre a cultura oficial dominante e o messianismo sertanejo encarnado na figura de Antônio Conselheiro. Bilac fez coro com os jornalistas mal informados e ideologizados da época; e, nesse particular, não foi mais perspicaz do que a maioria dos intelectuais seus contemporâneos, que viam nos jagunços de Canudos um "foco monarquista" e um perigo para a jovem República e a civilização ocidental... Nesse clima de alarme entende-se a proposta de estado de sítio que Bilac endossou em artigos dirigidos contra "os que desejam ver estraçalhada a República" (*Gazeta de Notícias*, 19 de maio de 1897).

Um conjunto de textos que Dimas trabalhou com especial interesse está voltado para o ameno exílio em Ouro Preto que Bilac curtiu com outros escritores antiflorianistas. Entre novembro de 1893 e junho de 1894 Bilac descobriu literalmente a cidade que viria a ser motivo inspirador dos nossos maiores modernistas, Mário de Andrade, Bandeira, Drummond, Murilo Mendes, Cecília Meireles. A amizade que logo uniu o jornalista exilado a Afonso Arinos, então lente da Faculdade Livre de Direito de Ouro Preto, deu ao primeiro a oportunidade de conhecer a fundo a história e a cultura das Minas Gerais, de que o segundo já era um dos mais completos sabedores. Antonio Dimas registra que, em 1903, ao receber Arinos na Academia, o poeta relembraria aquele tempo de convívio e o mergulho que ambos tinham dado no passado de Ouro Preto: "Tivemos ali meses de uma vida singular, intensamente vivida, cheia de completos prazeres intelectuais". Foram "semanas e semanas entre os vivos, não os vendo nem ouvindo, e só tendo ouvidos e olhos para um estranho mundo de sombras e de fantasmas". Para Tristão de Ataíde, biógrafo de Afonso Arinos, a passagem por Minas teria contribuído para converter o Bilac parnasiano no jornalista engajado e arauto do nacionalismo que marcaria os seus últimos anos.

Na apreciação desse traço ideológico, sem dúvida acentuado na retórica do Bilac maduro, Antonio Dimas relativiza (a meu ver, com acerto) o eventual tradicionalismo herdado da experiência mineira. O jornalista olhava, de fato, para o passado colonial com entusiasmo estético, mas o seu horizonte era a marcha da civilização, o progresso capaz de entender o pretérito sem renunciar a nenhuma das conquistas da modernidade européia simbolizada no modelo supremo da vida urbana, Paris.

Voltando ao Rio de Janeiro, o cronista será o pregador constante da modernização da capital. Aqui a messe é rica, e Dimas pôde colher com fartura. Bilac deixa de lado a tradição romântica, bastante reforçada pelos viajantes europeus, de celebrar a natureza exuberante da Guanabara, e opta firmemente pela remodelação radical do velho Rio.

Urbanizar será seu lema, o que implicava uma revisão drástica do meufanismo carioca. Era preciso "varrer a cidade", higienizá-la, pôr abaixo quarteirões enxameados de cortiços e, se necessário, desbastar a luxuriante vegetação que obstava aos novos projetos urbanísticos. O cronista da *Gazeta de Notícias*, que já se entusiasmara com a edificação de Belo Horizonte, a primeira cidade planejada do país, passou a secundar a administração de Pereira Passos. O prefeito que empreendeu a reurbanização da capital, a partir de 1903, sob os auspícios de Rodrigues Alves, tomava por modelo a nova Paris do Barão de Haussmann.

A Exposição Nacional realizada em 1908, e profusamente ilustrada e louvada em prosa e verso pela revista *Kosmos**, funcionou como uma espécie de vitrine da capital modernizada e exposta à curiosidade do turista europeu. A Exposição foi um fato público e espetacular que ambicionou dar ao Brasil a consciência de si mesmo como país que finalmente ingressava no concerto das nações civilizadas. Por civilização entendia-se, em primeiro lugar, progresso material. O comentário de Antonio Dimas situa o cronista assíduo de *Kosmos* no centro nervoso do processo: "Por se ajustarem de modo tão harmonioso e coincidirem de tal forma em seus propósitos de afirmação nacional é que Bilac e a Exposição acabaram por se converter em par coeso, a ponto de o cronista se tornar jornalista oficial do evento".

A trajetória do cronista estava chegando ao fim. No segundo decênio do novo século Bilac se daria inteiro a campanhas patrióticas, entre as quais avultou a sua luta pelo serviço militar obrigatório. O autor mostra o quanto essa inflexão nos dá um Bilac ambivalente. De um lado, o homem público se afasta ostensivamente da fórmula "arte pela arte" que seus versos de juventude tinham gravado com tanta nitidez. De outro, essa opção madura pela práxis encontra um limite em valores tradicionais como o nacionalismo retórico e o culto do vernáculo pelos quais a sua imagem chegaria aos modernistas, talvez injustamente reduzida.

Hoje temos condições de avaliar sem preconceitos o itinerário de Olavo Bilac enquanto intelectual empenhado na modernização do Brasil republicano. E o reconhecimento de seus méritos não é a menor das qualidades deste belo trabalho de Antonio Dimas.

Alfredo Bosi

* Antonio Dimas analisou exaustivamente a revista *Kosmos* (1904-1909) em *Tempos Eufóricos*, São Paulo, Ática, 1983.

Agradecimentos

Das mais variadas formas, muitos colegas, amigos, conhecidos, ex-professores, alunos e ex-alunos intervieram em algum momento da realização deste trabalho prolongado.

Aluísio Azevedo Sobrinho, por exemplo, acolheu-me sempre em Botafogo com boa vontade e com paciência para responder às inúmeras perguntas; Ângela Grassi esteve pronta para ajudar-me, sempre que solicitada; Ângela Senra (UFMG) mandou-me, de Belo Horizonte, informações bastante úteis; Antonio Candido (USP) acompanhou tudo muito de perto e nunca permitiu que eu duvidasse do acerto da escolha; Benito Martinez Rodriguez (UFPR) transcreveu algumas crônicas, prestou-me os primeiros socorros diante do computador e – atitude decisiva – introduziu-me na Lilly Library da Universidade de Indiana, em Bloomington; Beth Brait (USP/PUC) revisou crônicas com perícia, com dedicação e com lupa; a Casa de Rui Barbosa, com seus arquivos inesgotáveis, mostrou-se preciosa e acolhedora; Constância Duarte (UFMG) alimentou-me com informações sobre o Arquivo Público Mineiro, infelizmente nunca utilizado; Cristina Antunes nunca demonstrou enfado ao me guiar, ávido, pelos cantos da Biblioteca de Guita-José Mindlin; Décio de Almeida Prado (USP) conhecia e me passou inúmeras informações oficiais e muitas outras de bastidores, geralmente as melhores; Edgard J. Casaes (USP), disposto sempre, assessorou minha informática claudicante; Elza Miné (USP), muito bem munida de Eça de Queirós, acompanhava de perto, perguntando sempre; Erich Gemeinder deixou-me aberta sua biblioteca preciosa, onde bem me fartei; Ernesto Guerra da Cal recebeu-me, um dia em Melrose, no Estoril, e me presenteou com valiosas informações sobre a visão brasileira de Eça, seu bem-amado; Fanny Abramovich, pelos tempos do saudoso *Scholem*, espaço de confirmação da escolha profissional; Flávio Aguiar (USP) acompanhou de perto e ainda pergunta; Francelina Drummond (UFOP) mandava de Minas Gerais informações sobre a temporada de Bilac em Ouro Preto; Glória Carneiro do Amaral (USP), que nem em Paris permitiu-me que o projeto ficasse muito tempo de lado; Ivan Teixeira (USP), com sua disposição incansável para ouvir indecisões e receios; J. S. Witter (USP) foi mais que comovente e solidário, quando me ofereceu uma pasta pronta e cheia de recortes, abreviando parte significativa da pesquisa; Jayme Marcelino Gomes, o incansável "seu" Jayme, nunca deixou que me faltassem livros e me sobrassem desculpas; Jean-Yves Mérian (Université de Rennes), companheiro de prolongada pesquisa na Biblioteca Nacional do Rio; João Alexandre Barbosa (USP), que me acompanha desde sempre, em vigilância carinhosa e plena de sabedoria descansada e pessoal, além da intelectual; João Roberto Faria (USP), porque compartilha comigo esse gosto estranho pelo jornal patogênico; Joaquim Aguiar (USP) alimentou sempre esse gosto, com curiosidade insaciável; John Gledson – em Liverpool, em São Paulo ou no Rio de Janeiro – sempre me oferecia seu Machado de Assis como outro lado da moeda cobiçada; José-Guita Mindlin, imprudentes, deixaram-me à vontade em sua biblioteca e espero que não se arrependam; Leyla Perrone-Moisés (USP), que me acolheu em grupo de estudos que dirige, o *Lery-Açu*, onde pude expor algumas das idéias aqui mencionadas, em clima sempre de companheirismo acadêmico e ausência de rivalidades; Lúcia Sá (Stanford University) transcreveu muitas crônicas, foi-se embora, mas continua perguntando; Luís Antônio dos Santos (Unicamp) permaneceu a postos até o fim, pronto para apagar incêndios informáticos; Mara Beatriz F. Guimarães (USP), na Biblioteca da FFLCH-USP, sabia sempre onde estava o livro no meio dos 869; Marco Antônio Yonamine transcreveu também muita crônica, com boa vontade oriental; Marcos Antonio de Moraes, pelo olho de lince, no último lance; Maria Cecília Leonel, que até hoje não acredita muito que tenha acabado esta etapa, já não precisa ouvir desculpas; Maria Itália Causin guiou-me pelas estantes do IEB-USP, sem desânimo; Marilene Weinhardt (UFPR) recebeu-me em Curitiba e ensinou-me o caminho da Biblioteca Pública do Paraná; Marisa Lajolo (Unicamp), outra que pergunta sempre e é companheira certa nas bilaqueações, de há muito; Marlyse Meyer (Unicamp), uma das primeiras a ouvir, com paciência e curiosidade, sobre o projeto, num tempo ainda em que Genebra ficava muito longe de Pinheiros; Nádia Battella Gotlib (USP), de olho em Clarice e no Bilac cronista; Níobe Abreu Peixoto da Silva forneceu-me material escondido de João do Rio; Paulo Franchetti (Unicamp) nunca desistiu de me ajudar na informática, nem de compartilhar o gosto pelo período; Pierre Rivas (Université de Paris-10) sempre disposto a me explicar as *liaisons* do Brasil francófilo, com aquela simplicidade invejável de quem sabe mais do que parece; Plínio Doyle forneceu-me o material que pedi e, sobretudo, o que eu ignorava, que era sempre bem maior; Raúl Antelo (UFSC), de onde quer que estivesse, mandava sempre pepitas descobertas em sebo, onde atua com desenvoltura invejável; Roberto Schwarz (Unicamp) comentou as crônicas de Bilac e Machado em uma ocasião acadêmica e nelas entreviu uma "configuração poderosa"; Rutônio Santana, da Biblioteca Nacional do Rio de Janeiro, enviou-me dados sobre o *Jornal da Exposição*; Safa Jubran (USP) demonstrou perícia invejável e paciência prolongada no manejo da informática; Sandra Vasconcelos (USP) acompanhou de perto os últimos momentos; Solange Rodrigues nunca se negou a receber outro pacote de crônicas para transcrever e fez isso com qualidade profissional; Telê Porto Ancona Lopez (USP) trocava comigo o que sabia sobre Mário cronista e outros *trezentos e cincoenta*; Teresa Cristófani Barreto (USP) leu os ensaios com minúcia de míope matreira; Wladimir Soares, décadas de amizade inabalável.

À Fapesp e ao CNPq, porque, em alguns momentos, auxiliaram-me com verbas precisas.

À banca que examinou este trabalho, em dezembro de 2000, como parte do concurso de livre-docência junto à FFLCH da Universidade de São Paulo, meus agradecimentos. Por causa da argüição cerrada e elegante de Alfredo Bosi (USP), Beatriz Berrini (PUC-SP), Flávio Loureiro Chaves (UFRGS), João Alexandre Barbosa (USP) e Silviano Santiago (UFF), saiu reconhecido, consolidado e homenageado o cronista.

ANTONIO DIMAS

USP, DEZ. 2000/JAN. 2004

Acervos Pesquisados

Academia Brasileira de Letras (Rio de Janeiro, RJ)
Academia de Ciências de Lisboa (Lisboa)
Arquivo do Governo do Estado de São Paulo (São Paulo, SP)
Biblioteca Erich Gemeinder (São Paulo, SP)
Biblioteca José-Guita Mindlin (São Paulo, SP)
Biblioteca Municipal Mário de Andrade (São Paulo, SP)
Biblioteca Nacional (Lisboa)
Biblioteca Nacional (Rio de Janeiro, RJ)
Biblioteca Nacional Argentina (Buenos Aires, AR)
Biblioteca Pública (Curitiba, PR)
Biblioteca Pública (Porto Alegre, RS)
Fundação Casa de Rui Barbosa (Rio de Janeiro, RJ)
Lilly Library da Indiana University (Bloomington, IN, EUA)
Instituto de Estudos Brasileiros (USP)
Gabinete Português de Leitura (Rio de Janeiro, RJ)
Ministério das Relações Exteriores da Argentina (Buenos Aires, AR)

Títulos dos Periódicos

Álbum (O)	*OAlbum*	RJ, 1893-1895
Bruxa (A)	*ABruxa*	RJ, 1896-1897
Cidade do Rio	*CidaRio*	RJ, 1888-1893
Cigarra (A)	*ACigar*	RJ, 1895
Combate (O)	*OComba*	RJ, 1892
Correio Paulistano	*CorPau*	SP, 1907-1908
Correio do Povo	*CorPov*	RJ, 1890
Estado de S. Paulo (O)	*OEstSP*	SP, 1897-1898
Gazeta de Notícias	*GazNot*	RJ, 1890-1908
Jornal da Exposição	*JorExp*	RJ, 1908
Kosmos	*Kosmos*	RJ, 1904-1908
Notícia (A)	*ANotic*	RJ, 1895-1908
Rua (A)	*ARua*	RJ, 1889
Semana (A)	*ASeman*	RJ, 1885-1895

Percurso da Procura

... o nosso mal tem sido este:
quisemos ter estátuas, academias, ciência e arte,
antes de ter cidades, esgotos, higiene, conforto.
O. B., *Gazeta de Notícias*, 19 abr. 1903

Desentranhou-se de outra, bem anterior, esta iniciativa de pesquisar o jornalismo de Bilac (1865-1918).

Anos atrás, enquanto íamos e voltávamos pelos vários números da revista *Kosmos* (1904-1909), em tentativa de perceber um sentido cultural para aquelas páginas repletas de ilustração e de textos tão heterogêneos, esbarramos numa questão ingênua: além daquelas crônicas de abertura, verdadeiros editoriais, será que Bilac teria escrito outras?

A primeira resposta era simples. Bastava consultar os registros biobibliográficos, dispersos em histórias literárias e dicionários especializados, para saber que o poeta famoso, mestre do nosso parnasianismo segundo a lição oficial, compilara algumas de suas crônicas. Além, portanto, de suas *Poesias* (1888), hoje com mais de trinta edições, e de seus volumes de conferências e de teatro, alguns em parceria, o poeta deixara uma seleção pessoal de sua intensa e extensa atividade em revistas e jornais, cariocas e paulistas. Atividade que começou a se firmar em 1890 e a declinar em 1908, dez anos antes de sua morte. Dos quase vinte anos de jornalismo, ofício em que começara a se enredar já nos seus tempos de acadêmico de Medicina, entre 1881 e 1886, legou-nos Bilac três volumes de crônicas, o primeiro deles – *Crônicas e Novelas* (1894) – um resultado imediato de sua permanência involuntária em Minas Gerais, em 1893, depois que Floriano Peixoto promovera uma *razzia* entre os intelectuais cariocas. Mais tarde, vieram outros dois: *Crítica e Fantasia* (1904) e *Ironia e Piedade* (1916).

Nos dias de hoje, *Crítica e Fantasia* ou *Ironia e Piedade* ainda são eventualmente encontráveis em sebos de qualidade. *Crônicas e Novelas*, não. Uma pena, porque na ordenação editorial que se deu a *Crítica e Fantasia* foram reaproveitadas suas crônicas sobre Minas Gerais de *Crônicas e Novelas*, mas desprezadas suas novelas, onde o exercício ficcional de Bilac é ostensivo.

Dividido em dois blocos, *Crônicas e Novelas* recolhe na parte inicial, denominada "Crônicas", as fortes impressões que marcaram Bilac em seu exílio de Ouro Preto, a nosso ver uma passagem decisiva na transformação temática e ideológica do cronista. Emocionado com o inesperado da revelação histórica e documental da capital mineira, o exilado compõe uma série de crônicas para a *Gazeta de Notícias*, cuja tônica é a exaltação das velhas cidades mineiras, de seus personagens, de seu fausto antigo, de sua opulência perempta. Retrabalhadas para saírem em livro, rivaliza nelas a imaginação do poeta com o seu súbito programa de restauração histórica. Para preencher seu tempo e produzir material jornalístico, Bilac atira-se às sacristias, mergulha "nos arquivos empoeirados de Ouro Preto" (21: 88)[1] e cavouca fontes documentais, excitado pelo cenário setecentista. Durante aqueles "sete meses de solidão" (21: 56), sua sensibilidade histórica comove-se diante do testamento original de Maria Dorotéia Joaquina de Seixas, a Marília de Dirceu (21: 36); excita-se com o *Triunfo Eucarístico* (1734) de Simão Ferreira Machado, cujo assunto são as pompas e os pingentes das procissões católicas (21: 99); encanta-se com a delicadeza ingênua dos *milagres*, aqueles quadrinhos toscos e singelos em que o devoto agradece por uma graça alcançada (21: 107); assusta-se diante da existência de morféticos vivendo em minas abandonadas, todos em perfeita consonância degradada (21: 74).

Nessa mistura ainda tateante de recuperação histórica, etnográfica e antropológica, insinua-se a curiosidade multidisciplinar do jornalista, que tira proveito profissional de seu deslocamento forçado e encarrega-se de divulgar, em jornal de circulação nacional, facetas então escondidas de nossa vida social e cultural, alta ou baixa. Porque, no momento em que emparelha as festas religiosas setecentistas de Ouro Preto com a folia do Carnaval, Bilac dessacraliza aquelas e minimiza a extravagância das que lhe são contemporâneas, em pleno final de século XIX. Ao comentar o *Triunfo Eucarístico* de Simão Ferreira Machado, o cronista relativiza as duas festas, a religiosa e a pagã, e explica:

> Toda a obra, como se depreende logo do título, não é mais do que a descrição das festas com que se transportou uma imagem de um templo para outro. É difícil, senão impossível, resumir as dezoito páginas dilatadas, em que se espraia, como um mar, a prosa fantástica de Simão Machado, atulhada de repetições, de perífrases, de transposições. Mas é necessário dar do livro uma idéia, por pálida que seja, para que se imagine o que foi essa assombrosa procissão, cuja organização lembra tantas vezes a dos nossos préstitos carnavalescos de hoje, e diante de cujo esplendor nada são as procissões religiosas dos nossos dias (21: 115).

Depois de *Crônicas e Novelas*, apareceu *Crítica e Fantasia*, em 1904, com seu conteúdo distribuído em três blocos: "Em Minas", "Crônicas Fluminenses" e "Notas Diárias".

Ao republicar os textos sobre Minas Gerais, como parte inicial de *Crítica e Fantasia*, Bilac eliminou, de forma injusta, quatro das cinco novelas que constavam de *Crônicas e Novelas* e que punham à mostra sua versatilidade ficcional, além de deixarem entrever fiapos inortodoxos de seu comportamento social. Porque essas cinco novelas que compõem seu primeiro livro – "No Tietê", "No Hospital", "A Canabina", "O Sonho" e "O Crime" – insinuam passagens autobiográficas joco-sérias, camufladas de leve por um *alter ego* de nome Jacques. Exceção feita a "No Hospital", as demais foram eliminadas. No lugar delas, aparece um conjunto de 28 crônicas, sob a

1. Para evitar o fastio das notas de rodapé, optamos pela referência direta às obras, listadas e enumeradas no final dos ensaios, na "Bibliografia de Apoio Específico". Em seguida ao número, vem a página.

designação de "Crônicas Fluminenses" e publicadas todas entre 1894 e 1904, na *Gazeta de Notícias*, de preferência. Em seguida às oito crônicas de "Em Minas" e depois das 28 "Crônicas Fluminenses", *Crítica e Fantasia* traz um conjunto de outras 65 de interesse muito menor, porque, ao serem menos aderidas aos fatos, pretendem uma reflexão pessoal nem sempre consistente. Quando possível, identificamos todas elas e apontamos suas datas originais. No entanto, como entender essa eliminação do ficcional?

Desejo de não favorecer a concorrência com a própria poesia? Repúdio à fase inicial? Abafamento de um momento existencial que não convém mais conservar na lembrança? Ímpeto pudico?

Difícil uma resposta única e definitiva, mas uma pista a mais pode estar no modo como Bilac escolheu para se apresentar ao público ao longo de sua carreira na *Gazeta de Notícias*, jornal onde cimentou seu prestígio de cronista e onde publicou sua primeira crônica em abril de 1890. Antes disso, sua aparição se dera em periódicos de menor envergadura, no Rio ou em São Paulo.

É em 1890, ainda que de forma descontínua, que começa a despontar o cronista, cujas primeiras colaborações são assinadas por O. B. ou por extenso. Muito amiudada, quase diária, essa primeira fase não ultrapassa meros dois meses: começa no fim de abril e termina no começo de julho. Nesse mês, Bilac embarca para a Europa, pela primeira vez, como correspondente do jornal *Cidade do Rio* de José do Patrocínio. Suspensa em julho de 1890, sua colaboração só retorna em agosto de 1893, quando, mais uma vez, o jornal anuncia: "De hoje em diante abrilhantará as páginas de nossa folha a pena do festejado escritor Olavo Bilac, que se encarregou da seção intitulada *Crônica Livre*. Estamos certos de que os nossos leitores receberão com prazer a notícia desta preciosa colaboração" (*GazNot* 22 ago.1893).

A partir desta segunda retomada, que se estenderá de modo sistemático até 1908, o cronista titubeará, no começo, entre o pseudônimo de Fantasio ou seu próprio nome, por extenso ou abreviado. Tal hesitação desaparece em março de 1897, quando Machado de Assis cede, de vez, sua titularidade no jornal para Bilac. Desse momento em diante, as crônicas vêm sem assinatura, que reaparece apenas em junho de 1903, quando as iniciais O. B. se firmam de modo definitivo.

Poder-se-ia questionar a autoria das crônicas no lapso entre 1897 e 1903, não fossem eventuais componentes, de caráter auto-referencial, que no interior delas se dispersam. Ou não fosse ainda uma outra delas, precioso depoimento pessoal, em que o cronista, dando um balanço de sua atividade junto ao jornal, declara que nele serve *"há mais de 13 anos"*, ora *"trabalhando"*, ora *"vadiando"*, sempre na mesma coluna (*GazNot* 2 ago. 1903).

Antes de ingressar na *Gazeta de Notícias*, em 1890, Bilac espalhou-se por revistas e jornais mais efêmeros ou provincianos, como a *Gazeta de Sapucaia*, o *Vassourense*, a *Gazeta Acadêmica* (RJ), *A Quinzena* (Vassouras, RJ), *Diário Mercantil* (SP), *Vida Semanária* (SP), *Cidade do Rio*, *Correio do Povo* (RJ) e *A Rua* (RJ), mas em carreira sempre ascendente, conforme se pode apreciar nos dois volumes da antologia que acompanham estes ensaios. No momento em que ainda se buscava, dividido entre o jornalismo e a Medicina, primeiro, e o Direito, depois, sua atuação mais marcante ocorre na primeira fase (1885-1888) de *A Semana* de Valentim Magalhães, revista onde vão aparecer alguns dos poemas que haveriam de integrar seu primeiro livro, publicado em 1888, e imediatamente aplaudido.

Cutucado pela curiosidade inicial, muito pouco satisfeita pelas duas biografias a respeito do homem de letras que esteve no centro de nossa atividade literária e jornalística entre 1888 e 1908, esta investigação tomou como seu primeiro ponto de partida a *Gazeta de Notícias*. Porque em torno desse jornal, fundado por Ferreira de Araújo em 1874, existe acordo generalizado sobre sua importância enquanto veículo de modernização da imprensa brasileira. Foi o próprio Bilac quem despertou nossa atenção, quando dedicou parte de uma de suas crônicas na *Kosmos*, à memória de Ferreira de Araújo.

Em janeiro de 1905, na crônica de abertura dessa revista, Bilac ponderava que já era tempo de o Rio de Janeiro considerar a possibilidade de homenagear nossos intelectuais de renome através da construção de um panteão em jardim público, assim como se fizera no Jardim do Luxemburgo, em Paris. Sempre atento à capital francesa como modelo de organização social e cultural, Bilac argumentava que cabia à sua cidade a responsabilidade dessa homenagem, uma vez que "o Rio de Janeiro é a capital de uma nação, que sobre todas as outras do continente, sempre teve a primazia em cousas de Inteligência" (*Kosmos* jan. 1905). Dar visibilidade pública a essas figuras, acreditava ele, era uma forma de educar a população, incutindo nela o apreço pelos valores culturais brasileiros. Além do predicado nacionalista implícito, a proposta abrigava também o impulso de valorização da palavra escrita como forma de superar o analfabetismo desenfreado da população brasileira, item ignorado pelos políticos, velhos desafetos do cronista. Porque a primazia da Inteligência, murmura o colaborador de *Kosmos*, torna-se mais saliente e mais perceptível no exercício do verbo do que em qualquer outra atividade intelectual ou científica. Comprova essa crença seu entusiasmo perante o busto de Gonçalves Dias, o primeiro a inaugurar os caminhos do Passeio Público, lugar ideal para acolher o desejado panteão. No poeta maranhense, lidas as linhas e entrelinhas do seu admirador, resumem-se as qualidades do poeta impecável, do americanista incansável e do etnógrafo empenhado, desbravador de caminhos poéticos e práticos. Nesta aliança em que a poesia e a concretude do cotidiano não se repelem, Bilac encontra o argumento para justificar a presença de Ferreira de Araújo no panteão projetado, ao mesmo tempo em que deixa verter seu apego por esse consórcio entre vida artística e vida prática. "Não é somente poeta ou artista", pontifica Bilac, espécie de editorialista dessa *Kosmos* que se pretendia voz da modernização carioca e, por conseguinte, brasileira, "não é somente poeta ou artista, quem versifica e rima ficções, quem combina harmonia ou cores, quem cria poemas, estatuetas, óperas, ou telas; o jornalismo, quando compreendido como o compreendeu Ferreira de Araújo, é arte, e é poesia" (*Kosmos* jan. 1905).

Portanto, mais que simples proprietário de jornal, Ferreira de Araújo era tido como criador de um jornalismo mais ágil, mais democrático, mais acessível e menos aderido às circunvoluções políticas do momento. Ao fundar um jornal mais barato e, portanto, mais ao alcance da população, de um lado, e, de outro, ao convocar intelectuais de renome já assentado, como Eça de Queirós, Machado de Assis e Ramalho Ortigão, Ferreira de Araújo estabelecia algumas pontes que se provaram eficazes: favoreceu o consumo da informação diária, disseminando-a; pôs em maior circulação nomes de respeito, verdadeiros agentes formadores de opinião pública e criadores de outra orientação estética que não a romântica; arrebanhou intelectuais jovens, ansiosos por se iniciarem na vida pública letrada, caso de Bilac e de Pardal Mallet, chamados ao jornal por Artur Azevedo. Foi ele, depõe Bilac, foi Ferreira de Araújo "quem chamou ao jornal a gente moça, que se ensaiava nas letras". (*Kosmos* jan. 1905). Foi graças ao pioneirismo dele, raciocina o cronista, que uma revista como *Kosmos* tornou-se possível anos mais tarde, na medida em que aquele jornal moderno teria ajudado a debelar o receio da palavra escrita. Foi na *Gazeta de Notícias*, continua ele, que

> começaram a aparecer os rapazes cheios de talento, mas ainda sem nome, que daquelas colunas se impuseram ao público; as "Canções Românticas" e as "Meridionais" de Alberto de Oliveira foram reveladas pela *Gazeta*; na *Gazeta*, apareceu Valentim Magalhães, da *Gazeta* nasceu a corrente, que canalizada depois na *Semana* e na *Vida Moderna*, se espraiou num movimento de franca renascença literária, – talvez o mais belo e fecundo de quantos já houve no Brasil, depois do período do "indianismo" de Alencar e Gonçalves Dias; e foi dali que se revelou ao público, em folhetins de uma fulguração genial, o espírito radiante de José do Patrocínio, alma de chamas e perfumes, de raios e rosas (*Kosmos* jan. 1905).

Na sua proverbial contenção, também Machado admite que Ferreira de Araújo trouxera "vida nova ao jornalismo" e acusa o "efeito prodigioso da *Gazeta de Notícias*", graças à "direção e ao movimento" que seu proprietário lhe imprimira (9: 1020).

Uma vez definido o periódico que, depois da *Kosmos*, nos serviria de ponto de partida e de referência, empreendemos a leitura contínua e cronologicamente ascendente da *Gazeta de Notícias*. A cada momento cresciam a expectativa e a ansiedade, porque se desenhava a certeza da dúvida: que crônica escolher? que critério adotar, diante de massa enorme de informação tão diversificada? Além disso, como conciliar a informação prévia e sedimentada, que nos incutira o parnasianismo do poeta, com aqueles textos que se atiravam sobre o cotidiano com a gula da reivindicação modernizadora e hostil à feição ainda joanina do Rio de Janeiro?

Hesitante ainda quanto ao rumo da pesquisa, decidimos que convinha, ao menos, um sumário de cada crônica para que não se perdessem elas na memória. Mais tarde, determinadas as escolhas, que se orientaram por um relativo interesse documental ainda contemporâneo, firmamos a decisão de não expurgar esses sumários (ver Índice de Sumários em *Crônicas – volume* 2), porque acreditamos que, mais que as crônicas escolhidas para a extensa antologia, parceria destes ensaios, podem elas testemunhar a favor da multiplicidade de interesses do cronista ou provocar novas investigações.

Claro que nem todas as crônicas da antologia são rigorosamente inéditas em livro. Como afirmamos acima, algumas delas, muito poucas, já foram publicadas em *Crônicas e Novelas* (1894), *Crítica e Fantasia* (1904) e *Ironia e Piedade* (1916). Sempre que identificadas, assinalamos o fato. No entanto, a escolha do próprio Bilac, além de discutível também, foi modesta demais. Lembremo-nos apenas da prolongada colaboração na *Gazeta de Notícias*: entre 1890 e 1908, são cerca de novecentos textos. Entre estes, Bilac escolheu cerca de 95, no total: catorze para *Crônicas e Novelas*; 28 para *Crítica e Fantasia*; 53 para *Ironia e Piedade*. As demais, junto com outras de outros periódicos, ficaram condenadas à corrosão do tempo, talvez em homenagem indevida e literal ao gênero ou talvez porque Bilac acreditasse, com Lemaître, que a crônica é a poeira da História (*OEstSP* 3 out. 1897). Das maduras que o *Correio Paulistano* publicou, entre 1907 e 1908, nenhuma.

Poeira ou não, o fato é que muitas delas se converteram, literalmente, em poeira, gerando um dos percalços dignos de referência em pesquisa deste porte.

Depois de completado o levantamento da *Gazeta de Notícias*, na Biblioteca Nacional do Rio de Janeiro, escolhemos percorrer *A Notícia*, porque já tínhamos conhecimento prévio de que se tratava de outra colaboração prolongada, com crônicas mais pontuais e ligeiramente mais curtas. De fato, foi extensa e intensa essa colaboração, porque se deu entre 1895 e 1908, diariamente! Com sua datação bisonha, *A Notícia* traz curta coluna assinada por B. desde 7-8 de agosto de 1895 até 12-13 de novembro de 1908 (ver Índice Topográfico em *Crônicas – volume 2*). Em 14-15 de novembro de 1908, o jornal explica: "Hoje, como ontem, deixa de sair o *Registro* do nosso colaborador Olavo Bilac, que se acha adoentado, devendo por prescrição do seu médico abster-se durante alguns dias de trabalho intelectual". Depois dessa data, nada mais. A interrupção coincide com a suspensão de sua colaboração na *Gazeta de Notícias*, em *Kosmos* e no *Correio Paulistano*. Raymundo Magalhães Jr., sem o comprovar como sempre, afirma que Bilac afastara-se amuado da imprensa em geral, porque fora por ela atacado, quando tomara a iniciativa de montar uma agência de informação oficial sobre o Brasil, com subvenção do Itamaraty. "Prometera, a si mesmo, nunca mais voltar à imprensa", informa o biógrafo (66: 310). Mais confiável, no entanto, que a afirmação vazia de Raymundo Magalhães, é o depoimento de Paulo Barreto:

> Bilac sempre sonhara patrioticamente com a necessidade de uma agência telegráfica brasileira. Não há quem conheça um pouco de história contemporânea, ignorando os resultados do fornecimento telegráfico. A Inglaterra teve uma tutela na Bolsa universal pelos seus telegramas. Na França, que da tutela se viu livre, o caso foi de debate público. A convivência com Rio Branco mais animou Bilac no seu desejo. Com Medeiros e Albuquerque e De Ambris, ele fundou a Agência Americana. Devia ser uma obra ajudada pelo governo, claramente, como as congêneres de outros países o são. Mas como convencer a mediocridade perversa? O primeiro subsídio, dado sem meios indiretos, honestamente, causou o ataque. Eram vinte e sete contos. Bilac foi ao ministério e, contra a vontade do ministro, restituiu a importância, passando a outras mãos a Agência.

Havia jornais a atacá-lo. Bilac disse-me um dia:
– Nunca mais escrevo em jornais.
E passou dez anos e morreu sem escrever para os jornais (17: 73).

Durante treze anos Bilac esteve, diariamente, comentando o dia-a-dia nas páginas de *A Notícia*. Treze anos de colaboração praticamente perdida, porque os exemplares do jornal, depositados na Biblioteca Nacional do Rio de Janeiro, fragilizaram-se a ponto de impedir a pesquisa. Em sucessivas tentativas posteriores, nada pôde remediar a situação, já que nem mesmo microfilmes haviam sido providenciados. Hoje, se houver, com certeza serão truncados, dado que dificilmente os originais porventura existentes suportariam a luz impiedosa da microfilmagem. Foram-se os anéis, mas restou uma falangeta, pelo menos. Em momento em que ainda era possível a consulta direta, detivemo-nos em uma crônica que juntava figuras que nos interessam: João Luso, Eça de Queirós, Machado de Assis, Eduardo Prado e seu sobrinho Paulo. Diante daquela feliz confluência de nomes e da notória curiosidade profissional que a junção dos nomes de Eça e de Machado sempre suscita, copiamos à mão a crônica de 6-7 de outubro de 1908, uma das últimas assinadas por B. A título de exemplo, ei-la:

REGISTRO

João Luso referiu-se anteontem, no seu magnífico folhetim do *Jornal* à grande admiração que Eça de Queirós tributava a Machado de Assis.

Dessa admiração posso dar testemunho pessoal.

No começo do inverno de 1890, havia quase todas as noites, na casa de Eça em Paris, uma pequena reunião de brasileiros. E não havia noite em que o nome de Machado não fosse pronunciado e discutido. Machado era uma preocupação de Eça. Eça admirando-o vivamente, não podia compreender certos aspectos da sua figura de homem e de escritor; e, para satisfazer a curiosidade, multiplicava as perguntas, que às vezes nos deixavam embaraçadíssimos.

É que realmente algumas dessas perguntas eram irrespondíveis. Nem Domício da Gama nem os dois Prados, Paulo e Eduardo, nem eu podíamos, por exemplo, dizer ao grande escritor d'*Os Maias*, o que o autor das *Memórias Póstumas de Brás Cubas* pensava da proclamação da República, da questão financeira, do problema da unidade ou da pluralidade das emissões bancárias, da agitação revolucionária do Rio Grande do Sul, e das tendências nativistas da nova política brasileira. E a esta interrogação: "que pensa sobre isso o Machado?" só podíamos replicar: "o Machado escreve romances e contos!"

E Eça de Queirós espantava-se, e espantava-se com razão, porque, como filho da Europa, como produto de uma civilização velhíssima, não podia compreender que, em um país recém-nado, ainda não formado, ainda não possuidor de uma nacionalidade definida, ainda privado de indústria desenvolvida e de largo comércio, já fosse possível a existência de um escritor, de um artista exclusivamente artista unicamente vivendo para a sua arte, para o seu pensamento, para o seu ideal literário.

Era justíssimo o espanto de Eça, porque Machado de Assis foi realmente, na sua terra, e no meio da sua gente, um fenômeno. Até, no jornalismo, esse grande artista da palavra se conservou artista; as suas crônicas da *Gazeta*, admiráveis páginas de prosa castiça –, nunca foram populares porque se desinteressavam das coisas que mais interessavam o público e pairavam muito acima das preocupações vulgares.

Literariamente, a admiração de Eça pelo nosso amado mestre era intensa. Entre outras páginas de Machado, Eça de Queirós sabia de cor o comparável [sic] "Delírio de Brás Cubas", e gostava de declamá-lo pausadamente, com inflexões estudadas, que sublinhavam e esclareciam como um comentário as passagens de mais apurada análise psicológica ou de mais sutil ironia. E era um encanto apreciar naquele cantinho da fria Paris, e naquele agreste inverno de 1890, essa enternecedora comunhão através de tantas léguas de mares, dos dois espíritos mais refinados que a nossa raça já produziu nos dois continentes...

B.

Um outro percalço deu-se com as crônicas de *O Estado de S. Paulo*, publicadas entre outubro de 1897 e dezembro de 1898, momento em que Canudos desmanchava a pretensão europeizante da rua do Ouvidor.

Nesse periódico paulista, Bilac colaborou com pouco mais de 180 crônicas, das quais escolhemos 41. Confiantes, talvez, no fato de estarmos geograficamente mais próximos desse jornal, deixamos sua pesquisa e seu levantamento para o fim, logo depois que trabalhássemos o *Correio Paulistano*, cuja coleção de recortes foi-nos oferecida pela gentileza profissional e pessoal de J. S. Witter, diretor, na época, do Arquivo Público do Estado de São Paulo. A confiança nessa proximidade geográfica do *Estadão* provou-se indevida e ingênua, porque tantos foram os obstáculos interpostos pelo serviço de arquivo do jornal, ao longo de inúmeros contactos telefônicos, que o caminho mais saudável e mais solerte foi a desistência. Desistência que se deu, de forma irreversível e definitiva, quando uma funcionária zelosa e pressurosa argumentou que os serviços deveriam ser pagos, e bem pagos, porque "o Sr. vai fazer um livro e ganhar dinheiro com ele, Professor!" Mais curta e menos problemática foi a alternativa que nos abriu a solicitude de um ex-aluno, Benito M. Rodríguez, que, pouco tempo depois desse incidente, foi passar uma temporada na Universidade de Indiana, em Bloomington, EUA. Em sua companhia, alguns meses mais tarde, localizamos a coleção microfilmada do jornal na fabulosa Lilly Library, onde tanto a pesquisa, como a obtenção de cópias se fizeram sem nenhum embaraço e nenhuma prevenção, mesmo estando nós apenas de passagem pelo *campus* e sem qualquer vínculo oficial com a universidade. Nesse acaso favorável, compensávamos, então, o fevereiro gelado e branco de Bloomington com o calor de uma documentação há muito procurada.

Com o *Jornal da Exposição* não se deu uma dificuldade momentânea, mas um problema que prossegue, aberto para o próximo pesquisador.

Em 1908, o governo federal promoveu uma Exposição Nacional, no Rio de Janeiro, no bairro da Urca, em terrenos ainda hoje ocupados por prédios governamentais.

Destinada a marcar no caminho dos séculos o primeiro estádio da vida do Brasil no mundo civilizado, sem a dependência do vínculo colonial que prendia o seu comércio nas relações internacionais, a Exposição Nacional de 1908 devia apresentar também aos olhos dos visitantes com os produtos de sua atividade no comércio, na indústria e na agricultura, assim como nas ciências, nas letras e nas artes, o aspecto geral do seu território, de sua população e do seu movimento social e econômico (29: V).

Concebida para funcionar como mostruário de nossa potencialidade industrial, comercial, agrícola e cultural, no ano em que se comemorava o centenário da Abertura dos Portos, a Exposição Nacional mobilizou a atenção de Olavo Bilac, que a ela se dedicou em crônicas na *Gazeta de Notícias* e no *Correio Paulistano*. Numa delas, preocupado com a divulgação do trabalho jornalístico, Bilac antecipa um dos projetos em andamento: num pavilhão de vidro, montar-se-ia um simulacro de redação, cujo funcionamento interno ficaria exposto à curiosidade dos visitantes. Além, portanto, de servir de vitrine de "riquezas públicas ou particulares" (*CorPau* 5 abr. 1908), a Exposição Nacional deveria também servir de evento didático.

Tamanho zelo pela função educativa do jornal pode ter-lhe valido a oportunidade de atuar como uma espécie de assessor de imprensa da Exposição, dadas sua projeção profissional no momento e suas relações com os altos escalões do governo federal. Seus biógrafos mais importantes – Eloy Pontes e Raymundo Magalhães Jr. – passam ao largo desse episódio, que encontra ressonância breve em um outro deles, Holanda Cavalcanti, cujo ensaio frágil e de ortografia bizarra informa: Bilac "dirijiu o 'Jornal da Exposição', em 1908, nele colaborando diariamente" (40: 14).

A procura do *Jornal da Exposição* não redundou em fracasso completo, mas em resultado insatisfatório, porque na Biblioteca Nacional do Rio de Janeiro a pesquisa localizou apenas um modesto exemplar desse jornal, que teria sido publicado entre setembro e novembro de 1908, com distribuição gratuita. Mais feliz foi a intuição que nos levou à pasta de Olavo Bilac na Fundação Casa de Rui Barbosa, no Rio de Janeiro, onde, em setembro de 1994, encontramos treze textos manuscritos do autor, com assinatura ou sem, inteiros ou em fragmentos, mas sempre destinados ao *Jornal da Exposição*, segundo dados internos de todos os autógrafos. Claro que a confirmação definitiva da destinação desses manuscritos só pode ser alcançada quando se localizarem os exemplares que reproduzam tais textos, em letra de forma. Nesse ínterim, decidimos que cabiam a transcrição e a inserção desses manuscritos entre as crônicas publicadas, porque importava assegurar o alcance, mesmo que provisório, dessa investigação particular, bem como concretizar a contribuição específica de Bilac para a Exposição Nacional de 1908.

Uma brecha desta natureza, aliada a outras, como a prolongada presença de O. B. em *A Notícia*, abafa qualquer presunção de totalidade, a despeito da amplitude desta pesquisa. Há muito ainda a se fazer com relação à atividade jornalística e profissional de Bilac, como, por exemplo:

1. O exame de sua colaboração em jornais interioranos ou acadêmicos, quando de sua permanência na Faculdade de Medicina do Rio de Janeiro, entre 1881 e 1886.

2. O exame de sua colaboração no *Diário Mercantil* e na *Vida Semanária*, periódicos paulistas, quando de sua curta temporada como estudante de Direito em São Paulo, entre 1887 e 1888.
3. O confronto de seus textos poéticos publicados na imprensa com a versão publicada em livro.
4. A questão dos poemas impressos em jornal que não foram aproveitados em livro.
5. Sua presença ativa em uma coluna da *Gazeta de Notícias*, denominada "O Filhote" (1895-1898), que se transformou, mais tarde, em "O Engrossa", entre 1898 e 1900. Informação de Eloy Pontes garante que O. B. escreveu, para essa última coluna, um romance-folhetim intitulado *Coração sem Alma*, assinando-o com o pseudônimo de Conde Monte Pinho (77: 441).
6. A avaliação de seus poemas satíricos, eróticos, fesceninos ou de circunstância; de suas glosas e de suas paráfrases poéticas; já parcialmente realizada pelo trabalho de Álvaro Simões Jr.
7. Suas relações, sobretudo a partir de 1907-1908, com o poder público, que redundaram em comissões oficiais como Secretário Geral do Congresso Nacional de Assistência Pública e Privada, convocado pela Prefeitura Municipal do Distrito Federal (*CorPau* 12 mar. 1908); sua atuação como orador oficial da inauguração do Teatro Municipal do Rio de Janeiro, em julho de 1909; sua presença como delegado brasileiro junto à 4ª Conferência Pan-americana em Buenos Aires, em 1910.
8. Sua tentativa malograda de criar uma Agência de Informação sobre o Brasil, com subvenção do Itamaraty.
9. Sua colaboração, como convidado, junto à *Alliance Latine*, organismo francês encarregado de "manter o culto das tradições da raça a que pertencemos" (*GazNot* 15 mar. 1903).
10. E, por fim, o mais importante projeto de seus últimos dez anos de vida: seu envolvimento com a campanha pelo serviço militar obrigatório e com a Liga de Defesa Nacional.

O exercício sistemático da crônica jornalística foi a maneira mais conveniente que O. B. encontrou para sua inserção intelectual na vida pública, depois que se lançara poeta e alcançara renome, em 1888. Confiante no prestígio adquirido de modo precoce e atraído, talvez, por uma fonte de remuneração adicional e relativamente segura, Bilac adere ao jornalismo diário, sem esconder certo vezo moralizante. Filiando-se, de forma remota, a um modelo ensaístico de jornalismo que tivera suas origens na Inglaterra do século XVIII, nosso cronista manifesta "sua devoção ao bem público" (72: 16) e começa a construir uma carreira "marcada por uma menor preocupação com o saber erudito, com a crítica doutoral e impessoal" (72: 16), tomando emprestadas as palavras de Maria Lúcia Pallares-Burke quando se refere aos fundadores do gênero na Inglaterra. "Uma das qualidades mais comumente atribuídas" a esse tipo de periodismo, acrescenta ainda a estudiosa do jornal *The Spectator*, "era o seu poder de corrigir modos de pensar e de agir viciosos, faltosos ou inapropriados e de redirigi-los para os caminhos da razão e da civilidade" (72: 17).

Pelas páginas de jornais cotidianos e de revistas semanais ou mensais, foi-se consolidando a escolha bilaqueana, ao mesmo tempo em que, fosse aqui o caso de se tentar uma análise estilística, seu humor forte e direto foi sendo, gradativamente, substituído pela ironia, que mais exige do leitor. Confrontar a atuação de Bilac em jornais como *A Rua* ou *O Combate*, ambos anteriores a 1893, com a sua atividade posterior a meados de 1903, quando passa a imprimir suas iniciais na *Gazeta de Notícias* e, em seguida, a colaborar com *Kosmos* e com o *Correio Paulistano*, permite especulações que tendem a enquadrá-lo num apaziguamento cada vez maior, no qual a inteligência irônica desloca e dispensa a fúria combativa. Com ajuda de declarações do próprio cronista não é difícil perceber essa mudança gradual, que a função contínua de cronista favorece. "Ironia!", suspira ele, em momento de reflexão sobre mais um estado de sítio, "tu nem sempre és irmã do desespero e da maldade! algumas vezes és a irmã da resignação... Mais vale ser irônico do que ser brutal. As grandes fúrias não consertam estragos, nem curam moléstias, nem limpam nódoas". E, num arremate de (falsa) aceitação diante do inevitável, conclui machadianamente: "Já que ninguém nos pode livrar dos trinta graus à sombra, nem da poeira, nem do peso do ar, nem do estado de sítio, é melhor que aceitemos a vida como ela se nos impõe, dando-lhe piparotes em vez de socos, e troçando-a em vez de amaldiçoá-la" (*GazNot* 27 nov. 1904).

Ao escolher "piparotes em vez de socos", O. B. amolda-se com perfeição a um gênero literário que não suporta a contundência, ainda que atento aos descaminhos do cotidiano. Talvez seja exatamente essa exigência de atenção à miuçalha do dia-a-dia que faça com que o cronista se paute, de preferência, pelo relativismo diante dos fatos, pelo humor quase sempre corrosivo. Sem nunca perder de vista a urgência do tempo, nem a modéstia de seu ofício, Bilac transformou sua função em disposição serena e consciente de sua utilidade provisória, não sem uma pitada rápida de esperança secreta para o futuro. Quando iniciava sua colaboração junto a *O Estado de S. Paulo*, em 1897, essa mal disfarçada certeza de que estava coletando dados sobre seu tempo não se esconde:

> À crônica, pois! estes comentários leves, que duram menos ainda do que as estafadíssimas rosas de Malherbe, não deitam abaixo as instituições, não fundam na terra o império da justiça, não levantam nem abaixam o câmbio, não depravam nem regeneram os homens: escrevem-se, lêem-se, esquecem-se, tendo apenas servido para encher cinco minutos da monótona existência de todos os dias. Mas, quem sabe? talvez muito tarde, um investigador curioso, remexendo esta poeira tênue da história, venha achar dentro dela alguma coisa... (*OEstSP* 3 out. 1897).

Outra dificuldade desta pesquisa, talvez maior que o preparo físico exigido e a disposição para enfrentar muito funcionário sem preparo, foi a de vigiarmo-nos para não escorregar em alguns alçapões.

O primeiro deles o de ceder à tentação fácil da armadura metodológica, que protege o pesquisador temeroso da parcimônia de seu material ou da modéstia de sua imaginação crítica. Neste caso, para evitar que a configuração metodológica ganhasse espaço indevido e invadisse, de forma impertinente, o território que cabe ao objeto chamado Olavo Bilac, escolhemos o caminho da falsa indiferença às regras do jogo, algumas das quais se disseminam ao longo dos ensaios. Impedi-las de ocuparem a área destinada às crônicas e de roubarem as luzes reservadas para uma produção jornalística de extensão considerável foi uma queda de braço cujo veredicto cabe ao leitor.

Outro alçapão foi o de não permitir que juízos históricos herdados ou historicamente cultivados em círculo acadêmico restrito se sobrepusessem ao cronista, etiquetando-o disto ou daquilo, engessando-o dentro de uma rígida nominação prévia e em franco desrespeito a uma vivência intelectual diversificada e cheia de desvãos, alguns claros, outros menos. A simples intenção de trazer à tona um material imerso nas estantes das bibliotecas tem a pretensão de colaborar para um desenho mais nítido de um período e de uma figura que lhe foi central. Se o resultado satisfaz ou não, é outro veredicto para o leitor.

Num de seus ensaios de abordagem sociopsicológica do fenômeno do regionalismo, Gilberto Freyre rascunha uma distinção entre as danças populares; entre um carnaval que presenciara em Uruguaiana e o carnaval que conhecia do Rio e do seu Recife.

Em meio à argumentação, o intelectual pernambucano recupera uma consideração de Bilac sobre a geografia da dança. De acordo com o cronista carioca, lembra Gilberto, se fosse escrito um estudo minucioso da dança segundo sua distribuição pelos diversos bairros do Rio de Janeiro, seria possível desenhar-se "a geografia moral da cidade" (52: 252).

Compreende-se a inclusão do argumento bilaqueano em ensaio de natureza claramente sociológica, quando se depara com o epíteto que Gilberto atribuiu a Bilac: o de *poeta-sociólogo*. Diz o autor de *Casa Grande & Senzala*:

> Bilac escreveu um dia que a dança era por tal forma uma preocupação da vida carioca que estudando e classificando, por ordem de bairros, as danças preferidas pelo nosso povo, seria possível estabelecer "a geografia moral da cidade".
>
> Pode-se estender a idéia do poeta-sociólogo ao Brasil inteiro, dizendo-se, em vez de bairros, regiões. Pois a verdade é que o país se divide em regiões que se distinguem umas das outras, senão pelo tipo de dança popular preferida pela gente de cada região, pela sua maneira de dançar algumas danças tradicionais ou nacionais ou mesmo européias ou norte-americanas (52: 252).

Nessa curta passagem, pesca-se uma duplicidade que bem poderia servir de mote e motivo para as páginas que se seguem: a figura de um poeta de fim de século brasileiro, que não se encolheu diante do social e que, no ambiente restrito de sua cidade, foi capaz de nela enxergar mazelas, ainda hoje resistentes. Claro que sua visão limitava-se ao perímetro da sua cidade, de onde só costumava sair para visitar a Europa ou as "termas regeneradoras de Poços de Caldas" (*GazNot* 3 mar. 1901). No entanto, não é ilícito, nem concessivo que o leitor contemporâneo enxergue nesses comentários semanais ou mensais algumas extensões indevidas e anacrônicas de situações que já deveriam ter sido superadas há muito. Sobretudo em país de memória fugaz, que anseia por modernidades e que para alcançá-las não hesita em se maquilar de tempos em tempos. Uma leitura mais atenciosa desse material empoeirado poderia ainda provocar surpresas, pois que toca em assuntos ainda nevrálgicos de nossa auto-estima, tais como os empréstimos externos (*ACigar* 1° ago 1895* e *CorPau* 29 maio 1908*); o trabalho infantil (*CorPau* 15 set. 1907*); a existência de cortiços (*CorPau* 25 set. 1907*); o funcionalismo público como cabide de empregos (*OEstSP* 19 nov. 1897); a inflação (*GazNot* 22 maio 1895); os entreveros ministeriais (*GazNot* 22 maio 1896); a falta de decoro parlamentar (*GazNot* 15 out. 1896 e 11 jul. 1897*)[2] etc.

Suas crônicas, além do seu caráter documental e histórico, bem que ajudam a compor um retrato mais largo e mais denso desse jornalista que, quando vivo, ganhou um outro, oficial, ligeiro e incompleto, como este de:

ANNO I — N. 13 MARÇO DE 1893

ALBUM

Director, ARTHUR AZEVEDO. Agente geral, PAULA NEY.

Publica-se todas as semanas em dias indeterminados. O preço da assignatura é de 24$000 por série de 52 numeros, e de 12$000 por série de 26 numeros.— Para os Estados 26$000 e 13$000. Numero avulso 500 réis.

DIRECÇÃO: RUA DOS OURIVES N. 7

2. Com asterisco, assinalamos as crônicas incluídas nos outros dois volumes da antologia, que acompanham este de ensaios.

ANNO I — N. 13 MARÇO DE 1893

O ALBUM

Director, ARTHUR AZEVEDO. Agente geral, PAULA NEY.

Publica-se todas as semanas em dias indeterminados. O preço da assignatura é de 24$000 por série de 52 numeros, e de 12$000 por série de 26 numeros.— Para os Estados 26$000 e 13$000. Numero avulso 500 réis.

DIRECÇÃO: RUA DOS OURIVES N. 7

SUMMARIO

O proximo numero do ALBUM trará o retrato e o esboço biographico de

HENRIQUE DE MESQUITA

OLAVO BILAC

Para não dar um tom pesado á noticia biographica de um escriptor tão leve, faço aqui neste numero do *Album* uma especie de *portrait documenté*, a exemplo dos que publicava *L'Echo de Paris*.

BIOGRAPHIA EXPRESS

Olavo Bilac é carioca da gemma. Estudou no collegio de S. Francisco de Paula. Cursou cinco annos a Faculdade de Medicina e um anno a de Direito de S. Paulo.

Arthur Azevedo apresenta-o com dous bellissimos sonetos no *De palanque* do *Diario de Noticias* (1885). Grande successo. Escreve na *Semana* (1886) com Filinto de Almeida, Luiz Murat, Valentim Magalhães, Alberto de Oliveira, Aluizio Azevedo, Lucio de Mendonça, Raul Pompeia etc. Parte para S. Paulo. Dirige o *Diario Mercantil* e funda a *Vida Semanaria*, onde publica as celebres *Cartas chinezas*. Reune em volume os seus trabalhos poeticos, e em 1888 os editores Teixeira & Irmãos enchem as livrarias brasileiras e portuguezas do livro *Poesias*, a famosa brochura que abrio de par em par as portas da gloria ao primoroso lyrico da *Via lactea*. Volta ao Rio. Funda com Pardal Mallet, Luiz Murat e Raul Pompeia o jornal litterario a *Rua*. Sob o pseudonymo de *Arlequim* revela-se prosador tão elegante e tão correcto, como é elegante e correcto poeta, e com tal encanto e ironia, com tal finura e leveza serve-se da penna, que funda definitivamente a chronica no Brasil. Collaborador effectivo da *Gazeta de Noticias*, depois redactor da *Cidade do Rio*, onde hoje é secretario da redacção.

Viagem a Lisboa, Madrid, Pariz, Londres e Haya (1890-91). Artigos impresionistas, para a *Cidade do Rio*. De volta, escreve com Aluizio Azevedo, Mallet e Coelho Netto, sob o pseudonymo commum de Victor Leal, os romances *Paula Mattos* e o *Esqueleto*, no rodapé da *Gazeta de Noticias*.

O mais é a obra que todos os dias veem os leitores fluminenses. Tem promptos alguns livros de verso e de prosa, tem cinco mezes de prisão politica, tem um duello e nunca aprendeu esgrima. Foi funccionario publico *l'espace d'un matin*.

PASSAPORTE: — Edade, 28 annos. Estatura, 1 metro e 80 centimetros. Cabellos, negros, curtos e brilhantes. Olhos, negros, meio estrabiscos, amendoados e salientes; myope gráo 5. Fronte, larga. Nariz, fino e cumprido. Boca, rasgada. Mãos, esculpturaes. Orelhas, largas. Pouco bigode.

Signal particular: — Memoria prodigiosa.

DETECTIVA: — Mora em Botafogo. Deita-se tarde; levanta-se a horas incertas, lê todos os jornaes com um cuidado extraordinario, almoça ao meio-dia no hotel, e a 1 hora está na redacção. 4 horas, *vermouth* no Castellões. 6 horas, jantar. Feito o jornal, vae ao theatro, mas não adora a opera lyrica.

O artista impeccavel da *Delenda Cathargo* não tem grande admiração pela pintura, nem morre de amores pela musica: tem simplesmente a religião do Verso terso e sonoro e do periodo fulgurante e inalteravel, com os quaes brinca sereno e firme, como um japonez emerito nos mais complicados jogos malabares.

98 O ALBUM

Adora os vinhos finos e as mulheres bellas; fuma cigarros turcos, ama os charutos caros e detesta o cachimbo.

Não tem predilecções em arte. Lê Shakespeare, Dante, V. Hugo, Musset, Flaubert, Gauthier, Maupassant, Verlaine, Peladan, etc.

Não é catholico, nem budhista. Não quer ser pae porque é louco por um sobrinho que, diz elle, ha-de substituil-o.

Faz litteratura a qualquer hora; sabe de cór todos os seus versos e a mór parte dos dos poetas contemporaneos.

Escreve no meio do maior ruido. Ultimamente entrega-se ao estudo das sciencias occultas.

Graphologia: — Tem ciume do seu talhe de lettra que é muito egual; caracteres redondos e bonitos. Muito sensual.

Franqueia generosamente o que ganha. Pouco orgulhoso. Accessivel a todos que o procuram. Pessimismo dourado Grande variedade de impressões. Muito sentimento nos versos, porém pouca sensibilidade. Ironico e muito altivo.

Linhas da mão: — Pouco amigo dos logares solitarios. Affecta muito septicismo, porém no fundo é supersticioso. Promette guardar rancores, mas esquece-os com facilidade. Não tolera receber ordens. Disposição immediata para tudo. Imaginação poderosissima. Muito sangue frio, principalmente nas grandes occasiões. Difficillimo de uma paixão duradoura. Feliz nas suas pretenções. Crise aos 45 annos. Vida longa.

Guimaraens Passos.

CHRONICA FLUMINENSE

Quando o outro dia li, na *Gazeta de Noticias*, o sorprendente annuncio da mulher que offerecia um menino como quem offerece um papagaio, fiz logo tenção de aproveitar esse magnifico assumpto.

Fantasio, porém, tomou-me a dianteira, e escreveu na *Cidade do Rio* a chronica magistral e coruscante que foi a nota artistica desta semana melancolica e nevoenta.

Ora, como o *Album* dá neste numero o retrato de *Fantasio*, que outro não é senão Olavo Bilac, o melhor que tenho a fazer—roubado como fui—é transcrever aqui a referida chronica. D'esse modo ficará guardado no *Album* um precioso e esplendido modelo da prosa do nosso Olavo, com o seu magnifico retrato, e a sua biographia, espirituosamente escripta por Guimarães... perdão: Guimamaraens Passos. O diabo do rapaz faz questão de ser *Guimaraens* sem til.

Agora, deliciem-se os leitores:

« Leio na *Gazeta* um annuncio curioso.

Chronica! No periodo sorna da vida fluminense, tens sido um parenthesis, aberto, como uma boca que se escancara de riso. Mette dentro do teu riso uma lagrima, e trata deste caso cruel, em que se se espalha toda a maldade destes tempos amaldiçoados...

A publicidade! oh! a publicidade! a sem cerimonia com que se levanta, nos jornaes, a pontinha do véo que encobre os mysterios! e a facilidade com que as columnas ineditoriaes das folhas acolhem todas essas pequeninas infamias! Meus amigos! já deviamos ter mais cuidado com essas publicações...

O annuncio, simples e secco, diz apenas isto:

UMA senhora que se acha em posição precaria, deseja fazer entrega de um interessante menino muito fallador, de dous annos de edade, a um casal sem filhos, de tratamento, ou viuva nas mesmas condições, para ser considerado como filho; a pessoa que pretender deixe carta no escriptorio d'esta folha com as iniciaes M. T. G.

Esta senhora, que se acha em posição precaria, não contou jamais com a réclame furiosa que lhe vou rufar no tambor da chronica... Regosije-se, humana e generosa senhora!

*

Já nesta mesma columna, a proposito da perversidade de um caso occorrido em S. Paulo, pedi a piedade e a attenção de todos para os casos frequentes de violações de crianças. O annuncio de hontem da-me ensejo de voltar ao assumpto.

Ha uma senhora que se acha em posição precaria. Tem em casa um menino. Não sei se esse menino é ou não seu filho. Pouco importa. Para o coração de uma mulher, quando essa mulher não é uma loba, uma criança é sempre um filho. Mas a loba de que se trata quer ver-se livre da criança que tem em casa. E annuncia-a! E' tão generosa a loba M. T. G., que não expõe, alta noite, na calçada, abandonada, a criança que quer engeitar! Não! A loba M. T. G. é uma loba prima-irman da loba que amamentou Romulo e Remo, os fundadores de Roma. E' caridosa. Não atira á rua o pequenino engeitado; annuncia-o.

Mas—como a vida não é facil hoje em dia, como a carne secca está pela hora da morte, e como, por conseguinte, ha pouca gente que deseje augmentar a familia acolhendo um engeitado, que faz a Sra. M. T G.? que faz a piedosa mulher que até hoje aturou as impertinencias do menino? Accrescenta ao annuncio a noticia minuciosa das habilidades e das utilidades do pedaço de gente exposto ao mercado...

Que ha de mais natural? E' o que se costuma fazer com todos os generos que se annunciam,— desde as peças de oxford e de chita até os cães de

Percurso do Jornalista

O jornal é um instrumento de educação e de justiça;
ninguém se faz jornalista para praticar a crueldade e o mal.
O. B., *Gazeta de Notícias*, 17 fev. 1894

Em fevereiro de 1897, ano da derrota militar de Canudos, Machado abandona as crônicas da *Gazeta de Notícias* carioca, um dos jornais de maior prestígio naquele momento. Depois de cinco anos contínuos e já farto de "catar o mínimo e o escondido", retirava-se ele da função de comentarista semanal, socorrendo-se do argumento de que Deus também repousara, cumprido seu trabalho cansativo:

> Se Deus descansou um dia, depois de seis dias de trabalho, [alegava o cronista em sua despedida], força é que eu descanse algum tempo depois de uma obra de anos. Há cerca de cinco anos que vos digo aqui ao domingo o que me passa pela cabeça, a propósito da semana finda, e até sem nenhum propósito. Parece tempo de repousar o meu tanto. Que o repouso seja breve ou longo, é o que não sei dizer; vou estirar estes membros cansados e cochilar a minha sesta (9: 768).

Um machadiano ingênuo poderia supor que seu ídolo tinha tamanha consciência de sua importância histórica em nossa cultura literária que não hesitava, mais que merecidamente, em se comparar ao "criador de todas as coisas" ou, no mínimo, do romance brasileiro. Um outro, menos delirante, poderia ver nessa emulação com a divindade uma arrogância mal disfarçada, que resvalava pela heresia, muito ostensiva, aliás, se nos lembrarmos de que Machado cumpria sua obrigação exatamente no dia dedicado ao descanso semanal.

Nem um, nem outro.

A verdade é que o criador da capciosa Capitu vinha já de longa carreira no romance, na poesia, no teatro, no jornal e na administração pública. Com uma folha corrida na imprensa que já ultrapassava os quarenta anos, seus interesses eram outros. Acatado como ficcionista, intelectual de respeito, burocrata de realce e nas vésperas de inaugurar a casa dos sessenta anos, Machado redistribuía seu tempo, pois que acabara de se tornar fundador e mentor da Academia Brasileira de Letras, cujo discurso inaugural seria pronunciado por Nabuco em julho de 1897. Com a criação da Academia, consolidava-se um projeto maior de literatura nacional prestes a se configurar como sistema já distante da incipiência, e potencialmente capaz, na aspiração de José Veríssimo, outro de seus fundadores, de se tornar "expressão[,] superior às contingências da política e da história [e] da própria nacionalidade" (47: 41). No mesmo momento em que Canudos lembrava a todos que o país era constituído de desníveis insuportáveis, seus intelectuais acreditavam chegada a hora de se tentar a unificação nacional por intermédio de uma associação de homens ilustres, cujo horizonte de expectativa encarava a Academia muito mais como instância de unificação cultural que literária.

Para substituir Machado nessa função de cronista, Ferreira de Araújo, proprietário da *Gazeta de Notícias* e jornalista respeitável, convocou Olavo Bilac, cuja colaboração para o jornal já vinha ocorrendo há alguns anos, de modo intermitente. Sete anos antes, em abril de 1890, a *Gazeta* já anunciava que o "escritor de talento, o primoroso cronista, o valente poeta Olavo Bilac prometeu-nos colaborar diariamente na *Gazeta de Notícias*, e hoje começa a cumprir a sua promessa". Em outras palavras, convocava-se alguém da casa, com prestígio em alta e crédito crescente. Cometia-se uma substituição natural, sem maiores solavancos, mas de orientação diferente, ver-se-ia mais tarde. A um jovem mal entrado nos trinta anos e ainda meio assustado com a glória precoce, destinava-se o lugar de um senhor próximo dos sessenta e de prestígio feito, no rol literário e fora dele. Meses depois da saída de Machado, em fevereiro, era a vez de Eça despedir-se da *Gazeta de Notícias*, em setembro. O brasileiro estava ali desde 1883, explica John Gledson, estudioso de Machado, o cronista (11: 20); o português, desde 1880, segundo o magnífico *Dicionário de Eça de Queiroz* de A. Campos Matos (67: 458). Com a saída de ambos, alargava-se ainda mais o espaço para o novo titular da coluna.

Anos depois, na iminência de comemorar seus quinze anos na *Gazeta*, Bilac recupera, emocionado, essa data e se lembra de que seu ingresso no jornal de Ferreira de Araújo dera-se na companhia de Pardal Mallet, em meio à incredulidade alheia. Sobre ambos pesava a suspeita de incendiários, por causa de um jornaleco panfletário que haviam fundado pouco antes com Luís Murat e Raul Pompéia, *A Rua*, cujo primeiro exemplar saíra em 13 de abril de 1889, no rasto da Abolição e na ansiedade da República próxima. Do editorial atrevido do número inaugural de *A Rua* irrompia a fama de seus redatores. Nele, atiçavam-se os ânimos ainda excitados com a emancipação recente dos negros, ao mesmo tempo em que se pregava a continuidade reformista em contexto que mal se esquivara da instituição escravocrata. Embalados todos pela extinção recente do cativeiro e confiantes no otimismo juvenil dos vinte anos, clamavam os incendiários pelo "desmembramento" federalista "deste vasto território" (*ARua* 13 abr. 1889), ao mesmo tempo em que reivindicavam uma solução social que afrontasse os interesses da minoria poderosa, vagamente identificada com as

> instituições burguesas. Queiram-no, ou não o queiram pois, [vociferavam eles], a propaganda francamente socialista, a guerra de extermínio às instituições burguesas tão fielmente representadas pelo pacatismo honesto e bem intencionado do Sr. D. Pedro II, a luta contra a fidalguia argentária que especula na praça ou enfeuda territórios crescendo e subindo pela opressão das classes trabalhadoras, eis aí a conseqüência natural, o sucedâneo lógico da campanha de ontem (*ARua* 13 abr. 1889).

Portanto, continuam, é preciso agrupar "toda a atividade dos agitadores" contra essa opressão, atraindo contra ela "os ódios dos oprimidos" (*ARua* 13 abr. 1889).

Depois dessa estréia carbonária, em jornal de chama curta, Bilac foi-se fazendo cada vez mais assíduo nas páginas da *Gazeta de Notícias*, onde sua presença pode ser anotada ao longo de quase vinte anos, entre 1890 e 1908.

Seu namoro com o jornalismo começara cedo, ainda na escola de Medicina, pouco antes de arredondar os vinte anos. Segundo Eloy Pontes e Raymundo Magalhães Jr., seus biógrafos, os primeiros poemas e crônicas de Bilac apareceram em jornais de repercussão restrita como a *Gazeta Acadêmica*, *Gazeta de Sapucaia*, *O Vassourense* e numa revista literária mais duradoura como *A Semana* de Valentim Magalhães, onde até hoje repousam poemas que fariam parte de seu primeiro livro, material de primeira para o estudo de sua criação vacilante. Nas duas fases conhecidas dessa revista – 1885-1888 e 1893-1895 – Bilac publicou alguns clássicos como "Messalina", "Lendo a Ilíada", "Ouvir Estrelas" e outros que só apareceriam em forma de livro em 1902, quando suas *Poesias* foram, então, reeditadas com acréscimos.

Até o aparecimento da primeira edição de *Poesias* (1888), volume que lhe confere renome imediato, mimando-lhe o ego ainda juvenil, a colaboração jornalística de Bilac é errática do ponto de vista dos assuntos, dos veículos e até mesmo dos inúmeros pseudônimos adotados, alguns deles de uso comum entre os jornalistas e escritores do período. Criado como tática cautelosa para desfazer os "possíveis inconvenientes" de uma "atuação simultânea" e abusiva "em vários periódicos", como ensina Brito Broca em suas *Horas de Leitura* (36: 121), o uso indiscriminado e democratizado de alguns pseudônimos cria, hoje, empecilhos adicionais à atribuição de autoria, tarefa que só vale a pena enfrentar se se tem em vista a quantidade enorme de material ainda inaproveitado e que cochila empoeirado em jornais e revistas velhas.

Pseudônimo é tópico de difícil tratamento em nossa literatura, uma vez que ainda se carece de bom dicionário a respeito, o que não significa, no entanto, vazio absoluto. Galante de Souza, por exemplo, dedica um paciente artigo à identificação de alguns deles, referentes a Bilac, mas reconhece, de antemão, que o melhor trabalho a respeito é o de Simões dos Reis, que "registra perto de 20 pseudônimos e se preocupa, várias vezes, não só em documentar a identificação, como indicar os locais (periódico, livro etc.) e épocas em que foram usados" (87: 42). De acordo com Galante de Souza e com Simões dos Reis, Bilac teria usado os seguintes disfarces: Acácio de Xêxas; Um Acadêmico, Arlequim, B., Bib, Biff, Bob, Conselheiro Acácio de Xêxas, D. Sancho, D. Sorriso, Dom Satanás, Dr. Sá Herpes, El Gordito, Febo-Apolo, Flamínio, Flaminius, Frascuelo, Holbach, Jayme d'Ataíde, Juca, L. F., L. Flaminio, L. Flaminius, Lúcio Flamínio, Manduca, Maneco Xêxas, Manel Pachola, Martins Guimarães, Nemrod, O., Otavio, Otávio D'Olival, Olabival, Olívio, Olívio Bivar, Owaldo, Pe-Ho, Pierrô, Pulcinello, Quincas, Sargento Mor, Serapião Fagundes, Tim, Vítor Leal e Y.

A pesquisa em *A Bruxa*, por outro lado, trouxe-nos prazeres que vão muito além do profissional. Não só foi realizada na biblioteca mais que rica, acolhedora e generosa de Guita e José Mindlin, orientado sempre pela mão amiga e sabida de Cristina Antunes, como nos deu acesso a uma listagem importante, oferecida pelo bibliófilo. Sabe-se que Carlos Drummond de Andrade, além de poeta e de cronista, era também minucioso documentarista de nossa literatura. No índice que elaborou para *A Bruxa* e que, um dia, deu de presente a José Mindlin, Drummond sugere os seguintes pseudônimos para Bilac: Asmodeu, Astaroth, Belial, Belfegor, Belzebu, Diabinho, Dom Satanás, Fantasio, Fantasio-Mefisto, Lilith, Lúcifer, Lusbel, Mefisto, Murmur, Otávio Bivar, O Diabo Coxo, O Diabo Vesgo e Puck. Para Coelho Neto, colaborador menos freqüente da revista, Drummond sugere: Anselmo Ribas, Calibã e Furfur.

Tais obstáculos e recompensas, que mais excitam a curiosidade que a desanimam, permitem-nos sugerir que a afinidade de Bilac com o jornalismo opinativo já se desenhava em 1880 com sua atuação discreta na imprensa do interior fluminense e das capitais paulista e carioca. No entanto, começa ela a prosperar efetivamente com *A Rua* do Rio de Janeiro, cuja duração muito limitada, mal tendo alcançado quatro meses intermitentes em 1889, não lhe permitiu ir muito longe. As tentativas seguintes transferem-se para a *Cidade do Rio* e para o *Correio do Povo*.

No primeiro, criado por José do Patrocínio em 1887, Bilac já é apresentado com destaque pelo "Expediente" de 31 de julho de 1889: "As *Pantomimas* são da pena de Olavo Bilac, que nos mimoseia com a sua esplendorosa colaboração sob o pseudônimo Pulcinello". Na coleção esfacelada deste jornal, hoje na Biblioteca Nacional do Rio de Janeiro, uma colaboração meio extensa, entrecortada e pouco significativa, entre fevereiro de 1888 e setembro de 1893, contém pseudônimos variados que assinam seções com títulos diferentes. Além de *Pantomima* por Pulcinello, temos *Crônica* por Fantasio ou Puck; *Lazeres* por Puck; *Os 7 dias de fogo / Os 7 dias de água / Os 7 dias vermelhos / Os 7 dias mágicos / Os 7 dias santos / Os 7 dias tristes / Os 7 dias zoológicos / Os 7 dias de corrupção / Os 7 dias de frio / Os 7 dias de morte* por O. B. e outras, não assinadas. Esse aprendizado sistemático e dispersivo, sempre orientado pelo tom jocoso, valeu-lhe a primeira viagem à Europa, onde se encontrou pela primeira e única vez com Eça de Queirós, em Paris. Das experiências colhidas nesse momento, sobretudo as européias, Bilac vai dar relato bem mais tarde, em termos de recordação de um tempo ido, e não como vivência imediata.

Sua curtíssima permanência no *Correio do Povo*, órgão republicano dirigido por Alfredo Madureira, inicia-se em janeiro de 1890. Assinando a colaboração com as iniciais O. B., Bilac afasta-se do humor enquanto ingrediente necessário e obrigatório, encaminha-se pela crônica opinativa e explora a multiplicidade de assuntos. Ao mesmo tempo em que começa a esboçar um comportamento eclético e jornalístico diante do cotidiano que requer comentário, Bilac começa também a banalizar sua atividade, não sem uma ponta de fingimento retórico, o que haverá de se constituir em marca de carreira. Se, no momento inicial da experiência em jornal de maior alcance, ele pretende afligir-se "diante da brancura exigente das tiras de papel", a serem preenchidas com o comentário semanal escolhido dentro de um "saco cheio de assuntos do lado da mesa" (*CorPov* 28 fev. 1890), muito tempo depois, dezoito anos mais tarde precisamente, em crônica para um outro jornal, que infelizmente se deteriorou ao longo desta pesquisa, o cronista admite que o "ofício de comentar a vida humana" nem sempre é inútil (*ANotic* 14-15 jan. 1908).

Durante esses anos todos, Bilac permitia-se, vez ou outra, comentários metalingüísticos sobre sua obrigação semanal ou diária, sempre de modo brincalhão, como se estivesse se ironizando ou se desqualificando. No entanto, isso é fingimento puro. Jogo de cena para cativar o leitor, porque, na verdade, a partir de uma intensa experiência existencial, política e histórica em Ouro Preto, para onde Floriano despachou-o em 1893, no rasto de mais um surto autoritário do governo, o cronista intensificava cada vez mais sua condição de testemunha da história diária, aquela que um dia viria a se tornar História. Refém desse rodamoinho cotidiano e instalado em seu epicentro, miolo do segmento intelectual dominante da nossa cidade dominante, o cronista dispunha-se a medir a temperatura diária de seu meio, tendo muito claro na cabeça que ficava à disposição dos acontecimentos, como uma espécie de escriba da corte: "Não somos nós, cronistas, quem pode escolher os assuntos. É a própria vida, com o seu tumultuoso atropelo e com o seu irresponsável capricho, quem no-los oferece e impõe" (*GazNot* 21 dez. 1902).

No *Correio do Povo*, Bilac fora apresentado com honras de titular de sessão semanal, com direito à identificação de um nome, que, aos poucos, ia-se consolidando publicamente. Pelo menos é o que diz um "Expediente" do jornal, em janeiro de 1890: "Temos o prazer de noticiar que o *Correio do Povo* conta desde agora com a preciosa colaboração de Olavo Bilac. [...] Bilac escreverá para o *Correio do Povo*, uma vez por semana, a *Crônica Livre*, que será firmada pelas suas iniciais" (*CorPov* 21 jan. 1890).

Nas pouquíssimas crônicas que deixou nesse órgão, já se entrevêem alguns assuntos que se tornarão recorrentes num futuro muito próximo, quando a efervescência política do momento deixar de solicitá-lo. Peça por peça, vai-se erguendo a temática bilaqueana. Aos poucos, vai ele deixando para trás o alvo sempre fácil da eterna incompetência política brasileira, substituindo-o pela cidade em que vive. Em breve, torna-se o Rio o personagem principal de seu enorme e extenso texto, um texto que só vai se interromper por volta de 1908, por motivos ainda mal esclarecidos. E ao deslocar o objeto de sua atenção, dão-se duas alterações substanciais: de um lado, o cronista atenua o sarcasmo, pondo em seu lugar a ironia; de outro, a política, quando discutida, deixa de sê-lo do ponto de vista de uma racionalidade ideal e, portanto, inalcançável, para sofrer a intermediação dos interesses urbanos e comunitários que congregam os cidadãos num aglomerado concreto e modificável como o Rio de Janeiro. Bilac suspende, pois, o exercício virtuosístico e voluntarioso do sarcasmo implacável e se volta, empenhado, para a cidade em que vive, numa declaração de amor nem um pouco disfarçada. Assim é que, nessa fase inicial, enquanto não se ocupa das reviravoltas cotidianas orquestradas pela mudança de regime, vamos encontrá-lo expondo seu incansável horror ao Carnaval; seu receio diante da possibilidade da restauração monárquica; sua defesa de medidas sociais que fortalecessem, de uma perspectiva social, a abolição do cativeiro; sua pregação a favor da moralização dos costumes públicos, como a extinção dos bandos de capoeira, a regulamentação da prostituição ou o combate sistemático aos seqüestradores de jovens donzelas, por exemplo.

Embora nada de documental tenhamos encontrado que explique o porquê de Bilac ter abandonado o *Correio do Povo*, a partir de julho de 1890, pode-se cogitar que sua saída se deve a um envolvimento maior com a *Gazeta de Notícias*, em que o cronista vai aparecer entre abril e julho de 1890, assinando suas crônicas com o nome por extenso ou através de iniciais. Essa curta permanência interrompe-se, mais uma vez, quando O. B. parte para sua primeira viagem à Europa, como correspondente da *Cidade do Rio*. Dessa viagem, inauguração de um ziguezague transatlântico anual, dá-nos notícia Pardal Mallet através da crônica "Um Que Parte", publicada pela *Gazeta de Notícias* em 10 de julho de 1890. Aos 25 anos, Bilac inaugurava uma rota européia que haveria de se tornar habitual, sempre embalado pelo desejo de safar-se desta "Cafraria portuguesa que a generosidade dos povos persiste em chamar país civilizado", segundo uma de suas avaliações em carta, enviada de Paris a Max Fleiuss, em novembro de 1890 (82: 492). Ao fim desta prolongada temporada européia, tão prolongada que lhe permitira passar "quase todo o mês de outubro" (82: 492) de 1890 em Londres, Bilac retorna para enfrentar, logo em seguida, um dos períodos mais difíceis de sua vida e da nascente República brasileira. Num jornal recém-fundado, o cronista assopra de novo a brasa retórica que se espalhara por *A Rua* e que se esfriara quando de sua passagem pela *Cidade do Rio* e pelo *Correio do Povo*.

Em janeiro de 1892, Lopes Trovão e Pardal Mallet fundavam *O Combate*, jornal de oposição ferrenha a Floriano Peixoto, que assumira o governo pouco antes, em novembro do ano anterior, sob condições muito discutíveis. Atacada por fora e dilacerada por dentro, a República periclitava. No esforço jacobino de estaqueá-la a qualquer custo, Floriano exorbitava no mando, embalado pela auto-imagem salvacionista, confortado pelo positivismo aceso e nem um pouco interessado na opinião pública. Como o próprio Bilac admitirá anos mais tarde, em crônica que lhe traça o perfil e recolhe opiniões alheias, "o Marechal era um homem que somente operava pela sua própria iniciativa e que se não deixava levar pelas influências do passado nem pela consideração do futuro. Fazia o que queria fazer..." (*GazNot* 2 jun. 1907). Na tentativa de cimentar a imagem autoritária do sucessor de Deodoro, o cronista apela para o depoimento de Alcindo Guanabara, que garantia: "É um cético voltaireano. E esse ceticismo armou-o de uma desconfiança geral, absoluta, profunda, contra tudo e contra todos. [...] Desta modalidade de seu caráter resultou que o regime presidencial se transformou em regime pessoal" (*GazNot* 2 jun. 1907). Para Raul Pompéia, que lhe era favorável, Floriano era um "impassível, um desconfiado e um cético... A um tempo ameaçador e plácido, sem expansões violentas, e sem um tremor no rosto impenetrável", mas dotado de uma "tenacidade incoercível, tranqüila e formidável..." (*GazNot* 2 jun. 1907).

Nesse clima centralista e dirigido por vontade única, *O Combate* tentou interferir de modo crítico, mas acabou derrapando em restrições de caráter pessoal, o que só inflou a prevenção do Presidente contra o jornal, naquele meio provinciano em que as posições de realce eram detectadas com facilidade e presteza.

Com o pseudônimo de Pierrot, Bilac ficou encarregado da seção "Vida Fluminense" e através dela atazanou Floriano entre janeiro e abril de 1892. Afirmar que sua seção contivesse argumentação política consistente é falsear a realidade, sobrestimando o cronista. O que nela havia era contundência, e bastante. Pierrot estabelece um plano de ataques essencialmente grosseiros e pessoais, ora insistindo nos problemas físicos de Floriano, vitimado por uma dentição precária, ora zombando de Custódio José de Melo, sempre acossado por desarranjos intestinais. Uma crítica mais empolada poderia enxergar nessa escolha anatômica um significado talvez oculto de ataque à devoração e à digestão atribulada do poder, pois tanto Floriano como Custódio eram encarnação de um governo forte. Bilac, no entanto, estava mesmo era preocupado com o acento positivista da cúpula governamental e com as medidas ditatoriais em curso. Nas aparições iniciais, Pierrot apalpava o terreno, media devagar o alcance das críticas, assuntava a reação do governo e lamentava, por exemplo, que o descaso municipal, em verão tão impiedoso, deixasse sem água uma população resignada, "tão paciente e tão boa, tão prudente e tão meiga, que se deixa morrer de sede, sem se rebelar contra quem a trata com tão pouco caso" (*OComba* 19 jan. 1892).

Pouco a pouco, no entanto, o cronista vai ganhando autoconfiança e passa ao largo das mazelas urbanas imediatas, preferindo denunciar o cerceamento da liberdade pública, a violenta repressão institucionalizada, o incentivo à delação, as prisões arbitrárias, o aparecimento de cadáveres mutilados boiando nas águas da Guanabara, a boataria desenfreada, a degola política dos governadores estaduais etc. Mais um tanto, talvez encorajado pela aparente desatenção do governo, Pierrot atravessa os limites e ridiculariza, nominalmente, seus participantes. A partir desse momento, aproxima-se o fim desta colaboração com *O Combate* e arma-se o cenário para um exílio interno a ser amargado em Ouro Preto.

Sumários de algumas dessas crônicas exemplificam bem sua atitude progressiva, que vai do inconformismo perante a falta de higiene urbana ao enquistamento dos vícios públicos na personalidade do governante.

Em 24 de janeiro de 1892, por exemplo, Pierrot afirma que "o governo comete quase um crime, gastando todas as suas energias em conquistar popularidades, e deixando que a população morra à sede, vitimada por uma epidemia terrível" de febre amarela. Segundo ele, o Rio de Janeiro anda "assolado por uma peste horrorosa", o que, junto com a falta d'água e a "má qualidade dos gêneros expostos, por preços exorbitantes, no mercado, faz com que esta hedionda cidade mereça mais do que nunca a denominação de PESTÓPOLIS", onde até mesmo os bordéis têm sido vítimas da alta de preços.

Da carestia e da qualidade dos alimentos oferecidos à população, uma questão de higiene pública, Pierrot salta para o plano político, ao comentar que "vive a população a procurar alucinadamente todas as manhãs, [sic] um quilo de carne que não esteja podre. Vive o governo, também, todas as manhãs, a procurar, no grande açougue da população, carne boa para dar de comer ao minotauro da legalidade" (*OCombа* 26 jan. 1892). Na perspectiva de Bilac, a fome mal saciada rondava não só a população carioca, mas também a equipe de Floriano, em cujo interior a voracidade ministerial de Custódio de Melo levava-o a engolir um conjunto de pastas. Na proporção que fossem adoecendo os ministros, prossegue O. B., Custódio deixaria "de ser ministro para ser ministério" (*OCombа* 1º fev. 1892).

A irreverência irônica da crônica anterior escorrega para a alusão sórdida e íntima quando o cronista argumenta que o viço das nossas mais belas roseiras resultava da "incontinência intestinal de Custódio de Melo que as estruma sistematicamente" (*OCombа* 28 fev. 1892). Ou descamba para a referência grossa quando se explica que o General Custódio andou ausente da "Vida Fluminense", durante alguns dias, porque, para se safar de forte crise de hemorróidas, andou recorrendo a "banhos adstringentes de grelo de goiabeira" (*OCombа* 26 fev. 1892).

Nessa fase de implantação do regime republicano, segundo os jornais da época, a convivência civil tornara-se difícil, dada a radicalização positivista.

De um lado, era o governo instituindo abertamente a delação, como se pode ver em documento transcrito por Pierrot em sua crônica:

> "Necessitando o governo da República de agir com maior segurança e energia a fim de manter a ordem, evitar as perturbações materiais e obstar a ação de vários elementos de anarquia que tantos prejuízos têm trazido aos interesses vitais da nação, com ameaça ao exercício do poder e às próprias liberdades individuais, convido a população laboriosa da capital a auxiliar a autoridade no desempenho da missão pacificadora e ordeira a que se entrega.
>
> Sendo uma das principais causas do contínuo sobressalto em que vive a opinião pública a circulação de boatos alarmantes, criados pela imaginação perversa dos despeitados e transmitida por indivíduos ociosos ou levianamente crédulos, espero do patriotismo dos habitantes desta capital que oponha a sua ação benéfica contra esses boatos, já desmentindo-os e desfazendo a má impressão que podem causar, já conduzindo a esta chefia as pessoas que os transmitirem para dar informações e ulterior procedimento legal." (Documento do Chefe de Polícia Manuel Martins Torres transcrito em "Vida Fluminense", *OCombа* 27 jan. 1892.)

De outro lado, era a imprensa cumprindo seu papel de atenção ao procedimento público, tentando barrar o arbítrio que o vitorioso do momento sempre supõe defensável:

> Continua o aparecimento de cadáveres na baía. Cada embarcação que passa, encontra boiando, com a face verde e decomposta olhando para o céu, mais um cadáver errante. E já chega a ferir dolorosamente os nervos dos passageiros das barcas Ferry essa horrível sucessão de encontros fúnebres. São os cadáveres dos desgraçados que a sede de popularidade do governo mandou assassinar em Santa Cruz. E eram muitos deles marinheiros: e muitos deles, a bordo dos navios de guerra e nas fortalezas, hastearam a bandeira branca do sr. Custódio, na gloriosa manhã de 23, que foi o prelúdio desta mágica que se está representando... (*OCombа* 27 jan. 1892).

Na medida em que se apertava o cerco em torno da população civil, apertava-se também o foco das crônicas, até centrar-se em Floriano, para quem, segundo noticiário dos jornais, armava-se grande manifestação de apoio. Pierrot adverte, no entanto, que seria complicado encontrar o homenageado, dadas a incerteza e a inconstância de sua morada. Tão "cheio de remorsos e de medo" andava o presidente, escreve o cronista, que lhe era imperioso "mudar-se todas as noites de casa" (*OCombа* 4 mar. 1892). Tamanha mobilidade, continua, só pode redundar em prejuízo para o governo, tão desorientado quanto uma locomotiva da Central, dirigida por um maquinista imprudente (*OCombа* 24 mar. 1892). Prova desse desatino, na sua opinião, era a solicitude do Ministro das Relações Exteriores, Serzedelo Correia, que se prontificara a ajudar vítimas de uma enchente em Portugal, esquecendo-se da existência de inúmeros desprotegidos e necessitados em solo brasileiro. Diante de tal absurdo, Pierrot sugere que se exporte o governo com todo o seu ministério para a Exposição de Chicago (*OCombа* 24 mar. 1892).

Em vez disso, o que ocorre é a exportação do cronista para Ouro Preto, em fins de 1893, depois de um primeiro susto entre abril e agosto de 1892, quando havia sido preso pela primeira vez.

Em um de seus depoimentos pessoais, publicado em *Crônicas e Novelas* (1894), o primeiro livro que recolhe sua colaboração em jornais, Bilac simula certa inocência diante de sua detenção:

> A 10 de abril de 1892, às 11 da noite, como uma revolta, um motim, ou qualquer cousa semelhante houvesse rebentado no Rio, vi-me preso, interrogado por quatro horas a fio na secretaria de polícia, remetido primeiro para o quartel dos Barbonos, depois para o Arsenal de Guerra, depois para bordo do *Aquidaban*, e, finalmente, para a fortaleza da Lage, de entre cujas muralhas fiquei a ver navios durante quatro meses (21: 10).

O cerco que o cronista estabelecera em torno do governo rompeu-se em pouco tempo e em seu desfavor. Sua agressividade na crítica à condução política do país jogou-o, primeiro, numa pedra isolada no meio da Baía de Guanabara; depois, no ano seguinte, enfurnaram-no em Ouro Preto. Em dois anos consecutivos, 1892 e 1893, Bilac percebia que não se implantava um novo regime de modo indolor, mesmo que sua simpatia pela causa republicana fosse manifesta. Ao testar de forma desastrosa a crônica política, a experiência deixou-lhe fundas seqüelas e uma ojeriza permanente à atividade, o que fica muitíssimo bem marcado numa crônica para *O Estado de S. Paulo*, em que o cronista caracteriza o político como um "tiflomolgo", "espécie de salamandra, completamente cega, de cor branca, viscosa e mole, amando o lodo e a treva, dotada de pernas longas e delgadas, que não são próprias para a locomoção mas servem para reconhecer o terreno no escuro" (*OEstSP* 17 jul. 1898).

Ao definir-se avesso à política partidária, profissional e militante, Bilac não se nega, contudo, a discutir melhoramentos para sua cidade querida. Nessa discussão ele se empenhará por longos anos, quase vinte, até o momento em que, por volta de

1908, resolve dedicar-se de corpo e alma a um outro projeto, o da Liga de Defesa Nacional. Para quem se horrorizava com o comportamento dos nossos políticos, em quem via apenas oportunismo e má-fé, nova frente se abria, não muito distante da convivência com os "tiflomolgos".

Da passagem por *O Combate* ficou-lhe a mágoa pelas arbitrariedades florianistas e pelo zelo positivista. Além dessa, ficou-lhe uma outra também, mas de que pouco se fala: o rompimento pessoal com Raul Pompéia, por causa de uma crônica infeliz e famosa, em que Bilac teria rechaçado, de modo torpe, o florianismo do autor de *O Ateneu* (*OComba* 8 mar. 1892).

Mais acima foi dito que muitos contemporâneos de Ferreira de Araújo deram-no por imprudente ao trazer Bilac e Pardal Mallet para a *Gazeta de Notícias*. Para aqueles ressabiados, abrigar os dois na mesma redação era o mesmo que facilitar o ingresso de macaco em loja de porcelana (*GazNot* 2 ago. 1903), pois que ambos arrastavam reputação de revolucionários por causa de trabalho conjunto que haviam realizado em *A Rua* e que Bilac prosseguiria em *O Combate*.

No entanto, em Bilac, esse impulso incendiário, mais emocional que ideológico, logo se suaviza quando a *Gazeta de Notícias*, jornal burguês orientado para a informação e não para a disputa política, abre-lhe as portas. Sua entrada inaugural dá-se em abril de 1890, de acordo com seu próprio depoimento:

> Entramos dous no mesmo dia, – ambos chamados pelo bom sorriso daquele doce mestre, cujo busto em bronze está agora mesmo perto de mim, na sala de trabalho da *Gazeta*. Entramos dous no mesmo dia, 24 de abril de 1890, – trazidos pelas mãos de Ferreira de Araújo. Aquele que entrou comigo já não vive, como já não vive aquele que nos pôs aqui dentro... Esse companheiro amado era Pardal Mallet: juntos fundáramos *A Rua*, um jornal vermelho que morreu de "mal de sete... números" (*GazNot* 2 ago. 1903).

Ora identificando suas crônicas por meio das iniciais O. B., ora deixando-as sem assinatura nenhuma, ora ainda escondendo-se atrás do pseudônimo Fantasio, um de seus favoritos, o certo é que O. B. desenvolveu extensa carreira como cronista, chegando mesmo a negligenciar, em parte, sua atividade de poeta, sobretudo nos últimos anos de vida. Depois de engolir o fracasso de mais um curso superior, o de Direito, e de amargar o veto ao seu namoro com a irmã de Alberto de Oliveira, Bilac tornara-se figura pública, ao recolher, em 1888, as primeiras glórias de seu talento com a extraordinária repercussão de suas *Poesias*, recém-lançadas.

Nos poucos meses em que escreve para a *Gazeta de Notícias*, logo no primeiro ano, em 1890, sua colaboração é assídua, quase diária, mas não vai longe, pois não ultrapassa os primeiros dias de julho o que começara em fins de abril.

Somente a partir de 1893 é que ela toma fôlego e se prolonga, culminando com a glória de substituir Machado em 1897, momento de reconhecimento mais que definitivo. Tomar posse oficial do cantinho reservado à crônica machadiana provocava-lhe satisfação enorme, porque, afinal, duas aspirações se cumpriam simultaneamente:

por um lado, substituir um escritor ilustre a quem, um dia, anos antes, numa de suas poucas manifestações sobre o autor de *Quincas Borba*, o cronista apontara e reconhecera como "o chefe de toda uma geração literária" (*GazNot* 5 dez. 1897); por outro lado, assentar-se de vez dentro de um jornal que fora objeto do desejo de toda uma geração e que desfrutava do prestígio de ter sido fundamental na profissionalização do intelectual de letras no Rio de Janeiro. Naquele fim de século excitado com tanta modificação, a *Gazeta* de Ferreira de Araújo dava seu quinhão, já que, segundo Brito Broca, "era a folha que abria maior espaço à colaboração literária no Brasil e que melhor pagava os escritores, só encontrando um concorrente nesse terreno: o *Diário Mercantil*, de Gaspar da Silva, em São Paulo" (34: 218). Pertencer, portanto, àquele jornal, era, nas palavras de Bilac, um passaporte seguro para o reconhecimento público e o caminho certo para a glória literária... e remunerada, é claro. "É que a *Gazeta*, naquele tempo", explica o cronista, "era a consagradora por excelência. Não era eu o único que a namorava; todos os da minha geração tinham a alma inflamada nessa mesma ânsia ambiciosa. Não era o dinheiro que queríamos: queríamos consagração, queríamos fama, queríamos ver o nosso nome ao lado daqueles nomes célebres. Nós todos julgávamos então que a publicidade era um gozo, e que a notoriedade era uma bem aventurança" (*GazNot* 2 ago. 1903).

O jornal de Ferreira de Araújo (1847-1900) – "o melhor jornal brasileiro da época", nas palavras de Nélson Werneck Sodré (86: 314) – fora responsável por reformas substanciais na imprensa de então. A sensibilidade profissional de seu proprietário provocara maior qualificação dos colaboradores assalariados, transformações na disposição gráfica do periódico, bem como no estilo de se transmitir as notícias. As mudanças eram, pois, de forma e de fundo, sempre no sentido de fugir à "paginação sem movimento ou graça, às colunas frias, monotonamente alinhadas e jamais abertas, aos títulos curtos, pobres, à ausência quase absoluta de subtítulos" e à "vaga clicheria", atributos do jornalismo que se praticava então, segundo lembrança de Luiz Edmundo (48: 883). Visto em perspectiva, Ferreira de Araújo representou "a vida da cidade, o interesse do leitor, a alma eclética, o jornalismo moderno, a vida nova do Rio mental, precursora e promotora da nova vida de progresso material da capital" (71: 14). Foi com tais qualificativos que Félix Pacheco homenageou o criador da *Gazeta de Notícias*, quando da inauguração de sua herma no Passeio Público do Rio de Janeiro, em agosto de 1912.

Simpático às novas levas que iam surgindo, Ferreira de Araújo cercou-se de colaboradores ainda embalados pela juventude e com eles criou a *Gazeta de Notícias* em 1874, veículo em que fizeram carreira, por exemplo, José do Patrocínio, Artur Azevedo, Fontoura Xavier, Paula Ney, Adolfo Caminha, Coelho Neto. Foi nesse jornal que João do Rio, tomando como modelo a *Enquête sur l'évolution littéraire* de Jules Huret, radiografou nossa sociedade literária pela primeira série de entrevistas que viriam a ser conhecidas, mais tarde, sob o título de *O Momento Literário*, um "trabalho proveitoso e duradouro que antecede o do historiador futuro", segundo se lê em comentário elogioso de *A Notícia* (22-23 mar. 1905). Foi na *Gazeta de Notícias* que Eça disputou leitores com Machado; foi nela também que Raul Pompéia parcelou o seu *O Ateneu* em folhetim; foi a *Gazeta de Notícias* que ofereceu, em primeira mão, a história de Sérgio no internato de Aristarco, registra Eloy Pontes, prometendo-a como "romance vazado em moldes inteiramente modernos, sem intriga, de pura observação e fina crítica, passando pelas escabrosidades com a delicadeza e o fino tato de um artista de raça, acentuando os ridículos com a nitidez de uma fotografia" (75: 190).

"Foi Ferreira de Araújo", admite Coelho Neto em depoimento aproveitado por Ciro Vieira da Cunha, "quem fundou entre nós o 'jornal barato' e fez mais: deu ar, deu claridade, deu espírito ao jornal. Antes dele, a imprensa era pesada, alumiava como uma candeia de óleo; ele tornou-a leve e airosa e deu-lhe o esplendor de um foco radioso" (44: 29). Em tom menos álacre, Veríssimo, em balanço dos quatrocentos anos de Brasil, anota que Ferreira de Araújo foi quem "inaugurou no Brasil o jornal barato, popular, livre de compromissos partidários ou semelhantes, e também o jornal fácil de fazer, sem sistema na distribuição das matérias, à portuguesa" (92: 41). Na opinião de García Mérou, a colaboração de Ferreira de Araújo, quase sempre escondida por trás do pseudônimo de Lulu Sênior, parecia preparada pelas mãos habilidosas de um Brillat-Savarin (68: 417).

Em outra ocasião, encantado com o esmero gráfico da revista *Kosmos*, de padrão muito próximo das congêneres européias, Bilac acrescentou outras virtudes ao profissionalismo de Ferreira de Araújo, cujo prestígio crescia também com o carinho que sempre dispensava à profissionalização dos homens que se ocupavam da literatura e do jornal. "Além da democratização de seu jornal", [diz Bilac]

> Ferreira de Araújo foi também um soldado combatente, e dos mais brilhantes. A sua maneira de escrever criou escola. Aliavam-se no seu estilo a força e a graça, a impetuosidade e a leveza, a solidez e a malícia. Ele, sozinho, era capaz de escrever todo um jornal, da primeira página à última, desde o artigo de fundo até o folhetim humorístico, passando pela crônica política, pela crítica, pelo conto, e pelo *mot de la fin* (*Kosmos* jan. 1905).

Junto com essa extraordinária capacidade física de preencher várias funções ao mesmo tempo, Ferreira de Araújo era dotado de um perfil pessoal capaz de provocar comentário sensível na discrição habitual de Machado. Para o romancista maior do século XIX brasileiro, apesar de polemista, Ferreira de Araújo "não deixou um inimigo. Pronto, fácil, franco, não poupando a verdade, não infringindo a cortesia, liberal sem partido, patriota sem confissão, atento aos fatos e aos homens, cumpriu o seu ofício com pontualidade, largueza de ânimo e aquele estilo vivo e conversado que era o encanto dos seus escritos" (9: 1020).

Por intermédio de depoimentos esparsos vê-se, pois, que as páginas da *Gazeta de Notícias* indicavam o modelo para a modernização do setor. Mas não só. Por outros, como o de Félix Pacheco, sabe-se que à garra desse jornal se devia também boa parcela da renovação urbana que acometeu o Rio de Janeiro logo no começo do século. Quando se inaugurou a herma em homenagem a Ferreira de Araújo, no Passeio Público do Rio de Janeiro, em agosto de 1912, Félix Pacheco, o orador oficial da cerimônia, declarava: Ferreira de Araújo "foi a febre eterna da modernidade do Rio, no seu aspecto cultural, a que as grandes obras ulteriores de embelezamento serviram de remate lógico. Ele preparou, pela sua ação no jornalismo, o advento desta época feliz" (71: 11).

Tamanha importância, hoje sepultada, fez com que Nélson Werneck Sodré pusesse o proprietário da *Gazeta de Notícias* no mesmo patamar em que situava Eça, exatamente como fez Machado em artigo que lamentava a morte quase simultânea dos dois, em agosto de 1900. Ao romancista de *Dom Casmurro* não parecia justo que, "em plena força da idade" – o brasileiro com 53 anos e o português com 55 – fossem ambos roubados à "pena que trabalha e evoca, pinta, canta [e] faz todos os ofícios da criação espiritual" (9: 933). Com a morte de ambos, distante uma da outra por questão de semanas apenas, fica-se com a impressão de que terminava um ciclo de renovação crítica e jornalística. "O fim de século era triste", lamenta Werneck Sodré, pois que "morria Eça de Queirós [e] desaparecia Ferreira de Araújo" (86: 314). Em matéria de agitação cultural e de estímulo ao talento alheio parece que Ferreira de Araújo foi ímpar. Daí o necrológio emocionado que mereceu de Bilac:

> A glória alheia redobrava a sua. Era um dos primeiros a sair à frente dos triunfadores da Arte, para os saudar. Quando um poeta, um prosador, um jornalista, um pintor, um compositor começavam a romper às cotoveladas a massa espessa do anonimato, era ele um dos primeiros a desbravar-lhes o caminho, a pô-los ao sol, a empurrá-los para a evidência, a celebrar-lhes o valor... (*GazNot* 26 ago. 1900).

Através de jornais e revistas como *A Rua*, *O Combate*, *A Bruxa*, *Cidade do Rio*, *A Cigarra*, *Correio do Povo*, *A Semana*, *A Notícia*, *Kosmos* e outros, Bilac define uma vocação de periodista que as histórias literárias tradicionais esqueceram-se de consignar. Consagrado nacionalmente aos 23 anos, graças à publicação de suas primeiras *Poesias* (1888), Bilac foi deixando-se levar de modo gradativo pelo jornalismo, onde acabou por colaborar anos a fio, reafirmando seu nome, já não mais como poeta, mas sim como intelectual opinativo, cujas crônicas abundantes e constantes na imprensa carioca acabariam por dotá-lo de perfil muito distante do clássico poeta parnasiano, enclausurado na "torre de marfim".

Nesses quase vinte anos de jornalismo diário, muitas vezes espalhado por mais de um veículo, seu posto privilegiado permitiu-lhe uma visão angular da sociedade, cujas frinchas e reentrâncias dificilmente escapavam ao seu olhar bisbilhoteiro e nem sempre certeiro. Ideologicamente irregulares como é de se esperar de quem não se pautava por um credo único, religioso ou político, as crônicas de Bilac pouco atraem aqueles que precisam de posições alheias para confirmar as suas. Mais que escora, elas se prestam ao investigador minucioso que esteja preocupado com uma visão mais abrangente de dado período. Porque, nelas, o material é farto.

Definindo-se como jornalista e até mesmo defendendo uma ética profissional enquanto praticante de ofício incipiente, Bilac vasculhou os mais variados assuntos, tendo como suporte para sua atividade a modernização do Rio e, por extensão, a do país. Ainda que suas opiniões possam, hoje em dia, ser discutíveis, não resta dúvida de que o espectro de temas que abarcou é desnorteante e fornece um extraordinário material tanto para a configuração ideológica do intelectual empenhado, como para os inúmeros problemas que acometiam o Rio de Janeiro de seu tempo. Para não falar do país, é claro.

É bem verdade que diante da imensa quantidade de crônicas que nos deixou, das quais uma parcela muito pequena foi recolhida em livro, o leitor poderá sentir-se perplexo, uma vez que delas dificilmente se extrairá um modelo homogêneo de reflexão e de atitude combativa. Mais provável será a constatação de uma linha sinuosa que ora aponta para soluções reacionárias, identificadas com o sistema vigente, ora para sua contestação. Dessa irregularidade, que brota mais de uma experiência pessoal alimentada por leituras literárias e por viagens constantes à Europa do que de convicções políticas claras, emerge uma figura contraditória e, por isso mesmo, rica, na medida em que não se poderia catalogá-la de maneira esquemática sob pena da injustiça e da arbitrariedade.

Ao contrário de seu antecessor na *Gazeta de Notícias*, Bilac não titubeava em opinar sobre os mais diversos assuntos que interessassem diretamente à organização da sociedade civil. Para ele, tudo era assunto, tudo era motivo de atenção, tudo era massa onde meter a colher. Urbanização, saúde pública, defesa do menor, escândalos políticos, ingerência da Igreja no Estado, festas populares, carestia, segurança urbana, deficiência do transporte público, violência sexual, política internacional, emancipação feminina, lançamentos literários, penúrias do funcionalismo, crueldade contra crianças ou velhos, maus-tratos de animais, invasão da privacidade ou ocorrências do momento, nada escapava àqueles óculos que mal disfarçavam forte estrabismo. Dessa gula por assuntos decorre exatamente a grande dificuldade para se examinar o cronista múltiplo. Por onde começar? Que filão aproveitar? Como abordar essa cornucópia? De que modo enfrentar esse caleidoscópio?

Do alto de sua coluna semanal, Bilac desferia farpas em direções diversas, conduzido por uma noção, nem sempre assumida, de orientador social. Se anos antes abandonara a Medicina, porque não se adaptara ao curso, e desistira do Direito, porque não se adaptara à cidade de São Paulo, não o abandonou, todavia, a consciência de um terapeuta encarregado de diagnosticar a sociedade em que circulava com entusiasmo e desenvoltura. O poeta helênico pôs o camartelo de lado e empunhou o bisturi, o que, mais uma vez ainda, o enquadrava plenamente no espírito de época, porque não era outra a lição do naturalismo, em cujo caldo de cultura se criara o parnasianismo: extirpar os vícios do corpo social por meio da terapêutica literária.

Ciente da multiplicidade de temas à sua disposição e não menos ciente do relativo poder de fogo de sua coluna, o cronista cumpria sua proposta dentro dos moldes brandos que o gênero requer. Em obediência a essa dimensão leve, humorada e certeira, em que se presume o exercício da crônica, Bilac nunca perdeu de vista que o tratamento bilioso dos assuntos estava fora de cogitação. Foram raros os momentos em que deixou a indignação suplantar a ironia. E junto com esse traço irônico, dois outros se mantiveram constantes na crônica bilaqueana: a certeza da efemeridade do seu comentário e a permanente disponibilidade do cronista. Diferente do poeta que se protege e se resguarda no casulo do ócio criativo e prolongado, favorável à criação que dispensa o convívio imediato, o cronista está sujeito ao burburinho da informação cotidiana, trazida pelo próprio jornal para onde devolverá a matéria que lhe serviu de suporte ou de pretexto. Nessas condições, espremido pelo tempo e pelos acontecimentos em ação, sua reflexão sai a jato e sua intimidade ideológica torna-se, portanto, mais porosa, porque não pode contar, em princípio, com o manejo medido da língua, o que o deixa exposto à curiosidade futura.

Na função de cronista, sua seara era outra e seu empenho relativo era mais condizente com o gênero. Era clara sua percepção de que naquela coluna a reivindicação poderia alcançar resultado se não fosse proposta como tal, mas disfarçada de falsa brandura e da mesma variedade de que se veste o cotidiano, sem insistências aborrecidas e sistemáticas. Não é por acaso que uma das imagens mais felizes e eficazes sobre o gênero tenha sido montada por esse cronista, que sempre se orientou por ela em sua tarefa: "Os cronistas são como os bufarinheiros, que levam dentro das suas caixas rosários e alfinetes, fazendas e botões, sabonetes e sapatos, louças e agulhas, imagens de santos e baralhos de cartas, remédios para a alma e remédios para os calos, breves e pomadas, elixires e dedais" (*GazNot* 7 fev. 1904).

O baú está aberto. Fiquem à vontade.

Pauta do Jornalista

...quem sabe?, talvez muito tarde, um investigador curioso,
remexendo esta poeira tênue da história,
venha achar dentro dela alguma coisa...
O. B., *O Estado de S. Paulo*, 3 out. 1897

Engana-se redondamente quem imaginar ingenuidade ou despreparo no exercício bilaqueano do jornalismo. Engana-se redondamente quem imaginá-lo dilacerado entre a decantada superioridade do exercício poético e o suposto rebaixamento da faina em redação. Engana-se redondamente quem imaginá-lo atribuindo escalas de valor diferente ao fado poético e à missão jornalística.

Sem a pretensão de desenhá-lo herói capaz de múltiplas tarefas que demandam níveis diferentes de linguagem e de reflexão, mas firme no intento de revê-lo em seu espaço profissional, há que se reconhecer em Bilac uma consciência de trabalho que não se perde em autopiedade, nem em reivindicação romântica. Seu terreno não era esse. Sua definição profissional não passava pela comiseração, nem pela ilusão desenfreada. O poeta das estrelas e o jornalista das calçadas conviviam de modo bem mais harmônico do que se poderia esperar ou do que fazem supor os supostos antagonismos herdados da historiografia oficial. Nem mesmo a heterogeneidade dos assuntos, marca essencial da crônica, era motivo para preocupá-lo. Abolição do casamento indissolúvel, exploração do trabalho infantil, progresso tecnológico, falência comercial suspeita, vida em outros planetas ou livro novo na praça, tudo cabia naqueles "pequeninos testemunhos isolados, que não deitam abaixo as instituições, não fundam na terra o império da justiça, não levantam nem abaixam o câmbio, não depravam nem regeneram os homens: escrevem-se, lêem-se, esquecem-se, tendo apenas servido para encher cinco minutos da monótona existência de todos os dias" (*OEstSP* 3 out. 1897).

Em 1894, logo que retoma a colaboração na *Gazeta de Notícias*, muito antes de ocupar o lugar oficial de Machado, uma das crônicas bilaqueanas já apontava para diferenças geracionais, ao garantir que os mais jovens deparavam com outra realidade profissional e que, por conseguinte, era-lhes oferecido maior apoio para suas aspirações jornalísticas e literárias. Nesse momento, animado com o lançamento da revista *A Semana* de Valentim Magalhães e de Max Fleiuss, Bilac, depois de estranhar o aparecimento de um jornal literário em pleno confrontamento civil, comenta que não causa mais estranheza a remuneração intelectual:

> Ser poeta já não é, como era há bem pouco tempo, – ai! de nós que começamos há dez anos! – uma profissão desprezível, como a de jogador de roleta ou a de chefe de bordel. E é

justo que dessa geração, cujos esforços principiam a ser aplaudidos e pagos na devida conta, se espere a glória maior da literatura brasileira.

Parece que uma nova época chegou (*GazNot* 15 fev. 1894).

Segundo o cronista, muito aos poucos ia-se transformando a condição do trabalho intelectual, cujo pagamento deixava de provocar espanto. Ainda que de modo extremamente tímido, dava-se a partida para a futura independência econômica do intelectual que, até anos antes, não podia cogitar de viver sem o jornalismo ou o emprego público:

Até hoje no Brasil, temos tido talento, mas não temos quase trabalho. Exceção feita de dois ou três escritores que, quando morrerem deixarão um espólio razoável de livros, – todos nós, aos vinte anos publicamos um volume de poesia ou de prosa, e deixamo-nos ficar parados, apodrecendo no marasmo de um emprego público ou vegetando na banalidade do jornalismo, – sem a preocupação de levar a efeito uma obra séria, pelo menos, que nos consuma a metade da vida, mas que nos dê o direito de morrer satisfeitos (*GazNot* 15 fev. 1894).

A remuneração pelo trabalho intelectual, com maior ou menor veemência, sempre foi um dos tópicos da trajetória de Bilac pela imprensa. Reivindicando-a de forma justa como jornalista ou mesmo como escritor, Bilac não se limitava ao gozo do mero prestígio e nem mesmo se sentia pago pela simples oportunidade de aparecer neste ou naquele periódico, porque encarava seu ofício como digno de retribuição pecuniária. Afinal, como ele mesmo admitira numa crônica hoje escondida em revista efêmera

Ninguém escreve unicamente pela satisfação de escrever. Quem assina estas linhas já uma vez disse, num soneto, que não fazia versos

ambicionando
Das néscias turbas os aplausos fúteis;

mas isso foi uma descaradíssima mentira rimada. Quem escreve, quer os aplausos fúteis das turbas néscias, e quer ainda ver pago o seu trabalho, não só em louvores, mas também em dinheiro. Escrever por escrever, é platonismo, que, como todos os platonismos, é inepto e ridículo (*ABruxa* jan. 1897).

Sem o receio da autodesmitificação, num contexto em que a prática da poesia era tida como aspiração intelectual de vulto, mesmo que fosse exercida com os bolsos furados, o jornalista não descuida dos aspectos práticos da sobrevivência e não hesita em denunciar situações contratuais constrangedoras e até mesmo abusivas. Talvez estribado no sucesso que já alcançara com seu volume de poemas e na forte suspeita de que já fazia parte de nosso panteão intelectual, Bilac insurge-se contra a voracidade dos editores, passando de relance pela defesa dos interesses culturais do país, pela desproteção profissional e pela má qualidade das traduções veiculadas por jornais brasileiros, num pequeno conjunto de cinco crônicas para *A Bruxa*, publicadas em 10 abr. 1896; 24 abr. 1896; 22 maio 1896; jan. 1897, nº 49; 14 maio 1897.

Em janeiro de 1897, com o pretexto de homenagem pública a Alencar, ao se inaugurar estátua para o escritor cearense, sua crônica anota:

> Abandonada do público, a classe não tem como reagir contra os editores que a exploram. Porque a impressão de livros, se não dá cousa nenhuma ao autor, sempre dá alguma cousa ao editor, sujeito esperto que não perde nunca, porque tem modos vários de impingir a sua fazenda.
>
> Ninguém ignora o que foi o editor Garnier; ninguém ignora que a obra de Dias, Alencar, Macedo, Casimiro, Álvares de Azevedo, e tantos outros foi produção, que se lhes deu alguma glória, não lhes deu vintém. Entre os modernos, Aluísio Azevedo foi tão explorado por esse editor, que, num abençoado momento de desespero, sacudiu o jugo, e denunciou o contrato, que com a casa havia celebrado, como um verdadeiro contrato leonino, instaurando contra ela um processo (*ABruxa* jan. 1897, nº 49).

Meses antes, de maneira mais desabrida, mas encoberto pelo pseudônimo de Belfegor, Bilac comprara briga explícita com a editora Laemmert, acusando-a nominalmente: "Não é, pois, por despeito, que amarro a Casa Laemmert ao pelourinho desta página. É por amor da justiça" (*ABruxa* 10 abr. 1896).

No Rio de Janeiro daquele então, enfrentar a Laemmert de forma ostensiva não era tarefa de somenos. Com a Garnier, a Laemmert dividia o mercado editorial brasileiro, informa-nos Laurence Hallewell. Enquanto a editora de origem francesa investia mais na ficção, a de origem alemã, afora ter sido pioneira "da literatura infantil no Brasil" (56: 170) tendia para as publicações de caráter mais científico, de que eram bons exemplos o *Dicionário de Medicina Popular*, do famoso Chernoviz, o *Dicionário de Medicina Doméstica e Popular* de Theodore Langaard, e os manuais de agricultura, economia doméstica e ciências em geral (56: 165-170). Seu catálogo, anos depois dessa crônica exaltada de Bilac, ainda incluiria as três primeiras edições de *Os Sertões* (1902, 1903 e 1905) e um sucesso de monta, a incrível "expressão do chauvinismo brasileiro" (56: 170) denominada *Porque Me Ufano do Meu País* (1901), ambos índices significativos da importância dessa editora, fundada por Eduardo e Henrique Laemmert, em 1838.

É ainda o mesmo Laurence Hallewell quem nos ensina sobre a concorrência e o predomínio de ambas:

> Uma leitura cuidadosa do catálogo da Garraux de 1883 revela até que ponto os Laemmerts e seu concorrente Garnier dominavam as edições brasileiras contemporâneas. A seção portuguesa desse catálogo tem aproximadamente 7.500 itens, dos quais quase 50% trazem sinetes editoriais e colofãos cariocas. Destes, as publicações da Garnier constituem quase a metade e as da Laemmert pouco mais de um terço (56: 165).

Contra tamanha solidez empresarial modela-se pela zombaria e pela seriedade o raciocínio bilaqueano, cuja contundência nas acusações requer transcrição integral da crônica. Porque, se mais não fosse, seu tom azedo desmente de modo categórico a acepção generalizada de refrigério de leitura com que costumam ser relembrados o(s) cronista(s) e o gênero.

Já é tempo, creio eu, de inaugurar esta seção. Considerando que *A Bruxa* é, por excelência, o espelho em que se vem refletir todo o espírito brasileiro (a modéstia é humana: todo o diabo é essencialmente imodesto!) o estrangeiro, vendo que *A Bruxa* não dizia de livros velhos ou novos, acreditaria naturalmente que não há livros no Brasil. Isso prejudicaria grandemente os créditos deste povo culto. Está, pois, aberta a seção.

Mas, quero que este artigo seja como um prefácio, uma sorte de ensaio de armas. Que, antes de cuidar dos cinco ou seis volumes que aqui tenho sobre a mesa deixem-me chamar a contas um editor! Um editor! – esse bicho impassível e astucioso, essa raposa de sobrecasaca, esse judeu disfarçado... Que homem de letras não ama dizer mal de editores! Chegue-se para aqui a *Casa Laemmert*!

* * *

Podem crer que a Casa Laemmert nunca editou livro meu, e que nunca, de chapéu na mão, numa atitude de humilde mendigo, lhe fui pedir que desse ao meu nome infernal a honra de o incluir nos seus catálogos e nos seus mostradores. Não por orgulho, não por desdém, mas pela razão simples e única de que não tenho livros... Sou um pobre diabo amador de leituras, – e acho, além disso, que não vale a pena fatigar-se a gente em escrever obras, quando tão agradável pode ocupar os seus dias, poucos e passageiros, no agradável mister de dizer mal das obras dos outros... Não é, pois, por despeito, que amarro a Casa Laemmert ao pelourinho desta página. É por amor da justiça.

Quatro a cinco vezes, por mês, leio nos jornais: "Mais um bom serviço acaba de prestar a Casa Laemmert às letras nacionais, dando-nos o n... da sua *Coleção econômica*, que contém desta vez a tradução do romance... de...". Esta coleção econômica é uma maravilha! Cada volume custa 1$000. Creio que por isso, mais que pelo gênero de literatura escolhido, tem ela feito verdadeiro sucesso. Assim que um volume aparece, o povo corre à casa editora, há calos esmagados, cabeças quebradas, e a polícia é obrigada a intervir, para calmar a fúria ansiosa dos compradores da literatura barata.

Vejamos agora de que natureza é o "grande serviço" que, no dizer dos jornais, presta a "Casa Laemmert" às "letras brasileiras", com a sua coleção econômica. A coleção tem até agora publicado nove volumes: *Tartarin*, de Daudet; *Pedro e João*, de Maupassant; *Panine*, de Ohnet; *O sonho*, de Zola; *Soror Philomena*, de Goncourt; *Médico assassino*, de Feré; *Milhões vergonhosos*, de Malot; *Amigo Fritz*, de Erckmann-Chatrian; *Vogando*, de Maupassant.

Meditemos. Os nove autores são estrangeiros. Os nove volumes são impressos na casa Pereira em Lisboa, uma casa estrangeira. Os compositores, estrangeiros. Os brochadores, estrangeiros. Tudo estrangeiro. Só o público sorna que compra aqueles livros traduzidos para uma língua que pode ser tudo: cassange, abexim, turca, bunda, japonesa, – tudo, menos portuguesa –, só esse público é brasileiro. E aí têm os senhores o serviço grande prestado às letras brasileiras pela *Casa Laemmert*! A *Coleção econômica* ainda não deu de comer a um autor, a um tradutor, a um compositor, a um revisor, a um brochador do Brasil: por isso mesmo, presta um grande serviço às letras brasileiras!

* * *

Desdobremos esse grande serviço, e vejamos:

1° A Casa Laemmert comete um ato de rapina, apoderando-se de livros, cuja invenção e cuja fatura custou esforços sobre-humanos a autores estrangeiros, e explora-os sem indenizar esses autores. Bem sei que esse delito não está previsto no código. Mas também não tem no código uma punição especial o homem que vende o seu voto, ou que arruina a família, ou que trafica com a honra, e, nem por isso deixam esses atos de ser verdadeiros crimes.

2º A Casa Laemmert tira o pão da boca dos escritores daqui, porque, num país em que um volume nacional não pode ser vendido por menos de 3$000, dá por dez tostões um volume estrangeiro.

3º A Casa Laemmert prostitui obras de arte de um valor artístico inestimável, mandando-as traduzir por sapateiros, que entendem tanto da arte da palavra escrita, como Daudet ou Zola da arte de fazer sapatos. E mais: a *Casa Laemmert*, com essas traduções de uma incorreção revoltante, envenena o gosto público.

* * *

Para mim, esta última parte do libelo acusatório é a mais grave. E, para que não digais que exagero, vou citar pedacinhos de ouro da obra acabada que fazem para a Casa Laemmert os seus tradutores. Ah! li nas folhas tanto elogio à celebrada *Coleção econômica*, que me não quis furtar ao trabalho de admirar de perto todas as belezas dela!

Lede-me a tradução destes trechos do *Monsieur Parent* de Guy de Maupassant, desse querido artista que escrevia com todos os seus nervos, com todo o seu sangue, com toda a sua alma: "Então, o pai pegou-lhe ao colo, e acelerando mais a marcha, suava de cansaço... Ralhava-lhe constantemente pelo que ele fazia e pelo que ele não fazia... Em seguida, saiu do quarto, feliz de não ter mais nada a recear..." Admirável, hein?

Ainda não é tudo. Os *Goncourt*, esses dois ourives da palavra: esses dois escritores que converteram a língua francesa, para seu uso, numa língua maravilhosa que tem cor, som e perfume; esses dois irmãos, cujo estilo, no dizer de Lemaitre, é "une coquetterie à qui la justesse ne suffit point, que ne se tient pas au brillant, que va d'elle même au raffiné, au singulier, à l'extravagant, que renchérit sans cesse sur ses trouvailles et que s'excite à ce jeu"; – os Goncourt tambem foram vitimados... Ai! não imaginais em que papa mole ficou transformada *Soeur Philomène*, quando saiu das mãos do tradutor: é preciso ler para crer...

* * *

"Enfim, a Casa Laemmert, editou dois livros, *Várias Histórias*, de Machado de Assis, e *Bric-à-Brac* de Valentim Magalhães. Imprimiu-os aqui, e vende cada exemplar deles pelo preço de 3$000..." Já sei que me vão atirar isto às barbas, como um argumento irrespondível. Pois! dois livros, entre os nove volumes da *Coleção econômica*, e os volumes do *Novo Secretário Luso-Brasileiro*, do *Mensageiro dos Amantes*, da *Arte da Dança*, e do *Dicionário do Bom Gosto ou Genuína Linguagem das Flores...*

Que a Fortuna coroe fartamente com os seus favores a grande casa, que tão grande serviço tem prestado às letras brasileiras... à algibeira dos autores estrangeiros prejudicados pela pirataria literária (*ABruxa* 10 abr. 1896).

Escudado por essa visão biliosa, o que é bem menos comum em suas crônicas da fase posterior, Bilac discerne as várias etapas de que se compõe a produção material de um livro – composição/brochamento/revisão – bem como os agentes que atuam na sua invenção – autor/tradutor/língua – para concluir que todos eles, regra geral, são prejudicados pela voracidade do proprietário da editora, "os quais ganham bem e nos pagam mal" (*ABruxa* 22 maio 1896). Saem prejudicados os autores e a língua, sobretudo. Porque, no longo processo que vai da formulação à finalização, essa mesma língua, objeto de carinho entre as mãos prestimosas dos "Goncourt, esses dois ourives da palavra..." (*ABruxa* 10 abr. 1896), transforma-se em pleonástica "papa mole" (*ABruxa* 10 abr. 1896), escorregadia e imprestável, progressão enganosa que reduz um objeto, antes de valor mineral e definido, a um outro, de caráter indiferenciado e intermediário entre o sólido e o líquido, de interesse apenas para crianças ou velhos banguelas. E para que fique claro que sua diatribe se dirige a empresários de uma nacionalidade concreta e específica, o cronista, em outra passagem, imagina-os fruindo de seus lucros de forma burguesa, mas muito distantes de algumas eminências intelectuais de origem alemã que, a seu ver, não compactuam com aquela forma de enriquecimento, à custa da criatividade alheia. Não é senão esse o motivo para que todas essas eminências assombrem tais editores como deuses de um panteão invertido, diante do qual o prazer é embaralhado pela culpa, mais evidente que o perdão. Porque eles, os donos da editora,

> acumulam, e no fim, [...] indiferentes a nós todos voltam àquelas belas plagas da Europa, – e, não diante de Schiller, nem diante de Goethe, nem diante de Alberto Dürer, porém à luz gostosa de um fogão confortável, chupam o seu cachimbo, e saboreando o *punch*, a golos medidos, pensam que tiveram paladinos que, sem proveito, ao menos provável, trabalharam para sua fortuna... (*ABruxa* 22 maio 1896).

No seu precioso e fornido livro sobre a indústria editorial brasileira, Laurence Hallewell, que nunca deixa desprotegido o ponto de vista dos editores, mais que o dos autores, alega que "a inexistência de proteção internacional dos direitos autorais no Brasil até 1912 foi de considerável importância para a sobrevivência e o crescimento das editoras nacionais, como a Laemmert" (56: 170).

De fato, segundo a argumentação exposta pelo estudioso inglês, os editores brasileiros dessa época principalmente, não tinham de quê reclamar, uma vez que a inexistência de uma legislação própria só podia aproveitar a eles. Ernesto Sena, o valioso informante de *O Velho Comércio do Rio de Janeiro*, cujas crônicas foram muito aproveitadas por Hallewell, oferece dados importantes sobre o comércio de livros carioca, sempre de uma perspectiva que também favorece o editor. No entanto, ao deter-se sobre a Casa Laemmert, sua conclusão acaba por comprometê-la mais ainda, porque, de modo inadvertido, deixa escapar que a ausência de uma legislação autoral corria a favor dos editores e lesava, portanto, os interesses dos escritores. Comentando, entusiasmado, que as três edições de *Os Sertões* tinham alcançado a cifra de dez mil exemplares, no valor total de 80:000$000, Ernesto Sena lamenta que Euclides da Cunha não tivesse recebido a décima parte dessa quantia, nem a propriedade da obra, "o que bem demonstra o desfalecimento da nossa vida literária, sem uma legislação que garanta os legítimos interesses e direitos autorais" (84: 50).

Feche-se o longo parêntese e voltemos às crônicas de *A Bruxa*, nas quais Bilac descompõe a Casa Laemmert. Dias depois do ataque frontal à ganância dos editores, em 10 de abril de 1896, o cronista ainda responde a Valentim Magalhães, que saíra em defesa dos Laemmerts, argumentando que os editores eram os únicos beneficiados em suas atividades: "Os editores queixam-se sempre, porém as suas casas prosperam, e tu, Valentim Magalhães, e mais o ilustre mestre Machado de Assis, não passamos todos de uns pobretões que pensamos para servir os editores, os quais ganham bem e nos pagam mal; e quando eu lhes digo as verdades tu sais a defendê-los" (*ABruxa* 22 maio 1896).

A convicção de que, dentro de sua extensa atividade no jornalismo carioca e paulista, desempenhara parte ativa no processo inicial da profissionalização do intelectual brasileiro, Bilac reiterou-a em ocasião especial, quando foi homenageado em banquete que lhe ofereceu "Henrique Chaves, diretor da *Gazeta de Notícias*, para comemorar o vigésimo aniversário da publicação das *Poesias* e o décimo da crônica dominical, em que substituíra Machado de Assis" (66: 292). Nessa oportunidade, outubro de 1907, arrodeado pelo primeiro escalão da inteligência e da política nacionais e saudado oficialmente por Oliveira Lima, Bilac fez verdadeiro balanço de seu passado profissional, perante figuras como Augusto de Lima, o poeta com quem convivera no exílio de Ouro Preto, Coelho Neto, Graça Aranha, Manuel Bonfim, Paulo Barreto, Dunshee de Abranches, os dois irmãos Bernardelli, Julião Machado, Artur Napoleão, o italiano Guglielmo Ferrero, de passagem pelo Rio, o Mal. Hermes da Fonseca, Ministro da Guerra do Presidente Afonso Pena, o Prefeito Sousa Aguiar, o Ministro da Viação e Obras Públicas Miguel Calmon, o Ministro da Fazenda David Campista, o Senador Pinheiro Machado, verdadeira eminência parda da República, e outras personalidades.

Foi essa platéia de poderosos, na qual o segmento literário era encabeçado por Machado de Assis, "o chefe amado da nossa literatura", nas palavras do próprio homenageado (27: 72), que teve a oportunidade de ouvir Bilac reverter o curso da festa, agradecendo-a em nome de sua geração, mais do que em seu próprio nome. Segundo ele, seus companheiros é que tinham sido os responsáveis pela mudança da mentalidade intelectual do país. Eles é que haviam enfrentado os preconceitos e haviam-se imposto como profissionais. Eles é que haviam demonstrado a necessidade intelectual de seus préstimos, ao batalharem pela separação entre a "causa poética" e a "causa pública", sem que nenhuma das duas sofresse prejuízo e assegurando, portanto, que "o culto da Arte pura não se tornasse de modo algum incompatível com o exercício da agitada vida pública" (27: 80). Desfeita essa incompatibilidade, explica o orador, o próximo passo seria desmanchar a pretensa torre de marfim em que a opinião adversária os havia enclausurado, de forma desavisada. "Aluímos, desmoronamos, pulverizamos a pretensiosa torre de orgulho e de sonho em que o artista queria conservar-se fechado e superior aos outros homens; viemos trabalhar cá em baixo, no seio do formigueiro humano, ansiando com outros homens, sofrendo com eles, padecendo com eles todas as desilusões e todos os desenganos da vida..." (27: 79-80). Diante de um Machado, que bem poderia ser enquadrado dentro da mentalidade de indiferença à remuneração, como anotam Marisa Lajolo e Regina Zilberman em livro recente (60: 99), desenhava-se agora a perspectiva nova do trabalho pago em espécie. Mais uma diferença, não menor, de comportamento entre os titulares das crônicas da *Gazeta de Notícias*.

Reforça-se a importância desse balanço, quando nos lembramos de que nesse mesmo ano de 1907, Bilac já estava prestes a renunciar à crônica semanal, tanto na *Gazeta de Notícias* como no *Correio Paulistano*, jornais que acolheram suas últimas colaborações sistemáticas. Devagar, devagar, a partir de 1908, o cronista ia despedindo-se das redações para dedicar-se de corpo e alma à campanha pela defesa do território nacional e pelo serviço militar obrigatório, assunto dos historiadores. Por causa das duas campanhas, aquele que começara poeta e continuaria jornalista, transforma-se agora em líder cívico e viaja, em pregação oficial, pelo Sul do país, visitando Porto Alegre, Curitiba e São Paulo, onde foi recebido de forma inflamada, já nos últimos anos de sua vida, em 1916.

Com esse depoimento "Sobre a Minha Geração Literária", Bilac encerra, de modo sintomático, o primeiro quarto de suas *Últimas Conferências e Discursos*. Depois dele, os três quartos restantes do livro são dedicados à conclamação pública pela defesa dos interesses nacionais, datando, quase todos os textos, da década seguinte a essa homenagem promovida por Henrique Chaves ao poeta e ao jornalista.

Visto nessa perspectiva, o discurso de Bilac ganha foros de balanço de vida, de palavras que bem poderiam ser confrontadas com sua clássica "Profissão de fé" poética, como documentos que definem posições ideológicas, culturais e profissionais. Entre o poeta que, vinte anos antes, arrepiava-se diante do barulho, da multidão, do monumental, que se gabava de servir ao estilo, de preferir o miúdo, de apreciar a solidão e que encarava a composição poética como ourivesaria requintada a ser coroada por um precioso *rubim*, e o orador desta festa no *Palace Théâtre* do Rio de Janeiro interpõe-se uma consciência que não mistura criatividade poética com dispersão perdulária de talento, que não embaralha remuneração profissional com prazer pessoal de criação e que não permite também que aquela remuneração seja fator de censura desta criação. A cada um o seu momento e a sua paga, em espécies diferentes: o reconhecimento público, quando se trata de poesia, atividade de âmbito individual; o salário merecido, quando se trata de jornal, atividade de âmbito social. Nada mais coerente para um homem, cuja poesia sempre foi caracterizada, segundo as histórias literárias oficiais, como material, mineralizada, reluzente, pragmática, objetiva, fria. Se esses dados forem corretos, Bilac aproveitou-se deles na condução de sua escolha profissional. "Que fizemos nós?", pergunta-se ele de modo didático, diante daquela platéia de notáveis, capaz ainda de gerar fatos novos. "Fizemos isto: transformamos o que era até então um passatempo, um divertimento, naquilo que é hoje uma profissão, um culto, um sacerdócio; estabelecemos um preço para o nosso trabalho, porque fizemos desse trabalho uma necessidade primordial da vida moral e da civilização da nossa terra; forçamos as portas dos jornais e vencemos a inépcia e o medo dos editores" (27: 78).

Seu zelo pela profissionalização condigna vinha de longe, como já vimos, talvez herança da convivência com Pardal Mallet, que sempre batalhara pela "necessidade de fundar-se no Rio uma sociedade capaz de defender os direitos dos escritores", como lembra Brito Broca em *Naturalistas, Parnasianos e Decadistas* (35: 133). Sempre que possível, nem que fosse de raspão, o assunto vinha à baila. Fosse lembrando Alencar, vitimado e "explorado pela ganância dos editores" (*GazNot* 2 maio 1897), fosse homenageando Álvares de Azevedo, poeta de um tempo "em que ser poeta era vergonha" (*CorPau* 8 out. 1907). A favor de sua argumentação, de sua defesa até mesmo previdenciária, valia qualquer recurso, mesmo que parcialmente distorcido e romântico. Contraditoriamente romântico, aliás, para quem encarava o ofício de modo tão profissionalizante. Dá-se tal distorção, por exemplo, quando Bilac lembra que a solidão pessoal de Cruz e Sousa se agravara não por causa de sua cor, de sua pobreza ou de seu hermetismo poético, mas "porque ele era... artista", um artista tímido que "não freqüentava a rua do Ouvidor" (*OEstSP* 25 mar. 1898).

Se, de um lado, o argumento é de natureza romântica e de motivação social, de outro lado, um dos remédios prescritos contra essa desassistência tem muito pouco de irreal e de onírico: que ao menos os jornalistas tratassem de se organizar no sentido de constituir uma caixa de ajuda mútua, se quisessem escapar da penúria desonrosa. Se o Estado é omisso e se as demais profissões já dispõem de caixas de assistência mútua, muitas delas tomando as francesas como modelo, por que os jornalistas não se organizam? Por que não se prevenir para impedir aquilo que – mais uma vez a França entra como modelo – ocorrera com Sarcey, obrigado a recorrer à justiça, depois de sumariamente despedido de suas funções de crítico teatral? (*ABruxa* jan. 1897). Dez anos depois de invocar o exemplo do crítico de teatro, que vira seus direitos reconhecidos pelos tribunais franceses, o argumento permanece, quando Bilac defende um jovem jornalista que, aflito pela perda do emprego, tentara assassinar sua noiva:

> Não há estivador, nem sapateiro, nem pedreiro, nem alfaiate, nem operário de qualquer especialidade, que não tenham, em caso de moléstia passageira, ou de invalidez irremediável, a sua caixa de pensões, o seu hospital, o seu amparo de mutualidade. Só não tem isso o rabiscador de notícias e de artigos. É este o proletariado mais infeliz, mais privado de socorro na moléstia e na velhice.
>
> No caso, que dá assunto a este artigo, ainda se pode dizer que esse pobre rapaz, hoje encarcerado como réu do crime de tentativa de assassinato, é uma vítima de si mesmo, da sua insubordinação e do seu desregramento. Mas não são mais felizes do que ele os que têm a religião do trabalho, os que se submetem sem revolta e sem desfalecimento à golilha e à calceta do ofício mal remunerado de auxiliar da imprensa, durante largos anos, até a velhice e a incapacidade completa (*CorPau* 6 abr. 1908).

O tom desta crônica é progressivamente dramático. E de propósito, porque seu objetivo é convencer pela emoção, sobretudo àqueles que alimentam sonhos de exercer o ofício. Seu ápice ocorre quando Bilac restaura um léxico antiquado e que designa instrumentos de encarceramento infame. Ao recuperar os termos *golilha* e *calceta*, o cronista plasma, sutilmente, a sugestão de um tempo punitivo e caduco que contrasta de forma flagrante com a modernidade do exercício jornalístico. Através da figura erigida por meio desses termos, o cronista estabelece uma imagem carcerária da profissão, cujo fim último é a martirização do profissional dessecado pelas rotativas e pela redação, em franco contraste com os aprendizes do comércio, cuja dura vida inicial é recompensada pela possibilidade futura de se ver transformado em sócio do patrão. Os jornalistas, adverte o cronista, não podem contar com essa hipótese, nem mesmo de modo remoto. O futuro dessa classe é sombrio, sem garantia, exceto a do desamparo:

> Ainda há pouco tempo, vivia no Rio um desses mártires do jornalismo; adoeceu, ficou imprestável, foi atirado à rua como um trapo, e começou a viver de favores, passou a viver de esmolas, e amanheceu morto, um dia, deitado no banco de jardim público, que era a sua cama, sob o céu amplo, que era o teto da sua casa. De outro sei que anda por aí, esfarrapado, faminto, quase cego, incapaz de qualquer trabalho: e foi um trabalhador tenaz e corajoso... (*CorPau* 6 abr. 1908).

O argumento de autoridade, que nem se preocupa em concretizar a fonte de que se vale, emana de quem exerce a profissão há anos, em jornais importantes, publicados em dois centros urbanos brasileiros importantes. Junto com a dramaticidade explícita, aflora a autoridade implícita de quem se permite advertir com base na experiência pessoal, enriquecida por viagens constantes ao exterior, sobretudo ao padrão de civilização do momento, a França. Nesse "país das caixas de mutualidade, onde não há um só trabalhador previdente que esteja arriscado a morrer à míngua de recursos", os eventuais "desastres morais" podem sempre contar com socorro e assistência. Para um "cego, ou paralítico, ou encarcerado, há sempre remédio, sustento, defesa, possibilidade de cura ou de regeneração" (*CorPau* 6 abr. 1908).

Se a longa carreira profissional não autoriza a reivindicação previdenciária; se os jornais de projeção nacional não respaldam o alerta; se as viagens constantes ao centro do mundo não abonam a preocupação; se o tom enfático não produz efeito imediato, resta ainda um último recurso, que é o de apelar para a condensação do fragmento e mostrar o jornalista como vítima de uma sociedade múltipla e simultaneísta, cuja velocidade excessiva castiga-o e dilacera-o. Em crônica de 1895, antecipando o frenesi do cidadão moderno, Bilac monta uma situação em que o jornalista, abobalhado, ocupa bem o centro do texto e é bombardeado por solicitações de todos os lados. Para salvá-lo da implosão só mesmo a ajuda da ciência médica nova, apoiada em suas mais recentes conquistas, que se voltam mais para a saúde mental e emocional do paciente do que para seus achaques físicos. Num mundo orientado pela velocidade, o jornalista concentra a multiplicidade e se torna, portanto, um aparelho receptor e condensador das comoções, dos abalos, das paixões de toda uma população. Imaginemos um exemplo. O jornalista X, bem dormido e bem almoçado, sai de casa, a caminho do seu jornal. Toma um bonde elétrico. Abre todas as folhas e começa a ler. Já essa leitura principia a desorganizar-lhe o sistema nervoso. Em meio da viagem, o bonde elétrico (não fosse ele elétrico!) reduz a pó impalpável o corpo de um transeunte. X toma do lápis e registra o fato: e já é o seu próprio corpo de jornalista que sente a dor terrível do despedaçamento...

Depois, X vai à câmara fazer o seu extrato dos debates: e, posto no meio daquela multidão que discute, que se irrita, que se arrepela, X condensa dentro da sua rede nervosa toda aquela explosão de opiniões: e, ao cabo da sessão, parece que X é que descompôs e foi descomposto. X é o homem-congresso: dentro do seu cérebro, toda a política do país se baralha e confunde...

Depois, na sala da redação, X começa a receber as reclamações do público. Este, demitido injustamente por um diretor prepotente, vem pedir a defesa da imprensa: X fica com a alma cheia de indignação. Aquele outro, criador da roça, vem dizer que uma porca deu à luz, na sua fazenda, oitocentos e quarenta e seis porquinhos de uma vez só: X quase morre de espanto.

Depois, chegam as notas policiais: queijos furtados, cabeças quebradas, bêbedos apanhados na via pública, assassinatos, desastres, rolos –, tudo isso entra precipitadamente e atabalhoadamente no sistema nervoso de X: X é o homem-multidão (*GazNot* 11 jun. 1895).

Uma vez delineadas algumas das ameaças que rondam a profissão e que a desmitificam, é preciso também inquirir dos limites para sua atuação, o que implica esboçar alguns preceitos éticos, nascidos da prática. Por exemplo: os jornais têm o direito de publicar o nome de um delinqüente juvenil, roubando-lhe, de antemão, "toda a esperança de reabilitação" futura? (*GazNot* 17 fev. 1894). É justo que se faça alarde e que se atire à execração pública o nome da vítima de defloramento? (*GazNot* 12 abr. 1894). Podem os jornais escancarar a privacidade pessoal em nome do direito de informar? "Com que direito a imprensa e a polícia, coligadas, levantam os cortinados de um leito, para mostrar dentro dele, à multidão embasbacada a gente que lá está ocupada em fazer cousas que pela sua alta e sagrada importância se querem bem escondidas?" (*GazNot* 28 jan. 1900). O poder público tem permissão para interferir na questão da escolha de pseudônimos jornalísticos, sob o pretexto de defender o Estado? (*GazNot* 10 jul. 1895).

Na tarimba do cotidiano, o cronista esforça-se por colaborar na construção de regras de relacionamento entre a imprensa e o público, tentando defender este do invasionismo que se disfarça sob o argumento, aparentemente irretorquível, do direito à informação. Num momento em que a imprensa abre seu espaço com valentia, firmando-se como aquisição social e informativa irreversível, Bilac invoca sua autoridade e sua experiência para traçar limites de atuação, ora defendendo o leitor, ora defendendo o jornal.

Nessa atuação incessante, que, algumas vezes, provoca-lhe sonhos retóricos de abandono da profissão (*GazNot* 6 abr. 1902), o jornalista desdobra-se, juntando à defesa do direito individual a defesa simultânea do direito coletivo, sua contrapartida. Neste caso, algumas de suas crônicas insistem na necessidade de se erradicarem hábitos socialmente nocivos, como, por exemplo, a auto-exibição despudorada das prostitutas (*GazNot* 26 mar. 1895); a reação grosseira da platéia dos teatros, quando contrariada (*GazNot* 7 jun. 1896); a exposição pública de "roupas, e outros objetos de uso doméstico, nas portas, janelas e mais dependências das habitações que tenham face na via pública" (*GazNot* 20 maio 1906); a sanguinolência dos bandos de capoeira, "senhores absolutos da cidade" (*CorPau* 17 mar. 1908), muitos a soldo de figuras políticas de maus bofes (*OEstSP* 28 fev. 1898); a soltura de balões; o uso abusivo de espalhafatosos chapéus femininos no teatro ou o péssimo hábito juvenil de se saltar do bonde em movimento, motivo de tantos acidentes graves (*GazNot* 29 jul. 1895).

Sua atenção às relações miúdas, mas vitais, do poder público com a população, bem como ao comportamento individual ou coletivo não exclui, de outro lado, o questionamento das relações do Estado com a Imprensa. Em outras palavras, quem controla a informação que se cria dentro dos altos escalões? Como classificar o que é de interesse da segurança nacional e o que não é? Como se comportar em caso de beligerância interna ou externa? Qual o limite de informação sobre a defesa de nossas fronteiras? Até onde se permite informar sobre nossa capacidade bélica? Em caso de preparativos militares, onde se impõe o silêncio? (*GazNot* 1º fev. 1903).

As dúvidas do cronista, explicitadas ou não, originam-se muito mais de sua vivência que de eventual adesão precoce a um mal compreendido militarismo que o estigmatizou. O que Bilac pretende evitar é aquilo que ocorrera pouco antes, na administração de Campos Sales, "quando se reformavam as antigas fortificações da barra do Rio de Janeiro". Nessa oportunidade,

> os jornais, a cada nova inauguração de baterias ou de cúpulas blindadas nas fortalezas, traziam, em longas colunas, cheias de minúcias técnicas que só podiam ter sido fornecidas por profissionais, descrições meticulosas de todo o artilhamento e de toda a planta das fortificações, – como o número de canhões, a natureza dos meios de defesa e dos meios de desembarque, os pontos de acesso, as falhas das posições, os [*****] fracos do [*****] e até instruções sobre o modo de funcionar das baterias! (*GazNot* 1º fev. 1903).

Nesta crônica muito objetiva talvez se possa detectar um dos momentos germinais da campanha em que irá se empenhar Bilac nos últimos dez anos de sua vida. O acerto ou não dessa posição tão clara fica em aberto, pois sempre haverá aqueles que, em nome de uma compreensão equivocada e desmesurada de democracia, defenderão o acesso absoluto a segredos profissionais, mesmo os da esfera militar. O que não fica em aberto e provoca inquietação é quando o cronista, horrorizado com as notícias que lhe chegaram de Canudos, admite a possibilidade de estado de sítio, caso houvesse necessidade de se defender os freqüentadores da rua do Ouvidor e seus arredores.

Em sua perspectiva, assim como na da grande maioria de seus contemporâneos, o conflito encabeçado por Antônio Conselheiro representava um enorme transtorno em nosso projeto de civilização a ser prontamente corrigido pelas armas. Em sendo assim, convinha que a imprensa adotasse um comportamento prudente e discreto e que se limitasse a notícias mais genéricas e menos técnicas. Em crônica substanciosa acerca da revolta no sertão baiano, Bilac expande argumentação de José do Patrocínio, transcreve parte dela e adverte:

"o que é preciso é toda a discrição no que se está fazendo e no que se vai fazer. O governo não tem a obrigação de dizer quantos mil homens manda nem quanto dispenderá. O seu tino e o conselho dos combatentes devem arbitrar o número da expedição; a sua honra administrativa responderá pela despesa". Com essas palavras sensatíssimas resumiu admiravelmente José do Patrocínio, na sua última *Semana Política* da *Cidade do Rio*, as necessidades políticas do momento. Por que manda o governo publicar a relação dos batalhões que se põem em marcha para Canudos? por que se entregou à publicidade o decreto que abriu um crédito de 200:000$000 para os gastos da expedição? Estou em apostar que a esta hora, no seu alpestre reduto de Canudos, já o *Conselheiro* recebeu essas notícias, como receberá todas as que os jornais divulgarem (*ABruxa* 19 mar. 1897).

Em casos como esse impõe-se o segredo, requer-se o sigilo, dadas as "necessidades políticas do momento", para não mencionar as de estratégia militar. E se não se alcançar o resguardo exigido pelas circunstâncias, se a imprensa insistir em noticiar detalhes da campanha, "a discrição necessária (e mais do que necessária: imprescindível) seria fácil e imediatamente conseguida com a decretação de estado-de-sítio", mesmo que essa sugestão provocasse "arrepios de indignação e de terror a muita gente" (*ABruxa* 19 mar. 1897).

Mais que a inviolabilidade dos preparativos militares, mais que o zelo pela almejada eficiência dos fardados e mais que a repulsa a um ouvi-dizer a respeito do eventual sebastianismo monarquista dos sertanejos, o que o cronista defende é o abortamento fulminante da ameaça que se esconde no arraial e, como se estivesse repercutindo um sentimento generalizado, a restauração do brio ofendido. Alinhado de modo explícito com o poder constituído e prestes a amargar o fracasso iminente da Terceira Expedição a Canudos, ocorrida entre fevereiro e março de 1897, sua pregação de derrotado provisório encoraja a utilização do instrumento legal extremo. Nesse momento, em que goza do privilégio de fazer parte da facção dominante, o discurso de Bilac encorpa-se, invocando ora a autoridade de Patrocínio, jornalista respeitado por causa da campanha abolicionista recém-encerrada, ora a autoridade da História, pois que recorre à velocidade com que se espalhavam as notícias das vitórias de Júlio César na Gália. Para reforçar seu argumento a favor de um eventual estado de sítio que protegesse a suposta superioridade branca da selvageria cabocla de Canudos, o cronista socorre-se da história fatiada em duas porções: uma, recente, local e acessível, emblematizada na figura de Patrocínio, herói concreto e palpável; outra, pretérita, distante e culta, epitomizada por Júlio César, herói clássico e mítico: "Dizem que, quando Júlio César invadiu as Gálias, em oito dias toda a região soube da invasão, de norte a sul, de leste a oeste. Como pode assim voar essa notícia, à maneira de um relâmpago? O fato é histórico: de que modo explicá-lo?" (*A Bruxa* 19 mar. 1897). Da junção de ambas as fatias históricas, em que se combinam presente heróico com glória pregressa, brotam razões e exemplos que pretendem dar maior consistência argumentativa ao discurso, num esforço de justificar o recurso ao radicalismo que visa defender o constituído.

Para quem, naquele momento, se situa do lado que se julga digno de proteção e defensor de requintes urbanos, fartamente apregoados naquela crônica em louvor de Petrópolis (*GazNot* 13 fev. 1897), "o estado de sítio não é" mesmo "nenhum bicho de sete cabeças" (*ABruxa* 19 mar. 1897). Como voz pública que ecoa o sentimento íntimo de parcela considerável da população, o cronista sente-se inteiramente à vontade e seguro para divulgá-lo, fazendo-o com ares de certa respeitabilidade ancorada na vivência intelectual e pessoal. Nesse momento, sua posição é confortável, resguardada, e disso decorre uma voz autorizada e autoritária que se pretende orientadora. É a confiança de quem subestima o adversário e de quem se sente protegido pela distância do conflito. Nas alturas em que se defende e se isola do Vaza-Barris e do Monte Santo, o cronista aconselha a força travestida de legalidade e respalda sua pregação com argumentos aparentemente lógicos, porque sacralizados e reconhecidos pelo tempo. Daí o tom sereno nessa defesa do estado de sítio, pouco tempo depois de tê-lo sofrido na própria carne, em 1893.

Evapora-se essa serenidade, contudo, desmancha-se o racionalismo e em seu lugar instala-se o emocionalismo, quando a perspectiva é outra e o cronista é enxotado do lado vitorioso para o campo do vencido. Aí, então, a linguagem adquire um tom lamurioso em que se busca a exacerbação dos sentidos através da animização dos objetos, de uma prosopopéia modesta, mas adequada à extensão da crônica.

Meses antes dessa defesa do estado de sítio, necessário, a seu ver, para garantir a sacralidade do espaço urbano e a condução tranqüila de medidas contra os sertanejos de Canudos, Bilac praticara uma de suas ocasionais crônicas de teor confessional e se lembrava de um vagão sinistro da Central do Brasil, o famoso 136 V, em que haviam sido torturados adversários da República engatinhante.

De saída, a apresentação do vagão enquadra-o em atmosfera imobilista, congelada e em estado de morte. Inativo e paralítico, o vagão há muito que deixou de sentir a vida das serras, de ver o verde da paisagem, de ouvir o murmúrio dos riachos. Surdo e quedo, o único sinal vital que dele escapa, e nele está contido pronto a explodir, associa-se à agonia da morte. Ameaçador,

> parado e negro, sobre os trilhos, a um canto da Central o desgraçado 136 V tinha um ar de fera paralítica. Dentro dele, dentro da sua imobilidade, havia choro e ranger de dentes, uivos de cólera, ganidos de dor, imprecações da raiva impotente, brados da crueldade triunfante, estalar de bolos, estertores de agonia. E os outros carros, que chegavam ou partiam, trazidos ou levados pelo trote largo das *Brooks*, olhavam-no com espanto e terror, imagem viva da ditadura, sombra da tirania, representação animada do Estado de Sítio. E, em torno dele, como em torno de um presídio, de dia e de noite, fechava-se um cordão de carabinas e de baionetas (*GazNot* 14 jul. 1896).

Tratando seu leitor pela segunda pessoa do plural, o que era discrepante em relação ao hábito tradicional de tratá-lo pela terceira, o cronista soleniza o discurso. Para adensar esse tom cerimonioso e compungido, ele ainda opõe a fragilidade humilhante das vítimas à indiferença imponente do vagão, que logo se desmancha e se transforma em remorso e em arrependimento. No entanto, como o simples arrependimento não basta para se penitenciar, o vagão atenua sua culpa e converte-se em praticante do Bem, saindo em socorro dos que se acidentaram ao longo do leito ferroviário. Nessa fase nova, então, o "feio" e o "sujo, o úmido e o escuro" que o caracterizavam desaparecem e ele se tornará "veloz, alerta, esbelto e reluzente". Nessa nova função, a morte não lhe será estranha mais uma vez. No entanto, em vez de acolhê-la e de favorecê-la, o vagão se encarregará de espantá-la ou, pelo menos, de atenuar-lhe a dor. Se cumprida essa conversão a contento, recobra-se a vida, redime-se o vagão, e afasta-se o fantasma da arbitrariedade que ele antes encarnara.

Em suma: além de ser constitucional, de não ser coação à liberdade civil, o estado de sítio é recurso que se impõe como "medida de salvação, – uma vez que é preciso cercar a desforra que se prepara de todas as garantias de sucesso" (*ABruxa* 19 mar. 1897). Quando defende os que se encastelam em torno da rua do Ouvidor, o estado de sítio é "medida de salvação" e não pode ser visto como "nenhum bicho de sete cabeças"; quando, no entanto, ameaça a tranqüilidade dos que desfrutam daquela rua elegante, como ocorreu sob o governo tumultuado de Floriano Peixoto, sua aplicação lembra o medo e o terror que um dia incrustaram-se em velho vagão da Central do Brasil. Neste caso, o estado de sítio beneficiava aos outros tão-somente, roubando o sossego de quem se achava inocente, como o cronista. Por esse motivo é que sua lembrança abandona o tom ponderado de quem, no conforto, defende o Estado contra Canudos e envereda pelo tom dramático de quem é perdedor momentâneo.

Do interior daquele enorme objeto negro e imóvel desprendiam-se sons afins da dor e da morte; do desfrute satisfeito da rua do Ouvidor erguiam-se vozes que gritavam "bem alto" (*GazNot* 19 mar. 1897) contra "os que desejam ver estraçalhada a República" (*GazNot* 19 mar. 1897). O som é apenas um, sempre humano. Só que produzido em tempo diferente e em lugar diferenciado.

Entre Vila Rica e Belo Horizonte

Vir a Minas é vir ao coração do Brasil.
O. B., *Gazeta de Notícias*, 7 nov. 1893

Na fase turbulenta da implantação da República brasileira, a Revolta da Armada de 1893 provocou verdadeira diáspora entre intelectuais brasileiros sediados no Rio. Vítima de recente prisão política anterior, Bilac estava entre eles e foi forçado, assim, a refugiar-se entre as sossegadas montanhas de Ouro Preto. Próximo dos seus trinta anos e já aclamado como poeta de prestígio, além de jornalista com espaço próprio na imprensa carioca e fluminense, Bilac aventurava-se pelo interior do país, pela primeira vez, ao que parece. Entre novembro de 1893 e junho de 1894 escondeu-se ele em Ouro Preto, primeiro, e Juiz de Fora, depois. Disso dão-nos contas detalhadas Raymundo Magalhães Jr. e Eloy Pontes, seus biógrafos.

Antes desse episódio, sua incursão mais funda dentro do país dera-se por cerca de doze meses, entre 1887 e 1888, quando tentara o curso de Direito na São Francisco, interrompido como interrompera antes o de Medicina no Rio. Enfastiou-se com São Paulo o poeta. Longe do círculo de amigos e de um namoro incipiente com a irmã de Alberto de Oliveira; avesso ao estudo sistemático; arrepiado com a pasmaceira da capital paulista, menos significativa, para ele, que "dois caracóis" (80: 240); enjoado com a obrigação de ter de "trabalhar num jornal de políticos" (80: 245) e de agüentar uma cidade onde só existiam "frio, garoa, lama, republicanos, separatistas, camelos e Tupinambás" (80: 241), o poeta preferiu retornar ao Rio, onde poderia lambuzar-se com a notoriedade alcançada pelos seus poemas recém-publicados. Dessa experiência paulista pouco ficou de marcante, exceto uma crônica de recordação, escrita mais de dez anos depois, na qual o cronista se revela espantado com as modificações materiais da cidade, um de seus assuntos prediletos (*GazNot* 3 mar. 1901).

Aliás, falar de cidades era a paixão de Bilac, o cronista.

Em sua atividade nos jornais, que se estende por quase vinte anos assíduos, encontra-se uma variedade enorme de assuntos, que se aglomeram, de preferência, em torno do tema do "progresso", dentro do qual a cidade e seus *mores* ocupam lugar mais que privilegiado. O progresso urbano, eis seu grande tema e o grande personagem de suas crônicas.

Na sua geração, sempre suspeita de estouvamento e de leviandade, não houve quem se batesse com tanta continuidade e de modo tão público pela melhoria da condição urbana, mesmo que isso implicasse contradições freqüentes, nascidas, talvez, do dilaceramento entre o natural desejo de conforto material coletivo e o respeito pela preservação histórica; do dilaceramento entre o desejo do cidadão e o dever do intelectual. A seu ver, como já dissemos, a cidade que reunia de maneira harmoniosa a preservação do passado com as exigências últimas da vida moderna era Paris, cidade que ele divide tão bem: na margem esquerda, o recolhimento e a erudição lastreada no passado; na direita, a frivolidade e mundanidade fazendo alarde do presente (*GazNot* 17 jun. 1904).

No estágio forçado de Ouro Preto, iniciado em novembro de 1893, Bilac e Afonso Arinos acamaradaram-se logo. É muito provável que o caminho de um houvesse cruzado com o de outro pelas salas e corredores da São Francisco, a tradicional Faculdade de Direito de São Paulo, onde ambos estudaram na segunda metade de 1880. Em 1889, Arinos completou o curso, iniciado em 1885, e voltou para Ouro Preto; Bilac, como já dissemos, abandonou-o em 1888, e voltou para o Rio, pronto para sorver as glórias de seu livro de poemas recém-publicado.

Na então capital de Minas Gerais, Afonso Arinos estabeleceu-se como professor de História do Brasil no Ginásio Mineiro e como professor de Direito Penal na Faculdade Livre de Direito. Segundo Rodrigo Mello Franco de Andrade, que traçou, em quatro etapas, boa síntese da vida intelectual e profissional de seu tio, Afonso Arinos dava início a uma sólida e variada carreira em Ouro Preto, cujos desdobramentos haveriam de levá-lo a São Paulo, ao Rio e ao exterior, na condição de jornalista, de advogado ou de empresário, ligado aos interesses comerciais da família Prado de São Paulo, com a qual estava associado por seu casamento com Antonieta Prado, irmã de Paulo Prado, sobrinha de Eduardo Prado e neta de Veridiana Prado.

Foi durante a primeira etapa, de acordo com Rodrigo, que Bilac se tornou "assíduo freqüentador da casa ouropretana" de Afonso Arinos, "na vigência das repressões florianistas ao jornalismo adverso" (5: 2). Na calmaria da capital provinciana dilatou-se a disponibilidade de Bilac, que canalizou seu ócio para extensas excursões pelas redondezas e intensas incursões pela História, sob a tutela de um dos precursores de nosso regionalismo literário. Calejado por freqüentes viagens pelo sertão mineiro, goiano, fluminense e paulista, ora acompanhando as andanças da família, ora matando sua própria curiosidade, Afonso Arinos mostrava-se o guia ideal para Bilac, tanto na geografia, como na história. Suas inúmeras travessias sertanejas escanchado em lombo de burro ou sua preocupação profissional com a história recomendavam e habilitavam o futuro contista de *Pelo Sertão*. Em Arinos, concentravam-se o conhecimento do tempo e do espaço. Afinal, ninguém melhor que um descendente de troncos rijos e ilustres de Paracatu de Minas, filho de político antigo, irmão de senador recém-eleito para a Constituinte estadual e futuro esposo de uma sobrinha do monarquista Eduardo Prado para servir de guia ao exilado em sobressalto.

Numa biografia mítica que lhe dedicou Tristão de Ataíde, Afonso Arinos sai-se como resultado de uma genealogia heráldica em que se emaranham heranças seculares com aliança familiar entre sertanejos mineiros e bandeirantes paulistas; em que se identifica fidelidade à terra com o regime político monárquico; em que, mais uma vez, se acopla a noção de nacionalismo com vivência rural nos socavões do interior, identificando ambas – nacionalismo e vivência – como amálgama de transitividade necessariamente recíproca. De acordo com o biógrafo, o recolhimento de Afonso Arinos a Ouro Preto foi

> talvez o mais grato de sua existência. Nada então turbava a sua sede de saber, de viver e de exprimir o que em sua alma pressentia. Dia a dia voltava sobre si, desvendava o tesouro que lhe havia o sertão revelado, sentia-se cada vez mais preso a essa terra mineira e a essa pátria brasileira, que havia um dia de chamar a postos, como sineiro da torre, compreendendo que só a sinceridade pode conter o segredo da originalidade, só vencendo os artifícios das escolas ou a tirania das regras estabelecidas, poderia criar qualquer coisa de novo e de duradouro, no campo mofino de nossa literatura, asfixiada de academicismo (12: 18-19).

Muito daquele orgulho da raça e da origem fica nítido nos artigos e conferências de Afonso Arinos e nem se disfarça nas falas de seus personagens em *O Contratador de Diamantes* (1917), sua única peça de teatro, cuja ação se passa entre 1752 e 1753, no Tijuco, centro do disputadíssimo distrito diamantino. Nessa peça, além da oposição de interesses entre nativos e reinóis, que culmina com a derrota provisória do brasileiro Felisberto Caldeira Brant, derrubado do cargo de Contratador de Diamantes por futricas na corte lisboeta, destaca-se uma fala de Cotinha, sobrinha de Felisberto e sua protegida. De origem paulista, mas acolhida pela família mineira do tio, Cotinha indigna-se com a violência da soldadesca do rei que invade a casa de seu tio. Abespinhada e furiosa, a moça reforça seus laços familiares, amarrando ainda mais os vínculos históricos entre paulistas e mineiros e oferecendo-se, de modo simbólico, como vítima a ser imolada para satisfazer a arbitrariedade do rei. Talvez o sacrifício de uma descendente de ilustre linhagem formadora das Minas Gerais, na qual se misturavam dois sangues ilustres, fosse suficiente para aplacar o desejo de saneamento real, acredita ela. Portanto, num gesto de coragem teatral, Cotinha grita aos soldados:

> Tomem, carreguem, levem tudo, vascolejem as gavetas e remexam as frestas, que pode ficar alguma peça douro escondida! Papai me falava sempre das mulheres de São Paulo não terem querido receber seus maridos, nem seus filhos, nem seus noivos enquanto não fosse vingada a matança do Capão da Traição e as afrontas dos "buabas"! O general há de ver: Nós nos sentaremos à roca, fiaremos para nos vestir até podermos tocar daqui para fora esses judeus! – É isto que a Corte quer! É isto que quer o General: as riquezas destes povos, o ouro e os diamantes desta terra! Pois tomem! Carreguem! (8: 600).

Tão ou mais indicativo dos compromissos ideológicos que sublinham o entrelaçamento nobiliárquico entre paulistas e mineiros nessa fala de Cotinha foi a própria representação de *O Contratador de Diamantes*, ao que se saiba duas únicas, em 12 e 14 de maio de 1919, no Teatro Municipal de São Paulo, em benefício do "Asilo dos Inválidos" e da "Sociedade de Cultura Artística". No programa da peça, que nos foi cedido pela gentileza de Décio de Almeida Prado, constam a transcrição de um artigo de Artur Azevedo, escrito para o jornal *O País*, alguns medalhões com fotografias

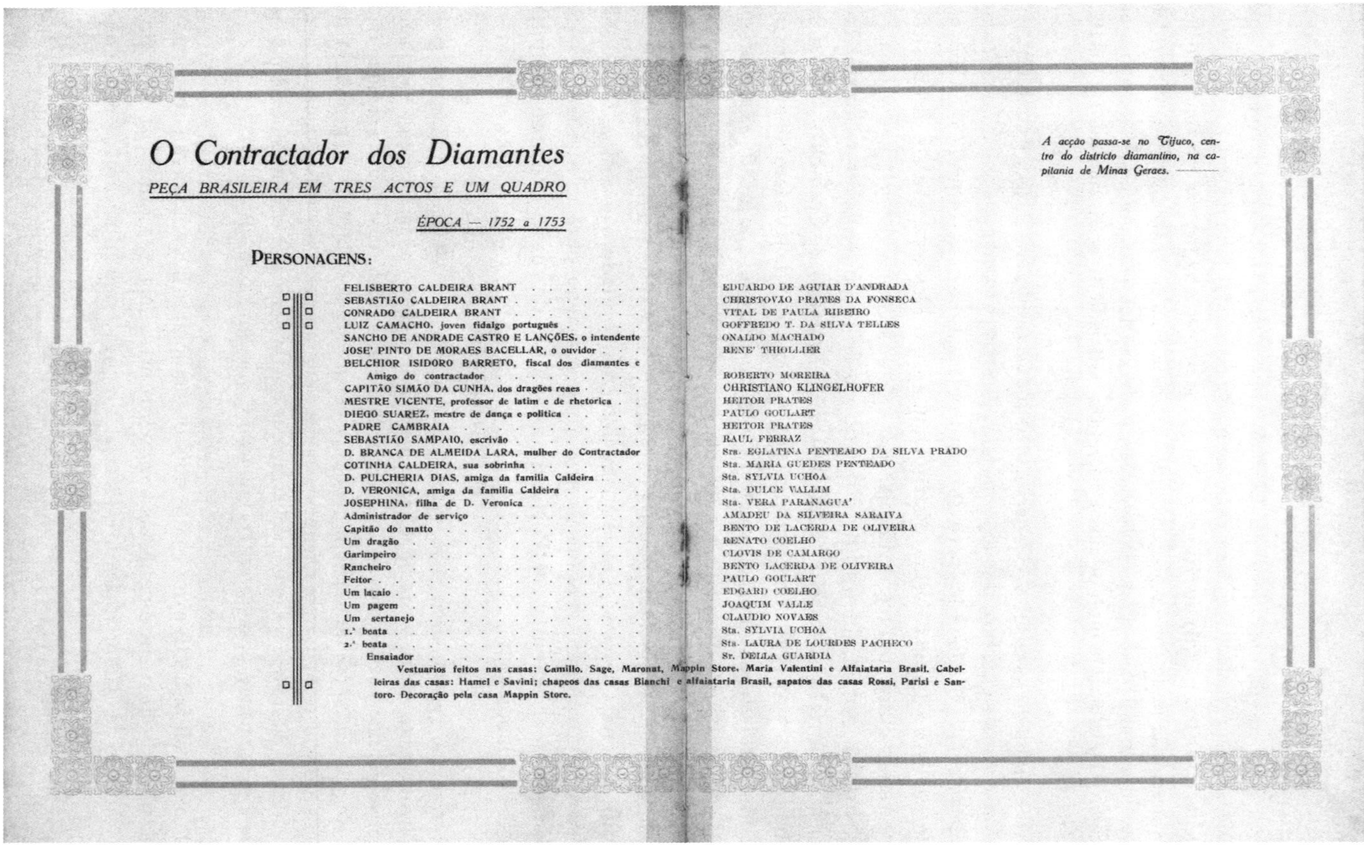

O Contractador dos Diamantes

PEÇA BRASILEIRA EM TRES ACTOS E UM QUADRO

ÉPOCA — 1752 a 1753

A acção passa-se no Tijuco, centro do districto diamantino, na capitania de Minas Geraes.

PERSONAGENS:

Personagem	Interprete
FELISBERTO CALDEIRA BRANT	EDUARDO DE AGUIAR D'ANDRADA
SEBASTIÃO CALDEIRA BRANT	CHRISTOVÃO PRATES DA FONSECA
CONRADO CALDEIRA BRANT	VITAL DE PAULA RIBEIRO
LUIZ CAMACHO, joven fidalgo portuguès	GOFFREDO T. DA SILVA TELLES
SANCHO DE ANDRADE CASTRO E LANÇÕES, o intendente	ONALDO MACHADO
JOSE' PINTO DE MORAES BACELLAR, o ouvidor	RENE' THIOLLIER
BELCHIOR ISIDORO BARRETO, fiscal dos diamantes e Amigo do contractador	ROBERTO MOREIRA
CAPITÃO SIMÃO DA CUNHA, dos dragões reaes	CHRISTIANO KLINGELHOFER
MESTRE VICENTE, professor de latim e de rhetorica	HEITOR PRATES
DIEGO SUAREZ, mestre de dança e politica	PAULO GOULART
PADRE CAMBRAIA	HEITOR PRATES
SEBASTIÃO SAMPAIO, escrivão	RAUL FERRAZ
D. BRANCA DE ALMEIDA LARA, mulher do Contractador	Sra. EGLATINA PENTEADO DA SILVA PRADO
COTINHA CALDEIRA, sua sobrinha	Sta. MARIA GUEDES PENTEADO
D. PULCHERIA DIAS, amiga da familia Caldeira	Sta. SYLVIA UCHÔA
D. VERONICA, amiga da familia Caldeira	Sta. DULCE VALLIM
JOSEPHINA, filha de D. Veronica	Sta. VERA PARANAGUA'
Administrador de serviço	AMADEU DA SILVEIRA SARAIVA
Capitão do matto	BENTO DE LACERDA DE OLIVEIRA
Um dragão	RENATO COELHO
Garimpeiro	CLOVIS DE CAMARGO
Rancheiro	BENTO LACERDA DE OLIVEIRA
Feitor	PAULO GOULART
Um lacaio	EDGARD COELHO
Um pagem	JOAQUIM VALLE
Um sertanejo	CLAUDIO NOVAES
1.ª beata	Sta. SYLVIA UCHÔA
2.ª beata	Sta. LAURA DE LOURDES PACHECO
Ensaiador	Sr. DELLA GUARDIA

Vestuarios feitos nas casas: Camillo, Sage, Maronat, Mappin Store, Maria Valentini e Alfaiataria Brasil. Cabelleiras das casas: Hamel e Savini; chapeos das casas Bianchi e alfaiataria Brasil, sapatos das casas Rossi, Parisi e Santoro. Decoração pela casa Mappin Store.

Programa da peça *O Contratador de Diamantes*, de Afonso Arinos, encenada no Teatro Municipal de São Paulo em 12 e 14 de maio de 1919.

Christiano Klingelhofer

Eglantina Penteado da Silva Prado

Goffredo T. da Silva Telles

Participantes da peça *O Contratador de Diamantes.*

René Thiollier

Laura de Lourdes Pacheco

Vera Paranaguá

Participantes da peça *O Contratador de Diamantes*.

Participantes da peça *O Contratador de Diamantes.*

individuais dos atores e uma foto geral do grupo, que se presume composto de atores e de colaboradores.

Sem nenhuma data, o artigo transcrito de Artur Azevedo relata a leitura parcial da peça nos salões do Gabinete Português de Leitura do Rio de Janeiro, realizada muitos anos antes da encenação paulistana de *O Contratador*. Nele, nosso crítico teatral mais importante do século passado elogia a hábil dosagem entre o trágico e o cômico, além de reconhecer em Afonso Arinos sua familiaridade com a história do Brasil, adquirida depois de "compulsar documentos nos poeirentos arquivos do Estado" (7: pág. sem num.). Para Artur Azevedo, Afonso Arinos reunia as condições ideais para ajudar na criação de um teatro nacional de fundo histórico. Tanto isso era indisputável e significativo, acrescenta Artur, que *O Contratador* bem que poderia ser recomendado "para a inauguração do Teatro Municipal" (7: pág. sem num.) do Rio de Janeiro, num futuro não muito distante. Afora esse depoimento que enfatiza o veio histórico de Arinos, o conjunto das fotografias, inserto no programa, permite também uma leitura subliminar dessa inclinação histórica, porque estampam elas a nobiliarquia que Cotinha, anos antes, defendera com bravura quando da prisão de seu tio, Felisberto Caldeira Brant. Porque uma dessas fotos, a do grupo, congrega num mesmo espaço nobre – ora identificável com o saguão do Teatro Municipal de São Paulo, ora com o próprio cenário repleto de lustres, brasões e escadarias – os melhores descendentes das famílias quatrocentonas de Piratininga, ainda pouco maculadas pelas ondas imigratórias que já se avizinhavam devagarinho do Brás, Bexiga e Barra Funda. Nesta foto do conjunto e nas fotos individuais, segundo identificação de Rute de Almeida Prado, convivem, misturam-se e entrelaçam-se os atores da sociedade e da peça, como a se certificarem de que nenhum hiato significativo existia entre o palco e a vida real. Seus nomes? Alice Vieira de Carvalho, Yolanda Penteado, Bia Coutinho, Carolina Silva Telles, Yolanda Prado, Marina Vieira de Carvalho, Júlio Mesquita, Eglantina Penteado da Silva Prado, Vera Paranaguá, Goffredo da Silva Telles, René Thiollier e outros. No entusiasmo da recordação, René Thiollier reitera o significado aristocrático da encenação, anos depois: "Tanto na primeira como na segunda representação, o teatro apinhou-se. Da platéia às galerias, transbordava de tudo quanto o S. Paulo aristocrático daquele tempo – (o verdadeiro S. Paulo dos paulistas) – possuía de realmente fino, de elegante. Mulheres lindas, resplandescente [sic] de jóias, homens aprumados que sabiam vestir com distinção uma casaca" (89: 61). E para não deixar nenhuma dúvida quanto ao oficialismo do espetáculo, bancado pelo bolso de cada um, em alegre confraternização com a burra republicana e pública, o memorialista agrega: "Os cenários, fornecidos pela Prefeitura, pintados por cenógrafos de fama vindos de fora; o mobiliário pertencente a velhas famílias tradicionais paulistas e a indumentária de uma riqueza sem par, custeada por cada um de seus intérpretes" (89: 60).

Somando-se, portanto, o componente ideológico da peça com sua encenação recheada pela fidalguia paulistana, além das próprias ligações familiares de Afonso Arinos com Eduardo e Paulo Prado, dois intelectuais que, cada um a seu modo, fizeram questão de marcar espaço na discussão do caráter político e social brasileiro, temos um quadro bastante convincente das habilidades que qualificavam Arinos para orientar o caminho de um poeta assustado com as reviravoltas políticas em curso no Rio de Janeiro.

À parte, ainda, o contorno mítico da biografia que lhe dedicou Tristão de Ataíde, carregada de exemplaridade, é preciso também reconhecer a intimidade de Arinos com a história de Minas, do que resultou seu empenho na criação do Arquivo Público Mineiro, criado por José Pedro Xavier da Veiga em 1895. Segundo Tristão, sabedor da "riqueza inestimável em documentos, que possuía a sua província mineira, e vendo a perda irreparável que seria para a nossa história o desaparecimento dessa insubstituível documentação", Afonso Arinos "levantou a idéia da fundação de um Arquivo Público, onde se concentrassem e se protegessem, contra o tempo e o esquecimento, esses mananciais da história mineira, que foi na Colônia a parte principal da nossa" (12: 18).

Com todos esses títulos e cuidados, Afonso Arinos, coadjuvado por Diogo de Vasconcelos, acabou por se converter numa espécie de professor de Brasil para Bilac.

Num espaço convidativo, favorável ao recolhimento e à evocação, dava-se o encontro entre pessoas certas. Nesse lugar e nesse momento operava-se o batismo (ou seria conversão?) de um intelectual que, até então, granjeara sua notoriedade graças às musas helênicas. Antecipando futuras conversões dos modernistas, nos anos de 1910 e 1920, com Mário de Andrade à frente, a antiga Vila Rica abocanhava um poeta parnasiano e o transformava em historiador informal, em perspectiva ligeiramente diferente de seu conversor Arinos, no entanto. Enquanto o escritor mineiro construía e consolidava seu nacionalismo com base numa exploração "geográfica" e, portanto, "espacial" do Brasil, Bilac articulava o seu nacionalismo inicial a partir de uma perspectiva "histórica" e, portanto, "temporal". Em resumo: Arinos preferiu o regionalismo; Bilac optou pelo historicismo.

Anos mais tarde, quando recebeu Afonso Arinos na Academia, Bilac admitiu em público: "Tivemos ali", no ócio produtivo de Ouro Preto,

> meses de uma vida singular, intensamente vivida, cheia de completos prazeres intelectuais –, que só podem ser bem contados aqui, a uma assistência escolhida e culta como esta, capaz de compreender como dois homens em pleno viço da mocidade puderam passar semanas e semanas entre os vivos, não os vendo nem ouvindo, e só tendo ouvidos e olhos para um estranho mundo de sombras e de fantasmas (47: 139-140).

Aquele momento de "vida singular, intensamente vivida" era mais que adequado, porque o provável receio do jornalista de enfadar-se com a solidão desfez-se quando ali se juntaram outros exilados cariocas aos intelectuais da região, tais como Sabino Barroso, Augusto de Lima, Aurélio Pires e Diogo de Vasconcelos. Foi na casa deste historiador, "monarquista no íntimo" (8: 19), que Bilac se recolheu nos primeiros dias, levado pela mão do contista Afonso Arinos, conta-nos seu sobrinho-neto

Afonso Arinos de Mello Franco (8: 19). Oculto numa cidade em que os vestígios coloniais de opulência desfeita e de autonomia política gorada ainda eram muito fortes e recentes, e recebido por um descendente de estirpe histórica que batalhou pela criação condigna do Arquivo Público Mineiro, Bilac é acolhido de imediato por Diogo de Vasconcelos (1843-1927), intelectual versado em História, autor de livros clássicos sobre as Minas Gerais e providencialmente adepto de uma "historiografia tipicamente romântica" (91: 19), como ensina Francisco Iglésias em prefácio à *História Antiga das Minas Gerais*. Tudo indica, portanto, que o fugitivo caiu de cabeça no meio favorável à vigília e ao recolhimento histórico. Juntavam-se, pois, a fome com a vontade de comer, em momento e meio mais que propícios, porque, a terra mineira, diria Bilac, anos depois dessa descoberta,

> não guarda somente nas entranhas o ouro excelente que a Inglaterra extrai e amoeda: guarda todo um mundo de tradições e de relíquias históricas, todo um passado ainda vivo e palpitante nas pedras das suas ruínas e nas recordações dos seus arquivos. Um filho do Rio, de S. Paulo, de Pernambuco ou do Rio Grande do Sul sente-se mais brasileiro quando respira o ar da Mantiqueira (*GazNot* 19 mar. 1899).

Foi de forte conveniência para O. B., portanto, encontrar mestres de nacionalismo como Arinos e Diogo de Vasconcelos, defensores ambos de uma concepção utilitária da História como mestra de civismo, de aperfeiçoamento moral e de instrumento do progresso. Arinos comprovou sua tese através de artigos para jornal e do *Contratador de Diamantes*; Diogo através de uma história de Minas Gerais, onde confessa:

> convencido sou da influência moral que a história exerce no próprio sentimentalismo dos moços, oferecendo-se-lhes um inventário exato e verdadeiro do passado. [...] a história é o quadro magistral [...] pelo qual poderá a mocidade evitar os erros, condenar os vícios, fortificar as virtudes, e converter a força de suas próprias paixões em generoso instrumento do progresso (90: 418-419).

A companhia disponível do contista e do historiador, pautada por prováveis serões prolongados e hidratada pelos bons vinhos da adega de Arinos, deve ter picado a veia histórica de quem vinha se dedicando à crônica, em jornais cariocas e fluminenses, desde o início de 1880. Anos mais tarde, em um dos textos inaugurais da "Coleção Nossos Clássicos" da Editora Agir, Alceu de Amoroso Lima não hesitaria em apontar esse encontro entre Afonso Arinos e Olavo Bilac como responsável por forte modificação intelectual do poeta parnasiano:

> Entre 1892 e 1894, no período revolucionário da novel República, Bilac provou a glória da prisão e do exílio, aliás em sua própria terra. Ia conhecer, então, uma região e um homem que iriam modificar nele profundamente o "homem helênico", o "diletante", o "poeta erótico", o "parnasiano" mais voltado para a França ou para a Grécia do que para o seu próprio país. Bilac ia conhecer, então, Minas Gerais e Afonso Arinos (61: 10).

Em 1903, ao receber Arinos na Academia, Bilac destampa seu baú de ossos e confessa:

> Enquanto pelas ruas de Ouro Preto, naquele ano trágico de 1893, os vivos comentavam com calor os episódios da revolta naval, e os bombardeios, e as prisões, e as loucuras, – nós dois, mergulhados no passado, conversávamos com espectros. Toda a gente do século XVIII, – capitães-generais, ouvidores, milicianos de El-Rei, aventureiros, traficantes de pretos, frades e freiras, tiranos e peralvilhos, fidalgos brilhantes e pobres bateadores de ouro e catadores de cascalho, garimpeiros, senhores e escravos, damas de casta orgulhosa e imundas pretas descalças, ricos proprietários e contrabandistas farroupilhas –, toda essa gente acudia ao chamado da nossa curiosidade, e, saltando das casas arruinadas do Padre Faria e de Antônio Dias, evadindo-se do mistério dos arquivos, repovoando as ruas cheias de escombros, vinha reviver conosco a sua antiga vida pitoresca. [...] Assim, no estudo dos tempos mortos, consumíamos as horas... (47: 140-141).

Exilado pelos mesmos motivos políticos, Carlos de Laet, expressava sentimento idêntico quando confessava que Minas lhe dava vontade de "sabatinar a história do Brasil" (58: 8).

Como anfitrião oficial de Arinos na Academia Brasileira de Letras, Bilac deixa clara sua concepção de fato histórico: um naco do passado emoldurado pela imaginação carinhosa, mas romântica e idealizadora. Nas palavras finais desse seu discurso, o qualificativo "pitoresco", reportado à sua etimologia primeira, que encerra a acepção de "plasticidade" e de "cor", enquadra e explica o cronista, cujo comportamento na recuperação do fato histórico regula-se, sobretudo, pela exploração das formas, dos volumes, dos movimentos e pelo descritivismo plástico, voltado muito mais para a recriação do clima do que para o fato em si ou para sua eventual compreensão crítica. Apostando nessa direção da revitalização histórica, Bilac desloca-se intelectualmente e transforma o "fim" em "meio", na medida em que a palavra deixa de ser o objetivo, como na poesia, para ser instrumento de sensibilização e de compreensão, como na história. Um deslocamento que não foi pacífico e que provocou protestos como o de Adolfo Caminha, inconformado quando deparou com as primeiras crônicas bilaqueanas em forma de livro, exatamente aquelas que tratavam de Minas. Antes de chamá-las de "fúteis" e de afirmar que preferia o poeta ao cronista e ao historiador, Caminha lamentava: "Ganhou a história um alfarrabista e perdeu o Brasil um de seus melhores poetas" (37: 189).

Na verdade, Bilac reivindica a exploração do passado como instrumento de compreensão do presente e verbera a negligência brasileira diante de sua própria história. No entanto, alerta ele, a recuperação e a preservação desse passado não poderá ser alcançada com o sacrifício da qualidade lingüística do texto e isso fica implícito no elogio que faz a Afonso Arinos quando o recebe na Academia. Para o cronista, se o historiador e o estilista competem e medem forças, não é por simples exibicionismo verbal, mas sim porque a língua bem cuidada é sintoma de preservação da nacionalidade, além de fator de persuasão por meio do envolvimento emocional. Em outras palavras: uma vez que não dispunha de método histórico, nem era esse o seu interesse, já que escrevia para jornais e não para acadêmicos, Bilac supria sua carência metodológica pelo manuseio exemplar da língua, instrumento eficaz para reconstruções históricas por intermédio da imaginação. Onde faltasse método de investigação, instalava-se o método poético, o que não pode e nem deve ser confundido com devaneio gratuito e menos ainda com o uso meramente retórico da língua.

Seu trabalho imediatista era o de persuadir, de convencer, de catequizar. Daí ser feito, de preferência, em jornais e não em livros. Nestes, tempos depois, iriam repousar suas crônicas, aparadas pela seleção e remodeladas para se ajustarem a um veículo com outra intenção e um destino mais duradouro.

Indiferente ao rigor da pesquisa sistemática, item que não se encaixava dentro de seus objetivos jornalísticos, embora não o desprezasse, o cuidado de Bilac volta-se para a lacuna escancarada que reclamava atenção imediata, antes que as traças corrompessem o que restava da memória. Nas andanças por Ouro Preto, Afonso Arinos orientou-o pelos arquivos e ensinou-lhe a rastrear papéis velhos, cujo conteúdo poderia esconder uma proibição do Conde de Assumar aos jogos de rifa (*GazNot* 27 nov. 1893) ou um convite à especulação sobre os amores entre Maria Joaquina Dorotéia de Seixas e Tomás Antônio Gonzaga (*GazNot* 9 nov. 1893).

Se o documento *escrito* inexiste ou é insuficiente, o jornalista abandona-se ao ambiente, rodeia-se de suas leituras anteriores e abre caminho para que o poeta culto invada sua escrita e recrie um adro coruscante de cores e coleante de formas em um domingo de manhã. Como, por exemplo, naquela crônica que salvou de sua primeira passagem por Ouro Preto e na qual reconstitui um dia de festa religiosa no bairro do padre Faria:

> Passam cabeleiras trançadas, de rabicho, caindo sobre costas de compridas casacas amarelas, azuis, vermelhas e verdes, amplamente degoladas, com enormes canhões dobrados; coletes de cetim macau, bordados a lantejoulas, com abotoaduras fulgurando como estrelas; camisas de folhos sobre cujas rendas se agitam, à maneira de grandes borboletas brancas, as largas gravatas de lenço bordado; chapéus à Frederico, de três pancadas; calções de seda, sobre cujas fivelas de ouro roçam de quando em quando tilintantes bainhas de prata de floretes ricos. E, sobre as lajes, ritmando a cadência do passeio, batem grossos bastões, de castão recamado de gemas preciosas (21: 44).

A eventual imobilidade do quadro, aparente cena congelada do passado, desfazse rápido, quando o narrador destaca o policromatismo dos objetos, cuja variedade de formas se intensifica graças à movimentação capaz até mesmo de animar, de modo zoomórfico, partes inertes do vestuário. E a movimentação não se faz silenciosa, senão acompanhada de sonoridade cadenciada e discreta, como a chamar a atenção do leitor pelos ouvidos também, além dos olhos, é claro.

O ar puro das montanhas e o viço da natureza reanimam o jornalista escorraçado do Rio, que saltou cem ou cento e cinqüenta anos para trás, em busca de um tempo menos áspero. Favoreceu-o a iluminação escassa e precária da cidade em cujas sombras desenvolvem-se o sonho e a imaginação, que restauram um passado longínquo. Para reconstruí-la, socorre-se o cronista da categoria do verossímil, mais oportuna e mais aliciante que a da veracidade: "Oh! deliciosa, oh! encantadora cidade para passeios à noite com a alma embebida nas recordações do tempo colonial, sem destino, ao acaso das ladeiras!... Concentrado o espírito nessas recordações, por uma espécie de auto-sugestão, vêem-se as ruas povoadas de fantasmas" (*GazNot* 7 nov. 1893).

Plenamente ajustado à noção da cidade que vicia em oposição ao campo que tonifica, o jornalista acrescenta a esse mito um outro: aquele que reserva ao campo o dom da revitalização nacionalista, o dom da redescoberta das raízes nacionais que, no litoral, se deterioravam por causa do invasionismo estrangeiro. Em suma, o campo restabelece as forças físicas e as cívicas, porque "o litoral é de todo mundo: de sol a sol, chegam e partem navios, trazendo de longe influências estranhas, levando para longe qualidades nativas" (*GazNot* 19 mar. 1899). Segundo ele, longe do burburinho da cidade grande e litorânea, descaracterizada pelas levas incessantes de imigrantes estrangeiros que chegam e a deformam e onde o "espírito vai perdendo a consciência da nacionalidade" (*GazNot* 7 nov. 1893), encontra-se o ar puro que faz bem aos pulmões e que se mistura com as manifestações mais autênticas de nossa nacionalidade. É "nas casas velhas e decaídas de Ouro Preto, que cambaleiam colinas abaixo", explica o cronista, é nessas mesmas casas que se escoram "umas às outras em prodígios de equilíbrio; nas suas velhas igrejas, em cujas esculturas vive perpétuo o gênio do Aleijadinho, e cuja ornamentação relembra o fausto religioso da opulenta Vila Rica; e, mais do que tudo, nas suas ruínas venerandas, alicerces colossais de pedra benta, pilastras quebradas que as heras mordem, pórticos esboroados, cujos destroços se aconchegam de líquens" – é bem nelas que "perdura religiosamente conservada a tradição dos primeiros brasileiros" (*GazNot* 7 nov. 1893).

Para Bilac, a percepção do tempo obriga a reparar nas coisas e nos objetos, elementos que materializam o passado remoto ou próximo. Para ele, o respeito à cultura material indica aceitação madura do passado. O contrário disso é o desprezo, a destruição ou a alienação por interesse financeiro (*CorPau* 10 jun. 1908), sinais de quem é incapaz de conviver com as próprias origens. Numa comparação zombeteira, que hoje cairia mal, Bilac afirma que

> a verdade é que abafamos dentro d'alma a idéia do passado, como sufocaríamos um remorso importuno. Somos todos, mais ou menos, como o mulatinho idiota que unta os cabelos com óleo de babosa para lhes disfarçar o comprometedor encrespamento, e para explicar a cor morena da pele, pretende descender de algum velho caboclo, cacique autêntico, – como se fosse mais vergonhoso provir de um preto das *malocas* de Angola do que provir de um bugre do Tocantins... (*GazNot* 1º set. 1901).

É por isso que, em momentos de impaciência, perguntava-se ele: "Quem se preocupa, nesta abençoada terra, com guardar e zelar cousas do passado?" (*GazNot* 10 fev. 1901) ou "Que nos importa a História?" (*GazNot* 1º set. 1901).

Essa reação de desalento era-lhe ditada pela indiferença particular ou pública aos documentos e objetos históricos (*GazNot* 10 fev. 1901) ou pelo vandalismo popular, que não poupava os monumentos públicos (*GazNot* 1º set. 1901).

Diante do descaso ostensivo às obras públicas – jardins, praças, grades, portões, estátuas, monumentos, chafarizes, edifícios etc. – o cronista sucumbe ao pessimismo e despeja seu mau humor, porque lhe parece que a depredação de bens "materiais" funciona como atestado inequívoco de imaturidade cultural e de rejeição sumária ao progresso urbano. Instala-se, então, nessa constatação horrorizada – a de que o brasileiro não respeita o bem público, porque rejeita o progresso – uma das chaves do comportamento opinativo de Bilac, como formador de opinião pública através da imprensa.

O respeito ao passado, segundo ele, revelar-se-ia por meio da preservação cuidadosa dos bens materiais postos à disposição da população para o seu próprio conforto. Se não se observa esse cuidado, por ignorância da população ou por sua indigência (*CorPau* 10 jun. 1908), pouco ou nada se pode esperar do futuro, porque o presente também é maltratado. "Como exigir algum respeito às obras de arte", pergunta-se ele, "de uma gente que arrebenta às patadas as bacias de mármore dos mictórios, e que retorce hastes de ferro e bronze com a mesma facilidade com que retorceria o mais frágil dos vimes?" (*GazNot* 1º set. 1901).

Inconformado com nosso comportamento perdulário perante o passado e com nosso vandalismo no presente, resta ao cronista a projeção de um futuro auspicioso, repleto de realizações materiais, carregado de conforto e de distinção, o que nos colocaria bem próximos dos padrões de países europeus adiantados. Uma vez que o presente agressivo não satisfaz, qual a saída? Aparentemente, duas apenas: ou se volta para a recriação idealizada do passado, em que as ladeiras da antiga Ouro Preto enchiam-se de fantasmas adamados, ou se projeta uma cidade nova, próxima da antiga capital mineira. O que não se pode, adverte o cronista, é adulterar o espaço sagrado da antiga Vila Rica, dotando-a, como querem alguns apressados e insensíveis, de luz elétrica, invento incompatível com a "poesia da cidade" (*GazNot* 7 nov. 1893). Porque a claridade inconveniente, além de alumiar demais o presente indigesto, espanta o passado que se quer emoldurado.

Do centro privilegiado de Ouro Preto e protegido pela sombra do Itacolomi, o cronista olha para trás e contempla a Vila Rica luxuosa que, mais tarde, será transportada para um livro, em cujo título, *Crônicas e Novelas*, misturam-se, como que de propósito, o gosto pela factualidade e o pendor para a fantasia.

Nesse primeiro volume de sua prosa, a primeira parte é arrematada, de modo muitíssimo pouco inocente, por uma crônica sobre o *Triunfo Eucarístico* de Simão Ferreira Machado (1734), relato que cristalizou o fausto mineiro. Nela, Bilac sugere que o reinado de D. João v, entre 1705 e 1750, era prolongamento da mentalidade dionisíaca de Luís xiv, que, "como as cortes da Itália, ao tempo da Renascença, governava o mundo" desde Versailles, "pelo esplendor do seu cerimonial, pelo fulgor da sua Arte, pelo deslumbramento do seu supremo bom gosto" (21: 100).

Incrustada nessa continuidade forjada estaria a sugestão de recuperação de uma idade literalmente dourada. De outro lado, associando os dois contextos marcados pela ostentação material, o francês e o português, Bilac acentua a beatice e a libidinagem que caracterizaram o reinado do monarca lusitano para juntá-las à atmosfera de gozo pagão e religioso, de expectativas miraculosas e de intimidade hagiológica que teriam prevalecido na Vila Rica de então, ponto final de uma mentalidade de dissipação iniciada em 1643 com Luís XIV. Nesse clima em que se embaralham santos, pedrarias, milagres, carolas, ademanes e pecados, devoção e irreverência, escravos e senhores, Bilac localiza um viés gongórico e simultaneísta que, anos depois, haveria de ser o prato preferencial de muitos intérpretes da cultura brasileira (21: 102, 108 e 114).

Por trás do poeta, portanto, mas ainda ao alcance de sua vista, o fascínio de uma Vila Rica barroca, repleta de ouro e de poesia, "esfera da opulência, teatro da religião", nas palavras de Simão Ferreira Machado aproveitadas por Bilac (21: 105); na frente do cronista, desdobra-se o Curral del Rei, "imenso *chapadão* banhado pelo ribeirão dos Arrudas, entre as serras do Curral e a da Contagem" (*GazNot* 26 jan. 1894), onde uma capital nova vai surgir, "lugar em que se pode construir a mais bela cidade da América" (*GazNot* 28 jan. 1894).

Em meio a uma ponta e outra desse arco que se retesa entre o passado e o futuro, suprime-se o presente, que não interessa, porque vincado de muitos conflitos.

Assim que pisou em Ouro Preto, logo na primeira crônica depois de seu desembarque, o cronista metaforiza sem reserva e comemora: "Vir a Minas é vir ao coração do Brasil" (*GazNot* 7 nov. 1893). Começa aí, portanto, uma indisfarçável profissão de fé nacionalista na qual a capital de Minas, nas vésperas de ser substituída por Belo Horizonte, alcança uma profundidade histórica e uma amplitude geográfica que o Rio fora dissipando aos poucos, no modo de entender de O. B.

Nessa celebração da antiga Vila Rica, o cronista começa por realçar as montanhas frescas que a rodeiam e que a mantêm a salvo das impurezas e do calor, gerados pela disputa do poder na capital do país. Aquele lugar paradisíaco, enfiado na "castidade das colinas embalsamadas" (*GazNot* 7 nov. 1893), favorece o exercício da poesia e a recuperação do passado, porque suas ruas e becos estão pejados de História ou porque a "iluminação escassa favorece o sonho" (*GazNot* 7 nov. 1893). Daí ser inaceitável que se pense em dotar a cidade de iluminação elétrica, como querem alguns mais afoitos. Embuçado pela fumaça do querosene malcheiroso, o cronista pode afundar-se no passado, recortando-o de forma interessada, nele abrindo espaço para imaginar o "fulgor de grandes diamantes de Tijuco" (*GazNot* 7 nov. 1893), os fidalgos com fatiotas de "cetim macau bordado a lantejoulas" (*GazNot* 7 nov. 1893) ou as damas escondidas atrás das janelas, que ainda deixam ver sua "coifa de seda branca, de onde pendem fios de ouro" (*GazNot* 7 nov. 1893). Do passado retira-se a opulência material, que, se empurrou o cronista em direção ao *Triunfo Eucarístico*, empurrou-o também à pesquisa nos arquivos de onde extraiu material para outras crônicas em que critica nosso descaso documental.

No coração do país, no miolo de sua memória, a temporalidade triparte-se e engolfa o cronista. Nas ladeiras, vielas e porões de Vila Rica, especula ele, há fartura de dados para se emoldurar um passado como se quiser. Quanto ao presente, que não se mostra a gosto, porque a disputa política baniu o visitante por uns tempos das margens da Guanabara, convém saltá-lo. Sobre o futuro, que está a algumas léguas de distância apenas, logo ali no Curral del Rei, não custa bisbilhotá-lo.

Quando da presença desse fugitivo em Ouro Preto, Minas vivia a disputa política sobre a escolha de um sítio para sua futura capital, que acabou recaindo, como se sabe, no antigo campo do Curral del Rei. Atento à oportunidade jornalística e não menos ansioso acerca de um futuro pleno de comodidades urbanas, Bilac reúne grupo de outros curiosos, não nomeados, e realiza excursão ao local onde se construía a nova capital. Da visita resultam quatro crônicas, publicadas em 26, 27, 28 e 30 de janeiro de 1894 na *Gazeta de Notícias* também.

Nelas é forte a preocupação informativa. Cada uma detém-se numa particularidade, de forma a estimular a curiosidade do leitor. Na primeira, depois de historiar o projeto a respeito da mudança da sede do governo, Bilac narra o percurso entre Ouro Preto e Curral del Rei; na segunda, acumulam-se algumas informações sobre a geologia, a topografia e a fertilidade da terra escolhida; na terceira, abre-se um parêntese para desmentir boatos invejosos que davam a região como favorável ao bócio endêmico; na quarta, consagra-se e ratifica-se a escolha daquele espaço por meio de descrições enfáticas da geologia e da gastronomia local. Em seu conjunto, os parágrafos vão-se sucedendo de modo a suprir o leitor com fatias de informação. Num deles, desfila a paisagem vistosa; logo adiante, acompanha-se o susto do cronista diante de um trecho ferroviário em que a engenharia produziu milagres; em seguida, os milagres são de outra natureza, porque o cronista os viu relatados através "de um desenho primitivo e ingênuo" (*GazNot* 26 jan. 1894) numa capelinha perdida no cocuruto de um morro; depois, o importante é a lembrança de uma refrega em que interveio o Duque de Caxias; mais à frente, são as frutas sumarentas e coloridas que nos excitam o paladar; por fim, é a topografia favorável à "edificação de uma capital-modelo" (*GazNot* 27 jan. 1894), onde impressiona a abundância de rochas maleáveis e a quantidade de árvores de primeira. No entanto, ameaçando essa fartura e essa beleza providencial, espreita o bócio sorrateiro, cujo perigo, não negado pelo cronista, é por ele mesmo relativizado através da lembrança de uma quadrinha popular bem-humorada, como que a exorcizar o desmancha-prazer patológico:

> O papo pra ser bonito
> Tem de ser de três caroço;
> Um de um lado, outro do outro,
> E um no meio do pescoço.
> (*GazNot* 28 jan. 1894)

Ao fim da viagem, aguça-se o apetite. De modo malicioso, em mensagem subliminar de abundância e de fartura, a seqüência termina sobre uma mesa posta e disposta a saciar a fome dos viajantes curiosos e cansados. Sobre ela

> fumega o feijão de Minas, dentro de cujo caldo espesso se desdobram fartas folhas de couve repolhuda. O verde tenro dos quiabos casa-se ao amarelo fulvo da abóbora, em derredor dos grandes nacos de lombo de porco, cuja face tostada tem reflexos de ouro velho. E entre o assado gordo, de cuja superfície se eleva uma espiral de aromas, e as fatias finas do "beef" brasileiro, nadando num molho cujo cheiro embriaga, – esplende o angu de fubá, cuja massa compacta e clara estremece no prato como um bolo de gelatina (*GazNot* 30 jan. 1894).

Bem mais tarde, já digerido o almoço, os viajantes se retiram, de volta a Ouro Preto, protegidos por Vênus, cuja luminosidade concorre com a "claridade magnífica da lua cheia" (*GazNot* 30 jan. 1894). Se nos lembrarmos de que Vênus, além do componente de beleza e de fecundidade, carrega também a junção da morte e do renascimento, uma vez que está presente no raiar do dia e no seu fim (41: 999), constata-se que a viagem do jornalista curioso dera-se sob signo favorável. Mais que deslocar-se de um lugar para outro, mais que mera excursão de espairecimento, mais que simples recolhimento de material para suas crônicas, Bilac contara com o privilégio histórico de velar pela morte da antiga capital das Minas ao mesmo tempo em que testemunhava, excitado, o nascimento de uma outra, potencialmente capaz de satisfazer-lhe os desejos de homem prestes a ingressar neste século que termina.

Meses antes dessa cavalgada até Curral del Rei e ainda esforçando-se por disfarçar o susto diante do arbítrio florianista, Bilac atribuía função natural e religiosa às montanhas que ainda hoje, meio derrubadas, circundam a Ouro Preto que o acolheu. De um lado, como verdadeiro cinturão verde, protegiam-no elas, revitalizando-lhe o ânimo e tonificando-lhe os pulmões estragados pelo cheiro de pólvora das balas distantes, "que valsam macabramente no ar incendiado" (*GazNot* 7 nov. 1893). De outro lado, protegiam elas também o "reduto último da nossa nacionalidade" (*GazNot* 7 nov. 1893), atuando como se fossem paredes inexpugnáveis de um sacrário onde "perdura religiosamente conservada a tradição dos primeiros brasileiros" (*GazNot* 7 nov. 1893).

Anos depois da viagem forçada, o componente da sacralidade mineira ainda persistia no seu imaginário. Em crônica que esta pesquisa, por inadvertência, não salvou, mas que foi recuperada por Laís Correa de Araújo em boa hora, Bilac confirma seu otimismo, por ocasião de uma feira agrícola, em 1903. Alegrando-se com a transformação daquela geografia, insiste o cronista no dado miraculoso, sem ignorar, no entanto, que dados novos de um tempo novo estão ali presentes. Em 24 de maio desse ano, na mesma *Gazeta de Notícias*, escreve ele:

> Em nove anos, um taumaturgo, um milagreiro, um mágico transformou aquele pacífico e tristonho lugarejo em uma esplêndida cidade. Aplainou-se o solo, destruiu-se o mato

virgem, a locomotiva acordou os ecos da Serra, canalizou-se a água, e os palácios saíram da terra, esplendendo ao sol.

Esse taumaturgo tem um nome feminino: chama-se A Coragem... (6: 28).

De modo inesperado, seu exílio político transformara-se em ganho pessoal e intelectual, além de modificar para romaria involuntária aquilo que lhe fora imposto como calvário. Romaria que lhe atiçou os brios nacionalistas e que acabou também por arremessá-lo a projeções utópicas de um país prestes a se modernizar. Juntavam-se, pois, o passado e o futuro nesse seu afastamento provisório do litoral[3].

3. Parte deste ensaio foi lido durante o *Seminário Internacional de História da Literatura da PUC-RS*, Porto Alegre, 26-28 set. 1995, e, mais tarde, publicado nos *Anais do I Seminário Internacional de História da Literatura*, Cadernos do Centro de Pesquisas Literárias da PUC-RS, Porto Alegre, abr. 1997, vol. 3, n. 1, pp. 61-67, organizado por Maria Eunice Moreira. Depois, foi recolhido em Maria Eunice Moreira (org.), *Histórias da Literatura: Teoria, Tema e Autores*, Porto Alegre, Mercado Aberto, 2003, pp. 279-290.

Entre Canudos e Paris

...nessa terra do exílio que é o meu sonho dourado, – Paris...
O. B., *Gazeta de Notícias*, 18 jun. 1890

Salvo engano, foi numa revista semanal mais voltada para o teatro, a literatura, as variedades e as atualidades que o nome de Antônio Conselheiro aparece pela primeira vez em crônica de Bilac, nessa ocasião escondido sob o pseudônimo de "O Diabo Vesgo".

Dentro do previsto, a menção não era nem um pouco lisonjeira.

Em meados de dezembro de 1896, *A Bruxa* circula com uma crônica em que, depois de curta introdução na qual historia os motivos conjugais que teriam dado origem ao desequilíbrio do místico sertanejo, Bilac abandona o pretexto inicial, deixa de lado as evasivas e atinge, em cheio, o miolo que rodeava: a existência do líder de Canudos, acentua o cronista, resulta da política. Como toda deformação social lhe parece produzida pela política, é nela que devem ser localizadas as razões para o surgimento desse "refinadíssimo patife", indivíduo suspeito de restauração monárquica, "alma de inquieto, de agitado, de nevrótico" e que merece ser "corrido a pedra e a sabre", sem muita conversa (*ABruxa* 11 dez. 1896). Como conseqüência dessa suspeita, prossegue o jornalista em seu raciocínio, torna-se o Conselheiro um assunto a ser examinado através de considerações políticas, o que é o mesmo que dizer arrastadas, quando não, sem solução.

Ainda que o Conselheiro ocupe mais da metade do texto, o objetivo da crônica não é tanto a figura do líder sertanejo, simples desculpa concreta de argumentação, mas muito mais a aversão do cronista à política, sinônimo necessário de universo nefasto.

Tamanha idiossincrasia, reiteradas vezes declarada ao longo de anos de jornal e ironicamente posta em xeque nos dez últimos anos de vida do cronista, quando Bilac se engaja bravamente na campanha pelo serviço militar obrigatório, materializa-se de modo topográfico em crônica na qual se exaltam as excelências de Petrópolis, em detrimento do Rio de Janeiro e de Niterói. Da leitura dos textos bilaqueanos, reforçada por outras posteriores, deduzem-se duas crenças, uma encadeada à outra: primeiro, a de que a cidade de Petrópolis, como padrão urbano, antagoniza-se de forma irreconciliável com o místico baiano, dentro de uma determinada concepção de vida social; segundo, a crença de que Antônio Conselheiro só poderia ser conseqüência, mesmo que remota, de um aglomerado urbano como o Rio de Janeiro, cuja desordem genérica era incompatível com o promissor fim do século (*GazNot* 13 fev. 1897).

Com o pseudônimo de Fantasio, seu preferido, o cronista destaca os vários motivos que determinam a excelência de Petrópolis como modelo de urbanidade civilizada e elegante, colocada a meio caminho entre a agressividade da mata e a precariedade material de uma cidade como o Rio, carente ainda de recursos condizentes com os tempos modernos.

Para inseri-la nessa posição intermediária, Bilac extrai das situações extremas aquilo que reputa positivo e com esses elementos constrói uma imagem ideal de cidade, para a qual concorrem, de modo conjunto, seus dotes de poeta e de observador do cotidiano.

Assim é que o relevo e a altitude de Petrópolis tornam-se o primeiro sinal de privilégio, já que demonstram dupla funcionalidade. Primeiro, porque sua configuração montanhosa arranca-a da trivialidade plana e chata das cidades à beira-mar, o que permite a ela livrar-se tanto da monotonia, quanto da insalubridade, que, eventualmente, se confundem e se identificam com tramóias políticas. Lá no alto, a cidade livra-se do cotidiano, do rasteiro e suprime "os negócios, o trabalho, a política, a ambição, a hepatite, a dispepsia [e] o mexerico". O "alto", constata o cronista de forma convencional, é espaço propício, porque enxota as "cousas chatas e vulgares [que] deviam ficar em Niterói, à beira-mar, nas ruas baixas e feias", misturando-se "com o cheiro da maresia, com a umidade, com o calor, com o suor" e outros elementos desprezíveis. Segundo, porque a altitude ainda favorece a proximidade daquele recanto de veraneio com o céu, com os astros e com Deus, distanciando-o, portanto, dos interesses mercantis e burocráticos. Local abonado para a "ressurreição" cotidiana "da alma", Petrópolis abre-se como espaço preferencial do lazer, espécie de Paraíso Perdido infenso às necessidades do dia-a-dia. Neste "oásis de asseio e frescura", construído pela faina operosa de "casais alemães, nutridos a queijo fresco e a cerveja loura", encontram-se equipamentos urbanos que permitem ao cidadão uma existência com "roupa limpa, [...] sapatos lustrosos e as mãos sem calos". Em palavras menos camufladas, a natureza daquela cidade serrana já fora devidamente abatida e domesticada pelo ímpeto civilizatório europeu de extração étnica esbranquiçada. Porque, a natureza, cujo bulício tantas vezes fora idealizado pelo poeta, só interessa ao cronista quando vista à distância:

> Assim, amo a vida civilizada encaixada na moldura rústica da natureza primitiva. Quero ver os troncos rugosos encontrando-se e torcendo-se, confundindo estreitamente no ar as copas altas, abrigando a algazarra dos ninhos e os amores dos pássaros; quero ver as catadupas de águas bravias; franjando-se de espumas nas cristas das rochas; quero ver despenhadeiros e alcantis, rios e capoeirões: mas quero ver tudo isso sem incômodo, debruçado a uma janela, de dentro de uma sala em que haja poltronas, e livros, e tapetes, e copos de cristal... (*GazNot* 13 fev. 1897.)

como espectador, enfim, disposto à crítica, mas sempre rodeado de conforto e de muito requinte.

Como homem da cidade, atento a tudo aquilo que nela se passa, se constrói e se destrói e que merece seu registro, o cronista divorcia-se do poeta que idealiza a natureza e recusa-se a confraternizar-se com ela, como que suspeitando-a adversária do conforto e da higiene postos em andamento nos melhores centros urbanos europeus. Dentro dessa recusa parece que se embute, também, por tabela, uma repulsa ao passado, porque é desse passado de glorificação das belezas naturais que se alimenta a mitologia carioca no seu afã de postar o Rio como dama galante.

Cria-se, então, um impasse difícil de resolver, porque o cronista recrimina o aspecto miserável que o Rio herdou das péssimas administrações anteriores, incapazes de modernizá-lo. Essa inépcia administrativa, acredita ele, decorre do uso desastrado das forças políticas, que acabaram por determinar a falta de conforto generalizado da cidade, envolta numa imundície permanente. Arrancá-la dessa condição, no entanto, ajustando-a ao presente, significa, de outro lado, fazer tábua rasa de seu lastro histórico, herança que não podemos rejeitar, sob pena de perdermos nossa identidade. Como, pois, alterar a geografia sem corroer a história?

Ao cronista não interessava a Baía de Guanabara como dádiva da natureza, o que vinha sendo cantado em prosa e verso desde os primeiros viajantes que a conheceram. Mais que isso, interessava-lhe tão-somente a cidade do Rio de Janeiro, centro urbano para onde convergiam necessariamente as atenções nacionais e estrangeiras.

Ainda que afeito à leitura dos historiadores, pouco se lhe dava a fieira de admiração que a baía despertava nos visitantes, desde os mais remotos. Seu apego àquele *locus* nada tinha que ver com a noção de amenidade e de luxúria que tanto vinha e vem cativando o estrangeiro. Seu olhar voltava-se não para a baía, mas para a cidade; não para o mar, mas para a terra; não para a moldura, mas para o seu recheio. A cidade que ele defendia para si e para seus contemporâneos não comportava a louvação habitual da natureza. Para ele, o Rio de Janeiro precisava safar-se do pasmo unânime que provocava, se quisesse constituir-se como espaço higiênico e adequado à convivência humana. "O Rio de Janeiro", sentencia Bilac, "precisa ver-se livre desta abominável fama, que tem, de possuir a mais rica natureza do mundo" (*OEstSP* 15 jan. 1898). Contra essa fama e mesmo incorrendo no risco da incompreensão, o cronista adota uma pregação dendroclasta desde que isso contribuísse para o combate às mazelas que infernizavam a cidade: "Abaixo as árvores! E que, nos últimos troncos, que sobreviverem à hecatombe, sejam enforcados os últimos higienistas retrógrados!" (*OEstSP* 15 jan. 1898).

Nesse sentido, desobedecia ele a uma tradição que sempre envolveu a cidade e que levou Bandeira e Drummond, dois cativos da beleza carioca, a oferecerem, um dia, uma "grinalda de palavras em louvor da Baía de Guanabara". Através dessa farta e comovente antologia a que os dois poetas deram o título de *Rio de Janeiro em Prosa & Verso*, é possível rastrear o impacto que aquela feliz fusão geográfica de cores, de volumes e de formas vem provocando sistematicamente em todos os visitantes, desde Tomé de Sousa, por exemplo, que, em 1553, resumiu todas as louvações futuras em frase concisa: "tudo é graça o que se pode dizer" daquela baía (16: 19).

Duzentos anos depois, em elogio menos irrestrito e mais propenso a exaltações de caráter místico, Evariste Parny imaginava-se diante de "um paraíso terrestre" (16: 19). Para o Príncipe Adalberto da Prússia, em 1857, penetrar pela Guanabara tinha a mesma função de um ritual de passagem, etapa demarcatória "que ficará como um marco na vida" (16: 23). Nem o sisudo Darwin, que, forrado de razão, torceu o nariz para a sujeira do Rio, conseguiu conter-se diante de uma paisagem que o forçou a buscar socorro imagético no lazer favorito de sua época: o teatro. Nas palavras do comedido naturalista, aquela configuração da natureza "tão completamente excede em magnificência tudo o que o europeu sempre viu em seu país de origem que ele não sabe como exprimir as suas sensações. O efeito geral freqüentemente lembra as mais alegres cenas de ópera ou dos grandes teatros" (16: 21). Richard Burton, o incansável andarilho inglês, poliglota notável e amante insaciável, elaborou comentários bem pouco puritanos e até mesmo borrifados de certo determinismo incipiente:

> Junte-se a esta delicadeza e encantamento, a esta graça e beleza femininas, um aspecto de força e uma majestade derivada das proporções e da grandeza abrupta das montanhas, dos picos, dos precipícios e das rochas [...] que afasta qualquer idéia de efeminação. Tais efeitos da natureza, ao mesmo tempo máscula e feminil, alternativamente doce e rude, necessariamente influem no caráter nacional (16: 37).

Há menos tempo, Érico Veríssimo derrubou a composição hermafrodita construída por Burton e assentou, em seu lugar, o contorno tão-somente feminino, ao entregar-se apaixonado pela cidade: "O Rio é uma cidade mulher. Tudo nele sugere feminilidade – seios, molezas mornas, cabelos perfumados, carícias lânguidas, convites... O Rio é uma mulher morena enfeitada de flores e deitada sob o sol nas areias do Atlântico" (16: 69).

Independente da época, dos estilos, das origens, dos interesses e da formação intelectual de cada um desses admiradores, aqui lembrados como meros exemplos de uma confraria muito mais extensa, a natureza é presença constante nessa louvação. Seja na perspectiva de quem enxerga a terra vindo pelas águas do mar ou de quem a contempla encarapitado nas montanhas que cercam a baía, o efeito final é sempre o mesmo: surpresa, arrebatamento e exacerbação dos sentidos, que, quase sempre, deslizam para a sensualidade.

Navegando ao revés nessa corrente, ainda que sob o risco de incompreensão daquele ou deste momento, topamos com um poeta parnasiano que, em sua poesia, nunca se deixou levar pela natureza carioca e que, como jornalista militante, combateu a favor da remodelação urbana, sua próxima bandeira de luta depois das experiências amargas recolhidas com o governo florianista. A rigor, não seria exagero dizer que o grande personagem da crônica bilaqueana, uma vez afastadas as primeiras refregas pela consolidação da República, é, sem dúvida, a cidade do Rio de Janeiro. Por ela empenha-se o cronista desde os anos finais do século XIX até as vésperas de seu envolvimento definitivo com a campanha pelo serviço militar obrigatório, em 1915.

No entanto, sua paixão pela cidade não era inocente, nem passiva. Para ele, esse encantamento com a moldura natural que privilegiava o Rio convertera-se em mito e isso era prejudicial, porque acabava por atrapalhar seu desenvolvimento urbano e por emperrar seu saneamento. Enrodilhadas na autocontemplação narcísica, nem a população, nem as autoridades, sobretudo estas, eram capazes de se sensibilizar para as reformas viárias e infra-estruturais necessárias. Da sua perspectiva, a capital definhava sob o peso do desleixo administrativo que se misturava com o lixo acumulado. Tornara-se tão deprimente o problema que só através da ficção hiperbólica e do sonho é que se poderia espantar o sono dos cidadãos e dos leitores. Só por meio da fantasia e do delírio, enfim, é que se poderia esperar algum tipo de reação a um problema que, na imaginação bilaqueana, chegava mesmo a ameaçar a navegação internacional:

> Sonhei esta noite que era prefeito municipal. Um gênio bom me enchera de importância política, apontando-me ao governo como o único possível salvador do Distrito Federal. E sonhei que aceitara a nomeação, e que, instalado na curul de Edil-mor, começara a trabalhar...
>
> Logo, numa chusma inumerável, vieram os pretendentes, em número maior que o das estrelas do céu e o das areias do mar. E a todos os que chegavam, sem distinção, perguntava eu: "Sabe o senhor empunhar uma vassoura? sabe o senhor varrer uma rua?" Porque toda a minha preocupação era esta: varrer a cidade. E, assim que tive organizado o meu exército de varredores, disseminei-os pela vastíssima extensão da urbe de Mem de Sá, e o formidável trabalho começou. E o pó que as vassouras levantavam era tanto que enchia o céu e empanava o brilho das estrelas na altura. Nem todo o lixo de Xangai e todo o cisco de Fez, reunidos, poderiam dar idéia pálida do que era o cisco e o lixo de Sebastianópolis; gastavam-se as vassouras, morriam esfalfados os varredores, vinham vassouras novas, novos trabalhadores chegavam, e cada vez mais lixo! e cada vez aparecia mais cisco! e era um nunca mais acabar de imundícies remexidas! No mar, começou a crescer o aterro. A borra da incúria municipal enchia o seio imenso da baía. A sujidade repelia as águas. A cidade crescia. Houve um momento em que o aterro ganhou a ilha do Governador, a ilha das Cobras, Villegaignon, Santa Cruz, Lage, S. João... desapareceu a baía do Rio de Janeiro... e cada vez havia mais cisco! e cada vez aparecia mais lixo! e, passando a barra, a imundície começou a entulhar o largo Oceano... Então, as potências reunidas intimaram a suspender um trabalho que assim ameaçava impedir a navegação universal.
>
> E, convencido de que não havia forças humanas que acabassem com o lixo e o cisco que a passada administração municipal deixou acumulados na cidade, pedi a minha exoneração e... acordei (*OEstSP* 20 nov. 1897).

A tal ponto chegara o descalabro que, fosse preciso, a cidade teria de sacrificar suas massas vegetais, de se despedir de sua ornamentação, de seu arvoredo circundante e daquilo que a irritação do cronista chama de "trambolhos verdes" (*OEstSP* 15 jan. 1898). Começa, então, nesse finalzinho do século, a emergir dentro do cronista um discurso implacável de questionamento, que transborda os limites da cidade e respinga no próprio país. Meses depois desta proposta radical e fazendo deste raciocínio uma regra geral para o Brasil, Bilac avança e afirma que, ao contrário do que apregoavam os cronistas da Descoberta, este país já não é mais nenhum paraíso.

Por coincidência, nesse mesmo momento, um outro intelectual brasileiro constatava, pesaroso, que nossa ilusão paradisíaca se desmanchava e que "a rua do Ouvidor valia por um desvio das caatingas" (45: 320). Diferentes no tom, Euclides e Bilac se juntavam. E ainda que o lugar de cada um deles no nosso panteão literário seja distinto, não se pode arrebitar o nariz e fingir que um fosso profundo e intransponível separa os dois. O que um dizia do seu presente de olho no futuro, em registro mais erudito, outro dizia do seu presente para o presente, num registro mais ao rés do chão. O que um denunciava em plano mais amplo, o outro repercutia em escala menor, mas nem por isso menos significativa.

Em suma, começava-se a se desconfiar de nossa uberdade e de nossa prosápia. Da inexistência da higiene pública, que favorece a disseminação de pestilências, à miséria e à fome, o passo é curto. Esfumava-se o arrebatamento do escrivão Caminha, como se pode conferir neste desabafo emocional de Bilac, publicado pelo mesmo jornal que, pouco antes, em março e julho de 1897, publicara as crônicas de "A Nossa Vendéia", os primeiros germes do livro máximo de Euclides da Cunha.

> Sim! miséria no Brasil! por que não? A nossa velha qualificação de terra onde ninguém morre de fome já foi embrulhada, classificada, e definitivamente recolhida ao armário venerando em que se guardam os chavões inúteis. A ilusão acabou. Já todo o mundo está convencido de que não há, na terra toda, um ponto só, em que não se sofram sede e fome, e em que se não possa morrer de miséria. Esse Paraíso Terreal não existe. As terras da Promissão dissiparam-se em névoa e fumo. E o frio conhecimento da fria realidade deu cabo da miragem dos Eldorados (*OEstSP* 8 ago. 1898).

É claro que não se trata de súbita tomada de consciência pelos problemas do país e muito menos de conversão inesperada à militância socialista.

Menos que isso e mais que a suposta indiferença parnasiana em que o circunscreveram pósteros apressados, está uma definição de progresso desejado, que passa, necessariamente, pela modernização material da cidade e do país, sem se esquecer de que conquistas dessa natureza só se realizam a contento se acompanhadas de mudança de mentalidade, de hábitos sociais e de comportamentos. Um reformista impaciente, sem dúvida; nunca uma consciência revolucionária. Pelo menos, não depois do pão amassado que comera com Floriano.

É porque sua concepção de progresso repousa na conformação da cidade aos padrões urbanos que conhecera pessoalmente em contínuas viagens à Europa, que Bilac encara com horror o levante de Antônio Conselheiro no interior da Bahia. Para o cronista, o líder sertanejo, enfiado em malocas desconjuntadas num arraial perdido no sertão, encarnava exatamente tudo aquilo que se opunha à noção de progresso, fosse por seu fanatismo religioso, fosse por sua falta de higiene, fosse ainda pela suspeita de sebastianismo monárquico que o rodeava.

Se, meses antes, em São Paulo, Euclides da Cunha condenara "as hostes fanáticas do Conselheiro" (54: 84), emparelhando-as aos reacionários da Vendéia, Bilac, no Rio, vai festejar a derrota dos sertanejos em dois registros, ambos de modo simbólico e sugestivo. Em um deles, nos limites de uma "representação galhofeira", como classificaria Walnice Nogueira Galvão (53: 33-53), comemora-se a morte do Conselheiro com a análise simulada das suas circunvoluções cerebrais, segundo as regras da nascente e moderníssima Antropologia professada por Paul Broca na veneranda Sorbonne. Por meio deste recurso histriônico, encena-se uma abordagem científica que permite o exercício brincalhão do *aggiornamento* criminalístico, sob o amparo da respeitabilidade erudita e ancestral da universidade parisiense:

> Aqui tenho nas mãos a sua cabeça calva, polida, amarela como marfim velho... Racho-a... Aqui tenho o seu cérebro... oh! que peso! que peso! O de Cuvier pesava 1 k. 89!... O de Cromwell 2 k. 229... O de Dupuytreo 1 k. 236... Este deve pesar pelo menos 1 k.! Tinha talento o maluco!... Vejamos as localizações cerebrais...
>
> Aqui temos a circunvolução da palavra, enorme, inchada, exuberante... Falava bem, o maluco! e com que fogo! e com que poder de convicção! Quando ele falava, os homens abandonavam as boiadas e as lavouras, as mulheres abandonavam as casas, e todos vendiam quanto possuíam, e lá se iam em pós ele, ardendo em fé e em loucura.
>
> [...]
>
> Olá! cá apanhei a sede da afetividade amorosa... Sim, senhor! sim, senhor! isto é que é uma bossa de se lhe tirar o chapéu! mas, tão estragada, tão frouxa, tão amortecida pela falta de uso... também, a idade! também, a imundície destas jagunças!
>
> [...]
>
> Basta! Vou-me embora. Tenho de ir à Sorbonna, em Paris, inspirar ao professor de antropologia a sua lição de hoje. Vou-me embora! mesmo porque isto aqui fede que é o diabo... Adeus! (*GazNot* 10 out. 1897).

Em outro registro, a notícia da eliminação daquele reduto atrasado, fundo e escuro, chega ao cronista, junto com o canto dos galos, através da modernidade do telégrafo e envolta na claridade rósea de um dia novo que se rasga, animada pela estridência da música militar e respaldada pela proximidade confortável da sede do governo:

> Enfim, arrasada a cidadela maldita! enfim, dominado o antro negro, cavado no centro do adusto sertão, onde o Profeta das longas barbas sujas concentrava a sua força diabólica, feita de fé e de patifaria, alimentada pela superstição e pela rapinagem!
>
> Cinco horas da madrugada, hoje. Num sobressalto, acordo, ouvindo um clamor de clarins e um rufo acelerado de caixas de guerra. Corro à janela, que defronta o palácio do governo.
>
> Uma escura massa de gente, na escuridão da ante-manhã, está agrupada na rua. Calam-se os clarins e as caixas de guerra. Há um curto silêncio. E, logo, dos instrumentos de metal, estrompam, e dos tambores que se esfalfam rufando, como corações atacados de hipercinesia, rompe, alto e vibrante, o hino nacional. É uma banda militar, que toca à alvorada, em frente do palácio, para celebrar ainda uma vez a grande nova, transmitida ontem à nossa ansiedade pelo telégrafo.
>
> Todos os galos da vizinhança acordam, juntando o estridor de seu canto ao estridor das trompas da banda. Longe, um pedaço de céu, tocado de rosa e pérola, anuncia o dia.
>
> Como é bom despertar assim, em pleno júbilo, já com o coração livre daqueles sustos dos dias passados, – quando a gente abrindo os jornais, sentia o coração pressago, cheio de medo, temendo o horror de novas catástrofes, de novos morticínios, de novas derrotas!

> Enfim, assaltada e vencida a furna lôbrega, onde a ignorância, ao mando da ambição, se alapardava perversa! Enfim, desmantelada a cidadela-igreja, onde o Bom Jesus facínora, como um cura Santa Cruz de nova espécie, oficiava, tendo sobre o espesso burel a coronha da pistola assassina!... (*OEstSP* 9 out. 1897).

Na geografia urbana ideal que arquitetou, Bilac arma um arco tenso, cujas pontas que se repelem são ocupadas por Petrópolis, verdadeiro "oásis de asseio e frescura" (*GazNot* 13 fev. 1897), e por Canudos, "a cidadela maldita, a furna lôbrega, o antro negro" (*OEstSP* 9 out. 1897). Em meio às duas, o Rio sujo que abominava, por causa da higiene inexistente ou por identificá-lo com o rodamoinho político, o que seria, em seu ponto de vista, a mesmíssima coisa.

É claro que Petrópolis, mesmo sendo motivo de crônicas bem-humoradas, publicadas em outro momento (*OEstSP* 13 nov. 1898 e *GazNot* 2 fev. 1902), é sempre sucedâneo de outra cidade melhor ainda, bem mais refinada, espécie de patamar último numa escala ascendente de sofisticação, mas que fica fora de nossos limites, de nosso alcance, bem distante de nosso sítio acaipirado. Quando muito, ao alcance de uns poucos privilegiados, endinheirados o suficiente para atingi-la, ou intelectualmente preparados para saboreá-la.

Cumprindo a sina do intelectual latino-americano, o cronista cospe no prato, suspira pelos bulevares e esgarça-se entre ambos. A solução talvez estivesse fora de nós.

Sobrevém, então, mais outro impasse, além daquele acima apontado que o entalava entre a história do passado e a geografia do presente. Agora, sua aflição provém da paixão que o divide entre a cidade natal que dele arrancou inflamadas declarações de amor (*GazNot* 10 dez. 1895) e a capital francesa, meta ansiada dos bem pensantes de então.

Depois de tanto visitar Paris, Bilac tirou proveito da geografia da cidade e com ela modelou sua imagem pessoal daquilo que poderia ser um *carrefour* simbólico da História.

Segundo sua alentada experiência local, condensada numa crônica de junho de 1904, Paris não podia ser vista como uma cidade apenas, senão como duas, funcionando de modo complementar e assimétrico. Duas metades que se justapunham, embora com funções diferentes. Uma é a Cosmópolis, centro para onde convergem as atenções do mundo moderno e contemporâneo, "sala de visitas da Europa e de toda a terra"; outra é Lutécia, cujo nome arrasta atrás de si séculos de historicidade, "santuário da Tradição, da Ciência, do Estudo" (*GazNot* 17 jun. 1904).

Na margem direita do Sena, situava-se a cidade do Presente, buliçosa, movimentada, fremindo de luxo e de frivolidade, atravessada por costumes e idiomas os mais extravagantes e cosmopolitas, espaço privilegiado do prazer, festivo por excelência, aberto e coletivo, público e vistoso. Nele, convivem e coexistem sociedades do mundo, ansiosas de intercâmbio imediato e pródigas em exibicionismo, facilmente alcançável por intermédio de cafés elegantes, hotéis requintados, avenidas amplas e teatros com novidades constantes. Nesse lado direito do rio, a prioridade é para a festa e para a confraternização, para a sociabilidade e para a junção. Nada cristaliza esta margem, exceto o prazer sôfrego, como que amedrontado diante do *tempus fugit*. Nenhuma figura histórica sacraliza, abençoa e protege este pedaço como o fazem Condorcet e Voltaire com a margem esquerda. Para o lado de cá, o direito, não se esperam, porque supérfluas, a crença implacável no progresso humano que o primeiro defendia, nem a ironia devastadora que o segundo praticava. Dispensam-se a bênção e a proteção, porque este trecho é área de festa, de prazer e, por conseguinte, profana, reservada à dissipação, à volubilidade, ao cromatismo extravagante, à inteligência chistosa, tudo bancado pelo dinheiro a rodo, aqui, e curto, do lado esquerdo.

Na margem esquerda, onde se posta o narrador, a atmosfera é muito outra. Em vez do movimento, a calma; em vez da excitação física, a concentração intelectual; em vez da futilidade, a estabilidade.

Desse contraste nasce um paradoxo que não separa, mas que une ainda mais as duas fatias da cidade, nela imprimindo uma diversidade que a complementa: na margem direita, o ajuntamento nervoso dos corpos ávidos de novidade estimula a fruição do presente, menospreza o passado e pouco ou quase nada projeta para o futuro; na esquerda, suspende-se o presente e investiga-se o passado, numa tentativa de se indagar o futuro.

Porque é nos quarteirões à esquerda do Sena que se agrupam os liceus, a Universidade, as Faculdades, o Instituto de França e os alfarrabistas do Quai Conti e do Quai Malaquais. "Poucas carruagens, poucos ônibus vêm quebrar a quietude deste canto de Paris" (*GazNot* 17 jun. 1904), anota o cronista. Nessa porção urbana dedicada à sapiência e à erudição, convém que o silêncio se faça acompanhado de luz menos cintilante e menos espalhafatosa, para que não se inibam a reflexão, nem o recolhimento. É para preservar esse recato penumbroso e refratário ao brilho externo que as escolas e os "edifícios negros" se misturam nas mesmas ruas; que a "cúpula severa" do Instituto de França se esfuma num céu "revestido de névoas"; que as caixas dos "bouquinistes, feias e grosseiras caixas de madeira ordinária, são pintadas de negro" e que as lojas de "gravuras amareladas" da rue Jacob e da rue Dauphine são escuras e entulhadas de "velharias de toda espécie" (*GazNot* 17 jun. 1904). Nesse lado o som se propaga em surdina e as cores se ausentam ou são abafadas; no lado oposto, o barulho é babélico e as cores se confundem.

Sítio de austeridade e de devoção, a margem esquerda aparta-se da direita, porque se orienta no sentido de cultivar o permanente e não o transitório. Daí que as caixas abarrotadas de livros na beira de seus cais tenham cancelado o tempo cronológico, instalando em seu lugar um desdobramento infinito, no qual a convivência de épocas distintas rivaliza com a convivência de espaços distintos que acontece na margem direita. Portanto, não é de espantar que "no bojo dessas caixas anciãs", dessas caixas estufadas de sabedoria, repousem "em santa paz, lado a lado, entrerroçando fraternamente as suas lombadas sujas, os mais desencontrados e disparatados produtos do engenho humano". Dentro delas, "os versos de um cançonetista de Montmartre fazem cócegas no vasto dorso das Tábuas de Callet: um código antigo esmaga a prosa pretensiosa de Bourget; um missal, já sem capa, não cora com a vizinhança de um volume desapartado das *Memórias* de Casanova" (*GazNot* 17 jun. 1904). Essa confraternização entre elementos tão heterogêneos só é possível porque o tempo nivelou-os.

Graças à historicidade que rega a margem esquerda do Sena, garante-se uma continuidade cultural resistente o bastante para enfrentar o torvelinho cotidiano da margem direita. A aparente imobilidade externa dos quarteirões intelectualizados resiste muito bem à sistemática agitação superficial do lado oposto. O movimento na margem direita é aparente, mas estéril; na esquerda, o repouso é que é aparente, porque nele germinam frutos para o futuro. E é porque ambos os lados se distinguem em suas especificidades que convém nomeá-los de modo diverso para que sejam preservadas suas individualidades: à cidade que reverencia o Passado, chame-se Lutécia; à que se agita no Presente, dê-se o nome de Paris.

Ao fender a capital francesa em dois segmentos complementares, Bilac resolve um impasse pessoal, porque, sem menosprezar o passado repleto de tradição, cultiva o presente que acena com promessas de conforto material. Ao poeta parnasiano, devoto de uma longínqua herança helenizante, junta-se, pois, o jornalista do momento, sempre propenso a encarar o seu presente a partir de uma perspectiva prática. Assim como a cidade se partiu, partiu-se também o intelectual que desceu das nuvens e veio instalar-se no meio do espaço urbano.

Nas inúmeras crônicas que escreveu para jornais cariocas e paulistas, Bilac foi disseminando suas aversões e simpatias. Entre estas, um dos blocos mais marcantes é o que se refere à França, motivo de constantes viagens do poeta. No entanto, apesar da habitual adesão do intelectual latino-americano à cultura francesa, é preciso salientar que a de Bilac conheceu, ao longo dos anos, uma ligeira alteração.

Se, numa primeira instância, o apego se mostra por intermédio das preferências, admirações e filiações literárias ou pela invocação de Paris como sinônimo cabal de refinamento e sofisticação mundanas, a ponto de provocar espanto pelo exagero decadentista (*OEstSP* 10 fev. 1898), num momento posterior essa caracterização corriqueira cede lugar a uma outra, cujo cerne não é mais a Arte, mas sim a Ciência.

Apesar de sua prolongada francofilia, que o faz invejar o exílio dourado de Pedro II à beira do Sena (*GazNot* 18 jun. 1890); constranger-se diante de uma brasileiríssima igaçaba exposta nas vitrines do Museu de Sèvres (*GazNot* 23 jun. 1904); suspirar pelo requinte da *Mi-Carême* tantas vezes superior à "deificação pública da lascívia" do nosso Carnaval (*Kosmos* mar. 1904); festejar a polícia paulista treinada pela Missão Francesa (*GazNot* 4 ago. 1907), ou confessar-se impregnado de Júlio Verne na adolescência (*GazNot* 26 mar. 1905), Bilac foi, aos poucos, desvencilhando-se da admiração incondicional e recheando seu discurso entusiástico com breves anotações objetivas, cada vez mais direcionadas.

Numa oportunidade, critica a Marinha francesa por ter batizado de *Vítor Hugo* a um de seus cruzadores fundeados no Mediterrâneo, porque, imagina ele, o pacifismo do velho Hugo deveria ficar arrepiado com a homenagem. Em outra ocasião, não estranha surpreendê-lo fascinado pela figura de Zola, a quem Bilac atribui duas virtudes: no plano moral, a qualidade de tenaz "apóstolo da Verdade e da Justiça" (*GazNot* 5 out. 1902); no plano literário, o escritor avesso ao mito romântico da inspiração e praticante confesso da escritura diária e metódica. Quando, "ao fim do trabalho diário", o autor dos Rougon-Macquart "contemplava o resultado de suas oito horas de produção intelectual devia olhá-lo com amor e satisfação" (*GazNot* 5 out. 1902), conjectura Bilac, mal disfarçando um modelo ambicionado e possível.

Mas é no entrecruzamento da estética com a ciência que se desnorteia o cronista. Formado dentro de cânones poéticos que celebravam a frieza do mármore e o brilho parasitário dos minerais, Bilac recusa a incorporação de novos materiais de construção, sobretudo os empregados em monumentos públicos. De pouco parece lhe valer o argumento de que tais monumentos estejam assentados em elaborados cálculos estruturais antes de ganharem as ruas e as praças; de nada adiantam os indícios de que a engenharia do século XIX esteja em pleno processo de assimilação de materiais recém-conquistados como o aço.

E assim como dividira a cidade de Paris em duas, o cronista reparte agora o Ocidente em dois: a leste, a Europa capaz de preservar um acervo cultural proveniente de tempos remotos e adequado à estatura humana; a oeste, os Estados Unidos, cuja infância nacional se confunde com infantilismo estético e precariedade de gosto.

Em "O Monstro de Ferro", crônica em que o assunto é a possível venda da Torre Eiffel para a Prefeitura de Baltimore nos Estados Unidos, hiperboliza-se o horror pelas toneladas de aço espetadas no Champ de Mars e que foram aplaudidas por uns ou condenadas pelo cronista como "satânica invenção da engenharia moderna que maculou em Paris o esplendor da exposição universal de 89" (*GazNot* 18 nov. 1894).

Depois de apoiar o gesto de Guy de Maupassant, que escapuliu em veleiro pelo Mediterrâneo em vez de enfrentar a "hedionda figura da torre", Bilac desqualifica-a através de um recurso fartamente explorado pelo naturalismo literário recente, a zoomorfização patológica: "Quatro patas formidáveis, vermelhas, prendem o colosso à terra: e sob essas patas se levanta ele, arrojado para o céu como injúria, grossíssimo na base, afinando de repente, sem transição. Oh! é horrível! dir-se-ia uma mulher gigante com o tronco mirrado pela tísica, e as pernas inchadas pela elefantíase" (*GazNot* 18 nov. 1894). Bicho acéfalo, avantaja-se o monstro por meio de "patas formidáveis" que apenas sugerem o animal, cuja forma corpórea mal se esboça no final da frase, que o mostra severamente danado pela deformação hipertrófica.

Não bastassem a satanização e a animalização da torre, o cronista ainda recorre a outro expediente analógico, agora numa direção bíblica e divina como a enfatizar o antagonismo de duas concepções arquitetônicas: Eiffel x Babel. Ignorando deliberadamente o potencial desintegrador dessa torre, isto é, a fragmentação lingüística que se esconde no monumento bíblico, Bilac privilegia nela apenas seu componente majestoso e sua vocação ascensional. "Imagino-a airosa e leve", devaneia ele, "apesar das suas formidandas dimensões, com uma escadaria em espiral, subindo para o céu pouco a pouco, volta a volta, pacientemente" (*GazNot* 18 nov. 1894). Nada daquela agressividade arrojada da Eiffel, nada daquele corpo disforme e "sem transição", daquela impaciência grotesca e daquele peso impudico, que assinalam a novidade francesa. Concebida como "uma torre, cujo cimo chegue até o céu" (Gên. 11:4), o cronista perdoa a presunção de Babel e nela aboleta seres que se destacam do comum dos mortais, evidenciando mais uma vez sua predestinação divina: "Dentro da torre de Babel poderia dignamente morar um semideus, com guerreiros, com sacerdotes, com ídolos", enquanto na torre parisiense "só pode morar dignamente um engenheiro com cervejeiros, com *camelots*, com *garçons d'hôtel*" (*GazNot* 18 nov. 1894). À sacralidade da torre bíblica opõe-se a vulgaridade da parisiense, em que se mesclam, de modo sutil, as noções de insensibilidade estética, de ofício lastreado no álcool, de comércio de bugigangas e de trabalho desqualificado.

A proposta da Prefeitura de Baltimore agrada em cheio ao cronista que, a partir dela, desenvolve um novo campo de oposições, acrescentando mais um antagonismo àqueles que já construíra entre o satânico e o divino, o profano e o religioso, o rasteiro e o sobre-humano.

A seu ver, Europa e Estados Unidos modelam-se como espaços antinômicos devido ao lastro histórico de cada um. E, num processo curioso de entrecruzamento de percepção, ao território norte-americano, mais leve do ponto de vista da carga histórica, cabe o peso maior da torre; ao território europeu cabe o privilégio e o direito de ficar "livre e destravancado", uma vez que sua densidade histórica dispensa a densidade do artificialismo escultural imaginado por Gustave Eiffel.

De uma leitura mais ampla das crônicas bilaqueanas, escritas entre 1890 e 1908, resulta sempre a impressão dúplice de sua Paris. Assim como ele a dividira em duas porções geográficas, uma séria e outra frívola, a que frui o passado e a que se espoja no presente, uma outra segmentação poderia ser praticada, tendo em vista agora o percurso histórico da cidade. Na intuição talvez de que sua visão contemporânea da cidade pudesse injustiçá-la, ao reduzi-la a mera passarela de elegância e fatuidade, Bilac opera um corte histórico, atribuindo ao passado uma riqueza artística e literária e, ao presente, uma desenvoltura científica invejável. Em resumo, o passado da cidade, mesmo o mais próximo, é respeitável pela sua contribuição para as artes; o presente, pelo seu alinhamento com as conquistas científicas mais recentes.

Nesse caminho, há duas crônicas que espelham bem essa concepção dúplice, na qual Bilac confirma, de modo inequívoco, as virtudes permanentes da capital francesa.

Uma delas é "Flaubert", crônica publicada em outubro de 1907 no *Correio Paulistano*. Nela, Bilac recorda viagem que fizera a Rouen em 1890 com o objetivo de participar de uma homenagem ao criador de Emma Bovary, no décimo aniversário de sua morte. "Éramos quatro", lembra ele:

Eduardo Prado, Paulo Prado, Domício da Gama, e eu. Em Paris, alojamo-nos num vagão de primeira classe, de oito lugares, ocupando os quatro lugares do lado direito. Chovia torrencialmente. O trem expresso ia já partir, quando se abriu a portinhola do vagão, e vieram ocupar os quatro lugares do lado esquerdo quatro sujeitos encapotados e encharcados, nos quais reconhecemos logo quatro figuras das mais notáveis no movimento naturalista da França: Émile Zola, Edmond de Goncourt, Guy de Maupassant, e o editor Charpentier. Partiu o trem... (*CorPau* 24 out. 1907).

Excitado diante da possibilidade de "ouvir a conversa interessantíssima, que certamente se ia travar entre aqueles homens ilustres", o grupo brasileiro preparava-se para – imagina-se – ouvir revelações substanciais sobre o movimento literário em que estavam envolvidos aqueles companheiros de viagem. No entanto, qual não foi a decepção, quando perceberam que o mau humor tomava conta de todos.

Maupassant, Zola e Goncourt estavam endefluxadíssimos: tossiam e espirravam de três em três minutos, – enquanto o editor Charpentier, encolhido a um canto do vagão, dormia e roncava. De quando em quando, um dos três grandes romancistas olhava através da vidraça a paisagem, alva de neve e vergastada de chuva, e dizia melancolicamente, entre os dentes cerrados "*Sale temps!...*" Os outros sacudiam a cabeça com desconsolo, e repetiam "*Sale temps!...*" (*CorPau* 24 out. 1907).

Descartado o lado anedótico desse episódio, seria temerário vê-lo como emblema de situação mais genérica? A da exaustão da estética realista-naturalista, cujos pontífices estavam mortos ou congelados e que, portanto, pouco ou nada poderiam oferecer de novo? De fato, aqueles intelectuais franceses já estavam próximos do fim. Maupassant morreria em 1893, com 43 anos; Edmond de Goncourt em 1896, com 74; Zola em 1902, com 62. E a viagem em que todos se empenhavam visava senão ao descerramento de um medalhão em homenagem àquele filho de Rouen a quem se considera um dos mentores do realismo literário. A rigor, tratava-se, pois, de um rito fúnebre, de uma viagem ao passado, de um culto ao que já existira. Os franceses que dela participavam eram simples remanescentes de um tempo extinto; os brasileiros, por serem mais jovens, vivenciavam o passado, fazendo dele uma realidade presente.

À primeira decepção, a do resfriado generalizado que teria impedido a revelação da suposta palavra nova, somava-se ainda uma outra: a da indiferença dos cidadãos de Rouen em relação ao homenageado.

Ao contrário do que esperavam os brasileiros,

só um *épicier*, já velho, que cochilava, à porta da sua loja, defronte da Catedral, mostrou conhecer o nome e a glória do festejado. Disse-nos que Flaubert era "um escritor muito conhecido". Mas acrescentou logo que "o grande Flaubert não era aquele: era o outro, o pai do escritor, um médico *très savant*, que várias vezes fora *maire* da cidade e deixara uma boa e sólida reputação de clínico sisudo e de cidadão prestimoso..." (*CorPau* 24 out. 1907).

Nesse momento já não se trata mais de um passado que se quer presente, mas de um presente que não corresponde à imagem que dele se faz. Em outras palavras: onde estão o reconhecimento e a adesão da população francesa aos grandes heróis da sua intelectualidade? Como se explica que em país de escritores e de poetas tão difundidos no mundo ocidental sua população os ignore? Isso era de se esperar num país de ignorantes e analfabetos como o Brasil, mas a França!!! Para o cronista, defensor, em outros momentos, de medidas práticas que beneficiassem a coletividade, era difícil aceitar que os cidadãos de Rouen se lembrassem com mais empenho do Flaubert-pai, mero homem prático na medicina e na política, do que do Flaubert-filho, notável criador de realidades imaginárias.

Nessa crônica do *Correio Paulistano*, publicada quase vinte anos depois do passeio à província francesa, pode-se ler, na verdade, uma espécie de desencantamento, um desencantamento necessariamente vinculado ao mundo da literatura. É como se o cronista estivesse compelido a um balanço, cujo resultado fosse a certeza incômoda de que o auge do momento realista-naturalista já se fora, de que se tratava de um momento literário morto como o filho do ex-prefeito de Rouen.

Diante dessa constatação compete, então, a Bilac avaliar o que de positivo e estimulante se pode esperar ainda da cultura francesa. E isso não haverá de ocorrer, por certo, no mundo das idéias literárias, provisoriamente exaustas nesse finalzinho de século, mas sim no da técnica e da ciência. É nessa área que o país se impõe, mais uma vez, como padrão cultural e social, continuando, de resto, a cumprir o seu papel de condutor da humanidade.

Se a França retinha seu apanágio literário e seu prestígio junto à mundanidade elegante, cumpria agora reconhecer também sua presença na ponta da modernidade científica. É para lá, portanto, que se devem voltar as vistas se se pretende modernizar este país.

Dentro dessa linha de raciocínio, torna-se exemplar uma outra crônica publicada na *Gazeta de Notícias* em 1903, na qual Bilac anota sua surpresa e seu desconforto por ter viajado na companhia de uma mocinha tuberculosa num bonde carioca. Por sua descrição, vemo-nos diante de uma remanescente dos romances baratos que inundaram o século XIX:

> As mãos, com que a mísera apertava o lenço contra a boca, tentando abafar a tosse esfalfante, eram transparentes, cor de cera virgem, com os ossos e as veias avultando na pele; o peito, – o seu pobre peito de virgem estiolada ainda em plena puberdade, – cavava-se côncavo, comido pela enfermidade implacável; e duas rosas de febre, duas vivas rosas de febre, desabrochavam nas maçãs do seu formoso rosto de moribunda... (*GazNot* 18 jan. 1903).

O detalhamento metonímico e hiperbólico não tem senão uma função: a de preparar o leitor para uma situação dramática que, ultrapassando o socialmente aceitável, exige a atenção do público e das autoridades que, supõe-se, o representam. Para o cronista, vida urbana e endemia são realidades incompatíveis. Como se trata de reivindicação objetiva montada em cima de descrição subjetiva, seu discurso abandona o descritivismo inicial para enveredar por um processo de enumeração, cujo fim é o de esmiuçar as medidas que convêm à situação, mesmo que isso implique vasculhamento das relações sociais e a conseqüente redução de normas tidas como elegantes. É mais que justo, portanto, que a única Liga contra a Tuberculose, sediada no Rio, acompanhe o exemplo de uma congênere francesa,

> multiplicando conferências, publicações, cartazes; pedindo providências contra a exposição de gêneros alimentícios à ação da poeira; batendo-se pela necessidade do exame do gado em pé e abatido, pela fiscalização do abastecimento de leite, pela verificação da saúde das amas, opondo-se à convivência, nas escolas, de professores e alunos tuberculosos; mostrando os perigos dos beijos, dados de boca a boca, principalmente em crianças; procurando levantar uma estatística perfeita e discriminar as causas que mais concorrem para a disseminação do hediondo mal (*GazNot* 18 jan. 1903).

Em favor dessa campanha sanitária nenhuma instituição poderia ou deveria ser poupada. Até mesmo a Igreja deveria envolver-se, submetendo-se às prescrições ditadas pela ciência, cuja eficácia vai, aos poucos, se impondo e substituindo, quando necessário, os devaneios literários. É por esse motivo que Bilac subscreve, em público, um ofício da Associação Paulista de Sanatórios, dirigido ao bispo de São Paulo, no qual se sugerem providências higiênicas tais como:

> Três vezes por semana remover-se-á a poeira dos bancos dos confessionários e dos altares, por meio de panos umedecidos em água simples, as grades dos confessionários serão freqüentemente lavadas com uma solução de lisol ou de creolina, ou melhor, com lixívia fervida; as pias de água benta serão esvaziadas pelo menos todas as semanas, e lavadas com uma solução de ácido fênico a 5 graus ou sublimado a 1 por 1000 (*GazNot* 30 mar. 1902).

Por trás do endosso do cronista, que se arrisca a pôr em discussão a inviolabilidade sacra da religião predominante, não está mais a autoridade de poetas e prosadores que, tempos atrás, haviam consolidado a excelência intelectual de sua querida França. À sensibilidade destes junta-se agora o racionalismo de um Pasteur, que era capaz de reconhecer no ser humano o resultado de uma feliz junção entre *l'homme savant* e *l'homme sensible* (*GazNot* 30 mar. 1902). Ao recorrer à autoridade de um cientista, falecido nos últimos anos do século XIX, Bilac alargava seu panteão francófilo, nele incluindo a contribuição de um pesquisador amplamente identificado com o alcance social da ciência. Perante o bacteriologista, responsável por revelações que levavam ao saneamento individual e público, o reconhecimento do *jornalista*; perante o engenheiro, cujos cálculos e estruturas de ferro lesaram a face delicada da "sua" Paris, a relutância nada discreta do *poeta*[4].

4. Fragmento da parte inicial sobre Canudos apareceu em *Gêneros de Fronteira*, obra organizada por Flávio Aguiar, José Carlos S. B. Meihy & Sandra G. T. Vasconcelos, São Paulo, Xamã, 1997, pp. 28-34. Sua leitura

prévia ocorrera durante o seminário "Gêneros de Fronteira: Cruzamento entre o Histórico e o Literário" promovido pela USP-FFLCH-DTLLC e pelo Centro Ángel Rama de Estudos Latino-americanos da FFLCH-USP, entre 22 e 26 de maio de 1995. Nessa ocasião, tivemos o privilégio de contar com Roberto Schwarz como debatedor do texto.

Fragmento da parte sobre Paris já foi publicado por Leyla Perrone-Moisés (org.), *Relações Culturais França-Brasil: Influências e Convergências*, São Paulo, USP-Instituto de Estudos Avançados, 1991, depois de lido durante o seminário "Relações Culturais Brasil-França: Influências e Convergências", do Núcleo de Pesquisas Brasil-França (Nupebraf) do Instituto de Estudos Avançados da USP em 16 de outubro de 1990.

Uma outra versão apareceu em "Bilac e a França" e foi incluída em: *Aquém e Além Mar. Relações Culturais: Brasil e França* (org. por Sandra Nitrini), São Paulo, Hucitec, 2000, pp. 167-175. Encontra-se, ainda, em: "Olavo Bilac et la France". *Modèles politiques et culturels au Brésil. Emprunts, adaptations, rejets* XIXe *et* XXe *siècles* (org. por Kátia Mattoso, Idette Muzart-Fonseca dos Santos & Denis Rolland), Paris, Presses Universitaires de Paris-Sorbonne, 2003, pp. 235-247.

Entre o Rio e o Prata

...o que me parece um contra-senso é que o conselho municipal se meta a regenerar o teatro, quando não trata de sanear a cidade.
O. B., *Gazeta de Notícias*, 29 fev. 1896

Entre o natural e o social, para que lado pendeu Bilac?

Se for o poeta, constata-se que seu tratamento da natureza privilegia a funcionalidade plástica e cenográfica, cujo objetivo maior é o de emoldurar a ação. Guardando dela distância cautelosa, mas ávido pela "obsessão do efeito" de que fala Alfredo Bosi (30: 255), Bilac namora suas estrelas com ardor, sobretudo porque estão longe, fora do alcance das mãos, intocáveis. De modo majestoso e hollywoodiano, o poeta compõe o cenário adequado onde agoniza Fernão Dias Paes Leme com o mesmo capricho descritivo e pormenorizado que devota à mulher que se despe, "de volta do baile", ou que se exibe, diante dele, satanicamente nua.

Se for o cronista, observa-se que, em essência, sua atitude não muda. Para ele, a natureza é um objeto a ser tratado com pinças e à distância, sem nenhuma intimidade necessária. Sem se iludir com a moldura natural do Rio, como já foi dito antes, Bilac dispensa esse embalo mítico e põe em seu lugar a expectativa e a exigência do conforto e da higiene coletivas. Na qualidade de jornalista, capaz, portanto, de alcançar um público maior e mais diferenciado, sua pena afasta-se do brilho mineral cultivado por sua poesia ou dos seus cenários imponentes, quase neo-românticos, para imiscuir-se pelo cotidiano carente de vozes autorizadas que reivindicassem melhorias públicas, porque as que havia deveriam estar submersas nas tensões provocadas pelo duro quadriênio de Floriano Peixoto. Em suma: o cronista não difere do poeta. Antes, estende-o e reitera-o.

Exemplos intermitentes dessa campanha pessoal a favor da cidade do Rio de Janeiro, que vinha se esboçando desde o início dos anos de 1890, quando o cronista ainda dedicava maior atenção ora aos espetáculos teatrais, ora às turbulências políticas, vamos encontrar em algumas crônicas de *O Combate*, um bom repositório também de crônicas relativas aos abusos da polícia florianista. Logo na primeira, em 19 de janeiro de 1892, Bilac lamenta a passividade da população carioca diante das torneiras secas. Em tom de piedade irônica, mistura preferida de atitudes que ainda lhe forneceria, um dia, o título para um de seus livros, Bilac se condói dessa gente "tão paciente e tão boa, tão prudente e tão meiga, que se deixa morrer de sede, sem se rebelar contra quem a trata com tão pouco caso" (*OComba* 19 jan. 1892). Dias depois, fundindo a falta de higiene generalizada com as arbitrariedades policiais do mando florianista, em gesto que desqualifica e nivela patamares distintos da sociedade, sua crônica avisa que "vive a população a procurar alucinadamente todas as manhãs, um quilo de carne que não esteja podre. Vive o governo, também, todas as manhãs, a procurar, no grande açougue da população, carne boa para dar de comer ao minotauro da legalidade" (*OComba* 26 jan. 1892).

Sua experiência com a crônica de caráter político, de cunho mais pessoal que ideológico, terminou com o desastre de seu exílio temporário em Ouro Preto e Juiz de Fora, entre novembro de 1893 e julho de 1894. Embora atuante na *Gazeta de Notícias*, durante esse período, Bilac deriva para outros assuntos que o poupam de maiores retaliações: história colonial mineira; digressões sobre o amor, a mentira, a crença religiosa, o progresso; lembranças de sua juventude acadêmica; impressões sobre o sítio onde seria erguida Belo Horizonte; comentários sobre livros recém-lidos; opiniões sobre fatos políticos em andamento no estrangeiro etc. Nesses anos de 1893, 1894 e 1895, como que se preparando para a grande arrancada da reurbanização carioca de 1904, e ainda hesitando entre as assinaturas de Fantasio, Olavo Bilac e O. B., é possível surpreender um que outro texto mais preocupado com distorções sociais, facilmente detectáveis no cotidiano carioca e brasileiro. Distorções que o provocam, seja quando derivam de ética discutível, seja quando decorrem de condições sociais precárias, seja ainda quando resultam de comportamento urbano temerário ou de legislação conservadora, inaceitáveis ambos a seus olhos. No primeiro caso, o da ética discutível, alinham-se crônicas como aquela que questiona o noticiário pródigo em casos de defloramento (*GazNot* 12 abr. 1894), que condena a publicação do nome dos infratores menores (*GazNot* 17 fev. 1894) ou aquela outra que condena "torturas infligidas a crianças" (*GazNot* 21 out. 1895) e animais (*GazNot* 1º maio 1894). No segundo caso, o das condições sociais precárias, juntam-se crônicas como a que aponta para o risco da prostituição infantil (*GazNot* 14 ago. 1894) ou como uma outra que apóia a regulamentação policial contra o exibicionismo ostensivo das prostitutas profissionais (*GazNot* 26 mar. 1895). No último caso, empenhado em corrigir desvios de comportamento urbano temerário, o cronista reprova o hábito popular de se subir ou de se descer de bondes elétricos em movimento (*GazNot* 29 jul. 1895), ou se pergunta como proceder diante de atropelamento por bondes elétricos ou de tração animal (*GazNot* 21 jun. 1895). E em termos de legislação conservadora, a ser modificada de pronto, não é menos significativa sua adesão ao divórcio (*ABruxa*, 9 out. 1896; *CorPau* 10 jul. 1908; *GazNot* 15 set. 1894; *GazNot* 13 out. 1894; *GazNot* 30 set. 1896), no mínimo como escapatória ao tédio conjugal.

Devagarinho, como se vê, ia-se expandindo o leque de assuntos bilaqueanos.

Pelo visto, uma vez que sua crítica política direta resultara em incômodo exílio, restava-lhe a escolha da campanha pelo equipamento urbano, menos perigosa porque mais distante das conflituosas composições palacianas que, pouco a pouco, tendiam à acomodação.

Impulsionado, talvez, por essa cautela, o ângulo de visão bilaqueano estreita-se sobre o Rio de Janeiro, mal pisando terrenos movediços como o do sertão baiano, onde Antônio Conselheiro enfrentaria tropas federais a partir de 1897. Mesmo porque a eclosão de um movimento rebelde como o de Canudos repunha em trânsito a imagem belicosa de um país que nem se desvencilhara ainda do conturbado período florianista. Daí a euforia bilaqueana quando da "vitória" da 4ª Expedição a Canudos, em outubro de 1897. No mesmo jornal em que, poucos meses antes, Euclides qualificara o sertanejo nordestino como "rude, áspero, mórbido, indefinido, traiçoeiro e bárbaro" e onde classificara a terra sertaneja como "labirinto" e a vegetação como "trama inextricável de lianas" (54: 80-84), Bilac festejaria o arrasamento da "cidadela maldita" e do "antro negro" (*OEstSP* 9 out. 1897). Ao metaforizar a terra como "labirinto", Euclides arma, de forma involuntária e reversa, o próprio alçapão que haverá de engolir as tropas republicanas; ao designar Canudos de "antro negro", Bilac aponta, também sem querer, para o buraco negro em que se meteria nosso exército. Equivocados ambos, do ponto de vista contemporâneo, as certezas provisórias de então só começariam a se desfazer em 1902, ano da publicação de *Os Sertões* e da posse de Rodrigues Alves, presidente que inaugurou tempos eufóricos para um país com sua auto-estima em pandarecos.

Nas proximidades de novembro-dezembro, sempre que houvesse oportunidade, Bilac punha, lado a lado, como sinônimos necessários, os termos "verão" e "febres", bubônica ou amarela. Para ele, antes das reformas urbanas, encabeçadas por Pereira Passos, o calor do fim do ano trazia consigo um cortejo de desgraças, como o mau cheiro das águas paradas, a ameaça de doenças e a inconveniência da indumentária em voga. De modo esparso, não é difícil localizar em seus textos de jornal o desconforto que para ele significava a vizinhança do estio. E de modo inverso, já é possível também verificar como se desenhava em seu espírito a promessa da construção de uma nova cidade como Belo Horizonte: mais que o simples deslocamento da capital mineira para um sítio ainda desafogado, aquela transferência significava a opção pela saúde, pela higiene, pela "salubridade espantosa" (*GazNot* 27 jan. 1894) e por um "nobre salão de visitas" (*GazNot* 19 dez. 1897). Se o médico incompleto, de curso truncado depois de quatro anos, já dera seu veredicto a favor da nova capital mineira (*GazNot* 28 jan. 1894), ao minimizar a lenda do bócio endêmico que comprometeria o Curral del Rei, sobrevinha agora o depoimento de um homem de prestígio e jornalista de projeção, cuja autoridade emanava de dupla fonte: de sua auréola de poeta de alcance nacional, reconhecido e aplaudido pela elite letrada; de homem viajado e beneficiado por sua familiaridade com a Europa, centro privilegiado de civilização e de refinamento no imaginário brasileiro.

E eis nesse "salão de visitas" a metáfora espacial que melhor define, sumaria e sublinha a posição de Bilac perante as modificações urbanas que viriam a tomar o Rio de assalto a partir da instalação do Governo Rodrigues Alves, em 1902. Designar dessa maneira o terreno da futura Belo Horizonte sintetizava de modo eficaz sua concepção de capital, à qual deveriam juntar-se, de forma complementar e necessária, outras condições naturais, tais como salubridade, topografia, "condições climatológicas" (*GazNot* 27 jan. 1894), regime eólico, oferta hidrográfica, fertilidade do solo etc. Como se lê nas diversas crônicas dedicadas à implantação de uma nova capital para Minas Gerais, Bilac não se limitava tão-somente a considerações de caráter externo e visual, mas também enveredava, nos limites de um texto de divulgação leiga, pelos aspectos infra-estruturais implícitos na escolha técnica. O que não o impedia, de outro lado, de manipular de forma enfática a língua e de construir, por meio dela, a projeção otimista do futuro, ainda que cercado, naquele momento, de uma circunstância política bem pouco propícia. Daí ter projetado para aquela Belo Horizonte nascitura, na iminência de um século novo que se avizinhava, os votos de "um lugar em que se pode construir a mais bela cidade da América" (*GazNot* 28 jan. 1894). Substituir Ouro Preto por uma capital nova, fosse qual fosse seu futuro nome, representava a expectativa de um mundo novo, atualizado, pronto para satisfazer exigências que se prenunciavam com o século por vir. De outro lado, representava ainda o arquivamento de um passado recente, de timbre colonial, cujo recheio se prestava mais à História que à Geografia.

Para esse cronista, que desde meados de 1890 vinha questionando de modo ininterrupto a qualidade de nossa vida urbana, a promessa de uma virada administrativa na Prefeitura Municipal do Rio de Janeiro em 1903 abre-lhe o campo para a idealização, para a imaginação sôfrega, para o desejo mais desreprimido. Glosando telegrama publicado no *Jornal do Comércio*, onde se anunciavam novas medidas do executivo municipal recém-empossado, alvoroça-se o cronista que, ato contínuo, passa a projetar sua cidade do futuro, dotada de

> uma avenida de 120 metros de largura começando no Pão de Açúcar e terminando na Copacabana! uma avenida do Parque da República à Tijuca! outras avenidas, largas e belas, cortando e arejando toda a cidade! novos parques, novas esplanadas, mais praças! o replantio das matas, o abastecimento de água, o recuo obrigatório dos prédios, a incineração dos lixos, o aperfeiçoamento da higiene domiciliar, a criação da guarda municipal, o equilíbrio orçamentário, quanta cousa! (*GazNot* 4 jan. 1903).

Nem mesmo a notícia posterior de que se tratava de telegrama falso, de "uma blague, uma mistificação, um parto monstruoso da imaginação esquentada de um repórter" (*GazNot* 4 jan. 1903), esfriou o ânimo do cronista. Disposto a chancelar de legitimidade e de autoridade seu entusiasmo diante da falsa promessa, Bilac não se deixa derrubar e busca a sombra de um de seus numes tutelares, cujo alcance e prestígio são de ordem universal e cuja origem é de ordem literária e européia: D. Quixote.

Quando apela para o herói cervantino como sustentação de defesa, o cronista insere sua reivindicação pessoal num plano mais amplo e mais sofisticado, porque se arrima em padrão de ponta, tanto literário como geográfico. Herói acabado de uma literatura em seu auge, ao mesmo tempo em que condensa em si o ápice do idealismo, D. Quixote "caminha dentro do seu sonho radiante, como dentro de um halo fúlgido, através do qual vê tudo transformado e encantado" (24: 182), como afirma o próprio Bilac em outro texto sobre seu herói favorito. Nessa conferência, um dia pronunciada no Gabinete Português de Leitura do Rio de Janeiro, Bilac faz questão de acentuar que o grande livro de Cervantes, publicado em 1605/1615, nasceu num contexto histórico extremamente desfavorável, do ponto de vista político: quando a Invencível Armada tinha sido engolida pelas águas do Atlântico Norte, em 1588; quando a Espanha acabara de perder seu imperador, Felipe II, em 1598; quando a Inquisição alcançava sua maior competência. Segundo Bilac, em meio a essa série de infortúnios coletivos, um escritor em desgraça criava D. Quixote, "representação tão clara e verdadeira do eterno contraste que rege a vida: a aproximação da asa, que quer o céu, e da pata, que se aferra ao chão" (24: 179).

Convencido de que o idealismo quixotesco é saudável e necessário, o cronista da *Gazeta de Notícias* invoca a proteção desse herói para o novo prefeito do Rio, Pereira Passos. Sugerindo um paralelismo de situações, ainda que em menor escala, Bilac reclama ousadia e inventividade administrativas, sobretudo em momentos de degradação, como a que ele, jornalista atento, enxergava na sua cidade. Na sua perspectiva, quixotismo e iniciativa se confundem e acrescentam. Decorrência disso são a estrada de ferro, a lâmpada elétrica, o telégrafo, a máquina a vapor, num plano material; num outro, de natureza espiritual, alinham-se a *Divina Comédia*, os dramas de Shakespeare, a *Legenda dos Séculos* etc. (*GazNot* 4 jan. 1903). No entanto, para ser mais preciso ainda e deixar bem claro o sentido de sua alusão, que agora se reduz a paralelismo inequívoco e anafórico, Bilac lembra que "D. Quixote foi o Barão de Haussmann que reformou Paris; D. Quixote foi o Marquês de Pombal que das cinzas de uma Lisboa medonha arrancou uma Lisboa airosa; D. Quixote foi o grande Alvear que criou Buenos Aires! D. Quixote foi o espírito *yankee* que em menos de um século encheu de cidades maravilhosas todo o território dos Estados Unidos..." (*GazNot* 4 jan. 1903).

Não escapa à nossa atenção que, no afã de argumentar através de exemplos trazidos de fora, o cronista tenha recoberto seu Quixote com uma leve película de Sancho Pança. Porque, se fiarmos na biografia profissional dos nomes invocados, Haussmann, Pombal e Alvear competem entre si em matéria de administração pragmática, dentro de seus respectivos territórios e limites. O cronista os vê como Quixotes, mas a história os demonstra como verdadeiros Sanchos de pé no chão, empenhados no remodelamento urbano de seus espaços, remodelamento que visava não somente a modernização estética, como também a funcionalidade do aglomerado urbano. E, como se não fosse suficiente a menção ao nome desses três empreendedores, Bilac ainda salta para o mais genérico e localiza nos Estados Unidos, nação sempre tida como excessivamente prática, a mais perfeita resposta à expansão urbana do momento.

Não deixa de ser curioso e sintomático de coerência que o cronista Bilac reforce o poeta Bilac quando seu objeto de contemplação literária são os Estados Unidos.

Em seu último livro de versos, *Tarde* (1918), o poeta contrasta, de forma sorrateira, New York com Vila Rica (20: 316-317). Nesse contraste implícito, em que ambos os sonetos ficam frente a frente no livro, como se essa distribuição interna fosse mero acaso, a cidade norte-americana é modelada segundo um figurino de mitologia clássica, do qual se extrai a noção de gigantismo, força e desafio. New York é um "Atlas de ferro, Anteus de pedra e Brontes de aço", a que falta, no entanto, o Tempo, "esse vago [e] religioso aroma / que se respira no ar de Lutécia e de Roma", cidades milenares, consideradas, respectivamente, como reforço e berço da Latinidade. Se New York está marcada pela agitação babélica, que rasga o céu e afronta o mar, expandindo-se para o alto e para os lados, Vila Rica, de outro lado, é bem menos arrojada e menos espetaculosa. Se no soneto de New York, a cidade age de modo impetuoso e se torna responsável por sua própria sorte, em cujas entranhas arde a impaciência e se alastra o calor que se desprende do movimento infrene, no outro, no de Vila Rica, a cidade sujeita-se, paciente, à ação da natureza. Para a cidade norte-americana, o tempo não existe, o passado lhe faz falta, mas o presente se mostra generoso e o futuro sem limites; sobre Vila Rica pesa a tradição, constrange-a a riqueza exausta e tolhe-a o espaço freqüentado pela Morte. Prenhe de historicidade em sua "torturada entranha", abafada de religiosidade quando se ouve o "ângelus [...] ao longe em doloroso dobre" e abençoada pelos céus que sobre ela deixam cair o "ouro dos astros", Vila Rica carece de vontade própria, abandona-se à memória e aguarda os acontecimentos. New York, de outro lado, agita-se na construção do seu próprio momento, busca o infinito dos céus, "galgando em fúria o espaço", e modela sua imagem como ameaça aos mares. A cidade do Norte é agente; a do Sul é paciente. Aquela faz; esta espera. Uma ameaça; a outra se recolhe.

A atmosfera religiosa, escorrida e lenta, que envolve Vila Rica, contrasta muito com a atmosfera pagã e frenética que cerca New York, cuja pressa confirma a impressão generalizada que o cronista transmite do país norte-americano, em outros passos de sua atividade jornalística. Dividido entre o ritmo europeu e o norte-americano, no qual reconhece a gula expansionista (*GazNot* 24 abr. 1898, 15 nov. 1903), a megalomania (*GazNot* 26 abr. 1908), o progresso vertiginoso (*GazNot* 3 maio 1903) e a mística do trabalho (*OEstSP* 28 jan. 1898), Bilac simula susto e resistência diante dos norte-americanos, mas admite que a imagem que deles carrega está timbrada pela origem européia de sua formação:

> Desde que me conheço, e desde que leio jornais da Europa, só encontro nesses jornais publicações malevolentes contra a grande nação americana. Segundo a imprensa européia, – o povo americano é profundamente egoísta, plutocrata, açambarcador e amoral; a sua preocupação única e absorvente é ganhar dinheiro; o seu único ideal é o gozo das baixas satisfações da vida; as suas mulheres são sacerdotisas do deus *Flirt*; os seus políticos são de uma venalidade inexcedível; os seus casamentos são negócios; os seus negócios são ladroeiras... É isso o que se lê em artigos de jornais, em crônicas, em revistas, em livros franceses, ingleses, alemães, italianos, portugueses, espanhóis. E tudo isso não impede que a nação assim julgada seja hoje a mais rica da terra, – nação nascida ontem, e já fazendo sombra e inveja às mais velhas e opulentas! (*CorPau* 31 maio 1908).

Difícil, no entanto, é esconder que o cronista, mesmo admitindo recear o "progresso desvairado" (*GazNot* 26 abr. 1908) ou o mau gosto dos norte-americanos (*GazNot* 18 nov. 1894) e se gabando de que ocupemos um "meio termo razoável entre os *yankees* megalômanos e os bugres ingênuos" (*GazNot* 26 abr. 1908), não os tome, à distância, como exemplo de audácia coletiva, de vontade social, de modelo de progresso (*GazNot* 8 abr. 1906) para a nascente República brasileira (*GazNot* 5 ago. 1906), enfim.

Talvez esteja nesse comportamento prático, muito relativizado por sua formação intelectual nitidamente européia, uma das causas do jornalismo combativo e pragmático de Bilac, cujo centro foi ocupado por sua dedicação extensa e intensa à transformação da paisagem urbana carioca. Talvez esteja nessa fusão de perspectivas européia e norte-americana, conquistada ao longo dos anos e moldada sem a exclusão irremediável da poesia, nem do jornalismo, a pista que permitiu ao jornalista interferir de modo claro sobre a condução da coisa pública, ainda que em âmbito municipal e sem a pretensão do alcance nacional. Talvez tenha sido o arremate desastroso de seu exílio em Ouro Preto que o tenha levado a desviar-se das políticas palacianas e o tenha feito dedicar-se aos resultados práticos da condução administrativa. Talvez tenha sido essa feliz junção entre poeta e jornalista que lhe tenha permitido afastar-se um pouco das estrelas e o tenha trazido para um chão mais concreto, mas nem por isso mais plano. Talvez seja mesmo sua porção Sancho, maior que a de D. Quixote, que o próprio cronista admite em confissões públicas, como a que fez ao se apresentar perante o público argentino em 1900: "...soy un hombre pacífico; solamente una décima parte de mi alma pertenece a don Quijote; las otras nueve décimas pertenecen a Sancho Panza" (31: 169-170).

Não fossem essa maleabilidade intelectual e essa disposição para o confronto público; não fossem ainda sua autoridade intelectual já assegurada com a publicação de *Panóplias*, *Via Láctea* e *Sarças de Fogo* em 1888 e sua crença firme na função social do intelectual e do jornal, como explicar, por exemplo, que uma das primeiras crônicas de Bilac, na *Gazeta de Notícias*, quando ainda não as assinava com seu próprio nome e nem, portanto, era titular do espaço, viesse a tocar em assunto tão delicado como a questão da ineficiência da polícia carioca?

A colaboração sistemática de Olavo Bilac junto à *Gazeta de Notícias* recomeça em 1893, como já dissemos antes. A rigor, essa colaboração era a retomada de uma outra, iniciada em 24 de abril de 1890 e interrompida meses depois, em julho para sermos mais precisos. Ainda que o próprio cronista considere como ano de sua estréia o de 1890 (*GazNot* 2 ago. 1903), sua presença contínua, nesse periódico, só se efetiva entre 1893 e 1908. É nesse jornal e neste segundo lapso de tempo, portanto, que se desenrola sua campanha a favor de um Rio de Janeiro mais moderno, mais limpo e mais habitável.

Já o teor da crônica de reestréia não permite dúvida sobre o intuito e o caráter dessa extensa colaboração semanal: nela, o cronista já questionava a eficácia da medida policial que pretendia proibir o jogo de frontão, com o pretexto de que era preciso proteger a infância e a juventude (*GazNot* 22 ago. 1893). Ressabiado com a dureza do governo florianista, Bilac prefere afastar-se dos assuntos políticos de âmbito federal e voltar-se para a política mais imediata dos limites municipais, para os assuntos que contemplassem a condução de sua cidade. De meados de 1894, quando retorna ao Rio de Janeiro, vindo de Minas Gerais, até fevereiro de 1896, O. B. aborda uma variedade de assuntos na *Gazeta de Notícias*, entre os quais percebem-se anotações descontínuas sobre a precariedade da infra-estrutura urbana da capital. Até que, em fevereiro de 1896, O. B. decide peitar uma questão espinhosa, porque punha em xeque sua condição de artista, solidário, em princípio, com as demais manifestações artísticas, e porque esbarrava em seu relacionamento fraterno, quase filial, com Artur Azevedo, o grande homem de teatro daquele momento. E a questão era: entre o saneamento do Rio de Janeiro e a recuperação do teatro nacional, o que era prioritário? (*GazNot* 29 fev. 1896).

Na verdade, segundo o próprio Bilac, seu dilema recuperava o assunto de uma outra crônica, assinada por Lúcifer e publicada por *A Bruxa*, dias antes. Trata-se, portanto, de um diálogo aparente entre cronistas de periódicos diferentes, expediente para desdobramento de recursos argumentativos.

Em *A Bruxa*, Lúcifer sustenta que a má qualidade do teatro nacional se deve à infantilidade artística do brasileiro e à nossa falta de tradição cultural. Para Lúcifer, "a educação artística é o resultado, o remate e a síntese de todas as educações. Nesse belo edifício do aperfeiçoamento humano, a Arte é a cúpula que coroa tudo" (*ABruxa* 21 fev. 1896). Um "povo que nem sabe ainda que é povo", completa ele, não pode pretender usufruir de arte de boa qualidade. Porque, antes da arte, vêm outras necessidades de caráter material e infra-estrutural. Veja-se o povo norte-americano, por exemplo. "Por circunstâncias que não vêm agora ao caso, desenvolveu-se prodigiosamente e fabulosamente; e, antes de ter teatro, teve indústria, teve comércio, teve administração, teve estradas de ferro, teve navegação, teve autonomia" (*ABruxa* 21 fev. 1896).

Em *A Bruxa*, Lúcifer defende uma espécie de gradualismo civilizacional e, sem maiores detalhes históricos, garante que o norte-americano preocupou-se, primeiro, com a construção material de seu país. Só depois que se assegurou dela é que se dispôs a cultivar o lazer artístico. Em a *Gazeta de Notícias*, modificando a linha de argumentação, seu cronista oficial atenua o gradualismo, ignora os que reclamam da má qualidade estética de nossa produção teatral e admite, com retórica drástica, que "muito melhor seria ficarmos privados de teatro, contanto que também ficássemos privados de febre amarela" (*GazNot* 29 fev. 1896).

Essa retórica drástica, elaborada com o objetivo precípuo de dar um safanão no leitor e no poder público, tinha uma causa imediata e um fim mediato: aquela era um telegrama de agência estrangeira, comunicando-nos o atracamento de um navio em Bordeaux, chegado do Rio e infestado de febre amarela; este era a questão da melhora de nossa imagem externa, junto a países que nos serviam de modelo.

Estendendo sua argumentação até o limite do orgulho nacional, Bilac não via sentido na exigência de qualidade teatral, quando a febre amarela "está insaciavelmente agarrada ao nosso peito, a mamar-nos a vida, o crédito, a reputação" (*GazNot* 29 fev. 1896). Por que o horror diante de bambochatas?, se o

Rio de Janeiro está cada vez mais sujo, com ruas que têm a vegetação das florestas virgens, e outras que pela sua porcaria fazem lembrar as ruas porquíssimas de Fez. Nos aterros que se estão fazendo nos cais, vão, de cambulhada, com a terra, cadáveres de burros e de cachorros. E toda a cidade cheira mal (*GazNot* 29 fev. 1896).

Pode estar nessa firmeza e contundência uma das marcas que difere este cronista daqueles outros de grande prestígio que o antecederam nos jornais cariocas, Alencar e Machado. Isto não quer dizer, no entanto, nem de longe, que se trate de tentativa sub-reptícia de hierarquização. Mas de diferenciação, sim. Enquanto Alencar voltava sua atenção para a mundanidade, repassando-nos, com isso, subsídios com os quais, se necessário, é possível a reconstrução parcial do lazer teatral carioca, Machado, como tem demonstrado à saciedade John Gledson, atilado leitor de suas crônicas, mostra preferência pela pedante política brasileira, historicamente inócua e míope.

Ao eleger a higienização da cidade como um de seus temas favoritos, Bilac não fazia senão retomar assunto que se arrastava há anos e dava continuidade, de modo indireto, a um veio da carreira médica que, um dia, interrompera por afirmação de independência pessoal. Se a seu pai, "monarquista convicto, amigo do Imperador, veterano do Paraguai, homem de paz, médico e chefe de família", ansioso por "um filho sob medida para sucedê-lo" (76: 51), couberam a função de pensar os feridos da Guerra do Paraguai e a frustração de ver o filho cancelar os estudos médicos, ao jornalista coube encetar e encabeçar campanha sanitária. Mesmo que não tivesse saído exatamente "sob a medida" que o pai pretendia, que não tivesse correspondido à expectativa do canudo acadêmico, que não tivesse optado pelo casamento burguês e que, antes, tivesse preferido uma profissão suspeita de dissipação boêmia, Bilac não deixa de prosseguir na esteira médica, mas a seu modo. Afinal, o grosso de suas crônicas ecoava velhas reivindicações de médicos junto ao "proprietário que não obedece a regras higiênicas na construção das casas, que muitas vezes não instala canos, escoadouros e latrina e deixa acumular monturos e imundícies nos seus quintais e estrebarias, não desinfecciona sua habitação etc.; que atém-se ao sistema de barris de despejo amontoados em um quarto da casa até ficarem cheios, para então serem levados para fora, transportados pela cidade por escravos, espalhando a peste durante o trajeto até a praia". Médicos que "criticam os proprietários que alugam casas recém-pintadas, onde o ar é irrespirável, sendo escuras, úmidas, sem circulação de ar" (65: 272).

Em passagem estilisticamente expressiva, porque construída com o suporte da "enumeração caótica", os ensaístas de *Danação da Norma* apontam para a balbúrdia urbana carioca do final do século XIX. Adequando a forma àquela promiscuidade repulsiva, os autores desse forte ensaio sobre "medicina social e constituição da psiquiatria no Brasil" informam que os

corpos [eram] enterrados nas igrejas que esta[vam] no centro da cidade; animais mortos [eram] encontrados nas ruas; por todos os lados exist[ia]m monturos, cloacas, vasilhas de despejo de urina, currais; matadouros, açougues, mercado de peixes, armazéns de carne seca, toucinho, queijos, depósitos de azeite de peixe [eram] perigosos tanto do ponto de vista da integridade dos alimentos como por serem potenciais corruptores do ar; fábricas, hospitais e prisões se iguala[va]m na ausência de regras higiênicas e disciplinares [...]; as ruas [eram] estreitas e tortuosas, dificultando a renovação do ar e a circulação dos veículos, além de serem utilizadas como lugar de despejo; as praias [eram] imundos depósitos de fezes e lixo; as praças [eram] poucas e mal cuidadas, sem árvores, mas cheias de poças, lama, imundícies, atestando o desconhecimento de que a relação entre uma praça e uma cidade dev[ia] ser idêntica à relação do pulmão com o corpo (65: 273).

Em seu minucioso e cuidadoso *Pereira Passos: Um Haussmann Tropical*, Jaime L. Benchimol, de outro lado, desnuda o idílio edênico, salienta o caráter enganoso do relevo carioca de então e aponta para a necessidade de corrigi-lo, observando que o Rio de Janeiro gozava de geografia malsã. Para esse historiador, localizava-se o Rio de Janeiro

em zona tropical, numa planície baixa e pantanosa, rodeada pelo mar e pelas montanhas, onde se reuniam, segundo os higienistas, duas características adversas: o calor e a umidade proveniente da evaporação das águas do mar, dos pântanos e das chuvas, que não escoavam devido à pouca declividade do solo. Os pântanos eram particularmente temidos por constituírem focos de exalação de miasmas, os pestíferos gases que veiculavam os agentes causadores das doenças e da morte. Os morros da cidade também eram tematizados como fatores de insalubridade, porque impediam a circulação dos ventos purificadores e porque deles escoavam as águas dos rios e das chuvas, que se imobilizavam na vasta planície sobre a qual se estendia a maior parte construída do Rio, tornando-a pantanosa, úmida e calorenta (19: 116-117).

Frente a esse quadro calamitoso, que Bilac não hesita em identificar como herança colonial e imperial e que não se coaduna, portanto, com os novos tempos republicanos e modernos que se inauguram, ocupa lugar especial uma crônica de 1901, cujo âmago é exatamente a necessidade de se derrubar o Morro do Castelo, tarefa que só veio a ser realizada em 1921.

Retrocedendo à sua própria infância e dando a lenda como muito anterior, oriunda de tempos mais antigos ainda, O.B. recupera boatos de sua meninice, quando ouvia estórias assombrosas sobre tesouros jesuíticos enterrados, às pressas, no Morro do Castelo. Tão assombrosas que ainda renderiam, em 1905, uma crônica claramente ficcional, em que se misturam personagens reais e literários (*GazNot* 30 abr. 1905).

Em tempo imemorial, conta o cronista, tão imemorial que nem é possível precisar, a fuga precipitada dos padres forçara-os a se desfazerem de "uma riquíssima biblioteca", de cambulhada com inúmeras "coroas e cetros, em que ardiam turbilhões de gemas, e de imensas canastras atulhadas de ouro em pó e de prata em barras, e de brocados e lhamas de inconcebível riqueza, e de amplos sacos cheios até a boca de milhões e milhões de esmeraldas e rubis" (*GazNot* 17 mar. 1901).

Na construção textual desse cronista, que, de modo contraditório, nunca perde oportunidade para idealizar nosso passado, toda essa riqueza lendária fazia jus às origens históricas e heróicas daquele sítio onde se dera a segunda fundação do Rio de

Janeiro, em 1568. É como se aquele tesouro imensurável materializasse a importância do local, revestindo-o de brilho, diversidade e valor. Entretanto, adepto também dos contrastes fortes, o cronista aproveita a ocasião para demonstrar que, no tempo presente, naquele em que está vigilante e atuante, aquela riqueza se degradou e se conspurcou. Que a cobertura atual daqueles "turbilhões de gemas" e de "imensas canastras atulhadas de ouro em pó" já não é mais a antiga capa vegetal do morro, então devastado. Porque o "morro do Castelo, que foi o teu berço e a tua glória, é hoje a tua vergonha, oh Sebastianópolis! Renques de casas velhas e sujas se despencam pelas suas ladeiras; antros tenebrosos de vagabundos e rapinantes se cavam nos seus flancos; rara é a noite em que aquelas velhas pedras não são regadas por sangue humano, em rixas de capoeiras" (*GazNot* 17 mar. 1901).

E uma vez que o poder público tem-se mostrado incapaz de dar solução condigna àquele espaço central da cidade, argumenta Bilac, de modo irônico, seria justo que se atendesse, então, à petição de um cidadão que se mostrava disposto a escavar o morro, em busca do misterioso tesouro dos jesuítas. Como era muito provável que nada fosse encontrado, restaria sempre a esperança do desmantelamento natural do morro, depois de tão "atravessado por túneis e furado em todos os sentidos pelos mineiros atrevidos" (*GazNot* 17 mar. 1901). Encarregue-se, pois, a natureza daquilo que a sociedade não providencia, "já que a cidade moderna, a cosmópolis soberana precisa daquele largo espaço que ainda é tomado pela cidade colonial" (*GazNot* 5 nov. 1905). Semelhante à impertinência do museu colonial de Ouro Preto, que empanava a largueza da sala de visita de Belo Horizonte, o Morro do Castelo bourbônico estorvava a cosmopolitização de sua cidade. O Tempo que invade o Espaço, comprometendo-o, não contava com a simpatia de O. B.

O curioso é que a crônica de março de 1901 resulta de um momento de itinerância, de deslocamento pessoal do seu autor, naquele mês repousando em Poços de Caldas, estância onde se refugiava algumas vezes.

No processo de apagar, de forma gradual, a imagem negativa que guardava de sua cidade, o cronista, de passagem por São Paulo e a caminho de Poços de Caldas, eleva às alturas os benefícios públicos que encontra na capital paulista, administrada naquele momento por Antônio Prado. Se o centro histórico era ainda igual àquele que Bilac conhecera catorze anos antes, quando tentara fazer Direito na São Francisco, o mesmo já não se podia dizer dos bairros mais afastados, equipados com avenidas que se multiplicavam e se cruzavam, "bordadas de palacetes lindos" e bem servidas de "airoso bonde elétrico" (*GazNot* 3 mar. 1901).

Ao recortar da capital paulistana apenas aquilo que lhe interessa para efeito de contraste, o cronista rebaixa ainda mais sua cidade de origem, impingindo-lhe feições primárias ou nocivas da natureza. Nesse sentido, o transporte que serve ao Rio arrasta-se e rasteja "aos corcovos como longas tênias morosas" (*GazNot* 3 mar. 1901); o traçado de suas ruas lembra "coleios de cobras" (*GazNot* 3 mar. 1901) e suas esquinas são pontilhadas de políticos ociosos e ambiciosos, muito parecidos com o "cogumelo" que "brota espontaneamente dos lameiros podres" (*GazNot* 17 mar. 1901).

Muito diferente dessa constituição urbana, visualizada de forma parcial, é a de São Paulo, não menos parcial. A administração municipal do momento produzia efeitos imediatos e definidos, sempre agradáveis a quem tinha a urbanização parisiense como modelo. Sob o comando de Antônio Prado, "alargam-se as ruas, arborizam-se as praças; os velhos paralelepípedos tortos do calçamento são substituídos por outros, novos e bem feitos, de arestas vigorosamente retas; as calçadas são de elegante ladrilho; e já no largo do Rosário há um *refúgio*, como os das ruas de Paris, – *excusez du peu!*" (*GazNot* 23 fev. 1902). Junte-se a essa nítida demonstração de vontade política, convertida em desenvolvimento material, um outro componente, que Bilac não demarca se causa, se conseqüência, se efeito colateral: o do "progresso moral, a boa vontade com que o povo se vai educando e disciplinando" (*GazNot* 23 fev. 1902). Evidências desse "progresso moral", aos olhos do cronista, foram a providência de se substituir a polícia armada, que guarnecia os teatros de São Paulo, pela guarda civil desarmada; a disciplina e a higiene praticadas dentro dos bondes paulistanos da Light & Power; e a retirada das cercas que protegiam os jardins da capital. No entanto, permitindo que assomasse o viés oficialesco de quem se põe de forma inequívoca ao lado da autoridade constituída, movido pela intenção da ordem burguesa, o cronista repara que o comportamento acima só seria possível se se pudesse contar com a "cordura" do povo, "essa eterna criança malcriada" (*GazNot* 23 fev. 1902), mas sempre digna de confiança, no entanto.

Como a oposição entre ambas as cidades não lhe parece ainda suficiente em seu esforço de desmerecer o Rio, o cronista suspende a descrição generosa do progresso material, interrompe seus louvores a favor do "progresso moral" e envereda pela idealização do campo, com o nítido objetivo de acrescentar sua suposta pureza e seu labor bucólico às vantagens decorrentes dos melhoramentos urbanos. Num esforço enorme de conciliação entre valores urbanos e rurais, manifesta-se de forma aguda sua repulsa idiossincrásica à atividade política, que, julga ele, está ausente em agrupamentos mais afastados das cidades grandes. É no campo, suspira o cronista, "na roça pacífica e ordeira, entregue ao labor pertinaz, – que a gente pode verdadeiramente sentir o asco das miseráveis paixões da politicagem" (*GazNot* 17 mar. 1901). Isenta de paixões e de interesses, esvaziada de móveis pessoais que ditem sua conduta, desobrigada de sua contingência existencial, essa humanidade opera de forma automatizada, mas abençoada por uma natureza pródiga, sempre disponível e disposta a recompensar com música natural o esforço físico daqueles que não afrouxam:

> Ao sol fecundante, arfa a terra sagrada, no seu perpétuo trabalho. Corta-lhe o seio o arado que a revolve e remoça; regam-na as chuvas benéficas; fecunda-lhe o suor dos que penam sobre ela para lhe excitar o vigor; o formigueiro humano vai e vem, agita-se e tumultua, na labuta contínua, amanhando o solo, lançando as sementes, vigiando o crescer dos rebentos, dando caça às larvas devoradoras, amontoando as colheitas; silvam as locomotivas, rincham os carros de bois, trotam as tropas carregadas, propagando a vida, dilatando o comércio,

expandindo o progresso, levando ao litoral e ao âmago dos sertões bravios o pão, a felicidade, a riqueza; – e há, do romper do dia ao esmorecer da tarde, por toda a face da terra afanosa e alegre, o ressoar de um hino vasto, em que se casam todos os rumores, e todas as palpitações dessas milhões de atividades, cantando a glória de viver e de lutar (*GazNot* 17 mar. 1901).

Nesse jogo de contrastes, cujos limites são o tesouro enterrado do Morro do Castelo e o esplendor laborioso da natureza interiorana, sai perdendo o Rio, cuja única riqueza lendária é sua herança colonial e ainda enterrada sob esterco.

De nada adiantariam, já vinha advertindo Bilac há tempos, providências imediatistas, como as que foram tomadas para a visita do presidente argentino Julio Roca, em meados de 1899, quando a prefeitura carioca mandou calçar, às pressas, a rua do Ouvidor (*GazNot* 9 jul. 1899). Desabasse uma chuva inesperada, pondera o cronista, e aquela "adorável e adorada viela" poderia se transformar, mais uma vez, em "formoso, delicioso, vistoso e primoroso atoleiro" (*GazNot* 9 jul. 1899).

Na construção dos seus paradigmas culturais, talvez não fosse precipitado montar uma escala bilaqueana em que a Europa, sobretudo francesa, ocupasse o primeiro lugar, quando se trate de arte e de literatura, em geral, e de outras manifestações espirituais. Em seguida, como padrão de desenvolvimento técnico e de vontade tecnológica, viriam os Estados Unidos. Num terceiro lugar muito significativo, representando o "alcance possível" num contexto latino-americano, estaria a Argentina e, mais especificamente, Buenos Aires. Porque nas mais diversas crônicas em que o país do Prata foi assunto (*CorPau* 18 jan. 1908; *CorPau* 29 mar. 1908; *CorPau* 6 maio 1908; *CorPau* 2 jul. 1908; *GazNot* 18 jun. 1899; *GazNot* 9 jul. 1899; *GazNot* 13 ago. 1899; *GazNot* 20 ago. 1899; *GazNot* 21 out. 1900; *GazNot* 28 out. 1900; *GazNot* 18 nov. 1900; *GazNot* 7 jun. 1903; *GazNot* 24 mar. 1907; *Kosmos* set. 1906), o cronista reconhece sempre, de maneira direta ou não, que a emulação entre ambas as nações (ou capitais, melhor dizendo...) poderia muito lustrar o cotidiano carioca.

Olavo Bilac esteve duas vezes em Buenos Aires.

Primeiro, como representante da *Gazeta de Notícias* na comitiva oficial de Campos Sales, que visitou Buenos Aires em outubro de 1900. Nessa oportunidade, recebido de forma festiva e destacada pelos colegas da imprensa local, Bilac encarregou-se de responder, em nome dos jornalistas brasileiros, ao brinde que lhes foi oferecido por Carlos Veja Belgrano, diretor do jornal *El Tiempo*, em jantar no *Café Paris*. Segundo reportagem de então, inserida em álbum comemorativo que nos foi passado pela gentileza de Raúl Antelo, nosso cronista improvisou "un brindis maravilloso, lleno de ideas atrayentes, haciendo gala de una elocuencia tan brillante por los giros deslumbradores como por los conceptos que constituían la base del discurso" (31: 329). Mais à vontade no perfil de jornalista que de poeta, do qual retirou lucros menores, mas nem por isso mais modestos, O. B. expandiu sua atuação na capital portenha, onde, além da intensa programação oficial, ainda cumpriu extensa programação pessoal, visitando órgãos públicos como o Congresso Nacional, o Departamento de Polícia e o Corpo de Bombeiros; instituições nacionais como o jornal *La*

Nación, o Círculo da Imprensa e a Bolsa; personalidades públicas como o Dr. Estanislau S. Zeballos, figura política de proa naquele momento. E numa escapulida breve de Buenos Aires, dirigiu-se no dia 4 de novembro de 1900 a La Plata, para visitar Aluísio Azevedo, que atuava, nesse então, como nosso cônsul naquela capital de Província. E é do autor de *O Cortiço*, naquele momento afastado da carreira literária, uma carta a Lúcio de Mendonça, através da qual se podem espiar o reverso e o contexto em que se dava a viagem presidencial de Campos Sales, realizada com o intuito visível de normalização de relações:

> É tão calva a má vontade a nosso respeito, que, enquanto se fala de peste bubônica, não aparece uma palavra sobre febre amarela, como se de repente este mal tivesse desaparecido por encanto; mas, desde que se esgote a bubônica, aí volta todos os dias uma ferroada contra o Brasil a propósito da formosa febre. E, como aqui os artigos de jornal são à moda norte-americana, encabeçados de muitos e gordos títulos, vai a perfídia ao ponto de imprimir no escandaloso sumário em letras enormes: *Febre amarela no Rio de Janeiro*, e embaixo, na discriminação da notícia: "Até agora não fez ainda este ano no Brasil a explosão que costuma fazer o terrível flagelo". Com a peste bubônica dá-se o mesmo: antes de se terem desenvolvido as perversas noticiazinhas que ultimamente vêm na *Prensa*, já muito antes, só para dizer ao público que não havia peste bubônica no Brasil, vinha todos os dias um telegrama do seguinte teor: "O Brasil e a peste bubônica", ou ainda "As pestes no Rio de Janeiro". E isto sempre, sempre, desde Ano Bom a S. Silvestre, pingando gota a gota, com uma tal maldade, que, francamente, a vontade que dá à gente é, se fosse governo, arrumar logo p'ra aí com cinqüenta dias de quarentena contra a Argentina, e deixar que esta bufasse embuchada com a sua farinha e com todo o seu charque, que no Brasil tem o melhor e único mercado sério para expansão.
>
> A "Semana brasileira", que é como aqui se chama a visita Campos Sales, foi um manhoso parêntesis nessa odiosa campanha, e temo, visto não haver esperança de nova visita presidencial, que as cousas voltem afinal ao descalabro do ano passado.
>
> Teu Aluísio. La Plata, 26 de setembro de 1901 (14: 126-127).

Data de 1910 a segunda viagem de Olavo Bilac à Argentina, como integrante da delegação oficial brasileira junto à 4ª Conferência Internacional Americana, entre julho e agosto.

Nessa segunda vez, recém-afastado da militância jornalística e mais integrado em atividades cívicas, Bilac visita Buenos Aires na companhia de Domício da Gama, J. L. Almeida Nogueira, Gastão da Cunha e Herculano de Freitas, cada um deles reconhecido como "mandatário hábil para tomar parte na Conferência e assinar tratados e convenções em qualidade de representantes dos respectivos Governos" (2: 2). Tratava-se da 4ª Conferência Internacional Americana, onde Bilac trabalhou de modo ativo junto à 10ª Comissão, encarregada de redigir projeto que cuidava da propriedade literária e artística, no qual já se incrustavam direitos relativos à cinematografia, curiosamente expurgados na Resolução final (2: 5-10), por pressão norte-americana.

Seu conhecimento, portanto, da realidade portenha era direto, sem intermediação, ainda que rodeado de muita festa, de muita homenagem pessoal. Animado diante da cidade e ainda residualmente imbuído da voga determinista do fim do século que terminava, o jornalista não se conforma com o evidente desfavor carioca perante Buenos Aires. Assim, depois de comparar a semelhança da história recente de ambas as cidades e de contrastar a natureza pródiga do Rio com a "planície infinita, sem a sombra de um outeiro, sem a frescura de uma sebe verde [e] com os pés banhados na água lodosa de um rio escasso" (*GazNot* 18 nov. 1900) que rodeia Buenos Aires, o cronista se pergunta o que nos faz diferentes, já que somos "filhos da mesma raça e do mesmo momento histórico com muito mais vida, com muito mais riqueza, com muito mais proteção da Natureza" (*GazNot* 18 nov. 1900). Até parecia maldição termos ainda "por capital da República, em 1900, a mesma capital de D. João VI em 1808" (*GazNot* 18 nov. 1900). E tomando o desleixo municipal do Rio como desacato pessoal, conclui, desanimado: "Isso é o que dói como uma afronta, isso é o que revolta como uma injustiça" (*GazNot* 18 nov. 1900).

Em resumo: mesmo admitindo que vivíamos, argentinos e brasileiros, em "regime de mútua desconfiança e de mútua suspeita" (*CorPau* 19 jan. 1908), O. B. constrói uma Argentina como patamar mínimo de civilização a ser atingida. O parâmetro mais próximo, histórico e geográfico, possível de ser copiado e alcançado. Tamanho era o grau de modernidade identificado na capital portenha que sua primeira crônica, assim que desembarca à beira do Prata, em 1900, durante a primeira visita, não se submetia ao padrão corriqueiro de referencialidade que impusera a seus textos habituais. Em vez de atenuar essa referencialidade por meio de eventuais alusões históricas e mitológicas, citações literárias ou bíblicas, adjetivações hiperbólicas, imperativos enfáticos, perguntas retóricas, diálogos fictícios, simulacros de papelório burocrático, personagens emblemáticos, suspensões que provocassem curiosidade e outros recursos semelhantes, como era de seu feitio, O. B. prefere simular o novo, na crônica que envia de Buenos Aires. Excitado diante daquilo que tem na conta de atual e moderno, Bilac empolga-se, de imediato, com a inauguração recente de linhas telefônicas pela Brasil, River Plate & Pacific Telephonic Co e fantasia uma conversa com a redação da *Gazeta de Notícias*, sob o pretexto de enviar sua contribuição semanal, recheada das últimas impressões.

Sua crônica de 28 de outubro de 1900, na *Gazeta de Notícias*, torna-se, então, a materialização dessa modernidade almejada, na qual se imiscuem, de forma subreptícia e marota, resíduos de uma formação literária derivada de um tempo vencido, estranhos e incompatíveis com os novos modelos de comunicação em fase de implantação.

Nesse arcabouço ficcional, o cronista instala, de saída, a noção de velocidade e de falsa proximidade entre Rio e Buenos Aires, através da escolha cuidadosa do verbo "falar", cuja coloquialidade implícita abrevia o espaço entre os interlocutores e provoca um quê de familiaridade entre ambos. Falsamente próximos, divide-os, no entanto, a condição de cada um desses espaços. Enquanto o Rio de Janeiro está, no momento, marcado por noções muito breves de calor abundante, de regularidade alimentar, de saúde frágil e de dever constante, a capital portenha, por oposição, erige-se como local de festa, de prazer, de expansão pessoal, de prodigalidade alimentar, literária e amorosa.

Claro que essas noções são sumaríssimas e sugeridas, quando muito, por um rápido adjetivo aqui ou um verbo estratégico logo ali. Mesmo porque o objetivo principal desse texto, naquela circunstância, é a informação jornalística na qual entram, de contrabando, os dados periféricos da situação. O que não impede, todavia, de surpreendermos expedientes como a intromissão proposital e ruidosa da figura mitológica de Anfitrite, acarretando duplo efeito. De um lado, porque, sua presença no discurso, como zombeteiro ornamento poético, retarda a velocidade que a informação exige; de outro, porque provoca a incompreensão passageira do interlocutor apressado, naquele momento ansioso tão-somente pela informação enxuta, sem conotações e nem firulas.

O pudor histórico de Anfitrite combina-se com a marca inconfundível do ímpeto másculo de Éolo, nome do barco que veio buscar o grupo de jornalistas na boca do Prata, segundo informação do álbum comemorativo da viagem, onde se lê: "La empresa del diario argentino *El País*, obteniendo facilidades que en nada perjudicaban los reglamentos sanitarios, fletó el vapor *Eolo*, que vistosamente empavesado, con excelente orquesta y un mejor *cordon bleu*, salió de Buenos Aires en la noche del 18 de Octubre, conduciendo a los directores y parte del cuerpo de redacción de aquel diario, con el objeto de esperar al *Thames* en la Isla de Flores, y allí trasbordar a los periodistas brasileños para conducirlos a Buenos Aires" (31: 246). Reiterando mais uma vez a velocidade dos acontecimentos, paralela à da informação que quase solda os espaços, o barco dos jornalistas despeja-os num recinto cuja marca maior é o da transfiguração, onde tudo se funde e se confunde, onde os sexos são destituídos de suas marcas de origem e adornados de qualidades superiores, quando não divinas. Recinto que também foi despojado de traços terrestres, onde se atordoa o cronista – "dizer se estou na terra ou no céu, não sei" (*GazNot* 28 out. 1900) – e onde ainda se ofusca, graças à intensa luminosidade, que afugenta as sombras.

Era esse o sonho bilaqueano de convivência urbana?

Parece que sim, herdeiro que era de um legado que se bifurcava entre a idealizada clareza helênica e a modernização de uma Paris haussmanniana. Pelo menos é essa luminosidade intensa que atravessa, de ponta a ponta, a crônica que saúda a inauguração da Avenida Central, em novembro de 1905 (*GazNot* 19 nov. 1905), texto em que se misturam as impressões saltitantes do cronista com as do povo excitado. Que se mais não entra é porque o espaço de jornal era irrisório, ao contrário daquele outro que se abria diante da população basbaque.

M. de
Sto Antonio
63m 500
Passeio
Publico
Palacio Monroe
Lapa
R. do Ladario
Quartel Central
da Policia
Grande Oriente
Lavradio
Freire
Escola
Tiradentes
Archivo Nacional
Ministerio da Guerra
Prefeitura
Escola
Normal
Ministerio do Exterior
Ministerio
do Interior
Delegacia
Policial
Jgreja
Presbyteriana
Musica
Theatro S. Pedro
Ministerio
da Fazenda
Escola
Politechnica
Rua General Gomes
R. Camerino
Escola
Affonso Penna
Conselho
Municipal
Theatro
Municipal
Theatro
Lyrico
Convento S. Antonio
Jgreja
S. Francisco
de Paula
Mercado
das Flores
Tamarindo
Supremo Tribunal
Bibliotheca Nacional
Imprensa
Nacional
Hotel
Avenida
Escola Nacional de
Bellas Artes
Palast Hotel
Rua Gonçalves Dias
Rua da Carioca
R. Rodrigo Silva
Convento dos Capuchinhos
Estação
Semaphorica
Caixa
de Agua
Observatorio
Jgr. Sta Lucia
Hospital da
Misericordia
Escola
de Medicina
Mercado
Estação
Cantareira
Caes Pharoux
Alfandega
Caes
dos
Mineiros
Ministerio
de Marinha
Mosteiro
de S. Bento
Arsenal de
Marinha
32m
M. de S. Bento
Pagagem
Mo Visconde de Maúa
Morro
da
Conceição
Sede
do Bispo
Jgr. de
Bom Jesus
Jgreja
Sta Rita
Caixa de
Amortisação
A Cadedral
Museu
Commercial
Correio Geral
Jgreja da
Candelaria
Ministerio de Viação
R. do Mercado
Rua Primeiro de Março
Rua da Misericordia
Rua D. Manoel
Rua do Ouvidor
Rua da Quitanda
Rua do Rosario
Rua da Alfandega
Rua S. Pedro
Rua Sete de Setembro
Rua Uruguayana
Rua dos Andradas
Rua da Conceição
Rua Marechal Floriano
Rua da Prainha
Rua Visconde de Inhaúma
Rua de S. Bento
Rua Theophilo Ottoni
Rua do Acre

O centro do Rio de Janeiro, em 1910.
Detalhe de um mapa de Carlos Aenishänslin.

Fonte: Marc Ferrez, *O Álbum da Avenida Central: Um Documento Fotográfico da Construção da Avenida Rio Branco, Rio de Janeiro, 1903-1906,* Rio de Janeiro / São Paulo, João Fortes Engenharia / Editora Ex Libris, 1982, p. 14.

Entre o Gabinete e a Redação

Quem escreve estas linhas tem ultimamente,
no cumprimento de um dever profissional,
percorrido o mais pobre, o mais triste, o mais sujo bairro do Rio de Janeiro, –
a zona que abrange a Saúde, a Gamboa, a Praia Formosa,
entre a orla do mar e os morros da Conceição, do Pinto,
da Providência. Nessa região cheia de trapiches, de estaleiros,
de depósitos de madeira e carvão, de estalagens e de tavernas suspeitas,
formiga uma população macilenta e triste.
O. B., *Gazeta de Notícias*, 23 jun. 1901

Aos quarenta e poucos anos, confessando-se sem tempo, nem paciência para "andar à caça de rimas" (*GazNot* 27 set. 1908), Bilac prefere a prosa para comentar os acontecimentos da semana.

Meramente retórica essa confissão sua, uma vez que não era através de outro recurso que vinha se expressando desde que se investira da função de cronista, no começo de 1890. Exceto uma ou outra vez em que, por desfastio, cometeu crônicas em verso, o veículo natural da crônica bilaqueana sempre foi a prosa, seja porque é forma que melhor se adapta às exigências do relato jornalístico cotidiano, seja porque é forma que melhor se ajusta à veleidade do documentarista atento à sua circunstância. Sem nunca perder de vista a efemeridade que rondava sua ocupação no jornal, mas também ciente de sua serventia como testemunho de seu tempo, Bilac relativizava seu ofício, não se atribuindo importância opinativa. Quieto no seu canto, mas sempre de olho nos arredores, não é à toa que se vale ele de uma figura felina para melhor identificar sua tarefa como cronista, assim que se instala na *Gazeta de Notícias*: "Assim, há mais de 13 anos que estou aqui, às vezes trabalhando, às vezes vadiando, ora nesta coluna, ora naquela, como um gato doméstico que ama a casa em que vive, e tanto se compraz de estar na sala como na cozinha ou no telhado" (*GazNot* 2 ago. 1903).

Privilegiado pela visão superior e geral do telhado ou pela visão imediata e particular de quem freqüenta a intimidade da cozinha, o certo é que o cronista se permitiu passear pelos mais diversos assuntos à sua disposição, um dos quais foi a sociedade literária de seu tempo. Sobre ela, seus comentários, opiniões, observações vão da contundência à cautela, sempre ditada esta pela conveniência da convivência ou pelo fôlego crítico de alcance curto.

Sem nunca persistir semanas num mesmo assunto, mesmo porque essa atitude desfaria o predicado essencial da crônica, que é o da sua volubilidade falsamente desatenta, Bilac zanzou pelo campo literário, nacional e estrangeiro, com a despretensão (também falsa, é claro) de um cronista que não se dá importância. Fazendo uma sugestão aqui, outra mais adiante; perguntando-se em voz alta ou afirmando em surdina; fingindo espanto ou ensaiando indignação, de seu texto vão pingando detalhes descontínuos que, se juntados, recuperam e adicionam mais elementos àquele agrupamento intelectual de fim de século, grande responsável pela consolidação de nossa sociedade literária.

Em transcrição literal ou em montagem parafrásica, eis algumas das preocupações que o cronista vai destilando ao longo de uma carreira, cuja ponta mais jovem inflama-se em protesto profissional e cuja ponta oposta desliza pela rememoração serena ou ficcionalizada. Entre ambas, a vida literária compartilhada e de gama extensa, onde cabem inquietações como: "Qual homem de letras não ama dizer mal de editores?" (*ABruxa* 10 abr. 1896). Quanto ganham os editores às custas do escritor? (*ABruxa* 22 maio 1896). Onde as leis que deveriam proteger o intelectual brasileiro? (*ABruxa* jan. 1897). Em país carente de legislação autoral, não é justo que o Estado socorra os herdeiros dos poetas e dos escritores? (*GazNot* 2 jun. 1890). Que procedimento tomar contra a pirataria literária? (*CorPau* 10 maio 1908). "Quando uma mentira é bela ou poética, que vantagem moral pode resultar de sua destruição?" (*CorPau* 29 nov. 1907). Se a rima desaparecer da poesia, não lhe sobrevive o ritmo? (*CorPau* 11 dez. 1907). Não será crime "a publicação das cartas íntimas dos grandes homens?" (*CorPau* 22 abr. 1908). Para que a literatura brasileira alcance prestígio, interno e externo, não é preciso, primeiro, alfabetizar o povo brasileiro, criando-se, pois, massa de leitores? (*GazNot* 5 jan. 1908; *CorPau* 20 maio 1908). Um candidato presidencial, cuja plataforma eleitoral não dá o devido valor à educação, merece nosso crédito e nosso voto? (*GazNot* 15 out. 1905). Não é injusto o menosprezo que sofrem os folhetinistas, capazes de atrair centenas de leitores, mais que os romancistas de alta estirpe? (*OEstSP* 1° fev. 1898). Será que vale a pena a popularidade literária? (*CorPau* 12 jan. 1908). Entre a política nauseante e a literatura sedutora, que caminho escolher? (*OEstSP* 23 jul. 1898; *GazNot* 21 maio 1899). Como evitar o artificialismo na poesia? (*GazNot* 27 mar. 1894). Entre o investimento na construção de um teatro municipal ou no saneamento urbano, qual a prioridade? (*GazNot* 29 fev. 1896). De onde vem essa mania brasileira de fazer versos por qualquer motivo? (*GazNot* 19 abr. 1896). Por que a crítica brasileira só admite o ótimo e não pode aceitar o bom? (*GazNot* 23 out. 1898). Como conciliar poesia revolucionária com conservadorismo ideológico? (*GazNot* 17 fev. 1901). De um escritor de porte é justo esperar-se um comportamento pessoal irrepreensível? (*GazNot* 5 out. 1902).

Fosse porque já não se sentisse ameaçado sob a presidência de Prudente de Morais (1894-1898), fosse porque confiasse na proteção dos inúmeros pseudônimos, fosse ainda porque quisesse competir com o vigor do lápis de Julião Machado, o principal ilustrador da revista, o certo é que Bilac deslanchou na acidez em crônicas de *A Bruxa*. Mefisto, Astaroth, Lúcifer, Belfegor, Asmodeu, Belzebu, Diabo Vesgo, Diabo Coxo e outros equivalentes foram alguns dos pseudônimos diabólicos que lhe deram cobertura nessa revista, criada por ele e por Julião Machado, em 1896. Escondido, mas não muito, atrás da grande variedade desses pseudônimos, Bilac desdobra-se na farta colaboração, solta suas amarras e dispara em várias direções, acreditando fosse função de seu verbo rivalizar com o traço do desenhista, na contundência que deste se desprende. Pelo menos é isso que se depreende da avaliação geral da revista. E, ao biografar o cronista, Eloy Pontes, nunca preciso em suas fontes, confirma essa impressão através de curta transcrição de crônica que Bilac publicara em *A Notícia*, em um dia qualquer:

Olavo Bilac está convencido, a esse tempo [1896], de que a caricatura constitui arma tremenda. O jornalismo transformara-se, com a presença dos calungas. Por isso procura aliar-se aos cronistas. *A Bruxa* é prova da convicção que o empolga. Alguns anos depois confessa, entre ironias que, "como críticos, os escritores não valem tanto como os caricaturistas. A influência destes é enorme. Sua crítica entra pelos olhos dos doutos e dos ignorantes, dos eruditos e dos analfabetos, dos inteligentes e dos estúpidos. As frases escritas não conseguem impressionar tanto o público. Com meia dúzia de traços a lápis ou pena, os caricaturistas fixam épocas, ridículos, monstruosidades sociais, com tanta simplicidade e exatidão, que até os cretinos apreendem imediatamente o intuito da crítica" (77: 356).

Não se trata, é claro, de atribuir a Bilac múltiplas personalidades profissionais ou versatilidade inesgotável, superdimensionando-lhe a importância, como se estivéssemos imbuídos de gana valorativa em retrospecto. Mas não se trata também de deixar de lhe reconhecer alcance mais diversificado do que aquele com que o rodeou a historiografia literária, conferindo-lhe a láurea oficial de poeta tão-somente. É como se, na crônica de 1890, já pudéssemos localizar um dos primeiros germes da segmentação interior que, anos depois, se tornaria mais vincada na sua carreira. Naquela extensa carreira de quem começara como poeta parnasiano e terminaria seus dias como defensor de causas cívicas de interesse nacional, tendo desempenhado, de permeio, o papel de defensor dos interesses de reurbanização da capital brasileira, aos quais se soldariam os da mudança de hábitos, de atitudes sociais e de comportamento político. Alterações que, embora reivindicadas para o imediato de sua circunstância histórica e pessoal, podem, de outro lado, ser ampliadas para uma escala nacional, sem o risco do exagero ingênuo, porque as entrelinhas reiteradas de sua atividade jornalística no-las permitem.

Sem se anularem reciprocamente, nem se repelirem, coexistem, pois, o poeta e o jornalista, afinando-se em pacto para defenderem seu ofício que, na falta de outra proteção mais concreta, colocam-se sob a guarda simbólica de José de Alencar: "O valor maior da grande festa, com que se há de inaugurar em maio a estátua de José de Alencar, será este: chamar a atenção de todo o Brasil para a classe dos homens de letras" (*ABruxa* jan. 1897).

Mais que mero centro da homenagem justa de seus pares, Alencar comparece nesta crônica como outro homem de letras em quem Bilac se espelha, identificando-se com sua versatilidade: romancista, teatrólogo e, sobretudo, cronista, homem do poder, do Legislativo e ex-Ministro da Justiça.

Homem prático e poeta; político e escritor; autoridade civil e autoridade literária; escritor de prestígio e cronista de respeito; criador de uma mitologia nacionalista ou praticante da ficcionalização histórica; romancista ambicioso do tempo presente ou do tempo pretérito, do espaço imediato ou do espaço remoto, Alencar parecia sintetizar um ideal de atuação social e literária que bem se prestava à posição de nume tutelar da literatura, desdobrada duplamente como produção artística e como atividade remuneratória, por que não? Patriarca do romance brasileiro e mesmo da justiça por algum tempo, a restauração material da sua figura encarnava a oportunidade adequada para reivindicar um estatuto de dignidade para a profissão, não fosse ainda o fato suplementar e conveniente da data de nascimento de Alencar: 1º de maio. Com base nessa coincidência, Bilac amarra os fatos aparentemente isolados e atribui-lhes um significado prático, no qual está presente a discreta recusa da fantasia, cujo lugar passa a ser ocupado pelo desejo de proteção legal:

> E sempre será bom dizer que José de Alencar, cuja estátua em 1º de Maio a Comissão Central da Imprensa inaugurou no largo do Catete, foi o escritor brasileiro em cujo estilo vivamente palpitou, pela primeira vez, a alma da nossa terra... Dir-se-á (uma vez que não falta nunca quem apedreje os que são glorificados) que o seu modo de ver as cousas do Brasil foi falso, – porque o Brasil não é hoje o índio *Peri*, ou o explorador português que por aqui se vinha à conquista das *minas de prata*... Santo Deus! Ninguém quis honrar em José de Alencar o esforço da moderna gente literária do Brasil, – afirmando agora a sua independência definitiva, criando, com Coelho Neto, o nosso romance nativista, com Afonso Arinos, Valdomiro Silveira, e outros o estudo da vida e das paixões do nosso sertão bravo, e com Araripe Júnior uma feição nova da nossa crítica... O que se quis foi – justamente nesse dia Primeiro de Maio, que, por uma coincidência, era o dia do aniversário natalício de Alencar – honrar o trabalho literário no Brasil, tão desprotegido, tão abandonado dos poderes públicos, tão rechaçado para o último plano, do trabalho coletivo em nossa terra!... (*ABruxa* 14 maio 1897).

Para disfarçar a lamúria e dar um tom ligeiramente impessoal à reclamação, fazendo dela um argumento mais coletivo, Bilac substitui o nome pelo pronome, carrega na terceira pessoa e promove uma auto-segmentação pessoal, em que repudia um passado lírico recente, quando se dedicava à exaltação de mulheres lácteas. Em vez delas e das dores reais ou imaginárias que provocam, mesmo que o retorno sejam o reconhecimento popular e o prestígio público, o cronista, sereno, prefere sua parte em dinheiro. "Ninguém escreve unicamente pela satisfação de escrever", assegurava o cronista na iminência de assumir, na *Gazeta de Notícias*, o lugar de Machado de Assis. "Quem escreve", argumenta em crônica de que já nos valemos páginas atrás, "quer os aplausos fúteis das turbas néscias, e quer ainda ver pago o seu trabalho, não só em louvores, mas também em dinheiro. Escrever por escrever, é platonismo, que, como todos os platonismos, é inepto e ridículo" (*ABruxa* jan. 1897).

No momento em que renega o beletrismo vaidoso e defende de forma ostensiva a retribuição pecuniária, Bilac está prestes a ser o titular da coluna na *Gazeta de Notícias*, herdando-a de Machado que, em fevereiro de 1897, exatamente no dia 28, despediase de seus leitores, alegando cansaço.

Ainda que não assinasse a coluna, o que vem a fazer, de modo sistemático, apenas de junho de 1903 em diante, Bilac confere-lhe nova direção e reitera o acento pragmático que se observa em colaboração sua que já vinha desde 1890. São treze anos contínuos e produtivos sob falso anonimato, facilmente desmascarado por causa das alusões pessoais, pistas desembaraçadas ou referências alheias. Ao longo de tantos anos de exercício no jornal, fisga-se, aqui e ali, uma brecha pessoal que autoriza o desmanche do anonimato, em geral, pouco defendido. Dessa sorte não escapou nem mesmo seu pseudônimo favorito, Fantasio, que, um dia, um colega bisbilhoteiro, escondido sob a sigla A. (Artur Azevedo?, talvez...), entregou ao público em sua "Crônica Fluminense", publicada em *O Álbum*:

> Quando o outro dia li, na *Gazeta de Notícias*, o surpreendente anúncio da mulher que oferecia um menino como quem oferece um papagaio, fiz logo tenção de aproveitar esse magnífico assunto. *Fantasio*, porém, tomou-me a dianteira, e escreveu na *Cidade do Rio* a crônica magistral e coruscante que foi a nota artística desta semana melancólica e nevoenta. Ora, como o *Álbum* dá neste número o retrato de *Fantasio*, que outro não é senão Olavo Bilac, o melhor que tenho a fazer – roubado como fui – é transcrever aqui a referida crônica (3: 98).

Em um de seus pertinentes ensaios sobre a crônica machadiana, John Gledson ressalta dois traços peculiares que a fazem distinta da colaboração bilaqueana, um decorrente do outro: de um lado, uma "espécie de quase intimidade"; de outro, sua forte "alusividade".

A "quase intimidade" deriva, segundo o ensaísta inglês, de uma estreita identificação entre o cronista e seu público, partícipes ambos de interesses comuns e imediatos. Segundo Gledson,

> Machado foi o herdeiro de uma tradição, bem representada numa revista como a de Henrique Fleiuss, a *Semana Ilustrada*, na qual ele colaborou, ou de cronistas como Alencar ou França Júnior, cuja matéria eram as pequenas notícias locais, e que pressupunham a existência de uma audiência mais ou menos compacta, vivendo numa única cidade também habitada pelo cronista: a própria redução da cidade à Rua do Ouvidor [...] é uma indicação desta confiança numa espécie de quase intimidade (10: 28-29).

Quanto à "alusividade", traço que exige a elucidação sistemática da crônica machadiana, o estudioso inglês salienta que sua forte presença constitui o cerne mesmo daquele tipo de texto jornalístico, sempre voltado para a "evocação dessa comunidade" (10: 29) exígua, onde circulavam leitores e cronista.

Desviando-se, pois, desse intimismo machadiano, Bilac amplia as fronteiras do leitor, fazendo-o ingressar em universos alheios ao interesse imediato e restrito, como o da profissionalização do intelectual brasileiro, que, se pode representar mera reivindicação pessoal, não deixa, de outro lado, de servir de alerta para a necessidade de legislação trabalhista e defensiva. A mesma atitude, em suma, que o veremos tomar, em outras ocasiões, a favor da regulamentação do trabalho infantil ou do trabalho feminino; da proteção aos ex-escravos ou aos caixeiros em fase de aprendizagem; do funcionalismo público ou do anonimato da vítima de estupro.

Aos poucos, Bilac afastava-se do tempo em que acreditava "que o homem capaz de fazer versos não tem necessidade de fazer mais nada" (*GazNot* 2 ago. 1903); aos poucos, esvaziava-se sua "cabeça cheia de versos" (*GazNot* 2 ago. 1903) e no seu lugar organizava-se a responsabilidade pela "resenha semanal dos casos" (*GazNot* 2 ago. 1903); aos poucos, o verso estético cedia lugar à prosa ética; aos poucos, mas nunca de forma absoluta, o jornalista fazia sombra ao poeta.

Nesse processo substitutivo, cabia ao jornalista estabelecer outro tipo de autoridade que não o conferido pelo prestígio poético precoce, cuja tendência natural, naquele contexto, tendia a identificá-lo com o convívio folgazão e descomprometido das musas, sempre disponíveis. Para escapar dessa armadilha e para dotar sua fala de razoabilidade argumentativa, o jornalista lança mão de alguns expedientes persuasivos de caráter pessoal, discursivo ou histórico, tendo sempre como base a exemplaridade. Não é por outro motivo que a entronização próxima da figura de Alencar provoca uma crônica, como já vimos acima. Nem é por outro motivo que o jornalista traz à tona sua própria experiência pessoal à qual atribui ligeira conotação de irresponsabilidade juvenil.

Agora, aos trinta anos, sente-se o cronista autorizado a invocar um arsenal de exemplos ou de pôr em prática alguns recursos discursivos, cujo fim é a conquista da adesão racional (e, por que não, sentimental?) do leitor. Se a conquista estética era estratégia do passado próximo, a do presente era a da persuasão.

Então, dessa forma armado, Bilac monta uma contenda na qual o frágil homem de letras sofre desamparado, à espera da atenção pública e social. De um lado, a sociedade desdenhosa que não atenta para uma de suas partes, ainda que pequena; de outro, um segmento menor, impotente, que "vegeta" à sombra, escondida atrás de "espessa muralha". E na construção desse embate, a metaforização ergue oposição entre vítima e vilão, entre ganância e renúncia, entre o claro e o escuro, entre o quente e o frio, entre o humano e o vegetal, entre o robusto e o frágil, entre a Europa e a Ásia, entre o que se tem na conta de civilização daquela e o de barbárie desta, enfim. Se todos acorressem à inauguração próxima da estátua de Alencar, fortalecer-se-iam os laços da comunidade, uma vez que a presença, pelo menos em efígie, do patrono das Letras brasileiras funcionaria como sucedâneo santificado e autorizado da sociedade literária. "Por estas e outras razões", arremata Bilac ainda escondido sob o pseudônimo de Fantasio,

> é que a classe dos homens de letras se deve empenhar em que a próxima festa de Alencar tenha o maior brilho. É força rasgar a muralha chinesa de que estamos cercados. Afirmemo-nos! Tomemos o nosso lugar ao sol! Respeitando-nos a nós mesmos, conquistaremos o respeito do público. E, quando tivermos conquistado isso, os que nos exploram, os que especulam com o nosso trabalho hão de ir com menos sede ao pote (*ABruxa* jan. 1897).

Nessa construção de sua autoridade intervém ainda outro tipo de exemplo histórico, cuja utilidade argumentativa deriva de vários ingredientes. E, para calçar melhor sua defesa da classe, Bilac lembra disputa que envolvera famoso crítico de teatro francês e o proprietário de um jornal parisiense.

Relata o cronista:

> Havia um ano que Sarcey colaborava no *Petit Journal*. Um belo dia, estava ele em casa, quando se lhe apresentou um mocinho, muito embaraçado, dizendo vir da parte do Sr. Marinoni, do *Petit Journal*.
>
> – De que se trata? – perguntou Sarcey.
>
> – Estou encarregado de lhe participar que, a partir de 11 de junho, o Sr. não é mais colaborador do *Petit Journal*...
>
> * * *
>
> – Só isso? O sr. Marinoni não o encarregou de me explicar o motivo dessa deliberação, e de me trazer uma palavra amável, de pesar ou desculpa?
>
> – Não. (*ABruxa* jan. 1897).

O primeiro ingrediente que salta à vista é a ficcionalização pelo anedótico que ilustra o argumento maior da crônica. Claro que o jornalista apropriou-se do fato e reconstruiu-o a seu modo, dando-lhe ares de verossimilhança através do embaraço do mensageiro e da surpresa do crítico demitido. O laconismo das falas, ameaçado apenas em momentos precisos, reforça o constrangimento de ambos e o desconhecimento recíproco acentua a ausência do algoz, causa imediata, mas distante, de um confronto deslocado. E para marcar bem a oposição das partes, o cronista lança mão de uma sinalização gráfica que secciona o diálogo em dois segmentos, nos quais fica perceptível o avanço de uma parte e o recuo conseqüente de outra.

No final da anedota ilustrativa, o diálogo seco esvai-se de vez, o que abre oportunidade para a intromissão do narrador que finaliza e sentencia, disfarçado sob a voz suposta da vítima da demissão sumária:

> – Mas, enfim, que disse o sr. Marinoni?
>
> – Disse simplesmente: "Estou farto dele".
>
> Sarcey não esteve pelos autos. Refletiu: "Costumamos dar oito dias de aviso à nossa cozinheira antes de despedi-la, ou pagar-lhe oito dias adiantados e despedi-la imediatamente. Por que não havia o sr. Marinoni de fazer comigo o que eu não deixo de fazer com a minha cozinheira? Nada! hei de obter uma indenização!" (*ABruxa* jan. 1897).

Afora essa ficcionalização parentética, que se imiscui em narração com intenções jornalisticamente objetivas, arredondando-lhe o ímpeto reivindicatório, é preciso não ignorar a procedência da estória, outro elemento implícito de persuasão. Porque ao exemplificar sua crônica com Francisque Sarcey (1827-1899), Bilac arrasta atrás da nacionalidade do crítico francês todo um conjunto de informações suplementares e referentes à tradição, à cultura e à literatura daquele país que uma fartura de ensaios produzidos neste século tem apontado como o principal agente literário de nossa formação. Como crítico militante do teatro parisiense, entre 1860 e 1890, Sarcey pontificou através de um jornal de prestígio como o *Temps*, tornando-se uma espécie de oráculo do gosto médio, o que lhe rendeu enorme celebridade (59: 224) Ao amarrar, portanto, França, Paris e Teatro em um só bloco de argumentação isolada, Bilac capta a benevolência do leitor, seja porque reclama direitos pessoais e/ou coletivos, seja porque evoca a autoridade distante de um trinômio de respeito, seja ainda porque despe o pleito de eventual aspereza, ao conformá-lo em ficção.

Mas Sarcey e seu conjunto agregado de significados implícitos é estrangeiro e isso pode favorecer argumentos fáceis de xenofobia.

Que não seja por isso, responde rápido a crônica, invocando, em seguida, a autoridade do "velho e venerando *Jornal do Comércio* do Rio de Janeiro, um jornal que bem sabe o que é a terra em que vive!" (*ABruxa* jan. 1897).

Pode-se dizer que, naquele momento, o *Jornal do Comércio*, pesado e confortável em seus setenta anos redondos, funcionava como pauta daquela sociedade, em que apenas a *Gazeta de Notícias* podia fazer-lhe frente. "Sisudo e conservador", explica Nélson Werneck Sodré, o *Jornal do Comércio* era periódico acatado e "lido pelos homens da classe, pelos políticos, pelos funcionários graduados" (86: 324). Era jornal que vinha de longe, de 1820, nem um pouco arrivista, "empresa sólida, prestigiosa, com redação à rua do Ouvidor" (86: 324) e que fora adquirido, em 1890, por José Carlos Rodrigues, o editor famoso do *Novo Mundo*. Se a perspectiva de hoje oferece essa visão, a de Bilac, mais próxima, não é diferente. Depondo sobre o *Jornal do Comércio*, o cronista da *Gazeta de Notícias* confirma, em duas oportunidades, essa imagem que cercava o concorrente, ao mesmo tempo em que recupera parte de sua adolescência. E, ao tratar do *Jornal do Comércio* como parte integrante de sua formação intelectual, o cronista assenta de vez a autoridade de quem contesta a desproteção do trabalho intelectual no Brasil de então. Ou porque invocou o peso institucional de um jornal longevo e sólido, agora capitaneado por José Carlos Rodrigues, ou porque demonstrou que sua formação pessoal se fizera, em boa parte, sob aquele periódico. Do ponto de vista externo, aproveitava-se a conduta exemplar e enérgica de um crítico teatral francês em confronto aberto com um jornal parisiense de prestígio; do ponto de vista interno, reforçava-se a exemplaridade através do *Jornal do Comércio*, veículo "sempre cauteloso" (86: 256) e que, por isso mesmo, pesava "deliberadamente na concha das instituições" (86: 218).

Eis o que diz Bilac:

> Ainda tenho bem presente à memória o que era essa folha na minha adolescência, quando o meu espírito se ensaiava na vida das letras e da imprensa diária. Nós todos, rapazes daquele tempo, dávamos ao *Jornal* o apelido de "mastodonte". E bem o merecia a grave, pesada, seríssima e formidável folha, em cujas colunas nunca aparecia um sorriso. O grande órgão era, ao mesmo tempo, um conselheiro Acácio e um gato pingado. Nele, a

gravidade e a tristeza se confundiam de modo íntimo. O seu bom senso chegava às raias da tolice; e a melancolia do estilo dos seus redatores dava à gente idéias de suicídio. Não era um jornal: era uma máquina de moer notícias. Não tinha idéias: tinha movimentos instintivos. Nunca se via na sua enorme face impassível de paquiderme monstruoso o relampejar de um pensamento alegre, de uma aspiração de amor, ou de uma revolta de ódio. O papão abominava os versos, toda a literatura, as anedotas, a arte livre, o teatro leve. Era horrível! (*CorPau* 18 jul. 1908).

Além de sua poesia e de sua oratória impecável, uma pista provável que talvez explique a extraordinária popularidade de Olavo Bilac seja sua capacidade de embaralhar, com delicadeza, detalhes de sua vida pessoal com sua atividade pública e externa de jornalista, fazendo com que o grosso de suas crônicas alcançasse um tom de informalidade, de proximidade e de familiaridade, sobretudo depois que houve por bem amainar sua contundência ao vai-e-vem do regime republicano em fase de instalação.

Sob a rubrica de "depoimento pessoal", à falta de outra melhor, há um conjunto razoável de crônicas que perfura a convencional objetividade do comportamento jornalístico graças a uma revelação pessoal ou graças a uma elaboração textual de pendor mais ficcionalizante. Posto em outros termos: reduz-se a distância entre o cronista e o leitor por meio de um artefato verbal menos seco e menos referencial ou por uma escorregadela pessoal, ligeiramente condimentada ou não. Ora a distância se atenua pelo confessionalismo, pela auto-exposição que favorece um suposto intimismo; ora pelo modo de formar, pelo modo de conduzir a crônica. Em raros momentos, raríssimos, o que é uma pena, forma e fundo se fundem e o cronista é suplantado pelo ficcionista, face oculta desse poeta oficialmente parnasiano.

As que contêm revelação de ocorrências pessoais ou testemunhadas pelo cronista aproveitam muito, hoje, à história literária ou não, porque concorrem para esclarecer, como é óbvio, algumas passagens, sobretudo da biografia intelectual. É por meio de uma delas, publicada na *Gazeta de Notícias* em 17 de outubro de 1893, que ficamos sabendo, por exemplo, parte da questão intrincada relativa a Vítor Leal, pseudônimo coletivo usado por Olavo Bilac e Pardal Mallet em *O Esqueleto* (1890); por Olavo Bilac, Pardal Mallet, Aluísio Azevedo e Coelho Neto em *Paula Mattos* (1891) (87: 32) e somente por Aluísio Azevedo em *Mortalha de Alzira* (1893) (28: 29-39 e 87). Em outras, o cronista recupera seus breves meses transcorridos em São Paulo, no ano de 1887, quando, fingindo "que estudava retórica", entediava-se sob a "garoa fina" desta "pacata cidade". Ainda imersa em forte residualismo romântico, a "calada cidade de estudo e de troça" empurrava-o à dissipação através das "cervejadas infindáveis" (*GazNot* 3 mar. 1901), dos banhos de rio ou das algazarras na companhia de colegas como Teófilo Dias, Ezequiel Freire, Dias da Rocha, Alfredo Pujol, que gritavam hinos acadêmicos pelas ruas, declamavam Castro Alves e Baudelaire ou se encharcavam de Álvares de Azevedo e de byronismo (*CorPau* 8 out. 1907). Uma outra conta de forma bem-humorada e dinâmica como um senhor negro, porteiro de uma repartição pública, salvara o cronista, ainda estudante de medicina, do aperto de cavoucar um dinheirinho para o cigarro: encomendando-lhe o espichamento de uma peça teatral em que os personagens eram vegetais. "Ao cair da noite", recorda o cronista,

> sentei-me à mesa e comecei a trabalhar. Às 10 horas entraram os companheiros. Acharam-me dentro de um turbilhão de folhas de papel, suado, alucinado, bufando, e escrevendo, escrevendo... Falaram-me. Não respondi. Todo eu ardia em febre, metido na loucura daquele enredo macabro. Dentro do meu cérebro havia como a explosão multicor de um pomar fantástico. Desvairava-me *O Império dos Frutos*! Laranjas do tamanho de melancias, tomates vermelhos torvelinhando, bananas colossais entrechocando-se, melões e abóboras com braços e pernas, em contradança, nuvens de ananazes, avalanchas de maçãs, cachoeiras de chuchus, maelstroms de cachos de uva, – tudo isto me corria pela cabeça, vertiginosamente, num delírio de cores, de cheiros, de gritos, de horrores!
>
> A quando e quando, caía-me a pena das mãos. Eu contava as folhas de papel. A mágica ainda estava pequena... Ao trabalho! E desatava outra vez furiosamente a esticar a peça!
>
> E não havia nexo, não havia sentido, não havia nada. O essencial era esticar a peça! O príncipe Abacaxi, que no primeiro ato fora engolido por um dragão, reapareceria, acompanhado de seis mil cenouras pequeninas. O rei Pepino comia de um trago os oitocentos Tomates, seus alabardeiros, e era por seu turno comido pela fada Cereja... (*GazNot* 17 mar. 1894).

Como é de se esperar, a crônica que faz as vezes de necrológio passa longe da graça e do humor, mas, de outro lado, não sucumbe à tristeza irremediável nem piegas, enveredando, antes, pela restauração humanizada do finado, em que ficam acentuados seus traços pessoais e intelectuais ao lado dos profissionais. Encaixam-se, nesse caso, os textos que se referem, por exemplo, a Eça de Queirós (*GazNot* 19 ago. 1900), a Emílio Rouède (*CorPau* 13 jun. 1908), a Artur Azevedo (*GazNot* 25 out. 1908) e ao festejado criador da *Gazeta de Notícias*, Ferreira de Araújo (*GazNot* 26 ago. 1900), nos quais um toque discreto de intimidade pessoal alinhava a lembrança do cronista.

Ainda sob o signo da morte, não de pessoas agora, mas das instituições, uma das melhores e mais expressivas, porque carregada de coincidências implícitas e significativas, é a que Bilac dedica à mudança do Mercado Municipal do Rio de Janeiro, dentro do contexto das transformações urbanas pelas quais passou a cidade a partir de 1904. No momento em que a escreve, fevereiro de 1908, sua atividade junto à *Gazeta de Notícias* aproxima-se do fim. Mais alguns meses e sua colaboração se encerra, de modo sintomático, com uma crônica sobre a morte de Artur Azevedo, o mesmo Artur que lhe estendera a mão, anos antes, para ajudá-lo a ingressar no jornalismo, graças ao "amparo da sua popularidade, o prestígio do seu nome, a proteção da sua bondade generosa" (*GazNot* 25 out. 1908). Dedicando-lhe comovido necrológio ou expandindo-se sobre a morte de um Mercado e o nascimento de outro, Bilac parecia estar dizendo adeus à crônica sistemática, pondo fim a uma etapa de sua vida, que se abria em outra direção. Calhavam bem, por conseguinte, as novas instalações do Mercado carioca para sinalizar, de modo simbólico, uma transformação que ultrapassava o plano urbano e ajustava-se ao pessoal e profissional. Porque essa mudança não atestava apenas as novas necessidades de um Rio reurbanizado e modernizado, que exigia um novo espaço que satisfizesse sua gula ilimitada. Atestava também a voracidade do tempo, que engolia homens e hábitos, pessoas e modos, transformando vontades e projetos, idéias e convenções, como aquela que Bilac ia desenterrar em seu passado distante:

Já lá se vão vinte anos... Nesse tempo, Zola era o autor da moda. Todos nós, rapazolas que começávamos a escrever, poetas incipientes, que já nos julgávamos gênios, e prosadores bisonhos, que já nos considerávamos glórias nacionais, – todos nós tínhamos a mania do "naturalismo", do "documento humano", da "tranche de vie". E, alta noite, enquanto os "burgueses ignóbeis" dormiam, – saíamos a correr estalagens, baiúcas, alforjas.

Às vezes, chegávamos ao extremo do disfarce espetaculoso: saíamos de casa, sem gravata, vestindo blusas de zuarte desbotado, e fumando cachimbos que nos davam náuseas.

Quase todas essas excursões, que eram verdadeiramente de pândega, mas que nós solenemente afirmávamos serem de severa documentação psicológica, iam acabar no Mercado, à hora em que os botes e as catraias chegavam, trazendo os peixes, as frutas, os legumes...

Apanhávamos ali, muita vez, furiosas indigestões de documentos humanos e de ostras cruas! Mas a ilusão era magnífica: estávamos realizando e estudando praticamente as cenas do *Ventre de Paris*... (*GazNot* 16 fev. 1908).

Vinte anos depois, dava-se o cronista ao luxo da desmitificação de um tempo juvenil e buliçoso, ao qual ele ainda adere, de forma sutil, a imagem sub-reptícia da desordem e do desencontro, na medida em que nesse mesmo Mercado velho, prestes a ser evacuado, o cronista imagina terem ocorrido

atos, gestos e barulhos incomparavelmente mais variados e misturados em que cacarejavam as galinhas, cocoreavam os galos, grunhiam os porcos, grugrulejavam os perus, guinchavam os macacos, grasnavam os patos, latiam os cães, miavam os gatos, palravam os papagaios, maritacavam os periquitos, chiavam os canários (*GazNot* 16 fev. 1908).

Em outras palavras: o realismo com que descreve o cotidiano do mercado e com o qual se haviam empanturrado o cronista e seus colegas das Letras, décadas atrás, não cabia mais naquela cidade, "que como nós são organismos vivos em constante evolução" (*GazNot* 16 fev. 1908). Junto com o Mercado Velho, parece dizer o cronista, enterravam-se também uma concepção urbanística e uma concepção literária, inadequadas ambas para os tempos que se abriam com a Avenida Central, inaugurada anos antes, em substituição à rua do Ouvidor, marco de um século extinto.

No entanto, é ainda dentro desse mesmo século que Bilac pratica uma crônica tributária da ficção, ora recuperando uma lembrança pessoal, ora desenfreando a imaginação, a ponto de recorrer ao uso de um *alter ego*, na crença ingênua de desfazer suspeitas de identidade entre narrador e autor.

Três delas são marcantes, porque destoam do veio factual perseguido pelo cronista em seus tantos anos de militância jornalística. Tão marcantes que Bilac separou-

Avenida Central do Rio de Janeiro.

Fonte: Marc Ferrez, *O Álbum da Avenida Central: Um Documento Fotográfico da Construção da Avenida Rio Branco, Rio de Janeiro, 1903-1906*, Rio de Janeiro / São Paulo, João Fortes Engenharia / Editora Ex Libris, 1982, p. 35.

as para seu primeiro livro, hoje esgotadíssimo, denominado *Crônicas e Novelas* (1894), onde constituem elas a segunda parte, posterior àquela em que se alinham as relativas a Minas Gerais, oriundas de seu exílio no ano de 1893.

Numa delas, a única, aparentemente, em que se demora sobre sua passagem pela escola de medicina, entre 1883 e 1886, Bilac relata o atendimento a um caboclo rijo e forte, que sofrera "ablação de um largo trecho do maxilar inferior, roído pela cárie" (*GazNot* 10 mar. 1894). Sem nenhuma anestesia, porque era cardíaco e porque a posição cirúrgica poderia inundar-lhe a boca de sangue, o paciente suportou a operação "durante hora e meia", com os olhos "fixos, terrivelmente fixos", que brilhavam "secos, sem uma lágrima..." (*GazNot* 10 mar. 1894).

Neste quadro de dor física de um, de dor moral de outro e de impotência de ambos, resignam-se os dois, mas vinga-se do sofrimento o estudante, mais tarde, através da reconstrução verbal do momento penoso. Reconstrução em que, passo a passo, vão-se organizando e se dispondo os detalhes narrativos que orquestram a morte agoniada daquele paciente que, a princípio, se mostrara "caboclo reforçado, um belo exemplar de homem, face bronzeada, cabelos corridos e negros, olhos pequenos, cujo brilho singular e fixo perturbava" (*GazNot* 10 mar. 1894). À força do olhar corresponde o corpo rijo, na aparência apenas. Porque, o coração era fraco e a doença corroía parte do rosto. Diante do corpo vulnerável, detém-se o narrador que vai atomizando a cena e exibindo a passividade do caboclo, a incisão cirúrgica, a segmentação de vasos e de músculos, a serradura das partes, tudo acompanhado de sons claros ou abafados e de movimentos decididos ou contidos. Em seguida, a construção minuciosa da antecâmara da morte em que o espaço da enfermaria se deforma pelo acúmulo "de sons incoerentes e vagos", de cheiros disparatados e de formas que se perdem e se desmancham por causa da iluminação precária, que permite a visão de vultos fantasmagóricos; pela barafunda de uma mesa em que se acumulam drogas, remédios, instrumentos médicos e objetos usados; pelas sensações térmicas desencontradas; pelo entrecruzamento de olhares atônitos; pelas vozes que se formam, mas não se fazem; pelos movimentos que se armam, mas não se cumprem; pelos gestos que se impõem lentos para não atropelar o que resta de vida; pela presença feminina de uma religiosa, que antecipa a do Anjo da Morte, enfim.

Se o quadro geral da dor e do sofrimento se organiza sobretudo através de partículas referentes às sensações do narrador, são elas mesmas, de outro lado, que concorrem, de novo, para a organização de um cenário oposto, em que prevalecem o prazer ou o humor pelo absurdo, prova evidente de que o verbo estava à disposição do cronista e não o contrário.

Em momento raro de confissão pessoal, ligeiramente disfarçada pelo recurso do *alter ego* Jacques, Bilac narra uma experiência com haxixe, em que se realça menos a superexcitação profana da sensibilidade que a sensação religiosa de desdobramento do corpo em matéria e alma. No rasto declarado de Baudelaire e contestando a superioridade do ópio, Jacques acentua mais o lado místico que sensorial de sua experiência, um expediente concessivo para não afrontar demais a sensibilidade de seu leitor brasileiro, criado em cultura cristã:

> Foi uma cousa horrível, sobre-humana, inenarrável, – prolongada por toda a noite. Eu não dormia, mas não estava acordado. Dentro do meu corpo havia uma alma que sentia, que pensava; mas, como hei de eu explicar isto? – não era a minha verdadeira alma, porque essa eu a sentia fora de mim, divorciada do meu corpo, pairando sobre ele, querendo reentrar nele, e não podendo! não podendo! não podendo! – Sabem vocês o que se passa, alguns momentos depois da morte, segundo os espíritas? Dizem os espíritas que a alma, abandonando o corpo, não se afasta dele, e, enquanto não se faz o enterro, fica errando em derredor do despojo carnal desprezado. Era talvez isso o que eu sentia... Mas, não! não era isso, porque além da minh'alma que pairava fora, havia uma outra que permanecia no corpo, sofrendo e chorando... (*GazNot* 2 abr. 1894).

Adolfo Caminha foi severo com *Crônicas e Novelas*. Rejeitando o teor histórico de algumas daquelas e o traço irônico de algumas destas, Caminha tachou de "medíocre e superficial" (37: 92) a prosa de Bilac, porque, a seu ver, o humor irônico e cético que dela brota não se coaduna com a "beatitude evangélica, de um panteísmo sem sarcasmos ou ironias" (37: 187) do poeta parnasiano. Afora essa discrepância, que suscita uma questão de "sinceridade literária" (37: 186), o romancista enérgico de *O Bom Crioulo*, defensor da austeridade externa e da profissão sofrida, não via com bons olhos a literatura que não se postasse a favor de uma causa socialmente libertária. Pelo menos é isso que se lê ao longo de suas *Cartas Literárias* e é isso que fica bem claro quando veta "O Sonho", uma das crônicas fantasiosas de Bilac, verdadeiro exercício de bom humor.

"Fúteis" (37: 191) são essas novelas, acusa o crítico, inconformado com a súbita erupção subjetiva de um poeta que se consagrara, poucos anos antes, por ter "cristalizado versos magníficos, de uma pureza artística inconsútil e de uma sonoridade poucas vezes igualada" (37: 186). "Que veio fazer neste livro", nas *Crônicas e Novelas*, esse texto como "*O Sonho*, um enxerto, cujo sentido ninguém percebe?", pergunta-se o romancista, bravo. "Cláudio sonha que é leitão assado", explica Caminha. "E que o vão comer... No momento, porém, de ser trinchado, acorda... Nada mais! Não vejo ironia", argumenta o crítico naturalista, "não vejo humorismo, não vejo cousa de valor nessa *pochade* de mau gosto, que, enfim, se perdoa num poeta da força de Bilac" (37: 191).

Severo, Adolfo Caminha cobra de Bilac, de forma implícita, uma atitude mais utilitária e mais responsável, descartando a narrativa de um noivo enciumado, frustrado e transformado em leitão assado, como procedimento indigno de uma literatura em construção e que, aos poucos, ia-se libertando da fantasia romântica e concorrendo para a edificação do progresso nacional. Na recusa a uma literatura de "simples diletantismo, sem ideal definido e civilizador" (37: 4), Caminha não podia aceitar que Bilac se permitisse uma escapada burlesca e de aparência gratuita. Do ponto de vista do autor das *Cartas Literárias*, somente a seriedade e a circunspeção comportamental, no texto e na rua, contribuiriam para a tarefa civilizatória a que estavam destinados os intelectuais, cujo exemplo maior vinha do disciplinado Zola, esfalfando-se e "recolhido no seu tugúrio de Médan" (37: 5). Não cabe, portanto, dentro desse raciocínio, a burla como recurso, porque o momento exige dedicação profissional e seriedade de propósitos.

De fato, na leitura contínua das crônicas publicadas por Bilac, neste e nos livros seguintes – *Crítica e Fantasia* (1904) e *Ironia e Piedade* (1916) –, não se abre mais espaço para narrativas como "O Sonho", essa franca exceção de fantasia, que apareceu na coluna da "Crônica Livre" da *Gazeta de Notícias*.

Seu enredo, em suma, trata da estória de um grupo de amigos que trocavam impressões sobre sonhos, depois do jantar. Jacques, um dos presentes, narra o seu: sonhara que era um leitão assado, servido como prato principal em um banquete de casamento. "Estendido horizontalmente sobre um prato" (*GazNot* 28 abr. 1894), o narrador ocupa o centro da mesa luxuosa, de onde assiste à entrada de Alice, a noiva que, tempos antes, fora sua namorada. Enlouquecido de ciúme, mas incapaz de qualquer movimento, o narrador leitão assiste à chegada dos demais convidados e martiriza-se com a alegria generalizada. E, na iminência de ser espetacularmente trinchado, acorda.

O que reforça o inusitado da situação cômica e que acentua o antagonismo entre a morte e a vida, o sofrimento e a alegria, o luto e a festa é a extraordinária capacidade de percepção sensorial do leitão defunto, cuja visão está limitada, dado que jaz imóvel e deitado, mas que, em compensação, farta-se na riqueza de detalhes que surpreende naquela mesa de banquete.

Atento a tudo que se passa a seu redor, o leitão aguça seus sentidos e compensa sua imobilidade aparente, construindo contrastes decisivos entre o "cheiro delicioso de carne gorda [e] tostada" que evola de si e o brilho policromático dos objetos deitados sobre a "toalha adamascada, carregada de cristais e de pratarias". Parecendo inerte diante dos convidados, mas extremamente ativo diante de seus leitores, o narrador defunto (ou o defunto narrador?) opõe sua inevitável imobilidade física a uma perspicácia perceptiva em que sons, cores, formas e detalhes ocupam espaço considerável. Num parágrafo, sobressaem os volumes e as cores, carregando atrás de si o paladar encoberto:

> Grandes ramos de flores rubras e brancas viçavam em jarrões de porcelana. Em compoteiras de cristal, simetricamente dispostas, havia doces vários: e eu distinguia o vermelho cru das goiabas em calda, o amarelo dourado dos damascos, o tom escuro das uvas e da ginjas. Um castelo de fios de ovos, bem perto do meu nariz, subia rutilante, adornado de balas de estalo, para o teto do salão, até encontrar os pingentes do grande lustre triunfal em que ardiam constelações de velas (*GazNot* 28 abr. 1894).

Em outro, é o vozerio que se mistura ao cheiro, ao tato e às cores, compondo um conjunto vivo e dinâmico que provoca o ciúme e a autopiedade do leitão:

Como diabo estava eu ali transformado em leitão, com o ventre cheio de farofa e sarrabulho, e com as costas cheias de rodelas de limão espetadas em palitos? Comecei a ouvir uma música afastada. Compreendi que dançavam no salão de baile. Era uma valsa. E imaginei logo que a noiva, radiante sob a grinalda de flores de laranjeira, muito branca, toda branca, suspendendo a longa cauda do vestido de gorgorão nevado, estaria girando nos braços do noivo – ofegante e pálida, com uma curiosidade e um receio fuzilando nos olhos... Havia de ser isso... Estavam valsando, com certeza... Os meus ouvidos de leitão percebiam mesmo o rumor dos pés arrastados no soalho, à cadência da valsa... E eu estava ali, sem fala, sem movimento, sem defesa possível, abandonado, misérrimo! (*GazNot* 28 abr. 1894).

Mais adiante, talvez porque pressentisse sua imolação definitiva ou porque definisse melhor seu adversário, o fato é que o pobre bacorinho apura mais sua vista, aperta o *zoom* e enquadra metonimicamente os convidados, ressaltando neles, de preferência, a cavidade bucal. Por meio de frases curtas, como se fossem legendas sob fotos, desfilam os convidados com existência concreta e histórica, prontos a emprestarem veracidade à narrativa, já de si carregada de verossimilhança:

Lá estava o Mendes Neto, de olhos felinos e boca sensual chuchurreando um *cognac*. Lá estava o Artur Azevedo, mastigando voluptuosamente um *croquette*. Mais longe, o Sousa Ramos, saboreando um sorvete conversava com o João Pinheiro. [...] Mas não estava ainda esgotada a minha taça de amarguras. Pior foi a minha tortura, quando ela, a minha Alice, inclinando-se sobre a mesa, – com a sua mão pequenina! com a sua mão que eu tantas vezes beijara delirando! – com a sua mãozinha enluvada de branco, tirou do meu corpo uma das rodelas de limão que me enfeitavam, e começou a chupá-la devagarinho, com os seus divinos lábios vermelhos, úmidos, gulosos de beijos![...] Iam trinchar-me! Lembro-me bem de que, em caminho, o Artur Azevedo, que tomava um lugar entre o Salamonde e o Mallet, olhou-me com ternura, e disse passando a língua pelos beiços: – Que belo porco, hein?... (*GazNot* 28 abr. 1894).

Quanto ao noivo de Alice e rival do narrador, o enquadramento não poderia ser menos impiedoso e desqualificante: "Não conheci esse animal. Era um sujeito pançudo, lorpa, com umas enormes orelhas desapegadas da cabeça chata, hediondamente calva" (*GazNot* 28 abr. 1894). Dupla rivalidade, portanto. Na disputa por Alice e no confronto dos corpos. Mas a vitória final é do narrador, que surrupiou os olhos do noivo de Alice. Coitado dele, portanto, que, sem olhos, não pode usufruir da beleza da moça, nem da profusão de formas e de cores da festa. Por paradoxo, o morto mantinha-se mais vivo que o dono da festa.

Entre Galpões e Salões

os teatros estão vazios,
unicamente porque não há dinheiro...
O. B., *Gazeta de Notícias*, 5 dez. 1897

A figura de Sarcey (1827-1899), contemporâneo de Taine na École Normale Supérieure, dominou a crítica de teatro na França na segunda metade do século XIX. Sua palavra era ouvida com respeito e sua crítica aguardavam-na com ansiedade. Sua crônica no jornal *Temps* construiu e destruiu reputações, durante 32 anos. De sua atividade restaram alguns volumes através dos quais é possível reconstituir parte considerável do movimento dos palcos parisienses, não só em termos de proscênio, como também de bastidores. Por meio dessas páginas, restaura-se, com relativa largueza, o cotidiano teatral parisiense em plena efervescência realista, repleta de prós e contras. Visto à distância, hoje em dia, a história do teatro reconhece e louva o esforço de Sarcey, embora não deixe, de outro lado, de nele apontar certo conformismo, quando não franca hostilidade àquilo que se suspeitasse de novo. O *Dictionnaire Biographique des Auteurs* da Laffont-Bompiani, por exemplo, enfatiza-lhe a honestidade intelectual, mas considera-o porta-voz de um gosto acomodado, "oráculo do público médio" (59: 224). No *Dictionnaire encyclopédique du théatre*, dirigido por Michel Corvin, o verbete que lhe é dedicado reconhece sua imensa cultura clássica, sua indiscutível autoridade profissional e sua acuidade em descrever, com nuanças, a gestualidade dos atores. No entanto, castiga-o com a afirmação de que padecia de "estreiteza de julgamento" e de que estava mais empenhado em explicar as razões do sucesso de uma peça do que em abrir ou favorecer caminhos novos para o teatro (42: 739).

Meio eficaz de medir seu prestígio e a repercussão de sua palavra é percorrer as anotações de um dos diários literários mais famosos daquela época, verdadeiro padrão no gênero: o *Journal* dos irmãos Goncourt.

Quando a versão teatral de *Germinie Lacerteux* (1865) subiu ao palco, em 1888, Sarcey censurou fortemente a peça e afirmou que Edmond de Goncourt, o autor da adaptação, "n'entend rien, rien absolument au théâtre" (55: 201).

Essa foi a deixa para que Edmond de Goncourt se ocupasse de fustigar Sarcey sempre que possível e que se alimentasse uma forte pendência entre ambos. Melindrado no seu *métier*, Edmond de Goncourt dedicou-lhe páginas e passagens de seu *Journal*. Entre algumas injúrias, como a de chamá-lo de "critique perruque" (55: 202) ou de acusá-lo de "mauvaise foi" (55: 684), Edmond arremata com a afirmação de que Sarcey carregava um "esprit borné" (55: 684) dentro de uma "grosse tête" (55: 202), na qual flutuaria "une cervelle comparativement petite à cette tête" (55: 202). Ofensas à parte, o fundamental, segundo Edmond de Goncourt, é que Sarcey, inimigo declarado de ousadias teatrais, carecia de imaginação (55: 202).

Curioso, no entanto, que tamanha divergência de raiz estética fizesse com que Edmond estivesse sempre atento aos passos de Sarcey. Por ocasião de uma das representações de *Germinie Lacerteux*, por exemplo, o *Journal* de Edmond focaliza, no meio da platéia, num lance metonímico preciso, "la grosse tête de Sarcey, qui joue l'ennui" (55: 564).

Nesse contexto de divergência temida, no qual não se pode negar a competência do adversário, vale qualquer argumento para a desqualificação do próximo, mesmo que seja meramente alusivo e não explícito. Nesse sentido, Edmond relata um fato anedótico, que não esconde uma censura implícita ao comportamento inusitado do seu desafeto. Segundo confidência de um repórter do *Siècle*, Sarcey recusara-se a ser entrevistado por um jornalista. A favor de sua recusa, Sarcey argumentara que já dispunha de jornal para expor suas idéias e que, portanto, não precisava de entrevistas para sua promoção e, menos ainda, para promover o jornal. De acordo com Edmond, a reação de Sarcey ao convite teria sido a recusa desdenhosa: "Votre directeur [...] est curieux de savoir ce que je pense sur le comité de lecture? [...] qu'il me commande un article et qu'il me le paye!" (55: 634).

Edmond de Goncourt não acrescenta nenhum comentário a esse episódio, mas o contexto do *Journal* permite-nos entrever sua reprovação a um ato que, na certa, ele julgava indigno, porque misturava dinheiro com exercício profissional.

Naquele momento, o gesto de Sarcey pode ter provocado surpresa, porque estava em vias de se delinearem com precisão os limites da atuação do homem de letras na imprensa cotidiana, cujo rápido desenvolvimento no século XIX apressou essa definição. Portanto, aquilo que pareceu a Edmond passível de menosprezo, poderia, hoje, ser visto de forma exatamente oposta. Através dessa pertinente autovalorização, alcançada por meio do trabalho sistemático e do espaço garantido no jornalismo cotidiano, Sarcey revelava sua resistência a emprestar seu nome, capital simbólico forte, para um veículo que não lhe daria retorno à altura e que ainda o colocaria na condição de devedor.

Esse comportamento incomum, que caracteriza uma forma de relacionamento que não a da submissão dos homens de letras à imprensa, foi o que mais chamou a atenção de Bilac, nas raras vezes em que menciona o crítico francês em suas crônicas. Mais do que a fecunda carreira de Sarcey no teatro; mais do que sua defesa permanente do teatro clássico; mais do que sua eventual contribuição para a modelagem estética do teatro de então; mais do que sua prolongada dedicação ao gênero, entre 1867 e 1899, o que mais atraiu Bilac foi exatamente a firmeza profissional que Sarcey demonstrou ao final de sua vida. O nome de crítico respeitável ele o alcançara por um trabalho constante e sistemático, mesmo que sujeito a controvérsias naturais. Se lhe era garantido acesso a um veículo onde expunha, toda semana, seu ponto de vista profissional, nada mais justo que o remunerassem pelas mesmas opiniões que lhe haviam assegurado a respeitabilidade intelectual. Afinal, tinham sido elas as responsáveis pelo convite e era por causa delas que o público, com certeza, haveria de procurar pelo jornal que as estampasse.

Para Bilac, freqüentador assíduo de teatro, o que estava em jogo não era tanto o que Sarcey representava em termos de princípios estéticos, mas muito mais o que significava em termos de comportamento profissional. Em outras palavras, o Sarcey a quem Bilac mais admirava era o jornalista profissional e não o crítico.

Pista sintomática dessa admiração encontra-se numa crônica em que Bilac discute a inexistência de amparo legal ao trabalho intelectual no Brasil de seu tempo. Decorrência inevitável e dolorosamente prática desse vazio, segundo ele, era a ausência de critérios para a eventual remuneração desse tipo de trabalho, o que abandonava seus produtores imediatos ao arbítrio dos proprietários de editoras e de jornais. O aniversário próximo da morte de Alencar, cujos vinte anos de desaparecimento seriam comemorados em breve com a inauguração de uma estátua pública no Rio de Janeiro, dava o gancho para essa reivindicação bilaqueana, publicada em *A Bruxa*, em janeiro de 1897. Logo depois de deixar muito claro que o escritor não escreve tão-somente por necessidade íntima ou por vaidade intelectual, Bilac aniquila, por completo, a noção romântica do poeta indiferente às necessidades cotidianas. Sua argumentação, no entanto, foge da retórica e da lamúria, quando denuncia a voracidade dos editores estabelecidos no Brasil, culpando-os pelos contratos leoninos e oferecendo o exemplo nominal do editor Garnier, que teria explorado Gonçalves Dias, Alencar, Casimiro de Abreu, Álvares de Azevedo e Aluísio Azevedo. O argumento de Bilac é simples, objetivo e já foi levantado páginas atrás: se outras profissões, como o sapateiro, o alfaiate, o médico e o advogado dispõem de "leis que lhes asseguram a plena posse dos seus direitos" (*ABruxa* jan. 1897), por que o trabalho literário não pode contar com essa garantia também? Por que razão o editor se julga dono do texto produzido por outrem e não lhe ocorre que deva satisfações, além das obviamente financeiras, ao seu verdadeiro produtor? Como impedir que o editor disponha do texto alheio, multiplicando-lhe o uso, além do contrato preciso que lhe faculta sua primeira publicação? Como proteger, enfim, o escritor da vontade ilimitada do capitalista que adquiriu seu texto?

São essas as questões que Bilac levanta, de modo certeiro ou não, e que evocam o nome do pontífice da crítica teatral francesa. O aproveitamento do episódio que envolve o crítico francês serve de baliza para referenciar sua atenção pública em relação ao teatro. Porque o que Bilac discutia em suas colunas semanais nos diversos jornais cariocas era muito mais o entorno do teatro do que sua essência; mais as coxias que o palco; mais os bastidores que o texto. Este era atribuição prioritária de Artur Azevedo, seu amigo e seu protetor, cuja morte em 1908, marca, de forma simbólica, o gradual afastamento do cronista de seu ofício.

Das tantas crônicas que Bilac deixou sobre o teatro, a grande maioria incide sobre aspectos práticos e não estéticos, ainda que o final do século brasileiro vivesse a ebulição do teatro naturalista e realista, ansioso para se afastar do cânone romântico. Percorrê-las significa acesso a inúmeros obstáculos que atravancavam o trabalho da encenação e o desenvolvimento pleno do gênero, a maioria dos quais se ignora, porque a falta de memória histórica específica sepultou-os. De olho permanente na

Europa, particularmente em Paris, para onde ia todo ano, Bilac trazia como referência para sua avaliação o teatro francês, cujas companhias itinerantes, vez ou outra, aportavam no Rio de Janeiro. Nessas ocasiões, em movimentos internos contraditórios, acendia-se seu entusiasmo pela encenação, ao mesmo tempo em que se amorteciam seus ímpetos diante da constatação de que a cidade não estava à altura dos visitantes, fosse em termos de higiene pública, fosse em termos de espectadores preparados. Seu constrangimento, no entanto, não visava à platéia ou sua ausência, porque Bilac acreditava que o teatro, como as demais artes, era um fenômeno cuja apreciação devida repousava sobre outras prioridades, já equacionadas e resolvidas antes. Gradualista em termos históricos, o cronista sempre se indagou se não havia outras necessidades humanas muito mais imprescindíveis e anteriores ao prazer estético. Essa era uma questão que ele se perguntava no começo da sua carreira de cronista, quando ainda se permitia o distanciamento da oficialidade social. Exemplo dessa dúvida é uma crônica sua que intervém num debate provocado por Lulu Júnior, nas páginas da *Gazeta de Notícias*, em 1896. Nelas, Lulu Júnior, pseudônimo de Ferreira de Araújo, especulava sobre os supostos motivos que andariam provocando a decadência do teatro nacional. Para Bilac a resposta era uma só: falta de educação em povo ainda imaturo, desprovido de lastro cultural mais sólido. Era uma questão de falta de "educação artística", decorrência necessária de um aprendizado anterior que resultasse de uma experiência nacional em que problemas infra-estruturais já tivessem sido sanados ou mais bem encaminhados:

> Dir-me-ão os regeneradores que o povo da América do Norte, tendo a nossa idade, já tem teatro, e autores. Mas o povo da América do Norte, por circunstâncias que não vêm agora ao caso, desenvolveu-se prodigiosamente e fabulosamente; e, antes de ter teatro, teve indústria, teve comércio, teve administração, teve estradas de ferro, teve navegação, teve autonomia (*ABruxa* 21 fev. 1896).

Para o cronista, o teatro e, por extensão, a arte, é fenômeno de superestrutura, espécie de arremate final de longo processo que atravessa, necessariamente, a precariedade, a grosseria, o informe e o promíscuo: "Flor de luxo, flor divina, só pode a Arte rebentar de terrenos longamente preparados: não é rosa silvestre, que nasça em qualquer mato bruto, nem botão, que apareça à tona de qualquer pântano" (*ABruxa* 21 fev. 1896). Entre o desalento da hora e a esperança de uma recuperação tardia, implícitos no discurso metafórico, Bilac, mais uma vez, invoca a França como exemplo de experiência histórica que prosperou, sugerindo-a como parâmetro:

> Ora, peço eu aos regeneradores que me digam, (se é que o sabem), quando começou a haver teatro em França! Fiquem os regeneradores sabendo que a primeira peça regular, que Molière compôs e representou, foi *l'Étourdi*, em 1653. Daí por diante, quando o grande ator levava à cena as suas peças, em Grenoble, em Lyon, em Rouen, em Paris, – mesmo depois de ter obtido a proteção da Corte, e de ter firmado a sua reputação –, ainda via o seu teatro abandonado pelo povo, que preferia ir ouvir os palhaços das barracas.

Querem agora os regeneradores ver o que eram essas barracas, tão amadas de Tabarin, na Place Dauphine? Sobre um estrado, o charlatão Mondor vendia ungüentos, remédios, purgas, pílulas, emplastros. A fim de chamar a atenção do público para as drogas, aparecia Tabarin, que divertia a assistência com problemas como estes: "Pourquoy les femmes pleurent et vessent si souvent; pourquoy on vesse en pissant; pourquoy les femmes ont les fesses plus grosses que les hommes"; e outros, que, pela sua obscenidade escandalosa, não podem ser citados, nem mesmo por um demônio como eu.

Vejam lá os regeneradores que espantosa distância separa esse teatro da Place Dauphine da Comédie Française de hoje. Vejam que espantoso acúmulo de trabalhos, de sofrimentos, de reveses, de estudos, de dedicações, não foi necessário, durante séculos, para trazer o teatro francês – do tablado de Tabarin ao palco de Coquelin e Sarah Bernhardt (*ABruxa* 21 fev. 1896).

Mais que simples lazer, a Bilac o teatro parece índice de solidez civilizacional, cujo alcance ainda distante exigia atenção e crítica permanentes, desde que outras necessidades mais vitais e mais urbanas tivessem sido atendidas antes. Que atentem para "isso os regeneradores, e não queiram que o nosso pobre povo tenha teatro, antes de ter as outras cousas que está muito longe de ter, e que, valha a verdade, são infinitamente mais necessárias que teatro" (*ABruxa* 21 fev. 1896).

Se recorrermos ao momento em que essa crônica foi publicada, notaremos que sua significação ganha maior contundência e amplitude, porque ela vinha dentro de um contexto de reivindicações arrojadas, ora denunciando a sujeira e a promiscuidade da hospedaria dos imigrantes na Ilha das Flores, na Baía de Guanabara (*ABruxa* 13 mar. 1896), ora o esbulho a que eram submetidos os escritores pelas editoras Garnier e Laemmert (*ABruxa* 10 abr. e 22 maio 1896), ora ainda a intransigência clerical que se opunha ao divórcio (*ABruxa* 9 out. 1896).

Nessa fase, Bilac está constituindo seu repertório jornalístico, cuja marca mais vísivel são a concretude e o pragmatismo de seus assuntos, voltados, de preferência, para a coisa pública, para aquilo que, hoje em dia, se chama de exercício de cidadania.

Dentro dessa perspectiva, compreende-se, então, que, mesmo um tópico como o teatro, sofra desdobramentos inesperados nas mãos de quem, como poeta parnasiano, havia alcançado notoriedade cuidando de rimas ricas e de pedras preciosas. Tamanho virtuosismo formal – bem logrado em alguns e malogrado em outros, principalmente na epigonia que corria alvoroçada atrás de Raimundo Correia, de Alberto de Oliveira e do próprio Bilac – permite-nos supor que as crônicas bilaqueanas incidissem mais sobre o componente estético e textual das peças do que sobre aspectos sociais ou mesmo profissionais do teatro. Surpreende, pois, que se houvesse formado esse desvio enriquecedor, que nos leva a outros caminhos complementares ao da discussão estética. Não que esta fosse menosprezada por Bilac. Pelo contrário. No entanto, mesmo essa pauta é encaminhada numa direção bastante prática como demonstra aquela crônica em defesa de Eça de Queirós, uma das primeiras a ser publicada pela *Gazeta de Notícias*. Injuriado com uma adaptação que mutilara *O Crime do Padre Amaro*, o cronista não admite que, em nome da moral burguesa, o padre seja assassinado no final da peça. "Que direito tinha o dramaturgo [pergunta-se um Bilac enfurecido] de acrescentar à obra do romancista um *final* absurdo, que destrói toda a lógica do livro, que adultera e desvia todos os seus intentos?" (*GazNot* 28 abr. 1890).

O que está em causa nesse protesto não é a defesa de outro padrão moral, item corriqueiro na literatura de cunho naturalista e realista que absorve esse final de século, mas a coerência interna da obra, sua integridade estrutural, a "lógica do livro", enfim. Se a motivação do Sr. Fabregas, o adaptador, foi a de não melindrar seu público, incorreu ele no erro crasso de violentar uma obra de arte, além de conformá-la ao gosto comum, desrespeitando-lhe a autonomia. Na tentativa equivocada de agradar ao público, o Sr. Fabregas acabou por enganá-lo.

Nos limites sempre modestos de uma crônica, cuja extensão física limitada é o inverso de seu público extenso e genérico, não há espaço consecutivo para o tratamento de tema único. Desrespeitar essa regra básica é desrespeitar a essência do gênero; desobedecê-la é arranhar o direito do leitor que a ela se dirige para fugir da aridez doutrinária sistemática, da opinião ostensiva ou do noticiário fragmentado. No entanto, ao coletarmos uma quantia significativa de crônicas de um mesmo autor, é possível nelas localizar um fio de reflexão intermitente, capaz de nos fornecer pistas para um ideário pessoal e intelectual, na medida em que a crônica parece sofrer menos a censura autoral, talvez porque a premência do tempo para sua elaboração favoreça a desinibição.

No caso de Bilac, o conjunto de textos jornalísticos sobre teatro ajusta-se com perfeição à volubilidade do gênero, o que não significa, em absoluto, tratamento volúvel do assunto. Em alguns momentos, um texto curto e certeiro sumaria uma posição, aceitável ou não. É o caso, por exemplo, de uma crônica publicada em *A Cigarra* do Rio de Janeiro, pela qual o autor interfere num debate sobre a pertinência do monólogo, do aparte e da mímica no teatro contemporâneo.

Como de hábito, a polêmica corria pelos jornais cariocas. E ainda que se reconhecesse um "abelhudo", que metia seu "longo nariz em cousas que não" eram da sua conta, o cronista, sob o pseudônimo de Puck, invocava o "bom senso" como recurso para a discussão. Porque, "em matéria de bom senso, sou um poço", argumentava ele (*ACigarra* 24 out. 1895).

A rigor, sua crônica era resposta direta à lição de Artur Azevedo que, pelo jornal *A Notícia*, recomendava o sepultamento do aparte e do solilóquio, como recursos superados da dramaturgia. Segundo Artur, citado em transcrição pelo cronista, essa era já uma "questão vencida. Tanto o monólogo como o aparte estão há muito tempo condenados, e não há hoje dramaturgo digno desse nome que de tais recursos lance mão. Se o solilóquio é absurdo, porque ninguém fala alto quando se dirige aos seus botões, mais absurda ainda seria uma gesticulação tão expressiva, que transmitisse ao espectador o pensamento do personagem" (*ACigarra* 24 out. 1895).

Sem nenhuma ironia, Bilac remata a discussão com humor leve, lembrando que o princípio básico que orienta a criação no teatro e, por extensão, na arte, é o da falsidade, o do faz-de-conta, o do puro convencionalismo. "Em arte tudo é falso", ensina o cronista.

> A arte da pintura consiste em obter bons efeitos de perspectivas falsas. Em literatura, a arte consiste em exprimir sentimentos numa linguagem falsa, pois que não é nem pode ser a linguagem que todo o mundo fala. Se o solilóquio é absurdo porque o comum dos homens não fala alto quando está só, mais absurdos são os dramas e as comédias em verso, porque, positivamente, nunca jamais na vida ninguém falou em verso! (*ACigarra* 24 out. 1895).

No fulcro dessa discussão estava um ponto polêmico que agitou o teatro naturalista: o problema da "verdade da representação". Ansiosos pela veracidade, esses dramaturgos esforçavam-se por recolocar no palco o que encontravam no cotidiano, esquecendo (ou rejeitando?) o teor simbólico da arte. Adepta de um verismo cru e disposta a convulsionar o gosto burguês, esvaziando-o por completo da identificação entre teatro e prazer, essa tendência forçava os limites da representação, dando-lhe outros parâmetros que não os do devaneio ou da vida vicária feliz.

Paradigma dessa novidade na época foi o ator e diretor Antoine (1858-1943), fundador do *Théâtre-Libre* (1887), cuja passagem pelo Rio de Janeiro, em 1903, foi motivo de uma crônica extensa em que Bilac retoma o tema da representação teatral, agora em termos mais convictos.

Ao admitir que a maior contribuição do teatro naturalista e "sua grande conquista imortal" havia sido "a instalação da naturalidade na maneira de representar e de "encenar"" (*GazNot* 5 jul. 1903), Bilac valoriza a encenação, mas descarta os temas naturalistas, porque entende que tais temas não condizem com o depuramento social alcançado pelo convívio humano. Segundo seu ponto de vista momentaneamente cético, dera-se a falência da temática naturalista não porque se defendia uma moralidade burguesa, mas porque a pesquisa radical da Verdade, no fundo, não interessa ao ser humano. E por que não interessa? Porque o convívio social fora construído com a intenção precípua de se escapar da solidão individual, espaço ideal para a eclosão de fantasmas pessoais insuportáveis. "Os homens vivem em sociedade unicamente porque têm medo de ficar a sós consigo mesmos", garante o cronista. "Porque têm medo da sua própria alma, porque têm medo da Verdade; e é por isso que se dão bem com a vida em comum, que é um tecido de mentiras" (*GazNot* 5 jul. 1903). Portanto, se o teatro naturalista provoca resistência não é porque escancara as mazelas sociais, mas sim por causa das misérias psicológicas que alardeia e que devolvem ao homem da platéia sua própria finitude.

De outro lado, socorrendo-se de Montaigne, que lhe ensinara "sobriedade e moderação", e apelando para Shakespeare, cujo *Hamlet* contém uma passagem metalingüística que prega a "temperança", Bilac enfatiza o componente intrínseco de convenção no teatro e rejeita a pesquisa verista na representação, porque o que o espectador busca é uma espécie de "repulsão de si mesmo" e não o seu retrato em cena. "Ir ao teatro", diz ele, para admirar a epilepsia, a histeria, os desvios da sensibilidade, as perversões do sentido genésico, as traições e as perfídias, a animalidade baixa da gente do campo, a duplicidade feroz da gente das cidades, as injustiças de que a vida está cheia, a arrogância brutal dos fortes, a covardia repugnante dos fracos, a inconsciência bestial dos que obedecem, a vaidade balofa dos que mandam, – é ir procurar na sociedade e no convívio educado o que se encontra, com menor incômodo e com menos despesa, na solidão... Para ver tudo isso não é preciso vestir uma casaca, nem pôr no peito uma camélia e na boca um sorriso (*GazNot* 5 jul. 1903).

Pelo visto, o cronista defende a superação da realidade crua e não, necessariamente, sua idealização romântica. A importação direta do cotidiano, segundo ele, não entusiasma, porque não demonstra elaboração, nem convida à transcendência. Retomando a reflexão pouco tempo depois, Bilac categoriza de modo mais demorado:

O homem que, durante o dia, labutou e penou, em contato com a miséria ou com o egoísmo dos outros, mergulhado até os cabelos na água turva dos negócios, achando em cada esquina uma traição e em cada casa um sofrimento, adivinhando em cada aperto de mão um interesse, vendo em cada sorriso uma mentira, – sente, ao cair da tarde, quando chega a hora do repouso e do divertimento, um grande alívio na alma, e prepara-se para passar alguns momentos de prazer intelectual e consolador. Vai ao teatro, instala-se na sua cadeira, e espera com ansiedade, o levantar do pano.

Levanta-se o pano: e eis que o drama, como um cinematógrafo perverso, começa a reproduzir a mesma série de misérias, de egoísmos, de interesses, de traições, de sofrimentos, que povoam o grande teatro da vida de todos os dias. Aqui, é a avareza do camponês; ali, o marido desbriado que vende a mulher, a amante que especula com o sabor dos seus beijos, o filho que na morte do pai só vê a madrugada de uma vida opulenta; adiante, a força risonha que moteja da fraqueza em lágrimas, a astúcia do tratante que se locupleta com a fome da inocência; mais adiante, o mapa dos horrores mórbidos desenrolado, – a epilepsia, a histeria, as úlceras, os cancros, a tuberculose...

E em tudo isso não há um bocado de sonho, não há uma nesga de céu, não há uma palavra de esperança ou consolo, não há um arranco da alma para o Ideal: tudo é chato, tudo é mesquinho, tudo é humano e "vivido" (*GazNot* 26 jul. 1903).

Desde que não se perca a perspectiva de que o cronista se expressa através de um veículo, cujo objetivo é a informação genérica; que os jornais da época se caracterizam por uma fortíssima fragmentação noticiosa; que suas seções especializadas seriam conquista posterior à Primeira Grande Guerra; e que os limites do gênero crônica são necessária e rigorosamente modestos em extensão e alcance, não se pode negar a um cronista de temática tão heterogênea como ele o reconhecimento de uma espécie de militância da educação pública. Exceto se preferirmos a injustiça e a avaliação anacrônica.

Se aceitável essa perspectiva, vamos encontrar um cronista que se volta para os mais diversos lados da questão e que não se limita a deplorar a falta de educação estética do povo, como vimos acima, nem a lembrar que a arte repousa sobre convenções ou a lamentar uma temática indigesta. Como se estivesse no centro do palco e, portanto, favorecido por uma visão abrangente de seus arredores, Bilac salta da mutilação do texto ou de sua artificialidade estética para considerações sobre a indigência mental da burguesia. Com isso, quer-se afirmar que sua atuação vai muito além da simples representação, uma vez que suas crônicas detêm-se também em ocorrências paralelas e periféricas àquilo que se passa no palco, legando-nos elementos para uma eventual sociologia do teatro de então, se isso não parecer arroubo.

Nesse sentido, não é apenas a população anônima que merece sua reprimenda ou consternação. Diante da burguesia endinheirada e ausente da platéia, inquieta-se de novo o cronista que faz de conta que não entende a desproporção entre o lastro bancário e o saldo cultural de cada um.

E numa cidade que se esforçava pela modernização segundo o modelo haussmanniano e nas páginas de uma revista que se notabilizou pelo espelhamento dessa modernização suada, Bilac se pergunta:

> Onde se mete essa burguesia? e que faz ela do seu dinheiro e da sua instrução? Que fazem, à noite, esses banqueiros, esses senadores, esses deputados, esses diplomatas, esses doutores, esses bacharéis, que formam a nata, o creme, a flor do nosso organismo social? Das duas uma: ou essa gente não vai absolutamente ao teatro, e prova com isso que não tem gosto, nem inteligência, nem educação artística, nem civilização; ou vai aos teatros populares, preferindo aos espetáculos de verdadeira arte as bambochatas que divertem o povo, e nesse caso, deve despojar-se da sua filáucia, e deixar de fingir uma superioridade intelectual que não possui... (*Kosmos* jun. 1906).

Seu espanto fingido é apenas um pretexto para a inserção, na crônica, de um fato anedótico que flutua entre a verdade e a ficção e que, por causa do gênero híbrido em que se imiscui, casa-se perfeitamente com a situação, seja porque o episódio anedótico ilustra muito bem o pedantismo burguês, seja porque arranha a elegância do papel fino e brilhante em que *Kosmos* era produzida. Depois da exibição de uma peça em que a atriz francesa Réjane era a estrela principal, o cronista interroga um espectador que jura tê-la visto bem melhor... em Paris. "Lá... ela é uma atriz muito melhor!", garante seu interlocutor.

> – Como? muito melhor? – perguntei, espantado. – Mas se a atriz é a mesma, se o repertório é o mesmo, se a *troupe* é, mais ou menos, a mesma...
>
> – Sim! – murmurou ele – mas, aqui, falta a Réjane alguma cousa: falta-lhe a atmosfera de Paris, falta-lhe o espírito de Paris, falta-lhe a civilização de Paris, falta-lhe o *chic* de Paris! Ah! meu amigo! Paris é tudo! em Paris, tudo é bom! em Paris, até a lama das ruas tem bom cheiro!... Creia que a Réjane só deve ser ouvida em Paris... (*Kosmos*, jun. 1906).

Se parte da platéia vazia se deve ao repertório naturalista ou ao esnobismo dos desavisados, outras causas concorrentes devem ser também invocadas se quisermos uma explicação a mais global para as dificuldades que o teatro enfrentava. Podia ser uma questão de preços altos, em país de "algibeira vazia e sapatos cambados" (*GazNot* 13 set. 1894), ou podia ser a concorrência de outros lazeres como o jogo de frontão

(*GazNot* 5 dez. 1897), ou ainda a inadequação e a falta de higiene de inúmeras casas de espetáculo.

Sobre este tópico, Bilac escolhe o meio mais adequado para formular suas críticas, uma vez que é através das páginas refinadas de *Kosmos* que o cronista puxa a orelha do poder público e da burguesia carioca, ambos complacentes com o desconforto e a sujeira das salas de espetáculo e, portanto, em total desacordo com o esforço de reurbanização e de higienização do Rio de Janeiro, operação gigantesca que começara em 1904 sob a presidência de Rodrigues Alves. Menos interessado nas peças que haviam acabado de estrear diante do Presidente Afonso Pena do que em construir compromissos, Bilac começa por desfazer a ilusão de alianças entre o Estado e o Teatro e garante que os aplausos do presidente às peças de Paulo Barreto (*Última Noite*) e de Artur Azevedo (*O Dote*) não significavam, em absoluto, endosso à dramaturgia nacional, nem promessa de apoio oficial. "Haverá alguém tão ingênuo que acredite ser isso o bastante para que o Teatro nacional se regenere e progrida?", pergunta o cronista logo na primeira página da revista. "Seria o cúmulo da ingenuidade!" (*Kosmos* mar. 1907), apressa-se ele em concluir. Do seu ponto de vista, o teatro brasileiro devia abrir mão do amparo oficial, porque isso lhe garantiria "sua completa autonomia" e porque desafogaria o governo, cujas prioridades deveriam ser outras em terra de tantas e tamanhas necessidades básicas, ponto de vista, aliás, que o cronista já defendera anos antes em crônica para a *Gazeta de Notícias*, quando argumentara que o combate à febre amarela era mais importante que a "regeneração do teatro nacional" (*GazNot* 29 fev. 1896). "Um governo", escreve Bilac, "pode e deve dar hoje, a uma cidade ou a um país, água, luz, esgotos, calçamentos, assistência pública: mas não pode lhe dar Arte, porque o distintivo mais claro da Arte moderna é justamente a sua completa autonomia, a sua absoluta e gloriosa independência!" (*Kosmos* mar. 1907).

Ora, se não cabe ao poder público o amparo ao desenvolvimento da dramaturgia nacional, cabem ao público a exigência de melhores condições materiais para a apresentação do produto artístico e a rejeição de espaços como aquele "galpão hediondo, velho, feio, sujo, incômodo, a que nós chamamos pomposamente – um teatro!" (*Kosmos* mar. 1907). Dentro do quadro de modernização da cidade, ansiosa por se equiparar ao distante modelo parisiense e ao modelo portenho bem mais próximo, nossa dor de cotovelo latejante, era inconcebível que tolerássemos salas mal-ajambradas e desprovidas de recursos como aquela em que Artur Azevedo e Paulo Barreto estreavam na presença do Presidente da República. Salas como aquela, repletas de

> cadeiras pequeninas trepadas umas sobre as outras, que obrigam cada espectador a sentar-se no colo do espectador da esquerda e a carregar no seu próprio colo o espectador da direita! Salas que não disfarçam seu reles aspecto de teatrinho da roça, construído e pintado por arquitetos e pintores de meia tigela, dotadas de corredores medonhos, de um botequim ignóbil e enfeitadas por um jardim indecente!... (*Kosmos* mar. 1907).

Anno V Numero 4

ABRIL DE 1908

KOSMOS

SUMMARIO

Chronica	L. de S.
A Florinda	Viriato Corrêa
Trecho de Alma	Gonzaga Duque
Estrada de Ferro de Goyaz	Gravuras
Diplomacia d'antanho	Mario Behring
Transporte dos corpos de Barrozo e Saldanha	Gravuras
A Terra e o Homem	Lima Campos
Na Fronteira	Dionisio Cerqueira
Estrada de Ferro Madeira e Mamoré	Gravuras
A Exposição Nacional á vol d'oiseau	Gravuras
A Exposição Nacional (aspectos das obras)	Gravuras
Os Crysanthemos	Luiz Guimarães Filho
Por Darwin	Fritz Müller
Tiahuanacu	Arminio de Mello Franco
Buenos Aires	Thomaz Lopes
A intellectualidade na Argentina e no Brazil	Leoncio Correia

OFFICINAS E REDACÇÃO
RUA DA ASSEMBLÉA, 62
RIO DE JANEIRO

Rs. 2$000

Capa da revista *Kosmos*.

Argumentos não faltam ao cronista, ao longo de toda a sua carreira, para compreender e explicar a intermitência de público no teatro. No entanto, para não arriscar demais, expondo-se na arena específica da qualidade estética do texto, o cronista prefere as circunstâncias, o que lhe permite reunir argumentos e situações das mais variadas que compõem o conjunto do espetáculo. Ademais, parecia-lhe claro que sua função em coluna volátil era a de perseguir a variedade do cotidiano e não atrelar-se à temática especializada. Desse modo, sua contribuição, mesmo que fragmentada, poderia ser útil na composição futura de um painel que trouxesse explicações parciais para as ocorrências de então. É por isso que sua crônica, ora se volta para o exterior ao palco, ora para aquilo que acontece em seu interior, como se houvesse um plano de completude, sempre pronto a ferir os mais diversos aspectos da questão.

Nesse sentido, deve ser lembrada uma crônica no *Correio Paulistano*, em que Bilac demora-se, mais uma vez, nos motivos que deixam as salas vazias, desfazendo, de imediato, qualquer insinuação que os atrelasse à xenofilia. Segundo sua argumentação, impunha-se evitar esse raciocínio, porta fácil para um maniqueísmo em que se contraporiam nacionais e estrangeiros, de onde poderia brotar uma pendência de falso nacionalismo. "É realmente dolorosa a situação" desses atores que representam para platéias vazias, concorda o cronista. Mas a culpa dessa situação, lembra ele, é a total falta de habilidade dos empresários e dos artistas. Aqueles, porque não sabem "escolher as peças"; estes, porque não sabem ou não querem "estudar os seus papéis" (*CorPau* 5 maio 1908). Diante dessa confluência de fatores negativos, pergunta-se o cronista, "como há de o público freqüentar teatros que só lhe dão velharias como o "Pedro Sem" e os "Milagres de Santo Antônio", e cujos atores, além de falarem línguas atrapalhadas e baralhadas, ainda sacrificam as peças, gaguejando em cena, e obrigando o ponto a atordoar a sala com os seus berros subterrâneos?" (*CorPau* 5 maio 1908).

Ágil em desfazer equívocos carregados de auto-indulgência, Bilac aventura-se pela restrição ao comportamento pouco profissional de nossos empresários e atores, em vez de cair no expediente fácil de recriminar os de fora, os estrangeiros, sempre menos capazes de se defenderem por causa de sua contingência. De outro lado, se os de cá se dessem a mais respeito, o público, por certo, os prestigiaria e uma solidariedade maior resultaria do apreço recíproco. "É preciso ter pena dos artistas que se vêem sem trabalho", admite o cronista,

> mas é preciso também ter pena do público, que não pode, apenas por sentimento patriótico (?), preferir as companhias daqui, mal organizadas, sem preparo, sem cenários, sem peças novas, sem estudo, e sem preocupação artística, às companhias estrangeiras, que lhe dão novidades, e são constituídas por atores, que, se não têm gênio, falam ao menos uma só língua inteligível, e nunca se arriscam a ir tartamudear em cena papéis que nunca estudaram (*CorPau* 5 maio 1908).

Se alguma idéia de nacionalismo pode estar presente no tratamento do teatro, além do item óbvio da temática, ela deve ser discutida num plano menos sujeito às injunções da bilheteria momentânea. Deveria ser discutida, por exemplo, no plano da realização formal, onde um preconceito arraigado impede que se admita a língua portuguesa nas encenações líricas.

Comentando a inauguração do *Teatro Lírico Brasileiro*, em março de 1906, Bilac louva a iniciativa, dando-a como "tentativa corajosa e admirável", porque se encenou uma ópera de Araújo Viana (*GazNot* 25 mar. 1906), cantada em português. Ao contrário do que pregam aqueles mesmos que só valorizavam a Réjane quando se apresentava em Paris, o cronista prega a valorização do português como forma de se opor à presunção daqueles que forçam seu próprio destaque social pelo uso do idioma estrangeiro. "Urge", adverte o cronista,

> que, senão nos teatros, ao menos nos salões se dê cabo dessa desengraçada mania, que têm as senhoras de só cantar cousas francesas, italianas ou espanholas, deixando desprezada a língua materna, que não merece tal desamor.
>
> Há, no Rio de Janeiro, meninas que cantam cousas estrangeiras, maquinalmente, sem que compreendam uma só palavra do que estão cantando (*GazNot* 25 mar. 1906).

Mas o combate sistemático aos preconceitos, uma das atividades favoritas deste cronista, poderá dar-se de novo em outro flanco, no qual o adversário aparece sob o apelido de Nariz Torcido. Esse era o nome que Bilac dava a "uns cavalheiros eternamente descontentes e queixosos, nunca satisfeitos" (*CorPau* 23 jun. 1908), que cultivavam o hábito de escarnecer de toda iniciativa que visasse a modificação da rotina carioca.

Numa ocasião, a atriz italiana Tina di Lorenzo, em temporada no Rio, decidiu homenagear Artur Azevedo, traduzindo-lhe uma de suas comédias e representando-a. Para Bilac, o gesto foi uma "demonstração de carinho à nossa terra, à nossa gente, à nossa literatura" (*CorPau* 23 jun. 1908). Para o Sr. Nariz Torcido, apreensivo de plantão, seria muito difícil que os personagens da comédia de Artur Azevedo alcançassem uma representação adequada. Os brancos, talvez, mas o Preto João, nunca! Disfarçando o verdadeiro motivo de sua reserva, Nariz Torcido exalta-se e alega que não vê como um europeu poderia representar, a contento, "um tipo exclusivamente, fundamentalmente, essencialmente brasileiro" (*CorPau* 23 jun. 1908). Diante de um argumento que lhe soa falso, o cronista espreme seu interlocutor, que acaba por admitir a razão de sua reserva: Nariz Torcido receava que a Europa ficasse sabendo que tínhamos pretos...

Perante essa confissão, o cronista dá uma risada e explicita a reação preconceituosa de Nariz Torcido: "É esta uma das nossas manias: esconder o preto, disfarçar o preto, ter vergonha do preto, querer convencer a Europa da não existência do preto. Queremos tirar o preto das nossas fotografias, das nossas peças de teatro, dos nossos romances, da nossa história, da nossa raça e da nossa vida..." (*CorPau* 23 jun. 1908).

Simples recurso ficcional e didático, encarregado de materializar nossa caipirice, Nariz Torcido é "escada" para o cronista intervir e, mais uma vez, dissipar falsos temores e abater preconceitos. O contraste entre ambos permite ao cronista assumir posições claras, momento em que a ficção momentânea confunde-se, de propósito, com o explicitamento pessoal. Dessa mescla, cuja dosagem de seriedade e de humor se constrói com delicadeza, nasce um texto que se ajusta muito bem à função informativa do jornal, pois que veicula o comportamento disseminado e enrustido junto com a voz alerta de quem a ele se opõe. Em termos muito claros, o cronista assume a última palavra e, mesmo que derrape num otimismo final, declara que

> a mania não é apenas absurda e tola: é também injusta, e reveladora de muita ingratidão. Foi o preto, afinal, quem verdadeiramente criou este país: lavrou a terra, regou-a com o seu suor, com o seu sangue e com as suas lágrimas; fecundou-a com o seu trabalho e com o seu sofrimento; preparou-a, com o seu obscuro sacrifício, para o radiante presente, de que ela já está gozando, e para o futuro, mais radiante ainda, que a espera...
>
> Não há motivo para que reneguemos o preto, – nem no teatro, nem na vida real, uma vez que nenhum povo altera, nem anula, nem precipita a sua história (*CorPau* 24 jun. 1908).

Bilac começa e encerra sua colaboração na *Gazeta de Notícias* falando sobre teatro. Uma das primeiras crônicas de realce nessa longa carreira é aquela que discute a mutilação do romance de Eça de Queirós, *O Crime do Padre Amaro*, quando transposto para o palco. Uma das últimas, em 1908, é um necrológio para Artur de Azevedo, nossa mais importante referência teatral nos fins do século XIX e que fora responsável pela publicação dos primeiros versos de Bilac na *Gazeta de Notícias*. Numa das poucas crônicas que recolheu em livro, Bilac puxa pela memória e lembra seu estado de espírito naquele longínquo ano de 1884, quando Artur estendeu-lhe a mão:

> Naquele tempo a *Gazeta* era para mim, como uma alta cidadela, coroada de estrelas, perdida entre as nuvens; o meu desejo andava, tonto e ansioso, rodando em torno dela como um animal faminto em torno de uma presa cobiçada. Felizmente, a minha mocidade não permitia mortificações prolongadas; depois de um namoro de meia hora, lá me ia eu, pela rua abaixo ou pela rua acima, sonhando e rimando. E tudo, então, me parecia digno de rimas: o sol que esplendia, a chuva que toldava o céu, o olhar de uma mulher que passava, o bater dos seus pés na calçada, uma criança que sorria, um velho que manquejava, as flores que fulguravam nas cestas dos vendedores ambulantes, as fachadas das casas, as jóias que ardiam nos mostradores dos ourives, e até a tristeza dos aleijados que pediam esmola. Tudo para mim era o ponto de partida de um sonho. Os meus passos moviam-se dentro de uma nuvem perfumada: – nem sempre os meus sapatos tinham as solas perfeitas e nem sempre as minhas calças tinham a barra sem fiapos: mas o meu andar era soberano e firme, como o de um deus orgulhoso perdido na terra. Os meus dezoito anos e os meus versos eram uma riqueza tão grande, que a riqueza dos outros não me podia causar inveja... (*GazNot* 2 ago. 1903).

Para esse começo de vida tão cheio de ilusões e de esperanças, Bilac constrói uma rede metafórica repleta de cores e de brilhos em torno de seu desejo principal, que é a poesia. Nessa fase, talvez nem ele suspeitasse que viria a se transformar em cronista, um bom inventariante do Rio de Janeiro na virada do século. Deve-se a ele boa parte das transformações urbanas que acometeram aquela cidade na primeira década do século XX, na medida em que sua disposição permanente para a crítica dos *mores* urbanos, aliada a uma paixão confessa pelo Rio e a uma febre viajeira que sustentava sua atualização, esteve sempre a serviço da causa pública. Culminância desse processo foi a inauguração do Teatro Municipal do Rio de Janeiro em 1909. O prédio de feitio parisiense, fincado na ponta de uma avenida que pretendia copiar bulevares parisienses e rodeado de outros edifícios construídos sob a mesma inspiração, cumpria a função de arremate de um momento que criara o *slogan* de "O Rio civiliza-se". Era dentro daquele recinto que iriam encontrar-se as pessoas graúdas da sociedade, habituadas ou não às travessias transatlânticas, cujo destino final era sempre Paris, em pedra e cal ou em espírito. Suspirosos da cidade, esses cidadãos simulavam os arredores do Sena, abandonando, por instantes, a vizinhança indesejável do Morro do Castelo, só muito mais tarde demolido. Nesse jogo de faz-de-conta, deviam confundir-se atores do palco e da platéia, num esforço comum de superação provisória da realidade. A arte européia alimentava o evasionismo dentro de um recinto que fazia de tudo para lembrar a Europa. Ilhados nesse espaço prodigioso, os espectadores poderiam rejubilar-se com a condição social de que gozavam e que os destacava do poviléu "inculto e grosso", como diria um verso de Gregório de Matos.

Nesse contexto de auto-exacerbação e auto-inebriamento, Bilac faz figura de proa quando convidado pelo Prefeito Sousa Aguiar para orador oficial da cerimônia de inauguração do Teatro Municipal, em junho de 1909. Meses antes, em outubro de 1908, falecera Artur Azevedo, o grande responsável pela criação desse teatro, cujas obras haviam sido iniciadas sob a administração do Prefeito Pereira Passos, dentro do processo de reurbanização da cidade. Para o orador, a festa de inauguração carregava-se, portanto, de um significado duplo: de um lado, a homenagem ao velho amigo Artur, incansável defensor do teatro, que não pudera assistir à materialização de seu sonho; de outro, a culminância de um projeto urbano e civilizatório que, para muitos, punha a cidade no mesmo patamar de outras européias... e, até que enfim!, acreditava-se, de Buenos Aires.

Em seu discurso inaugural, Bilac deixa muito clara sua concepção de teatro, como arte e como canal de sociabilidade. Depois de historiar as origens gregas do teatro ocidental, cujo berço é descrito em termos heróicos e idílicos, ao mesmo tempo, o orador aponta Goethe, Molière e Shakespeare como os três grandes dramaturgos que dão a forma definitiva ao teatro moderno, verdadeiros "cimos rútilos que dominam a massa confusa, gênios universais que enchem toda a idade com a irradiação da sua glória" (24: 305). Não satisfeito com sua exposição didática, Bilac ainda lembra que sua função, naquele momento, assemelha-se à do "tritagonista" do antigo teatro grego. Segundo ele, o tritagonista era o encarregado de sumariar a trama da peça, bem como de enunciar "a glória dos deuses e da

Teatro Municipal do Rio de Janeiro.

Fonte: Marc Ferrez, *O Álbum da Avenida Central: Um Documento Fotográfico da Construção da Avenida Rio Branco, Rio de Janeiro, 1903-1906,* Rio de Janeiro / São Paulo, João Fortes Engenharia / Editora Ex Libris, 1982, p. 35.

pátria, as guerras que dividiram os homens ou que os reuniram em revolta contra a tirania do Destino, e a grandeza da cidade, e os seus sofrimentos e as suas vitórias..." (24: 299).

Identificado, talvez, com essa função de cantar os "sofrimentos" e as "vitórias" dos homens, Bilac passa a defender a necessidade de uma casa como aquela que se inaugurava, não tanto como local de acolhimento e encenação de peças, mas muito mais como espaço de convivência intelectual, de intercâmbio cultural, de congraçamento humano, de confraternização artística e de agregação de pares. Primeiro, porque o teatro é um porto livre em que se apreende "o gênio de cada povo" e se aperfeiçoam "os legados artísticos do passado", eliminadas as barreiras de ordem nacional (24: 310); segundo, porque é no teatro que se exercem, "se estreitam e [se] apuram as relações sociais". Se, na Grécia antiga, a ágora acolhia a discussão política e a academia abrigava as inquietações filosóficas, era no teatro que se exercia e se aperfeiçoava o "hábito de convivência, esse capricho de tolerância mútua, esse polimento de costumes e de maneiras, sem os quais não pode haver nas sociedades a ordem e a harmonia em que se fundam, no estado civilizado, a alegria de viver e o prazer de trabalhar" (24: 311). Dentro dessa concepção, enfim, o teatro emerge como espaço preferencial de conciliação e de arredondamento de arestas, meta que só atingem os agrupamentos humanos interessados na concórdia e na convivência pautadas pela beleza e pela inteligência. Por fim, para não passar por cima da produção artística, o cronista lembra que o teatro possibilita o entrelaçamento de várias artes, como se sua realização fosse exemplo concreto daquilo que desperta e favorece em termos de sociabilidade e de convivência harmoniosa. Para servir ao teatro, ensina Bilac, "a poesia esbanja o tesouro das idéias; para exalçá-lo, a música multiplica as combinações harmônicas dos sons; para acrescer-lhe a sedução, a dança varia as mil graças da forma e do movimento; para ataviá-lo, congregam-se a engenharia, a arquitetura, a pintura, a escultura, a marcenaria, a cerâmica, a indumentária". É por causa do concurso sem atrito de todas essas artes e de todas essas técnicas que o teatro seduz e convoca a sociedade. Além, é claro, da sua capacidade de reunir no mesmo espaço os dois atributos fundamentais da espécie humana, na medida em que "na sala impera a beleza e no palco impera o pensamento" (24: 311).

Como ápice de uma extensa campanha pela higienização e pela modernização do Rio de Janeiro, iniciada mais de dez anos antes por meio dos principais jornais cariocas, calhava muitíssimo bem a inauguração de uma sala de espetáculos que substituísse de vez os sórdidos galpões ainda existentes. Ademais, a ocasião ainda abria para Bilac a oportunidade de homenagear, em público, a memória de Artur Azevedo, seu padrinho literário. Coincidência ou não, o necrológio de Artur (*GazNot* 25 out. 1908) bate na mesma tecla e, ao fazê-lo, entrelaça-se com o tom geral do discurso que preside à inauguração do Municipal. Em ambos os textos, seu autor está empenhado em espantar o incômodo que ronda a sala nova com seus convidados.

No discurso oficial, Bilac enfatiza a superioridade da beleza como forma de atenuar, de mitigar ou de afugentar a ameaça do feio, do desconforme e do insociável que rodeia a porta do teatro em festa; no necrológio, sua pena disfarça a dor que a morte do amigo querido provocou e desvia nossa atenção para as várias peças que compõem o cenário do funeral. No cômodo em que jazia Artur, ressurge o poeta Bilac, que acentua e particulariza as cores e as formas dos diversos objetos de arte em torno do caixão, como se estivesse apurado em despistar a morte:

> A sala estava alfaiada de luto. Mas os crepes, os veludos negros, as sanefas tristes em que brilhavam as cruzes de ouro, não tinham podido tirar ao aposento o seu aspecto de santuário de um artista. Contrastando com os ornatos funerários, contrariando-os, opondo-se a eles, e vencendo-os, avultavam os quadros, os livros, as estátuas. Entre dous tocheiros, apareciam, como um protesto contra a Morte, a carnação rosada de uma ninfa, o colo nu de uma deusa, o sorriso lindo de uma criança, em telas de mestres: as grinaldas de flores, com as suas largas fitas negras ou roxas, entremeavam-se com estátuas e estatuetas, em que a Vida e a Beleza ardiam e cantavam; e a coleção opulenta de quadros, de esculturas, de livros, de gravuras transbordava da sala, ganhava os corredores, estendia-se pelas escadas, conquistava todos os aposentos. Por todas aquelas paredes pompeavam o gozo de viver, o culto da formosura, a religião da Arte... (*GazNot* 25 out. 1908).

Na descrição dinamizada da sala fúnebre, o poeta carrega nas cores, no movimento, na abundância, porque quer negar a morte. No discurso de inauguração do teatro, sua eloqüência congrega uma profusão de elementos aparentemente díspares, mas que bem poderiam servir de exemplo a uma sociedade harmônica, difícil de se construir.

Nas duas ocasiões, o poeta superpõe-se ao jornalista. No entanto, um não elimina o outro, porque a emoção do momento compete com o dever da informação. Graças a essa concorrência, quem ganha é o leitor[5].

5. Com modificações mais formais que substanciais, este capítulo fez parte do livro *Décio de Almeida Prado: Um Homem de Teatro*, org. por João Roberto Faria, Vilma Arêas e Flávio Aguiar, São Paulo, Edusp/Fapesp, 1997. De outro lado, esta incursão sobre as relações de Bilac com o teatro deve muito à troca de opiniões e de bibliografia com um colega especializado no assunto: João Roberto Faria. A ele, meus agradecimentos.

Entre a Coréia e o Congo

Essas grandes feiras devem ser elementos de educação popular. Um povo somente se pode orgulhar daquilo que compreende...
O. B., *Correio Paulistano*, 5 abr. 1908

O cenário, mais que adequado, era extraordinariamente aprazível, quase um bosque deleitoso. Incrustados entre morros, à sombra da corpulenta pedra do Pão de Açúcar e rente à idílica Praia Vermelha, abertura para o enorme oceano em frente, os prédios da Exposição Nacional, inaugurada em junho de 1908, abrigavam dentro de si prendas das mais valiosas, submetendo-as, assim, ao poder político e ao fascínio da geografia mítica do nosso centro de decisões daquela época.

Entre junho e setembro desse ano, a praia da Urca, no Rio de Janeiro, alojou uma exposição comercial e industrial, que aspirava ser uma súmula das conquistas materiais brasileiras. Claramente projetada para servir de contraste com os séculos anteriores e para quantificar a extensão do progresso alcançado pela República meio imberbe, essa Exposição apropriava-se de uma data histórica. Significativa em si, o evento festivo inflava-a, seja porque lembrava a abertura de nossos portos cem anos antes, decretada por D. João VI, seja porque tinha o desígnio expresso de acumular dados concretos que patenteassem o avanço material das últimas décadas, segundo se depreende do seu documento oficial, o *Boletim Comemorativo da Exposição Nacional de 1908*.

Recurso visual disponível para se acompanhar o crescimento das obras desse parque está nas páginas de *Kosmos*. Folheá-las é exercício instrutivo que revela a substituição gradativa da exuberância natural pelo espalhafato arquitetônico, que, então, se tomava por bom gosto. Das primeiras fotos de março de 1908, que ainda nos mostram uma Praia Vermelha desabitada e rodeada pelas enormes formações graníticas da Urca e do Pão de Açúcar, às últimas, já em outubro do mesmo ano, percorremos um caminho que demonstra, de maneira indiscutível, o afã em se abafar o viço da natureza, trocando-a pela imponência equivocada de uma arquitetura afrancesada, de que o pavilhão do Estado de São Paulo (*Kosmos* jul. 1908) é a manifestação mais constrangedora em sua verborragia carregada de detalhes, de colunas, de cúpulas e de capitéis. Diante desse espalhafatoso bolo arquitetônico, a figura humana, ali plantada com o intuito claro de confirmar a imponência do pavilhão, achata-se e é digerida pela enorme boca da entrada principal.

Kosmos é acesso seguro e ilustrado da efervescência urbanística que acometeu o Rio de Janeiro na primeira década deste século e que ficou conhecido como o *Bota-abaixo*. Essa revista de extraordinário padrão gráfico e repleta de reportagens fotográficas encarregou-se de espalhar aos quatro cantos do país as imagens positivas da

A Exposição Nacional *À Vol d'Oiseau* – vista do alto do Pão de Açúcar.

Fonte: Revista *Kosmos,* Rio de Janeiro, abr. 1908.

Aspecto da iluminação do Portão Monumental da Exposição Nacional do Rio de Janeiro.

Fonte: Revista *Kosmos,* Rio de Janeiro, ago. 1908.

Pavilhão do Estado de S. Paulo.

Fonte: Revista *Kosmos*, Rio de Janeiro, jul. 1908.

febre de remodelação carioca, que tomou conta do Rio de Janeiro a partir da administração do Prefeito Pereira Passos e sob a presidência de Rodrigues Alves, entre 1902 e 1906. Entre as diversas leituras que a revista permite, uma delas deixa escapar a forte tensão que se constrói entre o projeto governamental de modernização material a qualquer custo, ainda que restrita ao miolo do Rio de Janeiro, e o desnudamento fotográfico do território brasileiro. Parte indisfarçável do projeto dessa revista era o de revelar o Brasil para os brasileiros, projeto que usava e abusava da fotografia como recurso novo para documentação da realidade. Ora, enquanto recurso técnico recente, a fotografia podia tanto captar a exuberância da floresta, um dos orgulhos nacionais, como podia captar seu habitante, o caboclo ou o índio, nosso tendão de Aquiles. Diante dessa captura inevitável, como se comportam os que fazem a revista? Fotografam os índios como heróis de guerras pretéritas, enfiados com visível desconforto em fardas mal-ajambradas. Ou em pêlo e armados, mas submetidos à autoridade do branco que participava da tarefa integracionista comandada pelo Major Cândido Rondon (*Kosmos* maio 1908). É paradoxal que a expansão telegráfica, duramente capitaneada por aquele que viria a ser a encarnação da defesa do índio brasileiro, viesse sempre acompanhada de restrições explícitas ao indígena, entendido como obstáculo à civilização e, portanto, objeto a ser removido.

A rigor, o índio empana o projeto civilizatório do governo, tão bem defendido pela revista. Mesmo que se esforce por documentar sua cerâmica, seus barcos, sua arte plumária, sua estrutura social, seus hábitos sexuais, suas crenças ou suas festas como o faz Domingos Sérgio de Carvalho em artigo etnográfico sobre os Apiacás (*Kosmos* mar. 1906), um inegável tom depreciativo percorre a maioria das reportagens sobre nossos indígenas. É palpável essa má vontade, por exemplo, em "Recordações de Viagem", relato dissonante que se imiscui entre outras páginas eufóricas sobre a Exposição Nacional. Nesse texto, ao descrever as peripécias para a implantação da linha telegráfica entre Goiás e Mato Grosso, Eduardo Sócrates recheia seu relato com uma apreciação esquemática do índio, por ele descrito como belicoso, traiçoeiro, cobiçoso, cachaceiro, malcheiroso e vingativo, ainda que, eventualmente, dotado de bom "porte e de feições simpáticas" (*Kosmos* jul. 1908).

Enquanto o Barão do Rio Branco empenhava-se em definir nossas fronteiras, o Major Rondon encarregava-se de desbravá-las e de consolidá-las. Por seu turno, a Exposição Nacional prolongava a visualidade da Avenida Central, ao mesmo tempo que concentrava num espaço adrede construído as virtudes comerciais e industriais de um país que se esforçava para se ver livre de um passado extenso, mas acanhado. Naquele espaço amplo, ajardinado e europeiamente urbanizado da Praia Vermelha, concentrava-se também uma história curta, porém cheia de entusiasmo e pronta para enfrentar o século que se abria. Dando continuidade à retaliação republicana contra a modorra imperial, Afonso Pena alongava os projetos modernizantes de Rodrigues Alves e criava a vitrine ideal que, supostamente, confirmaria nosso iminente surto industrial. Por intermédio desse balanço visual da vintena republicana, tentava-se consolidar o acerto da reurbanização que se impusera ao centro do Rio de Janeiro,

Índios Terenas. Sentado, cacique Alexandre, capitão honorário do Exército brasileiro em operações contra o paraguaio Solano Lopes. De pé, cacique Tavares.

Fonte: Revista *Kosmos*, Rio de Janeiro, maio 1908.

bem como ratificar a condução burguesa da coisa pública. Desvelando a funcionalidade oculta desse tipo de espetáculo, Sandra Jatahy Pesavento pondera que as

> exposições funcionaram como síntese e exteriorização da modernidade dos "novos tempos" e como vitrina de exibição dos inventos e mercadorias postos à disposição do mundo pelo sistema de fábrica. No papel de arautos da ordem burguesa, tiveram o caráter pedagógico de "efeito-demonstração" das crenças e virtudes do progresso, da produtividade, da disciplina do trabalho, do tempo útil, das possibilidades redentoras da técnica etc.
>
> Por meio das exposições, a burguesia encontrou um veículo adequado para a circulação não só de mercadorias, mas de idéias em escala internacional. Ou seja, as exposições não visavam apenas ao lucro imediato, advindo do incremento das vendas ou do estímulo à produção industrial pela comparação entre os potenciais das diferentes nações. As exposições foram também elementos de difusão/aceitação das imagens, ideais e crenças pertinentes ao *ethos* burguês. Neste sentido, elas procuraram passar as noções de que empresários triunfavam porque eram competentes, o progresso era necessário e desejável, o capitalismo provocava bem-estar, a fábrica era lugar de harmonia e não de conflito, a fraternidade entre os povos era possível de ser mantida etc., etc. (74: 14-15).

As regras que definiam a promoção da Exposição Nacional de 1908 já haviam sido publicadas um ano antes de sua inauguração, e quem as assinava era Miguel Calmon du Pin e Almeida, Ministro da Indústria, Viação e Obras Públicas de Afonso Pena. Por intermédio delas convidavam-se os Estados, as "associações comerciais, agrícolas e industriais" e todos aqueles que exerciam "as indústrias agrícola, fabril e pecuária", além daqueles que se dedicavam às "artes liberais", fossem nacionais ou estrangeiros, para que se constatasse, de público, o "grau de desenvolvimento das nossas indústrias em geral" (*Kosmos* jul. 1907).

Menos burocrático que esse documento ministerial é um outro assinado por "X" e que sai em *Kosmos* nas vésperas da abertura da festa. De modo explícito, o articulista dá um puxão de orelha em nossa falta de auto-estima e reconhece que foi graças ao estrangeiro que decidimos sistematizar nossa produção. Para esse autor quase anônimo, provável integrante da redação da revista e muito próximo de seu proprietário, Jorge Schmidt, mais do que simples exibição de produtos industriais e comerciais, a Exposição indicava também um princípio de coesão nacional interna, pois que resultava de uma afirmação de política integrada e coordenada pelo poder central. Com a Exposição, segundo seu raciocínio, ficava claro que deixávamos de nos ilhar internamente e que se dava início a um processo de reciprocidade comercial. De acordo com "X",

> os Estados se ignoram e muita vez o mesmo se dá com os municípios vizinhos de um mesmo Estado.
>
> Com extrema admiração chega-nos ao conhecimento que o objeto adquirido pelo mimoso da manufatura, pelo acabamento do todo em luxuosos *magasins* de modas, não é produto das afamadas fábricas d'além mar e sim das mais modestas de um Estado qual-

quer. Porque na indústria nós só compreendíamos que o Brasil fizesse além dos moringues da Bahia, das redes do Maranhão, do algodãozinho mineiro e dos rebenques de couro trançado do Rio Grande, mais uns curiosos berloques que uma hora arrancada à ociosidade malandra dos praieiros arabescava em cascas de coco que a natureza fornece em profusão pelos extensos areiais do Norte.

A Exposição de S. Louis veio perturbar-nos essa doce ilusão, revelando-nos os progressos da indústria nacional de que só falávamos com sorrisinhos de mofa e entretanto o Júri internacional galardoava admirado do nosso adiantamento (*Kosmos* mar. 1908).

Mais longe ainda do tom seco e técnico da convocatória geral, assinada pelo Ministro, e menos empolado na sua sintaxe que o texto do misterioso "X", são as páginas de extensa abertura do *Boletim Comemorativo da Exposição Nacional de 1908*, assinadas por Bulhões de Carvalho e publicadas pela Diretoria Geral de Estatística, antepassada da repartição governamental hoje conhecida como IBGE.

Apesar de oficial, esse documento deixa transparecer de modo claro o caráter propagandístico de um regime recém-instalado e disposto a curar, rápido, as feridas internas que haviam resultado de sua implantação. Como se já se sentisse pronta para enfrentar a atenção externa, a República enfeitava-se, exibia seus dotes, proclamava-os através de camada metafórica com substrato visual e condensava, com imagética pictórica, as conquistas alcançadas em tempo tão curto, não mais que vinte anos. Embevecidos pelo brilho da História, os encarregados de governar o país acreditavam fazer jus à responsabilidade que lhes fora conferida:

A luz da história, refletindo nesse quadro brilhante e animado do seu estado atual, fará aparecer desde logo, ao primeiro relance, sem necessidade de demorado e minucioso exame da multidão variada de artefatos vistosamente arrumados em mostruários e pavilhões, o progresso da vida nacional neste primeiro século de sua existência (29: V).

Tamanho sucesso, no entanto, não fora obra do acaso, nem do improviso. Resultava, isso sim, de um esforço consciente e gradativo que podia muito bem ser equacionado em termos de libertação de um passado oneroso. Em suma, o recado do *Boletim Comemorativo* era apenas um: em duas décadas, o país avançara bem mais que em três séculos, livrando-se, portanto, do pesado fardo colonial e imperial. E isso se dava porque nos safáramos da herança portuguesa e porque nos desfizéramos do legado indígena. Livres desse fardo, estávamos prontos para encarar o século que se abria. E para tão extensa tarefa voltada para o futuro, nada mais justo que um extenso parágrafo, cujo teor supostamente libertário delineia com perfeição o alívio que se respirava:

Na longínqua perspectiva a história ilumina o quadro do que era o Brasil há cem anos, quando D. João VI, obrigado a abandonar à invasão estrangeira o seu velho e glorioso reino, teve de estabelecer no Rio de Janeiro a sede da monarquia, franqueando por esse motivo os portos do Brasil ao comércio internacional. Então, bem poucas cidades e vilas havia isoladas na costa, raramente comunicando-se por pequenas caravelas, construídas e navegadas com uma arte tão primitiva, que só poderia dar idéia de progresso comparando esses navios com as galeras e trirremes dos tempos heróicos da Grécia e de Roma. Mal edificadas as cidades, com ruas escuras, imundas e quase sem calçamento, casas acaçapadas, feias, sem conforto, sem asseio nem claridade, e ainda assim tão poucas que D. João VI, chegando ao Rio de Janeiro, teve de despejar logo os habitantes das melhores para aposentar os fidalgos da sua corte. Além da estreita faixa marítima, caminhando para o sertão, ainda era menor o número de cidades e aldeias. Quase todo território deserto ou infestado de hordas selvagens vagando nas matas virgens, de onde não raro saíam para opor-se ao progresso da civilização, matando e devastando as culturas e os povoados incipientes. Assim, no interior, as comunicações entre os escassos núcleos de povoação civilizada, separados pelo deserto e por selvícolas, eram ainda mais raras e difíceis. Quase sem indústrias, o comércio do Brasil era o que poderia ser o da colônia de uma metrópole arruinada, sem navios de guerra para defesa do seu comércio nem mercantes para animar e fazer prosperar a sua produção colonial. Comparada a nossa esquadra de navios de guerra e mercantes e o nosso atual comércio de importação e exportação com o daquele tempo, o progresso parece de mil anos e não de um século apenas de vida nacional. [...] o progresso sob todos os pontos de vista sociais e econômicos é tão extraordinário que o período anterior parece de uma era ante-diluviana (29: VI).

"Monumento à nacionalidade" (74: 52), na expressão de Sandra J. Pesavento, a grande festa encarregava-se ainda de comprimir e achatar as distâncias sociais e de, na opinião de uma estudiosa francesa, "'assentar um imaginário coletivo em torno de uma certa idéia de grandeza nacional'" (74: 52).

No documento oficial da Exposição acima transcrito, há ainda dois aspectos que chamam de imediato nossa atenção e que funcionam como manifestação clara do desejo de inserção brasileira no circuito do comércio internacional: seu trilingüismo e seu farto conteúdo estatístico.

Nas inúmeras e extensas tabelas que pretendem demonstrar de modo objetivo e supralingüístico nosso crescimento técnico, industrial, comercial e até mesmo artístico, as colunas alinham números disciplinados sob legendas trilíngües. Para que o argumento supostamente irretorquível da mensuração possa alcançar um público bem mais amplo que aquele restrito à língua portuguesa, é preciso que os números universais sejam acompanhados de uma língua que os identifique de pronto. Nesse caso e nesse momento, nada mais cosmopolita, portanto, que essa língua seja o esperanto, além do óbvio francês. Esta, porque "é a língua diplomática por excelência, de que, em geral, se servem os representantes das nações no convívio internacional" (29: VII); aquela, porque, mesmo que não se diga de modo taxativo, remete para o futuro imaginário dessas mesmas relações comerciais, em que a língua inglesa ainda não havia sentado praça. Mais que veículo de ligação pragmática, o esperanto ainda acenava com possibilidades de confraternização universal, na medida em que o "novo idioma, ainda no nascedouro, tem a suprema aspiração de ser compreendido, como língua auxiliar, por todos os povos da terra" (29: VII).

É por intermédio das generosas tabelas do *Boletim Comemorativo* que ficamos sabendo, por exemplo, do salto que dera a população brasileira, entre 1872 e 1900, passando de 10 para 17 milhões (29: 73); que a área urbana do Rio de Janeiro, já conhecido como Distrito Federal naquele momento, continha, em 1907, quase 650 mil habitantes, em vez dos cerca de 79 mil que aí circulavam por volta de 1821 (29: 86); que em meio às quantiosas correntes imigratórias que aqui chegavam, eram os portugueses, os italianos e os espanhóis que ocupavam os primeiros lugares, seguidos de perto pelos alemães, austríacos e russos (29: 84-85); ou que, nesse mesmo ano de 1907, já podíamos nos orgulhar da existência de mais de cem salas de teatro, espalhadas por todo o país, capazes de encenar bem mais que quatro mil espetáculos (29: 211-221), entre concertos, dramas sérios, óperas, operetas e comédias, em língua portuguesa ou não, excetuando-se, é claro, "os espetáculos acrobáticos e as exibições de cinematógrafos" (29: 218), aqueles por serem, talvez, populares demais; estas, porque ultrapassavam a expectativa tecnológica de então.

Como tentativa de inventário rigoroso da realidade, os dados do *Boletim Comemorativo* tinham o objetivo de fornecer "uma idéia viva, animada, facilmente sensível e inteligível, do desenvolvimento da nossa nacionalidade durante um século" (29: VI). E, talvez, porque estivessem fortemente impregnados da incumbência de quantificar um país que supunham em crescimento vertiginoso, os técnicos da Diretoria Geral de Estatística comunicavam seu entusiasmo por meio de um discurso em que predominam metáforas de caráter visual. Porque, além de ofuscarem, elas também espelham uma realidade que se quer brilhante. "Miragens da sociedade!", como bem antecipa nosso cronista, um ano antes da comemoração (*GazNot* 20 out. 1907).

Essa quantificação orgulhosa, calcada em números tidos como irrecusáveis e não mais em simples arroubos retóricos, respondia a um dos apelos de Bilac, que lamentava não fôssemos afeitos a recenseamentos e levantamentos estatísticos. Em meio às suas tantas crônicas, algumas delas pregam, de modo didático ou divertido, a necessidade urgente de mensurar a sociedade brasileira. Na *Gazeta de Notícias*, por exemplo, o cronista prestigiava, em 1906, o próximo recenseamento do Rio de Janeiro, defendendo-o como instrumento pragmático e necessário ao planejamento político e socorrendo-se, para tanto, de argumentos sociais e científicos:

> Enfim, vai o Rio de Janeiro conhecer-se a si mesmo... Uma cidade sem recenseamento é uma cidade que a si mesma se ignora, porque não tem a consciência da sua força, do seu valor, da sua importância. Hoje, o recenseamento tem um fim mais amplo, mais nobre, mais belo, – um fim social. É uma parte essencial da Estatística, que, sendo "o estudo numérico dos fatos sociais", é uma das ciências tributárias e auxiliares da Sociologia. Como explicam os mestres da Economia Política, a vida social é um movimento perpétuo, uma transformação contínua, e uma constante renovação de fenômenos, que, por mais diversos que pareçam, sempre se podem classificar em um número relativamente limitado de categorias. Não há um só fato *individual* que deixe de ser interessante, porque os fatos *individuais*, reunidos, formam os fatos *sociais*; e não há meio de governar sem o conhecimento desses fatos. É a Estatística que torna possível o governo. Ela é, por assim dizer, a "escrituração social": se uma casa de comércio não pode viver e prosperar sem o registro minucioso das suas compras e vendas, e sem os balanços periódicos que demonstram o bom ou mau

estado dos seus negócios, – também a sociedade humana não pode dispensar os seus guarda-livros, que são os encarregados da Estatística... (*GazNot* 17 jun. 1906).

Dois anos depois, através do *Correio Paulistano*, volta à baila o tema, agora mesclado com um desabafo pessoal de motivação profissional:

> Por dever de ofício, e com um intuito patriótico, estou há quase dois anos organizando um recenseamento dos alunos matriculados nas escolas públicas primárias de todo o Brasil. E ainda me vejo longe da conclusão do trabalho, e nem sei se chegarei jamais a concluí-lo: ainda de cinco Estados não recebi uma só informação, – e já não sei com que palavras de súplica humilde ainda hei de continuar a pedir aos governos desses Estados que me respondam.
>
> A ojeriza, que votamos a tudo quanto é estatística, pode talvez ser explicada por outros motivos que não a preguiça (*CorPau* 23 abr. 1908).

Para o dublê de cronista e de inspetor escolar, mais que aversão ao censo ou incapacidade de organização, o que demonstrávamos era mesmo medo. Medo de sermos capturados pelo recrutamento; medo de sermos enredados pelos impostos; medo de não correspondermos às nossas expectativas imaginárias. "Temos medo do recenseamento", explica Bilac,

> porque imaginamos que ele será a base do recrutamento; falsificamos as listas em que declaramos a nossa profissão e a nossa renda, porque receamos que da declaração da verdade nos possa advir uma sobrecarga de impostos; e, outras vezes, se nos recusamos a dar informações sobre o nosso trabalho, sobre a nossa indústria, sobre a nossa lavoura, é porque não temos a consciência do que valemos, e tememos "fazer figura feia". Seja como for, e explique-se a cousa por qualquer desses motivos, ou unicamente pelo motivo muito mais natural e plausível de um irremediável relaxamento, – o fato é que odiamos as estatísticas, – e sujeitamo-nos à vergonha dessa humilhante classificação de país desidioso e indiferente, colocado, em matéria de indiferença e desídia, entre a Coréia e o Congo, – abaixo da China e da Turquia! (*CorPau* 23 abr. 1908).

Nossa posição incômoda nesse elenco, de que Bilac tomara conhecimento por uma publicação européia, provinha, segundo ele, de "um idiossincrásico horror às estatísticas" (*CorPau* 23 abr. 1908) e de um total descaso à promoção dos nossos produtos no estrangeiro. Daí por que ele visse na inauguração da Exposição Nacional uma excelente oportunidade não só para exibir ao próprio povo nossa produção comercial e industrial como também para conscientizá-lo da necessidade do trabalho sistemático. Entendida assim, a Exposição ajustava-se como luva aos desígnios do cronista que, por sua vez, referendava de modo cabal a proposta introdutória que Bulhões de Carvalho assinava nas páginas do *Boletim Comemorativo*.

Por se ajustarem de modo tão harmonioso e por coincidirem de tal forma em seus propósitos de afirmação nacional é que Bilac e a Exposição acabaram por se converter em par solidário e coeso, a ponto de o cronista se tornar jornalista oficial da festa. Próximo do final de seu percurso como cronista, Bilac encontrava um meio em que podia externar de forma bastante livre suas crenças pessoais e defendê-las como se fossem balanço de carreira. Por esse motivo é que vamos encontrá-lo publicando crônicas na primeira página do *Jornal da Exposição*, periódico que circulou no recinto da feira.

O *Jornal da Exposição* tinha aparência de tablóide e era composto de quatro páginas com três largas colunas. Seu "Expediente", na primeira página, comunicava que sua distribuição era gratuita e se dava tanto no recinto da feira, como "nos pontos mais concorridos da cidade", no período da tarde. Além disso, o jornal era enviado, diariamente, para todos os Estados.

Até onde esta pesquisa pôde alcançar, o único exemplar original que restou do *Jornal da Exposição* descansa hoje na seção de Obras Raras da Biblioteca Nacional do Rio de Janeiro, guardado com muito carinho. Sua data de 14 de setembro de 1908 indica que se trata de número já muito próximo do encerramento da festa. Folheando com vagar suas quatro páginas, deparamos aqui e ali com anúncios e matérias de índole diversa. De repente, logo abaixo da transcrição de um artigo de João Luso, que aplaudia a instalação de um simulacro de redação no ambiente da feira, ficamos sabendo do resultado de um concurso pecuário. Ao lado, artigo da redação tentava explicar ao público, de forma singela, como uma famosa casa de roupas havia conseguido mais espaço que outras para expor suas mercadorias. Mais adiante, anunciava-se, "se o tempo permitir", um desfile de carruagens e de automóveis, com a exibição de "formosas senhoras e *toilettes* de apurado gosto", cuja beleza seria avaliada por um júri composto por figuras como Paulo Barreto, Alberto Ramos e Raul Pederneiras. Depois, um concurso de sonetos, uma crônica de Júlia Lopes de Almeida ou um artigo, sem assinatura, sobre "A Pesca da Baleia no Brasil". Na página 2, um pouco antes das que traziam propagandas comerciais e programação de teatro e de cinema, um anúncio da Casa Brack fazia alarde de sua próxima sessão de queima de fogos, em que seriam consumidas "três peças de grande efeito": uma delas representava "o Vesúvio em plena erupção e as outras" traziam "os retratos de Anita Garibaldi e do general Osório".

Pelo jeito, esse tipo de espetáculo era rotineiro. Tomando um deles como pretexto, em que a explosão dos morteiros liberava bonecos de papel, Bilac condena a grosseria de alguns adultos, empenhados em destruir a bengaladas aqueles bonecos que tanto encantavam as crianças. Em crônica que ocupa lugar de destaque, espanta-se o cronista com a "fúria agressiva e destruidora de tantos homens que avançavam contra um boneco ou um bicho, batendo-o, estripando-o, estraçalhando-o, reduzindo-o a nada. Era uma batalha medonha!" (*JorExpo* 14 set. 1908).

Logo na primeira página, em seu canto esquerdo, a crônica de Bilac pautava o tom da festa, aplaudindo um gesto ou censurando outro. Por trás de sua voz orientadora, a guiá-la como referência opinativa, a noção do progresso, do avanço e do salto; a indisfarçável confiança no futuro e a inabalável certeza de que já deixáramos para trás o estágio de barbárie. O mote de sua intervenção, do alto de seus vinte anos de crônicas, era a retificação dos costumes em nome de uma urbanidade

N. 9 Rio de Janeiro, 14 de Setembro 1908

JORNAL DA EXPOSIÇÃO

Escripto, composto e impresso á vista dos visitantes, no Pavilhão da Imprensa

Distribuição gratuita

No recinto da Exposição

EXPEDIENTE

O JORNAL DA EXPOSIÇÃO, alem da larga circulação que tem no recinto, é distribuido todas as tardes nos pontos mais concorridos da cidade e enviado diariamente para todos os Estados.

Todas as informações podem ser fornecidas no Pavilhão da Imprensa da Exposição Nacional, para onde tambem deve ser enviada a correspondencia.

Telephone n. 27.

HOJE

Inauguração das secções do Estado do Rio de Janeiro.

—No Theatro João Caetano a comedia "Vida e Morte", de Arthur Azevedo.

Diversas bandas de musica, cinematographo e diversões da Empreza Segreto.

AMANHÃ

Theatro João Caetano.—Concerto symphonico, com o seguinte programma:

"Rimsky-Korsakow" — Série symphonica, inspirada nas mil e uma noites.

I—O mar e o navio de Sindbad.

II—Conto do Principe Palendor.

III—O joven principe e a joven princeza.

IV—Festa em Bagdad.

Ricardo Wagner—Entrada dos Deuses no Wahall.

— Fogos de artificio, bandas de musica, theatro, cinematographo e área de diversões da Empreza Segreto.

Chronica

O fogo diurno de hontem seria um encanto completo, se não fosse a intervenção bem pouco brilhante de alguns "marmanjos", que competiram com as creanças no afan de apanhar os bonecos de papel que os morteiros da casa Brocks espalhavam pelo ar.

Ha ahi, no periodo que acabo de escrever, dois verbos mal empregados.

Em primeiro logar, os "marmanjos" não *competiram* com as creanças. Estas, coitadinhas, não lograram conquistar um só brinquedo. A horda dos visitantes barbados tomou conta de todo o campo, e monopolisou todo o divertimento. Que creança se atreveria a metter-se naquelle torvelinho de gente grauda, arriscando-se a ser esmagada por aquelle tropel desvairado?

Em segundo logar, nenhum dos "marmanjos" queria *apanhar* os bonecos. O que todos queriam e faziam era rasgal-os. Assim que um boneco ou um bicho pairava no ar perto do sólo,—logo uma floresta de bengalas alçadas avançava para elle, batendo-o, estripando-o, estraçalhando-o, reduzindo-o a nada. Era uma batalha medonha! E as creanças, espantadas, abriam para aquella scena os seus olhos innocentes, talvez perguntando a si mesmas se aquelles catucires de papel seriam animaes ferozes e se aquelles bonecos seriam creaturas malfazejas, para que assim merecessem e justificassem a furia aggressiva e destruidora de tantos homens armados de bengalas...

Felizmente, as creanças tiveram a prudencia e o bom senso de se não arriscar a disputar os brinquedos aos grandalhões: se assim não fosse, haveria talvez na Exposição, hontem, uma reedição da famosa matança dos innocentes, de Herodes. O chão ficaria juncado, não só de destroços de mandarins e bois de papel, como de restos de creanças de carne e osso. Repito que, felizmente, as creanças tiveram prudencia e bom senso, contrastando com a imprudencia e a loucura dos marmanjos...

Se os homens feitos, com barba na cara, monopolisam deste modo, para si, os divertimentos destinados ás creanças, — não sei bem em que é que estas hão de occupar o seu tempo no recinto da Exposição: em beber *choppe* no *bar*? em namorar nas alamedas? em ter entrevistas no Bosque dos Amores? em discutir proteccionismo e livre-cambismo no Palacio da Industria?...

O que sei é que os moços de hontem vieram inaugurar na Exposição uma secção nova: a secção dos que expõem a sua propria brutalidade...

OLAVO BILAC.

General F. M. de Souza Aguiar

Prefeito do Districto Federal. Presidente da secção de Varias Industrias, no Jury de Recompensas da Exposição Nacional. Architecto notavel, administrador e disciplinador de primeira ordem. Foi a este illustre brasileiro que o Brasil ficou devendo o extraordinario brilho da sua representação na Exposição Universal, em S. Luiz (Estados-Unidos).

A VITRINE DO "PARC-ROYAL"

O Corso

UM CONCURSO DE BELLEZA E DE ELEGANCIA

O RETRATO DA VENCEDORA

Depois de amanhã, se o tempo permittir, haverá corso.
Além disso, os plebiscitos, depois da invenção da cabala elei-

Esse admiravel desfilar de carruagens e automoveis, exhibindo formosas senhoras e toilettes de apurado gosto, ganhou novo esplendor e mais requintada elegancia depois de transplantado da Avenida Beiramar para as alamedas da Exposição.

O *Jornal da Exposição*, para animar esse habito elegante, organisou um concurso:

Um jury, constituido por 4 artistas dos mais distinctos do Rio de Janeiro, mestres da penna e do pincel, habituados a estudar e representar a Belleza Feminina, decidirá uma vez terminado o Corso, qual foi a senhora mais bella e mais elegante que nelle figurou. E o *Jornal da Exposição* publicará, depois de impetrada e obtida a devida venia, o retrato dessa senhora, vencedora do Torneio da Formosura.

Tinhamos pensado, a principio, em confiar a decisão do concurso ao voto geral de todas as pessoas que assistissem ao Corso. Mas esse plebiscito seria muito demorado, e talvez désse origem a longas discussões e a inflammadas contendas... Além disso, os plebiscitos, depois da invenção da Cabala eleitoral, estão muito desmoralisados.

Estas considerações nos levaram a preferir o julgamento por um jury, que ficou constituido pelos Srs.: Dr. Alberto Ramos, Paulo Barreto, José Mariano Filho e Raul Pederneiras.

O que se diz do JORNAL DA EXPOSIÇÃO

Transcrevemos, desvanecidos, estes ultimos trechos do brilhante folhetim de João Luso, — *Dominicaes* —, do *Jornal do Commercio* de hontem:

Jornal da Exposição.

consentânea com a cidade nova que se erigia. Era, em suma, uma motivação pedagógica, que se confundia com o setor didático que lhe coubera organizar na Exposição e que lhe rendeu comentário elogioso, num dos melhores textos sobre a comemoração, da autoria de uma norte-americana: "Dr. Olavo Bilac, the Brazilian poet, organized the pedagogical exhibit and proved that he has genius in this branch of mental activity as well as in verse-making" (94: 121).

Se é pena que tivessem se pulverizado os exemplares do jornal e com isso se perdesse o texto em letra de forma, causa surpresa e alegria profissional sabermos que autógrafos manuscritos de algumas dessas crônicas estão hoje zelosamente arquivadas na Casa de Rui Barbosa no Rio de Janeiro. Na pasta dedicada ao poeta, há treze delas, algumas incólumes, outras em fragmentos, nenhuma com data. Doze delas trazem a assinatura esparramada do autor; uma delas, não. Uma décima quarta meteu-se por engano na pasta: o traço da letra é outro, assim como a assinatura L. F. Naquela caligrafia inconfundível, regular e firme, superada na sua inteireza apenas pela de Coelho Neto, Bilac espalha-se pelos assuntos os mais diversos, ora chamando a atenção para um novo modelo de tear, ora homenageando os operários anônimos que ergueram os pavilhões, ora ainda criticando a disciplina ferrenha a que eram submetidas as crianças em visita ao local.

Suas crônicas para o *Jornal da Exposição*, sempre exigentes de modernidade material, acabam por ser resposta indireta a uma indagação que Aluísio Azevedo, do Uruguai, se fizera anos antes, em carta a um amigo:

> Será com efeito possível que o Rio de Janeiro perca o seu velho feitio colonial português e dê em capital sadia e limpa, com avenidas arborizadas e casas com estilo? Ó Florindo, isso não será broma? como cá se diz. E a graça é que não leio tais notícias sem pensar logo no Bilac, porque aí, quando andávamos juntos por essas ruas cor de tijuco e cheiro de vasilhame sujo, levávamos a reconstruir platonicamente toda a cidade, arrasando quarteirões, furando bairros, abrindo praças e até dando reviravoltas nas casas como se elas fossem de brinquedos. Vou escrever uma carta ao Olavo a esse respeito, sem falar que, a meu ver, é ele dos que mais tem contribuído moralmente para a grande revolução estética do Rio (14: 187).

Esse foi o grande projeto que norteou Bilac: o da "revolução estética do Rio". Acrescentar à beleza natural que rodeia a cidade os complementos modernos que a fizessem participar do círculo de metrópoles avançadas. E tudo aquilo que pudesse obstar esse caminho, sobretudo os impedimentos de ordem social, deveria ser equacionado em função dessa diretriz. A reprogramação urbana daquele espaço, aí compreendidas sua higienização e sua atualização infra-estrutural, fizeram dele um cronista pragmático e combatente, que substituía o camartelo retórico pela pena concreta, nem sempre leve.

Poderia parecer enganoso, no entanto, que sua ânsia de modernização pasteurizasse a imagem de um país que Bilac conhecia de modo fragmentado. Até o momento da Exposição, seguindo sua biografia, constata-se que, afora São Paulo e Minas, onde estivera por causa da escola de Direito ou por causa de Floriano Peixoto, o cronista conhecia tão-somente a Bahia, em cujo porto tocara em suas viagens rumo à Europa.

Não obstante esse conhecimento ralo do país, nada surpreendente numa época em que nossas comunicações internas eram mais que paupérrimas, Bilac tinha ciência de nossa diversidade social e cultural e enxergava na festa da Praia Vermelha o momento mais que adequado para expor aquilo que, mais tarde, ele haveria de ficcionalizar de maneira didática em *Através do Brasil* (1910), um de seus livros escritos em parceria com Manuel Bonfim. Para o cronista, os pavilhões plantados à beira do mar carioca funcionavam como mostruário do país e como resumo prático de suas atividades, não só comerciais e industriais. Fazendo jus à sua designação, a Exposição, segundo Bilac, deveria expor também as manifestações culturais regionais, como forma de integração nacional e de educação do público. Nada mais apropriado, justifica-se ele, que aproveitar essa oportunidade, ressaltar essas diferenças, atenuar nossas distâncias internas e compensar nosso desconhecimento recíproco. Ao chamar a atenção do leitor para as diferentes fatias culturais de que se compõe o Brasil, Bilac adiciona mais uma tarefa à Exposição: a de atuar como veículo didático de educação popular. Porque,

> a verdade, [afirma ele], é que esta grande pátria é uma reunião de pequenas pátrias. A constituição política de todas é a mesma, como é a mesma a sua civilização básica. Mas no modo de viver, no modo de manifestar júbilo ou tristeza, nas festas e nos lutos, nas crenças e nos costumes, na alimentação e no vestuário, as várias pequenas populações de que se compõe a grande população brasileira têm divergências profundas, cujo contraste impressiona e seduz. Um riograndense do sul, por exemplo, não fala, não come, não se veste, não se diverte como um mineiro, nem como um paulista, nem como um baiano, nem como um cearense. Cada Estado tem os seus costumes distintivos. E seria magnífico e proveitoso pôr todos esses costumes em confronto aqui, neste recinto em que se estreitam e comungam os interesses de todo o Brasil (*JorExpo*-08).

Além de sinopse de nosso avanço e de expediente didático, o cronista encarava a Exposição como oportunidade para pôr em questão nossas atitudes educacionais frente aos jovens e às crianças. A seu ver, o excesso de formalismo, criado pelo lar e estimulado pela escola, distorcia a educação infantil e juvenil, fazendo de nossos jovens um bando de seres infelizes e tristes, sempre dispostos a obedecer ou a remoer suas mágoas em surdina. Em defesa da liberdade infantil e juvenil, Bilac repõe em circulação um assunto de que já se ocupara na *Gazeta de Notícias* (27 set. 1908) e em que, anos antes, se detivera também seu companheiro de geração quando publicou *O Ateneu*. O mal, portanto, continuava e pouco fora feito para superar aquele

> suplício do falso divertimento que os diretores e diretoras de internatos religiosos ou leigos dão aos colegiais. Os internatos que freqüentam de longe em longe os passeios públicos sempre me deram essa mesma triste impressão de levas de forçados, tristemente gozando o pouco invejável prazer de um passeio maquinal no pátio de uma penitenciária. Não é um passeio, isso: parece mais uma procissão fúnebre. Não é um prazer: parece mais o cumprimento de um dever penoso (*JorExpo*-07).

Sempre fiel à função de formador da opinião pública, Bilac cumpria à risca a lição de quem o precedera na *Gazeta de Notícias*. Atrás de sua miopia, Machado ensinava que é dever do cronista esgravatar "o mínimo e o escondido". Afetado pelo mesmo mal, Bilac reforçava a lição e ampliava o espectro de seu temário, não perdendo nunca de vista que se impusera a tarefa de promover o bem-estar social, ainda que em raio restrito e imediato.

Dentro dessa visão do ofício, raro era o recanto que não bisbilhotasse, difícil o ângulo que não vasculhasse. E, sempre que possível, tirava deste um ensinamento social, daquele uma experiência coletiva, porque punha fé no jornalismo como veículo de educação pública, embora, vez ou outra, se fingisse molestado com o fardo semanal do cronista.

Nesse ano de 1908, prestes a encerrar sua colaboração com a *Gazeta de Notícias*, Bilac mantinha coluna no *Correio Paulistano*, onde encontramos duas crônicas sobre a festa da Praia Vermelha. Numa delas, poucos meses antes da abertura da Exposição, o cronista, insistindo no caráter didático da iniciativa, libera a imaginação excitada e prevê um lugar capital para a imprensa no contexto da festa. Dadas as relações de Bilac com o governo federal naquele momento, não custa imaginar que seu nome estivesse na lista dos próximos colaboradores remunerados do Ministério da Viação, órgão responsável pelo evento, ou que o lugar de *attaché de presse* já lhe tivesse sido reservado.

Diante desta ou daquela hipótese, que em nada diminui o mérito profissional do cronista, antes reforça-o, um de seus textos para o *Correio Paulistano* ganha significado mais extenso, na medida em que valoriza a função nascente do jornalista. De acordo com seu argumento, essa atividade merecia ser exposta publicamente, junto com outros produtos culturais, por causa de sua dupla novidade tecnológica e intelectual. Animado, portanto, com a idéia de "expor" um ofício, iniciativa coerente com o princípio básico do acontecimento patrocinado pelo governo e com a novidade intrínseca do objeto, o cronista, mais uma vez, acrescenta função educativa a um empreendimento que tinha em mira tão-somente a comercialização de nossos produtos agroindustriais e a manifesta exibição do orgulho nacional. Com o argumento de que uma "Exposição Nacional não pode ser apenas uma ostentação de riquezas públicas ou particulares" (*CorPau* 5 abr. 1908), Bilac endossa, entusiasmado, o projeto de se montar um simulacro de redação no ambiente da feira, que ficasse devidamente protegido por paredes de vidro, mas ao alcance do olhar curioso:

> Um pavilhão de vidro abrigará as oficinas e o escritório do Correio da Exposição, – que bem poderá adotar como divisa o lema positivista: *viver às claras*. Os visitantes contemplarão à vontade todo o trabalho: a lufa-lufa dos repórteres, entrando e saindo, depositando as suas notas sobre as mesas dos redatores; os redatores febrilmente rabiscando as tiras do papel; os cronistas mundanos alinhando nomes de senhoras e descrições de *toilettes*; e os *linotypes* fundindo tipos e devorando originais; e a máquina imprimindo a folha, que o leitor há de receber ainda úmida da impressão...

O *linotype* ainda é, para a grande maioria do público, um progresso inteiramente desconhecido. Somente o conhecem os que vivem, por dever de ofício, nas tipografias, como compositores, ou como escritores, ou como revisores, iniciados nos mistérios do esfalfante ofício de *cozinheiros de jornal*. E não é de espantar que ainda quase toda a gente não possa fazer idéia do que é um *linotype*, invenção de ontem, – quando são raras, fora das rodas de imprensa, as pessoas que sabem o que é a estereotipia, adotada há mais de vinte anos pelos nossos jornais.

O jornalzinho, escrito, composto, e impresso no recinto da Exposição à vista do público, vai ser uma ótima *lição de cousas* (*CorPau* 5 abr. 1908).

Por trás do cronista, movimentava-se também o inspetor escolar, autor de tantos livros para a infância e a juventude, defensor da educação formal e artesão da palavra escrita, criador de uma poesia de farta visualidade. Não é outra sua argumentação, quando, arrematando a crônica, insiste na educação pelos olhos como forma de educação cívica:

Essas grandes feiras devem ser elementos de educação popular. Um povo somente se pode orgulhar daquilo que compreende: podeis acenar-lhe com um milhão de progressos reais e incontestáveis do país; mas, se lhe não mostram, de modo claro e positivo, a realidade desses progressos, não conseguireis libertá-lo da desconfiança natural, que é a defesa de quem tem sido muito enganado, e ganhou, com o tempo e com o sofrimento, a experiência das cousas da vida (*CorPau* 5 abr. 1908).

Uma faceta invisível do jornalismo, afora este que o situa como instrumento de educação e de injeção de auto-estima, Bilac aborda quando desnuda o cotidiano da redação, cujo tumulto, segundo ele, é responsável pela vivacidade que impregna o ambiente da Exposição. Antecipando-se ao encantamento provocado pela velocidade e pelas máquinas industriais que, tempos depois, seduziriam a intelectualidade posterior à Primeira Grande Guerra, Bilac localizou bem no meio da Exposição um prenúncio desses "tempos modernos", ao situar o jornalista como profissional encarregado de sustentar o projeto persuasivo da Exposição, na medida em que cabe a ele a manipulação cotidiana da novidade. Sem esse jornalista, garante o cronista, "a Exposição estaria morta, irremediavelmente perdida, amortalhada neste fulgurante lençol de luz elétrica!" (*JorExpo*-06). Encarregado de manter o entusiasmo e de prolongar o prazer dos visitantes, o repórter desdobra-se em sua atividade, competindo com a velocidade das máquinas modernas, não sem razão identificadas com a voragem do fogo: são eles, os repórteres,

os criadores deste prazer, e são os que menos o gozam. O divertimento deles é o trabalho contínuo, é a sujeição ao cativeiro dessa profissão esfalfante, que é a mais dura e a mais inglória de todas. Quando todos estão rindo, folgando, comendo, bebendo, admirando os fogos de artifício, as comédias e os concertos sinfônicos, os desafios das bandas de música, – eles, de lápis em punho, estão preparando as notas com que no dia seguinte hão de atirar mais lenha à fogueira do entusiasmo popular. E quando termina a festa, quando se apagam todas as luzes, quando todos vão descansar, quando o recinto da Exposição fica mergulhado nas trevas e na inconsciência do sono –, eles ainda vão penar e trabalhar lá em baixo, curvados sobre a mesa da redação, junto da trepidação dos linotipos e do resfolego dos prelos.

São uns heróis esses rapazes, alma da Exposição, seus servidores e seus historiadores, alimentadores deste fogo, e guias da multidão que aqui vem espraiar-se como um largo mar tumultuoso (*JorExpo*-07).

Mais que uma simples divulgação do nosso comércio e da nossa indústria, objetivo defendido pelo cronista, como se verá adiante, a Exposição deveria contribuir também para o remodelamento social, para o sepultamento de uma forma de vida que não mais se coadunava com as exigências da urbanidade moderna, cada vez mais desejosa de se aliviar do carrancismo lusitano. Embora não o admita de modo explícito, Bilac combatia a formalidade herdada do colonizador português, ainda muito viva naquela cidade sôfrega por se afrancesar. Impaciente com a casmurrice constante do brasileiro, sempre vítima de educação formal exagerada, o cronista, meses antes da abertura da Exposição, chega a propor um "cotejo pitoresco de psicologia histórica" (*GazNot* 20 out. 1907), através da montagem de dois enormes bonecos bem no meio da praça principal onde transcorria a festa. Um deles representaria o carioca de ontem, mal-humorado, pesadão, aquele

pé-de-boi, que morria de tédio: atarracado, gorducho, com óculos de aro de ouro, usando barba passa-piolho, com uma cartola pesada na cabeça, um guarda-chuva de cabo em gancho suspenso do braço, um lenço de Alcobaça sobrando da algibeira de rabona, uma pitada de rapé Paulo Cordeiro entre dous dedos da mão direita e um livro de missa na mão esquerda... (*GazNot* 20 out. 1907).

Ao lado, em contraste com este parente de João Romão, erguer-se-ia outro boneco, um tipo menos caturra e mais adequado aos tempos modernos, mais suscetível a mudanças pessoais, mais afeito à velocidade que altera os hábitos e, portanto, menos temeroso da reprovação social. "O carioca de hoje", informa o cronista, é aquele que

está morrendo de coréia, o carioca festeiro e delirante, – fininho, pálido, inquieto, febril, trêmulo como uma figurinha de cinematógrafo, usando óculos de *chauffeur*, calção e sapato de jogador de *foot-ball*, e tendo na mão direita um foguete comemorativo e na esquerda um *carnet* de baile... (*GazNot* 20 out. 1907).

Diante do exposto, é justo que se indague se alguma crônica bilaqueana tratou do fim principal da Exposição. Se, em algum momento, o cronista atacou de frente o problema de nossas relações comerciais. Se, em alguma delas, o antigo poeta parnasiano deixou de lado aquilo que via diante de si – a cultura popular, a educação do povo, o papel da imprensa, o espetáculo das luzes ou os hábitos sociais – para se deter no objetivo do acontecimento patrocinado pelo Ministério da Viação e Obras

Públicas do Governo Afonso Pena. Se, em alguma delas, o cronista de plantão ajudou a escorar o interesse maior do governo, que era o de "enfatizar a imagem do Estado como agente de modernização [...], registrando o ingresso do país na nova dinâmica do trabalho livre e da industrialização", como explica Regina Abreu (1: 107). Além, é claro, de "demonstrar que o Brasil, em um século (1808-1908), havia conseguido fazer o percurso necessário para alcançar o grau de cultura que as antigas nacionalidades teriam levado milhares de anos para atingir" (1: 107).

A pergunta é natural e a resposta é sim.

O mundo dos negócios não era estranho a Bilac. Seu pendor parnasiano não abafou, antes insuflou, seu temperamento pragmático e realista, traço já embutido em sua prática versificatória, capaz de dar à luz um *Tratado de Versificação*, guia seguro para poetas em flor.

Prova eficaz dessa preocupação em divulgar as possibilidades econômicas e comerciais deste país foi seu *Guide des États Unis du Brésil*, publicado em 1904. Em formato de livro pequeno (16 cm X 11 cm) e escrito em parceria com Guimarães Passos e Bandeira Júnior, o *Guide* foi editado pelos próprios autores, que o rechearam com tabelas numéricas e estatísticas, ilustrações e fotografias, mapas do Brasil e do Rio de Janeiro, em fase de remodelação. Entre suas 250 páginas, o quarto final está reservado para a publicidade de farmácias, hotéis, confeitarias, escritório de advocacia e de engenharia, floriculturas, restaurantes, consultórios médicos, escolas, companhias de navegação, alfaiatarias, lojas de roupa e de artigos cirúrgicos etc. Antes destas páginas de publicidade comercial, informa-se o leitor sobre os mais diversos setores da atividade social. Num esforço claro de fornecer o maior número possível de dados sobre o país, Bilac, Guimarães Passos e Bandeira Júnior desenham um quadro geográfico, histórico, etnográfico, botânico e zoológico do Brasil, ocupando-se de nossa Agricultura, Finanças, Política, Ministérios, Forças Armadas, Literatura, Artes Plásticas, Música, Religião, Educação, Comunicação, Transporte, museus, hotéis, jornais, lazer etc.

Produto indireto do esforço de reurbanização que acomete o Rio de Janeiro a partir de 1902, o *Guide des États Unis du Brésil* não oculta seu caráter de guia empresarial e turístico, talvez o primeiro que se tenha editado neste país. Em sua preocupação com a objetividade, o *Guide* balança, de modo sistemático, entre o geral e o particular. Nesse trajeto, ora encaminha-se ele pelo panorâmico, como nas páginas dedicadas à história do Rio de Janeiro (23: 109-117), ora desce a detalhes como o trecho referente à nossa política de naturalização, cujas páginas transcrevem modelo de requerimento imaginário preenchido por um cidadão francês:

> Monsieur le Ministre de la Justice.
>
> Paul Durand, né à Paris, âgé de 30 ans, exerçant le métier de photographe, célibataire, arrivé au Brésil le 10 mars 1895 et résidant en cette ville au numéro 30 de la rue du Cattete, comme il est prouvé par les documents ci-joints, demande à être naturalisé conformément à la loi.

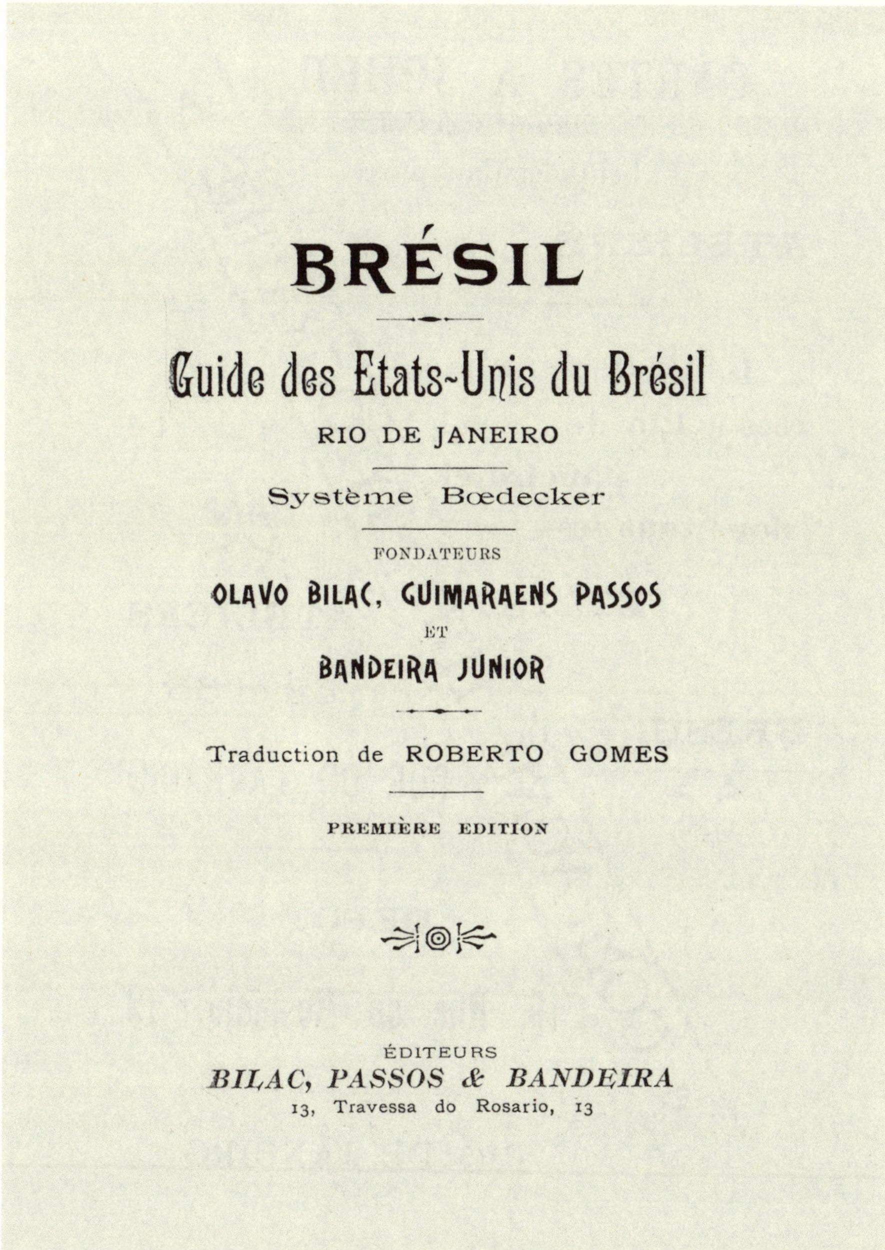

BRÉSIL

Guide des Etats-Unis du Brésil

RIO DE JANEIRO

Système Bœdecker

FONDATEURS

OLAVO BILAC, GUIMARAENS PASSOS

ET

BANDEIRA JUNIOR

Traduction de ROBERTO GOMES

PREMIÈRE EDITION

ÉDITEURS

BILAC, PASSOS & BANDEIRA

13, Travessa do Rosario, 13

Frontispício do *Guide des États Unis du Brésil.*

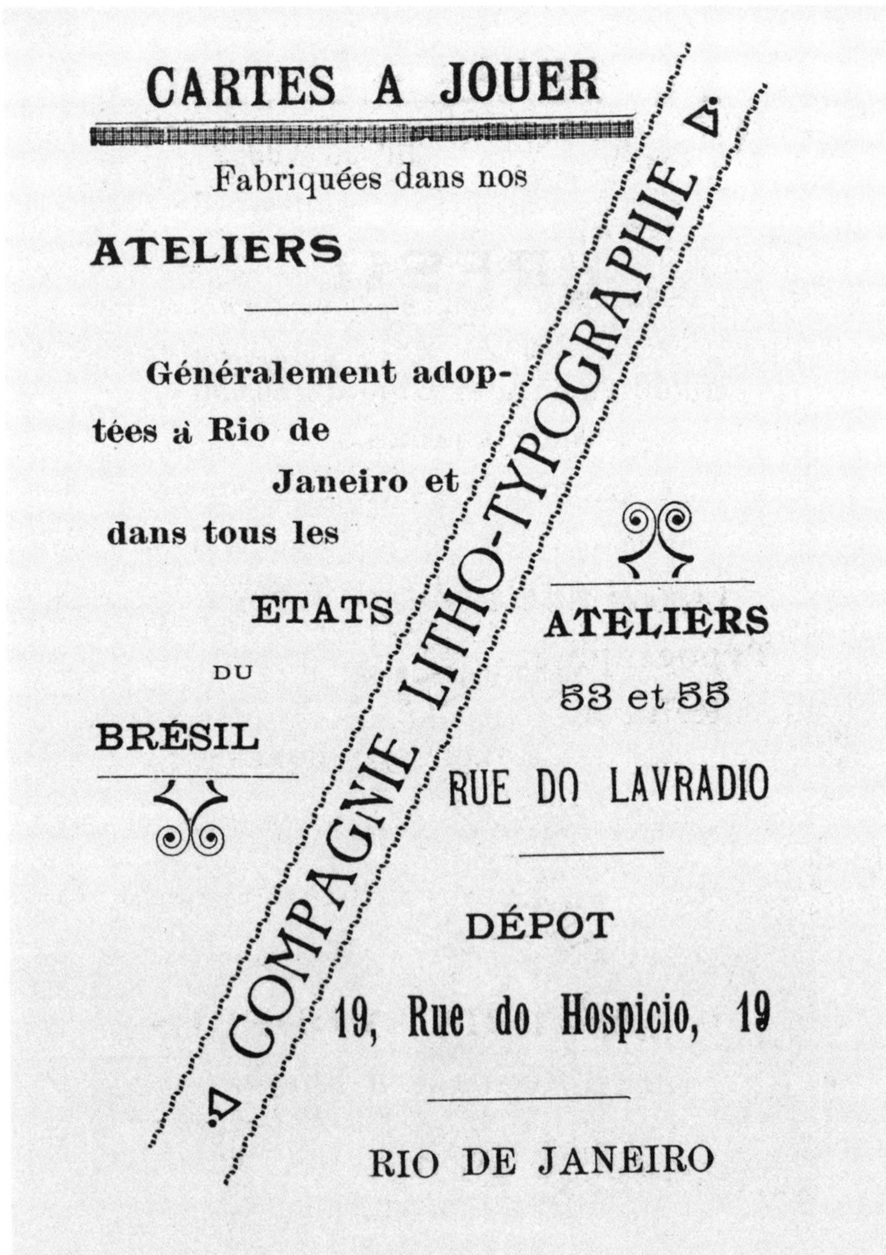

Propaganda do miolo do *Guide des États Unis du Brésil.*

Rio de Janeiro,
2 Août 1904
Paul Durand (23: 74).

Abarrotados de informações diversas, Bilac, Guimarães Passos e Bandeira Júnior disciplinam-se para não derrapar naquele tipo de propaganda eufórica que, poucos anos antes, marcara um gol de placa com *Por que Me Ufano do Meu País* (1900) do Conde Afonso Celso. Para evitar esse descaminho, os autores do *Guide* apelam para o maior número possível de dados numéricos ou para argumentos de autoridades intelectuais como Vale Cabral, Capistrano de Abreu, Coelho Neto, Agenor de Noronha Santos, Couto de Magalhães e outros, ou para argumentos de autoridade institucional como a Sociedade Nacional de Agricultura ou o *Livro do Centenário*, recém-publicado.

No entanto, encaixam-se bem no meio do *Guide* as páginas que tornam mais perceptível seu intuito de captação objetiva do leitor.

Depois de uma vista geral sobre as instituições religiosas, educacionais, científicas, artísticas e ministeriais sediadas no Rio de Janeiro, heranças de um tempo passado, ocupa-se o *Guide* da "transformação do Rio de Janeiro", em artigo de caráter técnico, cuja tônica é o futuro da cidade. Para não incidir no discurso subjetivo e apologético, os três autores preferem ceder a palavra a Souza Rangel, um funcionário do governo encarregado de uma descrição rigorosamente numérica dos novos planos urbanísticos em andamento. Por intermédio de Souza Rangel, o leitor fica sabendo: dos decretos governamentais que viabilizaram o projeto; das leis de desapropriação; do alcance das obras; das vias urbanas atingidas; da extensão métrica das reformas; dos trabalhos de canalização e dos aterros necessários; da construção de um novo cais e, finalmente, dos custos envolvidos.

Para esse *tour de force* conjunto, Bilac emprestava seu talento, que, nessas alturas, já ultrapassava a mera sintonia com as musas. Se elas haviam-no beneficiado no começo da carreira, agora parece que a companhia de Hermes era a que mais lhe interessava.

Entre Nórdicos e Meridionais

... não é usando tecidos da Alemanha, servindo-se de móveis franceses, calçando sapatos ingleses, bebendo vinhos húngaros, comendo carne da Argentina, que o Brasil se desnacionaliza. A sua desnacionalização vem do abandono em que está ficando a língua materna.
O. B., *Gazeta de Notícias*, 13 maio 1906

Ainda está por ser feito um trabalho minucioso sobre as viagens constantes de Bilac à Europa e a Portugal, em particular.

Em 1890, ao atravessar o Atlântico pela primeira vez, Bilac gozou da "ventura de apertar a mão de Eça de Queirós, numa fria noite de dezembro de 1890". Comboiado por Eduardo Prado e por Domício da Gama, o poeta brasileiro foi conhecer de perto a "pequena casa do bairro dos Campos Elísios, [...], onde Eça, casado e feliz, criara para gozo seu e gozo dos seus amigos um encantado recanto de paz e trabalho no meio da tumultuosa agitação da grande cidade" (*GazNot* 19 ago. 1900).

Mais que simples recordação ou comovido necrológio, essa crônica, escrita dez anos depois dessa viagem inaugural, demarca o primeiro dos dois pontos fortes do contacto do poeta brasileiro com Portugal. Num primeiro momento, quando de suas primeiras idas à Europa, seus interesses orientavam-no num sentido rigorosamente literário ou de confirmação e reafirmação de nossas fontes culturais. Mais tarde, já na segunda década do século XX, tais viagens adquirem caráter político e cívico, dentro de um contexto ideológico inteiramente diferente, seja no plano dos interesses políticos internacionais, seja no plano individual do antigo poeta parnasiano.

Antes mesmo de "apertar a mão de Eça", pela primeira e única vez, Bilac saíra em defesa de sua obra, no momento em que subia aos palcos cariocas uma adaptação de *O Crime do Padre Amaro*. Ainda mal instalado na *Gazeta de Notícias*, onde estreara poucos dias antes e onde ainda disputava espaço com o próprio Eça e com Machado de Assis, Bilac condenava a distorção do romance (*GazNot* 28 abr. 1890), orquestrada, segundo se depreende de documentos da época, para acomodar-se aos padrões morais da época. Argumentando de forma estética a favor da inviolabilidade da obra de arte e do respeito à sua lógica interna ou, de forma ética, contra sua utilização a serviço de uma causa qualquer, o cronista estreante rejeitava sua legibilidade facilitada, sobretudo aquela que tivesse o intuito de favorecer um padrão presumível de moral assentada. Arvorando-se defensor da integridade da obra de arte, Bilac, em crônica de estréia, marca posição, exigindo que se respeitasse a atividade do intelectual e do artista, profissional como outro qualquer. Na companhia de Artur Azevedo, seu padrinho profissional (*GazNot* 25 out. 1908), Bilac repeliu com veemência a mutilação praticada por Augusto Fabregas. Ao adaptar o romance de Eça, acentuando-lhe a sexualidade implícita e tornando-a mais viva, Augusto Fabregas não imaginava o alarido que ia causar. De acordo com Arnaldo Faro, o historiador de *Eça e o Brasil*, Artur Azevedo fustigou a adaptação, acusando-a de "obscena, francamente obscena"(49: 202). Extremamente irritado com a licença abusiva, continua Faro, Artur Azevedo exclamava: "'Numa das situações do drama, pouco falta para que o público assista à fatura do filho do padre Amaro!'" (49: 202).

Ainda que longa, vale a pena transcrever a crônica, oportunamente publicada antes do primeiro e único encontro de Bilac com Eça:

> Não espere o Sr. Fabregas que fique impune o seu crime. Não confie nos aplausos do público, e muito menos nos elogios da crítica: o remorso, sombra implacável, pavoroso espectro, há de colar-se-lhe aos passos e persegui-lo toda a vida.
>
> Se, fazer de uma obra de arte, viva e vibrante, uma obra retórica de propaganda, é cousa que possa passar sem castigo, – então a justiça abalou definitivamente da terra e todos se julgarão com o direito de intercalar meia dúzia de tangos no *Hamleto*.
>
> Eça de Queirós não quis fazer propaganda anti-clerical no *Padre Amaro*: o que ele quis fazer e o que fez, foi apanhar de surpresa um cantinho da sociedade portuguesa e passá-lo para três centenas de páginas fortes e eternas, com todos os seus ridículos e todas as suas hipocrisias. Que direito tinha o dramaturgo de acrescentar à obra do romancista um *final* absurdo, que destrói toda a lógica do livro, que adultera e desvia todos os seus intentos?
>
> No romance, o padre Amaro continua a viver, vitorioso e feliz; no drama, um namorado de aldeia desfecha-lhe um tiro de pistola, e, numa pífia tirada retórica, berra à platéia comovida que acaba de livrar a sociedade de um bandido. Quem faz isso, é capaz de transplantar para o palco brasileiro o *Otelo*, acrescentando-lhe um epílogo em que o *mouro*, em vez de morrer, faça um discurso veemente, lastimando que não haja lei de divórcio para que os maridos, supondo-se enganados, tenham além do *tuez-la*, outro meio de castigar as adúlteras.
>
> Ou o dramaturgo não concordou com o final que o romancista deu à sua obra, ou receou que a platéia se escandalizasse demais com as escabrosidades da peça e quis moderar o escândalo; no primeiro caso, o dramaturgo só tinha uma cousa a fazer: conceber uma peça original, desenvolvê-la à vontade, dar-lhe o final que mais o encantasse, sem cometer a imprudência ridícula de emendar quem se chama Eça de Queirós; no segundo caso não devia fazer nada: a audácia não tem meio termo – ou não se dá o primeiro passo ou dão-se todos.
>
> As obras de arte como o *Crime do Padre Amaro* são sagradas: o adaptador do belo romance português incorreu no mesmo crime sem perdão do conhecido poeta brasileiro, que para uso das escolas modificou inteiramente os *Lusíadas*, por achar pouco compreensível o estilo de Camões.
>
> *O Crime do Padre Amaro* custou a Eça de Queirós longos anos de trabalho literário, que é o mais nobre, o mais difícil, o mais fatigante, o mais sagrado de todos os trabalhos: não espere o Sr. Fabregas que Eça de Queirós o absolva do seu crime.
>
> Não há artista nenhum que perdoe esse atentado: quando se consegue, com o cérebro fatigado, com todos os nervos dolorosamente irritados, ver acabada a obra em que se pôs todo o talento, toda a mocidade, toda a saúde e toda a alma, não se perdoa que ninguém faça dessa obra uma peça de escândalo, fútil, adulterada, torta, para dar enchentes a um teatro.
>
> Permita-me o Sr. Fabregas esta rude franqueza de quem respeita, acima de tudo, o seu métier: eu não posso achar agradável que ponham roupas de arlequim nos meus ídolos e que, para fazer uma plantação de couves, ponham abaixo todas as rosas do meu jardim (*GazNot* 28 abr. 1890).

Esta crônica pode ter servido, de forma voluntária ou não, como passaporte perfeito para o encontro de Bilac com Eça, em Neuilly. Os redondos vinte anos de idade, que separavam o romancista famoso do poeta estreante, colocavam o brasileiro no patamar de admirador intelectual, sobretudo se nos lembrarmos de que sua visita era intermediada pela mão generosa de Eduardo Prado, amigo íntimo de Eça e fiador do encontro, e de Domício da Gama, conviva da família Queirós desde seus tempos ingleses, nos anos de 1880. Se duas décadas exatas punham Eça e Bilac em distância etária razoável, aproximava-os, no entanto, o humor, ainda juvenil do brasileiro; mais maduro, no caso do português.

Conseqüência literária desse encontro único documentou-a Heitor Lyra, que transcreve, em *O Brasil na Vida de Eça de Queiroz*, versão galhofeira da história de Inês de Castro, escrita a oito mãos pelo poeta brasileiro, por Eça, pela esposa e pela cunhada do escritor português, nos serões de Neuilly. No entanto, preocupado apenas com o respeito à integridade do episódio e com a autoria precisa das partes, o historiador passa ao lado dessa brincadeira dessacralizante e pouca atenção dá àqueles versos de extensão variada e dinâmica, permeados de anacronismos, de onomatopéias e de situações absolutamente prosaicas e vulgares, que afrontam, de modo jocoso e deliberado, o original camoniano. Como exemplo, aquela passagem em que se observa D. Inês cosendo meias, sentada num "barquinho de pau" sobre o Mondego, enquanto espera por um esbaforido D. Pedro, que, na pressa de encontrar sua amada, "derreou seis corcéis, engoliu os espaços. / Telefonou, / Telegrafou, / correu, suou, / Voou!..." (64: 292). O ponto alto da troça, no entanto, ocorre durante um banquete permissivo no qual se farta D. Pedro, excitado diante de um cortejo de pratos preparados "pelas mãos ingentes / da que depois de morta foi Rainha". Não bastassem o carinho conjugal e a profusão das azeitonas, das batatinhas bem assadas e louras, das saladas de alface e de cenoura, da açorda de alho, do "leitãozinho assado com perícia, da divina cabidela, da lampreia guisada, do presunto sublime de Lamego", dos doces e dos pastéis, D. Pedro se permite ainda misturar carne com peixe, bem como avançar em delícias futuras: "Depois o Infante, todo recostado, / Saboreou com um sorriso farto e aberto, / Café que ainda não fora descoberto / E charuto que depois foi inventado..." (64: 283-301; 312-315).

Apesar do caráter brincalhão desses versos, que contraria a pompa camoniana e rebaixa um dos mitos portugueses mais caros, a memória geral do encontro, mais tarde recuperado pela pena de Bilac, quando da morte de Eça, em 1900, salienta menos a irreverência do escritor português do que sua maturidade burguesa. Para Bilac, aquele Eça de 1890, que já ficara conhecido como "fiel e aspérrimo discípulo do realismo", como dele disse Machado, em crítica famosa (9: 903), aquele Eça mostrava-se contido, por fora e por dentro. Por fora, aparentava "sóbria e fina elegância de gentil-homem, sem uma nota espalhafatosa no vestuário, sem uma afetação no dizer". Naquela década distante e rodeado pela família num bairro calmo da capital francesa, continua Bilac, o romancista que castigara a choldra lusitana "já não era [...]

o leão da moda, célebre pelas suas gravatas e o *blagueur* impenitente, célebre pelos seus paradoxos" (*GazNot* 19 ago. 1900).

"Em 1890", afirma o visitante brasileiro, "já o amor e a felicidade doméstica haviam transformado o espírito do prodigioso escritor" (*GazNot* 19 ago. 1900). Diante de si, Bilac tinha agora um intelectual mais ponderado e mais preocupado com a forma, com a "reversão à primitiva pureza dos clássicos" (*GazNot* 19 ago. 1900), com o "culto fanático do estilo" (*GazNot* 19 ago. 1900), enjoado dos barbarismos deliberados e decidido a transformar seu estilo em "ouro puro, trabalhado como uma custódia de Benvenuto Cellini" (*GazNot* 19 ago. 1900). Desse encontro, o poeta brasileiro, que acabara de alcançar repercussão nacional com seus poemas parnasianos, publicados em 1888, retivera uma visão rigorosa e minuciosamente lingüística e formal, dentro da qual não falta nem mesmo a imagética das pedras preciosas ou da miúda e brilhante tecelagem chinesa. Lembrando-se de que, pouco antes de 1890, a *Gazeta de Notícias* publicara a novela *O Defunto* de Eça, Bilac comenta:

> Ali, naquela Bíblia da moderna língua portuguesa, quando um verbo chama o substantivo, e se amalgama com ele na estrutura da oração, – logo um adjetivo, o próprio, o verdadeiro, o *único*, aparece a ocupar o seu lugar. Tudo aquilo é firme, é miúdo, como a trama de uma seda de Macau.
>
> Para escrever assim, é preciso pensar, sofrer, suar e gemer sobre o papel, numa agonia inominável; é preciso matar os olhos e espírito no labor acurado, como um lapidário os mata no desbastamento das sessenta e seis faces de um brilhante (*GazNot* 19 ago. 1900).

E, como se ainda fosse necessário enfatizar o esmero de Eça no tratamento estilístico da língua portuguesa, Bilac recorre à figura do parnasiano francês Heredia, dele aproveitando verso que exalta a atitude de Frei Juan de Segovia que, já agonizante, ainda cinzelava "em ouro um ostensório" (*GazNot* 19 ago. 1900). No final da crônica bilaqueana, o frei espanhol entra em cena para acolitar e reforçar a perícia de Benvenuto Cellini, o escultor que fora evocado pouco antes.

Em suma, o Eça que Bilac tivera o prazer de encontrar uma única vez na vida, justamente num espaço de desterro intelectual prezadíssimo de ambos, não era o romancista que, anos antes, enrubescera a burguesia portuguesa, mas o Eça que investia pesado na defesa do patrimônio lingüístico herdado, instrumento possível de identidade nacional.

Anos mais tarde, no ano de 1904, Bilac toca de novo em Portugal, em sua segunda viagem à Europa.

Desta vez, além de uma visita à estátua de Eça, no Largo do Barão de Quintela, o cronista detém-se nas recentes reformas urbanas de Lisboa, que a adornaram de "ruas largas e admiráveis, que se estendem à beira do Tejo, facilitando as comunicações, e rejuvenescendo a velha urbe pombalina" (*GazNot* 8 jun. 1904). Empolgado com as reformas urbanas do Rio de Janeiro, que, sob o comando de Pereira Passos e de Paulo de Frontin, mal haviam começado, Bilac toma o novo traçado lisboeta como sinônimo necessário de progresso, tese que vinha defendendo, há anos, através das páginas da *Gazeta de Notícias*, em sua campanha pela reforma da cidade do Rio. De seu ponto de vista, o novo desenho da capital portuguesa decretaria, por força, a morte do provincianismo local e, no fundo, poderia funcionar como estímulo matricial às reformas em andamento no Rio de Janeiro.

Se o traço novo de Lisboa permite a Bilac expor em público sua confiança na correlação necessária entre cosmopolitismo e reurbanização, uma de suas obsessões fora da faina literária, é diante da famosa estátua lisboeta de Eça, no entanto, que o cronista vai revelar o que mais o atrai no autor de *Os Maias*: sua ironia.

É bem verdade que o grosso da crônica detém-se na construção do espaço e do tempo, dados circunstanciais que preparam e acentuam a presença isolada do sólido bloco de granito no qual estão representados a Verdade e o escritor. Num lugar meio afastado e silencioso, beneficiado por "movimento comercial insignificante" (*GazNot* 12 jun. 1904), o cronista brasileiro admira a estátua, plantada contra um casario baixo, escuro e muito mal iluminado por um "luar desmaiado e suave, que acentuava com o seu clarão mortiço a velhice e a tristeza das cousas" (*GazNot* 12 jun. 1904). Ao longe, debruando o conjunto escultórico, as luzes da cidade moderna fundem-se aos sons urbanos como que num esforço para realçar, por contraste, a calmaria do Largo do Barão de Quintela.

A descrição paciente do bloco em que se entrelaçam o escritor e a Verdade não tem outro objetivo senão o de preparar o leitor para a entrada dos parágrafos finais da crônica. Por meio dessa estratégia estrutural, iniciada com uma interrogativa retórica, o cronista estende-se sobre os efeitos da ironia, com o intuito tortuoso de sugerir identidade de comportamento que o ligue ao escritor português. E se a sugestão de identidade pode parecer presunçosa, que reste, ao menos, a do modelo.

> Que foi a ironia de Eça de Queirós, senão um disfarçado desespero de todo o artista diante do mistério impenetrável da existência? O homem, afinal, é apenas uma criança adulta... E nós todos somos como as crianças e como os animais, que dilaceram e magoam o que não podem compreender...
>
> De certos escritores, é hábito dizer que perdem o coração à medida que apuram o cérebro. Realmente, nada parece a princípio mais cruel, mais privado de bondade, mais despido de "humanidade" do que o ofício desses pensadores de eleição, que se comprazem em analisar misérias e ridículos, pondo a nu todas as chagas morais dos seus semelhantes, remexendo todos os seus sofrimentos e insultando a sua fraqueza ou rindo da sua miséria...
>
> Quem mais sofre, porém, nessas duras análises, é sempre o analista. O sorriso cético e frio que lhe enruga os cantos da boca, é apenas o disfarce da sua agonia. O desejo de alcançar a verdade e a perfeição é a sua fortuna e o seu castigo (*GazNot* 12 jun. 1904).

Entre os biógrafos de Bilac, Raymundo Magalhães Jr. é aquele que menos se compromete, ainda que seu livro padeça do mesmo defeito visceral que quase inutiliza suas outras biografias: a informação documental duvidosa, que jamais permite sua verificação e sua comprovação, dado o péssimo hábito de sonegar a precisão das fontes. Com cuidado, com muito cuidado, no entanto, é possível abastecer-se de dados profissionais, pelo menos como ponto de partida a ser, mais tarde, conferido. Desta segunda viagem à Europa, Raymundo Magalhães destaca apenas, no que se refere à escala em Lisboa, o interesse do cronista em negociar a publicação de seu terceiro livro de prosa, *Crítica e Fantasia*, cuja primeira edição acabou saindo pela Livraria Clássica Editora de A. M. Teixeira, ainda em 1904 (66: 254-265). Antes, em prosa e de autoria individual, haviam saído *Crônicas e Novelas*, em 1894, e *Contos para Velhos*, em 1897, escondidos sob o pseudônimo de Bob. Os interesses do cronista, nesse momento, ainda se limitavam à sua afirmação e à sua consolidação, no campo literário e intelectual.

Mais de dez anos depois, em plena Primeira Grande Guerra, Bilac ainda volta ao continente europeu duas vezes: em 1914 e 1916. Nesta derradeira viagem, recolheria ele, de forma apoteótica, os resultados de seus freqüentes contactos anteriores com a inteligência portuguesa. Em clima inteiramente diverso, no qual ainda se respirava a excitação residual da implantação republicana de 1910 e já se angustiava com a recente adesão de Portugal à guerra, ao lado do Aliados e em nome dos valores latinos, homenageava-se mais o ideólogo do nacionalismo brasileiro que o poeta parnasiano das *Panóplias*, *Via Láctea* e *Sarças de Fogo*, seus livros de 1888.

Esmiuçar um pouco o conjunto das reverências que lhe foram prestadas pela revista *Atlântida*, entre os dias 30 de março e 3 de abril de 1916, ajuda talvez a compreender melhor os objetivos da homenagem, bem como o contexto pessoal e geral que se criara em torno. Já desde o ano anterior, quando Bilac dera início à sua pregação cívica e militar, a revista *Atlântida* dava cobertura às suas atividades de propagandista, logo em seu segundo número, de 15 de dezembro de 1915. Em números subseqüentes, como o de fevereiro ou de outubro de 1916, há inserções ou artigos a respeito da Campanha pelo Serviço Militar Obrigatório, que já corria solta no Sul do Brasil. O número 12 da revista, de outubro de 1915, traz até mesmo fotografias de Bilac em plena tarefa de conscientização cívica.

É nesse contexto, pois, de reforço do militarismo, estimulado ainda pela crença, generalizada na Europa, de que a guerra em andamento representava a resistência do espírito latino contra a barbárie germânica, que Bilac é recebido em Lisboa: como autêntico porta-voz de uma latinidade americana, bastião último capaz de enfrentar a insanidade germânica que tanto ameaçava a espiritualidade latina encarnada e defendida pela França, antagonismo bem esmiuçado por Claude Digeon em seu *La crise allemande de la pensée française (1870-1914)*. Aquela mesma França que, poucos anos antes, em uma das crônicas bilaqueanas, fora colocada acima da Alemanha e assegurada como fonte insubstituível de nossa inteligência:

> O nosso espírito ainda é, e creio que sempre será, um prolongamento do espírito francês. Houve, no norte do país, há bastantes anos, uma reação que falhou. Desviada durante algum tempo, e por homens de grande valor, para as fontes germânicas, a nossa ânsia de

saber voltou logo a dessedentar-se nas tradicionais nascentes latinas. A velha Lutécia sempre foi a nossa metrópole intelectual. Os homens que primeiro sonharam a emancipação política do Brasil, os Inconfidentes, eram, moralmente, filhos da França; de lá lhes veio o impulso generoso para a conquista da liberdade. E era também moralmente um francês, um verdadeiro francês, o grande José Bonifácio, que à França deveu quase toda a sua extraordinária e multiforme educação científica, e que escolheu a França para residência de exílio, quando a ingratidão dos seus o expulsou da pátria. Ainda hoje, a influência francesa é a mesma, sobre a inteligência brasileira. Até nas regiões do país em que se têm desenvolvido prodigiosamente a população italiana e a população alemã, – até aí o elemento nacional ficou fiel às tradições, lendo quase exclusivamente livros franceses (*GazNot* 8 set. 1907).

Entre as tantas entrevistas concedidas a periódicos lisboetas, assim que desembarca na capital portuguesa, proveniente de Paris, destaquem-se trechos de uma delas, concedida ao jornal *A Capital*, em 28 de março de 1916, nos quais ficam patentes sua latinofilia e a defesa da nacionalidade brasileira, sobretudo a dos nossos Estados meridionais, posta em questão por causa de sua farta população de imigrantes de origem germânica. Exatamente aqueles Estados, cujos domínios seriam por ele visitados, em breve, em campanha que cobriu o Rio Grande do Sul, Paraná e São Paulo, entre outubro e novembro de 1916, assim que retornou da Europa.

Na abertura da entrevista, a repórter Virgínia Quaresma, confessando-se cativa de sua poesia, conduz a conversa, de preferência, pelo rumo de temas políticos e concede, apenas no final, uma brecha para a literatura. Assim, diante da posição brasileira perante o conflito em curso, Bilac responde:

O Brasil é francófilo, absolutamente francófilo. É a sua raça, a sua cultura, é a sua alma, enfim, que o levam a abraçar, neste grande momento histórico e através da imensidade do Atlântico, os destinos sagrados da França...

À pergunta sobre uma suposta germanização de Estados do Brasil meridional, a negação é taxativa:

Não é verdade, não. Efetivamente, a colônia alemã é importante nesses Estados e um fator do seu desenvolvimento econômico, mas aí, como em todo o país, vive [sic] intacta a consciência, o sentimento nacional. Não, pode desassombradamente declarar, os Estados a que se refere, felizmente, não estão germanizados.

E o Sr. acha que o Brasil deveria adotar uma política de povoamento baseada na seleção de raças, pergunta a repórter.

Não [responde rápido o entrevistado]. Entendo que devemos receber colonos de todas as raças, de todos os povos, mantendo assim as nossas tradições de liberalidade. Mas entendo também que o problema do povoamento se não impõe agora como uma das questões nacionais mais urgentes, mais inadiáveis. A nossa população é de vinte e cinco milhões e, por enquanto, essa chega-nos.

Então, retruca a jornalista, o que é que de urgente se impõe nesse momento?

Uma campanha, uma intensa propaganda para desenvolver o espírito de coesão nacional, [retorna Bilac]. Eu sei muito bem, estou intimamente convencido, que em cada brasileiro se encontra um ardente patriota, mas acho imperioso que se trabalhe para conseguir a unificação, a comunhão do ideal de nacionalidade.

E é exatamente para essa pregação que se prepara o visitante, que promete:

Logo que chegar ao Brasil, [fazer campanha] será o meu primeiro cuidado, a minha primeira atenção. Após 15 dias de repouso no Rio, seguirei para os Estados de Santa Catarina, do Paraná, do Rio Grande do Sul, a fim de dar início à minha missão.

Missão em que se incluem, necessariamente, ajunta ele, a difusão do ensino primário, a expansão do ensino profissionalizante e o serviço militar obrigatório, cuja função, por mais paradoxal que possa parecer, é exatamente a de evitar qualquer tipo de conflito, segundo seu raciocínio:

O ensino militar obrigatório impõe-se sob todos os aspectos e as suas conseqüências nunca poderão ser senão excelentes. A Argentina há cerca de vinte e cinco anos que o adotou e, desde então, na sua vida não se registra uma revolução, a mais pequena sublevação. Compreende-se que, tendo recebido igualmente todos os cidadãos o ensino militar, se receiem e se respeitem mutuamente.

Armado dessa argumentação pedagógica e castrense, Bilac entra numa Lisboa que, cerca de vinte dias antes, havia declarado guerra ao adversário alemão e que, portanto, estava ávida para ser confirmada, legitimada e reconhecida em sua beligerância, sobretudo se esse reconhecimento viesse de um intelectual, de um poeta da mesma língua e da mesma extração cultural. A fusão do político e do ideológico com o poético não poderia ter ocorrido em momento mais que adequado. No congraçamento dessas esferas, intercambiavam-se prestígios específicos, em benefício de ambos os lados, como bem se pode avaliar a partir desta nota da redação da revista *Atlântida*:

Durante a sua recente permanência em Lisboa, Olavo Bilac foi alvo das mais significativas homenagens de admiração e carinho por parte de todas as classes sociais. O chefe do Estado quis ter a honra de o sentar à sua mesa, oferecendo-lhe um jantar íntimo em que foram igualmente convivas algumas ilustres personalidades literárias e o diretor da *Atlântida*, dr. João de Barros. Domingo, 26 de março, realizou-se em honra do presidente da República uma grandiosa manifestação popular, a propósito da entrada de Portugal na guerra européia. O cortejo, composto de muitos milhares de pessoas, foi desfilar perante o edifício da câmara municipal, em cuja varanda estava o dr. Bernardino Machado, os membros do governo e os ministros das nações aliadas. Pouco antes, passara em frente do Avenida Palace e como a multidão descortinasse a uma das janelas Olavo Bilac, que presenciava o desfile, ergueram-se de todas as bocas, frementes de entusiasmo, vivas calorosos ao Brasil, à República irmã e ao seu grande poeta. Foram alguns minutos de inolvidável comoção. As salvas de palmas estrugiram, os chapéus e os lenços agitaram-se no ar, todos pararam voltados para Bilac surpreendido com aquela admirável demonstração de afeto à sua gloriosa pátria. O eminente lírico agradeceu profundamente sensibilizado, erguendo um Viva a Portugal.

No dia 28, três do jornais noturnos de Lisboa, *A Capital*, *O Século* e *A Opinião*, inseriam interessantes entrevistas com Olavo Bilac acerca da atitude do Brasil em face da presente situação internacional (13: 569-570).

Afora o Presidente da República, quem mais cercou, afagou, aplaudiu, incitou e endossou aquele homem de prestígio social e intelectual, solidamente plantado em seu país?

Quem mais adulou aquele poeta?, que ajudara a fundar a Academia Brasileira de Letras, em 1896; que assumira o lugar do cronista Machado na *Gazeta de Notícias*, em 1897; que, na qualidade de jornalista, fizera parte da comitiva do Presidente Campos Sales em sua visita à Argentina, em 1900; que fora apontado delegado brasileiro pela *Alliance Latine* de Paris, junto às festas de Renan, em 1903; que fora designado pelo Barão do Rio Branco, em 1906, para secretário da 3ª Conferência Pan-americana, realizada no Rio de Janeiro, durante a qual assessorou Joaquim Nabuco; que, no Rio, fora homenageado por banquete de admiradores, em 1907, quando suas *Poesias* iam completar vinte anos de edição; que, no ano seguinte, fora convidado pelo Prefeito do Rio de Janeiro, Sousa Aguiar, para orador oficial da inauguração do Teatro Municipal; que fora nomeado delegado brasileiro junto à 4ª Conferência Pan-americana, reunida em Buenos Aires, em 1910; que havia sido escolhido, de modo consagrador, "Príncipe dos Poetas Brasileiros", em concurso promovido pela *Fon-Fon*, em 1913.

Quem mais cercou e festejou aquele escritor reconhecido?, que, até aquele momento, era autor de diversos livros individuais ou em colaboração, como *Poesias* (1888), *Crônicas e Novelas* (1894), *Contos para Velhos* (1897, sob o pseudônimo de Bob), *Pimentões* (1897, com Guimarães Passos), *A Terra Fluminense* (1898, com Coelho Neto), *Lira Acaciana* (1900, com Alberto de Oliveira e Pedro Tavares Jr.), *Livro de Leitura* (1901, com Manuel Bonfim), *Crítica e Fantasia* (1904), *Contos Pátrios* (1904, com Coelho Neto), *Guide des États Unis du Brésil* (1904, com Guimarães Passos e Souza Bandeira), *Livro de Composição* (1904, com Manuel Bonfim), *Tratado de Versificação* (1904, com Guimarães Passos), *Poesias Infantis* (1904), *Teatro Infantil* (1905, com Coelho Neto), *Conferências Literárias* (1906), *Através do Brasil* (1910, com Manuel Bonfim), *A Pátria Brasileira* (1911, com Coelho Neto), para mencionar apenas uns poucos.

Que motivações recíprocas poderiam estar em curso durante aqueles dias, em Lisboa, quando Bilac foi recebido, de forma oficial, pela Academia de Ciências, foi homenageado pela *Revista Atlântida* e pronunciou conferência em pleno Teatro da República? Que motivos provocavam tantas comemorações, enfim?

Pelo visto, o reforço da lusitanidade e da latinidade, através da defesa do idioma, miolo, por sua vez, dos nacionalismos a galope, nos dois países.

A presença significativa de alguns nomes do círculo político, governamental e intelectual luso-brasileiro, bem como a leitura atenta dos vários discursos pronunciados durante as solenidades permitem essa conclusão, sem prejuízo de outras.

Depois de ouvir os discursos de recepção na Academia de Ciências de Lisboa, onde foi recebido na noite de 30 de março de 1916, a resposta de Bilac trilha-se pela defesa do tradicionalismo e do nacionalismo: "Sempre fui um tradicionalista, sem ser um retrógrado", admite ele, acrescentando: "Este meu tradicionalismo não é incompatível com o meu nacionalismo" (13: 571).

Avalista mor desse comportamento em que Bilac não enxerga discrepância é a figura avoenga de José Bonifácio de Andrade e Silva, explicitamente evocada. Segundo Bilac, José Bonifácio partira daquela mesma Casa lisboeta de letras e de ciências em 1819 para, poucos anos depois, tornar-se o Patriarca da Independência brasileira, sem que isso lhe arranhasse o prestígio pessoal, político e científico.

Na presença de figuras proeminentes como Cândido de Figueiredo, Júlio Dantas, João de Barros, Fidelino de Figueiredo, Edgar Prestage e João Lúcio de Azevedo, Bilac reitera seu nacionalismo aceso, por forte metaforização botânica, que não admite "plantas inferiores", de aparência parasitária, errática ou aérea como as algas, as aeróbias e as epífitas. No âmbito de sua imagética botânica, cabem apenas as "grandes e belas árvores, de longas e profundas raízes", que se aferram ao "mais remoto e secreto seio da terra, no âmago do solo consagrado pelos tempos, regado pelo suor, fecundado pelas lágrimas, lavrado pelo sacrifício de muitas gerações de trabalhadores" (13: 573). Logo depois desta afirmação, ao emparelhar a Academia com "bosques sagrados" (13: 573), o homenageado prolonga a metáfora, recua aos tempos helênicos e mais uma vez puxa à memória o século XVIII, como o fizera quando mencionara a formação intelectual de José Bonifácio, homem do Iluminismo e elemento de ligação entre Portugal e Brasil, na medida em que esse "nosso pró-homem não renegava a metrópole amamentadora do seu espírito" (13: 572). Com essas lembranças sussurrando no ouvinte, arma-se o quadro preferencial em que se aliam razão e sentimento, ciência e poesia, Europa e América, Grécia clássica e Iluminismo, século XVIII brasileiro e vontade de emancipação política, reverência e independência. Nada mau para quem se via recebido como cultor de poesia, da língua e da história.

O banquete que lhe ofereceu a *Atlântida*, na noite seguinte, foi o ápice.

Na notícia que a revista traz, em meados de abril, é de se notar que um "busto da República" presidia a sessão de 31 de março, como que injetando autoridade, prestígio nacional e institucional à cerimônia.

Rodeado por nomes como Henrique Lopes de Mendonça, presidente da Academia de Ciências de Lisboa e daquela sessão; Fernandes Costa, Ministro do Fomento; Major Pinto Maia, secretário geral da Presidência da República; Manuel Monteiro, presidente da Câmara dos Deputados e Pedro Martins, Ministro da Instrução, Bilac ouviu prolongados discursos nos quais a tônica era:

- O perigo que rondava a civilização contemporânea.

• O embate entre "o espírito nórdico, a um tempo nebuloso e duro, e o espírito meridional, luminoso e sutil" (13: 575).
• A superioridade latina sobre a barbárie germânica.
• A pujança da civilização greco-latina.
• A "imortalidade da nossa raça" (13: 576).
• A estreita vinculação familiar ou fraterna entre Portugal e Brasil.
• O desdobramento da cultura lusitana do outro lado do Atlântico.
• A garantia de sua continuidade americana.

A esses tópicos, ressaltados aqui e ali, em meio aos nove discursos, Bilac responde de forma extensa, fincando posição que esvazia bastante seu passado de poeta parnasiano e reconfigura esse espaço disponível com a defesa da língua como veículo eterno e imutável de expressão.

Depois de percorrer rapidamente o curso da literatura portuguesa, desde os trovadores até o naturalismo de seu adorado Eça e o lirismo de João de Deus ou de Guerra Junqueiro, curso do qual afasta, matreiro, o parnasianismo, o conferencista da noite insiste no enquadramento da sintaxe como fenômeno imutável da língua, mesmo que, eventualmente, ela se adorne "como as mulheres", que "vestidas com pureza e simplicidade, são enlevo para todos os olhos artistas e para todas as almas finas" (13: 595).

No seu modo de entender a veiculação da língua, a defesa intransigente da intimidade sintática do idioma evitaria sobressaltos mais amplos no momento em que estivessem "em jogo a existência e a liberdade, a honra e o futuro de todas as nacionalidades, disseminadas pela Europa e pela América, nascidas da antiga civilização do Mediterrâneo, irmanadas pela arte e pela filosofia, e ligadas pela afinidade dos idiomas brotados do tronco do Lácio" (13: 595).

Daí, por exemplo, afirmar de modo surpreendente para quem cultivara o parnasianismo com tanta paixão: "Nesta época, a arte pela arte seria uma monstruosidade moral" (13: 592).

Surpreendente, em termos, essa rejeição, no entanto. Surpreendente para quem não sabia que esse caminho vinha sendo preparado há algum tempo. Um ano, pelo menos, antes desse discurso, o "Parecer" que recomendava a candidatura de Olavo Bilac à Academia de Ciências de Lisboa já carregava nas tintas da defesa nacional por meio do idioma. Segundo a argumentação de quem o assinava, impunha-se o acolhimento a um candidato que tanto crescera diante de todos como defensor do idioma português e cujo "extremoso carinho filial" pelo "patrimônio idiomático, legado pelos pioneiros da Europa à terra maravilhosa de Santa Cruz" (73: 4), já ficara mais que demonstrado. Através de Bilac, reza o "Parecer", estaria garantida a sobrevivência da língua e, por extensão, a de Camões, poeta máximo da identidade lusitana. Menos que ao poeta brasileiro, portanto, que não precisava de quem o defendesse, defendia-se ao defensor da língua.

Quem argumenta nesse sentido é quem assina o "Parecer": Henrique Lopes de Mendonça, naquele momento o presidente da Academia de Ciências de Lisboa. Sua assinatura, persuasiva em si pelo cargo que ocupava, era ainda rodeada de outros nomes tão relevantes e consolidados quanto o seu.

Um alargamento explicativo do significado institucional e político desses nomes talvez ressaltasse melhor a relevância política e ideológica dessas relações de Bilac com o poder português daquele então. Porque, afinal de contas, não se pode tomar como desinteressada e inocente uma recomendação referendada por nomes como o de Teófilo Braga, A. Brancaamp Freyre, Júlio Dantas e Cândido de Figueiredo.

Aquela rejeição ao dogma parnasiano da "arte pela arte" não fora senão um momento propício para Bilac reafirmar sua combatividade nacionalista, agora ancorada sobre a defesa da integridade da língua que nos é comum. Defesa que se encaixava como luva nos interesses ideológicos dos dois lados do Atlântico português, quando – temia-se – o fantasma boche ameaçava a sobrevivência latina, fora das fronteiras portuguesas e dentro das brasileiras. Tanto que Bilac embarca para o Rio Grande do Sul, meses depois de encerrado esse circuito europeu, com o objetivo explícito de convocar os gaúchos para "a construção de uma imensa e gloriosa muralha circular, guardando o sagrado páramo, em que circula a nossa história" (27: 183).

Com a viagem ao extremo sul do Brasil, entre outubro e novembro de 1916, fechava-se o círculo atlântico que, ao norte, começara com as festas lisboetas, patrocinadas pela revista *Atlântida*, cujo ato de fundação apostava em "falar a mesma língua, representar a mesma lusitana estirpe, ter uma fórmula comum de civilização" (18: 73). Poucos anos depois, com a eclosão da Semana de Arte Moderna e seus desdobramentos, constata-se que a aposta não deu certo.

No entanto, sustentado pelo prestígio imenso que recolhera como poeta e como jornalista, Bilac arrematava agora fase nova, que o obrigara a suspender sua presença sistemática nos jornais desde 1908. Data desse ano seu afastamento gradativo dos jornais e da crônica, porque seu interesse evoluíra para a defesa das fronteiras nacionais e do serviço militar obrigatório. Acreditando-se autorizado pela carreira que traçara por meio de seus versos e de suas crônicas opinativas, Bilac trocava de tecla e preferia, de 1908 em diante, bater numa outra que, de modo geral, poderia ser chamada de nacionalista. Da defesa da sua cidade passara para a defesa do seu país.

Sua guinada final ainda não foi avaliada com a minúcia devida, tarefa que cabe aos historiadores. Talvez porque sua morte tenha ocorrido pouco antes da forte revitalização cultural que tomou conta do Brasil, a partir dos anos de 1920. Revitalização que incluiu, entre suas reivindicações prioritárias, algumas variantes desse mesmo nacionalismo[6].

6. Versão ligeiramente diferente desta já foi publicada em *Via Atlântica*, n. 2, 1999, revista do Programa de Literaturas Comparadas de Língua Portuguesa da FFLCH-USP.

Bibliografia Específica*

1. Abreu, Regina. *A Fabricação do Imortal. Memória, História e Estratégias de Consagração no Brasil.* Rio de Janeiro, Lapa-Rocco, 1996.
2. *Acta General.* Cuarta Conferencia Internacional Americana. Buenos Aires, Imprenta de la Cuarta Conferencia Internacional Americana, 1910.
3. *Álbum (O).* Rio de Janeiro, n. 13, ano 1, mar. 1893.
4. Almeida, Miguel Calmon du Pin e. "Exposição Nacional no Próximo Ano de 1908". *Kosmos*, Rio de Janeiro, jul. 1907.
5. Andrade, Rodrigo Melo Franco de. "Aproximação de Afonso Arinos". *Suplemento Literário de Minas Gerais.* n. 87, 27 abr. 1968.
6. Araújo, Laís Correa de (org.). *Sedução do Horizonte.* Belo Horizonte, Sistema Estadual de Planejamento/Fundação João Pinheiro/Centro de Estudos Históricos e Culturais, 1996.
7. Arinos, Afonso. *O Contratador dos Diamantes.* Drama em três atos e um quadro. Programa da peça. São Paulo, Seção de obras do *Estado de S. Paulo*, 1919.
8. ________. *Obra Completa.* Org. de Afrânio Coutinho. "O Sertanejo Afonso Arinos" por Afonso Arinos de Melo Franco. Rio de Janeiro, Instituto Nacional do Livro, 1968.
9. Assis, Machado de. *Obra Completa.* Org. de Afrânio Coutinho. Rio de Janeiro, José Aguilar, 1962, vol. 3.
10. ________. *A Semana. Crônicas 1892-1893.* Ed., introd. e notas de John Gledson. São Paulo, Hucitec, 1996.
11. ________. *Bons Dias!. Crônicas 1888-1889.* Ed., introd. e notas de John Gledson. São Paulo/Campinas, Hucitec/Ed. da Unicamp, 1990.
12. Ataíde, Tristão de. *Afonso Arinos.* Rio de Janeiro, Anuário do Brasil, 1922.
13. *Atlântida.* Lisboa, n. 6, 15 abr. 1916.
14. Azevedo, Aluísio. *O Touro Negro (Crônica e Epistolário).* 3. ed. São Paulo, Martins Editora, 1954.
15. *Autores & Livros.* Suplemento Literário de *A Manhã.* Rio de Janeiro, n. 20, 28 dez. 1941. (Número especial dedicado a O. B.).
16. Bandeira, Manuel & Andrade, Carlos Drummond de (orgs.). *Rio de Janeiro em Prosa & Verso.* Rio de Janeiro, José Olympio, 1965.
17. Barreto, Paulo. *Celebridades. Desejo.* Rio de Janeiro, Oficina Gráfica da Pátria Portuguesa e Lusitânia, 1932.
18. Barros, João de. *Presença do Brasil. Páginas Escolhidas (1912-1946).* Pref. de Ribeiro Couto. Lisboa/Rio de Janeiro, Livros do Brasil/Livros de Portugal, s.d.

* Nesta bibliografia, como sugere o próprio título, só entram as obras de uso imediato na organização dos ensaios.

19. BENCHIMOL, Jaime Larry. *Pereira Passos: Um Haussmann Tropical*. Rio de Janeiro, Prefeitura da Cidade do Rio de Janeiro/Secretaria Municipal de Cultura, Turismo e Esportes, 1992.
20. BILAC, Olavo. *Poesias*. 27. ed. São Paulo, Francisco Alves, 1961.
21. BILAC, Olavo. *Crônicas e Novelas*. Rio de Janeiro, Cunha & Irmão, 1894.
22. BILAC, Olavo. *Crítica e Fantasia*. Lisboa, Livraria Clássica Editora, 1904.
23. BILAC, Olavo & PASSOS, Guimarães. *Guide des États Unis du Brésil*. Rio de Janeiro, Imprimerie Altina, 1904.
24. BILAC, Olavo. *Conferências Literárias*. Rio de Janeiro, Francisco Alves, 1912.
25. BILAC, Olavo. *Ironia e Piedade*. Rio de Janeiro, Francisco Alves, 1916.
26. BILAC, Olavo. *A Defesa Nacional*. Rio de Janeiro, Edições da LDN, 1917.
27. BILAC, Olavo. *Últimas Conferências e Discursos*. Rio de Janeiro, Francisco Alves, 1927.
28. BILAC, Olavo & MALLET, Pardal. *O Esqueleto. Mistério da Casa de Bragança*. Estabelecimento do texto por André Bazzoni, Juliana Cosati e Norma Schipper. Ilustr. de Angelo Agostini. Apres. de Rachel Valença. Rio de Janeiro, Casa da Palavra, 2000.
29. *BOLETIM Comemorativo da Exposição Nacional de 1908*. Rio de Janeiro, Tipografia da Estatística, 1908.
30. BOSI, Alfredo. *História Concisa da Literatura Brasileira*. São Paulo, Cultrix, 1970.
31. *BRASIL y la Argentina (El). Confraternidad Sudamericana*. Buenos Aires, Imprenta, Litografía y Encuadernación de Jacobo Penser, 1901. (Álbum comemorativo da viagem).
32. BRITTO, Bugyja. *Itaíns* (*Uma Crítica à Obra de Bilac e Crônicas*). Rio de Janeiro, Folha Carioca Editora, 1967.
33. BROCA, Brito. *Raul Pompéia*. São Paulo, Melhoramentos, s.d.
34. __________. *A Vida Literária no Brasil – 1900*. 2. ed. rev. e aum. Rio de Janeiro, José Olympio, 1960.
35. __________. *Naturalistas, Parnasianos e Decadistas*. Org. de Luiz Dantas. Campinas, Ed. da Unicamp, 1991.
36. __________. *Horas de Leitura. Primeira e Segunda Séries*. Org. de Carlos E. O. Berriel Campinas, Ed. da Unicamp, 1992.
37. CAMINHA, Adolfo. *Cartas Literárias*. Rio de Janeiro, Tipografia Aldina, 1895.
38. CARVALHO, Afonso de. *Bilac: O Homem. O Poeta. O Patriota*. Rio de Janeiro, José Olympio, 1942.
39. CARVALHO, Domingos Sérgio. "Etnografia Brasileira. Os Indígenas Apiacás". *Kosmos*, Rio de Janeiro, mar. 1906.
40. CAVALCANTI, Holanda. *O Artista da Forma e da Belesa* [sic]. *Estudos sobre a Vida e Obra de Olavo Bilac*. Porto Alegre, Oficinas Gráficas da Escola de Enjenharia [sic] de Porto Alegre, 1925.
41. CHEVALIER, Jean & GHEERBRANT, Alain. *Dictionnaire des symboles*. Ed. rev. e aum. Paris, Robert Laffont, 1982.

42. Corvin, Michel (dir.). *Dictionnaire encyclopédique du théâtre*. Paris, Bordas, 1991.
43. *Crônica (A). O Gênero, Sua Fixação e Suas Transformações no Brasil*. Org. pelo Setor de Filologia da Fundação Casa de Rui Barbosa. Rio de Janeiro/Campinas, FCRB/Ed. da Unicamp, 1992.
44. Cunha, Ciro Vieira da. *No Tempo de Patrocínio*. São Paulo, Saraiva, 1960, vol. 1.
45. Cunha, Euclides da. *Os Sertões*. 25. ed. São Paulo, Francisco Alves, 1957.
46. Digeon, Claude. *La crise allemande de la pensée française (1870-1914)*. 2. ed. Paris, Presses Universitaires de France, 1992.
47. *Discursos Acadêmicos (1897-1919)*. Rio de Janeiro, Academia Brasileira de Letras, 1965, vol. 1.
48. Edmundo, Luiz. *O Rio de Janeiro do Meu Tempo*. 2. ed. Rio de Janeiro, Conquista, 1957, vol. 4.
49. Faro, Arnaldo. *Eça e o Brasil*. Pref. de Miécio Tati. São Paulo, Cia. Editora Nacional/ Edusp, 1977.
50. Fausto, Boris (dir.). *O Brasil Republicano. Estrutura do Poder e Economia (1889-1930)*. São Paulo, Difel, 1975, t. III, vol. 1.
51. ________ (dir.). *O Brasil Republicano. Sociedade e Instituições (1889-1930)*. São Paulo, Difel, 1978, t. III, vol. 2.
52. Freyre, Gilberto. *Região e Tradição*. Pref. de José Lins do Rego. Rio de Janeiro, José Olympio, 1941.
53. Galvão, Walnice Nogueira. *No Calor da Hora. A Guerra de Canudos nos Jornais. 4ª Expedição*. São Paulo, Ática, 1974.
54. ________ (org.). *Euclides da Cunha*. São Paulo, Ática, 1984.
55. Goncourt, Edmond & Jules de. *Journal. Mémoires de la vie littéraire. III – 1887-1896*. Paris, Robert Laffont, 1989.
56. Hallewell, Laurence. *O Livro no Brasil (Sua História)*. Trad. de Maria da Penha Villa-Lobos e Lólio Lourenço de Oliveira. São Paulo, T. A. Queiroz/Edusp, 1985.
57. Jorge, Fernando. *Vida e Poesia de Olavo Bilac*. Intr. de Menotti del Picchia. São Paulo, Livraria Exposição do Livro, s.d.
58. Laet, Carlos de. *Em Minas. Viagens. Literatura. Filosofia*. Rio de Janeiro, Cunha & Irmão, 1895.
59. Laffont-Bompiani. *Dictionnaire biographique des auteurs de tous les temps et de tous les pays*. Paris, Bouquins/Robert Laffont, 1980, vol. 4.
60. Lajolo, Marisa & Zilberman, Regina. *A Formação da Leitura no Brasil*. São Paulo, Ática, 1996.
61. Lima, Alceu de Amoroso (org.). *Olavo Bilac – Poesia*. 2. ed. Rio de Janeiro, Livraria Agir, 1959.
62. Lima, Oliveira. *Estudos Literários*. Org. de Barbosa Lima Sobrinho. Rio de Janeiro, Departamento de Imprensa Nacional/Academia Brasileira de Letras, 1975.
63. *Livro do Centenário (O)*. Rio de Janeiro, Imprensa Nacional, vol. 1, 1900.
64. Lyra, Heitor. *O Brasil na Vida de Eça de Queiroz*. Pref. de Maria D'Eça de Queiroz. Lisboa, Edição Livros do Brasil, 1965.

65. MACHADO, Roberto; LOUREIRO, Ângela; LUZ, Rogério & MURICY, Katia. *Danação da Norma: Medicina Social e Constituição da Psiquiatria no Brasil*. Rio de Janeiro, Graal, 1978.
66. MAGALHÃES Jr., Raymundo. *Olavo Bilac e Sua Época*. Rio de Janeiro, Ed. Americana, 1974.
67. MATOS, A. Campos (org. e coord.). *Dicionário de Eça de Queiroz*. 2. ed. rev. e aum. Lisboa, Caminho, 1988.
68. MÉROU, Martín García. *El Brasil Intelectual. Impresiones y Notas Literarias*. Buenos Aires, Félix Lajouane, 1900.
69. MINÉ, Elza. *Páginas Flutuantes. Eça de Queirós e o Jornalismo no Século XIX*. São Paulo, Ateliê Editorial/Instituto Camões, 2000.
70. MOTTA FILHO, Cândido. *A Vida de Eduardo Prado*. Rio de Janeiro, José Olympio, 1967.
71. PACHECO, Félix. *Ferreira de Araújo*. 2. ed. Rio de Janeiro, Tipografia do Jornal do Comércio, 1933.
72. PALLARES-BURKE, Maria Lúcia G. "The Spectator". In: *O Século das Luzes. Diálogo e Imprensa no Século XVIII*. São Paulo, Hucitec, 1995.
73. *PARECER*. Ms. que recomenda Olavo Bilac à Academia de Ciências de Lisboa, datado de 3 jun. 1915. Arquivos da Academia de Ciências de Lisboa.
74. PESAVENTO, Sandra Jatahy. *Exposições Universais. Espetáculos da Modernidade do Século XIX*. São Paulo, Hucitec, 1997.
75. PONTES, Eloy. *A Vida Inquieta de Raul Pompéia*. Rio de Janeiro, José Olympio, 1935.
76. ________. *A Vida Exuberante de Olavo Bilac*. Rio de Janeiro, José Olympio, 1944, vol 1.
77. ________. *A Vida Exuberante de Olavo Bilac*. Rio de Janeiro, José Olympio, 1944, vol. 2.
78. REIS, Irene Monteiro (org.). *Bibliografia de Euclides da Cunha*. Rio de Janeiro, Ministério da Educação e Cultura/Instituto Nacional do Livro, 1971.
79. *REVISTA da Academia Brasileira de Letras*. Vol. 39, n. 125, maio 1932.
80. *REVISTA da Academia Brasileira de Letras*. Vol. 39, n. 126, jun. 1932.
81. *REVISTA da Academia Brasileira de Letras*. Vol. 39, n. 127, jul. 1932.
82. *REVISTA da Academia Brasileira de Letras*. Vol. 39, n. 128, ago. 1932.
83. RUFFINELLI, Jorge. *La Revista* Caras y Caretas. Buenos Aires, Galerna, 1968.
84. SENA, Ernesto. *O Velho Comércio do Rio de Janeiro*. Rio de Janeiro, Livraria Garnier, s.d.
85. SÓCRATES, Eduardo. "Recordações de Viagem". *Kosmos*, Rio de Janeiro, jul. 1908.
86. SODRÉ, Nélson Werneck. *A História da Imprensa no Brasil*. Rio de Janeiro, Civilização Brasileira, 1966.
87. SOUSA, J. Galante de. *Machado de Assis e Outros Estudos*. Rio de Janeiro/Brasília, Cátedra/INL, 1979.
88. *SUPLEMENTO Literário* de *O Estado de S. Paulo*. São Paulo, n. 459, 18 dez. 1965.
89. THIOLLIER, René. *Episódios de Minha Vida*. São Paulo, Editora Anhembi, 1956.

90. Vasconcelos, Diogo de. *História Antiga das Minas Gerais*. Belo Horizonte, Imprensa Oficial de Minas Gerais, 1904.
91. ________. *História Antiga das Minas Gerais*. Pref. de Francisco Iglésias. Intr. de Basílio de Magalhães. 4. ed. Belo Horizonte, Itatiaia, 1974.
92. Veríssimo, José. "A Imprensa". In: *O Livro do Centenário (1500-1900)*. Rio de Janeiro, Imprensa Nacional, 1900, vol. 1.
93. ________. *Estudos de Literatura Brasileira. 1ª Série*. Intr. de João Alexandre Barbosa. Belo Horizonte/São Paulo, Itatiaia/Edusp, 1976.
94. Wright, Marie Robinson. *The Brazilian National Exposition of 1908*. Filadélfia, George Barrie & Sons, 1908.
95. X – "A Exposição Nacional de 1908". *Kosmos*, Rio de Janeiro, mar. 1908.

Depois de apresentado este trabalho a uma banca da FFLCH-USP, em dezembro de 2000, foi defendido um doutoramento no Instituto de Letras, História e Psicologia da Unesp-Assis, em 2001, da autoria de Álvaro Santos Simões Jr., sobre a poesia satírica de Olavo Bilac, intitulado *A Sátira do Parnaso*. Sua leitura foi valiosa para a revisão deste texto.

Bibliografia Geral*

Aguiar, Flávio; Meihy, José Carlos S. B. & Vasconcelos, Sandra G. T. *Gêneros de Fronteira. Cruzamentos entre o Histórico e o Literário.* São Paulo, Xamã/Centro Ángel Rama, 1997.

Anais da Biblioteca Nacional. Catálogo de Jornais e Revistas do Rio de Janeiro (1808-1899) existentes na Biblioteca Nacional. Edição fac-similar. Rio de Janeiro, Biblioteca Nacional, 1981, vol. 85. (Apres. de Plínio Doyle).

Andrade, Carlos Drummond de. "Ano Novo: Minhocas". *Jornal do Brasil,* Rio de Janeiro, 3 jan. 1976.

________. "O Cronista da Ambigüidade". *Jornal da Tarde,* São Paulo, 8 maio 1981.

________. "Ciao". *O Estado de S. Paulo,* São Paulo, 19 ago. 1987.

Arrigucci Jr., Davi. *Enigma e Comentário. Ensaios sobre Literatura e Experiência.* São Paulo, Companhia das Letras, 1987.

Azevedo, Célia M. Marinho de. *Onda Negra. Medo Branco. O Negro no Imaginário das Elites. Século XIX.* Rio de Janeiro, Paz e Terra, 1987.

Azevedo, Fernando de. *Ensaios.* São Paulo, Melhoramentos, 1929.

________. *A Cultura Brasileira. Introdução ao Estudo da Cultura no Brasil.* 4. ed. Brasília, Universidade de Brasília, 1963.

Azevedo, Vicente de Paula. *A Bela Época do Cinema Brasileiro.* São Paulo, Perspectiva, 1976.

Bandeira, Moniz. *Presença dos Estados Unidos no Brasil. Dois Séculos de História.* Rio de Janeiro, Civilização Brasileira, 1973.

Barbosa, João Alexandre. *A Tradição do Impasse.* São Paulo, Ática, 1974.

Barbosa, Rita de Cássia. "Carlos Drummond de Andrade: O Homem de Jornal". *O Estado de S. Paulo,* São Paulo, 2 dez. 1979.

________. "Apenas Catador de Minhocas?". *Leia Livros,* São Paulo, out.-nov. 1982.

Bello, José M. *Estudos Críticos.* Rio de Janeiro, Jacinto Ribeiro dos Santos, 1917.

________. *História da República. 1889-1954.* 7. ed. São Paulo, Cia. Editora Nacional, 1976.

Boletim Bibliográfico Biblioteca Mário de Andrade. Vol. 46, n. 1-4, jan.-dez. 1985 (Número especial dedicado à crônica).

Boletim do Diretório Central da Liga da Defesa Nacional. Rio de Janeiro, n. 39, jan. 1966.

Braga, Rubem. "Sobre o Ofício de Cronista". *Manchete,* Rio de Janeiro, 10 out. 1964.

Brandão, Otávio. *Os Intelectuais Progressistas.* Rio de Janeiro, Simões, 1956.

Bruno, Haroldo. *Estudos de Literatura Brasileira.* 2. série. Rio de Janeiro, Editora Leitura, 1966.

* Nesta bibliografia entram os títulos que serviram de referência geral para a composição deste trabalho como um todo.

BURNS, E. Bradford. *The Unwritten Alliance. Rio Branco and the Brazilian-American Relations*. New York, Columbia University Press, 1966.

CAMPOS, C. "Algumas Observações Estilísticas sobre a Moderna Crônica Brasileira". *Revista de Portugal*, Série Língua Portuguesa. n. 223, vol. 29, mar. 1964.

CANDIDO, Antonio. "A Vida ao Rés-do-chão". In: *Para Gostar de Ler*. São Paulo, Ática, 1980.

CARONE, Edgard. *A República Velha. Instituições e Classes Sociais*. 2. ed. São Paulo, Difel, 1970.

____________. *A República Velha. Evolução Política*. 3. ed. São Paulo, Difel, 1971.

____________. *A Primeira República. Texto e Contexto*. 3. ed. São Paulo, Difel, 1976.

____________. *Movimento Operário no Brasil. 1877-1944*. 2. ed. São Paulo, Difel, 1984.

CARPEAUX, Otto Maria. *Pequena Bibliografia Crítica da Literatura Brasileira*. 3. ed. rev. e aum. Rio de Janeiro, Letras e Artes, 1964.

CARS, Jean des. *Haussmann. La gloire du Second Empire*. Paris, Librairie Académique Perrin, 1979.

CARS, Jean des & PINON, Pierre. *Paris. Haussmann. Le Pari d'Haussmann*. Paris, Édition du Pavillion de l'Arsenal-Picard Éditeur, 1991.

CARVALHO, José Murilo de. *Os Bestializados. O Rio de Janeiro e a República que Não Foi*. 2. ed. São Paulo, Companhia das Letras, 1987.

CASTELLO, José Aderaldo. *Método e Interpretação*. São Paulo, Conselho Estadual de Cultura – Comissão de Literatura, 1965.

CAVALCÂNTI, Paulo. *Eça de Queirós, Agitador do Brasil*. São Paulo, Cia. Editora Nacional, 1959.

CHACON, Vamireh. *História das Idéias Socialistas no Brasil*. Rio de Janeiro, Civilização Brasileira, 1965.

CHALHOUB, Sidney. *Trabalho, Lar e Botequim. O Cotidiano dos Trabalhadores no Rio de Janeiro da Belle Époque*. São Paulo, Brasiliense, 1986.

COELHO Neto. *A Conquista*. 3. ed. Porto, Chardron, 1921.

____________. *A Capital Federal*. 5. ed. Porto, Chardron, 1924.

____________. *Fogo Fátuo*. Porto, Chardron, 1929.

COSTA, Cruz. *Contribuição à História das Idéias no Brasil*. 2. ed. Rio de Janeiro, Civilização Brasileira, 1967.

COSTA, Emília Viotti da. *Da Monarquia à República: Momentos Decisivos*. 2. ed. São Paulo, Ed. Ciências Humanas, 1979.

COSTA, Jacinto do Prado (org.). *Dicionário das Literaturas Portuguesa, Brasileira e Galega*. Porto, Figueirinhas, 1960.

COSTA, Luís Carlos. *A Crônica e a Linguagem em Carlos Drummond de Andrade*. São Paulo, FFLCH-USP, 1988 (Tese de doutorado).

COUTINHO, Afrânio (org.). *A Literatura no Brasil*. 2. ed. Rio de Janeiro, Sul Americana, 1969, vols. 3, 4 e 6.

DENNIS, Ronald D. *Brazilian Literary Nationalism Among the Critics, 1870-1900*. University of Wisconsin, 1972 (Tese de doutorado).

DIMAS, Antonio. "Ambigüidade da Crônica: Literatura ou Jornalismo?". *Littera*, Rio de Janeiro, n. 12, ano 4, set.-dez. 1974.

__________. *Tempos Eufóricos (Análise de* Kosmos*: 1904-1909)*. São Paulo, Ática, 1983.

__________. "A Crônica de Carlos Drummond de Andrade". In: FREDERICK WILLIAMS & SERGIO PACHÁ (eds.). *Carlos Drummond de Andrade and His Generation*, University of California, Bandanna Books, 1986 (Colóquio realizado na Universidade da Califórnia, Santa Bárbara, em 1981).

__________ (org.). *Vossa Insolência*. São Paulo, Companhia das Letras, 1996 (Coleção "Raízes do Brasil", vol. 6).

EDMUNDO, Luiz. *O Rio de Janeiro do Meu Tempo*. 2. ed. Rio de Janeiro, Conquista, 1957, 5 vols.

FALCÃO, Edgard de C. *Oswaldo Cruz Monumenta Historica. A Incompreensão de uma Época*. São Paulo, 1971, s.n., t. 1.

FANTINATI, Carlos E. *O Profeta e o Escrivão. Estudo sobre Lima Barreto*. Assis, Ilpha-Hucitec, 1978.

FARIA, Gentil L. de. *Oscar Wilde no Brasil (Contribuição aos Estudos da Belle Époque no Brasil)*. São Paulo, FFLCH-USP, 1976 (Tese de doutorado).

FLEIUSS, Max. *Recordando... (Casos e Perfis)*. Rio de Janeiro, Imprensa Nacional, 1941. (Separata do Instituto Histórico e Geográfico Brasileiro).

FONSECA, Gondim da. *Biografia do Jornalismo Carioca*. Rio de Janeiro, Quaresma, 1941.

FRANCO, Afonso Arinos de Melo. *Rodrigues Alves. Apogeu e Declínio do Presidencialismo*. Rio de Janeiro/São Paulo, José Olympio/Edusp, 1973, 2 vols.

FREITAS, Afonso A. de. *A Imprensa Periódica de São Paulo*. Número especial da *Revista do IHGB* de São Paulo, São Paulo, Tip. do Diário Oficial, 1915, vol. 19.

FURTADO, Celso. *Formação Econômica do Brasil*. 11. ed. São Paulo, Cia. Editora Nacional, 1969.

GERSEN, Bernardo. "Grandeza e Miséria da Crônica ou...". *Diário de Notícias*, Rio de Janeiro, 14 jul. 1957.

GOMES, Eugênio (org.). *Machado de Assis*. 2. ed. Rio de Janeiro, Agir, 1972 (Crônicas).

GONZÁLEZ, Anibal. *La Crónica Modernista Hispanoamericana*. Madri, José Porrúa, 1983.

GRAHAN, Richard. *A Grã-Bretanha e o Início da Modernização no Brasil*. São Paulo, Brasiliense, 1973.

GRIECO, Agripino. *Machado de Assis*. Rio de Janeiro, José Olympio, 1959.

HOWER, Alfred & PRETO-RODAS, Ricardo. *Crônicas Brasileiras*. 6. ed. Gainesville, University of Florida Press, 1980.

IGLÉSIAS, Francisco. *História e Ideologia*. São Paulo, Perspectiva, 1971.

LAMEYRE, Gerard. *Haussmann Préfet de Paris*. Paris, Flammarion, 1958.

LIMA, Herman. *História da Caricatura no Brasil*. Rio de Janeiro, José Olympio, 1963, 4 vols.

LINS, Ivan. *História do Positivismo no Brasil*. São Paulo, Cia. Editora Nacional, 1964.

LOPEZ, Telê P. A. *Táxi e Crônicas no* "Diário Nacional". São Paulo, Duas Cidades, 1976.

MACHADO Neto, A. L. *Estrutura Social da República das Letras*. São Paulo, Grijalbo/Edusp, 1973.

MACHADO Filho, Ayres da Mata. *Estudos de Literatura*. São Paulo, Urupês/Edinal, 1969.

MAGALHÃES, Valentim. *Escritores e Escritos*. 2 ed. Rio de Janeiro, Domingos de Magalhães, 1894.

____________. *A Literatura Brasileira*. Lisboa, Antônio Maria Pereira, 1896.

MARSON, Adalberto. *A Ideologia Nacionalista em Alberto Torres*. São Paulo, Duas Cidades, 1979.

MARTINS, Luís. *Homens e Livros*. São Paulo, CEC-CL, 1962.

____________ (org.). *João do Rio. Uma Antologia*. Rio de Janeiro, Sabiá/INL, 1971.

____________. *Do Folhetim à Crônica*. São Paulo, CEC-CL, 1972.

____________. "Sobre a Crônica". Suplemento Cultural de *O Estado de S. Paulo*, 11 jun. 1978.

MARTINS, Sylvia Jorge de A. "A Crônica Brasileira". *Stylos*, São José do Rio Preto, Ibilce/Unesp, 1980.

____________. "Comunicação Atualizada na Linguagem das Crônicas...". *Alfa*, São Paulo, 1980.

____________. "Drummond e a Linguagem da Crônica". *Stylos*, São José do Rio Preto, Ibilce/Unesp, 1981.

____________. "Na Trilha do Cronista". *Stylos*, São José do Rio Preto, Ibilce/Unesp, 1988.

MARTINS, Wilson. *História da Inteligência Brasileira*. São Paulo, Cultrix/Edusp, 1978, vols. 4, 5 e 6.

MAUL, Carlos. *O Rio da Bela Época*. Rio de Janeiro, São José, 1967.

MEDINA, Cremilda. *Notícia: Um Produto à Venda*. São Paulo, Alfa-Ômega, 1978.

MELO, Mário Vieira de. *Desenvolvimento e Cultura. O Problema do Estetismo no Brasil*. São Paulo, Cia. Editora Nacional, 1963.

MERCADANTE, Paulo. *A Consciência Conservadora no Brasil*. Rio de Janeiro, Saga, 1965.

MERQUIOR, José Guilherme. *De Anchieta a Euclides. Breve História da Literatura Brasileira. I*. Rio de Janeiro, José Olympio, 1977.

MEYER, Marlyse. "Folhetim para Almanaque ou Rocambole, a Ilíada do Realejo". *Almanaque*. São Paulo, Brasiliense, 1982.

MICELI, Sergio. *Poder, Sexo e Letras na República Velha*. São Paulo, Perspectiva, 1977.

MOACIR, Primitivo. *A Instrução e a República*. Rio de Janeiro, Civilização Brasileira, 1941, 2 vols.

MOISÉS, Massaud. "Da Crônica". Suplemento Cultural de *O Estado de S. Paulo*, 2 jan. 1977.

____________. *História da Literatura Brasileira. Romantismo. Realismo*. São Paulo, Cultrix/ Edusp, 1984, vol. 2.

____________ & PAES, José Paulo. *Pequeno Dicionário da Literatura Brasileira*. 2. ed. rev. e ampl. São Paulo, Cultrix, 1980.

MONTEIRO, Tobias. *O Presidente Campos Sales na Europa*. Belo Horizonte/São Paulo, Itatiaia/Edusp, 1983.

MORAES, Vinicius de. "O Exercício da Crônica". In: ____________. *Para Viver um Grande Amor*. Rio de Janeiro, Sabiá, 1968.

NEEDELL, Jeffrey D. *A Tropical Belle Époque. Culture Elite and Society in Turn-of-the-Century Rio de Janeiro*. Cambridge, Cambridge University Press, 1987.

NEVES, Fernão. *A Academia Brasileira de Letras. Notas e Documentos para a Sua História (1896-1940)*. Pref. de Afrânio Peixoto. Rio de Janeiro, Academia Brasileira de Letras, 1940.

Otávio, Rodrigo. *Minhas Memórias dos Outros*. Rio de Janeiro, José Olympio, 1934, 3 vols.

Pacheco, João. *O Realismo (1870-1900)*. São Paulo, Cultrix, 1963, vol. 3.

Periódicos Brasileiros em Microformas. Catálogo coletivo. Rio de Janeiro, Biblioteca Nacional, 1985.

Pesavento, Sandra Jatahy. *O Imaginário da Cidade. Visões do Urbano. Paris. Rio de Janeiro. Porto Alegre*. Porto Alegre, Editora da UFRGS, 1999.

Portella, Eduardo. "Até onde a Crônica é Literatura?". *Jornal do Comércio*, Rio de Janeiro, 13 jan. 1968.

Prado, A. Arnoni. *Lima Barreto: O Crítico e a Crise*. Rio de Janeiro, Cátedra/INL, 1976.

__________ (org.). *Libertários no Brasil. Memórias. Luta. Cultura*. São Paulo, Brasiliense, 1986.

Prado Jr., Caio. *História Econômica do Brasil*. 17. ed. São Paulo, Brasiliense, 1974.

Rama, Ángel. *A Cidade das Letras*. São Paulo, Brasiliense, 1985.

Rebelo, Gílson. "Crônica, Gênero em Transformação". *O Estado de S. Paulo*, 30 set. 1984.

Reis, Antônio Simões dos. *Pseudônimos Brasileiros*. Rio de Janeiro, Zélio Valverde, 1941.

Reis Filho, Nestor G. *Quadro da Arquitetura no Brasil*. São Paulo, Perspectiva, 1970.

Renault, Delso. *A Vida Brasileira no Final do Século xix. Visão Sócio-cultural e Política de 1890 a 1901*. Rio de Janeiro, José Olympio/INL, 1987.

Ribeiro Filho, J. S. *Dicionário Bibliográfico de Escritores Cariocas (1565-1955)*. Rio de Janeiro, Brasiliana, 1965.

Rio, João do. *O Momento Literário*. Rio de Janeiro, Garnier, s.d.

Romero, Sílvio. *História da Literatura Brasileira*. 5. ed. Rio de Janeiro, José Olympio, 1953, 5 vols.

Sá, Jorge de. *A Crônica*. São Paulo, Ática, 1985.

Saes, Décio. "O Civilismo das Camadas Médias Urbanas na Primeira República Brasileira (1889-1930)". *Cadernos do IFCH*, n. 1, Unicamp, 1973.

Salgueiro, Eliana. "Revisando Haussmann". *Revista USP*, n. 26, jun.-jul.-ago. 1995.

Scalzo, Nilo. "A Autenticidade da Obra Múltipla e Variada do Cronista". *O Estado de S. Paulo*, 28 nov. 1982.

Schwarcz, Lilia M. *O Espetáculo das Raças. Cientistas, Instituições e Questão Racial no Brasil, 1870-1930*. São Paulo, Companhia das Letras, 1993.

Sevcenko, Nicolau. *Literatura como Missão. Tensões Sociais e Criação Cultural na Primeira República*. São Paulo, Brasiliense, 1983.

__________. "O Cosmopolitismo Pacifista da Belle Époque. Uma Utopia Liberal". *Revista de História*, n. 114, São Paulo, 1983.

Simões Jr., Álvaro Santos. *A Sátira do Parnaso*. Assis, Unesp, 2001 (Tese de doutorado).

Simões, João Gaspar. *Vida e Obra de Eça de Queirós*. 2. ed. rev. Lisboa, Bertrand, 1972.

Skidmore, Thomas E. "Brazil's Search for Identity in the Old Republic". In Sayers, R. (ed.). *Portugal and Brazil in Transition*. Minneapolis, University of Minnesota Press, 1968.

__________. *Black into White*. New York, Oxford University Press, 1974.

SOARES, Carlos Eugênio L. *A Negregada Instituição. As Capoeiras no Rio de Janeiro.* Rio de Janeiro, Serviço Municipal de Cultura, 1994.

SOBRE o Pré-Modernismo. Rio de Janeiro, Fundação Casa de Rui Barbosa, 1988.

SODRÉ, Nélson W. *Formação Histórica do Brasil.* 2. ed. São Paulo, Brasiliense, 1963.

__________. *História da Literatura Brasileira. Seus Fundamentos Econômicos.* 4. ed. Rio de Janeiro, Civilização Brasileira, 1964.

SOMBART, Werner. *El Burgués. Contribución a la Historia Espiritual del Hombre Económico Moderno.* Madri, Alianza Editorial, 1972.

SUSSEKIND, Flora. *Cinematógrafo das Letras. Literatura, Técnica e Modernização no Brasil.* São Paulo, Companhia das Letras, 1987.

VENTURA, Roberto. *Estilo Tropical.* São Paulo, Companhia das Letras, 1991.

VERÍSSIMO, José. *História da Literatura Brasileira.* 5. ed. Rio de Janeiro, José Olympio, 1969.

VÍTOR, Nestor. *Obra Crítica de...* Org. por Andrade Muricy. Rio de Janeiro, Casa de Rui Barbosa, 1969, vol. 1.

WHITE, Hayden. *Metahistory. The Historical Imagination in 19th Century Europe.* 5. ed. Baltimore & Londres, The Johns Hopkins University Press, 1985.

__________. *Tropics of Discourse. Essays in Cultural Criticism.* 3. ed. Baltimore & Londres, The Johns Hopkins University Press, 1987.

Título	*Bilac, o Jornalista: Ensaios*
Autor	Antonio Dimas
Produção Editorial	Marcelo Masuchi Neto
Projeto Gráfico da Capa e do Box	Marcelo Masuchi Neto
Projeto Gráfico do Miolo	Andrea Yanaguita
Caricatura de Olavo Bilac da Página 1	Loredano
Editoração Eletrônica	Marcelo Masuchi Neto
Editoração de Texto	Alice Kyoko Miyashiro
Revisão de Texto e de Provas	Antonio Dimas
	Alice Kyoko Miyashiro
	Fabiane Rodrigues Zorn
	Fábio Duarte Joly
	Maurício Katayama
	William Alex Braz
Divulgação	Regina Brandão
	Bárbara Borges
	Jamila Venturini
Secretaria Editorial	Eliane dos Santos
Formato	16 x 23 cm
Tipologia	Palatino
Papel	Cartão Supremo 250 g/m² (capa)
	Offset linha d'água 75 g/m² (miolo)
Número de Páginas	200
Tiragem	3000
CTP, Impressão e Acabamento	imprensaoficial

ctp, impressão e acabamento
imprensaoficial
Rua da Mooca, 1921 São Paulo SP
Fones: 6099-9800 - 0800 123401
www.imprensaoficial.com.br